Handbuch der europäischen Integration

Strategie – Struktur – Politik der Europäischen Union

2., vollkommen neu bearbeitete und ergänzte Auflage

herausgegeben von

Dr. Moritz Röttinger
L.S.D.E. (ULB)
Generalsekretär
der European Vending Association, Brüssel,
Lektor an den Universitäten Wien und
Saarbrücken

und

Dr. Claudia Weyringer
Leiterin des Euro Info Centers der
Wirtschaftskammer Steiermark,
Graz

verfaßt von 46 internationalen EU-Experten

Wien 1996

Manzsche Verlags- und Universitätsbuchhandlung, Wien
Bundesanzeiger Verlagsges. m. b. H., Köln
Verlag Stämpfli + Cie AG, Bern

Zitiervorschlag:

Grunwald, Die EG als Rechtsgemeinschaft, in *Röttinger/Weyringer* (Hrsg), Handbuch der europäischen Integration[2] (1996) [Seite]

Die Deutsche Bibliothek – CIP-Einheitsaufnahme

Handbuch der europäischen Integration : Strategie – Struktur – Politik der Europäischen Union / hrsg. von Moritz Röttinger und Claudia Weyringer. Bearb. von 46 internat. EU-Experten. – 2., neu bearb. Aufl. – Wien : Manz ; Köln : Bundesanzeiger ; Bern : Stämpfli, 1996
ISBN 3-88784-672-9 (Bundesanzeiger) kart.
ISBN 3-214-05991-2 (Manz) kart.
ISBN 3-7272-9621-6 (Stämpfli) kart.
NE: Röttinger, Moritz [Hrsg.]

Printed in Austria

Satzherstellung und Druck: MANZ, Wien 5

Umschlaggestaltung: Doris Forsthuber

Vorwort der Herausgeber zur 2. Auflage

Seit dem Erscheinen der ersten Auflage ist eine an Ereignissen besonders reichhaltige Zeit vergangen. Die europäische Integration erreichte mit dem Vertrag von Maastricht eine neue inhaltliche Dimension. Mit dem Abschluß des Vertrags über einen europäischen Wirtschaftsraum (EWR) und dem Beitritt Österreichs, Finnlands und Schwedens am 1. Jänner 1995 sowie mit der zunehmenden Zahl von Europaabkommen mit den Reformstaaten Osteuropas fand auch eine räumliche Erweiterung der Integration statt. Die Ära *Jacques Delors'*, eines Visionärs im besten Sinne, ohne den die Vollendung des Binnenmarktes und die Stellung, die die Europäische Union nun in der internationalen Politik einnimmt, nur schwer vorstellbar ist, ging zu Ende. Neue Herausforderungen warten auf die Europäische Union in den nächsten Jahren, was zu kaum weniger zahlreichen und bedeutenden Schritten im Bereich der europäischen Integration führen wird: Die Regierungskonferenz 1996 mit der sich daran anschließenden Änderung des Unionsvertrages, die Notwendigkeit der Stärkung der zweiten und dritten Säule (gemeinsame Außen- und Sicherheitspolitik sowie Zusammenarbeit in den Bereichen Justiz und Inneres), die Beseitigung noch bestehender Handelshemmnisse und Wettbewerbsverzerrungen, eine mögliche Reform der Institutionen, die weitere Implementierung des leidigen Subsidiaritätsprinzips in der Praxis, die mögliche Osterweiterung, . . .

Unser „Handbuch der europäischen Integration" hat sich in den vergangenen Jahren zu unserer Freude in vielfältiger Weise bei Wissenschaftlern, Praktikern, Universitäten und öffentlichen Institutionen bewährt. Was im Vorwort zur ersten Auflage gesagt wurde, gilt im gleichen Maße auch für diese zweite Auflage: „Die EG als unbekanntes Wesen darf es in Zukunft nicht mehr geben." Zu Recht stellen die Einwohner der Mitgliedstaaten der Europäischen Union an deren Institutionen und an die nationalen Regierungen den Anspruch auf mehr Transparenz und bessere Informationen. Dazu soll auch dieses Buch verstärkt beitragen. Denn die Einbindung der Bevölkerung wird immer wichtiger, und eine weitere Integration Europas ist nur gemeinsam mit allen Menschen und dem festen Willen der Bevölkerung dafür zu erreichen. Es gilt immer noch das, was *Winston Churchill* in seiner berühmten Rede in Zürich am 19. September 1946 sagte: „Was wir benötigen, ist der Entschluß von Hunderten Millionen Männern und Frauen, Recht statt Unrecht zu tun und als Lohn Segen statt Fluch zu ernten. . . . Um dies zu erreichen, bedarf es eines Glaubensaktes, an dem sich Millionen von Familien, die viele Sprachen sprechen, bewußt beteiligen müssen . . . Ist dies ihr Wunsch, so müssen sie es nur sagen, und gewiß finden sich Mittel und Wege, um diesen Wunsch Wirklichkeit werden zu lassen!"

Wir Herausgeber sind von der Notwendigkeit eines gemeinsamen Europa und einer starken Europäischen Union überzeugt. Es geht heute nicht mehr um die Frage „nationale Identität oder europäischer Einheitsbrei". In diesem Sinne teilen wir *Delors'* Aussage in Straßburg am 17. Jänner 1989: „Europa wird pluralistisch sein oder es wird nicht sein; Europa wird europäisch sein oder es wird nicht sein.“ Der Schaffung eines Europa, in dem wir uns alle wohlfühlen, haben wir uns verschrieben: „L'Europe sera ouverte, mais pas offerte.“[1]) (*Jacques Delors* am 17. Jänner 1989 in Straßburg).

In diesem Sinne gilt unser Dank in besonderem Maße den Autoren, die es dankenswerterweise wieder übernommen haben, neben ihrer großen Arbeitsbelastung aus der Praxis der Gemeinschaftsorganisationen ein realistisches Bild der Gemeinschaft zu geben. Wie schon bei der ersten Auflage haben wir sie auch diesmal nach ihrer praktischen Erfahrung, ihrem Spezialwissen und ihrer Kompetenz ausgewählt und haben bewußt auf allzu theoretische Abhandlungen verzichtet. Den Autoren, die ausgeschieden sind, danken wir für ihre Arbeit an der ersten Auflage, die Autoren, die neu hinzugekommen sind, begrüßen wir sehr herzlich.

Die Autoren schreiben bewußt aus der Sicht des unabhängigen „Eurokraten“. Alles, was sie schreiben, ist ihre persönliche Ansicht, sie waren frei von jedem Zwang einer „Hofberichterstattung“. Diese relativ objektive, wenngleich persönlich geprägte Betrachtungsweise soll wesentlich zur Klarheit und Offenheit beitragen. Die wissenschaftliche Verantwortung liegt bei den einzelnen Autoren; wir Herausgeber haben uns darauf beschränkt, für einen möglichst einheitlichen Stil und die Querverweise zu sorgen, und waren von dem Bestreben geleitet, nicht eine Sammlung von nebeneinander stehenden Einzelbeiträgen, sondern ein harmonisches Ganzes vorzulegen.

Der Zielsetzung dieses Buches entsprechend wird auch in der zweiten Auflage der Leser keinen Beitrag zur Stellung Österreichs in der Europäischen Union finden; darüber ist schon viel geschrieben worden. Doch die Gemeinschaft bzw die Europäische Union als solche, scheint uns in vielen Bereichen immer noch viel zu unbekannt zu sein. Die verschiedenen Facetten der Gemeinschaft, ihre Arbeitsbereiche, Probleme, politischen, wirtschaftlichen und kulturellen Aspekte sind so zahlreich, daß es schwierig ist, alles in ausreichendem Maße zu berücksichtigen. Wir wollen und können daher auch nicht den Anspruch auf Vollständigkeit und umfassende Erschöpfung des weiten Themas erheben, haben aber gleichwohl danach getrachtet, keinen wichtigen Bereich außer Acht zu lassen.

Alle Abschnitte dieses Buches wurden grundlegend überarbeitet, aktualisiert und großteils neu geschrieben. Die grundlegende Gliederung der ersten Auflage wurde beibehalten. Allerdings kamen einige neue Kapitel hinzu, die entweder in der ersten Auflage noch fehlten oder aufgrund der Entwicklung der Europäischen Union notwendig wurden. Die Aktualität ist bei jedem derartigen Handbuch, an dem eine Vielzahl von Autoren mitarbeitet, ein Problem, das hier noch dadurch verstärkt wurde, daß die Entwicklung der Rechtsmaterien und der politischen Ereignisse in ungeahnter Geschwindigkeit weitergeht. Die letzten Ergänzungen wurden noch im Frühjahr 1996 vorgenommen.

Schließlich gilt unser Dank auch dem Verlag MANZ und ganz besonders dem geschäftsführenden Gesellschafter Dkfm. *Franz Stein* und dem

[1]) „Europa wird offen sein, aber kein Geschenk.“

Rechtskonsulent i. R. DDr. *Walter List,* die uns beide in freundlichster Weise unterstützt und verlagstechnisch betreut haben.

Möge auch diese zweite Auflage dieselbe freundliche Aufnahme wie die erste finden und damit zur Transparenz der Europäischen Union und zum besseren Verständnis der europäischen Integration beitragen!

Brüssel/Wien und Graz, im Mai 1996

Moritz Röttinger
Claudia Weyringer

Aus dem Vorwort zur 1. Auflage

„In dem festen Willen, die Grundlagen für einen immer engeren Zusammenschluß der europäischen Völker zu schaffen,

entschlossen, an die Stelle der jahrhundertealten Rivalitäten einen Zusammenschluß ihrer wesentlichen Interessen zu setzen, durch die Errichtung einer wirtschaftlichen Gemeinschaft den ersten Grundstein für eine weitere und vertiefte Gemeinschaft unter Völkern zu legen, die lange Zeit durch blutige Auseinandersetzungen entzweit waren, und die institutionellen Grundlagen zu schaffen, die einem nunmehr allen gemeinsamen Schicksal die Richtung weisen können,

entschlossen, gemeinsam für die Demokratie einzutreten, wobei sie sich auf die in den Verfassungen und Gesetzen der Mitgliedstaaten, in der Europäischen Konvention zum Schutze der Menschenrechte und Grundfreiheiten und der Europäischen Sozialcharta anerkannten Grundrechte, insbesondere Freiheit, Gleichheit und soziale Gerechtigkeit, stützen,

entschlossen, durch diesen Zusammenschluß ihrer Wirtschaftskräfte Frieden und Freiheit zu wahren und zu festigen, und mit der Aufforderung an die anderen Völker Europas, die sich zu dem gleichen hohen Ziel bekennen, sich diesen Bestrebungen anzuschließen,

in der Überzeugung, daß der Europagedanke, die Ergebnisse in den Bereichen der wirtschaftlichen Integration und der politischen Zusammenarbeit wie auch die Notwendigkeit neuer Entwicklungen dem Wunsch der demokratischen Völker Europas entsprechen,

entschlossen, durch gemeinsames Handeln den wirtschaftlichen und sozialen Fortschritt ihrer Länder zu sichern, indem sie die Europa trennenden Schranken beseitigen,

in dem Vorsatz, die stetige Besserung der Lebens- und Beschäftigungsbedingungen ihrer Völker als wesentliches Ziel anzustreben, in dem Bestreben, ihre Volkswirtschaften zu einigen und deren harmonische Entwicklung zu fördern, indem sie den Abstand zwischen einzelnen Gebieten und den Rückstand weniger begünstigter Gebiete verringern . . ."

(so auszugsweise die Präambeln des Vertrags über die Gründung der Europäischen Gemeinschaft für Kohle und Stahl vom 18. April 1951 und des Vertrags zur Gründung der Europäischen Wirtschaftsgemeinschaft vom 25. März 1957 sowie der Einheitlichen Europäischen Akte vom 17. bzw 28. Februar 1986), wurde der Grundstein für ein konsolidiertes Nachkriegseuropa gelegt. Die Vorstellungen der Gründungsväter der Europäischen Gemeinschaften von *Robert Schuman* und *Jean Monnet* über *Paul Henri Spaak* bis *Konrad Adenauer* und *Walter Hallstein,* um nur die bekanntesten zu nennen, waren zweifellos ehrgeizige Pläne und damals vielleicht manchmal auch erst Wünsche und Visionen. (Aber: Glaubten wir bisweilen nicht an Visionen, so gäbe es die Menschheit wohl nicht mehr.) Auch wenn nicht alle Details der in den Gründungsverträgen dargelegten Vorstellungen in die Wirklichkeit umgesetzt werden konnten, so hat sich doch in den 50er-Jahren wohl niemand die – für manche zu rasante, für andere immer noch zu langsame – Entwicklung eines prosperierenden Europa träumen lassen. Tatsache ist, daß trotz aller Schwierigkeiten und Rückschläge im Europa der früher 6, dann 9, später 10 und jetzt 12 Mitgliedstaaten eine Periode von bald einem halben Jahrhundert geprägt von Friede, Freiheit, Recht, Demokratie und Wohlstand andauert – eine für uns heute fast schon selbstverständliche Tatsache, die die Europäer aber erst durch harte Arbeit und festen Glauben an die gemeinsame europäische Zukunft erlangt haben. Getreu dem Wort *Goethes*, „Was du ererbt von deinen Vätern, erwirb es, um es zu besitzen", müssen wir an dem „gemeinsamen Haus Europa" – wie dessen Pläne auch immer aussehen mögen – gemeinsam mit Elan und Tatkraft weiterarbeiten.

Die bereits vor fast 20 Jahren beim Gipfeltreffen der Staats- und Regierungschefs vom 19. bis 21. Oktober 1972 in Paris beschlossene Verwirklichung einer Wirtschafts- und Währungsunion und die in der Feierlichen Erklärung von Stuttgart vom 19. Juni 1983 beschlossene und in der Präambel der Einheitlichen Europäischen Akte an erster Stelle genannte Umwandlung der Gemeinschaft in eine Europäische Union stellt die EG vor neue und faszinierende Herausforderungen.

Bei allen Diskussionen über Binnenmarkt, EWR, Politische oder Wirtschafts- und Währungsunion sollte nicht vergessen werden, daß die Gemeinschaft immer im Dienste der Menschen stehen muß und wird. Die europäische Idee hat nur dann Zukunft, wenn sie von den Bürgern getragen wird. So halten bis zu 82% der EG-Bürger die Mitgliedschaft in der Europäischen Gemeinschaft für eine „gute Sache" (vgl Eurobarometer 1991/34).

Toleranz gegenüber anderen, Aufgeschlossenheit für das Neue, Wahrung der Identität des einzelnen bei gleichzeitigem Blick auf das Ganze, auf die einigende und verbindende Gemeinschaft, Vielfalt in der Einheit, gesamteuropäisches Bewußtsein unter Beibehaltung der kulturellen Unterschiede – das sind die Maßstäbe, die an die Gemeinschaftsbürger und an alle Europäer anzulegen sind. „Der Schlüssel Europas liegt allein in einem vom Geiste der Universität getragenen politischen Engagement, ohne das Geschichte nicht geschrieben werden kann." (*Jacques Delors* am 23. Jänner 1991 vor der Plenarversammlung des Europäischen Parlaments in Straßburg.)

Voraussetzung für eine solche Mitgestaltung der Gemeinschaft durch die Menschen, die allein als Individuen kritische Träger der europäischen Idee sein können, ist das Wissen um die vielfältigen Zusammenhänge. Diese Informationen soll dieses Buch vermitteln, das sich nicht nur an die politischen und wirtschaftlichen Entscheidungsträger wendet, sondern vielmehr an alle interessierten Leser gerichtet ist. Angesichts der raschen Entwicklungen innerhalb der Gemeinschaft und der Notwendigkeit einer Neugestaltung der Beziehungen zwischen der EG und den anderen europäischen Ländern sowie der möglichen Aufnahme neuer Mitgliedstaaten in die Gemeinschaft sollten eigentlich auch jene, die mit der EG bisher nur wenig anfangen konnten oder wollten, sich veranlaßt sehen, sich stärker dafür zu interessieren.

Dieses Buch soll gleichsam als Einstieg helfen, ein Bild über die Rechtsordnung, die Institutionen, die Entwicklung der europäischen Integration und die sektoriellen Politiken zu geben. Es soll dazu beitragen, etwaige Vorurteile abzubauen, die ausschließlich von mangelnder Kenntnis der Materie herrühren. Die EG als unbekanntes Wesen darf es in Zukunft nicht mehr geben. Gerade weil die Arbeitsweise der Gemeinschaftsinstitutionen und die Entscheidungsprozesse manchmal nicht leicht zu durchschauen sind, treten Zweifel an der Effizienz, der Realitätsnähe und der demokratischen Legitimierung auf. Die Gemeinschaft ist zweifellos noch verbesserbar, und doch sollten weder die Schwierigkeiten abschrecken noch die Errungenschaften vergessen werden. Die Beiträge sollen daher in anschaulicher Weise und gleichzeitig im Detail die notwendigen Informationen bieten, um sich ein abgerundetes und möglichst objektives Bild über die Gemeinschaft machen zu können.

Brüssel und Wien, im November 1991

Moritz Röttinger
Claudia Weyringer

Geleitwort von Dr. Franz Fischler, Mitglied der Europäischen Kommission

Schon seit Beginn des 14. Jahrhunderts beschäftigt man sich mit dem Gedanken der europäischen Integration. Es galt stets, den Zusammenhalt der Staaten Europas zu fördern. Nach Jahrhunderten der Kriege und wirtschaftlicher Schwierigkeiten gewann nach dem 2. Weltkrieg die Idee eines europäischen Bündnisses wieder verstärkt an Bedeutung. Man entschloß sich 1957 zur Gründung der Europäischen Gemeinschaften, wobei zwei große Aspekte im Vordergrund standen: Friedenssicherung und wirtschaftliche Kooperation. Im Laufe der Jahre erwies sich jedoch auch für andere Bereiche ein grenzüberschreitendes Denken und Handeln als äußerst vorteilhaft und erstrebenswert. Mit der Umstrukturierung der Europäischen Gemeinschaft zur Europäischen Union wurden wichtige Schritte auch in Richtung einer politischen Zusammenarbeit gesetzt. Erste Erfolge sind bereits ersichtlich.

Das Funktionieren einer Gemeinschaft setzt ein aktives Mitwirken ihrer Mitglieder voraus. Die Europäische Union muß eine Union der Bürger werden – nicht nur mit und von den Bürgern, sondern in erster Linie **für** die Bürger. Ein genaues Informieren der Bevölkerung über laufende, neue Integrationsschritte und Aktivitäten der Gemeinschaft spielt also eine bedeutende Rolle.

Das „Handbuch der Europäischen Integration" präsentiert sich als übersichtliches, umfangreiches Werk, welches einerseits Basiswissen zur Europagemeinschaft liefert, andererseits Einblicke in Detailbereiche der wirtschaftlichen und politischen Zusammenarbeit gewährt. Auch vorgesehene Pläne zur Weiterentwicklung und mögliche Zukunftstendenzen der Union werden aufgezeigt.

Das Buch qualifiziert sich weiterhin durch die große Zahl namhafter Autoren, vorwiegend Beschäftigte der Institutionen der Europäischen Gemeinschaft, welche durch ihre langjährige persönliche Berufserfahrung eine wahrheitsgetreue sowie realitätsbezogene Schilderung der derzeitigen Verhältnisse garantieren.

Brüssel, im Jänner 1996

Inhaltsverzeichnis

Teil II: Integration

Teil III: Außenbeziehungen

Teil IV: Sektorielle Politiken

Abkürzungsverzeichnis

Dieses Abkürzungsverzeichnis enthält alle in diesem Buch verwendeten Abkürzungen sowie die wichtigsten englischen und französischen Abkürzungen, die am häufigsten bei den Gemeinschaftsinstitutionen und in der Literatur verwendet werden. Kurzbezeichnungen von gemeinschaftlichen Förderungs- oder Forschungsprogrammen wurden nur dann aufgenommen, wenn sie eine vom Gesamtnamen ableitbare Abkürzung darstellen.

aaO	am angegebenen Ort
ABl	Amtsblatt der Europäischen Gemeinschaften
Abs	Absatz
ACP	Etats d'Afrique, des caraïbes et du pacifique (= AKP)
ACTS	Algorithm and Cooperational Tools for Complex Systems
AdR	Ausschuß der Regionen
AELE	Association européenne de libre échange (= EFTA)
AETR	Accord européen relatif au travail des équipages de véhicules effectuant des transports internationaux par route
AfP	Archiv für Presserecht (Zeitschrift)
AG	Aktiengesellschaft
AKP-Staaten	(Gruppe der) afrikanischen, karibischen und pazifischen Staaten
ALA-Länder	(Gruppe der) Länder in Asien und Lateinamerika
ALTEC	Algorithm for Future Technologies (Förderprogramm)
aM	anderer Meinung
Anm	Anmerkung
AöR	Archiv für öffentliches Recht (Zeitschrift)
APEC	Asian-Pazific Economic Cooperation Forum
APS	Allgemeines Präferenzzollsystem
ArbuR	Arbeit und Recht (Zeitschrift)
ARION	Actieprogramma Reizen met een instructief karakter voor Onderwijsspecialisten (EG-Bildungsprogramm)
Art	Artikel
ASEAN	Association of South-East Asian Nations
AStV	Ausschuß der Ständigen Vertreter (= COREPER)
ATA	admission temporaire – temporary admission
ATM	Asynchronous Transfer Mode
AuA	Arbeit und Arbeitsrecht (Zeitschrift)
AUE	Acte unique européen (= EEA)
BayVBR	Bayerische Verwaltungsblätter
BB	Der Betriebsberater (Zeitschrift)
BC-Net	Business Cooperation Network
BCR	Bureau communautaire de référence
Bd	Band
BEI	Banque Européene d'Investissement (= EIB)
Benelux	Belgien, Niederlande, Luxemburg
BERD	Banque européenne pour reconstruction et développement (= EBRD)
BF	belgische(r) Franc

BGBl	(österreichisches) Bundesgesetzblatt
BIE	Banque d'investissement européenne
BIP	Bruttoinlandsprodukt
BISD	Basic Instruments and Selected Documents
BIZ	Bank für internationalen Zahlungsausgleich
Blg	Beilage
BMWF	Bundesministerium für Wissenschaft und Forschung
BR-Drucks	Bundesratsdrucksache
BRE	Bureau de rapprochement des entreprises
BRITE	Basic Research in Industrial Technology for Europe (EG-Forschungsprogramm)
BSP	Bruttosozialprodukt
BullEG	Bulletin der EG
BVerfG	(deutsches) Bundesverfassungsgericht
BVerfGE	Sammlung der Entscheidungen des Bundesverfassungsgerichts
BWSF	Bruttowertschöpfung zu Faktorkosten
bzw	beziehungsweise
CAP	common agricultural policy (= GAP)
CCD	Committee on Commerce and Distribution
CCR	Centre Commun de Recherche (= GFS)
CCT	Common Customs Tariff (= GZT)
CE	Communautés européennes (= EG)
CECA	Communauté européenne du charbon et de l'acier (= EGKS)
Cedefop	Centre européen pour le développement de la formation professionelle
CEE	Communauté européenne économique (= EWG)
CEEA	Communauté européenne de l'énergie atomique (= EURATOM = EAG)
CEEP	Centre Européen de l'Entreprise Publique
CEMI	China-Europe Management Institute
CEN	Comité européen de normalisation
CENELEC	Comité européen de normalisation électrotechnique
CEPS	Center for European Policy Studies
CES	1. Comité économique et social (= WSA) 2. Confédération Européenne des Syndicats (= EGB)
CITI	Classification internationale type par industrie de toutes les branches d'activités économiques
CJ	Cour de justice des CE, Court of Justice of the EC (= EuGH)
CLRev	Columbia Law Review
CMEA	Council for Mutual Economic Assistance (= COMECON)
CMLR	Common Market Law Review (Zeitschrift)
COMECON	Council for mutual economic assistance (= RGW)
COMETT	Community Action Programme for Education and Training for Technology (EG-Bildungsprogramm)
COREPER	Comité des représentants permanents (= AStV)
COST	Coopération européenne scientifique et technique
CPE	coopération politique européenne (= EPZ)
CPV	Common Procurement Vocabulary
CRAFT	Cooperative Research Action for Technology (EG-Forschungsprogramm)
CREST	Comité de la recherche scientifique et technique
CRIT	Cooperation Research in future Technology (Förderprogramm)
ČSFR	Tschechoslowakische Föderative Republik

DB	Der Betrieb (Zeitschrift)
ders	derselbe
DG	direction générale, directorate general (= GD)
dh	das heißt
DKR	dänische Krone(n)
DM	Deutsche Mark
DOM-TOMs	départements d'outre-mer – territoires d'outre-mer
DöV	Die öffentliche Verwaltung (Zeitschrift)
Dr	Doktor
DRA	Drachme(n)
DRdA	Das Recht der Arbeit (Zeitschrift)
DSB	Dispute Sattlement Body
dt	deutscher
DVBl	Deutsches Verwaltungsblatt (Zeitschrift)
E	Entscheidung
EA	Europa-Archiv (Zeitschrift)
EAEC	European Atomic Energy Community (= EURATOM)
EAG	Europäische Atomgemeinschaft (= EURATOM)
EAGFL	Europäischer Ausrichtungs- und Garantiefonds für die Landwirtschaft
EAGV	Vertrag zur Gründung der Europäischen Atomgemeinschaft v 25. 3. 1957
EASDAQ	European Association of Securities Dealers Automatic Quotation
EBLRev	European Business Law Review
EBRD	European Bank for Reconstruction and Development (= BERD)
EC	European Communities (= EG)
ECE	Economic Commission for Europe
ECIP	EC Investment Programme
ECOFIN-Rat	Rat der Wirtschafts- und Finanzminister (Economic and Financial)
Ecosoc	Economic and Social Committee (= WSA)
ECSC	European Coal and Steel Community (= EGKS)
ECU	European Currency Unit
EDIFACT	Electronic Data Interchange for Administration, Commerce and Transport
EEA	1. Einheitliche Europäische Akte 2. European Economic Area (= EWR)
EEB	European Environmental Bureau
EEC	European Economic Community (= EWG)
EEE	Espace économique européen (= EWR)
EEF	Europäischer Entwicklungsfonds
EEIG	European Economic Interest Grouping (= EWIV)
EES	European Economic Space (= EWR)
EFRE	Europäischer Fonds für regionale Entwicklung
EFTA	European Free Trade Association
EFTA-GH	EFTA-Gerichtshof
EFWZ	Europäischer Fonds für Währungspolitische Zusammenarbeit
EG	1. Europäische Gemeinschaften 2. Europäische Gemeinschaft
EGB	Europäischer Gewerkschaftsbund
EG-Kommission	Kommission der Europäischen Gemeinschaften
EGKS	Europäische Gemeinschaft für Kohle und Stahl
EGKSV	Vertrag zur Gründung der Europäischen Gemeinschaft für Kohle und Stahl v 18. 4. 1951

EGV	EWGV idF des EUV
EIB	Europäische Investitionsbank, European Investment Bank
EIC	EuroInfoCenter
EIF	Europäischer Investitionsfonds
ELRev	European Law Review
EMRK	Europäische Menschenrechtskonvention
EMS	European Monetary System (= EWS)
EMU	1. European Monetary Union 2. Economic and Monetary Union (= WWU)
endg	endgültig
ENSR	European Network for SME Research
EP	Europäisches Parlament
EPC	European Political Cooperation (= EPZ)
EPZ	Europäische Politische Zusammenarbeit
ERASMUS	European Action Scheme for the Mobility of University Students (EG-Bildungsprogramm)
ERDF	European Regional Development Fund (= EREF)
ERE	Europäische Rechnungseinheit
EREF	Europäischer Regionalentwicklungsfonds
ERM	Exchange Rate Mechanism
ESA	EFTA Surveillance Authority
ESC	1. Escudo 2. Economic and Social Committee (= WSA)
ESF	Europäischer Sozialfonds
ESPRIT	European Strategic Programme for Research and Development in Information Technology (EG-Forschungsprogramm)
ESZB	Europäisches System der Zentralbanken
etc	et cetera
ETUC	European Trade Union Confederation (= EGB)
EU	Europäische Union
EuGH	Europäischer Gerichtshof (Gerichtshof der Europäischen Gemeinschaften)
EuGRZ	Europäische Grundrechtezeitschrift
EuR	Europarecht (Zeitschrift)
EURAM	European Research in Advanced Materials (EG-Forschungsprogramm)
EURATOM	Europäische Atomgemeinschaft (= EAG)
EUREKA	European Research Coordination Agency
EURES	European Employment Services
Eurostat	Statistisches Amt der EG
EUROTECNET	European Technical Network (EG-Bildungsprogramm)
EUV	Vertrag über die Europäische Union v 7. 2. 1992 (Vertrag v Maastricht)
EuZW	Europäische Zeitschrift für Wirtschaftsrecht
EVCA	European Venture Capital Association
EVÜ	Europäisches Vertragsübereinkommen
EWF	Europäischer Währungsfonds
EWG	Europäische Wirtschaftsgemeinschaft
EWGV	Vertrag zur Gründung der Europäischen Wirtschaftsgemeinschaft v 25. 3. 1957
EWI	Europäisches Währungsinstitut
EWIV	Europäische Wirtschaftliche Interessenvereinigung
EWR	Europäischer Wirtschaftsraum

EWRA	Abkommen über den Europäischen Wirtschaftsraum v 2. 5. 1992
EWRE	Europäische Währungspolitische Rechnungseinheit
EWS	Europäisches Währungssystem
EZB	Europäische Zentralbank
EZBS	Europäisches Zentralbanksystem
f	und der (die) folgende
FAO	Food and Agricultural Organisation
FCKW	Fluorchlorkohlenwasserstoff(e)
F & E	Forschung und Entwicklung
FEDER	Fonds européen de développement régional (= EFRE)
FEICRO	Fédération européenne des instituts de recherche industrielle
FEOGA	Fonds européen d'orientation et de garantie agricole (= EAGFL)
ff	und die folgenden
FF	französische(r) Franc
FIAF	Finanzinstrument zur Anpassung der Fischerei
FN	Fußnote
FORCE	Formation professionelle continue (EG-Bildungsprogramm)
FS	Festschrift
FSE	Fonds social européen (= ESF)
FTAA	Free Trade of the Americas Agreement
FTE	Forschung, Technologie, Entwicklung
FuE	Forschung und Entwicklung
FusV	Fusionsvertrag (Vertrag zur Einsetzung eines gemeinsamen Rates und einer gemeinsamen Kommission der Europäischen Gemeinschaften v 8. 4. 1965)
FV	Finanzielle Vorausschau
FYROM	Former Yugoslavian Republik of Macedonia
G	Gesetz
G-7-Länder	Gruppe der 7 wichtigsten westlichen Industriestaaten (USA, Japan, Deutschland, Kanada, Vereinigtes Königreich, Frankreich und Italien)
G-24-Länder	Gruppe der in der OECD zusammenarbeitenden Staaten (EG- und EFTA-Länder sowie USA, Kanada, Japan, Türkei, Neuseeland und Australien)
GA	Generalanwalt
GAP	Gemeinsame Agrarpolitik
GASP	Gemeinsame Außen- und Sicherheitspolitik
GATS	General Agreement on Trade in Services
GATT	General Agreement on Tariffs and Trade
GD	Generaldirektion
GdWZ	Grundlagen der Weiterbildung – Zeitschrift
GeI	Gericht Erster Instanz
GedS	Gedächtnisschrift
GEIE	Groupement Européen d'Intérêt Economique (= EWIV)
gem	gemäß
GFK	Gemeinschaftliche Förderkonzepte
GFS	Gemeinsame Forschungsstelle
gg	gegen
GG	(deutsches) Grundgesetz
ggf	gegebenenfalls
GO	Geschäftsordnung
GO-EP	Geschäftsordnung des Europäischen Parlaments
GO-Rat	Geschäftsordnung des Rates

GO-WSA	Geschäftsordnung des Wirtschafts- und Sozialausschusses
GRUR	Gewerblicher Rechtsschutz und Urheberrecht (Zeitschrift)
GRUR Int	Gewerblicher Rechtsschutz und Urheberrecht Internationaler Teil (Zeitschrift)
GS	Gedenkschrift
GSP	Generalised System of Preferences (= APS)
GUS	Gemeinschaft unabhängiger Staaten
GZT	Gemeinsamer Zolltarif
HFL	holländische(r) Gulden
Hg	Herausgeber
hl	Hektoliter
IATA	International Air Transport Association
ICES	International Council for the Exploration of the Sea
idF	in der Fassung
idgF	in der geltenden Fassung
idR	in der Regel
ieS	im engeren Sinn
IGC	intergovernmental conference
IIV	Interinstitutionelle Vereinbarung
IMF	International Monetary Fund (= IWF)
IMP	Integrierte(s) Mittelmeerprogramm(e)
INDIS	Information Dissemination Research, Development and Technology (Förderprogramm)
insb	insbesondere
INTAS	International Association for the Promotion of Cooperation with Scientists from the CIS
IntLPol	International Law and Politics (Zeitschrift)
IP	information de presse
IRDAC	Industrial Research and Development Advisory Committee
IRL£	irische(s) Pfund
iSd	im Sinne der/des
ISO	International Standards Organisation
ISTC	International Science and Technology Centre
iSv	im Sinne von
iur	iuris
iVm	in Verbindung mit
IWF	Internationaler Währungsfonds
iwS	im weiteren Sinn
JO	Journal officiel des Communautés européennes (= ABl)
JRC	Joint Research Centre (= GFS)
JZ	Juristenzeitung
KFZ	Kraftfahrzeug(e)
KKS	Kaufkraftstandard
KMU(s)	kleine(s) und mittlere(s) Unternehmen
KSZE	Konferenz über Sicherheit und Zusammenarbeit in Europa
LF	Luxemburgische(r) Franc
lit	litera
LIT	Lira, Lire
LJIL	Leiden Journal of International Law
LKW	Lastkraftwagen
lLGBl	Liechtensteinisches Landesgesetzblatt

LLDC	least developed countries
LL.M.	Master of Laws
Mag	Magister
MBA	Master of Business Administration
MCL	Master of Comparative Law
MEP	Member of the European Parliament, Mitglied des Europäischen Parlaments
MFN	Most Favoured Nation
Mio	Million(en)
MISEP	System zur gegenseitigen Unterrichtung über beschäftigungspolitische Maßnahmen
MITI	(japanisches) Ministry for International Trade and Industry
MittHV	Mitteilungen des Hochschulverbandes
MOEL	Mittel- und osteuropäische Länder
MRA	Mentual Recognition Agreement
Mrd	Milliarde(n)
mwN	mit weiteren Nachweisen
MWSt	Mehrwertsteuer
NACE	Nomenclature générale des activités économiques dans la CE
NAFTA	North Atlantic Free Trade Association
NAFO	Northwest Atlantic Fishery Organisation
NATO	North Atlantic Treaty Organisation
NGOs	Non Governmental Organizations
NJW	Neue Juristische Wochenschrift (Zeitschrift)
NPGI	Nationale(s) Programm(e) von gemeinschaftlichem Interesse
Nr	Nummer
NUS	Neue Unabhängige Staaten
NUTS	nomenclature des unités territoriales statistiques
NVwZ	Neue Zeitschrift für Verwaltungsrecht
NZA	Neue Zeitschrift für Arbeits- und Sozialrecht
NZfV	Neue Zeitschrift für Verkehrsrecht
NZfVR	Neue Zeitschrift für Verwaltungsrecht
oä	oder ähnliches
ÖAAD	Österreichischer Akademischer Austauschdienst
OCDE	Organisation de coopération et de développement économique (= OECD)
OECD	Organization for Economic Co-operation and Development (= OCDE)
OECE	Organisation européenne de coopération économique (= OEEC)
OEEC	Organization for European Economic Co-operation (= OECE)
OJ	Official Journal of the European Communities (= ABl)
ÖJZ	Österreichische Juristenzeitung
öS	österreichische(r) Schilling
OSZE	Organisation für Sicherheit und Zusammenarbeit in Europa
OTAN	Organisation du traité de l'atlantique du nord (= NATO)
PAC	politique agricole commune (= GAP)
PHARE	Pologne Hongrie Assistance pour la Restructuration Economique
PhD	Doctor in Philosophy
phil	philosophiae
PKA	Partnerschafts- und Kooperationsabkommen
PKW	Personenkraftwagen

PLO	Palestinian Liberation Organisation
p.m.	pour mémoire
PME	petites et moyennes entreprises (= KMU)
Prof	Professor
Prot	Protokoll
PTA	Peseta
RACE	Research and Development in Advanced Communications Technologies in Europe (EG-Forschungsprogramm)
R & D	Research and Development (= F & E)
RdA	Recht der Arbeit (Zeitschrift)
RdJB	Recht der Jugend und des Bildungswesens (Zeitschrift)
REGIE	Réseau Européen de GEIE
rer.soc.oec.	rerum socialiarum oeconomicarumque
RFFP	Revue Française de Finances Publiques
RGW	Rat für gegenseitige Wirtschaftshilfe (= COMECON)
RIW	Recht der internationalen Wirtschaft (Zeitschrift)
RL	Richtlinie
RMC	Revue du Marché Commun (Zeitschrift)
RMUE	Revue du Marche unique européen (Zeitschrift)
Rs	Rechtssache
Rsp	Rechtsprechung
RTDE	Revue Trimestrielle de Droit Européen (Zeitschrift)
RZ	Randziffer
s	siehe
S	Seite
$	US-Dollar
SCAN	Sub-Contracting Assistance Network
SE	Societas Europaea (Europäische Aktiengesellschaft)
SEA	Single European Act (= EEA)
Sec	Section
SEDOC	Informationsdienst der EG über Angebot und Nachfrage auf dem Arbeitsmarkt
SIMAP	Système d'information sur les marchés publiques
Slg	Sammlung der Entscheidungen des Gerichtshofs der Europäischen Gemeinschaften
sog	sogenannte(r, s, n)
SME	1. small and medium sized enterprizes (= KMU) 2. système monétaire européen (= EWS)
STABEX	Stabilisation of Export Earnings
stRsp	ständige Rechtsprechung
SYSMIN	Système de stabilisation minière
t	Tonne(n)
TA	Technische Anleitung
TABD	Transatlantic Business Dialoque
TAC	Total Allowable Catches
TACIS	Technical Assistance to the Commonwealth of Independent States
TARIC	Integrierter Zolltarif (= IZT)
TED	Tenders Electronic Daily (Datenbank)
TEMPUS	Trans European Mobility Scheme for University Studies (EG-Bildungsprogramm)
TIR	transports internationaux routiers
TranspR	Transportrecht (Zeitschrift)

TRIPs	trade related aspects of intellectual property
TRIPsA	TRIPs-Abkommen
ua	1. unter anderem 2. und andere
UCLAF	Unité de coordination de la lutte anti-frande
UdSSR	Union der Sozialistischen Sowjetrepubliken
UEM	Union économique et monétaire (= WWU)
ÜGA	Überwachungs- und Gerichtshofabkommen
UK£	britische(s) Pfund Sterling
UMA	Union Maghrébine-Arabe
UME	Union monétaire européenne
UN	United Nations
UNCTAD	United Nations Conference on Trade and Development
UNESCO	United Nations Educational, Scientific and Cultural Organisation
UNICE	Union of Industrial and Employers' Confederations of Europe
UNO	United Nations Organisation
Unterabs	Unterabsatz
US ...	United States ...
USA	United States of America
USt-IdNr	Umsatzsteuer-Identifikationsnummern
usw	und so weiter
uU	unter Umständen
v	vom, von
V	Verordnung(en)
verb	verbundene
Vereinigtes Königreich	Vereinigtes Königreich von Großbritannien und Nordirland
VEU	Vertrag über die Europäische Union (= EUV)
vgl	vergleiche
VJTL	Vanderbilt Journal of Transnational Law
VNV	Vertrag über die Nichtverbreitung von Kernwaffen
VVVT	Verarbeitung, Vermarktung, Verteilung, Transport
WCO	World Customs Organisation
WEU	Westeuropäische Union
WissR	Wissenschaftsrecht (Zeitschrift)
WSA	Wirtschafts- und Sozialausschuß
WTO	World Trade Organisation
WTOA	WTO-Abkommen
WuW	Wirtschaft und Wettbewerb (Zeitschrift)
WWU	Wirtschafts- und Währungsunion
YEL	Yearbook of European Law
Z	Ziffer
ZaöRV	Zeitschrift für ausländisches öffentliches Recht und Völkerrecht
ZAR	Zeitschrift für Ausländerrecht
ZAS	Zeitschrift für Arbeitsrecht und Sozialrecht
zB	zum Beispiel
zE	zur Erinnerung
ZfA	Zeitschrift für Arbeitsrecht
ZfG	Zeitschrift für Gesetzgebung
ZHR	Zeitschrift für das gesamte Handelsrecht und Wirtschaftsrecht

ZIAS	Zeitschrift für ausländisches und internationales Arbeits- und Sozialrecht
zit	zitiert
ZSR	Zeitschrift für Sozialreform
ZUM	Zeitschrift für Urheber- und Medienrecht

Autoren

Dirk Ahner

geboren 1946 in Lippstadt; Studium der Wirtschaftswissenschaften an der Ruhruniversität Bochum (1968–1976), Diplom-Ökonom (Bochum, 1972), Dr. (Bochum, 1976); Forschungsaufenthalt am Laboratoire d'Economie et de Sociologie du Travail (CNRS) in Aix-en-Provence (1973–1974), wissenschaftlicher Referent am Institut für angewandte Wirtschaftsforschung in Tübingen (1976–1978), Verwaltungsrat in der Abteilung „Studien“ der Generaldirektion VI („Landwirtschaft“) (1978–1982) und Hauptverwaltungsrat in der Beratergruppe des Generalsekretariats der Kommission der Europäischen Gemeinschaften in Brüssel (1982–1987), Assistent des Generaldirektors für Landwirtschaft (1987–1990) und **Leiter der Abteilung „Analysen und Gesamtkonzept“ der Generaldirektion VI („Landwirtschaft“) der Kommission der Europäischen Gemeinschaften** in Brüssel (seit 1990).

Axel Aspetsberger

geboren 1963 in Linz; Studium der Rechtswissenschaften an der Universität Wien, Mag. iur. (Wien, 1986), Dr. iur. (Wien, 1989); Mitarbeiter im Bundesministerium für Wissenschaft und Forschung in Wien (1987–1988); Universitätsassistent an der Universität Wien (1988–1991), Mitarbeiter im Bundeskanzleramt (Büro des Vizekanzlers) in Wien (1990–1991), Mitarbeiter in der Volkswirtschaftlichen Abteilung der Oesterreichischen Nationalbank (1991–1994), Tätigkeit in der Repräsentanz der Oesterreichischen Nationalbank in Brüssel (1993), derzeit **Monetary, Economic and Statistics Department des Europäischen Währungsinstituts** in Frankfurt (seit 1994); zahlreiche Veröffentlichungen zur österreichischen und internationalen Finanzmarktpolitik, europäischen Integration sowie Währungs- und Notenbankpolitik.

Ingrid Bachmann

geboren 1964 in Wien; Studium der Betriebswirtschaft an der Wirtschaftsuniversität Wien, Mag. rer. soc. oec. (Wien, 1988), Dr. rer. soc. oec. (Wien, 1991); derzeit **Abteilung Osthilfe der Sektion für bilaterale Außenwirtschaftsbeziehungen des Bundesministeriums für wirtschaftliche Angelegenheiten** in Wien (seit 1991), 1994 Mitarbeit im Phare-Informationsbüro der Generaldirektion I.A („Politische Außenbeziehungen“) der Kommission der Europäischen Gemeinschaften in Brüssel.

Roland Bieber

geboren 1942; Studium der Rechtswissenschaften, Dr. iur.; Beamter im Generalsekretariat und zuletzt Berater im Juristischen Dienst des Europäischen Parlaments in Luxemburg (1971–1991), derzeit **ordentlicher Universitätsprofessor für Europäisches Recht an der Université de Lausanne** (seit 1991); Lehrbeauftragter am Europa-Institut der Universität des Saarlandes in Saarbrücken (1981–1991) und an der Université de Strasbourg (1984–1991) sowie an der Verwaltungshochschule Speyer (1991/1992), Professor am Europäischen Hochschulinstitut in Florenz (1984–1986); zahlreiche Veröffentlichungen über EG-Recht, internationales Recht, deutsches Verfassungs- und Verwaltungsrecht und Rechtsvergleichung.

Sebastian Bohr

geboren 1964; Studium der Rechtswissenschaften an der Universität Wien (1983–1988) und des Europarechts am Collège d'Europe in Brügge (1988–1989), Mag. iur. (Wien, 1988), Dr. iur. (Innsbruck, 1993); juristische Forschungstätigkeit für die Generaldirektion III („Binnenmarkt und gewerbliche Wirtschaft") der Europäischen Kommission in Brüssel und Brügge (1989–1990), Universitätsassistent am Zentrum für Europäisches Recht der Universität Innsbruck (1990–1993), Referent in der EFTA-Überwachungsbehörde in Genf und Brüssel (1993–1995), derzeit **Abteilung „Anwendung von Artikel 30 bis 36 EG-Vertrag (Informationsverfahren, Klagen, Verstöße usw.) und Beseitigung der Handelshemmnisse" der Generaldirektion XV („Binnenmarkt und Finanzdienste") der Europäischen Kommission** in Brüssel (seit 1995); Veröffentlichungen zum Europarecht.

Klaus-Dieter Borchardt

geboren 1955; Studium der Rechtswissenschaften an der Universität Hamburg und der Freien Universität Berlin, Dr. iur. (Berlin, 1987); wissenschaftlicher Mitarbeiter am Institut für Integrationsforschung der Stiftung Europa-Kolleg in Hamburg (1980–1985), Rechtsreferendar in Hamburg (1983–1985), wissenschaftlicher Mitarbeiter an den Fachbereichen Rechtswissenschaften und Politische Wissenschaften der Freien Universität Berlin (1985–1987), Verwaltungsrat in der Abteilung „Soziale Sicherheit der Wanderarbeitnehmer" der Generaldirektion V („Beschäftigung, Arbeitsbeziehungen und soziale Angelegenheiten") und in der Equipe „Landwirtschaft" des Juristischen Dienstes der Kommission der Europäischen Gemeinschaften in Brüssel (1987–1990), Rechtsreferent im Kabinett des deutschen Richters *Zuleeg* am Gerichtshof der Europäischen Gemeinschaften in Luxemburg (1990–1994), derzeit **Mitglied des Juristischen Dienstes der EG-Kommission** in Brüssel (seit 1994); zahlreiche Veröffentlichungen über Grundrechte und EG-Recht (insb über Vertrauensschutz im Gemeinschaftsrecht, Sozialrecht und allgemeines Europarecht).

Eberhard Brandt

geboren 1944 in Kassel; Studium der Rechtswissenschaften an der Freien Universität Berlin und an der Universität Gießen; wissenschaftlicher Mitarbeiter der rechtswissenschaftlichen Fakultät der Universität Gießen, Gerichtsreferendar in Schleswig-Holstein und Hessen, Leiter der Rechtsabteilung eines kommunalen Verkehrsunternehmens, seit 1977 Beamter in der Generaldirektion XII („Forschung und Technologie") und in der Abteilung „Verbindungen zu anderen Organen und internationale Beziehungen" der Generaldirektion VII („Verkehr"), derzeit **Inspekteur in der Generalinspektion der Dienststellen der Kommission der Europäischen Gemeinschaften** in Brüssel (seit 1991); Lehrbeauftragter am Europa-Institut der Universität des Saarlandes in Saarbrücken; zahlreiche Veröffentlichungen insb über EG-Verkehrsrecht und EG-Verkehrspolitik.

Barbara Brandtner

geboren 1965 in Wien; Studium der Rechtswissenschaften an der Universität Wien (1983–1988) und an der University of Michigan Law School in Ann Arbor (1991–1992) sowie des Europarechts am Collège d'Europe in Brügge (1989–1990), Mag. iur. (Wien, 1988), Diplôme des Hautes Etudes Européennes (Brügge, 1990) und LL.M. (Ann Arbor, 1992); Assistentin am Institut für Römisches Recht und Antike Rechtsgeschichte der Universität Wien (1985–1989), Gerichtsjahr in Wien (1989); Expertin in den Abteilungen „Vollendung und Funktionieren des Binnenmarktes" und „Beseitigung der

Handelshemmnisse (Artikel 30ff.), Schutzmaßnahmen" der Generaldirektion III („Binnenmarkt und gewerbliche Wirtschaft") der Kommission der Europäischen Gemeinschaften in Brüssel (1990–1991), Völkerrechtsbüro des Bundesministeriums für auswärtige Angelegenheiten in Wien (1992–1993), Associate in der Rechtsanwaltskanzlei Cleary, Gottlieb, Steen & Hamilton in Brüssel (1993–1995), derzeit Beamtin im **Juristischen Dienst der Europäischen Kommission** in Brüssel (seit 1996); Veröffentlichungen über EG-Recht und Entwicklungspolitik.

John Catling

geboren 1935 in Salisbury (England); Studium an der University of Cambridge (England) und der Katholischen Universität Leuven, MA (Cambridge) und MBA (Leuven); Übersetzertätigkeit in der Schweiz, Beamter in der Finanzverwaltung in England, Verwaltungsrat (seit 1974) und derzeit **Leiter des Dienstes „Studien und Konferenzen" des Wirtschafts- und Sozialausschusses der Europäischen Gemeinschaften** in Brüssel.

Dirk Detken

geboren 1969 in Bonn; Studium der Rechtswissenschaften an der Friedrich-Wilhelms-Universität zu Bonn (1989–1994) und der Universität Lausanne (1991–1992); Abteilung „Vereinigte Staaten von Amerika" der Generaldirektion I („Außenwirtschaftsbeziehungen") der Kommission der Europäischen Gemeinschaften, derzeit **Parlamentarischer Assistent im Europäischen Parlament** in Brüssel.

Michaela Di Bucci

geboren 1966; Studium der Rechtswissenschaften an der Universität Wien (1984–1989), des Völkerrechts an der Université de Paris II – Assas (1986–1987) sowie des Europarechts am Collège d'Europe in Brügge (1989–1990), Mag. iur. (Wien, 1989) und Certificat des Hautes Etudes Européennes (Brügge, 1990); Bundesministerium für auswärtige Angelegenheiten (Integrationsabteilung der wirtschaftspolitischen Sektion) in Wien (1990–1992), Mitarbeiterin im Juristischen Dienst der Kommission der Europäischen Gemeinschaften in Brüssel (1991); **Kultur- und Presseattaché an der österreichischen Botschaft beim Königreich Belgien** in Brüssel (1992–1995).

Vittorio Di Bucci

geboren 1963 in Asti (Italien); Studium der Rechtswissenschaften an der Universität Turin sowie des Europarechts am Centre européen universitaire de Nancy und an der Université de Nancy II, laurea in giurisprudenza (Turin, 1986), Diplôme d'études supérieures européennes (Nancy, 1987) und DEA (Nancy, 1988); Sprachenjurist am Gerichtshof der Europäischen Gemeinschaften in Luxemburg (1987–1988), Rechtsreferent im Kabinett des italienischen Richters *Mancini* am Gerichtshof der Europäischen Gemeinschaften in Luxemburg (1988–1991), Mitglied des Juristischen Dienstes der Kommission der Europäischen Gemeinschaften in Brüssel (1991–1994), derzeit Rechtsreferent im Kabinett des italienischen Richters *Mancini* am **Gerichtshof der Europäischen Gemeinschaften** in Luxemburg (seit 1994); Veröffentlichungen über Europarecht.

Johann Egger

geboren 1951 in Innsbruck; Studium der Rechtswissenschaften und der Wirtschaftswissenschaften an der Universität Innsbruck, Dr. iur. (Innsbruck, 1974); seit 1975 Assistent und derzeit **Assistenzprofessor am Institut für Arbeits- und Sozialrecht der Universität**

Innsbruck, Fakultätsmitglied des Post-Graduate-Lehrgangs „Europarecht" am Vorarlberger Zentrum für Wissenschaft und Weiterbildung in Schloß Hofen; zahlreiche Veröffentlichungen über österreichisches Arbeits- und Sozialrecht sowie über grenzüberschreitende Freizügigkeit und EG-Sozialpolitik.

Michael Erhart

geboren 1962 in Lienz; Studium der Rechtswissenschaften an der Universität Innsbruck (1981–1985) und des Europarechts am Collège d'Europe in Brügge (1986–1987), Dr. iur. (Innsbruck, 1985) und Diploma of Advanced European Legal Studies (Brügge, 1987); Gerichtsjahr (1985–1986), Assistent für EG-Recht am Collège d'Europe in Brügge (1987–1989), Assistent des Botschafters an der Delegation der Kommission der Europäischen Gemeinschaften in Wien (1989–1992), Wirtschaftspolitische Abteilung der Wirtschaftskammer Österreich in Wien (1993–1994), Mitglied des Paritätischen Ausschusses für Kartellangelegenheiten (1994), des Bundesvergabeamtes (1994) und der Österreichischen Raumordnungskonferenz in Wien (1993–1994), derzeit **Mitglied des Kabinetts von Kommissar *Franz Fischler* in der Europäischen Kommission** in Brüssel (seit 1995); Lehrbeauftragter für EG-Recht an der Wirtschaftsuniversität Wien, der Verwaltungsakademie des Bundes und der Europaakademie des Bundes in Wien sowie am MBA Central Europe Krems; zahlreiche Vorträge und Veröffentlichungen über Europarecht.

Günther Ettl

geboren 1961 in Graz; Studium der Rechtswissenschaften an der Universität Graz, der Musik an der Hochschule für Musik und darstellende Kunst in Graz sowie des Europarechts am Collège d'Europe in Brügge, Dr. iur. (Graz, 1985), Konzertdiplom (Graz, 1987), Diplôme des Hautes Etudes Européennes en Droit (Brügge, 1988); Gerichtspraxis in Graz (1986–1987), Berater bei Coopers & Lybrand Unternehmensberatung in Wien (1988–1989), Senior Consultant im EG-Büro von Coopers & Lybrand in Brüssel (1989–1993), derzeit Beamter im **Juristischen Dienst der EFTA-Surveillance Authority** in Brüssel (seit 1993).

Franz Fischler

geboren 1946 in Absam (Österreich); Studium der Landwirtschaft an der Universität für Bodenkultur in Wien (1967–1973), Dr. rer. nat. oec. (Wien, 1978); Assistent in der Abteilung für regionale Landwirtschaftsplanung des Instituts für Landwirtschaftsmanagement der Universität für Bodenkultur in Wien (1973–1979), Abteilungsleiter (1979–1984) und Direktor der Tiroler Landwirtschaftskammer in Innsbruck (1985–1989), Bundesminister für Land- und Forstwirtschaft in Wien (1989–1994), derzeit **Mitglied der Kommission der Europäischen Gemeinschaften mit den Zuständigkeiten für Landwirtschaft und die Entwicklung des ländlichen Raums** in Brüssel (seit 1995).

John Fitzmaurice

geboren 1947 in Kopenhagen; Studium der Wirtschaftswissenschaften und politischen Wissenschaften an den Universitäten Bristol (1966–1969), Oxford (1969–1970) und Brüssel (1970–1971), BSc und MSc (Bristol); Beamter in der Kommission der Europäischen Gemeinschaften in Brüssel (seit 1973), derzeit **Leiter des Referats „Beziehungen zum Europäischen Parlament I: Plenartagungen, horizontale parlamentarische Ausschüsse, Folgemaßnahmen zu Stellungnahmen und Entschließungen, Gruppe der Angelegenheiten des Parlaments" des Generalsekretariats der Kommission der Europäischen Gemeinschaften** in Brüssel; Maître de conférences am Institut d'Etudes Européennes der Université Libre de Bruxelles (seit 1986, „Problèmes politiques européens"), Visiting Professor an der Fletcher School of Law and Diplomacy (1989–1990); zahlreiche Veröffentlichungen zu institutionellen Fragen der EG und über die politischen Systeme in Dänemark, Belgien, Québec, Österreich und dem Baltikum.

Pádraig Flynn

Geboren 1939 in Castlebar (Irland); Lehrerausbildung; Lehrer, seit 1967 verschiedene politische Funktionen auf Regionalebene, Mitglied des irischen Parlaments in Dublin (1977–1992), Staatssekretär im Transport- und Energieministerium in Dublin (1980–1981), Minister für Handel und Tourismus (1982), Handels- und Tourismussprecher der Fianna Fail-Partei im irischen Parlament in Dublin (1982–1987), Umweltminister (1982–1987), Justizminister und Minister für Industrie und Handel (1992), derzeit **Mitglied der Europäischen Kommission in Brüssel mit besonderer Zuständigkeit für** Soziales, Beschäftigung, Einwanderung, innere und Justizangelegenheiten (1993–1994) bzw **Beschäftigung und soziale Angelegenheiten sowie Beziehungen zum Wirtschafts- und Sozialausschuß** (seit 1995).

Ernest Gnan

geboren 1964 in Wien; Studium der Wirtschaftswissenschaften an der Wirtschaftsuniversität Wien (1982–1989), Mag. rer. soc. oec. (Wien, 1986), Dr. rer. soc. oec. (Wien, 1989); Investmentfondsmanager bei der Genossenschaftlichen Zentralbank in Wien (1987), Volkswirtschaftliche Abteilung der Oesterreichischen Nationalbank in Wien (1988–1992), Abteilung „Währungsunion: Institutionelle, rechtliche und finanzielle Fragen" der Generaldirektion II („Wirtschaft und Finanzen") der Kommission der Europäischen Gemeinschaften in Brüssel (1992–1994), derzeit **Abteilung für EWS- und ECU-Fragen des Generalsekretariates des Europäischen Währungsinstituts** in Frankfurt (seit 1994); zahlreiche Veröffentlichungen zu den Themen Finanzmärkte, österreichische Währungspolitik sowie Wirtschafts- und Währungsunion.

Jürgen Grunwald

geboren 1948; Studium der Rechtswissenschaften an der Universität Hamburg und der University of Illinois, Dr. iur. (Hamburg) und M.C.L. (Illinois); Teaching Assistant an der University of Illinois (1973–1974), Beamter im Bundesministerium für Wirtschaft in Bonn (seit 1976; derzeit als Regierungsdirektor beurlaubt), Beamter in der Abteilung „Agrarrecht" der Generaldirektion VI („Landwirtschaft") (1979–1981), derzeit Mitglied des **Juristischen Dienstes der Kommission der Europäischen Gemeinschaften** (seit 1981) und **Rechtsberater** der Europäischen Kommission in Brüssel (seit 1994); Lehrbeauftragter am Europa-Institut der Universität des Saarlandes in Saarbrücken (Vorlesung über europäische Energiewirtschaft) und Gastprofessor am Forschungsinstitut für Europarecht der Karl-Franzens-Universität Graz (1993/1994); zahlreiche Veröffentlichungen über EG-Recht und Energierecht.

Otto Harnier

geboren 1939 in Fulda; Studium der Rechtswissenschaften an den Universitäten Frankfurt am Main und München (1961–1965) sowie des Europarechts am Europa-Institut der Universität des Saarlandes in Saarbrücken (1966–1967), Dr. iur. (München, 1969); Beamter in den Generaldirektionen „Verkehr und Umweltschutz" (1970–1977) und „Binnenmarkt" (1977–1987) sowie Leiter der Abteilung „Öffentliches Auftragswesen, Rundfunkrecht, Gesellschafts- und Bankenrecht" der Generaldirektion „Binnenmarkt" (1987–1991), der Abteilung „Gemeinsame Fischereipolitik" der Generaldirektion „Landwirtschaft“ (1991–1995) und derzeit **Leiter der Abteilung „Immigration und Asyl“ der Generaldirektion „Justiz und Inneres“ im Generalsekretariat des Rates der Europäischen Union** (seit 1995); Veröffentlichungen zum EG-Recht.

Gerhard Hitzler

geboren 1952 in Günzburg (Deutschland); Studium der Rechtswissenschaften an der Universität Augsburg; Dr. jur. (Augsburg, 1978); Beamter im Bayerischen Staatsministerium für Wirtschaft und Verkehr in München (1978–1983), Austauschbeamter bei der Generaldirektion IV („Wettbewerb“) der EG-Kommission in Brüssel (1983–1985), Stellvertreter des Beobachters der Länder bei der EG in Brüssel (1985–1987), Mitglied im Kabinett von Kommissar *Peter M. Schmidhuber* in der EG-Kommission in Brüssel (1987–1995), derzeit **Leiter der Abteilung „Informationssysteme, Intelligence, Analyse der Gesetzgebung (Betrugsbekämpfung)“ im Generalsekretariat der EG-Kommission** in Brüssel (seit 1995); Veröffentlichungen über institutionelles EG-Recht und Wettbewerbsrecht.

Bernhard Jansen

geboren 1949 in Oldenburg; Studium der Rechtswissenschaften an den Universitäten Hamburg, Genf und Freiburg im Breisgau, Dr. iur. (Freiburg, 1976); Richter am Verwaltungsgericht Freiburg (1976–1979), Beamter in der Generaldirektion V („Beschäftigung, Arbeitsbeziehungen und soziale Angelegenheiten“) (1979–1982), Mitglied des Juristischen Dienstes der Kommission der Europäischen Gemeinschaften in Brüssel (1982–1991), derzeit **Rechtsberater der Ständigen Delegation der Europäischen Kommission bei den Internationalen Organisationen** in Genf (seit 1991).

Heike-Dagmar Joa

geboren 1952 in Frankfurt am Main; Studium der Rechtswissenschaften an den Universitäten Heidelberg, Mannheim, Lausanne (1971–1978), Studium an der Ecole Nationale d'Adminstration in Paris (1983–1984); Rechtsreferendarin (1976–1979); Regierungsrätin des Finanzministeriums in Stuttgart (1980–1983), Referentin in der Abteilung „Finanzbeziehungen zur EG“ des Bundesministeriums der Finanzen in Bonn (1984–1989), Abordnung zur Kommission der Europäischen Gemeinschaften (1989–1992), derzeit Regierungsdirektorin bei der **Ständigen Vertretung Deutschlands bei der Europäischen Union** in Brüssel (seit 1992), Vorsitzende der Ratsarbeitsgruppen „Steuerfragen“, „Schutz der finanziellen Interessen der Gemeinschaft“ und „Agrarfinanzen“ während der deutschen Ratspräsidentschaft (1994); Gastdozentin an der Bundesfinanzakademie des Bundesfinanzministeriums; zahlreiche Veröffentlichungen und Vorträge zum Steuerrecht und zur Bekämpfung der Wirtschaftskriminalität auf EG-Ebene.

Peter Kalbe

geboren 1935 in Bad Liebenstein (Deutschland); Studium der Rechtswissenschaften und der Volkswirtschaft an den Universitäten Heidelberg und München (1954–1957) sowie an der University of Michigan Law School in Ann Arbor (1962–1963) und an der University of Cambridge (1974), Dr. iur. (Heidelberg), MCL (Michigan, 1963); Assistent am Institut für Internationales und Vergleichendes Privatrecht und Wirtschaftsrecht der Universität Heidelberg (1958–1962), Rechtsreferendar in Baden-Würtenberg (1958–1962), Rechtsanwalt in Heidelberg (1960–1962), Beamter in der Generaldirektion III („Binnenmarkt und gewerbliche Wirtschaft“) (1964–1965 und 1977–1979), Mitglied des Juristischen Dienstes (1965–1979 und 1984–1987) der Kommission der Europäischen Gemeinschaften in Brüssel, Leiter der Vertretung der EG-

Kommission in Santiago de Chile (1979–1984), Leiter der Abteilung „Personaleinstellung" (1987–1989) und der Abteilung „Gebäudepolitik, Optionen und Verträge" der Generaldirektion IX („Personal und Verwaltung") (1989–1991), Leiter des Referats „Öffentlichkeitsarbeit und Rechtsfragen im Bereich der Beziehungen zu den Ländern Mittel- und Osteuropas und den neuen unabhängigen Staaten im Gebiet der ehemaligen Sowjetunion, unter Einschluß der PHARE- und TACIS-Hilfsprogramme", derzeit **Berater für Rechtsfragen und stellvertretender Direktor des Informationsamtes für Technische Hilfe im Bereich der Rechtsangleichung der Generaldirektion I.A („Politische Außenbeziehungen") der Kommission der Europäischen Gemeinschaften** in Brüssel (seit 1991); Gastprofessor an der University of Michigan Law School (1993–1994), Lehrbeauftragter an der Université du Maine in Le Mans (1984–1985), am Collège d'Europe in Brügge und an der Universität/Gesamthochschule Essen („EG-Außenpolitik").

Ludwig Krämer

geboren 1939; Studium der Rechtswissenschaften an den Universitäten Kiel, München und Paris; Richter am Landgericht Kiel, Beamter der Kommission der Europäischen Gemeinschaften in den Bereichen Verbraucherschutz und Umweltschutz, derzeit **Leiter des Referats „Abfallwirtschaft" der Generaldirektion XI („Umwelt, nukleare Sicherheit und Katastrophenschutz") der Kommission der Europäischen Gemeinschaften** in Brüssel; zahlreiche Veröffentlichungen über Europarecht.

Michael Lux

geboren 1947 in Oldenburg; Studium der Rechtswissenschaften an der Universität Hamburg (1966–1968 und 1969–1971) sowie der Verwaltungswissenschaften an der Wesleyan University in Middletown, Connecticut (1968–1969) und an der Ecole Nationale d'Administration (ENA) in Paris (1975–1976); Rechtsreferendar in Hamburg (1971–1974), Bundesfinanzverwaltung (ab 1974), Leiter des Referats „Außenwirtschafts- und Marktordnungsüberwachung, Überwachung des innerdeutschen Handels" der Oberfinanzdirektion Hamburg (1976–1978), Referent im „Generalreferat Zolltarif" und im Referat „Elektronische Datenverarbeitung in der Zollverwaltung" im Bundesministerium der Finanzen in Bonn (1978–1987), Leiter des Referats „Integrierter Zolltarif (TARIC)" (1987–1993) und derzeit **Leiter des Referats „Wirtschaftliche Tariffragen" der Generaldirektion XXI („Zoll und indirekte Steuern") der Kommission der Europäischen Gemeinschaften** in Brüssel (seit 1993); zahlreiche Veröffentlichungen über europäisches und internationales Zoll-, Zolltarif- und Außenwirtschaftsrecht.

Ingrid Mariën-Dusak

geboren 1960 in Wien; Studium der Rechtswissenschaften an der Universität Wien (1979–1983), Dr. iur. (Wien, 1983); Gerichtsjahr in Wien (1983–1984), Assistentin am Institut für Arbeits- und Sozialrecht der Universität Wien (1985–1990), Abteilung „Europäische Forschungskooperationen" des Bundesministeriums für Wissenschaft und Forschung in Wien (1989–1990), Nationalexpertin in der Abteilung „Wissenschaftliche und technische Zusammenarbeit mit den EFTA-Ländern und COST" der Generaldirektion XII („Wissenschaft, Forschung und Entwicklung") der Kommission der Europäischen Gemeinschaften in Brüssel (1990–1992), derzeit **Leiterin des Verbindungsbüros des „Büros für internationale Forschungs- und Technologiekooperationen"** (BIT) an der Ständigen Vertretung Österreichs bei der Europäischen Union in Brüssel (seit 1993); Lehrbeauftragte für Arbeits- und Sozialrecht an der Universität

Wien (1985–1990); zahlreiche Veröffentlichungen über Arbeits- und Sozialrecht sowie europäische Forschungspolitik.

Hans-Adolf Neumann

geboren 1938 in Berlin; Studium der Rechtswissenschaften an den Universitäten Heidelberg, Berlin und München, Dr. iur. (1967); Rechtsanwalt (1967–1968), Kreditanstalt für Wiederaufbau in Frankfurt am Main (1968–1971), Beamter der Generaldirektion XVIII („Kredit und Investitionen") der Kommission der Europäischen Gemeinschaften in Luxemburg (1971–1972), der Generaldirektion I („Auswärtige Beziehungen") (1972–1974) und der Generaldirektion XX („Finanzkontrolle") der Kommission der Europäischen Gemeinschaften in Brüssel (1974–1981), Leiter der Abteilung „Ausfuhrkreditpolitik und Ausfuhrförderung" (1981–1987) und derzeit **Leiter der Abteilung „Antidumpingpolitik (Dumpingaspekte), Erhebungen und Maßnahmen, neues handelspolitisches Instrument, Ausfuhrregelung, Handels- und Kooperationsabkommen der Mitgliedstaaten, Verstöße" der Generaldirektion I („Außenwirtschaftsbeziehungen") der Kommission der Europäischen Gemeinschaften** in Brüssel (seit 1987).

Wolfgang Pape

geboren 1947 in Kassel; Studium der Rechts-, Wirtschafts- und Politikwissenschaften an den Universitäten Marburg (1968–1969), Genf (1969–1970), Freiburg (1970–1972 und 1978–1979) und an der Harvard Law School (1975) sowie der japanischen Sprache an der Universität Osaka (1973) und des japanischen Rechts an der Universität Kyoto (1973–1975), Dr. iur. (Freiburg, 1979); Rechtsreferendar in Baden-Baden (1975–1977), Berater an der japanischen Botschaft in Bonn (1979–1981), seit 1981 Beamter in der Generaldirektion I („Außenbeziehungen") der Kommission der Europäischen Gemeinschaften in Brüssel (1981–1982 und 1988–1992), in der Delegation der EG-Kommission in Tokio (1982–1988) und derzeit in der **Gruppe für prospektive Analysen der Kommission der Europäischen Gemeinschaften** in Brüssel (seit 1992); zahlreiche Veröffentlichungen zu japanischem und EG-Recht sowie zur japanischen Politik.

Franz Pauer

geboren 1956 in Vöcklabruck (Österreich); Studium der Volkswirtschaft und der Soziologie an der Johannes-Kepler-Universität Linz, Mag. rer. soc. oec. (Linz, 1984); derzeit **volkswirtschaftlicher Referent in der Abteilung „Finanzmarktanalyse" der Oesterreichischen Nationalbank** in Wien.

Corrado Pirzio-Biroli

geboren 1940 in Friaul (Italien); Studium der Wirtschaftswissenschaften an der Universität Rom sowie des Economic Planning und Industrial Development Programming am Institute of Social Studies in Den Haag, Dr. iur. (Rom), Diplom (Den Haag, 1967), Dozentur (Den Haag, 1968); Wirtschaftsberater der Regierung des Sudan (1969–1970), Beamter in der Generaldirektion VIII („Entwicklung") der Kommission der Europäischen Gemeinschaften in Brüssel (1971–1978), Berater für Wirtschafts- und Haushaltsfragen an der Delegation der EG-Kommission in den USA in Washington (1978–1982), Berater des Präsidenten der EG-Kommission in Wirtschafts- und Haushaltsfragen in Brüssel (1982–1985), Stellvertretender Leiter der Abteilung für die Beziehungen mit den EFTA-Staaten der Generaldirektion I („Auswärtige Beziehungen") in Brüssel (1985–1988), Stellvertretender Leiter und Geschäftsträger der Delegation der EG-Kommission in den USA in Washington (1988–1992), Leiter der Delegation der EG-

Kommission in Österreich in Wien (1992–1994), derzeit **Kabinettchef von Kommissar *Franz Fischler* in der Kommission der Europäischen Gemeinschaften** in Brüssel (seit 1995); Vorstandsmitglied des Global Interdependence Center in Philadelphia und des US Institute of Education sowie emeritiertes Vorstandsmitglied des Council of World Affairs und der Society of Government Economists in Washington; zahlreiche Veröffentlichungen über die EG-Außenbeziehungen mit den USA und den EFTA-Staaten sowie über das Ost-West- und Nord-Süd-Verhältnis.

Brigitta Renner-Loquenz

geboren 1967; Studium der Rechtswissenschaften an der Karl-Franzens-Universität Graz (1985–1990), Mag. iur. (Graz, 1990); Assistentin am Forschungsinstitut für Europarecht der Karl-Franzens-Universität Graz (1990–1992), Landesamtsdirektion/Europareferat des Amtes der Steiermärkischen Landesregierung in Graz (seit 1992), derzeit nationale Expertin in der **Generaldirektion XVI („Regionalpolitik und Kohäsion") der Kommission der Europäischen Gemeinschaften** in Brüssel (seit 1995); Veröffentlichungen zur europäischen Integration.

Moritz Röttinger

geboren 1961 in Wien; Studium der Rechtswissenschaften an der Universität Wien (1980–1984) und an der Ludwig-Maximilians-Universität München (LMU) (1984–1986) sowie des Europarechts am Institut d'Etudes Européennes der Université Libre de Bruxelles (ULB) (1990–1992), Dr. iur. (Wien, 1984), Zertifikat (München, 1985) und Licence spéciale en droit européen (Brüssel); Assistent am Institut für Handelsrecht der Universität Wien (1983–1984), wissenschaftlicher Mitarbeiter am Max-Planck-Institut für ausländisches und internationales Patent-, Urheber- und Wettbewerbsrecht in München (1984–1986), Gerichtsjahr und Rechtsanwaltsanwärter in Wien (1986–1990), Abteilung „Urheberrecht, unlauterer Wettbewerb und internationale Aspekte des geistigen Eigentums" der Generaldirektion III („Binnenmarkt und gewerbliche Wirtschaft"), expert juridique in der Abteilung „Allgemeine Unternehmenspolitik" der Generaldirektion XXIII („Unternehmenspolitik, Handel, Tourismus und Sozialwirtschaft") der Kommission der Europäischen Gemeinschaften in Brüssel (1990–1994), derzeit **Generalsekretär und Geschäftsführer der European Vending Association (EVA)** in Brüssel (seit 1994); Lehrbeauftragter an der Universität Wien („Organisation und Arbeitsweise der EG-Institutionen") und am Europa-Institut der Universität des Saarlandes in Saarbrücken („EG-Immaterialgüterrecht" und „Regierungskonferenz 1996"); zahlreiche Veröffentlichungen und Vorträge über nationales und internationales Urheber-, Wettbewerbs- und Computerrecht sowie EG-Recht und EG-Politik.

Bernhard Schloh

geboren 1929; Studium der Rechtswissenschaften an der Universität Hamburg und an der New York University sowie des Europarechts am College d'Europe in Brügge, Dr. iur. (Hamburg, 1960), Diplôme des Hautes Etudes Européennes (Brügge) und Diplom der Haager Akademie für internationales Recht; Mitglied des **Juristischen Dienstes des Rates der Europäischen Gemeinschaften** in Brüssel (1964–1994) und Bevollmächtigter des Rates vor dem Gerichtshof der Europäischen Gemeinschaften, derzeit im Ruhestand; emeritierter Professor an der Vrije Universiteit Brussel (VUB) (Vorlesung über International Economic Organisations) und Lehrbeauftragter am Europa-Institut der Universität des Saarlandes in Saarbrücken (Vorlesung über den europäischen Agrarmarkt); Veröffentlichungen über Europarecht.

Astrid Schomaker

geboren 1963 in Hamburg; Studium der Geschichte und Anglistik an den Universitäten Hamburg und East Anglia in Norwich, der Rechtswissenschaften an der Universität Hamburg (1983–1989) sowie des internationalen und europäischen Rechts an der Vrije Universiteit Brussel (1989–1990) und der Hague Academy of International Law (1991), LL. M. (Brüssel, 1990); Assistentin im Europäischen Parlament in Brüssel (1989–1990), Rechtsreferendarin in Hamburg und Brüssel (1990–1992), wissenschaftliche Mitarbeiterin am Institut für Europäisches Gemeinschaftsrecht der Universität Hamburg und an der University of Michigan in Ann Arbor (1990–1992), derzeit Beamtin in der **Abteilung „Vereinigte Staaten von Amerika" der Generaldirektion I („Außenwirtschaftsbeziehungen") der Kommission der Europäischen Gemeinschaften** in Brüssel (seit 1992); Veröffentlichungen über EG-Außenbeziehungen.

Egon Schoneweg

geboren 1944 in Elbing (Westpreußen); Studium der Politikwissenschaften an den Universitäten Köln, Heidelberg und Paris, Dr. phil. (Heidelberg, 1969); Assistent an der Universität Tübingen (1969–1970), Verwaltungsrat im Kabinett des Generalsekretärs (1970–1971) sowie Verwaltungsrat und Hauptverwaltungsrat in der Presse- und Informationsabteilung (1971–1984) und Kabinettchef des Präsidenten des Wirtschafts- und Sozialausschusses der Europäischen Gemeinschaften in Brüssel (1981–1982 und 1984–1986), derzeit Beamter in der **Abteilung „Information und Beziehungen zum Europäischen Parlament und den anderen Institutionen" der Generaldirektion XVI („Regionalpolitik") der Kommission der Europäischen Gemeinschaften** in Brüssel (seit 1986); Lehrbeauftragter an der Universität Siegen.

Aurel Schubert

geboren 1956 in Budapest; Studium der Handelswissenschaften an der Wirtschaftsuniversität Wien und der Volkswirtschaft an der University of South Carolina, Mag. rer. soc. oec. (Wien, 1979), Ph.D. (South Carolina, 1985); Referent in der Abteilung für Zahlungsbilanzangelegenheiten der Oesterreichischen Nationalbank in Wien (1985–1987), Visiting Trainee beim Internationalen Währungsfonds in Washington (1987–1988), Referent in der Internationalen Abteilung (1988–1992) und derzeit **Leitungsassistent (stellvertretender Leiter) im Sekretariat des Direktoriums/Öffentlichkeitsarbeit der Oesterreichischen Nationalbank** in Wien (seit 1992); Lehrbeauftragter an der Webster University in Wien und an der Diplomatischen Akademie in Wien; zahlreiche Veröffentlichungen über Währungspolitik und die Europäische Währungsunion.

Reinhard Schulte-Braucks

geboren 1950; Studium der Rechtswissenschaften an den Universitäten Köln, Lausanne, Freiburg im Breisgau, Berkeley (1976–1977) und Göttingen (1977–1980), Dr. iur. (Göttingen, 1980), LL.M. (Berkeley, 1977); Assistent am Institut für Internationales und Ausländisches Privat- und Wirtschaftsrecht der Universität Göttingen (1977–1980), Mitglied der Rechtsabteilung der Münchener Rückversicherungsgesellschaft (1981), Beamter in der Generaldirektion IV („Wettbewerb") (1981–1986), Mitglied des Kabinetts von Vizepräsident *Karl-Heinz Narjes* (1986–1989), Generaldirektion XIII („Telekommunikation, Informationsindustrien und Innovation") (1989–1990), Assistent des Generaldirektors (1990–1992) und derzeit **Leiter der Abteilung „Allgemeine Unternehmenspolitik" der Generaldirektion XXIII („Unternehmenspolitik, Handel, Tourismus und Sozialwirtschaft") der Kommission der Europäischen Gemeinschaften** in Brüssel (seit 1992); zahlreiche Veröffentlichungen zum EG-Wettbewerbs- und -Telekommunikationsrecht.

Rudolf W. Strohmeier

geboren 1952 in Würzburg; Studium der Rechts- und Volkswissenschaften an den Universitäten Würzburg und Bonn, Dr. iur. (Würzburg, 1981), wissenschaftlicher Assistent am Institut für Bürgerliches Recht und Handelsrecht der Universität Würzburg (1979–1980), Referent in der Bayerischen Landesvertretung in Bonn (1980–1985); Generaldirektion VIII („Entwicklung") der Kommission der Europäischen Gemeinschaften in Brüssel (1985–1987); Leiter des Informationsbüros des Freistaates Bayern in Brüssel (1987); Mitglied im Kabinett von Kommissar *Peter M. Schmidhuber* (1987–1995); derzeit **stellvertretender Kabinettchef von Kommissar Franz Fischler in der Kommission der Europäischen Gemeinschaften** in Brüssel (seit 1995); Veröffentlichungen über rechts-, wirtschafts- und europapolitische Themen.

Hans van den Broek

geboren 1936 in Paris; Studium der Rechtswissenschaften an der Universität Utrecht; Rechtsanwalt in Rotterdam (1965–1968), Vorstandsassistent (1969–1973) und Commercial Manager bei ENKA im Arnhem (1973–1976), Stadtrat von Rheden (1970–1974), Abgeordneter zum niederländischen Parlament (1976–1981), Staatssekretär für auswärtige Angelegenheiten in Den Haag (1981–1982), Außenminister in Den Haag (1982–1993), derzeit **Mitglied der Kommission der Europäischen Gemeinschaften** in Brüssel mit den Zuständigkeiten für politische Außenbeziehungen, Gemeinsame Außen- und Sicherheitspolitik sowie Verhandlungen über Erweiterungen (1993–1995) bzw **für Beziehungen zu den Ländern Mittel- und Osteuropas und den Staaten der ehemaligen Sowjetunion, zur Mongolei, zur Türkei, zu Zypern, Malta sowie zu anderen europäischen Staaten, Gemeinsame Außen- und Sicherheitspolitik und Menschenrechte sowie den Außendienst** (seit 1995).

Antoine Van der haegen

geboren 1943 in Gent; Übersetzer- und Dolmetschstudium am Centre Universitaire d'Anvers (Antwerpen), licence de traduction und licence d'interprétation de conférences mit Spezialisierung in Wirtschaft (Antwerpen); Beamter im Gemeinsamen Dolmetscher-Konferenzdienst (1968–1971) und in der Französisch-Abteilung des Übersetzungsdienstes (1972–1983) der Kommission der Europäischen Gemeinschaften in Brüssel, Leiter der Abteilung „Ressourcen und berufliche Entwicklung" der Generaldirektion IX („Personal und Verwaltung") (1983–1989), Leiter der Abteilung „Koordinierung der Einstellungen, Praktika, Öffentlichkeitsarbeit und externe Beziehungen" des Übersetzungsdienstes (1990) und derzeit **Berater in der Abteilung „Verbraucherrelevante Transaktionen" der Generaldirektion XXIV („Verbraucherpolitik") der Kommission der Europäischen Gemeinschaften** in Brüssel (seit 1990); Lehrbeauftragter am Centre Universitaire d'Anvers (1972–1977); zahlreiche Vorträge.

Stefan Weber

geboren 1959; Studium der Rechtswissenschaften an der Universität Wien (1978–1982) und des amerikanischen Rechts an der Harvard Law School in Cambridge, Ma. (1984–1985), Dr. iur. (Wien, 1982) und LL.M. (Harvard, 1985); Assistent und Lehrbeauftragter am Institut für Staats- und Verwaltungsrecht der Universität Wien (1982–1984), wissenschaftlicher Mitarbeiter am Verfassungsgerichtshof in Wien (1985–1987), Rechtsanwaltsanwärter und Rechtsanwalt (1988–1991), Visiting Professor für Europarecht an der American University und an der Johns Hopkins University (SAIS) in Washington, D.C. (1992–1993), derzeit **Rechtsanwalt** in Wien (seit 1993); Lehrbeauftragter für Europarecht am Europa-Institut der Universität des Saarlandes in Saarbrücken und an der Wirtschaftsuniversität Wien; zahlreiche Publikationen.

Gerhard Hannes Welge

geboren 1952 in Barsinghausen (Deutschland); Studium der Volkswirtschaft, der politischen Wissenschaften und der Rechtswissenschaften an den Universitäten Hamburg und Göttingen (1972–1978); Rechtsreferendar (1978–1981), Rechtsanwalt (1981–1982), Richter am Landgericht Hamburg in einer Fachabteilung für Wettbewerbs-, Patent-, Presse- und Urheberrecht (1982–1987), Presse- und persönlicher Referent des Präses der Justizbehörde der Freien und Hansestadt Hamburg (1984–1985), derzeit **Verwaltungsrat in der Abteilung „Antidumpingpolitik (Dumpingaspekte), Erhebungen und Maßnahmen, neues handelspolitisches Instrument und Ausfuhrregelung, Handels- und Kooperationsabkommen der Mitgliedstaaten, Verstöße" der Generaldirektion I („Außenwirtschaftsbeziehungen") der Kommission der Europäischen Gemeinschaften** in Brüssel (seit 1987).

Claudia Weyringer

geboren 1961 in Graz; Studium der Psychologie (Schwerpunkt Marketing) und der Rechtswissenschaften an der Universität Graz (1980–1986), Dr. iur. (Graz, 1986); Wirtschaftskanzlei in Rio de Janeiro (1986); Gerichtsjahr in Graz (1987–1988); Lehrgang für Rechtsinformatik an der Universität Graz (1987–1988), Abteilung „Handelspolitik und Außenhandel" der Bundeskammer der gewerblichen Wirtschaft in Wien (1989–1990), Abteilung „Koordinierung der Beschlüsse über die Anwendung der Wettbewerbsregeln" der Generaldirektion IV („Wettbewerb") der Kommission der Europäischen Gemeinschaften in Brüssel (1990), Wirtschaftspolitische Abteilung (österreichisches und europäisches Kartell- und Umweltrecht) der Bundeskammer der gewerblichen Wirtschaft in Wien (1990–1991), EG-Referentin in der Abteilung für Wirtschaftspolitik und Außenhandel (seit 1992) und derzeit **Leiterin des Euro Info Centers in der Abteilung für Außenwirtschaft und Integrationspolitik der Wirtschaftskammer Steiermark** in Graz (seit 1995).

Joachim Wuermeling

geboren 1960; Studium der Rechtswissenschaften an den Universitäten Bayreuth und Erlangen (1980–1985) sowie des Europarechts am Europäischen Hochschulinstitut Florenz (1988/1989) und des Französisch an der Université de Dijon (1982/1983), Dr. jur. (Bayreuth, 1987), Master of European, International and Comparative Law (Florenz, 1990); Rechtsreferendar (1986–1989), Bayerisches Staatsministerium für Bundes- und Europaangelegenheiten (Bayerische Vertretung Bonn, 1989–1993), Kabinett von Kommissar *Peter M. Schmidhuber* in der EG-Kommission in Brüssel (1993–1995), derzeit **Regierungsdirektor und Leiter der Abteilung „Beziehungen zu den europäischen Institutionen" der Bayerischen Staatskanzlei** in München (seit 1995); Prüfer für die juristische Staatsprüfung in Bayern (seit 1991); Veröffentlichungen im Europa- und Verfassungsrecht.

Hinweis

Die wissenschaftliche Verantwortung für die einzelnen Beiträge liegt bei den jeweiligen Autoren.

Die in den Beiträgen zum Ausdruck kommenden Ansichten stellen ausschließlich die persönliche Meinung der jeweiligen Autoren dar, die nicht notwendigerweise immer mit den offiziellen Standpunkten der Organisationen bzw Institutionen, denen sie angehören, übereinstimmen muß und die für diese in keiner Weise bindend ist.

TEIL I

Grundlagen und Organisation der Gemeinschaftsinstitutionen

1. KAPITEL

Historische Eckdaten zur Entwicklung der Europäischen Gemeinschaften und der europäischen Integration

Moritz Röttinger

1919

Gründung des Völkerbundes

1921

25. Juli: Unterzeichnung des Vertrages zur Gründung der Belgisch-Luxemburgischen Wirtschaftsunion (am 6. März 1922 in Kraft getreten)

1923

Veröffentlichung des Buchs „Pan Europa" von Graf *Richard Coudenhove-Kalergi*

1925

deutsch-französischer Nichtangriffsvertrag von Locarno

1926

Eintritt Deutschlands in den Völkerbund

1927

3. bis 6. Oktober: Kongreß der Pan-Europa-Bewegung in Wien

1928

allgemeine Kriegsächtung im *Briand-Kellogg*-Pakt

1929

5. oder 7. September[1]**):** Vorschlag des französischen Außenministers *Aristide Briand* in der Nationalversammlung zur Schaffung eines föderalistischen Bandes zwischen den europäischen Ländern, die ihre Souveränität dabei nicht verlieren würden

---

[1]) Die Angaben in den Quellen sind uneinheitlich.

1930

„Mémorandum sur l'organisation d'un régime d'union fédérale européenne" (geprägt durch *Briands* Ideen)

1938

12. März: Einmarsch deutscher Truppen in Österreich

1939

1. September: Beginn des 2. Weltkriegs

1941

12. August: Gemeinsame Erklärung von *Roosevelt* und *Churchill* („Atlantic Charta"): „access, on equal terms, to the trade and raw materials of the world", „bring about the fullest collaboration between all nations in the economic field"

1944

1. bis 22. Juli: Konferenz von Bretton Woods (Gründung des Internationalen Währungsfonds)

5. September: Unterzeichnung des Zollunionsvertrages zur Gründung der Benelux-Wirtschaftsunion

1945

8. Mai: Kapitulation der deutschen Wehrmacht

26. Juni: Unterzeichnung der Gründungscharta der Vereinten Nationen (UNO)

6./9. August: Abwurf der Atombomben auf Hiroshima und Nagasaki

1946

16. März: Der britische Premierminister Sir *Winston Churchill* erwähnt in seiner Rede in Fulton, Missouri, erstmals den Begriff „iron curtain" („Eiserner Vorhang")

19. September oder 19. Dezember[2]): Vorschlag Sir *Winston Churchills* in einer Rede an der Universität Zürich zur Schaffung einer europäischen Gruppierung

1947

4. März: Unterzeichnung des gegenseitigen Allianz- und Beistandspakts zwischen Frankreich und dem Vereinigten Königreich

5. Juni: Vorschlag des amerikanischen Außenministers General *George C Marshall* in einer Rede an der Harvard University für ein Aufbauprogramm für Europa („*Marshall*-Plan")

12. Juli: erstes Treffen von 16 europäischen Staaten (Belgien, Dänemark, Frankreich, Griechenland, Irland, Island, Italien, Luxemburg, Nieder-

[2]) Die Angaben in den Quellen sind uneinheitlich.

lande, Norwegen, Österreich, Portugal, Schweden, Schweiz, Türkei und Vereinigtes Königreich) für eine gemeinsame Stellungnahme zum Marshall-Plan

30. Oktober: Abschluß des GATT

1948

1. Jänner: Inkrafttreten des Benelux-Vertrages

1. Jänner: Inkrafttreten des GATT

15. März: zweites Treffen der 16 Staaten zum Marshall-Plan

17. März: Unterzeichnung des Brüsseler Vertrags zur wirtschaftlichen, sozialen und kulturellen Zusammenarbeit zwischen dem Vereinigten Königreich, Frankreich und den Benelux-Staaten

23. März: Verabschiedung der „Charta von Havanna" zur Gründung einer internationalen Handelsorganisation

16. April: Unterzeichnung der Gründungscharta der OECE

7. bis 10. Mai: Konferenz des Comité International de Coordination des Mouvements pour l'Unification de l'Europe (CIMUE) in Den Haag

24. Juni: Beginn der Berlin-Blockade durch die UdSSR

1949

4. April: Unterzeichnung des Vertrags von Washington zur Gründung der NATO durch Belgien, Kanada, Dänemark, Frankreich, Island, Italien, Luxemburg, die Niederlande, Norwegen, Portugal, das Vereinigte Königreich und die USA

5. Mai: Abkommen von London zur Gründung des Europarats

9. Mai: Ende der Berlin-Blockade

3. August: Inkrafttreten des Abkommens von London zur Gründung des Europarats

24. August: Inkrafttreten des NATO-Vertrags

1950

9. Mai: „Declaration *Schuman*" (von *Jean Monnet* vorbereitete Rede des französischen Außenministers *Robert Schuman* zur Schaffung einer Hohen Behörde für Kohle und Stahl)

20. Juni: Beginn der Verhandlungen zur Schaffung der EGKS zwischen Deutschland, Frankreich, dem Vereinigten Königreich, Italien und den Benelux-Staaten auf der Grundlage der *Schuman*-Deklaration

11. August: Vorschlag Sir *Winston Churchills* vor der Beratenden Versammlung des Europarats zur Schaffung einer mit der NATO alliierten, gemeinsamen europäischen Armee

24. Oktober: Vorschlag des französischen Premierministers *René Pleven* für eine Europäische Verteidigungsgemeinschaft

4. November: Unterzeichnung der Europäischen Menschenrechtskonvention in Rom im Rahmen des Europarats

1951

18. April: Unterzeichnung des Gründungsvertrags der Europäischen Gemeinschaft für Kohle und Stahl (EGKS) in Paris durch Deutschland, Frankreich, Italien und die Benelux-Staaten (Pariser Vertrag)

19. Juli: Genehmigung des österreichischen GATT-Beitritts durch den österreichischen Nationalrat

17. Oktober: Unterzeichnung der NATO-Beitrittsverträge von Griechenland und der Türkei

1952

18. Februar: NATO-Beitritt Griechenlands und der Türkei

27. Mai: Unterzeichnung des Vertrags der Europäischen Verteidigungsunion durch Deutschland, Frankreich, Italien und die Benelux-Staaten (nur von 4 Staaten ratifiziert und nie in Kraft getreten)

23. Juli: Inkrafttreten des EGKS-Vertrags

10. August: Aufnahme der Tätigkeit der Hohen Behörde unter ihrem Präsidenten *Jean Monnet*

10. September: 1. Sitzung der Gemeinsamen Versammlung der EGKS, Wahl von *Paul-Henri Spaak* zu deren Präsidenten

1953

10. Februar: Eröffnung des gemeinsamen Markts der EGKS für Kohle, Eisenerz und Schrott

9./10. März: Vorschlag der Versammlung der Europäischen Verteidigungsunion zur Schaffung einer Europäischen Politischen Gemeinschaft

1. Mai: Eröffnung des gemeinsamen Markts der EGKS für Stahl

1954

7. Mai: Ablehnung des Antrags der UdSSR auf Beitritt zur NATO

30. August: Ablehnung einer Europäischen Verteidigungsunion bzw einer Europäischen Politischen Gemeinschaft durch die französische Nationalversammlung

23. Oktober: Unterzeichnung eines Protokolls zum Brüsseler Vertrag von 1947 und Aufnahme Deutschlands und Italiens, wodurch die Westeuropäische Union geschaffen wird

21. Dezember: Unterzeichnung des EGKS-Assoziierungsabkommens mit dem Vereinigten Königreich

1955

5. Mai: NATO-Beitritt Deutschlands

14. Mai: Unterzeichnung des Vertrags zur Gründung des Warschauer Paktes durch die UdSSR, ČSSR, Ungarn, Polen, Albanien, Bulgarien, Rumänien und die DDR

15. Mai: Unterzeichnung des Staatsvertrags zwischen Österreich sowie den USA, dem Vereinigten Königreich, Frankreich und der UdSSR

20. Mai: Memorandum von Benelux zur Schaffung eines gemeinsamen Marktes
1.–6. Juni: Konferenz von Messina der Außenminister der Mitgliedstaaten der EGKS
23. September: Inkrafttreten des EGKS-Assoziierungsabkommens mit dem Vereinigten Königreich
26. Oktober: Beschluß des österreichischen Nationalrates über das Gesetz über die immerwährende Neutralität (Neutralitätsgesetz)

1956

21. April: *Spaak*-Bericht über die Schaffung eines gemeinsamen Marktes, auf dessen Grundlage entsprechende Verhandlungen in Val Duchesse in Brüssel 1956/57 geführt werden (allgemeine Zustimmung von Deutschland, Frankreich, Italien, den Niederlanden, Belgien und Luxemburg und Ablehnung durch das Vereinigte Königreich am 29. Mai)
4. November: Niederschlagung des Ungarn-Aufstands durch sowjetische Truppen

1957

13. Februar: Beschluß des Ministerrates der OEEC zur Aufnahme von Verhandlungen zur Schaffung einer europäischen Freihandelszone
25. März: Unterzeichnung der Verträge zur Gründung der Europäischen Wirtschaftsgemeinschaft (EWG) und der Europäischen Atomgemeinschaft (EURATOM) in Rom durch Deutschland, Frankreich, Italien und die Benelux-Staaten (Römer Verträge)

1958

1. Jänner: Inkrafttreten des EWG-Vertrags und des EURATOM-Vertrags (*Walter Hallstein* wird Präsident der EWG-Kommission)
19. März: Wahl *Robert Schumans* zum Präsidenten der Versammlung (= EP)

1959

8. Juni: EWG-Assoziierungsantrag Griechenlands
31. Juli: EWG-Assoziierungsantrag der Türkei

1960

4. Jänner: Unterzeichnung der Stockholmer Konvention zur Errichtung der Europäischen Freihandelsassoziation (EFTA) durch Dänemark, Österreich, Norwegen, Portugal, Schweden, das Vereinigte Königreich und die Schweiz
19. April: Vorbereitungskonferenz zur Gründung der OCDE in Paris
3. Mai: Inkrafttreten des EFTA-Vertrags
14. Dezember: Unterzeichnung der Konvention von Paris zur Schaffung der OCDE als Nachfolgerin der OECE

1961

10./11. Februar: Beschluß der Staats- und Regierungschefs der EWG-Mitgliedstaaten zur Schaffung einer politischen Union

27. März: Unterzeichnung des EFTA-Assoziierungsabkommens mit Finnland

26. Juni: Inkrafttreten des EFTA-Finnland-Assoziierungsabkommens

29. Juni: Resolution der parlamentarischen Versammlung zur politischen Zusammenarbeit

9. Juli: Unterzeichnung des EWG-Assoziierungsabkommens mit Griechenland

1. August: EG-Beitrittsantrag Irlands

9. August: EG-Beitrittsantrag des Vereinigten Königreichs

10. August: EG-Beitrittsantrag Dänemarks

13. August: Beginn des Baus der Berliner Mauer

18. Oktober: Unterzeichnung der Europäischen Sozialcharta in Turin im Rahmen des Europarats

8. November: Beginn der EG-Beitrittsverhandlungen mit dem Vereinigten Königreich

10. Dezember: *Fouchet*-Plan zur Schaffung einer politischen Union (wird abgelehnt)

15. Dezember: EG-Assoziierungsanträge Österreichs, Schwedens und der Schweiz

1962

1. Jänner: Beginn der 2. Stufe der im EWG-Vertrag vorgesehenen Übergangszeit

22. Jänner: Unterzeichnung eines bilateralen Kooperationsvertrags zwischen Deutschland und Frankreich

9. Februar: EWG-Assoziierungsantrag Spaniens

30. März: förmliche Annahme des Titels „Europäisches Parlament“ durch die Europäische Versammlung

30. April: EG-Beitrittsantrag Norwegens

18. Mai: EWG-Assoziierungsantrag Portugals

1963

14./18./29. Jänner: Aussetzung der EG-Beitrittsverhandlungen mit Dänemark, Irland, Norwegen und dem Vereinigten Königreich

22. Jänner: Unterzeichnung eines Freundschafts- und Zusammenarbeitsvertrags zwischen Deutschland und Frankreich

20. Juli: Unterzeichnung des Jaunde I-Abkommens

12. September: Unterzeichnung des EWG-Assoziierungsabkommens mit der Türkei

1964

8. Mai: Einigung im EG-Ministerrat über gegenseitige Konsultationen vor Wechselkursänderungen

1. Dezember: Inkrafttreten des EWG-Assoziierungsabkommens mit der Türkei

1965

8. April: Unterzeichnung des Fusionsvertrags
30. Juni: Beginn von Frankreichs Politik des „leeren Stuhls" im EG-Rat

1966

29. Jänner: Luxemburger Kompromiß
10. März: Ankündigung des Austritts Frankreichs aus der integrierten Militärstruktur der NATO

1967

1. Jänner: Beseitigung der Importzölle für Handelserzeugnisse im Rahmen der EFTA
21. April: Militärputsch in Griechenland, Aussetzung des EWG-Assoziierungsabkommens
10. Mai: neuerlicher EG-Beitrittsantrag des Vereinigten Königreichs und Irlands
11. Mai: neuerlicher EG-Beitrittsantrag Dänemarks und Irlands
1. Juli: Inkrafttreten des Fusionsvertrags
24. Juli: neuerlicher EG-Beitrittsantrag Norwegens
28. Juli: neuerlicher EWG-Assoziierungsantrag Schwedens
29. September: positive Stellungnahme der EG-Kommission zum Beitrittsantrag des Vereinigten Königreichs, Irlands, Dänemarks und Norwegens
13./14. Dezember: *Harmel*-Bericht der NATO

1968

1. Jänner: Beseitigung der Importzölle für Handelserzeugnisse zwischen Finnland und der EFTA
1. Juli: Inkrafttreten der Zollunion im Rahmen der EG
20./21. Juli: Einmarsch von Truppen des Warschauer Pakts in die ČSSR
26. Juli: Unterzeichnung des Arusha I-Abkommens
12. September: Austritt Albaniens aus dem Warschauer Pakt
18. Dezember: *Marshall*-Plan zur Modernisierung der landwirtschaftlichen Strukturen

1969

19. Februar: Memorandum der EG-Kommission zur Schaffung einer Wirtschafts- und Währungsunion
29. Juni: Unterzeichnung des EWG-Freihandelsabkommens mit Spanien
22. Juli: aktualisierte Stellungnahme der EG-Kommission zum Beitrittsantrag des Vereinigten Königreichs
29. Juli: Unterzeichnung des Jaunde II-Abkommens
1. September: Inkrafttreten der EWG-Assoziierungsabkommen mit Marokko und Tunesien

24. September: Unterzeichnung des Arusha II-Abkommens

1. Oktober: Inkrafttreten des EWG-Freihandelsabkommens mit Spanien

1./2. Dezember: Beschluß der Gipfelkonferenz von Den Haag zur Erarbeitung eines Etappenplans zur Erreichung einer Wirtschafts- und Währungsunion

5. Dezember: Unterzeichnung des EWG-Assoziierungsabkommens mit Malta

31. Dezember: Ende der im EWG-Vertrag vorgesehenen „Übergangsperiode“

1970

9. Februar: Unterzeichnung des Abkommens über die Einführung eines Systems des langfristigen währungspolitischen Beistands

1. März: Beitritt Islands zur EFTA

7. März: Etappenplan der Kommission für eine Wirtschafts- und Währungsunion

21./22. April: Beschluß über das System der Eigenmittel der EG

30. Juni: Beginn der EG-Beitrittsverhandlungen mit Dänemark, Irland, Norwegen und dem Vereinigten Königreich

13./15. Oktober: *Werner*-Bericht zur Wirtschafts- und Währungsunion

26./27. Oktober: Annahme des *Davignon*-Berichts über die Europäische Politische Zusammenarbeit (EPZ) durch den EG-Ministerrat

10. November: Beginn der EWG-Assoziierungsverhandlungen mit Österreich, Schweden und der Schweiz

24. November: Beginn der EWG-Assoziierungsverhandlungen mit Finnland, Portugal und Island

4. Dezember: Unterzeichnung des EWG-Assoziierungsabkommens mit Malta

1971

1. Jänner: Inkrafttreten des Jaunde II- und der Arusha I- und II-Abkommen

1. Jänner: Inkrafttreten der 1. Stufe des *Werner*-Plans zur Wirtschafts- und Währungspolitik

22. März: Resolution des EG-Ministerrats zur Annahme des *Werner*-Plans zum Ausbau der Koordinierung der Wirtschaftspolitiken

1. April: Inkrafttreten des EWG-Assoziierungsabkommens mit Malta

1972

22. Jänner: Unterzeichnung der EG-Beitrittsverträge mit Dänemark, Irland, Norwegen und dem Vereinigten Königreich

26. März: Unterzeichnung des SALT I-Vertrags in Moskau

10. April: Abkommen von Basel zur Schaffung eines Europäischen Wechselkurssystems mit beschränkten Schwankungsbreiten

10. Mai: positive Volksabstimmung in Irland über den EG-Beitritt

22. Juli: Unterzeichnung der EWG-EFTA-Freihandelsabkommen

24./25. September: Ablehnung der EG-Mitgliedschaft durch eine Volksabstimmung in Norwegen (53,6% Gegenstimmen)

1. Oktober: Inkrafttreten des EG-Interimsabkommens mit Österreich
2. Oktober: positive Volksabstimmung in Dänemark über den EG-Beitritt
4. Dezember: Beginn der Verhandlungen über ein Freihandelsabkommen zwischen der EWG und Norwegen
19. Dezember: Unterzeichnung des EWG-Assoziierungsabkommens mit Zypern
31. Dezember: Austritt des Vereinigten Königreichs und Dänemarks aus der EFTA

1973

1. Jänner: Norderweiterung der EG: Beitritt des Vereinigten Königreichs, Irlands und Dänemarks
1. Jänner: Inkrafttreten der EWG-Freihandelsabkommen mit Österreich, Portugal, Schweden und der Schweiz
1. April: Inkrafttreten des EWG-Freihandelsabkommens mit Island
3. April: Gründung des Europäischen Fonds für währungspolitische Zusammenarbeit
30. April: Kommuniqué der EG-Kommission über die 2. Etappe der Wirtschafts- und Währungsunion
14. Mai: Unterzeichnung des EWG-Freihandelsabkommens mit Norwegen
1. Juli: Inkrafttreten des EWG-Freihandelsabkommens mit Norwegen
23. Juli: Annahme des 2. Berichts zur europäischen politischen Zusammenarbeit
5. Oktober: Unterzeichnung des EWG-Freihandelsabkommens mit Finnland
14. Dezember: Annahme des „Dokuments über die europäische Identität" durch den EG-Ministerrat

1974

1. Jänner: Inkrafttreten des EWG-Freihandelsabkommens mit Finnland und der EGKS-Freihandelsabkommen mit Österreich, Island, Schweden, Schweiz und Portugal
19./20. Juni: Unterzeichnung der atlantischen Deklaration
14. August: Austritt Griechenlands aus der integrierten Militärstruktur der NATO
11. Oktober: EG erhält Beobachterstatus bei der UNO

1975

1. Jänner: Inkrafttreten der EGKS-Freihandelsabkommen mit Finnland und Norwegen
28. Februar: Unterzeichnung des Lomé I-Abkommens
5. Juni: positive Volksabstimmung im Vereinigten Königreich über den Verbleib in der EG (mit 67,2% Zustimmung)
12. Juni: EG-Beitrittsantrag Griechenlands
1. August: Unterzeichnung der KSZE-Schlußakte von Helsinki
29. Dezember: Annahme des *Tindemans*-Berichts über die europäische Union

1976

7. Jänner: Veröffentlichung des *Tindemans*-Berichts

9. Februar: Stellungnahme der EG-Kommission zum Beitrittsantrag Griechenlands

27. April: Unterzeichnung des EWG-Kooperationsabkommens mit den Maghreb-Ländern (Tunesien, Algerien, Marokko)

27. Juli: Beginn der EG-Beitrittsverhandlungen mit Griechenland

20. September: Akt zur Einführung allgemeiner unmittelbarer Wahlen der Abgeordneten des Europäischen Parlaments

1977

18. Jänner: Unterzeichnung des EWG-Kooperationsabkommens mit den Maschrik-Ländern (Ägypten, Syrien, Jordanien, Libanon)

28. März: EG-Beitrittsantrag Portugals

5. April: gemeinsame Grundrechtserklärung durch die Präsidenten des Rates, des Parlaments und der Kommission der EG

28. Juli: EG-Beitrittsantrag Spaniens

4. Oktober: Beginn der KSZE-Nachfolgekonferenz in Belgrad (bis 9. März 1978)

25. Oktober: Errichtung des Rechnungshofs der EG

1978

7./8. April: Erklärung des Europäischen Rates zur Demokratie

19. Mai: Stellungnahme der EG-Kommission zum Beitrittsantrag Portugals

6./7. Juli: Beschluß des Europäischen Rates zur Schaffung eines Europäischen Währungssystems (EWS) und einer Europäischen Währungseinheit (ECU)

17. Oktober: Beginn der EG-Beitrittsverhandlungen mit Portugal

1. November: Inkrafttreten der EWG-Kooperationsabkommen mit den Maghreb-Ländern und den Maschrik-Ländern

29. November: Stellungnahme der EG-Kommission zum Beitrittsantrag Spaniens

5. Dezember: Resolution des Europäischen Rates zur Einführung des Europäischen Währungssystems

1979

5. Februar: Beginn der EG-Beitrittsverhandlungen mit Spanien

13. März: rückwirkendes Inkrafttreten des Europäischen Währungssystems zum 1. Jänner 1979 und Einführung des ECU

28. Mai: Unterzeichnung des EG-Beitrittsvertrags mit Griechenland

7.–10. Juni: erste Direktwahl zum Europäischen Parlament (durchschnittliche Wahlbeteiligung 61%)

18. Juni: Unterzeichnung des SALT II-Vertrags in Wien

17. Juli: *Simone Veil* wird zur Präsidentin des EP gewählt

31. Oktober: Unterzeichnung des Lomé II-Abkommens

1980

7./8. März: Unterzeichnung des EWG-Kooperationsabkommens mit den ASEAN-Staaten
31. August: Gründung der polnischen Gewerkschaft Solidarnošć
1. Oktober: Inkrafttreten des EWG-Kooperationsabkommens mit den ASEAN-Staaten
20. Oktober: Wiedereintritt Griechenlands in die integrierte Militärstruktur der NATO
11. November: Beginn der KSZE-Nachfolgekonferenz in Madrid (bis 9. September 1983)

1981

1. Jänner: 1. Süderweiterung: Beitritt Griechenlands
1. Jänner: Inkrafttreten des Lomé II-Abkommens
1. Jänner: Ersetzen der Europäischen Rechnungseinheit (ERE) durch die Europäische Währungseinheit (ECU)
17./19. November: *Genscher-Colombo*-Plan zur europäischen Union

1982

23. Februar: Volksabstimmung für den Austritt Grönlands aus der EG (52% Mehrheit)
30. Mai: Beitritt Spaniens zur NATO

1983

25. Jänner: Schaffung einer Gemeinsamen Fischereipolitik
17.–19. Juni: Unterzeichnung der „Feierlichen Erklärung zur Europäischen Union" des Europäischen Rates (Stuttgarter Erklärung)

1984

1. Jänner: fast völlige Liberalisierung im Handel zwischen EWG und EFTA
17. Jänner: Beginn der Stockholmer Konferenz über Sicherheit und vertrauensbildende Maßnahmen in Europa (bis 22. September 1986)
14. Februar: Annahme eines Vertragsentwurfs zur europäischen Union durch das Europäische Parlament
8. Dezember: Unterzeichnung des Lomé III-Abkommens

1985

1. Februar: „Austritt" Grönlands aus der EG
29./30. März: Annahme des *Dooge*-Berichts des ad-hoc-Ausschusses für institutionelle Fragen durch den Europäischen Rat
26. April: Verlängerung des Warschauer-Pakt-Vertrags um weitere 20 Jahre
12. Juni: Unterzeichnung der EG-Beitrittsverträge mit Spanien und Portugal
14. Juni: Veröffentlichung des Weißbuchs „Vollendung des Binnenmarkts" durch die EG-Kommission
28./29. Juni: Billigung des Weißbuchs durch den Europäischen Rat in Mailand

23. Juli: Beschluß über das System der Integrierten Mittelmeerprogramme
2./3. Dezember: Beschluß des Europäischen Rates zur Schaffung eines europäischen Binnenmarkts bis Ende 1992 und Verabschiedung der Einheitlichen Europäischen Akte
31. Dezember: Austritt Portugals aus der EFTA

1986

1. Jänner: 2. Süderweiterung: Beitritt Spaniens und Portugals
1. Jänner: Beitritt Finnlands zur EFTA
17./28. Februar: Unterzeichnung der Einheitlichen Europäischen Akte in Luxemburg/Den Haag
4. November: Beginn der KSZE-Nachfolgekonferenz in Wien (bis 19. Jänner 1989)

1987

15. Februar: Beschluß der EG-Kommission über das Aktionsprogramm zur Umsetzung der Einheitlichen Europäischen Akte („Die Einheitliche Akte muß ein Erfolg werden – Eine neue Perspektive für Europa")
14. April: EG-Beitrittsantrag der Türkei
27. Mai: Volksabstimmung in Irland über die Ratifikation der Einheitlichen Europäischen Akte
1. Juli: Inkrafttreten der Einheitlichen Europäischen Akte
20. Juli: EG-Beitrittsanfrage Marokkos

1988

22. Jänner: Unterzeichnung eines Abkommens zwischen Deutschland und Frankreich zur Aufstellung einer deutsch-französischen Brigade
1. Juni: Unterzeichnung der Gemeinsamen Erklärung von EG und RGW
2. September: Unterzeichnung des EG-Kooperationsabkommens mit Ungarn
3. Dezember: Unterzeichnung des EG-Handelsabkommens mit der Tschechoslowakei

1989

12. April: Vorlage des „*Delors*-Berichts" („Bericht zur Wirtschafts- und Währungsunion in der Europäischen Gemeinschaft")
15./18. Juni: Wahlen zum Europäischen Parlament
4. Juli: Schaffung der G-24 beim Weltwirtschaftsgipfel (G-7) in Paris
17. Juli: EG-Beitrittsantrag Österreichs
5. September: Unterzeichnung des EG-Handels- und Kooperationsabkommens mit Polen
9./10. November: Fall der Berliner Mauer
28. November: 10-Punkte-Programm des deutschen Bundeskanzlers *Helmut Kohl* zur deutschen Vereinigung
7.–9. Dezember: Beschluß des Europäischen Rates in Straßburg zur Schaffung der Europäischen Bank für Wiederaufbau und Entwicklung und

über die Gemeinschaftscharta der sozialen Grundrechte der Arbeitnehmer

9. Dezember: Unterzeichnung des EG-Handels- und Wirtschaftskooperationsabkommens mit der UdSSR

14. Dezember: Stellungnahme der EG-Kommission zum Beitrittsantrag der Türkei

15. Dezember: Unterzeichnung des Lomé IV-Abkommens

1990

1. März: Inkrafttreten des Lomé IV-Abkommens

18. März: freie Wahlen zur Volkskammer der DDR

19. März: KSZE-Wirtschaftskonferenz in Bonn (bis 11. April 1990)

5. Mai: Beginn der 2+4-Gespräche

11. Mai: Unterzeichnung des EG-Handelsabkommens mit der DDR und Bulgarien und Aktualisierung des Abkommens mit der Tschechoslowakei

17. Mai: Entschließung des Europäischen Parlaments zur deutschen Vereinigung

18. Mai: Unterzeichnung des Vertrags über die Schaffung einer Währungs-, Wirtschafts- und Sozialunion zwischen der BRD und der DDR

5. Juni: KSZE-Konferenz in Kopenhagen (bis 29. Juni 1990)

19. Juni: Unterzeichnung des Schengener Abkommens durch Deutschland, Frankreich und die Benelux-Staaten

20. Juni: Beginn der EWR-Verhandlungen (zur Schaffung eines Europäischen Wirtschaftsraums)

1. Juli: Inkrafttreten des Vertrags über die Schaffung einer Währungs-, Wirtschafts- und Sozialunion zwischen der BRD und der DDR und Beginn der deutsch-deutschen Währungsunion

1. Juli: Inkrafttreten der 1. Phase der Europäischen Wirtschafts- und Währungsunion

1. Juli: Vollständige Liberalisierung des Kapitalverkehrs (mit Ausnahmen für Spanien, Portugal, Griechenland und Irland bis 31. Dezember 1992)

3. Juli: EG-Beitrittsantrag Zyperns

16. Juli: EG-Beitrittsantrag Maltas

Anfang August: Beginn der Kuweit-Krise (Golf-Krise)

23. August: Beschluß der Volkskammer der DDR über den Beitritt zur BRD

31. August: Unterzeichnung des Einigungsvertrags zwischen der BRD und der DDR

12. September: Unterzeichnung des 2+4-Vertrags

26./27. September: Parlamentarische KSZE-Konferenz in Straßburg

3. Oktober: Beitritt der auf dem Gebiet der ehemaligen DDR gegründeten neuen Länder zur BRD

8. Oktober: Beitritt des Vereinigten Königreichs zum Europäischen Währungssystem

21. Oktober: Beschluß der EG-Kommission zur Änderung der Römer Verträge im Hinblick auf eine politische Union und eine Wirtschafts- und Währungsunion

19.–21. November: Annahme der „Pariser Charta für ein neues Europa" beim KSZE-Gipfeltreffen in Paris

27.–30. November: Konferenz der Parlamente der EG-Mitgliedstaaten in Rom

2. Dezember: erste gesamtdeutsche Bundestagswahl

13.–15. Dezember: Eröffnung der EG-Regierungskonferenzen über die politische Union und die Wirtschafts- und Währungsunion in Rom

1991

17. Jänner: Beginn des Golfkriegs

21. Februar: Beitritt der ČSFR zum Europarat

28. Februar: Ende des Golfkriegs

15. März: Inkrafttreten des 2+4-Vertrags

31. März: Ende der militärischen Strukturen des Warschauer Paktes

Juni: Beginn des Kriegs in Jugoslawien

25. Juni: Beitritt Spaniens und Portugals zum Schengener Abkommen

27. Juni: Unterzeichnung des Auflösungsdokuments des RGW bei der Ratssitzung in Budapest

1. Juli: EG-Beitrittsantrag Schwedens

16./17. Juli: erstmalige Teilnahme eines sowjetischen Präsidenten (*Michail Gorbatschow*) am Gipfeltreffen der Staats- und Regierungschefs der G-7

31. Juli: Stellungnahme der EG-Kommission zum Beitrittsantrag Österreichs (sog „avis")[3])

31. Juli: Unterzeichnung des START-Vertrags zwischen der USA und der UdSSR durch *George Bush* und *Michail Gorbatschow* in Moskau

19.–21. August: erfolgloser Putschversuch in der UdSSR

1. September: Beitritt Liechtensteins zur EFTA

25. September: Ende des RGW

1992

7. Februar: Unterzeichnung des Vertrags über die Europäische Union in Maastricht

18. März: EG-Beitrittsantrag Finnlands

6. April: Beitritt des portugiesischen Escudo zum Wechselkursmechanismus des EWS

2. Mai: Unterzeichnung des EWR-Abkommens in Porto

26. Mai: EG-Beitrittsantrag der Schweiz

2. Juni: negative Volksabstimmung in Dänemark über den Vertrag von Maastricht (50,7% Gegenstimmen)

18. Juni: positive Volksabstimmung in Irland über den Vertrag von Maastricht

31. Juli: Stellungnahme der EG-Kommission zum Beitrittsantrag Schwedens

17. September: Austritt der italienischen Lira und des britischen Pfunds aus dem Wechselkursmechanismus des EWS

---

[3]) KOM(91) 1590 endg v 1. 8. 1991.

20. September: positive Volksabstimmung in Frankreich über den Vertrag von Maastricht (51% Zustimmung)
4. November: Stellungnahme der EG-Kommission zum Beitrittsantrag Finnlands
25. November: EG-Beitrittsantrag Norwegens
6. Dezember: negative Volksabstimmung in der Schweiz über den EWR (50,3% Gegenstimmen)
13. Dezember: positive Volksabstimmung in Liechtenstein über den EWR

1993

1. Jänner: Beginn des EG-Binnenmarkts
1. Februar: Beginn der EG-Beitrittsverhandlungen mit Österreich, Schweden und Finnland
24. März: Stellungnahme der EG-Kommission zum Beitrittsantrag Norwegens
5. April: Beginn der EG-Beitrittsverhandlungen mit Norwegen
18. Mai: positive Volksabstimmung in Dänemark über den Vertrag von Maastricht (56,8% Zustimmung)
30. Juni: Stellungnahme der EG-Kommission zu den Beitrittsanträgen der Türkei und Maltas
12. Oktober: positive Entscheidung des BVerfG zum Vertrag von Maastricht
1. November: Inkrafttreten des Vertrages von Maastricht
15. Dezember: Abschluß der GATT-Uruguay-Runde

1994

1. Jänner: Beginn der 2. Stufe der Wirtschafts- und Währungsunion
1. Jänner: Inkrafttreten des EWR-Abkommens zwischen allen EU-Mitgliedstaaten, Österreich, Schweden, Finnland, Norwegen und Island (es bleibt für Liechtenstein bis 1. Mai 1995 suspendiert)
30. März: Abschluß der EU-Beitrittsverhandlungen mit Österreich, Schweden, Finnland und Norwegen
1. April: EU-Beitrittsantrag Ungarns
8. April: EU-Beitrittsantrag Polens
12. Juni: positive Volksabstimmung in Österreich über den EU-Beitritt (66,4% Zustimmung)
24. Juni: Unterzeichnung der EU-Beitrittsverträge Österreichs, Schwedens, Finnlands und Norwegens in Korfu[4])
16. Oktober: positive Volksabstimmung in Finnland über den EU-Beitritt (56,9% Zustimmung)
13. November: positive Volksabstimmung in Schweden über den EU-Beitritt (52,3% Zustimmung)
28. November: negative Volksabstimmung in Norwegen über den EU-Beitritt (52,1% Gegenstimmen)
31. Dezember: Austritt Österreichs, Schwedens und Finnlands aus der EFTA

[4]) ABl C 1994/241.

1995

1. Jänner: Beitritt Österreichs, Schwedens und Finnlands zur EU
1. Jänner: Die WTO löst das GATT ab
1. Jänner: Umwandlung der KSZE in die OSZE
1. Jänner: Inkrafttreten des EG-Freihandelsabkommens mit Litauen, Estland und Lettland
9. Jänner: Beitritt des österreichischen Schillings zum Wechselkursmechanismus des EWS
1. Februar: Inkrafttreten der Europaabkommen mit Rumänien, Tschechien, Bulgarien und der Slowakei
10. Februar: Beitritt Österreichs zur „Partnerschaft für den Frieden" ("Partnership for Peace")
26. März Inkrafttreten des Schengener Abkommens (Deutschland, Frankreich, Benelux, Spanien und Portugal)
9. April: positive Volksabstimmung in Liechtenstein über den EWR-Beitritt
28. April: Beitritt Österreichs zum Schengener Abkommen
1. Mai: Beitritt Liechtensteins zum EWR
22. Juni: EU-Beitrittsantrag Rumäniens
27. Oktober: EU-Beitrittsantrag Lettlands
24. November: EU-Beitrittsantrag Estlands
14. Dezember: EU-Beitrittsantrag Litauens

1996

22. Jänner: EU-Beitrittsantrag Tschechiens
29. März: Eröffnung der Regierungskonferenz zur Überprüfung des Vertrags von Maastricht in Turin

1998

Frühjahr: Beschluß über die an der Wirtschafts- und Währungsunion teilnehmenden Staaten
1. Juli bis 31. Dezember: Vorsitz Österreichs im Rat

1999

1. Jänner: Beginn der 3. Stufe der Wirtschafts- und Währungsunion mit der Einführung des Euro im bargeldlosen Verkehr

2002

1. Jänner: spätester Zeitpunkt zur Einführung der Euro-Münzen und -Banknoten
1. Juli: spätester Zeitpunkt des Außerkrafttretens der nationalen Währungen in den an der WWU teilnehmenden Staaten
23. Juli: Ende des EGKS-Vertrags

2. KAPITEL

Die Europäische Union

Gerhard Hitzler

Übersicht:

A. Der Weg zur Europäischen Union

1. Der Begriff der Europäischen Union

Der Begriff der Europäischen Union (EU) ist eng mit der Entwicklungsgeschichte der Europäischen Gemeinschaften verbunden, die den Kern der Union bilden. Während die drei Gemeinschaften vor allem das Ziel der wirtschaftlichen Einigung Europas verfolgten (s unten 2.), wurde die Union stets als eine umfassendere politische Zusammenarbeit verstanden.

Bereits im Februar 1961 beschlossen die Staats- und Regierungschefs der damals sechs Mitgliedstaaten der Europäischen Wirtschaftsgemeinschaft (EWG), eine „politische Union" zu schaffen. Ein Ausschuß unter Leitung von *Christian Fouchet* legte im November 1961 und Jänner 1962 zwei Entwürfe eines entsprechenden Vertrages vor („*Fouchet*-Pläne"). Während der erste Plan eine regelmäßige institutionelle Zusammenarbeit der Mitgliedstaaten auf politischem Gebiet mit dem Ziel einer Konföderation vorsah, reduzierte der zweite Plan die Integration auf eine zwischenstaatliche Zusammenarbeit.

Im Oktober 1972 wurde die „Europäische Union" auf der Pariser Gipfelkonferenz von den Staats- und Regierungschefs der EG-Mitgliedstaaten als Zielvorgabe für den Integrationsprozeß eingeführt. Bis 1980 sollte die Gesamtheit der Beziehungen der Mitgliedstaaten in eine Europäische Union umgewandelt werden.

Im Dezember 1974 beauftragten die Staats- und Regierungschefs den damaligen belgischen Premierminister *Leo Tindemans*, einen Reformbericht zur Ausgestaltung der Europäischen Union auszuarbeiten („*Tindemans*-Bericht").

Im Oktober 1981 legten der deutsche und der italienische Außenminister dem Europäischen Rat in London einen Plan zur Schaffung der Europäischen Union und zur Stärkung der Europäischen Politischen Zusammenarbeit (EPZ) vor („*Genscher-Colombo*-Plan").

Auf dieser Grundlage verabschiedeten die Staats- und Regierungschefs der EG-Mitgliedstaaten im Juni 1983 auf der Gipfelkonferenz in Stuttgart eine **„Feierliche Erklärung zur Europäischen Union".**

Im Februar 1984 verabschiedete das Europäische Parlament (EP) den **Entwurf der Verfassung** einer Europäischen Union[1]). Dieser Entwurf sah eine föderal gegliederte Union mit Zuständigkeiten auf den Gebieten Wirtschaftspolitik, Gesellschaftspolitik und internationale Beziehungen vor.

Mit der im Februar 1986 unterzeichneten Einheitlichen Europäischen Akte (EEA)[2]) bestätigten die Mitgliedstaaten der EG ihren Willen, die „Europäische Union auf der Grundlage der nach ihren eigenen Regeln funktionierenden Gemeinschaften einerseits und der europäischen Zusammenarbeit zwischen den Unterzeichnerstaaten in der Außenpolitik andererseits, zu verwirklichen und diese Union mit den erforderlichen Aktionsmitteln auszustatten". Nach Art 1 EEA verfolgen die Europäischen Gemeinschaften und die Europäische Politische Zusammenarbeit das Ziel, gemeinsam zu konkreten Fortschritten auf dem Weg zur Europäischen Union beizutragen.

Rechtliche Gestalt erhielt der Begriff der Europäischen Union mit dem Vertrag über die Europäische Union (EU-Vertrag), der am 7.2. 1992 in Maastricht unterzeichnet wurde[3]). Mit diesem Vertrag wurde die Europäische Union als gemeinsames Dach über den bestehenden drei Europäischen Gemeinschaften („erste Säule"), der Gemeinsamen Außen- und Sicherheitspolitik („zweite Säule") und der Zusammenarbeit in den Bereichen Justiz und Inneres („dritte Säule") eingeführt.

2. Die drei Europäischen Gemeinschaften

Bis zum Inkrafttreten des EU-Vertrags bestand die EG aus drei durch getrennte Verträge geschaffenen Gemeinschaften, die schrittweise erweitert und organisatorisch miteinander verflochten wurden.

[1]) ABl C 1984/77.
[2]) ABl L 1987/169, 1.
[3]) ABl C 1992/244, 1.

Die erste dieser Gemeinschaften war die **Europäische Gemeinschaft für Kohle und Stahl** (EGKS). Der Gründungsvertrag wurde am 18. 4. 1951 in Paris von sechs Gründerstaaten (Belgien, Deutschland, Frankreich, Italien, Luxemburg und den Niederlanden) unterzeichnet. Er trat am 23. 7. 1952 in Kraft. Wie sich bereits aus ihrer Bezeichnung ergibt, ist der Tätigkeitsbereich der EGKS auf die Wirtschaftsbereiche Kohle und Stahl beschränkt. Ziel der EGKS ist es, in diesen Bereichen für die rationellste Verteilung der Güter auf dem höchsten Leistungsstand zu sorgen. Dazu gehören ua die Sicherung der Versorgung des Marktes mit Kohle und Stahl, die Regulierung der Preise, die Verbesserung der Lebens- und Arbeitsbedingungen der Arbeitnehmer, die Förderung des Handels und der Investitionen sowie die strukturelle Anpassung der europäischen Montanindustrie an die veränderten weltwirtschaftlichen Verhältnisse. Als einzige der Europäischen Gemeinschaften wurde die EGKS für eine zeitlich begrenzte Dauer geschaffen. Der EGKS-Vertrag läuft im Jahr 2002 aus. Zu diesem Zeitpunkt werden die von diesem Vertrag betroffenen Wirtschaftsbereiche voraussichtlich in die allgemeineren Regeln der Europäischen Gemeinschaft (EG) einbezogen.

Die wichtigste Säule des europäischen Integrationsprozesses ist die **Europäische Wirtschaftsgemeinschaft** (EWG). Der Gründungsvertrag wurde am 25. 3. 1957 in Rom von den sechs Mitgliedstaaten der EGKS unterzeichnet. Er trat am 1. 1. 1958 in Kraft. Mit dem Vertrag über die Europäische Union wurde die Bezeichnung „Europäische Wirtschaftsgemeinschaft“ in „Europäische Gemeinschaft“ (EG) geändert. Der Zuständigkeitsbereich der EG war zunächst beschränkt auf die wirtschaftliche Integration (Schaffung des „Gemeinsamen Marktes“, inzwischen „Binnenmarkt“ genannt, durch die Verwirklichung der sog „Grundfreiheiten“). Dieser Zuständigkeitsbereich wurde vor allem unter Ausnutzung der sog „Lückenfüllungskompetenz“ des Art 235 EGV schrittweise erweitert (Einführung einer Regionalpolitik, Umweltpolitik, Kulturpolitik usw).

Der Vertrag zur Gründung der **Europäischen Atomgemeinschaft** (EAG) wurde ebenfalls am 25. 3. 1957 in Rom von den sechs Mitgliedstaaten der EGKS unterzeichnet. Auch er trat am 1. 1. 1958 in Kraft. Die EAG, die wie die EGKS nur einen bestimmten Sektor der Wirtschaft erfaßt, hat zum Ziel, die Bildung und Entwicklung der Kernindustrie in den Mitgliedstaaten zu fördern und deren Versorgung mit spaltbarem Material sicherzustellen.

Wenngleich diese drei Gemeinschaften in den Gründungsverträgen funktionell getrennt konzipiert waren, wurden sie doch organisatorisch miteinander verbunden. Gleichzeitig mit der Unterzeichnung der Verträge zur Gründung der EWG und der EAG schlossen die Mitgliedstaaten ein Abkommen über gemeinsame Organe für die Europäischen Gemeinschaften. Im sog **„Fusionsvertrag“** vom 8. 4. 1965[4]) wurden die beiden wichtigsten Organe der Europäischen Gemeinschaften, nämlich Rat und Kommission, als gemeinsame Organe eingesetzt[5]).

---

[4]) ABl L 1967/152.

[5]) Zu den Organen (Institutionen) vgl näher *Hilf,* Die Organisationsstruktur der Europäischen Gemeinschaften (1982).

3. Die Einheitliche Europäische Akte

Die Einheitliche Europäische Akte (EEA) wurden am 17. 2. 1986 in Luxemburg und am 28. 2. 1986 in Den Haag unterzeichnet[6]). Sie stellt die erste inhaltliche **Weiterentwicklung** der drei Gründungsverträge dar. Mit der EEA wurde das weitergehende Ziel der Schaffung einer Europäischen Union bekräftigt[7]). Außerdem wurde der Zuständigkeitsbereich der EWG (jetzt: EG) um die Bereiche wirtschaftlicher und sozialer Zusammenhalt[8]), Forschung und technologische Entwicklung[9]) sowie Umwelt[10]) ergänzt. Schließlich wurden Mehrheitsentscheidungen im Rat erleichtert und die Stellung des EP im Gesetzgebungsverfahren wesentlich gestärkt[11]).

4. Der Vertrag über die Europäische Union

Der Vertrag über die Europäische Union wurde am 7. 2. 1992 in Maastricht von den 12 Mitgliedstaaten der drei Europäischen Gemeinschaften unterzeichnet[12]). Er trat am 1. 11. 1993 in Kraft. Dieser Vertrag ist das Ergebnis von zwei Regierungskonferenzen, die Ende 1990 einberufen wurden und sich mit der Verwirklichung der **„Währungsunion"** einerseits und der **„Politischen Union"** andererseits befassen sollten. Mit diesem Vertrag wurden die bestehenden drei Europäischen Gemeinschaften unter einem gemeinsamen Dach zusammengefaßt und die zwischenstaatliche Zusammenarbeit auf den Gebieten der Außen- und Sicherheitspolitik sowie Justiz und Inneres institutionalisiert. Außerdem wurde für 1996 bereits die nächste Regierungskonferenz vereinbart, die sich mit den nächsten Schritten einer vertieften europäischen Integration befassen soll.

B. Die Ziele der Europäischen Union

1. Überblick

Die EU hat sich folgende Ziele gesetzt:

- Förderung eines ausgewogenen und dauerhaften wirtschaftlichen und sozialen Fortschritts durch Verwirklichung einer **Wirtschafts- und Währungsunion,**
- Behauptung ihrer Identität auf internationaler Ebene, insbesondere durch die Entwicklung einer gemeinsamen **Außen- und Sicherheitspolitik,**
- Stärkung des Schutzes der Rechte und Interessen der Angehörigen ihrer Mitgliedstaaten durch Einführung einer **Unionsbürgerschaft,**

---

[6]) ABl L 1987/169, 1.

[7]) Art 1 EEA.

[8]) Art 130a-d EGV.

[9]) Art 130f-p EGV.

[10]) Art 130r-t EGV.

[11]) Zum „Verfahren der Zusammenarbeit" s unten *Borchardt,* Die rechtlichen Grundlagen der Europäischen Gemeinschaften – Rechtsquellen, Rechtshandlungen und Rechtsetzung.

[12]) ABl C 1992/224, 1.

- Entwicklung einer engen Zusammenarbeit in den Bereichen **Justiz und Inneres**[13]).

Zur Erreichung dieser Ziele stützt sich die EU auf die bereits früher gegründeten drei Europäischen Gemeinschaften. Dies gilt insbesondere für das Ziel des ausgewogenen und dauerhaften wirtschaftlichen und sozialen Fortschritts, das eine Umschreibung der mit der EG angestrebten Ziele darstellt.

Der mit dem EU-Vertrag erreichte Integrationsstand ist noch nicht die abschließende Stufe des europäischen Integrationsprozesses. Die europäische Einigung ist ein dynamischer Entwicklungsprozeß, der zu einer schrittweisen Vertiefung und Erweiterung führt. Die Impulse für die weitere Entwicklung sollen dabei vom Europäischen Rat ausgehen, in dem die Staats- und Regierungschefs der Mitgliedstaaten und der Präsident der Kommission zusammenkommen[14]). Soweit diese neuen Impulse über den bereits errichten gemeinschaftlichen Besitzstand („acquis communautaire") hinausgehen, muß im Wege einer Regierungskonferenz das Primärrecht geändert werden[15]). Die **EU** ist eine **überstaatliche Organisation eigener Ausprägung,** aber selbst kein Bundesstaat. Die EU hat daher **keine Kompetenzkompetenz,** sondern kann nur auf den Gebieten tätig werden, auf denen ihr die Mitgliedstaaten entsprechende Befugnisse übertragen haben[16]). Diese Begrenzung kommt in den Zuständigkeitskatalogen der Gründungsverträge der drei Europäischen Gemeinschaften sowie in dem ausdrücklichen Hinweis auf die Beachtung des Subsidiaritätsprinzips[17]) zum Ausdruck. Außerdem ist die Union ausdrücklich verpflichtet, auf die „nationale Identität" ihrer Mitgliedstaaten zu achten[18]).

2. Die Wirtschaftsunion

Der Kernbereich der EU ist nach wie vor die Verwirklichung der Wirtschafts- und Währungsunion. Grundlage für die Erreichung dieser Wirtschaftsunion ist der Vertrag über die Gründung der Europäischen Gemeinschaft (früher EWG). Die Wirtschaftsunion ist dabei nicht auf die Regelung rein wirtschaftlicher Sachverhalte beschränkt, sondern umfaßt auch andere Politikbereiche, die die Rahmenbedingungen für die Entwicklung der Wirtschaft mitbestimmen.

Zur Erreichung der Wirtschaftsunion wird die EG insbesondere auf folgenden Gebieten tätig:

- Verwirklichung des Binnenmarkts,
- gemeinsame Landwirtschafts- und Fischereipolitik,

---

[13]) Art B EUV.

[14]) Art D EUV.

[15]) Vgl dazu *Borchardt,* (FN 11).

[16]) *Grabitz* in *Grabitz* (Hg), EWG-Vertrag² (1990) Art 189 Rz 4; *Schwartz* in *von den Groeben/Thiesing/Ehlermann,* Kommentar zum EWG-Vertrag⁴ (1991) Art 235 Rz 178; BVerfG 12. 10. 1993, NJW 1993, 3047.

[17]) Art B EUV, Art 3b EGV. Zur Auslegung und Anwendung des Subsidiaritätsprinzips vgl *Jarass,* EG-Kompetenzen und das Prinzip der Subsidiarität nach Schaffung der Europäischen Union, EuGRZ 1994, 209; *Schmidhuber,* Das Subsidiaritätsprinzip im Vertrag von Maastricht, DVBl 1993/8, 417 mwN.

[18]) Art F EUV.

- gemeinsame Verkehrspolitik,
- gemeinsame Außenhandelspolitik,
- Arbeits- und Sozialpolitik,
- Umweltpolitik,
- Förderung von Wissenschaft, Forschung und technologischer Entwicklung,
- Bildungs- und Kulturpolitik,
- Entwicklungspolitik,
- interner Finanzausgleich zwischen den reicheren und den ärmeren Regionen zur Stärkung des wirtschaftlichen und sozialen Zusammenhalts sowie zur Förderung des Auf- und Ausbaus transeuropäischer Netze[19]).

3. Die Währungsunion

Mit dem Vertrag von Maastricht wurden die Zielsetzungen der EG ausdrücklich um die Schaffung einer Währungsunion erweitert. Die Währungsunion wird als Krönung und natürliche Ergänzung der Bemühungen um die Verwirklichung des Binnenmarkts angesehen.

Die Bemühungen um eine Währungsunion gehen bis ins Jahr 1969 zurück. Damals erteilte der EG-Gipfel von Den Haag den Auftrag, die Möglichkeiten einer Entwicklung der Gemeinschaft zu einer Wirtschafts- und Währungsunion zu prüfen. Diese Prüfung erfolgte in einem ad hoc-Ausschuß unter dem Vorsitz des luxemburgischen Premierminister *Pierre Werner,* der am 13. Oktober 1970 seinen Abschlußbericht vorlegte. In diesem Bericht waren – ähnlich dem späteren *Delors*-Plan – drei Phasen für die Verwirklichung der Wirtschafts- und Währungsunion vorgesehen. Das Vorhaben scheiterte jedoch im wesentlichen an den Auswirkungen des Zusammenbruchs des auf dem US-Dollar basierenden Weltwährungssystems und der damit verbundenen Freigabe der Wechselkurse mehrerer Mitgliedstaaten.

Der erste Ansatz einer praktischen Verwirklichung der Währungsunion erfolgte 1972 mit der Einrichtung der **„Währungsschlange“.** Dies war der erste Versuch, die Wechselkurse der teilnehmenden Mitgliedstaaten untereinander stabil und gegenüber dem US-Dollar flexibel zu halten. An dieser „Währungsschlange“ nahm in der Folgezeit eine wechselnde Zahl von Mitgliedstaaten der EG teil.

Im Juli 1978 beschlossen die Staats- und Regierungschefs auf ihrem Gipfel in Bremen die Einführung eines **Europäischen Währungssystems** (EWS) und einer Europäischen Währungseinheit (ECU: European Currency Unit). Das EWS ist ein System fester, aber anpassungsfähiger Leitkurse der Währungen der Teilnehmerländer untereinander sowie zum ECU. Der ECU ist definiert als ein Währungskorb, in dem die Währungen der Mitgliedstaaten entsprechend deren wirtschaftlichem Gewicht enthalten sind. Für jede Währung wird ein ECU-Leitkurs festgelegt. Bis 1993 waren die Mitgliedsländer verpflichtet, die Wechselkurse ihrer Währungen innerhalb einer Schwankungsbreite von 2,25% nach oben oder unten zu halten. Nur für einige ökonomisch bzw strukturell schwächere Länder galten vorübergehende Bandbreiten von 6%. Als Reaktion auf einen spekulativ bedingten hohen Auf- bzw

[19]) Vgl die – abschließende – Aufzählung in Art 3 EGV.

Abwertungsdruck auf eine Reihe der Währungen im EWS gilt seit August 1993 eine Schwankungsbreite von 15%. Die Verantwortung für die Einhaltung der Schwankungsgrenzen liegt bei den nationalen Zentralbanken. Am **Wechselkursmechanismus** des EWS nahmen seit Anfang 1992 bis auf Griechenland alle Mitgliedstaaten der EG teil; im September 1992 haben jedoch Italien und das Vereinigte Königreich ihre Mitgliedschaft ausgesetzt, um die Anpassung der Kurse ihrer Währungen an die Marktlage zu erleichtern[20]).

Auch das EWS wurde immer nur als eine Zwischenstufe auf dem Weg zur Währungsunion angesehen. In der Präambel zur EEA bekräftigten die Mitgliedstaaten ihre Absicht, darüber hinaus stufenweise die Wirtschafts- und Währungsunion zu verwirklichen. Der Europäische Rat von Hannover beauftragte im Juni 1988 ein Gremium aus den Notenbankpräsidenten und unabhängigen Sachverständigen unter Vorsitz von Kommissionspräsident *Jacques Delors* damit, die konkreten Etappen zur Verwirklichung dieser Union zu prüfen und vorzuschlagen. Der sog „*Delors*-Ausschuß" legte im April 1989 seinen Bericht vor. Darin wurde – ähnlich dem „*Werner*-Plan" – die Verwirklichung der Währungsunion in drei Etappen vorgeschlagen. Unter Rücksichtnahme auf das Vereinigte Königreich beschloß der Europäische Rat allerdings nicht diesen vorgeschlagenen Stufenplan, sondern machte sich nur die in dem Bericht niedergelegten Grundsätze zu eigen. Im Dezember 1989 beschloß der Europäische Rat von Straßburg, daß die erste Stufe am 1. 7. 1990 beginnen sollte. Ihr Schwerpunkt lag bei der Liberalisierung des Kapitalverkehrs. Zur Vorbereitung der zweiten Stufe wurde im Dezember 1990 eine Regierungskonferenz einberufen. Das Ergebnis ihrer Beratungen wurde mit dem Ergebnis der Regierungskonferenz über die Politische Union im EU-Vertrag zusammengefaßt.

Nach dem EU-Vertrag hat die **zweite Stufe der Wirtschafts- und Währungsunion** am 1. 1. 1994 begonnen. In dieser Stufe soll die Wirtschafts-, Währungs- und Finanzpolitik der Mitgliedstaaten stärker aufeinander abgestimmt werden, um die Konvergenz zwischen den Mitgliedstaaten zu erhöhen. Zu diesem Zweck erarbeitet der Rat Grundzüge für die Wirtschaftspolitik, die er nach Beratungen im Europäischen Rat als Empfehlungen an die Mitgliedstaaten weiterleiten kann. Das bereits bestehende System der multilateralen Überwachung wird weiter ausgebaut[21]). Die Mitgliedstaaten verpflichten sich zu einer strikteren Haushaltsdisziplin und insb zur Vermeidung übermäßiger Defizite in den Staatshaushalten[22]). Während dieser Phase bleiben die Mitgliedstaaten jedoch für die Geld- und Währungspolitik zuständig. Es wurde zwar ein **Europäisches Währungsinstitut** (EWI) errichtet, das den bisherigen Gouverneursausschuß ablöste und die künftige Europäische Zentralbank (EZB) vorbereiten soll. Das EWI hat jedoch nur beratende und koordinierende Funktion[23]).

---

[20]) Zum Europäischen Währungssystem s detaillierter *Cwik,* Auf dem Weg zur Wirtschafts- und Währungsunion, in: *Röttinger/Weyringer* (Hg), Handbuch der europäischen Integration[1] (1991) 383; vgl unten *Aspetsberger/Gnan/Pauer/Schubert,* Auf dem Weg zur Wirtschafts- und Währungsunion.

[21]) Art 103 EGV.

[22]) Art 104 c EGV.

[23]) Art 109 f EGV.

Mit der **dritten Stufe** ist ein weitergehender Übergang von Kompetenzen im Bereich der Wirtschafts- und Währungspolitik auf die Gemeinschaftsebene verbunden. In dieser Stufe kann die Gemeinschaft die Verpflichtung der Mitgliedstaaten zur Beachtung einer strikten Haushaltsdisziplin notfalls durch Sanktionen erzwingen. Die Zuständigkeit für die Festlegung und Ausführung der Geldpolitik, die Verwaltung der Währungsreserven und das Recht zur Ausgabe von Banknoten geht in dieser Stufe auf die Gemeinschaft über. Dazu wird ein **Europäisches Zentralbanksystem** (EZBS) geschaffen, das aus der Europäischen Zentralbank (EZB) und den nationalen Zentralbanken besteht. Als vorrangiges Ziel der Geldpolitik der EZBS ist die Preisstabilität vorgegeben[24]).

Der Zeitpunkt für den Übergang von der zweiten zur dritten Stufe ist noch offen. Dieser Übergang hängt davon ab, welche Mitgliedstaaten zu welchem Zeitpunkt die festgelegten Konvergenzkriterien erfüllen. Diese **Konvergenzkriterien** beziehen sich auf die **Inflationsraten** (nationale Inflationsrate nicht mehr als 1,5 Prozentpunkte über der Inflationsrate der drei Mitgliedstaaten mit der höchsten Preisstabilität), die **Wechselkurse** (innerhalb der letzten zwei Jahre darf die nationale Währung innerhalb des EWS nicht abgewertet worden sein), die **Staatsverschuldung** (die jährliche Neuverschuldung darf grundsätzlich nicht mehr als 3% des BIP betragen und die Gesamtverschuldung des Mitgliedstaats muß sich zumindest dem Referenzwert von 60% BIP nähern) sowie das Vertrauen der Finanzmärkte in anhaltende Stabilitätsbemühungen des Mitgliedstaats (die **langfristigen Zinssätze** dürfen nicht mehr als 2% über dem Zinsniveau in den drei Mitgliedstaaten mit der höchsten Preisstabilität liegen)[25]). Spätestens Ende 1996 müssen die Staats- und Regierungschefs mit qualifizierter Mehrheit entscheiden, ob es für eine Mehrheit der Mitgliedstaaten zweckmäßig ist, in die dritte Stufe der WWU einzutreten. Ist bis Ende 1997 der Zeitpunkt für den Beginn der dritten Stufe noch nicht festgelegt, beginnt die dritte Stufe am 1. 1. 1999[26]). In diesem Fall könnte auch nur eine Minderheit der Mitgliedstaaten daran teilnehmen. Selbst wenn sie die Kriterien für eine Teilnahme erfüllen sollten, sind Dänemark und das Vereinigte Königreich aufgrund einer Ausnahmeregelung nicht verpflichtet, an der dritten Stufe teilzunehmen[27]).

4. Die Gemeinsame Außen- und Sicherheitspolitik

a) Überblick

Mit dem EU-Vertrag wurde die Zusammenarbeit der Mitgliedstaaten auf den Gebieten der Außen- und Sicherheitspolitik ausdrücklich geregelt („zweite Säule" der Europäischen Union). Mit dem Vertrag von Maastricht haben sich die Mitgliedstaaten jedoch dafür entschieden, in diesen Bereichen nur die **zwischenstaatliche Zusammenarbeit** zu institutionalisieren, die Zuständigkeiten

[24]) Art 105 EGV.

[25]) Protokoll über die Konvergenzkriterien nach Art 109j EGV.

[26]) Art 109j Abs 5 EGV.

[27]) Protokoll über einige Bestimmungen betreffend das Vereinigte Königreich und Protokoll über einige Bestimmungen betreffend Dänemark, ABl C 1992/224, 123.

auf diesen Gebieten jedoch nicht der Gemeinschaft zu übertragen. Noch im luxemburger Vorschlag für den Vertrag über die Europäische Union war dagegen eine Vergemeinschaftung dieser Politikbereiche vorgesehen. Über eine vollständige Eingliederung dieser Politikbereiche in die Gemeinschaft könnte bei der nächsten Regierungskonferenz 1996 verhandelt werden.

Die Bemühungen der Gemeinschaft, neben der wirtschaftlichen Integration auch eine stärkere Zusammenarbeit auf politischen Gebieten einzuführen, reichen bis in die Gründerjahre zurück. Im August 1954 lehnte die französische Nationalversammlung den Vertrag zur Gründung einer Europäischen Verteidigungsgemeinschaft ab. Seit 1970 arbeiteten die Mitgliedstaaten der EG auf der Grundlage des „*Davignon*-Berichts" zunächst informell zusammen. Zu Beginn der 80er-Jahre entwickelte sich daraus schrittweise die **Europäische Politische Zusammenarbeit** (EPZ). Dabei handelte es sich um regelmäßige Konsultationen der Außenminister und ständige Kontakte ihrer Behörden. Mit der EEA wurden erstmalig feste Regeln für die Zusammenarbeit in der Außenpolitik eingeführt. Diese Regeln sahen insb eine Verpflichtung für die Mitgliedstaaten vor, einander in allen außenpolitischen Fragen von allgemeinem Interesse zu unterrichten und zu konsultieren, damit durch eine Abstimmung der Positionen und die Durchführung gemeinsamer Maßnahmen der gemeinsame Einfluß gegenüber Drittstaaten oder internationalen Organisationen erhöht werden könnte. Außerdem war vorgesehen, daß die Außenminister und ein Mitglied der Kommission mindestens viermal jährlich im Rahmen der EPZ zusammentreten[28]).

b) Zielsetzung der Gemeinsamen Außen- und Sicherheitspolitik

Mit dem EU-Vertrag sind die Mitgliedstaaten übereingekommen, zur Wahrung der europäischen Identität und ihrer Interessen schrittweise eine Gemeinsame Außen- und Sicherheitspolitik (GASP) zu entwickeln, zu der auf längere Sicht auch die Festlegung einer gemeinsamen Verteidigungspolitik gehört, die zur gegebenen Zeit zu einer gemeinsamen Verteidigung führen könnte[29]). Als **konkrete Ziele** für die GASP wurden festgelegt:

- die Wahrung der gemeinsamen Werte, der grundlegenden Interessen und der Unabhängigkeit der Union,
- die Stärkung der Sicherheit der Union und ihrer Mitgliedstaaten,
- die Wahrung des Friedens und die Stärkung der internationalen Sicherheit entsprechend den Grundsätzen der Charta der Vereinten Nationen sowie den Prinzipien der Schlußakte von Helsinki und den Zielen der Charta von Paris,
- die Förderung der internationalen Zusammenarbeit,
- die Entwicklung und Stärkung von Demokratie und Rechtsstaatlichkeit sowie die Achtung der Menschenrechte und Grundfreiheiten[30]).

Zur Erreichung dieser Ziele stimmen die Mitgliedstaaten ihr Handeln durch Einrichtung einer **regelmäßigen Zusammenarbeit** ab. Die Grundlinien

---

[28]) Art 30 EEA.
[29]) Art B EUV.
[30]) Art J. 1 EUV.

der GASP werden vom **Europäischen Rat** festgelegt. Dabei wird es für einige Zeit noch bei einstimmiger Entscheidung bleiben. Allerdings kann der Europäische Rat bestimmte Bereiche der Außen- und Sicherheitspolitik zum Gegenstand einer gemeinsamen Aktion erklären. Für die gemeinsame Aktion kann der Rat dann festlegen, daß in einzelnen Fragen nicht einstimmig, sondern mit qualifizierter Mehrheit entschieden wird. Um Beschlüsse über eine gemeinsame Haltung zu erleichtern, haben die Mitgliedstaaten ihre Absicht erklärt, auch bei den Entscheidungen, die Einstimmigkeit erfordern, möglichst auf Vetos zu verzichten, wenn eine qualifizierte Mehrheit gefunden wurde.

c) Vorrangige Aktionsbereiche

Der Europäische Rat von Brüssel hat im November 1993 festgelegt, daß der Ausbau der GASP nach Maßgabe der Wichtigkeit der Interessen aller Mitgliedstaaten schrittweise und pragmatisch erfolgen soll. Der Europäische Rat forderte den Rat auf, vorrangig die Bedingungen und Modalitäten für gemeinsame Aktionen in folgenden Bereichen auszuarbeiten:

- Förderung von **Stabilität und Frieden in Europa**; In diesem Aktionsbereich soll ein Stabilitätspakt, mit dem die Minderheitenfrage geregelt und die Unverletzlichkeit der Grenzen in höherem Maße gewährleistet werden soll, eine Schlüsselrolle spielen.
- **Naher Osten**: Der Friedensprozeß soll durch Einsatz der politischen, wirtschaftlichen und finanziellen Mittel der Union zur Unterstützung eines umfassenden Friedensplans begleitet werden.
- **Südafrika**: Der Übergang zu einer demokratischen Gesellschaft ohne Rassenschranken in Südafrika soll durch ein koordiniertes Unterstützungsprogramm für die Vorbereitung von Wahlen und deren Beobachtung sowie durch Schaffung eines Kooperationsrahmens, mit dem die wirtschaftlichen und sozialen Grundlagen des Übergangs gefestigt werden können, unterstützt werden.
- **Ehemaliges Jugoslawien**: Die Bemühungen um eine Verhandlungslösung sollen unterstützt und ein Beitrag zur Durchführung eines Friedensplans und Unterstützung der humanitären Hilfe geleistet werden.
- **Rußland**: Der eingeleitete demokratische Prozeß soll unterstützt werden.

d) Sicherheitspolitik

Im Unterschied zur EPZ umfaßt die GASP alle Aspekte der Sicherheitspolitik und nicht nur ihre politischen und wirtschaftlichen Aspekte. Auf längere Sicht gehört dazu auch die Festlegung einer **gemeinsamen Verteidigungspolitik,** die zu einer gemeinsamen Verteidigung führen soll. Bei der schrittweisen Entwicklung der Sicherheitspolitik der Union nimmt die Zusammenarbeit mit der **Westeuropäischen Union** (WEU) einen zentralen Platz ein[31]) Bis zur Entwicklung einer eigenen gemeinsamen Verteidigungspolitik der Union soll die WEU jene Entscheidungen und Aktionen der

---

[31]) Vgl dazu näher *Zoller,* La politque étrangère et de sécurité commune en Europe (1993).

Union vorbereiten und durchführen, die verteidigungspolitische Auswirkungen haben. Mittelfristig stellt sich die Frage, ob die WEU als getrennte Organisation neben der EU weiterbestehen soll. Die Gelegenheit für eine Integration beider Organisationen besteht 1998, da der Gründungsakt der WEU zunächst nur bis zu diesem Zeitpunkt gilt. Andernfalls könnte die weitere Zusammenarbeit beider Organisationen im Rahmen der Regierungskonferenz 1996 neu definiert werden[32]).

In einer besonderen Erklärung über die Rolle der WEU und ihre Beziehungen zur EU und zur NATO haben die neun Mitgliedstaaten, die auch Mitglied der WEU sind, ein Programm für die künftige Zusammenarbeit vereinbart. Die WEU wird als integraler Bestandteil der Entwicklung der EU bezeichnet. Bei Abschluß des EU-Vertrags wurden die Mitgliedstaaten der EG, die noch nicht Mitglieder der WEU waren, aufgefordert, ihr als Mitglied oder Beobachter beizutreten. Griechenland ist dieser Aufforderung inzwischen gefolgt. Die übrigen europäischen NATO-Mitglieder wurden eingeladen, assoziierte Mitglieder der WEU zu werden. In der Petersberger Erklärung vom 19. 6. 1992 haben die WEU-Mitglieder die notwendigen praktischen Maßnahmen zur operativen Stärkung der WEU und zur Befolgung der Erklärungen von Maastricht beschlossen. Das WEU-Sekretariat wurde von London nach Brüssel verlegt, und die Zusammenarbeit mit dem Ratssekretariat der EU wurde intensiviert.

In Fragen mit verteidigungspolitischen Bezügen können keine gemeinsamen Aktionen beschlossen werden. Damit wird auf die unterschiedliche Haltung der Mitgliedstaaten und die Tatsache Rücksicht genommen, daß nicht alle Mitgliedstaaten auch der WEU angehören. Auf der anderen Seite wurde der Vorrang der Verpflichtungen der Mitgliedstaaten in der NATO und der WEU festgeschrieben.

5. Die Zusammenarbeit in den Bereichen Justiz und Inneres

a) Überblick

Mit dem Vertrag von Maastricht wurde als „dritte Säule" die Zusammenarbeit der Mitgliedstaaten in den Bereichen Justiz und Inneres institutionalisiert. Eine abschließende Legaldefinition der Gebiete, auf die sich diese Zusammenarbeit erstrecken kann, wird nicht gegeben, doch werden die Bereiche im einzelnen aufgeführt, die die Mitgliedstaaten als **„Angelegenheiten von gemeinsamem Interesse"** betrachten. Dies sind

- die Asylpolitik,
- die Fragen im Zusammenhang mit den Personenkontrollen an den Außengrenzen,
- die Einwanderungspolitik und die Politik gegenüber den Staatsangehörigen von Drittstaaten,
- die Bekämpfung der Drogenabhängigkeit,
- die Bekämpfung von Betrügereien im internationalen Maßstab,
- die justizielle Zusammenarbeit in Zivilsachen,

[32]) Vgl Art J.4 bis Abs 6 EUV.

- die justizielle Zusammenarbeit in Strafsachen,
- die Zusammenarbeit im Zollwesen,
- die polizeiliche Zusammenarbeit in den Bereichen Terrorismus, Drogenhandel und sonstiger schwerer internationaler Kriminalität einschließlich des Aufbaus eines europäischen Polizeiamts (Europol)[33]).

Auch bereits vor Inkrafttreten des EU-Vertrags haben die Mitgliedstaaten auf den meisten dieser Gebiete mehr oder weniger eng zusammengearbeitet. Im Laufe der Jahre sind dafür eine Reihe multilateraler Arbeitsgruppen geschaffen worden[34]). Eine erste Formalisierung der Zusammenarbeit zwischen den Mitgliedstaaten erfolgte durch die „Schengener Abkommen" von 1985 und 1990 zum Abbau der Kontrollen an den Binnengrenzen zwischen den Teilnehmerstaaten[35]) sowie im „Dubliner Abkommen" über das Asylverfahren[36]).

Im Bereich der dritten Säule sind die Mitgliedstaaten die eigentliche Handlungsebene, selbst wenn sie sich dafür des Rates als Institution bedienen. Im Gegensatz zur zweiten Säule wird die Union nicht ausdrücklich als handelndes Subjekt genannt. Die Konsequenz daraus ist, daß die Mitgliedstaaten in internationalen Organisationen und auf internationalen Konferenzen nicht die Union repräsentieren, sondern als souveräne Staaten auftreten. Soweit der Rat einen gemeinsamen Standpunkt festgelegt hat, sind die Mitgliedstaaten jedoch verpflichtet, keine davon abweichenden individuellen Positionen einzunehmen.

b) Vorrangige Aktionsbereiche

Der Europäische Rat von Brüssel hat im Dezember 1993 einen ersten Aktionsplan der Union für den Bereich Justiz und Inneres angenommen. Dieser **Aktionsplan** sieht folgende Maßnahmen vor:

- Abschluß eines Übereinkommens über die Errichtung eines europäischen Polizeiamts (Europol),
- Anwendung einer globalen Strategie bei der Drogenbekämpfung, einschließlich wirksamer Maßnahmen gegen die Geldwäsche und der Zusammenarbeit mit Drittstaaten,
- Erstellung einer gemeinsamen Liste der Drittstaaten, für deren Staatsangehörige Visumzwang gilt,
- Ausbau der justiziellen Zusammenarbeit insbesondere in den Bereichen Auslieferung und Bekämpfung der organisierten internationalen Kriminalität,

---

33) Art K.1 EUV.

34) ZB die Trevi-Gruppe für Fragen der inneren Sicherheit (Terrorisme, Radicalisme, Extremisme, Violence Internationale), die RHODOS-Gruppe der Koordinatoren für die Verwirklichung der Freizügigkeit (Abbau der Grenzkontrollen), der Europäische Ausschuß für Drogenbekämpfung (CELAD).

35) Vgl dazu *Meijers,* Schengen: Internationalisation of central chapters of the law on aliens, refugees, privacy, security and the police (1992).

36) Das Dubliner Übereinkommen bestimmt den zuständigen Staat für die Prüfung eines in einem Mitgliedstaat der EU gestellten Asylantrags, nicht jedoch die materiellen Prüfkriterien.

- Nutzung der Möglichkeiten, die durch eine bessere Koordinierung zwischen der Politik im Bereich Justiz und Inneres und der Gemeinsamen Außen- und Sicherheitspolitik geboten werden, insbesondere auf dem Gebiet der Rückübernahme von illegalen Einwanderern durch Drittstaaten,
- enge Zusammenarbeit im Bereich des Asylrechts.

Ergänzend dazu hat der Europäische Rat von Korfu vom Juni 1994 ein detailliertes Arbeitsprogramm für die Tätigkeiten erstellt, die in den verschiedenen Sektoren – einschließlich der Bereiche Justiz und Inneres – zur Bekämpfung aller Formen von Rassismus und Fremdenfeindlichkeit erforderlich sind. Schließlich hat der Rat inzwischen Initiativen ergriffen, um ein globales Konzept zur Bekämpfung des illegalen Handels mit nuklearen Stoffen zu entwickeln. Bis zum Europäischen Rat von Essen im Dezember 1994 waren die Fortschritte bei der Umsetzung des Aktionsplans von 1993 (mit Ausnahme der Harmonisierung des formellen Asylrechts, der Aufnahme von Studenten und selbständigen Erwerbstätigen sowie der Harmonisierung der Visapolitik) jedoch eher gering.

c) Das Verhältnis zum Gemeinschaftsrecht

Die Zusammenarbeit zwischen den – souveränen – Mitgliedstaaten in den genannten Bereichen erfolgt unbeschadet einer Zuständigkeit der EG. Berührungspunkte und mögliche Überschneidungen ergeben sich insb im Bereich der **Visapolitik.** Die einheitliche Festlegung der Drittstaaten, deren Staatsangehörige bei der Einreise ein Visum benötigen, und die einheitliche Visagestaltung sind nach Art 100c EGV Teil der Gemeinschaftsgesetzgebung; in diesem Bereich wird deshalb nach Art 100d EGV eine enge Koordinierung zwischen den Arbeiten der ersten Säule und der dritten Säule angestrebt. Eine enge Verzahnung besteht auch zwischen der Einwanderungs- und Asylpolitik einerseits und der Gewährleistungen des Gemeinschaftsrechts im Binnenmarkt andererseits. Die Verwirklichung dieses Binnenmarkts macht den Ausbau einer „Gemeinschaft der inneren Sicherheit" erforderlich[37]). Im übrigen ist klargestellt, daß die Zusammenarbeit zwischen den Mitgliedstaaten im Rahmen der dritten Säule nicht die Souveränität der Mitgliedstaaten bei der Aufrechterhaltung der öffentlichen Ordnung und dem Schutz der inneren Sicherheit beeinträchtigt[38]).

Mit Ausnahme der Zusammenarbeit in Strafsachen, im Zollwesen sowie der polizeilichen Zusammenarbeit können die anderen Materien aufgrund einstimmigen Beschlusses des Rates aus dem Bereich der zwischenstaatlichen Zusammenarbeit im Rahmen der dritten Säule in das Gemeinschaftsrecht (erste Säule) überführt werden[39]). In diesem Fall würde durch den Beschluß des Rates auch festgelegt, ob Maßnahmen in diesen Bereichen vom Rat einstimmig oder mit qualifizierter Mehrheit beschlossen werden sollen.

---

[37]) Vgl dazu *Pitschas,* Integrationsprobleme des Polizeirechts in Europa, NVwZ 1994, 625.

[38]) Art K.2 Abs 2 EUV.

[39]) Art K.9 EUV, sog „passerelle".

Da das primäre Gemeinschaftsrecht (die Gründungsverträge) die Mitgliedstaaten völkerrechtlich bindet und das (primäre und sekundäre) Gemeinschaftsrecht den Vorrang vor nationalem Recht beansprucht[40]), darf sich das Handeln der Union im Rahmen der zweiten und dritten Säule nicht in Widerspruch zum Handeln der Gemeinschaft im Rahmen der ersten Säule setzen **(„horizontale Kohärenz").** Der gemeinschaftliche Besitzstand („acquis communautaire") ist auch bei Maßnahmen im Rahmen der GASP und auf den Gebieten Justiz und Inneres zu wahren und weiterzuentwickeln[41]). Die Existenz der dritten Säule hindert die Gemeinschaft nicht daran, ihre Zuständigkeiten für eine umfassende Regelung der Grundfreiheiten (zB auf der Grundlage der Art 57, 100, 100 a EGV) auch dann auszuschöpfen, wenn diese Regelung einen der in Art K.1 EUV genannten Bereich berührt[42]).

C. Das Handeln der Union

1. Die Rechtsqualität der Union

Der EU-Vertrag begründet einen **europäischen Staatenverbund,** der von den Mitgliedstaaten getragen wird und deren nationale Identität achtet[43]). Die Union stellt keinen europäischen Bundesstaat dar und der EU-Vertrag hat nicht den Rang einer Verfassung. Die **Union selbst hat** – im Gegensatz zu den drei Europäischen Gemeinschaften – **keine Rechtspersönlichkeit.**

Mit dem EU-Vertrag wurde allerdings eine besondere **„Unionsbürgerschaft"** eingeführt und damit ein auf Dauer angelegtes rechtliches Band zwischen den Staatsangehörigen der Mitgliedstaaten und der Union geknüpft. Die konkreten Rechte der Unionsbürger folgen jedoch nicht aus der Zugehörigkeit zur Union an sich, sondern ergeben sich aus den Gewährleistungen des Gemeinschaftsrechts (der ersten Säule). „Unionsbürger" ist, wer die Staatsangehörigkeit eines Mitgliedstaats besitzt. Wem die Mitgliedstaaten nach welchen Regeln ihre Staatsangehörigkeit verleihen, ist dem jeweiligen nationalen Recht überlassen[44]).

Nach Art F Abs 3 EUV stattet sich die Union mit den Mitteln aus, die zum Erreichen ihrer Ziele und zur Durchführung ihrer Politiken erforderlich sind. Damit wurde jedoch keine Kompetenzkompetenz für die Union begründet. Vielmehr wird die Union nach dem Prinzip der begrenzten Einzelermächtigungen nur im Rahmen der ihr konkret zugewiesenen Befugnisse tätig[45]). Die Union kann sich nicht aus eigener Macht die Finanzmittel und son-

---

[40]) Vgl dazu näher unten *Borchardt* (FN 11).

[41]) Art C Unterabsatz 1 EUV. Zur Kohärenz des Handelns in den verschiedenen Bereichen vgl unten C.4.

[42]) Vgl dazu *Müller-Graff,* The Legal Basis of the third pillar and its position in the framework of the Union Treaty, CMLR 1994, 494.

[43]) Ausführlich dazu BVerfG (FN 16).

[44]) Vgl die dem EU-Vertrag als Anlage beigefügte „Erklärung zur Staatsangehörigkeit eines Mitgliedstaats".

[45]) Zu den Grenzen der Ermächtigung vgl *Lenaerts,* Regulating the regulatory process: „delegation of powers" in the European Community, ELRev 1993, 23.

stigen Handlungsmittel verschaffen, die sie zur Erfüllung ihrer Zwecke für erforderlich erachtet[46]).

2. Die Institutionen der Union

Nach Art C EUV verfügt die Union über einen „einheitlichen institutionellen Rahmen, der die Kohärenz und Kontinuität der Maßnahmen zur Erreichung ihrer Ziele unter gleichzeitiger Wahrung und Weiterentwicklung des gemeinschaftlichen Besitzstands sicherstellt". Als echte Institution der Union kann jedoch nur der **Europäische Rat** angesehen werden, der der Union die für ihre Entwicklung erforderlichen Impulse gibt und die allgemeinen politischen Zielvorstellungen für diese Entwicklung festlegt[47]). Im Europäischen Rat kommen die Staats- und Regierungschefs der Mitgliedstaaten sowie der Präsident der Kommission zusammen. Der Europäische Rat tritt mindestens zweimal jährlich unter dem Vorsitz des Staats- oder Regierungschefs des Mitgliedstaats zusammen, der im Rat den Vorsitz innehat. Dieser Vorsitz wechselt nach einem festgelegten Turnus alle sechs Monate[48]).

Im übrigen stützt sich die Union auf diejenigen Institutionen, die durch die Verträge zur Gründung der drei Europäischen Gemeinschaften eingesetzt wurden. Nach Art E EUV sind dies das Europäische Parlament, der Rat, die Kommission und der Gerichtshof; nach Art 4 EGV besteht als weiteres Organ der Rechnungshof. Diese Institutionen handeln auf der Grundlage der ihnen im Rahmen der drei Säulen jeweils konkret übertragenen Befugnisse[49]). Da diese **Institutionen im Rahmen des Gemeinschaftsrechts** (also der ersten Säule) geschaffen wurden, „leiht" sich die Union diese Institutionen für ein Tätigwerden im Rahmen der zweiten und der dritten Säule aus **(„Institutionenleihe").** Die Erstreckung des Handlungsspielraums über den Bereich des Gemeinschaftsrechts hinaus hat sich jedoch in der offiziellen Bezeichnung der Institutionen niedergeschlagen. So wird der Rat nunmehr als „Rat der Union" tätig, die Kommission der Europäischen Gemeinschaften nennt sich nun auch „Europäische Kommission", und der Rechnungshof trägt jetzt die Bezeichnung „Europäischer Rechnungshof". Durch solche Namensänderungen ändert sich aber nichts an der Qualität der Organe und an der Tatsache, daß sie als Organe der Gemeinschaft zur ersten Säule und nicht zur Union als solche gehören. Da die Befugnisse des EuGH nach wie vor im wesentlichen auf die erste Säule begrenzt sind, hat er seine Bezeichnung „Gerichtshof der Europäischen Gemeinschaften" beibehalten.

Auch wenn im Rahmen der drei Säulen dieselben Institutionen tätig werden, kommt ihnen in diesen drei Bereichen eine sehr unterschiedliche Bedeutung zu:

---

[46]) BVerfG (FN 16).

[47]) Art D EUV. Zur Entwicklungsgeschichte und zur Rolle des Europäischen Rats vgl *Glaesner,* Der Europäische Rat, EuR 1994, 23.

[48]) Siehe ausführlich unten *Schloh,* Aufgaben und Funktion des Rates.

[49]) Zur Rolle und Bewertung der Institutionen nach Inkrafttreten des EU-Vertrags vgl *Piris,* Après Maastricht, les institutions communautaires sont-elles plus efficaces, plus démocratiques et plus transparentes? RTDE 1994, 1.

- Im Rahmen des **Gemeinschaftsrechts** (erste Säule) sind die Zuständigkeiten in den Bereichen Gesetzgebung, Haushalt und Vollzug einigermaßen gleichgewichtig zwischen Parlament, Rat und Kommission aufgeteilt. Im Bereich der Gesetzgebung hat die Kommission das ausschließliche Initiativrecht, während die Entscheidungsbefugnisse beim Rat und – eingeschränkt – beim Parlament liegen[50]).
- Im Rahmen der **GASP** (zweite Säule) hat der Rat als die Vertretung der Mitgliedstaaten die mit Abstand bedeutendste Rolle. Der Rat ist das Forum für die gegenseitige Unterrichtung und Abstimmung zwischen den Mitgliedstaaten; er beschließt auf der Grundlage allgemeiner Leitlinien des Europäischen Rates, daß eine Angelegenheit Gegenstand einer gemeinsamen Aktion wird, und beschließt diese gemeinsamen Aktionen. Der Vorsitz im Rat ist verantwortlich für die Durchführung der gemeinsamen Aktionen und legt den Standpunkt der Union gegenüber Drittstaaten, auf internationalen Koferenzen und in internationalen Organisationen dar. Der Ausschuß der ständigen Vertreter, der die Entscheidung des Rates im Rahmen der ersten Säule vorbereitet, bereitet auch die Entscheidungen im Rahmen der GASP vor. Das Europäische Parlament ist zwar stärker an der Ausformulierung der GASP beteiligt als früher an der Durchführung der EPZ, hat jedoch keine echten Mitentscheidungsbefugnisse. Es ist lediglich zu den wichtigsten Aspekten und grundlegenden Weichenstellungen der GASP zu konsultieren. Die Kommission wird zwar „in vollem Umfang an den Arbeiten im Bereich der gemeinsamen Außen- und Sicherheitspolitik beteiligt“[51]), und sie kann den Rat jederzeit mit einer Frage der GASP befassen und ihm Vorschläge unterbreiten[52]). Sie hat jedoch kein Initiativmonopol, und der Rat ist nicht verpflichtet, den Vorschlägen der Kommission zu folgen. Auch entscheidet die Kommission nicht mit über die inhaltliche Festlegung der GASP.
- Im Bereich der **dritten Säule** ist die Rolle der Mitgliedstaaten noch stärker. Auch hier ist der Rat das Forum für die gegenseitige Unterrichtung und Konsultation zur Koordinierung des Vorgehens der Mitgliedstaaten; daneben arbeiten die Mitgliedstaaten aber auch auf der Ebene der zuständigen Verwaltungsstellen unmittelbar miteinander zusammen. Zur Vorbereitung der Abstimmung zwischen den Mitgliedstaaten und um die Kohärenz des Vorgehens auf der Grundlage des Art 100c EGV und im Rahmen der dritten Säule sicherzustellen, wurde ein Ausschuß aus hohen Beamten eingesetzt („K.4-Ausschuß“). Das Europäische Parlament wird über die im Rahmen der dritten Säule durchgeführten Arbeiten lediglich vom Ratsvorsitz und der Kommission „regelmäßig unterrichtet“ und zu den wichtigsten Aspekten der Tätigkeit in diesen Bereichen angehört. Außerdem kann das Parlament Anfragen oder Empfehlungen an den Rat richten[53]). Die Kommission wird „in vollem Umfang an den Arbeiten“ beteiligt. Mit Ausnahme

---

[50]) Vgl dazu näher *Dashwood,* Community Legislative Procedures in the Era of the Treaty on European Union, ELRev 1994, 343.

[51]) Art J.9 EUV.

[52]) Art J.8 Abs 3 EUV.

[53]) Art K.6 EUV.

der Bereiche justizielle Zusammenarbeit in Strafsachen, Zusammenarbeit im Zollwesen und polizeiliche Zusammenarbeit hat die Kommission auch ein Vorschlagsrecht für gemeinsame Standpunkte, gemeinsame Maßnahmen und Übereinkommen. Auch dies unterstreicht die tragende Rolle der Mitgliedstaaten, die in allen Bereichen ein Tätigwerden der Union vorschlagen können.

3. Die Rechtsformen des Handelns der Union

Unmittelbar für die Bürger und Unternehmen der Union verbindliche Rechtsakte können von der Union nur auf der Grundlage des Gemeinschaftsrechts (im Rahmen der ersten Säule) erlassen werden. Als Handlungsformen stellt das Gemeinschaftsrecht dafür die Richtlinie, die Verordnung und die Entscheidung (bzw im Bereich des EGKS-Vertrags die Empfehlung, die allgemeine Entscheidung und die individuelle Entscheidung) zur Verfügung[54]). Daneben bestehen die Handlungsformen der rechtlich nicht verbindlichen Empfehlungen, Stellungnahmen und Schlußfolgerungen.

Im Bereich der zweiten und dritten Säule stehen dagegen nur die Handlungsformen des Völkerrechts zur Verfügung. Dies ist die Folge daraus, daß sich die Mitgliedstaaten in diesen Bereichen bei der Ausübung ihrer Souveränitätsrechte zwar zusammentun wollen, diese Ausübung aber nicht der Gemeinschaftsebene übertragen haben. Die wesentlichen Handlungsformen sind:

- die Festlegung eines Gemeinsamen Standpunktes, der im Rahmen internationaler Organisationen oder auf internationalen Konferenzen vertreten wird,
- die Festlegung Gemeinsamer Aktionen,
- der Abschluß von Übereinkommen (völkerrechtliche Verträge),
- konkrete Maßnahmen zur Durchführung derartiger Übereinkommen,
- sonstige Beschlüsse und Entschließungen.

Die **Festlegung eines Gemeinsamen Standpunktes** stellt die erste Stufe der formalisierten Abstimmung zwischen den Mitgliedstaaten dar. Diese Gemeinsamen Standpunkte werden vom Rat festgelegt und bilden eine Richtschnur für das Verhalten der Mitgliedstaaten. Eine Verpflichtung für die Mitgliedstaaten, zu einem Gemeinsamen Standpunkt zu gelangen, besteht nicht. Ist jedoch ein Gemeinsamer Standpunkt einmal festgelegt, sind die Mitgliedstaaten im Bereich der GASP verpflichtet, dafür Sorge zu tragen, daß ihre einzelstaatliche Politik mit dem Gemeinsamen Standpunkt in Einklang steht[55]). Ein gemeinsamer Standpunkt wurde zB zu den Zielen und Prioritäten der EU in bezug auf die Ukraine festgelegt.

Mit der **Festlegung einer Gemeinsamen Aktion** tritt die Union bzw der Rat an die Stelle der individuell auftretenden Mitgliedstaaten. Die Gemeinsame Aktion ist das zentrale Instrument zur Durchsetzung der vertikalen Kohärenz zwischen dem Auftreten der Union einerseits und den Mitgliedstaaten andererseits. Nach dem vom Europäischen Rat in Lissabon im Juni 1992 an-

[54]) Vgl dazu näher unten *Borchardt* (FN 11).

[55]) Art J.2 Abs 2 EUV, der wesentlich weiter geht als Art 30 Z 2c EEA.

genommenen Bericht über die voraussichtliche Entwicklung der GASP sind die Gemeinsamen Aktionen „als ein Mittel zu sehen, anhand dessen die Union ihre Politik zu einer spezifischen Frage im Rahmen der GASP festlegt und durchführt. Sie müssen notwendigerweise

– den in Art B und insbesondere in Art J.1 Absatz 2 genannten Zielen der Union entsprechen;

– den Besitzstand der Union berücksichtigen;

– mit anderen Aktionen und Positionen der Union vereinbar bleiben“.

Grundkriterium für die Annahme einer Gemeinsamen Aktion ist im Bereich der GASP das Vorliegen eines „wichtigen gemeinsamen Interesses der Mitgliedstaaten“ und die Aufstellung allgemeiner Leitlinien des Europäischen Rates[56]). Im Bereich der dritten Säule kann der Rat Gemeinsame Aktionen beschließen, „soweit sich die Ziele der Union aufgrund des Umfangs oder der Wirkungen der geplanten Maßnahmen durch gemeinsames Vorgehen besser verwirklichen lassen als durch Maßnahmen der einzelnen Mitgliedstaaten“; dies ist eine besondere Auslegung des Subsidiaritätsprinzips[57]). Gemeinsame Aktionen werden vom Rat einstimmig beschlossen; der Rat kann jedoch auch festlegen, daß Maßnahmen zur Durchführung der Gemeinsamen Aktion vom Rat mit qualifizierter Mehrheit beschlossen werden[58]). Vom Rat beschlossene Gemeinsame Aktionen sind für alle Mitgliedstaaten bei ihren Stellungnahmen und ihrem Vorgehen bindend[59]). Gemeinsame Aktionen wurden ua zur humanitären Hilfe in Bosnien-Herzegowina, zur Eröffnungskonferenz für den Stabilitätspakt und zur Unterstützung des Friedensprozesses im Nahen Osten beschlossen.

Völkerrechtliche Abkommen oder Übereinkommen können von der Union sowohl im Rahmen des Gemeinschaftsrechts[60]) als auch im Rahmen der dritten Säule abgeschlossen werden. Übereinkommen im Rahmen der dritten Säule müssen von den Mitgliedstaaten jeweils nach nationalem Verfassungsrecht ratifiziert werden[61]). In einem begleitenden Rechtsakt des Rates werden die Mitgliedstaaten aufgefordert, das entsprechende Übereinkommen zu ratifizieren. Ein derartiges Übereinkommen wurde zB abgeschlossen über die Erleichterung der Auslieferung; in Vorbereitung sind Übereinkommen über die Gründung von Europol, das Eherecht und den ehelichen Güterstand sowie den Rechtsschutz der finanziellen Interessen der Gemeinschaft.

Sonstige Beschlüsse des Rates sind für die im Rat vertretenen Mitgliedstaaten verbindlich. Mangels abweichender Regelung gilt auch insoweit das Einstimmigkeitserfordernis. Entschließungen des Rates sind nicht rechtlich verbindlich, sondern bewirken nur eine politische Selbstverpflichtung der Mitgliedstaaten. Entschließungen sind häufig der kleinste gemeinsame politische Nenner, falls sich abzeichnet, daß im Rat für rechtlich bindende Rechts-

[56]) Art J.1 Abs 3 und J.3 Abs 1 EUV.

[57]) Art K.3 Abs 2 EUV; zum Subsidiaritätsprinzip s oben FN 17.

[58]) Art J.3 Z 2; Art K.3 Abs 2 lit b EUV.

[59]) Art J.3 Z 4 EUV.

[60]) Art 228 EGV.

[61]) Art K.3 Abs 2 lit c EUV.

akte keine Einstimmigkeit zu erzielen wäre. In Vorbereitung sind zB Entschließungen über den Mindestschutz in Asylverfahren und zur Stärkung der Sicherheit an den Außengrenzen.

4. Die Kohärenz des Handelns der Union und der Mitgliedstaaten

Der rechtliche Rahmen für ein Handeln der Union einerseits und der Mitgliedstaaten andererseits, ist in den drei Säulen des EU-Vertrags sehr unterschiedlich ausgestaltet. Während es im Rahmen des Gemeinschaftsrechts (erste Säule) vor allem um die Abgrenzung der Zuständigkeitsbereiche der Union (Gemeinschaft) einerseits und der Mitgliedstaaten andererseits geht und das von der Union gesetzte Gemeinschaftsrecht den Vorrang gegenüber nationalem Recht beansprucht, tritt die Union im Rahmen der GASP (zweite Säule) als eigenständig verantwortlicher Akteur neben den Mitgliedstaaten auf. Im Rahmen der Zusammenarbeit in den Bereichen Justiz und Inneres (dritte Säule) treten im wesentlichen die Mitgliedstaaten in Aktion, doch wird auch dem Rat eine Rolle zugewiesen. Damit gelten auch für die Kohärenz des Handelns der Union und der Mitgliedstaaten im Rahmen der drei Säulen unterschiedliche Regeln. Dabei ist zwischen der Kohärenz des Handelns der Union im Rahmen der drei Säulen („horizontale Kohärenz") einerseits und der Kohärenz zwischen dem Handeln der Union und den Mitgliedstaaten auf einem konkreten Politikbereich („vertikale Kohärenz") andererseits zu unterscheiden[62]).

Zur Wahrung der **horizontalen Kohärenz** verfügt die Union über einen einheitlichen institutionellen Rahmen[63]). Besonders hervorgehoben wird die Verpflichtung zur Kohärenz für den Bereich der außenpolitischen Maßnahmen im Rahmen der Außen-, Sicherheits-, Wirtschafts- und Entwicklungspolitik[64]). Für die erste Säule ist die vertikale Kohärenz rechtlich durch den Vorrang des Gemeinschaftsrechts und die Verpflichtung zum „unionsfreundlichen Verhalten" der Mitgliedstaaten normiert[65]). Für den Bereich der zweiten Säule ist festgelegt, daß die Mitgliedstaaten die Beschlüsse der Union aktiv und vorbehaltslos im Geist der Loyalität der der gegenseitigen Solidarität unterstützen und sich jeder Handlung enthalten müssen, die den Interessen der Union zuwiderläuft oder ihrer Wirksamkeit als kohärente Kraft in den internationalen Beziehungen schaden könnte[66]). Für den Bereich der dritten Säule sind die Mitgliedstaaten lediglich verpflichtet, in internationalen Organisationen und auf internationalen Konferenzen, bei denen sie vertreten sind, die vom Rat festgelegten Gemeinsamen Standpunkte zu vertreten[67]).

Die im Rahmen der zweiten und dritten Säule getroffenen Maßnahmen dürfen nicht im Widerspruch zum (primären und sekundären) Gemein-

---

[62]) Allgemein zur Frage der Kohärenz im Bereich der GASP *Krenzler/Schneider*, Die Gemeinsame Außen- und Sicherheitspolitik der Europäischen Union, EuR 1994, 144, und zur Kohärenz im Bereich der dritten Säule *Müller-Graff* (FN 42).

[63]) Art C Abs 1 EUV.

[64]) Art C Abs 2 EUV.

[65]) Art 5 EGV.

[66]) Art J.1 Abs 4 EUV.

[67]) Art K.5 EUV.

schaftsrecht stehen. Der gemeinschaftliche Besitzstand („acquis communautaire“) darf dadurch nicht gefährdet werden[68]).Umgekehrt können Maßnahmen der Union im Rahmen der zweiten Säule auch bindende Vorgaben für ein Handeln der Gemeinschaft im Rahmen der ersten Säule liefern. Ist in Gemeinsamen Standpunkten oder Gemeinsamen Aktionen im Bereich der GASP ein Tätigwerden der Gemeinschaft vorgesehen, um die Wirtschaftsbeziehungen zu Drittstaaten auszusetzen, einzuschränken oder vollständig einzustellen, so ist der Rat verpflichtet, die erforderlichen Sofortmaßnahmen zu treffen[69]).

Zur Wahrung der Kohärenz der von der Union ergriffenen außenpolitischen Maßnahmen wurden auf der Grundlage der dem EU-Vertrag beigefügten „Erklärung zu den praktischen Einzelheiten im Bereich der gemeinsamen Außen- und Sicherheitspolitik“ konkrete organisatorische Vorkehrungen getroffen. Die Zusammenarbeit zwischen dem für die GASP zuständigen Politischen Komitee, das sich aus den Politischen Direktoren der nationalen Außenministerien zusammensetzt, und dem für die Gemeinschaftspolitik zuständigen Ausschuß der Ständigen Vertreter (AStV) wurde intensiviert. Das **Politische Komitee** trifft nunmehr grundsätzlich jeweils eine Woche vor der nächsten Ratssitzung am Sitz des Rates zusammen und nicht mehr wie früher in der Hauptstadt des Mitgliedstaats, der im Rat den Vorsitz führt. Umgekehrt informiert die Ratspräsidentschaft das Politische Komitee über den Entwurf der Tagesordnung des Rates. Die Stellungnahmen des Politischen Komitees werden auf die Tagesordnung des AStV gesetzt. Der Rat kann das Politische Komitee bitten, parallel zum Rat zu tagen, damit ggf zweckdienliche Stellungnahmen über die neuesten Entwicklungen im politischen Bereich abgegeben werden können. Die Arbeitsgruppen, die bisher dem Politischen Komitee (in der Struktur der EPZ) bzw dem AStV zuarbeiteten, wurden überwiegend zu Ratsarbeitsgruppen mit festgelegten geographischen Zuständigkeitsbereichen fusioniert; diese Arbeitsgruppen befassen sich mit allen Fragen sowohl aus dem Bereich der Gemeinschaft als auch aus dem Bereich der GASP. Soweit thematisch festgelegte Arbeitsgruppen ohne gemeinsamen geographischen Zuständigkeitsbereich getrennt weiterbestehen, erfolgt eine Abstimmung ihrer Tätigkeit durch gemeinsame Tagungen. Das Sekretariat der EPZ wurde mit dem Generalsekretariat des Rates fusioniert.

5. Die Rechtskontrolle des Handelns der Union

Eine Rechtskontrolle durch den EuGH findet nur statt, soweit es um Rechtsakte im Rahmen des Gemeinschaftsrechts (erste Säule) geht, sowie ausnahmsweise soweit, in einem Übereinkommen auf dem Gebiet Justiz und Inneres ausdrücklich vorgesehen wird, daß der Gerichtshof für die Auslegung der darin enthaltenen Bestimmungen und für alle Streitigkeiten über ihre Anwendung zuständig ist[70]).

[68]) Art C Abs 1 EUV.
[69]) Art 228 a EGV.
[70]) Art K.3 Abs 2 lit c EUV.

6. Die Finanzierung der Aktivitäten der Union

Auch wenn sich die Union nach Art F Abs 3 EUV mit den Mitteln ausstattet, „die zum Erreichen ihrer Ziele und zur Durchführung ihrer Politiken erforderlich sind“, besitzt die Union keine Finanzhoheit. Diese Finanzhoheit haben vielmehr die Mitgliedstaaten, die über die Finanzausstattung der Union entscheiden. Ein eigener Haushalt ist dabei nur im Rahmen des Gemeinschaftsrechts vorgesehen. Die Bestimmungen über die verschiedenen Finanzierungsquellen dieses Haushalts sind Bestandteil der ersten Säule.

Da es sich bei Maßnahmen im Rahmen der zweiten und dritten Säule um Formen der zwischenstaatlichen Zusammenarbeit handelt, ist die Finanzierung dieser Maßnahmen – mit Ausnahme der Verwaltungskosten der Institutionen der Gemeinschaft, die mit der Vorbereitung dieser Maßnahmen befaßt sind – grundsätzlich Sache der Mitgliedstaaten selbst. Der Rat kann jedoch ausnahmsweise einstimmig beschließen, daß die operativen Ausgaben im Zusammenhang mit der Durchführung einer Maßnahme im Bereich der GASP bzw der Zusammenarbeit in den Bereichen Justiz und Inneres aus dem Gemeinschaftshaushalt finanziert werden soll. Der Haushalt wird daher auf der Grundlage der Haushaltsvorschriften des EG-Vertrags weiter als „Haushalt der Europäischen Gemeinschaften“ und nicht als „Haushalt der Europäischen Union“ aufgestellt[71]).

D. Die weitere Entwicklung der Union

1. Die Erweiterung der Union

Die Zahl der Mitgliedstaaten hat sich seit den 50er-Jahren in vier Erweiterungsrunden von sechs auf inzwischen fünfzehn erhöht. Während früher ein Beitritt neuer Mitgliedstaaten jeweils getrennt, aber zeitlich zusammenfallend zu den drei Europäischen Gemeinschaften stattfand, ist seit dem Inkrafttreten des Vertrags von Maastricht nur noch ein Beitritt zur Union selbst möglich. Durch den Beitritt zur Union wird ein neuer Staat zugleich Mitglied der drei Europäischen Gemeinschaften.

Einen Antrag auf Beitritt zur Union kann nach Art O EUV „jeder europäische Staat“ beantragen. Der Grundsatz einer Union, die allen europäischen Staaten offensteht, die die volle Mitgliedschaft anstreben und die Voraussetzungen dafür erfüllen, ist ein wesentliches Element des europäischen Aufbaus. Nach der Auslegung, die der Europäische Rat dem Art O EUV gegeben hat, bestehen folgende **immanente Voraussetzungen für einen Beitritt:**

- die Teilhabe an der europäischen Identität, die sich aus dem kultur- und geistesgeschichtlichen Zusammenhang ergibt,
- der geographische Zusammenhang mit der Union,
- die geopolitische Situation,
- die außenpolitische Orientierung.

Nachdem der EWR-Vertrag den Weg für die letzte Erweiterungsrunde um Österreich, Finnland und Schweden geebnet hatte, hat der Europäische

[71]) Siehe ausführlich unten *Wuermeling,* Der EU-Haushalt: Politik in ECU.

Rat von Kopenhagen vor allem den assoziierten mittel- und osteuropäischen Ländern die Perspektive eines Beitritts zur Union eröffnet. Als Bedingungen werden dabei genannt, daß das assoziierte Land in der Lage sein muß, den mit einer Mitgliedschaft in der Union verbundenen Verpflichtungen nachzukommen und die erforderlichen wirtschaftlichen und politischen Bedingungen zu erfüllen. Voraussetzung sei daher die institutionelle Stabilität des Staates als Garantie für demokratische und rechtsstaatliche Ordnung, für die Wahrung der Menschenrechte sowie die Achtung und den Schutz von Minderheiten. Außerdem sei eine funktionsfähige Marktwirtschaft erforderlich sowie die Fähigkeit, dem Wettbewerbsdruck und den Marktkräften innerhalb der Union standzuhalten. Die Mitgliedschaft setze voraus, daß die einzelnen Beitrittskandidaten die aus einer Mitgliedschaft erwachsenden Verpflichtungen übernehmen und sich auch die Ziele der Politischen Union sowie der Wirtschafts- und Währungsunion zu eigen machen können.

Konkretisiert wurde die Perspektive eines Beitritts zur Union durch den Beschluß des Europäischen Rates von Essen vom 9./10. Dezember 1994 ein Programm zur Vorbereitung des Beitritts aller europäischen Länder aufzustellen, mit denen sie Europa-Abkommen abgeschlossen hat[72]). Der wesentliche Bestandteil der entsprechenden Strategie ist die schrittweise Vorbereitung der assoziierten Staaten auf die Integration in den Binnenmarkt im Wege einer stufenweisen Übernahme der Binnenmarktregelungen der Union. Flankiert werden soll die Vorbereitung auf den Beitritt durch die Schaffung „strukturierter Beziehungen“ zwischen diesen Staaten und den Institutionen der EU in der Form jährlicher bzw halbjährlicher Treffen der Staats- und Regierungschefs, der Außen- und der Fachminister. Damit soll es den assoziierten Staaten ermöglicht werden, bei der Erörterung von Fragen von beiderseitigem Interesse eine aktive Rolle zu übernehmen[73]).

Der Europäische Rat von Essen hat außerdem bestätigt, daß in die nächste Erweiterungsrunde Zypern und Malta einbezogen werden.

Er hat allerdings auch unterstrichen, daß Voraussetzung für die nächste Erweiterungsrunde ist, daß im Rahmen der Regierungskonferenz 1996 „die institutionellen Voraussetzungen für ein reibungsloses Funktionieren der Union“ geschaffen werden. Dies betrifft die institutionellen Aspekte der „Vertiefung“ und bestätigt die Parallelität der beiden Entwicklungen Erweiterung und Vertiefung.

2. Die Vertiefung der Union

Wie sich aus dem oben unter A. dargestellten bisherigen Ablauf des europäischen Einigungsprozesses ergibt, stellt die EU in ihrer mit dem Vertrag von Maastricht gefundenen Form noch nicht das Endziel der europäischen Integrationsbemühungen dar. Die Zusammenarbeit und der Zusammenhalt zwischen den Mitgliedstaaten der Union wurden schrittweise ausgebaut, auf

[72]) Dies sind bisher Polen, Ungarn, die Tschechische Republik, die Slowakische Republik, Bulgarien und Rumänien.

[73]) Schlußfolgerungen des Europäischen Rates von Essen, Dok SN 300/94, Anhang IV.

weitere Bereiche erstreckt und institutionell abgesichert. Dieser Prozeß wird mit dem Stichwort der **„Vertiefung" der Union** bezeichnet. Da jede weitere „Vertiefung" der Union die Hoheitsrechte der Mitgliedstaaten berührt, bedürfen weitergehende Integrationsschritte jeweils der ausdrücklichen und formalisierten Zustimmung der Mitgliedstaaten. Die entsprechenden Änderungen in den Grundlagen der Zusammenarbeit zwischen den Mitgliedern der Union werden im Rahmen von **„Regierungskonferenzen"** festgelegt. Das Ergebnis dieser „Regierungskonferenzen" bedarf der Ratifizierung nach den verfassungsrechtlichen Vorschriften aller Mitgliedstaaten. Die nächste Regierungskonferenz ist nach dem Vertrag von Maastricht für 1996 vorgesehen[74]). Sie soll insb diejenigen Bestimmungen des EU-Vertrags überprüfen, für die eine Revision ausdrücklich vorgesehen ist[75]). Daneben kann sich die Regierungskonferenz jedoch mit jedem Thema befassen, das von der Kommission oder einem Mitgliedstaat vorgeschlagen wird. Im Rahmen der „Regierungskonferenzen" entscheiden die Regierungen der Mitgliedstaaten einstimmig; die Kommission hat zwar ein Vorschlagsrecht, entscheidet jedoch inhaltlich nicht über das Ergebnis der Verhandlungen. Erstmalig werden an der für 1996 vorgesehenen Regierungskonferenz auch zwei Vertreter des Europäischen Parlaments teilnehmen. Auch sie sind jedoch nicht stimmberechtigt.

Das Europäische Parlament hat bereits zweimal den Versuch unternommen, die Grundlagen für die Europäische Union in die Form einer **„Verfassung für die Europäische Union"** zu bringen[76]). Ziel war dabei die Umgestaltung der EU in einen europäischen Bundesstaat, in dem die Aufgaben eindeutig zwischen der Union und den Mitgliedstaaten aufgeteilt sind, mit der Möglichkeit einer weiteren Aufteilung auf innerstaatlicher Ebene zwischen dem Zentralstaat und den Regionen. Diese Bemühungen dürften im Rahmen der nächsten Regierungskonferenz weiteren Auftrieb erhalten.

Wie der Europäische Rat bekräftigt hat, wird Thema der nächsten **Regierungskonferenz 1996** vor allem auch die Weiterentwicklung der Institutionen sein, um ihre Funktionsfähigkeit auch dann sicherzustellen, wenn der EU mehr als 20 Mitgliedstaaten angehören werden. Bereits die Regierungskonferenz zur Politischen Union hatte zum Ziel, die Arbeitsweise der Institutionen effizienter, demokratischer und transparenter zu gestalten. Die jüngste Erweiterung der EU um drei neue Mitgliedstaaten konnte noch auf der Grundlage des „status quo plus-Modells" erfolgen, für die nächste Erweiterung wird dies jedoch nicht mehr gelten können. Zu denken ist daher insb an eine Neuverteilung der Gewichte zwischen Rat und Parlament, eine Beschränkung der Zahl unterschiedlicher Entscheidungsverfahren, eine neue Rolle für die Ratspräsidentschaft und neue Mehrheitsregeln für Abstimmungen im Rat, eine Verkleinerung der Kommission mit stärkerer Berücksichtigung des Ressort-

---

[74]) Art N Abs 2 EUV.

[75]) Es sind dies insbesondere die Ausdehung des Anwendungsbereichs des Verfahrens der Mitentscheidung, die mögliche Einfügung spezieller Regeln für die Politik in den Bereichen Katastrophenschutz, Energie und Fremdenverkehr in den EG-V, die mögliche Einführung einer „Hierarchie der Normen" und die Entwicklung der Sicherheitspolitik.

[76]) ABl C 1984/77 und ABl C 1994/61.

prinzips und eine stärkere demokratische Kontrolle[77]). Längerfristig wird auch für die EU eine Verfassung im staatsrechtlichen Sinn zu erarbeiten sein, die den klassischen Anforderungen an das Gewaltenteilungs- und Demokratieprinzip der modernen demokratischen Rechtsstaaten genügt. Eine derartige Verfassung – anstelle des Vertrags über die Europäische Union und der darin zusammengefaßten Gründungsverträge der drei Europäischen Gemeinschaften – ist jedoch erst dann wirklich notwendig, wenn der entscheidende Schritt des Übergangs von einem „Staatenverbund" zu einem europäischen Bundesstaat erfolgt[78]).

[77]) Vgl *Festenrath*, Die Struktur der erweiterten Europäischen Union, EuR 1994 Beiheft 1/101 ff; *Schmidhuber*, Zur weiteren institutionellen Entwicklung der Europäischen Union im Hinblick auf die Regierungskonferenz von 1996, FS *Kreile* (1994).

[78]) *Schmidhuber* (FN 77).

3. KAPITEL

Die EG als Rechtsgemeinschaft

Jürgen Grunwald

Übersicht:

A. Einleitung

Sollte man das Wesen der Europäischen Gemeinschaft[1]) in einem einzigen Begriff zusammenfassen, so wäre wohl keiner treffender als der der **Rechtsgemeinschaft.** Schon früh auf sie bezogen,[2]) kennzeichnet dieser Begriff wie kein zweiter die spezifische Natur der Gemeinschaft, indem er zunächst – unpathetisch und doch selbstbewußt – darauf verweist, daß die Gemeinschaft zwar „weniger" ist als ein Staat, aber doch wesentlich „mehr" als eine internationale Organisation herkömmlicher Art.[3]) Über den genauen

[1]) Dieser Begriff wird hier im klassischen Sinne verstanden und umfaßt die Europäische Gemeinschaft für Kohle und Stahl, die Europäische Atomgemeinschaft und die heutige Europäische Gemeinschaft (vormals Europäische Wirtschaftsgemeinschaft). Zum Begriff der Europäischen Union s oben *Hitzler,* Die Europäische Union.

[2]) Soweit nachweisbar, hat erstmalig *Walter Hallstein,* der erste Präsident der EWG-Kommission, diesen Begriff auf die Gemeinschaft angewandt (s *Ipsen,* Marginalien zum Europäischen Rat, in Europäisches Gemeinschaftsrecht in Einzelstudien [1984] 113: „*Walter Hallstein,* der 1962 anläßlich seiner Ehrenpromotion in Padua die Formel von der Europäischen Gemeinschaft als ‚Rechtsgemeinschaft' prägte . . ."). Siehe aus späteren Jahren auch *Hallstein,* Der unvollendete Bundesstaat (1969) 48 sowie ausführlich *Hallstein,* Die Europäische Gemeinschaft (1973) 31.

[3]) Siehe zur Rechtsstellung der Gemeinschaften grundlegend *Ipsen,* Europäisches Gemeinschaftsrecht (1972) 182ff; s auch *Ophüls,* Zwischen Völkerrecht und staatlichem Recht – Grundfragen des europäischen Rechts, in: Juristen-Jahrbuch Bd 4 (1963/64) 137.

Standort der Gemeinschaft auf der Skala **zwischen traditioneller internationaler Organisation und klassischem Staat** ist in den Anfangsjahren der europäischen Integration ebenso viel geschrieben und gestritten worden[4]) wie über ihre politische Finalität und ihr mögliches Endziel; erinnert sei hier nur an den Streit zwischen Funktionalisten und Föderalisten.[5]) Dies alles ist für das vorliegende Thema ebenso unergiebig wie die Frage, wie man sich zukünftige Verfassungsstrukturen Europas vorzustellen habe[6]) und wie diese im Raster herkömmlicher politischer Organisationsformen einzuordnen seien.

Kehrt man statt dessen zum Begriff der Rechtsgemeinschaft zurück und nimmt man ihn beim Wort, so enthüllt er uns eine weitere Facette: Fragt man nämlich, welche Rolle das **Recht** in dieser **Gemeinschaft** spielt, so entdecken wir im Recht den roten Faden, der nicht nur durch die Gründung, die Aufgaben und Prozeduren der Gemeinschaft führt, sondern aus dem sie gleichsam selbst gestrickt ist. Das Recht ist sowohl der Stoff, aus dem die Gemeinschaft geschaffen wurde, als auch der Stoff, den sie selbst schafft. Und nur soweit dieses Recht durch Anwendung und Befolgung mit Leben erfüllt wird, hat die Gemeinschaft Realität – bleibt es hingegen ein toter Buchstabe, so gleicht es dem Stoff, aus dem des Kaisers neue Kleider gefertigt wurden.

Und schließlich besitzt der Begriff der Rechtsgemeinschaft noch eine dritte, gleichsam negative Facette, indem er das ausspart, worüber die Gemeinschaft nicht verfügt, nämlich **hoheitliche Zwangsgewalt.** Hoheitliche Machtmittel, Truppen oder Polizeigewalt besitzt die Gemeinschaft weder nach innen noch nach außen: Ihr verbleibt allein die Berufung auf das Recht, der Rechtsweg und damit die Überzeugungs- und Durchsetzungskraft ihrer Idee, der **Idee der Rechtsgemeinschaft.**

B. Die drei Funktionen des Gemeinschaftsrechts

Das Recht ist für das Wesen der Gemeinschaft in dreifacher Weise konstitutiv:[7])

---

[4]) Vgl ua aus den frühen Jahren *Ophüls,* Juristische Grundgedanken des Schumanplans, NJW 1951, 289; *Glaesner,* Übertragung rechtsetzender Gewalt auf internationale Organisationen in der völkerrechtlichen Praxis, DöV 1959, 653; *Krüger,* Über die Herkunft der Gewalt der Staaten und der sog supranationalen Organisationen, DöV 1959, 721.

[5]) Vgl dazu ausführlich *Hogan,* Representative Government and European Integration (1967) 125ff.

[6]) Siehe aus der Sicht des Europäischen Parlaments den Entwurf einer Verfassung der Europäischen Union, ABl C 1994/61 v 28. 2. 1994, 156. Siehe weiterhin ausführlich *Reich,* Politische Union, in: *Röttinger/Weyringer* (Hg), Handbuch der Europäischen Integration[1] (1991) 329, ferner unten *Fitzmaurice,* Die EG auf dem Weg ins nächste Jahrhundert, sowie *Gazzo,* Visionäre Perspektiven Europas, in: *Röttinger/Weyringer* (Hg), Handbuch der Europäischen Integration[1] (1991) 372; s zuletzt *Grimm,* Braucht Europa eine Verfassung? JZ 1995, 581.

[7]) Siehe zum folgenden auch *Ehlermann,* Die Europäische Gemeinschaft und das Recht, in: Einigkeit und Recht und Freiheit (FS *Karl Carstens*) Bd 1 (1984) 81; s auch *Schwarze,* Funktionen des Rechts in der Europäischen Gemeinschaft, in *Schwarze* (Hg), Gesetzgebung in der Europäischen Gemeinschaft (1985) 9.

- die Gemeinschaft wurde **durch Recht gegründet,**
- ihre Aufgabe ist **Rechtsetzung** und
- ihr Handeln steht **unter der Kontrolle des Rechts,** ausgeübt durch den Gerichtshof der Europäischen Gemeinschaften und das ihm beigeordnete Gericht erster Instanz.

1. Gründung durch Recht

Die Errichtung der Europäischen Gemeinschaft erfolgte durch den **Abschluß von drei völkerrechtlichen Verträgen**[8]) mit denen die ursprünglichen sechs Mitgliedstaaten untereinander die Europäische Gemeinschaft für Kohle und Stahl (EGKS) 1951, die Europäische Atomgemeinschaft (EURATOM) 1957 und die Europäische Wirtschaftsgemeinschaft (EWG) 1957 gründeten. Von Anfang an auf Erweiterung angelegt, traten diesen Gemeinschaften 1973 das Vereinigte Königreich, Irland und Dänemark,[9]) 1981 Griechenland,[10]) 1986 Spanien und Portugal[11]) und 1995 Österreich, Schweden und Finnland[12]) bei, wobei die jeweiligen Beitrittsakte ebenfalls völkerrechtliche Verträge darstellen.

Nach Abschluß der Süderweiterung wurden der EWG-Vertrag und in geringerem Maße der EGKS- und der EURATOM-Vertrag 1987 erstmalig einer Revision unterzogen, die im völkerrechtlichen Vertragswerk der sog **Einheitlichen Europäischen Akte** (EEA)[13]) ihren Ausdruck fand. Mit dem Vertrag von Maastricht (Vertrag über die Europäische Union – VEU),[14]) der am 1. 11. 1993 in Kraft trat, erfolgte eine zweite große Vertragsrevision, die die heutige Rechtslage bestimmt.[15])

All diese völkerrechtlichen Verträge, der sog **Fusionsvertrag** von 1965[16]) sowie die beigefügten Anhänge und Protokolle bilden das sog **Primärrecht**

---

[8]) Zusammen veröffentlicht in Europäische Union, Textsammlung, Band I, Teil I u II (1995).

[9]) ABl L 1972/73 v 27. 3. 1972.

[10]) ABl L 1979/291 v 19. 11. 1979.

[11]) ABl L 1985/302 v 15. 11. 1985. Sämtliche Beitrittsakte wurden zusammen veröffentlicht in EG-Kommission (Hg), Dokumente betreffend die Beitritte zu den Europäischen Gemeinschaften (1987).

[12]) ABl L 1995/1 v 1. 1. 1995 sowie ABl C 1994/241 v 29. 8. 1994, 1.

[13]) ABl L 1987/169 v 29. 6. 1987; s auch *Glaesner,* Die Einheitliche Europäische Akte, EuR 1986, 119.

[14]) ABl C 1992/191 v 29. 7. 1992, 1.

[15]) Nach Art N Abs 2 VEU wird im Jahr 1996 eine Regierungskonferenz zur Revision des EU-Vertrages einberufen.

[16]) ABl L 1967/152 v 13. 7. 1967 geändert durch Art P VEU. Dieser „Vertrag zur Einsetzung eines gemeinsamen Rates und einer gemeinsamen Kommission der Europäischen Gemeinschaften" vereinigte ab 1. 7. 1967 die Hohe Behörde (Art 8ff EGKSV), die EURATOM-Kommission (Art 124ff EURATOMV) und die EWG-Kommission (Art 155ff EWGV) zu einem einzigen Organ, der Kommission. Desgleichen wurden die Räte der drei Verträge zu einem einzigen Organ, dem Rat, vereinigt. Demgegenüber bestanden der Gerichtshof und die Versammlung, deren selbstverliehene Bezeichnung „Europäisches Parlament" primärrechtlich erst durch die EEA sanktioniert wurde, schon vorher als jeweils vertragsübergreifende gemeinsame Organe. Siehe zum Fusionsvertrag auch *Ipsen,* Fusionsverfassung Europäische Gemeinschaften (1969).

der Gemeinschaft[17]) (s dazu unten C.) – oder in Begriffen des nationalen Rechts gesprochen – ihre **Verfassung.**[18])

Weder in ihrem äußeren Aufbau noch im Abschlußverfahren unterscheiden sich die Gründungsverträge der Gemeinschaft grundsätzlich von sonstigen Verträgen zur Gründung internationaler Organisationen.[19]) Wie diese enthalten sie Bestimmungen über die Aufgaben, die Organe, die Finanzen und Schlußbestimmungen, und auch die jeweiligen Ratifizierungsverfahren der EG-Verträge weisen

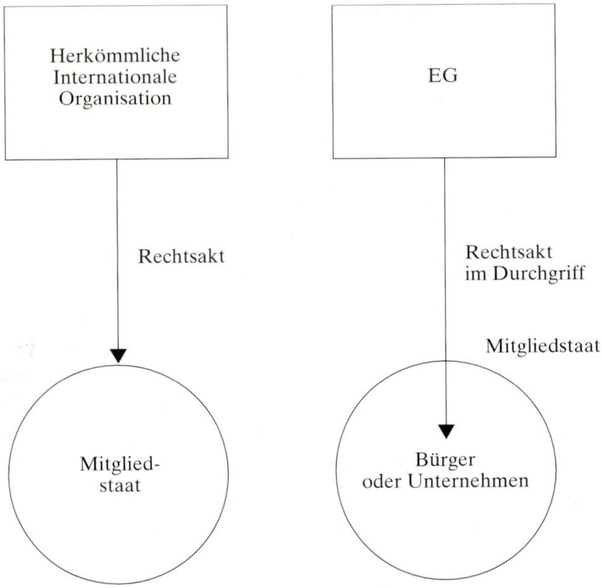

keine Besonderheiten auf.[20]) In einem Punkte jedoch unterscheiden sich die Gründungsverträge der Gemeinschaft fundamental von denen anderer internationaler oder zwischenstaatlicher Organisationen, und zwar im Recht des sog **Durchgriffs.**[21]) Während nämlich die letztgenannten Verträge die jeweiligen zwischenstaatlichen Organisationen stets nur zu

---

[17]) Dem vertraglichen Primärrecht steht als sog Sekundärrecht das von den Organen der Gemeinschaft gesetzte Recht gegenüber.

[18]) Zur Verfassung der Gemeinschaft *Ipsen,* Europäisches Gemeinschaftsrecht in Einzelstudien (1984) 9ff (insb die Beiträge im ersten Teil [„Verfassung und Institutionen"]).

[19]) Vgl dazu *Seidl-Hohenveldern/Loibl,* Das Recht der Internationalen Organisationen einschließlich der Supranationalen Gemeinschaften[5] (1992) 50ff.

[20]) Bemerkenswert sind allerdings die Bestimmungen zur Beteiligung der deutschen Bundesländer nach Maßgabe des Art 23 GG. Siehe auch *Zuleeg,* Die Stellung der Länder und Regionen im europäischen Integrationsprozeß, DVBl 1992, 1329 sowie *Ipsen,* Als Bundesstaat in der Gemeinschaft, in Probleme des Europäischen Rechts (FS *Walter Hallstein*) (1966) 248.

[21]) Zum Begriff und Konzept *Ipsen,* Europäisches Gemeinschaftsrecht (FN 3) 121.

Rechtshandlungen gegenüber ihren Mitgliedern, dh den Mitgliedstaaten, berechtigen, ist die Gemeinschaft ermächtigt, Rechtsakte zu erlassen, die gleichsam im Durchgriff die nationale Hülle durchstoßen und direkt an den einzelnen Bürger oder das einzelne Unternehmen im Mitgliedstaat gerichtet sind.[22])

Schon an dieser Stelle wird deutlich, daß sich ein solchermaßen direkt in Anspruch genommenes Unternehmen ebenso direkt gegen Rechtsakte der Gemeinschaft wehren können muß, woraus sich wichtige Konsequenzen für das Rechtsschutzsystem der Gemeinschaft ergeben.[23])

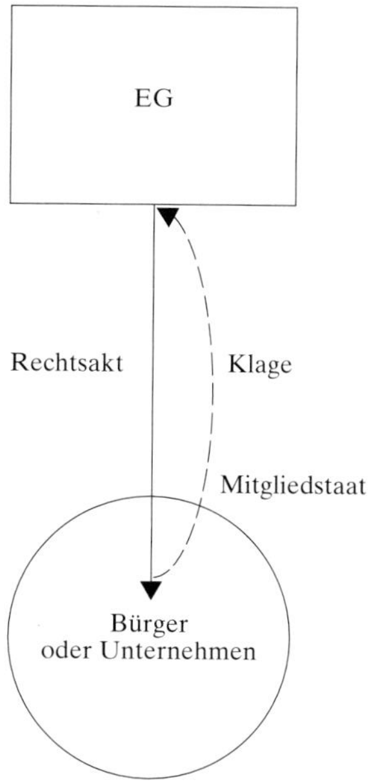

2. Vergemeinschaftung durch gemeinsames Recht

Die Hauptaufgabe der Gemeinschaft und der Schwerpunkt der täglichen Arbeit ihrer politischen Institutionen besteht in der **gemeinschaftlichen Rechtsetzung** auf den Gebieten, für die die Gemeinschaft zuständig ist.[24]) Was hierbei unter gemeinschaftlicher Rechtsetzung zu verstehen ist, wird am besten deutlich, wenn man sich einen Augenblick in die Ausgangslage zu-

[22]) So Art 189 Abs 2 und 3 EGV: „Die Verordnung hat allgemeine Geltung. Sie ist in allen ihren Teilen verbindlich und gilt unmittelbar in jedem Mitgliedstaat. Die Entscheidung ist in allen ihren Teilen für diejenigen verbindlich, die sie bezeichnet."

[23]) Vgl dazu *Riese,* Über den Rechtsschutz innerhalb der europäischen Gemeinschaften, EuR 1966, 24. Siehe zuletzt *Sedemund/Heinemann,* Rechtsschutz im Gemeinschaftsrecht, DB 1995, 713.

[24]) Zum „System der Rechtshandlungen" s eingehend unten *Borchardt,* Die rechtlichen Grundlagen der Europäischen Gemeinschaften – Rechtsquellen, Rechtshandlungen, Rechtsetzung.

rückversetzt, die bestand, bevor die EG gegründet wurde.[25]) Wie alle souveränen Staaten waren auch die Gründerstaaten auf dem Gebiet der Rechtsetzung autonom, dh sie waren zur Regelung aller nur denkbaren Rechts- und Sachfragen in eigener Zuständigkeit ausschließlich und allein berufen. In Ausübung ihrer Allzuständigkeit regelten die Staaten ihre Belange auf allen Gebieten jeder für sich und **ohne Seitenblick** auf die Regelungen der Nachbarn.[26]) Und obwohl die großen und kleinen Probleme, die die Staaten zu lösen haben, im wesentlichen die gleichen sind oder sich doch zumindest sehr ähneln, fielen die jeweiligen nationalen Regelungen im einzelnen sehr unterschiedlich aus. Aufgrund dieser teilweise sehr beträchtlichen Diskrepanzen waren die nationalen Rechtsordnungen untereinander auf den meisten Gebieten nicht „kompatibel".

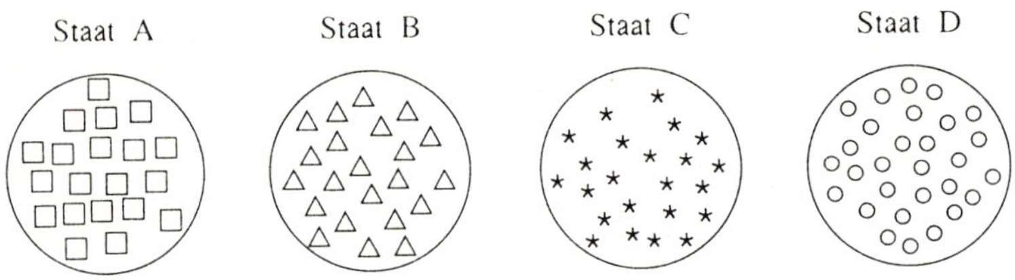

Hauptleidtragende dieses rechtlichen Fleckerlteppichs „Europa" waren Wirtschaft, Handel und Verkehr, die seit jeher über die nationalen Grenzen hinausdrängen und dann am besten gedeihen, wenn sich zwischen den Staaten ein freier Austausch zu möglichst einheitlichen rechtlichen Bedingungen entwickeln kann.[27]) Und genau an diesem Punkte setzte der Grundgedanke der Europäischen Gemeinschaft an: Wenn es nämlich gelänge, die unterschiedlichen nationalen Vorschriften und Hemmnisse zu beseitigen und gleichzeitig ein einheitliches gemeinsames Recht für Wirtschaft, Handel und Verkehr zu schaffen, würden die Märkte der einzelnen Mitgliedstaaten zu einem einzigen, dem

[25]) Zu den Gründerjahren s insb die Memoiren der beteiligten Politiker (zB *Monnet,* Mémoires [1976]; *Spaak,* Memoiren eines Europäers [1969]) sowie *Hallstein* (FN 2). Siehe außerdem die folgenden historischen Gesamtdarstellungen *Loth* (Hg), Die Anfänge der europäischen Integration 1945–1950 (1990); *von der Groeben,* Aufbaujahre der Europäischen Gemeinschaft (1982) sowie *von der Groeben,* Deutschland und Europa in einem unruhigen Jahrhundert (1995); *Küsters,* Die Gründung der Europäischen Wirtschaftsgemeinschaft (1982); *Weilemann,* Die Anfänge der Europäischen Atomgemeinschaft (1983); *Spierenburg/Poidevin,* Histoire de la Haute Autorité de la Communauté Européenne du charbon et de l'acier (1993).

[26]) Zur Bedeutung der Rechtsvergleichung für die Gemeinschaft selbst s *Ipsen,* Europäisches Gemeinschaftsrecht (FN 3) 9 f und 11 f; zur Rechtsvereinheitlichung s *von Caemmerer,* Rechtsvereinheitlichung und internationales Privatrecht, in: Probleme des Europäischen Rechts (FS *Walter Hallstein*) (1966) 63.

[27]) Zu den wirtschaftlichen Grundlagen und Auswirkungen rechtlicher Regelungen s grundlegend *Posner,* Economic Analysis of Law (1972).

Gemeinsamen Markt, zusammenwachsen.[28]) Um dieses Ziel zu erreichen, war zweierlei erforderlich: Einerseits hatten sich die Gründerstaaten künftig einer eigenen und damit zwangsläufig unterschiedlichen Rechtsetzung auf dem Gebiet von Wirtschaft, Handel und Verkehr zu enthalten, und andererseits mußten sie die **Rechtsetzungskompetenz** auf diesem Gebiet der Gemeinschaft zur künftigen einheitlichen Rechtsetzung übertragen. Das von den Gemeinschaftsorganen geschaffene Gemeinschaftsrecht fließt sodann als einheitliche Rechtsmasse in die Mitgliedstaaten zurück und tritt an die Stelle des früheren (und divergierenden) nationalen Rechts. Als Folge dieser gemeinsamen Rechtsetzung gelten in allen Mitgliedstaaten in den „vergemeinschafteten" Rechtsbereichen die selben einheitlichen Vorschriften, die für jeden Mitgliedstaat in seiner Landessprache verfaßt (dh übersetzt) und vollkommen identisch sind.

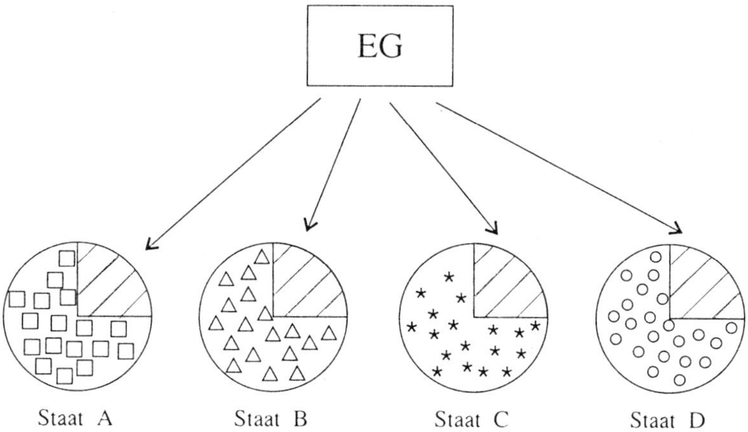

Nun liegt es auf der Hand, daß dieses System gemeinsamer Rechtsetzung nur dann funktionieren und Bestand haben kann, wenn zwei Voraussetzungen erfüllt sind: Zum einen müssen die Mitgliedstaaten das Gemeinschaftsrecht in ihrem Territorium auch tatsächlich **korrekt** und **einheitlich anwenden,** und zum zweiten dürfen sie es nicht durch Maßnahmen konterkarieren, die sie auf den Gebieten ergreifen, für die sie weiterhin selbst zuständig sind. Damit sich das Gemeinschaftsrecht zumindest rechtlich gegenüber Behinderungen durch nationales Recht durchsetzen kann, muß es daher diesem gegenüber **Vorrang** besitzen,[29]) sodaß eventuelle nationale Störmaßnahmen jedenfalls rechtlich unbeachtlich und unwirksam sind. Wie aber entdeckt man solche Störfälle und wer entscheidet über sie? Nach dem Motto „Wo kein Kläger, da kein Richter" bedarf es in solchen Fällen eines Klägers, eine Rolle, die durch die Verträge der EG-Kommission zugewiesen wird, und eines Rich-

[28]) Zum Zwecke der Klarheit gilt die Darstellung dem Prinzipiellen. Konkrete Ausformungen und Grenzen sind jeweils den nachfolgenden Einzeldarstellungen zu entnehmen.

[29]) Ausführlich dazu unten *Borchardt,* Die rechtlichen Grundlagen der Europäischen Gemeinschaften – Rechtsquellen, Rechtshandlungen, Rechtsetzung.

ters, dessen Funktion vom Gerichtshof der Gemeinschaften in Luxemburg ausgeübt wird.[30])

Vor diesem gesamten Hintergrund stellt sich nun die wichtige Frage, wie es möglich ist, daß ein souveräner Staat auf großen und wichtigen Sektoren auf jedwede eigene Rechtsetzung verzichten kann, um diese gleichsam auszulagern und an einen Dritten – wie die Gemeinschaft – zu übertragen.[31]) Diese Frage ist indessen weniger an die Gemeinschaft als vielmehr an die Mitgliedstaaten und dort an das mitgliedstaatliche Verfassungsrecht[32]) zu richten. Und so viele Verfassungen es gibt, so viele Antworten gibt es auch. Es soll aus dem Spektrum der Antworten daher nur der einfachste und der schwierigste Fall, dh der der Bundesrepublik Deutschland und der des Vereinigten Königreichs, zitiert werden. Gem Art 24 Abs 1 GG kann der Bund „durch Gesetz Hoheitsrechte auf zwischenstaatliche Einrichtungen übertragen".[33]) Aufgrund dieser „Öffnung der deutschen Staatlichkeit" (*Ipsen*) konnte Deutschland die Rechtsetzungsbefugnis auf den vergemeinschafteten Gebieten auf die EG übertragen,[34]) und durch diese Öffnung fließt ein ständiger Strom von Gemeinschaftsrecht als verbindliche Rechtsmasse nach Deutschland zurück.[35]) Im Vereinigten Königreich gilt seit Jahrhunderten der Grundsatz der Suprematie des Parlaments: "Parliament cannot bind its successors".[36]) Mit eben dieser Bindung aber steht und fällt die Gemeinschaft, denn kein nachfolgendes Parlament darf die Rechtsgebiete wieder an sich reißen, deren Übertragung auf die Gemeinschaft einer seiner Vorgänger zugestimmt hat.[37]) Wenngleich das Problem auf der verfassungsrechtlichen Ebene schließlich gelöst werden konnte,[38]) so wirkt es auf der politischen doch unterschwellig weiter, was zur Erklärung gewisser britischer Eigenheiten in der EG beitragen mag.

Ausgehend vom Begriff der **Rechtsgemeinschaft** stellt sich nunmehr die Frage, **welches Recht** den Mitgliedstaaten **gemeinsam** ist, dh auf welchen Gebieten die Gemeinschaft gemeinsames Recht setzt. (Aus der Perspektive der nationalen Verfassungen ist dies die Frage nach den Gebieten,

---

[30]) Zum Verhältnis zwischen Gemeinschaftsrecht und nationalem Recht s umfassend *Ipsen,* Europäisches Gemeinschaftsrecht (FN 3) 255 sowie zum Vorrang insb 277. Zum EuGH s ausführlich unten *Di Bucci/Di Bucci,* Der Gerichtshof und das Rechtsschutzsystem der Europäischen Gemeinschaften.

[31]) Vgl auch *Ress* (Hg), Souveränitätsverständnis in den Europäischen Gemeinschaften (1980).

[32]) Zu den nationalen Verfassungsgrundlagen der Gemeinschaft s *Ipsen,* Europäisches Gemeinschaftsrecht (FN 3) 47 ff.

[33]) Siehe heute als lex specialis der Vergemeinschaftung Art 23 GG.

[34]) Zu den verfassungsrechtlichen Grundlagen und Grenzen der Vergemeinschaftung in Deutschland s nunmehr Art 23 GG und BVerfGE 89, 155. Zum Bund-Länder-Verhältnis in der EG s BVerfG Urteil v 22. März 1995, BVerfGE 92, 203.

[35]) Siehe Fundstellennachweis des geltenden Gemeinschaftsrechts[25] (1995), dessen 1035 Seiten nur die **Titel** der Rechtsakte wiedergeben. (Insgesamt wurden von der EG bis heute über 50.000 Rechtsakte erlassen.)

[36]) Siehe grundlegend *Dicey,* Introduction to the Study of the Law of the Constitution[6] (1902) 65 mwN und insb 40 das Zitat aus Blackstone's Commentaries: "True it is, that what the Parliament doth, no authority upon earth can undo."

[37]) Es sei denn, das Vereinigte Königreich trete aus der Gemeinschaft aus.

[38]) European Communities Act 1972, Chapter 68.

auf denen die Mitgliedstaaten Hoheitsrechte auf die Gemeinschaft übertragen haben.) Um diese Frage zu beantworten, reicht ein Blick in die Gründungsverträge der Gemeinschaften, in denen die Aufgaben der EG im einzelnen umrissen sind (s unten C.). Betrachtet man aber die Vorschriften über die Aufgaben der Gemeinschaften genauer, so stellt man fest, daß einige von ihnen **Absichtserklärungen**, andere **Zielbestimmungen** und wieder andere **Prinzipien** enthalten, wie man sie in anderen internationalen Verträgen auch findet. Entscheidend für die Beantwortung der Kompetenz-Frage ist eine andere Art von Vorschriften, die das Spezifikum der EG ausmacht: Die sog **Rechtsgrundlagen**.[39]) Hierunter versteht man alle jene Vertragsbestimmungen, die die Gemeinschaft zum Erlaß von Rechtsakten ermächtigen und die unter Bezeichnung der zuständigen Organe das Verfahren der Rechtsetzung regeln. Nur insoweit als die Gemeinschaft durch derartige Rechtsgrundlagen ausdrücklich ermächtigt wird, sind ihr Hoheitsrechte übertragen und kann sie Rechtsakte erlassen.[40]) Anders als ein Staat hat sich die Gemeinschaft daher vor Erlaß eines jeden Rechtsaktes Rechenschaft über die Rechtsgrundlage zu geben und diese im Akt selbst ausdrücklich zu nennen.[41])

Verfügt die Gemeinschaft für ein bestimmtes Handeln über keine Rechtsgrundlage, so bleiben die Mitgliedstaaten (jeder für sich) zuständig. Angesichts der großen Bedeutung der Rechtsgrundlagen, sowohl für die Handlungsbefugnis der Gemeinschaft als auch für das jeweilige Rechtsetzungsverfahren, liegt es auf der Hand, daß jeder Streit, der um sie geführt wird, zugleich ein politischer Machtkampf ist: Entweder zwischen der Gemeinschaft und den Mitgliedstaaten, wenn es um die Frage der **Zuständigkeitsverteilung** geht,[42]) oder zwischen den Rechtsetzungsorganen der Gemeinschaft untereinander, wenn es um das richtige **Verfahren** geht.[43]) Zusammenfassend gilt, daß die Gemeinschaft auf allen den Gebieten gemeinsames Recht setzen kann, auf denen ihr **sektorielle oder allgemeine Rechtsgrundlagen** den Erlaß von Rechtsakten erlauben.[44])

---

[39]) Zum Prinzip der begrenzten Ermächtigung s unten *Borchardt,* Die rechtlichen Grundlagen der Europäischen Gemeinschaften – Rechtsquellen, Rechtshandlungen, Rechtsetzung; s auch *von Simson,* Rechtsetzungsaufträge in der Europäischen Gemeinschaft, in *Schwarze* (Hg), Gesetzgebung in der Europäischen Gemeinschaft (1985) 55.

[40]) Im Gegensatz zu den Mitgliedstaaten besitzt die Gemeinschaft keine „Kompetenz-Kompetenz", dh das Recht, den Umfang ihrer Befugnisse selbst zu bestimmen.

[41]) Zur allgemeinen Begründungspflicht s Art 190 EGV; *Müller-Ibold,* Die Begründungspflicht im europäischen Gemeinschaftsrecht und im deutschen Recht (1990).

[42]) Zum Prinzip der begrenzten Zuständigkeit der Gemeinschaft s ausführlich unten *Borchardt,* Die rechtlichen Grundlagen der Europäischen Gemeinschaften – Rechtsquellen, Rechtshandlungen, Rechtsetzung.

[43]) Siehe auch *Glaesner,* Mögliche Konfliktzonen zwischen den Gemeinschaftsorganen, EuR 1981, 9. Mit der Einführung der Verfahren der Zusammenarbeit und Mitentscheidung von Rat und Europäischem Parlament (Art 189c und 189b EGV) hat das Konfliktpotential noch ganz erheblich zugenommen (vgl ua EuGH Rs 70/88 – EP gg Rat – Slg 1991, 4529).

[44]) Als allgemeine Rechtsgrundlagen sehen Art 235 EGV und Art 203 EURATOMV gleichlautend vor: „Erscheint ein Tätigwerden der Gemeinschaft erforderlich, um (im Rahmen des Gemeinsamen Marktes) eines ihrer Ziele zu verwirklichen, und

3. Kontrolle durch Recht

Es liegt im Begriff einer jeden Rechtsgemeinschaft, daß sie die Wahrung des Rechts **unabhängiger rechtlicher Kontrolle** unterwirft.[45]) Dies gilt auch für die EG, deren Rechtskultur keine andere als die rechtsstaatliche ihrer Mitgliedstaaten sein kann.[46]) So bestimmen Art 31 EGKSV, Art 164 EGV und Art 136 EURATOMV gleichlautend, daß der Gerichtshof die Wahrung des Rechts bei der Auslegung und Anwendung der Verträge sichert.[47]) Hierbei ist die richterliche Funktion des Gerichtshofs der Europäischen Gemeinschaften und die des Gerichts erster Instanz in dreifacher Weise bedeutsam: Zur Gewährleistung gerichtlichen **Rechtsschutzes,** zur Sicherung der **Einheit** des Gemeinschaftsrechts und zur Fortentwicklung und Freisetzung der dem Gemeinschaftsrecht innewohnenden **Dynamik.**

Im Verhältnis zum Bürger stellt die Gewährleistung eines solchen umfassenden **Rechtsschutzes** das notwendige Korrelat zum Recht des **Durchgriffs** der Gemeinschaft dar.[48]) Je nach der Art der Beschwer durch das Handeln oder Unterlassen der jeweiligen Gemeinschaftsorgane kann der Bürger **Klage vor dem Gerichtshof** und **dem Gericht erster Instanz** erheben, wobei ihm das gesamte Arsenal an Klagetypen zur Verfügung steht, dessen er sich auch vor nationalen Gerichten bedienen kann (Anfechtungs-, Verpflichtungs-, Leistungs-, Feststellungs- und Schadenersatzklage).

Aber nicht nur der Bürger, sondern auch die Gemeinschaftsorgane und die Mitgliedstaaten können bei Streitigkeiten untereinander den Gerichtshof anrufen, dem damit nicht nur verwaltungsrechtliche, sondern auch verfassungsrechtliche Fragen zur letztinstanzlichen Entscheidung zugewiesen sind.[49])

Als oberstes Dienstgericht der Gemeinschaft ist der Gerichtshof – zusammen mit dem ihm beigeordneten Gericht erster Instanz[50]) – weiterhin für alle

---

sind in diesem Vertrag die hierfür erforderlichen Befugnisse nicht vorgesehen, so erläßt der Rat einstimmig auf Vorschlag der Kommission und nach Anhörung des Europäischen Parlaments die geeigneten Vorschriften." Siehe dazu *Dorn,* Art 235 EWGV – Prinzipien der Auslegung (1986), sowie *Steindorff,* Grenzen der EG-Kompetenzen (1990).

[45]) Zum Ursprung im Prinzip der Gewaltenteilung s Staatslexikon (1959) Bd 3, 895.

[46]) Zum Prinzip der Verfassungshomogenität sowie zu allgemeinen Verfassungsfragen s *Schwarze/Bieber* (Hg), Eine Verfassung für Europa (1984); s auch *Martens,* Die rechtsstaatliche Struktur der Europäischen Wirtschaftsgemeinschaft, EuR 1970, 209.

[47]) Zur Funktion des Gerichtshofes s umfassend *Bebr,* Development of Judicial Control of the European Communities (1981) sowie unten *Di Bucci/Di Bucci,* Der Gerichtshof und das Rechtsschutzsystem der Europäischen Gemeinschaften; zu den Verfahrensvorschriften s EuGH (Hg), Verfassung, Zuständigkeit und Verfahrensregeln 1993 (Textsammlung).

[48]) Zum Rechtsschutzsystem s ausführlich unten *Di Bucci/Di Bucci,* Der Gerichtshof und das Rechtsschutzsystem der Europäischen Gemeinschaften.

[49]) Zur „constitutional control" s *Bebr* (FN 47) 342.

[50]) Vgl Art 168a EGV und den Beschluß des Rates vom 24. 10. 1988 zur Errichtung eines Gerichts erster Instanz der Europäischen Gemeinschaften (88/591/EGKS, EWG, EURATOM), ABl L 1988/319 v 25. 11. 1988; s ausführlich dazu *Lenaerts,* Das Gericht erster Instanz der Europäischen Gemeinschaften, EuR 1990, 228.

Personalklagen zuständig, die die Bediensteten der Gemeinschaften gegen Personalentscheidungen ihrer jeweiligen Anstellungsbehörden erheben.[51])

Die zweite der oben genannten Funktionen des Gerichtshofs, die **Sicherung der Einheit des Gemeinschaftsrechts,** wird – etwas vordergründig betrachtet – allein schon dadurch erfüllt, daß es sich bei dem Gerichtshof um nur **ein** Gericht mit nur **einer** Rechtsprechung handelt,[52]) dessen höchstrichterliche Entscheidungen für die gesamte Gemeinschaft einheitlich verbindlich sind. In diesem Sinne betrachtet, sichert auch jede Entscheidung, mit der der Gerichtshof Rechtsschutz gewährt, die Einheit des Gemeinschaftsrechts. Hierüber hinausgehend gibt es jedoch zwei spezielle Verfahrensarten, die der Sicherung der Einheit des Gemeinschaftsrechts in besonderer Weise dienen: Das Vertragsverstoßverfahren[53]) und das Vorabentscheidungsverfahren.[54]) Das **Vertragsverstoßverfahren** hat den Zweck, mit Hilfe des Gerichtshofs gemeinschaftsrechtlich vom Wege abgekommene Mitgliedstaaten wieder auf den gemeinsamen einheitlichen Pfad zurückzuführen, wobei es die Aufgabe der Kommission ist, als „Hüterin der Verträge" die „Herde" der Mitgliedstaaten beisammen zu halten.[55])

Beträgt die Anzahl der Mitgliedstaaten fünfzehn, so geht die Zahl der nationalen Gerichte in die Hunderte – eine Menge, die weder die Kommission noch eine andere Instanz gleichzeitig im Blick behalten kann. Und doch kommt es auf die Gemeinschaftstreue der Gerichte entscheidend an, denn sie sind es, die neben den Gemeinschaftsorganen und den nationalen Verwaltungen das Gemeinschaftsrecht täglich anzuwenden haben.[56]) Fiele das EG-Recht auf der Ebene der nationalen Gerichte auseinander, weil jedes von ihnen das Recht auf seine Weise auslegte und anwendete, wäre die Einheit des Gemeinschaftsrechts auf der wichtigsten Ebene, der der **Rechtsanwendung,** unrettbar zerstört. Dies zu verhindern, ist Aufgabe des **Vorabentscheidungsverfahrens,** das jedem Richter in der Gemeinschaft erlaubt, sich in Fragen der Auslegung des Gemeinschaftsrechts an den Gerichtshof in Luxemburg zu wenden: „Wird eine derartige Frage einem Gericht eines Mitgliedstaates gestellt und hält dieses Gericht eine Entscheidung darüber zum Erlaß seines Urteils für erforderlich, so kann es diese Frage dem Gerichtshof zur Entscheidung vorlegen" (Art 177 Abs 2 EGV). Gerichte, deren „Entscheidungen nicht mehr mit Rechtsmitteln des innerstaatlichen Rechts angegriffen werden können", sind zur Anrufung des Gerichtshofs sogar verpflichtet.

Hegel verdanken wir die Erkenntnis, daß der Geist ein Wühler (*Jacob Burckhardt*) und der Begriff ein starker Mann sei (*Ernst Bloch*). Beides gilt

---

[51]) Zum Dienstrecht der Gemeinschaften s ausführlich unten *Röttinger,* Die europäischen Beamten (mwN) und insb *Rogalla,* Dienstrecht der Europäischen Gemeinschaften (1981).

[52]) Durch die EEA ist als Untergericht das Gericht erster Instanz hinzugekommen, vgl FN 50.

[53]) Vgl Art 169 EGV.

[54]) Vgl Art 177 EGV.

[55]) Vgl Art 155 EGV.

[56]) Zum Integrationswachstum durch Rechtsanwendung s grundlegend *Axline,* European Community Law and Organizational Development (1968), und dazu die Rezension von *Grunwald,* EuR 1970, 377.

für Geist und Begriff des Gemeinschaftsrechts in besonderem Maße. Die Sach- und Normlogik des Rechts ans Licht zu bringen, sie vorwärts weiterzudenken, das Programmatische der Begriffe zu erschließen und der Dynamik des Rechts zum Durchbruch zu verhelfen, ist die politisch wichtigste und langfristig wirksamste Aufgabe des Gerichtshofs.[57]) Die **Fortentwicklung** und **Freisetzung** der dem Gemeinschaftsrecht **innewohnenden Dynamik** durch die Rechtsprechung hat den Gerichtshof immer wieder und gerade in Zeiten stagnierender Rechtsetzung zum eigentlichen Motor der Integration werden lassen.

C. Das Recht der drei Gemeinschaftsverträge (Primärrecht)

1. EGKS-Vertrag

Von allen zwischenstaatlichen Initiativen zur Befriedung und zum Wiederaufbau Westeuropas nach dem Zweiten Weltkrieg hat sich die Gründung der **Europäischen Gemeinschaft für Kohle und Stahl** als die mutigste und langfristig bedeutsamste erwiesen. 1950 vom damaligen französischen Außenminister *Robert Schuman* konzipiert, 1951 vertraglich gegründet und 1952 organisatorisch ins Leben getreten, erhielt die EGKS für die Dauer von 50 Jahren von den sechs Gründerstaaten den Auftrag zur gemeinsamen Kontrolle und Verwaltung der damaligen Schlüsselsektoren auf den Gebieten Energie und Industrie: Kohle und Stahl.[58])

Gem Art 1 EGKSV beruht die Gemeinschaft „auf einem gemeinsamen Markt, verfolgt gemeinsame Ziele und hat gemeinsame Organe". Hier findet sich erstmals der Leitbegriff der Integration der kommenden Jahrzehnte, der Begriff des **Gemeinsamen Marktes,** dessen programmatische Kraft später im EURATOM- und insb im EG-Vertrag fortwirken sollte und dessen Geltung immerhin 35 Jahre andauerte, bis er 1986 durch den farbloseren und nach außen – omnis definitio est negatio – Abgrenzung signalisierenden Begriff des **Binnenmarktes** in den Schatten gestellt wurde.[59]) Als gemeinsame Ziele, als Ordnungsprinzipien dieses gemeinsamen Marktes für Kohle und Stahl formuliert der Vertrag zehn Gebote, von denen sechs positiv und vier negativ gefaßt sind.

Gem Art 3 EGKSV haben die Organe der Gemeinschaft

- für eine **geordnete und diskriminierungsfreie Versorgung** zu achten,
- eine **Politik rationeller Ausnutzung** des natürlichen Potentials unter **Vermeidung von Raubbau** zu betreiben,
- auf eine **Verbesserung der Lebens- und Arbeitsbedingungen** der Arbeiter hinzuwirken,
- die Entwicklung des **zwischenstaatlichen Austausches** zu fördern sowie

---

[57]) Vgl dazu *Bieber/Ress* (Hg), Die Dynamik des Europäischen Gemeinschaftsrechts (1987).

[58]) Zum EGKS-Vertrag s auch mwN unten *Grunwald,* Energiepolitik; zur Zukunft des EGKS-Vertrages *von Lieres,* Der EGKS-Vertrag und das Jahr 2002, EuR 1990, 305.

[59]) Vgl dazu kritisch *Pescatore,* Die „Einheitliche Europäische Akte" – Eine ernste Gefahr für den Gemeinsamen Markt, EuR 1986, 153.

- die geordnete Ausweitung und **Modernisierung der Erzeugung** und die **Verbesserung der Qualität** zu fördern.

Als unvereinbar mit dem gemeinsamen Markt untersagt Art 4 EGKSV

- **Ein- und Ausfuhrzölle** oder **Abgaben gleicher Wirkung** sowie **mengenmäßige Beschränkungen** des Warenverkehrs zwischen den Mitgliedstaaten,
- **diskriminierende Praktiken** zwischen Erzeugern, Käufern oder Verbrauchern,
- **staatliche Subventionen** bzw Beihilfen oder Sonderlasten sowie
- **wettbewerbswidrige Praktiken,** die auf eine Aufteilung oder Ausbeutung der Märkte abzielen.

Als **gemeinsame Organe** setzte der Vertrag die **Hohe Behörde**[60]) den **Besonderen Ministerrat**[61]) die **Gemeinsame Versammlung**[62]) und den **Gerichtshof**[63]) ein, wobei das administrative und legislative Schwergewicht bei der Hohen Behörde lag, die „für die Erreichung der (im) Vertrag festgelegten Zwecke nach Maßgabe des Vertrages zu sorgen" hatte (Art 8 EGKSV), bis ihre Aufgaben 1967 auf die gemeinsame Kommission (von EGKS, EURATOM und EWG) übergingen.[64]) Zur Erfüllung der ihr übertragenen Aufgaben kann die Hohe Behörde bzw die Kommission Entscheidungen erlassen, Empfehlungen aussprechen und Stellungnahmen abgeben,[65]) wobei alle Maßnahmen als „begrenzte Eingriffe" und „in enger Zusammenarbeit mit den Beteiligten" durchzuführen sind.[66])

Die **enge Zusammenarbeit** zwischen der Hohen Behörde bzw der Kommission und den Unternehmen des Kohle- und Stahlsektors stellt eines der drei Spezifika des EGKS-Vertrages dar. Die beiden anderen sind die **besondere Fürsorge** der Gemeinschaft für die EGKS-Industrien sowie der **hohe Integrationsgrad** des Montansektors. Die gemeinsame Bedingung dieser drei EGKS-spezifischen Eigenheiten liegt in der begrenzten und überschaubaren Anzahl der vom Vertrag erfaßten Wirtschaftsbeteiligten. Gem Art 80 EGKSV sind Unternehmen iSd Vertrages nur solche, die „eine Produktionstätigkeit auf dem Gebiet von Kohle und Stahl ausüben", wobei die beiden letztgenannten Begriffe in der Anlage I zum Vertrag[67]) näher bestimmt sind. Außer den Unternehmen räumt der Vertrag ihren jeweiligen Verbänden sowie einem besonderen **Beratenden Ausschuß** Anhörungs- und Mitwirkungsrechte ein,[68]) so daß im Dreieck zwischen Hoher Behörde, den Unternehmen und ihren Verbänden eine höchstmögliche Transparenz besteht. Die hier-

---

[60]) Art 8ff EGKSV.

[61]) Art 26ff EGKSV.

[62]) Art 20ff EGKSV, nunmehr nach der EEA „Das Europäische Parlament".

[63]) Art 31ff EGKSV.

[64]) Vgl Art 9ff des Vertrages zur Einsetzung eines gemeinsamen Rates und einer gemeinsamen Kommission der Europäischen Gemeinschaften (Fusionsvertrag), ABl 1967/152 v 13. 7. 1967.

[65]) Art 14 EGKSV, wobei zu beachten ist, daß die Terminologie von der der Art 189 EGV und Art 161 EURATOMV abweicht.

[66]) Vgl Art 5 EGKSV.

[67]) IVm Art 81 EGKS-Vertrag.

[68]) Vgl insb Art 46 und 48 EGKSV; zum Beratenden Ausschuß s Art 18f EGKSV; vgl auch die Geschäftsordnung des Beratenden Ausschusses der Europäischen Gemeinschaft für Kohle und Stahl 1995 (8. Fassung), ABl C 1995/140 v 6. 6. 1995, 1.

durch ermöglichte genaue Kenntnis der Produktions-, Markt- und Sozialbedingungen der Kohle- und Stahlwirtschaft versetzt die Hohe Behörde in die Lage, die Unternehmen durch gezielte finanzielle Hilfen bei Investitionen,[69]) Forschungsvorhaben[70]) und Umstrukturierungsmaßnahmen zu unterstützen und etwaige soziale Härten durch Beihilfeleistungen abzumildern.[71]) Als weitere Elemente der **Fürsorge** für den Montansektor und seine Verbraucher sieht der Vertrag besondere Mechanismen zur Bewältigung von Krisen vor. So kann die Gemeinschaft bei einem krisenhaften Rückgang der Nachfrage Erzeugungsquoten einführen[72]) (wovon auf dem Stahlsektor von 1980 bis Ende 1988 Gebrauch gemacht wurde) bzw bei einer ernsten Mangellage über Verwendungsprioritäten und die Verteilung des Aufkommens entscheiden.[73])

Was schließlich das dritte Spezifikum des EGKS-Vertrags, das **hohe Integrationsniveau** des Montansektors, betrifft, so ist neben den umfangreichen legislativen und administrativen Befugnissen der Hohen Behörde auf drei weitere Besonderheiten hinzuweisen, die in den beiden anderen Gemeinschaftsverträgen ohne Nachfolge geblieben sind: Die direkte Erhebung einer Gemeinschaftssteuer in Gestalt der **EGKS-Umlage**[74]) die Möglichkeit der Verhängung **finanzieller Sanktionen auch gegenüber einzelnen Mitgliedstaaten**[75]) und die Kompetenz der Hohen Behörde zur **Beurteilung rein innerstaatlicher Wettbewerbsverstöße.**[76])

2. EURATOM-Vertrag

Wie der EGKS-Vertrag so ist auch der EURATOM-Vertrag als ein **sektorieller Vertrag** bezeichnet worden – ein Begriff, der seine Berechtigung aus dem Kontrast beider Verträge zum umfassenden Geltungsanspruch des EG-Vertrages herleitet.[77]) Anders jedoch als der EGKS-Vertrag galt der EURATOM-Vertrag einem Sektor, den es – von ersten Ansätzen abgesehen – zum Zeitpunkt seines Inkrafttretens in der Gemeinschaft überhaupt noch nicht gab. Während die Gründerstaaten mit dem EGKS-Vertrag ein organisatorisches Novum auf dem Gebiet alter Industrien schufen, betraten sie mit dem EURATOM-Vertrag 1957 gleich in doppelter Weise Neuland: Einerseits war die **Nuklearindustrie** selbst erst noch zu entwickeln, und zum anderen war der gemeinschaftliche Organisationsrahmen ihres Aufbaus ohne Vorbild.[78]) Daraus ergab sich eine doppelte Unsicherheit, der sich die Vertragsväter durch-

[69]) Art 54 EGKSV.

[70]) Art 55 EGKSV.

[71]) Art 56 EGKSV.

[72]) Art 58 EGKSV.

[73]) Art 59 EGKSV.

[74]) Art 49f EGKSV. Die in Art 54 Abs 5 Satz 2 EURATOMV vorgesehene „Abgabe auf die Umsätze“ ist bis heute nicht eingeführt worden.

[75]) Art 88 Abs 3 lit a EGKSV; s als **gerichtliche** Zwangsmaßnahme auch neuerdings die Möglichkeit der Verhängung der „Zahlung eines Pauschalbetrags oder Zwangsgelds“ nach Art 171 Abs 2 Unterabs 3 EGV.

[76]) Art 65f EGKS-Vertrag.

[77]) Zum EURATOM-Vertrag s mwN unten *Grunwald,* Energiepolitik.

[78]) Vgl auch *Weilemann,* Die Anfänge der Europäischen Atomgemeinschaft (1983).

aus bewußt waren und die im Vertrag an mehreren Stellen ihren Ausdruck findet.[79]) Gleichwohl waren die Gründer überzeugt, daß das doppelte Experiment gelingen würde, denn sonst hätten sie den Vertrag – gleich dem EWG-Vertrag – wohl kaum auf unbegrenzte Zeit abgeschlossen.[80]) Daß sich in der Folgezeit nicht alle an den Vertrag gerichteten Erwartungen erfüllten, ist jedenfalls weniger dem Vertrag zuzuschreiben als den sich wandelnden Umständen seiner Anwendung.[81]) Und diese Erwartungen der nuklearen Gründerjahre waren keineswegs gering, wie die Präambel zum EURATOM-Vertrag bekundet: Danach waren die Gründerstaaten entschlossen, „die Voraussetzungen für die Entwicklung einer **mächtigen Kernindustrie** zu schaffen, welche die Energieerzeugung erweitert, die Technik modernisiert und auf zahlreichen anderen Gebieten zum Wohlstand ihrer Völker beiträgt".

Der Aufbau des Vertrages und seine Politiken folgen den einzelnen Etappen der Entwicklung des Nuklearsektors, dessen Förderung durch die Schaffung gemeinsamer Strukturen und geeigneter Rahmenbedingungen Aufgabe der Gemeinschaft ist. Am Anfang der Entwicklung jeder wissenschaftlich-technisch hochkomplexen Industrie steht die **Forschung**, deren Förderung das Kapitel I des Vertrages gewidmet ist. Hat die Forschung ihre Ergebnisse erbracht, sind die **gewonnenen Erkenntnisse zu verbreiten und zu verwerten,** eine Aufgabe, die in Kapitel II gestellt ist. In Anbetracht der Gefahren radioaktiver Strahlung gilt es gleichzeitig und parallel, die erforderlichen Vorkehrungen auf dem Gebiet des **Strahlenschutzes** zu schaffen, deren Konzeption und Überwachung das Kapitel III der Gemeinschaft überträgt. Nunmehr können die ersten Investitionen auf dem Kerngebiet projektiert werden, wobei die Gemeinschaft nach Maßgabe des Kapitels IV die erforderliche **Hilfestellung** zu leisten hat. Angesichts des gewaltigen finanziellen und technischen Aufwands der Entwicklung der Kernindustrie kann eine dieser Hilfestellungen in der Gründung besonders begünstigter **gemeinsamer Unternehmen** bestehen, deren Errichtung das Kapitel V regelt. Zur Inbetriebnahme der Anlagen bedarf es sodann der **Kernbrennstoffe,** deren Beschaffung und Verteilung Gegenstand des Kapitels VI ist, das die Versorgung einer eigens hierfür geschaffenen **Agentur,** der EURATOM-Versorgungsagentur, überträgt. In gleicher Weise wie der Strahlenschutz ist die Verhinderung des Mißbrauchs von Nuklearmaterial für unfriedliche Zwecke eine Grundbedingung jedweden Betriebs einer Nuklearindustrie. Das Kapitel VII ist daher der **Überwachung der Sicherheit** gewidmet, das eine lückenlose **Kontrolle der Kernmaterialströme** ermöglicht. Durch das Kapitel VIII wird der Gemeinschaft das **Eigentum** an allen besonderen spaltbaren Stoffen übertragen. Das Kapitel IX gilt der beschleunigten Errichtung des **gemeinsamen Marktes** auf dem Kerngebiet und trifft sektorielle Regelungen über die Freizügigkeit, das Beschaffungswesen, versicherungsrechtliche Fragen und den Zahlungsverkehr. Das Kapitel X schließlich sieht eingehende Bestimmungen über die **Au-**

[79]) Vgl zB die Ermöglichung erleichterter Vertragsänderungen gem Art 76 und 85 EURATOM-Vertrag.

[80]) Art 208 EURATOM-Vertrag.

[81]) Siehe dazu insb *Pirotte* ua, Trente Ans d'Expérience Euratom: La naissance d'une Europe nucléaire (1988).

ßenbeziehungen der Gemeinschaft vor, wobei den zuständigen Organen **besondere Kontrollrechte** über Abkommen und Vereinbarungen der Mitgliedstaaten sowie die der Personen und Unternehmen eingeräumt werden.

Die Europäische Atomgemeinschaft ist aus drei Gründen hinter den an sie gerichteten Erwartungen zurückgeblieben:

- Der erste und wichtigste bestand darin, daß die großen Mitgliedstaaten in der **Entwicklung ihrer Kernindustrie** schon sehr bald eigene Wege gingen und originär gemeinschaftlich konzipierte Entwicklungen kaum in Angriff genommen wurden.[82])
- Als zweiter Faktor trat die **abnehmende öffentliche Akzeptanz der Kernenergie** hinzu, die inzwischen sieben der fünfzehn Mitgliedstaaten auf die Nutzung der Nuklearenergie gänzlich verzichten läßt.[83])
- Eine weitere Rolle mag schließlich als dritter Faktor der Umstand spielen, daß der EURATOM-Vertrag als Rechtsrahmen des Aufbaus einer Nuklearindustrie deren **„back-end-problems"**, wie der Entsorgung, der Stilllegung von Anlagen, der Behandlung nuklearer Abfälle usw primärrechtlich keine besondere Aufmerksamkeit schenkt.[84]) Obwohl der Vertrag auch die Behandlung dieser Probleme durch Sekundärrecht ermöglicht,[85]) setzt ihre gemeinsame Lösung doch einen gemeinsamen politischen Willen voraus. Daß die Gemeinschaft bei einer wirklichen Herausforderung durchaus zur Bildung eines solchen gemeinsamen Willens in der Lage ist, hat sie nach den Ereignissen von Tschernobyl auf dem Gebiet des Strahlenschutzes eindrucksvoll unter Beweis gestellt.[86])

3. EWG-Vertrag (EG-Vertrag)

Wie sein „Zwillingsvertrag", der EURATOM-Vertrag, wurde der EWG-Vertrag am 25. März 1957 in Rom unterzeichnet und trat am 1. Jänner 1958 in Kraft. Mit ihm wurde der im EGKS- und EURATOM-Vertrag nur sektoriell verwirklichte **Gemeinsame Markt** zu einem für die **gesamte Wirtschaft** geltenden Ordnungsprinzip erweitert, das den Warenverkehr, die Landwirtschaft, den Arbeits- und Dienstleistungsmarkt sowie den Verkehr der gesamten Gemeinschaft erfaßt. Als gleichsam zweites Bein der EWG wurden für diesen Gemeinsamen Markt **gemeinsame Politiken** entworfen, die die Grundregeln für den Wettbewerb, die Wirtschafts- und Handelspolitik sowie die Sozialpolitik der Gemeinschaft festlegen. Weder der Gemeinsame Markt noch die gemeinsamen Politiken für ihn und in ihm konnten mit einem

---

[82]) Zu den originären Gemeinschaftsaktivitäten s die Jahresberichte der EURATOM-Kommission (bis Mitte 1967) und die Gesamtberichte der Kommission (ab Mitte 1967).

[83]) Es sind dies Irland, Dänemark, Luxemburg, Italien, Griechenland, Portugal und Österreich; s speziell für Österreich *Müller,* Atomstaat Österreich, Ecolex 1994, 660.

[84]) Abgesehen von Forschungsaktivitäten auf diesen Gebieten gem Art 4 Abs 2 iVm Anhang I EURATOMV.

[85]) Vgl dazu *Grunwald,* Neuere Entwicklungen des Euratom-Rechts, EuZW 1990, 209.

[86]) FN 85 (mwN).

Schlage verwirklicht werden. Hierzu bedurfte es längerer Zeiträume und einer schrittweise fortschreitenden Rechtsetzung, die das Gebäude der Gemeinschaft – gleichsam Rechtsakt auf Rechtsakt setzend – nach dem Bauplan und Programm des EWG-Vertrages errichtete.

Mit der Einheitlichen Europäischen Akte, der ersten großen Änderung und Ergänzung des EWG-Vertrages im Jahre 1987, wurde der Gemeinsame Markt zum **Binnenmarkt** umgetauft und die gemeinsamen Politiken um drei weitere ergänzt, die in der Praxis allerdings schon seit langem bestanden (wirtschaftlicher und sozialer Zusammenhalt, Forschung und technologische Entwicklung, Umweltschutz). Gleichzeitig legte die EEA als Zieldatum zur Errichtung des Binnenmarktes den 31. Dezember 1992 fest. Noch bevor dieses Datum erreicht wurde, setzten die Regierungen der Mitgliedstaaten am 7. Februar 1992 mit dem Vertrag über die Europäische Union eine zweite große Vertragsrevision ins Werk, die nach Volksentscheiden in mehreren Ländern (Dänemark, Frankreich und Irland) und einem Rechtsstreit vor dem deutschen Bundesverfassungsgericht[87]) schließlich am 1. November 1993 in Kraft treten konnte. Mit diesem Vertrage, der die Europäische Wirtschaftsgemeinschaft (EWG) in Europäische Gemeinschaft (EG) umbenannte, wurden die Unionsbürgerschaft, das Subsidiaritätsprinzip[88]) und zahlreiche neue Politiken[89]) eingeführt und die Rechte des Europäischen Parlaments verstärkt.[90])

Die **Grundidee des Gemeinsamen Marktes** bzw des **Binnenmarktes** ist der Gedanke eines **gemeinsamen und einheitlichen Wirtschaftsraumes,** der das Gebiet aller Mitgliedstaaten umfaßt: „Der Binnenmarkt umfaßt einen Raum ohne Binnengrenzen, in dem der freie Verkehr von Waren, Personen, Dienstleistungen und Kapital gem den Bestimmungen des Vertrages gewährleistet ist.“ (Art 7a Abs 2 EGV). Grundlage dieses Wirtschaftsraumes – oder wie Art 9 Abs 1 EGV formuliert – „Grundlage der Gemeinschaft“ ist eine **Zollunion.**[91]) Die Zollunion wiederum besteht aus zwei Elementen: Der **Abschaffung aller Zölle** im Handelsverkehr der Mitgliedstaaten untereinander (Binnenzölle) und der Einführung eines **Gemeinsamen Zolltarifs** gegenüber dem Rest der Welt (oder dritten Ländern in der Sprache des Vertrages). Aber nicht nur Zölle und Abgaben gleicher Wirkung können den Handel zwischen den Mitgliedstaaten behindern, sondern auch **nichttarifäre Handelshemmnisse** wie mengenmäßige Beschränkungen und sonstige Hindernisse gleicher Wirkung. Als unvereinbar mit einem wirklich gemeinsamen Markt sind daher auch alle diese Maßnahmen im Handelsverkehr zwischen den Mitgliedstaaten **verboten,** sowohl in Gestalt von Einfuhrbeschränkungen (Art 30 EGV) wie als Ausfuhrbeschränkungen (Art 34 EGV). Alle Waren aus allen Mitgliedstaaten sind daher im Gemeinsamen Markt in gleicher Weise und ohne nationale Behinderungen verkehrfähig und verkehrsberechtigt; jedwede **Diskriminierung** aufgrund ihrer Herkunft ist **verboten.**

---

[87]) BVerfG 12. Oktober 1993, BVerfGE 89, 155.

[88]) Siehe auch unten FN 94.

[89]) Wirtschafts- und Währungsunion, Kultur, Gesundheitswesen, Verbraucherschutz, Transeuropäische Netze und Industriepolitik.

[90]) Siehe Art 189b und c EGV.

[91]) Vgl dazu ausführlich unten *Lux,* Die Gemeinschaft als Zollunion.

Was Waren gestattet wird, muß Menschen erst recht erlaubt sein. Auch sie dürfen sich im Gemeinsamen Markt ungehindert und ohne Diskriminierung bewegen, als Arbeitnehmer ihrer Arbeit nachgehen, Dienstleistungen erbringen, Gesellschaften gründen und Kapital transferieren. Das **Prinzip der Nichtdiskriminierung** ist dabei eine der tragenden Säulen des Gemeinsamen Marktes – sowohl in seinen speziellen Ausformungen in den einzelnen Rechtsbereichen[92]) als als allgemeiner Rechtsgrundsatz: „Unbeschadet besonderer Bestimmungen dieses Vertrages ist in seinem Anwendungsbereich jedwede Diskriminierung aus Gründen der Staatsangehörigkeit verboten (Art 6 Abs 1 EGV).[93])

Der **Grundgedanke der gemeinsamen Politiken** ist weniger leicht zu erfassen als der des Gemeinsamen Marktes. Fragt man nach ihrem gemeinsamen Nenner, so stößt man eher auf zwei verschiedene Gedankenreihen: Die erste folgt der Logik des Gemeinsamen Marktes und umfaßt alle Politiken, die kraft der Natur der Sache zum störungsfreien Funktionieren eines gemeinsamen Marktes gehören. Dazu zählen die Wettbewerbspolitik und die Wirtschaftspolitik, aber auch in gewissem Maße die Sozialpolitik. Wie aber steht es zB mit der Forschungspolitik oder der Umweltpolitik? Hier, so scheint es, kommt ein zweites Prinzip ins Spiel: Das der größeren Wirksamkeit gebündelter Kräfte auf höherer Handlungsebene. Die Gemeinschaft beruft sich in diesem Zusammenhang gern auf den aus der katholischen Soziallehre stammenden **Grundsatz der Subsidiarität,**[94]) wonach größeren oder übergeordneten Gemeinschaften nur insoweit Aufgaben zugewiesen werden sollen, als diese von kleineren und untergeordneten Gemeinwesen nicht geleistet werden können. Demgemäß heißt es zB in Art 130r Abs 4 EGV für den Umweltschutz: „Die Gemeinschaft wird im Bereich der Umwelt insoweit tätig, als die ... genannten Ziele besser auf Gemeinschaftsebene erreicht werden können als auf der Ebene der einzelnen Mitgliedstaaten.“ Als allgemein geltender primärrechtlicher Grundsatz wurde das Subsidiaritätsprinzip sodann durch Art B Abs 2 VEU und Art 3b Abs 2 EGV ausdrücklich festgeschrieben.[95])

[92]) ZB Art 48 Abs 2, Art 67 Abs 1, Art 79 Abs 1 und Art 119 EGV.

[93]) Siehe auch *Mohn,* Der Gleichheitssatz im Gemeinschaftsrecht (1990); *Reitmaier,* Inländerdiskriminierungen nach dem EWG-Vertrag (1984).

[94]) In der Sozialenzyklika Pius XI, „Quadragesimo anno“ vom 15. 5. 1931 heißt es dazu, daß „unter den veränderten Verhältnissen manche Aufgaben, die früher leicht von kleineren Gemeinwesen geleistet wurden, [heute] nur mehr von großen bewältigt werden können“. Gleichwohl müsse „allzeit unverrückbar jener oberste sozialphilosophische Grundsatz festgehalten werden, an dem nicht zu rütteln noch zu deuteln ist: wie dasjenige, was der Einzelmensch aus eigener Initiative und mit seinen eigenen Kräften leisten kann, ihm nicht entzogen und der Gesellschaftstätigkeit zugewiesen werden darf, ebenso verstößt es gegen die Gerechtigkeit, das, was die kleineren und untergeordneten Gemeinwesen leisten und zum guten Ende führen können, für die weitere und übergeordnete Gemeinschaft in Anspruch zu nehmen; zugleich ist es überaus nachteilig und verwirrt die ganze Gesellschaftsordnung. Jedwede Gesellschaftstätigkeit ist ja ihrem Wesen und Begriff nach subsidiär; sie soll die Glieder des Sozialkörpers unterstützen, darf sie aber niemals zerschlagen oder aufsaugen.“ (zit nach *von Nell-Breuning,* Wirtschaft und Gesellschaft heute (1957) Bd II 368f, mwN auf Werke von *von Nell-Breuning* zum Subsidiaritätsprinzip).

[95]) S dazu *Jarass,* EG-Kompetenzen und das Prinzip der Subsidiarität nach Schaffung der Europäischen Union, EuGRZ 1994, 209. Siehe zu Rechtsakten und Vorschlä-

D. Die vier Phasen im Leben des Gemeinschaftsrechts (Sekundärrecht)

1. Vorbemerkung: Die vier Phasen des Rechts

Jedes Recht, sei es staatliches, regionales oder kommunales, durchläuft in seinem Leben vier Phasen[96]): Die erste ist die der **Rechtspolitik,** in der die politisch Verantwortlichen über das künftige Recht beraten und entscheiden. Ist dieser Prozeß der politischen Willensbildung abgeschlossen, folgt als zweite Phase die der **Rechtsetzung,** mit der das Recht in Geltung tritt. Gilt das Recht, so ist es zu befolgen, womit sich als dritte Phase die der **Rechtsanwendung** ergibt. Treten bei der Rechtsanwendung Widerstände auf, muß sich notfalls als vierte Phase die des zwangsweisen **Vollzugs** bzw der zwangsweisen Vollstreckung des Rechts anschließen. Alle diese Phasen gelten nicht nur für das nationale Recht, sondern ebenso für das Gemeinschaftsrecht – allerdings mit einigen wichtigen Besonderheiten. Um diese Besonderheiten zu verstehen, ist es angebracht, zunächst den „normalen" Ablauf der vier Phasen im herkömmlichen staatlichen Rahmen zu verfolgen und sodann die Einzelheiten jeder dieser Phasen für das Gemeinschaftsrecht zu betrachten.

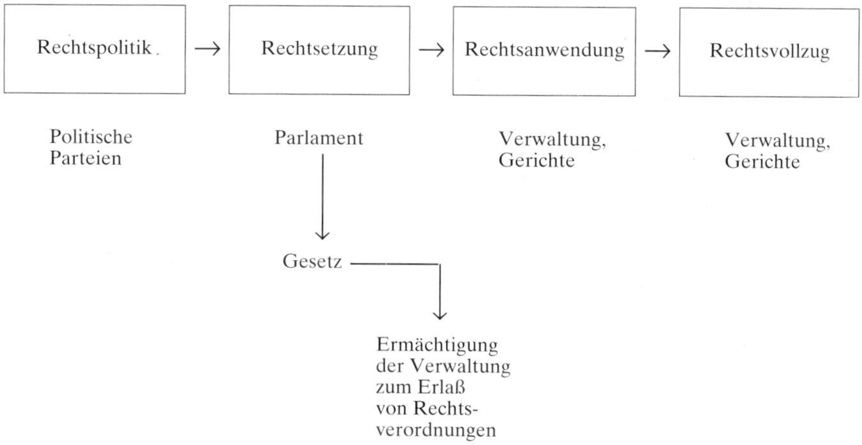

Die **erste Phase,** die der **Rechtspolitik,** liegt auf nationaler Ebene – wie der Name schon besagt – in den Händen der Politiker bzw der **politischen Parteien.** Zwar gilt nach Verfassungsrecht: „Alle Staatsgewalt geht vom Volke aus"[97]) und „Die Parteien wirken bei der politischen Willensbildung desVolkes [nur – Anm des Verfassers] mit",[98]) doch führt in der Verfassungswirklichkeit am politischen Handlungsmonopol der Parteien – realistisch betrachtet – kein Weg

gen, die aufgrund des Subsidiaritätsprinzips zurückgezogen wurden, die Antwort auf die schriftliche Anfrage E-370/95, ABl C 1995/175, 38.

[96]) Siehe allgemein dazu auch *Pescatore,* Das Zusammenwirken der Gemeinschaftsrechtsordnung mit den nationalen Rechtsordnungen, EuR 1970, 307.

[97]) Vgl Art 20 Abs 2 Satz 1 GG.

[98]) Vgl Art 21 Abs 1 Satz 1 GG.

vorbei; denn allein sie bestimmen direkt oder indirekt, welche Gesetzgebungsvorlagen die Parlamente erreichen. Dies schließt nicht aus, daß die Vorlagen in der Regel von der Ministerialbürokratie ausgearbeitet und von den Regierungen eingebracht werden, Sachverständige und Lobbies Einfluß nehmen und auch das Volk sich durch unterschiedliche Einwirkungsmöglichkeiten Gehör verschaffen kann. Tatsache bleibt aber, daß die zentrale Rolle im Prozeß der politischen Willensbildung von den politischen Parteien ausgeübt wird.

Die **zweite Phase,** die der **Rechtsetzung,** liegt in der ausschließlichen Zuständigkeit der **Parlamente.** Dies gilt nicht nur für die nationale Ebene, auf der die nationalen Parlamente das gesamtstaatliche Recht erlassen, sondern auch für etwaige Regionalebenen und deren regionale Gesetzgebungsorgane bis hinunter zur kommunalen Ebene, auf der die Repräsentativorgane der Städte und Gemeinden kommunales Recht, wie Verordnungen und Satzungen, beschließen. Auf allen diesen Ebenen besitzen die Parlamente das **Monopol der Rechtsetzung,** was allerdings nicht ausschließt, daß sie nach Maßgabe des Verfassungsrechts die Verwaltung bzw nachgeordnete Instanzen ermächtigen können, bestimmte Vorschriften untergeordneter Bedeutung selbst zu erlassen.[99]) Ein weiteres Charakteristikum nationaler Rechtsetzung ist der **Typenzwang,** der nur bestimmte Rechtshandlungsformen wie das Gesetz, die Verordnung oder die Satzung zuläßt, sowie **die Publizität der Rechtsakte,** die ihre Veröffentlichung in einem Gesetz- oder Amtsblatt erfordert.[100])

Als **dritte Phase** schließt sich die der **Rechtsanwendung** an, mit der auf seiten des Staates die **Verwaltung** und die **Gerichte** betraut sind. Wie im Falle der Rechtsetzung ist die Verwaltung nicht nur auf gesamtstaatlicher Ebene organisiert – wie in Ministerien und den ihnen nachgeordneten Behörden – sondern – je nach nationalem Verfassungsrecht – auch auf regionaler Ebene als Regionalverwaltung und auf kommunaler Ebene als Kommunalverwaltung. Auch der Aufbau der nationalen Gerichtsbarkeit ist in den einzelnen Instanzenzügen gestuft organisiert, wobei jeweils die Besonderheiten des nationalen Gerichtsverfassungsrechts zu beachten sind.

Wie die Rechtsanwendung liegt auch der **zwangsweise Vollzug,** die **vierte Phase,** in den Händen der staatlichen **Verwaltung** und der **Gerichte.** Dabei werden die Gerichte neben ihrer Funktion als Spruchkörper als Vollstreckungsgerichte tätig, denen die Verwaltung in Gestalt der staatlichen Ordnungsbehörden und Vollzugsorgane Hilfe leistet.

Betrachtet man diese vier Phasen des Rechts nicht horizontal als zeitlich aufeinander folgend, sondern vertikal von oben nach unten, so bezeichnen sie

---

[99]) Vgl Art 80 Abs 1 GG: „Durch Gesetz können die Bundesregierung, ein Bundesminister oder die Landesregierungen ermächtigt werden, Rechtsverordnungen zu erlassen. Dabei müssen Inhalt, Zweck und Ausmaß der erteilten Ermächtigung im Gesetze bestimmt werden. Die Rechtsgrundlage ist in der Verordnung anzugeben. Ist durch Gesetz vorgesehen, daß eine Ermächtigung weiter übertragen werden kann, so bedarf es zur Übertragung der Ermächtigung einer Rechtsverordnung."

[100]) Vgl Art 82 Abs 1 GG: „Die nach den Vorschriften dieses Grundgesetzes zustande gekommenen Gesetze werden vom Bundespräsidenten nach Gegenzeichnung ausgefertigt und im Bundesgesetzblatte verkündet. Rechtsverordnungen werden von der Stelle, die sie erläßt, ausgefertigt und vorbehaltlich anderweitiger gesetzlicher Regelungen im Bundesgesetzblatte verkündet."

die **vier Schichten im Stufenbau des Rechts.** Auf der obersten und ersten Stufe steht der **Souverän,** das **Volk,** an dessen politischer Willensbildung die Parteien in der Phase der Rechtspolitik mitwirken. Eine Stufe darunter erfüllt die **Legislative** in Gestalt der Parlamente den Volkswillen, indem sie ihn im Wege der **Rechtsetzung** konkretisiert. Wiederum eine Stufe tiefer vollziehen die **Exekutive** und die **Judikative** den Willen der Legislative bei der Rechtsanwendung durch Verwaltung und Gerichte. Auf der untersten, der vierten Stufe, bedienen sich Exekutive und Judikative der **Zwangsmittel** öffentlicher Gewalt, um das Recht nötigenfalls auch gegen den Willen der Betroffenen durchzusetzen.

Vor dem Hintergrund dieser Vorbemerkung sind nunmehr die vier Phasen bzw die vier Schichten im Stufenbau des Rechts auf der **Ebene der Gemeinschaft** im einzelnen zu betrachten.

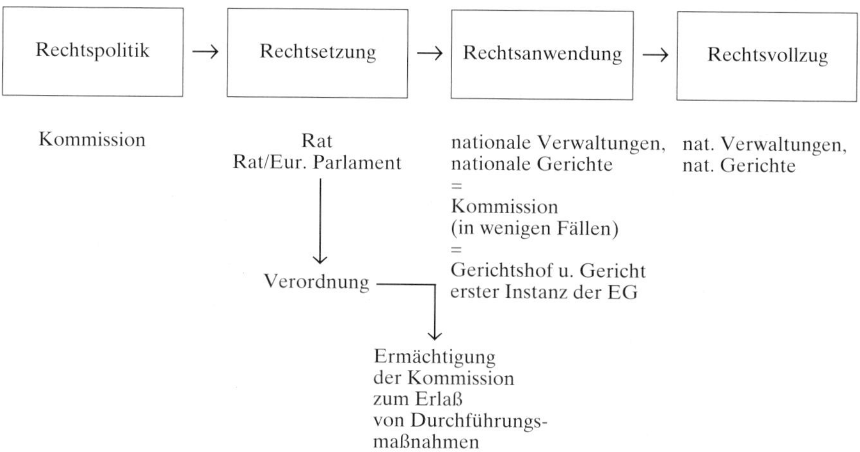

2. Die erste Phase: Rechtspolitik

In wessen Händen liegt in der Gemeinschaft die Rechtspolitik, dh welche Institution ist nach den Verträgen verfassungsrechtlich dazu berufen, rechtlichen Handlungsbedarf auszumachen und die Entwürfe für das künftige Gemeinschaftsrecht zu formulieren? Sind es die politischen Parteien in den Mitgliedstaaten oder die im europäischen Parlament vertretenen Parteien? Hier begegnen wir der ersten Besonderheit im Leben des Gemeinschaftsrechts. Zuständig sind weder die nationalen noch die europäischen Parteien, sondern ausschließlich eine Behörde: Die **Kommission**. Allein die Kommission besitzt nach den Verträgen das **Initiativ-** oder **Vorschlagsrecht**, das sie berechtigt und verpflichtet, nach Maßgabe des Vertrages „in eigener Zuständigkeit Entscheidungen zu treffen und am Zustandekommen der Handlungen des Rates und des Europäischen Parlaments mitzuwirken".[101]) Ein Blick auf

[101]) Vgl Art 155 3. Gedankenstrich EGV; zum Vorschlagsrecht der Kommission s ausführlich *Constantinesco,* Das Recht der Europäischen Gemeinschaften I (1977) 517.

jene Vorschriften der Verträge, die die Gemeinschaft zur Rechtsetzung ermächtigen, genügt, um festzustellen, daß fast alle Rechtsakte nur „auf Vorschlag der Kommission“ erlassen werden können.[102])

Wer aber ist die Kommission, der wir hier in ihrer ersten und wichtigsten Rolle, der eines **politischen Initiativorgans,** begegnen?[103]) „Die Kommission besteht aus zwanzig Mitgliedern, die aufgrund ihrer allgemeinen Befähigung ausgewählt werden und volle Gewähr für ihre Unabhängigkeit bieten müssen.“[104]) „Die Mitglieder der Kommission üben ihre Tätigkeit in voller Unabhängigkeit zum allgemeinen Wohl der Gemeinschaften aus. Sie dürfen bei der Erfüllung ihrer Pflichten Anweisungen von einer Regierung oder einer anderen Stelle weder anfordern noch entgegennehmen“ (Art 157 Abs 2 EGV). Die Kommission als Gremium der zwanzig Kommissare steht als Behördenleitung einem „Verwaltungsapparat“,[105]) den Dienststellen, vor, der – ebenfalls als Kommission bezeichnet – den Kommissaren zuarbeitet und ihre Entscheidungen vorbereitet und vollzieht. Die Kommission beschäftigt etwa 14.000 Beamte und hat ihren Sitz[106]) in Brüssel und Luxemburg.

„Um das ordnungsgemäße Funktionieren und die Entwicklung des Gemeinsamen Marktes zu gewährleisten“, hat die Kommission gem Art 155 EGV „für die Anwendung dieses Vertrages ... Sorge zu tragen“. Daraus ergibt sich für die Kommission nicht nur die Verpflichtung, für die **Umsetzung aller programmatischen Ziele** zu sorgen, die im Vertrag selbst vorformuliert und deren Etappen dort zeitlich festgelegt sind, sondern auch die Verantwortung für das **Reagieren auf Situationen,** die ein unvorhergesehenes Handeln erforderlich machen. In beiden Fällen ist es die Aufgabe der Kommission, die erforderlichen Rechtsakte zu konzipieren und als Vorschläge im Rechtsetzungsverfahren politisch zu vertreten, dh „am Zustandekommen der Handlungen des Rates und des Europäischen Parlaments“ mitzuwirken.

---

[102]) Legt die Kommission dem Rat zu bestimmten Sachgebieten keine Vorschläge vor, so gilt gem Art 152 EGV: „Der Rat kann die Kommission auffordern, die nach seiner Ansicht zur Verwirklichung der gemeinsamen Ziele geeigneten Untersuchungen vorzunehmen und ihm entsprechende Vorschläge zu unterbreiten.“ Im gleichen Sinne bestimmt Art 138b EGV: „Das Europäische Parlament kann mit der Mehrheit seiner Mitglieder die Kommission auffordern, geeignete Vorschläge zu Fragen zu unterbreiten, die nach seiner Auffassung die Ausarbeitung eines Gemeinschaftsaktes zur Durchführung dieses Vertrags erfordern.“

[103]) Siehe dazu ausführlich unten *Röttinger,* Organisation und Arbeitsweise der Kommission.

[104]) Art 157 Abs 1 EGV idF des Art 9 des Beschlusses des Rates der Europäischen Union vom 1. Jänner 1995 zur Anpassung der Dokumente betreffend den Beitritt neuer Mitgliedstaaten zur Europäischen Union (95/1 EG, Euratom, EGKS), ABl 1995/1 v 1. 1. 1995, 1.

[105]) So Art 5 Abs 3 EGKSV. Siehe Organisationsplan der Europäischen Kommission (Oktober 1995); s auch unten *Röttinger,* Organisation und Arbeitsweise der Kommission; zur Organisationsstruktur der Gemeinschaft grundlegend *Hilf,* Die Organisationsstruktur der Europäischen Gemeinschaften (1982).

[106]) Vgl zum Sitz Art 216 EGV: „Der Sitz der Organe der Gemeinschaft wird im Einvernehmen zwischen den Regierungen der Mitgliedstaaten bestimmt.“ Siehe dazu den Beschluß der Vertreter der Regierungen der Mitgliedstaaten vom 12. Dezember 1992 über die Festlegung der Sitze der Organe und bestimmter Einrichtungen und Dienststellen der Europäischen Gemeinschaften, ABl C 1992/341 v 23. 12. 1992, 1.

Verfolgt man den Prozeß der politischen Willensbildung der Kommission am Beispiel des Werdegangs eines Vorschlags für einen Rechtsakt, so steht am Anfang stets ein **politischer Handlungsbedarf.** Handelt es sich um den Vollzug eines im Vertrage selbst formulierten Handlungsauftrages, so ist mit ihm die erforderliche Ermächtigung gegeben. Handelt es sich um ein Reagieren auf Situationen, so stellt sich mit der Frage nach der Zuständigkeit der Gemeinschaft auch die nach der **Rechtsgrundlage** für eine etwaige Gemeinschaftstätigkeit. Ergibt die rechtliche Prüfung, daß die Gemeinschaft auf dem betreffenden Gebiet zwar zuständig ist, jedoch über eine Ermächtigung zu **verbindlicher** Rechtsetzung nicht verfügt, besteht die Möglichkeit des Erlasses von sog „soft law" (Empfehlungen, Stellungnahmen, Entschließungen und Resolutionen).[107]) Ist eine Rechtsgrundlage gegeben, so bestimmt sie die Art des zu wählenden Rechtsaktes und das Verfahren für seinen Erlaß.

Die **konzeptionelle Ausarbeitung** des erforderlichen Rechtsaktes obliegt den zuständigen Dienststellen der Kommission, die gegebenenfalls Ausschüsse mit Experten aus den Mitgliedstaaten und unabhängige Sachverständige hinzuziehen.

Unter der Federführung des jeweils zuständigen Kommissars ist der Entwurf sodann dem Gremium der zwanzig Kommissionsmitglieder zur Entscheidung vorzulegen.

Die Kommission tritt unter dem Vorsitz ihres Präsidenten regelmäßig jede Woche am Mittwoch zusammen und entscheidet mit Mehrheit.[108]) Ihre Sitzungen werden durch Beratungen ihrer Kabinettchefs am vorausgehenden Montag vorbereitet, wobei zur Erörterung wichtiger Entwürfe auch besondere Sitzungen der Kabinettchefs stattfinden können.[109]) Mit der Annahme des Entwurfes durch die Kommission wird dieser zum **Vorschlag der Kommission,** den das Generalsekretariat jeweils in den elf Amtssprachen der Gemeinschaft auszufertigen hat.[110]) Nach den erforderlichen Übersetzungsarbeiten aus einer der drei internen Arbeitssprachen der Kommission (Französisch, Englisch, Deutsch) in die elf Amtssprachen der Gemeinschaft sind sämtliche Sprachfassungen durch hochspezialisierte Juristen-Linguisten zu überprüfen, um die Konformität der Texte in allen Rechtssprachen sicherzustellen.[111])

---

[107]) Gem Art 155 2. Gedankenstrich EGV, gibt die Kommission Empfehlungen und Stellungnahmen auf den im Vertrag bezeichneten Gebieten ab, „soweit der Vertrag dies ausdrücklich vorsieht oder soweit sie es für notwendig erachtet".

[108]) Zu den anderen Verfahrensarten s unten *Röttinger,* Organisation und Arbeitsweise der Kommission; s auch *Knöpfle,* Organisation und Arbeitsweise der Gemeinsamen Kommission der Europäischen Gemeinschaften, EuR 1968, 30; vgl ferner die Geschäftsordnung der Kommission vom 17. Februar 1993 (GO), ABl L 1993/230 v 11. 9. 1993, 15; s auch *Ehlermann,* Das schwierige Geschäft der Kommission, EuR 1981, 335.

[109]) Zu den Kabinetten vgl Art 14 GO der Kommission.

[110]) Vgl V Nr 1 zur Regelung der Sprachenfrage für die Europäische Wirtschaftsgemeinschaft, ABl 1958/17 v 6. 10. 1958, 385, sowie die V Nr 1 zur Regelung der Sprachenfrage für die Europäische Atomgemeinschaft, ABl 1958/17 v 6. 10. 1958, 401.

[111]) Kritisch dazu *Tomuschat,* Normenpublizität und Normenklarheit in der Europäischen Gemeinschaft, in: Europäische Gerichtsbarkeit und nationale Verfassungsgerichtsbarkeit (FS *Kutscher*) (1981) 461.

3. Die zweite Phase: Rechtsetzung

Mochte die Ausarbeitung der Vorschläge für Rechtsakte durch die Kommission noch eine gewisse Ähnlichkeit mit der Erstellung von Gesetzesvorlagen durch nationale Ministerialbürokratien und Kabinette besitzen, so verläßt man auf der Stufe der Rechtsetzung jedwedes nationale Vorbild: Nicht das Europäische Parlament [112]) ist in der Gemeinschaft das originäre Rechtsetzungsorgan, sondern der Rat.[113]) Lediglich soweit das Parlament Stellungnahmen abgibt (s zB Art 235 EGV), mit dem Rat nach Art 189c EGV zusammenarbeitet oder nach Art 189b EGV mitentscheidet, ist das Parlament an der Rechtsetzung beteiligt.

Wie ist der **Rat,** dieses politisch bedeutsamste aller Gemeinschaftsorgane, zusammengesetzt?[114]) „Der Rat besteht aus je einem Vertreter jedes Mitgliedstaats auf Ministerebene, der befugt ist, für die Regierung des Mitgliedstaats verbindlich zu handeln" (Art 146 Abs 1 EGV). Bei fünfzehn Mitgliedstaaten und fünfzehn mitgliedstaatlichen Regierungen besteht der Rat mithin aus fünfzehn nationalen Ministern – und zwar aus jenen Ministern, die für das jeweils zu verhandelnde Sachgebiet zuständig sind. Der Rat ist daher ein Organ, das in unterschiedlichen personellen Besetzungen beschließen kann: Geht es um Fragen der Landwirtschaft, so tagen die fünfzehn nationalen Landwirtschaftsminister als Landwirtschaftsrat, geht es um Finanzfragen, so tagen die fünfzehn nationalen Finanzminister als Finanzrat, stehen Fragen des Verkehrs auf der Tagesordnung, beschließen die nationalen Verkehrsminister als Verkehrsrat usw. Daraus ergibt sich außerdem, daß der Rat gleichzeitig in verschiedenen personalen Besetzungen tagen kann, dh in einem Raum zB die Finanzminister über Haushaltsfragen und gleichzeitig in einem anderen Raum die Wirtschaftsminister über Handelsfragen beraten und entscheiden können.

Ebenso wie die Kommission, dh das Kollegium der zwanzig Kommissare, verfügt auch der Rat über einen **administrativen Unterbau** in Gestalt einer Behörde in Brüssel, die ebenfalls als Rat bezeichnet wird. Diese Behörde, die mit etwa 2500 Mitarbeitern sehr viel kleiner als die Kommission ist, bereitet die Sitzungen des Ministerrates organisatorisch vor und sorgt für die Ausfertigung seiner Beschlüsse.

Anders als die Kommission, deren Dienstort Brüssel ist, befinden sich die Mitglieder des Rates, dh die nationalen Minister, gewöhnlich in ihren nationalen Hauptstädten weit ab von Brüssel. Zur kontinuierlichen Wahrnehmung der Aufgaben der Mitgliedstaaten am Sitz der Gemeinschaftsorgane bedarf es jedoch einer **permanenten Vertretung** vor Ort, die gleichsam das

---

[112]) Von den drei klassischen Parlamentsfunktionen (Feststellung des Haushaltes, Wahl und Kontrolle der Regierung und Gesetzgebung) ist dem Europäischen Parlament keine einzige vollständig zugewiesen. Zu seinen Mitwirkungsrechten im Rahmen des Haushaltsverfahrens vgl Art 199ff EGV, zum Mißtrauensvotum gegenüber der Kommission vgl Art 144 EGV und zur Mitwirkung bei der Ernennung der Kommission vgl Art 158 Abs 2 EGV; s im übrigen zum Europäischen Parlament die Artikel 137ff EGV.

[113]) Zum Prozeß der Rechtsetzung im Rat s ausführlich *Constantinesco* (FN 101) 524.

[114]) Vgl ausführlich unten *Schloh,* Aufgaben und Funktion des Rates.

Relais zwischen den Organen und den nationalen Hauptstädten bildet. Zu diesem Zwecke unterhält jeder der fünfzehn Mitgliedstaaten in Brüssel eine sog **Ständige Vertretung,** der, als nationaler Statthalter vor Ort, ein **Ständiger Vertreter** im Range eines Botschafters vorsteht. Die Ständigen Vertreter der Mitgliedstaaten treten regelmäßig zusammen und haben als COREPER (Comité des Représentants Permanents; AStV – Ausschuß der Ständigen Vertreter)[115]) „die Aufgabe, die Arbeiten des Rates vorzubereiten und die ihm vom Rat übertragenen Aufträge auszuführen" (Art 151 Abs 1 EGV).

Die Vorschläge der Kommission (s dazu oben D.2) werden in den elf Amtssprachen der Gemeinschaft dem Generalsekretariat des Rates übermittelt, das sie sofort den Ständigen Vertretungen der Mitgliedstaaten und – soweit erforderlich – dem Europäischen Parlament und dem Wirtschafts- und Sozialausschuß[116]) zuleitet. Die Ständigen Vertretungen leiten den Vorschlag an die zuständigen Ministerien in ihre Hauptstädte weiter. Hat dort eine erste Meinungsbildung auf nationaler Ebene stattgefunden, kann der Text in den zuständigen Gremien des Rates erörtert werden. Auf der untersten Ebene wird er von den zuständigen nationalen Beamten beraten, die sich regelmäßig in **Arbeitsgruppen** in Brüssel treffen. Haben sie ihre Arbeit abgeschlossen, wird der Text auf die Tagesordnung des Ausschusses der Ständigen Vertreter gesetzt. Sind auch dort die Beratungen beendet, entscheiden die zuständigen Minister auf ihrer nächsten Sitzung als „der Rat". Mit der Annahme des Textes wird aus dem Vorschlag der Kommission ein Rechtsakt des Rates, der im Amtsblatt der Gemeinschaft veröffentlicht wird.[117]) Soweit das Europäische Parlament nach Art 189b oder c EGV an der Rechtsetzung mitwirkt, gelten die – äußerst komplizierten – Verfahrensregeln dieser Bestimmungen.[118])

Wie bei der nationalen Rechtsetzung, so herrscht auch bei der Rechtsetzung auf Gemeinschaftsebene **Typenzwang:** Dem nationalen Gesetz entspricht die EG-Verordnung und dem nationalen Rahmengesetz die EG-Richtlinie.[119]) In gleicher Weise wie ein nationales Parlament befugt ist, die Verwaltung durch Gesetz zum Erlaß von Durchführungsbestimmungen zu ermächtigen, ist es dem Rat gestattet, die Kommission mit der Rechtsetzung von Durchführungsmaßnahmen zu betrauen.[120])

---

115) Vgl *Noël,* Der Ausschuß der Ständigen Vertreter, EuR 1967, 24.

116) Aus Gründen der Einfachheit der Darstellung bleiben hier die Besonderheiten des Verfahrens, die sich durch die Beteiligung des Europäischen Parlaments und die Befassung des Wirtschafts- und Sozialausschusses ergeben, außer Betracht; s dazu ausführlich unten *Borchardt,* Die rechtlichen Grundlagen der Europäischen Gemeinschaften – Rechtsquellen, Rechtshandlungen, Rechtsetzung; zum Wirtschafts- und Sozialausschuß s ausführlich unten *Catling,* Organisation und Politik des Wirtschafts- und Sozialausschusses.

117) Vgl Art 191 EGV sowie die Entscheidung des Rates v 15. 9. 1958 über die Gründung des „Amtsblattes der Europäischen Gemeinschaften", ABl 1958/17 v 6. 10. 1958, 390. Das Amtsblatt erscheint in drei Serien: L (Legislation), C (Communication) und S (Supplement zur Veröffentlichung der öffentlichen Ausschreibungen).

118) Siehe hierzu *Nentwich,* Institutionelle und verfahrensrechtliche Neuerungen im Vertrag über die Europäische Union, EuZW 1992, 235.

119) Vgl Art 189 EGV.

120) Vgl Art 155 vierter Gedankenstrich EGV, wonach die Kommission die Befugnisse ausübt, „die ihr der Rat zur Durchführung der von ihm erlassenen Vorschriften

4. Die dritte Phase: Rechtsanwendung

Mit der Veröffentlichung im Amtsblatt und seinem Inkrafttreten tritt das Gemeinschaftsrecht aus dem Kreis der Brüsseler Institutionen heraus und in das Rechtsleben der Mitgliedstaaten ein.[121]) Dies ist der Moment seiner Aufnahme in den Rechtsraum der Mitgliedstaaten zum Zwecke seiner gemeinschaftsweit einheitlichen Anwendung. Von wenigen Gebieten abgesehen, auf denen die Rechtsanwendung ausnahmsweise der Kommission als Exekutivbehörde übertragen ist,[122]) obliegt die **Anwendung des Gemeinschaftsrechts** den nationalen Verwaltungen[123]) und den nationalen Gerichten;[124]) eine gemeinschaftsunmittelbare bzw gemeinschaftseigene Verwaltung durch nachgeordnete Behörden der EG in den Mitgliedstaaten gibt es nicht.[125])

Nun liegt es auf der Hand, daß bei der Anwendung des Gemeinschaftsrechts durch die mitgliedstaatlichen Verwaltungen und Gerichte vielfältige Probleme auftreten können, wie sie auch bei der Anwendung rein nationalen Rechts immer wieder vorkommen. Fragen der Auslegung des Rechts können sich stellen, die Berechtigung und Gültigkeit von Regelungen können angezweifelt werden, unterbesetzte Verwaltungsstellen können mit ihrer Arbeit in Verzug geraten, Interessenten werden falsch beschieden, Anträge nicht rechtzeitig gestellt, die Verletzung von Grundrechten wird behauptet usw. Alle diese Probleme sind weder dem nationalen noch dem EG-Recht unbekannt, und es ist Sache der Verwaltungen und der Gerichte, mit ihnen fertig zu werden. Während aber Schwierigkeiten bei der Anwendung nationalen Rechts rein nationale Bedeutung haben und ihre Überwindung dem einzelnen Mitgliedstaat überlassen bleiben kann, stellen **Schwierigkeiten bei der Anwendung des Gemeinschaftsrechts** ein Problem für die Gemeinschaft als solche dar, dessen Lösung im Ernstfall nicht dem Belieben eines einzelnen Mitgliedstaates anheimgegeben werden kann. Soll das Gemeinschaftsrecht nicht auf der Ebene seiner täglichen Anwendung durch die nationalen Verwaltungen und Gerichte auseinanderfallen, bedarf es rechtlicher Vorkehrungen, die seine Einheit auch und gerade in der Phase der Rechtsanwendung sicherstellen. Zu diesem Zwecke sehen die Verträge zwei **gerichtliche Verfahren** vor, von denen das eine die Einheit der Gemeinschaftsrechtsordnung gegenüber

---

überträgt"; s auch Art 145 dritter Gedankenstrich EGV sowie den Beschluß 87/373/EWG v 13. 7. 1987 zur Festlegung der Modalitäten für die Ausübung der der Kommission übertragenen Durchführungsbefugnisse, ABl L 1987/197 v 18. 7. 1987, 33.

[121]) Vgl Art 191 EGV.

[122]) So zB im Wettbewerbsrecht (Art 85 ff EGV), bei der Überwachung der Sicherheit (Art 77 ff EURATOMV), bei der Verwaltung des EGKS-Sektors sowie bei allen durch Verträge umgesetzten Politiken, wie zB die Forschungspolitik; s dazu *Grunwald,* Die nicht-völkerrechtlichen Verträge der Europäischen Gemeinschaften, EuR 1984, 227.

[123]) Zum Verwaltungsrecht der Gemeinschaften s *Schwarze* (Hg), Europäisches Verwaltungsrecht im Werden (1982) sowie umfassend *Schwarze,* Europäisches Verwaltungsrecht (1988).

[124]) Sowie auf Gemeinschaftsebene dem Gerichtshof und dem Gericht erster Instanz.

[125]) Siehe auch *Pescatore,* Das Zusammenwirken der Gemeinschaftsrechtsordnung mit den nationalen Rechtsordnungen, EuR 1970, 307 (317).

nationalen Regierungen und Verwaltungen durchsetzt und das andere die Einheit auf der Ebene der nationalen Gerichte gewährleistet. Das erste dieser Verfahren ist das Vertragsverstoßverfahren gem Art 169 EGV, das zweite das Vorabentscheidungsverfahren gem Art 177 EGV.[126])

Das **Vertragsverstoßverfahren** liegt zunächst in den Händen der Kommission, deren Aufgabe als „Hüterin der Verträge" gem Art 155 EGV darin besteht, „für die Anwendung dieses Vertrages sowie der von den Organen aufgrund dieses Vertrages getroffenen Bestimmungen Sorge zu tragen".[127]) Stellt die Kommission fest, daß ein Mitgliedstaat Gemeinschaftsrecht nicht, unzureichend oder falsch anwendet, so hat sie ihn zunächst zur Abstellung seines pflichtwidrigen Verhaltens aufzufordern. Bleibt dies erfolglos, kann sie vor dem Gerichtshof gem Art 169 EGV Klage gegen ihn erheben. Stellt der Gerichtshof fest, daß der Mitgliedstaat gegen eine Verpflichtung aus Gemeinschaftsrecht verstoßen hat, „so hat dieser Staat die Maßnahmen zu ergreifen, die sich aus dem Urteil des Gerichtshofes ergeben" (Art 171 EGV).

Das **Vorabentscheidungsverfahren** nimmt seinen Anfang bei nationalen Gerichten, die mit Fragen der Auslegung oder Anwendung von Gemeinschaftsrecht befaßt sind. Nach Maßgabe des Art 177 EGV kann ein solches Gericht – gleichsam im Wege des Ersuchens um verbindliche Rechtsauskunft – den vor ihm schwebenden Rechtsstreit aussetzen und den Gerichtshof in Luxemburg anrufen, der die ihm gestellte Frage in Gestalt eines Urteils letztverbindlich beantwortet. Solchermaßen über das Gemeinschaftsrecht belehrt, setzt das nationale Gericht sodann das bei ihm anhängige Verfahren fort und erläßt seine Entscheidung auf der Grundlage richtig und einheitlich ausgelegten EG-Rechts.

5. Die vierte Phase: Zwangsweiser Vollzug

Stehen der Rechtsanwendung anhaltende Widerstände der Betroffenen entgegen, so bedarf es im Notfall des **zwangsweisen Vollzuges hoheitlicher Entscheidungen.** Dies gilt auch für die Anwendung des Gemeinschaftsrechts. Soweit das EG-Recht von den Mitgliedstaaten angewendet wird, sind diese direkt für den Vollzug verantwortlich. Soweit allerdings die zuständigen Gemeinschaftsorgane selbst EG-Recht anwenden, können sie im Falle der Nichtbefolgung zwar **Sanktionen** verhängen,[128]) diese mangels gemeinschaftseigener Zwangsgewalt aber nicht selbst vollstrecken. Demgemäß bestimmen Art 192 EGV und 164 EURATOMV gleichlautend: „Die Zwangsvollstreckung erfolgt nach den Vorschriften des Zivilprozeßrechts des Staates, in dessen Hoheitsgebiet sie stattfindet." Zuständig für die **Vollstreckung** sind mithin die **nationalen Behörden,** die der Gemeinschaft von den Regierungen der Mitgliedstaaten zu benennen sind.

---

[126]) Siehe dazu auch oben B.3 sowie unten *Di Bucci/Di Bucci,* Der Gerichtshof und das Rechtsschutzsystem der Europäischen Gemeinschaften.

[127]) Vgl dazu auch *Ehlermann,* Das schwierige Geschäft der Kommission, EuR 1981, 335.

[128]) Vgl zB Art 47 § 3, Art 58 § 4, Art 59 § 7, Art 64, Art 65 § 5, Art 66 § 6, Art 68 § 6, Art 82 EGKSV, Art 87 Abs 2 lit a EGV, Art 83 und 145 EURATOMV; s auch *Johannes,* Das Strafrecht im Bereich der Europäischen Gemeinschaften, EuR 1968, 63.

E. Zur Zukunft der Rechtsgemeinschaft

Die Schaffung der Europäischen Gemeinschaft ist ein Prozeß,[129]) dessen Ziel solange nicht erreicht ist, als ihre Wirklichkeit ihrem Begriff nicht entspricht. Weder ist die Gemeinschaft bis jetzt im umfassenden geographischen und kulturellen Sinne „europäisch", noch ist sie eine Gemeinschaft von Gemeinschaftsbürgern mit Gemeinschaftsbewußtsein.[130]) Dieses begriffliche Defizit weist auf zwei objektive Prioritäten hin: Die **Notwendigkeit der Erweiterung** der Gemeinschaft um die beitrittswilligen und beitrittsfähigen Staaten Mittel- und Osteuropas[131]) sowie die Entwicklung und Vertiefung eines **Gemeinschaftsbewußtseins** der Bürger im europäischen Alltag.[132])

Will die Gemeinschaft ihrem Begriff gerecht werden, kommen mit diesen Aufgaben neue Anforderungen, aber auch Gefährdungen, auf das Gemeinschaftsrecht zu.[133]) Die größte Gefahr, die der Gemeinschaft durch ihre fortschreitende Erweiterung, aber auch durch das mangelnde Gemeinschaftsbewußtsein ihrer Bürger und Politiker droht, ist ein **Rückfall in intergouvernementale Strukturen,** eine Aufweichung ihrer rechtlichen Autonomie, ihre schleichende **Renationalisierung.** Erste Anzeichen einer solchen Bedrohung sind schon heute erkennbar. So sehr die zweite und die dritte Säule des Vertrages über die Europäische Union – faute de mieux – als Brückenpfeiler auf dem Wege zu einer wirklichen Vergemeinschaftung ihrer Politikbereiche zu begrüßen sind, so gefährlich wäre es, wenn die in ihnen enthaltene Dominanz des Nationalen gleichsam als „intergouvernementaler Virus" in den Körper der Alt-EG eindränge und ihn von innen her zersetzte. Im übrigen: Auf die Gefährdung durch nationale Verfassungsgerichte hat *Axline* schon 1968 hellsichtig hingewiesen.[134])

Eine weitere, nicht minder ernste Gefahr erwächst der EG aus der Sprengkraft ungezügelten Wettbewerbsdenkens, das nicht nur die Unternehmen, sondern zunehmend auch die Mitgliedstaaten selbst untereinander und gegeneinander in Konkurrenz treibt, wobei alte wirtschaftliche und politische Rivalitäten wieder aufbrechen und das Gemeinsame in den Hintergrund tritt. Aber auch fortschreitende Deregulierung, Liberalisierung und Privatisierung können die Gemeinschaft gefährden, da der in ihnen beschlossene Abbau des Öffentlichen

---

[129]) Zum Prozeßcharakter der Integration und die Bedeutung der Zeit s *Ipsen* (FN 3) 1022.

[130]) Zu den Menschen in den Gemeinschaften s *Grunwald,* Der Mensch im Gemeinschaftsrecht, in: Europa der Bürger, Schriftenreihe des Forschungsinstitutes für Europarecht der Karl-Franzens-Universität Graz Bd 7 (1994), 15; *Ipsen* (FN 3) 997 sowie *Ipsen,* Verfassungsperspektiven der Europäischen Integration, in: Europäisches Gemeinschaftsrecht in Einzelstudien (1984), 11.

[131]) *Arnold,* Die Europäische Gemeinschaft zwischen Vertiefung und Erweiterung, EA 1991, 318 mwN.

[132]) Vgl das Bemühen um Ermittlung der öffentlichen Meinung zu Europa durch das „Eurobarometer".

[133]) Vgl für die Zeit bis zu einem Beitritt *Horovitz,* EC-Central/East European Relation: New Principles for a New Era, CMLR 1990, 259.

[134]) *Axline* (FN 56).

die fragile Institution „EG" weitaus stärker bedroht als die stabileren Strukturen der Mitgliedstaaten.[135])

Schwieriger noch als die geographische Vollendung der Gemeinschaft unter Bewahrung ihrer Rechtsautonomie erscheint die Entwicklung und Vertiefung eines **Gemeinschaftsbewußtseins** ihrer Bürger. Ohne das verbindende Element einer gemeinsamen Sprache sind Vereinigte Staaten amerikanischer Provenienz als europäischer Organisationstypus ohnehin nur schwer vorstellbar.

Und doch wird langfristig vom Gemeinschaftsbewußtsein seiner Bürger die Zukunft Europas abhängen: Erst im Bewußtsein seiner Bürger kann Europa sein Selbstbewußtsein finden und erst ihr gemeinschaftliches **Rechtsbewußtsein** vermag auf Dauer eine europäische **Rechtsgemeinschaft** zu entwickeln und erhalten.

---

[135]) Siehe zur „Übersteigerung der Subjektivität durch Institutionsabbau" und ihren Gefahren das wissenschaftliche Werk *Gehlens,* hier: Anthropologische Forschung (1972) 74.

4. KAPITEL

Die rechtlichen Grundlagen der Europäischen Gemeinschaften – Rechtsquellen, Rechtshandlungen, Rechtsetzung

Klaus-Dieter Borchardt

Übersicht:

A. Die Rechtsquellen der EG

1. Das primäre Gemeinschaftsrecht – „Verfassung der EG“[1])

a) Die Gründungsverträge, die Einheitliche Europäische Akte und der Vertrag über die Europäische Union

Die Verträge zur Gründung der Europäischen Gemeinschaften v 18. 4. 1951 (EGKS-Vertrag – **„Pariser Vertrag“** – in Kraft seit dem 23. 7. 1952) und v 25. 3. 1957 (EWG-Vertrag und EAG-Vertrag – **„Römische Verträge“** – in Kraft seit dem 1. 1. 1958) bilden in ihren gegenwärtigen, sich aus den Beitritts- und Änderungsverträgen ergebenden Fassungen das Kernstück der Gemeinschaftsrechtsordnung. Daran hat auch der im Februar 1992 in Maastricht unterzeichnete und am 1. November 1993 in Kraft getretene Vertrag über die Europäische Union (EUV, „Vertrag von Maastricht“) nichts geändert. Auch die Europäische Union baut auf dem Regelwerk der drei Europäischen Gemeinschaften (EWG, EAG, EGKS) auf. Die „Europäische Wirtschaftsgemeinschaft“ (EWG) wurde allerdings in „Europäische Gemeinschaft“ (EG) umbenannt, wodurch symbolisch zum Ausdruck gebracht werden soll, daß die EG von einer Wirtschaftsgemeinschaft zu einer Politischen Union zusammenwachsen soll.

Die Gründungsverträge enthalten die grundlegenden Rechtssätze über die Zielsetzungen, Organisation und Funktionsweise der EG sowie Teile des Wirtschaftsrechts und geben damit die verfassungsrechtlichen Rahmenbedingungen der EG vor. Als unmittelbar von den Mitgliedstaaten geschaffenes Recht werden diese Rechtssätze allgemein als **primäres Gemeinschaftsrecht** bezeichnet.

Der durch das primäre Gemeinschaftsrecht gesetzte verfassungsrechtliche Rahmen der EG ist **dynamisch,** dh auf fortschreitende Entwicklung angelegt. Dementsprechend sahen bereits die Gründungsverträge selbst Bestim-

---

[1]) Zur Rechtsordnung der EG s allgemein ua *Louis,* L'ordre juridique communautaire[5] (1990) mwN; *Schweitzer/Hummer,* Europarecht[4] (1993) mwN; *Köck,* Rechtsquellen des Gemeinschaftsrechts, Organe und Verfahren der Rechtsetzung, Vollzug des Gemeinschaftsrechts, Sanktionen, in *Korinek/Rill* (Hg), Österreichisches Wirtschaftsrecht und das Recht der EG (1990) 35; *Weinmeier,* Struktur, Behörden und Rechtsquellen der EG, in *Runggaldier* (Hg), Österreichisches Arbeitsrecht und das Recht der EG (1990) 37; *Oppermann,* Europarecht (1991) mwN.

mungen zur Änderung und Fortbildung des primären Gemeinschaftsrechts vor (vgl Art 236 EWGV, Art 204 EAGV, Art 96 EGKSV). Seit dem Inkrafttreten des Vertrags über die EU sind die Regelungen über die Änderungen und Ergänzungen des primären Gemeinschaftsrechts einheitlich in Art N Abs 1 EUV niedergelegt. Von der Möglichkeit der Vertragsänderung und -ergänzung ist bereits häufig Gebrauch gemacht worden.[2]) Besondere Erwähnung verdient zunächst die am 1. 7. 1987 in Kraft getretene **Einheitliche Europäische Akte (EEA),** die die Gemeinschaftsverfassung um wesentliche Elemente ergänzt hat und die rechtlichen Grundlagen für die Verwirklichung des Binnenmarktkonzepts bis zum 31. 12. 1992 geschaffen hat.[3]) Weitere grundlegende Vertragsänderungen und -ergänzungen sind mit dem **Vertrag über die Europäische Union,** der nach Überwindung einiger Hindernisse im Ratifizierungsprozeß einiger Mitgliedstaaten zum 1. November 1993 in Kraft treten konnte, vorgenommen worden. Die Europäische Union wird unter einem einheitlichen Dach auf folgende **drei Säulen** errichtet:

- **1. Säule:** die drei Europäischen Gemeinschaften (EWG, EAG, EGKS), die weiter vertieft und um eine Wirtschafts- und Währungsunion erweitert werden sollen;
- **2. Säule:** die Zusammenarbeit der Mitgliedstaaten der Europäischen Gemeinschaften im Bereich der Gemeinsamen Außen- und Sicherheitspolitik;
- **3. Säule:** die Zusammenarbeit der Mitgliedstaaten der Europäischen Gemeinschaften in den Bereichen Justiz und Inneres.

Als neue Zielsetzungen und Aufgaben dieser Europäischen Union sind konkret zu nennen:

- die Förderung eines ausgewogenen und dauerhaften wirtschaftlichen und sozialen Fortschritts insbesondere durch Schaffung eines Raumes ohne Binnengrenzen, durch Stärkung des wirtschaftlichen und sozialen Zusammenhalts und durch Errichtung einer Wirtschafts- und Währungsunion, die auf längere Sicht auch eine einheitliche Währung umfassen soll;
- die Behauptung der Identität der Europäischen Union auf internationaler Ebene, insbesondere durch eine Gemeinsame Außen- und Sicherheitspolitik, wozu auf längere Sicht auch eine gemeinsame Verteidigungspolitik gehören kann;
- die Stärkung des Schutzes der Rechte und Interessen der Staatsangehörigen der Mitgliedstaaten durch Einführung einer Unionsbürgerschaft;
- die Entwicklung einer engen Zusammenarbeit in der Innen- und Rechtspolitik;
- die vollständige Wahrung des gemeinschaftlichen Besitzstandes („acquis communautaire“) und seine Weiterentwicklung.

---

[2]) Vgl die Aufstellungen bei *Vedder* in *Grabitz/Hilf* (Hg), Kommentar zur Europäischen Union Art 236 EGV, Rz 14.

[3]) Zur Bewertung der EEA s vor allem *Glaesner,* Die Einheitliche Europäische Akte, EuR 1986, 119; *Grabitz,* Die Einheitliche Europäische Akte: Rechtliche Bewertung, Integration 1986, 95; *Jacqué,* L'acte unique européen, RTDE 1986, 575; *Pescatore,* Die „Einheitliche Europäische Akte“ – Eine ernste Gefahr für den Gemeinsamen Markt, EuR 1986, 153; *Pescatore,* Some critical remarks on the Single European Act, CMLR 1987, 9.

b) Die materiellen Verfassungsprinzipien

Die Ausgestaltung und Entwicklung der Gemeinschaftsverfassung erfolgt aber nicht allein im Wege formeller Vertragsänderung oder -ergänzung, sondern in hohem Maße auch durch Interpretation und Rechtsfortbildung. Diese Aufgabe kommt vor allem dem **Gerichtshof der Europäischen Gemeinschaften (EuGH)** zu, der nach Art 164 EGV dazu berufen ist, „die Wahrung des Rechts bei der Auslegung und Anwendung dieses Vertrages" zu sichern.[4]) Der EuGH hat diese Aufgabe von Beginn seiner Rechtsprechungstätigkeit an wahrgenommen und die wesentlichen Strukturen der materiellen Gemeinschaftsverfassung über den Wortlaut der Gemeinschaftsverträge hinaus sichtbar gemacht und stetig fortentwickelt.

1) Die Eigenständigkeit der Gemeinschaftsrechtsordnung

Die Gründungsverträge der EG sind zwar **völkerrechtlichen Ursprungs;** das durch sie geschaffene Gemeinschaftsrecht bildet jedoch eine **eigenständige Rechtsordnung,** die sich von ihren völkerrechtlichen Grundlagen weitgehend gelöst hat.

Einen ersten Hinweis auf die Eigenständigkeit der Gemeinschaftsrechtsordnung enthält bereits das Urteil des EuGH v 5. 2. 1963 im Fall „van Gend & Loos"[5]):

„Das Ziel des EWG-Vertrages ist die Schaffung eines gemeinsamen Marktes, dessen Funktionieren die der Gemeinschaft angehörigen Einzelnen unmittelbar betrifft; damit ist zugleich gesagt, daß dieser Vertrag mehr ist als das Abkommen, das nur wechselseitige Verpflichtungen zwischen den vertragsschließenden Staaten begründet. Diese Auffassung wird durch die Präambel des Vertrages bestätigt, die sich nicht nur an die Regierungen, sondern auch an die Völker richtet. Sie findet eine noch augenfälligere Bestätigung in der Schaffung von Organen, welchen Hoheitsrechte übertragen sind, deren Ausübung in gleicher Weise die Mitgliedstaaten wie die Staatsbürger berührt. (. . .) Aus alledem ist zu schließen, daß die Gemeinschaft eine neue Rechtsordnung des Völkerrechts darstellt, zu deren Gunsten die Staaten, wenn auch in begrenztem Rahmen, ihre Souveränitätsrechte eingeschränkt haben, eine Rechtsordnung, deren Rechtssubjekte nicht nur die Mitgliedstaaten, sondern auch die Einzelnen sind."

Bereits im folgenden Jahr gab der Fall „Costa/ENEL"[6]) dem EuGH Gelegenheit, seine Analyse noch zu vertiefen, wobei hervorzuheben ist, daß in dieser Entscheidung jeglicher Hinweis auf das Völkerrecht unterbleibt:

---

[4]) Siehe dazu insb *Borchardt,* Richterrecht durch den Gerichtshof der Europäischen Gemeinschaften, in: *Randelzhofer/Scholz/Wilke* (Hg), GS Grabitz (1995), 29–43; *Everling,* Rechtsvereinheitlichung durch Richterrecht in der Europäischen Gemeinschaft, RabelsZ 1986, 193; *Pescatore,* Die Gemeinschaftsverträge als Verfassungsrecht – ein Kapitel Verfassungsgeschichte in der Perspektive des Europäischen Gerichtshofes, FS *Kutscher* 1981, 319; *Schwarze,* Die Befugnis zur Abstraktion im europäischen Gemeinschaftsrecht (1976); *Everling,* Die Bedeutung des Gerichtshofs der Europäischen Gemeinschaften für die Rechtsangleichung, in *Korinek/Rill* (Hg), Österreichisches Wirtschaftsrecht und das Recht der EG (1990) 93.

[5]) Rs 26/62, Slg 1963, 1 (24f).

[6]) Rs 6/64, Slg 1964, 1141.

„Zum Unterschied von gewöhnlichen internationalen Verträgen hat der EWG-Vertrag eine eigene Rechtsordnung geschaffen, die ... in die Rechtsordnung der Mitgliedstaaten aufgenommen worden und von ihren Gerichten anzuwenden ist. Durch die Gründung einer Gemeinschaft für unbegrenzte Zeit, die mit eigenen Organen, mit der Rechts- und Geschäftsfähigkeit, mit internationaler Handlungsfähigkeit und insbesondere mit echten, aus der Beschränkung der Zuständigkeit der Mitgliedstaaten oder der Übertragung von Hoheitsrechten der Mitgliedstaaten auf die Gemeinschaft herrührenden Hoheitsrechten ausgestattet ist, haben die Mitgliedstaaten ihre Souveränitätsrechte beschränkt und so einen Rechtskörper geschaffen, der für ihre Angehörigen und sie selbst verbindlich ist."

Die **Eigenständigkeit der Gemeinschaftsrechtsordnung** ist für den Bestand der EG von grundlegender Bedeutung, da nur durch sie die Aushöhlung des Gemeinschaftsrechts durch nationales Recht verhindert und die einheitliche Geltung des Gemeinschaftsrechts in allen Mitgliedstaaten gewährleistet werden kann.

So werden aufgrund der Eigenständigkeit der Gemeinschaftsrechtsordnung die gemeinschaftsrechtlichen Begriffe grundsätzlich nach den Erfordernissen des Gemeinschaftsrechts und den Zielen der Gemeinschaft bestimmt. Auch ist Prüfungsmaßstab für die gemeinschaftlichen Rechtsakte ausschließlich das Gemeinschaftsrecht, nicht aber das nationale Gesetzes- oder Verfassungsrecht.

2) Die unmittelbare Geltung und Anwendbarkeit des Gemeinschaftsrechts

Die **unmittelbare Geltung des Gemeinschaftsrechts** folgt bereits aus der Eigenständigkeit der Gemeinschaftsrechtsordnung. Als unabhängige, neben den jeweiligen staatlichen Rechtsordnungen auf dem Territorium der Mitgliedstaaten existierende Rechtsordnung bedarf das von der Gemeinschaftsrechtsordnung umfaßte Recht keines staatlichen Umsetzungsaktes, um in den Mitgliedstaaten Geltung beanspruchen zu können.[7]) Es gilt in den Mitgliedstaaten nicht als nationales Recht sondern unmittelbar als Gemeinschaftsrecht.

Von der „unmittelbaren Geltung des Gemeinschaftsrechts" zu unterscheiden ist seine **„unmittelbare Anwendbarkeit"** in den Mitgliedstaaten. Die unmittelbare Anwendbarkeit des Gemeinschaftsrechts besagt, daß das Gemeinschaftsrecht neben den Gemeinschaftsorganen und den Mitgliedstaaten auch den Gemeinschaftsbürgern unmittelbar Rechte verleihen und Pflichten auferlegen kann.

Die Grundlage der unmittelbaren Anwendbarkeit des Gemeinschaftsrechts findet sich ebenfalls in der Eigenständigkeit der Gemeinschaftsrechtsordnung. Die unmittelbare Anwendbarkeit bestimmt sich danach nicht nach nationalem Recht, insb nicht nach nationalem Verfassungsrecht, sondern ausschließlich nach Gemeinschaftsrecht. Vor diesem Hintergrund hat der EuGH

[7]) Siehe dazu *Grabitz,* Das Verhältnis des Europarechts zum nationalen Recht, Zölle, Verbrauchsteuern, europäisches Marktordnungsrecht (Zeitschrift) 1988, 33ff mwN.

die unmittelbare Anwendbarkeit des Gemeinschaftsrechts im wesentlichen aus der **Natur** und der **Zweckbestimmung der Gemeinschaft** abgeleitet. Danach sind die Gründungsverträge der EG mehr als nur eine Übereinkunft, die nur wechselseitige Verpflichtungen zwischen den Mitgliedstaaten begründen. Vielmehr erstrecken sie sich durch die Ausrichtung auf die Schaffung eines Gemeinsamen Marktes auch auf die Verhältnisse der Gemeinschaftsbürger und beziehen diese damit in ihr Regelungswerk mit ein.

Mit dieser Aussage allein ist freilich noch nicht viel gewonnen; denn es bleibt dabei offen, **welche Vorschriften** des Gemeinschaftsrechts **unmittelbar anwendbar** sind. Der EuGH hat sich dieser Frage zunächst im Hinblick auf die Vorschriften des primären Gemeinschaftsrechts angenommen und festgestellt, daß alle jene Normen der Gründungsverträge für den einzelnen unmittelbar anwendbar sein können, die unbedingt formuliert, in sich vollständig und rechtlich vollkommen sind und deshalb zu ihrer Erfüllung oder Wirksamkeit keiner weiteren Handlungen der Mitgliedstaaten oder der Gemeinschaftsorgane bedürfen.[8]) Im Zuge dieser Rechtsprechung hat der EuGH die unmittelbare Anwendbarkeit einer Reihe von Vertragsvorschriften anerkannt, von denen insbesondere jene über die **Grundfreiheiten des Gemeinsamen Marktes**[9]) herausragen, dh die Vorschriften über den freien Warenverkehr (Art 30 EGV)[10]), die Freizügigkeit der Arbeitnehmer (Art 48 EGV)[11]), die Niederlassungsfreiheit (Art 52 EGV)[12]) und die Dienstleistungsfreiheit (Art 59 EGV)[13]). Von großer praktischer Bedeutung ist schließlich auch die Anerkennung der unmittelbaren Anwendbarkeit des **Grundsatzes der Lohngleichheit** für Männer und Frauen (Art 119 EGV)[14]) sowie des allgemeinen **Diskriminierungsverbots** (Art 6 EGV)[15]).

Im Bereich des **Sekundärrechts** stellt sich die Frage der unmittelbaren Anwendbarkeit nur im Hinblick auf die Richtlinien (EGKS-Empfehlungen) und auf die an die Mitgliedstaaten gerichteten Entscheidungen, da diese Wirkung im Hinblick auf die Verordnungen (allgemeine EGKS-Entscheidungen) und die an Einzelne gerichteten Entscheidungen (individuelle EGKS-Entscheidungen) bereits unmittelbar aus den Gemeinschaftsverträgen folgt. Seit 1970 hat der EuGH die Grundsätze über die unmittelbare Anwendbarkeit des primären Gemeinschaftsrechts auch auf die Richtlinien und auf die an die Mitgliedstaaten gerichteten Entscheidungen ausgedehnt.[16])

Die unmittelbare Anwendung des Gemeinschaftsrechts in der Form, wie sie vom EuGH anerkannt und entwickelt worden ist, kann in ihrer praktischen Bedeutung kaum überschätzt werden: Sie verbessert die Stellung des Gemeinschaftsbürgers, indem sie die Freiheiten des Gemeinsamen Marktes

[8]) Vgl EuGH – Costa/ENEL – FN 6.

[9]) Siehe ausführlich unten *Weber*, Der Binnenmarkt und die 4 Freiheiten.

[10]) EuGH Rs 13/68 – Salgoil – Slg 1968, 679 (693).

[11]) EuGH Rs 41/47 – van Duyn – Slg 1974, 1337.

[12]) EuGH Rs 2/74 – Reyners – Slg 1974, 631 (652).

[13]) EuGH Rs 33/74 – van Binsbergen – Slg 1974, 1299.

[14]) EuGH Rs 43/75 – Defrenne II – Slg 1976, 455 (476).

[15]) EuGH Rs 1/78 – Kenny – Slg 1978, 1489 (1497); Rs 152/82 – Forderi – Slg 1983, 2323 (2336); Rs 293/83 – Gravier–Slg 1985, 593 (611).

[16]) Siehe ausführlich unten B.2.b.

zu Rechten ausgestaltet, die der Einzelne vor den nationalen Gerichten durchsetzen kann.

3) Der Vorrang des Gemeinschaftsrechts

Die Eigenständigkeit der Gemeinschaftsrechtsordnung gegenüber den nationalen Rechtsordnungen führt zwangsläufig zu der Frage, welches Recht im Falle der Kollision Vorrang vor dem anderen beanspruchen kann.[17])

Ein solches Problem besteht nicht im Verhältnis zwischen Völkerrecht und staatlichem Recht. Da das **Völkerrecht** erst durch den Akt der Inkorporation oder Transformation Bestandteil der staatlichen Rechtsordnungen wird, entscheidet sich die Frage des Vorrangs allein nach den Regeln des staatlichen Rechts. Je nach dem Rang, den das staatliche Recht dem Völkerrecht in der staatlichen Rechtsordnung zuweist, geht es dem Verfassungsrecht vor[18]) oder steht im Range zwischen Verfassungsrecht und einfachem Gesetzesrecht[19]) oder hat nur den Rang einfachen Gesetzesrechts.[20]) Das Verhältnis von gleichrangigem inkorporiertem oder transformiertem Völkerrecht und staatlichem Recht bestimmt sich nach der Regel „lex posterior derogat legi priori".

Diese staatlichen Kollisionsregeln sind hingegen auf das Verhältnis zwischen Gemeinschaftsrecht und staatlichem Recht nicht anwendbar, weil das **Gemeinschaftsrecht** nicht Bestandteil der staatlichen Rechtsordnungen ist. Ein Konflikt zwischen Gemeinschaftsrecht und nationalem Recht kann deshalb allein aus der Gemeinschaftsrechtsordnung heraus gelöst werden.[21])

Das geschriebene Gemeinschaftsrecht enthält allerdings keine ausdrückliche Regelung, wonach das Gemeinschaftsrecht dem nationalen Recht vorgeht oder es dem nationalen Recht nachsteht. Es war erneut der EuGH, der in seinem Urteil v 15. 7. 1964 im Fall „Costa/ENEL"[22]) zwei für das Verhältnis des Gemeinschaftsrechts zum nationalen Recht grundlegende Feststellungen getroffen hat:

- Die Staaten haben **Hoheitsrechte** endgültig auf das von ihnen geschaffene Gemeinwesen **übertragen.** Dies können sie durch spätere einseitige, mit dem Gemeinschaftsbegriff unvereinbare Maßnahmen nicht rückgängig machen.
- Es ist ein Grundsatz des Vertrages, daß kein Mitgliedstaat die Eigenart des Gemeinschaftsrechts antasten kann, im gesamten Bereich der Gemeinschaft einheitlich und vollständig zu gelten.

---

[17]) Siehe auch *Ress,* Das Verhältnis zwischen Gemeinschaftsrecht und nationalem Recht der Mitgliedstaaten (Verfassung, einfaches Gesetzesrecht, Vollziehung), in *Korinek/Rill* (Hg), Österreichisches Wirtschaftsrecht und das Recht der EG (1990) 55; *Oppermann,* Europarecht (1991) 151 ff mwN.

[18]) Vgl zB die Rechtslage in den Niederlanden.

[19]) So zB die allgemeinen Regeln des Völkerrechts in Deutschland (Art 25 GG).

[20]) So zB das durch Zustimmungsgesetz gem Art 59 GG transformierte Völkerrecht in Deutschland.

[21]) Einen zusammenfassenden Überblick gibt *Everling,* Zum Vorrang des EG-Rechts vor nationalem Recht, DVBl 1985, 1201 ff mwN.

[22]) FN 6.

Daraus folgt, daß **Gemeinschaftsrecht,** welches den Befugnissen der Verträge entsprechend gesetzt wurde, **jedem entgegenstehenden Recht** der Mitgliedstaaten vorgeht. Es ist nicht nur stärker als das frühere nationale Recht, sondern entfaltet eine Sperrwirkung auch gegenüber später gesetztem Recht.

Ihre gemeinschaftsrechtliche Grundlage findet diese **Vorrangregel** in Art 5 Abs 2 EGV, wonach die Mitgliedstaaten alle Maßnahmen unterlassen, welche die Verwirklichung der Ziele des Vertrages gefährden könnten.[23]) Eines der Hauptziele des Vertrages besteht gem Art 2 EGV in der Errichtung und Erhaltung des Gemeinsamen Marktes. Dieser **Gemeinsame Markt** umfaßt die Freiheit des Waren-, Personen-, Dienstleistungs- und Kapitalverkehrs sowie die Gleichheit der Wettbewerbsbedingungen. Seine Herstellung und Erhaltung setzt aber zwingend voraus, daß die zu diesem Zweck erlassenen Gemeinschaftsnormen einheitliche Geltung haben. Die einheitliche, dh die im Gebiet der gesamten Gemeinschaft gleiche Geltung des Gemeinschaftsrechts, kann jedoch nur bewirkt werden, wenn das **Gemeinschaftsrecht Vorrang vor dem nationalen Recht** – einschließlich des nationalen Verfassungsrechts – beanspruchen kann.

Als Rechtsfolge dieser Vorrangregel ergibt sich im Kollisionsfall, daß dem Gemeinschaftsrecht widersprechendes nationales Recht unanwendbar ist.[24])

Der Vorrang des Gemeinschaftsrechts wird von den Gerichten der Mitgliedstaaten – nach anfänglichem Zögern[25]) – allgemein anerkannt. Diesen Konsens hat das BVerfG in seinem Urteil v 12. Oktober 1993[26]) zum Vertrag über die Europäische Union (Maastricht-Vertrag) zumindest in Frage gestellt.

Zunächst macht das BVerfG unmißverständlich klar, daß es keineswegs seine Gerichtsbarkeit über die Anwendbarkeit von abgeleitetem Gemeinschaftsrecht in Deutschland „aufgegeben" hat; es übe diese lediglich in einem „Kooperationsverhältnis" zum EuGH aus, in welchem der EuGH den Grundrechtsschutz in jedem Einzelfall für das gesamte Gebiet der EG garantiert, während sich das BVerfG auf eine generelle Gewährleistung des unabdingbaren Grundrechtsstandards beschränkt.

Ins Mark des Verhältnisses zwischen Gemeinschaftsrecht und nationalem Recht trifft das BVerfG dann aber, wenn es die Gemeinschaftsorgane, gemeint ist ganz offensichtlich der EuGH, davor warnt, den Unions-Vertrag nach denselben Grundsätzen auszulegen, wie dies bisher bei den Gründungsverträgen zu den Europäischen Gemeinschaften geschehen ist, dh insbeson-

---

[23]) So bereits *Ipsen,* Europäisches Gemeinschaftsrecht, 285; *Grabitz* (FN 7) 42.

[24]) *Zuleeg,* Das Recht der Europäischen Gemeinschaft im innerstaatlichen Bereich, KSE Bd 9, Köln 1969.

[25]) Einen Überblick über die Rechtsprechung der staatlichen Gerichte zur Vorrangfrage geben *Beutler/Bieber/Pipkorn/Streil* (Hg), Die Europäische Union[4] (1993) 98; zur jüngsten Haltung des französischen Conseil d'Etat s *Stotz,* Vorrang des Gemeinschaftsrechts – Anmerkung zum Boisdet-Urteil des Conseil d'Etat, EuZW 1991, 118.

[26]) EuGRZ 1993, 429 = JZ 1993, 110 = NJW 1993, 3047 (jeweils mit Erklärung von *Zuleeg*).

dere im Sinne einer größtmöglichen Ausschöpfung der Gemeinschaftsbefugnisse **(„effet utile“).** Die auf einer solchen Auslegung beruhenden Rechtsakte der Union seien im deutschen Hoheitsbereich nicht verbindlich. Die deutschen Staatsorgane seien aus verfassungsrechtlichen Gründen gehindert, diese Rechtsakte in Deutschland anzuwenden. Das BVerfG prüfe daher, ob Rechtsakte der europäischen Einrichtungen und Organe sich an die Grenzen der ihnen eingeräumten Hoheitsrechte hielten oder aus ihnen ausbrechen. Abgesehen davon, daß sich das BVerfG hier zu einer Superrevisionsinstanz aufschwingt, deren Gerichtsbarkeit auch vor einer unabhängigen Rechtsordnung nicht halt macht, liegt die eigentliche Gefahr dieser Aussage darin, daß hier jeder nationalen Stelle ein Freibrief erteilt wird, dem Gemeinschaftsrecht seine Anwendung im nationalen Rechtskreis zu versagen. Dafür genügt die schlichte Behauptung, daß der fragliche Gemeinschaftsrechtsakt „unter größtmöglicher Ausschöpfung der Gemeinschaftsbefugnisse“, dh nicht einmal „ultra vires,“ zustandegekommen sei; das Verfahren, in dem diese Behauptung geprüft werden könnte, wird vom BVerfG nicht vorgegeben.

4) Der Grundrechtsschutz

Die Gemeinschaftsverträge enthalten weder einen Grundrechtskatalog noch eine allgemeine Grundrechtsklausel. Eine **gemeinschaftliche Grundrechtsordnung** hat sich erst auf der Grundlage einer ständigen Rechtsprechung des EuGH herausgebildet, die relativ spät, nämlich im Jahre 1969, einsetzte,[27]) da der EuGH zunächst alle grundrechtlichen Einwendungen mit dem Hinweis verworfen hatte, er habe sich nicht mit Problemen zu befassen, die dem nationalen Verfassungsrecht angehörten. Diese Vorstellung mußte der EuGH nicht zuletzt im Hinblick auf den von ihm begründeten Anspruch des Vorrangs des Gemeinschaftsrechts vor nationalem Recht revidieren, da dieser Vorrang nur durchgesetzt werden kann, wenn das Gemeinschaftsrecht in der Lage ist, aus eigener Kraft einen Grundrechtsschutz zu gewährleisten, der dem von den nationalen Verfassungen gewährten Schutz gleichwertig ist.

Ausgangspunkt der Rechtsprechung des EuGH waren zunächst einige Vertragsbestimmungen, aus denen verschiedene Grundrechtsgewährleistungen abgeleitet werden konnten.[28]) Dies gilt vor allem für die zahlreichen **Diskriminierungsverbote,** die jeweils besondere Aspekte des allgemeinen Gleichheitsgrundsatzes zum Ausdruck bringen. Zu nennen sind ua Art 6 EGV über das Verbot jeglicher Diskriminierung aus Gründen der Staatsangehörigkeit, Art 48, 52 und 60 EGV über die Gleichstellung der Gemeinschaftsbürger auf dem Gebiet der Freizügigkeit sowie des Niederlassungs-

---

[27]) Ausgangspunkt der Grundrechtsprechung des EuGH war die Rs 29/69 – Stauder – Slg 1969, 419.

[28]) Aus der jüngeren Literatur s insb *Pernice,* Gemeinschaftsverfassung und Grundrechtsschutz-Grundlagen – Bestand und Perspektiven, NJW 1990, 2409; *Weber,* Die Grundrechte im Integrationsprozeß der Gemeinschaft in vergleichender Perspektive, JZ 1989, 965; *Dauses,* Der Schutz der Grundrechte in der Europäischen Gemeinschaft, Jahrbuch des öffentlichen Rechts der Gegenwart Bd 31 (1982) 1; *Ress/Ukrow,* Neue Aspekte des Grundrechtsschutzes in der Europäischen Gemeinschaft, EuZW 1990, 499.

und Dienstleistungsrechts, Art 85f EGV über die Freiheiten des Wettbewerbs sowie Art 119 EGV über die Lohngleichheit für Männer und Frauen. Als gemeinschaftliches Grundrecht der Bewegungs- und Berufsfreiheit können die Gemeinschaftsbestimmungen zur Herstellung der **vier Grundfreiheiten**[29]) der EG angesehen werden, die grundlegende Freiheiten des Berufslebens garantieren. Es sind dies die Bestimmungen über die Freizügigkeit der Arbeitnehmer (Art 48 EGV), die Freiheit der Niederlassung (Art 52 EGV) und des Dienstleistungsverkehrs (Art 59 EGV) sowie die Freiheiten des Warenverkehrs (Art 30 EGV). Garantiert werden daneben ausdrücklich noch die Vereinigungsfreiheit (Art 118 Abs 1 EGV, Art 48 Abs 1 EGKSV), das Petitionsrecht (Art 8d EGV, Art 48 Abs 2 EGKSV) und der Schutz des Geschäfts- und Berufsgeheimnisses (Art 214 EGV, Art 194 EAGV, Art 47 Abs 2 und 4 EGKSV).

Diese Ansätze eines gemeinschaftsrechtlichen Grundrechtsschutzes sind vom EuGH stetig weiterentwickelt und um **weitere Grundrechte** ergänzt worden. Dies geschieht über die Anerkennung allgemeiner Rechtsgrundsätze, zu deren Konkretierung sich der EuGH sowohl der gemeinsamen Verfassungsüberlieferungen der Mitgliedstaaten als auch der internationalen Verträge über den Schutz der Menschenrechte, an deren Abschluß die Mitgliedstaaten beteiligt sind, bedient. Letzteres gilt in erster Linie für die EMRK, die bei der inhaltlichen Ausformung der Gemeinschaftsgrundrechte wesentliche Orientierungen bezüglich der Schutzanforderungen vergibt. Auf dieser Grundlage hat der EuGH etwa das Eigentumsrecht,[30]) die Berufsfreiheit[31]), die Unverletzlichkeit der Wohnung[32]), die Meinungsfreiheit[33]), das allgemeine Persönlichkeitsrecht[34]), die Wirtschaftsfreiheit[35]), die Religions- und Bekenntnisfreiheit[36]) sowie eine Reihe von Verfahrensgrundrechten, wie den Grundsatz des rechtlichen Gehörs[37]), den Grundsatz der Wahrung der Vertraulichkeit des Schriftverkehrs[38]), das Verbot der Doppelbestrafung[39]) oder die Begründungspflicht für Gemeinschaftsrechtsakte[40]), als durch die Gemeinschaftsrechtsordnung gewährleistete Grundrechte anerkannt. Daneben hat der EuGH eine Reihe grundlegender rechtsstaatlicher Grundsätze anerkannt und konkretisiert; zu nennen sind hier vor allem der Grundsatz der Verhält-

---

[29]) Siehe dazu ausführlich unten *Weber,* Der Binnenmarkt und die 4 Freiheiten.

[30]) EuGH Rs 44/79 – Hauer – Slg 1979, 3727 (Anm *Beutler,* EuR 1980, 130); EuGH verb Rs 41, 121 und 796/79 – Testa ua – Slg 1980, 1979; EuGH Rs 5/88 – Wachauf – Slg 1989, 2609; EuGH verb Rs C – 90 u 91/90 – Neu – Slg 1991 I – 3617 (3637).

[31]) EuGH, Rs C – 132/91 – Katsikas – Slg 1992 I – 6600.

[32]) EuGH Rs 46/87 – Hoechst I – Slg 1989, 3137 (3150); EuGH Rs 227/88 – Hoechst II – Slg 1989, 2859 (2919).

[33]) EuGH Rs C – 288/89 – Stichting – Slg 1991 I – 4007.

[34]) EuGH Rs 136/79 – National Panasonic – Slg 1980, 2033.

[35]) EuGH Rs 234/85 – Keller – Slg 1986, 2897; EuGH Rs 265/87 – Schräder – Slg 1986, 2909.

[36]) EuGH Rs 130/75 – Prais – Slg 1976, 1589.

[37]) EuGH Rs 85/79 – Hoffmann-La Roche – Slg 1979, 461; EuGH Rs 69/89, Nakajima gg Rat, Slg 1991, I – 2069/2197.

[38]) EuGH Rs 155/79 – AM S – Slg 1982, 1575.

[39]) EuGH Rs 35/65 – Gutmann – Slg 1967, 79.

[40]) EuGH Rs C – 86/89 – Italien gg Kommission – Slg 1991 I – 3891.

nismäßigkeit[41]), die Grundsätze der Rechtssicherheit und des Vertrauensschutzes[42]) sowie der Grundsatz der Gesetzmäßigkeit der Verwaltung[43]).

Dieser Ansatz wird im Vertrag über die EU (Art J Abs 2) ausdrücklich aufgenommen, ohne dabei allerdings einen über den durch die Rechtsprechung des EuGH hinausgehenden Grundrechtsschutz zu begründen. In einem eher rechtspolitischen Sinne verstärkend wirkt daneben die gemeinsame Erklärung des Europäischen Parlaments, des Rates und der Kommission v 5. 4. 1977[44]), in der sich die Gemeinschaftsorgane feierlich zur Achtung der Grundrechte bekennen. Dieser **Grundrechtserklärung** haben sich die Staats- und Regierungschefs der Mitgliedstaaten auf ihrem Gipfeltreffen am 7. und 8. 4. 1978 in Kopenhagen in ihrer **Deklaration zur Demokratie angeschlossen.**[45])

Diese Erklärungen begründen zwar für die Gemeinschaftsbürger keine Rechte, auf die sie sich gegenüber der EG berufen könnten, sie haben aber erhebliche rechtspolitische Bedeutung als allseitige Anerkennung der Grundrechte auf Gemeinschaftsebene durch die Gemeinschaftsorgane und die Mitgliedstaaten. Der Wert der Erklärung der Gemeinschaftsorgane besteht aber vor allem darin, daß sie die von der Rechtsprechung erzielten Ergebnisse auf dem Gebiet der Grundrechtsgewährleistung zusammengefaßt, bestätigt und verallgemeinert hat. Außerdem dokumentiert diese Erklärung die völlige Übereinstimmung der Gemeinschaftsorgane über die **Notwendigkeit einer Lösung der Grundrechtsprobleme** innerhalb der EG.

Bei aller Anerkennung für die Leistungen des EuGH bei der Herausbildung der gemeinschaftlichen Grundrechtsordnung darf freilich nicht überse-

---

[41]) EuGH Rs C – 26/30 – Wünsche – Slg 1991 I – 4961.

[42]) EuGH Rs C – 368/89 – Crispoltini – Slg 1991 I – 3715; EuGH Rs 161/88 – Binder – Slg 1989, 2433; EuGH Rs 74/74 – CNTA – Slg 1975, 533.

[43]) EuGH verb Rs 42 u 49/59 – SNUPAT – Slg 1961, 111.

[44]) Abl C 1977/103, 1 v 27. 4, 1977; die Erklärung lautet:

„DAS EUROPÄISCHE PARLAMENT, DER RAT UND DIE KOMMISSION – in Erwägung nachstehender Gründe:

Die Verträge zur Gründung der Europäischen Gemeinschaften beruhen auf dem Grundsatz der Achtung des Rechts.

Dieses Recht umfaßt, wie vom Gerichtshof anerkannt wurde, außer den Vorschriften der Verträge und des abgeleiteten Gemeinschaftsrechts die allgemeinen Rechtsgrundsätze und insbesondere die Grundrechte, Prinzipien und Rechte, die die Grundlage des Verfassungsrechts der Mitgliedstaaten bilden.

Insbesondere sind alle Mitgliedstaaten Vertragsparteien der am 4. November 1950 in Rom unterzeichneten Europäischen Konvention zum Schutz der Menschenrechte und Grundfreiheiten –

HABEN FOLGENDE ERKLÄRUNG VERABSCHIEDET:

1. Das Europäische Parlament, der Rat und die Kommission unterstreichen die vorrangige Bedeutung, die sie der Achtung der Grundrechte beimessen, wie sie insbesondere aus den Verfassungen der Mitgliedstaaten sowie aus der Europäischen Konvention zum Schutz der Menschenrechte und Grundfreiheiten hervorgehen.

2. Bei der Ausübung ihrer Befugnisse und bei der Verfolgung der Ziele der Europäischen Gemeinschaften beachten sie diese Rechte und werden dies auch in Zukunft tun."

[45]) Bulletin der EG 1978/4 RZ 2.3.23; s dazu *Pescatore,* Bestand und Bedeutung der Grundrechte in der europäischen Gemeinschaften, EuR 1979, 1.

hen werden, daß diesem Verfahren zur Gewinnung „europäischer Grundrechte" Grenzen gesetzt sind. Der EuGH kann die allgemeinen Rechtsgrundsätze nur dann weiter konkretisieren, wenn er mit einer Sache befaßt wird, die ihm Gelegenheit dazu bietet. Aber selbst dann ist der EuGH auf den konkreten Fall beschränkt und daher kaum in der Lage, Inhalt und Grenzen des gemeinschaftlichen Grundrechtsschutzes in der nötigen Allgemeinheit und Differenziertheit herauszuarbeiten. Die dadurch bedingte Rechtsunsicherheit kann letztendlich nur durch einen **speziell für die Gemeinschaft zu schaffenden Grundrechtskatalog** beseitigt werden.[46]) Dies setzt jedoch eine Änderung der bestehenden Gemeinschaftsverträge und damit einen Konsens aller Mitgliedstaaten über den Inhalt der Grundrechte voraus.

2. Das sekundäre Gemeinschaftsrecht

Das sekundäre Gemeinschaftsrecht umfaßt das von den Organen der EG aufgrund der Verträge geschaffene Recht.

Es besteht in erster Linie aus den Rechtsakten, die in den Katalogen der Art 189 Abs 1 EGV, Art 161 EAGV und Art 14 Abs 1 EGKSV aufgezählt und definiert sind. Sie enthalten als **verbindliche Rechtsakte** sowohl allgemeine und abstrakte Rechtsnormen (Verordnungen und Richtlinien, allgemeine EGKS-Entscheidungen und EGKS-Empfehlungen) als auch konkrete und individuelle Maßnahmen (EG- und EAG-Entscheidungen, individuelle EGKS-Entscheidungen). Darüber hinaus sehen sie die Abgabe von **unverbindlichen Stellungnahmen und Empfehlungen** vor. Diese Kataloge sind aber keineswegs abschließend, sondern werden durch Rechtsakte ergänzt, die das Innenleben der EG und ihrer Organe regeln: zB Entschließungen oder Aktionsprogramme der EG.

Die Schaffung des sekundären Gemeinschaftsrechts erfolgt allmählich und fortschreitend. Durch seinen Erlaß wird die durch das Primärrecht gebildete Gemeinschaftsverfassung verwirklicht und vervollständigt.

3. Allgemeine Rechtsgrundsätze

Die **allgemeinen Rechtsgrundsätze** dienen ebenfalls der Vervollständigung der Gemeinschaftsrechtsordnung; jedoch handelt es sich hierbei nicht um geschriebenes, sondern um ungeschriebenes Recht. Wie jede andere Rechtsordnung kann auch die Gemeinschaftsrechtsordnung nicht ausschließlich aus geschriebenen Normen bestehen, weil jede Rechtsordnung Lücken aufweist, die durch ungeschriebenes Recht auszufüllen sind. Diese Funktion erfüllen neben dem Gewohnheitsrecht[47]), das im Gemeinschaftsrecht eine nur untergeordnete Rolle spielt, vor allem die allgemeinen Rechtsgrundsätze[48]).

---

[46]) Einen Entwurf eines solchen Grundrechtskatalogs hat das Europäische Parlament im April 1989 vorgelegt (ABl C 1989/120, 51); s dazu *Beutler,* Die Erklärung des EP über Grundrechte und Grundfreiheiten vom 12. 4. 1989, EuGRZ 1989, 185.

[47]) *Bleckmann,* Zur Funktion des Gewohnheitsrechts im Europäischen Gemeinschaftsrecht, EuR 1981, 181 mwN.

[48]) Siehe dazu allgemein *Meessen,* Zur Theorie allgemeiner Rechtsgrundsätze des internationalen Rechts. Der Nachweis allgemeiner Rechtsgrundsätze des Europäischen

Zu ihnen gehören neben den bereits erwähnten Verfassungsgrundsätzen auch die von den Gemeinschaftsorganen beim Vollzug des Gemeinschaftsrechts zu beachtenden allgemeinen **Verwaltungsrechtsgrundsätze**[49]). Hervorzuheben sind insb der Grundsatz der **Verhältnismäßigkeit,** der **Vertrauensschutzgrundsatz**[50]), der Grundsatz des **rechtlichen Gehörs** sowie die Grundsätze der **Amtshaftung** der Gemeinschaft für rechtswidriges Handeln ihrer Organe.

Die Anerkennung und Herausbildung dieser Rechtsgrundsätze erfolgt in erster Linie durch die Rechtsprechung des EuGH. Bezugspunkte dafür bilden die gemeinsamen Rechtsgrundsätze der Rechtsordnungen der Mitgliedstaaten. Sie liefern das Anschauungsmaterial, aus dem die für die Lösung eines Problems notwendige Rechtsregel auf Gemeinschaftsebene entwickelt wird.

4. Völkerrechtliche Abkommen der EG

Die **völkerrechtlichen Abkommen** der EG bilden eine weitere Rechtsquelle der Gemeinschaft. Als einer der Anziehungspunkte in der Welt kann sich die Gemeinschaft nicht darauf beschränken, nur ihre inneren Angelegenheiten zu regeln, sondern muß sich auch um wirtschaftliche, soziale und politische Beziehungen zu anderen Ländern in der Welt bemühen. Zu diesem Zweck schließt die Gemeinschaft mit den „Nichtmitgliedstaaten" der EG (Drittländern) und anderen internationalen Organisationen völkerrechtliche Abkommen, die von Verträgen über eine umfassende Kooperation auf handelspolitischem, industriellem, sozialpolitischem oder technischem Gebiet bis zu Abkommen über den Handel mit einzelnen Produkten reichen (Art 113, 228, 238 EGV).[51])

Als besondere Formen der vertraglichen Beziehungen zu den Drittstaaten sind die **Assoziierungs- und Kooperationsabkommen** zu nennen.

Die **Assoziierung** ist auf eine enge wirtschaftliche Kooperation mit weitreichender finanzieller Unterstützung des Vertragspartners durch die EG gerichtet und geht damit über die Regelung rein handelspolitischer Fragen hinaus.[52])

Zu unterscheiden sind drei **Formen von Assoziierungsabkommen**:

- **Abkommen** zur Aufrechterhaltung der besonderen Bindungen einiger Mitgliedstaaten der EG **zu Drittländern**:

Gemeinschaftsrechts, JIR 17 (1975), 283; *Lecheler,* Der Europäische Gerichtshof und die allgemeinen Rechtsgrundsätze, Schriften zum Öffentlichen Recht, Bd 177 (1971).

[49]) *Rengeling,* Die Entwicklung verwaltungsrechtlicher Grundsätze durch den Gerichtshof der Europäischen Gemeinschaften, EuR 1984, 351 f; *Schwarze,* Europäisches Verwaltungsrecht (1988); *Schweitzer* (Hg), Europäisches Verwaltungsrecht (1991).

[50]) Dazu *Borchardt,* Grundsatz des Vertrauensschutzes im Europäischen Gemeinschaftsrecht (1988).

[51]) *Krück,* Völkerrechtliche Verträge im Recht der Europäischen Gemeinschaften (1977).

[52]) *Herrmann,* Das Institut der Assoziierung im Recht der Europäischen Gemeinschaften (1976); *Petersmann,* Struktur und aktuelle Rechtsfragen des Assoziationsrechts, ZaöRV 35 (1975) 213.

Anlaß für die Schaffung des Instruments der Assoziierung waren insbesondere die überseeischen Länder und Gebiete, die mit Belgien, Frankreich, Italien und den Niederlanden aufgrund des ehemaligen Kolonialregimes besonders enge Wirtschaftsbeziehungen unterhielten. Da die Einführung eines gemeinsamen Außenzolls in der EG den Handelsaustausch mit diesen Gebieten erheblich gestört hätte, waren Sonderregelungen notwendig. Diese verfolgen den Zweck, das System des ungehinderten gemeinschaftlichen Handelsverkehrs auf die überseeischen Länder und Gebiete auszudehnen. Gleichzeitig wurden schrittweise die Zölle auf Waren aus diesen Ländern abgeschafft. Die finanzielle und technische Hilfe der EG wird über den Europäischen Entwicklungsfonds abgewickelt.

- **Abkommen** zur Vorbereitung eines möglichen **Beitritts** und zur Bildung einer **Zollunion**.

  Eine weitere Aufgabe kommt der Assoziierung im Hinblick auf die Vorbereitung eines möglichen Beitritts eines Landes zur EG zu. Sie ist gleichsam eine Vorstufe des Beitritts, auf der eine Annäherung der wirtschaftlichen Bedingungen eines Beitrittskandidaten an die EG angestrebt wird. Dieses Verfahren hat sich im Falle Griechenlands, das der EG im Jahre 1962 assoziiert wurde, bewährt. Ein weiteres Assoziierungsabkommen, das einen späteren Beitritt in Aussicht stellt, wurde im Jahre 1964 mit der Türkei abgeschlossen. Keinen Beitritt, wohl aber die Bildung einer Zollunion mit der EG sehen zwei weitere Assoziierungsabkommen vor, die 1971 bzw 1973 mit Malta und Zypern getroffen worden sind.

  Diesen Weg hat die EG auch zur Regelung ihrer Beziehungen zu den mittel- und osteuropäischen Staaten eingeschlagen. In den sog Europa-Abkommen, die die EG mit Polen, Ungarn, der Tschechischen Republik, der Slowakischen Republik, Bulgarien und Rumänien abgeschlossen hat, bekennt sich die EG grundsätzlich zu dem Fernziel einer Mitgliedschaft dieser mittel- und osteuropäischen Reformstaaten. Auch diesen Staaten soll die Assoziation helfen, in einem überschaubaren Zeitraum die Voraussetzungen für den wirtschafts- und außenpolitisch erwünschten Beitritt zur EG zu erfüllen.

- **Abkommen über den EWR**:

  Das am 2. Mai 1992 unterzeichnete Abkommen über den EWR regelt die Beziehungen zwischen der EG und den EFTA-Staaten in Gestalt einer auf Mitbestimmung beruhenden Form der Assoziierung.[53]) Innerhalb des EWR soll auf der Grundlage des Bestandes an primärem und sekundärem Gemeinschaftsrecht („acquis communautaire") der freie Waren-, Personen-, Dienstleistungs- und Kapitalverkehr verwirklicht, eine einheitliche Wettbewerbs- und Beihilfenordnung statuiert sowie die Zusammenarbeit im Bereich der horizontalen und flankierenden Politiken (zB Umweltschutz, Forschung und Entwicklung, Bildung) vertieft werden. Das Abkommen über den EWR erschließt damit den EFTA-Staaten den EG-Binnenmarkt und stellt durch die Übernahmeverpflichtung von beinahe 2/3 des

---

[53]) Vgl dazu *Hummer,* Der EWR und seine Auswirkungen auf Österreich, EuZW 1992, 361; *Reinisch,* Kritische Bemerkungen zum EWR-Gutachten des EuGH, ÖJZ 1992, 321.

Gemeinschaftsrechts eine sichere Grundlage für einen späteren Beitritt dieser Länder zur EG dar.[54])

Nach dem Scheitern des Referendums über den EWR-Vertrag in der Schweiz hat sich das Inkrafttreten des Vertrages allerdings verzögert. Das schweizerische Nein hat Verhandlungen über die Anpassung des Abkommens an die neue Situation erforderlich gemacht. Diese Verhandlungen sind inzwischen abgeschlossen, sodaß der Europäische Wirtschaftsraum seit dem 1. Jänner 1994 Realität ist.

Durch das EWR-Abkommen mit der EG verbunden waren Österreich, Island, Norwegen, Schweden und Finnland. Die Mitgliedschaft Liechtenstein war bis zur Klärung der sich aus der besonderen Beziehung zur Schweiz ergebenden Fragen ausgesetzt.

Nach dem Beitritt Österreichs, Schwedens und Finnlands am 1. Jänner 1995 stellt sich die Frage nach der Zukunft des EWR-Abkommens neu, das nur noch Norwegen, Island und mit erfolgreichem Abschluß des Referendums seit dem 1. 5. 1995 auch Liechtenstein umfaßt.

Nicht so weit gehen die sog **Kooperationsabkommen,** die allein auf eine intensive wirtschaftliche Zusammenarbeit gerichtet sind.

Die von der EG abgeschlossenen völkerrechtlichen Verträge stehen im Rang unter dem primären Gemeinschaftsrecht. Sie gehen aber dem sekundären Gemeinschaftsrecht vor.

5. Absprachen zwischen den Mitgliedstaaten der EG

a) Völkerrechtliche Abkommen

Die Mitgliedstaaten der EG können untereinander völkerrechtliche Abkommen, deren Regelungsgegenstand in einem engen faktischen Zusammenhang mit der Tätigkeit der EG stehen, nur noch insoweit schließen, als dafür keine Kompetenz an die Gemeinschaftsorgane übertragen worden ist.

Ausdrücklich werden in Art 220 EGV vier Rechtsgebiete aufgezählt, die einer völkerrechtlichen Regelung zur Vereinheitlichung des nationalen Rechts durch die Mitgliedstaaten zugänglich sind. Es handelt sich dabei um den Schutz der Personen und ihrer Rechte auf der Grundlage der Inländerbehandlung, die Beseitigung der Doppelbesteuerung, die grenzüberschreitende Anerkennung, Sitzverlegung und Verschmelzung von Gesellschaften sowie die Vereinfachung der Förmlichkeiten für die grenzüberschreitende Anerkennung und Vollstreckung richterlicher Entscheidungen.

Bisher haben die Mitgliedstaaten vier Übereinkommen zur Vereinheitlichung ihres bestehenden Rechts oder zur Schaffung neuen einheitlichen Rechts geschlossen:

- Übereinkommen über die **gerichtliche Zuständigkeit** und die **Vollstreckung gerichtlicher Entscheidungen** in Zivil- und Handelssachen vom 27. 9. 1968[55]) (in Kraft getreten am 1. 2. 1973),

---

[54]) Ausführlich zum EWR s unten *Ettl,* Der Europäische Wirtschaftsraum; s auch *Jacot-Guillarmod* (Hg), EWR-Abkommen – Erste Analysen (1992).

[55]) ABl C 1983/92 v 12. 4. 1983.

- Übereinkommen über die **gegenseitige Anerkennung von Gesellschaften und juristischen Personen** vom 29. 2. 1968[56]) (noch nicht in Kraft),
- Übereinkommen über das **auf vertragliche Schuldverhältnisse anzuwendende Recht** vom 19. 6. 1980[57]) (noch nicht in Kraft),
- Übereinkommen über das **europäische Patent** für den Gemeinsamen Markt vom 15. 12. 1975[58]) (noch nicht in Kraft).

b) Akte der im Rat vereinigten Vertreter der Regierungen der Mitgliedstaaten

Auf diese Handlungsform wird zurückgegriffen, wenn Zweifel über die Reichweite der Ermächtigungsgrundlagen der EG bestehen, die zu treffende Regelung jedoch zur Verwirklichung der Vertragsziele als notwendig erachtet wird.

Dabei handelt es sich um Übereinkommen der Mitgliedstaaten in Form eines Beschlusses der im Rat vereinigten Vertreter der Regierungen der Mitgliedstaaten (COREPER – Comité des représentants permanents), der gleichzeitig mit einem Gemeinschaftsrechtsakt des als Gemeinschaftsorgan handelnden Rates verbunden wird.[59]) Der Beschluß und der Rechtsakt werden zu einem einheitlichen Text zusammengefaßt und im Amtsblatt der EG veröffentlicht. Ihre formelle Zugehörigkeit zum Gemeinschaftsrecht ist jedoch nur insoweit sichergestellt, als sich diese Rechtsakte in den Rahmen der Gemeinschaftsverträge einfügen.[60]) Dabei kommt es entscheidend darauf an, ob diese Rechtsakte eine von der Zuständigkeit der Gemeinschaft erfaßte Politik betreffen und eine allgemeine Überzeugung über die Verbindlichkeit dieser Rechtsakte besteht.

Seit Ende der 70er-Jahre werden diese Beschlüsse jedoch kaum noch gefaßt. Stattdessen hat man sich auf eine stärkere Inanspruchnahme der **subsidiären Handlungsermächtigung** des Art 235 EGV verständigt, der den Erlaß von Gemeinschaftsrechtsakten bei fehlender ausdrücklicher Ermächtigung vorsieht, soweit diese Rechtsakte zur Verwirklichung des Gemeinsamen Marktes erforderlich sind. Aber selbst dort, wo diese Vorgehensweise nicht möglich war, ist der Rat auf die Verabschiedung von „Entschließungen" übergegangen. Dies legt die Vermutung nahe, daß damit einer möglichen Bindungswirkung, die bei den „Beschlüssen" auftreten kann, begegnet werden soll.

---

[56]) dBGBl 1972 II 370.

[57]) ABl L 1980/266 v 9. 10. 1980.

[58]) ABl L 1976/17 v 26. 1. 1976 und L 1976/129 v 18. 5. 1976. Gegenstand dieses Übereinkommens ist die Regelung der einheitlichen und autonomen Wirkung der vom in München ansässigen Patentamt auf der Grundlage des Übereinkommens für die Erteilung eines europäischen Patents vom 5. 10. 1973 (in Kraft getreten am 7. 10. 1977) erteilten europäischen Patente für das Hoheitsgebiet der EG.

[59]) ZB Beschluß des Rates 76/787 (EGKS, EWG, EAG) v 20. 6. 1976 und der ihm beigefügte „Akt zur Einführung allgemeiner unmittelbarer Wahlen der Abgeordneten der Versammlung" (dh des Europäischen Parlaments).

[60]) *Everling,* Zur rechtlichen Wirkung von Beschlüssen, Entschließungen, Erklärungen und Vereinbarungen des Rates oder der Mitgliedstaaten der EG, GedS Constantinesco (1983) 133.

B. Das System der Rechtshandlungen

1. Die Kompetenzstruktur

Zur Verwirklichung der in den Gemeinschaftsverträgen niedergelegten Ziele sind der EG und ihren Organen von den Mitgliedstaaten Kompetenzen zugewiesen worden, die bis dahin überwiegend von den Mitgliedstaaten selbst wahrgenommen worden sind. Diese Kompetenzen sind im wesentlichen in den Gründungsverträgen der EG niedergelegt und werden punktuell durch ungeschriebene Handlungsermächtigungen ergänzt.

a) Prinzip der begrenzten Ermächtigung

Die Gemeinschaftsverträge erteilen der EG und ihren Organen keine generelle Befugnis zum Erlaß aller zur Verwirklichung der Vertragsziele erforderlichen Maßnahmen, sondern legen in den jeweiligen Vertragsartikeln die Befugnis zum Tätigwerden der Gemeinschaftsorgane fest (Prinzip der begrenzten Ermächtigung, **compétence d'attribution**). Nach dem Prinzip der begrenzten Ermächtigung dürfen die Gemeinschaftsorgane weder in Bereichen Recht setzen, die in den Verträgen nicht geregelt sind, noch dürfen sie über die in den Verträgen im einzelnen aufgeführten Ermächtigungen hinausgehen.[61]) Dieser Weg der **Befugnisübertragung** entspricht dem Konzept der **Teilintegration,** das der Gründung der EG zugrunde liegt. Danach ist der Gegenstand der Integration auf die Errichtung eines Gemeinsamen Marktes und die schrittweise Annäherung der Wirtschaftspolitiken der Mitgliedstaaten beschränkt. Alle außerhalb dieses Aufgabenbereichs liegenden Sachgebiete verbleiben dagegen grundsätzlich in der Zuständigkeit der Mitgliedstaaten.

b) Subsidiäre Handlungsermächtigungen

Die Art 235 EGV und Art 203 EAGV bestimmen:

„Erscheint ein Tätigwerden der Gemeinschaft erforderlich, um im Rahmen des Gemeinsamen Marktes eines ihrer Ziele zu verwirklichen, und sind in diesem Vertrag die hierfür erforderlichen Befugnisse nicht vorgesehen, so erläßt der Rat einstimmig auf Vorschlag der Kommission und nach Anhörung des Europäischen Parlaments die geeigneten Vorschriften."

Zweck dieser Handlungsermächtigungen ist es, für solche Maßnahmen, die zwar nicht ausdrücklich in den Verträgen vorgesehen sind, die aber Konsequenz oder Voraussetzung für die Verwirklichung eines der Vertragsziele sind, die erforderliche Ermächtigung bereitzustellen.[62]) Auf der Grundlage

---

[61]) Dies zeigen besonders deutlich die Vorschriften der Art 189 Abs 1 EWGV und Art 161 Abs 1 EAGV, die den Rat und die Kommission nur „nach Maßgabe dieses Vertrages" zum Erlaß von Rechtshandlungen ermächtigen.

[62]) Vgl dazu allgemein *Dorn,* Art 235 EWGV – Prinzipien der Auslegung (1986); *Everling,* Die allgemeine Ermächtigung der Europäischen Gemeinschaft zur Zielverwirklichung nach Art 235 EWG-Vertrag, EuR-Sonderheft 1976, 2; *Röttinger,* Bedeutung der Rechtsgrundlage einer EG-Richtlinie und Folgen einer Nichtigkeit, EuZW 1993, 117; *Tomuschat,* Die Rechtssetzungsbefugnisse der EWG in Generalermächtigungen, insbesondere in Art 235 EWGV, EuR-Sonderheft 1976, 45; *Schwartz,* EG-Rechtssetzungsbefugnisse, insbesondere nach Art 235 – ausschließlich oder konkurrie-

dieser Ermächtigung ist es den Gemeinschaftsorganen allerdings nicht möglich, Aufgaben wahrzunehmen, die außerhalb der von den Verträgen vorgegebenen Ziele liegen. Diese Handlungsermächtigung erlaubt es den Gemeinschaftsorganen damit nicht, sich auf Kosten der Mitgliedstaaten neue Kompetenzen zu schaffen oder bestehende Kompetenzen zu erweitern.[63])

In der Praxis sind die Möglichkeiten der subsidiären Handlungsermächtigung nach anfänglich nur zögerlicher und sachlich begrenzter Anwendung immer häufiger genutzt worden.[64]) Hinzuweisen ist vor allem auf die Bereiche der Umwelt- und Forschungspolitik, die inzwischen eine ausdrückliche Regelung im EG-Vertrag erhalten haben (vgl Art 130 lit f bis t). Ein weiterer wichtiger Anwendungsfall war die Errichtung des Europäischen Fonds für währungspolitische Zusammenarbeit (Währungsfonds)[65]), über den die Währungskredite, die sich die Mitgliedstaaten zur Stützung gefährdeter Währungen gegenseitig einräumen, abgerechnet werden.

c) Ungeschriebene Handlungsermächtigungen

Neben den subsidiären Handlungsermächtigungen werden den Gemeinschaftsorganen ungeschriebene Zuständigkeiten durch die Lehre von den **„Implied-Powers“** (Zuständigkeit kraft Sachzusammenhangs) eingeräumt. Diese aus dem Völkerrecht stammende Lehre besagt – auf das Gemeinschaftsrecht angewandt –, daß die einem Gemeinschaftsorgan durch die Gemeinschaftsverträge eingeräumte Befugnis gleichzeitig auch zu solchen Maßnahmen ermächtigt, die zur wirksamen und sinnvollen Ausübung dieser ausdrücklich zugeteilten Befugnis erforderlich sind.[66]) Im Gegensatz zu den subsidiären Handlungsermächtigungen werden hier die Handlungsbefugnisse der Gemeinschaftsorgane nicht aus den Vertragszielen, sondern aus bereits vorhandenen Zuständigkeiten der EG abgeleitet.

Einen speziellen Anwendungsfall der **Implied-Powers-Lehre** stellt die Ableitung ungeschriebener Kompetenzen der EG zur Wahrnehmung von Außenbeziehungen dar. Die Befugnisse der EG zur Regelung ihrer Beziehungen zu Drittländern oder internationalen Organisationen werden über die ausdrücklich in den Gemeinschaftsverträgen niedergelegten Handlungsermächtigungen hinaus auf alle Bereiche erstreckt, in denen die Gemeinschaft interne Regelungsgewalt besitzt. Ihrem Umfang nach reichen diese Befugnisse so weit, wie dies zur wirksamen Erfüllung der intern zugewiesenen Aufgaben erforderlich ist.[67])

---

rend? EuR-Sonderheft 1976, 27. Aus der Rechtsprechung vgl EuGH Rs 295/90, Parlament gg Rat, Slg 1992, I – 4193; EuGH Rs 275/87 – Kommission gg Rat – Slg 1989, 259; Rs 8/73 – Massey-Ferguson – Slg 1973, 897 (907).

[63]) *Grabitz* in *Grabitz/Hilf* (FN 2) Art 235 Rz 2.

[64]) Einen umfassenden Überblick gibt *Dorn* (FN 62) 158–180.

[65]) ABl L 1973/89 v 5. 4. 1973.

[66]) *Nicolaysen,* Zur Theorie von den Implied Powers in den Europäischen Gemeinschaften, EuR 1966, 129; vgl auch EuGH Rs 8/55 – Fedechar – Slg 1956, 299 (312).

[67]) EuGH Rs 22/70 – Kommission gg Rat (AETR-Urteil) – Slg 1971, 263; verb Rs 3, 4, 6/76 – Kramer – Slg 1976, 1279; Gutachten EuGH 1/76, Slg 1977, 741; Gutachten EuGH 2/91, Slg 1993, I – 1061; Gutachten EuGH 1/94 (GATT), 15. 11. 1994, noch nicht in der Slg veröffentlicht.

d) Subsidiaritätsprinzip

Die Ausübung der Kompetenzen durch die Europäische Union unterliegt dem von der katholischen Soziallehre entliehenen **Subsidiaritätsprinzip,** das nunmehr in Verfassungsrang erhoben worden ist.[68]) Dieses Prinzip verfügt über zwei Seiten, eine positive und eine negative: Die positive, dh kompetenzstimulierende Seite für die EG besagt, daß die EG handeln soll, wenn die angestrebten Ziele „besser auf Gemeinschaftsebene erreicht werden können"; die negative, dh abwehrende Seite des Subsidiaritätsprinzips bedeutet, daß die EG nicht tätig werden soll, wenn das Handeln der Mitgliedstaaten zur Zielverwirklichung ausreicht. In der Praxis bedeutet dies, daß alle Gemeinschaftsorgane, insbesondere aber die Kommission, nachzuweisen haben, daß es einer gemeinschaftlichen Regelung und eines gemeinschaftlichen Handelns überhaupt bedarf. Frei nach *Montesquieu* gilt hier: Wenn es nicht nötig ist, eine EG-Regelung zu treffen, ist es nötig, keine zu treffen. Wird der Regelungsbedarf auf Gemeinschaftsebene bejaht, ist anschließend die Frage nach der Intensität und der Art der zu treffenden Gemeinschaftsmaßnahme zu stellen. Die Antwort gibt hier der Grundsatz der Verhältnismäßigkeit, der durch die Rechtsprechung des Europäischen Gerichtshofes Eingang in die Gemeinschaftsrechtsordnung gefunden hat. Danach ist eingehend zu prüfen, ob ein Rechtsinstrument notwendig ist und ob nicht andere Aktionsmittel ausreichend wirksam wären. Dies bedeutet vor allem, daß Rahmengesetzen, Mindestvorschriften und Regeln zur gegenseitigen Anerkennung nationaler Vorschriften der Vorzug zu geben ist und übermäßig detaillierte Rechtsvorschriften vermieden werden sollten.

2. Der Katalog der Rechtshandlungen

Das Rechtshandlungssystem der EG ist von dem Grundsatz geprägt, daß dort, wo eine auch in den Einzelheiten gleichartige Regelung in allen Mitgliedstaaten erforderlich ist, die Ersetzung nationaler Regelungen durch Gemeinschaftsrechtsvorschriften erfolgen muß, daß aber dort, wo eine solche Notwendigkeit nicht besteht, auf die bestehenden Rechtsordnungen der Mitgliedstaaten gebührend Rücksicht genommen werden sollte. Vor diesem Hintergrund wurde ein **Handlungsinstrumentarium** entwickelt, das den Gemeinschaftsorganen die Einwirkung auf die nationalen Rechtsordnungen in unterschiedlichem Ausmaß ermöglicht. Die schärfste Form ist dabei die Verdrängung nationaler Regelungen durch Gemeinschaftsnormen. Es folgen die Gemeinschaftsnormen, die sich an die Mitgliedstaaten wenden und für deren Anwendung nationale Maßnahmen erforderlich sind. Weiterhin besteht die Möglichkeit, zur Regelung eines konkreten Einzelfalls Maßnahmen gegenüber einem namentlich bezeichneten oder bestimmbaren Adressatenkreis zu treffen. Schließlich sind auch solche Rechtshandlungen vorgesehen, die keine verbindlichen Anordnungen gegenüber den Mitgliedstaaten oder den Gemeinschaftsbürgern enthalten.

---

[68]) Vgl dazu *Heintzen,* Subsidiarität und Europäische Gemeinschaft, JZ 1991, 317; *Pipkorn,* Das Subsidiaritätsprinzip im Vertrag über die Europäische Union – rechtliche Bedeutung und gerichtliche Überprüfbarkeit, EuZW 1992, 697.

Diese Grundformen von Rechtshandlungen finden sich in allen drei Gemeinschaftsverträgen. Allerdings bestehen Unterschiede in der konkreten Ausgestaltung der Bezeichnung der einzelnen Rechtsakte zwischen dem EGKS-Vertrag einerseits und dem EG- und EAGV andererseits. Während der EGKS-Vertrag nur ein Terzett von Rechtshandlungen bereitstellt – Entscheidung, Empfehlung und Stellungnahme (Art 14 EGKSV) –, haben der EWG- und EAGV ein Quintett von Rechtshandlungen geschaffen – Verordnung, Richtlinie, Entscheidung, Empfehlung und Stellungnahme (Art 189 EGV, Art 161 EAGV). Dies geschah aus der Erkenntnis heraus, daß die bereits für die Montanunion entwickelten Handlungsformen nicht ausreichen würden, um den Erfordernissen der EG und EAG in ausreichendem Maße Rechnung zu tragen. Die damit verbundene **begriffliche Verschiedenheit** wurde bewußt in Kauf genommen und sollte bei der später in Aussicht genommenen Verschmelzung der drei Gemeinschaften beseitigt werden.

Betrachtet man die Rechtshandlungen der EG jedoch unter dem Gesichtspunkt ihrer Adressaten und ihrer Wirkungen ergibt das Rechtshandlungssystem der Gemeinschaftsverträge folgendes Bild:

Vertrag	EGKSV (Art 14)	EGV (Art 189)	EAGV (Art 161)
einander entsprechende Rechtshandlungen	Entscheidungen (allgemein)	Verordnungen	Verordnungen
	Empfehlungen	Richtlinien	Richtlinien
	Entscheidungen (individuell)	Entscheidungen	Entscheidungen
	–	Empfehlungen	Empfehlungen
	Stellungnahme	Stellungnahme	Stellungnahme

a) Verordnungen und allgemeine EGKS-Entscheidungen

Gemäß den gleichlautenden Bestimmungen des Art 189 Abs 2 EGV und Art 161 Abs 2 EAGV hat die **Verordnung** allgemeine Geltung, ist in allen ihren Teilen verbindlich und gilt unmittelbar in jedem Mitgliedstaat. Art 14 Abs 2 EGKSV beschreibt die allgemeine EGKS-Entscheidung als einen Rechtsakt, der in allen seinen Teilen verbindlich ist. Der EuGH hat diese Begriffsbestimmung dahingehend ergänzt, daß auch die allgemeine EGKS-Entscheidung allgemeine und unmittelbare Geltung in den Mitgliedstaaten hat.[69])

[69]) EuGH Rs 13/57 – Wirtschaftsvereinigung Eisen- und Stahlindustrie – Slg 1958, 271 (297).

1) Allgemeine Geltung

Einer Maßnahme kommt allgemeine Geltung zu, wenn sie auf **objektiv bestimmte Sachverhalte** anwendbar ist und Rechtswirkungen für **allgemein und abstrakt umrissene Personengruppen** hat.[70]) Dabei ist unerheblich, ob die Anzahl oder gar die Identität der Rechtssubjekte, auf welche die Maßnahmen zu einem gegebenen Zeitpunkt Anwendung findet, mehr oder weniger genau zu bestimmen ist, sofern die Anwendung der Maßnahme aufgrund einer im Zusammenhang mit ihrer Zielsetzung objektiv umschriebenen Rechts- und Sachlage erfolgt.[71]) Dafür genügt es, daß während der Geldungsdauer der Maßnahme weitere Sachverhalte entstehen können, die von der getroffenen Regelung ebenfalls erfaßt werden oder daß sich der Kreis der betroffenen Personen erweitern kann.

2) Verbindlichkeit in allen Teilen

Dieses Merkmal grenzt die Verordnungen und allgemeinen EGKS-Entscheidungen zunächst von den unverbindlichen Rechtsakten (EG- und EURATOM-Empfehlungen, Stellungnahmen) einerseits und der Richtlinie und EGKS-Empfehlung andererseits ab, die lediglich hinsichtlich des zu **erreichenden Ergebnisses** verbindlich sind. Darüber hinaus wird klargestellt, daß die mit der Maßnahme verknüpften Rechte und Pflichten abschließend durch das Gemeinschaftsrecht geregelt sind. Aus diesem Grund ist es den Mitgliedstaaten etwa verwehrt, die Bestimmungen einer Verordnung unvollständig anzuwenden oder unter ihnen eine Auswahl zu treffen, um auf diese Weise Regelungen, denen sich ein Mitgliedstaat im Beschlußverfahren bereits widersetzt hat oder die gewissen nationalen Interessen zuwiderlaufen, auszuschalten.[72]) Auch ist es dem Mitgliedstaat nicht möglich, sich der **Verbindlichkeit der Verordnungsbestimmungen** unter Hinweis auf Regelungen und Übungen des innerstaatlichen Rechts zu entziehen.[73])

3) Unmittelbare Geltung

Damit wird zum Ausdruck gebracht, daß Verordnungen und allgemeine EGKS-Entscheidungen in der gesamten Gemeinschaft unmittelbar, dh **ohne** einen besonderen **staatlichen Anwendungsbefehl,** gleiches Recht setzen und den Adressaten unmittelbar Rechte verleihen und Pflichten auferlegen.[74]) Diese Wirkung erfaßt nicht nur die Mitgliedstaaten und ihre Behörden sondern alle Personen, die in den persönlichen Anwendungsbereich der betref-

---

[70]) EuGH Rs 101/76 – Koninklijke Scholten Honig – Slg 1977, 797 (807); EuGH Rs C – 354/87 – Weddel gg Kommission – Slg 1990, I – 3847; EuGH Rs C – 229/88 – Cargill gg Kommission – Slg 1990, I – 1303.

[71]) EuGH Rs 6/68 – Zuckerfabrik Watenstedt – Slg 1968, 611 (621); Rs 5/81 – Alexander Moksel – Slg 1982, 1129 (1144); EuGH RS C – 152/88 – Soft-Import – Slg 1990, I – 2477.

[72]) EuGH Rs 128/78 – Kommission gg Vereinigtes Königreich – Slg 1979, 419 (428); Rs 39/72 – Kommission gg Italien – Slg 1973, 115.

[73]) EuGH Rs 93/71 – Leonesio – Slg 1972, 287; Rs 30/72 – Kommission gg Italien – Slg 1973, 115; EuGH Rs 32/89 R – Griechenland gg Kommission – Slg 1989, 985.

[74]) EuGH Rs 43/71 – Politi – Slg 1971, 1049; Rs 65/75 – Tesca – Slg 1976, 309.

fenden Regelung fallen. Innerhalb des sachlichen Anwendungsbereichs von Verordnungen oder allgemeinen EGKS-Entscheidungen dürfen die Mitgliedstaaten rechtsetzend nur insoweit tätig werden, als sie unter Hinweis auf den Gemeinschaftsrechtscharakter die entsprechenden Regelungen lediglich ihrem Wortlaut nach wiedergeben oder bestehende nationale Rechtsvorschriften den Gemeinschaftsrechtsnormen anpassen. **In keinem Fall** aber sind die Mitgliedstaaten befugt, die Gemeinschaftsrechtsbestimmungen und die darin verbürgten Rechte und Pflichten aufzuheben, auszusetzen oder inhaltlich abzuändern.[75]) Die Nichtbeachtung von Vorschriften einer Verordnung oder allgemeinen EGKS-Entscheidung können vor den nationalen Gerichten geltend gemacht werden, die auch zum Schutz der durch Gemeinschaftsrecht eingeräumten Rechte verpflichtet sind.

b) Richtlinien und EGKS-Empfehlungen

Die Richtlinie ist für jeden Mitgliedstaat hinsichtlich des zu erreichenden Ziels **verbindlich,** überläßt ihm aber die Wahl der Form und der Mittel, um die gemeinschaftsrechtlich festgelegten Ziele im Rahmen der innerstaatlichen Rechtsordnung zu verwirklichen (Art 189 Abs 3 EGV; Art 161 Abs 3 EAGV). Entsprechendes gilt für die an die Mitgliedstaaten gerichtete EGKS-Empfehlung, die jedoch – im Unterschied zu Richtlinien – auch an Unternehmen gerichtet werden kann (Art 14 Abs 3 EGKSV).

Der Sinn dieser Rechtsakte liegt darin, daß sie es gestatten, den Eingriffen in das innerstaatliche Rechts- und Verwaltungsgefüge eine mildere Form zu geben, insb es den Mitgliedstaaten ermöglichen, bei der Verwirklichung der gemeinschaftsrechtlichen Zielvorgaben **nationalen Besonderheiten** Rechnung zu tragen. Dies geschieht in der Weise, daß die Regelungen einer Richtlinie oder EGKS-Empfehlung nicht automatisch an die Stelle der nationalen Rechtsvorschriften treten, sondern daß die Mitgliedstaaten verpflichtet werden, ihr nationales Recht an die Gemeinschaftsbestimmungen anzupassen.

Dies bedingt in aller Regel ein **zweistufiges Verfahren der Rechtsetzung:**

Auf der ersten, **gemeinschaftsrechtlichen Stufe** wird das durch diese Rechtsakte angestrebte Ergebnis für die jeweiligen Adressaten verbindlich festgelegt, das von diesen innerhalb einer festgesetzten Frist verwirklicht werden muß. Die Gemeinschaftsorgane können dieses Ergebnis durch derart detaillierte Regelungen vorbestimmen, daß den Mitgliedstaaten kein Spielraum für eine eigene sachliche Gestaltung verbleibt.[76]) Von dieser Möglichkeit wird vor allem im Bereich der technischen Normen sowie im Umweltschutz Gebrauch gemacht. Obwohl sich ein derartiger Rechtsakt sehr stark dem Regelungsinhalt einer Verordnung annähert, bleibt formal sein Rechtscharakter als Richtlinie erhalten. Die Anordnung der unmittelbaren Geltung dieser Rechtsakte erfolgt deshalb grundsätzlich erst durch die Umsetzung der jeweiligen Bestimmungen in nationales Recht.

---

[75]) EuGH Rs 272/83 – Kommission gg Italien – Slg 1985, 1057; Rs 93/71 – Leonesio – Slg 1972, 287.

[76]) EuGH Rs 45/75 – Royer – Slg 1976, 497; Rs 38/77 – Enka – Slg 1977, 2212; *Ipsen,* Europäisches Gemeinschaftsrecht 458; *Zuleeg,* Die Rechtswirkung europäischer Richtlinien, Zeitschrift für Unternehmens- und Gesellschaftsrecht 1980, 466.

Auf der zweiten, **nationalen Stufe** erfolgt die inhaltliche Verwirklichung des gemeinschaftsrechtlich vorgeschriebenen Ergebnisses im Recht der Mitgliedstaaten. Auch wenn die Mitgliedstaaten bei der Wahl der Form und der Mittel der Umsetzung grundsätzlich frei sind, erfolgt die Beurteilung, ob die jeweiligen Regelungen gemeinschaftsrechtskonform umgesetzt worden sind, nach **gemeinschaftsrechtlichen Kriterien.** Als Grundsatz gilt, daß durch die Umsetzung ein Rechtszustand geschaffen werden muß, der die Rechte und Pflichten aus den Vorschriften einer Richtlinie oder EGKS- Empfehlung hinreichend klar und bestimmt erkennen läßt.[77]) Dazu ist nicht notwendigerweise eine förmliche und wörtliche Übernahme der gemeinschaftsrechtlichen Bestimmung in eine besondere nationale Vorschrift erforderlich, sondern kann sich auch aus einem allgemeinen rechtlichen Kontext ergeben, wenn dieser tatsächlich die vollständige Anwendung der Richtlinie oder EGKS-Empfehlung hinreichend gewährleistet.[78]) Umgekehrt wird eine bloße Verwaltungsübung, die die Verwaltung naturgemäß beliebig ändern kann und die nur unzureichende Publizität genießt, diesen Anforderungen nicht gerecht.[79]) Selbst qualifizierte Verwaltungsvorschriften erfüllen diese an die Umsetzung von Richtlinien gestellten Bedingungen nicht ohne weiteres. So hat der EuGH im Falle der deutschen Verwaltungsvorschrift TA-Luft festgestellt, daß es der Bundesregierung nicht gelungen sei nachzuweisen, daß die Verbindlichkeit einer Verwaltungsvorschrift wie der TA-Luft nicht nur für die Verwaltung sondern auch gegenüber Dritten unbestritten und garantiert ist, so daß nicht davon ausgegangen werden konnte, daß der einzelne mit Gewißheit über den Umfang seiner Rechte hinreichend unterrichtet war.[80]) In aller Regel erfordert die Umsetzung daher den Erlaß **verbindlicher nationaler Rechtsakte** oder aber die Aufhebung oder Abänderung bestehender Rechts- und Verwaltungsvorschriften. Diese Regel gilt ausnahmslos in den Fällen, in denen die Richtlinienbestimmungen Verbote enthalten. Aus Gründen der Rechtssicherheit und im Hinblick auf die Beachtung des Grundsatzes, wonach belastende Maßnahmen einer ausreichenden rechtlichen Grundlage bedürfen, sind diese Verbote stets in nationalen Rechtsvorschriften ausdrücklich niederzulegen.[81])

Abgesehen von dem Fall, daß eine EGKS-Empfehlung unmittelbar an ein Unternehmen in der EG gerichtet wird, begründen regelmäßig weder die Richtlinie noch die an die Mitgliedstaaten gerichtete EGKS-Empfehlung unmittelbare Rechte und Pflichten für und gegen die Gemeinschaftsbürger; denn diese Rechtsakte wenden sich ausdrücklich nur an die Mit-

---

[77]) EuGH Rs 91/79 – Kommission gg Italien – Slg 1980, 1099; Rs 324/87 – Kommission gg Italien – Slg 1989, 1013.

[78]) EuGH Rs 29/84 – Kommission gg Deutschland – Slg 1985, 1661; Rs 252/85 – Kommission gg Frankreich – Slg 1988, 2243; Rs 339/87 – Kommission gg Niederlande – Slg 1990, I – 851.

[79]) EuGH Rs 116/86 – Kommission gg Italien – Slg 1988, 1323; EuGH Rs C – 366/89 – Kommission gg Italien – Slg 1993, I – 4201. Zu dieser Frage s auch *Beyerlin,* Umsetzung von EG-Richtlinien durch Verwaltungsvorschriften, EuR 1987, 126.

[80]) EuGH verb Rs C – 361/88 u C – 59/89 – Kommission gg Deutschland – Slg 1991, I – 2600; s dazu die Anm v *Leibrock,* DVBl 1991, 1119.

[81]) EuGH Rs C – 339/87 – Kommission gg Niederlande – Slg 1990, I – 851.

gliedstaaten. Die Gemeinschaftsbürger werden dagegen erst durch die Ausführung der Richtlinie oder EGKS-Empfehlung durch die zuständigen Stellen der Mitgliedstaaten berechtigt oder verpflichtet. Dies ist für die Gemeinschaftsbürger so lange ohne Bedeutung, als die Mitgliedstaaten ihren Verpflichtungen aus den Gemeinschaftsrechtsakten nachkommen. **Nachteile** ergeben sich für die Gemeinschaftsbürger allerdings immer dann, wenn die Verwirklichung des in der Richtlinie oder EGKS-Empfehlung vorgesehenen Ziels für sie vorteilhaft wäre, die notwendigen staatlichen Ausführungsakte jedoch entweder gar nicht oder nur fehlerhaft erlassen werden. Um diese Nachteile weitgehend auszuschließen, hat der EuGH in **ständiger Rechtsprechung** entschieden, daß sich der Gemeinschaftsbürger in diesen Fällen unter bestimmten Voraussetzungen unmittelbar auf die Bestimmungen der Richtlinie oder EGKS-Empfehlung berufen, die ihm danach zustehenden Rechte in Anspruch nehmen und gegebenenfalls vor den nationalen Gerichten durchsetzen kann.[82])

Diese **Direktwirkung** setzt nach der Rechtsprechung des EuGH voraus, daß die Bestimmungen der Richtlinie oder EGKS-Empfehlung die Rechte des Gemeinschaftsbürgers hinreichend klar und präzise festlegen, die Inanspruchnahme des Rechts an keine Bedingungen oder Auflagen geknüpft ist, dem nationalen Gesetzgeber bei der inhaltlichen Gestaltung des Rechts kein Ermessensspielraum eingeräumt wird und daß schließlich die Frist für die Umsetzung der Richtlinie verstrichen ist.[83])

Diese Rechtsprechung des EuGH zur Direktwirkung von Richtlinien und EGKS-Empfehlungen beruht im wesentlichen auf der Überlegung, daß ein Mitgliedstaat widersprüchlich und rechtsmißbräuchlich handelt, wenn er sein Recht anwendet, obwohl er es entsprechend den Vorgaben aus den Richtlinienbestimmungen hätte anpassen müssen. Dieser unzulässigen Rechtsausübung durch einen Mitgliedstaat wird durch die Anerkennung der Direktwirkung einer Richtlinienbestimmung insofern entgegengewirkt, als damit verhindert wird, daß der betreffende Mitgliedstaat aus seiner Mißachtung des Gemeinschaftsrechts irgendeinen Vorteil zieht. In diesem Sinne kommt der Direktwirkung von Richtlinien Sanktionscharakter zu. Bei dieser Einordnung ist es zudem konsequent, wenn der EuGH die unmittelbare Wirkung von Richtlinien bisher nur im Verhältnis Gemeinschaftsbürger – Mitgliedstaat anerkannt hat und dies auch nur, soweit sich die Direktwirkung zugunsten der Gemeinschaftsbürger, nicht aber zu ihren Lasten auswirkt, dh nur in den Fällen, in denen das Gemeinschaftsrecht eine für den Gemeinschaftsbürger günstigere Regelung bereithält als das nicht angepaßte nationale Recht (sog **vertikale Direktwirkung**).[84]) Die Direktwirkung von Richtlinien

---

[82]) EuGH Rs 41/74 – van Duyn – Slg 1974, 1337; Rs 67/74 – Bonsignore – Slg 1975, 297; Rs 148/78 – Ratti – Slg 1979, 1629 (1642); Rs 8/81 – Becker – Slg 1982, 53 (70); Rs 31/87 – Buntjes – Slg 1988, 4635 (4662); Rs 190/87 – Moormann – Slg 1988, 4689 (4722).

[83]) EuGH Rs 301/82 – Clin-Midy – Slg 1984, 251; Rs 152/84 – Marshall – Slg 1986, 773.

[84]) EuGH Rs 152/84 – Marshall – Slg 1986, 723; verb Rs 372–374/85 – Traen – Slg 1987, 2141; Rs 80/86 – Kolpinghuis Nijmwegen – Slg 1987, 3969 (3985); Rs 221/88 – Busseni – Slg 1990, I – 495.

im Verhältnis der Gemeinschaftsbürger untereinander (sog **horizontale Direktwirkung**) hat der EuGH demgegenüber abgelehnt.[85]) Der Sanktionscharakter der Direktwirkung führt den EuGH zu der Feststellung, daß diese Wirkung nicht auch unter Privaten eingreifen kann, da diese nicht für die Versäumnisse des Mitgliedstaates verantwortlich gemacht werden können. Vielmehr streiten für sie die Grundsätze der Rechtssicherheit und des Vertrauensschutzes. Die Gemeinschaftsbürger müssen darauf vertrauen können, daß ihnen die Wirkungen einer Richtlinie nur nach Maßgabe der nationalen Umsetzungsmaßnahmen entgegengehalten werden können.

Gleichwohl entfalten die Richtlinien nach Ablauf der Umsetzungsfrist **objektiv-rechtliche Wirkungen** in dem Sinne, daß alle nationalen Organe, also Gesetzgeber, Verwaltung, Gerichte, verpflichtet sind, das nationale Recht richtlinienkonform auszulegen.[86])

Die Rechtsprechung des EuGH zur unmittelbaren Wirkung von Richtlinien und EGKS-Empfehlungen wird allgemein anerkannt.[87]) **Eine Ausnahme** bilden lediglich der französische Conseil d'Etat[88]) und der Bundesfinanzhof[89]). Diese Gerichte sind der Auffassung, daß die Rechtsprechung des EuGH die im EG-Vertrag vorgesehene unterschiedliche Behandlung von Verordnungen und Richtlinien im Hinblick auf ihre Rechtswirkungen unbeachtet läßt. Während Art 189 Abs 2 EGV die unmittelbare Anwendbarkeit für Verordnungen ausdrücklich festlege, fehle in Art 189 Abs 3 EGV eine entsprechende Regelung für die Richtlinien. Damit habe der Vertragsurheber deutlich gemacht, daß den Richtlinien eine Direktwirkung nicht bereits kraft Gemeinschaftsrechts zukomme, sondern diese Wirkung erst durch den nationalen Umsetzungsakt eintreten könne. Diese Auffassung verkennt jedoch, daß den Richtlinien in Art 189 Abs 3 EGV, wenn auch keine unmittelbare, so doch eine verbindliche Wirkung zuerkannt wird. Mit **dieser verbindlichen Wirkung** unvereinbar wäre es, den Mitgliedstaaten zu gestatten, unter Mißachtung der vorgeschriebenen Umsetzungs-

---

[85]) EuGH Rs 102/79 – Kommission gg Belgien – Slg 1980, 1473; Rs 152/84 – Marshall – Slg 1986, 723; Rs C – 188/89 – Foster – Slg 1990, I – 3313; Rs C – 106/89 – Marleasing – Slg 1990, I – 4135; Rs C – 91/92 – Faccini Dori – Urteil v 14. 7. 1994 (noch nicht in der Slg veröffentlicht).

[86]) Vgl dazu *Brechmann,* Die richtlinienkonforme Auslegung (1994).

[87]) Aus der Literatur vgl zur Richtlinienproblematik: *Classen,* Zur Bedeutung von EWG-Richtlinien für Privatpersonen, EuZW 1993, 83; *Haneklaus,* Direktwirkung von EG-Richtlinien zu Lasten einzelner?, DVBl 1993, 129; *Langenfeld,* Zur Direktwirkung von EG-Richtlinien, DÖV 1992, 995; *Scherzberg,* Die innerstaatlichen Wirkungen von EG-Richtlinien, JURA 1993, 225; *Schneider,* Effektiver Rechtsschutz Privater gegen EG-Richtlinien, AöR 1994, 294; *von Burckard,* Der Rechtsschutz natürlicher und juristischer Personen gegen EG-Richtlinien gemäß Art 173 Abs 4 EWGV, EuR 1991, 140; *Winter,* Direktwirkung von EG-Richtlinien, DVBl 1991, 657; *Stadie,* Unmittelbare Wirkung von EG-Richtlinien und Bestandskraft von Verwaltungsakten, NVwZ 1994, 435.

[88]) Urteil v 22. 12. 1978 – Cohn-Bendit – EuR 1979, 292 (Anm *Bieber*). Ob der Conseil d'Etat bei seiner Haltung bleibt, ist nach dem Urteil in der Rs Boisdet offen, vgl *Stotz* (FN 25).

[89]) Beschluß v 16. 7. 1981, EuR 1981, 444 (Anm *Millarg*); Urteil v 25. 4. 1985, EuR 1985, 191.

fristen, den Gemeinschaftsbürgern die ihnen durch das Gemeinschaftsrecht eingeräumten Rechte vorzuenthalten. Der EuGH betont in diesem Zusammenhang zu Recht, daß die praktische Wirksamkeit einer Richtlinie erheblich abgeschwächt würde, wenn die einzelnen sich vor Gericht hierauf nicht berufen und die staatlichen Gerichte sie nicht als Bestandteil des Gemeinschaftsrechts berücksichtigen könnten.[90])

Darüber hinaus hat der EuGH in den Urteilen „Francovich" und „Bonifaci" aus dem Jahre 1991 eine Verpflichtung der Mitgliedstaaten zum Ersatz derjenigen Schäden anerkannt, die durch die fehlende oder nicht ordnungsgemäße Umsetzung verursacht werden.[91]) In diesen Fällen ging es um die Frage der Haftung des italienischen Staates für die nicht fristgemäße Umsetzung der Richtlinie 80/987/EWG des Rates über den **Schutz der Arbeitnehmer** bei Zahlungsunfähigkeit des Arbeitgebers vom 20. Oktober 1980. Die Richtlinie betrifft die Sicherung der Ansprüche der Arbeitnehmer auf das Arbeitsentgelt während eines Zeitraumes vor dem Eintritt der Zahlungsunfähigkeit des Arbeitgebers bzw der Kündigung aus diesem Grund. Zu diesem Zweck waren Garantieeinrichtungen zu bilden, die dem Zugriff anderer Gläubiger des Arbeitgebers nicht unterliegen dürfen und deren Mittel von den Arbeitgebern und/oder von der öffentlichen Hand aufzubringen sind. Der EuGH stand hier vor dem Problem, daß diese Richtlinie zwar darauf abzielte, den Arbeitnehmern ein subjektives Recht auf Fortzahlung des Arbeitsentgelts aus den Mitteln der zu schaffenden Garantieeinrichtung einzuräumen, diesem Recht aber die unmittelbare Anwendbarkeit, dh seine Geltendmachung auch vor den nationalen Gerichten, versagt bleiben mußte, weil es infolge fehlender Umsetzung dieser Richtlinie an der Schaffung der Garantieeinrichtung und damit an der Bestimmung des Schuldners für die zu leistenden Zahlungen des Konkursausfallgeldes fehlte. Für diesen Fall hat der EuGH in seinem Urteil entschieden, daß sich der italienische Staat dadurch, daß er aufgrund der fehlenden Umsetzung der Richtlinie den Arbeitnehmern das ihnen durch die Richtlinie eingeräumte Recht vorenthalten hat, gegenüber den betroffenen Arbeitnehmern schadensersatzpflichtig gemacht hat. Die Ersatzpflicht, obwohl im Gemeinschaftsrecht nicht ausdrücklich vorgesehen, ist nach Auffassung des EuGH untrennbarer Bestandteil der Gemeinschaftsrechtsordnung, da deren volle Wirksamkeit beeinträchtigt und der Schutz der durch die begründenden Rechte gemindert wäre, wenn die Gemeinschaftsbürger nicht die Möglichkeit hätten, für den Fall eine Entschädigung zu erlangen, daß ihre Rechte durch gemeinschaftsrechtswidriges Handeln der Mitgliedstaaten verletzt werden.

---

[90]) Vgl vor allem EuGH Rs 148/78 – Ratti – Slg 1979, 1629 (1642).

[91]) EuGH Rs C – 6/90 u C – 90/90, Slg 1991, I – 5357; s dazu die Anm von *Nettesheim,* Gemeinschaftsrechtliche Vorgaben für das deutsche Staatshaftungsrecht, DÖV 1992, 999; *Schockweiler,* Die Haftung der EG-Mitgliedstaaten gegenüber dem einzelnen bei Verletzung des Gemeinschaftsrechts, EuR 1993, 107; *Zuleeg,* Die Rolle der rechtsprechenden Gewalt in der europäischen Integration, JZ 1994, 1; ablehnend zu diesem Urteil *Ossenbühl,* Der gemeinschaftsrechtliche Staatshaftungsanspruch, DVBl 1992, 993; *Dänzer/Vanotti,* Unzulässige Rechtsfortbildung des Europäischen Gerichtshofes, RIW 1992, 733 (737).

c) EG- und EURATOM-Entscheidungen sowie individuelle EGKS-Entscheidungen

Die Entscheidungen bilden den typischen Rechtsakt, mit dem die Gemeinschaftsorgane (Rat und Kommission) ihre **Exekutivfunktionen** wahrnehmen. Sie können von einem Mitgliedstaat, einem Unternehmen oder einem Gemeinschaftsbürger ein Handeln oder Unterlassen verlangen, ihnen Rechte einräumen oder Pflichten auferlegen.

Ein erstes Strukturmerkmal der Entscheidung ist ihre **individuelle Geltung,** die sie von der Verordnung und allgemeinen EGKS-Entscheidung unterscheidet.[92]) Die **Adressaten** einer Entscheidung müssen **individuell** bezeichnet sein und werden auch nur individuell gebunden. Eine namentliche Nennung ist freilich nicht erforderlich, vielmehr genügt es, wenn der bezeichnete Personenkreis individualisierbar ist.[93]) Dies ist immer dann der Fall, wenn es sich um einen im Augenblick des Erlasses der Entscheidung **bestimmbaren Personenkreis** handelt, der künftig nicht mehr erweitert werden kann. Abzustellen ist dabei vor allem auf den Inhalt der Entscheidung, der geeignet sein muß, in individueller und unmittelbarer Weise auf die Lage der Rechtsunterworfenen einzuwirken. In diesem Sinne können auch **Dritte** von einer Entscheidung individuell betroffen sein, ohne ausdrücklich Adressat der Entscheidung zu sein, sofern sie wegen bestimmter persönlicher Eigenschaften oder besonderer, sie aus dem Kreis aller übrigen Personen heraushebender Umstände berührt werden und daher in ähnlicher Weise wie der Adressat selbst individualisiert werden.[94])

Ein weiteres Strukturmerkmal der Entscheidung ist ihre **Verbindlichkeit in allen Teilen.**[95]) Hierdurch unterscheidet sie sich von der Richtlinie und EGKS-Empfehlung, die nur hinsichtlich des zu erreichenden Ergebnisses verbindlich sind. Abgrenzungsschwierigkeiten bestehen allerdings gegenüber den sehr detailliert gehaltenen Richtlinien.

Die Entscheidungen **binden** ihren Adressaten **unmittelbar.**[96]) Eine an einen Mitgliedstaat gerichtete Entscheidung kann darüber hinaus unter den gleichen Voraussetzungen wie eine Richtlinie unmittelbare Wirkung auch für den Gemeinschaftsbürger erzeugen.[97])

---

92) Dazu EuGH Rs 147/83 – Binderer – Slg 1985, 257.

93) EuGH verb Rs 23, 24 und 52/63 – Henricot – Slg 1963, 439; verb Rs 41–44/70 – Fruit Company – Slg 1971, 411 (422); Rs 138/79 – Roquette – Slg 1980, 3333 (3355); Rs 307/81 – Alusuisse – Slg 1982, 3463; Rs 231/82 – Spijker Kwasten – Slg 1983, 2559; verb Rs 239 u 275/82 – Allied Corporation – Slg 1984, 1005; Rs C – 309/89 – Codorniu gg Rat – Slg 1994, I – 1879.

94) Vgl dazu vor allem die Rsp des EuGH betreffend den Kreis der Wirtschaftsteilnehmer, die durch die Einführung eines Antidumpingzolls unmittelbar und individuell betroffen sind (Rs 279/86 – Sermes – Slg 1987, 3109 [3113]). Verb Rs C – 133/87 u C – 150/87 – Nashma Corporation – Slg 1990, I – 719; RS C – 156/87 – Gestetner – Slg 1990, I – 781; Rs C –358/89 – Extramet – Slg 1991, I – 2501.

95) Vgl dazu EuGH verb Rs 53 und 54/63 – Lemmerz-Werke – Slg 1963, 517 (538).

96) EuGH Rs 9/70 – Grad – Slg 1970, 825 (838).

97) EuGH verb Rs 41–44/70 – Fruit Company – Slg 1971, 411 (422); Rs C – 156/91 – Hansa Fleisch – Slg 1992, I – 5589; s ausführlich oben B.2.b.

d) EG- und EURATOM-Empfehlungen sowie Stellungnahmen

Eine letzte Kategorie von Rechtshandlungen, die in den Handlungskatalogen ausdrücklich vorgesehen ist, ermöglicht es schließlich den Gemeinschaftsorganen, sich gegenüber den Mitgliedstaaten und in einigen Fällen auch gegenüber den Gemeinschaftsbürgern **unverbindlich zu äußern,** dh ohne damit für den Adressaten rechtliche Verpflichtungen zu begründen.

In den **Empfehlungen** wird den Adressaten ein bestimmtes Verhalten nahegelegt, ohne diese jedoch rechtlich zu verpflichten.[98]) So kann etwa die Kommission in den Fällen, in denen der Erlaß oder die Änderung einer Rechts- oder Verwaltungsvorschrift in einem Mitgliedstaat die Wettbewerbsbedingungen auf dem Gemeinsamen Markt verfälschen, dem betreffenden Staat die zur Vermeidung dieser Verzerrung geeigneten Maßnahmen empfehlen (vgl Art 102 Abs 1 Satz 2 EGV).

Stellungnahmen werden dagegen von den Gemeinschaftsorganen abgegeben, wenn es um die Beurteilung einer gegenwärtigen Lage oder bestimmter Vorgänge in der Gemeinschaft oder in den Mitgliedstaaten geht. Zum Teil dienen sie aber auch der Vorbereitung späterer verbindlicher Rechtsakte oder sind Voraussetzung eines Prozesses vor dem EuGH (vgl Art 169 und 170 EGV).

Die wesentliche **Bedeutung** von Empfehlungen und Stellungnahmen liegt vor allem im **politischen und psychologischen Bereich.** Sie können jedoch indirekt rechtliche Wirkungen entfalten, wenn sie etwa die Voraussetzungen für spätere verbindliche Rechtsakte schaffen oder das betreffende Gemeinschaftsorgan sich selbst bindet, wodurch unter Umständen ein Vertrauenstatbestand geschaffen werden kann.[99])

3. Sonstige Rechtshandlungen

Neben den in den Handlungskatalogen der Gemeinschaftsverträge aufgeführten Rechtshandlungen verbleiben den Gemeinschaftsorganen, aber auch den Mitgliedstaaten weitere vielfältige Handlungsformen, um der Gemeinschaftsrechtsordnung Form und Gestalt zu geben.

Ein Teil dieser Handlungsformen (völkerrechtliche Verträge der EG, autonome Vertragsänderungen, interne Organisationsakte der Gemeinschaftsorgane, völkerrechtliche Abkommen der Mitgliedstaaten, Beschlüsse der im Rat vereinigten Vertreter der Regierungen der Mitgliedstaaten) wurde bereits im Zusammenhang mit den Rechtsquellen der EG erörtert. Von Bedeutung in der Gemeinschaftspraxis sind darüber hinaus die Entschließungen, Erklärungen und Aktionsprogramme.

a) Entschließungen

Urheber von Entschließungen sind einerseits der **Europäische Rat,** und andererseits der **Rat** der Europäischen Union als Gemeinschaftsorgan. In den Entschließungen werden die gemeinsamen Auffassungen und Absichten im

[98]) EuGH Rs 322/88 – Grimaldi – Slg 1989, 4416.
[99]) *Borchardt* (FN 50) 91 ff.

Hinblick auf die Gesamtentwicklung der Integration sowie über konkrete Aufgaben innerhalb und außerhalb der Gemeinschaft zum Ausdruck gebracht. Die den Innenbereich der Gemeinschaft betreffenden Entschließungen hatten zB Grundsatzfragen der Politischen Union, der Regionalpolitik, der Energiepolitik sowie der Wirtschafts- und Währungsunion, insb die Errichtung des Europäischen Währungssystems zum Gegenstand.[100]) Diesen Entschließungen kommt vor allem politische Bedeutung als Orientierungshilfe für die künftige Arbeit des Rates zu. Als **gemeinsame politische Willensäußerungen** erleichtern diese Entschließungen die Konsensfindung im Rat ganz entscheidend. Darüber hinaus gewährleisten sie ein Mindestmaß an Konkordanz zwischen der gemeinschaftlichen und der mitgliedstaatlichen Entscheidungsebene. Dieser Funktion muß auch eine rechtliche Bewertung Rechnung tragen. Diese ist nur dann gewährleistet, wenn das Instrument der Entschließungen flexibel und ohne zu weitgehende rechtliche Verfestigung angewendet werden kann.

b) Erklärungen

Bei den Erklärungen sind **zwei Erscheinungsformen** zu unterscheiden: Soweit sich die Erklärungen auf die weitere Entwicklung der Gemeinschaft beziehen (zB die Erklärung zu Europäischen Union, zur Demokratie oder zu den Grundrechten), entsprechen sie ihrer Bedeutung nach im wesentlichen den Entschließungen. Auf sie wird vor allem dann zurückgegriffen, wenn eine breite Öffentlichkeit oder ein bestimmter Adressatenkreis angesprochen werden soll.[101]) Daneben werden Erklärungen auch **im Zusammenhang mit der Beschlußfassung im Rat** abgegeben. Es handelt sich dabei um Erklärungen, in denen die Ratsmitglieder gemeinsam oder einseitig ihre Auffassung über die Auslegung der gefaßten Ratsbeschlüsse zum Ausdruck bringen.[102]) Derartige **auslegende Erklärungen** sind ständige Übung im Rat und stellen ein unerläßliches Mittel dar, Kompromisse im Rat zu erreichen. Die rechtliche Bedeutung dieser Erklärungen ist nach den allgemeinen Auslegungsgrundsätzen zu beurteilen. Danach ist für die Auslegung einer Bestimmung grundsätzlich auch der Wille ihres Urhebers maßgeblich. Allerdings kann dies nur insoweit gelten, als die auslegenden Erklärungen die notwendige Publizität besitzen, da etwa sekundäres Gemeinschaftsrecht, das dem einzelnen unmittelbare Rechte einräumt, nicht aufgrund unveröffentlichter Nebenabreden eingeschränkt werden kann.[103])

c) Aktionsprogramme

Diese Programme werden vom Rat sowie der Kommission aus eigener Initiative oder auf Anregung des Europäischen Rates erstellt und dienen der **Konkretisierung der** in den Gemeinschaftsverträgen niedergelegten **Gesetzge-**

---

[100]) Dazu *Everling* (FN 60) 105 ff.

[101]) FN 100.

[102]) *Pechstein,* Die Bedeutung von Protokollerklärungen zu Rechtsakten der EG, EuR 1990, 249.

[103]) EuGH Rs 292/89 – Antonnissen – Slg 1991, I – 773.

bungsprogrammen und allgemeinen Zielvorstellungen. Soweit diese Programme in den Verträgen ausdrücklich vorgesehen sind, binden sie die Gemeinschaftsorgane an den Planungsinhalt.[104]) Andere Programme werden hingegen in der Praxis lediglich als **Orientierungshilfen** verstanden, denen keine rechtlich verbindliche Wirkung zukommt. Sie bringen jedoch die Absicht der Gemeinschaftsorgane zum Ausdruck, entsprechend ihrem Inhalt zu handeln.[105])

C. Rechtsetzungsverfahren

Die verbindlichen allgemeinen Rechtsakte werden im **Vorschlagsverfahren** (s unten 1.), im Rahmen des durch die Einheitliche Europäische Akte geschaffenen **Verfahrens der Zusammenarbeit** (s unten 2.) oder im Rahmen des durch den Vertrag über die Europäische Union eingeführten Verfahrens der **Mitentscheidung** (s unten 3.) erlassen. Für den Erlaß von **Durchführungsmaßnahmen** stehen besondere Verfahren zur Verfügung (s unten 4.). Die verbindlichen individuellen Entscheidungen sowie die unverbindlichen Rechtsakte ergehen schließlich in einem **vereinfachten Verfahren** (s unten 5.). Für den EGKS-Bereich gelten verschiedene Besonderheiten (s unten 6.).

1. Vorschlags- oder Anhörungsverfahren (Art 189 a EGV)

Das **Vorschlags- oder Anhörungsverfahren** bildet nach wie vor die Grundlage für den Erlaß allgemeiner Rechtsakte in der EG und kommt in allen Fällen zur Anwendung, die nicht ausdrücklich dem Verfahren der Zusammenarbeit oder dem Verfahren der Mitentscheidung unterstellt sind.

Danach **entscheidet der Rat** auf **Vorschlag der Kommission** gegebenenfalls nach Anhörung des Europäischen Parlaments, des Wirtschafts- und Sozialausschusses und des Ausschusses der Regionen.

a) Entstehungsphase

Eingeleitet wird das Verfahren von der **Kommission,** die einen **Vorschlag** für die zu treffende Gemeinschaftsmaßnahme erarbeitet (**Initiativrecht**)[106]). Dies geschieht in der für den zu regelnden Wirtschaftsbereich zuständigen Dienststelle der Kommission, wobei diese vielfach auch nationale Sachverständige beratend hinzuzieht. Die Abstimmung mit nationalen Experten erfolgt dabei teilweise im Rahmen eigens dazu eingerichteter **Ausschüsse**[107]) oder aber in Form von durch die Kommissionsdienststellen ad hoc durchgeführter **Expertenbefragungen.** Diese Abstimmung ist in der Praxis

---

[104]) ZB die Programme zur Festlegung der Voraussetzungen und Stufen der Liberalisierung des Rechts der Niederlassung und der Dienstleistung (Art 54 Abs 1 und Art 63 Abs 1 EGV), Beschlüsse des Rates v 18. 12. 1961, ABl 1962, 32 und 36.

[105]) So ausdrücklich der Rat in seinem Beschluß v 8. 5. 1964 über die Einsetzung eines Ausschusses für mittelfristige Wirtschaftspolitik, ABl 1964, 1031.

[106]) Dazu *Hummer* in *Grabitz/Hilf* (FN 2) Art 155 Rz 40.

[107]) ZB Verwaltungskommission für die soziale Sicherheit der Wanderarbeitnehmer (Art 80 und 81 der V 1408/71 v 14. 6. 1981, ABl L 1981/149, 2, idF 2001/83 v 2. 6. 1983, ABl L 1983/230).

von besonderer Bedeutung, da die Kommission damit bereits im Stadium der Erarbeitung ihres Vorschlages die Möglichkeit erhält, deren Erfolgsaussichten im Rat besser abschätzen zu können, und gegebenenfalls bereits auf dieser Ebene Kompromisse anstreben kann. Allerdings ist die Kommission bei der Ausarbeitung ihrer Vorschläge an die Ergebnisse der Beratungen mit den nationalen Experten nicht gebunden. Der von der Kommission ausgearbeitete **Entwurf** (draft proposal, projet), der Inhalt und Form der zu treffenden Maßnahmen in allen Einzelheiten festlegt, wird von den **Kommissionsmitgliedern** beraten und schließlich mit **einfacher Mehrheit** beschlossen.[108]) Als **„Vorschlag der Kommission“** (proposal, proposition) wird er dem Rat zusammen mit einer ausführlichen Begründung zugeleitet.

b) Anhörungsphase

Der Rat prüft zunächst, ob er vor seiner Beschlußfassung den Vorschlag der Kommission weiteren Gemeinschaftsinstitutionen zur Anhörung überweisen muß. Ein solches **Anhörungsrecht** haben die Gemeinschaftsverträge für alle politisch bedeutsamen Entscheidungen dem Europäischen Parlament eingeräumt (**obligatorische Anhörung**).[109]) Im Rahmen dieser Anhörung ist das Europäische Parlament Fürsprecher aller Gemeinschaftsbürger und vertritt ihre Interessen an der Fortentwicklung der Gemeinschaft. Eine Nichtanhörung des Europäischen Parlaments in diesen Fällen stellt einen schweren Formfehler und damit eine Verletzung der Gemeinschaftsverträge dar (vgl Art 173 EGV).[110]) Über diese obligatorische Anhörung hinaus wird das Europäische Parlament praktisch auch zu allen anderen Rechtsetzungsvorhaben gehört (**fakultative Anhörung**).[111]) Zum Zwecke der Anhörung übermittelt der Rat den Kommissionsvorschlag offiziell dem Präsidenten des Europäischen Parlaments und ersucht förmlich um eine Stellungnahme. Der Parlamentspräsident weist den Vorschlag einem federführenden Ausschuß des Parlaments zur Bearbeitung zu. Das Ergebnis der Ausschußberatungen wird vom Plenum des Europäischen Parlaments abschließend beraten und in einer Stellungnahme zum Ausdruck gebracht, die eine Zustimmung oder Ablehnung sowie Änderungsvorschläge enthalten kann. Der Rat ist rechtlich jedoch nicht gehalten, den Stellungnahmen und Änderungsvorschlägen des Europäischen Parlaments Rechnung zu tragen. Gleichwohl sind die Stellungnahmen des Europäischen Parlaments von erheblichem politischen Gewicht, da sie dem Europäischen Parlament die Möglichkeit geben, auf rechtspolitische Defizite hinzuweisen oder weitere gemeinschaftliche Aktivitäten einzufordern und auf diesem Wege der europäischen Integrationspolitik neue Impulse zu geben.

Neben der Anhörung des Europäischen Parlaments verpflichten die Gemeinschaftsverträge in einigen Fällen den Rat auch zur Anhörung des Wirt-

---

108) Vgl Art 17 Fusionsvertrag „Die Beschlüsse der Kommission werden mit der Mehrheit . . . ihrer Mitglieder gefaßt.“

109) Vgl die Übersicht in *Grabitz/Läufer*, Das Europäische Parlament.

110) EuGH Rs 139/79 – Maizena – Slg 1980, 3393.

111) Die fakultative Anhörung beruht auf einer entsprechenden Selbstverpflichtung des Rates; vgl etwa die „Feierliche Erklärung zur Europäischen Union“ v 20. 6. 1983, abgedruckt in *Bieber/Beutler/Pipkorn/Streit* (Hg), Textsammlung II 1.9., 2.3.

schafts- und Sozialausschusses (vgl Art 193 EGV).[112]) Der **Wirtschafts- und Sozialausschuß**[113]) ist ein wirtschaftliches Beratungsorgan von Rat und Kommission, in dem die verschiedenen Gruppen des wirtschaftlichen und sozialen Lebens wie Erzeuger, Landwirte, Verkehrsunternehmer, Arbeitnehmer, Kaufleute, Handwerker und Freiberufstätige vertreten sind. Aufgrund seiner Zusammensetzung und seines politischen wie sachgebundenen Auftrages hat auch er einen gewissen Einfluß im Entscheidungsprozeß der Gemeinschaft; denn schließlich sind es unter anderem auch seine Mitglieder, die von den praktischen Auswirkungen der Gemeinschaftsmaßnahmen unmittelbar betroffen sind. Ausdrücklich vorgeschrieben ist die Anhörung dieses Ausschusses etwa für Maßnahmen des Rates im Bereich der Niederlassungsfreiheit (vgl Art 54 Abs 2 EGV). Dem Rat steht es aber frei, eine Anhörung dieses Ausschusses über die in den Gemeinschaftsverträgen bestimmten Fälle hinaus zu beschließen. Dies geschieht auch sehr häufig, wenngleich es – im Unterschied zum Europäischen Parlament – nicht die Regel ist. Wie beim Europäischen Parlament bildet die Stellungnahme des Wirtschafts- und Sozialausschusses zum Vorschlag der Kommission, die dem Rat und der Kommission zugeleitet wird, den Abschluß seiner Mitwirkung. Diese Stellungnahme ist wie die des Europäischen Parlaments für den Rat nicht verbindlich.

Als neues Konsultativorgan ist durch den Vertrag über die Europäische Union neben dem bereits bestehenden Wirtschafts- und Sozialausschuß der **Ausschuß der Regionen** geschaffen worden (Art 198a EGV).[114]) Dieser Ausschuß ist ebensowenig wie der Wirtschafts- und Sozialausschuß ein Organ der EG im eigentlichen Sinne, da er nur beratende Aufgaben wahrnimmt, nicht aber – wie die Gemeinschaftsorgane (EP, Rat, Kommission, EuGH und Europäischer Rechnungshof) – die der Gemeinschaft zugewiesenen Aufgaben in rechtlich verbindlicher Weise wahrnimmt. Der Ausschuß der Regionen setzt sich aus Repräsentanten der regionalen und lokalen Autoritäten der Mitgliedstaaten zusammen, die entsprechend der Gewichtung der Mitgliedstaaten vom Rat ernannt werden. Seine Anhörung durch Rat oder Kommission ist in sieben Fällen verbindlich vorgeschrieben, und zwar in den Bereichen Bildung, kulturelle Förderungsmaßnahmen, öffentliche Gesundheit, Entgegennahme des Berichts über die Fortschritte in der Kohäsionspolitik, Grundregeln aller Strukturfonds sowie der Durchführungsbestimmungen des Regionalfonds. Auch hier steht es Rat und Kommission allerdings frei, den Ausschuß über diese Bereiche hinaus fakultativ anzuhören.

c) Entscheidungsphase

Nach Anhörung des Europäischen Parlaments, des Wirtschafts- und Sozialausschusses und des Ausschusses der Regionen liegt der Vorschlag der Kommission uU in einer von der Kommission unter Berücksichtigung der Stellungnahme des Europäischen Parlaments und der Ausschüsse geänderten Fassung[115]) – wie-

---

[112]) Allgemein dazu s *Hummer* in *Grabitz/Hilf* (FN 2) Art 193.

[113]) Siehe ausführlich unten *Catling,* Organisation und Politik des Wirtschafts- und Sozialausschusses.

[114]) Vgl hierzu *Kaufmann/Bühler* in: *Lenz* (Hg), EG-Vertrag Kommentar (1994) Art 198a Rz 1–9.

[115]) Vgl EuGH Rs 41/69 – Chemiefarma – Slg 1970, 661; Rs 1253/79 – Battaglia – Slg 1982, 297.

der beim Rat. Dort wird der Vorschlag von **fachlichen Arbeitsgruppen** beraten, die bei auftretenden Schwierigkeiten den Ausschuß der ständigen Vertreter der Regierungen der Mitgliedstaaten (**COREPER** – Comité des Représentants Permanents) einschalten. Die Bedeutung, die dieser Ausschuß im Rahmen des Rechtsetzungsverfahrens der Gemeinschaft hat, kann kaum überschätzt werden.[116]) Er koordiniert die Arbeiten zur Vorbereitung der Beratungen des Rates und hat dabei die Möglichkeit, Prioritäten und Dringlichkeiten auf den Tagesordnungen der Ratssitzungen festzulegen. Darüber hinaus kann er sich über Sachfragen bereits so weit einigen, daß die Minister im Rat diese von den ständigen Vertretern einstimmig beschlossenen Maßnahmen nur bestätigen müssen.

Die Beschlußfassung durch den Rat schließt das Normsetzungsverfahren materiell ab. Die Abstimmungen im Rat sollen gem Art 148 Abs 1 EGV grundsätzlich mit Mehrheit erfolgen. Einstimmigkeit und qualifizierte Mehrheit sollen nur in den Fällen zur Anwendung kommen, in denen dies vom EG-Vertrag ausdrücklich vorgesehen ist. Diesen eindeutigen Regelungen wurde in der Abstimmungspraxis des Rates nicht immer Folge geleistet. Der Grund hierfür geht auf das Jahr 1965 zurück, als Frankreich eine Beeinträchtigung wichtiger Interessen seines Landes in der Finanzierung der gemeinsamen Agrarpolitik befürchtete und mit einer **„Politik des leeren Stuhls“** die Beschlußfassung im Rat für mehr als sechs Monate blokkierte. Diese Auseinandersetzung wurde erst durch die **„Luxemburger Vereinbarung“** vom 29. 1. 1966 beigelegt, die vorsieht, daß sich der Rat bei Beschlüssen, die sehr wichtige Interessen eines oder mehrerer Mitgliedstaaten berühren, innerhalb eines angemessenen Zeitraums um Lösungen bemüht, die von allen Mitgliedern des Rates unter Wahrung ihrer gegenseitigen Interessen und der Interessen der Gemeinschaft angenommen werden können.[117]) In der Praxis erwies sich diese Kompromißformel als die Einführung eines Vetorechts der Mitgliedstaaten, da jedem Mitgliedstaat selbst überlassen blieb, seine gewichtigen nationalen Interessen zu definieren und auf diesem Wege für jede grundlegende Entscheidung im Rat Einstimmigkeit zu verlangen. Dieser der Entscheidungsfähigkeit des Rates abträgliche Zustand ist durch die **Einheitliche Europäische Akte** wesentlich bereinigt worden. Zwar ist es nicht gelungen, das Gebot der Einstimmigkeit vollständig zu beseitigen; jedoch konnte man sich darauf einigen, das **Mehrheitsprinzip** stärker als bisher zur Geltung zu bringen. Dies gilt etwa für die Maßnahmen zur Angleichung der Rechts- und Verwaltungsvorschriften der Mitgliedstaaten, die die Errichtung und das Funktionieren des Binnenmarktes zum Gegenstand haben, den wirtschaftlichen und sozialen Zusammenhalt, die Forschung und technologische Entwicklung sowie für den Umweltschutz. Ausgenommen hiervon sind dagegen Bestimmungen über die Steuern, über die Freizügigkeit der Arbeitskräfte und über die Rechte und Interessen der Arbeitnehmer, für die nach wie vor das Prinzip der Einstimmigkeit gilt.

---

[116]) Siehe dazu *Hilf*, Die Organisationsstruktur der Europäischen Gemeinschaften (1982) 29.

[117]) Die Erklärung ist in ihrem Wortlaut abgedruckt in *Grabitz/Hilf* (FN 2) Art 148 Rz 10 (*Schweitzer*); dazu *Streinz*, Die Luxemburger Vereinbarung (1984).

d) Veröffentlichung

Der beschlossene Rechtsakt wird in seiner endgültigen Form in allen elf **Amtssprachen** (dänisch, deutsch, englisch, finnisch, griechisch, italienisch, französisch, niederländisch, portugiesisch, schwedisch und spanisch) ausgearbeitet, vom Rat endgültig „in den Sprachen der Gemeinschaft angenommen", vom Präsidenten des Rates unterzeichnet und anschließend veröffentlicht oder „demjenigen, für den er bestimmt ist", bekanntgegeben (vgl Art 191 Abs 1 Satz 1 EGV).

e) Schematische Darstellung

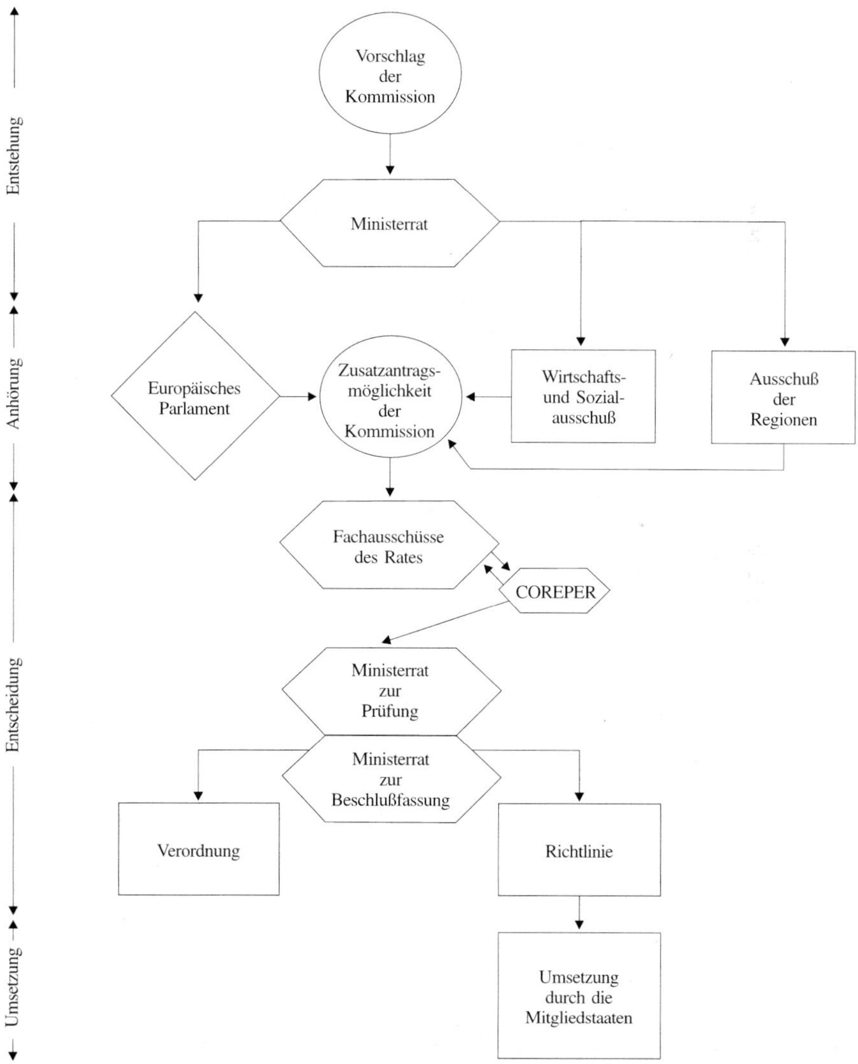

2. Verfahren der Zusammenarbeit oder Kooperationsverfahren (Art 189c EGV)

Das **Verfahren der Zusammenarbeit (Kooperationsverfahren)** beruht in seinen Grundzügen auf dem eben dargestellten Vorschlagsverfahren, sieht jedoch eine Stärkung der Einflußmöglichkeiten des Europäischen Parlaments auf den Entscheidungsprozeß in der EG vor und führt zu einer gewissen Beschleunigung des Rechtsetzungsverfahrens. Dieses Verfahren findet Anwendung vor allem im Bereich der gemeinschaftlichen Verkehrspolitik (Art 75 Abs 1 EGV), der beruflichen Bildung (Art 127 EGV), in Teilen der Währungsunion (Art 104a Abs 2 und Art 104b Abs 2 EGV), für Regelungen zur Verbesserung der Arbeitsumwelt (Art 118a Abs 2 EGV) sowie für die Durchführungsbeschlüsse betreffend den Regionalfonds (Art 130e EGV).

Das Verfahren der Zusammenarbeit führt im wesentlichen in das Rechtsetzungsverfahren der EG eine **zweite Lesung im Europäischen Parlament** und **im Rat** ein. Ausgangspunkt ist wiederum ein Vorschlag der Kommission, den diese gleichzeitig dem Rat und dem Europäischen Parlament zur Stellungnahme vorlegt. Nach Eingang der Stellungnahmen des Europäischen Parlaments, des Wirtschafts- und Sozialausschusses und ggf des Ausschusses der Regionen legt der Rat mit qualifizierter Mehrheit einen **Gemeinsamen Standpunkt** (common position, position communo) fest. Dieser Gemeinsame Standpunkt ist Gegenstand einer zweiten Lesung im Europäischen Parlament. In dieser zweiten Lesung, die innerhalb einer Frist von drei Monaten erfolgt sein muß, hat das Europäische Parlament folgende Handlungsmöglichkeiten:

- Unproblematisch sind die beiden ersten Möglichkeiten, wenn das Europäische Parlament den gemeinsamen Standpunkt billigt oder die Frist verstreichen läßt. Dann verabschiedet der Rat den gemeinsamen Standpunkt endgültig.
- Das Europäische Parlament kann den gemeinsamen Standpunkt aber auch ablehnen oder Abänderungen an ihm vorschlagen. In diesen beiden Fällen kann sich der Rat stets durchsetzen, wenngleich in unterschiedlicher Weise: Bei Ablehnung kann der Rat in zweiter Lesung nur einstimmig beschließen oder gar keinen Beschluß fassen. Angesichts der hohen Anforderungen an die Beschlußfassung im Rat ist das der **Blockadefall.** Das Europäische Parlament wird eine Ablehnung deshalb nur in seltenen Fällen praktizieren. In der Regel wird es Abänderungen vorschlagen. Dann kommt es darauf an, ob die Kommission diese Abänderungen übernimmt oder nicht. Nur wenn die Kommission die Abänderungen übernimmt, beschließt der Rat im normalen Beschlußverfahren mit **qualifizierter Mehrheit** bzw mit **Einstimmigkeit,** sofern er von dem von der Kommission überprüften Vorschlag abweichen will. Wenn die Kommission die Abänderungen des Europäischen Parlaments hingegen nicht übernimmt, bedarf es zu ihrer Übernahme durch den Rat wiederum der **Einstimmigkeit.** Allein kann das Europäische Parlament seine Auffassung gegenüber dem Rat also nur schwer zur Geltung bringen. Will das Europäische Parlament seiner Auffassung Gewicht verleihen, muß es die **Kommission** gewinnen. In jedem Fall besitzt der Rat auch weiterhin eine Notbremse, indem er über die Abänderungsvorschläge

des Europäischen Parlaments oder den geänderten Vorschlag der Kommission nicht beschließen und damit das Rechtsetzungsverfahren blockieren kann.[118])

3. Verfahren der Mitentscheidung (Art 189b EGV)

Das Verfahren der Mitentscheidung[119]) läuft, vereinfacht dargestellt, in folgenden Etappen ab:

Ausgangspunkt der ersten Lesung ist ebenfalls ein Vorschlag der Kommission, der dem Rat und dem EP zugeleitet wird. In einer ersten Lesung berät das EP diesen Vorschlag und übermittelt seine Stellungnahme dem Rat. Auf dieser Stufe bekommen ggf auch der Wirtschafts- und Sozialausschuß sowie der Ausschuß der Regionen Gelegenheit zur Abgabe einer Stellungnahme.

Der Rat beschließt auf der Grundlage des Kommissionsvorschlags, der Stellungnahme des EP und seiner eigenen Überzeugung einen Gemeinsamen Standpunkt. Dies kann mit qualifizierter Mehrheit geschehen, wenn der Rat dem Vorschlag der Kommission folgt; will der Rat davon abweichen, ist Einstimmigkeit erforderlich. Der Gemeinsame Standpunkt wird im EP in einer **zweiten Lesung** beraten, in der es zu einer „Mitentscheidung" des EP über den geplanten Rechtsakt kommt. Dabei hat das EP innerhalb einer Frist von drei Monaten drei Handlungsmöglichkeiten:

- Wenn das EP den Gemeinsamen Standpunkt des Rates billigt oder sich binnen drei Monaten nicht geäußert hat, so erläßt der Rat den betreffenden Rechtsakt entsprechend dem Gemeinsamen Standpunkt.
- Wenn das EP Abänderungen am Gemeinsamen Standpunkt des Rates vornimmt, tritt folgendes Verfahren in Kraft: In einem **Vermittlungsausschuß,** der sich aus gleichberechtigten Vertretern gleicher Anzahl des Rates und des EP zusammensetzt, wird um einen Kompromiß gerungen und im Falle einer Einigung der betreffende Rechtsakt entsprechend dem Kompromißentwurf durch gleichgewichtige Beschlüsse des EP und des Rates erlassen.
- Wenn das EP den Gemeinsamen Standpunkt global ablehnt, kann der Rat ebenfalls den Vermittlungsausschuß anrufen. Das Verfahren läuft in diesem Fall wie oben beschrieben ab.

Kommt es im Vermittlungsausschuß zu keinem Kompromißentwurf, kann der Rat binnen sechs Wochen mit qualifizierter Mehrheit den Gemeinsamen Standpunkt ggf mit den vom EP vorgeschlagenen Änderungen bestätigen. In einer **dritten Lesung** kann das EP diesen jedoch mit absoluter Mehrheit ablehnen. Der Rechtsakt kann in diesem Fall nicht zustande kommen, sodaß dem EP insoweit praktisch ein **Vetorecht** zukommt.

---

[118]) Kritisch zu diesem Verfahren: *Sedemund/Montag,* Entwicklung des Europäischen Gemeinschaftsrechts, NJW 1987, 546; *Pescatore,* Die „Einheitliche Europäische Akte". Eine ernste Gefahr für den Gemeinsamen Markt, EuR 1986, 153; *Wessels,* Die Einheitliche Europäische Akte – Zementierung des status quo ohne Einstieg in die Europäische Union, Integration 67.

[119]) *Von Wogau,* Das neue Gesetzgebungsverfahren der Mitentscheidung nach dem Vertrag über die Europäische Union, FS Helmrich (1994) 459.

Die Einführung des Verfahrens der Mitentscheidung bedeutet für das EP Herausforderung und Chance zugleich. Zwar setzt ein erfolgreiches Wirken dieses Verfahrens eine Einigung im Vermittlungsausschuß voraus: Dennoch enthält es erste Ansätze einer grundlegenden Veränderung im Verhältnis zwischen EP und Rat. Zum ersten Mal besteht zwischen beiden Organen in der Gesetzgebung **Gleichberechtigung.** Es liegt nun am EP selbst, seine politische Kompromißfähigkeit zu beweisen und sich im Vermittlungsausschuß möglichst auf einen gemeinsamen Entwurf mit dem Rat zu einigen. Die praktische Anwendung des Verfahrens der Mitentscheidung ist keineswegs nur auf untergeordnete Politikbereiche beschränkt, sondern erfaßt etwa Bereiche wie die Freizügigkeit der Arbeitnehmer, die Niederlassungsfreiheit einschließlich der Koordinierung der Sondervorschriften für Ausländer und die gegenseitige Anerkennung von Diplomen, die Dienstleistungsfreiheit, die Rechtsangleichung zur Herstellung und zum Funktionieren des Binnenmarktes, Fördermaßnahmen in den Bereichen Erziehung, berufliche Ausbildung, Jugend, Kultur und Gesundheit, Verbraucherschutz, Forschung und Technologie sowie einige Umweltaktionsprogramme.

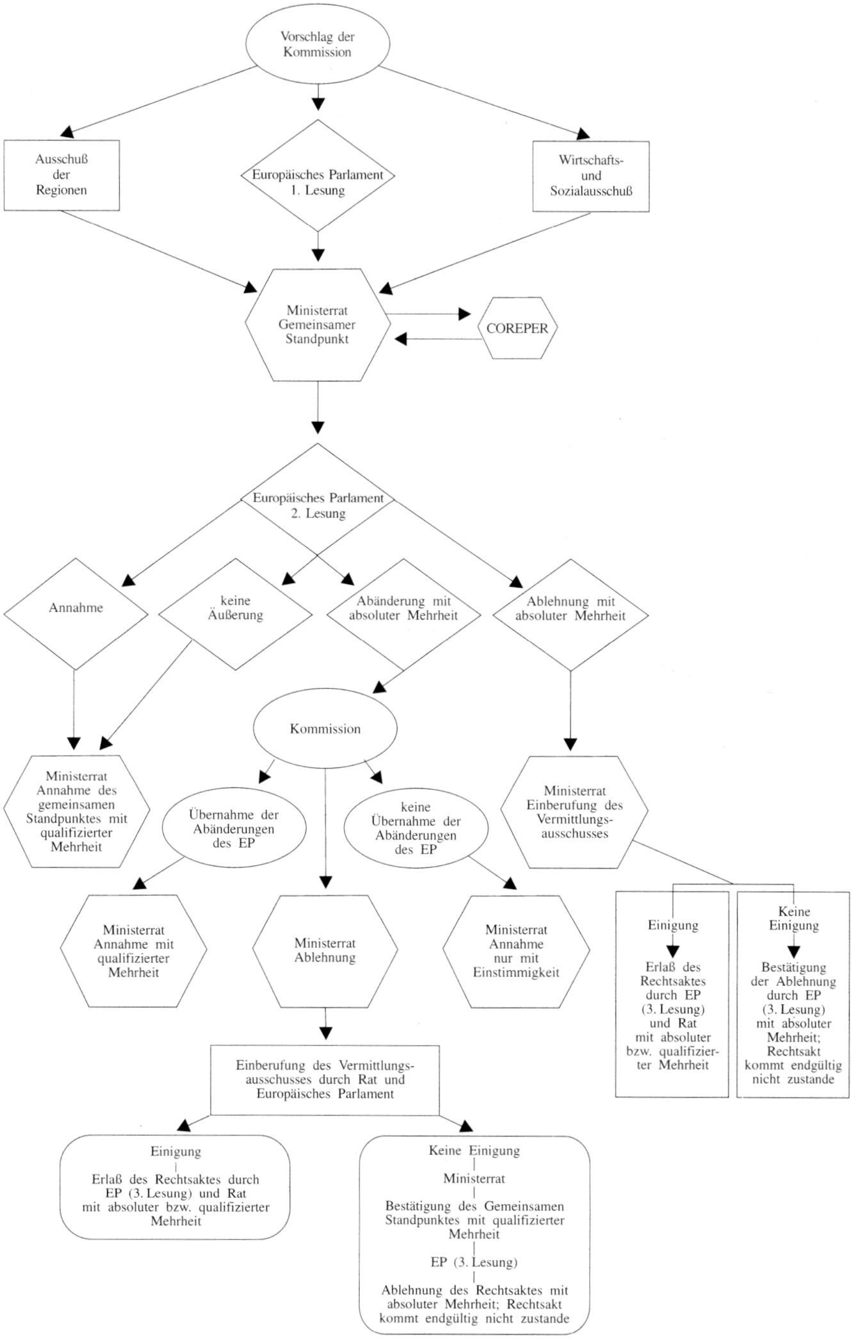

Schema des Mitentscheidungsverfahrens

4. Verfahren zum Erlaß von Durchführungsbestimmungen

Der durch die Einheitliche Europäische Akte geänderte Art 145 EGV sieht als Regelfall für den Erlaß von Durchführungsbestimmungen zu den vom Rat erlassenen Rechtsakten vor, daß der Rat die entsprechenden **Durchführungsbefugnisse** auf die Kommission überträgt. Nur in besonderen Fällen kann sich der Rat vorbehalten, die Durchführungsbefugnisse selbst auszuüben.[120]) In Wahrnehmung der ihr übertragenen Durchführungsbefugnisse darf die Kommission den auszuführenden Rechtsakt des Rates weder ändern noch ergänzen. Die Einhaltung der vom Rat gesetzten Rahmenbedingungen wird dabei durch die Einschaltung von Ausschüssen gewährleistet. Zu unterscheiden sind drei Ausschußverfahren, deren jeweilige Anwendung in dem durchzuführenden Rechtsakt festgelegt wird.[121])

a) Verfahren „Beratender Ausschuß"

Der Anwendungsbereich dieses Verfahrens erstreckt sich vor allem auf diejenigen Maßnahmen, die zur Durchführung der vom Rat im Zusammenhang mit der **Verwirklichung des Binnenmarktes** erlassenen Rechtsakte erforderlich sind. Der **„Beratende Ausschuß"** („comité consultatif") setzt sich aus Vertretern der Mitgliedstaaten zusammen und wird von einem Vertreter der Kommission geleitet. Der Vertreter der Kommission unterbreitet dem Ausschuß einen Entwurf der zu treffenden Maßnahme, zu dem dieser innerhalb einer von der Kommission festgesetzten Frist eine Stellungnahme abgibt. Die Kommission ist aufgefordert, aber nicht verpflichtet, die Stellungnahme soweit wie möglich zu berücksichtigen. Sie unterrichtet den Ausschuß darüber, inwieweit sie den Anregungen und Änderungen des Ausschusses nachgekommen ist (siehe Graphik).

b) „Verwaltungsausschußverfahren"

Dieses Verfahren kommt seit 1962 beim Erlaß von Durchführungsbestimmungen im Agrarbereich zur Anwendung. Die Kommission muß vor dem Erlaß der von ihr beabsichtigten Maßnahmen einen aus Vertretern der Mitgliedstaaten zusammengesetzten **Verwaltungsausschuß** („comité de gestion") anhören. Der Ausschuß gibt zu den Maßnahmeentwürfen eine Stellungnahme ab, die der qualifizierten Mehrheit (vgl Art 148 Abs 2 EGV) der Ausschußmitglieder bedarf. Im Falle der Zustimmung des Ausschusses, setzt die Kommission den geplanten Rechtsakt in Kraft. Lehnt der Ausschuß den beabsichtigen Rechtsakt hingegen ab, so ist die Kommission ermächtigt, sofort anwendbare Maßnahmen zu treffen.[122]) Diese müssen dem Rat unverzüglich

---

[120]) Vgl dazu *Bruha/Münch,* Stärkung der Durchführungsbefugnisse der Kommission, NJW 1987, 542; *Glaesner,* Die Einheitliche Europäische Akte, EuR 1986, 119.

[121]) Diese Verfahren sind im einzelnen geregelt im Beschluß des Rates v 13. 7. 1987 zur Festlegung der Modalitäten für die Ausübung der der Kommission übertragenen Durchführungsbefugnisse, ABl L 1987/197, 33; vgl dazu *Meng,* Der Komitologie-Beschluß, ZaÖRV 1988, 208.

[122]) Diese Ermächtigung wurde vom EuGH unter dem Gesichtspunkt einer möglichen Verfälschung des „institutionellen Gleichgewichts" geprüft und für rechtmäßig

mitgeteilt werden. Der Rat kann innerhalb eines Monats bzw innerhalb von drei Monaten mit qualifizierter Mehrheit einen anderslautenden Beschluß fassen.

c) „Regelungsausschußverfahren"

Das im Jahre 1968 vom Rat entwickelte Regelungsausschußverfahren deckt die anderen Bereiche der gemeinschaftlichen Politiken ab. Auch dieser Ausschuß („comité de codécision") setzt sich aus Vertretern der Mitgliedstaaten zusammen und gibt mit **qualifizierter Mehrheit** eine Stellungnahme zu den geplanten Durchführungsbestimmungen der Kommission ab. Im Unterschied zum Verwaltungsausschußverfahren ist die Stellung der Kommission im Falle der Ablehnung ihrer Maßnahme oder der Nichtabgabe einer Stellungnahme durch den Ausschuß erheblich geschwächt. In diesen Fällen kann die Kommission ihre Durchführungsmaßnahmen nicht zur sofortigen Anwendung bringen, sondern muß die zu treffenden Maßnahmen dem Rat zur **Beschlußfassung** vorschlagen. Der Rat beschließt über diesen Vorschlag mit qualifizierter Mehrheit innerhalb einer Frist von drei Monaten. Hat der Rat nach Ablauf dieser Frist noch keinen Beschluß gefaßt, so werden die vorgeschlagenen Maßnahmen von der Kommission erlassen, es sei denn, der Rat hat sich mit einfacher Mehrheit gegen die genannten Maßnahmen ausgesprochen.

5. Das einfache Verfahren

In dem einfachen Verfahren werden Rechtshandlungen von einem Gemeinschaftsorgan **ohne Vorschlag der Kommission** erlassen.

Dieses Verfahren findet zunächst bei den Maßnahmen Anwendung, die von der **Kommission in eigener Zuständigkeit** erlassen werden. Im einfachen Verfahren werden daneben auch die unverbindlichen Rechtsakte, dh Empfehlungen und Stellungnahmen, von Rat und Kommission abgegeben.

6. Besonderheiten des EGKS-Vertrages

Beim Verfahren zum Erlaß verbindlicher Rechtsakte im Rahmen der EGKS ist vor allem die vom Schema der „Römischen Verträge" (EGV und EURATOM) abweichende Rolle der Kommission (ehemals Hohe Behörde) und des Rates zu beachten.

Im EGKS-Vertrag liegt die **Befugnis zum Erlaß der Rechtsakte** nicht beim Rat, sondern **bei der Kommission** (vgl Art 14 EGKSV). Dem Rat wird lediglich ein Zustimmungsrecht eingeräumt, das ihm allerdings die Möglichkeit eröffnet, die Rechtsakte der Kommission zu Fall zu bringen (vgl Art 28 EGKSV). Bevor es zur endgültigen Beschlußfassung durch die Kommission kommt, müssen in den vom EGKS-Vertrag bestimmten Fällen das Europäische Parlament, der Wirtschafts- und Sozialausschuß sowie ein Beratender Ausschuß von der Kommission angehört werden.

---

erklärt; vgl EuGH Rs 25/70 – Köster – Slg 1970, 1161 (1173) und Rs 30/70 – Scheer – Slg 1970, 1197 (1210).

Anhang 1: Kennzahlen der Gemeinschaftsinstitutionen

Mitgliedstaat	Abgeordnete im EP	Stimmen im Rat	Kommissionsmitglieder	Mitglieder im WSA	Mitglieder im Ausschuß der Regionen
Belgien	25	5	1	12	12
Dänemark	16	3	1	9	9
Deutschland	99	10	2	24	24
Griechenland	25	5	1	12	12
Spanien	64	8	2	21	21
Frankreich	87	10	2	24	24
Irland	15	3	1	9	9
Italien	87	10	2	24	24
Luxemburg	6	2	1	6	6
Niederlande	31	5	1	12	12
Österreich	21	4	1	12	12
Portugal	25	5	1	12	12
Finnland	16	3	1	9	9
Schweden	22	4	1	12	12
Vereinigtes Königreich	87	10	2	24	24
Gesamt	626	87	20	222	222

5. KAPITEL

Organisation und Arbeitsweise der Kommission

Moritz Röttinger

Übersicht:

A. Rechtsgrundlagen

Die Kommission der Europäischen Gemeinschaften vereint seit dem Fusionsvertrag[1]) von 1965 (in Kraft getreten 1967) drei Institutionen: die Kommission der EG (früher EWG) (Art 155 EGV), die Kommission der EAG (Art 124, 134 und 135 EURATOMV) und die Hohe Behörde der EGKS (Art 8, 14–16 sowie 18 und 19 EGKSV). Gem Art 9 FusV tritt die Kommission an die Stelle dieser Institutionen und übt die diesen Organen zuständigen Befugnisse und Zuständigkeiten nach Maßgabe der drei Verträge aus. Die juristisch korrekte Bezeichnung ist weiterhin „Kommission der Europäischen Gemeinschaften“, was auch klar ausdrückt, daß die Kom-

[1]) Vertrag zur Einsetzung eines Gemeinsamen Rates und einer Gemeinsamen Kommission der Europäischen Gemeinschaften vom 8. 4. 1965, ABl 1967/152 v 13. 7. 1967, idgF.

mission ein (ausschließlich zur 1. Säule gehörendes) Gemeinschaftsorgan ist. Der umgangssprachlich verwendete Begriff „Europäische Kommission" darf nicht darüber hinwegtäuschen, daß die Kommission keine Unionsinstitution ist; falsch sind daher Bezeichnungen wie „EU-Kommission" oder „EU-Kommissar".

B. Aufgaben

Gem Art 155 EGV (entsprechend Art 124 EURATOMV) hat die Kommission, deren Sitz in Brüssel ist,

- für die **Anwendung der Verträge** sowie der von den Organen aufgrund der Verträge getroffenen Bestimmungen Sorge zu tragen,
- **Empfehlungen** oder **Stellungnahmen** auf den in den Verträgen bezeichneten Gebieten abzugeben, soweit dies ausdrücklich vorgesehen ist oder die Kommission es für notwendig erachtet,
- nach Maßgabe der Verträge in eigener Zuständigkeit **Entscheidungen** zu treffen und am Zustandekommen der Handlungen des Rates und des Europäischen Parlaments mitzuwirken sowie
- die Befugnisse auszuüben, die ihr der Rat zur Durchführung der von ihm erlassenen Vorschriften überträgt.

1. „Hüterin des Vertrages"[2])

Die Kommission sorgt für die **Einhaltung der Gemeinschaftsregeln** und der Grundsätze des Gemeinsamen Marktes. Sie wacht über die korrekte Anwendung der Vertragsbestimmungen und der Entscheidungen der Gemeinschaftsorgane. Dafür stehen ihr zahlreiche Unterrichtungs- und Untersuchungsrechte zur Verfügung, die ihre Grundlage im primären und sekundären Gemeinschaftsrecht finden. Diese **„Wachhund-Funktion"**[3]) richtet sich sowohl gegen Individuen als auch gegen die Mitgliedstaaten.

Im Rahmen des sog **Vertragsverletzungsverfahrens** (Art 169 EGV, Art 141 EURATOMV und etwas unterschiedlich Art 88 EGKSV) trifft die Kommission auf Veranlassung ihrer Dienststellen oder aufgrund der Beschwerde einer Regierung, eines Unternehmens oder einer Privatperson zunächst die Feststellung, daß ein Verdacht auf einen Verstoß vorliegt. Danach fordert die Kommission den betreffenden Staat auf, sich innerhalb einer bestimmten Frist zu äußern und sein Verhalten zu begründen; die Frist beträgt üblicherweise 2 Monate, kann jedoch im Fall schwerer Verstöße, die das Funktionieren des Gemeinsamen Marktes direkt beeinflussen, wesentlich kürzer sein. Wendet der Mitgliedstaat die betreffende Maßnahme weiter an oder veranlassen seine Einwendungen die Kommission nicht, ihren Standpunkt zu ändern, so richtet die Kommission an den Mitgliedstaat eine begründete Stellungnahme, der dieser innerhalb der von der Kommission gesetzten Frist nachzukommen hat. Tut er dies nicht, so kann die Kommission den Ge-

---

[2]) Siehe insb auch *Noël*, Die Organe der Europäischen Gemeinschaft (1994), und *Hay*, Die EG-Kommission und die Verwaltung der Gemeinschaft (1989).

[3]) Vgl *Noël* (FN 2) 13.

richtshof anrufen, dessen Urteil für den Mitgliedstaat wie für die Gemeinschaftsorgane bindend ist. Jährlich leitet die Kommission fast 1000 solcher Vertragsverletzungsverfahren ein. Etwa 70% der Verstöße betreffen fehlende oder nicht ordnungsgemäß erfolgte **Umsetzungen von Gemeinschaftsrichtlinien** zur **Angleichung der Rechtsvorschriften** in einzelstaatliches Recht, etwa 15% der Verstoßfälle betreffen die Nichteinhaltung der Vorschriften über den freien Verkehr von Agrarerzeugnissen und Industriegütern sowie in geringerem Maße die Vorschriften der gemeinsamen **Marktorganisationen.** Außer in einigen schwerwiegenden Fällen handelte es sich bisher weniger um vorsätzliche Umgehungen von Verpflichtungen der Mitgliedstaaten als um **Auslegungsdifferenzen** zwischen der Kommission und einem Mitgliedstaat, die der EuGH bereinigte, oder in erster Linie um Verzögerungen bei den einzelstaatlichen Verwaltungs- oder Parlamentsverfahren sowie um Irrtümer. Angesichts der Gefahren, die bestimmte Verstöße für den Binnenmarkt mit sich brachten, hat die Kommission ihre Tätigkeit in diesem Bereich jedoch intensiviert.

Die Kommission äußert sich auch zu den Anträgen der Mitgliedstaaten auf Anwendung von Schutzklauseln, die in Ausnahmefällen eine vorübergehende Abweichung von den Vertragsbestimmungen erlauben.

Im Rahmen der europäischen Wettbewerbsregeln besitzt die Kommission das Ermittlungsrecht und kann außerdem Unternehmen oder einzelnen Personen Geldbußen auferlegen, die allerdings beim EuGH angefochten werden können.

2. Rechtsetzung

Die Kommission hat das sog **Initiativrecht**[4]) und ist damit gleichzeitig „Motor, Wächter und ehrlicher Makler" (so der frühere Kommissionspräsident *Walter Hallstein*) der Gemeinschaft. So ergibt sich aus Art 43 EGV, wonach der Rat die Rechtsakte „auf Vorschlag der Kommission" erläßt, daß am Beginn des Rechtsetzungsverfahrens idR zunächst eine Kommissionsinitiative besteht. Die Kommission bringt also das Rechtsetzungsverfahren in Gang. Die Kommission kann zwar gem Art 152 EGV und Art 122 EAGV vom Rat aufgefordert werden, Initiativen zu ergreifen, kann aber in ihrer Unabhängigkeit von niemandem dazu gezwungen werden. Ein politisches Druckmittel ist höchstens der **Mißtrauensantrag** des Europäischen Parlaments. Allerdings kann in jenen Fällen, in denen die Kommission (oder auch der Rat) rechtlich verpflichtet ist, einen Beschluß zu fassen, und dies unterläßt, jeder Mitgliedstaat Klage gegen die Kommission (oder den Rat) beim EuGH erheben. Diese Untätigkeitsklage (Art 175 EGV, Art 148 EURATOMV und Art 35 EGKSV) ergänzt die **positive Rechtmäßigkeitskontrolle** der Organakte.[5]) Bezüglich Vertragsänderungen hat die Kommission ebenso wie jeder einzelne Mitgliedstaat ein nicht ausschließliches Initiativrecht (Art N Abs 1 EUV).

---

[4]) Vgl ausführlich *Noël,* The Commission's Power of Initiative, CMLR 1973, 123.

[5]) Vgl insb *Schweitzer/Hummer,* Europarecht[3] (1990) 144f; *Schramm,* Rechtsetzung durch die EG- Kommission bei Untätigkeit des Rates? (1988).

Im Rahmen des Haushaltsrechts[6]) ist die Kommission insoweit am Rechtsetzungsverfahren beteiligt, als sie den **Vorentwurf des Haushaltsplanes** erstellt und dem Rat vorlegt (Art 203 Abs 2 und 3 EGV).

Kein Initiativrecht kommt der Kommission im Bereich der Gemeinsamen Außen- und Sicherheitspolitik (2. Säule) sowie der Zusammenarbeit in den Bereichen Justiz und Inneres (3. Säule) zu (s unten B.5).

3. Außenbeziehungen

Der Kommission stehen im Bereich der **Außenpolitik** besondere Kompetenzen zu. Die Kommission ist gemeinsam mit dem Rat gem Art C Abs 2 EUV für die Kohärenz aller von der Union ergriffenen außenpolitischen Maßnahmen im Rahmen der Außen-, Sicherheits-, Wirtschafts- und Entwicklungspolitik verantwortlich. Gem Art 113 Abs 3 und Art 228 EGV sowie Art 101 Abs 2 EURATOMV obliegt der Kommission die Aushandlung handelspolitischer und sonstiger Abkommen mit Drittstaaten, wobei sie in Einzelfällen selbst für die EG Abkommen abschließen kann. Im Falle eines Beitrittsantrags eines Drittstaates gibt die Kommission gem Art 237 Abs 1 EWGV eine Stellungnahme (den sog **„avis“**) ab, spielt aber infolge ihrer Sachkompetenz auch bei den Verhandlungen eine wesentliche Rolle.

Die Kommission hat in allen Mitgliedstaaten **Vertretungen** bzw **Außenstellen** sowie in zahlreichen Drittländern[7]) **Delegationen** und **Presse- und Informationsbüros;** darüberhinaus vertritt die Kommission die Gemeinschaft bei den internationalen Organisationen.[8])

4. Umsetzung der Gemeinschaftspolitiken

Die Kommission befaßt sich vorrangig mit der Ausarbeitung gemeinsamer Politiken. Während der EG-Vertrag ein **„Rahmenvertrag“** ist, legen der

---

[6]) Vgl ausführlich unten *Wuermeling,* Der EU-Haushalt: Politik in ECU.

[7]) Ägypten, Albanien, Algerien, Angola, Antigua und Barbuda, Äquatorial-Guinea, Argentinien, Äthiopien, Australien, Bangladesch, Barbados, Belize, Benin, Botswana, Brasilien, Bulgarien, Burkina Faso, Burundi, Chile, China, Costa Rica, Dominikanische Republik, Djibouti, Elfenbeinküste, Eritrea, Fidji, Gabun, Gambia, Georgien, Ghana, Grenada, Guinea, Guinea-Bissau, Guyana, Haiti, Hongkong, Indien, Indonesien, Israel, Jamaika, Japan, Jordanien, Jugoslawien, Kamerun, Kanada, Kap Verde, Kenia, Kolumbien, Komoren, Kongo, Korea, Lesotho, Libanon, Liberia, Madagaskar, Malawi, Mali, Malta, Marokko, Mauretanien, Mauritius, Mexiko (auch für Kuba zuständig), Mozambique, Namibia, Niederländische Antillen, Niger, Nigeria, Norwegen, Pakistan, Papua-Neuguinea, Peru, Philippinen, Polen, Ruanda, Rumänien, Rußland, Salomonen, Sambia, São Tomé und Principe, Senegal, Sierra Leone, Simbabwe, Slowakei, Slowenien, Somalia, Südafrika, Sudan, Surinam, Swaziland, Syrien, Tanzania, Thailand, Togo, Tonga (auch zuständig für Martinique, Französisch-Guyana, Saint-Pierre-et-Migneton, St. Helena, Falklandinseln und britische und französische Antarktisgebiete), Trinidad und Tobago, Tschad, Tschechien, Tunesien, Türkei, Ukraine, Uganda, Ungarn, Uruguay, USA, Vanuatu, Venezuela, West-Samoa, Zaïre, Zentralafrika sowie Zypern; s auch Beantwortung einer parlamentarischen Anfrage durch die Kommission, ABl C 1994/46, 2 v 14. 2. 1994.

[8]) Bei den in Genf, New York, Paris, Rom und Wien angesiedelten internationalen Organisationen.

EURATOM- und EGKS-Vertrag, die als **„Normverträge"** oder **„Gesetzesverträge"** bezeichnet werden können, recht genau fest, welche Vorschriften in den jeweiligen Bereichen anzuwenden und welche Aufgaben zu erfüllen sind. Der EG-Vertrag beschränkt sich hingegen – abgesehen von den automatischen Klauseln über den Abbau der Zölle und Kontingente – darauf, allgemeine Hinweise für die Orientierung der Politik in den Hauptbereichen der Wirtschaftstätigkeit zu geben, und überläßt es den Gemeinschaftsorganen und insb dem Rat und der Kommission, gemeinsam mit dem Parlament die von der Gemeinschaft anzuwendenden Bestimmungen auszuarbeiten.

Die Kommission führt die Gemeinschaftspolitik auf der Grundlage der Ratsbeschlüsse oder in direkter Anwendung der Vertragsbestimmungen durch. In diesem Zusammenhang sieht die EEA vor, daß der Rat der Kommission – von Ausnahmen abgesehen – die Befugnisse zur Durchführung der von ihm erlassenen Rechtsakte überträgt. In bestimmten Fällen kann die Ausübung dieser Befugnisse von besonderen Modalitäten wie zB der Mitwirkung und Anhörung von einzelstaatlichen Sachverständigen abhängig gemacht werden.

Besonders weitreichende eigene Befugnisse besitzt die Kommission auf dem Kohle- und Stahlsektor (zB Koordinierung der Investitionen, Preiskontrolle etc), auf dem Wettbewerbssektor (Verfolgung von Monopolen und Kontrolle staatlicher Beihilfen) und auf dem Atomenergiesektor (zB Versorgung mit spaltbarem Material, Kontrolle von Kernkraftanlagen etc).

Schließlich verwaltet die Kommission die für öffentliche Maßnahmen der Gemeinschaften bestimmten finanziellen Mittel und insb die **Fonds** und gemeinsamen Programme, die den Hauptteil des Gemeinschaftshaushalts ausmachen und insb folgenden Zielen dienen: Unterstützung und Modernisierung der Landwirtschaft (Europäischer Ausrichtungs- und Garantiefonds für die Landwirtschaft), Förderung regionaler, industrieller und beruflicher Umstellungen sowie Einstellung Jugendlicher (Europäischer Fonds für soziale Entwicklung, EGKS-Mittel, Sozialfonds), Förderung der wissenschaftlichen Forschung (Rahmenprogramm für Forschung und technologische Entwicklung, Gemeinsame Forschungsstelle) sowie Stärkung der Solidarität Europas mit der Dritten Welt (Europäischer Entwicklungsfonds, Nahrungsmittelhilfeprogramme etc).

Schließlich ist die Kommission gem Art 18 FusV verpflichtet, jährlich einen **Gesamtbericht** über die Tätigkeit der Gemeinschaften zu veröffentlichen.

5. 2. und 3. Säule

Im Rahmen der 2. und 3. Säule des EU-Vertrags kommt der Kommission kein Initiativrecht zu. Sie wird bloß in bestimmten Fällen vom Rat zur Unterstützung herangezogen („Institutionenleihe").

Im Rahmen der Gemeinsamen Außen- und Sicherheitspolitik **(GASP)** unterstützt die Kommission insb den Ratsvorsitz (Art J.5 Abs 3 EUV), kann ebenso wie jeder Mitgliedstaaten den Rat mit einer Frage der GASP befassen und ihm Vorschläge unterbreiten (Art J.8 Abs 3 EUV) und wird ganz allgemein „in vollem Umfang an den Arbeiten" im Bereich der GASP beteiligt (Art J.9 EUV).

Im Rahmen der Zusammenarbeit in den Bereichen **Justiz und Inneres** kann die Kommission ebenso wie jeder Mitgliedstaat dem Rat eine Initiative in den in Art K.1 Z 1–6 EUV genannten Bereichen der **Asylpolitik,** der Personenkontrollen an den Außengrenzen, der Einwanderungspolitik, der Drogenbekämpfung, der internationalen Betrugsbekämpfung und der justiziellen Zusammenarbeit in Zivilsachen vorschlagen (Art K.3 Abs 2 EUV); dies gilt eben nicht für die justizielle Zusammenarbeit in Strafsachen, die Zusammenarbeit im Zollwesen und die polizeiliche Zusammenarbeit. Die Kommission kann auch wie jeder Mitgliedstaat vorschlagen, daß Art 100c EGV auf Maßnahmen in den in Art K.1 Z 1–6 EUV genannten Bereichen angewendet werden soll (Art K.9 EUV). Ganz allgemein soll die Kommission „in vollem Umfang an den Arbeiten" im Rahmen der 3. Säule beteiligt werden (Art K.4 Abs 2 EUV).

C. Organisation[9])

1. Die Kommission als Kollegialorgan

Wenn in den Gründungsverträgen von der „Kommission" gesprochen wird, so handelt es sich dabei stets um ein **Kollegialorgan.** (Insofern ist es unrichtig, den Beamtenapparat als „die Kommission" zu bezeichnen.) Gem Art 157 Abs 1 EGV idF der Beitrittsakte Österreichs, Finnlands und Schwedens besteht die Kommission aus 20 Mitgliedern, wobei diese Zahl vom Rat einstimmig geändert werden kann. Der Kommission gehört mindestens ein, maximal zwei Staatsangehörige jedes einzelnen Mitgliedstaates an. In der Praxis kommen je zwei Kommissionsmitglieder aus den fünf größten Mitgliedstaaten Deutschland, Frankreich, Italien, Spanien und dem Vereinigten Königreich. Gem Art 158 Abs 2 EGV werden der Präsident und die übrigen Mitglieder der Kommission von den Regierungen der Mitgliedstaaten im gegenseitigen Einvernehmen ernannt; die Amtszeit beträgt fünf Jahre, wobei jeweils eine Wiederbestellung zulässig ist. Gem Art 159 Abs 1 EGV endet das Amt eines Kommissionsmitglieds durch den Tod, den Rücktritt oder die Amtsenthebung, wobei für das ausscheidende Mitglied für die verbleibende Amtszeit ein Nachfolger ernannt wird, sofern der Rat nicht einstimmig entscheidet, für diese Zeit keinen Nachfolger zu ernennen; dies gilt nicht für den Präsidenten. Jedes Mitglied der Kommission, das die Voraussetzungen für die Ausübung seines Amtes nicht mehr erfüllt oder eine schwere Verfehlung begangen hat, kann auf Antrag des Rates oder der Kommission durch den EuGH seines Amtes enthoben werden (Art 160 EGV). Darüberhinaus kann die gesamte Kommission (also das Kollegium aller Kommissionsmitglieder)

---

[9]) Vgl ua insb *Röttinger,* Interessenausgleich und interne Meinungsbildungsprozesse in der Europäischen Kommission, in: *Weiler* (Hg), Europäische Integration und Interessenverbände (1994) Bd II 96; *Poullet/Deprez,* Struktur und Macht der EG-Kommission (1976); *Schmitt von Sydow,* Organe der erweiterten europäischen Gemeinschaften. Die Kommission (1980); *Knöpfle,* Organisation und Arbeitsweise der Gemeinsamen Kommission der Europäischen Gemeinschaften, EuR 1968, 30; *Ehlermann,* Das schwierige Geschäft der Kommission, EuR 1981, 335; *Knöpfle,* Die Kommission der Europäischen Gemeinschaften, Integration 1970, 81.

durch ein **Mißtrauensvotum** des Europäischen Parlaments (Art 24 Abs 2 und 3 EGKSV, Art 144 EGV und Art 114 EURATOMV) bei 2/3-Mehrheit der abgegebenen Stimmen, mindestens aber der Hälfte aller Abgeordneten zum Rücktritt gezwungen werden. Bisher wurden vier Mißtrauensanträge gestellt, von denen zwei wieder zurückgezogen und zwei vom Parlament abgelehnt wurden.

Seit 1995 erfolgt die **Ernennung der Kommissionsmitglieder** in einem dreistufigen Verfahren (Art 158 Abs EGV).[10]) Zunächst benennen die Regierungen der Mitgliedstaaten nach intensiver Konsultation untereinander und nach Anhörung des Europäischen Parlaments den designierten Kommissionspräsidenten. Dann benennen sie in Konsultation mit dem designierten Präsidenten die anderen designierten Kommissionsmitglieder. Anschließend stellen sich der designierte Präsident und die übrigen designierten Kommissionsmitglieder einem Vertrauensvotum des Europäischen Parlaments, das nur das gesamte Kollegium (nicht aber einzelne Personen) ablehnen oder gutheißen kann; auch auf die Zuständigkeitsverbreitung hat es keinen Einfluß. Um sich ein genaueres Bild von den Kandidaten zu machen, hat das Parlament im Jänner 1995 erstmals öffentliche Anhörungen mit ihnen durchgeführt. Nach dem Vertrauensvotum ernennen die Regierungen der Mitgliedstaaten im gegenseitigen Einvernehmen das Kommissionskollegium. Obwohl bisher kein Vertrauensvotum des Europäischen Parlaments bei der Einsetzung einer neuen Kommission vorgesehen war, hat es 1985 erstmals einer neuen Kommission ausdrücklich das Vertrauen ausgesprochen.[11]) Entsprechend der Stuttgarter Deklaration des Europäischen Rates vom 19. Juni 1983 wurde schon bisher das erweiterte Präsidium des Europäischen Parlaments vor der Ernennung des Kommissionspräsidenten gehört.

IdR werden politische Persönlichkeiten oder hohe Beamte zu Kommissionsmitgliedern bestellt. Der Kommission steht der **Präsident**[12]) vor, der die Kommission nach außen vertritt; er ist aber sonst ausschließlich primus inter pares und hat keinerlei Vorrechte. Die einzige Ausnahme ist, daß der Präsident Mitglied des Europäischen Rates ist (Art D Abs 2 EUV). Die Kommission kann aus ihrer Mitte einen oder zwei Vizepräsidenten ernennen (Art 161 EGV), was sie auch tut.

Auch wenn es sich bei der Kommission um ein Kollegialorgan handelt, so hat doch jedes Kommissionsmitglied bestimmte **Zuständigkeiten** (s unten Anhang 1), ohne daß dies mit den Befugnissen im Sinne einer Ressortverteilung bei nationalen Regierungen vergleichbar wäre oder gar zu einer Art „Ministerverantwortlichkeit" führen würde. Die Kommission hat sechs Arbeitsgruppen eingerichtet, in denen jeweils mehrere Kommissionsmitglieder zu einem bestimmten Thema zusammenarbeiten (s Anhang 2).

---

[10]) Vgl auch *Röttinger* (FN 9).

[11]) ABl C 1985/46, 19.

[12]) Bisherige Kommissionspräsidenten waren *Walter Hallstein* (Deutschland) 1958–1967, *Jean Rey* (Belgien) 1967–1970, *Franco Malfatti* (Italien) 1970–1971, *Sicco Mansholt* (Niederlande) 1971–1972, *François Ortoli* (Frankreich) 1973–1976, *Roy Jenkins* (Vereinigtes Königreich) 1977–1980, *Gaston Thorn* (Luxemburg) 1981–1984, *Jacques Delors* (Frankreich) 1985–1994 sowie *Jacques Santer* (Luxemburg) seit 1995.

Jedem Kommissionsmitglied steht sein persönlicher Mitarbeiterstab zur Verfügung, der allgemein als das **„Kabinett“**[13]) bezeichnet wird. Die Kabinettsmitglieder haben häufig, aber durchaus nicht immer dieselbe Staatsangehörigkeit wie das Kommissionsmitglied. Das Kabinett arbeitet direkt mit dem Kommissionsmitglied zusammen und unterstützt es in seiner Arbeit, insb bei den Kontakten mit den Kommissionsdienststellen und anderen Institutionen, den Mitgliedstaaten und der Öffentlichkeit. Eine besondere Bedeutung gewinnt das Kabinett bei bestimmten Beschlußfassungsverfahren (s unten D.2), insb beim sog A-Punkte-Verfahren.

Die **Kommissionsmitglieder** sind keine Beamte iSd Statuts oder der Beschäftigungsbedingungen[14]); sie sind auch keine Regierungsvertreter. Sie üben ihre Tätigkeit in voller Unabhängigkeit zum allgemeinen Wohl der Gemeinschaften aus (Art 157 Abs 2 1. Unterabs EGV). Das bedeutet, daß sie bei der Erfüllung ihrer Pflichten Anweisungen von einer Regierung oder einer anderen Stelle weder anfordern noch entgegennehmen dürfen und jede Handlung zu unterlassen haben, die mit ihren Aufgaben unvereinbar ist. Gem Art 157 Abs 2 2. Unterabs EGV sind die Mitgliedstaaten verpflichtet, diesen Grundsatz zu achten und nicht zu versuchen, die Kommissionsmitglieder bei der Erfüllung ihrer Aufgaben zu beeinflussen. Die Kommissionsmitglieder dürfen während ihrer Amtszeit keine andere entgeltliche oder unentgeltliche Berufstätigkeit ausüben, wobei eine wissenschaftliche oder Lehrtätigkeit auf dem Gebiet der europäischen Integration zulässig ist, soferne dies unentgeltlich erfolgt. Dies hat die Kommission in ihrem Verhaltenskodex vom 6. Dezember 1995 ebenso festgelegt wie das Verbot für Kommissionsmitglieder, für Vorträge Honorare anzunehmen; sie dürfen zwar nicht regelmäßig Beiträge für Zeitungen oder Zeitschriften verfassen, sie dürfen aber Bücher veröffentlichen und dafür Tantiemen beziehen, wobei sie den Kommissionspräsidenten von ihrer Absicht, ein Buch zu publizieren, informieren müssen. Bei der Aufnahme ihrer Tätigkeit übernehmen sie die feierliche Verpflichtung, während der Ausübung und nach Ablauf ihrer Amtszeit die sich aus ihrem Amt ergebenden Pflichten zu erfüllen, insb die Pflicht, bei der Annahme gewisser Tätigkeiten oder Vorteile nach Ablauf ihrer Tätigkeit ehrenhaft und zurückhaltend zu sein. Werden diese Pflichten verletzt, so kann der EuGH auf Antrag des Rates oder der Kommission das Mitglied je nach Lage des Falles seines Amtes entheben oder ihm seine Ruhegehaltsansprüche oder andere an ihrer Stelle gewährte Vergünstigungen aberkennen (Art 157 Abs 2 3. Unterabs EGV).

2. Die Dienststellen der Kommission

Der Verwaltungsapparat setzt sich aus den Dienststellen der Kommission zusammen (s unten die Zusammenstellung in Anhang 3). Diese **Dienststellen** sind auf einer funktionellen Basis gegliedert, wobei jede für einen oder

---

[13]) Vgl auch *Krenzler,* Die Rolle der Kabinette in der Kommission der EG, EuR 1974, 75; *Miert,* La Répartition des Portefeuilles au sein de la Commission et le Problème de la Collégialité, in FS *Dehousse* (1979) Bd 2, 175; ausführlich *Röttinger* (FN 9).

[14]) Vgl ausführlich unten *Röttinger,* Die Europäischen Beamten.

mehrere Bereiche der Gemeinschaftspolitik zuständig ist. Die dort Beschäftigten sind Beamte oder sonstige Bedienstete der Kommission[15]), also keine Politiker. Mit Stichtag 1. Jänner 1996 gab es in der Kommission 16.273 **Beamte,** von denen über 10.000 in Brüssel arbeiteten (s auch unten Anhang 4). Etwa 57,5% sind Männer, etwa 42,5% Frauen (1991: 59% Männer und 41% Frauen). Während der Männeranteil bei den A-Beamten etwa 87% (1991: 89%) beträgt, so sind 80% (1991: 74%) der C-Beamten Frauen. Nach Nationalitäten geordnet kommen etwa 23% der Beamten aller Kategorien aus Belgien, etwa 18% aus Italien, etwa 12% aus Deutschland, etwa 11% aus Frankreich und etwa 7% aus dem Vereinigten Königreich. Von den A-Beamten kommen je 16% aus Deutschland und Frankreich, 15% aus Italien, 12% aus Belgien und 11% aus dem Vereinigten Königreich. Bei den B-Beamten „führt“ Belgien mit etwa 33% vor Italien mit 21% und Deutschland mit 9%. (Da die ersten Österreicher, Finnen und Schweden als Beamte erst Ende 1995 eingestellt wurden, sind sie noch nicht in der Statistik berücksichtigt.)

Die meisten Kommissionsdienststellen sind nach dem klassischen **Pyramidenschema** strukturiert und haben meistens einen **Generaldirektor** an der Spitze, der von einem oder mehreren stellvertretenden Generaldirektoren unterstützt werden kann. Jeder Generaldirektor hat zumindest einen Assistenten, der ebenfalls Kommissionsbeamter ist; es ist dies aber nicht mit einem Kabinett vergleichbar. Die **Generaldirektionen** sind ferner in **Direktionen** und **Abteilungen** gegliedert. Diese Abteilungen sind üblicherweise für die tägliche Administration in sehr genau definierten Bereichen zuständig.[16])

Abgesehen von den für bestimmte Politikbereiche zuständigen Dienststellen gibt es solche, die eine horizontale Funktion einnehmen und entweder für die Koordinierung und Kohärenz der Kommissionsarbeit oder für das Kommissionspersonal direkt zuständig sind.[17]) Die wichtigste Dienststelle mit **Koordinierungsfunktion** ist das **Generalsekretariat,** dem die Koordinierung der verschiedenen Tätigkeiten der Kommission obliegt. Es bereitet den Entscheidungsprozeß innerhalb der Kommission vor und ist für die Beziehungen zum Rat und zum Parlament verantwortlich. Dem **juristischen Dienst** und der **Generaldirektion Haushalt** kommt sowohl innerhalb der Kommission als auch im Rahmen der Beziehungen zu den übrigen Organen große Bedeutung zu. Der **Dienst des Sprechers** und die **Generaldirektion Information** haben die wichtige Aufgabe, Medien und Öffentlichkeit zu unterrichten. Darüberhinaus hat die Kommission **Vertretungen in allen** zwölf **Mitgliedstaaten** sowie **Delegationen in Drittländern,** in denen die Schlüsselpositionen mit Kommissionsbeamten, der Rest des Personals mit örtlichen Bediensteten besetzt ist. Die für die interne Verwaltung wichtigen Dienststellen sind die Generaldirektion Finanzkontrolle, die **Generaldirektion Personal und Verwaltung** sowie das Sicherheitsbüro. Die Generaldirektion Personal und Verwaltung verwaltet sämtliche Infra-

---

[15]) FN 14.

[16]) Vgl EG-Kommission (Hg), Organisationsplan der Kommission der Europäischen Gemeinschaften bzw Annuaire interinstitutionnel.

[17]) Vgl auch *Hay,* Die EG-Kommission und die Verwaltung der Gemeinschaft (1989) 20 sowie *Röttinger* (FN 9).

strukturdienste (zB Datenverarbeitung, interner Postdienst, Fuhrpark, Personalkantinen, Bibliothek, Gebäude etc) und ist außerdem für die Personalpolitik und das Verwaltungsverfahren (einschließlich Einstellungen und Fortbildungsmaßnahmen) sowie für das gemeinsame System der sozialen Sicherheit ihrer Bediensteten zuständig.

Eine besondere Stellung nimmt der **Übersetzerdienst** und der gemeinsame **Dolmetscher-Konferenzdienst** ein. Alle elf **Amtssprachen** (Dänisch, Deutsch, Englisch, Finnisch, Französisch, Griechisch, Italienisch, Niederländisch, Portugiesisch, Spanisch und Schwedisch) sind prinzipiell gleichberechtigt. Dies ist auch ein Ausfluß des Bestrebens der Gemeinschaft zur Erhaltung der kulturellen Vielfalt, zu der die Sprache wesentlich beiträgt. Die Rechtsakte der Gemeinschaft müssen für alle Staatsbürger aller Mitgliedstaaten gleichermaßen verständlich und daher in allen Amtssprachen verfügbar sein, da sie teilweise unmittelbar in allen Mitgliedstaaten gelten. Die Aufgabe des Übersetzungsdienstes besteht daher nicht nur darin, Texte in bis zu zehn andere Sprachen zu übertragen, vielmehr soll sich das Endprodukt wie ein Originaltext lesen. Jeder Gemeinschaftsbürger soll bei der Lektüre eines Gemeinschaftstextes den Eindruck gewinnen, daß dieser Text in seiner Muttersprache verfaßt worden ist. Der Arbeitsanfall ist mit jährlich etwa 1 Million zu übersetzenden Seiten enorm. Aus diesem Grunde gab es in der Kommission zum Stichtag 1. Jänner 1995 1495 Übersetzer und Dolmetscher, die über eine akademische Ausbildung verfügen; das sind 10,1% aller Kommissionsbediensteten. Darüberhinaus werden je nach Bedarf Free-Lance-Kräfte engagiert. Bei vielen Sitzungen und Konferenzen wird in alle und aus allen Amtssprachen gedolmetscht, bei anderen hingegen nur in manchen. Außerdem verfügt der Übersetzungsdienst über einen umfangreichen terminologischen Dienst, der regelmäßig mehrsprachliche Glossare aus verschiedenen Fachgebieten erstellt und auf diese Weise in der Kommission vorhandene Fachkenntnisse auswärtigen Kreisen zugänglich macht.

Eine weitere wesentliche Aufgabe erfüllt das **Amt für amtliche Veröffentlichungen.** Es wurde 1969 als interinstitutionelles Organ eingerichtet, wird von einem interinstitutionellen Ausschuß verwaltet, ist jedoch administrativ der Kommission unterstellt. Das Amt für amtliche Veröffentlichungen ist weltweit der einzige Verlag, der Veröffentlichungen in elf Sprachen herausgibt, und gehört damit international zu den größten Verlagshäusern. Es werden jährlich 40 Zeitschriften und etwa 900 andere Publikationen herausgegeben, wobei die Zahl der Abonnenten und Leser insgesamt etwa 500.000 beträgt. Das **Amtsblatt** der Europäischen Gemeinschaften erscheint täglich in jeweils 11 Amtssprachen.

Abgesehen von Delegationen in Drittländern arbeiten etwa 2/3 der Kommissionsbediensteten in Brüssel, wo sie auf eine Vielzahl von Gebäuden verteilt sind, und etwa 16% in Luxemburg. Die **Gemeinsame Forschungsstelle** (GFS) besteht aus vier Forschungsanstalten in Ispra in Italien (Institute für fortgeschrittene Werkstoffe, für Systemtechnik, für Umweltforschung, für Anwendungen auf dem Gebiet der Fernerkundung, für Sicherheitstechnologien sowie für Informationstechnologien und Elektronik), in Karlsruhe in Deutschland (Transuraninstitut), in Petten in den Niederlanden (Institut für fortgeschrittene Werkstoffe) und in Geel in Belgien (Zentralbüro für Kernmessungen). (Die GFS war ursprünglich als reines Kernforschungszentrum konzipiert, hat ihre Tätigkeiten aber auch auf die Bereiche Sicherheitsforschung, Umweltschutz, Normen und Standards, Werkstoff-Forschung sowie Fernerkundung ausgedehnt.) Das gemeinsame Unternehmen JET **(Joint European Torus),** eine riesige Fusionsversuchsanlage, ist in Culham (Vereinigtes Königreich) angesiedelt.

Anders als das Statistische Amt, das Amt für Veterinär- und Pflanzenschutzinspektion, das Amt für amtliche Veröffentlichungen, das Amt für humanitäre Hilfen und die Euratom-Versorgungsagentur, die alle Kommissionsdienststellen sind, sind die folgenden Einrichtungen unabhängige Einheiten mit Rechtspersönlichkeit des Gemeinschaftsrechts:

- Europäisches Zentrum für die Förderung der Berufsbildung (Cedefop) (Thessaloniki)
- Europäische Stiftung zur Verbesserung der Lebens- und Arbeitsbedingungen (Dublin)
- Europäische Umweltagentur (Kopenhagen)
- Europäische Arzneimittelagentur (London)
- Harmonisierungsamt für den Binnenmarkt (Alicante)
- Europäische Ausbildungsstiftung (Turin)
- Europäisches Drogenobservatorium (Lissabon)
- Europäische Agentur für Gesundheit und Sicherheit am Arbeitsplatz (Bilbao)
- Übersetzungszentrum der Union (Luxemburg)
- Gemeinschaftliches Sortenschutzamt

Alle diese „Agenturen" verfügen über einen Verwaltungsrat, einen Exekutivdirektor und einen wissenschaftlichen Beirat.

D. Arbeitsweise der Kommission und ihrer Dienststellen

1. Die Arbeit auf Dienststellenebene

a) Zusammenarbeit zwischen den verschiedenen Dienststellen

Wie in jeder Verwaltung gibt es zahlreiche interne Regeln, die den inneren **Entscheidungsfindungsprozeß** ordnen und für die reibungslose Arbeit unerläßlich sind. Dies ist in einer Institution wie der Kommission umso wichtiger, wo Personal aus 15 verschiedenen Mitgliedstaaten und damit verschiedenen Kulturen und mit zahlreichen verschiedenen Muttersprachen zusammenarbeiten. Die Prinzipien, die der Arbeit der Kommission und ihrer Dienststellen zugrunde liegen, zielen auf Klarheit, Verantwortlichkeit, Vollständigkeit und Transparenz ihrer Tätigkeiten ab. So muß von jedem Beamten erwartet werden, daß er mit den internen Regeln und Prozeduren vertraut ist.

Jede Arbeit wird auf unterster Ebene, dh auf der Ebene der Abteilungen durchgeführt, alle Entscheidungen werden dort vorbereitet. Handelt es sich um Sachgebiete, die verschiedene Dienststellen betreffen, so ist immer eine die **federführende Dienststelle („chef de file"),** die für das Dossier verantwortlich ist und mit den anderen betroffenen Dienststellen **(„ser-**

vices associés") Kontakt aufnehmen und sich beraten muß. Dies geschieht dadurch, daß die betroffenen Dienststellen zur Stellungnahme aufgefordert werden; häufig finden auch dienststellenübergreifende Beratungen **(„inter-service meetings")** statt. Die federführende Dienststelle ist nicht auf die Zustimmung der anderen Dienststellen angewiesen, doch wird sie sich meist um ein Einvernehmen bemühen, da sie sonst Gefahr läuft, daß eines der Kommissionsmitglieder bei der Beschlußfassung auf Kommissionsebene sich dagegen ausspricht oder im Falle des schriftlichen Beschlußverfahrens (s dazu unten D.2) das Vorhaben blockiert. Eine besondere Stellung hat in diesem Zusammenhang die **Generaldirektion XXIII** („Unternehmenspolitik, Handel, Tourismus und Sozialwirtschaft"), die aus der Task-Force „Kleinere und mittlere Unternehmen" hervorgegangen ist und sich um die besonderen Belange der KMU kümmert.[18]) Immer dann, wenn die Belange der Unternehmen und dabei insb der kleineren und mittleren Unternehmen betroffen sind bzw betroffen sein können, muß die GD XXIII konsultiert werden. Bevor die GD XXIII ihre Stellungnahme abgibt, holt sie die Meinung der betroffenen Verkehrskreise, also der KMU-Organisationen, ein, wobei sie von beratenden Ausschüssen wie zB dem **Ausschuß für Handel und Vertrieb** (Committee on Commerce and Distribution CCD) beraten wird. Darüberhinaus muß die federführende Dienststelle vor der Beschlußfassung der Kommission einen **Folgenabschätzungsbogen („impact assessment sheet", „fiche d'impact")** vorlegen, in dem die Auswirkungen auf die KMU und deren Konsultierung analysiert werden.

b) Comitologie[19])

Den Kommissionsdienststellen stehen zahlreiche Ausschüsse zur Beratung zur Verfügung. Derzeit gibt es etwa 250 ständige und über 1000 ad hoc-Ausschüsse. **Beratende Ausschüsse** bestehen aus Sachverständigen der Mitgliedstaaten und dienen der Einbeziehung der nationalen Regierungs- und Verwaltungserfahrung. Diese Ausschüsse haben ausschließlich beratende Funktion. Die **Verwaltungsausschüsse** sind kontrollierende Ausschüsse, dh die Kommission bedarf deren Zustimmung. Diese Ausschüsse spielen besonders im Agrarsektor eine große Rolle und sind im sog Verwaltungsausschußverfahren[20]) gemeinsam mit der Kommission und dem Rat bei der Entscheidungsfindung eingebunden. Die dritte Art von Ausschüssen sind die sog **Regelungsausschüsse,** die im Rahmen des Regelungsausschußverfahrens ebenfalls bei der Entscheidungsfindung gemeinsam mit dem Rat und der Kommission eingebunden sind. Die verschiedenen Ausschußtypen gehen auf den sog **Comitologie-Beschluß** des Rates[21]) zurück.

---

[18]) Vgl dazu ausführlich unten *Schulte-Braucks,* Unternehmenspolitik.

[19]) Vgl dazu statt vieler *Schweitzer/Hummer* (FN 5) 246ff; *Meng,* Neuregelung der EG-Verwaltungsausschüsse – Streit um die „Commitologie", ZaöRV 1988, 208; *Oppermann,* Europarecht (1991) 122f; *Röttinger* (FN 9); *Glatthaar,* Einflußnahme auf Entscheidungen der EG durch die Ausschüsse der EG-Kommission, RIW 1992, 179.

[20]) Vgl auch EuGH Rs 25/70 – Köster, Berodt & Co – Slg 1970, 1161.

[21]) ABl L 1987/197, 33.

c) Management in den Dienststellen

Angesichts der immensen Aufgaben, die die Kommission zu erfüllen hat, ist die Anzahl der Beamten sicherlich nicht überhöht. Um die Effizienz zu erhöhen, werden modernste Führungsmethoden angewandt. Die Kommission bemüht sich um die verstärkte Ausbildung von Führungskräften und veranstaltet entsprechende Seminare. Darüber hinaus ist die Kommission bemüht, adäquatere und modernere **Management-Methoden** einzusetzen und gleichzeitig die Personalführung zu verbessern. Den Kommissionsbediensteten stehen zahlreiche **Fortbildungsmöglichkeiten** (zB Sprachkurse, Verhaltenstechnik-Training, Seminare über Datenverarbeitung etc) zur Verfügung. Dieses Fortbildungsangebot soll den beruflichen Werdegang erleichtern.

Bei der Laufbahngestaltung haben die Kontakte und der **Beamtenaustausch** zwischen der Kommission und den einzelstaatlichen Behörden sehr an Bedeutung gewonnen. Beamte der Kommission nehmen an Lehrgängen teil, die von einzelstaatlichen Fortbildungseinrichtungen im öffentlichen Dienst durchgeführt werden. Das Angebot für einen Austausch zwischen Beamten der Kommission und Beamten einzelstaatlicher Verwaltungen wird derzeit erweitert, so daß EG-Beamte mehrere Monate in einem Mitgliedstaat ihrer Wahl, der jedoch nicht ihr Herkunftsland sein darf, verbringen können, um ihre Sprachkenntnisse zu vertiefen und die Kultur und den politischen Hintergrund des jeweiligen Landes kennenzulernen. Diese Fortbildungsmaßnahme ist gleichzeitig ein probates Mittel, um das Gemeinschaftsbewußtsein der Beamten und Bediensteten der Kommission zu stärken.

In den vergangenen zehn Jahren hat die Kommission Managementinstrumente entwickelt, um den an die wachsenden politischen Zielsetzungen gebundenen Personal- und Sachbedarf zufriedenstellend zu decken. Gleichzeitig war sie darum bemüht, die Haushaltsmittel bestmöglich einzusetzen und ihre Verwendung klar darzulegen. Die Kommission hat daher als wichtiges Hilfsmittel ein gleitendes **Fünfjahresprogramm für den Personaleinsatz** aufgestellt, wobei es sich dabei um ein kompliziertes Instrument, dessen Notwendigkeit zunächst von den Dienststellen angezweifelt wurde, handelt. Das Programm wurde jedoch jedes Jahr verbessert und wird heute nicht nur für die globale Zuweisung von Personal, sondern auch innerhalb der einzelnen Generaldirektionen allgemein als sinnvoll erachtet. Unter Berücksichtigung des Fünfjahresprogramms wird den einzelnen Kommissionsdienststellen jährlich je nach Bedarf Personal zugewiesen, sodaß die Kommission so den dringendsten Personalbedarf decken kann.

Zur Modernisierung und zur Einsparung der Ressourcen gehört auch die **Vereinfachung der internen Verfahren.** Sie sind nicht nur zeitaufwendig, sondern schränken auch das Verantwortungsbewußtsein und die Initiative des Einzelnen ein. Die Kommission läßt sich von zwei Grundsätzen leiten: Einerseits wird eine stärkere Dezentralisierung angestrebt, sodaß die einzelnen Generaldirektoren und ihre Dienststellen die finanzielle Verantwortung für die Tätigkeiten übernehmen, für die sie bereits die politische Verantwortung tragen. Andererseits soll erreicht werden, daß die Generaldirektoren gewisse Zuständigkeitsbereiche an nachgeordnete Dienststellen delegieren.

2. Das Beschlußverfahren auf Kommissionsebene[22])

a) Allgemeines

Grundlage der Beschlußfassungsverfahren der Kommission ist die Geschäftsordnung der Kommission[23]), die sich die Kommission gem Art 162 Abs 2 EGV gegeben hat, „um ihr ordnungsgemäßes Arbeiten und das ihrer Dienststellen ... zu gewährleisten".

Gem Art 6 Abs 3 1. Satz GO faßt die Kommission ihre Beschlüsse mit der absoluten Mehrheit ihrer Mitglieder, dh elf, wobei ein **Präsenzquorum** von ebenfalls elf Mitgliedern erforderlich ist. Bei Anwesenheit von weniger Mitgliedern kann nur eine Beratung stattfinden. Die Kommissionsmitglieder können ihre Stimme nicht einem anderen Mitglied übertragen, doch kann ein Kabinettsmitglied ohne Stimmrecht an der Sitzung teilnehmen. Die Geschäftsordnung sieht drei Arten von Beschlußfassungsverfahren vor: Abstimmung in gemeinschaftlicher Sitzung, schriftliches Verfahren und Ermächtigungsverfahren. Welches Beschlußfassungsverfahren angewendet wird, hängt von der politischen und/oder wirtschaftlichen Bedeutung der Frage ab und wird vom Kabinett des verantwortlichen Kommissionsmitgliedes in Abstimmung mit dem Kabinett des Präsidenten festgelegt. **Arbeitssprachen der Kommission** sind Deutsch, Englisch und Französisch, dh daß alle Dokumente für die Beschlußfassung der Kommission zumindest in diesen Sprachen vorliegen müssen.

b) Beschlußfassung in gemeinschaftlicher Sitzung

Die Beschlußfassung in gemeinschaftlicher Sitzung im mündlichen Verfahren ist Ausfluß der Eigenschaft der Kommission als **Kollegialorgan.** Dieses Verfahren wird dann angewendet, wenn die beiden anderen unangebracht sind. Die Kommission tagt nach Einberufung durch den Präsidenten idR einmal wöchentlich, ihre Sitzungen sind nicht öffentlich und die Beratungen vertraulich. Das verantwortliche Kommissionsmitglied muß die Aufnahme eines Beschlußfassungspunktes auf die Tagesordnung der Kommissionssitzung in Abstimmung mit dem Präsidenten beantragen. In der Praxis legt die Kommission jährlich in ihrem Arbeitsprogramm jene Punkte fest, zu denen ein Kommissionsbeschluß erforderlich sein wird; die Tagesordnungen der Kommissionssitzungen werden dementsprechend erstellt. Darüber hinaus kann jedes Kommissionsmitglied unter Einhaltung einer zehntägigen Frist die Aufnahme eines Tagesordnungspunktes in bestimmten Fällen beantragen.

c) Schriftliches Verfahren

Das schriftliche Verfahren („written procedure", „procédure écrite") ist ein Mechanismus, der es der Kommission erlaubt, Beschlüsse zu Angelegenheiten zu fassen, die keine Diskussion während der wöchentlichen Kommissi-

---

[22]) S insb *Röttinger,* (FN 9).

[23]) Geschäftsordnung der Kommission v 17. 2. 1993, ABl L 1993/230, 15 v 11. 9. 1993.

onssitzungen erfordern und für die das Ermächtigungsverfahren nicht anwendbar ist. Das Ziel ist, vor allem Angelegenheiten technischer Natur von den Kommissionssitzungen fernzuhalten. Voraussetzung für dieses schriftliche Verfahren ist, daß die federführende Dienststelle die schriftliche Zustimmung der anderen beteiligten Dienststellen und des Juristischen Dienstes erhalten hat. In der Praxis wird von diesem Verfahren erheblich Gebrauch gemacht.

Das schriftliche Verfahren wird dadurch eingeleitet, daß ein Kommissionsmitglied den anderen einen Vorschlag mitteilt und eine Äußerungsfrist für Vorbehalte oder Änderungsanträge setzt, die üblicherweise fünf bzw im beschleunigten Verfahren drei Arbeitstage beträgt. Läuft diese Frist ohne Änderung ab, so gilt der Vorschlag als angenommen. Das schriftliche Verfahren wird eingestellt, wenn ein Kommissionsmitglied beantragt, die Angelegenheit in einer gemeinschaftlichen Sitzung mündlich zu behandeln.

d) Ermächtigungsverfahren

Es besteht schließlich die Möglichkeit, daß ein Kommissionsmitglied (oder auch ein hoher Beamter) zu bestimmten Maßnahmen der Geschäftsführung und der Verwaltung ermächtigt wird („Ermächtigungsverfahren" oder „Habilitationsverfahren", „enablement procedure"). Dafür ist es erforderlich, daß die Entscheidungsgewalt von der Kommission während einer Kommissionssitzung ausdrücklich an die betreffende Person delegiert wird. Die Kommission kann jederzeit diese Delegation widerrufen, und jedes Kommissionsmitglied, das in diesem Sinne ermächtigt worden ist, hat die Pflicht, den anderen Kommissionsmitgliedern jede politisch oder wirtschaftlich wichtige Tatsache zur Kenntnis zu bringen, die auf die Ermächtigung eine Auswirkung haben könnte.

Das Ermächtigungsverfahren ist keine Delegation von Kommissionskompetenzen, sondern wird als bloße **„Übertragung der Zeichnungsberechtigung"**, also als interne Geschäftsverteilungsmaßnahme, angesehen.[24]) Die Verantwortung der Kommission als Kollegialorgan bleibt daher voll erhalten. Dieses Verfahren findet bei etwa 2/3 aller Beschlüsse Anwendung.

Es gibt drei Möglichkeiten der Ermächtigung:

- Die **allgemeine Ermächtigung** definiert jene Bereiche, in denen ein Kommissionsmitglied befugt ist, Entscheidungen der laufenden Verwaltung im Namen der Kommission zu treffen;
- **Ausführungsermächtigungen** beziehen sich in erster Linie auf spezielle Entscheidungen, die aufgrund von allgemeinen prinzipiellen Entscheidungen, die bei einer Kommissionssitzung getroffen wurden, zu erfolgen haben;
- **ad hoc-Ermächtigungen** erlauben es Kommissionsmitgliedern, Entscheidungen in speziellen Fällen zu treffen, in denen Grundsatzbeschlüsse der Kommission vorliegen.

---

[24]) So *Schweitzer/Hummer* (FN 5) 83; vgl auch EuGH Rs 8/72 – Cementhandelaren gg Kommission – Slg 1972, 977 (989f); EuGH Rs 5/85 – AKZO Chemie gg Kommission – Slg 1986, 2582 (2615).

e) Begleitende Dokumente

Allen Kommissionsvorschlägen müssen verschiedene Dokumente angeschlossen sein: Zeitplan, Finanzbogen und Folgenabschätzungsbogen.

Der **Zeitplan („timetable“)** gibt der Kommission für jene Legislativprojekte, die an den Rat weitergeleitet werden, einen Ausblick auf die geplanten Daten der verschiedenen Konsultationen und Entscheidungen.

Der **Finanzbogen („financial sheet“, „fiche financière“),** der mit dem Kommissionsvorschlag an den Rat weitergeleitet wird, faßt für die Kommission und den Rat alle budgetären Informationen zusammen, die diesen Vorschlag betreffen. Es wird die Budgetlinie angegeben bzw die Schaffung einer neuen Budgetlinie vorgeschlagen, wenn eine solche noch nicht vorgesehen ist. Es ist ferner die Budgetsumme und der Zeitplan zur Verwendung der finanziellen Mittel angegeben.

Der **Folgenabschätzungsbogen („impact assessment sheet“, „fiche d'impact“)** dient dazu, soweit wie möglich die Auswirkungen eines bestimmten Kommissionsvorschlags auf die Unternehmen und insb auf die kleinen und mittleren Betriebe zu analysieren. Das Ziel ist, die verantwortlichen Dienststellen innerhalb der Kommission dazu zu veranlassen, geeignete Schritte so früh wie möglich im Legislativprozeß zu setzen, um mögliche negative Auswirkungen finanzieller oder administrativer Natur für **KMU** zu erleichtern.

Anhang 1: Zuständigkeitsbereiche der Kommissionsmitglieder

Kommissionsmitglied	Zuständigkeitsbereiche
Jacques Santer (L) (Präsident)	Generalsekretariat, Juristischer Dienst, Sicherheitsbüro, Gruppe für prospektive Analysen, Generalinspektion der Dienststellen, Gemeinsamer Dolmetscher-Konferenzdiest, Dienst des Sprechers, Währungsangelegenheiten (gemeinsam mit *Yves-Thibault de Silguy*), Gemeinsame Außen- und Sicherheitspolitik und Menschenrechte (gemeinsam mit *Hans Van den Broek*), institutionelle Fragen und Regierungskonferenz (gemeinsam mit *Marcelino Oreja*)
Sir *Leon Brittan* (UK) (Vizepräsident)	Beziehungen zu Nordamerika, Australien, Neuseeland, Japan, China, Korea, Hongkong, Macau und Taiwan, Gemeinsame Handelspolitik, Beziehungen der OECD und zur Welthandelsorganisation
Manuel Marín (E) (Vizepräsident)	Beziehungen zu den Ländern im südlichen Mittelmeerraum, im Nahen und Mittleren Osten, in Lateinamerika und Asien (außer Japan, China, Korea, Hongkong, Macau, Taiwan) einschließlich Fragen der Entwicklungshilfe
Martin Bangemann (D)	Gewerbliche Wirtschaft, Informationstechnologien und Telekommunikation
Ritt Bjerregaard (DK)	Umwelt, nukleare Sicherheit
Emma Bonino (I)	Fischerei, Verbraucherpolitik, Amt für humanitäre Hilfen der Europäischen Gemeinschaft (ECHO)
Edith Cresson (F)	Wissenschaft, Forschung und Entwicklung, Gemeinsame Forschungsstelle, Humanressourcen, allgemeine und berufliche Bildung und Jugend
Franz Fischler (Ö)	Landwirtschaft und Entwicklung des ländlichen Raumes
Pádraig Flynn (IRL)	Beschäftigung und soziale Angelegenheiten, Beziehungen zum Wirtschafts- und Sozialausschuß
Anita Gradin (S)	Einwanderung, Justiz und Inneres, Beziehungen zum Bürgerbeauftragten, Finanzkontrolle, Betrugsbekämpfung
Neil Kinnock (UK)	Verkehr (einschließlich transeuropäischer Netze)
Erkki Liikanen (SF)	Haushalt, Personal und Verwaltung, Übersetzungsdienst und Datenverarbeitung
Mario Monti (I)	Binnenmarkt, Finanzdienstleistungen und Finanzintegration, Zoll, Steuern
Marcelino Oreja (E)	Beziehungen zum Europäischen Parlament, Beziehungen zu den Mitgliedstaaten (in Fragen der Transparenz, Kommunikation und Information), Kultur und audiovisuelle Medien, Amt für amtliche Veröffentlichungen, institutionelle Fragen und Vorbereitung der Regierungskonferenz 1996 (im Einvernehmen mit *Jacques Santer*)
Christos Papoutsis (GR)	Energie und Euratom-Versorgungsagentur, KMU, Fremdenverkehr

Kommissionsmitglied	Zuständigkeitsbereiche
João de Deus Pinheiro (P)	Beziehungen zum den AKP-Staaten und Südafrika einschließlich Fragen der Entwicklungshilfe, Abkommen von Lomé
Yves-Thibault de Silguy (F)	Wirtschaft und Finanzen, Währungsangelegenheiten (im Einvernehmen mit *Jacques Santer*), Kredit und Investitionen, Statistisches Amt
Karel Van Miert (B)	Wettbewerb
Hans Van den Broek (NL)	Beziehungen zu den Ländern Mittel- und Osteuropas und den Staaten der ehemaligen Sowjetunion, zur Mongolei, zur Türkei, zu Zypern, Malta sowie zu anderen europäischen Staaten, Gemeinsame Außen- und Sicherheitspolitik und Menschenrechte (im Einvernehmen mit *Jacques Santer*), Außendienst
Monika Wulf-Mathies (D)	Regionalpolitik, Beziehungen zum Ausschuß der Regionen, Kohäsionsfonds (im Einvernehmen mit *Ritt Bjerregaard* und *Neil Kinnock*)

Anhang 2: Arbeitsgruppen der Kommissionsmitglieder

1. Außenbeziehungen:

Mitglieder:

Jacques Santer (Vorsitzender), Sir *Leon Brittan, Manuel Marín, João de Deus Pinheiro, Yves-Thibault de Silguy* und *Hans Van den Broek*

Aufgaben:

- Koordinierung der Aktionen im Außenbereich einschließlich der Festlegung von Prioritäten und einer strategischen Planung
- Gewährleistung einer kohärenten Haltung in horizontalen Fragen, die die Tätigkeit der Kommission in den verschiedenen geographischen Bereichen innerhalb der Zuständigkeit der Kommissionsmitglieder betreffen können
- Vorbereitung von Zusammenkünften und Beschlußfassung über die Vertretung der Kommission, falls mehr als ein Kommissionsmitglied an einer Teilnahme interessiert sein könnte
- ggf Koordinierung des Standpunktes der für Außenbeziehungen zuständigen Kommissionsmitglieder in den in ihren Zuständigkeitsbereich fallenden Fragen, die dem Kollegium vorgelegt werden müssen

2. Wachstum, Wettbewerbsfähigkeit und Beschäftigung

Mitglieder:

Jacques Santer (Vorsitzender), *Martin Bangemann, Ritt Bjerregaard, Edith Cresson, Pádraig Flynn, Mario Monti, Christos Papoutsis, Yves-Thibault de Silguy, Karel Van Miert* und *Monika Wulf-Mathies*

Aufgaben:

Koordinierung der Arbeiten im Zusammenhang mit der Umsetzung des Weißbuchs über Wachstum, Wettbewerbsfähigkeit und Beschäftigung und des Weißbuchs über die Sozialpolitik

3. Transeuropäische Netze

Mitglieder:

Neil Kinnock (Vorsitzender), *Ritt Bjerregaard, Erkki Liikanen, Mario Monti, Christos Papoutsis, Yves-Thibault de Silguy* und *Monika Wulf-Mathies*

Aufgaben:

- Möglichst weitgehende Ausräumung von Hindernissen für die transeuropäischen Netze entsprechend den wichtigsten Ergebnissen der *Christophersen*-Gruppe, wie sie vom Europäischen Rat in Essen bestätigt wurden
- Sicherstellung der erforderlichen Kohärenz der Arbeiten in den verschiedenen Bereichen, vor allem Verkehr, Energie und Umwelt

4. Kohäsion

Mitglieder:

Monika Wulf-Mathies (Vorsitzende), *Ritt Bjerregaard, Franz Fischler, Pádraig Flynn, Neil Kinnock* und *Yves-Thibault de Silguy*

5. Informationsgesellschaft

Mitglieder:

Martin Bangemann (Vorsitzender [außer bei der Beratung über Fragen im audiovisuellen Bereich]), *Edith Cresson, Pádraig Flynn, Mario Monti, Marcelino Oreja* (Vorsitzender bei der Beratung über Fragen im audiovisuellen Bereich) und *Karel Van Miert*

6. Chancengleichheit für Frauen und Männer und Rechte der Frauen

Ständige Mitglieder dieser offenen Arbeitsgruppe:

Jacques Santer (Vorsitzender), *Pádraig Flynn, Anita Gradin, Erkki Liikanen* und *Monika Wulf-Mathies*

Aufgaben:

Prüfung der Fragen im Zusammenhang mit der Chancengleichheit sowohl unter kommissionsinternen als auch unter externen Aspekten sowie der Fragen im Zusammenhang mit den Rechten der Frauen in allen Bereichen der Gemeinschaftspolitik

Anhang 3: Die Dienststellen der Kommission

Generalsekretariat
Gruppe für prospektive Analysen („Cellule de prospective"): unter direkter Verantwortung des Kommissionspräsidenten (sein „think-tank")
Generalinspektion der Dienststellen
Juristischer Dienst
Dienst des Sprechers
Gemeinsamer Dolmetscher-Konferenzdienst
Statistisches Amt
Übersetzungsdienst
Direktion Datenverarbeitung
Sicherheitsbüro

Generaldirektion I:	Außenwirtschaftsbeziehungen
Generaldirektion I.A:	Politische Außenbeziehungen
Generaldirektion I.B:	Außenbeziehungen und Zusammenarbeit mit dem südlichen Mittelmeer, dem Mittleren und Nahen Osten, Lateinamerika und Süd- und Südostasien
Generaldirektion II:	Wirtschaft und Finanzen
Generaldirektion III:	Industrie
Generaldirektion IV:	Wettbewerb
Generaldirektion V:	Beschäftigung, Arbeitsbeziehungen und soziale Angelegenheiten
Generaldirektion VI:	Landwirtschaft
Büro für Veterinär- und Pflanzenschutzinspektion	
Generaldirektion VII:	Verkehr
Generaldirektion VIII:	Entwicklung
Generaldirektion IX:	Personal und Verwaltung
Generaldirektion X:	Information, Kommunikation, Kultur, Audiovisuelle Medien
Generaldirektion XI:	Umwelt, Nukleare Sicherheit und Katastrophenschutz
Generaldirektion XII:	Wissenschaft Forschung und Entwicklung
Gemeinsame Forschungsstelle	
Generaldirektion XIII:	Telekommunikation, Informationsmarkt und Nutzung der Forschungsergebnisse
Generaldirektion XIV:	Fischerei
Generaldirektion XV:	Binnenmarkt und Finanzdienste
Generaldirektion XVI:	Regionalpolitik
Generaldirektion XVII:	Energie
Generaldirektion XVIII:	Kredite und Investitionen
Generaldirektion XIX:	Haushalt
Generaldirektion XX:	Finanzkontrolle
Generaldirektion XXI:	Zollunion und indirekte Steuern
Generaldirektion XXII:	Humanresourcen, allgemeine und berufliche Bildung, Jugend
Generaldirektion XXIII:	Unternehmenspolitik, Handel, Tourismus und Sozialwirtschaft

Generaldirektion XXIV: Verbraucherpolitik
Amt für humanitäre Hilfen der Europäischen Gemeinschaft
EURATOM-Versorgungsagentur
Amt für amtliche Veröffentlichungen der Europäischen Gemeinschaften

Anmerkung: An der Spitze des Dienstes des Sprechers, des Sicherheitsbüros und des Amtes für humanitäre Hilfen steht ein Direktor, an der Spitze aller anderen Dienststellen ein Generaldirektor, wobei der Leiter des Generalsekretariats den Titel „Generalsekretär" und der Leiter der Generalinspektion den Titel „Generalinspektor" führt.

Anhang 4: Anzahl der bei der Kommission beschäftigten Beamten und Beamten auf Zeit (Stand 1. 1. 1996)

Laufbahngruppe					
A	LA	B	C	D	insgesamt
5.084	1.698	3.517	5.082	892	16.273

6. KAPITEL

Aufgaben und Funktion des Rates

Bernhard Schloh

Übersicht:

A. Einsetzung, Zusammensetzung, Vorsitz und grundlegende Rechtsvorschriften

Der Rat der Europäischen Union ist seit dem sog Fusionsvertrag[1]) ein einziger Rat, der für jede der drei Europäischen Gemeinschaften tätig werden kann: Die ehemaligen drei Räte in der Europäischen Gemeinschaft für Kohle und Stahl (EGKS), der Europäischen Wirtschaftsgemeinschaft (EWG) und der Europäischen Atomgemeinschaft (EAG) sind durch einen ersetzt worden. Nach dem Inkrafttreten des Vertrags über die Europäische Union (Ver-

[1]) Vertrag zur Einsetzung eines gemeinsamen Rates und einer gemeinsamen Kommission der Europäischen Gemeinschaften v 8. 4. 1965, ABl 1967/152 v 13. 7. 1967, 2.

trag von Maastricht, EU-Vertrag) hat sich der Rat den Namen „Rat der Europäischen Union“ gegeben, da er nunmehr auch Befugnisse im Rahmen der Gemeinsamen Außen- und Sicherheitspolitik und der Zusammenarbeit in den Bereichen Justiz und Inneres ausübt (Titel V und VI VEU). Dadurch wurde der Rat aber nicht zu einer Institution oder einem Organ der Union.

Der Rat besteht aus **Vertretern der Mitgliedstaaten.** Jede Regierung entsendet eines ihrer Mitglieder. Das kann jedes Regierungsmitglied sein, auch der Regierungschef und auch ein Mitglied, das nicht die Bezeichnung Minister führt. Wenn also nach dem nationalen Verfassungsrecht Staatssekretäre Regierungsmitglieder sind, so können sie Mitglieder des Rates sein. Darüber hinaus hat sich die Praxis entwickelt, daß deutsche beamtete Staatssekretäre, also nicht Mitglieder der Regierung, als Ratsmitglied erschienen und von ihren Kollegen akzeptiert worden sind. Nach der neuen Fassung von Art 146 EGV kann auch ein Mitglied einer Landesregierung Mitglied des Rates sein, wenn es berechtigt ist, für die Regierung – also die Zentralregierung – des Mitgliedstaates zu handeln. Diese Neufassung erklärt sich daraus, daß bei der Weiterentwicklung des EWG-Vertrages zum EG-Vertrag durch den EU-Vertrag der Europäischen Gemeinschaft auch Befugnisse zuerkannt worden sind, die in einigen Mitgliedstaaten Befugnisse der Gliedstaaten sind (vgl zB den neuen Art 128 EGV „Kultur“).

Der Rat ist ein „einziger Rat“, er kann aber in verschiedener Zusammensetzung tagen, zB Außen-, Landwirtschafts-, Finanzminister usw. Es ist auch nicht ungewöhnlich, daß gleichzeitig zwei Sitzungen des Rates (in verschiedener Besetzung) stattfinden. Ein verhindertes Ratsmitglied kann sich durch einen nationalen Beamten, etwa den „Ständigen Vertreter“, vertreten lassen. Bei Abstimmungen können allerdings nur Ratsmitglieder abstimmen, und jedes Mitglied kann sich das **Stimmrecht** höchstens eines anderen Mitglieds übertragen lassen (Art 150 EGV).

Der Rat tagt normalerweise in Brüssel. Während der Monate April, Juni und Oktober ist sein **Arbeitsort** jedoch Luxemburg.

Der **Vorsitz** des Rates wird jeweils von einem seiner Mitglieder für sechs Monate wahrgenommen. Die Reihenfolge hierfür richtet sich nicht mehr nach dem Namen der Mitgliedstaaten in ihrer eigenen Sprache (vgl Art 146 EGV). Der Beitrittsvertrag Österreichs und der neuen skandinavischen Mitgliedstaaten von 1994 sieht eine Änderung der Reihenfolge des Vorsitzes derart vor, daß künftig die „Troika“ – dh der gerade beendete, der gegenwärtige und der nächstfolgende Vorsitz – möglichst immer einen der sog größeren Mitgliedstaaten umfaßt. (Zur Reihenfolge des Vorsitzes s Anhang 1. Zur protokollarischen Reihenfolge der Aufzählung der Mitgliedstaaten s Anhang 2.)

Von den **Aufgaben des Vorsitzes** wird im EG-Vertrag nur diejenige genannt, daß der Präsident den Rat einberuft; ausführlicher ist die Geschäftsordnung des Rates. Danach stellt der Präsident zB die vorläufige Tagesordnung auf, er leitet die Abstimmungen und unterzeichnet die Beschlüsse. Er vertritt den Rat grundsätzlich vor dem Europäischen Parlament. Hieraus hat sich eine große politische Rolle „der Präsidentschaft“ entwickelt: Während seines Vorsitzes versucht jeder Mitgliedstaat möglichst viele bedeutsame Beschlüsse im Rat herbeizuführen.

Die **grundlegenden Rechtsvorschriften** finden sich in den Gründungsverträgen der drei Europäischen Gemeinschaften, dem Fusionsvertrag, der Einheitlichen Europäischen Akte[2]) und anderen Vertragsänderungen, zB jenen anläßlich der verschiedenen Beitritte neuer Mitgliedstaaten. Der EU-Vertrag, der am 1. November 1993 in Kraft getreten ist, hat das frühere Gemeinschaftsrecht wesentlich geändert und weiterentwickelt.[3]) Schließlich ist die Geschäftsordnung des Rates[4]) wichtig.

Insbesondere sind Art 145 bis 154 EGV und die entsprechenden Artikel des EURATOM- und des EGKS-Vertrags von Bedeutung. Da der EWG- und der EURATOM-Vertrag als die beiden „Verträge von Rom" gleichzeitig (1957) ausgehandelt, unterschrieben und in Kraft getreten sind (1958), sind ihre institutionellen Vorschriften weitgehend identisch (Art 115 bis 123 EAGV), allerdings spiegelt der EURATOM-Vertrag die Abänderungen des EWG-Vertrags durch die Einheitliche Europäische Akte nicht wider; hinsichtlich des EGKS-Vertrags ist zu beachten, daß die Hohe Behörde – seit dem Fusionsvertrag „die Kommission der Europäischen Gemeinschaften" – das hauptsächliche Entscheidungsorgan dieser Gemeinschaft und die Rolle des Rates daher häufig eine andere ist als bei der EG und der EAG. Auf die Rolle des Rates und seines Vorsitzes im Zusammenhang mit den Titeln V und VI VEU (GASP und Zusammenarbeit in den Bereichen Justiz und Inneres) wird im folgenden nicht eingegangen.

B. Die Stellung des Rates im Rahmen der Gemeinschaftsinstitutionen, seine Aufgaben und die Verfahrensarten

1. Kompetenzen

Die Aufgaben des Rates sind in Art 145 EGV beschrieben. Die Eingangsworte, wonach der Rat „zur Verwirklichung der Ziele und nach Maßgabe dieses Vertrages" tätig wird, verweisen auf die Aufgaben bzw Ziele der Gemeinschaft, wie sie in den Art 2, 3 und 3 a EGV festgelegt sind, sowie darauf, daß jedes der Organe der Gemeinschaft sich im Rahmen „der ihm in diesem Vertrag zugewiesenen Befugnisse" bewegen muß (Art 4 Abs 1 2. Satz EGV). Wenn keine Befugnisse zugewiesen sind, so ist das Organ zum Handeln nicht ermächtigt. Eine so möglicherweise bestehende „Lücke" kann, wenn sie nicht in einem besonderen Verfahren ausgefüllt werden kann, nur zu einem Handeln der Mitgliedstaaten selbst führen.

Art 145 EWGV nennt in seinen drei Gedankenstrichen

- die Abstimmung der Wirtschaftspolitik der Mitgliedstaaten,
- eine Entscheidungsbefugnis und
- die grundsätzliche Delegation der Durchführungsbefugnisse an die Kommission. (Dieser dritte Gedankenstrich ist durch die Einheitliche Europäische Akte [EEA] angefügt worden.)

---

[2]) V 17./28. 2. 1986, ABl L 1987/169 v 29. 6. 1987, in Kraft getreten am 1. 7. 1987.

[3]) ABl C 1992/224, 1.

[4]) ABl L 1993/304, 1.

Entsprechend dem ersten Gedankenstrich dieser Bestimmung sorgt der Rat für die **Abstimmung der Wirtschaftspolitik** der Mitgliedstaaten. In den Bereichen etwa der Konjunkturpolitik und der Zahlungsbilanz lagen die Entscheidungsbefugnisse bisher grundsätzlich weiterhin bei den Mitgliedstaaten, der Rat konnte sie aber unter den dort genannten Voraussetzungen aufeinander „abstimmen". Er tat das in den dort genannten Beschlußfassungsverfahren, zB auf Vorschlag der Kommission oder auf dessen Empfehlung. Solche Beschlüsse waren jedoch relativ selten. Die künftige Europäische Wirtschafts- und Währungsunion wird hier größere Änderungen bringen, wobei die eigenen Entscheidungen der Gemeinschaftsorgane natürlich den Spielraum für die Abstimmung der nationalen Politiken vermindern werden.

Art 145 2. Gedankenstrich EGV räumt dem Rat „eine **Entscheidungsbefugnis**" ein. Diese Worte begründen zusammen mit den spezifischen Ausformulierungen dieser Befugnis in den einzelnen Vertragsartikeln die Rechtsmacht des Rates, Gemeinschaftsrecht zu erlassen, Abkommen mit dritten Staaten zu schließen, den Haushaltsplan aufzustellen etc. Diese Vorschrift ist daher von größter Bedeutung und bildet die Grundlage der Rechtsstellung und Funktion des Rates.

Die Hauptaufgaben des Rates liegen im Bereich der **Gesetzgebung:** Der Rat hat das vom Vertrag abgeleitete, das sekundäre Gemeinschaftsrecht zu beschließen. Der Rat muß dabei das in dem betreffenden Vertragsartikel genannte Verfahren beachten, welches meistens die Kommission, das Europäische Parlament und den Rat „zusammenbindet". Dies bedeutet meist, daß die Kommission vorschlägt, das Parlament angehört wird und „berät" und der Rat beschließt bzw das EP und der Rat gemeinsam beschließen. Wegen dieses Zusammenwirkens der drei Organe wäre es daher unrichtig, den Rat allein als den Gemeinschaftsgesetzgeber zu bezeichnen. Umgekehrt ist es aber wohl richtig, wenn man sagt, daß das „letzte Wort" im Gesetzgebungsverfahren häufig beim Rat liegt.

2. Rechtsetzungsverfahren

Durch die EEA hat das Gesetzgebungsverfahren in bestimmten Bereichen eine Änderung erfahren: Vorher spricht man typischerweise von einem **„Anhörungsverfahren",** wobei dieser Ausdruck sich auf die Rolle des Europäischen Parlaments dabei bezieht; die EEA hat zusätzlich das **„Zusammenarbeitsverfahren"** eingeführt, welches eine Erweiterung des ersten Verfahrens darstellt.[5]) Der EU-Vertrag hat ein **Mitentscheidungsverfahren,** in dem das Europäische Parlament und der Rat gemeinsam entscheiden, eingeführt und die Fälle der **„Zustimmung"** des Europäischen Parlaments erweitert.

a) Anhörungsverfahren

1) Allgemeines

Im Anhörungsverfahren beschließt der Rat „nach Anhörung des Europäischen Parlaments", es muß aber immer zunächst von der Kommission ein

---

[5]) Vgl dazu und zum Folgenden auch oben *Borchardt,* Die rechtlichen Grundlagen der Europäischen Gemeinschaften – Rechtsquellen, Rechtshandlungen und Rechtsetzung.

Vorschlag vorgelegt werden: Die Kommission hat in fast allen Fällen das sog **Initiativrecht.** Die Bestimmungen, die es dem Rat erlauben, eine Entscheidung ohne Vorschlag der Kommission zu treffen, sind sehr selten. Eine typische Formulierung für die Gesetzgebungsbefugnis im Anhörungsverfahren findet sich in Art 43 EGV bezüglich der Gemeinsamen Agrarpolitik: „Der Rat erläßt auf Vorschlag der Kommission und nach Anhörung des Europäischen Parlaments ..." Es ist selbstverständlich, daß der Vorschlag der Anhörung, und auch die Anhörung dem Beschluß durch den Rat vorangehen müssen. Es ist eine ganz andere Frage, wieweit der Rat an den Inhalt des Vorschlags gebunden ist. Er kann ihn nämlich ändern. Die Stellungnahme des Parlaments, dh das Ergebnis der Anhörung, ist rechtlich nicht bindend. In den vergangenen drei Jahrzehnten sind alle wichtigen Rechtsakte der Gemeinsamen Agrarpolitik in diesem Verfahren erlassen worden.

2) Typenzwang

Zwei Ergänzungen lassen sich noch aus Art 43 EGV ableiten: Der Rat muß seine Beschlüsse in die **Form** von Verordnungen, Richtlinien oder Entscheidungen kleiden, er kann allerdings auch Empfehlungen erlassen. Die Rechtswirkungen dieser Formen sind in Art 189 EGV beschrieben: **Verordnungen** haben allgemeine Geltung und gelten unmittelbar; die **Richtlinien** binden den in ihr bezeichneten Mitgliedstaat hinsichtlich des Ziels; die **Entscheidungen** sind verbindlich für den, an den sie sich richten; **Empfehlungen** sind rechtlich nicht verbindlich, können aber ihre politische Bedeutung haben.

3) Mehrheitserfordernis

Der Rat beschließt die Rechtsakte gem Art 43 EGV „mit **qualifizierter Mehrheit".** Dies ist die für die Praxis des EG-Vertrages typische Beschlußfassungsart, selbst wenn entsprechend dem Prinzip des Art 148 EGV die einfache Mehrheit – also 8 von 15 Mitgliedern des Rates – gilt, wenn der Vertrag nichts anderes sagt. Meistens verlangt der Vertrag eben qualifizierte Mehrheit. Dieser Begriff hat im EG-Vertrag eine besondere Bedeutung, nämlich nicht nur „qualifizierter als die einfache Mehrheit", also mehr als 8/15, etwa 2/3 oder 3/4, sondern zugleich „mit einer **Stimmenwägung**". Der Vertrag gibt hier den Grundsatz der Gleichheit der Mitglieder des Rates (bzw der Mitgliedstaaten) auf und teilt ihnen eine unterschiedliche Anzahl von Stimmen zu: Deutschland, Frankreich, Italien und das Vereinigte Königreich je zehn Stimmen, Spanien acht, Belgien, Griechenland, die Niederlande und Portugal je fünf, Österreich und Schweden je vier, Dänemark, Finnland und Irland je drei sowie Luxemburg zwei Stimmen. Die qualifizierte Mehrheit ist erreicht, wenn 62 Stimmen für den Vorschlag abgegeben werden. Da die Gesamtzahl der Stimmen 87 beträgt, kann ein Rechtsakt des Rates, der dem Vorschlag entspricht, mit 25 Gegenstimmen angenommen werden, wenn alle anderen 62 Stimmen tatsächlich iSd Vorschlags „positiv vorliegen". Für Beschlußfassungen im Rahmen des Sozialprotokolls, das für das Vereinigte Königreich nicht anwendbar ist und bei dem dessen Vertreter daher nicht mitstimmt, beträgt die qualifizierte Mehrheit 52 von dabei insgesamt 77 Stimmen.

Für die seltenen Fälle der Beschlußfassung des Rates ohne Vorschlag der Kommission und im Rahmen der 2. und 3. Säule, sofern dort ausnahmsweise keine Einstimmigkeit verlangt wird, ist noch vorgesehen, daß die 62 Stimmen von mindestens 10 Mitgliedern des Rates stammen müssen. (Zur sog „Ioannina-Formel" s unten D. 7. im Zusammenhang mit dem „Luxemburger Kompromiß".)

Art 148 EGV nennt übrigens neben der einfachen und der qualifizierten Mehrheit noch die Einstimmigkeit für das Zustandekommen eines Rechtsaktes des Rates: Wenn die entsprechende Kompetenznorm, wie zB Art 99 EGV für die Harmonisierung der Rechtsvorschriften der Mitgliedstaaten über die Umsatzsteuern und vergleichbare Abgaben, die **Einstimmigkeit** vorschreibt, so schadet die **Stimmenthaltung** von anwesenden oder vertretenen Ratsmitgliedern nicht. Ein solcher Rechtsakt kann mit einer Anzahl von zustimmenden Erklärungen sowie einer oder mehreren Enthaltungen angenommen werden, solange niemand dagegen stimmt.

Wenn eine Vorschrift dem Rat erlaubt, einen Beschluß auf Vorschlag der Kommission mit qualifizierter Mehrheit zu fassen, so bedeutet das, daß der Rat den Vorschlag mit dieser Mehrheit annehmen kann, ohne den Vorschlag zu ändern. Will der Rat diesen Vorschlag jedoch ändern, so kann er das nur einstimmig tun (Art 189a Abs 1 EGV). Zusammen mit dem Vorschlagsrecht der Kommission und mit ihrer Möglichkeit, ihren Vorschlag jederzeit ändern zu können (Art 189a Abs 2 EGV), zeigt sich an dieser Stelle die große Bedeutung der Kommission im Beschlußfassungsverfahren der Gemeinschaften: Ohne die Kommission geht es nicht; allerdings liegt die letzte Entscheidung darüber, ob es zu einem Beschluß kommt, beim Rat.

b) Zusammenarbeitsverfahren

Die EEA hat ein neues, zusätzliches Gesetzgebungsverfahren eingeführt, das **„Zusammenarbeitsverfahren"** oder **„Kooperationsverfahren".** Es galt insb für die Beschlüsse zur Vollendung des Binnenmarktes (Art 7a und 100a EGV), aber zB auch für Sozialvorschriften oder die Forschung und technologische Entwicklung. Dieses neue Verfahren hatte zum neuen Art 149 Abs 2 EWGV (jetzt Art 189c EGV) geführt, welcher es in seinen einzelnen Schritten beschreibt. Vereinfacht gesagt darf im Zusammenarbeitsverfahren jedes der drei beteiligten Organe zweimal beschließen (statt einmal im oben beschriebenen Anhörungsverfahren): Dort legt die Kommission einen Vorschlag vor, das Parlament gibt seine Stellungnahme ab, und der Rat entscheidet endgültig. Dies bleibt jetzt als erster Teil des neuen Gesetzgebungsverfahrens erhalten – aber mit der Abänderung, daß der Rat nicht endgültig entscheidet, sondern einen „Gemeinsamen Standpunkt" festlegt (Art 149 Abs 2 lit a EWGV, jetzt Art 189c lit a EGV).

Der **„Gemeinsame Standpunkt"** (common position, position commune) eröffnet jetzt eine „zweite Runde" des Gesetzgebungsverfahrens, die zugleich mit bestimmten Fristen versehen ist, was für das Anhörungsverfahren nicht gilt. Der Gemeinsame Standpunkt wird dem EP zugeleitet, das ihn innerhalb von drei Monaten behandeln muß. Billigt das Parlament den Gemeinsamen Standpunkt oder äußert es sich nicht innerhalb dieser Frist, so beschließt der

Rat den Rechtsakt endgültig entsprechend dem Gemeinsamen Standpunkt. Lehnt das Parlament den Gemeinsamen Standpunkt ab, so kann der Rat in zweiter Lesung nur einstimmig beschließen. Schlägt das Parlament mit der absoluten Mehrheit seiner Mitglieder Abänderungen an dem Gemeinsamen Standpunkt vor, so hat die Kommission einen Monat Zeit, um aus ihrem ursprünglichen Vorschlag, dem Gemeinsamen Standpunkt des Rates und den vom Parlament vorgeschlagenen Abänderungen einen „überprüften Vorschlag" zu machen. Diesen kann der Rat binnen weiterer drei Monate mit qualifizierter Mehrheit annehmen oder mit Einstimmigkeit abändern. Zeigt sich der Rat innerhalb dieser Frist unfähig, einen Beschluß zu fassen, „so gilt der Vorschlag der Kommission als nicht angenommen" (Art 149 Abs 2 lit f 2. Satz EWGV, jetzt Art 189c lit f 2. Satz EGV), was ein erneuter Beweis dafür ist, daß der Rat „das letzte Wort" hat.

Dieses neue Verfahren hat aber natürlich die Rolle des EP im Gesetzgebungsverfahren verstärkt, da der Rat jetzt in einzelnen Fällen einstimmig entscheiden muß, wenn er den vom Parlament eingebrachten und von der Kommission übernommenen Abänderungswünschen nicht folgen will.

c) Mitentscheidungsverfahren

Der EU-Vertrag hat die Rechte des Europäischen Parlaments im Beschlußfassungsverfahren erneut verstärkt, sodaß in einigen Fällen nunmehr das Europäische Parlament und der Rat gemeinsam entscheiden: Verfahren der Mitentscheidung („co-décision"). Dieses Verfahren gilt jetzt in vielen Bereichen der Vollendung des Binnenmarktes (zB im geänderten Art 100a EGV) und wird als „Verfahren des Art 189b EGV" bezeichnet. Wesentlich ist die Einführung eines **Vermittlungsausschusses** zwischen Europäischem Parlament und Rat. Die ersten gemeinsamen Rechtsakte dieser beiden Institutionen sind im Frühjahr 1994 erlassen worden. Diese Mitentscheidung bedeutet die fast vollständige Gleichstellung von EP und Rat; nur bei einer Nicht-Einigung im Vermittlungsausschuß hat der Rat eine leicht bessere Stellung als das Parlament (vgl Art 189b Abs 6 EGV).

d) Zustimmung

Das Erfordernis der Zustimmung des Europäischen Parlaments zu den Beschlüssen des Rates, wie es zB beim Abschluß von Assoziierungsabkommen vorgesehen ist (Art 238 iVm 228 Abs 3 Unterabs 2 EGV), bedeutet für den Rat nichts Besonderes, wohl aber für das Europäische Parlament die vollständige Mitentscheidung.

e) Durchführungsbefugnisse

Die EEA hat auch mit dem neuen dritten Gedankenstrich des Art 145 EGV den Grundsatz mit sich gebracht, daß der Rat der Kommission die **Durchführungsbefugnisse** übertragen soll. Diese schwierige Materie hat zum Beschluß des Rates vom 13. 7. 1987 zur Festlegung der Modalitäten für die Ausübung der der Kommission übertragenen Durchführungsbefugnisse[6]) ge-

---

[6]) ABl L 1987/197, 33.

führt. Der Rat sieht hier im Sinne einer Kodifizierung und Weiterentwicklung von Verfahren, die schon früher entstanden waren, vor, daß die Kommission zwar die Durchführungsbefugnisse erhält, aber einen „beratenden" oder Verwaltungs- oder Regelungsausschuß einschalten muß, in denen die Vertreter der Mitgliedstaaten sitzen (Stichwort „Komitologie").

Insbesondere beim **Regelungsausschuß** kann die Kommission nur entscheiden, wenn der Ausschuß mit qualifizierter Mehrheit eine den Entwurf der Maßnahme befürwortende Stellungnahme abgegeben hat – andernfalls geht das Beschlußfassungsrecht wieder an den Rat zurück (sog Komitologiebeschluß). Das EP hat gemeint, daß der Rat damit Art 145 3. Gedankenstrich EGV nicht vollständig ausgeführt hat. Seine Klage gegen den Rat hat der Gerichtshof jedoch als unzulässig zurückgewiesen[7]); zu einer gerichtlichen Überprüfung des Beschlusses ist es daher bisher nicht gekommen.

3. Außenbeziehungen

Die Tätigkeit des Rates erschöpft sich jedoch nicht in der Gesetzgebung. Er hat auch eine Rolle in den Beziehungen der Gemeinschaften zu den Nichtmitgliedstaaten, den sog Drittstaaten. Nach den insb in den Art 113, 228 und 238 EGV niedergelegten Vorschriften ist die Kommission für die **Verhandlungen** mit Drittstaaten zuständig, nachdem sie vom Rat dazu ermächtigt worden ist. Sie verhandelt allein, im Einvernehmen mit einem vom Rat bestellten Ausschuß und unter Beachtung der ihr vom Rat erteilten Verhandlungsrichtlinien. Für den **Abschluß** solcher internationaler Abkommen ist der Rat zuständig: Handelsabkommen können mit qualifizierter Mehrheit geschlossen werden; Assoziierungsabkommen, die außer einem handelspolitischen Teil noch etwas „mehr" enthalten müssen, erfordern die Einstimmigkeit im Rat. Das EP ist vor dem Abschluß durch den Rat zu beteiligen, wenn der Vertrag es vorsieht oder der Rat es gleichwohl beschließt: Bei den Handelsabkommen sieht der Vertrag eine solche Rolle nicht vor, der Rat kann aber das Parlament fakultativ anhören. Auch hat sich ein besonderes **Informationsverfahren** gegenüber dem zuständigen Parlamentsausschuß herausgebildet. Für die Assoziierungsabkommen war früher die Anhörung des EP erforderlich. Die EEA hat die Rolle des Parlaments hier insofern verbessert, daß der Rat jetzt der vorherigen Zustimmung des Parlaments bedarf.

4. Haushaltsrecht[8])

Der Rat besitzt weitere Beschlußfassungsbefugnisse in bezug auf die Aufstellung des **Haushaltsplans** (Art 203 EGV). Rat und EP sind hier im Sinne einer „Mitentscheidung" die beiden befugten Institutionen. Im einzelnen hat der Rat das entscheidende Wort bei den sog obligatorischen Ausgaben, die sich zwingend aus dem Vertrag oder den aufgrund des Vertrages erlassenen Rechtsakten ergeben. Im Gegenzug entscheidet das Parlament innerhalb gewisser Höchstsätze über die nicht-obligatorischen Ausgaben.

---

[7]) EuGH 27. 9. 1988 Rs 302/87 – Europäisches Parlament gg Rat – Slg 1988, 5615.
[8]) Siehe dazu ausführlich unten *Wuermeling*, Der EU-Haushalt: Politik in ECU.

C. Die Arbeitsweise des Rates

Der Rat ist eine Institution der Gemeinschaften, deren Mitglieder nicht ausschließlich und vollzeitlich Mitglieder des Rates sind: Sie sind Mitglieder der Regierungen der Mitgliedstaaten und außerdem noch Mitglieder des Rates. Da sie nicht die Zeit haben, sich ständig um den Rat zu kümmern, muß ihre Tätigkeit vorbereitet werden. Das geschieht insb durch den **Ausschuß der Ständigen Vertreter**[9]) (COREPER, Art 151 Abs 1 EGV) und die von diesem abhängigen zahlreichen **Arbeitsgruppen**, welche für alle Tätigkeitsbereiche der Gemeinschaften eingesetzt worden sind. In allen Gruppen und Ausschüssen sind wie im Rat alle Mitgliedstaaten und die Kommission vertreten. Den **Vorsitz** führt der Vertreter des Mitgliedstaates, der im Rat den Vorsitz innehat. Die meisten Gruppen und Ausschüsse arbeiten in den elf **Amtssprachen** der Gemeinschaften, mit Simultanübertragung durch die Mitglieder des Gemeinsamen Dolmetscherdienstes der Kommission.

Der Vorschlag der Kommission wird grundsätzlich zuerst in einer **Arbeitsgruppe** zusammen mit der Stellungnahme des EP und möglicherweise den Stellungnahmen des Wirtschafts- und Sozialausschusses und/oder auch des Ausschusses der Regionen besprochen. Die Prüfung des Vorschlags auf dieser Ebene soll insb den Sachverstand der Verwaltungen der Mitgliedstaaten an der Gesetzgebung der Gemeinschaft beteiligen. Wenn es sich nach einer oder mehreren Sitzungen der Gruppe herausstellt, daß einzelne Fragen insb wegen ihrer politischen Bedeutung dort nicht geklärt werden können, werden diese anschließend an den Ausschuß der Ständigen Vertreter weitergegeben. Die dort nicht gelösten Fragen werden schließlich – aber im allgemeinen nach eingehender Vorbereitung – im Rat selbst behandelt. Der Rat kann dann eine Gesamtlösung oder auch eine Teillösung mit Rückverweisung an den genannten Ausschuß finden, damit weitere Fragen geklärt oder zumindest aufbereitet werden.

Nach der Einigung im Rat wird durch die Gruppe der **Rechts- und Sprachsachverständigen** ein in allen elf Sprachen gleicher Text hergestellt, der anschließend auch formell angenommen und fast immer im Amtsblatt veröffentlicht wird: Für Verordnungen (Art 189 EGV) und an alle Mitgliedstaaten gerichtete Richtlinien (Art 191 Abs 2 EGV) ist diese Veröffentlichung eine Bedingung ihres Inkrafttretens, Richtlinien, die nur an einzelne Mitgliedstaaten gerichtet sind, und Entscheidungen werden meistens zur allgemeinen Unterrichtung dort veröffentlicht.

Wenn sich auf diesem praktischen Gesetzgebungsweg bereits in der Arbeitsgruppe oder im Ausschuß der Ständigen Vertreter eine Einigung ergibt, so muß diese vom Rat nur noch bestätigt werden – und zwar ohne Aussprache. Man nennt dieses Verfahren das der **A-Punkte.** Diese A-Punkte werden vom Rat beschlossen, wobei Erklärungen dabei abgegeben werden können. Sollte jedoch eine Aussprache gewünscht werden, wird dieser Punkt grundsätzlich auf die nächste Ratssitzung verschoben.

---

[9]) Dieser Ausschuß tagt jede Woche, und zwar als COREPER I (Stellvertreter) für die mehr wirtschaftlichen Fragen, als COREPER II (Ständige Vertreter) für die mehr politischen Probleme.

In seiner praktischen Arbeit wird der Rat durch das **Generalsekretariat** des Rates[10]) unterstützt, welches seine Rechtsgrundlage in Art 151 Abs 2 EGV hat. Es ist – ähnlich der Organisation der Dienststellen der Kommission – in Generaldirektionen einschließlich eines Juristischen Dienstes gegliedert.

D. Besonderheiten

1. Rechtsgrundlage eines Rechtsaktes

Der Rat darf wie alle Gemeinschaftsorgane nur tätig werden, wenn ihm im EG-Vertrag (Entsprechendes gilt natürlich auch für die anderen beiden Gemeinschaften) eine Befugnis zugewiesen ist. Fehlt sie, obwohl ein Tätigwerden erforderlich erscheint, um eines der Ziele der Gemeinschaft (Art 2 und 3 EGV) zu verwirklichen, so kann der Rat einstimmig auf Vorschlag der Kommission und nach Anhörung des EP die geeigneten Vorschriften erlassen. Diese **Lükkenausfüllungsvorschrift** des Art 235 EGV ist früher zB häufig dafür verwendet worden, Rechtsakte im Bereich des Umweltschutzes zu erlassen, bevor die EEA spezielle Vorschriften dafür formuliert hat (Art 130r bis 130t EGV). Der neu in das Vertragsrecht eingeführte allgemeine Subsidiaritätsgrundsatz (Art 3b Abs 2 EGV) mag künftig als eine Bremse für den Art 235 EGV wirken.

Die vom Vertrag vorgegebene **Einteilung der Rechtsakte** in ihre verschiedenen Formen (Verordnungen, Richtlinien, Entscheidungen usw) gem Art 189 EGV hat sich in den fast vier Jahrzehnten Praxis als zu eng erwiesen. Es gibt inzwischen auch Beschlüsse, Entschließungen und viele andere Bezeichnungen für Äußerungen des Rates. Jeweils im Einzelfall muß geprüft werden, welchen Inhalt und welche rechtliche (oder politische) Verbindlichkeit sie haben. Die Gesamtheit dieser Äußerungen kann wohl als Beschlußrecht bzw Beschlußfassungsrecht bezeichnet werden.

In den letzten Jahren ist es immer wichtiger geworden, im Ratsbeschluß die **genaue Rechtsgrundlage** anzugeben, weil davon das zu beachtende Rechtssetzungsverfahren abhängt, das sehr unterschiedlich ausgestaltet sein kann. Die früher gelegentlich geübte Praxis, sich auf die Formel „gestützt auf den Vertrag" zu beschränken, weil der Rat nach einer damals bestehenden politischen Ausrichtung ohnehin nur entschied, wenn alle Ratsmitglieder einverstanden waren, ist nicht mehr gestattet. Der EuGH hat entschieden, daß die Wahl der Rechtsgrundlage eines Rechtsaktes sich auf objektive, gerichtlich nachprüfbare Umstände gründen muß.[11]) Der EuGH hatte das Recht, eine Nichtigkeitsklage zu erheben, entgegen dem Wortlaut des damals geltenden Art 173 Abs 1 EWGV auch dem EP eingeräumt, wenn seine „Vorrechte" (etwa im Gesetzgebungsverfahren) beeinträchtigt sind.[12]) Im EU-Vertrag ist dieses Recht des EP sodann ausdrücklich formuliert worden (vgl jetzt Art 173 Abs 3 EGV).

---

[10]) *Egger,* Das Generalsekretariat des Rates der EU (1994).

[11]) Rs 45/86 v 26. 3. 1987, Slg 1987, 1493. Zu dieser Problematik s dazu ausführlich *Röttinger,* Bedeutung der Rechtsgrundlage einer EG-Richtlinie und die Folgen einer Nichtigkeit, EuZw 1993, 117.

[12]) Rs C-70/88 v 22. 5. 1990, Slg 1990 I 2041; Rs C-295/90. Slg 1992 I 4193 (vgl *Röttinger* (FN 11).

2. Mündliche und schriftliche Abstimmungen

Der Rat beschließt normalerweise in Sitzungen, an denen alle Mitglieder des Rates und ein Mitglied der Kommission teilnehmen. Die mündliche Behandlung der Tagesordnungspunkte ist wichtig, damit die Mitglieder die Standpunkte der anderen Teilnehmer kennenlernen und beurteilen können, bevor es zur Abstimmung kommt. Auch kann die Kommission den Vorschlag jederzeit – innerhalb bestimmter Grenzen – ändern, um so seine Annahme zu erleichtern. In dringenden Angelegenheiten kann, wenn gerade keine Ratstagung bevorsteht, eine **schriftliche Abstimmung** erfolgen, „wenn der Rat oder der Ausschuß der Ständigen Vertreter (AStV) die Anwendung dieses Verfahrens einstimmig beschließt" oder bei einem entsprechenden Vorschlag des Präsidenten „wenn sich alle Mitgliedstaaten mit diesem Verfahren einverstanden erklären"[13]). In solchen Fällen wird der Ausschuß der Ständigen Vertreter die Sache bis zur „A-Punkt-Reife" behandelt haben, und die schriftliche Abstimmung muß zunächst die Zustimmung aller Ratsmitglieder mit diesem Verfahren, sodann die nach dem zugrundeliegenden Vertragsartikel erforderliche sachliche Mehrheit ergeben. Die Zustimmung der Kommission ist erforderlich, wenn sie den Rat mit der Sache befaßt hatte.[14])

Dieses **„schriftliche Verfahren"** (procédure écrite, written procedure) erlaubt eine Beschlußfassung durch den Rat auch außerhalb der Sitzungen, zB während der „Sommerpause".

3. „Im Rat vereinigte Vertreter der Regierungen der Mitgliedstaaten"

Die Mitglieder des Rates sind auch Mitglieder der Regierungen der Mitgliedstaaten. Wenn sie zu gleicher Zeit in beiden Eigenschaften handeln, können sich die verschiedensten Mischformen ergeben, zB die „Erklärung des Rates und der im Rat vereinigten Minister für das Gesundheitswesen der Mitgliedstaaten vom 4. Juni 1991 über die Bekämpfung des Dopings im Sport"[15]).

In ihrer Eigenschaft als **„im Rat vereinigte Vertreter der Regierungen der Mitgliedstaaten"** – also eben nicht als Ratsmitglieder – können die Minister auch Beschlüsse fassen, was jedoch relativ selten ist. Stellt sich ein solcher Beschluß nach seinem Inhalt als bindendes Recht dar, so handelt es sich wohl um völkerrechtliche Verträge der Mitgliedstaaten, welche diese „in einem vereinfachten Verfahren" (meistens ohne Ratifikationserfordernis) abschließen.

4. Regierungskonferenz

Schließlich können sie – es handelt sich immer um dieselben Personen – auch als **„Regierungskonferenz"** zusammentreten und bestimmte Ernennungen vornehmen: Die Mitglieder der Kommission, des Europäischen Gerichtshofes und des Gerichts erster Instanz werden „von den Regierungen der Mitgliedstaaten im gegenseitigen Einvernehmen" ernannt.

---

[13]) Art 8 Abs 1 GO-Rat.
[14]) Art 8 Abs 2 GO-Rat.
[15]) ABl C 1991/170, 1.

Gem Art N VEU (früher Art 236 EWGV) werden **Änderungen des Vertrages** durch eine Regierungskonferenz vorbereitet. In Art N Abs 2 VEU ist die nächste Regierungskonferenz zur Vertragsänderung für 1996 vorgesehen. Ab Dezember 1990 tagten zwei solcher Konferenzen gleichzeitig. Sie waren damit beauftragt, die erforderlichen Vertragsänderungen im Hinblick auf eine Wirtschafts- und Währungsunion einerseits und eine Politische Union als einer Weiterentwicklung der Europäischen Gemeinschaften andererseits auszuarbeiten. Das Ergebnis war der Vertrag von Maastricht.

5. Europäischer Rat

In den Anfangsjahren der Europäischen Gemeinschaften sind die Staats- und Regierungschefs der Mitgliedstaaten gelegentlich zu **Gipfelkonferenzen** zusammengekommen. Daraus hat sich ab 1975 der **„Europäische Rat“**[16]) entwickelt, der sich in einem regelmäßigen Turnus getroffen hat. Eine rechtliche Formulierung hat er erstmals in Art 2 EEA erhalten, und zwar hinsichtlich der Zusammensetzung (die Staats- und Regierungschefs sowie der Präsident der Kommission) und des Tagungsrhythmus („mindestens zweimal jährlich“). Der Europäische Rat ist jetzt sowohl hinsichtlich seiner Aufgaben als auch seiner Zusammensetzung und seines Tagungsrhythmus' in Art D EUV beschrieben. Der Europäische Rat kann wohl auch der „Rat“ sein oder zumindest als solcher handeln. Wenn jeder Mitgliedstaat durch ein Mitglied seiner Regierung vertreten wäre und alle Verfahrensvoraussetzungen (Vorschlag, Stellungnahme) beachtet würden, könnte auch der Europäische Rat als Rat Rechtsakte der Gemeinschaften erlassen. Das ist bisher jedoch noch nicht vorgekommen. Vielmehr gibt der Europäische Rat politische Ausrichtungen, die später in den normalen Verfahren zu Beschlüssen des Rates führen.

6. „Luxemburger Kompromiß“

Der sog **„Luxemburger Kompromiß“** besagt, daß bei „sehr wichtigen Interessen“ eines Mitgliedstaates die Erörterung einer Sache unabhängig von der Abstimmungsmöglichkeit fortgesetzt werden muß, bis ein einstimmiges Einvernehmen im Rat erzielt worden ist. Er ist im Jänner 1966 entstanden[17]) und hat zumindest bis zum Inkrafttreten der Einheitlichen Akte dazu geführt, daß zwei Jahrzehnte lang sehr wichtige Beschlüsse des Rates nur einstimmig ergangen sind.

Die rechtliche Einordnung des Kompromisses ist schwierig: Er war kein Änderungsvertrag, weder als solcher ausgestaltet, noch von den Mitgliedstaaten ratifiziert. Sein materieller Inhalt war von fünf der ursprünglichen sechs Mitgliedstaaten abgelehnt worden, allerdings haben sich fast alle ursprünglichen und danach auch die neuen Mitgliedstaaten gelegentlich darauf berufen.

---

[16]) Vgl *von Donat,* Das ist der Gipfel! (1987) sowie ausführlich *Taulègne,* Le Conseil Européen (1993) und *Werts,* The European Council (1992).

[17]) Vgl EG-Kommission (Hg), 9. Gesamtbericht 1966 (1967), 30; s ausführlich *Schweitzer* in *Grabitz/Hilf* (Hg), Kommentar zur Europäischen Union Art 148 RZ 13; *Breier* in *Lenz* (Hg), EG-Vertrag Kommentar Art 148 RZ 7.

Der Kompromiß muß wohl als ein **politischer Text** bezeichnet werden, der zwei Jahrzehnte lang eine gewisse Anwendung erfahren hat. Seit dem Inkrafttreten der Einheitlichen Europäischen Akte hat der Rat viele Beschlüsse mit (qualifizierter) Mehrheit angenommen, dh sie sind bei Enthaltung oder gegen die Stimmen einzelner Ratsmitglieder ergangen. Es scheint, daß der Luxemburger Kompromiß nicht mehr angerufen wird, sodaß sich dieses schwierige Problem faktisch wohl erledigt hat.

7. „Ioannina-Formel"

Hier ist noch auf die sog „Ioannina-Formel" hinzuweisen, die der Rat am 29. März 1994 im Hinblick auf die Berechnung der qualifizierten Mehrheit nach der Erweiterung der Gemeinschaften 1995 angenommen hat. Wenn sich im Rat abzeichnet, daß es für eine Beschlußfassung mit qualifizierter Mehrheit zwischen 23 und 25 Gegenstimmen (also gerade knapp keine Sperrminorität) geben wird, so setzt der Rat alles daran, um in angemessener Zeit zu einem zufriedenstellenden Ergebnis zu kommen, das mit mindestens 65 Stimmen angenommen werden kann, wobei im Primär- oder Sekundärrecht ggf bestehende Fristen (vgl zB Art 189b und 189c EGV) eingehalten werden müssen. Es ist Aufgabe des Ratspräsidenten, mit Unterstützung der Kommission und unter Beachtung der Geschäftsordnung alle notwendigen Initiativen zu ergreifen, um die größere Zustimmung zu erreichen, wobei sich die übrigen Ratsmitglieder flexibel zeigen sollten.

Anhang 1: Reihenfolge des Ratsvorsitzes[18])

1. Halbjahr 1995: Frankreich
2. Halbjahr 1995: Spanien
1. Halbjahr 1996: Italien
2. Halbjahr 1996: Irland
1. Halbjahr 1997: Niederlande
2. Halbjahr 1997: Luxemburg
1. Halbjahr 1998: Vereinigtes Königreich
2. Halbjahr 1998: Österreich
1. Halbjahr 1999: Deutschland
2. Halbjahr 1999: Finnland
1. Halbjahr 2000: Portugal
2. Halbjahr 2000: Frankreich
1. Halbjahr 2001: Schweden
2. Halbjahr 2001: Belgien
1. Halbjahr 2002: Spanien
2. Halbjahr 2002: Dänemark
1. Halbjahr 2003: Griechenland

Anmerkung:

Diese Reihenfolge kann vom Rat durch einstimmigen Beschluß geändert werden.

---

[18]) Beschluß des Rates v 1. 1. 1995, ABl L 1995/1, 220.

Anhang 2: Protokollarische Reihenfolge der Mitgliedstaaten

Die protokollarische Reihenfolge für die Aufzählung der Mitgliedstaaten, für die Anordnung der Flaggen etc entspricht der alphabetischen Reihenfolge der Namen der Mitgliedstaaten in ihrer jeweiligen Nationalsprache:

Belgien (België/Belgique)
Dänemark (Danmark)
Deutschland
Griechenland (Ellas)
Spanien (España)
Frankreich (France)
Irland (Ireland)
Italien (Italia)
Luxemburg (Luxembourg)
Niederlande (Nederland)
Österreich
Portugal (Portugal)
Finnland (Suomi)
Schweden (Sverige)
Vereinigtes Königreich (United Kingdom)

Anhang 3: Durchschnittliche Dauer für die Verabschiedung von Richtlinien[19])

Jahr der Verabschiedung	Anzahl	Dauer (in Monaten) zwischen der Annahme des Vorschlags durch die Kommission und der Verabschiedung durch den Rat
1979	56	24
1980	63	23
1981	48	13
1982	54	38
1983	41	28
1984	54	54
1985	61	40
1986	76	31
1987	43	22
1988	68	32
1989	78	26
1990	74	25
1991	77	24
1992	98	20
1993	58	17

Durchschnittliche Dauer in den Jahren 1979 bis 1993: 28 Monate.

[19]) Vgl Antwort der Kommission v 3. 5. 1994 auf die schriftliche Anfrage v 13. 12. 1993 (E 3510/93) des Mitglieds des EP *François Froment-Meurice,* ABl C 1994/358, 26.

7. KAPITEL

Struktur und Befugnisse des Europäischen Parlaments

Roland Bieber

Übersicht:

A. Das Europäische Parlament im institutionellen Gefüge der Europäischen Gemeinschaften bzw Europäischen Union

Demokratie ist unteilbar. Das Erfordernis einer Mitwirkung der Bürger an der Ausübung von Hoheitsgewalt durch ein gewähltes Parlament besteht daher nicht nur innerhalb von Staaten. Auch überstaatlich getroffene Entscheidungen mit unmittelbarer Wirkung in den staatlichen Rechtsordnungen müssen den Grundsätzen demokratischer Willensbildung genügen.

Ein aus gewählten „Vertretern der Völker der in der Gemeinschaft zusammengeschlossenen Staaten" bestehendes Organ[1]) bildet daher kein institutionelles Kuriosum in einer neuartigen internationalen Organisation. Es entspricht vielmehr dem übereinstimmenden **Verfassungsgrundsatz der parlamentarischen Demokratie,** wie er für die Gründerstaaten der EG galt, später förmlich zur Voraussetzung für die EG-Mitgliedschaft erklärt wurde[2]) und schließlich als umfassendes Prinzip im Rahmen der Konferenz für Sicherheit und Zusammenarbeit in Europa (KSZE) Bekräftigung fand.[3])

Die Verpflichtung zur demokratisch-parlamentarischen Verfassung normativen Handelns resultiert für die EG-Mitgliedstaaten überdies aus Art 3 1. ZPEMRK[4]).

Das Europäische Parlament ist bisher nicht „der Gesetzgeber" der Gemeinschaft. **Gesetzgebung** erfolgt in erster Linie durch den Rat auf Initiative der Kommission. Das Parlament wirkt vorwiegend durch Beratung und Kontrolle an der Gesetzgebung mit. In Einzelfällen reichen die in den Verträgen sehr heterogen ausgestalteten Rechte des Parlaments bereits an Mitentscheidungsrechte heran.[5]) Als Dauerzustand im **„institutionellen Dreieck"** der Gemeinschaft verstieße diese ungleichgewichtige Stellung des Europäischen Parlaments gegen die Grundsätze demokratischer Machtausübung. Jedoch kann sie Rechtfertigung erfahren, wenn sie als Zwischenstufe in einem Prozeß institutioneller Differenzierung konzipiert ist, die parallel zur Ausdehnung der materiellen Rechtsetzung der Gemeinschaft deren demokratische Fundierung verbreitert.

Tatsächlich läßt sich die nahezu vierzigjährige Geschichte des Parlaments der Europäischen Gemeinschaften als ein sich beschleunigender **Wandlungsprozeß** auf dem Wege zu voller Repräsentativität und zu Mitentscheidungsrechten über normative Akte verstehen. Das Parlament geht seit 1979 aus allgemeinen unmittelbaren Wahlen hervor, und es hat durch Vertragsänderungen in den Jahren 1970 und 1975 zunächst im Haushaltsbereich sowie seit 1987 im Bereich der Gesetzgebung und der EG-Außenbeziehungen neue Rechte erlangt. Zusätzliche Rechte erlangte es im Rahmen des Vertrages über die Europäische Union. Der weitere Ausbau dieser Rechte ist im Rahmen einer Konferenz zur Vertragsänderung für das Jahr 1996 vorgesehen.

Entwicklungen zu einer parlamentarischen Demokratie auf europäischer Ebene bedeuten nicht notwendigerweise eine Verlagerung von Zuständigkeiten staatlicher Parlamente auf die Gemeinschaft. Vielmehr entstehen sie systemimmanent durch Verlagerung von Befugnissen des Rates

---

[1]) Art 137 EGV; vgl auch Art 1 Direktwahlakt v 20. 9. 1976.

[2]) Art F Abs 1 EUV.

[3]) „Charter for a new Europe" v 21. 11. 1990 (unterzeichnet in Paris im Rahmen der KSZE).

[4]) „Die Hohen Vertragsschließenden Teile verpflichten sich, in angemessenen Zeitabständen freie und geheime Wahlen unter Bedingungen abzuhalten, welche die freie Äußerung der Meinung des Volkes bei der Wahl der gesetzgebenden Körperschaften gewährleisten."

[5]) Siehe dazu ausführlich unten E sowie *Borchardt,* Die rechtlichen Grundlagen der Europäischen Gemeinschaften – Rechtsquellen, Rechtshandlungen, Rechtsetzung.

und der Kommission auf das Parlament. Allerdings erscheint es ausgeschlossen, daß als Ergebnis dieses Prozesses dem Parlament **alleinige Gesetzgebungsbefugnisse** zufallen werden. Wie bereits die Formulierung in Art 137 EGV zeigt und wie auch an zahlreichen weiteren Stellen der Verträge hervorgehoben ist[6]), besteht die Europäische Union aus **Staaten.** Diese Grundlegung wirkt notwendigerweise auf das Entscheidungssystem zurück, so daß einer Staatenkammer (zB in Gestalt des Rates) auch in Zukunft wesentliche Mitentscheidungsrechte im Gesetzgebungsverfahren verbleiben dürften.

B. Die Entwicklung des Europäischen Parlaments

Das Europäische Parlament, wie es sich 1995 darstellt, das 626 Abgeordnete aus 15 Mitgliedstaaten umfaßt, ging aus der **„Gemeinsamen Versammlung“** der Europäischen Gemeinschaft für Kohle und Stahl (EGKS) hervor, die erstmals am 10. 9. 1952 zusammentrat und aus 78 Abgeordneten der sechs Gründerstaaten (Belgien, Deutschland, Frankreich, Italien, Luxemburg und Niederlande) gebildet war. Als 1958 die Europäische Wirtschaftsgemeinschaft (EWG) und die Europäische Atomgemeinschaft (EURATOM oder EAG) geschaffen wurden, löste sich die Gemeinsame Versammlung auf. An ihre Stelle trat die für die Aufgaben der drei Verträge zuständige **Versammlung.** Sie war, ebenso wie ihre Vorgängerin, aus Abgeordneten gebildet, die aus der Mitte der staatlichen Parlamente ausgewählt und von diesen entsandt worden waren. Die Verträge hatten dieses System der Entsendung als Übergangsstadium konzipiert. Es sollte abgelöst werden durch die allgemeine Wahl der Abgeordneten. Aufgrund einer entsprechenden Vertragsänderung im Jahre 1976[7]) erfolgte die erste Direktwahl im Juni 1979 und seither in 5-jährigem Rhythmus.[8]) Der Versammlung des Jahres 1959 gehörten 142 Mitglieder an.[9]) Durch die erste Erweiterung der Gemeinschaft erhöhte sich im Jahre 1972 die Mitgliederzahl auf 198 Abgeordnete.[10])

Im Zusammenhang mit der **Einführung der Direktwahl** wurde die Mitgliederzahl erneut erhöht, um eine stärkere Proportionalität zur Einwohnerzahl der verschiedenen Mitgliedstaaten herzustellen.[11]) Das Parlament umfaßte danach 410 Mitglieder. Durch den Beitritt Griechenlands stieg die Mitgliederzahl auf 434 Abgeordnete. Eine weitere Erhöhung im Jahre 1986 beruhte auf dem Beitritt Portugals und Spaniens.[12]) Der Beitritt

---

[6]) Vgl insb Art F Abs 1 EUV.

[7]) Akt zur Einführung allgemeiner unmittelbarer Wahlen der Abgeordneten des Europäischen Parlaments („Direktwahlakt“) vom 20. 9. 1976, ABl L 1979/278, abgedruckt und kommentiert von *Bieber* in *von der Groeben/Thiesing/Ehlermann* (Hg), Kommentar zum EWG-Vertrag4 (1991).

[8]) Vgl Art 3 Direktwahlakt.

[9]) Deutschland, Frankreich und Italien je 36, Belgien und Niederlande je 14 sowie Luxemburg 6 Mitglieder.

[10]) Vereinigtes Königreich 36, Irland und Dänemark je 10.

[11]) Siehe dazu unten C.

[12]) Portugal 24, Spanien 60.

der DDR zur Bundesrepublik veränderte die Zahl der Abgeordneten zunächst nicht. Allerdings wurden dadurch neue Überlegungen zu einer nach Einwohnerzahl stärker differenzierenden Sitzverteilung angestoßen[13]), die im Jahre 1994 zu einer umfassenden Neuverteilung der Sitze und zu einer Erhöhung der Gesamtzahl auf 567 führten.[14]) Mit dem Beitritt Österreichs, Finnlands und Schwedens am 1. Jänner 1995 vergrößerte sich die Abgeordnetenzahl auf 626.

Die Bezeichnung **„Europäisches Parlament"** (EP) legte sich das Parlament bereits 1961 zu. Die übrigen Organe und die Mitgliedstaaten nahmen diese Terminologie nur zögernd auf.[15]) Erst die Vertragsrevision in Gestalt der Einheitlichen Europäischen Akte brachte ab 1987 die förmliche Anerkennung dieser Bezeichnung. Das Parlament wollte mit der Verwendung dieses Begriffs schon frühzeitig ein Leitbild umschreiben, das sich nicht auf die Erfüllung der ihm in den Verträgen ursprünglich zugewiesenen Kontroll- und Beratungsaufgaben beschränkte. Vielmehr beanspruchte das EP umfassende Teilhaberrechte, insb an der Gesetzgebung und Verfassungsgestaltung, die an den staatlichen Vorbildern orientiert waren.

Doch begnügte das Parlament sich nicht mit begrifflicher Symbolik. Von Anfang an beanspruchte es über den vertraglichen Rahmen hinausgehende **Beratungsrechte.** Diese wurden (zB für den Bereich der Kultur- und Außenpolitik) frühzeitig von den Mitgliedstaaten akzeptiert.[16]) Auch seine Rolle innerhalb der Verträge verstand das Parlament sehr bald als Ausgangspunkt für Reformen. Vorschläge dafür, die insb das Gesetzgebungs- und Haushaltsverfahren, die Außenbeziehungen sowie die Mitwirkung an der Bestellung der Kommission betrafen, unterbreitete das Parlament seit 1962 mit großer Beharrlichkeit. Es gelang ihm damit, eine Debatte zu entfachen, die immer häufiger in Vertragsänderungen, doch auch in weniger förmliche Interorganvereinbarungen zur Stärkung des Parlaments mündeten.

Markstein dieser Entwicklung bilden die Vertragsreformen 1970 und 1975 zum Haushaltsrecht[17]), 1986 zum Gesetzgebungsverfahren[18]) sowie die Interorganvereinbarungen der Jahre 1975[19]), 1982[20]), 1988[21]) sowie als bisher umfassendste Reform der Vertrag über die Europäische Union von 1992[22]). Unter den Initiativen des Parlaments zur Änderung seiner Stellung

---

[13]) Vgl Entschließung des EP v 12. 7. 1990, ABl C 1990/231, Z 79. Vgl auch *Röttinger,* Die deutsche Vereinigung und die europäische Integration, in: *Röttinger/Weyringer* (Hg), Handbuch der europäischen Integration[1] (1991).

[14]) Beschluß des Rates v 1. 2. 1993, ABl L 1993/33, 15.

[15]) Dazu näher *Bieber/Pantalis/Schoo,* Implications of the Single Act for the European Parliament, CMLR1986, 767.

[16]) Vgl Schlußkommuniqué der Tagung der EG-Staats- und Regierungschefs in Bonn v 18. 7. 1961, abgedruckt in NN (Hg), Das Europäische Parlament, Zuständigkeiten usw.,2 (1982) 11.

[17]) Verträge v 22. 4. 1970 und v 22. 7. 1975, ABl L 1971/2 und 1977/359.

[18]) Einheitliche Europäische Akte v 28. 2. 1986, ABl L 1987/169.

[19]) Konzertierungsverfahren v 14. 3. 1975, ABl C 1975/89, 1.

[20]) „Haushaltsverfahren" v 30. 6. 1982, ABl C 1982/194.

[21]) „Haushaltsdisziplin" v 29. 6. 1988, ABl L 1988/185, 33.

[22]) Vom 7. 2. 1992, ABl C 1992/191, 1.

durch Vertragsänderung sind insb Entschließungen v 14. 2. 1984[23]), v 22. 11. 1990 und v 10. 2. 1994[24]) zu erwähnen. Darin werden jeweils ausformulierte Vertragstexte vorgelegt. Vertragsimmanente Reformen schlug das Parlament in einem Bündel von Entschließungen in den Jahren 1982–1986 vor.[25])

Ohne Zweifel hat das Parlament im Verlauf seiner Geschichte einen **Prozeß beachtlicher Wandlung** erlebt. Aus dem im Nachkriegseuropa allein wegen seiner mehrstaatlichen und mehrsprachigen Funktionsweise sensationellen, im ganzen jedoch bedächtig und idyllisch wirkenden Parlament ist ein hochkompliziertes und dennoch bemerkenswert effizient arbeitendes Gebilde geworden. Dieses wirkt als Kristallisationskern für politische Aktivitäten aus aller Welt, Vertreter der Regierungen und Lobbyisten. Es erfüllt dadurch im zunehmenden Maße eine Rolle als Symbol des europäischen Einigungsprozesses.

C. Zusammensetzung und Wahlverfahren

Die Zusammensetzung des Parlaments nach der **Staatsangehörigkeit** der Abgeordneten ergibt sich im wesentlichen[26]) aus der jedem Staat in Art 2 Direktwahlakt zugewiesenen Abgeordnetenzahl:

Belgien	25
Dänemark	16
Deutschland	99
Griechenland	25
Spanien	64
Frankreich	87
Irland	15
Italien	87
Luxemburg	6
Niederlande	31
Österreich	21
Portugal	25
Finnland	16
Schweden	22
Vereinigtes Königreich	87

Die Staatsangehörigkeit bildet allerdings für sich genommen kein maßgebliches Element der parlamentarischen Praxis. Ähnlich wie in staatlichen Parlamenten gehen die wesentlichen Steuerungsfunktionen von den **Fraktionen** aus. Das Parlament besteht 1996 aus 8 Fraktionen, die sich ihrerseits aus insgesamt 87 politischen Gruppierungen der Staaten gebildet haben und folgende Abgeordnetenzahl aufweisen:

---

[23]) ABl C 1984/77, 33.

[24]) ABl C 1990/32, 219; ABl C 1994/155.

[25]) ABl C 1981/234, 64; C 1982/11, 191; C 1982/66, 67; C 1986/283, 36.

[26]) Gem Art 8b EGV besitzt jeder Bürger der Union in dem Staat seines Wohnsitzes das aktive und passive Wahlrecht, auch wenn er nicht Bürger des Wohnsitzstaates ist; vgl RL 93/103, ABl L 1993/329, 34.

Bezeichnung der Fraktion	Insgesamt	Belgien	Dänemark	Deutschland	Griechenland	Spanien	Frankreich	Irland	Italien	Luxemburg	Niederlande	Österreich	Portugal	Finnland	Schweden	Vereinigtes Königreich
Fraktion der Sozialdemokratischen Partei Europas	217	6	3	40	10	22	15	1	18	2	8	8	10	4	7	63
Fraktion der Europäischen Volkspartei	173	7	3	47	9	30	12	4	14	2	10	6	1	4	5	19
Fraktion für Europa	55				2		16	7	27				3			
Fraktion der Liberalen und Demokratischen Partei Europas	52	6	5			2	1	1	6	1	10	1	8	6	3	2
Konföderale Fraktion der Europäischen Unitaristischen Linken	33		1		4	9	7		5				3	1	3	
Fraktion Die Grünen im Europäischen Parlament	27	2		12				2	4		1	1		1	4	
Fraktion der Radikalen Europäischen Allianz	20	1				1	13		2	1						2
Fraktion Europa der Nationen	18		4				12				2					
Fraktionslose	31	3					11		11			5				1
Insgesamt	626	25	16	99	25	64	87	15	87	6	31	21	25	16	22	87

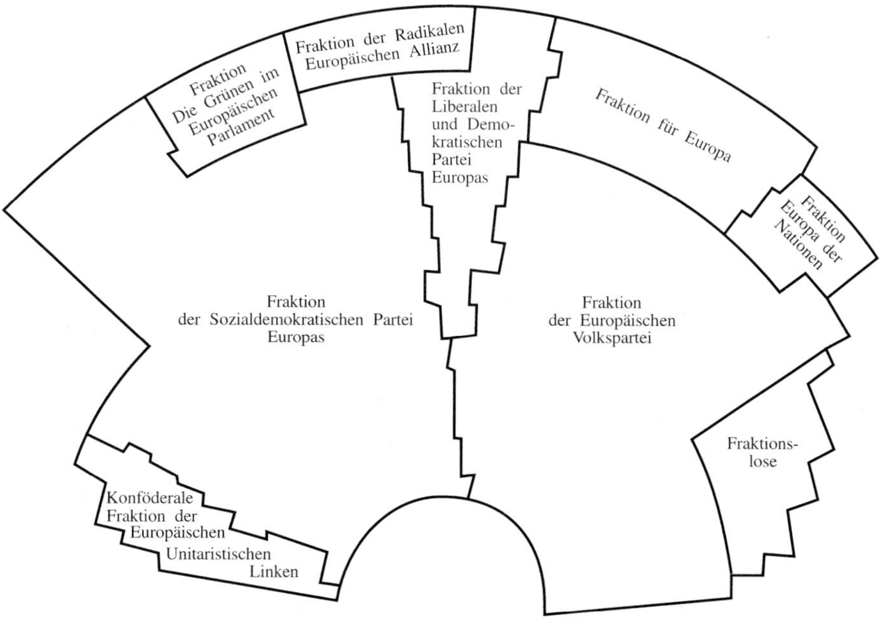

Die Fraktionen im EP (Sitzordnung im Plenarsaal 1996)

Die Wahl der Abgeordneten erfolgt noch nicht nach einem vollständig einheitlichen Verfahren iSv Art 138 Abs 3 EGV. Statt dessen legt der Direktwahlakt nur wenige gemeinsame Grundzüge fest (Wahldatum, Mandatsdauer, Unvereinbarkeiten, Mandatsprüfung) und überläßt den Mitgliedstaaten die Ausgestaltung des Wahlsystems (Art 7 Direktwahlakt). Damit wird nicht etwa gegen den fortgeltenden Wortlaut von Art 138 Abs 3 EGV verstoßen, sondern das allgemeine Prinzip des Gemeinschaftsrechts der stufenweisen Verwirklichung eines Vertragsziels angewandt. Es bleibt dem Parlament überlassen, weitere Vorschläge für ein stärker vereinheitlichtes Wahlverfahren zu unterbreiten (Art 7 Direktwahlakt).

Entsprechende Vorschläge unterbreitete das EP im März 1982 und im März 1993.[27]) Darin wird die Verwendung des Verhältniswahlsystems in Mehrmannwahlkreisen oder alternativ die Wahl in Einmannwahlkreisen und die Verkürzung des Wahlzeitraumes auf zwei Tage empfohlen. Bei der Option für Einpersonen-Wahlkreise sollte mindestens ein Drittel der auf diesen Staat entfallenden Sitze so vergeben werden, daß die Proportionalität der Gesamtstimmenzahlen gewährleistet bleibt. Der Rat konnte sich bisher nicht über einen derartigen Text einigen.

Die **Dauer des Mandats** beträgt fünf Jahre. Diese lange Frist fördert die interne Stabilisierung. Sie steht jedoch im Widerspruch zu den Bemühungen, eine engere Verbindung zwischen Bürgern und europäischen Institutionen herzustellen, also die Legitimations- und Rückkopplungswirkung zu stärken.

Auch zukünftig kann neben einem europäischen ein nationales Mandat ausgeübt werden (Art 5 Direktwahlakt). Freilich wird diese Möglichkeit nur noch von einer Minderzahl der Abgeordneten genutzt. Bei der Liste der mit einem europäischen Mandat unvereinbaren Tätigkeiten (Art 6 Direktwahlakt) fällt die Unvereinbarkeit mit nationalen Regierungsämtern und der Mitgliedschaft in der Kommission auf. Hierbei mögen Vergleiche mit dem amerikanischen Regierungssystem anklingen. Die Befugnis der innerstaatlichen Gesetzgeber zur Festlegung weiterer Unvereinbarkeiten gem Art 6 Abs 2 Direktwahlakt schließt nicht das Recht zur Einschränkung der möglichen Doppelmitgliedschaft ein.

Ungewöhnlich ist die lange Dauer des Wahlzeitraumes (Donnerstag bis Sonntag). Eine derartige Regelung war aber erforderlich, um die verschiedenen Traditionen in den Mitgliedstaaten respektieren zu können.

Hervorzuheben ist schließlich das besondere Verfahren zum Erlaß von ergänzenden Vorschriften (Art 13 Direktwahlakt) für die Direktwahl, das, Art 235 EGV variierend, dem EP ein Initiativrecht zuweist und außerdem das Konzertierungsverfahren vertraglich sanktioniert.

Die Hauptlast der Durchführung der Wahl liegt vorläufig bei den Mitgliedstaaten. Diese haben besondere Wahlgesetze erlassen, die – bis auf Irland und das Vereinigte Königreich – ein System der Verhältniswahl vorsehen.[28])

---

[27]) ABl C 1982/87, 61; ABl C 1993/115, 122.

[28]) Siehe ausführlich *Bieber* in *von der Groeben/Thiesing/Ehlermann* (FN 7) Art 138 Rz 37ff.

D. Organisation und Arbeitsweise

1. Grundlagen

Gem Art 142 EGV besitzt das EP die Befugnis, sich autonom eine **Geschäftsordnung** zu geben.[29]) Darin findet das für die EG-Institutionen in unterschiedlichem Ausmaß geltende Prinzip des Selbstorganisationsrechts seinen Ausdruck. Dieses Prinzip besagt, daß eine Institution im Rahmen der ihr zugewiesenen Zuständigkeiten und Befugnisse das Recht besitzt, selbständig die Art und Weise der Erfüllung der ihr zugewiesenen Aufgaben zu regeln.[30])

Beschränkungen des **Selbstorganisationsrechts** ergeben sich aus den EG-Verträgen. Dies gilt zB für die jährliche Sitzungsperiode (Art 139 EGV, Art 10 Abs 3 Direktwahlakt), die Wahl von Präsident und Präsidium (Art 140 EGV), die Anhörung der Kommission (Art 140 Abs 2 EGV), erforderliche Mehrheiten (Art 141 EGV) und die Veröffentlichung der Protokolle (Art 142 Abs 2 EGV).

Die Abgrenzung des vom Selbstorganisationsrecht erfaßten Bereichs gegenüber sonstigen Zuständigkeiten ist nicht eindeutig bestimmt. Die Mitgliedstaaten sind jedenfalls verpflichtet, die Ausübung dieses Rechts der Organe nicht zu behindern[31]), während andererseits das EP entsprechende Zuständigkeiten der Mitgliedstaaten achten muß.[32])

Auf der Grundlage seines Organisationsrechts hat sich das EP in Ausschüssen und Fraktionen organisiert. Auch legt es die Häufigkeit, Dauer und Tagesordnung seiner Plenarsitzungen selbst fest.

2. Interner Aufbau des Europäischen Parlaments

a) Plenum

Den Mittelpunkt der parlamentarischen Tätigkeit bildet das **Plenum,** die institutionalisierte Versammlung aller Abgeordneten. Alle dem Parlament übertragenen Befugnisse werden grundsätzlich vom Plenum ausgeübt. Dies schließt aber nicht aus, daß in besonderen Fällen, die der Sache nach keine Entscheidung des Plenums erfordern, die Ausübung einzelner Befugnisse auf nachgeordnete Gremien delegiert wird. So hat das Plenum zB die Fragen seiner internen Verwaltung weitgehend dem **Präsidium** übertragen.[33])

Soweit eine Befugnis zur ausschließlichen Ausübung an ein nachgeordnetes Gremium übertragen wurde, binden dessen Entscheidungen auch das Plenum. Dieses könnte eine eigene Entscheidungsbefugnis nur im Wege einer Geschäftsordnungsänderung herbeiführen.

---

[29]) Neufassung v 26. 3. 1981, ABl C 1981/90, 48. Die GO ist seither vielfach geändert worden, zuletzt am 5. 5. 1994. Eine Übersicht der Änderungen ist abgedruckt bei *Beutler/Bieber/Pipkorn/Streil* (Hg), Das Recht der Europäischen Gemeinschaft, Textsammlung (1991) II.2.4.

[30]) Siehe dazu ausführlich und rechtsvergleichend *Bieber,* Das Verfahrensrecht von Verfassungsorganen (1992).

[31]) EuGH Rs 208/80 – Lord Bruce – Slg 1981, 2205.

[32]) EuGH Rs 108/83 – Luxembourg gg EP – Slg 1984, 1945 (Abgrenzung zu Art 216 EWGV – Sitz); Rs 294/83 – „Les Verts“ gg EP – Slg 1986, 1339 (Abgrenzung zu Art 7 Abs 2 Direktwahlakt – Wahlkampffinanzierung).

[33]) Vgl Art 22 und 164 Abs 3 GO-EP; s dazu ausführlich unten b).

b) Präsident, Präsidium, Konferenz der Präsidenten, Quästoren

1) Präsident

Der **Präsident** des EP hat eine dreifache Funktion:

- Er leitet intern im Rahmen der GO sämtliche Arbeiten des EP und seiner Organe (Art 19 Abs 1–3 GO-EP),
- er vertritt das EP nach außen (Art 19 Abs 4 GO-EP) und
- er besitzt eine unmittelbar aus dem Vertrag abgeleitete autonome Stellung bei der Feststellung des EG-Haushaltsplans (Art 203 Abs 7 EGV).

Zur Vertretung des Präsidenten wählt das EP **14 Vizepräsidenten.**[34]) Die Befugnisse des Präsidenten im Rahmen der **Sitzungsorganisation** können gem Art 20 GO-EP auf einen Vizepräsidenten übertragen werden. Die Befugnisse zur **Außenvertretung** sind gem Art 19 Abs 4 GO-EP übertragbar. In diesem Fall muß der Präsident nicht notwendigerweise durch einen Vizepräsidenten vertreten werden. Er kann insoweit auch durch andere Abgordnete oder auch Beamte des Generalsekretariats vertreten werden (zB in gerichtlichen Angelegenheiten).

Der Präsident kann vor Ablauf seiner Amtszeit nicht abberufen werden. Dieser Umstand deutet auf die gering entwickelte selbständige **politische Stellung des Präsidenten** hin. Zwar werden Präsidenten des EP üblicherweise in kontroverser Abstimmung über Kandidaten verschiedener politischer Herkunft gewählt, doch gelten sie mit ihrer Wahl als Vertreter des gesamten Parlaments und somit der unmittelbaren politischen Auseinandersetzung entzogen. Anders als zB dem Speaker des britischen Unterhauses ist dem Präsidenten aber eine Beteiligung an den parlamentarischen Arbeiten nicht verwehrt. Beteiligt er sich an den Aussprachen, so hat er den Vorsitz während der Dauer der Aussprache abzugeben.[35]) Im übrigen gehört es zu der – auch politisch definierten – Funktion des Präsidenten, sich für die Interessen des Gesamtparlaments einzusetzen.

2) Präsidium

Die Vorschrift des Art 140 EGV über die Wahl eines Präsidiums bildet gleichzeitig Ermächtigung und Verpflichtung des EP, sich mit diesem Organ auszustatten. Zwar fehlt jeglicher Hinweis in den Verträgen über Aufgaben oder Zusammensetzung dieses Gremiums, doch lassen sich darüber aus der ausdrücklichen vertraglichen Erwähnung einige Folgerungen ableiten. Zunächst soll der Präsident des EP offenbar nicht das einzige **Leitungsorgan** des EP sein. Somit sind die präsidialen Befugnisse zwischen Präsidium und Präsident aufzuteilen. Außerdem ist das Präsidium notwendigerweise ein aus mehreren Personen zusammengesetzes Gremium. Dies erlaubt die Schlußfolgerung auf das Erfordernis einer Vertretung der verschiedenen Gruppen des Parlaments, nach Fraktionen und/oder nach Staatsangehörigkeit. Über diesen vertraglich gebotenen Mindestrahmen hinaus bleibt die nähere Festlegung der GO dem EP überlassen. Das EP hat das Präsidium stets – entsprechend

[34]) Art 20 und 15 GO-EP.
[35]) Art 19 Abs 3 GO-EP.

den Vorbildern staatlicher Parlamente – als die **Versammlung der Stellvertreter des Präsidenten** bei seinen sitzungsleitenden Aufgaben gem Art 19 GO-EP angesehen.

Das Präsidium besteht gem Art 21 GO-EP aus dem Präsidenten, den vierzehn Vizepräsidenten und den fünf Quästoren. Letztere besitzen jedoch kein Stimmrecht.

Art 13 Abs 3 GO-EP enthält das Gebot, bei der Wahl der Mitglieder des Präsidiums insgesamt einer „gerechten" Vertretung nach Mitgliedstaaten und politischen Richtungen Rechnung zu tragen. Tatsächlich spiegelt die Besetzung der Leitungsgremien des EP in ihrer Gesamtheit eine sorgfältige Balance zwischen einer angemessenen Vertretung der verschiedenen Kräfte im EP sowie einer Mindestvertretung aller Mitgliedstaaten wider.

Dem Präsidium obliegen:

- **Verwaltungsaufgaben** im Hinblick auf Mitglieder (Art 22 Abs 2 GO-EP);
- **organisatorische Beschlüsse** in bezug auf das Generalsekretariat des EP (Art 22 Abs 5 GO-EP und – in mangelhafter Redaktion nahezu textgleich Art 64 Abs 3 GO-EP), ua die Ernennung des Generalsekretärs (Art 64 Abs 1 GO-EP);
- **vorbereitende Beschlüsse** für die Tätigkeit der Ausschüsse (Sitzungsort: Art 11 Abs 3 GO-EP, Anhörungen: Art 22 Abs 8 GO-EP);
- Aufstellung des **EP-Haushaltsvorentwurfs** (Art 165 Abs 1 und 2 GO-EP).

3) Konferenz der Präsidenten

Die Konferenz der Präsidenten besteht gem Art 23 Abs 1 GO-EP aus dem Präsidenten und den **Fraktionsvorsitzenden**Fraktionsvorsitzende. Darüber hinaus entsenden die fraktionslosen Mitglieder des EP zwei Abgeordnete ohne Stimmrecht (Art 23 Abs 2 GO-EP).

Die Fraktionsvorsitzenden haben im Laufe der Entwicklung des EP die wesentlichen Steuerungsfunktionen innerhalb des EP an sich gezogen. Erst seit 1972 ist dieses Gremium – ursprünglich mit den Vizepräsidenten als „erweitertes Präsidium" tagend – formell durch die GO sanktioniert. Seit der GO-Reform 1981 wurde in Art 23 Abs 2 und 3 GO-EP durch eine Umschreibung der Befugnisse in allgemeinen Begriffen („entscheidet in Fragen der internen Organisation des Parlaments und den Fragen zu Beziehungen zu Institutionen und Organisationen außerhalb der Gemeinschaft" und „über die Beziehungen zu den anderen Organen und Institutionen der Gemeinschaft") der **Vorrang des Erweiterten Präsidiums vor dem Präsidium** verdeutlicht. Mit der GO-Reform 1994 verselbständigten sich die Fraktionsvorsitzenden unter der Bezeichnung „Konferenz der Präsidenten". Die GO weist diesem Gremium nunmehr ua als Aufgaben zu:

- **Änderung des Termins** von Plenartagungen, **Einberufung** des Parlaments (Art 10 Abs 4 und 5 GO-EP);
- Regelung für **Anfragen** (Art 40 Abs 1; Art 41 Abs 1 GO-EP);
- Aufstellung des Entwurfs der **Tagesordnung** (Art 95 Abs 1 GO-EP);
- Zusammensetzung und Kompetenzen der **Ausschüsse** (Art 24 Abs 6 GO-EP);
- **Sitzordnung** im Plenarsaal (Art 24 Abs 7 GO-EP).

Die Sitzungen von Präsidium und Konferenz der Präsidenten werden vom Präsidenten einberufen und geleitet. Eine Geschäftsordnung dieser Gremien besteht bisher nicht. Das Präsidium beschließt mit einfacher Mehrheit seiner Mitglieder. In der Konferenz der Präsidenten werden die Stimmen nach Stärke der Fraktionen gewichtet.

4) Quästoren

An Vorbildern im französischen, italienischen und belgischen Parlament ausgerichtet besteht seit 1977 das **Kollegium der Quästoren.** Dieses Gremium wurde zunächst aus drei Vizepräsidenten gebildet. Seit 1979 umfaßt das Kollegium **fünf Mitglieder,** die unmittelbar vom Plenum gewählt werden. Die Quästoren gehören dem Präsidium mit beratender Stimme an.

Sie sind mit Verwaltungs- und Finanzaufgaben betraut, die die Mitglieder direkt betreffen (Art 25 GO-EP). Dazu gehören ua die Anwendung der Regeln über Kostenerstattungen und sonstige Leistungen an die Mitglieder. Die Zuständigkeiten der Quästoren ergeben sich aus „Leitlinien", die vom Präsidium erlassen werden.

3. Ausschüsse

Die Ausschüsse, die das EP aufgrund seiner Geschäftsordnung eingesetzt hat, bereiten die Äußerungen des Plenums vor.[36]) In Ausnahmefällen besitzen Ausschüsse Entscheidungsbefugnisse an Stelle des Plenums.[37])

In der Regel werden die **Ausschüsse** gem Art 139 GO-EP durch das Plenum oder die Konferenz der Präsidenten befaßt. Sie dürfen aber mit Genehmigung der Konferenz der Präsidenten auch aus eigener Initiative tätig werden und dem Plenum einen sog **Initiativbericht** vorlegen.

Die politische Zusammensetzung der Ausschüsse entspricht der Stärke der im EP vertretenen Fraktionen.[38]) Ein Recht aller Abgeordneter auf Mitgliedschaft in mindestens einem ständigen Ausschuß wird in der Praxis anerkannt.

Im Jahre 1995 bestanden folgende ständige Ausschüsse:

1. Ausschuß für auswärtige Angelegenheiten, Sicherheit und Verteidigungspolitik (Unterausschuß Sicherheit und Abrüstung, Unterausschuß Menschenrechte)	52 Mitglieder
2. Ausschuß für Landwirtschaft und ländliche Entwicklung	45 Mitglieder
3. Haushaltsausschuß	33 Mitglieder
4. Ausschuß für Wirtschaft, Währung und Industriepolitik (Unterausschuß Währung)	50 Mitglieder
5. Ausschuß für Forschung, technologische Entwicklung und Energie	26 Mitglieder
6. Ausschuß für Außenwirtschaftsbeziehungen	25 Mitglieder

[36]) Vgl Art 114ff GO-EP.

[37]) Art 52 GO-EP.

[38]) Die Mitgliedschaft wird durch Beschluß des Plenums auf Vorschlag der Konferenz der Präsidenten erworben (Art 137 GO-EP).

7. Ausschuß für Recht und Bürgerrechte	25 Mitglieder
8. Ausschuß für soziale Angelegenheiten und Beschäftigung	40 Mitglieder
9. Ausschuß für Regionalpolitik	37 Mitglieder
10. Ausschuß für Verkehr und Fremdenverkehr	28 Mitglieder
11. Ausschuß für Umweltfragen, Volksgesundheit und Verbraucherschutz	44 Mitglieder
12. Ausschuß für Kultur, Jugend, Bildung und Medien	36 Mitglieder
13. Ausschuß für Entwicklung und Zusammenarbeit	36 Mitglieder
14. Ausschuß für Grundfreiheiten und innere Angelegenheiten	31 Mitglieder
15. Ausschuß für Haushaltskontrolle	18 Mitglieder
16. Institutioneller Ausschuß	40 Mitglieder
17. Ausschuß für Fischerei	22 Mitglieder
18. Ausschuß für Geschäftsordnung, Wahlprüfung und Fragen der Immunität	23 Mitglieder
19. Ausschuß für die Rechte der Frau	36 Mitglieder
20. Petitionsausschuß	27 Mitglieder

Neben den ständigen Ausschüssen kann das EP jederzeit **nichtständige Ausschüsse** mit einem befristeten Mandat einsetzen (zB 1990 der nichtständige Ausschuß zur deutschen Vereinigung). Darüber hinaus sieht Art 136 GO-EP entsprechend dem durch den EU-Vertrag neu eingeführten Art 138c EGV die Möglichkeit einer Einsetzung von Untersuchungsausschüssen vor. Zusätzlich zu den Ausschüssen hat das EP gem Art 153 GO-EP **interparlamentarische Delegationen** mit jeweils geographisch umrissenen Zuständigkeitsbereichen für die Pflege der Beziehungen zu dritten Staaten eingerichtet.

4. Fraktionen

In der zentralen Rolle, die das EP den Fraktionen einräumt, kommt der politische Anspruch des Parlaments zum Ausdruck, die unterschiedlichen Ziele und Interessen nicht nur zwischen den Staaten, sondern auch zwischen den einzelnen Gruppen innerhalb der Staaten zu artikulieren und in Mehrheitsentscheidungen umzuformen. Zur **Bildung einer Fraktion** sind nach Art 29 GO-EP grundsätzlich 29 Mitglieder erforderlich. Ausnahmsweise genügen 23 Mitglieder, sofern diese aus mindestens zwei, bzw 18, sofern sie aus mindestens drei verschiedenen Mitgliedstaaten kommen, und 14 bei vier oder mehr Mitgliedstaaten. Die Mitgliedschaft in einer Fraktion ist nicht obligatorisch. Die Stellung der fraktionslosen Abgeordneten ist in Art 30 GO-EP geregelt.

In den Fraktionen bereitet sich die **eigentliche politische Willensbildung** des EP vor. Freilich weisen die spezifischen Standpunkte der Fraktionen selten die gleiche Prägnanz wie in einem nationalen Parlament auf. Das liegt auch daran, daß ein politischer Unterbau der Fraktionen – europäische Parteien – nur rudimentär vorhanden sind.

Die **Rechtsstellung** der Fraktionen ergibt sich aus der GO des EP sowie – hinsichtlich der Personaleinstellung – aus dem Statut der Beamten (Art 37 Abs 1) und den Beschäftigungsbedingungen für die sonstigen Bediensteten

(Art 2 lit c).[39]) Allerdings sind diese Bestimmungen unvollständig. Insb hinsichtlich der Prozeßfähigkeit vor dem EuGH besteht eine unklare Rechtslage. Die in der Praxis weitreichende finanzielle, organisatorische und politische Selbständigkeit der Fraktionen legt nahe, darin die Trägerschaft eigener Rechte und Pflichten zu sehen, die gegebenenfalls auch des gerichtlichen Schutzes bedarf. Zweifelhaft ist allerdings, ob dies auch im „Innenverhältnis", also gegenüber dem EP gilt. Der EuGH hat bisher eine allgemeine Festlegung vermieden, scheint jedoch eine Aktivlegitimation von Fraktionen gegen das EP nicht grundsätzlich auszuschließen.[40])

5. Amtszeiten

Die Verträge enthalten keine Bestimmung über die Amtszeit von Präsident, Präsidium etc. Vor der Direktwahl bestand die Übung, die Mandatsdauer von Amtsträgern an die jährliche Sitzungsperiode zu binden und jeweils im März jeden Jahres Neuwahlen abzuhalten.

Dabei bestand Einverständnis, die Mandate der Amtsträger zwei Jahre dauern zu lassen, so daß nach einem Jahr zumeist nur eine Bestätigung der Mandate erfolgte.

Nach der Direktwahl wurde 1979 die GO mit dem Ziel geändert, einheitlich für Präsident, Vizepräsidenten und Quästoren die **Mandatsdauer** auf zweieinhalb Jahre, also der halben Wahlperiode des EP, festzulegen (Art 17 Abs 1 GO-EP). In der Praxis werden nach Ablauf der zweieinhalb Jahre eine große Zahl von Mandaten nicht erneuert. Insb wählte das Parlament bisher jeweils nach Ablauf einer Amtszeit einen neuen Präsidenten. Die Amtszeit der Fraktionsvorsitzenden ist im Prinzip unabhängig und nicht durch die GO geregelt. In der Praxis folgt sie dem Erneuerungsrhythmus der Organe des EP.

Muß ein Vizepräsident oder Quästor ersetzt werden, so erfolgt eine Nachwahl für die verbleibende Mandatszeit (Art 17 GO-EP). Ein ausscheidender Präsident wird bis zur Wahl des Nachfolgers durch den ersten Vizepräsidenten ersetzt.

6. Generalsekretariat

Das EP hat gem Art 164 GO-EP ein Generalsekretariat errichtet, an dessen Spitze ein vom Präsidium ernannter Generalsekretär steht.

Dem Generalsekretariat obliegt die Aufgabe, die parlamentarische Tätigkeit durch Gewährleistung der **technisch-administrativen Voraussetzungen** und durch **wissenschaftliche Beratung** zu unterstützen. Die mehrsprachige Arbeitsweise und die Mehrzahl seiner Arbeitsorte führt dabei zu einer deutli-

---

[39]) Siehe dazu ausführlich unten *Röttinger,* Die europäischen Beamten.

[40]) Vgl EuGH 294/83 – „Les Verts" gg EP – Slg 1986, 1339; Rs 78/85 – Fraktion der Europäischen Rechten gg EP – Slg 1986, 1754; Rs 221/86 R – Fraktion der Europäischen Rechten gg EP – Slg 1986, 2970. Die Klage der Fraktion der Europäischen Rechten und der „Front National" in der Rs 221/88, ABl C 1986/231, 7 wurde im Jahre 1987 zurückgenommen (vgl ABl C 1987/210, 7). Siehe auch Rs C-201/89 – Le Pen und Front National 99 *Puhl* ua – Slg 1990 I-1183.

chen Erhöhung seines Personalbedarfs. Gegenwärtig umfaßt das Generalsekretariat des EP knapp 4000 Bedienstete, von denen mehr als die Hälfte direkt oder indirekt im Sprachendienst beschäftigt ist.

Nicht zum Generalsekretariat gehören die aus dem EP-Haushalt besoldeten Bediensteten der Fraktionen sowie die persönlichen Mitarbeiter der Abgeordneten.

7. Zeitraum der parlamentarischen Arbeit („Sitzungsperiode")

Das EP hat seine Sitzungsperiode auf den gesamten Zeitraum zwischen der vertraglich vorgeschriebenen Eröffnung, dh den zweiten Dienstag im März und den zweiten Montag des Monats März des folgenden Jahres ausgedehnt.[41]) Es hält also eine **Sitzungsperiode** von jährlicher Dauer ab. Diese Ausdehnung der Sitzungsperiode trägt dem Umstand Rechnung, daß die Aktivitäten des EP nicht auf die Abhaltung von Plenarsitzungen beschränkt sind, sondern sich die parlamentarische Tätigkeit in den verschiedenen Gremien, die das EP zur Erfüllung seiner Aufgaben eingerichtet hat, praktisch auf das ganze Jahr erstreckt.

Innerhalb dieser Sitzungsperiode werden die Zeiten effektiver Plenarsitzungen als **„Tagung"** und die einzelnen Tage als **„Sitzungstage"** bezeichnet. Zeiträume zwischen den einzelnen Tagungen werden als „Unterbrechungen der Sitzungsperiode" bezeichnet.

Die Ausdehnung der Sitzungsperiode auf ein ganzes Jahr entfaltet Rechtswirkungen auf zwei Gebieten. Zunächst ist damit vereinfacht möglich, das Plenum zu Tagungen einzuberufen. Art 139 Abs 2 EGV sieht Tagungen außerhalb der Sitzungsperiode auf Antrag von Mitgliedern nur dann vor, wenn mindestens die Mehrheit der (tatsächlichen) Mitgliederzahl diesen Antrag unterstützt. Während einer Sitzungsperiode genügt für den Antrag gem Art 10 Abs 5 GO-EP ein Drittel der Mitglieder. Außerdem kann die Konferenz der Präsidenten die vom Plenum in der Regel auf ein Jahr im voraus beschlossenen Termine der Wiederaufnahme der Sitzungsperiode in besonderen Fällen ändern.

Eine weitere, an den Begriff „Sitzungsperiode" geknüpfte Rechtsfolge ergibt sich aus Art 10 des Protokolls über die Vorrechte und Befreiungen der Europäischen Gemeinschaften (= Protokoll über die Privilegien und Immunitäten). Danach besitzen die Mitglieder während der Sitzungsperiode Immunität vor Strafverfolgung. Zutreffend hat der EuGH den Terminus des Protokolls anhand des Vertragstexts und der GO des EP interpretiert.[42]) Im Ergebnis dauert die Immunität der EG-Mitglieder somit ununterbrochen während der gesamten Zugehörigkeit zum EP. Sie kann jedoch gem Art 10 des Protokolls über die Vorrechte und Befreiungen jederzeit durch das EP aufgehoben werden.

In der Praxis hält das EP regelmäßig jeden Monat, außer im August, eine von Montag bis Freitag dauernde **Tagung (Plenarversammlung)** ab. Zusätzlich finden weitere Tagungen von kürzerer Dauer statt (zB im Oktober oder November im Rahmen des Haushaltsverfahrens und gelegentlich auch im

[41]) Vgl Art 10 GO-EP.

[42]) EuGH Rs 149/85 – Wybot gg Faure – Slg 1986, 2391.

März für eine Agrarpreisdebatte). Mindestens je eine weitere Woche ist monatlich für **Sitzungen von Fraktionen und Ausschüssen** vorgesehen. Darüber hinaus finden aus besonderem Anlaß, etwa dem Besuch eines Staatsoberhauptes, **feierliche Sitzungen** des EP statt, die nicht als Plenartagungen iSd GO-EP angesehen werden.

Wesentlicher Bestandteil der Plenartagungen sind die das parlamentarische Verfahren abschließenden **Beratungen** und **Abstimmungen** über die Gesetzgebungs- und Haushaltsvorlagen. Regelmäßig finden weiterhin **Fragestunden** an Rat, Kommission und die Außenminister der Mitgliedstaaten statt.

Sowohl die Gesamtdauer der Plenartagungen als auch die Zahl der Sitzungstage des Plenums entwickelten sich in der zweiten Direktwahlperiode trotz eines weiter gestiegenen Arbeitspensums und der Vergrößerung des EP im Zuge der Erweiterung der EG um Portugal und Spanien im Vergleich zur ersten Direktwahlperiode leicht rückläufig. Das zeigt, daß es dem direktgewählten Parlament inzwischen gelungen ist, seine Arbeit rationeller zu gestalten.

8. Tagungsort

Der Tagungsort des EP wird in den Verträgen nicht festgelegt. Seine Bestimmung bildet Teil eines **Beschlusses der Regierungen** über den **Sitz** der Organe gem Art 216 EGV, den die Regierungen der Mitgliedstaaten erst 1992 getroffen haben.[43])

Danach hat das Parlament seinen **Sitz** in **Straßburg;** dort hält es zwölf monatlich stattfindende **Plenartagungen** ab. Zusätzliche Plenartagungen finden in Brüssel statt. Die Ausschüsse treten in Brüssel zusammen. Das **Generalsekretariat** bleibt in Luxemburg untergebracht.

Diese Dreiteilung der Arbeits- und Infrastruktur des Parlaments sanktioniert im wesentlichen die zuvor bestehende, jedoch allseits als unbefriedigend empfundene Praxis. Überdies verursacht sie Konflikte, die schon mehrfach zu Urteilen des EuGH führten, in denen der EuGH dem EP nur einen engen Spielraum für autonome Beschlüsse im Rahmen der den Regierungen der Mitgliedstaaten zustehenden Kompetenz zur Festlegung des Sitzes der Organe zubilligte.[44])

E. Befugnisse

1. Kontrollrechte

Das EP verfügt über **informative** und **sanktionierende Kontrollrechte.** Erstere dienen der Beschaffung von Tatsachenkenntnissen, letztere ermöglichen ihm, Rechtsfolgen gegenüber anderen Organen auszulösen.

---

[43]) Beschluß des Europäischen Rates v 12. 12. 1992, ABl 1992/341,1. Zu den Problemen vor Zustandekommen des Beschlusses *Bieber,* Die Gemeinschaft ohne Hauptstadt, Rechtsfolgen eines Provisoriums. EuR 1974, 168; *Jacqué/Bieber,* Le Parlement européen (1984) 118.

[44]) Vgl ua EuGH Rs 230/81 – Luxemburg gg EP – Slg 1983, 255; Rs 108/83 – Luxemburg gg EP – Slg 1984, 1945; verb Rs 358/85 und 51/86 – Frankreich gg EP – Slg 1988, 4821.

Die Verträge bezeichnen ausdrücklich vier **Instrumente parlamentarischer Kontrolle:** Fragen (Art 140 EGV, Art J 7 und K 6 EUV), das Recht auf Vorlage verschiedener Berichte, insb des jährlichen Gesamtberichts (Art 18 FusV, Art 143, 122 und 205 a EGV sowie Art J 7 EUV) und die Entlastung für die Haushaltsführung (Art 206 EGV). In den meisten Fällen bezieht sich das Kontrollrecht auf die Kommission. Nur auf diese kann auch die Sanktion des Mißtrauensvotums (Art 144 EGV) angewandt werden. In der Praxis hat das Parlament – in Übereinstimmung mit den betroffenen Organen – zusätzliche Instrumente der Kontrolle entwickelt und seine Kontrolle auf den Rat ausgedehnt. Gegenstand der Kontrolle ist gegenüber Kommission und Rat der jeweilige vertragliche Zuständigkeitsbereich einschließlich der im EU-Vertrag geregelten Bereiche der Außen- und Sicherheitspolitik sowie der Justiz und Innenpolitik. Art 140 Abs 3 EGV verpflichtet die Kommission, schriftlich oder mündlich auf die vom Parlament oder einzelnen Abgeordneten gestellten Fragen zu antworten. Weitere Berichtspflichten folgen aus Art J 7 und K 6 EU-V. Die Kommission hat außerdem die Verpflichtung übernommen, dem EP eine Vielzahl von Berichten zu einzelnen Aspekten ihrer Tätigkeit in regelmäßigen Abständen zu unterbreiten. Der Rat hat sich 1973 verpflichtet, parlamentarische Anfragen zu beantworten.

Obwohl Kommission und Rat im allgemeinen Gesetzgebungsverfahren nur in besonderen Fällen materiell an die Stellungnahmen des EP gebunden sind, haben sie sich einer generellen Kontrolle ihres darauf bezogenen Verhaltens unterworfen.

Die Kommission hat sich 1973 verpflichtet, ihre Haltung zu den Entschließungen des Parlaments vor dem Plenum zu erläutern. Außerdem berichtet sie seither regelmäßig zu Beginn einer Plenarsitzung über die Weiterbehandlung der Entschließungen des Parlaments.

Besondere **Berichtspflichten des Rates** bestehen gem Art 189 b Abs 2 und Art 189 lit b im Rahmen des Verfahrens der Mitentscheidung und des Verfahrens der Zusammenarbeit[45]) hinsichtlich der gesetzgeberischen Motive. Überdies legt der Rat gem einer Selbstverpflichtung v 22. 4. 1970 dem Parlament bei Rechtsakten mit finanzieller Auswirkung dar, welche Gründe ihn gegebenenfalls dazu bewogen haben, von den Stellungnahmen des Parlaments abzuweichen. 1973 hat sich der Rat auch für die sonstigen Rechtsakte zu einer regelmäßigen Berichterstattung gegenüber dem Europäischen Parlament bereit erklärt.

Gem Art 143 EGV erörtert das Parlament den ihm jährlich von der Kommission vorzulegenden Gesamtbericht. Dieser Bericht bildet für den Außenstehenden einen zuverlässigen Aufschluß über die Aktivitäten der gesamten Gemeinschaft (also auch der Organe). Für das Parlament reduziert sich die Bedeutung dieses Berichts jedoch mehr und mehr auf den Ausgangspunkt parlamentarischer Informations- und Kontrollrechte. Denn längst verlagerte sich die parlamentarische Kontrolle von der nachträglichen Prüfung der Gemeinschaftstätigkeit auf eine laufende Kontrolle, insb auf die Diskussion des

---

[45]) Siehe dazu ausführlich oben *Borchardt,* Die rechtlichen Grundlagen der Europäischen Gemeinschaften – Rechtsquellen, Rechtshandlungen, Rechtsetzung.

jährlichen Tätigkeitsprogramms, das die Grundlage für das von den Organen vereinbarte **Gesetzgebungsprogramm** bildet.[46])

Praktisch bedeutsam für die Wirksamkeit der parlamentarischen Kontrolle ist weiterhin die Arbeit in den Ausschüssen des Parlaments: Diese tagen seit 1979 in verstärktem Maß öffentlich, veranstalten Hearings oder treten als Untersuchungsausschuß zusammen. Art 138c EGV beschränkt die Tätigkeit von Untersuchungsausschüssen auf „Verstöße gegen das Gemeinschaftsrecht oder Mißstände bei der Anwendung desselben".

Sanktionierende Kontrollrechte bestehen in der Befugnis, Rechtsfolgen gegenüber anderen Organen oder Dritten herbeizuführen. Das am weitesten reichende Instrument sanktionierender Kontrolle des EP ist das **Mißtrauensvotum** gegenüber der Kommission gem Art 144 EGV.

Allgemeine Voraussetzung für ein erfolgreiches Mißtrauensvotum ist gem Art 144 EGV eine Mehrheit von zwei Dritteln der abgegebenen Stimmen, die gleichzeitig mindestens die Mehrheit der dem Parlament tatsächlich angehörenden Mitglieder umfaßt. Als weitere Voraussetzung eines Mißtrauensantrags nennt die GO (Art 34) die Einbringung durch ein Zehntel der Mitglieder des Parlaments. Der Mißtrauensantrag unterliegt einer inhaltlichen Zulässigkeitsvoraussetzung: Er muß wegen der „Tätigkeit" der Kommission eingebracht werden. Dazu gehören in erster Linie die in Art 155 EGV aufgezählten Aufgaben der Kommission im Rahmen der EG-Verträge. Für die Titel V und VI EU-V[47]) ist Art 144 EGV nicht anwendbar.

Nach einem **erfolgreichen Mißtrauensantrag** müssen die Mitglieder der Kommission geschlossen ihr Amt niederlegen und die noch laufenden Geschäfte abwickeln. Weitere Rechtsfolgen kennen die Verträge nicht. Gegenüber dem regelmäßigen Ablauf der Amtszeit der Mitglieder der Kommission ergibt sich keine spezielle Nachfolgeregelung. Danach wäre auch die Wiederernennung der bisherigen Kommissionsmitglieder zulässig. Jedoch muß bezweifelt werden, ob ein derartiges Verhalten mit dem „effet utile" des Art 144 vereinbar wäre.

Alle bisher eingebrachten Mißtrauensverträge wurden jeweils mit großen Mehrheiten abgelehnt.

Das Parlament kann im Prinzip seine Kontrollaufgaben auch mit Hilfe des EuGH durchsetzen. Dafür kommen aufgrund des Vertragswortlauts **Untätigkeitsklagen** gem Art 175 EGV[48]) (für Klagen gem Art 35 EGKSV besitzt das Parlament keine Aktivlegitimation) und **Streitinterventionen** gem Art 37 Satzung EuGH[49]) in Betracht.

Darüber hinaus steht dem EP zur Wahrung seiner Rechte die Nichtigkeitsklage gem Art 173 EGV zur Verfügung.[50])

---

46) Art 49 GO-EP.

47) Außen- und Sicherheitspolitik, Justiz und Inneres.

48) Vgl EuGH Rs 13/83 – EP gg Rat – Slg 1985, 1513.

49) Vgl EuGH verb Rs 138, 139/79 – Roquette, Maizena gg Rat – Slg 1980, 3333.

50) So bereits EuGH Rs C-70/88 – EP gg Rat – Slg 1990, I-2041; der EuGH wich damit ausdrücklich von der entgegengesetzten früheren Rechtsprechung ab (Rs 302/87, Slg 1988, 5615).

Wegen der Schärfe der mit ihr ausgesprochenen Mißbilligung und ihrer breiten Publizitätswirkung besitzt auch das Recht zur **Verweigerung der Entlastung der Kommission** für die Ausführung des Haushaltsplans gem Art 206 EGV Sanktionscharakter, obwohl die Entlastungsverweigerung ohne unmittelbare rechtliche Folgen bleibt.

Daneben enthält auch das Recht des EP zur **Feststellung des Haushaltsplans** gem Art 203 Abs 7 EGV ein Element sanktionierender Kontrolle, da es Befugnisse umfaßt, die Rechtmäßigkeit des Zustandekommens des Haushaltsplans vor seinem Inkrafttreten zu überprüfen. Dieses Recht steht allerdings nur dem Präsidenten des EP als dessen Organ und nicht diesem selbst zu. Er könnte also mit der Ablehnung der Haushaltsfeststellung auch ein Verhalten des EP als Haushaltsbehörde sanktionieren. Da er jedoch als Mitglied des EP zu diesem nicht in einem institutionellen Interessengegensatz steht, erscheint es gerechtfertigt, das Recht aus Art 203 Abs 7 EGV den Kontrollrechten des EP zuzurechnen.

2. Gesetzgebung

Aufgrund der Gründungsverträge verfügte das EP ursprünglich im Bereich der Gesetzgebung nur über einzelne Anhörungsrechte. Die Mitwirkung des EP an der Gemeinschaftsgesetzgebung wurde später jedoch durch interinstitutionelle Regelungen, aufgrund der EEA durch die Einführung des Verfahrens der Zusammenarbeit und durch den EU-Vertrag durch Mitentscheidungsrechte für einzelne Gesetzgebungszuständigkeiten verstärkt.

Ganz ausnahmsweise besitzt das EP ferner das Recht, ein Gesetzgebungsverfahren formell einzuleiten.

a) Verfahren der Mitentscheidung

In einzelnen Fällen kann ein Rechtsakt nur mit **Zustimmung** des EP wirksam werden.[51])

In der Praxis bedeutsamer ist das neue Verfahren der Mitentscheidung gem Art 189 b EGV. Findet dieses Anwendung (zB bei Art 100 a EGV), dann behandeln Rat und EP eine Vorlage in zwei Lesungen. Meinungsverschiedenheiten werden in einem **Vermittlungsverfahren** beigelegt. Das EP verfügt über ein abschließendes **Vetorecht.**

b) Verfahren der Zusammenarbeit

Das durch Art 6 EEA neu eingeführte **Verfahren der Zusammenarbeit** sieht vor, daß Vorschläge der Kommission von Rat und EP in jeweils zwei Lesungen beraten werden, wobei die jeweils zweite Lesung durch EP und Rat einer zeitlichen Befristung unterworfen ist.

Da die Form der Beteiligung des EP am Gesetzgebungsverfahren von der Wahl der Rechtsgrundlage abhängt, hat nach der Einführung des Verfahrens der Zusammenarbeit die Auswahl der Rechtsgrundlage, auf welche die Kommission ihren Vorschlag stützt, für das EP im internen Rechtsetzungsverfahren erheblich an Bedeutung gewonnen. Die Frage der auf einen Ge-

---

[51]) ZB Art 106 Abs 5 und 130 d EGV.

setzgebungsvorschlag anwendbaren Rechtsgrundlage birgt deshalb ein nicht unerhebliches Potential für interinstitutionelle Konflikte.[52])

Das Verfahren der Zusammenarbeit begründet zwar kein materielles Mitentscheidungsrecht, ermöglicht aber wegen der Entscheidungsrechte des EP über den Verfahrensgang und gesteigerter Begründungspflicht des Rates einen verstärkten parlamentarischen Einfluß auf die Rechtsetzung.

c) Konsultationsverfahren

Das Gemeinschaftsrecht enthält keine Regelung, die den Umfang des Konsultationsrechts des EP im Gesetzgebungsverfahren der Gemeinschaft generell festlegt. Auch läßt sich aus den in den Gründungsverträgen ausdrücklich vorgesehenen Konsultationsfällen keine allgemeine **Anhörungspflicht** zugunsten des EP herleiten. Eine Konsultation des EP ist deshalb nur in den Gesetzgebungsverfahren obligatorisch, für die dies im primären und sekundären Gemeinschaftsrecht ausdrücklich vorgesehen ist.

In der Praxis wird das EP weiterhin **„fakultativ"** zu zahlreichen Rechtsetzungsakten angehört, für die eine Konsultation nicht ausdrücklich vorgeschrieben ist. Aufgrund einer Selbstverpflichtung v 30. 5. 1973 schlägt die Kommission dem Rat die Konsultation des EP zu grundsätzlich allen Rechtsakten von nicht nur geringer Bedeutung vor.[53]) Der Rat, der sich in allgemeiner Form zur Durchführung fakultativer Konsultationen verpflichtet hat,[54]) folgt diesem Vorschlag in aller Regel.

Die vertraglich vorgeschriebenen sowie die von den Organen vereinbarten Verfahrensregeln der Konsultation binden die beteiligten Organe.

Die gemeinschaftsrechtlich ausdrücklich vorgeschriebene Anhörung des EP stellt eine **Konkretisierung des Demokratieprinzips** im EG-Recht dar und ist deshalb als eine „wesentliche Formvorschrift" iSd Art 173 EWGV anzusehen.[55])

Eine inhaltliche Bindungswirkung gegenüber dem Rat entfalten die Stellungnahmen des EP allerdings nicht.

d) Initiativrecht

Ein förmliches Recht zur Einleitung eines Gesetzgebungsverfahrens besitzt das EP nur im Bereich des Europäischen **Wahlrechts.**[56])

---

[52]) ZB: V zur Festlegung der Höchstwerte von Radioaktivität in Lebensmitteln, ABl L 1987/371, 1: Das EP hat gegen diese V wegen der gewählten Rechtsgrundlage (Art 31 EURATOMV statt Art 100a EWGV) Klage erhoben (Rs 70/88 – EP gg Rat – Slg 1991, I-4529; ausführlich dazu *Bieber/Bradley,* Legal Developments in the European Parliament, YEL (7) 1987, 285 sowie *Bieber,* Zur Bedeutung der Einheitlichen Europäischen Akte für Rechtsentwicklung und Integrationskonzept der Europäischen Gemeinschaften, ÖZöRV 1988, 211 (227).

[53]) Mitteilung der Kommission an das Europäische Parlament v 30. 5. 1973, abgedruckt bei *Bieber,* Das Parlament 185 (193); *Grabitz/Läufer,* Das Europäische Parlament 638 (644).

[54]) Vgl zB das Schreiben von Ratspräsident *de Keersmaeker* v 8. 4. 1982, Bulletin des EP 1982/11, 53 (55).

[55]) EuGH verb Rs 138 und 139/79 – Roquette, Maizena gg Rat – Slg 1980, 3333.

[56]) Art 138 Abs 3 EGV sowie Art 7 und 13 Direktwahlakt.

Darüber hinaus besteht gem Art 138 b EGV ein indirektes Gesetzesinitiativrecht des EP. Das Parlament verabschiedet weiterhin **„Initiativberichte“**[57]), mit denen es die gesetzgeberischen Initiativen der Kommission zu beeinflussen sucht. Diese Berichte enthalten allerdings nur selten bereits vollständig ausformulierte Gesetzgebungsvorschläge. Die Rechtsgrundlage für ihre Annahme bildet das allgemeine Beratungsrecht des EP. In einer Mitteilung an den Rat und das Parlament v 14. 10. 1981 erklärte sich die Kommission bereit, die Initiativvorschläge des EP zu prüfen und aufzugreifen, soweit keine substantiellen Einwände bestehen. Zugleich verpflichtete sie sich, ihre Haltung zu begründen, falls sie eine Initiative nicht aufgreift.[58]) Bei Aufforderungen des EP gem Art 138 b 2. Satz EGV muß die Kommission tätig werden.

4. Haushaltsbefugnisse

Auf dem Gebiet des Haushaltsrechts besitzt das EP sowohl **Rechtsetzungs-** als auch **Kontrollbefugnisse.**[59])

Das EP beschließt gem Art 203 EGV, der durch die Haushaltsordnung v 21. 12. 1977 und zahlreiche interinstitutionelle Regelungen ergänzt wird, zusammen mit dem Rat über den Haushaltsplan der EG, wobei es in letzter Instanz über die sog nichtobligatorischen Ausgaben entscheidet.[60])

Der Präsident des EP hat die Befugnis zur **förmlichen Feststellung des Haushaltsplans** gem Art 203 Abs 7 EGV nach Durchführung des Beschlußverfahrens.

5. Ernennungen

Durch den EU-Vertrag erlangte das EP das Recht zur Mitentscheidung über die Zusammensetzung der Kommission: Gem Art 158 EGV ist das EP vor der Entscheidung über die Benennung des Kommissionspräsidenten anzuhören. Vor Ernennung der Mitglieder der Kommission bedarf das Kollegium der Zustimmung des EP. Ein Anhörungsrecht besteht auch vor Ernennung der Mitglieder des Rechnungshofes (Art 188 b EGV).

6. Außenbeziehungen

Seit der EEA verfügt das EP über ein **Zustimmungsrecht** bei Erweiterungen (Art O VEU) und bei wichtigen Abkommen der EG, insb Assoziierungen (Art 228 Abs 3 EGV). Während sich in Art 228 EGV das Zustimmungserfordernis unmittelbar auf den Abschluß des Assoziierungsabkommens bezieht, ist im Rahmen des Beitrittsverfahrens nach Art O EUV die Zu-

---

[57]) Vgl Art 148 GO-EP.

[58]) Bulletin der EG Blg 1982/3, 5 (10); vgl auch Kommissionspräsident *Delors,* Verhandlungen des Europäischen Parlaments vom 15. 1. 1985 (Anhang), ABl 1985/2–3231, 42 und Verhandlungen des Europäischen Parlaments vom 16. 1. 1986 (Anhang), ABl 1986/2–334, 217.

[59]) Zum Haushaltsrecht s ausführlich unten *Wuermeling,* Der EU-Haushalt: Politik in ECU.

[60]) Zu den Einzelheiten s *Bieber* in *von der Groeben/Thiesing/Ehlermann,* (FN 7) Art 203.

stimmung des EP nur für die Annahme des Aufnahmeantrags und nicht auch für den Abschluß des Beitrittsvertrages erforderlich. Da Art O EUV nicht vorsieht, daß die Entscheidung über den Beitrittsantrag den Verhandlungen über die Beitrittsbedingungen vorauszugehen hat, kann das EP jedoch den Abschluß der Beitrittsverhandlungen abwarten, bevor es über die Zustimmung zum Beitrittsvertrag entscheidet. Auf diese Weise vermag das EP seine Zustimmung an die ausgehandelten Beitrittsbedingungen zu knüpfen.

Gem Art 228 EGV ist das Parlament in allen anderen Fällen mit Ausnahme von Handelsabkommen nach Art 113 Abs 3 EGV vor dem Abschluß eines internationalen Abkommens anzuhören.

In einer Erklärung v 16. 10. 1973 verpflichtet sich der Rat gegenüber dem EP ferner zur Durchführung eines **Informationsverfahrens** vor dem Abschluß von Handelsabkommen gem Art 113, 114 EGV, bei denen keine Konsultation im Vertrag vorgesehen ist (sog „Luns-Westerterp-Verfahren").

F. Entwicklungstendenzen

Das Europäische Parlament hat noch nicht seine endgültige Gestalt gefunden. Darin spiegelt sich der dynamische Charakter des europäischen Einigungsprozesses und die noch immer neuartige Form überstaatlicher Demokratie.

Die Regierungskonferenz 1996 zur Reform der Verträge gilt insb Veränderungen der Stellung des Parlaments im Gesetzgebungsverfahren. Allerdings dürfte ähnlich wie bei vorangegangenen Reformen dabei noch keine dauerhafte institutionelle Struktur beschlossen werden, sodaß weitere Entwicklungen zu erwarten sind.

Das Parlament selbst strebt mittelfristig die **Vertragsänderungen** in folgenden Bereichen zur Stärkung seiner Rolle an:[61])

- gemeinsame Beschlußfassung mit dem Rat über die wesentlichen Rechtsvorschriften der Gemeinschaft,
- Initiativrecht für legislative Vorschläge,
- Recht der Wahl des Präsidenten der Kommission und der Zustimmung zur Ernennung der Mitglieder der Kommission, des Gerichtshofs und des Rechnungshofs,
- Ratifizierung sämtlicher verfassungsmäßiger Entscheidungen, die auch eine Ratifizierung seitens der Mitgliedstaaten erfordern,
- Neugestaltung und Vereinfachung des Haushaltsverfahrens.

Noch läßt sich allerdings nicht erkennen, welche dieser Forderungen bereits in naher Zukunft erreicht sein werden.

[61]) Entschließungen v 22. 11. 1990, ABl C 1990/324, 219 und v 10. 2. 1994, ABl C 1994/61, 155.

8. KAPITEL

Organisation und Politik des Wirtschafts- und Sozialausschusses

John Catling

Übersicht:

A. Geschichtliche Entwicklung

Die Industrialisierung Europas, die schon im 18. Jahrhundert begann und bis 1850 in bestimmten Staaten sehr weit entwickelt war, führte dazu, daß die Verbände aller sozio-ökonomischen Gruppierungen an Einfluß und Stärke zunahmen und eine weiter reichende **Einflußnahme auf Regierungsentscheidungen** und Politik forderten.

Diese Einflußnahme entwickelte sich sehr schnell in den Jahren 1914 bis 1918. Mit dem 1. Weltkrieg mußten sich die Regierungen der meisten europäischen Staaten ab 1914 immer tiefer in allen Bereichen des wirtschaftlichen und sozialen Lebens an der „Heimfront" engagieren. Auf der einen Seite mußten Industrie und Produktion (vor allem die des Kriegsmaterials) weiterlaufen, obwohl die früheren Arbeitnehmer jetzt an der Front waren; auf der anderen Seite mußte man Rohstoffe sparen, da kein europäisches Land selbstversorgend war. Das wichtigste Problem war die Versorgung mit Lebensmitteln nicht nur in den Staaten, die traditionell auf Importe angewiesen waren, sondern auch in jenen, wo die Bauern gleichfalls an der Front kämpften. Die Aufrechterhaltung der Produktion in der Industrie und in der Landwirtschaft und der effiziente Verbrauch von Rohstoffen und die Versorgung mit Lebensmitteln setzten – besonders wo die Verwaltung einigermaßen leistungsfähig war – eine eingehende Intervention und Regulierung der Wirtschaft voraus. Die dadurch entstandene Preis- und Lohnüberwachung und die neuen Interventions- und Regulierungspolitiken aller Regierungen verursachten einen grundsätzlichen Bruch mit der früheren Auffassung, die Wirtschaft würde am besten funktionieren, wenn der Staat sich fern hielte.

Um solche drastischen Regulierungsmaßnahmen durchführen zu können, suchten Politiker den **sozialen Frieden** durch die Zustimmung von Verbandsvorsitzenden, Gewerkschaftern und anderen zu neuen Gesetzen zu erreichen. Die Gewerkschaften gewannen besonders zwischen 1914 und 1918 an Macht: 1914 gab es zB 4,1 Mio Gewerkschaftsmitglieder im Vereinigten Königreich; 1918 waren es 6,5 Mio.[1]) Auch während des Krieges fanden viele bittere, oft politisch motivierte Streiks statt.

Doch gab es auch einen weiteren Grund, weshalb zunehmend Verbände und Gewerkschaften mit der Zustimmung der Regierungen eine beratende Funktion übernahmen. Trotz der gescheiterten Revolution von 1905 in Rußland waren die Befürchtungen um eine kommunistische Revolution schon vor Ausbruch des ersten Weltkrieges besonders in den autoritären Staaten (Rußland, Deutschland, Österreich-Ungarn) sehr stark. Um revolutionäre Ideen zu bekämpfen oder wenigstens zu entmachten, suchte man neue Möglichkeiten, Arbeitgeber und Arbeitnehmer zum Verhandlungstisch zu bringen. In Frankreich war *Léon Jouhaux* (s unten) der Initiator dieser Zusammenarbeitskonzepte; im Vereinigten Königreich schlug *J H Whitley* im Jahre 1918 vor, nach Ende des Krieges Industrieräte in verschiedenen Sektoren aufzustellen, um Tarifkonflikte zu lösen. Darüber hinaus setzte sich das 1919 gegründete Internationale Arbeitsamt zum Ziel, Regierungen, Arbeitgeber und Arbeitnehmer an einen Tisch zu bringen, um **soziale Gerechtigkeit** und **bessere Arbeits- und Lebensbedingungen** zu sichern. Diese neuen sozialen Ideale bewegten die Zeit nach dem 1. Weltkrieg und führten bereits 1919 in der Weimarer Republik zur Gründung des Reichswirtschaftsrates gem Art 165 der Weimarer Verfassung.

Dieser **Reichswirtschaftsrat** sollte allen sozio-ökonomischen Gruppierungen – entsprechend ihrer politischen Größe und Bedeutung – ein Forum – bieten. Der am 4. Mai 1920 gebildete vorläufige Reichswirtschaftsrat bestand aus 326 Mitgliedern, die folgende 10 große Gruppen vertraten:

- 68 Vertreter aus der Industrie
- 68 Vertreter aus der Land- und Forstwirtschaft
- 44 Vertreter aus Handel, Banken und Versicherungen
- 36 Vertreter des Handwerks
- 34 Vertreter des Verkehrs- und Kommunikationswesens und der öffentlichen Unternehmen
- 6 Vertreter des Gartenbaus und der Fischerei
- 30 Verbrauchervertreter
- 16 Vertreter der Beamten und der freien Berufe
- 12 vom Reichstag aufgrund ihrer besonderen Kenntnisse im Wirtschaftsleben der einzelnen Länder ernannte Mitglieder
- 12 von der Regierung nach freiem Ermessen ernannte Mitglieder

Die ersten sechs Gruppen setzten sich zur Hälfte aus Arbeitnehmer- und zur Hälfte aus Arbeitgebervertretern zusammen.

---

[1]) *Stevenson,* British Society 1914–1945 (1990).

Als 1928 diese vorläufige Versammlung endgültig eingesetzt wurde, war ihr Ende bereits abzusehen, denn neben dem Reichswirtschaftsrat existierten in den Ministerien spezialisierte **Beiräte,** die innerhalb kurzer Zeit die sozioökonomische Arbeit des Reichswirtschaftsrates überflüssig erscheinen ließen. Diese Beiräte waren in der Lage, schnell und unkompliziert Auskunft und Rat zu bestimmten Problemen zu geben, und wurden darüber hinaus von dem Regierungsbeirat für Wirtschaftsfragen ergänzt. Aufgrund der polarisierenden Zusammensetzung spaltete sich der Reichswirtschaftsrat in **Arbeitgeber- und Arbeitnehmergruppen,** die sich schnell auf eine gegenseitige Blockade konzentrierten, sodaß die restlichen Mitglieder außer Stande waren, irgendwelche Vermittlungsaktionen durchzuführen. Nach der Machtübernahme durch die Nationalsozialisten wurde der Reichswirtschaftsrat am 23. März 1934 formell aufgelöst. Die von der Weimarer Verfassung geplanten regionalen Räte ähnlicher Struktur wurden niemals realisiert.

1919 entwickelte in Frankreich einer der Gründer der französischen Arbeiterbewegung, *Léon Jouhaux,* die Idee eines Forums, in dem die sozio-ökonomischen Interessen vertreten werden könnten. Sein Projekt führte 1925 zur Gründung des Conseil national économique **(nationalen Wirtschaftsrates),** dessen Aufgabe darin bestand, die wirtschaftspolitischen Hauptprobleme zu untersuchen und die Regierung über die Meinung der wichtigsten Berufsorganisationen zu informieren. Die 47 Mitglieder bildeten eine beratende Versammlung, in der **Verbraucher, Bürger, Arbeiter** und **Unternehmer** vertreten waren. Die Sitzungen fanden unter Vorsitz des Ministerpräsidenten statt. Durch ein Gesetz vom 19. März 1936 wurde die Mitgliederzahl auf 173 (1938 auf 260) erhöht und die Einflußmöglichkeiten des Rates erweitert. Fortan bestand seine Aufgabe nicht nur in der Informationsvermittlung, sondern auch in der Beteiligung an Gesetzesformulierungen. Sowohl Regierung als auch Parlament konnten ihn befragen, und der Rat erhielt das Recht, aus eigener Initiative ein Thema zu untersuchen und eine entsprechende Stellungnahme abzugeben.

Während der Besatzungszeit im 2. Weltkrieg wurde in Frankreich viel über die zukünftige Rolle des Wirtschaftsrates diskutiert. Sollte er Teil einer neuen Form von Demokratie werden? Würde er selbst das Parlament in den Schatten stellen? Als der Wirtschaftsrat im Jahre 1946 wieder gesetzesmäßig eingesetzt wurde, erhielt er folgende Aufgaben: „Ein Wirtschaftsrat, dessen Statut durch ein Gesetz geregelt wird, untersucht die in seine Zuständigkeit fallenden Gesetzesvorlagen und gibt dazu Stellungnahmen ab. Diese Gesetzesvorlagen werden dem Rat von der Nationalversammlung unterbreitet, bevor diese darüber berät; der Wirtschaftsrat kann auch vom Ministerrat konsultiert werden.“[2]) In der 5. Republik wurde der Rat – heute Conseil économique et social **(Wirtschafts- und Sozialrat)** – neu gestaltet und als beratende Versammlung in der französischen Verfassung beibehalten. Seine heutige Funktion besteht in der **Förderung des Dialogs** zwischen den verschiedenen sozio-ökonomischen Interessengruppen und in der Herausbildung eines Kon-

---

[2]) Französische Verfassung v 13. 10. 1946, Titel III; s auch WSA Generalsekretariat (Hg), Die beratenden Wirtschafts- und Sozialräte in der Europäischen Gemeinschaft (1989).

senses mit dem Ziele, diese Gruppen an der wirtschaftlichen und sozialen Entwicklung Frankreichs zu beteiligen und den Dialog mit der Regierung aufrechtzuerhalten.

B. Die Situation in den EG-Mitgliedstaaten und der beratende Ausschuß der EGKS

In der Zeit von 1950 bis 1970 wurden in den meisten Mitgliedstaaten der heutigen EU ähnliche **Organisationen zur Repräsentation von sog sozio-ökonomischen Interessengruppen** geschaffen (Arbeitgeber- und Bauernverbände sowie Gewerkschaften, Verbrauchervereinigungen usw) – also die gleiche Bandbreite, wie sie ursprünglich durch den Reichswirtschaftsrat in Deutschland vorgesehen war. Zur Zeit gibt es in der Mehrheit der Mitgliedstaaten der Union Wirtschafts- und Sozialräte irgendwelcher Art. In Deutschland hielt man 1949 nach den Erfahrungen der 20er-Jahre die Gründung eines Bundeswirtschaftsrates nicht für ratsam, obwohl in bestimmten Bundesländern ähnliche Gremien bestehen (zB der Senat in Bayern). Im Vereinigten Königreich gab es einen solchen Rat (National Economic Development Council) (Nationaler Wirtschaftsentwicklungsrat) von 1960 bis 1982. In Griechenland wurde der Rat 1982 abgeschafft, 1995 jedoch als O.K.E. (Griechischer Wirtschafts- und Sozialrat) wieder gegründet.

Alle zur Zeit existierenden Räte haben fast die gleiche Aufgabe: Sie teilen Parlament und Regierung die Stellungnahme der sozio-ökonomischen Interessengruppen zu Gesetzesvorlagen mit, bevor diese abschließend im Parlament verabschiedet werden.

Da 5 der ersten 6 Mitgliedstaaten der EGKS über einen solchen Rat verfügten, beschloß man, im Vertrag von Paris (Art 18 EGKSV) ein ähnliches Gremium für diese Gemeinschaft zu schaffen. Der dadurch entstandene beratende Ausschuß umfaßt mindestens 87 und höchstens 111 Mitglieder, die zu gleichen Teilen aus Arbeitgeber- und Arbeitnehmervertretern sowie aus Vertretern für die Verbraucher und den Handel bestehen. Die Mitglieder werden vom Ministerrat ernannt, der hinsichtlich der Arbeitgeber- und Arbeitnehmervertreter die maßgebenden Arbeitgeber- und Arbeitnehmerorganisationen bestimmt, auf die er die zu besetzenden Sitze verteilt. Jede Organisation erstellt dann eine Liste mit der doppelten Anzahl an Personen, als Sitze vorhanden sind (ein dem Wirtschafts- und Sozialausschuß entsprechendes Verfahren; s unten C).

C. Der WSA und seine Mitglieder

Als 1957 die Verhandlungen für die Verträge von Rom begannen, wollte man auch für die EWG und für die EAG einen ähnlichen Rat gründen. Einwände der Vertreter Deutschlands (in Erinnerung an die negativen Erfahrungen mit dem Reichswirtschaftsrat in den 20er-Jahren) führten dann dazu, daß dieser Wirtschafts- und Sozialrat „Wirtschafts- und Sozialausschuß" (WSA, Economic and Social Comittee – ESC, Comité Economique et Social – CES) genannt wurde, wobei der Begriff „Rat" für eine stärkere Theorie-Praxis Verbindung besser gewesen wäre. Aus ähnlichen Gründen legte man die Rahmenbedingungen für den WSA erst im Anschluß an die die Organe bestimmenden Vertragsartikel fest.

Deshalb ist der WSA **kein Organ der Gemeinschaft** und muß sich (trotz der Bemühungen während der Verhandlungen über den Vertrag von Maastricht) zusammen mit dem Ausschuß der Regionen gem Art 4 EGV mit einer nachgeordneten Rolle und mit einer bloß **beratenden Funktion** zufrieden geben.

Die **Hauptaufgaben** des WSA werden in den Art 193 bis 198 EGV festgelegt. Gem Art 193 Abs 1 EGV werden dem WSA beratende Aufgaben zuerkannt. Der WSA „besteht aus Vertretern der verschiedenen Gruppen des wirtschaftlichen und sozialen Lebens, insbesondere der Erzeuger, der Landwirte, der Verkehrsunternehmer, der Arbeitnehmer, der Kaufleute und Handwerker, der freien Berufe und der Allgemeinheit" (Art 193 Abs 2 EGV). Diese eher ungenaue Definition bietet den Vorteil, daß es im Laufe der Zeit möglich war, die Zusammensetzung des WSA den sozio-ökonomischen Veränderungen anzupassen. (Umweltschützer und Verbraucherverbände waren in den 50er-Jahren kaum bekannt.) Bei 15 Mitgliedstaaten beträgt die **Mitgliederzahl** 222. Die Sitzverteilung wird unter den Mitgliedstaaten so vorgenommen, daß die kleineren Staaten über mehr Sitze verfügen, als es ihre Bevölkerungsgröße bzw ihr Bruttosozialprodukt oder sonstige Größenmaßstäbe rechtfertigen würden. Durch dieses Verfahren wird vermieden, daß die Interessen der kleineren Staaten von den großen Staaten verdrängt werden. Die Anzahl der deutschen Mitglieder wurde (im Gegensatz zum Europäischen Parlament) nach der Vereinigung nicht erhöht.[3])

Mitglieder des WSA pro Mitgliedstaat[4]):

Belgien	12
Dänemark	9
Deutschland	24
Griechenland	12
Spanien	21
Frankreich	24
Irland	9
Italien	24
Luxemburg	6
Niederlande	12
Österreich	12
Portugal	12
Finnland	9
Schweden	12
Vereinigtes Königreich	24
insgesamt	222

Die **Mitglieder** des WSA werden gem Art 194 Abs 2 EGV vom Ministerrat für eine Mandatszeit von 4 Jahren **ernannt** und dürfen unbegrenzt wieder-

[3]) Zur deutschen Vereinigung s *Röttinger,* Die deutsche Vereinigung und die europäische Integration, in: *Röttinger/Weyringer* (Hg), Handbuch der europäischen Integration[1] (1991) 466.

[4]) Art 194 Abs 1 EGV iVm Beitrittsvertrag v 24. 6. 1994.

ernannt werden. Der Ausschuß wählt aus seiner Mitte seinen **Präsidenten** und sein **Präsidium** auf zwei Jahre. Das Präsidium besteht aus 30 Mitgliedern; es organisiert die Arbeit des WSA. Das Ernennungsverfahren geht so vor sich, daß die jeweiligen Regierungen der Mitgliedstaaten eine Liste mit der doppelten Anzahl von Namen, als Sitze vorhanden sind, vorlegen (Art 195 Abs 1 EGV) und der Ministerrat die zu ernennenden Personen daraus auswählt. Nach welchen Gesichtspunkten bei der Aufstellung der Liste und der Auswahl der Mitglieder zu verfahren ist, wird nur allgemein festgelegt: „Die Zusammensetzung des Ausschusses muß der Notwendigkeit Rechnung tragen, den verschiedenen Gruppen des wirtschaftlichen und sozialen Lebens eine **angemessene Vertretung** zu sichern" (Art 195 Abs 1 EGV). In der Praxis sind diese Listen oft in zwei Gruppen unterteilt: eine Liste der eigentlichen Kandidaten und eine Reserveliste. Die Mitglieder werden „für ihre Person ernannt und sind an keine Weisungen gebunden" (Art 194 Abs 3 EGV). Dennoch besteht in der Praxis eine enge Verbindung zwischen den Mitgliedern und ihren **Ursprungsorganisationen.** Die meisten Mitglieder behalten in ihrem Heimatland in ihren Organisationen und Verbänden ihre Funktion (als Verbandsvorsitzender, Generalsekretär usw) bei. Ihre Mitgliedschaft ist auf jeden Fall **keine vollberufliche Tätigkeit** und war bis 1994 unentgeltlich. Im Vertrag von Maastricht wurden jedoch eventuelle Vergütungen vorgesehen: „Der Rat setzt mit qualifizierter Mehrheit die Vergütungen für die Mitglieder des Ausschusses fest" (Art 194 Abs 4 EGV). Bis jetzt wurde darüber noch keine Entscheidung getroffen. Diese „Teilzeitmitgliedschaft" bietet jedoch den Vorteil, berufliche und andere in ihrem Mitgliedstaat existierende Fragen und Probleme in die politische Meinungsbildung in Europa einzubringen und ihre eigenen Organisationen über den Fortgang des europäischen Einigungsprozesses und der augenblicklichen Gesetzesvorschläge (sowie diese für ihren spezifischen Bereich interessant sind) informieren zu können. Diese zweikanalige Kommunikation stellt einen wichtigen Aspekt der Ausschußtätigkeit dar und ist ein Beispiel dafür, daß die Entscheidungen in Brüssel unter Berücksichtigung der individuellen Situation in den Mitgliedstaaten getroffen werden können.

D. Funktionsweise

1. Die Gruppen

Da die Mitglieder verschiedenen Gruppen sozialer und wirtschaftlicher Aktivitäten zuzuordnen sind, wird in Art 19 GO-WSA eine Gruppenbildung von **Arbeitgebern, Arbeitnehmern** und **„Verschiedenen Interessen"** zugelassen. Diese drei Gruppen entsprechen in vielen Hinsichten politischen Fraktionen und versuchen innerhalb ihrer Gruppe eine integrierte Europapolitik zu entwickeln. Bei der Ernennung der Mitglieder achten sowohl die Regierungen als auch der Ministerrat darauf, daß zwischen diesen Gruppen (Arbeitgeber, Arbeitnehmer, Verschiedene Interessen) ein **ausgewogenes Verhältnis** herrscht. Während Arbeitgeber- und Arbeitnehmergruppen deutlich zu unterscheiden sind, repräsentiert die Gruppe „Verschiedene Interessen" ein Gemisch aus Bauernverbänden, Verbrauchern, freien Berufen usw, die sich mit einer der beiden anderen Gruppen nicht identifizieren können. Der WSA vertritt weder die Regierungen der Mitgliedstaaten oder andere europäische Organe, obwohl Vertreter der Gemeinschaftsorgane an den Sitzungen teilnehmen dürfen und auch das Rederecht genießen. Die Erfahrung zeigt, daß dieses Drei-Gruppen-System ohne Regierungspräsenz – die ohnehin bei der gegenwärtigen Gemeinschaftsstruktur unmöglich wäre – für die **Konsensbildung** sehr hilfreich ist, da es eine direkte Konfrontation von Arbeitgebern und Arbeitnehmern vermeidet.

Natürlich ist es nicht einfach, bei der niedrigen Anzahl von 6 bis 24 Sitzen Mitglieder zu finden, die insgesamt alle wirtschaftlichen und sozialen Interessen eines Mitgliedstaates vertreten. In der Praxis halten sich die Regierungen der Mitgliedstaaten an die das entsprechende Gebiet abdeckenden nationalen Hauptverbände und Organisationen, obwohl gem Art 193 Abs 2 EGV auch „Vertreter der Allgemeinheit" ernannt werden können. Eine Organisation, die einmal durch ihren Vorsitzenden im WSA vertreten war, wird sich meistens sehr darum bemühen, diesen Sitz zu behalten und im Falle des Ausscheidens bzw der Aufgabe der Tätigkeit dieser Person versuchen, eine andere Person aus derselben Organisation als Mitglied ernennen zu lassen.

In einer so heterogenen Organisation wie dem WSA, der nicht nur die 15 Mitgliedstaaten, sondern auch das ganze Spektrum aller politischen Vorstellungen vertritt, versteht es sich von selbst, daß es nicht immer einfach ist, einen allgemeinen Konsens zu finden. Sowohl die historischen Konflikte, die die europäischen Staaten bis 1945 beschäftigten, als auch die sozialen Konflikte der Gegenwart sind Faktoren, die nicht zu übersehen sind. Darüber hinaus sind die Ansichten zu bestimmten Sachfragen (zB über die Mitbestimmung in der Industrie oder bezüglich der friedlichen Verwendung von Atomenergie usw) oft sehr unterschiedlich.

Der WSA ist auf folgende drei Arten am **europäischen Entscheidungsverfahren** beteiligt. Gem EG-Vertrag muß der WSA zu bestimmten Themen (Landwirtschaft, Freizügigkeit der Arbeitnehmer, Niederlassungsrecht, Dienstleistungen, Verkehr, Angleichung der Rechtsvorschriften, Sozialpolitik, Europäischer Sozialfonds, Forschungsprogramme, Umwelt usw) gehört werden. Ferner können der Ministerrat und die EG-Kommission den WSA zu anderen Themen anhören, wenn sie dies für angebracht halten. Und drittens kann der WSA gem Art 198 Abs 1 EGV von sich aus eine Stellungnahme in den Fällen abgeben, in denen er dies für zweckmäßig erachtet, und kann so die EG-Kommission und den Ministerrat von sich aus auf irgendein dringendes Problem hinweisen, wenn er eine solche Maßnahme für notwendig hält.

Um verstehen zu können, wie sich ein bestimmter Vorschlag der Kommission vom Kommissionsdokument bis hin zur Stellungnahme des WSA entwickelt, ist es notwendig, die **Struktur des WSA** genauer zu untersuchen.

2. Die Fachgruppen

Die tägliche Arbeit des WSA wird von **9 Fachgruppen** geleistet, von denen jede einem bestimmten Aspekt der europäischen Politik zugeordnet ist:

- Landwirtschaft und Fischerei
- Industrie, Handel, Handwerk und Dienstleistungen
- Wirtschafts-, Finanz- und Währungsfragen
- Sozial- und Familienfragen, Bildungswesen und Kultur
- Verkehr und Kommunikationsmittel
- Außenbeziehungen, Außenhandels- und Entwicklungspolitik
- Energie, Atomfragen und Forschung
- Regionale Entwicklung, Raumordnung und Städtebau
- Umweltschutz, Gesundheitswesen und Verbrauch

Die Unterteilung in 9 Fachgruppen beruht auf einer Anordnung des Präsidiums vom Juli 1986. Zur Zeit wird über diese Unterteilung wieder diskutiert; es kann sein, daß man sich für eine andere Zuordnung der Tätigkeiten entscheiden wird, eventuell sogar für weniger Fachgruppen.

Bei diesen Fachgruppen handelt es sich eigentlich um „Miniaturausgaben" des gesamten Ausschusses, da jede Fachgruppe von etwa 65 der 222 Mitglieder gebildet wird, wobei die Verhältnisse Staatszugehörigkeit/Gruppenzugehörigkeit so weit wie möglich den gesamten Ausschuß widerspiegeln. Durch dieses System wird jedes Mitglied entsprechend seiner Interessen Teilnehmer von zwei bis drei Fachgruppen. Ein **Kommissionsvorschlag** wird also für die folgende Monatssitzung der zuständigen Fachgruppe vorbereitet. Wenn sich die Mitglieder dieser Fachgruppe treffen, findet idR eine einführende **Information** durch einen **Vertreter der Kommission** statt, der den Kommssionsvorschlag begründet sowie Kosten und Ergebnisse bisheriger Aktionen dieser Art darlegt. Dann wählen die Mitglieder der Fachgruppe einen **Berichterstatter,** der den Auftrag erhält, den Entwurf der Stellungnahme vorzubereiten. Es kann vorkommen, daß dieser Berichterstatter nur über sehr beschränkte Informationen zu diesem Thema verfügt. (Wenn man an die vielfältige Zusammensetzung des WSA denkt, ist das nicht weiter verwunderlich.) In einem solchen Fall kann ein unabhängiger **Sachverständiger** oder **Experte** mit Spezialwissen in diesem Bereich um Hilfe gebeten werden. Diese Person wird dann dem Berichterstatter und den anderen Mitgliedern dieser Fachgruppe bei der Meinungsbildung mit seinem Rat zur Seite stehen. Außerdem können von den drei Gruppen auch Aufträge an Experten vergeben werden, um ihre Mitglieder in den Fachgruppen über spezielle Fachfragen ausreichend zu informieren.

Die **Aufgabe des Berichterstatters** ist für die Konsensbildung von besonderer Bedeutung. Mit viel Geschick müssen Brücken zwischen den verschiedenen Meinungen der Mitglieder gebaut und die Redewendungen formuliert werden, die die Ideen der Gesamtheit wiedergeben, ohne aber Mitglieder mit anderen Meinungen vor den Kopf zu stoßen. Die im Beruf erworbenen Fähigkeiten sind für den Berichterstatter eine unerläßliche, wichtige Basis, aber er muß sich auch darauf einstellen können, daß in den verschiedenen Mitgliedstaaten die Art und Weise der Verhandlungsführung sehr unterschiedlich ist.

3. Studiengruppen

Mit dem Berichterstatter werden von der Fachgruppe auch etwa 10 bis 15 Mitglieder zur Bildung einer **Studiengruppe** gewählt. Auch hier muß wieder so weit wie möglich ein **angemessenes Verhältnis** zwischen den drei Gruppen und den fünfzehn Staatszugehörigkeiten eingehalten werden. Diese Studiengruppe trifft sich mit dem Ziel, den Vorschlag der EG-Kommission zu diskutieren und so dem Berichterstatter eine inhaltliche Basis für einen ersten Entwurf der Stellungnahme zu bieten, den er normalerweise bereits zum Abschluß des ersten Treffens formuliert. Beim zweiten Treffen der Studiengruppe wird der Entwurf der Stellungnahme diskutiert und abgeändert, indem von der Gruppe akzeptierte Änderungsvorschläge eingearbeitet werden. In dieser Situation beginnt sich die Konsensbildung abzuzeichnen.

Die vorläufige Meinung wird dann in der Fachgruppensitzung vorgelegt, wo der Berichterstatter seinen Text erklärt und begründet, warum er den Vorschlag unterstützt oder ablehnt; je nach Notwendigkeit werden weitere **Änderungsvorschläge** in den Text eingearbeitet. Die **Fachgruppensitzung** wird etwas formeller durchgeführt, und am Ende der Diskussion erfolgt die **Abstimmung.** Im besten Fall besteht dann bei allen Mitgliedern der Fachgruppe Übereinstimmung, die bereits eine wichtige Voraussetzung für den allgemeinen Konsens bedeutet. Stimmt bei der Fachgruppensitzung niemand gegen den Entwurf der Stellungnahme und wird auch kein weiterer Änderungsvorschlag eingebracht, findet in der nächsten **Plenarsitzung** die **endgültige Abstimmung** über die Stellungnahme ohne Debatte statt. Waren jedoch bei der Fachgruppensitzung Gegenstimmen zu verzeichnen oder werden vor der Plenarsitzung Änderungsanträge eingereicht, muß eine Debatte in der Plenarsitzung durchgeführt werden, an deren Ende dann erst über den Wortlaut der Stellungnahme abgestimmt werden kann. Dieses stufenweise Vorgehen bei der Konsensbildung ist in der Geschäftsordnung des WSA geregelt.

4. Einfluß des WSA

Ist eine Stellungnahme von der Plenarsitzung angenommen worden, erfolgt ihre **Weiterleitung** an die EG-Kommission und den Ministerrat sowie ihre **Veröffentlichung** im Amtsblatt. Das bedeutet aber nicht, daß der Ministerrat oder die EG-Kommission die Stellungnahme des WSA bei ihren Entscheidungen berücksichtigen müssen, da der WSA nur eine **beratende Institution** ist (Art 193 Abs 1 EGV)[5]). Deshalb ist es sehr schwierig, sich über den Einfluß des WSA ein genaues Urteil zu bilden. Es liegen keine quantitativen Erfolgsmessungen vor, die seinen Einfluß oder seine Wirksamkeit belegen könnten. Die Erfahrungen zeigen, daß über die Bereitschaft der anderen Gemeinschaftsinstitutionen, die Meinung des WSA zu berücksichtigen, keine Vorhersagen gemacht werden können. *Paul Hatry,* langjähriges belgisches Mitglied des WSA, nannte den WSA einmal den „besten Freund" der Kommission und meinte damit, daß die Kommission beim WSA für ihre Vorhaben oft Unterstützung finden könnte. Darum bemüht sie sich auch sehr darum, daß die Diskussionen im WSA ohne Konfrontationen ablaufen und daß man die dort zusammentreffenden Lobbyisten selbst beeinflußt, damit sie über die Pläne der EG-Kommission genau unterrichtet sind. Denn in der Kommission ist man sich darüber im klaren, daß hinter den Mitgliedern des WSA viele

---

[5]) Siehe oben C.

Millionen Europäer stehen, deren soziale und wirtschaftliche Interessen durch das Geschehen in Brüssel beeinflußt werden.

5. Lobbyisten und Verbände

Die Tätigkeit des WSA ist nur ein Teil – der institutionalisierte Teil – der Tätigkeit der Verbände und **Interessengruppen** in Brüssel. Solche Gruppierungen, die in fast jedem Sektor aktiv sind, versuchen, die sie betreffende Politik der Gemeinschaft in ihrem Sinne zu lenken, und zwar nicht nur beim WSA, sondern auch bei Ministerrat, Kommission und Parlament, wo ihre Tätigkeit eher in der traditionellen Rolle der Lobbyisten – Kontakte, Gespräche, Beeinflussung – besteht. Die Verzeichnisse der europäischen Verbände in der Gemeinschaft[6]) führen mehrere hundert verschiedene Verbände auf Gemeinschaftsebene auf, von denen die meisten ein Büro in Brüssel besitzen. Die Funktionsweise dieser **Lobbies** ist sehr unterschiedlich und hängt oft von ihren Mitteln ab: Große europäische Verbände wie zB COPA (Ausschuß der berufsständischen landwirtschaftlichen Organisationen der EG) verfügen über einen Haushalt von über 1 Mio ECU und beschäftigen mehrere Mitarbeiter. Inwieweit diese Verbände tatsächlich die Entscheidungen lenken können, ist oft sehr schwer zu beurteilen.[7])

6. Beziehungen zu den wirtschaftlichen und sozialen Gruppen der Drittländer

Der WSA hat in den letzten Jahren seine Beziehungen zu den wirtschaftlichen und sozialen Gruppen der Drittländer weitgehend entwickelt. Neben dem Jahrestreffen mit den Vertretern ähnlicher Gruppierungen in den **AKP-Staaten** (auf Initiative der Paritätischen Versammlung AKP/EWG) fanden auch Treffen mit Vertretern der **Staaten Mittel- und Osteuropas,** der Staaten der Union des Arabischen Maghrebs und aus Lateinamerika statt. Formelle beratende Ausschüsse der Vertreter sozio-ökonomischer Gruppierungen des WSA und der Staaten Osteuropas sind teilweise in den Europaabkommen verankert oder geplant. Die seit 1975 regelmäßig stattfindenden Treffen zwischen dem WSA und dem **EFTA-Konsultativkomitee** wurden im EWR-Abkommen[8]) durch den Beratenden EWR-Ausschuß institutionalisiert. Die konstituierende und erste Sitzung dieses Ausschusses wurde im Februar 1994 in Brüssel abgehalten.

Die Treffen mit den Vertretern sozio-ökonomischer Gruppierungen Mittel- und Osteuropas sowie die Treffen im Rahmen des Beratenden EWR-Ausschusses könnten für die Erweiterung der EU eine wichtige Rolle spielen.

---

[6]) Editions Delta (Hg), Verzeichnis der europäischen Verbände in der EG[5] (Brüssel 1993); Euroconfidential (Hg), Les associations professionables communautaires et leurs informations (1994); *De Fouloy* (Hg), European Lobbyists' Practical Guide (1994).

[7]) Siehe zB *Andersen,* Influencing the European Community (1992); *Mazey/ Richardson* (Hg), Lobbying in the European Community (1993).

[8]) Art 96 Abs 2 EWRA.

E. Die politische Identität und Stellung des WSA

Die frühere Präsidentin des WSA, *Susanne Tiemann,* beurteilt die politische Identität und Stellung des WSA programmatisch:

„Nachdem mit der Vollendung des Binnenmarktes und der Berücksichtigung zahlreicher Anliegen des Ausschusses im Maastrichter Vertrag ein wichtiges Etappenziel erreicht ist, sind die Voraussetzungen dafür vorhanden, daß der Ausschuß seine institutionelle Rolle wirksamer erfüllt und seinen Einfluß steigert.

Es ist eine Herausforderung für den Ausschuß, sich weiterhin darum zu bemühen, der institutionellen Entwicklung und den wirtschaftlichen und sozialen Gegebenheiten des ausgehenden XX. Jahrhunderts Rechnung zu tragen. Europa kann nur zusammenwachsen, wenn es auch von denen akzeptiert wird, die unmittelbar davon betroffen sind: von seinen Bürgern. Wir dürfen die Augen nicht davor verschließen, daß dies heute bei weitem noch nicht der Fall ist. Allzuoft wird Europa als eine abstrakte Konstruktion angesehen, und das Verständnis der Ziele der Europäischen Union ist in der Regel sehr schwach ausgeprägt. Viel zu wenig europäische Bürger wissen überhaupt, welch großen Einfluß Europa auf ihre Lebens- und Arbeitsbedingungen jetzt schon hat und zukünftig haben wird, vor allem aber auch, welche Chancen Europa einem jeden von uns bietet. Die Bürger beklagen vielmehr den Mangel an Transparenz und demokratischen Strukturen im zusammenwachsenden Europa, und sie befürchten eine Flut von neuen Regelungen und Bürokratie.

Der Ausschuß hat in diesem Zusammenhang eine wichtige Aufgabe zu erfüllen. Er kann für die Befürchtungen und Anliegen der europäischen Bürger in besonderem Maße Verständnis aufbringen. Seine Mitglieder vertreten die Unternehmen, die Arbeitnehmer, die Verbraucher, die Landwirte, die Freiberufler usw. Sie halten sich nicht ständig in Brüssel auf und sind mit den Gegebenheiten vor Ort, d.h. in den Mitgliedstaaten, Regionen und Kommunen vertraut. Sie gehen ihrer Tätigkeit in ihren Heimatländern und -regionen weiter nach und nehmen verantwortungsvolle Aufgaben im wirtschaftlichen und sozialen Bereich wahr“.[9])

F. Die Zukunft des WSA

Auch nach dem Vertrag von Maastricht werden Überlegungen zu institutionellen und organisatorischen Reformen der Gemeinschaftsorgane angestellt. In diesem Zusammenhang stellt sich auch die Frage nach der **zukünftigen Rolle** und **Funktion** des WSA.

Zunächst ist festzustellen, daß sich seit den 50er-Jahren, der Gründungszeit des WSA, die Gesellschaftsstrukturen deutlich verändert haben und sie mit der Situation zur Zeit von *Léon Jouhaux* und des Reichswirtschaftsrats kaum noch vergleichbar sind. Die industrielle Produktion hat sich grundlegend gewandelt. Arbeitsintensive Produktionsmethoden wurden **automati-**

---

[9]) *Tiemann,* Der Wirtschafts- und Sozialausschuß und die europäische Integration, in: WSA (Hg), Die beratende Versammlung zur Vertretung von Wirtschaft und Gesellschaft (1991) 7.

siert und Arbeitsplätze durch **kapitalintensive** Industrieroboter ersetzt und wegrationalisiert. Deshalb ist die Einteilung der Gesellschaftsstruktur in Arbeitgeber und Arbeitnehmer (oder in drei Gruppen wie beim WSA) nicht mehr ganz zutreffend, besonders weil die Strukturen der **Dienstleistungsindustrien** viele verschiedene selbständige und unselbständige Beschäftigungsgrade und Kategorien bieten. Sollte man daraus auch die Konsequenz ziehen und die Gruppenstruktur des WSA (Arbeitnehmer, Arbeitgeber, Verschiedene Interessen) ändern? In der Vergangenheit haben die verschiedenen Interessen mehrmals einer Konfrontation zwischen den anderen zwei Gruppen vorgebeugt, aber trotz der durch Art 193 EGV ermöglichten Flexibilität hat der WSA vielleicht zu langsam auf die oben dargestellten Gesellschaftsänderungen reagiert. Die Mitgliedstaaten haben es versäumt, bei der Aufstellung der Listen potentieller Mitglieder den veränderten Verhältnissen Rechnung zu tragen. Ein Zeichen dafür ist zB die Zahl der ernannten Frauen im WSA: in den Mandatsperioden von 1986–1990 und 1990–1994 wurden nur 11 bzw 13 der 189 Sitze von Frauen eingenommen. Das große Heer der Arbeitslosen ist überhaupt nicht vertreten.

Ein weiteres Strukturmerkmal des WSA besteht in seiner Funktion bezüglich der anderen Gemeinschaftsorgane. Eine Zeitlang stellte sich der WSA als **„die andere europäische Versammlung"** vor, um seine Position gegenüber dem Parlament zu stärken. Die Gründung des Ausschusses der Regionen hat den WSA nach dem Parlament und dem Ausschuß der Regionen auf den dritten Platz verwiesen, obwohl der Ausschuß der Regionen auch nur eine beratende Tätigkeit hat. Die vorläufige Bindung der Verwaltung von WSA und Ausschuß der Regionen[10]) wird voraussichtlich schon im Zuge der Regierungskonferenz 1996 aufgelöst, und der Ausschuß der Regionen wird sich dann wahrscheinlich als eine zweite europäische Kammer profilieren. Ähnliche Gefahren für die Identität des WSA liegen bei der Gründung von beratenden Gremien, die mit der Kommission eng verbunden sind und die schon in der Vorphase des Entscheidungsverfahrens aktiv werden können.[11]) Solche Gremien könnten langfristig die Arbeit des WSA teilweise überflüssig machen. Beispiele hiervon sind die Europäische Versammlung für Wirtschaft und Technologie (eine Versammlung von etwa 100 Fachleuten mit beratender Aufgabe)[12]), der Beratende Verbraucherrat (45 Mitglieder, ähnliche Aufgabe)[13]) und der Ausschuß für Handel und Vertrieb (50 Mitglieder)[14]).

Es sollte auch vermerkt werden, daß entsprechend dem Protokoll über die Sozialpolitik die Anhörung der Sozialpartner auf Gemeinschaftsebene von der Kommission und nicht vom WSA wahrgenommen wird. Die Rolle des WSA als Bürgervertreter erhält eine weitere fragwürdige Komponente dadurch, daß die Mitglieder des WSA nicht gewählt, sondern ernannt werden.

---

[10]) Gem Protokoll zum EUV betreffend den Wirtschafts- und Sozialausschuß und den Ausschuß der Regionen: „Der Wirtschafts- und Sozialausschuß und der Ausschuß der Regionen verfügen über einen gemeinsamen organisatorischen Unterbau."

[11]) Zur Comitologie s oben *Röttinger,* Organisation und Arbeitsweise der Kommission (D.1.b).

[12]) Die erste Sitzung dieser Versammlung fand am 6. 9. 1994 statt.

[13]) ABl L 1990/38, 40.

[14]) Entscheidung der Kommission v 24. 5. 1981 (81/427/EWG).

In der Vergangenheit und vor allem bei den Verhandlungen von Maastricht hat der WSA mehr politische Macht und größere Einflußmöglichkeit gefordert. Jedoch könnte dies insofern einen Rückschlag bedeuten, als durch die Verbindung mit stärkeren politischen Interessen ein Teil seiner Freiheit zur unabhängigen Meinungsbildung verloren ginge und er seine bisherige Funktion als **Ort des Dialogs** und der **Konsensbildung** nicht länger wahrnehmen könnte.

Das dritte Merkmal des WSA besteht in seiner Position, die er in dem Entscheidungsverfahren einnimmt. Entsprechend dem EG-Vertrag wird der WSA erst dann mit einem Vorschlag der Kommission befaßt, wenn sie den Vorschlag in Absprache mit nationalen und anderen Sachverständigen bereits grundlegend formuliert hat. Bei dieser Vorphase sind die Lobbyisten und Verbände (s oben D.5.) schon sehr aktiv, sodaß die Befassung des WSA eigentlich zu spät kommt. Vielleicht wäre es sinnvoll, den WSA an einer früheren Stelle in dieses Entscheidungsverfahren einzuschalten und ihm damit eine aktivere Rolle bei der Formulierung der Kommissionsvorschläge zu übertragen. Im Falle der **Sozialcharta** (einer Erklärung über die Grundrechte der Arbeitnehmer, die von den Staats- und Regierungschefs Ende 1989 angenommen wurde und die die Grundlage für die Aktionsprogramme der Kommission auf diesem Gebiet darstellt) wurde dem WSA die Möglichkeit geboten, seine Meinung dazu vor der abschließenden Formulierung des Vorschlags durch die Kommission einzubringen, sodaß er dadurch einen größeren Einfluß auf den Vorschlag ausüben konnte. Für die Praxis hieße dies, daß dem WSA mehr Zeit für seine Meinungsbildung zwischen den sozialen und ökonomischen Interessengruppen zur Verfügung stünde – das Element der WSA-Beratungen, das von der Kommission und vom Ministerrat besonders geschätzt wird.

Anhang 1: Zustandekommen einer Stellungnahme

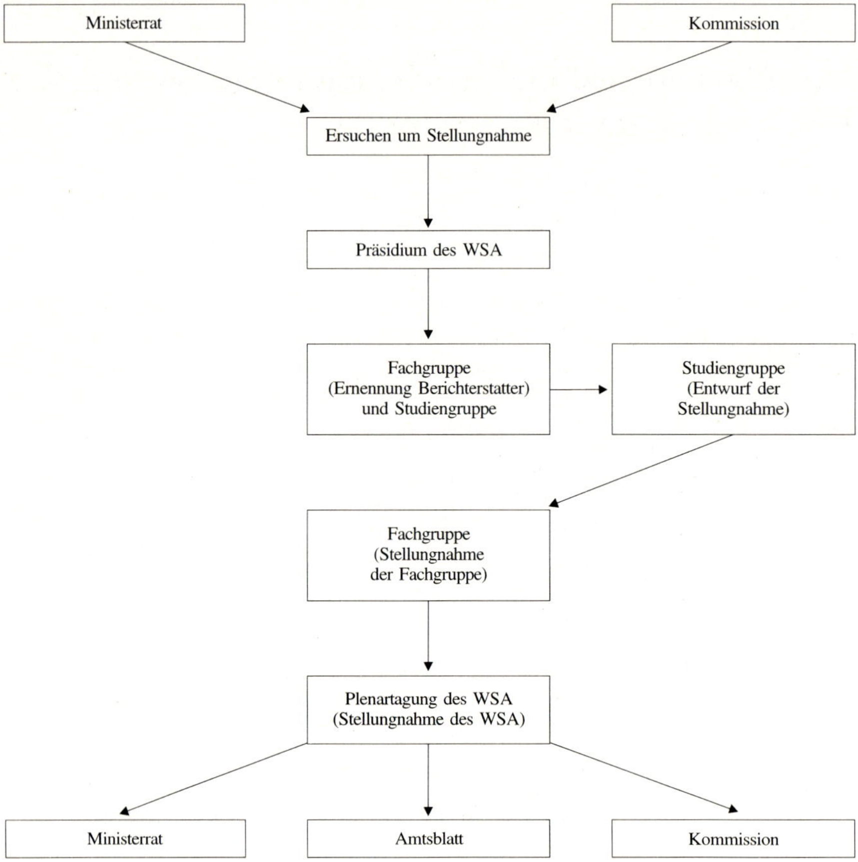

9. KAPITEL

Der Gerichtshof und das Rechtsschutzsystem der Europäischen Gemeinschaften

Vittorio Di Bucci und *Michaela Di Bucci*

Übersicht:

A. Rechtsgrundlagen

1. Die Rolle des Gerichtshofs im institutionellen Gemeinschaftssystem

Ein grundlegendes Prinzip der Europäischen Gemeinschaften, das ihnen einen besonderen Charakter in Hinblick auf internationale Organisationen verleiht, ist, daß sie eine **„Rechtsgemeinschaft“**[1]) darstellen. Das ergibt sich einerseits aus der Aufteilung der Zuständigkeiten innerhalb der Gemeinschaften, die nicht nur in den Gründungsverträgen vorgesehen ist, sondern auch durch einen verpflichtenden und grundsätzlich vollständigen **Streitbeilegungsmechanismus** gewährleistet wird[2]), und andererseits aus der in weiten Teilen **unmittelbaren Anwendbarkeit des Gemeinschaftsrechts** in den Mitgliedstaaten, dessen Überprüfung sowohl durch den Gerichtshof[3]), als auch die einzelnen nationalen Gerichte gewährleistet wird.

---

[1]) EuGH 23. 4. 1986 Rs 249/83 – Les Verts gg Parlament – Slg 1986, 1339; s ausführlich zum Begriff der Rechtsgemeinschaft s oben *Grunwald,* Die EG als Rechtsgemeinschaft.

[2]) EuGH 22. 5. 1990 Rs 70/88 – Parlament gg Rat – Slg 1990, I-2041 („Tschernobyl“).

[3]) Sofern nichts anderes angegeben, ist unter „Gerichtshof“ stets der Gerichtshof der Europäischen Gemeinschaften (EuGH) in Luxemburg zu verstehen. Da sich dieser Beitrag bewußt besonders stark auf die Rsp des EuGH stützt, im folgenden einige Hinweise zu wesentlicher und weiterführender Literatur: *Bebr,* Development of Judicial Control of the European Communities (1981); *Bernhardt,* Verfassungsprinzipien – Verfassungsgerichtsfunktionen – Verfassungsprozeßrecht im EWG-Vertrag (1987); *Bergerès,* Contentieux communautaire (1989); *Biavati/Carpi,* Diritto processuale comunitario (1994); *Brown/Kennedy,* The Court ofJustice of the European Communities[4] (1994); *Boulouis/Chevallier,* Grands arrêts de la Cour de justice des Communautés européennes[6] (1994); *Krück,* Der Gerichtshof, in *von der Groeben/Thiesing/Ehlermann* (Hg), Kommentar zum EWG-Vertrag[4] (1991); *Dehousse,* La Cour de Justice des Communautés européennes (1994); *Joliet,* Le droit institutionnel des Communautés européennes – Le contentieux (1981); *Klinke,* Der Gerichtshof der Europäischen Gemeinschaften – Aufbau und Arbeitsweise (1989); *Lasok,* The European Court of Justice[2] (1994); *Rasmussen,* On Law and Policy in the European Court of Justice (1986); *Rengeling/Midde-*

Für den ersten oben angesprochenen Aspekt ist der Gerichtshof – ebenso wie das Parlament, der Rat, die Kommission und der Rechnungshof – ein Organ der EG. In dieser Hinsicht verfügt er über die ausschließliche Zuständigkeit in verfassungsrechtlichen Streitigkeiten zwischen Organen bzw zwischen diesen und den Mitgliedstaaten sowie – weniger oft – unter den Mitgliedstaaten. Was jedoch die Anwendung von EG-Recht in der Gemeinschaft betrifft, so ist der Gerichtshof nur ein Organ der Rechtsprechung mit eingeschränkter Kompetenz, das aber gegenüber den nationalen Gerichten eine Führungsrolle ausübt. Die einzelnen Rechtssubjekte, die der europäischen Rechtsordnung unterstehen, bleiben generell der Jurisdiktion der Gerichte der Mitgliedstaaten unterworfen, während der Gerichtshof nur über Zuständigkeiten verfügt, soweit diese in den Gründungsverträgen vorgesehen wurden (vgl Art 183 EGV). Weiters können bzw müssen die nationalen Gerichte im Rahmen eines speziellen Verfahrens (Art 177 EGV) die Mitarbeit des Gerichtshofs verlangen, so daß die einheitliche Anwendung des Gemeinschaftsrechts gesichert ist. 35 Jahre lang war der EuGH erste und letzte Instanz der europäischen Gerichtsbarkeit. Seit 1989 hat das Gericht 1. Instanz (GeI) seine Tätigkeit aufgenommen. Es gehört zum Organ EuGH und ist in erster Instanz für eine Gruppe von Klagen zuständig. In der Folge dieses Kapitels wird vorwiegend der EuGH behandelt, während dem GeI einige Ausführungen gewidmet sind, die auf seine Besonderheiten eingehen.

2. Die Rechtsquellen

a) Die Verträge

In Art L VEU wird bestimmt, daß die Vorschriften über den Gerichtshof, wie sie aus den Gründungsverträgen der EG resultieren, nur für diese Verträge selbst sowie für die im Rahmen der Zusammenarbeit in den Bereichen Justiz und Inneres ausgearbeiteten Übereinkommen und für die Schlußbestimmungen (Art L bis S VEU) des EU-Vertrags anwendbar sind. Daraus folgt, daß dieses Rechtsprechungsorgan nicht für die Titel I (Gemeinsame Bestimmungen), Titel V (GASP) und Titel VI (Zusammenarbeit in den Bereichen Justiz und Inneres) des VEU zuständig ist. Die wichtigsten Bestimmungen über den Gerichtshof befinden sich somit in den Gründungsverträgen der EG. Da die Regeln, die sich aus dem EURATOM-Vertrag und dem EG-Vertrag ergeben, grundsätzlich identisch sind und die betreffenden Bestimmungen des EGKS-Vertrags oft ähnlich lauten, beschränkt sich diese Darstellung der Einfachheit halber auf die Normen des EG-Vertrags; sollten gravierende

ke/Gellermann, Rechtschutz in der Europäischen Union (1994); *Schermers/Waelbroek,* Judicial Protection in the European Communities[5] (1992); *Smit,* The Court of Justice, in *Smit/Herzog* (Hg), The Law of the European Communities. A Commentary on the EEC Treaty (1988); *Vandersanden/Barav,* Contentieux communautaire (1977); *Louis/Vandersanden/Waelbroek/Waelbroek,* La Cour de justice. Les actes des institutions, in *Mégret/Waelbroek/Louis/Vignes/Dewost* (Hg), Le Droit de la CEE Bd 10 (1993); *Jung,* Das Gericht Erster Instanz der Europäischen Gemeinschaften (1991); *Millett,* The Court of First Instance of the European Communities (1990); *Rideau/Picod,* Code de procédures communautaires (1994); *Usher,* European Court Practice (1983); *Vaughan/Lasok,* Butterworths European Court Practice (1993).

Unterschiede auftreten, wird gesondert darauf hingewiesen. In Art E VEU und in Art 4 EGV ist der Gerichtshof unter den Organen der EG aufgezählt, während die Art 164 bis 188 EGV ihm besonders gewidmet sind.

Die Aufgaben des Gerichtshofs sind in Art 164 EGV folgendermaßen beschrieben: „Der Gerichtshof sichert die Wahrung des Rechts bei der Auslegung und Anwendung dieses Vertrages." Diese generell gehaltene Norm teilt dem Gerichtshof noch keine Kompetenzen zu und bildet daher keine Grundlage iSv Art 4 Abs 1 2. Satz EGV, der bestimmt, daß jedes Organ nach Maßgabe der ihm aus dem Vertrag zukommenden **Befugnisse** handelt[4]). Daraus ergibt sich, daß der Gerichtshof nur jene Zuständigkeiten ausüben kann, die ihm aufgrund ausdrücklicher Bestimmungen übertragen wurden. Er hat jedoch vor allem in den letzten Jahren keine besondere Zurückhaltung in der Auslegung seiner eigenen **Zuständigkeit** geübt[5]). Die weiteren Vorschriften in den Art 165 bis 168 EGV dienen der Bestimmung der Zusammensetzung des Gerichtshofs. In Art 168 a EGV wird dem Gerichtshof ein Gericht erster Instanz (GeI) beigeordnet. Die Zuständigkeiten des Gerichtshofs für die allgemeinen Verfahren ergeben sich aus den Art 169 bis 182 sowie 184 bis 186 EGV, Art 33 bis 43 EGKS und Art 141 bis 144 sowie Art 156–158 EURATOMV.

Für die **Sonderverfahren** finden sich die Zuständigkeiten in folgenden einzelnen Artikeln:

- Art 93 EGV: staatliche Beihilfen,
- Art 100 a und 100 b EGV: Überprüfung von staatlichen Maßnahmen, die im Rahmen des Binnenmarkts getroffen werden.
- Art 225 EGV: Überprüfung von staatlichen Maßnahmen, die durch das Sicherheitsinteresse gerechtfertigt sind,
- Art 228 EGV: Gutachten über internationale Vereinbarungen,
- Art 14 und 35 des Protokolls über die Satzung des Europäischen Systems der Zentralbanken und der Europäischen Zentralbank[6]),
- Art 18 des Protokolls über die Satzung des Europäischen Währungsinstituts[7]),
- Art 12, 18 und 21 EURATOMV: Rechtsmittel gegen Lizenzvergabe von Patenten;
- Art 81–83 EURATOMV: Streitigkeiten wegen der Überwachungs- und Zwangsmaßnahmen der Kommission,

---

[4]) EuGH 12. 7. 1973 Rs 8/73 – Massey-Ferguson – Slg 1973, 897.

[5]) Zur einstweiligen Verfügung s die Beschlüsse des EuGH 21. 5. 1977 verb Rs 31/77 R und 53/77 R – Kommission gg Vereinigtes Königreich – Slg 1977, 921 und 22. 5. 1977 Rs 61/77 R – Kommission gg Irland – Slg 1977, 937; zur Passiv- und Aktivlegitimation des Parlaments in der Nichtigkeitsklage s EuGH 23. 4. 1986 (FN 1) und EuGH 22. 5. 1990 (FN 2); zur Aufhebung der Immunität der Kommission s Beschluß des EuGH 13. 7. 1990 Rs C-2/88 Imm – Zwartveld – Slg 1990, I-3365; zur Auslegung des EGKS-Vertrags s EuGH 22. 2. 1990 Rs 221/88 – Busseni – Slg 1990, I-495; zur Auslegung von EG-Recht über Verweisung des nationalen Rechts s EuGH 18. 10. 1990 verb Rs C-297/88 und C-197/89 – Dzodzi – Slg 1990, I-3763; gegenteilig aber betreffend das GVÜ s EuGH 28. 3. 1995 Rs C-346/93 – Kleinwort Benson – Slg 1995, I-615.

[6]) Durch den EU-Vertrag dem EG-Vertrag beigefügt.

[7]) Durch den EU-Vertrag dem EG-Vertrag beigefügt.

- Art 103–105 EURATOMV: Kontrolle der Vereinbarkeit von Abkommen, die von Mitgliedstaaten oder Unternehmen mit Drittstaaten abgeschlossen wurden,
- Art 37 EGKSV: Rechtsmittel gegen Entscheidungen der Hohen Behörde, die tiefgreifende Störungen der Wirtschaft eines Mitgliedstaates betreffen,
- Art 95 EGKSV: Gutachten über die sog kleine Vertragsänderung.

Schließlich ist darauf hinzuweisen, daß der Gerichtshof generell über die **ausschließliche Gerichtsbarkeit** verfügt, da sich die Mitgliedstaaten in Art 219 EGV ausdrücklich verpflichtet haben, Streitigkeiten über die Auslegung oder Anwendung dieses Vertrages nicht anders als hierin vorgesehen zu regeln.

b) Die Satzung des Gerichtshofs

Art 188 EGV bestimmt, daß die Satzung des Gerichtshofs in einem besonderen Protokoll festgelegt werden soll, das am 17. April 1957 in Brüssel unterzeichnet und dem Vertrag als Anhang mit gleicher Rechtswirkung beigefügt wurde.[8]) Dennoch kann gem Art 188 Abs 2 EGV der Titel III dieser Satzung, der das Verfahren vor dem Gerichtshof regelt, auf dessen Antrag und ohne Vertragsänderung angepaßt werden. Neben dem EG-Vertrag sehen sowohl der EGKS-Vertrag (Art 45) als auch der EURATOM-Vertrag (Art 160) eine eigene Satzung für den Gerichtshof vor. Tatsächlich existieren **drei verschiedene Satzungen,** wovon die EURATOMV-Satzung jener entsprechend des EG-Vertrags mit Ausnahme des Art 20, der ein Rechtsmittel gegen die Entscheidungen des Schiedsausschusses vorsieht, gleicht. Was die EGKSV-Satzung betrifft, so enthält sie einige von der EGV-Satzung abweichende Bestimmungen bezüglich der Verfahrensvorschriften. Der Gerichtshof wendet im Verfahren die Satzung entsprechend jenes Vertrages an, der auch die rechtliche Basis für die Klage bildet.

c) Die Entscheidung zur Errichtung des Gerichts erster Instanz

Gem Art 168 a EGV hat der Rat auf Antrag des EuGH und nach Anhörung der Kommission und des Parlaments durch einen Beschluß vom 24. Oktober 1988[9]) das Gericht erster Instanz errichtet.

Die Art 1 bis 4 dieses Beschlusses enthalten die Grundregeln über Zusammensetzung und Kompetenzen des Gerichts. Die Aspekte der Organisation, des Verfahrens vor dem Gericht sowie des Rechtsmittelverfahrens vor dem Gerichtshof sind Inhalt des Titels IV der Satzung des Gerichtshofs, der durch den Ratsbeschluß vom 24. Oktober eingefügt wurde.

In weiteren Entscheidungen[10]) hat der Rat die Zuständigkeiten des Gerichtes erster Instanz erweitert (siehe ausführlich unten E.)

---

[8]) Zuletzt geändert durch Beschluß des Rates v 6. 6. 1995, ABl L 1995/131, 33.

[9]) Beschluß 88/591/EGKS, EWG, EURATOM, ABl L 1988/319, 1.

[10]) Beschluß 93/350/EURATOM, EGKS, EWG v 8. 6. 1993, ABl L 1993/144, 21; Beschluß 94/149/EGKS, EWG, EURATOM v 7. 3. 1994, ABl L 1994/66, 29.

d) Die Verfahrensordnungen

Art 188 EGV bestimmt, daß der Gerichtshof seine Verfahrensordnung mit der einstimmigen Genehmigung des Rates erläßt. Die erste Fassung der Verfahrensordnung stammt vom 3. März 1959, und wurde mehrmals geändert.[11]) Im Gegensatz zu den drei Satzungen des EuGH ist die **Verfahrensordnung für alle Verträge gleich.** Neben den detaillierten Vorschriften über Organisation und Verfahren vor dem Gerichtshof regelt die Verfahrensordnung den Ablauf der Sonderverfahren, die überhaupt nicht im EG-Vertrag vorgesehen sind sowie die verfahrensrechtlichen Schritte für den Rechtsmittelzug vom Gericht erster Instanz zum Gerichtshof.

Bezüglich der rechtlichen Rangordnung ist die Verfahrensordnung den Verträgen und den Satzungen des Gerichtshofs untergeordnet. Er selbst kann die Überprüfung der Vereinbarkeit der Verfahrensordnung mit den beiden anderen Rechtsmaterien vornehmen[12]).

Auch für das Gericht erster Instanz wird eine Verfahrensordnung vorgesehen (Art 168 Abs 4 EGV), die am 2. Mai 1991 im Einvernehmen mit dem Gerichtshof und nach einstimmiger Genehmigung des Rates vom Gericht erster Instanz beschlossen wurde und zum größten Teil jener des Gerichtshofs entspricht.[13])

e) Sonstige Bestimmungen

Weitere Regeln für das Verfahren vor dem Gerichtshof betreffend Rechtshilfeersuchen, Armenrecht und Eidesverletzungen von Zeugen und Sachverständigen finden sich in der **„zusätzlichen Verfahrensordnung".** Sie wurde gem Art 125 der Verfahrensordnung des Gerichtshofes von ihm selbst unter Beiziehung der beteiligten Regierungen beschlossen. Die geltende Fassung stammt vom 4. Dezember 1974[14]) und wurde zuletzt am 8. Mai 1987 geändert[15]). Daneben enthält die **Dienstanweisung für den Kanzler**[16]) Vorschriften über die Organisation der Kanzlei und die Veröffentlichungen des EuGH. Entsprechende Bestimmungen gibt es für das Gericht erster Instanz.[17])

B. Die Organisation des Gerichtshofs

1. Die Zusammensetzung und der Sitz

Gem Art 165 EGV besteht der Gerichtshof aus **15 Richtern,** die von **9 Generalanwälten** unterstützt werden (Art 166 EGV). Diese Zahlen haben sich nunmehr nach Erhöhung der Anzahl der Richter und Gene-

---

[11]) Der Text idF v 19. 6. 1991, ist im ABl L 1991/176, 7 veröffentlicht, geändert durch Beschluß des EuGH v 21. 2. 1995, ABl L 1995/44, 61.

[12]) EuGH 12. 7. 1962 verb Rs 9 und 12/60 – Belgien gg Vloeberghs und Hohe Behörde – Slg 1962, 349.

[13]) ABl L 1991/136, 1, geändert durch Beschluß des GeI v 17. 2. 1995, ABl L 1995/44, 64.

[14]) ABl L 1974/350, 1.

[15]) ABl L 1987/165, 4.

[16]) ABl L 1974/350, 33, zuletzt geändert 3. 10. 1986, ABl C 1986/286, 4.

[17]) Dienstanweisung für den Kanzler v 3. März 1994, ABl L 1994/78, 32.

ralanwälte herausgebildet, die nach jedem Beitritt eines Staates zu den EG notwendig wurden. Mangels Entscheidungstimmrechts des Präsidenten des EuGH wurde auch bei gerader Anzahl von Mitgliedstaaten eine ungerade Anzahl von Richtern festgelegt, um die Abstimmung zu ermöglichen. Obwohl Art 167 EGV über die Nationalität der Richter schweigt, so kommt dennoch in der Praxis aus jedem EG-Mitgliedstaat ein Richter, um die Vertretung jedes **nationalen Rechtssystem** in diesem Organ zu sichern. Für die Generalanwälte gilt jedoch das Prinzip, daß Deutschland, Spanien, Frankreich, Italien und das Vereinigte Königreich immer einen Generalanwalt stellen, während die anderen Staaten drei weitere Posten abwechslungsweise besetzen. Bis zum 6. Oktober 2000 wurde der Posten eines neunten Generalanwaltes eingerichtet. Er wird vom zweiten italienischen Richter, der bis zum Beitritt der neuen Mitgliedstaaten die Stelle des dreizehnten Richters einnahm, ausgeübt. Die Zahl der Richter und Generalanwälte kann den Erfordernissen angepaßt und vom Rat einstimmig erhöht werden (Art 165 Abs 4 und Art 166 Abs 3 EGV). Um die Unabhängigkeit des EuGH zu garantieren, können diese Veränderungen allerdings nur auf seinen Antrag vorgenommen und ohne die Zahl der Mitglieder zu verringern.

Gem Beschluß der Vertreter der Regierungen der Mitgliedstaaten über die Unterbringung bestimmter Organe und Dienststellen der Gemeinschaft vom 12. Dezember 1992[18]) haben der Gerichtshof und das GeI ihren **Sitz** in **Luxemburg.**

2. Die Ernennung der Mitglieder

Richter und Generalanwälte haben die persönlichen Voraussetzungen zu ihrer Bestellung zu erbringen, die in Art 167 EGV genannt sind. Es muß sich um Persönlichkeiten handeln, „die jede Gewähr für Unabhängigkeit bieten und die in ihren Staaten die für die höchsten richterlichen Ämter erforderlichen Voraussetzungen erfüllen, oder die Juristen von anerkannt hervorragender Befähigung sind“.

In der Praxis haben sich Traditionen bei der Ernennung von den Mitgliedern in einzelnen Mitgliedstaaten entwickelt. So sind zB die italienischen und spanischen Mitglieder Universitätsprofessoren, die französischen kommen meist aus dem Richterstand, während sich bei den deutschen Mitgliedern sowohl Universitätsprofessoren und hohe Beamte als auch Politiker finden. Neben den persönlichen Voraussetzungen fehlen aber spezifische objektive Erfordernisse, die etwa eine besondere Kenntnis des Europarechts verlangen würden.

Art 167 EGV sieht vor, daß die **Regierungen** der Mitgliedstaaten die Mitglieder des Gerichtshofs **im gegenseitigen Einvernehmen ernennen.** Jeder Staat schlägt also seine Kandidaten vor und die anderen Mitgliedstaaten akzeptieren diese. Bisher ist noch kein Fall von Ablehnung bekannt geworden.

---

[18]) ABl C 1992/341, 1.

3. Die Dauer der Mandate

Richter und Generalanwälte üben ihre Funktionen sechs Jahre lang aus, können jedoch ohne Beschränkungen wiederholt ernannt werden (Art 167 Abs 1 EGV). Um die Schwierigkeiten, die sich aus der Neubestellung von Mitgliedern des Gerichtshofs ergeben, zu verringern, wird alle drei Jahre die Hälfte der Mitglieder neu ernannt (Art 167 Abs 3 und 4 EGV). Die **letzte Neubesetzung** fand am 7. Oktober 1994 statt.

Endet das Amt eines Richters vor Ablauf seiner Amtszeit durch Tod, Rücktritt oder Amtsenthebung, so wird es für die verbleibende Zeit neu besetzt (Art 7 und 8 der EGV-Satzung). Die regelmäßige Teilerneuerung der Mitglieder wird auch im Falle der Aufstockung ihrer Zahl beibehalten, sodaß die neu ernannten Mitglieder auch ein Mandat von weniger als sechs Jahren erhalten können. Um die Kontinuität der Funktion des Gerichtshofs zu gewährleisten, bleibt jeder Richter und Generalanwalt bis zur Funktionsübernahme durch seinen Nachfolger im Amt (Art 5 und 8 EGV-Satzung).

4. Die Gewährleistung der Unabhängigkeit

Auf der einen Seite stellt die **Unabhängigkeit** eine persönliche Voraussetzung zur Ernennung als Mitglied des EuGH dar, sie wird aber andererseits auch durch Bestimmungen in der Satzung während des Mandats gewährleistet. Zu diesem Zweck wurden den Mitgliedern eine Reihe von Pflichten auferlegt: In formeller Hinsicht muß vor Aufnahme der Amtstätigkeit in öffentlicher Sitzung der **Eid** abgelegt werden, das Amt unparteiisch und gewissenhaft auszuüben sowie das Beratungsgeheimnis zu wahren (Art 2 und 8 der EGV-Satzung); für die materielle Seite bestimmten Art 4 und 8 der EGV-Satzung, daß die Mitglieder weder ein politisches Amt, noch eine Berufstätigkeit ausüben dürfen. Die Verpflichtung gilt auch nach Beendigung des Amts weiter, da sie sich der Annahme gewisser Tätigkeiten oder Vorteile zu enthalten haben.

Neben den Pflichten haben die Richter und Generalanwälte aber auch Rechte und Privilegien, die ihre Unabhängigkeit wahren sollen. Darunter fällt erstens die vollkommene **Immunität** bezüglich der Gerichtsbarkeit, die hinsichtlich der in amtlicher Eigenschaft vorgenommenen Handlungen auch nach Abschluß der Tätigkeit als Mitglied des Gerichtshofs anhält. Nur der Gerichtshof kann die Befreiung von der Gerichtsbarkeit in einer Plenarentscheidung aufheben (Art 3 und 8 der EGV-Satzung).

Daneben ist das allgemeine Protokoll über die Vorrechte und Befreiungen der EG[19]), das für die Beamten der EG gilt, auch auf die Mitglieder des Gerichtshofs anwendbar. Als wichtigste Bestimmung aber gilt das **Prinzip der Unabsetzbarkeit** der Mitglieder. Nur nach dem einstimmigen Urteil der anderen Richter und Generalanwälte kann ein Mitglied seines Amtes enthoben oder seiner Pensionsansprüche für verlustig erklärt werden, wenn es die erforderlichen Voraussetzungen des Amtes nicht mehr erfüllt oder den Verpflichtungen nicht nachkommt (Art 6 EGV-Satzung).

---

[19]) Protokoll v 5. 4. 1965 im Anhang zum Fusionsvertrag.

5. Der Präsident

Der Präsident wird von den Richtern für eine Dauer von drei Jahren aus ihrer Mitte gewählt (Art 167 letzter Absatz EGV), wobei unbegrenzte Wiederwahl zulässig ist. Die Funktion des Präsidenten beinhaltet den Vorsitz der Plenarsitzungen und die Leitung der Beratungen sowie wichtige administrative und prozeßrechtliche Kompetenzen. Insb teilt er die beim EuGH eingelangten Rechtssachen einem Berichterstatter zur Bearbeitung zu, setzt die Fristen während des schriftlichen Verfahrens sowie die mündlichen Verhandlungstermine des Plenums fest und überwacht die Tätigkeit der Verwaltung des Gerichtshofs (Art 11 EGV-Satzung). Daneben entscheidet in der Regel der Präsident über Anträge auf einstweilige Verfügungen (Art 36 der EGV-Satzung) und auf Streithilfe (Art 93 EGV-Satzung).

6. Die Richter

Die Richter nehmen an den Sitzungen und Beratungen des Plenums sowie der Kammern, denen sie angehören, teil. Eine besonders verantwortungsvolle Rolle kommt ihnen in jenen Rechtssachen zu, in denen sie vom Präsidenten als **Berichterstatter** ernannt wurden. In diesen Streitigkeiten legen sie am Ende des schriftlichen Verfahrens einen öffentlichen **Sitzungsbericht** („rapport d'audience") bzw Bericht des Berichterstatters („rapport du juge rapporteur") und einen internen **Vorbericht** („rapport préalable") für die sog „allgemeine Sitzung" vor. In letzterem sind Vorschläge sowohl zur eventuell notwendigen Beweisaufnahme, zu Fragen an die Parteien, zur Übertragung der Rechtssache an das Plenum oder an eine Kammer und zur Notwendigkeit, ggf eine öffentliche Sitzung durchzuführen, enthalten. Es ist auch möglich, daß darin persönliche Ansichten über die Schwierigkeiten und ein erster Ansatz zur Lösung der Rechtssache zum Ausdruck kommen.

Nach den Schlußanträgen des Generalanwaltes eröffnet der Berichterstatter mittels einer **einführenden Stellungnahme** („note introductive au délibéré") oder, wenn Übereinstimmung zur Lösung der Streitigkeit herrscht, mittels einer **vorläufigen Urteilsfassung** („projet de motifs") die Beratungen. Die anderen Richter können natürlich Änderungsvorschläge an den Berichterstatter richten oder selbst neue vorläufige Urteilsfassungen vorlegen. Am Ende der Beratungen obliegt es dem Berichterstatter, die endgültige Fassung des Urteils vorzubereiten, und zwar auch wenn er in den Beratungen mit seinen Vorschlägen in der Minderheit geblieben ist.

Jeder Richter (auch der Präsident) und die Generalanwälte verfügen jeweils über ein „Kabinett", das aus drei **Rechtsreferenten** („référendaires") zusammengesetzt ist. Sie sind vom jeweiligen Mitglied des Gerichtshofs persönlich ausgewählt und arbeiten ausschließlich für dieses und unter dessen alleiniger Verantwortung. Die Rechtsreferenten sind weder in der Satzung, noch in der Verfahrensordnung erwähnt, spielen aber eine wichtige Rolle bei der Vorbereitung der Arbeit der Richter und Generalanwälte.

7. Die Generalanwälte

Obwohl die Generalanwälte den gleichen Status wie die Richter genießen, ist ihre Arbeit doch von diesen ganz verschieden. Während die Richter eine kollektive Entscheidung zu treffen haben, arbeiten die Generalanwälte einzeln. Gem Art 166 EGV hat der Generalanwalt in völliger Unparteilichkeit und Unabhängigkeit begründete **Schlußanträge** zu den beim Gerichtshof vorgebrachten Rechtssachen öffentlich zu stellen, um den EuGH bei der Erfüllung seiner Aufgaben zu unterstützen. Funktionell sind die Generalanwälte in den Gerichtshof eingegliedert, sie nehmen aber nicht an seinen Beratungen teil, dennoch kommt ihren Schlußanträgen eine wesentliche Bedeutung zu. Die Existenz der Schlußanträge des Generalanwaltes soll zumindest zum Teil das Fehlen der Möglichkeit, eine Minderheitsmeinung äußern zu können, kompensieren. Ihre Form und ihr Inhalt sind im Gegensatz zu den Urteilen in persönlichem Stil gehalten und stellen eine Mischung zwischen Rechtsgutachten, doktrinalem Artikel und einer juristischen Entscheidung dar. Die Schlußanträge können zur Gänze in öffentlicher Sitzung gelesen werden, aber in jüngster Praxis werden sie beim Kanzler hinterlegt, und der Generalanwalt trägt nur die Endbestimmungen vor.

Der Generalanwalt muß auch vor den wichtigsten verfahrensrechtlichen Entscheidungen gehört werden. Jedes Jahr bestimmt der Gerichtshof auf Vorschlag der Generalanwälte einen **ersten Generalanwalt,** der ua die Rechtssachen zur Behandlung unter den Generalanwälten verteilt.

8. Die Plenarsitzung und die Kammern

„Der Gerichtshof tagt in Vollsitzungen. Er kann jedoch aus seiner Mitte Kammern mit je drei, fünf oder sieben Richtern bilden, die bestimmte vorbereitende Aufgaben erledigen oder bestimmte Gruppen von Rechtssachen entscheiden." (Art 165 Abs 2 EGV) Der EuGH hat vier Kammern zu je drei oder vier Richtern und zwei Kammern zu je sieben Richtern gebildet. Tatsächlich nehmen aber nur drei bzw fünf Richter an den Sitzungen und Beratungen teil. Auf diese Weise nimmt jeder Richter an einer kleinen und großen Kammer teil. Der Präsident des EuGH hingegen ist in keiner Kammer anwesend. Für jede Kammer wird einmal im Jahr vom Gerichtshof in abwechselnder Reihenfolge ein Richter als Präsident gewählt.

Aus den Bestimmungen des Art 165 EGV und des Art 95 Verfahrensordnung ergibt sich, daß jede Klage oder Vorabentscheidung einer **Kammer** des EuGH zugewiesen werden kann, sofern nicht die Schwierigkeiten, die Bedeutung der Rechtssache oder besondere Umstände eine Entscheidung des Gerichtshofes in **Vollsitzung** erfordern. Allerdings ist es den Mitgliedstaaten und EG-Organen immer möglich, zu verlangen, daß eine Sachen vom Plenum des EuGH entschieden wird.

Aus dem Umstand, daß Art 15 der EGV-Satzung das Präsenzquorum der Kammern bei drei Richtern, im Plenum bei neun Richtern festlegt, hat der Gerichtshof gefolgert, daß auch ein sogenanntes **kleines Plenum** gebildet werden kann. Diese Möglichkeit wird für Rechtssachen in Anspruch genommen, die man nicht an die Kammern verweisen kann oder will, die aber auch nicht die Anwesenheit von fünfzehn Richtern verlangen. Im kleinen Plenum tagen elf Richter, also um zwei mehr als das Präsenzquorum, um auch im Falle von Abwesenheit oder Krankheit die Abstimmung zu ermöglichen.

9. Die administrative Sitzung und die Beratung

In der sog „allgemeinen Sitzung („réunion générale"), an der Präsident, Richter, Generalanwälte und der Kanzler teilnehmen, werden in diesem Gremium nicht nur Entscheidungen über die **Verwaltung** des Gerichtshofs getroffen, sondern auch wichtige **Entschlüsse gerichtlicher Art** gefaßt. Insb beschließt die allgemeine Sitzung über die Beweisaufnahme, ob und welche Fragen an die Parteien einer Rechtssache zu richten sind, die Zuteilung der Streitfälle an die Kammern oder das Plenum, die Zulassung von Streitfällen, die offensichtliche Unzulässigkeit der Klage und die Streichung einer Rechtssache aus dem Register.

Im Gegensatz zur allgemeinen Sitzung nehmen an der **Beratung** nur der Präsident und die Richter bzw die Richter der jeweiligen Kammer teil. Die Beratungen, die auch unter dem Ausschluß von Dolmetschern stattfinden, sind **geheim**, und es wird **mit Mehrheit abgestimmt.** Der Gerichtshof kann nur in der Besetzung von einer ungeraden Zahl von Richtern entscheiden (Art 15 EGV-Satzung), der Präsident hat also keine entscheidende Stimme. Sind eine gerade Anzahl von Richtern in der Beratung anwesend, so enthält sich der im Rang jüngste Richter der Stimme, außer wenn er Berichterstatter ist (Art 26 Abs 1 Verfahrensordnung). Es können im Gegensatz zu anderen internationalen Gerichten **keine abweichenden Meinungen** (sog „dissenting opinions") abgegeben werden.

10. Der Kanzler und die Verwaltungsstruktur

Art 168 EGV sieht nur vor, daß der EuGH seinen Kanzler ernennt. Weitere Bestimmungen sind in Art 12 Verfahrensordnung enthalten. Demnach wird der **Kanzler** von den Mitgliedern des Gerichtshofs auf sechs Jahre bei zulässiger Wiederwahl ernannt. Seine Zuständigkeit erstreckt sich von der **Führung der Kanzlei,** dh ua der Registrierung der Rechtssachen und des Veranlassens der prozeßnotwendigen Akte im Auftrag des Präsidenten, bis zur allgemeinen Verwaltung des Gerichtshofs einschließlich der Finanzverwaltung und der Buchführung.

Der Gerichtshof umfaßt derzeit etwa 1000 Beamte und sonstige Angestellte. Neben den generellen Verwaltungseinheiten verfügt der EuGH über einen **eigenen Sprachendienst,** in dessen Rahmen qualifizierte Juristen die Prozeßakte zum internen Gebrauch und die Rechtsprechung des Gerichtshofs in alle EG-Sprachen übersetzen. Für die **Veröffentlichungen** des Gerichtshofs ist der Kanzler zuständig (Art 18 Verfahrensordnung). Dazu gehört die Sammlung der Rechtsprechung des Gerichtshofs und des Gerichts erster Instanz, die in allen elf EG-Arbeitssprachen erscheint.

C. Die Zuständigkeit

1. Das Vorabentscheidungsverfahren

a) Allgemeines

Der Gerichtshof hat das EG-Recht nicht alleine anzuwenden, sondern teilt diese Aufgabe mit dem jeweiligen nationalen Richter. Aus diesem Grund ist in den Verträgen ein sog Vorabentscheidungsverfahren (Art 177 EGV, Art 41 EGKSV) vorgesehen, das dem nationalen Richter die Möglichkeit gibt, einerseits Fragen zur Auslegung des EG-Rechts zu stellen, um die **einheitliche Anwendung des Gemeinschaftsrechts** zu sichern, und andererseits auch Fragen zur Gültigkeit des Handelns von EG-Organen erlaubt, was die Achtung der **Legalität in der Rechtsordnung** der EG absichern soll.

Beim Vorabentscheidungsverfahren handelt es sich – auch wenn es solche oder ähnliche Verfahren in manchen innerstaatlichen Prozeßordnungen gibt – um einen besonderen Modus der **Zusammenarbeit zwischen europäischen und nationalen Gerichten,** der zur Aufnahme des Europarechts in den innerstaatlichen Prozeßablauf dient. Die Anzahl und die Wichtigkeit der Urteile, die im Rahmen des Art 177 EGV gefällt wurden, zeigen den Erfolg dieses Verfahrens (s auch unten Anhang 1 und 2). Erklärbar ist dies dadurch, daß beide Seiten (nationaler Richter und EuGH) – wenn auch aus unterschiedlichen Gründen – an der Zusammenarbeit interessiert sind. Ersterer muß einen konkreten Streitfall lösen, während der EuGH nicht zur tatsächlichen Rechtssache Stellung nimmt, sondern die Gelegenheit nützt, um den Inhalt des Gemeinschaftsrechts klarzustellen.

Art 177 EGV gibt keine Legitimation zur Klage, sondern schafft ein Verfahren von Richter zu Richter, in dem die Parteien der Hauptsache nur eine geringe Rolle spielen.[20]) Sie selbst können keine Fragen an den Gerichtshof richten, sondern ggf schriftliche Erklärungen wie die Mitgliedstaaten, die Kommission und der Rat (Art 20 der EGV-Satzung) abgeben. Die Kommission, die in allen Vorabentscheidungsverfahren Schriftsätze einreicht, nimmt dabei die Rolle eines „amicus curiae“ ein.

b) Der Begriff des innerstaatlichen Gerichts iSv Art 177 EGV

Im Zuge seiner Rechtsprechung hat der EuGH einen gemeinschaftsrechtlichen Begriff des **innerstaatlichen Gerichts** iSv Art 177 EGV herausgebildet. Die grundlegenden Charakteristika, die zur Beurteilung herangezogen werden, ohne daß sie kumulativ vorliegen müssen, hat der EuGH im Urteil vom 30. Juni 1966 „Vaassen-Göbbels“[21]) festgelegt. Dazu gehört, daß es sich um aufgrund von Gesetzen eingerichtete, dauernde, obligatorisch zuständige Rechtsprechungsorgane, die nach zwingenden Verfahrensvorschriften entscheiden und mit einer streitigen Verfahrensordnung versehen sind, handelt. Diese Organe müssen nach innerstaatlichem Recht nicht notwendigerweise als Rechtsprechungsorgane bezeichnet werden. Im folgenden hat der EuGH die Vorabentscheidungsfragen folgender Stellen für zulässig erklärt: Der Raad van State der Niederlande, der zur Anfechtung von Verwaltungsakten Stellung nimmt, aber keine bindenden Rechtsmeinungen abgibt, während die Entscheidung von der Krone getroffen wird, ist zur Vorlage einer Rechtssache befugt.[22]) Weiters hat der Gerichtshof sogar auf Fragen des Organs einer

---

[20]) EuGH 9. 12. 1965 Rs 44/65 – Hessische Knappschaft – Slg 1965, 1268; EuGH 15. 6. 1972 Rs 5/72 – Fratelli Grassi – Slg 1972, 443; EuGH 19. 1. 1994 Rs C 364/92 – SAT Fluggesellschaft-Slg 1992, I-43.

[21]) EuGH 30. 6. 1966 Rs 61/65 – Vaassen-Göbbels – Slg 1966, 584.

[22]) EuGH 27. 11. 1973 Rs 36/73 – Nederlandse Spoorwegen – Slg 1973, 1299.

Berufsvertretung mit der Begründung geantwortet, daß diese Organisation unter Mitwirkung der zuständigen Behörde Rechtsbehelfe vorsieht, die die Wahrnehmung der gemeinschaftsrechtlichen Befugnisse beinflussen können.[23]) In einem jüngsten Urteil hat der EuGH hingegen einschränkend entschieden, daß Organe, die zwar im nationalen Recht als Gericht bezeichnet wurden, aber nicht die Qualität der Unabhängigkeit aufweisen, nicht befugt sind Vorabentscheidungen iSv Art 177 EGV zu beantragen.[24])

Im Gegensatz dazu hat das richterliche Organ in Luxemburg entschieden, daß es sich bei einem **Schiedsgericht,** das aufgrund einer Schiedsklausel zwischen den Parteien frei vereinbart wurde, nicht um ein vorlageberechtigtes Gericht iSd Art 177 EGV handelt.[25]) Dagegen bleibt ein Gericht, das gegen einen Schiedsspruch angerufen wurde, ein Gericht iSv Art 177 EGV.[26])

In der Literatur öfter diskutiert wurde auch die Frage, ob die verschiedenen **nationalen Verfassungsgerichte** bzw Organe zum Schutz der Verfassung (wie der französische Conseil constitutionnel) berechtigt wären, Fragen an den Gerichtshof zu richten. Tatsächlich konnte der EuGH dazu keine Aussagen treffen, da bisher noch kein einziges europäisches Verfassungsgericht mit Fragen an ihn herangetreten ist. Dennoch besteht uE kein Zweifel darüber, daß es auch diesen Gerichten erlaubt bzw vorgeschrieben ist, den Gerichtshof anzurufen.

Werden innerstaatliche Gerichte im Rahmen einer **einstweiligen Verfügung** tätig, so wurde vorgebracht, daß die in einem solchen Verfahren gebotene Eile keine Befassung des EuGH erlaube. Der Gerichtshof hat aber immer wieder Fragen dieser Gerichte beantwortet[27]) – sogar dann, wenn diese in einem nicht-streitigen Verfahren aufgekommen sind[28]). In der jüngsten Rechtsprechung sind einige Präzisierungen zu diesem Problemkreis erfolgt. Zum ersten kann sich nur dann ein nationaler Richter, der eine einstweilige Verfügung zugelassen hat, des Art 177 EGV bedienen, wenn er selbst die Antwort des Gerichtshofs zur Lösung des Rechtsstreits verwenden kann[29]). Zweitens hat der Gerichtshof im Urteil „Factortame“[30]) entschieden, daß der nationale Richter bis zur Beantwortung seiner Auslegungsfragen durch den EuGH die Möglichkeit haben muß, die Anwendung einer interstaatlichen Norm auszusetzen, wenn deren Vereinbarkeit mit dem EG-Recht angefochten wird. Im dritten Fall[31]) wurde bestimmt, daß die Suspendierung der nationalen Ausführungsmaßnahmen bei Zweifel über die Gültigkeit der zugrundeliegenden EG-Norm nur dann erfolgen darf, wenn auch gleichzeitig der EuGH mit der Überprüfung des EG-Rechtsaktes gem Art 177 EGV befaßt wird.

---

[23]) EuGH 6. 10. 1981 Rs 246/80 – Broekmeulen – Slg 1981, 2311.

[24]) EuGH 30. 3. 1993 Rs 24/92 – Corbiau – Slg 1993, I-1272.

[25]) EuGH 23. 3. 1982 Rs 102/81 – Nordsee – Slg 1982, 1095.

[26]) EuGH 27. 4. 1994 Rs C-393/92 – Gemeente Almelo – Slg 1994, I-1477.

[27]) EuGH 12. 11. 1969 Rs 29/69 – Stauder – Slg 1969, 419; EuGH 24. 5. 1977 Rs 107/76 – Hoffmann-La Roche – Slg 1976, 957.

[28]) EuGH 28. 6. 1978 Rs 70/77 – Simmenthal – Slg 1977, 1453.

[29]) EuGH 21. 4. 1988 Rs 338/85 – Pardini – Slg 1988, 2041.

[30]) EuGH 19. 6. 1990 Rs C-213/89, Slg 1990, I-2433.

[31]) EuGH 21. 2. 1991 verb Rs C-143/88 und C-92/89 – Zuckerfabrik Süderdithmarschen – Slg 1991, I-415.

Bezüglich der **geographischen Lage der nationalen Gerichte,** die sich des Vorabentscheidungsverfahrens bedienen können, hat der EuGH eine funktionelle Betrachtungsweise in Hinblick auf die Notwendigkeit der einheitlichen Anwendung der europäischen Gesetzgebung gewählt. So hat er sich einerseits im Fall eines Gerichts eines überseeischen Landes (Französisch-Polynesien), das integraler Bestandteil des Territoriums eines Mitgliedstaates ist, für zuständig erklärt.[32]) Die gleiche Lösung wurde für die Frage eines Gerichts der Isle of Man gewählt, die verfassungsrechtlich nicht Teil der Gerichtsbarkeit des Vereinigten Königreiches ist, aber dennoch aufgrund des Protokolls Nr 3 der Beitrittsakte 1972 einige EG-Bestimmungen anzuwenden hat.[33])

c) Die Notwendigkeit einer Entscheidung

Wird eine Auslegungs- oder Gültigkeitsfrage des EG-Rechts einem Gericht eines Mitgliedstaats gestellt und hält dieses „eine Entscheidung darüber **zum Erlaß seines Urteils für erforderlich,** so kann es diese Frage dem Gerichtshof zur Entscheidung vorlegen“. Ausgehend von diesem Text des Art 177 EGV hat der Gerichtshof die Konsequenz gezogen, daß es grundsätzlich dem nationalen Richter zu entscheiden obliegt, ob die Beantwortung der EG-rechtlichen Frage für die Lösung des Streitfalls erheblich und notwendig ist. Eine Ausnahme zu dieser Regel liegt jedoch dann vor, wenn die europarechtliche Problematik in keinem Zusammenhang mit der Realität oder dem Gegenstand des Hauptstreitfalls steht.[34]) In der neuesten Rechtsprechung hat der EuGH diese Ausnahme zur Einschränkung von Vorabentscheidungsverfahren angewandt und insbesondere festgestellt, daß dieses nicht zur Beantwortung genereller oder hypothetischer Probleme des Europarechts dient.[35])

Als Einzelfall zu betrachten sind aber die Entscheidungen in den Fällen „Foglia gg Novello“[36]), in denen der Gerichtshof den fiktiven Charakter des Rechtsstreites vor dem innerstaatlichen Gericht als ausschlaggebend für seine Unzuständigkeit betrachtet hat. Tatsächlich hat der EuGH wiederholt auf zahlreiche Fragen geantwortet, die höchstwahrscheinlich im Rahmen von derartigen Streitigkeiten gestellt wurden.

Auch wenn eine innerstaatliche Norm ein erstinstanzliches Gericht verpflichtet, nach einer Berufung an ein höherinstanzliches Gericht dessen Spruch zu folgen, steht es dem erstinstanzlichen Gericht frei, eine Vorabentscheidung zu verlangen.[37]) Schließlich muß festgehalten werden, daß der na-

---

[32]) EuGH 12. 12. 1990 verb Rs C-100 und 101/89 – Kaefer – Slg 1990, I-4647, u EuGH 12. 2. 1992 Rs C-260/90 – Leplat – Slg 1992, I-643.

[33]) EuGH 3. 7. 1991 Rs C-355/89 – Barr – Slg 1991, I-3479.

[34]) EuGH 16. 6. 1981 Rs 126/80 – Salonia – Slg 1981, 1563 und Beschluß v 26. 1. 1990 Rs C-286/88 – Falciola – Slg 1990, I-191, EuGH 3. 3. 1994 verb Rs C-372 und C-393 und C 335/92 Eurico Italia, Slg 1994 – I-711.

[35]) EuGH 16. 7. 1992, Rs C-343/90 Lourenço Dias – Slg 1992, I-4673, EuGH 16. 2. 1992 Rs C-67/91 – Asociación Española de Banca Privada – Slg 1992, I-4785, EuGH 16. 7. 1992 Rs C-83/91 – Meilicke – Slg 1992, I-4871.

[36]) EuGH 11. 3. 1980 Rs 104/79, Slg 1980, 745, und EuGH 16. 12. 1981 Rs 244/80, Slg 1981, 3045.

[37]) EuGH 16. 1. 1974 Rs 166/73 – Rheinmühlen – Slg 1974, 33.

tionale Richter das Vorabentscheidungsverfahren von Amts wegen einleiten kann;[38]) es hängt auch von ihm ab, zu welchem Zeitpunkt des innerstaatlichen Verfahrens die Fragen an den EuGH gerichtet werden.[39])

d) Berechtigung und Verpflichtung zur Vorlage

In Art 177 EGV wird eine Unterscheidung zwischen letztinstanzlichen Gerichten, die **zur Vorlage verpflichtet** sind, und anderen Gerichten, die dazu berechtigt sind, getroffen. Unter letztinstanzlichen Gerichten werden in diesem Zusammenhang nicht nur die obersten Gerichte verstanden, sondern jedes Rechtsprechungsorgan, dessen Entscheidung im Einzelfall nicht mit einem Rechtsmittel angefochten werden kann.[40]) Von der Verpflichtung zur Einleitung eines Verfahrens gem Art 177 EGV wird aber abgesehen, wenn der Gerichtshof ähnliche Probleme schon in einer anderen Rechtssache behandelt hat. Dies hindert das Gericht nicht daran, trotzdem eine Frage an den EuGH zu richten.[41])

Bleibt unter Berücksichtigung der Eigenheiten des Gemeinschaftsrechts und der besonderen Schwierigkeiten seiner Auslegung keinerlei Zweifel an der Entscheidung der gestellten Frage, so ist das letztinstanzliche Gericht von seiner Vorlageverpflichtung ebenfalls befreit.[42])

Im Gegensatz zum wörtlichen Text des Art 177 EGV, aber in Analogie zu Art 4 EGKSV, hat der EuGH die Verpflichtung zur Vorlage einer Gültigkeitsfrage auf alle Gerichte ausgeweitet, sollten diese die Handlung eines Gemeinschaftsorgans für rechtswidrig halten.[43])

An die in Art 177 EGV vorgesehene Verpflichtung ist zwar keine Sanktion geknüpft, dennoch könnte die Kommission ein Vertragsverletzungsverfahren gegen den betreffenden Mitgliedstaat gem Art 169 EGV einleiten.

e) Gegenstand des Vorabentscheidungsverfahrens

1) Fragen der Auslegung

Gem Art 177 Abs 1 EGV entscheidet der Gerichtshof im Wege der Vorabentscheidung über die Auslegung des Vertrages (lit a), der Handlungen der Organe oder der Europäischen Zentralbank und des Europäischen Währungsinstituts (lit b) sowie der Satzungen der durch den Rat geschaffenen Einrichtungen, soweit diese Satzungen dies vorsehen (lit c). Aus dem Titel des lit c sind dem Gerichtshof bisher allerdings noch keine Kompetenzen übertragen worden.

---

[38]) EuGH 6. 10. 1982 Rs 283/81 – CILFIT – Slg 1982, 3415; EuGH 11. 7. 1991 verb Rs C-87, 88 und 89/90 – Verholen – Slg 1991, I-3757.

[39]) EuGH 10. 3. 1981 verb Rs 36 und 71/80 – Irish Creamery – Slg 1981, 735; EuGH 11. 6. 1987 Rs 14/86 – Pretore di Salò – Slg 1987, 2545; EuGH 27. 6. 1991, Rs C-348/89 – Mecanarte – Slg 1991, I-3277.

[40]) EuGH 15. 7. 1964 Rs 6/64 – Costa gg ENEL – Slg 1964, 1253.

[41]) EuGH 27. 3. 1963 Rs 28–30/62 – Da Costa – Slg 1963, 60; (erweitert durch EuGH 6. 10. 1982 (FN 38).

[42]) EuGH 6. 10. 1982 – CILFIT – (FN 38).

[43]) EuGH 22. 10. 1987 Rs 314/85 – Foto-Frost – Slg 1987, 4199.

Unter **„Vertrag"** iSv Art 177 Abs 1 lit a EGV werden nicht nur die Römer Verträge und der Pariser Vertrag im engeren Sinn verstanden, sondern auch **alle Bestimmungen des Primärrechts,** die den gleichen Rang im Normengefüge der Gemeinschaft einnehmen: zB Anhänge und Protokolle zu den Gründungsverträgen, Verträge zur Änderung oder Ergänzung der Verträge und Beitrittsverträge. Allerdings hat sich der Gerichtshof nicht für zuständig erklärt, Normen des internationalen Rechts zu interpretieren, die die Mitgliedstaaten außerhalb des Rahmens der Gemeinschaft binden.[44]) Die Tatsache allein, daß diese Rechtsakte in Zusammenhang mit der Gemeinschaft stehen und für das gute Funktionieren der Institutionen notwendig sind, ist noch nicht ausreichend, um die Zuständigkeit des Gerichtshofs zu rechtfertigen.[45])

Um die Kategorie der **„Handlungen der Organe"** (lit b) näher zu definieren, werden in erster Linie die Akte des Rates und der Kommission iSv Art 189 EGV einschließlich nicht verbindlicher Rechtsakte (zB Empfehlungen) herangezogen.[46]) Dazu kommen auch die Handlungen „sui generis" (zB Entschließungen des Rates).[47]) **Internationale Abkommen,** die durch Handlungen der Gemeinschftsorgane abgeschlossen werden,[48]) und solche, die zwar von den Mitgliedstaaten vereinbart wurden, aber die Gemeinschaft binden (zB das GATT), stellen einen weiteren Kompetenztatbestand für den EuGH dar.[49]) Dasselbe gilt für die Entscheidungen und unverbindlichen Handlungen des gemischten Organs, das durch einen Assoziierungsvertrag zwischen der EG und einem Drittland eingerichtet wurde.[50]) Im Gegensatz zu den Handlungen des Rats und der Kommission, hat der EuGH bisher noch nie einen Akt des Europäischen Parlaments direkt ausgelegt, wohl aber in mehreren Vorabentscheidungen auf die Geschäftsordnung des Parlaments hingewiesen.[51]) Die in der Literatur vieldiskutierte Frage, ob die Urteile des Gerichtshofs selbst Gegenstand einer Vorabentscheidung sein können, hat in der Praxis wenig Bedeutung, da jedes Gericht dem EuGH eine neue Frage gem Art 177 EGV stellen kann, insb wenn Auslegungsschwierigkeiten bei einem Urteil auftreten.

Durch die Entscheidungen „Dzodzi"[52]) und „Gmurzynska"[53]) hat der EuGH explizit seine Zuständigkeit auf jene Fälle erweitert, in denen zwar das EG-Recht nicht direkt anwendbar ist, aber das jeweilige nationale Recht auf die Gemeinschaftsbestimmungen verweist. Dies gilt auch für den Fall, daß in einem Vertrag auf das EG-Recht verwiesen wird.[54])

---

[44]) EuGH 27. 11. 1973 Rs 130/73 – Vanderweghe – Slg 1973, 1329.

[45]) EuGH 15. 1. 1986 Rs 44/84 – Hurd – Slg 1986, 29.

[46]) EuGH 15. 6. 1976 Rs 113/75 – Frecassetti – Slg 1976, 983; EuGH 13. 12. 1989 Rs C-322/88 – Grimaldi – Slg 1989, 4407.

[47]) EuGH 24. 10. 1973 Rs 9/73 – Schlüter – Slg 1973, 1135; EuGH 3. 2. 1973 Rs 59/75 – Manghera – Slg 1973, 91.

[48]) EuGH 30. 4. 1974 Rs 181/73 – Haegemann – Slg 1974, 449.

[49]) EuGH 12. 12. 1972 Rs 21/72 – International Fruit – Slg 1972, 1219.

[50]) EuGH 20. 9. 1990 Rs C-192/89 – Sevince – Slg 1990 I- 3461, EuGH 21. 1. 1993 Rs C-188/91 – Deutsche Shell – Slg 1993, I-363.

[51]) ZB EuGH 22. 3. 1990 Rs C-201/89 – Le Pen – Slg 1990, I-1183.

[52]) EuGH 18. 10. 1990 verb Rs C-297/88 und C-197/89, Slg 1990, I-3763.

[53]) EuGH 8. 11. 1990 Rs C-231/89, Slg 1990, I-4003.

[54]) EuGH 25. 6. 1992 Rs C-88/91 – Federconsorzi – Slg 1992, I-4035.

Zuletzt hat sich der Gerichtshof in Auslegungsfragen von EGKS-Akten für zuständig erklärt, obwohl in Art 41 EGKS nur die Kompetenz in Fragen der Rechtsgültigkeit vorgesehen ist.[55])

2) Fragen der Gültigkeit

Durch die Möglichkeit einer Vorabentscheidung über die Gültigkeit eines EG-Rechtsaktes werden teilweise die strengen Zulässigkeitsvoraussetzungen der individuellen Nichtigkeitsklage gem Art 173 EGV gemildert (s unten C.2.b). Gegenstand der **Gültigkeitsfragen** können nur die Handlungen der Organe bzw der EZB, in keiner Weise aber die Verträge sein. Aus der Tatsache, daß die Gültigkeitsfrage in engem Zusammenhang mit der Nichtigkeitsklage gem Art 173 EGV zu sehen ist, wird angenommen, daß die zu beurteilenden Handlungen der Organe der Gemeinschaft einen engeren Kreis umfassen als bei den Auslegungsfragen. Fraglich ist nämlich, ob die nicht rechtsverbindlichen Akte der Organe Gegenstand eines Gültigkeitsverfahrens sein können. Im Gegensatz dazu lassen die Worte des Gutachtens des EuGH 1/75[56]) vermuten, daß die Gültigkeit internationaler Abkommen im Rahmen von Art 177 EGV überprüft werden kann, ohne daß dieser Grundsatz bisher praktische Anwendung gefunden hat. Es ist jedoch ausgeschlossen, daß die Urteile des Gerichtshofs selbst in ihrer Gültigkeit mittels eines Vorabentscheidungsverfahrens angefochten werden können.[57])

Die unterschiedliche Textierung der Art 177 EGV (Gültigkeit) und 173 EGV (Rechtmäßigkeit) hat Anlaß zu Unterscheidungsversuchen gegeben. Heute kann aber als gesichert angenommen werden, daß unter Gültigkeit sowohl die formelle als auch die materielle Rechtmäßigkeit einer Handlung zu verstehen ist.[58]) Tatsächlich überprüft der Gerichtshof im Rahmen der Gültigkeit von Art 177 EGV die gleichen Mängel wie bei einer Nichtigkeitsklage gem Art 173 EGV.

f) Die Vorlageentscheidung

Art 177 EGV sieht **ohne besondere Formvorschriften** vor, daß ein nationales Gericht die Auslegungs- oder Gültigkeitsfragen vorlegen kann. Für die Form und Art dieser Entscheidung gelten die innerstaatlichen Prozeßvorschriften. Die Frage muß zusammen mit den vollständigen Prozeßakten unmittelbar an die Kanzlei des Gerichtshofs gerichtet werden. In der Fragestellung muß der rechtliche und faktische Kontext enthalten sein, aus dem sich die Problematik des Gemeinschaftsrechts erkennen läßt; dies gilt insbesondere für Wettbewerbssachen.[59])

---

[55]) EuGH 22. 2. 1990 Rs C-221/88 – Busseni – Slg 1990, I- 495.

[56]) EuGH Gutachten 1/75 v 11. 11. 1975, Slg 1975, 1355.

[57]) EuGH Beschluß v 5. 3. 1986 Rs 69/85 – Wünsche – Slg 1986, 947.

[58]) Vgl EuGH 18. 2. 1964 verb Rs 73 und 74/63 – Rotterdam – Slg 1964, 3.

[59]) EuGH 26. 1. 1993 verb Rs C-320/322/90 – Telemarsicabruzzo – Slg 1993, I-393 und Beschlüsse v 19. 3. 1993 Rs C-157/92 – Barchero – Slg 1993, I-1085 und 26. 4. 1993 Rs C-386/92 – Monin Automobiles – Slg 1993, I-2049; siehe jedoch EuGH 3. 3. 1994 Rs C-216/93 – Vaneetveld – Slg 1994, I-763.

Auch die Formulierung der Frage oder genaue Angaben der auszulegenden EG-Normen sind nicht von entscheidender Bedeutung, denn der EuGH arbeitet jene Kriterien des Gemeinschaftsrechts heraus, die erforderlich sind, damit das vorlegende Gericht das rechtliche Problem, mit dem es befaßt ist, im Einklang mit dem Gemeinschaftsrecht lösen kann.[60]) Da der EuGH nicht für die Auslegung innerstaatlichen Rechts zuständig ist, formuliert er die Fragen, die auf dessen Übereinstimmung mit dem EG-Recht gerichtet sind, regelmäßig in Interpretationsfragen des Gemeinschaftsrechts um. Dem Sinn des Vorabentscheidungsverfahrens entsprechend und um dem nationalen Richter alle notwendigen Elemente zur Lösung seines Streitfalles zu geben, antwortet der Gerichtshof auch auf Fragen, die gar nicht gestellt wurden. Dazu gehört ua, daß die Rechtmäßigkeit der Handlung eines EG-Organs geprüft wird, obwohl eigentlich die Frage auf die Auslegung dieses Aktes gerichtet war.[61]) Nur wenn aus den Akten hervorgeht, daß es der nationale Richter – wenn auch nur stillschweigend – abgelehnt hat, eine bestimmte Frage zu stellen, steht es auch dem EuGH nicht zu, diese zu behandeln, da die Beurteilung der Erheblichkeit ausschließlich beim innerstaatlichen Gericht liegt.[62])

Obwohl die Möglichkeit, ein **Rechtsmittel gegen eine Vorlageentscheidung** zu ergreifen, mit dem Ziel des Art 177 EGV unvereinbar scheint, hat der EuGH Rücksicht auf die Wirkungen einer innerstaatlichen Anfechtung genommen. Hat diese aufschiebende Wirkung, so faßt auch der Gerichtshof einen Suspendierungsbeschluß, während bei Aufhebung der Vorlageentscheidung durch das zweitinstanzliche Gericht die Sache aus dem Register des EuGH gestrichen wird. Dies geschieht auch, wenn der nationale Richter seine Vorabentscheidungsfragen bis zur Urteilsverkündung zurückzieht.[63])

g) Die Rechtswirkungen einer Vorabentscheidung

1) Auslegungsurteile

Die Entscheidung des Gerichtshofs bindet alle nationalen Gerichte, die am Ausgangsverfahren beteiligt sind oder es durch ein Rechtsmittel in Zukunft werden.[64]) Trotz der Präjudizwirkung bleibt es dem Gericht unbenommen, weitere Fragen zu stellen, entweder weil die Antwort des EuGH keine hinreichende Klarheit geschaffen hat oder weil es die Prozeßumstände erfordern.[65]) Der Zweck des Verfahrens gem Art 177 EGV, nämlich die einheitliche Anwendung des EG-Rechts zu sichern, läßt die Annahme zu, daß auch alle anderen Gerichte nicht von einem Auslegungsurteil des EuGH abweichen dürfen. Daneben steht es ihnen natürlich frei, den Gerichtshof zu befassen; denn es ist zwar sehr unwahrscheinlich, aber dennoch möglich, daß es zu einer anderen Entscheidung kommt, da der Gerichtshof nicht an seine eigenen Urteile gebunden ist.[66])

---

[60]) EuGH 18. 1. 1979 verb Rs 110 und 111/78 – Van Wesemael – Slg 1979, 35.
[61]) EuGH 15. 10. 1980 Rs 145/79 – Roquette – Slg 1980, 2917.
[62]) EuGH 5. 10. 1988 Rs 247/86 – Alcatel – Slg 1988, 5987.
[63]) EuGH 9. 3. 1978 Rs 106/77 – Simmenthal II – Slg 1978, 629.
[64]) EuGH 24. 6. 1969 Rs 29/68 – Milch-, Fett- und Eierkontor – Slg 1969, 5165.
[65]) Siehe zuletzt EuGH 3. 3. 1994 Eurico (FN 34).
[66]) ZB EuGH 17. 10. 1990 Rs C-10/89 – Hag II – Slg 1990, I-3711.

Durch die Auslegung, die der Gerichtshof in Ausübung seiner Befugnisse gem Art 177 EGV vornimmt, wird die gemeinschaftsrechtliche Norm erläutert und klargestellt, so wie sie seit ihrer Entstehung hätte angewendet werden müssen – also ex tunc.[67]) Nur ausnahmsweise kann sich der EuGH aufgrund des allgemeinen Rechtsgrundsatzes der Rechtssicherheit veranlaßt sehen, in Hinblick auf die erheblichen Schwierigkeiten, die sein Urteil bei in gutem Glauben begründeten Rechtsverhältnissen für die Vergangenheit hervorrufen könnte, die **zeitliche Wirkung** des Urteils einzuschränken. Eine solche Einschränkung kann aber nur vom Gerichtshof selbst und im Urteil, das über die Interpretation entscheidet, erfolgen.[68]) Von dieser Möglichkeit hat er nur in wenigen Fällen Gebrauch gemacht, bei denen immer die Parteien des anhängigen Rechtsstreits und solche, die Verfahren vor den nationalen Gerichten eingebracht haben, ausgenommen wurden.

2) Gültigkeitsurteile

Erklärt der Gerichtshof einen Rechtsakt der Gemeinschaft im Laufe eines Vorabentscheidungsverfahrens für ungültig, so darf der Richter der Hauptsache diese Norm nicht zur Lösung des Rechtsstreites anwenden. Obwohl nur dieser unmittelbarer Adressat der Entscheidung ist, kommt der Feststellung des EuGH eine solche Bedeutung zu, daß jedes andere Gericht bei dem von ihm zu erlassenden Entscheidungen ebenfalls diesen Akt als ungültig anzusehen hat.[69]) Als Konsequenz eines Ungültigkeitsurteiles des Gerichtshofs lebt aber die vorher bestehende Rechtsnorm nicht wieder auf,[70]) sondern die Organe der Gemeinschaften haben in Analogie zu Art 176 EGV die sich aus dem Urteil des Gerichtshofs ergebenden Maßnahmen zu ergreifen.[71])

Wird eine Handlung der Organe nicht als ungültig angesehen, so bedeutet dies noch nicht, daß sie damit letztlich gültig ist, sondern nur, daß die Prüfung der dem Gerichtshof vorgelegten Frage nichts ergeben hat, was die Gültigkeit beeinträchtigen könnte. Diese vorsichtige Formulierung wird angewandt, da nicht alle möglichen Gesichtspunkte der Rechtswidrigkeit von Amts wegen geprüft werden. Einerseits bleibt es dem vorlegenden Gericht oder anderen Gerichten überlassen, die Ungültigkeitsfrage nochmals unter einer anderen Begründung vorzulegen, und andererseits kann der Gerichtshof im Rahmen eines anderen Verfahrens die schon einmal behandelte Norm für ungültig erachten.

In Analogie zu Art 174 Abs 2 EGV (Nichtigkeitsklage) wurde die **zeitliche Beschränkung** in Ungültigkeitsurteilen bejaht, ohne aber – und das scheint bedenklich – eine Ausnahme für die Parteien des Ausgangsverfahrens

---

[67]) EuGH 27. 3. 1980 Rs 61/79 – Denkavit italiana – Slg 1980, 1205.

[68]) EuGH 8. 4. 1976 Rs 43/75 – Defrenne II – Slg 1976, 455; EuGH 2. 2. 1988 Rs 24/86 – Blaizot – Slg 1988, 379.

[69]) EuGH 15. 3. 1981 Rs 66/80 – International Chemical Corporation – Slg 1981, 1191.

[70]) EuGH 4. 10. 1979 Rs 238/78 – Ireks Arkady – Slg 1979, 2955.

[71]) EuGH 19. 10. 1979 verb Rs 117/76 und 16/77 – Ruckdeschel – Slg 1979, 1753; EuGH 29. 6. 1988 Rs 300/86 – Van Landschoot – Slg 1988, 3443.

oder einer anhängigen Klage vorzusehen.[72]) Diesem Umstand wurde aber in späteren Fällen Rechnung getragen und die frühere Rechtsprechung dadurch korrigiert.[73])

h) Andere Vorabentscheidungsverfahren

Nach dem Vorbild des Vorabentscheidungsverfahrens gem Art 177 EGV wurden ähnliche Verfahren in verschiedenen Abkommen zwischen den Mitgliedstaaten vorgesehen. Von diesen ist aber erst das Protokoll vom 3. Juni 1971 betreffend die Auslegung des Übereinkommens vom 27. September 1968 über die gerichtliche Zuständigkeit und die Vollstreckung gerichtlicher Entscheidungen in Zivil- und Handelssachen (**„Gerichtsstands- und Vollstreckungsübereinkommen"** – GVÜ) durch den Gerichtshof in Kraft getreten.[74]) Die größten Unterschiede zum Verfahren gem Art 177 EGV liegen darin, daß idR nur die Gerichte, die als Rechtsmittelinstanz entscheiden, Fragen an den Gerichtshof richten können (Art 2 GVÜProt), während die obersten Gerichte dies tun müssen (Art 3 Abs 1 GVÜProt). Daneben sind aber sogar Generalanwälte bei Höchstgerichten oder andere zuständige Stellen ermächtigt, eine Entscheidung vom EuGH zu verlangen, wenn ihre eigenen Gerichte in der Auslegung des Abkommens jenem eines anderen Mitgliedstaates oder dem EuGH widersprechen (Art 4 Abs 1 GVÜProt). Die vom Gerichtshof auf einen derartigen Antrag gegebene Auslegung hat keine Wirkung auf die Entscheidungen, die Anlaß für den Antrag auf Auslegung bildeten (Art 4 Abs 2 GVÜProt).

Am 16. September 1988 wurde das **Lugano-Übereinkommen** abgeschlossen, das 1992 in Kraft getreten ist, in dem die meisten materiellrechtlichen Vorschriften des GVÜ auf Fälle mit Streitparteien aus EG und EFTA-Staaten erstreckt werden. Darin ist kein Vorabentscheidungsverfahren vorgesehen, sondern ein System für den Austausch von Informationen über die in Anwendung des Lugano-Übereinkommens ergangenen maßgeblichen Entscheidungen. Anläßlich der Unterzeichnung des Übereinkommens haben die EFTA-Staaten erklärt, daß ihre Gerichte die Entscheidungen des EuGH über das GVÜ beachten werden. Zugleich halten es die EG-Mitgliedstaaten für angebracht, daß der EuGH die Rechtsprechung zum Lugano-Übereinkommen bei der Auslegung des GVÜ beachtet.

Ein dem GVÜProt analoges Vorabentscheidungsverfahren ist in den beiden Protokollen betreffend die Auslegung des am 19. Juni 1980 in Rom zur Unterzeichnung aufgelegten **Übereinkommens über das auf vertragliche Schuldverhältnisse anzuwendende Recht**[75]) vorgesehen, deren Inkrafttreten in naher Zukunft möglich ist.

Der Gerichtshof hat weiters entschieden, daß das **Prinzip der loyalen Zusammenarbeit** zwischen der Gemeinschaft und den Behörden der Mit-

---

[72]) EuGH 15. 10. 1980 Rs 145/79 – Roquette – Slg 1980, 2971; EuGH 27. 2. 1985 Rs 112/83 – Produits de Maïs – Slg 1985, 719.

[73]) EuGH 15. 1. 1986 Rs 41/84 – Pinna – Slg 1986, 1; EuGH 26. 4. 1994 Rs C-228/12 – Roquette – Slg 1994, I-1445.

[74]) GVÜProt, ABl L 1971/204, 28 idF ABl C 1983/97 v 11. 4. 1983.

[75]) ABl L 1989/48 v 20. 2. 1989, 1 und 17.

gliedstaaten verlangt, daß der nationale Richter den EuGH in einem dem Vorabentscheidungsverfahren ähnlichen Ablauf Fragen über die Auslegung des **Protokolls über die Vorrechte und Befreiungen** stellen kann. Damit soll das unabhängige Funktionieren der EG-Organe sichergestellt werden.[76])

Abschließend wird darauf hingewiesen, daß gem Art 107 und Protokoll 34 des Vertrages über den Europäischen Wirtschaftsraum[77]) die Vertragsparteien des EWR ihre Gerichte zur Stellung von Vorabentscheidungsfragen an den EuGH ermächtigen können. In diesem Fall ist die Auslegung von EWR-Regeln, die dem EG-Recht entsprechen, durch den EuGH bindend.[78])

2. Die direkten Klagen

a) Vertragsverletzungsklagen

1) Gegenstand des Vertragsverletzungsverfahrens gem Art 169 bis 171 EGV

Ein erstes Beispiel für eine direkte Klage, in der sich die Parteien ohne Vermittlung an den EuGH wenden, bildet die Vertragsverletzungsklage, die es dem EuGH erlaubt, das **Verhalten der Mitgliedstaaten festzustellen** (Art 169 und 170 EGV) **und zu sanktionieren** (Art 171 EGV). Obwohl der Gerichtshof das Auslegungsverfahren gem Art 177 EGV indirekt zur Prüfung der Vereinbarkeit des nationalen Rechts mit dem Gemeinschaftsrecht benützt, stellen die Vertragsverletzungsklagen ein spezielles Rechtsmittel zu diesem Zweck dar. Diese werden entweder von der Kommission in ihrer Aufgabe als Hüterin der Verträge (Art 169 und Art 171 EGV) oder von einem anderen Mitgliedstaat eingebracht (Art 170 EGV). In diesem System der Kontrolle der Vertragsparteien durch eine **obligatorisch zuständige, zwingende, sanktionierte und ausschließliche Gerichtsbarkeit** unter Beteiligung eines unabhängigen Organs (Kommission) zeigt sich im Vergleich zu den internationalen Organisationen einmal mehr der stark supranationale Charakter der EG.

Als mißachtete EG-Rechtsnormen gelten neben den Gründungsverträgen das von den Organen geschaffene sekundäre Recht, von der EG abgeschlossenen internationale Abkommen oder solche, die sie binden,[79]) und die allgemeinen Rechtsgrundsätze. Art 104c Abs 10 EGV schließt die Abs 1 bis 9, die das übermäßige öffentliche Defizit eines Mitgliedstaates betreffen, vom Vertragsverletzungsverfahren aus.

Eine **Vertragsverletzung** liegt dann vor, wenn der Mitgliedstaat eine Rechtsnorm schafft oder beibehält, die dem EG-Recht widerspricht, bzw dieses nicht, unvollständig oder zu spät durchführt. Die Verletzungshandlung kann in einem Tun oder Unterlassen, in genereller Rechtssetzung oder tatsächlicher Ausführung bestehen. Dabei ist das alleinige Aufrechterhalten der nationalen Rechtsnorm für die Verletzung ausreichend – gleichgültig ob sie angewandt wird oder nicht.[80])

---

[76]) EuGH Beschluß 13. 7. 1990 S-2/88 – Zwartveld – Slg 1990, I-3365.

[77]) ABl L 1994/1.

[78]) EuGH Gutachten 1/92 v 10. 4. 1992, Slg I-2821.

[79]) Vgl zB EuGH 29. 11. 1990 Rs C-182/89 – Kommission gg Frankreich – Slg 1990, I-4337.

[80]) EuGH 4. 4. 1974 Rs 167/73 – Kommission gg Frankreich – Slg 1974, 359.

In seiner ständigen Rechtsprechung hat der EuGH den Hinweis auf das Fehlverhalten eines anderen Mitgliedstaates oder der EG-Organe[81]) für irrelevant angesehen. Ebenso kann sich der Mitgliedstaat weder auf Vorschriften, Praktiken oder Zustände seiner internen Rechtsordnung, noch auf Schwierigkeiten bei der Durchführung einer gemeinschaftlichen Rechtsnorm berufen, um die Verletzung des EG-Rechts zu rechtfertigen.[82])

Für den Verursacher der Vertragsverletzung wird eine **globale Betrachtungsweise** gewählt, da nicht nur die zentrale Regierung, sondern auch verfassungsmäßig unabhängige Organe die Verantwortlichkeit eines Mitgliedstaates nach sich ziehen können. Daher hat der Gerichtshof auch die Einwände von Mitgliedstaaten, daß an der Verletzung von EG-Normen die Parlamente[83]), örtliche Behörden[84]) und sogar privatrechtliche, aber staatlich finanzierte Gesellschaften[85]) schuld seien, zurückgewiesen. Bis heute hat es zwar noch keinen einzigen Anwendungsfall einer Vertragsverletzung durch Gerichte eines Mitgliedstaates vor dem EuGH gegeben, dennoch könnten sie nach allgemeiner Auffassung den Gegenstand eines solchen Verfahrens bilden.

2) Ablauf des Vertragsverletzungsverfahrens gem Art 169 und 170 EGV

- **Die vorgerichtliche Phase**

  Sowohl Art 169 EGV für die Klagen der Kommission als auch Art 170 EGV für jene der anderen Mitgliedstaaten werden vor der Anrufung des EuGH durch eine **vorgerichtliche Phase** eingeleitet, um dem betroffenen Staat zunächst vom Standpunkt der Kommission in Kenntnis zu setzen, ihm die Möglichkeit der Stellungnahme und eventuell Gelegenheit zur Beseitigung der Verletzung einzuräumen.

  Nur in der vorgerichtlichen Phase unterscheiden sich die Verfahren der Art 169 und 170 EGV, während sie vor dem EuGH ähnlich ablaufen. Die Kommission ist auch dann beteiligt, wenn ein Mitgliedstaat gem Art 170 EGV einem anderen eine Vertragsverletzung vorwirft. In diesem Fall muß die Kommission befaßt werden, die nach einem kontradiktorischen Verfahren unter Beteiligung der beiden Mitgliedstaaten binnen drei Monaten eine mit Gründen versehene Stellungnahme abgibt. Seit dem Bestehen der EG wurde dieses Verfahren erst dreimal angewandt und hat nur zu einem Urteil geführt.[86]) In den meisten Fällen wird die Kommission auf informelle Weise von einem Mitgliedstaat auf die Vertragsverletzung hingewiesen und leitet dann ein Verfahren gem Art 169 EGV ein.

---

[81]) EuGH 13. 11. 1964 verb Rs 90 und 91/63 – Kommission gg Luxemburg und Belgien – Slg 1964, 1131; EuGH 26. 2. 1976 – Rs 52/75 Kommission gg Italien – Slg 1976, 277; EuGH 25. 9. 1979 – Rs 232/78 – Kommission gg Frankreich – Slg 1979, 2729.

[82]) StRsp, vgl nur EuGH 8. 2. 1973 Rs 30/72 – Kommission gg Italien – Slg 1973, 161; EuGH 7. 2. 1979 Rs 128/78 – Kommission gg Vereinigtes Königreich – Slg 1979, 419.

[83]) EuGH 5. 5. 1970 Rs 77/76 – Kommission gg Belgien – Slg 1970, 237.

[84]) EuGH 22. 9. 1988 Rs 45/87 – Kommission gg Irland – Slg 1988, 4929.

[85]) EuGH 24. 11. 1982 Rs 249/81 – Kommission gg Irland – Slg 1982, 4005.

[86]) EuGH 4. 10. 1979 Rs 141/78 – Frankreich gg Vereinigtes Königreich – Slg 1979, 2923.

Das häufig verwendete Vertragsverletzungsverfahren nach Art 169 EGV[87]) wird mit einem **Mahnbrief der Kommission** an den Mitgliedstaat, innerhalb einer bestimmten Frist zu den Vorwürfen Stellung zu nehmen, eingeleitet. Nach der Antwort des Mitgliedstaates oder nach Ablauf der Frist gibt die Kommission eine mit Gründen versehene **Stellungnahme** ab, in der sie unter neuerlicher angemessener Fristsetzung[88]) die Art der Verletzung und die notwendigen Maßnahmen zu ihrer Beseitigung anführt. Hält sich der Mitgliedstaat innerhalb dieser Frist an die vorgesehenen Maßnahmen, so ist das Verfahren beendet; eine eventuelle Klage vor dem EuGH wäre damit zurückzuweisen.
Alle Rechtsakte, die von der Kommission im Rahmen des Vorverfahrens an die Mitgliedstaaten gerichtet werden, entfalten ihre Rechtswirkungen hinsichtlich der Klagserhebung vor dem EuGH. Die Bedeutung des Mahnbriefes und der begründeten Stellungnahme liegt vor allem in der **Festsetzung des Streitgegenstandes.** Eine spätere Erweiterung der Anträge der Kommission ist unzulässig.[89]) Durch die Stellungnahmen im Verfahren nach Art 169 EGV kann aber die Kommission nicht endgültig über die Rechte und Pflichten eines Mitgliedstaates entscheiden oder Garantien bezüglich der Übereinstimmung eines nationalen Rechtsaktes mit dem EG-Recht abgeben, da dies nur in einem Urteil des EuGH erfolgen kann. Schließlich dürfen diese Versprechungen der Kommission nicht den Rechtsunterworfenen daran hindern, seine vom Vertrag übertragenen Rechte auszuüben, also etwa gegen die Gesetzes- oder Verwaltungsakte des Mitgliedstaates Klage zu erheben.[90])
Das Vertragsverletzungsverfahren hat auch **Vorwirkungen auf das Verhalten der Mitgliedstaaten,** da das drohende Verfahren vor dem EuGH die Staaten zum Einlenken bewegen kann. Schon die informellen Kontakte zwischen der Kommission und den Mitgliedstaaten führen zur Aufklärung und Beseitigung von zahlreichen Verletzungen des EG-Rechts, ohne daß diese Angaben in den offiziellen Statistiken aufscheinen. Von jenen Rechtssachen, die dennoch die Kommission zur Überreichung des Mahnbriefes gezwungen haben, gehen nur rund ein Drittel in das nächste Prozeßstadium der begründeten Stellungnahme über. In weiteren zwei Drittel dieser Fälle bringen die Mitgliedstaaten ihre Rechtsordnung mit den EG-Vorschriften in Einklang, bevor Klage beim EuGH erhoben wurde.

- **Das Verfahren vor dem Gerichtshof**

Im Vertrag ist nur die Ermächtigung der Kommission zur Klagserhebung im Falle der Vertragsverletzung festgelegt, damit liegt es in ihrem **Ermessen,** ob sie dieses Mittel auch verwenden will.[91]) Für das Einbringen der

---

[87]) Von 1960 (Zeitpunkt des ersten Falls) bis 31. 12. 1994 wurden 1036 Klagen eingebracht, die zu 492 Urteilen führten.

[88]) EuGH 2. 2. 1988 Rs 293/85 – Kommission gg Belgien – Slg 1988, 305.

[89]) StRsp seit EuGH 15. 12. 1982 Rs 211/81 – Kommission gg Dänemark – Slg 1982, 4547 und EuGH 8. 2. 1983 Rs 124/81 – Kommission gg Vereinigtes Königreich – Slg 1983, 203.

[90]) EuGH 27. Mai 1981 verb Rs 142 und 143/80 – Essevi – Slg 1981, 1413.

[91]) EuGH 9. 7. 1991 Rs C-146/89 – Kommission gg Vereinigtes Königreich – Slg 1991, I-3533.

Klage ist der Kommission keinerlei Frist gesetzt, dem Mitgliedstaat dürfen aus einer etwaigen Verzögerung aber keine Nachteile erwachsen.[92]) Die Vertragsverletzung wird nach dem rechtlichen Stand zum Zeitpunkt des Ablaufes der in der begründeten Stellungnahme vorgesehenen Frist beurteilt. Sollte der Mitgliedstaat den Pflichten aus dem EG-Recht nach Ablauf dieser Frist nachkommen, so wird die Klage nicht unzulässig, weil deren Weiterverfolgung den Grund einer Verantwortlichkeit dieses Staates für Schadenersatz bilden kann.[93]) Es kommt aber in mehr als der Hälfte der Fälle vor, daß der Mitgliedstaat nach der Klagserhebung die Rechtslage anpaßt und die Kommission daraufhin die Klage meist zurückzieht.

In den Vertragsverletzungsverfahren entscheidet der Gerichtshof sowohl **in rechtlicher als auch in tatsächlicher Hinsicht.** Die **Beweislast** des Bestehens einer Verletzung liegt bei der Kommission, daher beschränkt sich der EuGH auf die Untersuchung der ihm vorgebrachten Gründe und kann nicht andere von Amts wegen erheben.[94])

3) Die Rechtswirkungen eines Vertragsverletzungsurteils

In einem rein **deklaratorischen Urteil** beschränkt sich der Gerichtshof auf die Feststellung der Vertragsverletzung, **ohne** dem Mitgliedstaat **Maßnahmen vorschreiben** zu können. Art 171 EGV sieht vor, daß der Mitgliedstaat die Maßnahmen zu ergreifen hat, die sich aus dem Urteil ergeben. Dies muß unverzüglich begonnen werden und in kürzester Zeit zu einem Ergebnis führen.[95]) Hat der Mitgliedstaat dem Urteil keine Folge geleistet, so kann die Kommission nach der durch den EUV geänderten Fassung des Art 171 EGV den Gerichtshof anrufen. Davor muß sie dem Mitgliedstaat Gelegenheit zur Äußerung geben und eine mit Gründen versehene Stellungnahme abgeben. In der Klage benennt die Kommission die Höhe des vom betreffenden Mitgliedstaates zu zahlenden Pauschbetrages oder Zwangsgeldes, das der EuGH nach Feststellung der doppelten Vertragsverletzung verhängen kann. Diese Sanktion stellt eine bedeutende Neuerung dar und sollte dazu beitragen, die Zahl der doppelten Vertragsverletzungen, die in den letzten Jahren deutlich gestiegen ist, zu reduzieren. Das neue Verfahren wurde bis Ende 1994 noch nie angewandt.

Der EuGH hat zu den Rechtswirkungen eines die innerstaatlichen Gesetzgebung verurteilenden Urteils ausgeführt, daß einerseits die gesetzgebenden Organe die Pflicht haben, Anpassungen vorzunehmen, andererseits die Gerichte die notwendigen Konsequenzen ziehen müssen. Hat die nationale Vorschrift gegen eine direkt anwendbare EG-Norm verstoßen, so leiten sich die Rechte für den Rechtsunterworfenen unmittelbar aus diesen Normen und

[92]) EuGH 16. 5. 1991 Rs C-96/89 – Kommission gg Niederlande – Slg 1991, I-2461.

[93]) EuGH 7. 2. 1973 Rs 39/72 – Kommission gg Italien – Slg 1972, 101; EuGH 12. 12. 1990 Rs C-263/88 – Kommission gg Frankreich – Slg 1990, I-4611.

[94]) Vgl EuGH 11. 12. 1990 Rs C-47/88 – Kommission gg Dänemark – Slg 1990, I-4509; EuGH 27. 4. 1993, Rs C-375/90 – Kommission gg Griechenland – Slg 1993, I-2055.

[95]) EuGH 5. 11. 1986 Rs 160/85 – Kommission gg Italien – Slg 1986, 3245.

nicht aus dem EuGH-Urteil ab.[96]) Daraus ergibt sich, daß die Gerichte dem Urteil des EuGH folgend, die nationale Norm unbeachtet lassen und gegebenenfalls weitere Ansprüche (zB Schadenersatz) auf die Entscheidung des Gerichtshofs gründen können. Ist hingegen eine nicht direkt anwendbare Norm verletzt, muß der nationale Richter alle Möglichkeiten ausschöpfen, um die nationale Vorschrift im Lichte des EG-Rechts auszulegen.[97]) Es kann allerdings im Fall der Verletzung einer nicht direkt anwendbaren Norm, einer Richtlinie, die dem Einzelnen dennoch Rechte verleiht, ein Schadenersatzanspruch gegenüber dem Staat begründet werden.[98]) In zwei weiteren noch anhängigen Fällen hat der Gerichtshof die Möglichkeit, diese Rechtsprechung klarzustellen und eventuell zu erweitern.[99])

4) Andere Verfahren der Vertragsverletzung

- Art 88 EGKSV überträgt der Hohen Behörde die Kompetenz zur Feststellung einer Vertragsverletzung mittels einer begründeten Entscheidung, nachdem dem Staat Gelegenheit zur Äußerung gegeben wurde. Binnen zwei Monaten kann der Staat diese Entscheidung beim EuGH in einem Verfahren mit unbeschränkter **Ermessensnachprüfung** anfechten.[100]) Hat der Staat seine Verpflichtung innerhalb der von der Hohen Behörde gesetzten Frist nicht erfüllt oder ist seine Klage abgewiesen worden, so kann die Hohe Behörde nach einer mit Zweidrittelmehrheit erteilten Zustimmung des Rates die Zahlungen aussetzen oder die anderen Mitgliedstaaten zu Retorsionsmaßnahmen ermächtigen. Diese Entscheidung kann ebenfalls beim Gerichtshof angefochten werden. Obwohl es sich um ein interessantes und möglicherweise effektives Verfahren handelt, wurde es noch nie angewandt.
- In einem von Art 169 EGV abweichenden Verfahren überträgt Art 93 Abs 2 EGV auf dem Sektor der mit dem Gemeinsamen Markt unvereinbaren **Beihilfen** die Entscheidungsmacht an die Kommission. Nach der Anhörung der Beteiligten setzt sie dem Staat eine Frist, binnen derer die Beihilfe aufzuheben oder umzugestalten ist. Gegen diese Entscheidung kann der Staat Nichtigkeitsklage gem Art 173 EGV erheben. Kommt er den Forderungen der Kommission nicht nach, so kann sie oder ein anderer Staat ohne Vorverfahren den EuGH anrufen. Bei Nichtbeachtung der in Art 93 Abs 3 EGV vorgesehenen Unterrichtungs- und Stillhaltepflichten hat der EuGH der Kommission die Möglichkeit eingeräumt, gegen den Staat eine einstweilige Verfügung bis zur Klärung der Vereinbarkeit der Beihilfen mit dem gemeinsamen Markt zu ergreifen. Setzt der Staat seine Beihilfen nicht aus, so ist die Kommission berechtigt, in Analogie zu Art 93 Abs 2 EGV den Gerichtshof anzurufen.[101])

---

[96]) EuGH 14. 12. 1982 verb Rs 314–316/81 und 83/82 – Waterkeyn – Slg 1982, 4337.

[97]) EuGH 13. 11. 1990 Rs C-106/89 – Marleasing – Slg 1990, I-4135.

[98]) EuGH 19. 11. 1991 verb Rs C-6 u 9/90 – Francovich – Slg 1991, I-5357.

[99]) Rs C-46/93 – Brasserie du Pêcheur und Rs C-98/93 – Factortame III.

[100]) Vgl dazu insb EuGH 15. 7. 1960 Rs 20/59 – Italien gg Hohe Behörde – Slg 1960, 683.

[101]) EuGH 14. 2. 1990 Rs C-301/87 – Frankreich gg Kommission – Slg 1990, I-307.

- Art 100a Abs 4 EGV ermöglicht es den Mitgliedstaaten nach Harmonisierung aus Gründen des Art 36 EGV, des Umweltschutzes oder des Schutzes der Arbeitsumwelt abweichende innerstaatliche Regeln anzuwenden. Um Mißbräuche zu verhindern, müssen diese Maßnahmen der Kommission mitgeteilt werden. Sie oder ein anderer Mitgliedstaat kann ohne Vorverfahren den Gerichtshof anrufen.
- Direkte Klagen, ohne Vorverfahren sind auch in Art 100b (Gleichwertigkeit von nationalen Vorschriften) und Art 225 EGV (Verfälschung von Wettbewerbsbedingungen durch nationale Maßnahmen, die wegen der Sicherheitsinteressen gerechtfertigt sind)[102]) sowie in Art 38 und 82 EURATOMV vorgesehen.
- Art 180 lit a EGV sieht ein besonderes Vertragsverletzungverfahren vor, um Pflichtverletzungen aus dem Statut der Europäischen Investitionsbank zu sanktionieren. Der administrative Rat der Bank nimmt dabei die Rolle der Kommission in Art 169 EGV ein. Dieses Verfahren wurde noch nie verwendet.
- In Art 35 des EZB-Protokolls der VEU wird ein Sonderverfahren vorgesehen, in dem die EZB eine nationale Zentralbank wegen der Nichterfüllung der EZB-Satzung klagen kann. Bemerkenswert ist, daß die Klage nicht gegen den Mitgliedstaat sondern sein Organ gerichtet ist.
- Eine dem Vertragsverletzungsverfahren ähnliche Klage ist in Art 21 EURATOMV auf dem Gebiet der Vergabe von Patentlizenzen vorgesehen; es gab bisher noch keinen Anwendungsfall.

b) Die Nichtigkeitsklage

1) Gegenstand der Nichtigkeitsklage (passive Klagslegitimation)

Klagsfähige Handlungen sind gem Art 173 EGV die **gemeinsamen Handlungen des Rates** und des **Parlaments** sowie die Handlungen des Rates, der **Kommission** und der **EZB** bzw des **EWI,** soweit es sich nicht um Empfehlungen oder Stellungnahmen handelt, weiters die Handlungen des EP mit Rechtswirkung gegenüber Dritten.

Die letzte Kategorie der Handlungen wurde in Berücksichtigung der Rechtsprechung des EuGH eingefügt der unter Hinweis auf die europäischen Gemeinschaften als Rechtsgemeinschaft und der damit verbundenen Notwendigkeit der gerichtlichen Kontrolle der Handlungen ihrer Organe die Zulässigkeit der Nichtigkeitsklage gegen solche Akte anerkannt hatte.[103]) Mit der gleichen Argumentation hat der EuGH dem europäischen **Rechnungshof** die Passivlegitimation zugesprochen.[104]) Diese Rechtsprechung bleibt mE

---

[102]) Vgl anhängiges Verfahren Rs C-120/94 – Kommission gg Griechenland – in dem am 29. 6. 1994 ein Beschluß erging, Slg 1994, I-3037.

[103]) EuGH 23. 4. 1986 Rs 294/83 – Les Verts – Slg 1986, 1339; EuGH 3. 7. 1986 Rs 34/86 – Rat gg Parlament – Slg 1986, 2155. Da Art 38 EGKSV eine Klage gegen Beschlüsse des europäischen Parlaments vorsah, hat der EuGH schon in früheren Verfahren eine Klagsmöglichkeit aufgrund dieser Bestimmung eröffnet (EuGH 10. 2. 1983 Rs 230/81 – Luxemburg gg Parlament – Slg 1983, 255).

[104]) EuGH 11. 5. 1989 verb Rs 193 und 194/87 – Maurissen und Union syndicale – Slg 1989, 1045.

trotz Fehlens dieses Organs im neugefaßten Art 173 EGV weiterhin gültig. In gleicher Weise können Handlungen die, wie in Art 138c EGV vorgesehen, vom EP, Rat und der Kommission gemeinsam vorgenommen werden, trotz des Fehlens in Art 173 EGU der Nichtigkeitsklage unterwerfen werden. Art 180 EGV sieht ebenfalls gegen die Beschlüsse der Organe der **Europäischen Investitionsbank** eine Nichtigkeitsklage vor.[105]) Bezüglich der Art der anfechtbaren Handlungen, wurde nicht auf die Abgrenzung des Art 189 EGV zurückgegriffen, sondern die Klagsfähigkeit auf alle Akte, die dazu bestimmt sind, Rechtswirkungen ohne Unterschied ihrer Rechtsnatur oder Form zu erzeugen, ausgedehnt.[106]) Der angefochtene Akt muß eine endgültige Willensäußerung des Organs darstellen, wodurch vorbereitende Handlungen der Kontrolle des EuGH entzogen sind, es sei denn, sie stellen den Abschluß eines eigenen, von der Hauptsache getrennten Verfahrens dar.[107])

Es ist interessant festzuhalten, daß der Gerichtshof die Rechtmäßigkeit von **internationalen Abkommen** der Gemeinschaften durch die Nichtigkeitsklage kontrolliert. Dies ergab sich schon aus einem obiter dictum eines Gutachtens des EuGH aus dem Jahr 1975[108]) und wurde durch ein Urteil[109]) 1988 bestätigt, in dem der EuGH nur die Begründetheit einer Klage gegen die Entscheidung des Rates zum Abschluß eines Abkommens untersucht, ohne die Fragen der Zulässigkeit der Klage zu behandeln.

Da es im Gemeinschaftsrecht keine formale Unterscheidung zwischen Akten gesetzlicher und verwaltungsrechtlicher Art gibt, übt der Gerichtshof – je nach der aufgrund von Art 173 EGV angefochtenen Handlung – sowohl die Rolle eines Verfassungs- als auch die eines Verwaltungsgerichtshofs aus.

2) Aktive Klagslegitimation

Die oben dargestellte janusköpfige Natur des Verfahrens der Nichtigkeitsklage spiegelt sich in den verschiedenen Voraussetzungen der aktiven Klagslegitimation wider. Auf der einen Seite stehen die sog **bevorzugten Kläger,** die ohne besonderes Interesse vorweisen zu müssen, jede Handlung anfechten können (Art 173 Abs 2 EGV) sowie das EP, EZB bzw EWI (Art 173 Abs 3 EGV), die zur Wahrung ihrer Rechte klagen können. Diese Art der Überprüfung kann innerstaatlich mit einer Verfassungsklage verglichen werden. In Art 173 Abs 4 EGV werden andererseits auch Einzelkläger berechtigt, die gegen sie ergangenen Entscheidungen sowie jene Entscheidungen die – sowohl als Verordnung oder als eine an eine andere Person gerichtete Entscheidung – ergangen sind, vor dem EuGH anzufechten. Diese Verfahren würden innerstaatlich Verwaltungsverfahren entsprechen.

---

[105]) Vgl dazu EuGH 3. 3. 1988 Rs 85/86 – Kommission gg Rat der Gouverneure der Europäischen Investitionsbank – Slg 1988, 1281.

[106]) EuGH 31. 3. 1971 Rs 22/70 – Kommission gg Rat („AETR“) – Slg 1971, 263.

[107]) EuGH 11. 11. 1981 Rs 60/81 – IBM gg Kommission – Slg 1981, 2639.

[108]) EuGH Gutachten 1/75 v 11. 11. 1975, Slg 1975, 1355.

[109]) EuGH 27. 9. 1988 Rs 165/87 – Kommission gg Rat – Slg 1988, 5545, siehe auch EuGH 9. 8. 1994, Rs C-327/91 – Frankreich gg Kommission, noch nicht veröffentlicht.

Gem Art 173 Abs 2 EGV sind die bevorzugten Kläger die Mitgliedstaaten, auch wenn diese zunächst für den Akt gestimmt haben,[110]) der Rat und die Kommission. Bezüglich der Klagslegitimation des EP hat die Rechtsprechung des EuGH in Art 173 Abs 2 EGV Niederschlag gefunden, die schon vor dem Maastrichter Vertrag die Klagen des EP zur Wahrung der eigenen Rechte zugelassen hat.[111]) Ein ähnlicher Status wurde der EZB bzw dem EWI durch Art 173 Abs 2 EGV zuerkannt. Auch ohne ausdrückliche Erwähnung kann angenommen werden, daß der Rechnungshof als Organ der EG ebenfalls zur Wahrung seiner Rechte klagslegitimiert ist.

Jede natürliche oder juristische Person kann gem Art 173 Abs 2 EGV Klage erheben, wobei es weder darauf ankommt, ob sie in einem Mitgliedstaat als juristische Person angesehen wird,[112]) da dies ein gemeinschaftsrechtlicher Begriff ist, noch ob sie die Nationalität eines Mitgliedstaates oder Sitz in der Gemeinschaft hat.[113]) Schon aus der Unterscheidung des Art 173 Abs 2 EGV läßt sich entnehmen, daß die Bedingungen, unter denen die Klage erhoben werden kann, besonders restriktiv sind. Eindeutig bejaht wird die Klagslegitimation nur im Fall der Entscheidung, die an die Person des Klägers gerichtet ist, da sein **rechtliches Interesse** angenommen wird. Handelt es sich beim Gegenstand der Klage jedoch um eine Entscheidung, die an eine andere Person gerichtet war, oder einen generellen Rechtsakt, so muß zunächst die individuelle Betroffenheit nachgewiesen werden.

In einem Urteil[114]) aus dem Jahr 1963 hat der EuGH schon früh, aber in grundsätzlich noch immer gültiger Weise festgestellt, daß der einzelne von einer Entscheidung **individuell betroffen** ist, wenn sie ihn wegen bestimmter persönlicher Eigenschaften oder besonderer ihn aus dem Kreis aller übrigen Personen heraushebender Umstände berührt und ihn daher in ähnlicher Weise individualisiert wie den Adressaten. Dies wurde vom EuGH verneint, wenn der einzelne von der Verordnung durch die Teilnahme an einem bestimmten Markt betroffen ist, selbst wenn er das einzige in der EG tätige Unternehmen auf diesem Markt ist.[115]) Diese sehr einschränkende Haltung wurde möglicherweise durch das Urteil Codorniu[116]) nuanciert. Dagegen hält der Gerichtshof eine Klage gegen eine Verordnung für zulässig, wenn diese keinen Akt der Gesetzgebung, sondern ein Bündel von einzelnen Entscheidungen darstellt.[117]) Regelmäßig ist dies dann der Fall, wenn im Zeitpunkt des Erlassens des Aktes der Kreis der Adressaten geschlossen ist;[118]) dies geschieht vorwiegend bei Ak-

---

[110]) EuGH 12. 7. 1979 Rs 166/78 – Italien gg Rat – Slg 1979, 2575.

[111]) EuGH 22. 5. 1990 Rs C-70/88 – Parlament gg Rat – Slg 1990, I-2041.

[112]) EuGH 28. 10. 1982 Rs 135/81 – Groupement des agents de voyages – Slg 1982, 3799.

[113]) ZB für ein japanisches Unternehmen EuGH 29. 3. 1979 Rs 113/77 – NTN Toyo Bearing – Slg 1979, 1185.

[114]) EuGH 15. 7. 1963 Rs 25/62 – Plaumann gg Kommission – Slg 1963, 213.

[115]) EuGH 14. 7. 1983 Rs 231/82 – Spijker Kwasten gg Kommission – Slg 1983, 2559.

[116]) EuGH 18. 5. 1994 Rs C-309/89 – Codorniu gg Rat – Slg 1994, I-1853.

[117]) EuGH 13. 5. 1971 verb Rs 41–44/70 – International Fruit – Slg 1971, 411.

[118]) EuGH 26. 6. 1990 Rs C-152/88 – Sofrimport gg Kommission – Slg 1990, I-4277.

ten mit rückwirkender Kraft.[119]) Die Klage ist auch zulässig, wenn Akte, die zwar der Sache nach Sammelentscheidungen sind, aber im Anhang die Namen der betreffenden Unternehmen aufzählen.[120]) Ein liberaleres Vorgehen hat der Gerichtshof in den Fällen von Antidumpingverfahren eingeschlagen, da er die Klage von Unternehmen, die von der Zollfestsetzung einer vorhergehenden Untersuchung betroffen waren, zuließ.[121]) Analog wurde in Fällen von Beihilfen entschieden, daß Unternehmen die am Verwaltungsverfahren vor der Kommission teilgenommen haben bzw teilnehmen könnten, die Entscheidungen der Kommission anfechten können.[122])

Ein Beispiel für die Erteilung einer aktiven Klagslegitimation gegen eine Entscheidung, die an eine andere Person gerichtet war, ist das Urteil „Metro gg Kommission"[123]). Metro hatte vor der Kommission Klage wegen Verletzung des Wettbewerbsrechts durch das Unternehmen SABA erhoben. Die Kommission verlieh SABA eine Einzelfreistellung gem Art 85 Abs 3 EGV, die von Metro angefochten wurde. Die Konkurrenten des Beihilfeempfängers können die Entscheidung der Kommission, kein Überprüfungsverfahren einzuleiten, anfechten.[124])

Für die zweite gem Art 173 Abs 2 EGV erforderliche Bedingung, nämlich der **unmittelbaren Betroffenheit** des Klägers, kommt es darauf an, ob der Akt des gemeinschaftlichen Organs direkt Einfluß auf die Rechtssphäre des Klägers nimmt, dh daß keine weitere Entscheidung freien Ermessens dazwischentritt. Dies ist insb der Fall, wenn dem Mitgliedstaat als Adressaten nach der Entscheidung der Kommission kein Handlungsspielraum bleibt oder wenn er eine Erlaubnis der Kommission eingeholt hat und es klar ist, daß er diese verwenden will.[125])

In Art 33 Abs 2 EGKSV ist nur die Legitimation von Unternehmen oder Verbänden des EGKS-Bereich zur Nichtigkeitsklage vorgesehen. Dennoch sind die Bedingungen der Zulässigkeit ihrer Klagen weniger streng als im EWG-Vertrag: Bei individuellen Entscheidungen und Empfehlungen reicht es aus, wenn das Unternehmen Interesse an der Aufhebung der Handlungen hat;[126]) bei allgemeinen Entscheidungen oder Empfehlungen muß das Unternehmen Opfer eines Ermessensmißbrauches geworden sein.[127])

---

[119]) EuGH 3. 5. 1978 Rs 112/77 – Töpfer gg Kommission – Slg 1978, 1019.

[120]) EuGH 29. 3. 1979 (FN 113).

[121]) EuGH 21. 2. 1984 verb Rs 239 und 275/82 – Allied Corporation gg Kommission – Slg 1984, 1005.

[122]) EuGH 28. 1. 1986 Rs 169/84 – Cofaz gg Kommission – Slg 1986, 391.

[123]) EuGH 25. 10. 1977 Rs 26/76, Slg 1977, 875.

[124]) EuGH 24. 3. 1993 Rs C-319/90 – Cirfs gg Kommission – Slg 1993, I-1125, EuGH 19. 5. 1993 Rs C-198/91 – Cook gg Kommission – Slg 1993, I-2487 und EuGH 15. 6. 1993 Rs C-225/91 – Matra gg Kommission – Slg 1993 I-3203.

[125]) EuGH 13. 5. 1971 – International Fruit – (FN 117), erweitert durch EuGH 3. 5. 1978 – Töpfer – (FN 119) (für den Fall der nachträglichen Wertung einer innerstaatlichen Maßnahme durch die Kommission) und EuGH 17. 1. 1985 Rs 11/82 – Piraiki-Patraki – Slg 1985, 207.

[126]) EuGH 23. 2. 1961 Rs 30/59 – De Gezamenlijke Steenkolenmijen in Limburg gg Hohe Behörde – Slg 1961, 3.

[127]) EuGH 16. 7. 1956 Rs 8/55 – Fédération Charbonnière de Belgique gg Hohe Behörde – Slg 1955/56, 201.

3) Frist

Die Nichtigkeitsklage ist **binnen zwei Monaten** zu erheben; diese Frist läuft bei den veröffentlichungspflichtigen Rechtsakten vom Tag des Erscheinens im Amtsblatt ab; bei empfangsbedürftigen Rechtsakten ab dem Zeitpunkt der Mitteilung oder in Ermangelung dieser von dem Zeitpunkt an, zu dem der Kläger von dieser Handlung Kenntnis erlangt hat.

4) Gründe der Nichtigkeit

Eine **erschöpfende Aufzählung der Nichtigkeitsgründe** findet sich im Art 173 EGV, wobei diese in zwei Gruppen unterteilt werden können. Unter die **materielle Rechtswidrigkeit** fallen die Verletzung des Vertrages oder einer bei der Durchführung anzuwendenden Rechtsnorm und der Ermessensmißbrauch, während die Verletzung wesentlicher Verfahrensvorschriften und die Unzuständigkeit unter die **formelle Rechtswidrigkeit** fallen.

Unter **Verletzung des Vertrages** versteht man nicht nur den reinen Vertragstext, sondern auch die allgemeinen Rechtsgrundsätze[128]), unmittelbar anwendbare Bestimmungen des Völkerrechts[129]) und die Bestimmungen des sekundären EG-Rechts in höherem Range[130]).

Ein **Ermessensmißbrauch** liegt vor, wenn der Autor des Rechtsakts aus einem schwerwiegenden, einer Verkennung des gesetzlichen Zwecks gleichkommenden Mangel an Vorsicht oder Umsicht andere Ziele als diejenigen verfolgt hat, zu deren Erreichung ihm die im Vertrag vorgesehenen Befugnisse verliehen sind.[131]) In Art 33 Abs 2 EGKSV ist der Ermessensmißbrauch der einzige Anfechtungsgrund durch Unternehmen gegen allgemeine Handlungen.[132])

Obwohl die **Unzuständigkeit** als eigene Begründung angeführt wird, verschmilzt sie mit der Vertragsverletzung, weil es sich um ein System der übertragenen Zuständigkeiten handelt.

Unter wesentlichen Formvorschriften werden sowohl die **Verletzung der Verfahren**[133]) als auch die **Verletzung der Begründungspflicht**[134]) von Akten, die dem Einzelnen die Kenntnis der Motivation des Organs und dem EuGH die Kontrolle ermöglicht, verstanden. Hat die Verletzung der Formvorschriften keine Konsequenz für den Inhalt des Aktes, so stellt sie keine Begründung für die Nichtigkeit dar.[135])

---

[128]) ZB Rechtssicherheit, Vertrauensschutz, Angemessenheit und vor allem die Grundrechte; vgl EuGH 17. 12. 1970 Rs 11/70 – Internationale Handelsgesellschaft – Slg 1970, 1125.

[129]) EuGH 12. 12. 1972 Rs 21/72 – International Fruit – Slg 1972, 1219.

[130]) EuGH 6. 3. 1979 Rs 92/78 – Simmenthal gg Kommission – Slg 1979, 777.

[131]) EuGH 8. 7. 1965 verb Rs 3 und 4/64 – Chambre Syndicale de la Sidérurgie Francaise – Slg 1965, 595.

[132]) EuGH 16. 7. 1956 – Fédération Charbonière de Belgique (FN 127).

[133]) Abstimmungserfordernisse (EuGH 23. 2. 1988 Rs 68/86 – Vereinigtes Königreich gg Rat – Slg 1988, 855), Nichtanhörung des Parlaments (EuGH 29. 10. 1980 Rs 138/79 – Roquette gg Rat – Slg 1980, 3333), Verletzung der Spracherfordernisse (EuGH 15. 7. 1970 Rs 41/69 – ACF-Chemiefarma – Slg 1070, 661), Veröffentlichung und Notifizierung (EuGH 18. 2. 1964 verb Rs 73 und 74/63 – Internationale Crediet- en Handelsvereniging Rotterdam – Slg 1964, 3).

[134]) EuGH 8. 2. 1968 Rs 3/67 – Mandelli gg Kommission – Slg 1968, 36.

[135]) EuGH 15. 7. 1970 – ACF-Chemiefarma – (FN 133).

5) Rechtswirkungen des Nichtigkeitsurteils

Das Urteil, mit dem die Nichtigkeit ausgesprochen wird, hat unbeschränkte Gültigkeit, wirkt also **„erga omnes“**.[136]) Obwohl die Nichtigkeit generell ex tunc festgestellt wird, hat der EuGH bei Nichtigkeit einer Verordnung gem Art 174 EGV die Möglichkeit, die Wirkungen, die dennoch fortgelten, zu bezeichnen.[137]) Der Gerichtshof hat die Bestimmungen von Art 174 EGV auch auf andere Akte wie das Budget oder eine Richtlinie ausgedehnt.[138])

Das Organ, dem das für nichtig erklärte Handeln zur Last fällt oder dessen Untätigkeit als vertragswidrig erklärt worden ist, hat die sich aus dem Urteil des Gerichtshofs ergebenden Maßnahmen zu ergreifen (Art 176 EGV). Das Ausmaß der Verpflichtungen des Organs ergibt sich aus der Begründung des Urteils,[139]) in der auch Hinweise über die in einer angemessenen Frist zu ergreifenden Maßnahmen enthalten sein können.[140]) Unabhängig von den Verpflichtungen, die sich aus Art 176 EGV ergeben, bleibt ein eventueller Anspruch auf Schadenersatz gem Art 215 Abs 2 EGV bestehen.

Art 34 EGKSV sieht ausdrücklich vor, daß die Hohe Behörde den Schaden, der aus dem für nichtig erklärten Akt entstanden ist, wiedergutzumachen hat, da sonst Klage erhoben werden kann.

6) Klage mit unbeschränkter Ermessensnachprüfung

Während der Gerichtshof im allgemeinen über keine Zuständigkeit zur **unbeschränkten Überprüfung des Ermessens** verfügt, kann ihm eine solche Kompetenz gem Art 172 EGV in Verordnungen des Rates übertragen werden. Von dieser Möglichkeit wurde in nur sieben Verordnungen Gebrauch gemacht, wovon nur die Verordnung Nr 17 des Rates vom 6. Februar 1962[141]) Anlaß zu einer ausführlichen Rechtsprechung gegeben hat. In Ausführung des Art 172 EGV kann der EuGH Zwangsmaßnahmen der Kommission aufheben, mindern oder erhöhen, wobei er letzteres noch nie getan hat. Um die Höhe der Geldstrafe zu bestimmen, müssen alle Elemente, die zur Festlegung des Grades des Verstoßes führen, und das Verhalten des Unternehmens und der Kommission während des Verwaltungsverfahrens,[142]) aber auch die Gefahr, die eine solche Verletzung für die Ziele der Gemeinschaft bedeutet,[143]) beachtet werden.

Da der EGKS-Vertrag unmittelbar die Möglichkeit vorsieht, Sanktionen oder Zwangsgelder zu verhängen,[144]) können diese gem Art 36 EGKSV

---

136) Vgl EuGH 11. 2. 1955 Rs 3/54 – Assider gg Hohe Behörde – Slg 1954/55, 133.

137) EuGH 5. 6. 1973 Rs 81/72 – Kommission gg Rat – Slg 1973, 575.

138) EuGH 13. 7. 1986 Rs 34/86 – Rat gg Parlament („Budget“) – Slg 1986, 2155 bzw EuGH 7. 7. 1992 Rs C-295/90 – Parlament gg Rat – Slg 1992, I-4193.

139) EuGH 26. 4. 1988 Rs 97/86 – Asteris gg Kommission – Slg 1988, 2181.

140) EuGH 6. 3. 1979 – Simmenthal gg Kommission – (FN 130).

141) 1. Durchführungsverordnung zu den Art 85 und 86 EWGV, ABl 1962/13, 204.

142) EuGH 13. 2. 1979 Rs 85/76 – Höffmann-La Roche gg Kommission Slg 1979, 461; EuGH 11. 1. 1990 Rs C-277/87 – Sandoz gg Kommission – Slg 1990 I-45.

143) EuGH 7. 6. 1983 Rs 100–103/80 – Musique Diffusion française gg Kommission – Slg 1983, 1825.

144) S Art 47, 65 und 66 EGKSV.

den Gegenstand einer Klage mit unbeschränkter Ermessensprüfung bilden. Im Rahmen des EGKS-Vertrags verfügt der EuGH über die Kompetenz zur unbeschränkten Ermessensprüfung auch bei den gem Art 37 EGKSV erhobenen Klagen gegen Entscheidungen der Hohen Behörde, die tiefgreifende Störungen der Wirtschaft eines Mitgliedstaates betreffen.[145]) Das selbe gilt gem Art 144 lit b EURATOMV für die Zwangsmaßnahmen, die von der Kommission gem Artikel 83 EURATOMV verhängt werden.[146]) Art 12 und 144 lit a EURATOMV übertragen dem EuGH die Überprüfung des Ermessens in Verfahren zur Rechtsübertragung an Patenten.

c) Die Untätigkeitsklage

1) Gegenstand der Untätigkeitsklage

Sieht Art 173 EGV eine Sanktion gegen nichtige Handlungen vor, so enthält Art 175 EGV ein Rechtsmittel gegen das Unterlassen des Parlaments, des Rates, der Kommission oder der EZB bzw des EWI. Während Art 35 EGKSV eine Nichtigkeitsklage[147]) gegen die implizite Entscheidung, nicht zu handeln, die sich aus dem Schweigen der Hohen Behörde ergibt, vorsieht, hat man im EG-Vertrag zum Mittel der **Feststellung der Untätigkeit** durch den EuGH gegriffen. Obwohl der EuGH[148]) bemerkt hat, daß die Art 173 und 175 EGV der Ausdruck ein und desselben Rechtsmittels sind, so zeigt die Untätigkeitsklage des EGV dennoch mehrere Besonderheiten auf. Im Unterschied zu Art 35 EGKSV, der eine Klage zur Anfechtung von Entscheidungen oder Empfehlungen, also zwingenden Rechtsakten vorsieht, spricht Art 175 Abs 1 EGV generell nur von der Unterlassung, „einen Beschluß zu fassen". Daher kann die Frage gestellt werden, ob auch die Unterlassung von nicht zwingenden oder vorbereitenden Rechtsakten durch die Untätigkeitsklage sanktionierbar ist. Um einen vollständigen Rechtsschutz zu gewährleisten, müßte dies zumindest dort zutreffen, wo der vorbereitende Rechtsakt selbst zwar keine unmittelbaren Rechtswirkungen auslöst, also nicht klagsfähig gem Art 173 EGV ist, aber sein Unterlassen die Fortsetzung des Entscheidungsprozesses verhindert.[149])

Für den **Begriff der Untätigkeit** hat der EuGH klargestellt, daß der Kläger die Maßnahmen, die ergriffen hätten werden sollen, so präzise anzugeben hat, daß bei einem erfolgreichen Urteil das Organ die Konsequenzen gem Art 176 EWGV ziehen kann. Der Mangel einer gemeinschaftlichen Politik kann daher nicht als solcher Gegenstand einer Untätigkeitsklage sein.[150])

---

145) Vgl EuGH 13. 7. 1961 verb Rs 2 und 3/60 – Niederrheinische Bergwerks-AG gg Hohe Behörde – Slg 1961, 283.

146) EuGH 21. 1. 1993 Rs C-308/90 – Advanced Nuclear Fuels gg Kommission – Slg 1993, I-309.

147) EuGH 23. 4. 1956 verb Rs 7 und 9/54 – Groupement des industries sidérurgiques luxembourgeoises gg Hohe Behörde – Slg 1955/56, 55.

148) EuGH 18. 11. 1970 Rs 15/70 – Chevalley gg Kommission – Slg 1070, 975.

149) Schlußanträge von Generalanwalt *Mischo* in Rs 377/87 – Parlament gg Rat – Slg 1988, 4017, und Rs 383/87 – Kommission gg Rat („Haushalt") – Slg 1988, 4051.

150) EuGH 22. 5. 1985 Rs 13/83 – Parlament gg Rat („Verkehrspolitik") – Slg 1985, 1513.

2) Aktive Klagslegitimation

Die **bevorzugten Kläger** gem Art 175 EGV, also solche, die jede Untätigkeit einklagen können, sind neben den Mitgliedstaaten, die Organe der Gemeinschaft, wozu auch das Parlament zählt.[151]) Innerhalb ihrer Zuständigkeiten sind auch EZB bzw EWI klagslegitimiert. Natürliche oder juristische Personen hingegen, können nur die Unterlassung verpflichtender Rechtsakte[152]) und solche, die an sie gerichtet hätten werden sollen, anfechten. Diese Bestimmung wurde zuletzt erweiternd interpretiert, sodaß die Unterlassung von Rechtsakten, die den Kläger unmittelbar und individuell betreffen würden, angefochten werden kann.[153]) Dagegen soll auf die Kommission mittels der Untätigkeitsklage kein Druck ausgeübt werden, ein Vertragsverletzungsverfahren gem Art 169 EGV einzuleiten.[154])

3) Vorgerichtliche Phase

Ehe das Verfahren vor dem EGH eingeleitet werden kann, muß das zuständige Organ binnen einer angemessenen Frist[155]) aufgefordert worden sein, zu handeln. Diese Fristsetzung bedarf keiner besonderen Form, muß aber dem Organ ermöglichen zu wissen, welche Handlung von ihm erwartet wird und daß dieser Schritt die Vorbereitungsphase eines Verfahrens gem Art 175 EGV darstellt.[156]) Nach dieser Aufforderung stehen dem Organ zwei Monate zum Handeln zur Verfügung.

4) Das Verfahren vor dem Gerichtshof

Hat das Organ zwei Monate nach der Aufforderung durch den Kläger nicht Stellung genommen (Art 175 Abs 2 EGV), kann binnen einer Frist von zwei Monaten Klage erhoben werden (ein Monat gem Art 35 EGKS). Weigert sich das aufgeforderte Organ explizit, die Handlung vorzunehmen, oder handelt es anders, als vom Kläger gewünscht, so gibt die im wesentlichen konstante Rechtsprechung[157]) dem Kläger die Möglichkeit, ggf eine Nichtigkeitsklage zu ergreifen, nicht aber eine Untätigkeitsklage.[158]) Antwortet das Organ jedoch in ausweichender oder verzögernder Weise, so wird dies nicht als Stellungnahme iSv Art 175 EGV gewertet, und die Untätigkeitsklage bleibt zulässig.[159])

---

[151]) EuGH 22. 5. 1985 (FN 150).

[152]) EuGH 18. 11. 1970 (FN 148).

[153]) EuGH 16. 2. 1993 Rs C-107/91 – ENU gg Kommission – Slg 1993, I-599.

[154]) Vgl Beschluß des EuGH v 30. 3. 1990 Rs C-371/89 – Emrich gg Kommission – Slg 1990, I-1555.

[155]) EuGH 6. 7. 1971 Rs 59/70 – Niederlande gg Kommission – Slg 1971, 639.

[156]) EuGH 22. 5. 1985 (FN 150); EuGH 6. 5. 1986 Rs 25/85 – Nuovo Campsider gg Kommission – Slg 1986, 1531.

[157]) Auch wenn das Urteil „Komitologie" (EuGH 27. 9. 1988 Rs 302/87 – Parlament gg Rat – Slg 1988, 5615) das Gegenteil vermuten läßt, dürften daraus keine Konsequenzen gezogen werden.

[158]) EuGH 1. 3. 1966 Rs 48/65 – Lütticke gg Kommission – Slg 1966, 28; EuGH 13. 7. 1971 Rs 8/71 – Deutscher Komponistenverband – Slg 1971, 705; EuGH 18. 10. 1979 Rs 125/78 – Gema gg Kommission – Slg 1979, 3173; EuGH 15. 12. 1988 verb Rs 166/86 und 220/86 – Irish Cement gg Kommission – Slg 1988, 6473.

[159]) EuGH 22. 3. 1961 verb Rs 42 und 49/59 – Snupat gg Hohe Behörde – Slg 1961, 111; EuGH 22. 5. 1985 – Parlament gg Rat – „Verkehrspolitik" (FN 150).

Handelt das Organ entsprechend den Anträgen des Klägers, nachdem der Gerichtshof angerufen wurde, verliert die Klage den Grund, und der EuGH darf nicht mehr entscheiden.[160])

Der Wortlaut des Art 175 EGV ließe den Schluß zu, daß nur die Verletzung des EG-Vertrags einen Grund für eine Untätigkeitsklage darstellen könnte. Eine weitere Auslegung des Art 175 EGV, sodaß die Verletzung von Völkerrecht, der allgemeinen Rechtsgrundsätze, des sekundären EG-Rechts sowie der Ermessensmißbrauch einbezogen werden, darf wohl auch ohne Rechtsprechung des EuGH zu diesem Thema vorgenommen werden. Im Gegensatz dazu sind die Gründe der Formverletzung und Unzuständigkeit sicherlich von der Natur der Untätigkeitsklage ausgeschlossen, da diese der Feststellung der Nichthandlung und nicht der unrichtigen Handlung dient und die Klage gegen das zuständige Organ gerichtet werden muß.

5) Die Rechtswirkungen des Untätigkeitsurteils

Art 176 EGV behandelt die Rechtswirkungen des Nichtigkeits- und Untätigkeitsurteils in einem. Daher muß grundsätzlich bezüglich der Verpflichtungen der verurteilten Organe auf die Rechtswirkungen der Nichtigkeitsurteile verwiesen werden. Die Rechtsprechung hat aber die Beseitigung der Untätigkeit in angemessener Frist verlangt.[161])

d) Die Einrede der Rechtswidrigkeit

1) Gegenstand

Bei der Einrede der Rechtswidrigkeit handelt es sich nicht um ein eigenes Rechtsmittel, sondern es eröffnet dem Kläger die Möglichkeit, anläßlich eines Verfahrens vor dem EuGH die **Unanwendbarkeit eines gemeinschaftsrechtlichen Aktes** vorzubringen.[162]) Wenn auch entsprechend des Wortlauts des Art 184 EGV nur gegen eine Verordnung die Einrede der Rechtswidrigkeit erhoben werden kann, hat der EuGH entschieden, daß dies für alle generellen Rechtsakte gilt, die Rechtswirkungen ähnlich einer Verordnung erzeugen.[163]) Es ist hingegen nicht möglich, die Einrede der Rechtswidrigkeit für die Anfechtung von individuellen Rechtsakten zu verwenden, wenn etwa der Kläger die Frist zur Einbringung einer Nichtigkeitsklage versäumt hat.[164])

Für die Verbindung zwischen dem angefochtenen Akt und der Hauptklage gilt, daß dieser direkt oder indirekt auf den Gegenstand der Klage anwendbar sein muß.[165]) Bei der **Nichtigkeitsklage** hingegen hat der EuGH in einschränkender Weise verlangt, daß der mittels der Einrede angefochtene Akt

---

[160]) EuGH 12. 7. 1989 – Parlament gg Rat – „Haushalt" (FN 149).

[161]) EuGH 22. 5. 1985 – Parlament gg Rat – „Verkehrspolitik" (FN 150).

[162]) Vgl EuGH 16. 7. 1981 Rs 33/80 – Albini gg Rat und Kommission – Slg 1981, 2141.

[163]) EuGH 6. 3. 1979 Rs 92/78 – Simmenthal gg Kommission – Slg 1979, 777; EuGH 27. 9. 1988 Rs 204/86 – Griechenland gg Rat – Slg 1988, 5323.

[164]) EuGH 8. 3. 1960 Rs 3/59 – Deutschland gg Hohe Behörde – Slg 1960, 123; EuGH 31. 3. 1965 Rs 21/64 – Machiorlati Dalmas gg Hohe Behörde – Slg 1965, 242; EuGH 12. 10. 1978 Rs 156/77 – Kommission gg Belgien – Slg 1978, 1881.

[165]) EuGH 13. 7. 1966 Rs 32/65 – Italien gg Rat und Kommission – Slg 1966, 458.

die Rechtsgrundlage der in der Nichtigkeitsklage attackierten Norm darstellt.[166]) Im EGKS-Vertrag ist in Art 36 Abs 3 eine Einrede der Rechtswidrigkeit nur in Klagen, die gegen die Entscheidungen und Empfehlungen der Kommission, die eine Geldstrafe verhängen, gerichtet sind, vorgesehen. Darüber hinaus hat aber der Gerichtshof auch Einreden in Verfahren zugelassen, die nicht die Annullierung von Geldstrafen der Kommission zum Inhalt hatten.[167])

2) Legitimation zur Einrede und Verfahren

Art 184 EGV ermöglicht „jeder Partei" die Erhebung der Einrede, und der Gerichtshof hat den Kreis der Legitimierten nicht auf die einzelnen Rechtsunterworfenen beschränkt, sondern auch die Einrede von **privilegierten Klägern**, vor allem der Mitgliedstaaten, zugelassen, denen auch das Rechtsmittel der Nichtigkeitsklage binnen der vorgesehenen Fristen offen gestanden wäre.[168]) Es ist durchaus vorstellbar, daß diese Möglichkeit auf die Organe der Gemeinschaften ausgedehnt wird – natürlich mit Ausnahme von Normen, die sie selbst erlassen haben. Der EuGH hat jedoch mit aller Deutlichkeit die Anwendbarkeit der Einrede gem Art 184 EGV auf Rechtstreitigkeiten vor den nationalen Gerichten ausgeschlossen, da sie nur im Verfahren vor dem EuGH verwendet werden kann. Es kommt dem Richter eines Vorabentscheidungsverfahrens zu, über die Vorlage des Falles gem Art 177 EGV beim EuGH zu entscheiden,[169]) wie auch die Parteien im Rahmen dieses Verfahren den Tenor der Fragen des nationalen Richters nicht ändern können.[170]) Dennoch kann der Gerichtshof über die Gültigkeit eines Rechtsaktes der EG entscheiden, auch wenn der Richter lediglich eine Auslegungsfrage gestellt hat.

Die **Einrede der Rechtswidrigkeit** kann in einem Nichtigkeitsverfahren und auch im Untätigkeitsverfahren[171]) eingewandt werden. Schwierigkeiten treten vor allem beim Vertragsverletzungsverfahren auf. Für den Art 88 EGKSV hat der Gerichtshof die Möglichkeit der Einrede eines Mitgliedstaates gegen die Entscheidungen der Hohen Behörde verneint.[172]) Ebenso hat er im Rahmen des Verfahrens gem Art 169 EGV die von einem Mitgliedstaat erhobene Einrede in jenen Fällen, wo er Adressat einer Entscheidung war, zurückgewiesen.[173]) Das ausschlaggebende Element dieses Urteils dürfte

---

[166]) EuGH 28. 10. 1981 verb Rs 275/80 und 24/81 – Krupp gg Kommission – Slg 1981, 2489.

[167]) EuGH 13. 6. 1958 Rs 9/56 – Meroni gg Hohe Behörde – Slg 1958, 11; EuGH 12. 6. 1958 Rs 15/57 – Hauts Fourneaux de Chasse gg Hohe Behörde – Slg 1958, 161.

[168]) EuGH 13. 7. 1966 Rs 32/65 – Italien gg Rat und Kommission – Slg 1966, 458.

[169]) EuGH 14. 12. 1962 verb Rs 31 und 33/62 – Wöhrmann gg Kommission – Slg 1962, 129.

[170]) EuGH 9. 12. 1965 Rs 44/65 – Hessische Knappschaft – Slg 1965, 1268.

[171]) Für den EGKS-Vertrag s EuGH 17. 7. 1959 Rs 42/58 – Société des Aciers fins de l'Est – Slg 1959, 401.

[172]) EuGH 15. 7. 1960 Rs 20 und 25/59 – Italien gg Hohe Behörde und Niederlande gg Hohe Behörde – Slg 1960, 683 und 745.

[173]) EuGH 10. 12. 1969 verb Rs 6 und 11/69 – Kommission gg Frankreich – Slg 1969, 523; EuGH 30. 6. 1988 Rs 226/87 – Kommission gg Griechenland – Slg 1988, 3611.

nicht das Vertragsverletzungsverfahren gewesen sein, sondern die Tatsache, daß der Staat als Empfänger der Entscheidung die Nichtigkeitsklage in Anspruch hätte nehmen können.

Dennoch hat der EuGH die **Rechtsmäßigkeit** einer Entscheidung überprüft, um zu untersuchen, ob sie der Mitgliedstaat in einem Gebiet seiner Kompetenz getroffen hat oder ob jede rechtliche Grundlage fehlt, denn damit wäre der Rechtsakt möglicherweise gar nicht entstanden.[174]) Der Gerichtshof hat noch nicht das Problem behandelt, ob der Mitgliedstaat auch dann keine Einrede der Rechtswidrigkeit erheben kann, wenn sie gegen einen generellen Akt gerichtet war, der den Gegenstand eines Vertragsverletzungsverfahrens gebildet hat. Es scheint aber so, als hätte er diese Möglichkeit unabsichtlich bejaht.[175])

3) Rechtswirkungen der Einrede

Die Einrede der Rechtswidrigkeit des Art 184 EGV ist auch nach Ablaufen der in Art 173 EGV vorgesehenen Frist möglich. Sie kann auf allen Gründen des Art 173 Abs 1 EGV basieren. Stellt der EuGH die Rechtswidrigkeit fest, so hat diese Erklärung nur im Prinzip einen Effekt intra partes.

Eine analoge Anwendung des Art 176 EGV überträgt aber die Verpflichtung zur Ergreifung der notwendigen Maßnahmen – als Konsequenz aus dem Urteil des EuGH – den EG-Organen.

e) Die Schadenersatzklage

1) Gegenstand und rechtliche Behandlung

Was die vertragliche Haftung der Gemeinschaft betrifft, beschränkt sich Art 215 EGV darauf festzulegen, daß die Haftung der Gemeinschaft sich nach dem Recht, das auf den betreffenden Vertrag anzuwenden ist, gründet.

Mangels einer Bestimmung, die dem EuGH eine **Zuständigkeit** überträgt (mit Ausnahme einer vertraglich vereinbarten Schiedsklausel gem Art 181 EGV), müssen Klagen gegen die Gemeinschaft, die aus einem Vertragsverhältnis entstehen, vor die nationalen Gerichte gebracht werden (Art 183 EGV).

Dagegen überträgt Art 178 EGV dem EuGH die Zuständigkeit aus **nichtvertraglichem Schadenersatz.** Für die rechtliche Ausgestaltung dieser Ansprüche gilt Art 215 Abs 2 EGV, wonach die Gemeinschaft die durch ihre Organe oder Bediensteten in Ausübung ihrer Amtstätigkeit verursachten Schäden nach den allgemeinen Rechtsgrundsätzen, die den Rechtsordnungen der Mitgliedstaaten gemein sind, ersetzt. In einem Sektor, der sehr komplex ist und durch die starken Unterschiede in den nationalen Rechtsordnungen gekennzeichnet ist, konnte eine solche Norm den Gerichtshof nur zu einer Rechtsprechung anregen, die neben prätorischen Zügen leider auch jene von Unsicherheit und starken Schwankungen aufweist.

---

[174]) EuGH 10. 12. 1969 – Kommission gg Frankreich – (FN 173).

[175]) EuGH 18. 9. 1986 Rs 116/82 – Kommission gg Deutschland – Slg 1986, 2519; s auch EuGH 25. 7. 1991 Rs C-258/89 – Kommission gg Spanien – Slg 1991, I-3977.

Die Klage kann sowohl von jeder natürlichen oder juristischen Person als auch von einem Mitgliedstaat erhoben werden, auch wenn es dazu keine Rechtsprechung gibt. Hinsichtlich der Passivlegitimation spricht Art 215 EGV von Schadenersatz der EG. Der Gerichtshof hat präzisiert, daß die Gemeinschaft durch die Organe oder jenes, dem die Verantwortung am Schaden vorgeworfen wurde, vertreten wird. Deshalb ist eine Klage gegen ein solches Organ nicht unzulässig.[176]) Weiters hat der EuGH auch eine Klage gegen die Europäische Investitionsbank, die als Beauftragte der Gemeinschaft gehandelt hat, zugelassen.[177])

Der Schaden, dessen Ersatz gefordert wird, kann sowohl durch rechtliches als auch tatsächliches Handeln der Organe der EG hervorgerufen worden sein.

Gem Art 215 EGV tritt die Haftung der Gemeinschaft für Schäden, die durch Bedienstete in Ausübung ihrer Amtstätigkeit entstanden sind, ein, wenn ein direkter und innerer Zusammenhang zwischen der Ausübung der Amtstätigkeit und dem Schaden besteht.[178]) Die **Frist zur Klagseinbringung** beträgt fünf Jahre ab der Handlung, die zur Haftung führt (Art 43 der Satzung des EuGH). Der Gerichtshof hat bestimmt, daß die Frist aber nicht zu laufen beginnt, bevor alle Elemente, die zum Eintritt der Haftung der EG führen (vor allem der Schadenseintritt), konkretisiert sind,[179]) jedenfalls aber nicht bevor der Kläger Kenntnis von der Tatsache, die den Schaden verursacht hat, haben konnte.[180]) Die Verjährung der Klage wird nicht von Amts wegen untersucht.[181])

2) *Die Selbständigkeit der Schadenersatzklage und ihr Verhältnis zu den anderen Rechtsmitteln*

Seit dem Urteil „Vloeberghs"[182]) hat der Gerichtshof die **Selbständigkeit der Schadenersatzklage** von anderen Rechtsmitteln betont. Das bedeutet, daß der Kläger vor der Schadenersatzklage keine Nichtigkeits- oder Untätigkeitsklage einbringen muß, um sich auf die Art 178 und 215 EGV berufen zu können.[183]) Um zu verhindern, daß die Schadenersatzklage wegen ihrer längeren Fristen von den einzelnen Rechtsunterworfenen zweckentfremdet wird, hat der EuGH die Anfechtung eines EG-Rechtsaktes, der eigentlich einer Nichtigkeitsklage unterworfen hätte werden sollen, im Rahmen einer

---

176) EuGH 13. 11. 1973 verb Rs 63 bis 69/72 – Werhahn gg Rat und Kommission – Slg 1973, 1229.

177) EuGH 2. 12. 1992 Rs C-370/89 – SGEEM und Etroy gg EIB – Slg 1992, I-6211.

178) EuGH 10. 7. 1969 Rs 9/69 – Sayag – Slg 1969, 329.

179) EuGH 27. 1. 1982 Rs 51/81 – De Franceschi gg Rat und Kommission – Slg 1982, 117.

180) EuGH 7. 11. 1985 Rs 145/83 – Adams gg Kommission – Slg 1985, 3539.

181) EuGH 30. 5. 1989 Rs 20/88 – Roquette gg Kommission – Slg 1989, 1553.

182) EuGH 14. 7. 1961 verb Rs 9 und 12/60 – Vloeberghs gg Hohe Behörde – Slg 1961, 429.

183) EuGH 28. 4. 1971 Rs 4/69 – Lütticke gg Kommission – Slg 1971, 325; EuGH 2. 12. 1971 Rs 5/71 – Zuckerfabrik Schöppenstedt gg Rat – Slg 1971, 975; EuGH 13. 7. 1972 Rs 79/71 – Heinemann gg Kommission – Slg 1972, 579.

Schadenersatzklage zurückgewiesen. Das ist vor allem der Fall, wenn die Schadenersatzklage auf die Zahlung einer Geldsumme gerichtet ist, die exakt jener, die nach einer an den Rechtsunterworfenen gerichteten Entscheidung zu zahlen wäre, entspricht.[184])

Die Rechtsprechung hat in manchmal **gegensätzlichen Urteilen** besonderes Augenmerk auf das Verhältnis zwischen der Schadenersatzklage und den nationalen Rechtsmitteln gerichtet. Wenn der vom Kläger behauptete Schaden auf einem angeblich rechtswidrigen EG-Rechtsakt beruht, der auf die Zahlung von Geldsummen gerichtet ist, deren Ausführung aber den nationalen Behörden überlassen wurde, hat der EuGH die Klage erst nach Ausschöpfung des innerstaatlichen Rechtswegs zugelassen. Dabei können bzw müssen die nationalen Richter eine Vorabentscheidung des EuGH über die Rechtmäßigkeit der EG-Normen verlangen.[185]) Diese oben dargestellte Rechtsprechung ist nicht anwendbar, wenn sich die Schadenersatzklage auf die Behebung eines Schadens und nicht auf die Zahlung oder Erstattung einer Geldsumme bezieht.[186]) Die Klage bleibt zulässig, wenn zwar der interne Rechtsweg nicht ausgeschöpft wurde, es aber scheint, daß dieser keinen ausreichenden Schutz bietet.[187])

3) Bedingungen für die Haftung

Entsprechend der ständigen Rechtsprechung setzt die Haftung der Gemeinschaft das Zusammentreffen einer Reihe von Bedingungen bezüglich der **Rechtswidrigkeit** des Verhaltens, der Tatsache des **Schadens** und der **Kausalität** zwischen der Handlung und dem eingetretenen Schaden voraus.

Was den ersten Teil betrifft, hat der EuGH seine Rechtsprechung auf den Begriff des **Verschuldens** aufgebaut, wobei er von der Formulierung des Art 40 EGKSV beeinflußt wird, der die Haftung nur bei einem Amtsfehler der Gemeinschaft vorsieht. Die Rechtswidrigkeit eines Gemeinschaftsaktes kann, muß aber nicht unbedingt einen Fehler in diesem Sinne darstellen. Tatsächlich hat der Gerichtshof für das Problem des Schadenersatzes bei normativen Akten besonders strenge Kriterien entwickelt.

Handelt es sich um einen Akt, der eine wirtschaftspolitische Wahl darstellt, dann ist die Haftung der Gemeinschaft nur dann zu bejahen, wenn dabei eine ranghöhere Rechtsnorm, die zum Schutz von individuellen Rechten dient, verletzt wurde.[188]) Zu diesen **besonders geschützten Rechtsnormen** zählen die

---

[184]) EuGH 15. 7. 1963 Rs 25/62 – Plaumann gg Kommission – Slg 1963, 213; EuGH 15. 12. 1966 Rs 59/65 – Schreckenberg gg Kommission – Slg 1966, 816; EuGH 26. 2. 1986 Rs 175/84 – Krohn gg Kommission – Slg 1986, 753.

[185]) EuGH 25. 10. 1972 Rs 96/71 – Haegemann gg Kommission – Slg 1972, 1005; EuGH 27. 1. 1976 Rs 46/75 – IBC gg Kommission – Slg 1976, 65; s aber EuGH 24. 10. 1973 Rs 43/72 – Merkur gg Kommission – Slg 1973, 1055.

[186]) EuGH 4. 10. 1979 verb Rs 64 und 113/76, 167 und 239/78, 27, 28 und 45/79 – Dumortier gg Rat – Slg 1979, 3091.

[187]) EuGH 12. 4. 1984 Rs 281/82 – Unifrex gg Kommission – Slg 1984, 1969; EuGH 26. 2. 1986 Rs 175/84 – Krohn gg Kommission – Slg 1986, 753; EuGH 29. 9. 1987 Rs 81/86 – De Boer Buizen gg Rat und Kommission – Slg 1987, 3677; EuGH 30. 5. 1989 – Roquette gg Kommission – (FN 181).

[188]) StRsp seit EuGH 2. 12. 1971 – Zuckerfabrik Schöppenstedt gg Rat – (FN 186).

Prinzipien der Nichtsdiskriminierung, der Angemessenheit[189]) und des Vertrauensschutzes[190]), nicht aber die Verletzung der Begründungspflicht[191]) und die Kompetenzverteilung zw Rat und Kommission[192]). Für die Schwere der Verletzung gilt, daß im Falle eines normativen Handelns das Organ die Grenzen der Ausübung seiner Befugnisse wissentlich und deutlich mißachtet hat.[193]) Daher ist ein technischer Fehler, auch wenn er eine ungleiche Behandlung bewirkt, nicht ausreichend.[194]) Die Möglichkeit einer verschuldensunabhängigen Haftung entsprechend der „Sonderopfertheorie" wurde vom EuGH nicht ausgeschlossen, obwohl er es immer vermieden hat, sich zu diesem Problem zu äußern.[195]) Auf dem Sektor des EGKS-Vertrags kann eine solche Möglichkeit ausgeschlossen werden, da sich Art 40 EGKSV nur auf Amtsfehler bezieht.[196])

Das zweite Element für den Haftungseintritt ist, daß der **Schaden tatsächlich und sicher eingetreten** sein muß.[197]) Dagegen hindert diese Bedingung den EuGH nicht daran, die Haftung der EG für Schäden, die immanent und mit ausreichender Sicherheit vorhersehbar sind, anzunehmen, auch wenn die exakte Höhe noch nicht festgestellt werden kann.[198]) Basiert die Haftung der EG auf einem normativen Akt, der eine wirtschaftspolitische Wahl beinhaltet, so ist der EuGH bei der Zulassung der Klage besonders streng. Das läßt sich dem Urteil „Bayerische HNL"[199]) entnehmen, in dem der Rechtsunterworfene verpflichtet wurde, gewisse, in zumutbaren Grenzen liegende finanzielle Nachteile auf sich zu nehmen, die durch einen als rechtswidrig erkannten Rechtsakt erzeugt wurden. Dies ist vor allem dann der Fall, wenn diese Maßnahme sich auf eine Gruppe von Marktteilnehmern bezieht und dort einen eingeschränkten Einfluß auf die wirtschaftliche Situation nimmt, ohne die Geschäftsrisiken, die dieser Tätigkeit innewohnen, zu überschreiten.

Um die Haftung der EG schließlich eintreten zu lassen, muß eine **Kausalität** zwischen dem eingetretenen Schaden und der **Handlung oder Unterlassung** bestehen, ohne die der Schaden nicht erfolgt wäre. Für den Schadenersatz bei normativen Akten muß dieser Schaden in direkter Art vom rechtswidrigen Verhalten des Organs ableitbar sein, da Art 215

[189]) EuGH 13. 11. 1973 – Werhahn gg Kommission und Rat – (FN 176).

[190]) EuGH 14. 5. 1975 Rs 74/74 – CNTA gg Kommission – Slg 1975, 533.

[191]) EuGH 15. 9. 1982 Rs 106/81 – Kind gg Rat und Kommission – Slg 1982, 2885.

[192]) EuGH 13. 3. 1992 Rs C-382/90 – Vreugdenhil gg Kommission Slg-1992, I-1937.

[193]) EuGH 25. 5. 1978 verb Rs 83 und 94/76 und 40/77 – Bayerische HNL gg Rat und Kommission – Slg 1978, 1209.

[194]) EuGH 19. 9. 1985 verb Rs 194 und 206/83 – Asteris gg Kommission – Slg 1985, 2815.

[195]) EuGH 13. 6. 1972 verb Rs 9 und 11/71 – Compagnie d'approvisionnement gg Kommission – Slg 1972, 391; EuGH 6. 12. 1984 Rs 59/83 – Biovilac gg Kommission – Slg 1984, 4057; EuGH 24. 6. 1986 Rs 267/82 – Développement et Clemessy gg Kommission – Slg 1986, 1907.

[196]) EuGH 17. 12. 1959 Rs 23/59 – FERAM gg Hohe Behörde – Slg 1959, 523.

[197]) EuGH 13. 7. 1961 verb Rs 14, 16, 17, 20, 24, 26, 27/60 und 1/61 – Meroni gg Hohe Behörde – Slg 1961, 347.

[198]) EuGH 2. 6. 1976 verb Rs 56 und 60/74 – Kampffmeyer gg Kommission und Rat – Slg 1976, 711.

[199]) EuGH 25. 5. 1978 Bayerische HNL – (FN 193).

EGV nicht eingewandt werden kann, um eine Verpflichtung der EG für jede Konsequenz aus einer rechtswidrigen Handlung, sei sie auch noch soweit entfernt, zu ziehen.[200]) Der Gerichtshof beachtet auch das **Verhalten des Opfers,** wodurch eventuell der Kausalitätszusammenhang zwischen der Gemeinschaftsnorm und dem eingetretenen Schaden aufgehoben werden könnte. In diesem Zusammenhang sind die Fahrlässigkeit des Rechtsunterworfenen[201]), die Möglichkeit, daß dieser durch das Verhalten des Organs in Irrtum geführt wurde,[202]) die Unvorsichtigkeit des Marktteilnehmers[203]) und die Informationen, über die jener verfügt,[204]) von Interesse. Wichtige Entwicklungen der Rechtsprechung fanden im Problemkreis der **Zurechnung der Haftung** statt, wenn die EG-Rechtsnorm durch innerstaatliches Handeln ausgeführt wurde. Art 178 und 215 Abs 2 EGV verbieten es dem EuGH, über die Gültigkeit von Entscheidungen nationaler Behörden oder deren vermögensrechtlichen Folgen zu befinden.

Die Kontrolle **administrativer Handlungen** eines Mitgliedstaates obliegt den nationalen Gerichten, die dann eventuell eine Frage an den EuGH im Rahmen des Vorabentscheidungsverfahrens richten können.[205]) Es tritt jedoch die Haftung der Gemeinschaft ein, wenn das innerstaatliche Organ zwar formell die Entscheidung, die den Schaden verursacht getroffen hat, aber auf verbindliche Anweisung der Kommission gehandelt hat.[206])

Entsteht der Schaden in Zusammenwirken einer Rechtswidrigkeit, die sowohl den EG-Organen als auch dem Handeln des Mitgliedstaats zuzurechnen ist, so unterwirft der EuGH die Verantwortlichkeit der Gemeinschaft zunächst der Ausschöpfung des innerstaatlichen Rechtswegs.[207]) Diese Lösung, die verhindern soll, daß der Kläger mißbräuchlich oder nicht ausreichend entschädigt wird, ist auf massive Kritik gestoßen, da sie der Haftung der Gemeinschaft einen subsidiären Charakter verleiht.

4) Der Schadenersatz

Grundsätzlich liegt die **Beweislast für die Höhe des Schadens** beim Kläger. Dennoch kann der **Gerichtshof** diese mittels aller Beweiselemente, die vorgebracht wurden, **frei bestimmen.**[208]) Der moralische Schaden kann

---

[200]) EuGH 4. 10. 1979 verb Rs 64 und 113/76, 167 und 239/78, 27, 28 und 45/79 – Dumortier gg Rat – Slg 1979, 3091.

[201]) EuGH 13. 7. 1961 – Meroni gg Hohe Behörde – (FN 197).

[202]) EuGH 16. 12. 1963 Rs 36/62 – Aciéries du Temple gg Hohe Behörde – Slg 1963, 621.

[203]) EuGH 8. 6. 1977 Rs 97/76 – Merkur gg Kommission – Slg 1977, 1063.

[204]) EuGH 4. 2. 1975 Rs 169/73 – Compagnie Continentale gg Rat – Slg 1975, 117.

[205]) EuGH 12. 12. 1979 Rs 12/79 – Wagner gg Kommission – Slg 1979, 3657; EuGH 27. 3. 1980 Rs 133/79 – Sucrimex gg Kommission – Slg 1980, 1299; EuGH 10. 6. 1982 Rs 217/81 – Interagra gg Kommission – Slg 1982, 2233.

[206]) EuGH 26. 2. 1986 Rs 175/84 – Krohn gg Kommission – Slg 1986, 753.

[207]) EuGH 14. 7. 1967 verb Rs 5, 7 und 13 bis 24/66 – Kampffmeyer gg Kommission – Slg 1967, 332.

[208]) EuGH 6. 10. 1982 Rs 261/78 – Interquell gg Rat und Kommission – Slg 1982, 3271.

wie der Sachschaden Anlaß zu Schadenersatz sein.[209]) Dabei umfaßt der Ersatz nicht nur den eigentlichen Schaden („damnum emergens“), sondern auch den entgangenen Gewinn („lucrum cessans“).[210]) Die Forderung nach Zinsen ist generell zulässig.[211]) Der Gerichtshof hat sich manchmal damit begnügt, in einem ersten Urteil die Haftung und die Kriterien der Ermittlung der Schadenshöhe festzustellen. Die Höhe des Schadenersatzes kann also entweder der Einigung der Parteien überlassen werden oder, wenn diese nicht erzielt wird, in einem zweiten Urteil des EuGH festgelegt werden.[212])

f) Die Dienstrechtsklagen

1) Gegenstand und Klagslegitimation

Art 179 EGV überträgt dem EuGH die Zuständigkeit in allen Streitsachen zwischen der Gemeinschaft und deren Bediensteten innerhalb der Grenzen und nach Maßgabe der Bedingungen, die im **Statut der Beamten** festgelegt sind oder die sich aus den Beschäftigungsbedingungen für die Bediensteten ergeben.[213]) Die Entscheidung zur Errichtung des Gerichts erster Instanz hat diese Zuständigkeit dem neuen Organ übertragen. Die Klage muß ihre Ursachen in der Beschäftigung, die den Bediensteten mit der Gemeinschaft verbindet, haben.[214]) Die Klagen können auf die Annullierung eines Aktes oder auf Schadenersatz gerichtet sein.[215]) In einem Rechtsstreit, der auf Geld gerichtet ist, überträgt Art 91 Abs 1 Beamtenstatut dem Gerichtshof die Befugnis zur unbeschränkten Ermessensnachprüfung.

Die **aktive Klagslegitimation** kommt nicht nur den Beamten und Vertragsbediensteten zu, sondern auch jenen, die diese Funktionen ausgeübt haben, sowie den Kandidaten einer Stelle[216]), Rechtsnachfolgern von verstorbenen Bediensteten der Gemeinschaften und ehemaligen Mitgliedern eines Organs[217]).

Die **Passivlegitimation** beinhaltet nicht nur die Organe im engeren Sinn, sondern auch die anderen Institutionen wie den Wirtschafts- und Sozialausschuß und die Europäische Investitionsbank.[218])

---

[209]) EuGH 12. 7. 1957 verb Rs 7/56 und 3 bis 7/57 – Algera gg Gemeinsame Versammlung – Slg 1957, 85.

[210]) EuGH 14. 7. 1967 – Kampffmeyer gg Kommission (FN 207).

[211]) EuGH 4. 10. 1979 verb Rs 261 und 262/78 – Interquell gg Rat und Kommission – Slg 1979, 3045.

[212]) Vgl EuGH 6. 10. 1982 – Interquell (FN 208).

[213]) V des Rates 259/68 EWG/EAG/EGKS v 29. 4. 1968, ABl L 1968/56, 1; s dazu ausführlich unten *Röttinger,* Die europäischen Beamten.

[214]) EuGH 22. 10. 1975 Rs 9/75 – Meyer-Burckhardt gg Kommission – Slg 1975, 1171.

[215]) EuGH 4. 7. 1985 Rs 176/83 – Allo gg Kommission – Slg 1985, 2155.

[216]) EuGH 16. 6. 1971 Rs 18/70 – Duraffour gg Rat Slg 1071, 515.

[217]) EuGH 12. 12. 1989 Rs C-163/88 – Kontogeorgis gg Kommission – Slg 1989, 4189.

[218]) EuGH 15. 6. 1976 Rs 110/75 – Mills gg EIB – Slg 1976, 955.

2) Bedingungen zur Klagszulässigkeit

In Art 90 und 91 Beamtenstatut sind die Bedingungen der Zulässigkeit von Dienstrechtsklagen festgelegt.

- **Erschöpfung des verwaltungsrechtlichen Rechtsweges**
  Die Klage ist nur zulässig, wenn ihr eine Beschwerde bei der Anstellungsbehörde vorangegangen ist und diese den Gegenstand einer direkten oder indirekten negativen Entscheidung gebildet hat. Somit soll vor Beginn des Rechtsstreits eine freundschaftliche Lösung herbeigeführt werden.
  Die Beschwerde richtet sich gegen einen Akt; wenn ein solcher nicht existiert, muß der Kläger die zuständige Behörde einladen, eine Entscheidung in seiner Angelegenheit zu treffen. Diese beiden Schritte unterliegen keinen besonderen Formvorschriften. Eine vorherige Beschwerde ist dann nicht notwendig, wenn der Akt von einer unabhängigen Stelle wie der Jury einer Auswahlprüfung stammt, sodaß die Anstellungsbehörde die Entscheidung nicht mehr ändern kann.[219])
- **Interesse am Handeln**
  Das Interesse am Handeln wird entsprechend der Umstände der Angelegenheit bewertet; es muß aber im Anlaßfall vorliegen, aktuell und persönlich sein.[220])
- **Der Akt, der Anlaß zur Beschwerde gibt**
  Die Beschwerde und die Klage müssen gegen einen vorwerfbaren Akt gerichtet sein, dh daß die Handlung geeignet ist, direkt in eine bestimmte rechtliche Situation einzugreifen.[221]) EuGH führt diese Bedingung zur Unzulässigkeit einer Klage gegen einen generellen Rechtsakt.[222]) Dagegen kann der Beamte im Verfahren gegen einen Ausführungsakt eines Organs die Einrede der Rechtswidrigkeit der generellen Normen erheben.[223]) Für die individuellen Rechtsakte gilt jedoch, daß positive Bescheide, vorbereitende Handlungen, interne Maßnahmen, Auskunfterteilungen oder Meinungsäußerungen sowie die Ausführung schon vorher ergriffener Akte nicht Gegenstand einer dienstrechtlichen Klage sein können.

3) Fristen

Der Beamte kann binnen drei Monaten eine Beschwerde formulieren. Das Bestellungsorgan verfügt über vier Monate, um auf diese Beschwerde zu antworten. Binnen einer weiteren Frist von drei Monaten hat der Beamte die Möglichkeit zu klagen. Die Frist beginnt mit der Notifizierung der negativen Entscheidung oder bei impliziter Zurückweisung der Beschwerde mit dem Ablauf der viermonatigen Antwortzeit der Behörde.

---

[219]) EuGH 14. 6. 1972 Rs 44/71 – Marcato gg Kommission – Slg 1972, 427.

[220]) EuGH 1. 2. 1979 Rs 17/78 – Deshormes gg Kommission – Slg 1979, 189; EuGH 30. 5. 1984 Rs 111/83 – Picciolo gg Parlament – Slg 1984, 2323.

[221]) EuGH 1. 7. 1964 Rs 26/63 – Pistoj gg Kommission – Slg 1964, 737.

[222]) EuGH 16. 7. 1981 Rs 153/79 – Bowden gg Kommission – Slg 1981, 2111, und Rs 154/79 – Biller gg Parlament – Slg 1981, 2125.

[223]) EuGH 16. 10. 1980 Rs 147/79 – Hochstrass gg Gerichtshof – Slg 1980, 3005.

g) Die Schiedsklauseln

1) Streitigkeiten, die aus den von der Gemeinschaft abgeschlossenen Verträgen entstehen

Der Gerichtshof ist nicht generell für alle Streitfälle, die aus den von der EG geschlossenen Verträge entstehen, zuständig. Er kann dies aber gem Art 181 EGV werden, soferne eine Schiedsklausel in diesen Verträgen enthalten ist, auch wenn das innerstaatliche Recht es verbietet.[224]). Das Verfahren wird auf der Basis des auf den Vertrag anzuwendenden Rechts geführt (Art 215 Abs 1 EGV). Das geltende Recht kann sich entweder aus einer ausdrücklichen Willensäußerung der Vertragsparteien oder aus den Umständen ergeben. Sonst muß es der EuGH gem den allen Mitgliedstaaten gemeinsamen Rechtsgrundsätzen festlegen, wobei er auch das Übereinkommen von Rom über das auf vertragliche Schuldverhältnisse anzuwendende Recht heranziehen kann.

Meistens ist eine **nationale Bestimmung** anzuwenden, was den Sinn der Einschaltung des EuGH zweifelhaft erscheinen läßt. In einigen Fällen hat der Gerichtshof die gemeinschaftlichen Rechtsnormen an die der Vertrag angeknüpft hat, verwendet.[225])

2) Streitfälle zwischen Mitgliedstaaten

Art 182 EGV sieht vor, daß die Mitgliedstaaten dem Gerichtshof jeden Streitfall, der mit dem Gegenstand des EG-Vertrags zusammenhängt, vorlegen können, wenn sie eine Schiedsabsprache getroffen haben. Da diese Bestimmung aber noch nie zu einem Anwendungsfall vor dem EuGH geführt hat, können keine näheren Angaben darüber gemacht werden. Man kann aber davon ausgehen, daß der geforderte Zusammenhang mit dem EG-Vertrag in liberaler Hinsicht interpretiert werden muß, da Art 170 EGV ein besonderes Rechtsmittel für die Vertragsverletzung durch Mitgliedstaaten vorsieht. In diesen Streitsachen kann der EuGH sowohl EG-Recht als auch internationales Recht anwenden.

h) Die einstweiligen Verfügungen

1) Grundsätze

Die vor dem EuGH eingebrachten Klagen haben mit Ausnahme der nach Art 83 EURATOMV eingebrachten Verfahren gegen Zwangsmaßnahmen, die von der Kommission verhängt wurden,[226]) **grundsätzlich keine aufschiebende Wirkung.**

Art 185 und 186 EGV sehen jedoch vor, daß der EuGH in den Verfahren die **Durchführung** der angefochtenen Handlung **aussetzen** und die erforderlichen einstweiligen Anordnungen treffen kann.[227]) Um diese Maßnahmen einzu-

---

[224]) EuGH 8. 4. 1992 Rs C-209/90 – Kommission gg Feilhauer – Slg 1992, I-2613.

[225]) EuGH 20. 6. 1985 Rs 118/84 – Kommission gg Royale Belge – Slg 1985, 1889; EuGH 23. 1. 1986 Rs 251/84 – Centrale Marketinggesellschaft gg Kommission – Slg 1986, 217.

[226]) Der Gerichtshof kann aber die sofortige Durchführung anordnen; s EuGH Beschluß v 7. 12. 1990 Rs C-308/90 – Advanced Nuclear Fuels – Slg 1990, 4499.

[227]) Vgl auch Art 36 EWGV-Satzung und Art 83 bis 90 der Verfahrensordnung.

leiten, muß eine der am Verfahren beteiligten Parteien (bei der Aussetzung des Vollzugs der Kläger des Nichtigkeitsverfahrens) diese durch eine eigenständige Eingabe an den EuGH begehren (Art 83 Verfahrensordnung). Dieser **Antrag** ist nur für schon vor dem EuGH anhängige Verfahren möglich, wobei die Parteien den Zeitpunkt grundsätzlich frei wählen können. Hat der EuGH allerdings schon mit seinen Beratungen über die Sache in materieller Hinsicht begonnen, ist es nicht sicher, ob dem Ansuchen auf einstweilige Verfügungen statt gegeben wird.[228]) Der Beschluß über die einstweilige Verfügung kann aber nicht die materielle Entscheidung über die Rechtsache vorwegnehmen (Art 36 EGV-Satzung). Es folgt daraus, daß ein Antrag auf einstweilige Verfügung bei sonstiger Zurückweisung nicht denselben Gegenstand wie das Hauptverfahren haben kann.[229])

Außerdem hat der Gerichtshof im Rahmen des Verfahrens über die einstweilige Verfügung nicht über die Zulässigkeit der Klage im **Hauptverfahren** zu befinden.[230]) Behauptet der Beklagte jedoch die offensichtliche Unzulässigkeit der Klage, so hat es der Gerichtshof für notwendig gehalten, bestimmte Mindesterfordernisse für die Zulässigkeit der Klage festzulegen.[231]) Die Aussetzung des Vollzugs eines Aktes genereller Reichweite wird zurückgewiesen, wenn es scheint, daß der angefochtene Akt den Kläger nicht iSd Art 173 EGV individuell betrifft.[232])

Schließlich muß festgehalten werden, daß die einstweiligen Verfügungen in **allen direkten Verfahren** vor den Gerichtshof getroffen werden können. Die Zweifel, die bezüglich einer Übereinstimmung von solchen Maßnahmen mit dem rein deklaratorischen Vertragsverletzungsverfahren aufgekommen sind, wurden durch einige Beschlüsse von 1977 zerstreut.[233]) Dort hat sich der EuGH, der sich in der Hauptsache darauf beschränkt, die Vertragsverletzung des Staates festzustellen, ohne Maßnahmen vorschreiben zu können, entschieden, daß aber dennoch vorläufige Maßnahmen getroffen werden können, die bis zur Aussetzung des Inkrafttretens eines vom Parlament beschlossenen Gesetzes gehen können.[234])

2) Bedingungen in materieller Hinsicht

Gem Art 83 Abs 2 Verfahrensordnung muß der Antrag auf einstweilige Verfügung die Umstände der Dringlichkeit und die rechtlichen und tatsächli-

---

[228]) EuGH Beschluß v 11. 4. 1960 verb Rs 3 bis 18, 25, 26/58, – Erzbergbau gg Hohe Behörde – Slg 1960, 471.

[229]) EuGH Beschluß v 5. 12. 1979 Rs 794/79 R – B gg Parlament Slg 1979, 3635; s jedoch eine Ausnahme zu dieser Regel im Beschluß v 17. 1. 1980 Rs 792/79 R – Camera Care gg Kommission – Slg 1980, 119.

[230]) EuGH Beschluß v 30. 11. 1972 Rs 75/72 R – Perinciolo gg Rat – Slg 1972, 1201.

[231]) EuGH Beschluß v 16. 10. 1986 Rs 221/86 R – Groupe des droites européennes gg Parlament – Slg 1986, 2969; EuGH Beschluß v 27. 6. 1991 Rs 117/91 R – Bosman gg Kommission – Slg 1991, I-3353.

[232]) Beschluß v 27. 1. 1988 Rs 376/87 R – Distrivet gg Kommission – Slg 1988, 209.

[233]) EuGH Beschluß v 21. 5. 1977 Rs 31 und 53/77 R – Kommission gg Vereinigtes Königreich – Slg 1977, 921; EuGH Beschluß v 22. 5. 1977 und 13. 7. 1977 Rs 61/77 R – Kommission gg Irland – Slg 1977, 937 und 1411.

[234]) Vgl EuGH Beschluß v 12. 7. 1990 Rs C-195/90 R – Kommission gg Deutschland – Slg 1990, I-3351.

chen Gründe, die eine solche Maßnahme rechtfertigen, aufzeigen. Ausgehend von diesen Bestimmungen hat der EuGH die **Kriterien** zur Verhängung dieser einstweiligen Anordnungen ausgeführt.

Die erste dieser Bedingungen könnte man unter dem Schlagwort **„fumus boni iuris“** („begründeter Anschein“) zusammenfassen.[235]) Ebenso hat der EuGH den englischen Ausdruck „prima facie case“ verwendet.[236]) Er hat sich aber an der Reichweite der Maßnahmen, die verlangt wurden, und an den Nachteilen, die sie verursachen können, orientiert.

Die zweite Bedingung, nämlich die **Dringlichkeit,** wird durch eine Prüfung der Schwere und des nichtwiedergutzumachenden Schadens bestimmt. Der EuGH hat die Kriterien, die dabei zu beachten sind, im Urteil „Zuckerfabrik Süderdithmarschen“ aufgezeigt.[237]) Insb muß sich der **Schaden konkretisiert** haben, bevor der Gerichtshof über die materiellrechtlichen Fragen entscheiden kann. Bei der Natur des Schadens aber kann ein reiner Geldschaden grundsätzlich nicht als nicht irreversibel angesehen werden. In Ausnahmefällen, nämlich dann wenn die Wiedergutmachung durch Geld die in ihren Rechten verletzte Person nicht in die gleiche Situation wie vor dem Schaden zurückbringt, kann von diesem Grundsatz abgegangen werden. Die starke Veränderung der Struktur des Marktes wäre ein Beispiel dafür.[238]) Der **Schaden** muß **persönlich** sein, sodaß zB ein Mitgliedstaat nicht mit dem bei einem in seinem Territorium ansässigen Unternehmen eingetretenen Schaden argumentieren kann;[239]) ebenso ist es einem Unternehmen nicht möglich, sich auf den Schaden zu stützen, den ein Mitgliedstaat in seiner Zahlungsbilanz erlitten hat.[240]) Von dieser Bedingung wird aber abgesehen, wenn die Kommission in ihrer Funktion als Hüterin der Verträge in einem Vertragsverletzungsverfahren die Verhängung einer einstweiligen Verfügung verlangt.

Bevor der EuGH dem Antrag auf einstweilige Verfügung stattgibt, nimmt er außerdem eine **Interessensabwägung** vor, die sowohl die Parteien als auch Dritte beinhaltet.[241]) Der Einschreiter, der die einstweilige Verfügung beantragt hat, kann zur **Hinterlegung einer Kaution** verpflichtet werden – allerdings nur dann, wenn er Schulder bestimmter Geldsummen ist oder wenn ein Risiko der Zahlungsunfähigkeit besteht. Ist die Gemeinschaft selbst Schulder dieser Geldsumme, so wird das Insolvenzrisiko ausgeschlossen.[242])

---

[235]) Vgl EuGH Beschluß v 10. 10. 1989 Rs 246/89 R – Kommission gg Vereinigtes Königreich – Slg 1989, 3125.

[236]) EuGH Beschluß v 17. 3. 1986 Rs 23/86 R – Vereinigtes Königreich gg Parlament – Slg 1986, 1085.

[237]) EuGH 21. 2. 1991 verb Rs C-143/88 und C-92/89, Slg 1991, I-415.

[238]) Vgl EuGH Beschluß v 12. 7. 1990 – Kommission gg Deutschland – (FN 234).

[239]) EuGH Beschluß v 15. 6. 1987 Rs 142/87 R – Belgien gg Kommission – Slg 1987, 2589; EuGH Beschluß v 17. 3. 1989 Rs 303/88 R – Italien gg Kommission – Slg 1989, 801.

[240]) EuGH Beschluß v 6. 5. 1988 Rs 112/88 R – Enossi Kitroparagogon Kritis – Slg 1988, 2597.

[241]) EuGH Beschluß v 13. 3. 1987 Rs 45/87 R – Kommission gg Irland – Slg 1987, 1369.

[242]) EuGH Beschluß v 12. 7. 1990 – Kommission gg Deutschland – (FN 234).

3) Verfahren

Die einstweiligen Verfügungen werden idR vom Präsidenten mit einem begründeten Beschluß **ohne Anfechtungsmöglichkeit** beschlossen. Der Präsident kann aber die Entscheidung auch dem Gerichtshof überlassen. Sie können die vorübergehende Aussetzung des Aktes ebenso umfassen wie jede andere notwendige Maßnahme (Art 186 EGV) wie zB die Verpflichtung, eine bestimmte Maßnahme zu setzen, den Kläger zu einer bestimmten Situation zuzulassen, eine Geldsumme zu bezahlen oder die Durchführung[243]) anderer als im Hauptverfahren angefochtenen Maßnahmen auszusetzen. Werden einstweilige Verfügungen in einem Vertragsverletzungsverfahren gefällt, so können sie vom Staat auch zur Aussetzung nationaler Normen (auch legislativer Akte) bis zur endgültigen Entscheidung verlangen. Sogar an Dritte, am Verfahren Unbeteiligte, können einstweilige Verfügungen gerichtet werden.[244])

Der Präsident kann gem Art 84 Abs 2 Verfahrensordnung die einstweiligen Verfügungen treffen, unter dem Vorbehalt einer etwaigen Modifikation des Beschlusses, ohne die Stellungnahme der Gegenpartei abzuwarten („inaudita altera parte").[245])

Weiters kann der Beschluß gem Art 86 Abs 3 Verfahrensordnung die **Dauer der Maßnahmen** der einstweiligen Verfügungen festsetzen. Im gegenteiligen Fall schließt das Urteil des EuGH das Verfahren der einstweiligen Verfügung ab. Auf Antrag der Partei kann die einstweilige Verfügung in jedem Augenblick des Verfahrens beendet oder abgeändert werden (Art 87 Verfahrensordnung). Die Zurückweisung eines Antrages auf einstweilige Verfügung, verbietet der Partei aber nicht, einen weiteren Antrag aufgrund neuer Sachverhalte einzubringen.[246])

4) Aussetzung der Zwangsvollstreckung

Art 192 Abs 3 EGV überträgt dem EuGH eine weitere Kompetenz zur Verhängung einstweiliger Verfügungen im Rahmen der **Zwangsvollstreckunc** von Entscheidungen des Rates oder Kommission, die dem Einzelnen eine Zahlung auferlegen, sowie von Urteilen des Gerichtshofs selbst (Art 187 EGV). Während grundsätzlich die Zwangsvollstreckung nach den Bestimmungen des nationalen Rechts erfolgt und in der Zuständigkeit des nationalen Richters verbleibt, kann der Gerichtshof sie durch eine einstweilige Verfügung aufheben (s Art 89 der Verfahrensordnung).

---

[243]) Vgl EuGH Beschluß v 8. 4. 1965 verb Rs 18 und 35/65 – Gutmann gg Kommission – Slg 1965, 203.

[244]) EuGH Beschluß v 19. 10. 1976 Rs 88/76 R – Société pour l'exportation des sucres gg Kommission – Slg 1976, 1585; EuGH Beschluß v 16. 7. 1984 Rs 160/84 R – Oryzomyli Kavallas – Slg 1984, 3217; EuGH Beschluß v 17. 3. 1986 – Vereinigtes Königreich gg Parlament – (FN 236).

[245]) ZB EuGH Beschluß v 20. 7. 1988 und 13. 9. 1988 Rs 194/88 R – Kommission gg Italien – Slg 1988, 4547 und 4559.

[246]) Art 88 Verfahrensordnung s zB EuGH Beschluß v 10. 7. 1979 Rs 51/79 R II – Buttner gg Kommission – Slg 1979, 2387.

i) Die außerordentlichen Rechtsbehelfe

1) Allgemeines

Art 38 bis 41 EG-Satzung vervollständigen das System der direkten Klagen vor dem Gerichtshof durch weitere sog außerordentliche Rechtsbehelfe gegen die Urteile des Gerichtshofs selbst. Bis zur Schaffung des Gerichts erster Instanz hat der Gerichtshof als einstufiges gerichtliches Organ gewirkt, und auch heute gibt es **keine Einspruchs- oder Anfechtungsmöglichkeit der EuGH-Urteile.** Die einzigen Rechtsmittel gegen die Urteile des Gerichtshofs sind also die außerordentlichen Rechtsbehelfe, die den Rechtsmitteln des innerstaatlichen Rechts ähnlich sind, die Urteile letzter Instanz oder solche, die endgültig sind, anfechten. Diese Rechtsbehelfe können nur **gegen Urteile,** die **in den direkten Verfahren** ausgesprochen wurden, verwendet werden. Davon ausgeschlossen sind die Vorabentscheidungsurteile.[247])

2) Drittwiderspruchsklage

Mitgliedstaaten, Organe der Gemeinschaft und alle sonstigen natürlichen und juristischen Personen können nach Maßgabe der Verfahrensordnung in den dort genannten Fällen **Drittwiderspruch** erheben, wenn das Urteil des EuGH ihre Rechte beeinträchtigt und in einem Rechtsstreit erlassen worden ist, an dem sie nicht teilgenommen haben (Art 39 EGV-Satzung und Art 97 Verfahrensordnung). Um die Rechtssicherheit zu gewährleisten, hat der EuGH gefordert, daß der Dritte, der sich gegen das Urteil wendet, ohne am Verfahren beteiligt gewesen zu sein, ein **rechtliches Interesse** nachweisen muß, das der Veröffentlichung des Streitgegenstands und des Klagsantrags wie im Amtsblatt kundgemacht nicht zu entnehmen war.[248]) Explizit hat es der EuGH ausgeschlossen, daß Einzelne gegen ein Vertragsverletzungsurteil Einspruch erheben können, da dieses Rechtsmittel für jene Personen vorgesehen ist, deren Beteiligung am Verfahren grundsätzlich möglich ist, während Art 37 EGV-Satzung die Beteiligung Privater an Vertragsverletzungsverfahren verbietet.[249])

3) Antrag auf Interpretation eines Urteils

Bestehen **Zweifel über Sinn und Tragweite eines Urteils,** so ist der Gerichtshof zuständig, dieses Urteil auf Antrag einer Partei oder eines Organs der Gemeinschaft auszulegen, wenn diese ein berechtigtes Interesse hieran glaubhaft machen (Art 40 EGV-Satzung). Der Gerichtshof hat den Begriff „Partei“ im Fall, daß eine Entscheidung Gegenstand mehrerer Nichtigkeitsverfahren war, weit ausgelegt.[250]) Bei den Zweifeln reicht es dabei aus, daß die Parteien den Text des Urteils verschieden auslegen, wenn dieser **Unklarheiten oder Zweideutigkeiten im Urteilstenor** oder in für die Lösung des Rechts-

---

[247]) EuGH Beschluß v 5. 3. 1986 – Wünsche – (FN 57).

[248]) EuGH 12. 7. 1962 verb Rs 42 und 49/59 T O – Breedband gg Aciéries du Temple – Slg 1962, 291.

[249]) EuGH Beschluß v 6. 9. 1989 Rs C-147/86T O 1 – Panhellinia Omospondia gg Griechenland und Kommission – Slg 1989, 4103.

[250]) EuGH 28. 6. 1955 Rs 5/55 – Assider gg Hohe Behörde – Slg 1955, 277.

streites notwendigen **Begründungen** aufweist.[251]) Die Fragen müssen sich dabei auf den Text des Urteils selbst und nicht auf etwaige andere Fälle oder Probleme bei der Durchführung richten.[252]) Es kann nur der Sinn und die Tragweite des schon ergangenen Urteils erklärt werden, der Gerichtshof kann also nicht zu Problemen Stellung nehmen, die im Urteil nicht entschieden wurden.[253]) Trotzdem wird dieser **„authentischen Auslegung"** ein objektiver Charakter verliehen, der nicht nur die am Auslegungsverfahren Beteiligten betrifft, sondern jene Partei, die vom Urteil oder einer analogen Entscheidung betroffen ist.[254])

4) Wiederaufnahme des Verfahrens

Wird eine Tatsache von entscheidender Bedeutung bekannt, die vor Verkündung des Urteils unbekannt war und die auf die Entscheidung des EuGH Einfluß gehabt hätte, kann die Wiederaufnahme des Verfahrens beantragt werden (Art 41 EGV-Satzung). Dieser Antrag kann von jeder Partei und, so wie es scheint, auch von den Intervenienten gestellt werden.

Für die Wiederaufnahme sieht Art 41 EG-Satzung zwei Bedingungen vor. Zum ersten muß es sich um eine **Tatsache** handeln, die der die Wiederaufnahme beantragenden Partei und dem Gerichtshof zum Zeitpunkt des Urteils **unbekannt** war. Diese Bedingung ist dann nicht erfüllt, wenn die Partei von der Existenz eines Dokumentes wußte, aber dessen Inhalt nicht kannte. Es stehen ihr nämlich während des Prozesses alle Möglichkeiten zur Verfügung, den Inhalt zu erfahren, bevor der Gerichtshof sein Urteil ausgesprochen hat. Wurde darauf aber nicht zurückgegriffen, so kann der Inhalt des Dokuments nicht als neue Tatsache gewertet werden.[255]) Zweitens muß dieses neu gefundene Faktum eine **entscheidende Bedeutung** für die Lösung des Streitfalles darstellen.[256]) Die Rechtsprechung hat noch eine weitere Bedingung eingeführt, die darin besteht, daß die neue **Tatsache** schon **vor der Urteilsentscheidung entstanden** sein muß.[257]) Dennoch hat der Gerichtshof nicht immer ausgeschlossen, daß auch eine später entstandene Tatsache eine Wiederaufnahme rechtfertigen könnte.[258])

Die Wiederaufnahme ist an **zwei Fristen** geknüpft: Zum einen muß der Antrag auf Wiederaufnahme binnen zehn Jahren nach der Urteilsverkündung (Art 41 EGV-Satzung) und weiters binnen drei Monaten nach Kenntnis der die Wiederaufnahme rechtfertigenden Tatsache gestellt werden.

---

[251]) FN 250.

[252]) EuGH 7. 4. 1965 Rs 70/63bis – Hohe Behörde gg Collotti und Gerichtshof – Slg 1965, 374.

[253]) EuGH 28. 6. 1955 – Assider gg Hohe Behörde – (FN 250).

[254]) EuGH 9. 3. 1977 verb Rs 41, 43 und 44/73 – Interprétation – Générale Sucriète – Slg 1977, 445.

[255]) EuGH 21. 1. 1971 Rs 56/70 – Mandelli gg Kommission – Slg 1971, 1.

[256]) Vgl EuGH 24. 11. 1983 Rs 107/79 Rév – Schwerer gg Kommission – Slg 1983, 3805.

[257]) Vgl EuGH 10. 1. 1980 Rs 116/78 Rév – Bellintani gg Kommission – Slg 1980, 23.

[258]) EuGH 13. 10. 1977 Rs 56/75 Rév – Elz gg Kommission – Slg 1977, 1617.

Das **Verfahren** gliedert sich in zwei Teile, denn zunächst entscheidet der EuGH über die Zulässigkeit des Antrages und in einem weiteren Verfahren entsprechend den normalen Prozeßregeln über die materiellen Rechtsfragen (Art 100 Verfahrensordnung). Allerdings wurde trotz zahlreicher Versuche bisher noch kein Wiederaufnahmeantrag für zulässig erklärt.

3. Die anderen Zuständigkeiten

a) Die Gutachten

1) Gutachten über internationale Abkommen

Neben den eigentlichen gerichtlichen Zuständigkeiten überträgt der Vertrag dem EuGH auch **Kompetenzen konsultativer Art.** Das erste Beispiel ergibt sich aus dem Verfahren zum Abschluß der internationalen Verträge gem Art 228 Abs 6 EGV. Der Rat, die Kommission oder ein Mitgliedstaat kann ein Gutachten des Gerichtshofes über die Vereinbarkeit eines beabsichtigten Abkommens mit dem EG-Vertrag einholen. Wie der EuGH[259]) ausführt, hat dieses Verfahren den Sinn, etwaige Komplikationen, die sich aus einer a posteriori-Feststellung der Unvereinbarkeit des Abkommens mit dem Vertrag ergeben könnten, hintanzuhalten. Bisher wurde das Begutachtungsverfahren neun Mal verwendet.[260]) Ein weiteres Ersuchen um Gutachten ist anhängig.

Im Gutachten 1/75 hat der Gerichtshof dem Begriff Abkommen eine weite Bedeutung gegeben, der jede Verpflichtung eines Völkerrechtssubjekts mit zwingender Bindungswirkung umfaßt, egal welche rechtliche Qualifikation ihm zukommt. Deshalb können Rechtsakte einer internationalen Organisation den Gegenstand eines Gutachtens durch den EuGH bilden können. Art 107 Abs 2 Verfahrensordnung erstreckt die Kontrolle sowohl auf die Vereinbarkeit mit dem EGV, als auch auf die Zuständigkeit der Gemeinschaft oder eines ihrer Organe für den Abschluß des Abkommens.[261])

Der Text des Art 228 EGV läßt vermuten, daß der EuGH noch vor **Abschluß des Abkommens** befaßt werden muß.[262]) Abgesehen von dieser Bedingung hat der Gerichtshof bezüglich des Zeitpunktes des Antrages auf die Erstellung des Gutachtens große Flexibilität gezeigt. Es wurden sowohl über schon paraphierte Verträge als auch über solche, deren Verhandlungen noch im Laufen waren, Gutachten erstellt. Art 107 und 108 Verfahrensordnung, die den Ablauf des Verfahrens vor dem Gerichtshof regeln, sehen die Möglichkeit der Stellungnahme des Rates, der Kommission und der Mitgliedstaaten vor. Der EuGH gibt nach Anhörung der Generalanwälte in nichtöffentlicher Sitzung sein Gutachten ab.

---

[259]) Gutachten 1/75 v 11. 11. 1975, Slg 1975, 1355.

[260]) Gutachten 1/75; Gutachten 1/76 v 26. 4. 1977, Slg 1977, 741; Gutachten 1/78 v 4. 10. 1979, Slg 1979, 2871; Gutachten 1/91 v 14. 12. 1991, Slg 1991, I-6079; Gutachten 1/92 v 10. 4. 1992, Slg 1992, I-2821; Gutachten 2/91 v 19. 3. 1993, Slg 1993, I-1061; Gutachten 1/94 v 15. 11. 1994, Slg 1994, I-5267; Gutachten 2/92 v 24. 3. 1995, Slg 1995, I-521; Gutachten 3/94 v 13. 12. 1995, noch nicht veröffentlicht.

[261]) Vgl Gutachten 1/75 (FN 259) und 1/76 (FN 260).

[262]) Vgl auch Gutachten 1/75 (FN 259).

Ist das Gutachten ablehnend, so kann das Abkommen nur nach Maßgabe des Art N VEU in Kraft treten, dh nach einer Änderung der Verträge. Dagegen könnte die Meinung vertreten werden, daß ein positives Gutachten die nachträgliche Anfechtung der Gültigkeit des Abkommens mit der Maßgabe verhindert, daß sein Inhalt und das Verfahren des Abschlusses nicht von dem vom EuGH zur Untersuchung vorgelegten Entwurf abweicht.

Art 103 EURATOMV sieht ein ähnliches Verfahren wie Art 228 EGV vor und überträgt dem EuGH die Kompetenz zur Überprüfung der Übereinstimmung des Abkommens mit den Vertragsbestimmungen im Anwendungsbereich des EURATOM-Vertrages. Der Anrufung des EuGH geht eine **vorgerichtliche Phase** voraus, in der die Kommission ihre Stellungnahme abgibt. Spricht sie sich darin gegen den Abschluß des Vertrages aus, so obliegt es dem Mitgliedstaat, den Gerichtshof anzurufen. Bisher fand dieses Verfahren erst einmal Anwendung.[263]) Dagegen wurde ein weiteres in Art 104 EURATOMV vorgesehenes Verfahren zur Überprüfung von durch Einzelne oder Unternehmen eines Mitgliedstaates abgeschlossenen Verträge nicht angewandt.

2) Stellungnahme im Rahmen der „kleinen Vertragsänderung" des EGKS-Vertrags

Art 95 Abs 3 und 4 EGKSV sieht eine **einfachere Form der Umgestaltung des Vertrages** (sog „kleine Vertragsänderung") vor, an der nur die Organe der EG, nicht aber die Mitgliedstaaten beteiligt sind. Sie kann aber nur bei unvorhergesehenen Schwierigkeiten oder tiefgehenden Änderungen der wirtschaftlichen und technischen Bedingungen erfolgen und sich nur auf die Befugnisse der Hohen Behörde beziehen. Diese Änderungen werden als Vorschläge von der Hohen Behörde und dem Rat in gegenseitigem Einvernehmen aufgestellt und dem Gerichtshof zur Stellungnahme unterbreitet. Dieser hat für seine Prüfung eine **tatsächlich und rechtlich unbeschränkte Nachprüfungsbefugnis.** Nur im Falle einer positiven Stellungnahme, dh bei Übereinstimmung der Vorschläge mit Art 95 EGKSV, werden diese dem Europäischen Parlament zur Annahme zugeleitet. Dagegen verhindert ein negatives Gutachten jede weitere Vorgangsweise. Das Verfahren der kleinen Vertragsänderung gab Anlaß zu drei Gutachten[264]), wovon allerdings nur das zweite positiv war.

b) Die Ermächtigungen zu Zwangsmaßnahmen gegen Vermögensgegenstände und Guthaben der Gemeinschaften

Gem Art 1 Protokoll über Privilegien und Immunitäten der Gemeinschaft können die Vermögensgegenstände und Guthaben der Gemeinschaft nicht Gegenstand einer administrativen oder gerichtlichen Zwangsmaßnahme ohne Genehmigung des EuGH sein. Der Gerichtshof entscheidet mittels Beschluß, nachdem er das betroffene Organ zur Stellungnahme eingeladen hat. Weigert sich das Organ nicht gegen eine solche Zwangsmaßnahme,

---

[263]) EuGH Beschluß 1/78 v 14. 11. 78, Slg 1978, 2151.

[264]) EuGH Stellungnahme 1/59 v 17. 12. 1959, Slg 1959, 571; EuGH Stellungnahme 1/60 v 4. 3. 1960, Slg 1960, 109; EuGH Stellungnahme 1/61 v 13. 12. 1961, Slg 1961, 527.

so ist der Antrag gegenstandslos.[265]) Der EuGH beschränkt sich darauf zu untersuchen, ob diese Maßnahme das gute Funktionieren und die Unabhängigkeit der Europäischen Gemeinschaften beeinträchtigt.[266])

D. Das Verfahren

1. Die Vertretung der Parteien und die Verfahrenshilfe

In den direkten Verfahren vor dem EuGH müssen die privaten Parteien durch einen **Rechtsanwalt,** der in einem Mitgliedstaat der EU oder des EWR zugelassen ist, oder durch einen Hochschullehrer, der Angehöriger eines Mitgliedstaates ist, deren Rechtsordnung es ihm gestattet, vor Gericht aufzutreten, vertreten sein. Die Mitgliedstaaten und die Organe werden durch einen **bevollmächtigten Vertreter,** der sich der Hilfe eines Anwalts bedienen kann, vertreten (Art 17 EGV-Satzung). Meistens sind die Organe durch Mitglieder ihrer juristischen Dienste vertreten, die Mitgliedstaaten durch Beamte des Außenministeriums (Frankreich) oder Wirtschaftsministeriums (Deutschland), durch die Finanzprokuratur (Italien, Spanien), eventuell von privaten Anwälten unterstützt (Vereinigtes Königreich).

In den Vorabentscheidungsverfahren trägt der Gerichtshof den vor den nationalen Gerichten, die ihn angerufen haben, geltenden **Verfahrensvorschriften** Rechnung (Art 104 Abs 2 Verfahrensordnung). Demnach läßt er die Vertretung der Parteien durch Steuerberater, Funktionäre der Gewerkschaften usw und sogar das persönliche Erscheinen der Parteien[267]) zu.

Die Bevollmächtigten, Rechtsbeistände und Anwälte genießen die **Vorrechte und Erleichterungen**, die im Art 32 Verfahrensordnung vorgesehen sind. Gem Art 17 Abs 4 EGV-Satzung und Art 35 Verfahrensordnung unterstehen sie der disziplinären Gewalt des Gerichtshofs.

Ist eine Partei außerstande, die Kosten des Verfahrens zu bestreiten, kann sie noch vor dem Einbringen der Klage eine **Verfahrenshilfe** beantragen (Art 76 Verfahrensordnung). Eine Kammer des Gerichtshofs überprüft diesen Antrag aufgrund von Unterlagen, aus denen sich die Bedürftigkeit ergibt, und nach einer Kostenschätzung. Die Gegenpartei und der Generalanwalt werden gehört. Nach einem positiven Beschluß streckt die Gerichtskasse die Kosten vor. In den Verfahren gem Art 177 EGV kann der Gerichtshof eine Beihilfe bewilligen, um es einer Partei zu erleichtern, sich vertreten zu lassen oder persönlich zu erscheinen (Art 104 Abs 3 Verfahrensordnung), insb wenn die Kosten des Vorabentscheidungsverfahrens nicht von der Verfahrenshilfe des jeweiligen nationalen Rechts abgedeckt werden.

2. Die Sprachenregelung

Gem Art 29 Abs 1 Verfahrensordnung sind die **Verfahrenssprachen** alle Amtssprachen der Gemeinschaft (Dänisch, Deutsch, Englisch, Finnisch,

[265]) EuGH Beschluß v 17. 6. 1987 Rs 1/87 S. A. – Universe Tankship gg Kommission – Slg 1987, 2807.

[266]) EuGH Beschluß v 17. 6. 1987 (FN 265); EuGH Beschluß v 11. 4. 1989 Rs 1/88 S A – Générale de Banque gg Kommission – Slg 1987, 857.

[267]) EuGH 5. 7. 1984 Rs 238/83 – Meade – Slg 1984, 2631.

Französisch, Griechisch, Italienisch, Niederländisch, Portugiesisch, Schwedisch, Spanisch) und zusätzlich Irisch, das aber nie verwendet wurde.

In den direkten Klagen wählt idR der Kläger die Verfahrenssprache. Aufgrund der zahlreichen Ausnahmebestimmungen gilt dies aber nur dann, wenn der Beklagte ein Organ der Gemeinschaften ist. Ist die Klage jedoch gegen einen Mitgliedstaat oder eine juristische oder natürliche Person, die einem Mitgliedstaat angehört, gerichtet, muß der Kläger die Amtssprache dieses Staates verwenden. Der Gerichtshof kann Ausnahmen von der generellen Sprachregelung erlauben, während im Vorabentscheidungsverfahren die Sprache des innerstaatlichen Gerichts, welches den EuGH anruft, maßgebend ist (Art 29 Abs 2 Verfahrensordnung).

Die Verfahrenssprache wird in den Schriftstücken, den Plädoyers und den Entscheidungen des Gerichtshofs verwendet und bezieht sich auch auf die Beteiligten. Dennoch können die Mitgliedstaaten ihre Amtssprache gebrauchen, wenn sie als Beteiligte in einem direkten Verfahren auftreten, einen Schriftsatz im Vorabentscheidungsverfahren vorlegen oder ein Rechtsmittel gegen Entscheidungen des Gerichts erster Instanz erheben (Art 29 Abs 3 und 110 Verfahrensordnung).

Der Präsident, die Richter und die Generalanwälte können während der Sitzung eine andere Sprache als die Verfahrenssprache benützen. Die gleiche Regel gilt für die Schlußanträge des Generalanwaltes, die in der Praxis in der Sprache des Verfassers angefertigt werden (Art 29 Abs 4 Verfahrensordnung).

Dennoch ist die **Arbeitssprache** der Richter meist französisch. Daher übersetzt der Sprachendienst des EuGH alle Dokumente in diese Sprache. Zusätzlich wird das Urteil unter der Kontrolle des Richters, der aus dem jeweiligen Mitgliedstaat stammt, vom französischen in die Verfahrenssprache übertragen. Die **authentische Fassung des Urteils** ist jene der Verfahrenssprache, dennoch sollte nicht übersehen werden, daß es der französische Text war, der in den Beratungen der Richter die Mehrheit gefunden hat.

3. Das schriftliche Verfahren

Wegen der Schwierigkeiten, die sich aus der Verwendung der verschiedenen Sprachen bei der mündlichen Verhandlung ergeben, spielt das **schriftliche Verfahren** vor dem EuGH eine große Rolle. In den direkten Verfahren besteht sie aus der **Klageschrift** und **Klagebeantwortung,** die durch eine **Erwiderung** des Klägers und eine **Gegenerwiderung** des Beklagten ergänzt werden können (Art 38 bis 41 Verfahrensordnung). Art 42 Abs 2 Verfahrensordnung verbietet grundsätzlich die Verwendung neuer Angriffs- oder Verteidigungsmittel im Laufe des Verfahrens.

In den Vorabentscheidungsverfahren umfaßt das schriftliche Verfahren das Vorbringen von **Schriftsätzen** der Parteien des Ausgangsverfahrens, der Mitgliedstaaten, der Kommission und ggf des Parlaments, des Rates und der EZB bzw des EWI. In jenen Verfahren, die den EWR betreffen, können weiters die EWR-Mitgliedstaaten und die EFTA-Übewachungsbehörde Schriftsätze vorbringen. Schriftliche Antworten auf die Schriftsätze sind nicht erlaubt.

4. Das Versäumnisurteil und der Widerspruch

Stellt der ordnungsgemäß geladene Beklagte keine schriftlichen Anträge, so ergeht gegen ihn ein **Versäumnisurteil.** Vor Erlaß eines Versäumnisurteiles prüft der Gerichtshof nach Anhörung des Generalanwaltes, ob die Klage ordnungsgemäß erhoben und zulässig ist und ob die Anträge des Klägers begründet erscheinen. Er kann eine Beweisaufnahme anordnen. Gegen dieses Urteil kann binnen eines Monats nach Zustellung **Einspruch** erhoben werden (Art 38 EGV-Satzung und Art 94 Abs 1 Verfahrensordnung). Nach einem kontradiktorischen Verfahren entscheidet der EuGH neuerlich durch Urteil, gegen das weiterer Einspruch nicht zulässig ist. Bisher hat der Gerichtshof erst drei Versäumnisurteile gefällt[268]) und das Gericht erster Instanz eines, das zum ersten Mal den Gegenstand eines Einspruches[269]) gebildet hat.

5. Die Beweisaufnahme

Nach Ende des schriftlichen Verfahrens entscheidet der EuGH auf Vorschlag des Berichterstatters und nach Anhörung des Generalanwaltes in der allgemeinen Sitzung, ob eine Beweisaufnahme erforderlich ist. Wird diese Frage bejaht, so wird damit idR eine Kammer beauftragt (Art 44 Verfahrensordnung).

Die **Beweisaufnahme** beinhaltet das Beschaffen von Auskünften und Dokumenten, das sich auch an Mitgliedstaaten und Organe, die nicht am Verfahren beteiligt sind, richten kann (Art 21 EGV- Satzung), die Begutachtung durch Sachverständige (Art 22 EGV-Satzung), das persönliche Erscheinen der Parteien, die Vernehmung von Zeugen und die Vornahme des Augenscheins (Art 45 Abs 2 Verfahrensordnung). Dabei kommt die Anforderung von Dokumenten relativ häufig zur Anwendung, während die anderen Maßnahmen ungewöhnlich sind. Das Gericht erster Instanz macht von der Beweisaufnahme mehr Gebrauch, da die Feststellung der Tatsachen in seiner Kompetenz liegt.

6. Die mündliche Verhandlung

Seit den jüngsten Änderungen der Verfahrensordnung umfaßt das Verfahren vor dem Gerichtshof **nicht mehr zwingend eine mündliche Verhandlung.** Sie kann gem Art 44 bis Verfahrensordnung durch eine Entscheidung des Gerichtshofs nach Anhörung des Generalanwaltes und mit ausdrücklicher Zustimmung der Parteien entfallen. Im Rechtsmittelverfahren gegen Entscheidungen des Gerichts erster Instanz ist es ausreichend, daß keine der Parteien mit der Begründung, sie hatte im schriftlichen Verfahren nicht ausreichend Gelegenheit, ihren Standpunkt zu Gehör zu bringen, widerspricht

---

268) EuGH 23. 3. 1988 Rs 105/87 – Morabito gg Parlament – Slg 1988, 1707; EuGH 21. 9. 1989 Rs 68/88 – Kommission gg Griechenland – Slg 1989, 2965; EuGH 17. 11. 1993 Rs C-69/92 – Kommission gg Luxemburg – Slg 1993, I-5907.

269) GeI 30. 1. 1990 Rs T-42/89 – Yorck von Wartenburg gg Parlament – Slg 1990, II-31 und GeI 4. 7. 1990 Rs T-42/89 Oppo – Parlament gg Yorck von Wartenburg – Slg 1990, II-299.

(Art 120 Verfahrensordnung). Trotzdem findet bei der Mehrheit der Verfahren – mit Ausnahme der unbestrittenen Vertragsverletzungsklagen – eine mündliche Verhandlung statt.

Die Verhandlung ist **öffentlich,** es sei denn, daß der Gerichtshof aus wichtigen Gründen anders beschließt (Art 28 EGV-Satzung). Gibt es keine Maßnahmen zur Beweisaufnahme, so umfaßt die mündliche Verhandlung die Plädoyers der Bevollmächtigten und Anwälte der Parteien, die Fragen der Mitglieder des Gerichtshofs an die Parteien und deren Beantwortung sowie die Erwiderung der Bevollmächtigten und Anwälte. Der Kanzler verfaßt ein Protokoll der Sitzung (Art 30 EGV-Satzung). Weiters werden alle mündlichen Verhandlungen auf Tonband aufgezeichnet und die Mitglieder des EuGH erhalten davon eine Abschrift.

Die mündliche Verhandlung endet mit dem Vortrag der **Schlußanträge des Generalanwaltes,** der aber nur ausnahmsweise in der gleichen Sitzung erfolgt. Der Gerichtshof kann die Wiedereröffnung der mündlichen Verhandlung anordnen, um die Parteien und den Generalanwalt zu Einzelfragen zu hören (Art 61 Verfahrensordnung).

7. Prozeßhindernde Einreden und Zwischenstreit

Art 91 Abs 1 Verfahrensordnung eröffnet den Parteien die Möglichkeit, eine **Vorabentscheidung** des Gerichtshofes **über eine prozeßhindernde Einrede** oder einen Zwischenstreit mit besonderem Schriftsatz zu verlangen. Dieser Antrag ist auf jeden Zwischenstreit (zB über die Beweisaufnahme, die Öffentlichkeit des Verfahrens oder die Verfahrenssprache) anwendbar. Es wird oft zur Vorbringung von Einreden der Unzulässigkeit verwendet.

Der Gerichtshof entscheidet in einem **kontradiktorischen Verfahren,** das auch eine mündliche Verhandlung beinhalten kann, nach Anhörung des Generalanwaltes. Ebenso kann aber die Entscheidung dem Urteil der Hauptsache vorbehalten werden.

Ist die Klage offensichtlich unzulässig oder der Gerichtshof offensichtlich unzuständig, kann dies der EuGH von Amts wegen und bereits vor der Übermittlung der Klageschrift an die beklagte Partei erklären (Art 92 Verfahrensordnung). Diese Möglichkeit hat der EuGH sogar im Vorabentscheidungsverfahren verwendet.[270])

8. Die Streithilfe

Die Streithilfe erlaubt es einem Dritten, an einem direkten Verfahren vor dem EuGH teilzunehmen, sie ist aber nicht im Vorabentscheidungsverfahren möglich.[271])

Art 37 EGV-Satzung unterscheidet zwischen **zwei Gruppen von Streithelfern.** Auf der einen Seite stehen die Mitgliedstaaten und die Organe einschließlich des Europäischen Parlaments[272]), die sich an allen Streitsachen be-

---

[270]) EuGH Beschluß v 26. 1. 1990 Rs C-286/88 – Falciola – Slg 1990, I-191.
[271]) EuGH Beschluß v 3. 6. 1964 Rs 6/64 – Costa gg ENEL – Slg 1964, 1307.
[272]) EuGH 29. 10. 1980 Rs 138/79 – Roquette gg Rat – Slg 1980, 3333.

teiligen können, ohne ein rechtliches Interesse nachweisen zu müssen. In Rechtssachen, die den EWR betreffen, wurden den EWR-Mitgliedstaaten und der EFTA-Verwaltungsbehörde das gleiche Recht zuerkannt. Auf der anderen Seite haben alle anderen Personen ein berechtigtes Interesse am Ausgang des Rechtsstreits glaubhaft zu machen; es ist ihnen aber eine Streithilfe in Verfahren zwischen Mitgliedstaaten, zwischen Organen oder zwischen Mitgliedstaaten und Organen verwehrt.[273]) Unter dem Begriff „alle anderen Personen" wird auch ein Drittstaat verstanden.[274]) Das rechtliche Interesse hat sich auf den Klageantrag und nicht auf die Begründung zu stützen.[275]) Mit den aufgrund des Beitritts gestellten Anträgen können nur die Anträge einer Partei unterstützt werden (Art 37 Abs 3 EGV-Satzung). Eine unabhängige Streithilfe ist also unmöglich. Der Antrag erfolgt nach Ermessen des Interessierten, die Streithilfe kann nicht angeordnet werden.

Das Verfahren der Streithilfe wird durch Art 93 Verfahrensordnung geregelt. Anträge auf Zulassung als Streithelfer können nur innerhalb einer **Frist** von drei Monaten nach der Veröffentlichung der Mitteilung des Streitgegenstands und des Klageantrages im Amtsblatt erfolgen. Die Entscheidung des EuGH erfolgt durch Beschluß nach Anhörung des Generalanwaltes und der Parteien der Hauptsache.

Wird dem Antrag stattgegeben, so sind dem Streithelfer alle Schriftstücke zu übermitteln, es sei denn der Gerichtshof hat auf Antrag einer Partei geheime oder vertrauliche Unterlagen ausgenommen. Der Streithelfer legt die schriftliche Begründung seiner Anträge in einer vom Präsidenten festgesetzten Frist dar. Er nimmt an der mündlichen Verhandlung teil.

9. Die Verbindung von Rechtssachen

Der Gerichtshof kann nach Anhörung der Parteien und des Generalanwalts die Verbindung mehrerer anhängiger Rechtssachen beschließen, wenn sie den gleichen Gegenstand betreffen und miteinander in Zusammenhang stehen (Art 43 Verfahrensordnung).

Um die Rechtssachen zu verbinden, müssen sie die selbe Rechtsnatur haben. Der Gerichtshof kann also nicht ein Vorabentscheidungsverfahren mit einem Vertragsverletzungsverfahren verbinden, auch wenn sie sich auf das selbe rechtliche Problem beziehen. Die verbundenen Rechtssachen werden in einer Verhandlung behandelt, der Generalanwalt verfaßt einen gemeinsamen Schlußantrag und die Urteile können am selben Tag verlesen werden.

10. Die Beendigung des Verfahrens

a) Außergerichtliche Erledigung und Klagerücknahme

Art 77 Verfahrensordnung sieht vor, daß der Präsident die Streichung der Rechtssache aus dem Register anordnet, wenn sich die **Parteien über die**

---

[273]) Vgl zB Beschluß v 3. 7. 1966 Rs 358/85 – Frankreich gg Parlament – Slg 1966, 2149.

[274]) EuGH Beschluß v 23. 2. 1983 verb Rs 91 und 200/82 – Chris International Foods gg Kommission – Slg 1983, 417.

[275]) Vgl aber EuGH Beschluß v 30. 3. 1985 Rs 253/84 – GAEC de la Ségaude gg Rat und Kommission, nicht veröffentlicht; EuGH 15. 1. 1987, Slg 1987, 123.

streitigen Fragen einigen und erklären, daß sie auf die Geltendmachung ihrer Ansprüche verzichten. Dieses Verfahren findet keine Anwendung auf Nichtigkeits- und Untätigkeitsklagen, da sie einen objektiven Charakter haben, die eine solche Erledigung verhindert.

Gem Art 78 Verfahrensordnung kann der Kläger einseitig die Klage zurücknehmen. In diesem Fall ist die Wiedererhebung der Klage möglich, solange die Fristen nicht abgelaufen sind.

b) Die Urteile des Gerichtshofes

Meistens beendet das Urteil des EuGH das Verfahren. Dabei können auch nur Teilaspekte wie die Zulässigkeit der Klage[276]) oder einige materielle Probleme[277]) angesprochen werden, ohne den Rechtsstreit dadurch endgültig zu entscheiden.

Bestimmungen über Inhalt und Form der Urteile ergeben sich aus Art 63 und 64 Verfahrensordnung. Auch wenn die **Verkündung** des gesamten Urteils in öffentlicher Sitzung vorgesehen ist, beschränkt man sich in der Praxis auf die Verlesung des Urteilstenors.

Der **Stil der Urteile** wurde von der französischen Tradition stark beeinflußt, die aber heute an Wichtigkeit abgenommen hat, sodaß die Urteile weniger lakonisch, aber immer noch trocken und sehr neutral gehalten sind. Für die Fragen zum Sachverhalt und der Begründung der Parteien beschränkt sich der Gerichtshof in der Einleitung des Urteils auf eine kurze Zusammenfassung und verweist im übrigen auf den Sitzungsbericht im Anhang des Urteils.

11. Die Prozeßkosten

Die Kosten sind in Art 69ff Verfahrensordnung geregelt. Grundsätzlich ist das Verfahren vor dem EuGH **kostenfrei,** sodaß sich die für die Parteien angelaufenen Kosten im wesentlichen auf die **Anwaltsgebühren** beziehen.

Der Grundsatz lautet, daß die **unterliegende Partei auf Antrag zur Tragung der Kosten zu verurteilen** ist. Der Gerichtshof kann bei außergewöhnlichen Gründen die Kosten verteilen oder entscheiden, daß jede Partei ihre Kosten selbst trägt. Mitgliedstaaten und Organe, die als Beteiligte am Rechtsstreit auftreten, übernehmen ihre eigenen Kosten. Nur im Fall einer **Beamtenklage** müssen die Organe auch dann die eigenen Kosten tragen, wenn der Beamte das Verfahren verliert. Im Rechtsmittelverfahren des Beamten gegen die Entscheidung des Gerichts erster Instanz gilt diese Regel nicht mehr (Art 122 Verfahrensordnung).

Die Entscheidung über die Kosten der Parteien im **Vorabentscheidungsverfahren** ist Sache des nationalen Gerichts (Art 104 Abs 3 Verfahrensordnung). Die für die Organe oder beteiligten Mitgliedstaaten angefallenen Kosten müssen von diesen getragen werden.

---

[276]) EuGH 22. 5. 1990 – „Tschernobyl" – (FN 2).

[277]) EuGH 27. 9. 1988 verb Rs 89/85 ua – Ahlstroem Osakeyhtioe gg Kommission – Slg 1988, 5193.

Streitigkeiten über erstattungsfähige Kosten entscheidet eine Kammer des Gerichtshofs auf Antrag einer Partei und nach Anhörung der Gegenpartei sowie des Generalanwalts (Art 74 Abs 1 Verfahrensordnung).

Aus den Rechtsstreitigkeiten zwischen Mitgliedstaaten und Organen entsteht in der Praxis kein Anspruch auf Kostenersatz, auch wenn der EuGH regelmäßig die unterliegende Partei zur Erstattung der Kosten verurteilt.

12. Die Dauer des Verfahrens

Aufgrund der ständig anwachsenden Zahl von Rechtssachen hat sich die Dauer der Verfahren seit den 70er-Jahren ständig erhöht. 1994 nahm eine direkte Klage durchschnittlich 20,8 Monate, ein Vorabentscheidungsverfahren 18 Monate, ein Rechtsmittelverfahren 21,2 Monate in Anspruch. Vergleicht man diese Zahlen mit der Komplexität der Materie und der langen Übersetzungszeiten, mag die Dauer der Verfahren nicht übertrieben scheinen, aber es gibt dennoch Anlaß zur Sorge. Vor allem im Vorabentscheidungsverfahren könnten damit Richter entmutigt werden, Fragen an den Gerichtshof zu stellen (1975 dauerte ein Verfahren gem Art 177 EGV sechs Monate). Leider haben die Anstrengungen – ua die Errichtung eines Gerichts erster Instanz, das dem EuGH einen Teil der Arbeit abgenommen hat – nicht zum erwünschten Ergebnis geführt.

13. Zwangsvollstreckung der EuGH-Urteile

Die Urteile des Gerichtshofs sind nach den gleichen Vorschriften wie die Entscheidungen des Rates oder der Kommission, die dem Einzelnen eine Zahlungsverpflichtung auferlegen, vollstreckbar (Art 187 und 192 EGV). Allerdings scheint es, daß sich die **Vollstreckungswirkung** des EuGH auf alle verurteilende Entscheidungen und nicht nur auf solche mit einer Zahlungsverpflichtung gegenüber dem Einzelnen erstreckt. Grundsätzlich könnte es sich dabei auch um Urteile handeln, die gegen einen Mitgliedstaat oder ein Organ aufgrund einer Schiedsgerichtsklausel ergangen sind. Rein **deklaratorische Urteile** wie der Ausspruch der Vertragsverletzung sowie die Feststellung der Nichtigkeit, der Untätigkeit und die Beantwortung der Vorabentscheidungsfragen dienen aber nicht als Grundlage der Vollstreckung.

Die Zwangsvollstreckung erfolgt nach den Vorschriften des Zivilprozeßrechts des Staates, in dessen Hoheitsgebiet sie stattfindet. Die Vollstreckungsklausel wird nach einer Prüfung, die sich lediglich auf die Echtheit des Titels erstrecken darf, von der staatlichen Behörde erteilt, welche die Regierung jedes Mitgliedstaats zu diesem Zweck bestimmt. Sind diese Formvorschriften auf Antrag der die Vollstreckung betreibenden Partei erfüllt, so kann diese die Zwangsvollstreckung nach innerstaatlichem Recht und unter der Kontrolle des nationalen Richters betreiben. Der EuGH ist nur für eine etwaige Aussetzung der Zwangsvollstreckung zuständig.[278])

---

[278]) EuGH 21. 1. 1965 Rs 108/63 – Merlini gg Hohe Behörde – Slg 1965, 6; EuGH Beschluß v 11. 1. 1977 Rs 4/73 Vollstreckung – Nold gg Ruhrkohle – Slg 1977, 1.

E. Das Gericht erster Instanz

1. Errichtung, Zusammensetzung und Arbeitsweise

Das Gericht erster Instanz ist in Art 168 a EGV vorgesehen und wurde durch den Beschluß 88/591 des Rates vom 24. Oktober 1988[279]) errichtet. Seit dem 1. November 1989 übt das Gericht erster Instanz Teile der bisherigen Zuständigkeit des Gerichtshofs aus. Gegen seine Entscheidungen kann ein auf Rechtsfragen beschränktes Rechtsmittel beim Gerichtshof eingelegt werden. War die **Grundidee** der Einrichtung des Gerichts die **Entlastung des Gerichtshofs,** so eröffnet sich auf bestimmten Gebieten des EG-Rechts nun ein **zweistufiges Rechtsschutzsystem.**

Das Gericht erster Instanz hat seinen Sitz beim Gerichtshof (Art 1 des Beschlusses 88/591). Es besteht aus **fünfzehn Mitgliedern** (Art 2 des Beschlusses 88/591 idgF), dh einem Richter pro EG-Mitgliedsland. Ihre Ernennung und die Wahl des Präsidenten erfolgt in gleicher Weise wie beim EuGH. Persönliche Voraussetzungen und Status sind jenen der Mitglieder des Gerichtshofs ähnlich. Es gibt keine ständig ernannten Generalanwälte, aber der Präsident kann diese Funktion in Einzelfällen einem Mitglied des Gerichts übertragen.

Im Unterschied zum Gerichtshof tagt das Gericht idR in **Kammern** (Art 2 Abs 4 des Beschlusses 88/591). Es wurden drei Kammern mit fünf Richtern und fünf zu je drei Richtern eingerichtet. Die Dienstrechtsklagen werden den Kammern mit drei Richtern übertragen, während alle anderen Verfahren idR von einer Kammer mit fünf Richtern entschieden werden. Jede Rechtssache kann aber an die Vollsitzung oder an eine Kammer mit einer anderen Anzahl von Richtern verwiesen werden.

Das Gericht ernennt seinen Kanzler und verfügt über eine eigene Kanzlei, sonst stützt es sich auf die Verwaltungseinrichtungen des Gerichtshofs.

2. Zuständigkeit

Gem Art 168 a EGV ist das GeI für Gruppen von direkten Klagen zuständig, die vom Rat festgelegt werden. Nach dem geänderten Art 3 Abs 1 des Beschlusses 88/591 sind das alle Dienstrechtsklagen, Nichtigkeits- und Untätigkeitsklagen sowie Haftungsklagen, die von Einzelnen eingebracht werden. Eine zusätzliche Kompetenz ist für Verträge, die nach dem 1. 8. 1993 abgeschlossen wurden und eine Schiedsklausel enthalten, vorgesehen.[280])

Art 47 EGV-Satzung enthält Bestimmungen für den Fall des Irrtums über die Zuständigkeit des Gerichts oder des Gerichtshofs sowie über die Verknüpfung von vor beiden Organen anhängigen Rechtssachen. Die Lösung erfolgt in pragmatischer Weise entweder durch die Aussetzung eines Verfahrens oder durch die Übertragung der Sache vom Gericht an den Gerichtshof.

---

[279]) ABl L 1988/319, 1, geändert durch Beschluß 93/350/EURATOM, EGKS, EWG v 8. 6. 1993, ABl L 1993/144, 21 und Beschluß 94/149/EGKS, EWG, EURATOM v. 7. 3. 1994, ABl L 1994/66, 29.

[280]) Art 3 des Beschlusses 1993/350.

3. Rechtsmittel gegen die Entscheidungen des Gerichts erster Instanz

Gegen die Endentscheidungen des Gerichts und gegen die Entscheidungen, die über einen Teil des Streitgegenstandes ergangen sind oder die einen Zwischenstreit beenden, der die Einrede der Unzuständigkeit oder Unzulässigkeit zum Gegenstand hat, kann ein **Rechtsmittel beim Gerichtshof** eingelegt werden. Diese Entscheidungen werden von der Kanzlei des Gerichts allen Parteien, den Mitgliedstaaten und den Organen, auch wenn diese nicht am Verfahren vor dem Gericht beteiligt waren, mitgeteilt. Die **Rechtsmittelfrist** beträgt zwei Monate und beginnt mit der Zustellung der angefochtenen Entscheidung (Art 48 und 49 Abs 1 EGV-Satzung).

Das Rechtsmittel kann von einer Partei eingelegt werden, die mit ihren Anträgen ganz oder teilweise unterlegen ist, sowie von privaten Streithelfern, wenn die Entscheidung des Gerichts sie unmittelbar berührt. Mit Ausnahme von Dienstrechtssachen kann das Rechtsmittel auch von den Mitgliedstaaten und Organen einschließlich des Europäischen Parlaments eingelegt werden, die dem Rechtsstreit vor dem Gericht nicht beigetreten sind (Art 49 Abs 2 und 3 EGV-Satzung).

Art 50 EGV-Satzung sieht weiters ein **summarisches Rechtsmittelverfahren** gegen Entscheidungen, die einen Auftrag auf Streithilfe zurückweisen, sowie gegen einstweilige Verfügungen des Gerichts vor. Die Zuständigkeit dafür obliegt dem Präsidenten des Gerichtshofs.

Das Rechtsmittel hat keine aufschiebende Wirkung, doch kann der Gerichtshof einstweilige Verfügungen nach den Vorschriften der Art 185 und 186 EGV anordnen. Betrifft die Entscheidung des Gerichts eine Verordnung, so tritt ihre Rechtswirksamkeit erst nach Ablauf der Rechtsmittelfrist oder nach Zurückweisung des Rechtsmittels ein. Damit werden die Nachteile, die aus einer vorläufigen Nichtigerklärung eines generellen Rechtsakts entstehen könnten, hintangehalten.

Das Rechtsmittel ist **auf Rechtsfragen beschränkt** und kann nur auf die Unzuständigkeit des Gerichts, auf einen Verfahrensfehler sowie auf eine Verletzung des Gemeinschaftsrechts durch das Gericht gestützt werden (Art 51 EGV-Satzung). Für den Gerichtshof aber wird es schwierig sein, Kriterien zur Unterscheidung der Rechts- und Tatsachenfragen zu finden – vor allem in Bereichen, wie dem Wettbewerbsrecht, wo beide stark miteinander verwoben sind.

Der gegenüber den anderen Verfahren vor dem EuGH **vereinfachte Rechtsmittelzug** ist in den Art 110 bis 123 Verfahrensordnung des Gerichtshofs geregelt. Ist das Rechtsmittel begründet, kann der Gerichtshof den Rechtsstreit selbst endgültig entscheiden oder die Sache an das Gericht zurückverweisen, wobei dieses an die rechtliche Beurteilung des Gerichtshofs gebunden ist (Art 54 EGV-Satzung).

F. Rechtspolitische Zukunft der gemeinschaftlichen Gerichtsbarkeit

Der Europäische Gerichtshof ist seit seinem Bestehen einer der wichtigsten **Impulsgeber für die Entwicklung der europäischen Integration.** In dieser

Hinsicht geht seine Rolle weit über jene hinaus, die in der Regel von nationalen oder internationalen Gerichten gespielt wird. Der Stellenwert des EuGH ist außerdem eng mit jenem des Rechts im allgemeinen in der europäischen Integration verknüpft: Einerseits verlangen die in den Gründungsverträgen vorgegebenen Ziele eine wirksamen Rechtsschutz; andererseits, um die Entwicklung der geplanten Integration zu sichern, hat der Gerichtshof selbst durch teleologische Interpretation in den 60er-Jahren die Grundprinzipien der gemeinschaftlichen Rechtsordnung, dh die eng verbundenen Konzepte des Vorrangs und der direkten Anwendbarkeit des Gemeinschaftsrechts, definiert.

Von diesen Grundsätzen ausgehend, hat der Gerichtshof in kohärenter Weise eine **ausgedehnte Rechtsprechung** entwickelt, deren Grundtendenz eindeutig auf die Vertiefung der Integration ausgerichtet ist. So hat er die Vertragsbestimmungen bezüglich der vier Freiheiten weit ausgelegt, um nicht nur Diskriminierung, sondern jegliches ungerechtfertigtes Hindernis für den freien Personen-, Waren- und Kapitalverkehr zu beseitigen. In gleicher Weise wurde den Zuständigkeiten der Gemeinschaft in den Außenbeziehungen ein weiter Inhalt gegeben, um so zu verhindern, daß die Fortschritte im Inneren der Gemeinschaft durch individuelle Handlungen der Mitgliedstaaten auf internationaler Ebene gefährdet werden. Des weiteren hat der Gerichtshof schrittweise die Auslegung der Gründungsverträge als Verfassung der Gemeinschaft durchgesetzt; zu diesem Zweck wurden die den Gerichtshof betreffenden Vertragsbestimmungen so ausgelegt, daß für den einzelnen, die Organe der Gemeinschaft und die Mitgliedstaaten ein effizienter Rechtsschutz gewährleistet ist, und es wurde durch prätorische Rechtsprechung ein **Grundrechtskatalog** entwickelt, der in den Gründungsverträgen nicht vorgesehen war; dadurch wurde verhindert, daß die Gemeinschaftsvorschriften von den Mitgliedstaaten unter dem Vorwand des in den verschiedenen nationalen Verfassungen vorgesehenen Schutzes der Menschenrechte mißachtet werden.

Mehrere Umstände haben es dem Gerichtshof ermöglicht, eine solch wichtige Rolle zu spielen. Zum einen war die Haltung der **öffentlichen Meinung zum Integrationsprozeß** größtenteils indifferent, eher aber positiv. Zum anderen haben die nationalen Gerichte meistens den Vorteil, den sie aus dem Gemeinschaftsrecht ziehen konnten, erkannt und die Rolle des gemeinschaftlichen Richters im Rahmen der allgemeinen Gerichtsbarkeit übernommen. Nicht zuletzt konnte man den Eindruck gewinnen, daß der Gerichtshof während der langen politischen Stagnation der Gemeinschaft Mitte der 60er- bis Mitte der 80er-Jahre als einziges Organ das in den Verträgen vorgesehene Ziel einer immer engeren Union verfolgte.

Mehrere Anzeichen deuten allerdings darauf hin, daß diese positiven Umstände der Vergangenheit angehören. Der Gerichtshof wurde kürzlich Gegenstand besonders heftiger Kritik nicht nur aus Fachkreisen, sondern auch seitens der Presse und gewisser hoher politisch Verantwortlicher. Das jüngste Urteil des deutschen Bundesverfassungsgerichtes über die **Ratifizierung des Maastrichter Vertrages** hat die Zurückhaltung und die Bedenken, die seitens gewisser nationaler Höchstgerichte nach wie vor bestehen, deutlich gemacht. Auch der VEU hat dem Gerichtshof durch die Neufassung des

Art 171 EGV neue Befugnisse gegenüber vertragsbrüchigen Staaten übertragen, ihm aber gleichzeitig schwere Schläge zugefügt. In einem Protokoll zu Art 119 EGV wurden die Auswirkungen des Urteils Barber[281]) präzisiert, obwohl mehrere Rechtssachen zu dieser Problematik vor dem Gerichtshof anhängig waren. Zwei weitere Protokolle, eines zum verfassungsmäßig verankerten Abtreibungsverbot in Irland und das andere betreffend den Erwerb von Immobilität in Dänemark, nehmen die Auswirkungen eventueller Entscheidungen des Gerichtshofes in diesen für beide Mitgliedstaaten jeweils sensiblen Bereichen vorweg. Der VEU hat hingegen den EuGH in den Bereichen der 2. und 3. Säule keine Zuständigkeiten übertragen, was als Zeichen mangelnden Vertrauens gewertet werden könnte.

Einige Beobachter haben festgestellt, daß der Gerichtshof auf diese neuen Umstände bereits durch gewisse „vorsichtigere" Entscheidungen reagiert hat, wie in den Fällen Steenhorst-Neerings[282]) oder Keck und Mithouard[283]) oder weiters im Gutachten über den Gründungsvertrag der Welthandelsorganisation[284]). Die **Regierungskonferenz 1996,** die gemäß Art N VEU aufgerufen sein wird, die Verträge zu revidieren, wird somit von entscheidender Bedeutung für den Gerichtshof. Seine Rolle könnte bestätigt und bestärkt werden, etwa durch die Ausdehnung seiner Zuständigkeiten auf dem Gebiet Justiz und Inneres; er riskiert aber auch schweren Angriffen ausgesetzt zu sein, die seine Funktionsfähigkeit beeinträchtigen könnten. Dies wäre mE nach der Fall, würde man Vorschlägen Rechnung tragen, welche die Anrufung des EuGH im **Vorabentscheidungsverfahren** nach Art 177 EGV eingeschränkt sehen wollen, da dieses den wahren Schlüssel zum gemeinschaftlichen Rechtssystem darstellt. Die Stellung des EuGH wäre ebenso gefährdet, würde man dem Rat die Möglichkeit geben, die Gerichtshofsurteile im Widerspruch zur Gewaltentrennung neu zu formulieren.

Für die gemeinschaftliche Gerichtsbarkeit stellt sich eine weitere Herausforderung, die für den Rechtsunterworfenen von entscheidender Bedeutung ist. Es muß sichergestellt werden, daß die gerichtlichen Entscheidungen binnen angemessener Fristen erfolgen, da sonst der effiziente Rechtsschutz, den EuGH und GeI zu gewähren aufgerufen sind, hinfällig und das ordnungsgemäße Funktionieren des Vorabentscheidungsverfahrens in Frage gestellt wird. Da dem GeI neue Zuständigkeiten übertragen wurden, kann angenommen werden, daß der EuGH selbst die Länge für die vor ihn gebrachten Verfahren verkürzen kann. Die neue Fassung des Art 168a EGV ermöglicht es jedenfalls, wenn notwendig, die Übertragung der Zuständigkeiten an das GeI um die Gesamtheit der direkten Klagen zu erweitern. Auf dem Niveau des GeI könnte aber wegen dieser neuen Zuständigkeiten eine Verlängerung der **Verfahrensdauer** eintreten, sodaß man auf längere Zeit die Frage der Errichtung neuer Gerichte erster Instanz für Fachfragen oder gegebenenfalls regionaler Zuständigkeiten nicht mehr ausklammern kann.

---

281) EuGH 17. 5. 1990 Rs 262/88 Slg 1990 I-1889.
282) EuGH 27. 10. 1993 RS C-338/91 Slg 1993, I-5475.
283) EuGH 24. 11. 1993 Rs C-267/91 Slg 1993, I-6097.
284) EuGH Stellungnahme 1/94 v 15. 11. 1994 Slg 1994, I-5267.

Anhang 1: Zeitliche und sachliche Aufgliederung der Urteile des Gerichtshofs

	Vorabentscheidungsverfahren	Direkte Klagen	Dienstrechtsklagen	Sonderverfahren	Rechtsmittel	Gesamtzahl
1953	–	–	–	–		–
1954	–	2	–	–		2
1955	–	3	1	–		4
1956	–	4	2	–		6
1957	–	5	1	–		6
1958	–	10	–	–		10
1959	–	13	–	–		13
1960	–	14	4	–		18
1961	–	8	3	–		11
1962	1	18	1	–		20
1963	2	13	2	–		17
1964	7	6	18	–		31
1965	7	17	28	–		52
1966	4	12	8	–		24
1967	12	6	6	–		24
1968	15	7	5	–		27
1969	13	6	11	–		30
1970	28	19	17	–		64
1971	28	14	18	–		60
1972	30	15	16	–		61
1973	53	10	17	–		80
1974	41	9	13	–		63
1975	45	11	22	–		78
1976	53	11	24	–		88
1977	75	11	14	–		100
1978	62	20	15	–		97
1979	83	37	18	–		138
1980	75	34	23	–		132
1981	65	21	42	–		128
1982	94	60	31	–		185
1983	58	53	39	1		151
1984	77	57	30	1		165
1985	109	63	38	1		211
1986	78	59	35	2		174
1987	71	101	36	–		208
1988	108	98	32	–		238
1989	90	64	34	–		188
1990	113	73	7	–		193
1991	108	90	–	1	5	204
1992	112	88	–	1	9	210
1993	128	69	–	–	6	203
1994	119	53	–	–	16	188
1995	110	52	–	1	9	172
1953–1995 Gesamt	2074	1336	611	8	45	4074

Anhang 2: Zeitliche und sachliche Aufgliederung der Urteile des Gerichts erster Instanz

	Direkte Klagen	Dienstrechtsklagen	Sonderverfahren	Gesamtzahl
1990	6	52	–	58
1991	15	26	–	41
1992	19	41	–	60
1993	4	43	–	47
1994	19	41	–	60
1995	63	33	1	97
1990–1995 Gesamt	126	236	1	363

Anhang 3: Herkunft der Vorabentscheidungsfragen

	Belgien	Dänemark	Deutschland	Griechenland	Spanien	Frankreich	Irland	Italien	Luxemburg	Niederlande	Portugal	Vereinigtes Königreich	Gesamt
1961	–	–	–	–	–	–	–	–	–	1	–	–	1
1962	–	–	–	–	–	–	–	–	–	5	–	–	5
1963	–	–	–	–	–	–	–	–	1	5	–	–	6
1964	–	–	–	–	–	–	–	2	–	4	–	–	6
1965	–	–	4	–	–	2	–	–	–	1	–	–	7
1966	–	–	–	–	–	–	–	–	–	1	–	–	1
1967	5	–	11	–	–	3	–	–	1	3	–	–	23
1968	1	–	4	–	–	1	–	1	–	2	–	–	9
1969	4	–	11	–	–	1	–	–	1	–	–	–	17
1970	4	–	21	–	–	2	–	2	–	3	–	–	32
1971	1	–	18	–	–	6	–	5	1	6	–	–	37
1972	5	–	20	–	–	1	–	4	–	10	–	–	40
1973	8	–	37	–	–	4	–	5	1	6	–	–	61
1974	5	–	15	–	–	6	–	5	–	7	–	1	39
1975	7	1	26	–	–	15	–	14	1	4	–	1	69
1976	11	–	28	–	–	8	1	12	–	14	–	1	75
1977	16	1	30	–	–	14	2	7	–	9	–	5	84
1978	7	3	46	–	–	12	1	11	–	38	–	5	123
1979	13	1	33	–	–	13	2	19	1	11	–	8	106
1980	14	2	24	–	–	14	3	19	–	17	–	6	99
1981	12	1	41	–	–	17	–	12	4	17	–	5	109
1982	11	1	36	–	–	38	–	18	–	21	–	4	129
1983	9	4	36	–	–	15	2	7	–	19	–	6	98
1984	13	2	38	–	–	34	1	10	–	22	–	9	129
1985	13	–	40	–	–	45	2	11	6	14	–	8	139
1986	16	4	18	2	1	19	4	5	1	13	–	8	91
1987	15	5	32	17	1	36	2	5	3	19	–	9	144
1988	32	4	34	–	1	37	–	28	2	25	–	16	179
1989	13	2	47	2	2	28	1	10	1	18	1	14	139
1990	18	5	34	2	6	20	4	25	4	9	2	12	141
1991	19	2	54	3	5	29	2	36	2	17	3	14	186
1992	16	3	62	1	5	15	–	22	1	18	1	18	162
1993	22	7	57	5	7	22	1	24	1	43	3	12	204
1994	19	4	44	–	13	36	2	46	1	13	1	24	203
Gesamt	329	52	901	32	41	497	30	365	33	415	11	186	2892

Anhang 4: Zeitliche Aufgliederung der direkten Klagen

Gerichtshof:	1952	4	1974	63
	1954	10	1975	61
	1955	9	1976	51
	1956	11	1977	74
	1957	19	1978	145
	1958	43	1979	1216
	1959	47	1980	180
	1960	23	1981	214
	1961	25	1982	216
	1962	30	1983	199
	1963	99	1984	183
	1964	49	1985	294
	1965	55	1986	238
	1966	30	1987	251
	1967	14	1988	193
	1968	24	1989	246
	1969	60	1990	238[a])
	1970	47	1991	154[b])
	1971	59	1992	276[c])
	1972	42	1993	282[d])
	1973	131	1994	138[e])
			Gesamtzahl	5743[f])

[a]) einschließlich 16 Rechtsmittel gegen Entscheidungen des GeI.
[b]) einschließlich 14 Rechtsmittel gegen Entscheidungen des GeI.
[c]) einschließlich 25 Rechtsmittel gegen Entscheidungen des GeI.
[d]) einschließlich 17 Rechtsmittel gegen Entscheidungen des GeI.
[e]) einschließlich 13 Rechtsmittel gegen Entscheidungen des GeI.
[f]) einschließlich 69 Rechtsmittel gegen Entscheidungen des GeI.

Gericht erster Instanz:	1989	169[g])
	1990	59
	1991	93
	1992	116
	1993	589[h])
	1994	397[i])
	Gesamtzahl	1419[j])

[g]) einschließlich 153 Rechtssachen, die vom Gerichtshof übertragen wurden.
[h]) einschließlich 451 Rechtssachen, die vom Gerichtshof übertragen wurden.
[i]) einschließlich 14 Rechtssachen, die vom Gerichtshof übertragen wurden.
[j]) einschließlich 618 Rechtssachen, die vom Gerichtshof übertragen wurden.

Anhang 5: Adressaten der Vertragsverletzungsklage (Stand 31. Dezember 1994)

Belgien	187
Dänemark	21
Deutschland	91
Griechenland	137
Spanien	53
Frankreich	145
Irland	77
Italien	346
Luxemburg	90
Niederlande	67
Portugal	19
Vereinigtes Königreich	40
Gesamt	1273

10. KAPITEL

Der EU-Haushalt: Politik in ECU

Joachim Wuermeling

Übersicht:

A. Einleitung: EU-Politik im Brennglas des Haushalts

Prioritäten und Probleme, Schwerpunkte und Strategien – es gibt wohl kaum einen Beschluß des Ministerrates und des Europäischen Parlaments, in dem sich die Inhalte europäischer Politik stärker konzentrieren als im „Brennglas“ des jährlichen Haushaltes.[1]) Nicht umsonst wird Jahr für Jahr zwischen den Institutionen der Union zäh um jeden Einzelposten gerungen. Der Streit um die Haushaltsbefugnisse hat insbesondere in den 80er Jahren zu institutionellen Krisen in der damaligen EG geführt. Mehrere Male konnte der Haushalt nicht rechtzeitig verabschiedet werden, ja mußte der Gerichtshof den Streit zwischen Rat und Parlament entscheiden. Schließlich gehören die Beiträge der Mitgliedstaaten zu dem EU-Haushalt zu den sensibelsten und emotionsträchtigsten EU-Themen. Man denke nur an den „Briten-Rabatt“ und die traditionelle „Zahlmeister“-Diskussion in Deutschland bzw die „Nettozahlen“-Diskussion in Österreich.

Solche Debatten – zumal in der Öffentlichkeit – werden nicht gerade dadurch erleichtert, daß das EU-Budget ein hochkompliziertes Konstrukt ist, das in einem ebeso komplexen Verfahren entsteht. Das EU-Finanzsystem erschließt sich in seiner Gesamtheit kaum einem breiteren Publikum. Zudem finden zentrale Verhandlungen zum EU-Budget hinter verschlossenen Türen statt, so zB die Festlegung der mehrjährigen Finanzplanung (s unten C.3.)

---

[1]) Allgemein zum EU-Haushalt: *Strasser,* Die Finanzen Europas (1991); *Timman,* Haushaltspolitik, Jahrbuch der Europäischen Integration 1992/93; *Timman,* Les dispositions financières du Traité de Maastricht, RMC 1994, 195; *Hade,* Die Finanzverfassung der Europäischen Gemeinschaft, EuZW 1993, 401; *Eugmann,* Der Gesamthaushalt der EG (1992); *Caesar* (Hg), Ausgewählte Probleme der EG-Finanzen (1992); *Baché/Jouret,* Le budget de la Communauté aprés Maastricht, RMC 1992, 559.

oder der Trilog zwischen den Gemeinschaftsinstitutionen (s unten E.2.). So öffnet sich breiter Raum für verzerrende Darstellungen, ein strukturelles Manko der Debatte über die EU-Finanzen.

Das **Gleichgewicht zwischen den EU-Institutionen im Haushaltsbereich** ist von besonderer politischer Brisanz: Anders als in der Rechtsetzung sind der Ministerrat und das Europäische Parlament weitgehend gleichberechtigt. Das **Parlament** besitzt im Budget seine stärkste Stellung im Verhältnis zu den anderen Organen. Die Rolle der Kommission ist dagegen zurückgenommen. Insbesondere verfügt sie hier nicht über ein Vorschlagsmonopol.

Der Haushalt der Europäischen Union unterscheidet sich in vielerlei Hinsicht grundsätzlich von anderen öffentlichen Haushalten. An dieser Stelle seien nur zwei besondere Merkmale erwähnt: Der EU-Haushalt ist ein **„Aktionshaushalt“.** Anders als in zB nationalen Haushalten liegen – abgesehen von der Agrarpolitik – nur wenige Ausgaben von vorneherein fest. Die EU hat keine Sozialleistungen zu erbringen, keine Schulen zu unterhalten, nur verhältnismäßg wenig Bedienstete zu besolden. Die Verwaltungsausgaben liegen bei nicht einmal 5%. Im übrigen können die Ressourcen mehr oder weniger frei zur Erreichung immer wieder neu festgesetzter Unionsziele eingesetzt werden. Das macht die Entscheidungen über die Finanzielle Vorausschau oder den jährlichen Haushalt politisch so bedeutsam und spannend, auch wenn der öffentliche Widerhall bisher immer noch begrenzt ist.

Zum zweiten entscheidet die europäische Ebene nur über die Verteilung der Ausgaben, nicht aber über die Einnahmen. Letztere werden nämlich durch den **ratifizierungsbedürftigen Eigenmittelbeschluß** (s unten F.1.) durch die Mitgliedstaaten bestimmt. Diese Konstruktion führt zu einer anormalen Spaltung der politischen Verantwortung für Einnahmen und Ausgaben: Die europäische Ebene gibt Mittel aus, für deren Einzug durch Steuerhebung sich die nationale Ebene vor dem Bürger rechtfertigen muß.

B. 75 Mrd ECU: woher, wofür? – Ein Überblick

Die Entwicklung des Unionshaushaltes von 1958 bis 1995 ist ein Spiegel des kontinuierlichen Aufbaus der verschiedenen Gemeinschaftspolitiken. Als wichtigste Etappen sind die Einrichtung des Europäischen Ausrichtungs- und Garantiefonds für die Landwirtschaft (EAGFL) im Jahre 1962, die Schaffung des Europäischen Sozialfonds (ESF) im Jahre 1971, die Bildung des Europäischen Fonds für regionale Entwicklung (EFRE) im Jahre 1975, die Reform der Strukturfonds von 1988, der Ausbau der gemeinsamen Verkehrspolitik und die Schaffung einer europäischen Außen- und Sicherheitspolitik zu nennen. Finanzwirksam waren darüber hinaus die Erweiterungen von 1973, 1981, 1986 und 1995.

Der heutige EU-Haushalt ist wesentlich von der Finanzreform von 1988 **(„Delors I-Paket“),** geprägt, die durch ein neues Eigenmittelsystem (s unten F.1.), eine interinstitutionelle Vereinbarung (s unten C.3.), die Einführung der „Finanziellen Vorausschau“ (s unten E.1.) und die Reform der Strukturfonds den ständigen Wirren um den EU-Haushalt ein Ende setzte.

Grundlage der gegenwärtigen Haushaltsplanung ist die **Finanzielle Vorausschau,** die der Europäische Rat im Dezember 1992 in Edinburgh für 1993 bis 1999 vereinbart hat und die im Hinblick auf die Erweiterungen am 31. 12.

1994 angepaßt wurde[2]). Demnach werden die Ausgaben von 72 Mrd ECU (1993) auf 92 Mrd ECU (1999) steigen können. (Die Aufschlüsselung der Mittel in den verschiedenen Rubriken ergibt sich aus einer Tabelle, die unten (E.1.) abgedruckt ist.)

Im Jahre 1994 gab die Europäische Union pro Einwohner 207 ECU aus. Der Anteil der EU-Ausgaben an den öffentlichen Ausgaben der Mitgliedstaaten beträgt 2,4%. Seit 1988 ist der EU-Haushalt jährlich durchschnittlich um 10,5% gestiegen; die jährliche Steigerungsrate der Ausgaben der Mitgliedstaaten lag demgegenüber bei 7,6%. Der Anteil der Ausgaben der EU am Bruttoinlandsprodukt der Mitgliedstaaten stieg von 1,05% (1988) auf 1,24% (1994).

Von den Ausgaben 1995 (80,892 Mrd ECU) entfielen ein Anteil von 46,2% auf die gemeinsame Agrarpolitik (1988: 58,4%). Für strukturpolitische Maßnahmen werden 31,7% (17,9%) aufgewandt. Für die Außenpolitik sind 5,9% (2,3%) angesetzt. Die Forschungsausgaben betragen 3,4% (2,3%). Der Verwaltungsanteil liegt bei 4,9% (4,2%). Die übrigen Mittel entfallen auf die sonstigen internen Politikbereiche mit 1,7% (11,3%), die Europäische Gemeinschaft für Kohle und Stahl mit 0,4% (1,2%) und die Reserven mit 5,8%.

Der Haushalt der Europäischen Union wird aus eigenen Einnahmen finanziert, die ihm seitens der Mitgliedstaaten nach rechtlich fixierten Berechnungsmethoden sozusagen automatisch zufließen. Die Erhöhung dieser **„Eigenmittel"** wird durch eine festgelegte Obergrenze beschränkt: 1,2% des Bruttosozialprodukts der Europäischen Union im Jahre 1994, 1,27% im Jahre 1999 (s im einzelnen unten F.2.).

Der Beitrag der Mitgliedstaaten zur Finanzierung des Gesamthaushalts entspricht in etwa ihrem Anteil am Bruttosozialprodukt der EU. Deutschland trägt rund ein Drittel der Finanzierung, Frankreich ein Fünftel, Italien ein gutes Sechstel und das Vereinigte Königreich ein Zehntel.

Finanzierung des Gesamthaushaltsplans 1995 nach Mitgliedstaaten in %[3]):

Deutschland	29,4
Frankreich	17,8
Vereinigtes Königreich	12,8
Italien	11,4
Spanien	6,3
Niederlande	5,8
Belgien	3,8
Österreich	2,7
Schweden	2,5
Dänemark	1,9
Portugal	1,5
Griechenland	1,4
Finnland	1,4
Irland	1,1
Luxemburg	0,2

[2]) Gesamtbericht über die Tätigkeit der EU 1994, Z 1108.
[3]) EU-Haushaltsplan 1995, ABl L 369/94.

C. Der rechtliche Rahmen

Die öffentlichen Finanzen der EU beruhen auf einer Reihe von Basistexten sowohl im primären (1.) wie im sekundären Gemeinschaftsrecht (2.). Wichtige Grundlagen finden sich aber auch in Dokumenten politischer Art (3.). Dem gesamten Haushaltsrecht liegen dabei einige Prinzipien zugrunde, die zusammengefaßt dargestellt werden (4.).

1. Primäres Gemeinschaftsrecht

Der EG-Vertrag behandelt Haushaltsfragen in Art 199 bis 209 (allgemein) und in Art 188a bis 188c (Europäischer Rechnungshof). Der Schwerpunkt liegt weniger bei den Einnahmen und Ausgaben als bei den Verfahrensbestimmungen. Die Texte der Finanzbestimmungen des EGV und des EAGV sind inhaltlich identisch, so daß es in der Folge genügt, die jeweils relevanten Artikel des EG-Vertrags zu erwähnen. Der EGKSV wird gesondert behandelt (s unten G.1.)

Der VEU von Maastricht hat im EG-Vertrag bis auf die Bestimmungen über den Europäischen Rechnungshof (s unten E.5.) nur marginale Änderungen bewirkt.[4]) Allerdings wirft die Finanzierung der Außen- und Sicherheitspolitik sowie der Innen- und Justizpolitik, die ja als „zweiter und dritter Pfeiler" außerhalb des EG-Vertrags stehen, besondere Probleme auf (s unten F.2.c und d).

2. Sekundäres Gemeinschaftsrecht

a) Horizontale Finanzvorschriften

Am 24. 6. 1988 hat der Rat eine Reihe von Verordnungen verabschiedet, die allgemein unter dem Stichwort „Finanzreform"[5]) zusammengefaßt werden, insbesondere den Beschluß über das System der Eigenmittel der Gemeinschaft (s unten F.1.) und eine Entscheidung betreffend die Haushaltsdisziplin (s unten 4.e). Nähere Regeln für die Aufstellung, Gliederung und Ausführung des Haushalts enthält die Haushaltsordnung für den Gesamthaushaltsplan der Europäischen Gemeinschaften vom 21. 12. 1977 (nachfolgend kurz **„Haushaltsordnung"**[6]) genannt).

Auf der Grundlage der Haushaltsordnung hat die Kommission zum internen Gebrauch bestimmte Ausführungsbestimmungen verfügt.[7]) Die Or-

---

[4]) Vgl *Strasser* (FN 1) 195; *Baché/Jouret* (FN 1) 559.

[5]) Vgl die entsprechenden Verordnungen, Beschlüsse und Entscheidungen, ABl L 1988/185 v 15. 7. 1988.

[6]) Haushaltsordnung v 1. 12. 1977, ABl L 1977/356 v 31. 12. 1977, mehrmals geändert durch die V 1252/79 des Rates v 25. 6. 1979, ABl L 1979/160 v 28. 6. 1979, die Haushaltsordnung v 16. 12. 1980, ABl L 1980/345, 23 v 20. 12. 1980, die V 2049/88 des Rates v 24. 6. 1988, ABl L 1988/185, 3 v 15. 7. 1988, die V des Rates 610/90 v 13. 3. 1990, ABl L 1990/70, 1 v 16. 3. 1990, die V des Rates 1923/94 v 25. 7. 1994 und die V des Rates 2730/94 v 31. 10. 1994; eine vom Generalsekretariat des Rates zusammengestellte Fassung der Haushaltsordnung für den Gesamthaushaltsplan der EG (91/C80/01) ist in ABl C 1991/80, 1 v 25. 3. 1991 veröffentlicht. Eine erneute Änderung zur Verbesserung einiger Detailregelungen hat die Kommission am 28. 1. 1994 (KOM[94]14 endg) vorgeschlagen.

[7]) Internes Dokument XIX/1947/93.

gane der Europäischen Gemeinschaften verfügen damit für ihre haushaltspolitischen Arbeiten und Entscheidungen über ein solides, der Entwicklung der Gemeinschaft angepaßtes Instrumentarium.

b) Sektorale Finanzvorschriften

Die horizontalen Rechtsvorschriften des Primär- und Sekundärrechts werden durch sektorale Vorschriften ergänzt, um den besonderen finanziellen Merkmalen der Gemeinschaftspolitik in bestimmten Sektoren Rechnung zu tragen. Die großen Gemeinschaftsfonds sind ein bevorzugtes Feld für die Ausarbeitung derartiger besonderer Finanzvorschriften. Mit der Finanzreform von 1988 wurden die bestehenden Ratsverordnungen über die Finanzierung der gemeinsamen **Agrarpolitik** und die Interventionen des EAGFL-Garantie durch die Verordnungen Nr 2048 und Nr 2050 vom 24. Juni 1988[8]) ergänzt. Die Ratsverordnung Nr 2052 vom gleichen Tag enthält Regelungen über die Strukturfonds[9]). Zu letzterer existieren noch vier Durchführungsbestimmungen des Rates vom 19. 12. 1988, die die Koordinierung zwischen den Strukturfonds und zwischen diesen und der EIB sowie den sonstigen Finanzinstrumenten[10]), den Europäischen Regionalfonds[11]), den Europäischen Sozialfonds[12]) sowie den EAGFL, Abteilung Ausrichtung[13]), betreffen. Die Strukturfondsverordnungen sind vom Rat am 20. Juli 1993 novelliert und durch eine Durchführungsverordnung zur Fischereistrukturförderung ergänzt worden[14]). Nicht dem eigentlichen Haushaltsrecht zugehörig sind die materiellen Rechtsgrundlagen, die die Voraussetzungen für die Veranschlagung von Mitteln zB bei Förderprogrammen festlegen. Der Haushaltsplan allein ist insoweit nicht ausreichend.

3. Politische Vereinbarungen

Um ein konsensualeres Zusammenspiel zwischen den am Haushalt beteiligten Gemeinschaftsorganen zu ermöglichen, wurden einige politische Vereinbarungen über die Ausübung der jeweiligen Befugnisse geschlossen: Die **Interinstitutionellen Vereinbarungen** (IIV) über die Haushaltsdisziplin und die Verbesserung des Haushaltsverfahrens vom 29. Juni 1988[15]) und vom 29. 10. 1993[16]) führen die sog Finanzielle Vorausschau (s unten E.1.), eine Art

---

[8]) ABl L 1988/185, 1 (6).

[9]) ABl L 1988/185, 9.

[10]) Verordnung EWG/4253/88 ABl L 1988/374, 1.

[11]) Verordnung EWG/4254/88 ABl L 1988/374, 15.

[12]) Verordnung EWG/4255/88 ABl L 1988/374, 25.

[13]) Verordnung EWG/4256/88 ABl L 1988/374, 25.

[14]) Verordnungen EWG/2080–2085/93, ABl L 1993/193, 1.

[15]) ABl L 1988/185, 33; dazu *Zangl,* The interinstitutional agreement on budgetary discipline and improvement of the budgetary procedure, CMLR 1989, 675; *Nicoll,* L'accord interinstitutionnel sur la discipline budgétaire et la procédure budgétaire, RMC 1988, 373; *Timman,* Die Interinstitutionelle Vereinbarung über die Haushaltsdisziplin, EuR 1988, 273.

[16]) ABl C 1993/331, 1; dazu *Strohmeier,* Aktuelle Fragen des Haushaltsrechts der Europäischen Gemeinschaft, DöV 1993, 217; *Isaac,* L'encadrement à moyen terme des finances publiques communautaires et l'accord interinstitutionnel sur la discipline bud-

mittelfristige Finanzplanung, ein. Mit ihr erkennen die drei Organe EP, Rat und Kommission an, daß jeder der in der Finanziellen Vorausschau (derzeit 1993–1999) festgesetzten absoluten Beträge einen jährlichen Höchstbetrag für die Ausgaben der Gemeinschaft darstellt.

Die der IIV anliegende Gemeinsame Erklärung vom 29. 10. 1993 betreffend die institutionelle Zusammenarbeit im Haushaltsbereich[17]) erneuert verschiedene Maßnahmen zur Gewährleistung einer besseren Abwicklung des Haushaltsverfahrens ua durch ein Verfahren zwischen den Präsidenten der drei Organe, den sog Trilog, sowie ein Konzertierungsverfahren zu den obligatorischen Ausgaben (s unten D.2.a.).

4. Die Grundprinzipien des europäischen Haushaltssystems

Zu den Rechtsgrundlagen gehören auch jene sechs[18]) allgemein anerkannten **Grundprinzipien des Haushaltsrechts,** die sich unmittelbar aus dem EGV oder der Haushaltsordnung ergeben und ganz allgemein für den Gesamthaushaltsplan der Europäischen Gemeinschaften gelten.

a) Prinzip der Vollständigkeit

Alle Einnahmen- und alle Ausgabenansätze sollten **in einem einzigen Dokument zusammengefaßt** sein (Art 199 Abs 1 EGV). Von diesem Prinzip ausgenommen sind ua der Funktionshaushaltsplan der EGKS (s unten G.1.), der Europäischen Entwicklungsfonds (s unten G.3.), die Anleihe- und Darlehensoperation (s unten G.2.), die EURATOM-Versorgungsagentur, verschiedene Agenturen (zB die europäische Stiftung zur Verbesserung der Lebens- und Arbeitsbedingungen (Dublin) und das Europäische Zentrum für die Förderung der Berufsausbildung (Berlin) oder künftig Europol).

Alle Einnahmen und alle Ausgaben sind zu Lasten des genehmigten Haushaltsplans zu verbuchen. Die gegenseitige Aufrechnung von Einnahmen und Ausgaben oder die Bindung bestimmter Einnahmen an bestimmte Ausgaben sind mit wenigen Ausnahmen ausgeschlossen (s dazu Art 4 und 5 der Haushaltsordnung).

b) Prinzip der Jährlichkeit

Der Haushaltsplan wird für die Dauer eines Jahres aufgestellt, wobei sich das **Haushaltsjahr** mit dem **Kalenderjahr** deckt (vgl Art 199 Abs 1, 202 Abs 1 und Art 203 Abs 1 EGV). Von diesem Prinzip gibt es ebenfalls einige Ausnahmen wie zB die Übertragung von Haushaltsresten auf das folgende Jahr (s unten E.3.b).

---

gétaire et l'amélioration de la procédure budgétaire, bilan et avenir, Revue Française de Finances Publiques 1993, 9; *Deffaa/Zangl,* Haushaltspolitik (1995).

[17]) ABl C 1993/331, 7; ersetzt die IIV 1988 und eine ähnliche Vereinbarung v 30. 6. 1982 (ABl C 1982/194, 1).

[18]) Als weitere, hier nicht näher erläuterte Grundsätze gelten: Universalitätsprinzip vgl *Haller,* Haushalt und Finanzkontrolle, in *Röttinger/Weyringer* (Hg), Handbuch der europäischen Integration[1] (1991) 207 (210) sowie Haushaltswahrheit und Haushaltsklarheit (dazu Strohmeier [FN 16]).

c) Deckungsprinzip

Die Summe aller Ausgaben muß von der Summe aller Einnahmen gedeckt sein (Art 199 Abs 2 EGV). Infolge von Währungsschwankungen kann es dennoch zum Auftreten von positiven oder negativen Salden kommen (s dazu unten E.3.c).

d) Prinzip der Spezialität

Die Haushaltsmittel müssen im Haushaltsplan getrennt voneinander entsprechend ihrer Natur oder ihrer Bestimmung eingesetzt werden (Art 202 EGB). Diesem Zweck dient der Haushaltseingliederungsplan (s unten D.1.). Allerdings stellt eine Ausnahme von diesem Prinzip die Möglichkeit dar, Mittel während der Haushaltsdurchführung von einer Haushaltslinie auf eine andere zu übertragen (dazu näher unten E.3.b).

e) Haushaltsdisziplin

Die Forderung nach Haushaltsdisziplin[19]) wurde bei der Finanzreform 1988 gegenüber der seinerzeit verbreiteten schlechten Gewohnheit erhoben, finanzwirksame Beschlüsse – vor allem im Agrarbereich[20]) – zu fassen, ohne die haushaltsmäßigen Zwänge zu berücksichtigen. Das Europäische Parlament, dessen Spielraum bei der Aufstellung des Haushalts durch präjudizierende politische Entscheidungen massiv beschnitten wurde, setzte in der ersten **Interinstitutionellen Vereinbarung**, (s oben C.3.) diesen Grundsatz durch. Heute findet er sich in Art 201 a EGV und wird durch die neue IIV ergänzt. Er umfaßt

- die Festlegung von Ausgabenplafonds für die verschiedenen Rubriken in der Finanziellen Vorausschau (Nr 2, 5, 6 der IIV),
- die Vorlage von Vorschlägen durch die Kommission nur bei gesicherter Finanzierung (Art 201 a EGV) und – gleichsam umgekehrt –
- das Erfordernis einer Rechtsgrundlage zur Veranschlagung von Ausgaben im Haushalt (IV Nr 3.b unf 3.c zur IIV 1982 iVm Erklärung zur IIV 1994).

f) Prinzip der Wirtschaftlichkeit

Mit der Neufassung des Art 205 EGV wurde der Kommission die Beachtung des Grundsatzes der **Wirtschaftlichkeit** der Haushaltsführung aufgegeben. Bisher war das Prinzip lediglich mittelbar in Art 206 Abs 2 Satz 1 EGV im Rahmen der vom Rechnungshof zu beachtenden Prüfungsgrundsätze enthalten. Die Kommission unternimmt hier große Anstrengungen, insbesondere bei der Verfeinerung des Instrumentariums der – im öffentlichen Bereich nicht einfachen – Kosten-Nutzen-Analyse.

---

[19]) Dazu *Isaac* (FN 16) 16; *Strohmeier* (FN 16) 220; *Timmann,* Haushaltsdisziplin und politische Entscheidungsmechanismen in der Europäischen Gemeinschaft, EuR 1991, 121.

[20]) Vgl dazu die erste Entscheidung des Rates zur Haushaltsdisziplin im Agrarbereich (EWG 377/88) v 24. 6. 1988.

D. Systematik des EU-Haushalts

1. Gliederung

a) EU-Haushaltsplan

Nach Art 19 Z 1 bis 3 Haushaltsordnung enthält der Haushaltsplan einen Plan für die Gesamteinnahmen und getrennte Einzelpläne für die jeweiligen Einnahmen und Ausgaben der fünf Organe der Gemeinschaft. Auf dieser Grundlage wurde der **Gesamthaushaltsplan** der Europäischen Gemeinschaft für das Jahr 1995 folgendermaßen gegliedert.

- Einzelplan I: Parlament
- Einzelplan II: Rat
- Einzelplan III: Kommission
- Teil A: Verwaltungsmittel
- Teil B: Operationelle Mittel
- Einzelplan IV: Gerichtshof
- Einzelplan V: Rechnungshof
- Einzelplan VI: Wirtschafts- und Sozialausschuß und Ausschuß der Regionen[21])

Die Einzelpläne I, II, IV, V und VI enthalten im wesentlichen nur Personal-, Verwaltungs- und Sachkosten, die in verschiedene **Titel** gegliedert sind:

- Titel 1: Ausgaben für Mitglieder und Personal des Organs
- Titel 2: Gebäude, Material und verschiedene Sachausgaben
- Titel 3: Ausgaben für die Ausführung besonderer Aufgaben durch das Organ
- Titel 4: Unterstützungsausgaben zu den Ausgaben des Titels 3
- Titel 10: Sonstige Ausgaben

Beschränken sich also die Einzelpläne dieser Organe auf Verwaltungsmittel, so enthält der Haushalt der Kommission die entscheidenden operationellen Mittel.[22]) Entsprechend teilt sich der Einzelplan III (betreffend die Kommission) in Teil a „Verwaltungsmittel" und Teil B „operationelle Mittel". Letzterer Teil B ist damit der Kern des europäischen Budgets. Hier werden über 95% der Mittel verbucht.

Teil B gliedert sich wiederum in acht **Teileinzelpläne:**

- Teileinzelplan B 1: Europäischer Ausrichtungs- und Garantiefonds für die Landwirtschaft, Abteilung Garantie
- Teileinzelplan B 2: Strukturmaßnahmen, sonstige landwirtschaftliche und regionale Maßnahmen, Verkehr und Fischerei

---

[21]) Formal gesehen, verfügt der AdR nicht über die selbe Haushaltsautonomie wie der WSA. Da jedoch beide einen gemeinsamen Unterbau unterhalten, ist eine Trennung faktisch nicht möglich, so daß der AdR an der Stellung des WSA teilnimmt (vgl *Wuermeling,* Das Ende der Länderblindheit: Der Ausschuß der Regionen nach dem neuen EG-Vertrag, EuR 1993, 196).

[22]) Bei der Finanzierung der außenpolitischen Ausgaben im Rahmen des zweiten Pfeilers (also außerhalb des EG-Vertrags) war zunächst überlegt worden, operative Mittel auch in den Ratshaushalt einzustellen (s unten F.2.d).

- Teileinzelplan B3: Allgemeine und berufliche Bildung, Jugend, Kultur, audiovisueller Bereich, Information und sonstige Sozialmaßnahmen
- Teileinzelplan B4: Energie, Euratom-Sicherheitsüberwachung und Umwelt
- Teileinzelplan B5: Verbraucherschutz, Binnenmarkt, Industrie und transeuropäische Netze
- Teileinzelplan B6: Forschung und technologische Entwicklung
- Teileinzelplan B7: Zusammenarbeit mit Entwicklungsländern und anderen Drittländern
- Teileinzelplan B8: Gemeinsame Außen- und Sicherheitspolitik
- Teileinzelplan B0: Garantien, Reserven

Innerhalb der Einzel- oder Teileinzelpläne werden die Ausgaben in Titel, Kapitel, Artikel und Posten gemäß Art 19 Z 3 Haushaltsordnung gegliedert.

Als **„Linien"** bezeichnet man Mittel, die innerhalb eines Postens durch entsprechende Bemerkungen in der Begründung einer bestimmten Verwendung zugeführt werden sollen. So heißt es zB zum Posten B.3-1003, Aktionsplan für kulturübergreifende Bildung (1994): „Die Mittel sollen wie folgt aufgeteilt werden: 3,3 Mio ECU für Kinder von Wanderarbeitern, ...".

Dem eigentlichen Haushaltsplan vorangestellt ist eine Übersicht über die Gesamteinnahmen, die Finanzierung des Gesamthaushalts und den Stellenplan.

b) Finanzielle Vorausschau

Die Gliederung der Finanziellen Vorausschau (s unten E.1.), die eine **mehrjährige Finanzplanung** für die EU vornimmt, folgt nicht der soeben beschriebenen Systematik des Gesamthaushaltsplans. Das ist insofern konsequent, als es bei der Finanziellen Vorausschau im wesentlichen um die Planung der operativen Mittel geht. Entsprechend sieht die Finanzielle Vorausschau sechs **Rubriken** vor.

- Rubrik 1: Gemeinsame Agrarpolitik
- Rubrik 2: Strukturmaßnahmen
- Rubrik 3: Interne Politikbereiche
- Rubrik 4: Maßnahmen im Außenbereich
- Rubrik 5: Verwaltung
- Rubrik 6: Reserven

c) Praktische Hinweise zum Lesen des Haushaltsplans

Wer den Haushaltsplan der EU zur Hand nimmt, möchte in der Regel in Erfahrung bringen, welche Mittel für einen bestimmten Zweck zur Verfügung stehen, zB für die Förderung der Verkehrssicherheit in 1994. Da die Einzelpläne I, II, III Teil A, IV, V, VI nur Verwaltungsausgaben enthalten, gibt die Antwort auf eine solche Frage der Einzelplan III Teil B.

- Da das Inhaltsverzeichnis des **Gesamthaushaltsplans** 1994 (S 3) – bedauerlicherweise – keine Aufschlüsselung der operativen Mittel enthält, muß der einschlägige Teilhaushaltsplan über die „Zusammenfassung der Haushaltsmittel" (S 369ff), mit der der Abschnitt „Ausgaben" des Einzelplans III der Kommission beginnt, gefunden werden. Dort dringt man zu dem entsprechenden Titel (im Beispiel: B.2-7, Verkehr) vor.

- Zu dem **Titel** gelangt man – ohne sich der Hilfe der Seitenzahlen bedienen zu können – durch Blättern anhand der laufenden Nummern des Titels. So findet man zu Seite 762.
- Das einschlägige **Kapitel** muß dann durch Durchsehen des gesamten Titels aufgefunden werden. Hier erscheint auf Seite 762 der Artikel B.2-702: „Besondere Beteiligungen, insbesondere auf dem Gebiet der Verkehrssicherheit".

Leichteren Zugang zum Haushalt ermöglicht das jährlich von der Kommission (GD XIX/A2) herausgegebene „Haushaltsvademekum".

Während sich aus dem linken Blatt der Haushaltsplan-Doppelseite die eingesetzten Summen ergeben, finden sich rechts Erläuterungen, die zB auf die entsprechenden Rechtsgrundlagen für die Ausgabe verweisen, einen Fälligkeitsplan für spätere Jahre wiedergeben oder nähere Hinweise für die Verwendung der Mittel enthalten. Durch solche Bemerkungen werden auch die oben erwähnten „Linien" geschaffen.

Die Mittel können auf **drei verschiedene Arten** im Haushaltsplan eingesetzt werden:

- Normalfall: Ein bestimmter Mittelbetrag wird bei einem Haushaltsposten eingesetzt.
- Ausnahme: Der Haushaltsposten wird mit einem Vermerk „zur Erinnerung" (pm, pour memoire) versehen. Dies geschieht zB, wenn die Rechtsgrundlage für die Ausgabe noch nicht verabschiedet ist oder wenn die Haushaltsbehörde die Abwicklung der Aktion vorübergehend aussetzen möchte. Der pm-Vermerk bedeutet demnach, daß die Haushaltsbehörde den Grundsatz der Ausgabe bei der betreffenden Haushaltslinie anerkennt – allerdings unter der Voraussetzung, daß bestimmte Bedingungen erfüllt sind. Das war zB im Haushalt 1993 wegen der Unsicherheit des Inkrafttretens des EU-Vertrags vermehrt der Fall.
- Ausnahme: Die Haushaltslinie wird lediglich mit einem Gedankenstrich (–) versehen. Von dieser Technik wird Gebrauch gemacht, um die Existenz von Posten anzugeben, die nicht mehr operationell sind, aber aus buchungstechnischen Gründen beibehalten werden müssen.
- Die Zuweisungen können als „getrennte" oder „nicht getrennte" Mittel ausgewiesen werden. (Zu dieser Unterscheidung s unten D.2.b.)

2. Besondere Begriffe des EU-Haushaltsrechts

a) Nicht obligatorische Ausgaben und obligatorische Ausgaben

Eingeführt wurde diese Unterscheidung im Rahmen der 1970 erfolgten Stärkung der Haushaltsbefugnisse des Europäischen Parlaments. Vereinfacht dargestellt steht im Haushaltsverfahren dem Parlament für die nicht obligatorischen Ausgaben und dem Rat für die Ausgaben obligatorischer Art die letzte Entscheidungsbefugnis zu (dazu näher unten E.2.b).

Bei den **nicht obligatorischen Ausgaben** handelt es sich gem Art 203 Z 9 Abs 1 EGV um solche Ausgaben, die sich nicht zwingend aus dem Vertrag oder den aufgrund des Vertrages erlassenen Rechtsakten ergeben. Die dieser Definition nicht entsprechenden Ausgaben werden als **obligatorische Ausgaben** betrachtet. Die Abgrenzung im Einzelfall gestaltet sich allerdings schwierig.[23]) Verständlicherweise beansprucht jeder der beiden Teile der Haushaltsbehörde (Rat und Parlament) das Letztentscheidungsrecht bei einem möglichst großen Anteil der Ausgaben. Heute kann man die Linie zwischen den beiden Bereichen folgendermaßen ziehen:

Obligatorische Ausgaben sind vor allem

- die Ausgaben der EAGFL-Abteilung Garantie einschließlich der für diesen Bereich eingeplanten Währungsreserve,
- gewisse Ausgaben der Nahrungsmittelhilfe für Entwicklungsländer und der Zusammenarbeit mit den Ländern des Mittelmeerraumes (Kooperationsabkommen),
- Pensionen.

Nicht obligatorische Ausgaben sind vor allem Ausgaben für

- die strukturpolitischen Maßnahmen (EAGFL-Abteilung Ausrichtung – überwiegend, Europäischer Sozialfonds),
- Forschung und technologische Entwicklung,
- alle internen Politikbereiche (zB Verkehr, Bildung, Umwelt, Binnenmarkt),
- Zusammenarbeit mit den Ländern Mittel- und Osteuropas sowie den Entwicklungsländern Asiens und Lateinamerikas (überwiegend) sowie
- praktisch alle Verwaltungsausgaben, dh die Haushaltspläne von Rat, Parlament, Gerichts- und Rechnungshof uneingeschränkt und der Verwaltungshaushalt der Kommission mit geringen Einschränkungen.

Wegen der Einführung der Finanziellen Vorausschau hat die Unterscheidung jedoch an Schärfe verloren. Denn die Plafonds werden ohne Rücksicht auf den Charakter der Ausgaben von Rat, Parlament und Kommission gemeinsam festgelegt. Außerdem werden einige umstrittene Posten dort einvernehmlich der einen oder anderen Gruppe zugeordnet und Konzertierungsmechanismen vereinbart.

b) Getrennte und nicht getrennte Haushaltsmittel

Gem Art 1 Z 4 Haushaltsordnung kann der Haushaltsplan getrennte und nicht getrennte Mittel enthalten. **Getrennte Mittel** sind solche, die Verpflichtungs- und Zahlungsermächtigungen umfassen. Erstere ermöglichen das Eingehen von Verpflichtungen im Haushaltsjahr, deren Erfüllung durch Zahlung erst in einem späteren Haushaltsjahr erfolgt. Zweitere ermächtigen bereits zu Zahlungen im betreffenden Haushaltsjahr. Getrennte Mittel werden für mehrjährige Aktionen veranschlagt.

---

[23]) Zu dem Problemkreis *Strohmeier* (FN 16) 223; *Régnier-Heldmaier,* La distinction DO-DNO: instrument de lutte pour le pouvoir budgétaire, RMC 1994, 94; wegen Umstufungen von Ausgaben durch das Parlament im Haushaltsverfahren 1994 ist eine Klage des Ministerrats beim EuGH anhängig.

c) Der ECU

Gem Art 11 Haushaltsordnung wird der Haushaltsplan in ECU[24]) aufgestellt.

Der ECU als neue europäische Währungseinheit entstand parallel mit der Schaffung des Europäischen Währungssystems (EWS) ab 1. 1. 1979. Er löste die bis dahin gebrauchte „Europäische Rechnungseinheit“ (ERE) ab. Der ECU ist eine sog „Korbwährung“, deren Wert sich aus Anteilen der im ECU-Korb befindlichen Währungen der Mitgliedstaaten errechnet.

Der **Wert des ECU** wird täglich von der Kommission auf der Grundlage der Summe der Wechselkurse des US-Dollars zu den einzelnen EG-Währungen, so wie ihn die Zentralbanken der Mitgliedstaaten ermitteln und mitteilen, festgestellt.

Die Haushaltsführung in einer Kunstwährung birgt – vor allem nach der Verbreiterung der Schwankungsbreiten im EWS im Jahre 1993 – wegen der Unkalkulierbarkeit der Wechselkurse gewisse Risiken. Denn während die Ausgaben rechtlich in ECU festgelegt werden, müssen eine Reihe von Zahlungen in anderen Währungen, zB die Gehälter der EU-Beamten und Sachmittel in Brüssel in belgischen Francs, geleistet werden. Als im Jahre 1993 der ECU gegenüber dem belgischen Franc erheblich an Wert verlor, sah sich die Kommission zu drastischen Sparmaßnahmen, ua einem Einstellungsstopp, genötigt[25]).

d) Die Haushaltsbehörde

Die Entscheidung über den Haushalt liegt gemeinsam bei dem **Ministerrat** und dem **Europäischen Parlament.** Vereinfacht werden beide Organe als „die Haushaltsbehörde“ bezeichnet.

E. Das Haushaltsverfahren

1. Die Finanzielle Vorausschau

Nach langen Jahren erbitterter Haushaltsauseinandersetzungen zwischen Rat und Parlament kamen diese 1988 überein, durch eine mittelfristige Rahmenplanung der Ausgaben, die „Finanzielle Vorausschau“ (FV), das jährliche Budgetverfahren in ruhigere Bahnen zu lenken. Dies geschah in der ersten Interinstitutionellen Vereinbarung (IIV) für den Zeitraum 1988–1992 und wurde in der IIV von 1993 für den Zeitraum bis 1999 erneuert.

Die FV ist weder im EG-Vertrag vorgesehen, noch in der Haushaltsordnung verankert. Dem rechtlichen Charakter nach ist sie nicht mehr als eine informelle politische Vereinbarung – „soft law“[26]). Dennoch wird sie wie ein

---

[24]) Ausführlich zum ECU s unten *Aspetsberger/Gnan/Pauer/Schubert,* Auf dem Weg zur Wirtschafts- und Währungsunion.

[25]) Vgl EG-Kommission (Hg), XXVII. Gesamtbericht über die Tätigkeit der EG 1993, 393 (398).

[26]) Anderer Ansicht *Isaac* (FN 16) 28, der von sekundärem Gemeinschaftsrecht spricht. Dem steht aber die mangelnde Rechtsgrundlage entgegen. Ihr ist aber darin zuzustimmen, daß eine krasse Mißachtung der FV eine justiable Verletzung von Art 5 EGV bedeuten kann.

Rechtsakt durch umfangreiche Dokumente insbesondere der Kommission[27]) vorbereitet und erhält sogar beziehungsreiche Bezeichnungen wie „Delors-I(oder II)-Paket". Auf der Ratsebene werden die entscheidenden Vorgaben vom Europäischen Rat der Staats- und Regierungschefs verabschiedet[28]).

Das eigentliche Haushaltsverfahren ändert mit der Einführung der FV maßgeblich seinen Charakter. Einer der früher wichtigsten Zwecke, die Festsetzung der Höhe der Ausgaben, ist weggefallen. An deren Stelle tritt die Zuweisung der Mittel innerhalb des Korsetts der sechs Plafonds der FV, also eine Entscheidung über die Prioritäten innerhalb der Rubriken[29]). Die Prüfung der „Finanziellen Vorausschau" bildet deshalb auch den Auftakt zum jährlichen Haushaltsverfahren.

Die finanzielle Vorausschau gliedert Umfang und Zusammensetzung der voraussichtlichen Ausgaben der Gemeinschaft für die Jahre 1993–1999 in folgender Weise[30]) (in Mio ECU).

	1993	1994	1995	1996	1997	1998	1999
Verpflichtungsermächtigungen							
1. Gemeinsame Agrarpolitik	36.657	36.465	37.944	39.546	40.267	41.006	41.764
2. Strukturmaßnahmen	22.192	23.176	26.329	27.710	29.375	31.164	32.956
2.1. Strukturfonds	20.627	21.323	24.069	25.206	26.604	28.340	30.187
2.2. Kohäsionsfonds ua	1.565	1.853	2.260	2.504	2.771	2.824	2.769
3. Interne Politikbereiche	4.109	4.325	5.060	5.233	5.449	5.677	5.894
4. Maßnahmen im Außenbereich	4.120	4.236	4.895	5.162	5.468	5.865	6.340
5. Verwaltung	3.421	3.579	4.022	4.110	4.232	4.295	4.359
6. Reserven	1.522	1.530	1.100	1.100	1.100	1.100	1.100
Währungsreserve	1.000	1.000	500	500	500	500	500
Maßnahmen im Außenbereich							
– Garantien	313	318	300	300	300	300	300
– Soforthilfen	209	212	30	300	300	300	300
Verpflichtungsermächtigungen insgesamt	**72.021**	**73.311**	**75.467**	**78.692**	**81.047**	**83.954**	**86.952**
Zahlungsermächtigungen insgesamt	**68.611**	**70.232**	**72.020**	**74.605**	**77.372**	**80.037**	**82.778**
Zahlungsermächtigungen insgesamt in % des BSP	1,20	1,20	unverändert	1,21	1,22	1,23	1,24
Spielraum in % des BSP	0,00	0,00	unverändert	0,01	0,02	0,03	0,03
Eigenmittelobergrenze in % des BSP	1,20	1,20	unverändert	unverändert	unverändert	unverändert	unverändert

[27]) Vgl zur FV 1994 den Vorschlag der Kommission „Von der Einheitlichen Europäischen Akte zu der Zeit nach Maastricht – ausreichende Mittel für unsere ehrgeizigen Ziele" (KOM [92] 2000 endg) v 11. 2. 1992; „Die öffentlichen Finanzen der Gemeinschaft bis 1997" (KOM [92] 2001 endg) v 23. 3. 1992.

[28]) Für die laufende Periode bis 1999: Schlußfolgerungen des Europäischen Rates von Edinburg 12. 12. 1992.

[29]) *Strohmeier* (FN 16) 224.

[30]) Dazu erläuternd *Deffaa/Zangl* (FN 16), 1993 und 1994: jeweilige Preise, 1995–1999: Preis 1995.

Jedes der in der Vorausschau festgelegten Finanzziele stellt einen **jährlichen Höchstbetrag** dar. Parlament, Rat und Kommission verpflichten sich, diesen Plafond während des Haushaltsverfahrens einzuhalten (s oben C.3.).

Anpassungen der finanziellen Vorausschau[31]) können erforderlich werden,

- um sie entsprechend der Entwicklung des Bruttosozialprodukts und der Preise zu aktualisieren (technische Anpassung),
- um im Falle des Beitritts eines oder mehrerer neuer Mitgliedstaaten die neue Haushaltssituation zu berücksichtigen[32]),
- wenn die Kommission dies gegebenenfalls im Hinblick auf die Fälligkeiten bei den Verpflichtungen und den Zahlungsermächtigungen für notwendig erachtet,
- um gegebenenfalls der Notwendigkeit Rechnung zu tragen, neue Aktionen einzuleiten[33]).

2. Die jährliche Haushaltsaufstellung[34])

a) Der Zeitplan

Den **offiziellen Kalender** der Haushaltsaufstellung legt mit genauen Daten Art 203 EGV fest. Doch noch vor Inkrafttreten dieser Bestimmung stellt sich heraus, daß diese Zeitrahmen dem Rat und dem Europäischen Parlament nicht die nötige Zeit ließ, ihre jeweiligen Haushaltsbefugnisse ordnungsgemäß auszuüben. Auf Vorschlag der Kommission haben sich Rat und Parlament daher schon 1976 darauf verständigt, anstelle des offiziellen Kalenders die Fristen zugunsten eines **„pragmatischen Kalenders“** abzuändern, was den Verträgen nicht widerspricht, da die dort genannten Fristen immer Maximalfristen („spätestens bis zum ...“) sind.

Dieser seither angewendete und durch Art 18 Haushaltsordnung nachträglich abgesicherte **pragmatische Kalender** enthält folgende sechs Zeitabschnitte:

- 15. Juni: Die Kommission übersendet den Vorentwurf des Gesamthaushaltsplans der Europäischen Gemeinschaften an Rat und Parlament;
- 15. Juni bis 31. Juli: Prüfung dieses Vorentwurfs durch den Rat und Aufstellung des Entwurfs des Haushaltsplans (1. Lesung des Rates); dieser Entwurf wird Anfang August dem Parlament übersandt;
- September bis Mitte Oktober: Prüfung des Ratsentwurfs durch das Europäische Parlament (1. Lesung des Parlaments);
- Mitte Oktober bis Mitte November: erneute Prüfung des vom Europäischen Parlament geänderten ersten Ratsentwurfs durch den Rat (2. Lesung des Rates);

---

[31]) IIV 1994 (FN 17) Nr 9–13, 24.

[32]) Vgl *Brenton/Gros,* The budgetary implications of EC enlargement, CEPS working papers, 1993. In der IIV 1994 (FN 17) Nr 24, hat sich das Parlament für den Fall einer mangelnden Einigung vorbehalten, an die gesamte IIV nicht mehr gebunden zu sein; dazu *Deffaa/Zangl* (FN 16).

[33]) Die IIV 1994 steht zudem unter dem Vorbehalt der Regierungskonferenz 1996 (Nr 24).

[34]) Dazu allgemein *Ständer,* Das Budgetbewilligungsrecht in der Europäischen Gemeinschaft, Europa-Blätter (Beilage zum Bundesanzeiger) 161 (1993) 6.

- Mitte November bis Mitte Dezember: erneute Prüfung durch das Europäische Parlament des vom Rat in 2. Lesung geänderten Entwurfs (2. Lesung des Parlaments);
- Mitte Dezember: Feststellung des Haushaltsplans durch den Präsidenten des Europäischen Parlaments.

Es steht allerdings nichts entgegen, unter gegebenen Umständen zum Verfahrenskalender des EG-Vertrages zurückzukehren.

b) Die einzelnen Phasen

1) Haushaltsvorentwurf

Gem Art 203 Z 2 EGV sowie Art 12 und 13 Haushaltsordnung stellen die Organe der Gemeinschaft, dh Parlament, Rat, Kommission, Gerichtshof, Rechnungshof sowie der Wirtschafts- und Sozialausschuß mit dem Ausschuß der Regionen[35]) vor dem 1. Juni des dem betreffenden Jahr vorausgehenden Jahres Haushaltsvoranschläge auf, die die Kommission zu einem **„Vorentwurf"** für den Gesamthaushaltsplan zusammenfaßt und dem Rat in den neun Amtssprachen der Gemeinschaft bis spätestens 15. Juni vorlegt.

Während dieser Phase hat das Parlament in der IIV (s oben C.3.) zwei informelle Konsultationen mit Rat und Kommission („Trilog") durchgesetzt: zum einen über die Prioritäten des Haushaltsjahres vor Aufstellung des Vorentwurfs und zum anderen über die obligatorischen Ausgaben vor der ersten Lesung.

Inhaltlich bestehen für den Haushaltsvorentwurf die Vorgaben der FV (s oben 1.). Außerdem bestimmt Art 203 Z 9 EGV, daß für die nicht obligatorischen Ausgaben zunächst ein Höchstsatz festgelegt wird, um den die gleichartigen Ausgaben des Vorjahres erhöht werden können. Die Kommission stellt nach Anhörung des Ratsausschusses für Wirtschaftspolitik diesen Höchstsatz fest, der sich aus der Entwicklung des in Volumen ausgedrückten Bruttosozialprodukts der Gemeinschaft, der durchschnittlichen Veränderung der Haushaltspläne der Mitgliedstaaten und der Entwicklung der Lebenshaltungskosten während des letzten Haushaltsjahres ergibt. In der Vergangenheit hat die Kommission in ihren Vorentwürfen der Gesamthaushaltspläne die zuvor festgelegten Höchstsätze fast regelmäßig mit der Begründung überschritten, die budgetären Folgen ausgabenwirksamer Beschlüsse einer sich dynamisch entwickelten Gemeinschaft nur so auffangen zu können.

Die Kommission hat wie auch die anderen Organe der Gemeinschaft im späteren Verlauf des Haushaltsverfahrens das Recht, jeweils für ihren Einzelplan dem Rat Berichtigungen des bereits vorgelegten Haushaltsvorentwurfs nahezulegen (vgl Art 14 Haushaltsordnung). Solche offiziellen Berichtigungsschreiben sind möglich, wenn nach der offiziellen Vorlage des Haushaltsvorentwurfs an den Rat wesentliche neue Elemente bekannt werden, die eine Änderung dieses Dokuments begründen.

---

[35]) Obwohl diese beiden Institutionen keine Organe sind, genießen sie eine gewisse haushaltsrechtliche Selbständigkeit, s Protokoll 17 zum VEU.

2) Erste Lesung

Der Rat beschließt gem Art 203 Z 4 EGV auf dieser Grundlage den **„Entwurf des Haushaltsplanes“**. Den Ratsgremien (Haushaltsausschuß, Ausschuß der Ständigen Vertreter, Rat der Finanz- oder Haushaltsminister) stehen 45 Tage zur Verfügung (Mitte Juni bis Ende Juli), um im Beisein der Vertreter der anderen Organe deren jeweilige Haushaltsvorentwürfe zu prüfen. Natürlich prüft der Rat auch den Vorentwurf seines eigenen Generalsekretariats (Einzelplan II). Den Vorentwurf des Generalsekretariats des Europäischen Parlaments (Einzelplan I) nimmt der Rat nur „zur Kenntnis“, ebenso wie das Parlament jenen des Rates im Prinzip ohne Änderungswünsche passieren läßt. Dieses „stillschweigende Einverständnis“ bewährt sich seit Jahren. Nach Abschluß der Prüfung der Vorentwürfe stellt der Rat den Entwurf des Gesamthaushaltsplans mit qualifizierter Mehrheit auf (Art 203 Z 3 letzter Abs EGV und Art 16 Haushaltsordnung).

Das Parlament enthält den Entwurf des Gesamthaushaltsplans Anfang September. Wie zuvor dem Rat, stehen auch diesem Teil der Haushaltsbehörde 45 Tage zur Verfügung, um seinerseits die erste Lesung des Ratsentwurfs vorzunehmen (vgl Art 203 Z 4 EGV). Die Prüfung der Dokumente beginnt auf der Ebene der Fachausschüsse des Parlaments. Entscheidend sind aber die Arbeiten des Haushaltsausschusses, der seine Arbeit bereits im März/April im Zusammenhang mit der **Prüfung der Kommissionsvorschläge** für die finanzielle Vorausschau begonnen hat. Außerdem hat das Parlament gem Art 12 letzter Abs und Art 13 Z 1 Abs 2 Haushaltsordnung sowohl die Haushaltsvoranschläge der Organe als auch den Vorentwurf des Gesamthaushaltsplans von der Kommission schon so frühzeitig (15. Juni) erhalten, daß insgesamt genügend Zeit für die Vorbereitung der ersten Lesung des Parlaments (Mitte Oktober) zur Verfügung steht.

Gem Art 203 Z 4 EGV ist das Parlament berechtigt, den Entwurf des Haushaltsplanes hinsichtlich der nicht obligatorischen Ausgaben (zur Unterscheidung s oben D.2.a) mit der Mehrheit der möglichen Stimmen seiner Mitglieder selbst abzuändern und dem Rat bezüglich der obligatorischen Ausgaben Änderungen vorzuschlagen, die die absolute Mehrheit der abgegebenen Stimmen erfordern. Das Parlament kann also hinsichtlich der nicht obligatorischen Ausgaben Abänderungen selbst vornehmen, hinsichtlich obligatorischer Ausgaben jedoch nur Änderungsvorschläge unterbreiten.

Bei der **Erstellung seines Haushaltsentwurfs** kann der Rat für die nicht obligatorischen Ausgaben den oben erwähnten Höchstsatz theoretisch bestätigen, darunter bleiben oder darüber hinausgehen. In allen Fällen – und das ist heute selbst bei einer gewissen Unklarheit von Art 203 Z 9 Abs 4 EGV nicht mehr strittig – hat das Parlament das Recht, den Gesamtbetrag noch bis zur Hälfte des Höchstsatzes zu erhöhen. In allen Fällen, in denen der Rat in seinem Entwurf seinerseits bereits den halben Höchstsatz überschritten hat, macht das eine Gesamterhöhung von mehr als der festgelegten Höhe des Höchstsatzes aus. Eine Überschreitung in diesem Verfahren macht aber noch nicht die Festsetzung eines neuen Höchstsatzes gem Art 203 Z 9 Abs 5 EGV erforderlich.

Der Rat orientiert sich bei der Erstellung seiner Haushaltsentwürfe bislang meist an der Hälfte der ursprünglichen Höchstsätze, so daß dem Parlament im Prinzip nur die andere Hälfte übrigblieb. Diese Haltung des Rates und der verständliche Wunsch des Parlaments, seine Haushaltsbefugnisse über die Klassifizierung möglichst aller neuen Ausgaben als nicht obligatorische Ausgaben und die Ausweitung der Erhöhung der nicht obligatorischen Ausgaben über den Höchstsatz hinaus entsprechend den Vorschlägen der Kommission auszuweiten, führte zu zeitweise erheblichen Verständigungsschwierigkeiten zwischen den beiden Teilen der Haushaltsbehörde, die im wesentlichen erst mit der Finanzreform von 1988 ihr vorläufiges Ende fanden.

In der Tat haben sich Parlament und Rat – wie erwähnt – verpflichtet, für den zeitlichen Bezugsrahmen der finanziellen Vorausschau die jährlichen Höchstbeträge für die Erhöhung der nicht obligatorischen Ausgaben zu beachten, die aus den im Rahmen der in absoluten Zahlen ausgedrückten Obergrenzen dieser Vorausschau aufgestellten Haushaltsplänen hervorgehen. In der Praxis bedeutet dies, daß das Parlament in jedem dieser Jahre die nicht obligatorischen Ausgaben bis zu diesen Obergrenzen erhöhen kann, womit das Konfliktpotential von Art 203 Z 9 EGV weitgehend entschärft wird.

Das Parlament kann auch aus wichtigen Gründen den Entwurf des Haushaltsplans insgesamt ablehnen und die Vorlage eines neuen Entwurfs durch den Rat verlangen. Hierzu sind gem Art 203 Z 8 EGV die Mehrheit aller Stimmen des Parlaments und zwei Drittel der abgegebenen Stimmen erforderlich.

Eine solche Lage hatte sich zB im Dezember 1979 für den Haushaltsplan 1980 ergeben. Um das Verfahren wieder in Gang zu setzen, hatte die Kommission damals – quasi im Rahmen einer technischen Amtshilfe – dem Rat Ende Februar 1980 einen „Neuen Haushaltsvorschlag", also kein offizielles Dokument, übermittelt, den dieser dann in einen Haushaltsentwurf umwandelte und dem Parlament zur Annahme vorlegte.

Hat das Parlament binnen jener ihm für die erste Lesung des Entwurfs zur Verfügung stehenden 45 Tage seine Zustimmung erteilt, so ist der Haushaltsplan endgültig festgestellt (aktive Feststellung). Hat es innerhalb dieser Frist den Entwurf weder abgeändert (im Fall der nicht obligatorischen Ausgaben) noch Änderungen vorgeschlagen (im Fall der obligatorischen Ausgaben), so gilt der Haushaltsplan als endgültig festgestellt (inaktive Feststellung) durch Fristablauf). Diese beiden Möglichkeiten kann man getrost als mehr theoretischer Natur ansehen; sie sind jedenfalls bis heute noch nicht vorgekommen, und es erscheint auch sehr unwahrscheinlich, daß sie jemals vorkommen werden. Die wesentlich konkretere Annahme, daß das Parlament immer von seinen Haushaltsrechten Gebrauch machen wird, führt zur Anwendung von Art 203 Z 4 letzter Abs EGV, wonach das Parlament nach Abschluß seiner ersten Lesung dem Rat den Entwurf versehen mit den beschlossenen Abänderungen (bei nicht obligatorischen Ausgaben) und Änderungsvorschlägen (bei obligatorischen Ausgaben) wieder zuleitet.

3) Zweite Lesung

Die zweite Lesung des Haushaltsentwurfs durch die Ratsgremien, für die nach dem pragmatischen Kalender etwa ein Monat (Mitte Oktober bis Mitte November) zur Verfügung steht, gestaltet sich hinsichtlich der obligatorischen Ausgaben etwas schwieriger als die erste Lesung. Es gilt hinsichtlich der vom Parlament geänderten Änderungsvorschläge des Rates für die obligatorischen Ausgaben aus dessen erster Lesung für die zweite Lesung gem Art 203 Z 5 Abs 1 EGV folgendes Verfahren.

Führt eine vom Parlament vorgeschlagene Änderung nicht zu einer Erhöhung des Gesamtbetrages der Ausgaben eines Organs (wurden also an anderer Stelle Einsparungen vorgenommen), so kann der Rat diesen Änderungsvorschlag mit qualifizierter Mehrheit ablehnen. Gelingt es ihm nicht, diese „negative" oder „umgekehrte" Mehrheit zu finden, so ist der Änderungsvorschlag angenommen.

Führt eine vom Parlament vorgeschlagene Änderung hingegen zu einer Erhöhung des Gesamtbetrages der Ausgaben eines Organs, so kann der Rat mit qualifizierter Mehrheit diesen Änderungsvorschlag annehmen. Gelingt es ihm nicht, eine solche „positive" Mehrheit zu gewinnen, so ist der Änderungsvorschlag abgelehnt. Im ersten Fall ist also eine qualifizierte Mehrheit für die Ablehnung und im zweiten Fall für die Annahme erforderlich. Hat der Rat nach einem dieser beiden Verfahren einen Änderungsvorschlag abgelehnt, so kann er wiederum mit qualifizierter Mehrheit entweder den in seinem ursprünglichen Entwurf des Haushaltsplans eingesetzten Betrag beibehalten oder einen anderen Betrag festsetzen.

Dieses 1970 eingeführte Verfahren hat die **Haushaltsbefugnisse des Europäischen Parlaments** insoweit ganz erheblich **verstärkt,** als es für den Rat nunmehr schwieriger ist, die Vorstellung des anderen Teiles der Haushaltsbehörde im Bereich der obligatorischen Ausgaben, also der bis dahin ausschließlichen Domäne des Rates, zurückzuweisen.

Am Ende der zweiten Lesung durch den Rat ist der Entwurf des Haushaltsplans nach Maßgabe der von diesem angenommenen Änderungsvorschläge als abschließend behandelt zu betrachten. Das Haushaltsverfahren für die obligatorischen Ausgaben ist also beendet, da der Rat hier endgültig entscheidet und das Parlament im weiteren Verlauf dieses Verfahrens (dh während seiner zweiten Lesung) die obligatorischen Ausgaben rechtlich nicht mehr beeinflussen kann.

Für den Bereich der nicht obligatorischen Ausgaben hingegen gilt, daß der Rat die Abänderungswünsche in seiner zweiten Lesung zwar zunächst mit qualifizierter Mehrheit ändern und gegebenenfalls auch ablehnen kann. Das Parlament behält aber hier in jedem Fall die letzte Entscheidungsbefugnis für seine zweite Lesung des Haushalts.

Dem Parlament stehen für seine zweite Lesung – ebenso wie zuvor dem Rat – gem Art 203 Z 6 EGV 15 Tage zur Verfügung. Tatsächlich werden die Ratsdokumente aber inoffiziell so früh wie möglich dem Parlament übermittelt, sodaß vor allem dem Haushaltsausschuß des Parlaments genügend Zeit bleibt, diese für die Ausübung seiner Haushaltsbefugnisse so wichtige Plenarsitzung vorzubereiten. Abgestimmt wird zwar nur noch über die Abänderungen, dh über die nicht obligatorische Ausgaben betreffenden Änderungen des Haushaltsplanentwurfs. Erforderlich sind wie in der ersten Lesung die Mehrheit der Stimmen aller Mitglieder des Parlaments und mindestens drei Fünftel der abgegebenen Stimmen, um die vom Rat an den Abänderungen des Parlaments vorgenommenen Änderungen zu ändern oder abzulehnen. Die am Ende dieser zweiten Lesung zu verabschiedende Resolution, die praktisch dem jährlichen Haushhaltsgesetz der nationalen Parlamente entspricht, geht allerdings weit über den vergleichsweise kleinen Bereich der nicht obligatorischen Ausgaben hinaus. Sie ist ein politisches Dokument und muß als Ausdruck der umfassenden haushaltspolitischen Vorstellungen des Parlaments verstanden werden.

Das Haushaltsverfahren wird durch den ausdrücklichen Beschluß des Parlamentspräsidenten – er handelt hier als Notar der EG – abgeschlossen, der besagt, daß der Haushaltsplan endgültig festgestellt ist. Diese Feststellung wird mit dem Haushaltsplan im Amtsblatt der Europäischen Gemeinschaften gem Art 203 Z 7 EGV und Art 17 Haushaltsordnung veröffentlicht[36]).

c) Nachtrags- und Berichtigungshaushalt

Im Falle unvorhergesehener Umstände kann die Kommission im Laufe eines Haushaltsjahres der Haushaltsbehörde Vorentwürfe von Nachtrags- und Berichtigungshaushaltsplänen vorlegen (vgl Art 15 Haushaltsordnung). Das ist regelmäßig der Fall. Dies werden von Rat und Parlament nach dem gleichen Verfahren behandelt wie normale Haushaltspläne und sollten dem Rat im allgemeinen spätestens gleichzeitig mit dem Vorentwurf für das folgende Haushaltsjahr vorgelegt werden.

d) Nothaushaltsrecht

Wird der Haushalt nicht oder nicht rechtzeitig verabschiedet, müssen die Organe der Gemeinschaft bis zur Verabschiedung gem Art 204 EGV und Art 9 Haushaltsordnung unter den Bedingungen des „Nothaushalts" leben. Dies bedeutet, daß **Verpflichtungen** nur im Ramen eines Viertels und **Zahlungen** nur im Rahmen eines Zwölftels der im Haushaltsplan des Vorjahres genehmigten Mittel getätigt werden dürfen, ohne daß die auf diese Weise bereitgestellten Mittel die im Entwurf oder gegebenenfalls im Vorentwurf für das neue Haushaltsjahr eingeplanten Verpflichtungs- und Zahlungsermächtigungen überschreiten dürfen. Es ist klar, daß ein solcher Zustand die Fortführung und Entwicklung der Gemeinschaftsaktivitäten erheblich beeinträchtigt. Die Praxis der vergangenen Jahre hat gezeigt, daß den „Akteuren" des Haushaltsverfahrens sehr viel daran gelegen ist, die Anwendung des Instruments der Ablehnung des Haushaltsentwurfs möglichst zu vermeiden.

3. Durchführung des Haushalts und interne Finanzkontrolle

a) Zuständigkeit

Mit der Durchführung des Haushalts ist die **Kommission** beauftragt (Art 205 EGV und Art 22 Z 1 Haushaltsordnung). Sie ermächtigt jedoch das

---

[36]) ZB Haushalt 1995 ABl L 1994/396, 1 v 31. 12. 1994 (s Anhang 1).

Parlament, den Rat, den Gerichtshof, den Rechnungshof, den Wirtschafts- und Sozialausschuß und den Ausschuß der Regionen, ihre Einzelpläne selbst durchzuführen (Art 22 Z 2 Haushaltsordnung).

Die Kommission bzw die von ihr ausdrücklich ermächtigten „Personen" sind **„Anweisungsbefugte"** im Sinne der Haushaltsordnung (Art 21 Haushaltsordnung). Jedes Organ bestimmt ferner einen Rechnungsführer (Art 24 Haushaltsordnung), der – ebenfalls unterstützt von ausdrücklich dazu ernannten Beamten – Einnahmen und Ausgaben verbucht, die Zahlungen veranlaßt und am Ende des Haushaltsjahres die Haushaltsrechnung erstellt.

Die weiteren Einzelheiten der Haushaltsdurchführung sind in den ausführlichen Bestimmungen des Titels III der Haushaltsordnung geregelt.

b) Mittelübertragung

Ein Sonderproblem der Durchführung des Haushalts stellt sich, wenn aus tatsächlichen Gründen zunächst eingeplante Mittel nicht ausgegeben werden können. Diese Mittel können in das folgende Haushaltsjahr übertragen oder für andere Zwecke innerhalb des Haushaltsjahres verwandt werden. Da damit allerdings eine faktische Änderung des Haushaltsplans eintritt, ist dies nur unter engen Voraussetzungen und in der Regel unter Einschaltung der Haushaltsbehörde (s oben D.2.d) möglich. Nähere Einzelheiten bestimmt Art 7 Haushaltsordnung.

Eine besondere Form der Mittelübertragung innerhalb eines Haushaltsjahres stellt das sogenannte „*Bourlanges*-Verfahren"[37] (Vorläufer: *Notenboom*-Verfahren) dar, bei dem – jeweils im Oktober – Mittel, deren Abfluß im restlichen Haushaltsjahr nicht mehr sichergestellt ist, mit Zustimmung der Haushaltsbehörde en bloc auf andere Haushaltslinien übertragen werden.

c) Saldenproblem

Bei der Ausführung des Haushalts kann es infolge von nicht eingetretenen Konjunkturprognosen und Wechselkursänderungen zu (negativen oder positiven) Salden kommen, weil die Eigenmittel (s unten F.1.) auf der Grundlage von unrichtigen Bemessungsgrundlagen für das BSP und die Mehrwertsteuer berechnet wurden. Da die Abrufsätze (Zahlungen der Mitgliedstaaten) jedoch nachträglich nicht verändert werden können, müssen die Salden im Folgejahr ausgeglichen werden. Diese Ausgleichspflicht (im Jahre 1993 3,8 Mrd ECU) bewirkt summenmäßig eine Erhöhung der Ausgaben im Folgejahr. Das kann zu einer Überschreitung des Eigenmittelplafonds (s oben zur Finanziellen Vorausschau E.1.) führen, wenn nicht operative Mittel gekürzt werden.

Um die letztere Folge zu vermeiden, hat die Kommission vorgeschlagen, die Abrufsätze gegebenenfalls nachträglich zu korrigieren, um die Entstehung der Salden von vornherein zu vermeiden. Eine Entscheidung von Rat und Parlament steht noch aus.

---

[37]) Vgl Dokument PE 209.185 des Europäischen Parlaments.

d) Interne Finanzkontrolle

Die interne Finanzkontrolle obliegt dem **Finanzkontrolleur.** Gem Art 24 Haushaltsordnung ernennt jedes Organ einen solchen Finanzkontrolleur, der mit der Prüfung der Mittelbindungen, die für jede Ausgabe im vorhinein erforderlich ist, der Prüfung der Auszahlungsanordnungen sowie der Kontrolle aller Einnahmen betraut ist. Der Finanzkontrolleur der Kommission ist der Generaldirektor für Finanzkontrolle, der mit Hilfe der ihm zugewiesenen Bediensteten diese Aufgabe wahrnimmt.

Der vom Finanzkontrolleur erteilte Sichtvermerk bestätigt neben der richtigen Verbuchung und der Verfügbarkeit der Mittel ua auch, daß die Prinzipien einer wirtschaftlichen Mittelverwaltung beachtet wurden (Art 38 Haushaltsordnung). Kommt der Finanzkontrolleur bei der Prüfung der ihm vorgelegten Unterlagen zu dem Schluß, daß eine der Bedingungen von Art 38 Z 1 Haushaltsordnung nicht erfüllt ist, kann er seinen Sichtvermerk verweigern (Art 39 Haushaltsordnung). Ein solcher Fall wird der Kommission zur Entscheidung vorgelegt. Diese kann sich gegebenenfalls darüber hinwegsetzen, es sei denn, die Verfügbarkeit der betroffenen Mittel steht in Frage. Von der Möglichkeit einer solchen „passer-outre"-Entscheidung hat die Kommission bislang nur in seltenen Ausnahmefällen Gebrauch gemacht.

4. Betrugsbekämpfung

Mit dem gesteigerten Volumen des EU-Haushalts sind naturgemäß die Gefahren des Mißbrauchs gewachsen. Seit 1987 unternimmt die Gemeinschaft deshalb verstärkt Anstrengungen zur Betrugsbekämpfung[38]).

Wie aus dem letzten Jahresbericht der Kommission über die Betrugsbekämpfung[39]) hervorgeht, haben die Mitgliedstaaten der Kommission 1993 mehr als 2000 Fälle gemeldet. Zusammen mit weiteren von der Kommission aufgedeckten Fällen beträgt die Schadenssumme 418,1 Mio ECU, also etwa 1% des Gemeinschaftshaushalts. Hinzu kommt eine nicht unerhebliche Dunkelziffer. Allerdings entbehren andere Schätzungen, nach denen Betrügereien bis zu 10% des Haushalts betreffen könnten, jeglicher Grundlage und sind reine Spekulation.

Die **Verantwortung für die Betrugsbekämpfung** trifft nicht in erster Linie die Kommission als Haushaltsvollzugsbehörde, sondern im wesentlichen die **Mitgliedstaaten.** Die Eigenmittel der Gemeinschaft werden in voller Höhe von den zuständigen Behörden der Mitgliedstaaten erhoben; etwa drei Viertel der Zahlungen zu Lasten des Gemeinschaftshaushalts erfolgen dezentral über die Mitgliedstaaten (insbesondere im Agrarbereich und bei den Strukturfonds). Eine erfolgreiche Betrugsbekämpfung setzt daher eine enge

[38]) Dazu *Pries/Spiter,* Die Betrugsbekämpfung in der Europäischen Gemeinschaft, EuZW 1994, 297; *Tulkens(Van den Wyngaert/Vergoustraeter,* La protection juridique des intérèts financiers des Communautés Européennes (1992); *Sieber* (Hg), Europäische Einigung und europäisches Strafrecht (1993); *Stoffers,* Der Schutz der EU-Finanzinteressen durch das deutsche Straf- und Ordnungswidrigkeitenrecht, EuZW 1994, 304; *Spannowski,* Schutz der Finanzinteressen der EG zur Steigerung der Effizienz des Mitteleinsatzes, JZ 1992, 1160; *Vervaele,* Fraud against Community, 1992.

[39]) KOM (94) 94 endg.

Zusammenarbeit zwischen der Kommission und den Mitgliedstaaten voraus. Auch das Europäische Parlament, das sich die Förderung der Betrugsbekämpfung zu einem besonderen Anliegen gemacht hat, und der Europäische Rechnungshof durch seine Prüfungstätigkeit tragen zum Schutz der finanziellen Interessen der Gemeinschaft bei.

Innerhalb der Kommission wurde eine spezielle Einheit zur Koordinierung der Betrugsbekämpfung, die UCLAF („Unité de coordination de la lutte antifraude“) geschaffen. Ihr Personal wurde im Laufe des Jahres 1994 verstärkt. Daneben sind in den verschiedenen Generaldirektionen Beauftragte für die Betrugsbekämpfung benannt worden.

Im März 1994 hat die Kommission eine umfassende Strategie zur Betrugsbekämpfung[40]) vorgestellt, die alle Einnahmen- und Ausgabenbereiche umfaßt und vor allem folgende Schwerpunkte enthält:

- verstärkte Präsenz vor Ort,
- verstärkte Prävention (Einschränkung der Betrugsmöglichkeiten) durch entsprechende Gestaltung der einschlägigen Rechtsvorschriften,
- systematische Auswertung von Informationen, insbesondere der von den Mitgliedstaaten gemeldeten Betrugsfälle, und der verfügbaren Datenbanken zum Zweck der Risikoanalyse,
- verstärkte Repression durch die Einführung von Verwaltungssanktionen in allen Bereichen und einheitliche strafrechtliche Normen.

Die Kommission hat weiterhin einen Vorschlag über den Schutz der finanziellen Interessen der Gemeinschaft unterbreitet, der die Festlegung eines allen Mitgliedstaaten gemeinsamen rechtlichen Rahmens für die Betrugsbekämpfung vorsieht.[41]) Seit Anfang 1995 ist ein „Green-Phone“ eingerichtet, bei dem gebührenfrei Hinweise über Betrugsfälle in der Muttersprache gegeben werden können.[42])

5. Rechnungsprüfung durch den Europäischen Rechnungshof

Der Europäische Rechnungshof[43]) prüft im nachhinein die Rechnung über alle Einnahmen und Ausgaben (Art 188a, 188c Z 1 EGV). Er besteht aus einem Mitglied pro Mitgliedstaat. Die Mitglieder werden vom Rat nach Anhörung des Europäischen Parlaments einstimmig auf sechs Jahre ernannt. Wiederernennung ist möglich.

Mit dem EU-Vertrag wurde der Rechnungshof zu einem selbständigen Organ aufgewertet (s Art 4, 188a–c EGV) und beauftragt, neben den jährlichen Berichten eine Gesamtbeurteilung der Rechnungsführung abzugeben.[44])

Der Rechnungshof prüft mit Hilfe eines Beamtenstabes von derzeit knapp 400 Bediensteten in voller Unabhängigkeit nachträglich die Durchfüh-

---

[40]) KOM (94) 92 endg.

[41]) ABl C 1994/216, 1.

[42]) Bull EG 3/1994, Pkt 1.5.25.

[43]) Dazu *Ries,* Die Finanzkontrolle des Europäischen Rechnungshofs und Evaluation DöV 1992, 293; *Strasser* (FN 1) 195; *Orsoni,* La Cour des Comptes des Communautés Européennes. Problèmes économiques 1992, 19.

[44]) ZB Bericht für 1992, ABl C 1993/309, 1.

rung des Haushalts durch die Organe. Geprüft werden alle Einnahmen und alle Ausgaben der Gemeinschaft einschließlich jener des EGKS-Funktionshaushaltsplanes und der von der Gemeinschaft geschaffenen und von ihr subventionierten Einrichtungen. Die Prüfung erstreckt sich auf die **Recht- und Ordnungsmäßigkeit** sowie die **Wirtschaftlichkeit** der Haushaltsführung, hingegen nicht auf die Rechtmäßigkeit der Rechtsakte der Organe. Dies steht zwar nur dem Europäischen Gerichtshof zu, hindert den Rechnungshof aber nicht daran, im Rahmen seiner Berichte auch Kritik an den normativen Vorschriften des Rates mit finanzieller Tragweite zu üben. Er prüft anhand der Rechnungsunterlagen und – wenn nötig – an Ort und Stelle bei den Gemeinschaftsorganen selbst oder bei den Zuwendungsempfängern in den Mitgliedstaaten. Außerdem hat jedes Organ die Pflicht, dem Rechnungshof vierteljährlich die Belege zu den einzelnen Einnahme- und Ausgabeoperationen zu übermitteln.

Auf der Grundlage der im Laufe des Jahres vorgenommenen Prüfungen sowie der ihm zum 1. Mai des folgenden Haushaltsjahres von der Kommission übermittelten Haushaltsrechnung (Art 78 bis 82 Haushaltsordnung) zur Durchführung des Gesamthaushaltsplanes erstellt er einen Jahresbericht, der den Organen der Gemeinschaft vorgelegt und zusammen mit deren Antworten im Amtsblatt der Europäischen Gemeinschaft veröffentlicht wird. Nach Art 188c Abs 1 EGV legt er dem Rat und dem Parlament auf dieser Grundlage eine „Erklärung über die Zuverlässigkeit der Rechnungsführung“ sowie die Rechtmäßigkeit und Ordnungsmäßigkeit der zugrundeliegenden Vorgänge vor.

6. Die Entlastung durch das Europäische Parlament

Die abschließende politische Kontrolle der Haushaltsdurchführung durch das Europäische Parlament erfolgt im Rahmen des jährlichen **Entlastungsverfahrens**[45]) (Art 206 Z 1 EGV). Das Recht der Entlastung steht exklusiv dem Parlament zu. Es nutzt die Befugnis jährlich zu einer europapolitischen Grundsatzdebatte und verleiht damit seiner Haushalts- und Kontrollfunktion beredten Ausdruck. Das Entlastungsverfahren wird allerdings schon im Laufe des betreffenden Haushaltsjahres durch die Arbeiten des Ausschusses für Haushaltskontrolle vorbereitet. Dieser prüft in regelmäßigen Abständen auf der Grundlage monatlicher und vierteljährlicher Berichte der Kommission (Art 34 Haushaltsordnung), die auch dem Rat übermittelt werden, die verschiedenen Aspekte der Haushaltsführung durch die Organe. Außerdem stehen ihm – wie auch dem Rat – die in Art 90 Haushaltsordnung erwähnten vom Rechnungshof erstellten Sonderberichte zur Verfügung.

Das förmliche Verfahren beginnt auf der Ebene des Rates mit der Prüfung der **„Erklärung über die Zuverlässigkeit“** und des Jahresberichts des Rechnungshofes (s oben 5.) und der Antworten der Organe. Der Rat be-

[45]) Dazu ausführlich *Baziadoly,* Le refus de la décharge par le Parlement Européen. RMC 1992, 58; *Strasser,* La décharge, nouveau pouvoir du Parlement Européen, RMC 1981, 110.

schließt mit qualifizierter Mehrheit über eine Empfehlung an das Parlament, „der Kommission Entlastung zur Ausführung des Haushaltsplans zu erteilen" (Art 206 Z 1 EGV und Art 89 Haushaltsordnung).

Der Ausschuß für Haushaltskontrolle des Parlaments arbeitet die Entwürfe des Entlastungsbeschlusses, die Entschließung zu diesem Beschluß sowie einen Bericht über die erwähnten Probleme aus. Vertreter der Kommission und des Rechnungshofes nehmen an diesen Arbeiten teil. Das Parlament erteilt Entlastung mit der Mehrheit der abgegebenen Stimmen, dh auf der Grundlage von Art 141 EGV, da Art 206 EGV hierzu keine genaue Vorschrift enthält.

Nach erteilter Entlastung treffen die Organe alle zweckdienliche Maßnahmen, um den in den Entlastungsbeschlüssen enthaltenen Bemerkungen Folge zu leisten (s Art 89 Z 4 und 5 Haushaltsordnung).

Das Parlament kann die Entlastung aufschieben oder gegebenenfalls verweigern. Ein solcher Beschluß ist bisher zweimal (am 14. 11. 1984 für das Haushaltsjahr 1982[46]) und am 21. 4. 1994 für das Haushaltsjahr 1991[47])) ergangen. Die Verweigerung der Entlastung ist zwar weder in Art 206 EGV noch in der Haushaltsordnung vorgesehen. Dennoch ist nicht daran zu zweifeln, daß dem Parlament dieses Recht zusteht. Eine solche Verweigerung drückt ein starkes Mißtrauen gegen die Haushaltsführung der Kommission aus; sie hat zwar nicht dieselbe Tragweite wie ein Mißtrauensantrag, der den Rücktritt der Kommission zur Folge haben muß (vgl Art 144 EGV). Doch setzt die Entlastungsverweigerung, die ja Gründe in konreten Entscheidungen im Haushaltsjahr hat (zB 1984 die Entwicklung der Agrarproduktion oder 1994 die rückwirkende Änderung der Milchquoten), die Kommission unter hohen politischen Druck.

Die juristische Folge der Verweigerung der Entlastung ist ungeklärt. Ein endgültiger Rechnungsabschluß für das betreffende Haushaltsjahr ist jedenfalls ohne Entlastung nicht möglich. Für das Jahr 1982 hat das Parlament deshalb einen gesonderten Beschluß über die Schließung der Konten gefaßt[48]). Der Rest bleibt Politik.

F. Einnahmen und Ausgaben

1. Das Eigenmittelsystem

a) Allgemeines

Durch die Festlegungen im Eigenmittelbeschluß (s oben C.2.) sind die der EU zur Verfügung stehenden Mittel durch Höchstbeträge, ausgedrückt in einem Teil vom EU-Bruttosozialprodukt, plafondiert:

Eigenmittelplafond	1994	1995	1996	1997	1998	1999
% BSP	1,20	1,21	1,22	1,24	1,26	1,27

[46]) Bull EG 11/1984, Pkt 2.4.12, 80.
[47]) Bull EG 4/1994, Pkt 1.5.6.
[48]) EP-Dokument P. E. Nr 2, 1793/84, 1; dazu *Baziadoly* (FN 45) 72.

Etwa 99% der Einnahmen zur Finanzierung der im Haushaltsplan veranschlagten Mittel kommen aus den **„Eigenmitteln“**[49]) der Gemeinschaft. Dabei werden vier Einkunftsarten unterschieden, auf die sich zB für das Haushaltsjahr 1995 die Eigenmittel wie folgt verteilen (in Mio ECU):

Einnahmenart	Agrarabschöpfungen und Zuckerabgaben	Zölle	MWSt-Eigenmittel	Eigene Mittel auf der Grundlage des BSP	Insgesamt
geschätztes Aufkommen	1.963,7	12.942,0	39.422	20.535,0	76.527
	2,5%	17,0%	52,9%	26,9%	99,3%

Bei den restlichen 0,7% (für 1995 mit rund 522 Mio ECU veranschlagt) handelt es sich im wesentlichen um Steuer- und Pensionsabzüge der Gehälter der Gemeinschaftsbediensteten, Zinsen und Rückzahlungen. Sie werden in dieser Abhandlung wegen ihrer relativen Geringfügigkeit nicht weiter untersucht.

Rechtsgrundlage für die Erhebung dieser Einnahmen (vgl Art 17 Z 2 Haushaltsordnung) ist der **Beschluß des Rates über das System der Eigenmittel der Gemeinschaft**[50]) sowie die Verordnung des Rates vom 29. 5. 1989 zur Durchführung dieses Beschlusses.[51]) Der Eigenmittelbeschluß bedarf der Ratifizierung in den Mitgliedstaaten (Art 201 Z 2 EGV).

Das derzeitige Eigenmittelsystem wurde zuletzt durch den Europäischen Rat von Edinburgh im Dezember 1992 **(„Delors-II-Paket“)**[52]) geändert. Dort war insbesondere eine stärkere Orientierung des Beitrags der Mitgliedstaaten an ihrer Wirtschaftsleistung, ausgedrückt im Bruttosozialprodukt, und eine geringere Berücksichtigung des Mehrwertsteueraufkommens vereinbart worden.[53]) Zu den Einahmequellen im einzelnen:

b) Abschöpfungen

Die **Agrarabschöpfungen** werden an den Außengrenzen der Gemeinschaft erhoben, um die Preise für eine Reihe von importierten Agrarerzeugnissen an die gegenüber dem Weltmarkt höheren Gemeinschaftspreise anzugleichen. Ein Rückgang der Weltmarktpreise bedingt als Haushaltsfolge also eine Erhöhung dieser Einnahmeart, während eine Anhebung der Weltmarktpreise für Agrarprodukte ihre Verminderung zur Folge hat.

---

[49]) Dazu allgemein *Coget,* Les ressources propres communautaires, RFFP 1994, 51.

[50]) Beschluß 94/728/EG v 31. 10. 1994 ersetzt den Beschluß 88/376 EWG.

[51]) ABl L 1989/155 v 7. 6. 1989.

[52]) Bull EG 1992/4 Pkt 2.7.1. Zur Umsetzung der Beschlüsse hat die Kommission eine Reihe von Rechtstexten vorgeschlagen, s XXVII. Gesamtbericht über die Tätigkeit der EG 1993, Pkt 1081 mit weiteren Nachweisen.

[53]) Dazu im einzelnen *Strohmeier* (FN 16) 217; *Coget* (FN 49) 51; *Issac* (FN 16) 14; *Messal/Klein,* Finanzlasten und Eigenmittelstruktur der Europäischen Gemeinschaft, Wirtschaftsdienst 1993, 401, mit kritischer Analyse der Technik der BSP-Orientierung; *Zangl,* The financing of the Community after the Edinburgh European Council, Intereconomics 1993, 111.

Zucker- und Isoglukoseabgaben wurden eingeführt, um die Überschüsse bei diesen Produkten durch Beteiligung der europäischen Erzeuger an den entstehenden Kosten in Grenzen zu halten.

c) Zölle

Auf der Grundlage des **„Gemeinsamen Zolltarifs“**[54]) werden an den Außengrenzen der Gemeinschaft Zölle auf den Warenverkehr mit Nichmitgliedstaaten erhoben; hierzu zählen auch die Zölle auf Erzeugnisse, die unter den EGKS-Vertrag fallen.

Zur Deckung der den Mitgliedstaaten durch die Erhebung dieser traditionellen Einnahmen erwachsenden Kosten behalten diese 10% der Zahlungen ein, die als negative Einnahme der Einnahmeansätze veranschlagt sind.

d) Die Mehrwertsteuereigenmittel

Diese Einnahmen ergeben sich aus der Anwendung eines für alle Mitgliedstaaten einheitlichen Satzes von 1% der aufgrund von Gemeinschaftsvorschriften für alle Mitgliedstaaten festgelegten einheitlichen Mehrwertsteuerbemessungsgrundlage. Diese Bemessungsgrundlage wird jährlich in jedem Mitgliedstaat ermittelt, indem die geschätzten Mehrwertsteuereinnahmen durch einen geschätzten, auf die verschiedenen Kategorien steuerbarer Umsätze anwendbaren Durchschnittssteuersatz dividiert werden. Die Bemessungsgrundlage darf 50% des BSP eines jeden Mitgliedstaates nicht überschreiten; würde die Bemessungsgrundlage in einem Mitgliedstaat mehr betragen, so zahlt dieser Staat seine 1% trotzdem auf der Grundlage einer Bemessungsgrundlage von nur 50% seines BSP. Diese Begrenzung ist Ausdruck des Bestrebens, jene Länder, in denen der private Verbrauch erheblich zum nationalen Wohlstand beiträgt (Portugal, Griechenland, Irland und auch das Vereinigte Königreich) nicht zu benachteiligen. Damit wird klar, daß auf diese Weise der Hebesatz von 1% bezogen auf die ganze Gemeinschaft nicht erreicht wird. Hinzu kommen noch die Auswirkungen der Finanzierung durch die übrigen Mitgliedstaaten der sog „Korrektur zugunsten des Vereinigten Königreiches“ („Britenrabatt“), auf die hier aus Platzgründen nicht näher eingegangen werden kann.

Die Bedeutung dieser Quelle ist mit dem neuen Eigenmittelsystem des Gipfels von Edinburgh reduziert worden. Der einheitliche Satz betrug zuvor 1,4%, die Bemessungsgrundlage 55%. Das entlastete ebenfalls die Länder mit einem starken Anteil des privaten Verbrauchs am BSP.[55])

e) Die ergänzende Einnahme

Diese Einnahme basiert auf der Summe der BSP der Mitgliedstaaten zu Marktpreisen. Der diesbezügliche Hebesatz wird jährlich im Haushaltsverfahren unter Berücksichtigung aller sonstigen Einnahmen festgelegt. Jeder Mitgliedstaat leistet seine Zahlungen hier auf der Grundlage seines BSP und damit entsprechend seiner Wirtschaftskraft. Für 1995 wird ein gemeinschaftliches BSP von rund 6 Billionen ECU erwartet, worauf ein Hebesatz von etwa 0,37% angewendet wird[56]).

---

[54]) Dazu ausführlich unten *Lux,* Die Gemeinschaft als Zollunion.
[55]) Dazu detailliert mit Modellrechnungen *Messal/Klein* (FN 53).
[56]) Vorentwurf 1995, KOM (94) 400, 34.

2. Ausgaben

Die operativen Mittel verteilen sich auf die verschiedenen Bereiche wie folgt (Summen auf der Grundlage der nicht gerundeten Zahlen errechnet):

Der Haushaltsplan 1995 nach Teileinzelplänen (in Mio ECU)

	Verpflichtungen	Zahlungen
B 1: EAGFL-Garantie	37.427	37.424
B 2: Strukturmaßnahmen, sonstige landwirtschaftliche und regionale Maßnahmen, Verkehr und Fischerei	25.636	22.790
B 3: Allgemeine und berufliche Bildung, Jugend, Kultur, audiovisueller Bereich, Information und sonstige Sozialmaßnahmen	566	493
B 4: Energie, Euratom-Sicherheitsüberwachung und Umwelt	215	187
B 5: Verbraucherschutz, Binnenmarkt, Industrie und transeuropäische Netze	661	510
B 6: Forschung und technologische Entwicklung	2.818	2.716
B 7: Zusammenarbeit mit Entwicklungsländern und anderen Drittländern	4.832	3.945
B 8: Gemeinsame Außen- und Sicherheitspolitik	11	6
B 0: Rückzahlungen, Garantien, Reserven[53])	4.714	4.444
Operationelle Mittel (Einzelplan III/B) **insgesamt**	76.884	72.518
Verwaltungsmittel (Einzelplan III/A insgesamt	2.591	2.591
Kommission insgesamt (Einzelplan III)	79.475	75.110
Andere Organe (Einzelpläne I, II, IV und V)	1.417	1.417
Gesamtbetrag	80.892	76.527

a) Gemeinsame Agrarpolitik

Die Gemeinsame Agrarpolitik (Teileinzelplan B1) umfaßt sämtliche Garantieausgaben des Europäischen Ausrichtungs- und Garantiefonds für die Landwirtschaft (EAGFL). Die Ziele der Gemeinsamen Agrarpolitik[58]) sind im Vertrag zur Gründung der Europäischen Wirtschaftsgemeinschaft festgelegt: Steigerung der Produktivität der Landwirtschaften, Gewährleistung einer angemessenen Lebenshaltung für die landwirtschaftliche Bevölkerung, Stabilisierung der Märkte, Sicherstellung der Versorgung, Belieferung der Verbraucher zu angemessenen Preisen. Da diese Ziele weitgehend erreicht wurden, sollte die im Mai 1992 beschlossene GAP-Reform nun einen Abbau der Überschüsse, ein Nachlassen der Landflucht und den Schutz der Umwelt durch Förderung der Extensivierung der Erzeugung ermöglichen. Ein spezieller Plafond für die Agrarausgaben ist die „Agrarleitlinie“. Sie ist

---

[57]) Reserve für den Teileinzelplan B 6.

[58]) Dazu ausführlich unten *Ahner*, Gemeinsame Agrarpolitik.

degressiv angelegt: Die Agrarausgaben dürfen nur um derzeit 74% des allgemeinen Ausgabenanstiegs wachsen[59]).

Der Haushaltsplan 1995 – Teileinzelplan B 1

	Verpflich-tungen	Zahlungen
B 1–1: Pflanzliche Erzeugnisse	23.466	23.466
B 1–2: Tierische Erzeugnisse	11.061	11.061
B 1–3: Nebenausgaben	983	983
B 1–4: Flächenstillegungen und Einkommensbeihilfen	44	44
B 1–5: Flankierende Maßnahmen	1.372	1.369
B 1–6: Währungsreserve	500	500
Teileinzelplan B 1 insgesamt	**37.427**	**37.424**

b) Strukturpolitische Maßnahmen

Im Teileinzelplan B 2 sind die Strukturmaßnahmen erfaßt; dazu gehören die **Interventionen der Strukturfonds** (Europäischer Fonds für regionale Entwicklung [EFRE], Europäischer Sozialfonds [ESF] und EAGFL, Abteilung Ausrichtung) und seit 1993 die des Kohäsionsfonds. Erfaßt sind auch andere landwirtschaftliche und regionale Maßnahmen sowie Maßnahmen im Bereich der Fischerei und des Verkehrs. Mit den Mitteln dieses Teileinzelplans fördert die Gemeinschaft insbesondere die Entwicklung der rückständigen Regionen, der Industriegebiete mit rückläufiger Entwicklung und der in Schwierigkeiten befindlichen ländlichen Gebiete sowie die Anpassung der Agrarstrukturen. Sie beteiligt sich an der Bekämpfung der Langzeitarbeitslosigkeit und bemüht sich, die berufliche Eingliederung der Jugendlichen in das Erwerbsleben zu erleichtern.

Der Haushaltsplan 1995 – Teileinzelplan B 2 (in Mio ECU)

	Verpflich-tungen	Zahlungen
B 2–1: Strukturfonds	23.177	20.756
B 2–2: Sonstige Strukturmaßnahmen	pm	40
B 2–3: Kohäsionsfonds	2.151	1.749
B 2–5: Sonstige Agrarmaßnahmen	206	149
B 2–6: Sonstige regionale Maßnahmen	51	55
B 2–7: Verkehr	24	18
B 2–9: Sonstige Maßnahmen im Bereich der Fischerei und der Seepolitik	26	22
Teileinzelplan B 2 insgesamt	**25.636**	**22.790**

[59]) S Gesamtbericht über die Tätigkeit der Europäischen Union 1994, Pkt 1105.

c) Interne Politikbereiche

Im Teileinzelplan B 3 sind die Ausgaben für allgemeine und berufliche Bildung, Jugend, Kultur, audiovisuelle Medien und sonstige Sozialmaßnahmen zusammengefaßt. Dieser Teileinzelplan ermöglicht insbesondere die Finanzierung von Programmen zur Erleichterung der Mobilität von Jugendlichen, Studenten, Arbeitnehmern und Wissenschaftlern wie Erasmus, Force und Comet (zukünftig Socrates und Leonardo), zur Förderung von Initiativen im Bereich der Kultur und der audiovisuellen Medien (zB Erschließung des europäischen kulturellen Erbes oder Media oder zur Verbesserung des sozialen Schutzes (Maßnahmen zugunsten der Familien oder Behinderten wie Helios) und zur Sensibilisierung der europäischen Bürger für die Gesundheitsprobleme (Informationsmaßnahmen im Bereich der Bekämpfung von Krebs, Aids, Alkoholmißbrauch und Drogensucht).

Der Haushaltsplan 1995 – Teileinzelplan B 3 (in Mio ECU)

	Verpflichtungen	Zahlungen
B 3–1: Allgemeine und berufliche Bildung und Jugend	299	177
B 3–2: Kultur und audiovisueller Bereich	128	129
B 3–3: Information und Kommunikation	57	43
B 3–4: Sonstige Sozialmaßnahmen	170	645
Teileinzelplan B 3 insgesamt	**654**	**994**

Die Ausgaben für Energie, Kontrolle der nuklearen Sicherheit und Umwelt ergeben sich aus Teileinzelplan B 4. Diese Ausgaben stehen im Zeichen eines zweifachen Anliegens: rationelle Nutzung der Energiequellen und Schutz der Umwelt. Dies sind insbesondere die Ziele von Programmen wie Thermie, Save oder Life oder aber der Ausgaben der Gemeinschaft für die Anschaffung und Installierung von Kontrollausrüstungen in den europäischen Kernkraftwerken.

Der Haushaltsplan 1995 – Teileinzelplan B 4 (in Mio ECU)

	Verpflichtungen	Zahlungen
B 4–1: Energie	62	56
B 4–2: Euratom-Sicherheitsüberwachung	19	19
B 4–3: Umwelt	135	112
Teileinzelplan B 4 insgesamt	**216**	**187**

Im Teileinzelplan B 5 sind die Ausgaben für Verbraucherschutz, Binnenmarkt, Industrie, transeuropäische Netze, Inneres und Justiz (s dazu auch

Art K8 VEU)[60]) aufgeführt. Diese Ausgaben sind Ausdruck des Willens der Gemeinschaft, den bereits in den Anfängen der Gemeinschaft geplanten großräumigen Binnenmarkt zu vollenden, mit dessen Verwirklichung erst unter dem Einfluß der Einhzeitlichen Akte begonnen wurde. Zu dieser Verwirklichung tragen insbesondere bei: die Angleichung der Normen und Rechtsvorschriften, der allgemeine Informationsaustausch, die Förderung von Handel und Fremdenverkehr, die Festlegung von Gemeinschaftspolitiken in den Bereichen Telekommunikation und Informationsübermittlung und die Entwicklung der transeuropäischen Netze in den Bereichen Verkehr, Energie und Telekommunikation.

Der Haushaltsplan 1995 – Teileinzelplan B5 (in Mio ECU)

	Verpflichtungen	Zahlungen
B5–1: Verbraucherschutz	15	15
B5–2: Hilfen für den Wiederaufbau	6	6
B5–3: Binnenmarkt	147	139
B5–4: Industrie	117	79
B5–5: Informationsmarkt	13	13
B5–6: Statistische Informationen	33	30
B5–7: Transeuropäische Netze	326	226
B5–8: Innen- und Justizangelegenheiten	3	2
Teileinzelplan B5 insgesamt	**661**	**510**

Die Ausgaben für Forschung und technologische Entwicklung legt Teileinzelplan B6 fest. Die Gemeinschaft hat auf diesem Gebiet Rahmenprogramme gestartet, die es ihr ermöglichen, zahlreiche Vorhaben unter Beteiligung von Forscherteams aus allen Mitgliedstaaten zu unterstützen. Die europäische Zusammenarbeit auf diesem Gebiet hat den Vorteil, daß die Anstrengungen auf Bereiche konzentriert werden, die als strategisch wichtig für die Zukunft Europas angesehen werden. Dazu gehören beispielsweise die Analyse des menschlichen Genoms, die Informationstechnologien (Esprit) und die Telekommunikation (Race), die Biotechnologie (Bridge) und die kontrollierte thermonukleare Fusion (Jet).

d) Externe Politikbereiche

Im Teileinzelplan B7 finden sich Ausgaben der Gemeinschaft zugunsten von Drittländern.[61]) Es handelt sich um dreierlei Kategorien von Ausgaben. Gewisse Aktionen sind durch geographische Gebiete abgegrenzt; sie umfas-

[60]) Bei der Umsetzung dieses Artikels werden sich dieselben Probleme ergeben, wie sie derzeit bei der Gemeinsamen Außen- und Sicherheitspolitik (dazu sogleich) diskutiert werden.

[61]) Dazu *Rey,* La dimension financière des relations extérieures de la Communauté Européenne. RMC 1993, 420.

sen die Länder Mittel- und Osteuropas und die GUS-Staaten sowie die Mittelmeerländer, zu denen die Gemeinschaft die privilegierten Beziehungen unterhält, die geboten sind, da es sich um unmittelbar angrenzende Regionen handelt. Außerdem gehören dazu die Entwicklungsländer in Asien und Lateinamerika, für die die Gemeinschaft der wichtigste Handelspartner und in bezug auf die öffentliche Entwicklungshilfe der größte Geber ist. Die Gemeinschaft gewährt auch in großem Umfang Mittel für die humanitäre Hilfe, die Nahrungsmittelhilfe und die Soforthilfen. Im Bereich der Nahrungsmittelhilfe steht sie beispielsweise weltweit an zweiter Stelle. Darüber hinaus werden noch andere Kooperationsmaßnahmen mit Drittländern durchgeführt, die in der Regel den externen Aspekten bestimmter Gemeinschaftspolitiken entsprechen, wie zB die Förderung der Fischereitätigkeit (durch die Unterzeichnung von Abkommen, durch die die Fischerei in anderen als Gemeinschaftsgewässern genehmigt wird) oder die Umweltpolitik, soweit sich ihre Auswirkungen nicht auf das europäische Gebiet beschränken.

Während die genannten Ausgaben im Vollzug des EG-Vertrags anfallen, werden weitere Mittel zur Umsetzung der Gemeinsamen Außen- und Sicherheitspolitik benötigt. Art J. 11 VEU ermöglicht dazu neben der Finanzierung über den Teil B des Kommissionshaushalts auch eine Umlagefinanzierung durch die Mitgliedstaaten.[62]) Die Mittel sind in Teileinzelplan B 8 enthalten.

Der Haushalt 1995 – Teileinzelplan B 7 und B 8 (in Mio ECU)

	Verpflichtungen	Zahlungen
B 7–1: Europäischer Entwicklungsfonds	pm	pm
B 7–2: Nahrungsmittelhilfe	847	750
B 7–3: Zusammenarbeit mit den Entwicklungsländern in Asien und Lateinamerika	670	375
B 7–4: Zusammenarbeit mit den Ländern des Mittelmeerraums	479	408
B 7–5: Sonstige Maßnahmen der Zusammenarbeit	646	507
B 7–6: Zusammenarbeit mit den Ländern Mittel- und Osteuropas und den unabhängigen Staaten der ehemaligen Sowjetunion	1.580	1.310
B 7–7: Zusammenarbeit mit anderen Drittländern	52	38
B 7–8: Externe Aspekte bestimmter Politiken der Gemeinschaft	232	232
B 7–9: Reserve Soforthilfe	323	323
Teileinzelplan B 7 insgesamt	**4.832**	**3.945**
Teileinzelplan B –8: Gemeinsame Außen- und Sicherheitspolitik	12	6

[62]) Die Organe verhandeln derzeit über Leitlinien bei der Wahl zwischen diesen Möglichkeiten.

e) Reserven

Der Teileinzelplan B0 hat insofern einen besonderen Charakter, als darin keine aktiven Posten, sondern „Garantien und Reserven“ zusammengefaßt sind. Bei den Haushaltslinien dieses Teileinzelplans werden Ausgaben verbucht, die die Gemeinschaft ggf bei Ausfall eines Staates zu finanzieren hat, der ein Darlehen erhält, für das die Gemeinschaft eine Garantie gewährt hat. In diesem Teileinzelplan sind auch die Mittel eingesetzt, die noch nicht verwendet werden können, da bei der Verabschiedung des Haushaltsplans ein die Ausgabe begründender Legislativbeschluß fehlte, bei denen aber vorgesehen ist, daß sie im Laufe des Haushaltsjahres verwendet werden können.

f) Verwaltungsausgaben

Die Verwaltungsausgaben, die für die Kommission in Teil A des Einzelplans III enthalten sind und für die anderen Organe deren gesamte Einzelpläne ausmachen, umfassen Ausgaben für Personal, Gebäude, Material und verschiedene Sachausgaben.

Der Haushaltsplan 1995 – Verwaltungsausgaben aller Organe

	Betrag (in Mio ECU)
1. Parlament	843
2. Rat	306
3. Kommission (Teil A)	2591*)
4. Wirtschafts- und Sozialausschuß und Ausschuß der Regionen	100
5. Gerichtshof	115
6. Rechnungshof	53
Insgesamt	**4.008**

*) Vergleichbare Ausgaben

3. Zur Diskussion um die „Nettobeiträge“ der Mitgliedstaaten

In der tagespolitischen Diskussion um die EU-Finanzierung taucht mit stetiger Regelmäßigkeit die Frage nach dem **„Nettobeitrag“,** also nach dem Saldo aus Beitrag und Rückflüssen auf. In Deutschland erreichte die „Zahlmeister“-Debatte im Winter 1993/94 mit einem Bericht der Bundesbank über die steigende deutsche Beitragslast[63]) einen Höhepunkt. Aber auch in anderen „Nettozahler-Ländern“ wird das Thema diskutiert.[64])

Hier soll nicht erörtert werden, ob der Nettobeitrag eines Staates ein geeignetes Kriterium für die politische Bewertung der Mitgliedschaft ist. Vielmehr soll kurz auf die Schwierigkeit der Berechnung des Saldos, die gegenwärtige Situation und deren künftige Entwicklung eingegangen werden.

[63]) Monatsbericht der Deutschen Bundesbank 1993/11, 81.

[64]) Vgl *Prate,* Les finances de la Communauté européenne – Féderalisme ou subsidiarité, Commentaire 1992/93, 820.

Eine offizielle Berechnung des Nettobeitrags der Mitgliedstaaten durch die EU-Organe ist nicht vorgeschrieben und erfolgte bisher auch nicht. Als Grund dafür wurden stets die Berechnungsschwierigkeiten und die mangelnde Aussagekraft der Zahlen angegeben. Eine Kalkulation des Europäischen Rechnungshofs für 1993 schätzt die Beiträge der Nettozahler wie folgt:

	Gesamtbetrag in ECU	Pro Kopf der Bevölkerung in ECU
Deutschland	+11.830,3	+146,8
Frankreich	+ 1.019,6	+ 17,7
Italien	+ 1.525,5	+ 26,8
Vereinigtes Königreich	+ 3.125,8	+ 53,9
Spanien	– 3.070,4	– 78,5
Niederlande	+ 1.326,6	+ 87,1
Belgien	– 59,5	– 5,9
Dänemark	– 376,9	– 72,9
Portugal	– 2.508,6	–254,4
Griechenland	– 4.136,7	–399,8
Irland	– 2.371,9	–666,2
Luxemburg	– 189,6	–480,0

Österreich, Norwegen und Schweden sind ebenfalls Nettozahler, und zwar nach ersten Schätzungen in Höhe von 1500 Mio ECU (in Preisen von 1994 – die obigen Zahlen beziehen sich auf 1990).[65])

Die Berechnungsschwierigkeiten liegen in der mangelnden nationalen Zurechenbarkeit einiger Einnahmen und Ausgaben begründet. Sind am Hamburger Hafen für in die gesamte EU gelieferte Waren für Rechnung der EU erhobene Zölle Abgaben Deutschlands? Welchem Mitgliedstaat kommen Leistungen an Drittstaaten, wem kommen die Verwaltungsausgaben zugute? Sind die Mittel für Strukturmaßnahmen ausschließlich dem Empfängerstaat zuzurechnen oder auch den Staaten, aus denen mit diesen Mitteln Lieferungen finanziert werden? Kommen Ausgaben für gemeinsame Forschung nur den Staaten zugute, in die Forschungsaufträge vergeben werden? Der Nettosaldo ist – welche Berechnungsart man auch immer wählt – eine Kunstzahl und keine objektive Größe. Letztlich zeigt sich auch im Haushalt, daß der Wert der EU mehr ist als die Beiträge ihrer Mitgliedstaaten. Sie lassen sich nicht nachträglich wieder herausrechnen.

Dennoch läßt sich nicht bestreiten, daß tendenziell einige Mitgliedstaaten im Verhältnis zu anderen stärker am Nettotransfer innerhalb der EU beteiligt sind. Im Falle Deutschlands – und für Österreich gilt Ähnliches – liegt

[65]) Vgl *Brenton/Gros* (FN 32).

das weniger an den zu hohen Beiträgen als an den zu geringen Rückflüssen. Deutschland profitiert wegen seines hohen Wohlstands und wegen der geringen Bedeutung der Landwirtschaft kaum an den Hauptausgabetiteln Strukturpolitik und Landwirtschaft, beide letztlich Ausdruck der inneren EU-Solidarität.

Eine grundlegende Änderung der Verhältnisse der Nettobeiträge ist deshalb kurz- und mittelfristig kaum zu erwarten. Da ein deutscher Rabatt, wie er bisweilen gefordert wird, kaum durchsetzbar erscheint, können allenfalls neue EU-Bereiche erschlossen werden, wo auch nennenswerte Rückflüsse in die Nettozahlenstaaten erfolgen. Ein Ausweg könnte auch darin gesucht werden, zB für die Agrarpolitik, die ja nicht als Politik zum Nettotransfer von Steuermitteln gedacht war, einen eigenen Finanzierungsschlüssel zu finden, der sich mehr an den Leistungsempfängern orientiert.

G. Sonderfinanzierungen

1. Der Funktionsplan der Europäischen Gemeinschaft für Kohle und Stahl (EGKS)

Während die Verwaltungsausgaben der EGKS seit 1971 in den Gesamthaushaltsplan der Europäischen Gemeinschaften integriert sind, hat der sog **„Funktionshaushaltsplan"** dieser Gemeinschaft seine Autonomie behalten. Dies ist zum einen darin begründet, daß der hier erforderliche Finanzbedarf (vgl Art 54 bis 56 EGKSV) sich ausschließlich auf den Kohle- und Stahlbereich beschränkt (Anpassungs- und Forschungsbeihilfen, Zinszuschüsse für Investitions- und Umstellungsdarlehen, soziale Maßnahmen im Zusammenhang mit der Umstrukturierung der Stahlindustrie und des Kohlebergbaus). Zum anderen sind gem Art 49 bis 51 EGKSV die dort angeführten „Eigenen Einnahmen" an den oben genannten Finanzbedarf zweckgebunden. Diese Einnahmen bestehen im wesentlichen aus dem Aufkommen einer auf die Erzeugung von Kohle und Stahl erhobenen Umlage und EGKS-Anleihen zur Gewährung von Krediten. Die Umlagen – historisch gesehen eine echte Gemeinschaftssteuer – werden jährlich durch die Belastung der verschiedenen Kohle- und Stahlerzeugnisse nach ihrem Durchschnittswert festgelegt. Die Belastung darf jedoch im Prinzip 1% nicht übersteigen.

Der Umlagesatz betrug für 1994 0,23%. Er stieg in der Vergangenheit einmal (1953) bis auf 0,90% und fiel auch einmal (1962) bis auf 0,20% zurück. Aufgrund der unmittelbaren Abhängigkeit des Umlageaufkommens von den Produktionsmengen der betroffenen Erzeugnisse kann es in konjunkturschwachen Perioden zu Haushaltsschwierigkeiten kommen. In den vergangenen Jahren hat dies verschiedentlich dazu geführt, daß Mittel zur Deckung der Haushaltslücken im EGKS-Funktionshaushalt im Ausgabeteil des Haushaltsplans der Gemeinschaft (im Einzelplan der Kommission) veranschlagt wurden, die dann als Einnahmen in eben jenem Funktionshaushaltsplan erschienen.

Nach folgendem einfachen Verfahren – der EGKS-Vertrag enthält dazu keine Bestimmungen – wird der EGKS-Funktionshaushaltsplan erstellt: Die von der Kommission mit der Verwaltung des EGKS-Funktionshaushalts beauftragten Dienste fertigen zwischen Juni und Oktober des vorhergehenden Jahres unter Federführung der Generaldirektion „Haushalt" einen Vorentwurf an, auf dessen Grundlage die Hohe Behörde (Kommission) den Entwurf beschließt. Dies geschah 1994 erstmals parallel zum EG-Haushaltsvorentwurf. Obwohl sie im Prinzip dazu nicht verpflichtet ist, da sie für die EGKS die alleinige Haushaltsbehörde ist, übersendet die Hohe Behörde (Kommission) diesen Entwurf dem Parlament zur Stellungnahme (Oktober bis Dezember). Die Verantwortung des Parlaments vor allem in Fragen des Umlagesatzes wird inzwischen allseits anerkannt. Schließlich stellt die Hohe Behörde (Kommission) den Funktionshaushaltsplan vor Ende des Jahres fest, sodaß er ab 1. Jänner des folgenden Jahres ausgeführt werden kann.

Das Volumen des EGKS-Funktionshaushaltsplans für 1995 beträgt 291 Mio ECU. Die politische Frage, wie dieser „Satellitenhaushalt" nach Auslaufen des EGKS-Vertrages im Jahre 2002 behandelt wird, ist noch offen.[66])

2. Anleihen und Darlehen mit Garantie aus dem Gesamthaushaltsplan

Dem Gesamthaushaltsplan der Europäischen Gemeinschaften ist gem Art 20 Abs 5 lit c Haushaltsordnung eine Anlage beigefügt, die einen vollständigen Überblick über die Anleihen und Darlehen mit Garantie aus diesem Haushalt vermittelt (Einzelplan III – Kommission, Teil B, Anlage II).

Dabei ist zu beachten, daß Anleihe- und Darlehenstätigkeiten im EG-Vertrag nicht ausdrücklich vorgesehen sind. Im Zuge der Überlegungen zur Einführung eines Systems zur Stützung der Zahlungsbilanzen von in Schwierigkeiten geratenen Mitgliedstaaten wurden dann aber ab 1975 solche Tätigkeiten auf der Grundlage von Art 235 EGV genehmigt. Hingegen sieht der EURATOM-Vertrag Anleihe- und Darlehenstätigkeiten zur Finanzierung von Forschungen oder damit verbundenen Investitionen ausdrücklich vor (Art 172 Z 4).

In beiden Fällen beschränken sich die haushaltsmäßigen Auswirkungen dieser Tätigkeiten zunächst nur auf die eventuelle Inanspruchnahme der Garantie bei Ausfall eines Schuldners.

Ebenso verhält es sich bei den Gemeinschaftsanleihen und Darlehen der Europäischen Investitionsbank mit Garantie aus dem Haushaltsplan. Auch hier dient der Haushalt zunächst nur als „Garantieinstrument". In einigen Fällen kommt allerdings als haushaltsmäßige Auswirkung noch die Zahlung von Zinszuschüssen hinzu, wie zB im Rahmen der Zusammenarbeit mit den Ländern des Mittelmeerraumes, die aus den Haushaltseinnahmen zu finanzieren und dementsprechend auch im Haushaltsplan selbst zu veranschlagen sind.

Wegen der steigenden Risiken für den Gemeinschaftshaushalt durch zusätzliche Garantien wurde im Zusammenhang mit der Erneuerung der Interinstitutionellen Vereinbarung über die Haushaltsdisziplin und die Verbesserung des Haushaltsverfahrens zwischen Kommission, Rat und Parlament 1993 (s oben C.3.) eine entsprechende Reserve in den Haushalt eingestellt.

---

[66]) Siehe dazu *Strohmeier* (FN 16) 218 mwN.

3. Der Europäische Entwicklungsfonds (EEF)

Grundlage für diese Gemeinschaftstätigkeit ist Art 3 lit k EGV, wonach die Tätigkeit der Gemeinschaft die Assoziierung der überseeischen Länder und Hoheitsgebiete umfaßt, um den Handelsverkehr zu steigern und die wirtschaftliche und soziale Entwicklung durch gemeinsame Bemühungen zu fördern. Ebenso Rechtsgrundlage sind die Art 131 bis 136 EGV, wonach diese außereuropäischen „Länder und Hoheitsgebiete" der Gemeinschaft zu assoziieren sind, sowie das dazu in Art 136 EGV vorgesehene und gleichzeitig mit dem Vertrag abgeschlossene Durchführungsabkommen (Anlage III zum EG-Vertrag). Dieses erste Durchführungsabkommen galt für fünf Jahre (1959–1964). Mit ihm war der erste EEF entstanden (vgl Art 1 dieses Abkommens). Inzwischen wurden fünf weitere solcher Fünfjahresabkommen (AKP-EG-Abkommen) geschlossen, die unter dem Namen Jaundé I und II (1965–1975) und Lomé I, II, III und IV (1975–1995) bekannt sind.

Für das am 15. 12. 1989 unterzeichnete Lomé-IV-Abkommen, mit dem der nunmehr siebente EEF geschaffen wurde, gilt eine Laufzeit von zehn Jahren (1990–2000). Das dazugehörige Finanzprotokoll, das 12 Mrd ECU vorsieht, gilt nur für den Zeitraum 1990–1995. Die Mittel werden durch besondere Beiträge der EG-Mitgliedstaaten aufgebracht, deren Schlüssel für jeden EEF neu verhandelt und in einer internen Finanzvereinbarung festgelegt werden.

Der EEF ist trotz entsprechender Initiativen von Kommission und Parlament – noch – nicht offiziell in den Gesamthaushaltsplan der Gemeinschaft integriert. Daran wird sich auch mittelfristig vermutlich nichts ändern, da die in den Finanzreformen von 1988 und 1992 vereinbarte finanzielle Vorausschau den Bedarf des siebenten EEF nicht deckt.

Dennoch beschließt das Parlament seinerseits jedes Jahr im Rahmen der endgültigen Feststellung des Haushaltsplans, den EEF zumindest nachrichtlich im Haushalt erscheinen zu lassen (vgl Teileinzelplan B 7, Titel B 7–1).

H. Reformdiskussion: Zur Zukunft der Unionsfinanzierung

Bei der Diskussion um die mittel- und langfristige Entwicklung der Unionsfinanzen stehen zwei Fragen im Vordergrund; zum einen die nach einem weiteren **Anwachsen des Gemeinschaftshaushalts** und zum anderen die nach einer erneuten **Reform des Eigenmittelsystems.** Naturgemäß werden beide Fragen in der öffentlichen Debatte nur wenig von dem Problem der Beitragslast des eigenen Mitgliedstaates getrennt.

Die künftige Entwicklung des Volumens des EU-Budgets hängt nicht von einem abstrakten Willen zu seiner Reduzierung, sondern von dem Zuschnitt der konkreten Aufgaben ab. Derzeit sieht es in eigentlich keinem der ausgabestarken Politikbereiche nach spürbaren Einschnitten aus (zB Agrarpolitik, Strukturmaßnahmen). Im Gegenteil, es entstehen neue Aufgaben auf EU-Ebene, die finanzwirksam werden, zB bei der Heranführung der Staaten Mittel- und Osteuropas, bei der Gemeinsamen Außen- und Sicherheitspolitik, bei Forschung und Technologie oder bei den Transeuropäischen Netzen. Demgegenüber fällt die mögliche Rücknahme von Aufgaben aus Gründen der Subsidiarität[67]) jedenfalls haushaltsmäßig kaum ins Gewicht.

Der Beitritt der neuen Mitgliedstaaten bewirkt zwar ein höheres Volumen, führt aber durch die gleichzeitig steigenden Ausgaben nur zu unwesentlich mehr Verfügungsmasse (s oben F.3.).

Zwar mögen jährliche Steigerungsraten wie bisher von 10% künftig nicht mehr realisierbar sein, doch werden insbesondere die Kohäsionsausgaben nicht mehr weiter angehoben werden können. Angesichts der zunehmenden Aufgaben wird jedoch der Umfang des Unionshaushalts mittel- und langfristig weiter wachsen.

Im Mittelpunkt der Reformüberlegungen für das Eigenmittelsystem[68]) steht nach wie vor die Idee einer **eigenen Gemeinschaftssteuer,** die die bisherigen von der mitgliedstaatlichen Steuerhoheit abgeleiteten Einnahmen ganz oder zumindest teilweise ablösen soll.

Damit soll insbesondere der Anomalie des gegenwärtigen Systems abgeholfen werden, daß die europäische Ebene (Haushaltsbehörde) zwar die Ausgaben festlegt, die Einnahmen aber von den Mitgliedstaaten (durch den ratifizierungsbedürftigen Eigenmittelbeschluß) bewilligt werden. Mit einer Gemeinschaftssteuer soll die vollständige Finanzautonomie hergestellt werden. Das Demokratieprinzip verlangt, daß die Stelle, die die Mittel ausgibt, auch die Einnahmen dh die Steuerlast, festlegt.

Zu einer Gemeinschaftssteuer gibt es bereits konkrete Überlegungen.[69]) Neben den Vorbehalten einiger Mitgliedstaaten, der EU insoweit ein Recht zur Besteuerung zuzugestehen, liegt die technische Hauptschwierigkeit in einer hinreichend harmonisierten Besteuerungsgrundlage.[70])

Weitere Themen für eine Revision der Finanzregelungen sind die Aufgabe der Unterscheidung zwischen obligatorischen und nicht obligatorischen Ausgaben (s oben D.2.a und E.2.b), der Britenrabatt sowie der „Nettobeitrag" der Mitgliedstaaten (s oben F.3.).

Institutionell wird schließlich über eine Vereinfachung des Haushaltsverfahrens, eine Stärkung der Rechte des Europäischen Parlaments, eine Verankerung der Finanziellen Vorausschau und der interinstitutionellen Vereinbarung in dem Vertragsrecht und eine Eingliederung der Sonderfinanzierungen (s oben G.) in den Gesamthaushaltsplan nachgedacht. Zu einer Überführung von Teilen der eigenen Fördertätigkeit der EU in einen pauschalen Finanzausgleich gibt es keine konkreten Überlegungen.

---

[67]) Etwas anders *Prate* (FN 64) 815.

[68]) Vgl zB *Bleckmann/Höscheidt,* Gedanken zur Finanzierung er EG. DöV 1990, 853; *Zangl/Flores,* La structure financière face aux défis présents et futurs, EEC working-papers, EPU Nr 9/91; *Daniel/Gubian/Harasty,* Finances puliques en Europe: un blocage généralisé? Observations et dignostics économiques 1993, 175.

[69]) ZB der Kommission, s Bull EG 2/91, 174, 180, oder des Europäischen Parlaments, *Langes*-Bericht s EP-Entschließung v 21. 4. 1994 und v 17. 5. 1995 des Europa-Ausschusses der französischen Nationalversammlung zur EU-Finanzierung vom 28. 4. 1992 (Bericht Nr 2632); *Prate* (FN 63) 821.

[70]) Vgl *Prate* (FN 64) 821.

Anhang 1: Endgültige Feststellung des Gesamthaushaltsplans der Europäischen Union für das Haushaltsjahr 1995 (Beschluß des Präsidenten des Europäischen Parlaments vom 15. 12. 1955) (ABl L 1994/369 v 31. 12. 1994, 1).

„DER PRÄSIDENT DES EUROPÄISCHEN PARLAMENTS –

gestützt auf den Vertrag über die Gründung der Europäischen Gemeinschaft für Kohle und Stahl, insbesondere Artikel 78 Absatz 7,

gestützt auf den Vertrag zur Gründung der Europäischen Gemeinschaft, insbesondere Artikel 203 Absatz 7, sowie den Text des Protokolls Nr. 16 und der Erklärung Nr. 22 in der Anlage zu diesem Vertrag,

gestützt auf den Vertrag zur Gründung der Europäischen Atomgemeinschaft, insbesondere Artikel 177 Absatz 7,

gestützt auf den Vertrag zur Änderung bestimmter Finanzvorschriften der Verträge zur Gründung der Europäischen Gemeinschaften und des Vertrags zur Einsetzung eines gemeinsamen Rates und einer gemeinsamen Kommission der Europäischen Gemeinschaften, der am 22. Juli 1975 unterzeichnet wurde,

gestützt auf die Haushaltsordnung vom 21. Dezember 1977 für den Gesamthaushaltsplan der Europäischen Gemeinschaften, zuletzt geändert durch die Verordnung (EGKS, EG, Euratom) Nr. 2730/94, insbesondere ihre Artikel 10, 15 und 17,

gestützt auf die Interinstitutionelle Vereinbarung vom 29. Oktober 1993 über die Haushaltsdisziplin und die Verbesserung des Haushaltsverfahrens,

in Kenntnis der im Hinblick auf die Erweiterung erfolgten Anpassung der Finanziellen Vorausschau im Anhang zur Interinstitutionellen Vereinbarung, unterzeichnet am 13. Dezember 1994,

in Kenntnis des von der Kommission unterbreiteten Vorentwurfs des Gesamthaushaltsplans der Europäischen Gemeinschaften für das Haushaltsjahr 1995,

in Kenntnis des von der Kommission unterbreiteten Berichtigungsschreibens Nr. 1 zum Vorentwurf des Gesamthaushaltsplans der Europäischen Gemeinschaften für das Haushaltsjahr 1995,

in Kenntnis des vom Rat am 25. Juli 1994 aufgestellten Entwurfs des Gesamthaushaltsplans der Europäischen Gemeinschaften für das Haushaltsjahr 1995,

in Kenntnis der Beratungen des Europäischen Parlaments vom 27. Oktober 1994,

in Kenntnis des vom Rat am 31. Oktober 1994 erstellten Berichtigungsschreiben Nr. 1 zum Entwurf des Gesamthaushaltsplans der Europäischen Gemeinschaften für das Haushaltsjahr 1995, in Kenntnis des vom Rat am 8. Dezember 1994 erstellen Berichtigungsschreibens Nr. 2 zum Entwurf des Gesamthaushaltsplans der Europäischen Gemeinschaften für das Haushaltsjahr 1995,

in Kenntnis des Ergebnisses der Beratungen des Rates vom 16. November 1994 über die vom Europäischen Parlament am 27. Oktober 1994 angenommenen Änderungsvorschläge und Abänderungen,

unter Hinweis auf die Beratungen des Europäischen Parlaments vom 13. und 15. Dezember 1994,

unter Hinweis auf die vom Europäischen Parlament am 15. Dezember 1994 angenommenen Entschließungen,

STELLT FEST,

daß das in Artikel 78 des Vertrages über die Gründung der Europäischen Gemeinschaft für Kohle und Stahl, Artikel 203 des Vertrages zur Gründung der Europäischen Gemeinschaft und Artikel 177 des Vertrages zur Gründung der Europäischen Atomgemeinschaft vorgesehene Verfahren abgeschlossen und der Gesamthaushaltsplan für die Europäische Union für das Haushaltsjahr 1995 endgültig festgestellt ist.

Geschehen zu Straßburg am 15. Dezember 1994

Der Präsident
Klaus HÄNSCH“

11. KAPITEL

Die Europäischen Beamten

Moritz Röttinger

Übersicht:

A. Allgemeines

1. Terminologie

Der internationale Beamte ist dadurch gekennzeichnet, daß er hinsichtlich seines arbeitsrechtlichen Status keinem nationalen Recht unterliegt, sondern einem **speziellen Rechtssystem internationalen Charakters** unterworfen ist. Er übt eine Funktion im öffentlichen Dienst einer internationalen Organisation in ausschließlicher Weise und ohne zeitliche Begrenzung aus.

Demnach sind Angehörige vom NGOs (Non Governmental Organisations), im diplomatischen und konsularischen Dienst sowie bei ständigen Vertretungen Beschäftigte, Lehrkräfte an den Ecoles Européennes, unabhängige Übersetzer und Dolmetscher etc keine internationalen Beamten.

Als **Beamte ieS** werden jene Beschäftigten verstanden, die direkt und ausschließlich dem **Statut der Beamten** der Europäischen Gemeinschaften[1]) unterworfen sind. Art 1 Statut definiert den Beamten der Gemeinschaften als jemanden, der „bei einem der Organe der Gemeinschaften durch eine Urkunde der Anstellungsbehörde dieses Organs nach den Vorschriften des Statuts unter Einweisung in eine Dauerplanstelle zum Beamten ernannt worden ist". Der Begriff des europäischen **Beamten iwS** umfaßt zusätzlich noch jene Beschäftigten, auf die die **Beschäftigungsbedingungen für die sonstigen Bediensteten** Anwendung finden: Das sind jene, deren Arbeitsverhältnis auf einem Vertrag öffentlichen Rechts beruht, und zwar die Bediensteten auf Zeit, die Hilfskräfte, die örtlichen Bediensteten und die Sonderberater. Das auf sie anwendbare System ist als **gemischtes System** zu bezeichnen, dh im Vertrag sind nur die unbedingt notwendigen Elemente (wie Name, Gehalt, Einstufung, Vertragsdauer, Arbeitsstelle etc), enthalten, während sonst auf Bestimmungen der Beschäftigungsbedingungen verwiesen wird, sodaß mit bestimmten Modifikationen im Wesentlichen die Vorschriften des Beamtenstatuts auch für die sonstigen Bediensteten gelten. Gewisse Unterschiede gibt es bei den Einstellungs- und Arbeitsbedingungen, bei den Bezügen, der sozialen Sicherheit sowie der Beendigung des Beschäftigungsverhältnisses.

Der internationale – ebenso wie der nationale – öffentliche Dienst ist durch eine **hierarchische Ordnung** gekennzeichnet, in der der Beamte während seiner gesamten Laufbahn seinen eigenen Platz hat. Die Grundlage des Beschäftigungsverhältnisses ist nicht ein Vertrag, sondern ein **autonomes Regime öffentlich- rechtlichen und international-rechtlichen Charakters.**

Aus diesem System ergeben sich als Vorteile insb die leichtere Anpassung an den „Geist" der öffentlichen Verwaltung in einem allgemeinen – und internationalen – Interesse. Die bekannten Nachteile der Bürokratie, der abnehmenden Rentabilität, des Fehlens eines Reformwillens, der geringen Förderung der Dynamik und der Gefahr der Erstarrung sind zwar keine Kriterien des Beamten, jeder Verwaltung aber systemimmanent. Andererseits muß auf

[1]) V 1968/259 v 29. 2. 1968, ABl L 1965/56 v 4. 3. 1968 idgF.

die überdurchschnittliche Effizienz und Qualifikation der europäischen Beamten hingewiesen werden.

2. Rechtsgrundlage

Das Beschäftigungsverhältnis der Bediensteten der Europäischen Gemeinschaft für Kohle und Stahl (EGKS) beruhte ursprünglich auf einzelnen Verträgen. Am 1. 7. 1956 trat dann das erste **Personalstatut** der EGKS vom 28. 2. 1956 in Kraft. Hinsichtlich der europäischen Wirtschaftsgemeinschaft (EWG) und der europäischen Atomgemeinschaft (EURATOM) sahen die Römer Gründungsverträge von 1957 die Schaffung eines allgemeinen Beamtenstatuts vor. Bis ein solches Statut erarbeitet werden sollte, war vorgesehen, die Bediensteten auf Basis von Zeitverträgen zu beschäftigen. Tatsächlich haben diese Verträge aber niemals existiert. Vom 1. 1. 1958 bis 31. 12. 1961 arbeiteten die Beschäftigten der EWG und der EURATOM unter dem sog „**Brüsseler Regime**“, dh auf der Basis von „Anstellungsbriefen“ („lettres d'engagement“). Diese enthielten eine Klausel, in denen darauf hingewiesen wurde, daß in der damaligen Phase der Organisation der Gemeinschaft das Anstellungsverhältnis nur provisorischen Charakter hat und jederzeit von beiden Seiten unter Einhaltung einer Frist von einem Monat gekündigt werden kann.

Am 1. 1. 1962 wurde durch das Inkrafttreten der Verordnungen des Ministerrates Nr 11 und 31 vom 18. 12. 1961 mit dem **Statut der Beamten** der Europäischen Gemeinschaften und den **Beschäftigungsbedingungen für die sonstigen Bediensteten** der Europäischen Gemeinschaften auch für die EWG und die EURATOM ein Statutarregime geschaffen.[2]) Gleichzeitig trat das zweite Beamtenstatut für die EGKS in Kraft. Infolge des Fusionsvertrages wurden die drei Statuten in einem einzigen vereint, das am 5. 3. 1968 in Kraft trat. Das Beamtenstatut (im folgenden „Statut“) und die Beschäftigungsbedingungen für die sonstigen Bediensteten wurden seither vielfach geändert.

Von der **Rechtsnatur** her ist das Statut eine Ratsverordnung wie jede andere auch. Es regelt zwar die interne Verwaltung der Gemeinschaft, bindet aber gleichzeitig auch die Mitgliedstaaten, dh daß diese keine den Bestimmungen des Statuts widersprechende Rechtsvorschriften erlassen dürfen.[3]) Das Statut, das entsprechend Art 24 Abs 1 Fusionsvertrag erlassen wurde, kann auch selbst den Gemeinschaftsinstitutionen entgegengehalten werden und bindet diese; sie können es interpretieren, die letzte Kontrolle steht aber dem EuGH zu.

Über das Anstellungsverhältnis kann zwischen den Gemeinschaftsinstitutionen und dem einzelnen Beamten nicht verhandelt werden. Das Beamtenverhältnis beginnt vielmehr automatisch mit der Übersendung der schriftlichen Urkunde der Ernennung durch die Anstellungsbehörde, wodurch der Beamte stillschweigend und einseitig dem Statut unterworfen wird. In diesem Zusammenhang stellt sich die Frage, inwieweit die Verwaltung das Statut bzw einzelne Regelungen davon einseitig ändern kann. Die Rechtsprechung des

---

[2]) ABl L 1962/45 v 14. 6. 1962.

[3]) Vgl EuGH Rs 137/80 – Kommission gg Belgien – Slg 1981, 2393.

EuGH[4]) hat folgende fünf Kriterien erarbeitet, unter denen eine einseitige Änderung zulässig ist:

- Die Verwaltung muß das **Prinzip der Legalität** berücksichtigen, dh sie muß sich insb jedes diskriminierenden Aktes und jeder Kompetenzüberschreitung enthalten;
- die Verwaltung muß die vorgesehenen **Verfahren der Konsultation** der betroffenen Institutionen, der Mitsprache des Personalkomitees, das ein Initiativrecht hat, und der **Abstimmung** („concertation") mit den gewerkschaftlichen Vereinigungen, die Kollektivverträge öffentlichen Rechts abschließen können, einhalten;
- Änderungen des Statuts dürfen nicht in **wohl erworbene Rechte** („droits acquis") der Beamten eingreifen, wobei dieser Begriff vom EuGH sehr restriktiv iSv wesentlichen Rechten („droits essentiels") interpretiert wird, worunter jene Rechte verstanden werden, die die fundamentalen Vertragsbestimmungen betreffen[5]);
- durch die Änderung darf das **„legitime Vertrauen"** („confiance légitime") des Beamten nicht verletzt werden, dh daß der Verlust von Rechten oder der Eintritt neuer Maßnahmen nicht plötzlich, unerwartet oder unvorhersehbar sein darf und präzise Zusicherungen der Verwaltung dadurch nicht verletzt werden dürfen;
- Änderungen statutären Charakters (nicht vertragsähnlichen Charakters) müssen das **Prinzip der Nicht-Rückwirkung** berücksichtigen, das allerdings nicht absolut gilt.

B. Die Beamtenlaufbahn

1. Die hierarchische Gliederung

Gem Art 5 Statut sind die Dienstposten nach Art und Bedeutung der ihnen entsprechenden Aufgaben in vier **Laufbahngruppen** sowie in die Sonderlaufbahn Sprachendienst für Übersetzer und Dolmetscher zusammengefaßt. Die **Laufbahngruppe A** umfaßt in acht **Besoldungsgruppen** (A 1 bis A 8) die Dienstposten mit Weisungsbefugnis oder Referententätigkeit, die Hochschulausbildung oder gleichwertige Berufserfahrung erfordern (**höherer Dienst**).

Die **Laufbahngruppe B** umfaßt in fünf Besoldungsgruppen (B 1 bis B 5) die Dienstposten mit Sachbearbeitertätigkeit, die höhere Schulbildung oder gleichwertige Berufserfahrung erfordern (**gehobener Dienst**).

Die Laufbahngruppe C umfaßt in ebenfalls fünf Besoldungsgruppen (C 1 bis C 5) die Dienstposten mit ausführenden Aufgaben, die Mittelschulbildung oder gleichwertige Berufserfahrung erfordern (**mittlerer Dienst**).

Die Laufbahngruppe D umfaßt in vier Besoldungsgruppen (D 1 bis D 4) Dienstposten mit manuellen oder Hilfstätigkeiten, die Volksschulbildung – ggf ergänzt durch technische Kenntnisse – erfordern (**einfacher Dienst**).

---

[4]) Vgl insb EuGH Rs 20/68 – Pasetti-Bombardella gg Kommission – Slg 1969, 235; EuGH Rs 28/74 – Gillet gg Kommission – Slg 1975, 463.

[5]) Siehe dazu auch Verwaltungsgericht der Weltbank 5. 6. 1981 – Mérode – sowie Verwaltungsgericht der Internationalen Arbeitsorganisation 4. 9. 1962 – Lindsay – BO 1962, 327.

Die Dienstposten der Übersetzer und Dolmetscher sind in der **Sonderlaufbahn Sprachendienst (L/A)** zusammengefaßt, die sechs Besoldungsgruppen (L/A3 bis L/A8), die den Besoldungsgruppen A3 bis A8 gleichgestellt sind, umfaßt.

Für Einstellung und dienstliche Laufbahn der Beamten der gleichen Laufbahngruppe oder der gleichen Sonderlaufbahn gelten jeweils die gleichen Voraussetzungen. Die Anzahl der Planstellen je Besoldungsgruppe innerhalb der einzelnen Laufbahnen ist für jede Laufbahngruppe und Sonderlaufbahn in einem Stellenplan festgelegt, der dem Einzelplan des Haushaltsplans für jedes Organ beigefügt ist (Art 6 Statut). Der Beamte kann aber vorübergehend mit der Verwaltung eines Dienstpostens in einer Laufbahn seiner Laufbahngruppe oder seiner Sonderlaufbahn betraut werden, die höher ist als seine eigene Laufbahn (Art 7 Abs 2 Statut).

Es ergibt sich somit folgende hierarchische Gliederung mit folgenden Bezeichnungen:

- Laufbahngruppe A:
  A1 Generaldirektor
  A2 Direktor
  A3 Abteilungsleiter
  A4 und A5 Hauptverwaltungsrat
  A6 und A7 Verwaltungsrat
  A8 Verwaltungsreferendar
- Laufbahngruppe B:
  B1 Verwaltungsamtsrat
  B2 und B3 Verwaltungshauptinspektor, technischer Hauptinspektor und Sekretariatshauptinspektor
  B4 und B5 Verwaltungsinspektor, technischer Inspektor und Sekretariatsinspektor
- Laufbahngruppe C:
  C1 Bürohauptsekretär, Hauptsekretär und Verwaltungshauptsekretär
  C2 und C3 Bürosekretär und Verwaltungssekretär
  C4 und C5 Büroassistent und Verwaltungsassistent
- Laufbahngruppe D:
  D1 Amtsmeister
  D2 und D3 Hauptamtsgehilfe und technischer Hauptamtsgehilfe
  D4 Amtsgehilfe und technischer Amtsgehilfe
- Sonderlaufbahn Sprachendienst:
  L/A3 Leiter der Übersetzungsabteilung bzw Dolmetscherabteilung
  L/A4 und L/A5 Gruppenleiter im Übersetzungs- oder Dolmetscherdienst, Überprüfer, Hauptübersetzer und Hauptdolmetscher
  L/A6 und L/A7 Übersetzer und Dolmetscher
  L/A8 Hilfsübersetzer und Hilfsdolmetscher

2. Grundprinzipien

Gem Art 27 Statut ist bei der Einstellung anzustreben, dem Organ die Mitarbeit von Beamten zu sichern, die hinsichtlich Befähigung, Leistung und

Integrität höchsten Ansprüchen genügen. Sie sind unter den Staatsangehörigen der Mitgliedstaaten der Gemeinschaften auf möglichst **breiter geographischer Grundlage** auszuwählen. Kein Dienstposten darf den Angehörigen eines bestimmten Mitgliedstaates vorbehalten werden. Eine **Diskriminierung** aufgrund der Rasse, des Glaubens oder des Geschlechts ist **unzulässig**.

Ernennungen oder **Beförderungen** dürfen nur zur Besetzung einer freien Planstelle und nur nach den Vorschriften des Statuts vorgenommen werden (Art 4 Statut). Gemäß Art 28 Statut darf zum Beamten nur ernannt werden, wer

- Angehöriger eines der Mitgliedstaaten der Gemeinschaften ist, wobei von diesem Erfordernis die Anstellungsbehörde uU absehen kann,
- die bürgerlichen Ehrenrechte besitzt,
- sich seiner Verpflichtungen aus dem für ihn geltenden Wehrgesetz nicht entzogen hat,
- den für die Ausübung des Amtes erforderlichen sittlichen Anforderungen genügt,
- die Bedingungen des Auswahlverfahrens erfüllt hat,
- die für die Ausübung seines Amtes erforderliche körperliche Eignung besitzt und
- nachweist, daß er gründliche Kenntnisse in einer Sprache der Gemeinschaften und ausreichende Kenntnisse in einer weiteren Sprache der Gemeinschaften in dem Umfang besitzt, in dem dies für die Ausübung seines Amtes erforderlich ist.

Die Laufbahn des europäischen Beamten ist durch das Element der **Stabilität** gekennzeichnet, dh daß der Beamte während seines gesamten Berufslebens seinen ihm garantierten Platz in der Hierarchie mit der Möglichkeit von Verbesserungen hat. Der Beamte kann in der Hierarchie unabhängig davon, daß er alle zwei Jahre in die nächsthöhere Dienstaltersstufe überwechselt, aufsteigen. Darüberhinaus sind die Möglichkeiten der Dienstveränderung und der Dienstbeendigung taxativ im Statut aufgezählt.

3. Das Einstellungsverfahren

Bei der Besetzung von Planstellen eines Organs prüft die Anstellungsbehörde zunächst die Möglichkeiten einer **Beförderung** oder **Versetzung** innerhalb des Organs, die Möglichkeiten der Durchführung eines Auswahlverfahrens (**internes Auswahlverfahren**) innerhalb des Organs und die **Übernahmeanträge** von Beamten anderer Organe der drei Europäischen Gemeinschaften. Sollten die Planstellen damit nicht besetzt werden können, so eröffnet die Anstellungsbehörde das Auswahlverfahren (**allgemeines Auswahlverfahren**), das in Anhang III des Statuts geregelt ist, wobei dieses Auswahlverfahren auch zur Bildung einer Reserve für spätere Einstellungen eröffnet werden kann. Ausgenommen von diesen Prozedere sind üblicherweise die Besetzungen der Besoldungsgruppen A 1 und A 2.

Die Durchführung eines Auswahlverfahrens („concours“) setzt idR das Freiwerden einer Planstelle voraus. Die **Stellenausschreibung** wird den Beamten zur Kenntnis gebracht und dient dazu, die Interessierten über die erforderlichen Bedingungen zu informieren. In der Stellenausschreibung, die von der Anstellungsbehörde nach Anhörung des Paritätischen Ausschusses angeordnet wird, sind insb die Art des Auswahlverfahrens, das Verfahren selbst, die Art der Tätigkeit und des Aufgabenbereichs, die mit den zu besetzenden Dienstposten verbunden sind, die erforderlichen Diplome und sonstigen Befähigungsnachweise oder praktischen Erfahrungen, ggf die Art der Prüfungen und ihre Bewertung, die erforderlichen Sprachkenntnisse und das Höchstalter sowie der Bewerbungsschluß anzugeben. Allgemeine Stellenausschreibungen sind spätestens einen Monat vor dem für die Einreichung der Bewerbung festgelegten Zeitpunkt und ggf mindestens zwei Monate vor dem Zeitpunkt der Prüfungen im Amtsblatt der Europäischen Gemeinschaften zu veröffentlichen.

Es besteht die Möglichkeit von **Auswahlverfahren** aufgrund von Befähigungsnachweisen oder aufgrund von Prüfungen oder aufgrund von Befähigungsnachweisen und Prüfungen. Allgemeine Auswahlverfahren erfolgen üblicherweise aufgrund von Befähigungsnachweisen und Prüfungen.

Es wird ein **Prüfungsausschuß**, dessen Arbeiten geheim sind, gebildet, der aus einem Vorsitzenden und einer oder mehreren Personen, die von der Anstellungsbehörde bestellt werden, sowie einem Beamten, der von der Personalvertretung benannt wird, besteht. Die unter den Beamten ausgewählten Mitglieder des Prüfungsausschusses müssen mindestens der gleichen Besoldungsgruppe angehören wie die, die für den zu besetzenden Dienstposten vorgesehen sind.

Die Anstellungsbehörde bzw der Prüfungsausschuß stellt das Verzeichnis der Bewerber auf, die den Bedingungen der Stellenausschreibung entsprechen. Nach den schriftlichen und mündlichen Prüfungen stellt der Prüfungsausschuß das **Verzeichnis der geeigneten Bewerber** (sog „Eignungsliste“ oder „Reserveliste“ auf, deren Zahl nach Möglichkeit mindestens doppelt so groß sein soll wie die Zahl der zu besetzenden Dienstposten. Diese Liste muß mit Begründungen versehen sein, die es ggf dem EuGH ermöglichen, die Objektivität und die Nicht-Diskriminierung der Auswahl zu überprüfen.

Dieses Verzeichnis der geeigneten Bewerber wird an die Anstellungsbehörde weitergeleitet, die allerdings nicht an die Reihenfolge gebunden ist. Den Bewerbern erfließt aus diesem Verzeichnis auch nicht das subjektive Recht, für einen Posten nominiert zu werden. Die Anstellungsbehörde hat somit einen großen Ermessensspielraum, der es einerseits ermöglicht, für eine bestimmte Aufgabe den am besten passenden und geeigneten Kandidaten zu finden, der andererseits aber auch die Gefahr der Berücksichtigung von ungerechtfertigten subjektiven Elementen mit sich bringt.

Die ausgewählten Bewerber werden grundsätzlich zu Beamten in der Eingangsbesoldungsgruppe ihrer Laufbahngruppe ernannt und prinzipiell in die erste Dienstaltersstufe dieser Besoldungsgruppe eingestuft, wobei die Anstellungsbehörde mit Rücksicht auf die Ausbildung und die besondere Berufserfahrung der Beamten eine Verbesserung gewähren kann (Art 31 und 32 Statut).

Vor der Ernennung wird der ausgewählte Bewerber durch einen Vertrauensarzt der jeweiligen Gemeinschaftsinstitution untersucht (Art 33 Statut).

Mit Ausnahme der Beamten der Besoldungsgruppen A 1 und A 2 hat gem Art 34 Statut jeder Beamte eine **Probezeit** abzuleisten, bevor er zum Beamten auf Lebenszeit ernannt werden kann. Die Probezeit, die für Beamte der Laufbahngruppen A und B sowie der Sonderlaufbahn Sprachendienst L/A neun Monate und für die anderen Beamten sechs Monate beträgt, soll dazu dienen, der Verwaltung einen möglichst genauen Eindruck über die Fähigkeiten des Kandidaten auf einem bestimmten Posten, über seine Arbeitseinstellung und über seinen Nutzen für die Dienststelle zu vermitteln.[6]) Spätestens einen Monat vor Ablauf der Probezeit ist ein Bericht über die Befähigung des Beamten auf Probe zur Wahrnehmung der mit seinem Amt verbundenen Aufgaben sowie über seine dienstlichen Leistungen und seine dienstliche Führung abzugeben. Der Bericht wird dem Betreffenden mitgeteilt, der schriftlich dazu Stellung nehmen kann. Ist dieser Bericht positiv, so wird der Beamte auf Lebenszeit ernannt, rechtfertigen seine Fähigkeiten dies nicht, so wird er entlassen. Mit der endgültigen Ernennung auf Lebenszeit erhält der Beamte alle Rechte und wird in die Hierarchie eingegliedert. Die Ernennung erfolgt auf einen bestimmten Dienstposten, der seinem Grad entspricht, und geschieht ausschließlich im Interesse des Dienstes ohne Berücksichtigung der Staatsbürgerschaft.

Bei dem Beitritt eines neuen Mitgliedstaates kann die Anstellungsbehörde Staatsbürger dieses Landes zu einem gewissen Grad und unter bestimmten Voraussetzungen insofern bevorzugen, als damit ein geographischer Ausgleich geschaffen wird.

Der Aufstieg in die nächsthöhere Besoldungsgruppe erfolgt durch die **Beförderung**. Dies ist eine verwaltungsinterne Maßnahme, auf die allerdings kein Rechtsanspruch besteht. Sie dient in erster Linie dazu, um freiwerdende Dienstposten zu besetzen und hat Vorrang vor einem Auswahlverfahren. Für Beförderungen besteht keine Begründungspflicht der Anstellungsbehörde. Eine Beförderung ist immer nur innerhalb derselben Laufbahngruppe möglich, der Übertritt von einer Laufbahngruppe in die nächsthöhere ist ausschließlich aufgrund eines speziellen Auswahlverfahrens möglich.

4. Die dienstrechtliche Stellung

Gem Art 35 Statut befindet sich der Beamte regelmäßig in einer der folgenden dienstrechtlichen Stellungen: aktiver Dienst, Abordnung, Urlaub aus persönlichen Gründen, einstweiliger Ruhestand oder Beurlaubung zum Wehrdienst.

Der **aktive Dienst** ist die dienstrechtliche Stellung des Beamten, der die Obliegenheiten des von ihm ständig oder vorübergehend besetzten Dienstpostens wahrnimmt (Art 36 Statut).

Die **Abordnung** ist die dienstrechtliche Stellung des Beamten, der durch Verfügung der Anstellungsbehörde entweder im dienstlichen Interesse vorübergehend eine Stelle außerhalb des Organs, dem er angehört, bekleidet oder einem anderen Organ der Europäischen Gemeinschaften zur Verfügung gestellt worden ist (Art 37 Statut).

---

[6]) Vgl EuGH Rs 290/82 – Tréfois gg EuGH – Slg 1983, 3751.

Den Beamten auf Lebenszeit kann in Ausnahmefällen auf Antrag unbezahlter **Urlaub aus persönlichen Gründen** gewährt werden, dessen Höchstdauer ein Jahr beträgt, wobei der Urlaub unter bestimmten Voraussetzungen mehrfach um jeweils ein Jahr verlängert werden kann.

Der **einstweilige Ruhestand** ist die dienstrechtliche Stellung des Beamten, der von einer Verringerung der Zahl der Planstellen bei seinem Organ betroffen ist (Art 41 Statut). Im einstweiligen Ruhestand übt der Beamte sein Amt nicht mehr aus, er hat keinen Anspruch auf Dienstbezüge und Aufsteigen in den Dienstaltersstufen, erhält aber eine Vergütung.

Ein Beamter, der zur Ableistung des gesetzlich vorgeschriebenen Grundwehrdienstes herangezogen wird, an Wehrübungen teilzunehmen hat oder zu einem anderen Wehrdienst einberufen wird, erhält die besondere dienstrechtliche Stellung **„Beurlaubung zum Wehrdienst"** (Art 42 Statut). Er erhält während des Grundwehrdienstes kein Gehalt, wohl aber wenn er an Wehrübungen teilzunehmen hat.

Für Beamte, die in diplomatischen Vertretungen oder Presse- und Informationsbüros der Europäischen Gemeinschaften Dienst tun, gilt ein **Rotationssystem**. Die Dauer der Zuteilung beträgt üblicherweise drei bis vier Jahre, kann aber verlängert werden.

Im Zuge einer Zusammenarbeit zwischen den nationalen Verwaltungen und der Verwaltung der EG besteht seit 1976 die Möglichkeit des **Austausches von Beamten**. Die Beamten werden wechselseitig und zeitlich begrenzt der jeweils anderen Verwaltung „zur Verfügung gestellt", wobei die Herkunftsinstitution die dienstrechtliche Stellung des Beamten bestimmt. Eine solche Zuteilung beträgt zwischen drei Monaten und zwei Jahren und kann in Ausnahmefällen um ein weiteres Jahr verlängert werden.

5. Die Beendigung der Beamtentätigkeit

Während für die sog sonstigen Bediensteten die einseitige Kündigung des befristeten Beschäftigungsvertrages unter Einhaltung der Kündigungsfrist am Ende der Vertragsdauer seine Rechtfertigung im Arbeitsvertrag selbst findet und nicht begründet werden muß[7]), ist die Situation bei Beamten grundsätzlich anders.

Art 47 Statut enthält einen abschließenden Katalog der Möglichkeiten des **Dienstausscheidens von Beamten**: Entlassung auf Antrag, Entlassung von Amts wegen, Stellenenthebung aus dienstlichen Gründen, Entlassung wegen unzulänglicher fachlicher Leistungen, Entfernung aus dem Dienst, Versetzung in den Ruhestand und Tod.

Die **Entlassung auf Antrag** (Art 48 Statut) setzt voraus, daß der Beamte schriftlich seinen unmißverständlichen Willen zum Ausdruck bringt, aus dem Dienst seines Organs endgültig auszuscheiden. Die Anstellungsbehörde kann die Entlassung verweigern, wenn zum Zeitpunkt des Eingangs des Entlassungsantrags ein Disziplinarverfahren gegen den Beamten läuft oder innerhalb der darauffolgenden dreißig Tage eingeleitet wird.

---

[7]) EuGH Rs 25/68 – Schertzer gg Europäisches Parlament – Slg 1970, 1729; s auch EuGH Rs 346/82 – Favre gg Kommission – Slg 1984, 2269.

Der Beamte kann **von Amts wegen** nur **entlassen** werden, wenn die in Art 59 Statut genannten Fälle eintreten, insb wenn der Beamte die Staatsbürgerschaft eines Mitgliedslandes verliert und die Anstellungsbehörde von diesem Erfordernis keine Ausnahme macht, wenn er seine bürgerlichen Rechte verliert, wenn der Ehegatte eine berufliche Tätigkeit ausübt, die mit der Stellung oder der Tätigkeit des Beamten nicht kompatibel ist (s unten C.2), wenn der Beamte nach Ende einer freiwilligen Zuteilung oder eines Urlaubs aus persönlichen Gründen zweimal den ihm angebotenen Posten ablehnt. Die Entlassungsverfügung muß selbstverständlich begründet werden.

Als Pendant zu den unterschiedlichen Anstellungsbedingungen für Beamte der Besoldungsgruppen A1 und A2 sieht Art 50 Statut vor, daß diese aus dienstlichen Gründen durch Verfügung der Anstellungsbehörde ihrer Stelle enthoben werden können. Diese **Stellenenthebung** ist keine Disziplinarmaßnahme und muß ihre Rechtfertigung sowohl in objektiven Gründen des Dienstes als auch in der Beurteilung der individuellen Qualifikationen des Betroffenen finden. Die Anstellungsbehörde hat hier einen großen Ermessensspielraum, ist aber zu einer besonders genauen Überprüfung der Sachlage verpflichtet. Sollte der betroffene Beamte nicht seiner Stellung gemäß in einer anderen Dienststelle untergebracht werden können, so hat er Anspruch auf eine monatliche Vergütung. Dieses „Freimachen" von A 1- und A 2-Posten ist insb im Zuge von Beitritten neuer Mitgliedstaaten notwendig und auch Praxis, um eine geographische Ausgewogenheit auch der Spitzenbeamten sicherzustellen. Dies entspricht einer Versetzung in den vorzeitigen Ruhestand, kann aber in solchen Fällen mit vollen Pensionsbezügen verbunden sein („golden handshake").

Ein Beamter, dessen fachliche Leistungen im Dienst nachweislich unzulänglich sind, kann gem Art 51 Statut **entlassen** werden, wobei die Anstellungsbehörde diesem Beamten in einem solchen Fall aber auch seine Einstufung in eine niedrigere Besoldungsgruppe vorschlagen kann. Es handelt sich auch hier nicht um eine disziplinäre Maßnahme. Ebenso wie bei der Entlassung von Amts wegen muß die Verfügung begründet werden und ein bestimmtes Verfahren eingehalten werden.

Gem Art 52 Statut wird der Beamte von Amts wegen am letzten Tag des Monats, in dem er das fünfundsechzigste Lebensjahr vollendet hat, in den **Ruhestand** versetzt; auf seinen Antrag hin erfolgt dies am letzten Tag des Monats, für den die Versetzung in den Ruhestand beantragt wurde, wenn der Beamte mindestens sechzig Jahre alt ist oder wenn er zwischen fünfzig und sechzig Jahre alt ist und die Voraussetzungen für die sofortige Ruhegehaltszahlung erfüllt (s auch unten D.). Ist der Beamte aus gesundheitlichen Gründen dauernd voll dienstunfähig, so wird er von Amts wegen in den Ruhestand versetzt (**Invaliditätspension**).

C. Rechte und Pflichten der europäischen Beamten

1. Rechte

Es ist zwischen individuellen und kollektiven Rechten sowie Immunitäten und Privilegien zu unterscheiden. Die **individuellen Rechte** umfassen das Recht auf Beistand und Fürsorge seitens der Gemeinschaft, das Antragsrecht, das Recht auf Begründung einer „beschwerenden" (nachteiligen) Verfügung, das Recht auf Einsichtnahme und Mitteilung seines Personalaktes, das Recht auf Ersatz der Schäden, die die Verwaltung zu verantworten hat, sowie das Recht auf Dienstbezüge. Zu den **kollektiven Rechten** gehören das Recht, an der Verwaltung der Gemeinschaft teilzunehmen, das Recht, sich zu Gewerkschaften und Berufsverbänden zusammenzuschließen, und das Streikrecht.

a) Beistands- und Fürsorgerecht

Gem Art 24 Statut hat die Gemeinschaft ihren Beamten Beistand insb beim Vorgehen gegen die Urheber von Drohungen, Beleidigungen, übler Nachrede, Verleumdungen und Anschlägen auf die Person oder das Vermögen zu leisten, die aufgrund ihrer Dienststellung oder ihres Amtes gegen sie oder ihre Familienangehörigen gerichtet werden. Sie hat ihnen ferner den erlittenen Schaden zu ersetzen, soweit ihn der Beamte weder vorsätzlich noch grob fahrlässig herbeigeführt hat und soweit er keinen Schadenersatz vom Täter erlangen konnte. Diese Beistandspflicht wird vom EuGH extensiv interpretiert[8]): Die Verwaltung hat ggf eine aktive Verteidigungsrolle zu spielen; es genügt nicht, daß sie bloß kein Disziplinarverfahren einleitet oder daß sie wartet, daß der betroffene Beamte gegen den Täter eine Verfolgungshandlung setzt. Die Verwaltung trifft eine allgemeine Fürsorgepflicht, aus der abzuleiten ist, daß sie nicht nur auf das Interesse des Dienstes, sondern auch auf das Interesse des betroffenen Beamten Rücksicht nehmen muß.

Der Beamte hat ferner das Recht auf berufliche Fortbildung, die die Verwaltung erleichtern und fördern muß, soweit dies mit dem reibungslosen Arbeiten der Dienststelle vereinbar ist und ihren eigenen Interessen entspricht. Dieses Recht leitet sich aus der allgemeinen Fürsorgepflicht der Verwaltung ab.

b) Antragsrecht

Der Beamte hat gem Art 25 Abs 1 Statut das Recht, sich jederzeit mit Anträgen an die Anstellungsbehörde seines Organs zu wenden, insb kann der Beamte einen Antrag auf Erlaß einer ihn betreffenden Entscheidung an die Anstellungsbehörde richten; fällt diese für ihn negativ aus, so steht ihm die Möglichkeit der Beschwerde (Art 90 Abs 1 Statut) und ggf der Rechtszug zum Gericht 1. Instanz und letztlich zum EuGH offen (s dazu ausführlich unten G.).

c) Begründungspflicht für beschwerende Verfügungen

Jede „beschwerende" (für den Beamten nachteilige) Verfügung muß mit Gründen versehen sein (Art 25 Abs 2 Statut). Sie muß wie jede andere individuelle Entscheidung der Verwaltung ihm schriftlich unverzüglich mitge-

[8]) EuGH Rs 53/72 – Guillot gg Kommission – Slg 1974, 791; EuGH Rs 128/75 – N gg Kommission – Slg 1976, 1567.

teilt werden. Die Begründung muß es ggf dem EuGH ermöglichen, die Rechtmäßigkeit der Entscheidung nachzuprüfen[9]); die Begründung muß daher insb präzise sein und alle wesentlichen Elemente enthalten, die die Verwaltung zu dieser Entscheidung geführt haben.[10]) Die Begründung muß dem betroffenen Beamten gleichzeitig mit der Entscheidung mitgeteilt werden. Die Verletzung dieser Begründungspflicht führt zur Nichtigkeit der Entscheidung.[11])

d) Recht auf Einsicht in den Personalakt

Für jeden Beamten wird ein – und nur ein – Personalakt geführt. Gem Art 26 Statut enthält der Personalakt des Beamten sämtliche sein Dienstverhältnis betreffenden Schriftstücke sowie jede Beurteilung seiner Befähigung, Leistung und Führung sowie die Stellungnahmen des Beamten zu diesen Vorgängen. Alle Schriftstücke sind in ein Verzeichnis aufzunehmen, fortlaufend zu numerieren und lückenlos einzuordnen. Der Personalakt darf keinerlei Angaben über die politischen, weltanschaulichen oder religiösen Überzeugungen des Beamten enthalten.

Die Verwaltung darf Schriftstücke dem Beamten nur dann entgegenhalten oder gegen ihn verwerten, wenn sie ihm vor Aufnahme in den Personalakt nachweislich mitgeteilt worden sind.

Der Beamte hat – auch nach seinem Ausscheiden aus dem Dienst – das Recht, seinen vollständigen Personalakt einzusehen. Er ist vertraulich zu behandeln und darf nur in den Diensträumen der Verwaltung eingesehen werden, wohl darf er aber im Falle eines Rechtsstreites beim EuGH diesem vorgelegt werden.

Dieses Recht auf unbeschränkte Einsicht in seinen Personalakt ist für internationale Beamte außergewöhnlich und existiert zB bei der NATO nicht bzw nur stark eingeschränkt.

e) Recht auf Ersatz des durch die Verwaltung zugefügten Schadens

Die Verwaltung ist verpflichtet, jeden Schaden, der durch sie unzulässigerweise dem Beamten zugefügt wird, zu ersetzen.

f) Recht auf Bezahlung

Jeder Beamte hat das Recht auf Zahlung der Dienstbezüge bzw einer Pension. Näheres zum Besoldungsschema s unten D.

g) Recht auf Teilnahme an der Verwaltung der Gemeinschaft

Dieses Recht wird insb aus Art 9 und Anhang II des Status abgeleitet.

Bei jedem Organ wird eine Personalvertretung gebildet, die die Interessen der Bediensteten zu vertreten und am guten Funktionieren des Dienstbe-

---

[9]) EuGH Rs 195/80 – Michel gg Europäisches Parlament – Slg 1981, 2861.

[10]) EuGH verb Rs 43, 45 und 48/59 – von Lachmüller gg Kommission – Slg 1960, 933; EuGH Rs 61/76 – Geist gg Kommission – Slg 1977, 1419; EuGH 86/77 – Ditterich gg Kommission – Slg 1978, 1855; EuGH 791/79 – Demont gg Kommission – Slg 1981, 3105.

[11]) EuGH 75/77 – Mollet gg Kommission – Slg 1978, 897.

triebes mitzuwirken hat. Die Mitglieder der Personalvertretung werden in geheimer Wahl von den Beamten auf eine Dauer von jeweils zwei Jahren gewählt. Die Personalvertretung ist in lokale Ausschüsse und einen Zentralausschuß gegliedert.

Die Personalvertretung nimmt die Interessen des Personals gegenüber dem Organ wahr und sorgt für eine ständige Verbindung zwischen der Verwaltung und dem Personal. Sie trägt zum reibungslosen Arbeiten der Dienststellen dadurch bei, daß sie dem Personal die Möglichkeit gibt, seine Meinung zu äußern und zur Geltung zu bringen. Sie unterrichtet ferner die zuständigen Stellen der Institutionen über alle Fragen von allgemeiner Bedeutung im Zusammenhang mit der Auslegung und Anwendung des Status und hat das Recht, zu allen Fragen dieser Art gehört zu werden. Sie gibt den zuständigen Stellen Anregungen zur Organisation und Arbeitsweise der Dienststellen und macht Vorschläge zur Verbesserung der Arbeitsbedingungen des Personals oder seiner allgemeinen Lebensbedingungen. Die Personalvertretung beteiligt sich an der Verwaltung und an der Kontrolle der von den Institutionen im Interesse des Personals geschaffenen sozialen Einrichtungen.

Die Personalvertretung wirkt durch die Entsendung von Mitgliedern in zahlreichen Ausschüssen mit (zB im Paritätischen Ausschuß, im Disziplinarrat, im Invaliditätsausschuß, im Prüfungsausschuß etc).

Die Personalvertretung ist ausschließlich ein internes Organ und genießt keine Rechtspersönlichkeit, kann also insb nicht als Partei vor dem EuGH auftreten.[12])

h) Recht auf Vereinigung in Gewerkschaften

Gem Art 24a Statut haben die Beamten insb das Recht, Gewerkschaften oder Berufsverbänden der europäischen Beamten anzugehören. Derzeit gibt es sechs Gewerkschaften bzw Berufsverbände: Union des Syndicats U.D.S., Syndicat des Fonctionnaires Internationaux et Européens S.F.I.E., Syndicat des Fonctionnaires Européens S.F.E., The Association of Independent Officials for the Defense of the European Civil Service – Association des Fonctionnaires Indépendants pour la Défense de la Fonction Publique Européenne TAO-AFI, Revouveau et Democratie R&D und die Fédération de la Fonction Publique Européenne F.F.P.E. Etwa 40% aller Beamten sind Mitglied bei einer oder mehreren dieser Organisationen.

Diese Organisationen sind Verhandlungspartner der Gemeinschaftsinstitutionen hinsichtlich der Verbesserung der Arbeitsbedingungen, der allgemeinen Personalpolitik, der Änderung der Mitwirkungsrechte der Beamten etc.

In einem Abkommen über die Beziehungen zwischen der Kommission der Europäischen Gemeinschaften und den Gewerkschaften und Berufsverbänden vom 20. 9. 1974 wurden diese Organisationen von der Verwaltung ausdrücklich anerkannt, das **Verfahren der „concertation“** festgelegt, die Kompetenzen zwischen der Personalvertretung einerseits und den Gewerkschaften und Berufsverbänden andererseits abgegrenzt, die Modalitäten zur Ausübung der Gewerkschaftsrechte vereinbart sowie die Modalitäten bei Ar-

---

[12]) EuGH Rs 15/63 – Lasalle gg Europäisches Parlament – Slg 1964, 57.

beitsniederlegungen und Streiks festgelegt.[13]) Entsprechende Abkommen gibt es mit dem Rat (20. 12. 1978) und dem Wirtschafts- und Sozialausschuß (31. 3. 1977).

Der EuGH hat den Vertretungsanspruch der Gewerkschaften und Berufsverbände anerkannt und diesen in dieser Eigenschaft Rechtspersönlichkeit und damit Parteifähigkeit in Verfahren vor dem EuGH zugesprochen.[14])

i) Streikrecht

Das Streikrecht erfließt aus dem Recht auf gewerkschaftliche Vereinigung und ist im Abkommen über das Verhältnis zwischen der Kommission der Europäischen Gemeinschaften und den Gewerkschaften und Berufsverbänden vom 20. 9. 1974 enthalten. Darin wird die Rechtmäßigkeit des Streikrechts unter Einhaltung bestimmter Modalitäten als stärkstes Mittel des Arbeitskampfes nach Ausschöpfung aller anderen Möglichkeiten zur Konfliktbereinigung anerkannt.[15])

Das Streikrecht beinhaltet einerseits, daß jenen Beamten, die sich zur Teilnahme am Arbeitskampf entschließen, dies nicht erschwert oder verhindert werden darf, und andererseits, daß alle jene Beamten freien Zugang zur Arbeit haben, die nicht am Arbeitskampf teilnehmen wollen. Dem Beamten darf wegen seiner Teilnahme an einem Streik kein Nachteil erwachsen.

Dem Streik muß eine offizielle Ankündigung vorangehen, die fünf Arbeitstage vor dem geplanten Beginn der Verwaltung übergeben werden muß und die die Gründe und Modalitäten des in Aussicht genommenen Streiks beschreiben muß. Sofern darauf folgende Verhandlungen zu keinem positiven Ergebnis führen, wird gemeinsam eine Liste jener Dienststellen erstellt, bei denen in jedem Fall die Arbeit aufrechterhalten werden muß.

Gründe für den Streik sind insb die Erhöhung bzw Anpassung des Gehalts, die Verbesserung von Arbeitsbedingungen und das Unterlassen der Konsultierung der Personalvertretung.

2. Pflichten

Die Beamten haben insb folgende Pflichten, die sich entweder auf ihr Verhalten oder auf ihre Tätigkeit beziehen: Unabhängigkeit, Loyalität, besondere Pflicht nach Dienstbeendigung, Verschwiegenheit, Weisungsgebundenheit, Rechtsabtretung, Residenzpflicht, Verantwortlichkeit, besondere

---

[13]) Zu Funktion und Bedeutung der Gewerkschaften und Berufsverbände s insb *Vandersanden,* Fonction publique européenne et syndicalisme, RMC 1975, 296; *Rogalla,* Partnerschaft durch Organbeschluß, Europarecht 1974, 325; *Rogalla,* Beamtenmitsprache im Neuen Europa (1978).

[14]) Siehe insb *Vandersanden/Barav,* Contentieux communautaire (1977); *Megret* ua, La Cour de Justice, Brüssel 1984; *Joliet,* Le droit institutionnel des Communautés Européennes – Le contentieux (1981); *Vandersanden* aaO (FN 13); EuGH Rs 175/73 – Union Syndicale-S.P.E. ua gg Rat – Slg 1974, 917; EuGH Rs 18/74 – Syndicat Général du Personnel des Organismes Européens gg Kommission – Slg 1974, 933; EuGH Rs 72/74 – Union Syndicale-S.P.E. ua gg Rat – Slg 1975, 401.

[15]) Siehe insb *Vandersanden,* Le droit de grève des fonctionnaires communautaires, RMC 1971, 466; *Pellet,* La grève des fonctionnaires internationaux, RGDIP 1975, 932.

Pflichten bei der Ausübung gewählter öffentlicher Funktionen, Vereinbarkeit der beruflichen Tätigkeit des Ehegatten sowie die Rückzahlungspflicht zuviel erhaltener Beträge.

a) Unabhängigkeit

Der Beamte hat sich gem Art 11 Statut bei der Ausübung seines Amtes und in seinem Verhalten ausschließlich von den Interessen der Gemeinschaft leiten zu lassen, er darf insb von keiner Regierung, Behörde, Organisation oder Person außerhalb seines Organs Weisungen anfordern oder entgegennehmen.

Der Beamte darf ferner ohne Zustimmung der Anstellungsbehörde weder von einer Regierung noch von einer anderen Stelle außerhalb seines Organs Titel, Orden, Ehrenzeichen, Vergünstigungen, Belohnungen und Geschenke oder Vergütungen irgendwelcher Art annehmen, sofern er diese nicht für Dienste vor seiner Ernennung oder im Zusammenhang mit der Ableistung des Wehrdienstes erhält.

Schließlich darf der Beamte eine Beteiligung an Unternehmen, die der Kontrolle seines Organs unterliegen oder mit diesem in Verbindung stehen, weder unmittelbar noch mittelbar in einer Weise oder in einem Umfang beibehalten oder erwerben, daß dadurch seine Unabhängigkeit bei der Ausübung seines Amtes gefährdet werden könnte (Art 12 Abs 2 Statut).

b) Loyalität

Gem Art 12 Abs 1 Statut hat der Beamte sich jeder Handlung, insb jeder öffentlichen Meinungsäußerung, zu enthalten, die dem Ansehen seines Amtes abträglich sein könnte.

c) Besondere Pflicht nach Dienstbeendigung

Der Beamte ist gem Art 16 Abs 1 Statut nach dem Ausscheiden aus dem Dienst verpflichtet, bei der Annahme gewisser Tätigkeiten oder Vorteile ehrenhaft und zurückhaltend zu sein.

d) Verschwiegenheit

Der Beamte ist verpflichtet, über alle Tatsachen und Angelegenheiten, von denen er in Ausübung oder anläßlich der Ausübung seines Amtes Kenntnis erhält, strengstes Stillschweigen zu bewahren (Art 17 Statut). Er darf insb Schriftstücke seiner Dienststelle nicht veröffentlichen oder deren Inhalt Dritten in irgendeiner Form mitteilen. Er benötigt außerdem zur Publikation von Texten die Zustimmung der Anstellungsbehörde, die allerdings nur dann versagt werden darf, wenn die geplante Veröffentlichung geeignet ist, die Interessen der Gemeinschaft zu beeinträchtigen.

e) Weisungsgebundenheit

Gem Art 21 Abs 1 Statut hat der Beamte seine Vorgesetzten zu beraten und zu unterstützen; er ist für die Durchführung der ihm übertragenen Aufgaben verantwortlich.

Hält ein Beamter eine ihm erteilte Anordnung für fehlerhaft oder ist er der Meinung, daß ihre Ausführung schwerwiegende Nachteile zur Folge haben kann, so hat er seinem Vorgesetzten seine Auffassung – erforderlichenfalls schriftlich – mitzuteilen; bestätigt dieser die Anordnung schriftlich, so muß der Beamte sie ausführen, sofern sie nicht gegen Strafvorschriften oder die Sicherheitsvorschriften verstößt (Art 21 Abs 3 Statut).

f) Rechtsabtretung

Gem Art 18 Statut stehen alle Rechte an Arbeiten, die von dem Beamten in Ausführung seines Amtes ausgeübt werden, automatisch der Gemeinschaft zu. Gleichzeitig darf der Beamte die während seines Dienstes ausgeführten Arbeiten nicht anderweitig verwerten.

g) Residenzpflicht

Der Beamte hat am Ort seiner dienstlichen Verwendung zu wohnen (Art 20 Statut). Dies ist auch ein Ausfluß der Prinzipien der Stabilität und der zeitlichen Unbeschränktheit der Beamtenernennung.

h) Verantwortlichkeit

Der mit der Leitung eines Dienstbereichs beauftragte Beamte ist seinem Vorgesetzten für die Ausübung der ihm übertragenen Befugnisse und für die Ausführungen seiner Anordnungen verantwortlich, wobei ihn die Verantwortung seiner Untergebenen nicht von seiner eigenen Verantwortung befreit (Art 21 Abs 2 Statut). Damit im Zusammenhang steht auch die Möglichkeit, daß der Beamte gem Art 22 Statut zum vollen oder teilweisen Ersatz des Schadens herangezogen werden kann, den die Gemeinschaft durch sein schwerwiegendes Verschulden erleidet. In einem solchen Fall hat der EuGH die ausschließliche Zuständigkeit.

i) Pflichten bei der Ausübung gewählter öffentlicher Funktionen

Gem Art 15 Statut hat ein Beamter, der in Ausübung des passiven Wahlrechts für ein öffentliches Wahlamt kandidieren will, einen Urlaub aus persönlichen Gründen zu beantragen. Wird er in ein solches Amt gewählt, so befindet die Anstellungsbehörde über das weitere Dienstverhältnis und entscheidet unter Berücksichtigung der Bedeutung dieses Amtes und der seinem Inhaber daraus erwachsenden Pflichten und des erforderlichen Zeitaufwands, ob der Beamte im aktiven Dienst verbleiben kann oder einen Urlaub aus persönlichen Gründen zu beantragen hat, der ihm in diesem Fall für die Dauer des Wahlamtes zu gewähren ist.

j) Vereinbarkeit der beruflichen Tätigkeit des Ehegatten

Der Beamte muß der Anstellungsbehörde jede berufliche Erwerbstätigkeit des Ehegatten mitteilen. Erweist sich diese Tätigkeit als unvereinbar mit der des Beamten und kann dieser nicht gewährleisten, daß sie innerhalb einer bestimmten Frist beendet wird, so wird in einem festgelegten Verfahren darüber entschieden, ob der Beamte in seiner Stelle belassen werden kann, auf einen anderen Dienstposten versetzt werden oder von Amts wegen entlassen werden muß (Art 13 Statut).

k) Rückzahlungspflicht zuviel erhaltener Beträge

Gem Art 85 Statut ist jeder ohne rechtlichen Grund gezahlte Betrag zurückzuerstatten, wenn der Empfänger den Mangel des rechtlichen Grundes der Zahlung kannte oder der Mangel so offensichtlich war, daß er ihn hätte erkennen müssen.

3. Privilegien und Immunitäten

Die Beamten genießen bestimmte Privilegien und Immunitäten, die ihnen ausschließlich im Interesse der Gemeinschaft zustehen.[16]) Grundlage ist das Protokoll über die Vorrechte und Befreiungen der Europäischen Gemeinschaft[17]), das seiner Rechtsnatur nach als Anhang des Fusionsvertrags Bestandteil des EG-Vertrags und somit des Primärrechts ist. Selbstverständlich sind die Beamten der am jeweiligen Aufenthaltsort geltenden Rechtsordnung unterworfen, doch genießen sie in bestimmten Fällen ua folgende Erleichterungen: Ausnahmen von den Einwanderungsbestimmungen und Abgabenfreiheit in bestimmten Fällen. Darüberhinaus sind die Beamten in bestimmten Fällen von der lokalen Jurisdiktion sowie von der lokalen Steuerhoheit ausgenommen.

a) Ausnahmen von den Einwanderungsbestimmungen

Das Protokoll über die Vorrechte und Befreiungen legt fest, daß die Beamten und ihre Familienmitglieder, die im gemeinsamen Haushalt leben, nicht beschränkenden Einwanderungsbestimmungen und den Meldeformalitäten unterworfen sind.

b) Abgabenbefreiung

Bei Dienstantritt und Dienstbeendigung haben die Beamten das Recht, ihre beweglichen Güter und ihr zum persönlichen Gebrauch bestimmtes Auto ohne Abgabenzahlung ein- bzw auszuführen.

c) Ausnahme von der lokalen Jurisdiktion

Der EuGH hat die ausschließliche Zuständigkeit in allen Rechtsstreitigkeiten, die sich aus der offiziellen Stellung des Beamten ergeben. Sollten in solchen Fällen nationale Gerichte angerufen werden, so haben sie sich für unzuständig zu erklären.

d) Ausnahme von der lokalen Steuerhoheit

Alle Gehalts-, Pensions- und sonstigen Zahlungen seitens der Europäischen Gemeinschaften an die Beamten unterliegen nicht der nationalen Steu-

---

[16]) *Henrichs,* Die Vorrechte und Befreiungen der Beamten der Europäischen Gemeinschaften, EuR 1987, 75 (79) und *Schmidt* in *von der Groeben/Thiesing/Ehlermann* (Hg), Kommentar zum EWG-Vertrag[4] Art 218 RZ 33.

[17]) Am 8. 4. 1965 unterzeichnet, ABl 1967/152, 13; s dazu *Schmidt* (FN 16) Art 218.

erhoheit, sondern einer einheitlichen Gemeinschaftssteuer. Damit soll die Gleichbehandlung aller Beamten unabhängig von ihrem Dienstort gewährleistet werden.

Die von der Gemeinschaft geleisteten Zahlungen dürfen daher weder national besteuert werden noch zur Bemessung etwaiger nationaler Steuern herangezogen werden. Darüber hinaus unterliegen die Beamten aber vollständig den nationalen Steuergesetzen.

D. Das Gehaltsschema

1. Die Beamten

Der Beamte hat allein aufgrund seiner Ernennung Anspruch auf die **Dienstbezüge**, die seiner Besoldungsgruppe und seiner Dienstaltersstufe entsprechen; er kann auf diesen Anspruch nicht verzichten. Diese Dienstbezüge umfassen ein Grundgehalt, Familienzulagen und andere Zulagen. Das Gehaltsschema ist in Art 62 ff Statut und in Anhang VII des Status festgelegt.

Die Dienstbezüge lauten auf belgische Francs, werden aber in der Währung des Landes ausgezahlt, in dem der Beamte seine Tätigkeit ausübt. Die Dienstbezüge werden zwölfmal pro Jahr ausgezahlt.

Ausgangspunkt der Berechnung der Dienstbezüge ist das **Monatsgrundgehalt**, das sich für jede Besoldungsgruppe und jede Dienstaltersstufe aus der folgenden Tabelle des Art 66 Statut (idF von Art 1 der V 3161/99 v 19. 12. 1994, ABl L 1994/335, 1 v 23. 12. 1994) ergibt (in belgischen Francs):

Besoldungsgruppe	Dienstaltersstufe							
	1	2	3	4	5	6	7	8
A 1	414.118	436.117	458.116	480.115	502.114	524.113		
A 2	367.496	388.488	409.480	430.472	451.464	472.456		
A 3/LA 3	304.356	322.717	341.078	359.439	377.800	396.161	414.522	432.883
A 4/LA 4	255.689	270.021	284.353	298.685	313.017	327.349	341.681	356.013
A 5/LA 5	210.806	223.294	235.782	248.279	260.758	273.246	285.734	298.222
A 6/LA 6	182.172	192.112	202.052	211.992	221.932	231.872	241.812	251.752
A 7/LA 7	156.813	164.616	172.419	180.222	188.025	195.828		
A 8/LA 8	138.689	144.282						
B 1	182.172	192.112	202.052	211.992	221.932	231.872	241.812	251.752
B 2	157.838	165.238	172.638	180.038	187.438	194.838	202.238	209.638
B 3	132.395	138.548	144.701	150.854	157.007	163.160	169.313	175.466
B 4	114.509	119.845	125.181	130.517	135.853	141.189	146.525	151.861
B 5	102.357	106.675	110.993	115.311				
C 1	116.797	121.506	126.215	130.924	135.633	140.342	145.051	149.760
C 2	101.585	105.902	110.219	114.536	118.853	123.170	127.487	131.804
C 3	94.762	98.460	102.158	105.856	109.554	113.252	116.950	120.648
C 4	85.623	89.092	92.561	96.030	99.499	102.968	106.437	109.906
C 5	78.952	82.187	85.422	88.657				

Besoldungs-gruppe	Dienstaltersstufe							
	1	2	3	4	5	6	7	8
D1	89.226	93.127	97.028	100.929	104.830	108.731	112.632	116.533
D2	81.355	84.820	88.285	91.750	95.215	98.680	102.145	105.610
D3	75.721	78.962	82.203	85.444	88.685	91.926	95.167	98.408
D4	71.396	74.325	77.254	80.183				

Auf dieses Grundgehalt wird ein **Berichtigungskoeffizient** angewandt, der je nach den Lebensbedingungen und Lebenshaltungskosten am Ort der dienstlichen Verwendung variiert. Diese Koeffizienten werden vom Rat auf Vorschlag der Kommission mit qualifizierter Mehrheit festgesetzt. Der Berichtigungskoeffizient beträgt derzeit für Belgien 100, für Dänemark 120,3, für Deutschland (mit Ausnahme Bonns: 101,6, Karlsruhe: 99,8 und München: 110,3) 111,4, für Frankreich 113,2, für Griechenland 80,2, für Irland 92,1, für Italien (ausgenommen Varese: 90,3) 94,2, für Luxemburg 100, für die Niederlande 103,0, für das Vereinigte Königreich (außer Culham: 91,1) 106,7, für Spanien 88,0 und für Portugal 80,5 sowie vorläufig für Österreich, Finnland und Schweden 100,0.

Zum Monatsgrundgehalt kommen noch bei Vorliegen der entsprechenden Voraussetzungen die **Haushaltszulage**, die **Zulage für unterhaltsberechtigte Kinder** und die **Erziehungszulage** hinzu. Ferner hat der Beamte noch Anspruch auf die **Auslandszulage** in Höhe von 16% des Gesamtbetrags des Grundgehalts und der vorgenannten Familienzulagen, sofern er insb die Staatsangehörigkeit des Staates, in dessen Hoheitsgebiet er seine Tätigkeit ausübt, nicht besitzt und nicht besessen hat. Beamte, die keinen Anspruch auf diese Auslandszulage haben, können in bestimmten Fällen statt dessen in den Genuß einer 4%igen **Expatriierungszulage** kommen. Diese Zulagen sollen insb die finanziellen, aber auch die ideellen Nachteile ausgleichen, mit denen ein Beamter, der seinen Dienst nicht in seinem Herkunftsland tut, konfrontiert ist.

Von diesem sich nun ergebenden Gesamtbetrag sind die Beiträge zur gemeinschaftlichen **Krankenversicherung** und **Pensionsversicherung** sowie die Gemeinschaftssteuer abzuziehen; diese fließt in das allgemeine Budget der Gemeinschaft.

Zusätzlich zu den oben genannten Beträgen erhält jeder Beamte bei der Geburt eines Kindes einen **Geburtenzuschuß.** In bestimmten Fällen, insb bei Dienstantritt und Dienstbeendigung, erhält der Beamte eine **Einrichtungsbeihilfe** bzw Wiedereinrichtungsbeihilfe, die Erstattung der Reisekosten und der Umzugskosten. Je nach Dienstbetrieb stehen dem Beamten uU Taggelder und Reisekosten zu.

Das Gehaltsschema wird jährlich unter Berücksichtigung makroökonomischer und sozialwirtschaftlicher Gesichtspunkte vom Rat angepaßt.

Nach dem Ausscheiden aus dem Dienst hat der Beamte Anspruch auf eine **Pension**. Die Pensionszahlungen erfolgen aus dem Budget der Gemeinschaft, ein Drittel des Pensionsaufkommens wird durch den Beitrag zur Pensionsversicherung geleistet.

Der Beamte hat das Recht zur Pension idR ab Vollendung des sechzigsten Lebensjahres, nach Vollendung des fünfundsechzigsten Lebensjahres muß er in Pension gehen (s oben B.5). Voraussetzung für die Zahlung von Ruhestandsgenüssen ist idR eine mindestens zehnjährige Tätigkeit als Beamter der Europäischen Gemeinschaften. Die Höhe der Alterspension beträgt maximal 70% des Monatsgrundgehalts.

Ein Beamter, der in eine nationale Verwaltung wechselt oder der von einer nationalen Verwaltung kommt, kann sich die jeweiligen Pensionsansprüche anrechnen lassen.

Ein Beamter der dauernd voll dienstunfähig geworden ist und deshalb ein Amt seiner Laufbahn nicht wahrnehmen kann, hat Anspruch auf ein Ruhegehalt wegen Dienstunfähigkeit. Entsteht die Dienstunfähigkeit durch einen Arbeitsunfall oder eine Berufskrankheit, so beträgt die **Invaliditätspension** 70% des Grundgehalts. Beruht die Dienstunfähigkeit auf einer anderen Ursache, so entspricht die Dienstunfähigkeitspension dem Ruhegehalt, auf das der Beamte mit 65 Jahren Anspruch gehabt hätte, wenn er bis zu diesem Lebensalter im Dienst geblieben wäre (Art 78 Statut). Gem Art 79 und 79a Statut hat die Witwe eines Beamten bzw der Witwer einer Beamtin[18]) Anspruch auf eine Pension in Höhe von 60% der Alters- oder Invalititätspension. Unter den festgelegten Voraussetzungen haben unterhaltsberechtigte Kinder Anspruch auf ein **Waisengeld**.

2. Die Kommissionsmitglieder

Das Grundgehalt der Kommissionsmitglieder wird vom Rat festgelegt[19]) und beträgt für den Präsidenten 138%, die Vizepräsidenten 125% und für die übrigen Kommissionsmitglieder 112,5% des Grundgehalts eines Beamten in der höchsten Dienstaltersstufe der Besoldungsgruppe A 1. Dazu kommen noch allfällige Zulagen wie bei den Beamten. Auch die Abzüge entsprechen denen der Beamten.

E. Sozialversicherung

Der Beamte ist durch ein **vollständig gemeinschaftliches System** gegen Krankheit und Unfall umfassend versichert. Besondere Verfahren und besondere Ansprüche bestehen im Falle von Arbeitsunfällen und Berufskrankheiten. Darüber hinaus können gem Art 76 Statut Beamten, ehemaligen Beamten oder Rechtsnachfolgern eines verstorbenen Beamten, die sich insb infolge einer schweren oder längeren Krankheit oder aus familiären Gründen in einer besonders schwierigen Lage befinden, Zuwendungen, Darlehen oder Vorschüsse gewährt werden.

F. Disziplinarrecht

1. Materielles Disziplinarrecht

Das Statut sieht in den Art 86 bis 89 die Disziplinarordnung vor. Gegen Beamte oder ehemalige Beamte, die vorsätzlich oder fahrlässig die ihnen

---

[18]) EuGH Verb Rs 75 und 117/82 – Razzouk und Beydoun gg Kommission – 20. 3. 1984.

[19]) V des Rates 422/67, 1546/73 und 3161/94.

durch das Statut auferlegten Pflichten verletzen, kann eine Disziplinarstrafe verhängt werden (Art 86 Abs 1 Statut). Die Anstellungsbehörde hat damit einen Ermessensspielraum, um das Vorliegen eines Disziplinarverstoßes festzustellen. Es gibt keine genauere Definition des **Disziplinarvergehens**, geschweige denn eine taxative Aufzählung der möglichen Verfehlungen. Das im Kriminalstrafrecht geltende Prinzip „nullum crimen sine lege" gibt es im Disziplinarrecht nicht. Die Verwaltung ist aber einerseits durch die Mitwirkung des Disziplinarrates und andererseits durch die nachfolgende gerichtliche Kontrolle durch den EuGH in ihrem Ermessensspielraum beschränkt.

Ein Verhalten oder eine Tat eines Beamten kann gleichzeitig einen Disziplinarverstoß und eine gerichtlich zu ahnende Straftat darstellen. Kommt es in einem solchen Fall zu einer parallelen Verfolgung, so kann der Disziplinarrat die Unterbrechung des Disziplinarverfahrens beschließen. Innerhalb des Disziplinarrechtes gilt aber der **Grundsatz „non bis in idem"**, dh daß ein und dieselbe Verfehlung nur eine **Disziplinarstrafe** nach sich ziehen kann (Art 86 Abs 3 Statut). Die **Disziplinarstrafen** sind in Art 86 Abs 2 Statut erschöpfend aufgezählt – es findet also der **Grundsatz „nulla poena sine lege"** Anwendung: schriftliche Verwarnung, Verweis, zeitweiliges Versagen des Aufsteigens in den Dienstaltersstufen, Einstufung in eine niedrigere Dienstaltersstufe, Einstufung in eine niedrigere Besoldungsgruppe, Entfernung aus dem Dienst – ggf unter Kürzung oder Aberkennung des Anspruchs auf das Ruhegehalt – sowie – für den Fall, daß der Beamte bereits endgültig aus dem Dienst ausgeschieden ist – die vollständige oder teilweise Aberkennung der Versorgungsansprüche, die zeitweilig oder endgültig sein kann. In allen Fällen darf sich die Kürzung oder Aberkennung des Pensionsanspruchs bzw Versorgungsanspruchs aber nicht gegenüber anspruchsberechtigten Personen auswirken.

2. Disziplinarverfahren

Das Disziplinarverfahren ist in Anhang IX des Statuts genau geregelt. Dieses Verfahren ist bei allen Strafen mit Ausnahme der Verwarnung oder des Verweises einzuhalten, welche beide die Anstellungsbehörde auf Vorschlag des Vorgesetzten des Beamten oder von sich aus ohne Anhörung des Disziplinarrates aussprechen kann, wobei der Beamte vorher zu hören ist (Art 87 Abs 1 Statut).

Das Disziplinarverfahren ähnelt in weiten Zügen dem Strafprozeß, sodaß auch von einer **„Jurisdiktionalisierung"** des Disziplinarverfahrens gesprochen werden kann.

Das **Disziplinarverfahren** wird auf Veranlassung der Anstellungsbehörde eingeleitet, wobei der Beamte vorher zu hören ist. Wird ihm eine schwere Verfehlung zur Last gelegt – ein Verstoß gegen seine Dienstpflichten oder eine Zuwiderhandlung gegen das gemeine Recht –, so kann er sofort durch die Anstellungsbehörde – unter vollständiger oder gekürzter Fortzahlung seines Gehaltes – des Dienstes enthoben werden. Der Disziplinarrat wird durch einen **Bericht der Anstellungsbehörde** befaßt, in dem die zur Last gelegten Handlungen und etwaige Tatumstände eindeutig anzugeben sind. Der beschuldigte Beamte erhält diesen Bericht und hat das Recht, von allen Verfahrensunterlagen Kopien anzufertigen. Zur Vorbereitung der Verteidigung steht dem beschuldigten Beamten ab dem Zeitpunkt des Erhalts des Berichts, mit dem das Disziplinarverfahren eröffnet wird, eine Frist von mindestens 15 Tagen zur Verfügung. Er kann sich vor dem Disziplinarrat schriftlich oder mündlich äußern, Zeugen benennen und sich des Beistandes eines von ihm gewählten Verteidigers bedienen. Auch die Verwaltung hat das Recht, Zeugen zu beantragen.

Sind nach Auffassung des Disziplinarrates die dem Beamten zur Last gelegten Handlungen oder die Tatumstände nicht genügend geklärt, so kann er Ermittlungen anordnen, bei denen den Beteiligten **Gelegenheit zur Stellungnahme** gegeben wird. Aufgrund der ihm vorgelegten Unterlagen und unter Berücksichtigung der etwaigen schriftlichen oder mündlichen Erklärungen des Beamten und der Zeugen sowie ggf aufgrund der Ergebnisse der angestellten Ermittlungen gibt der Disziplinarrat mit Stimmenmehrheit eine mit Gründen versehene Stellungnahme darüber ab, welche **Disziplinarstrafe** seiner Auffassung nach die zur Last gelegten Handlungen nach sich ziehen müssen. Diese Stellungnahme wird der Anstellungsbehörde und dem betroffenen Beamten mitgeteilt. Das gesamte Verfahren vor dem Disziplinarrat ist innerhalb eines Monats bzw im Falle der Durchführung von Ermittlungen innerhalb von drei Monaten abzuschließen. Der Vorsitzende des Disziplinarrates nimmt außer bei Stimmengleichheit an der Beschlußfassung des Rates nicht teil.

Die letztlich anzuwendende Disziplinarstrafe wird von der Anstellungsbehörde ausgesprochen, die nicht an die Stellungnahme des Disziplinarrates gebunden ist.

Gegen diese Verfügung der Anstellungsbehörde steht dem Beamten die **Anrufung des Gerichts 1. Instanz bzw des EuGH** offen (s oben *di Bucci – di Bucci,* Der Gerichtshof und das Rechtsschutzsystem der Europäischen Gemeinschaften). Dieser ist ausschließlich Rechtsinstanz und befaßt sich nicht mit Tatfragen. Er überprüft ausschließlich die Rechtmäßigkeit und Zulässigkeit des Disziplinarverfahrens und der Disziplinarstrafe, spricht aber keine Sanktion selbst aus. Der Gerichtshof prüft vor allem,

- ob der dem Beamten in der Disziplinarverfügung zur Last gelegte Sachverhalt den im Verfahren festgestellten Umständen entspricht,
- ob die verhängte Sanktion dem Sachverhalt angemessen oder exzessiv ist, insb ob bei der „Strafbemessung" mögliche mildernde Umstände berücksichtigt wurden,
- ob der betroffene Beamte für sein Verhalten bzw für seine Tat tatsächlich verantwortlich gemacht werden kann oder ob zB psychologische Gründe die Verantwortlichkeit des Beamten ausschließen,
- ob das Disziplinarverfahren eingehalten wurde, insb ob die dem Betroffenen zustehenden Verteidigungsrechte respektiert wurden,
- ob die Disziplinarbehörde ihren Ermessensspielraum mißbraucht hat, wobei in diesem Zusammenhang darauf zu achten ist, daß das Disziplinarrecht nicht dazu verwendet werden darf, unzufriedenstellende Arbeitsleistungen zu sanktionieren.

Sollte einer dieser Fälle vorliegen, so hebt der Gerichtshof die Disziplinarmaßnahme auf, entscheidet aber nicht selbst; die Disziplinarsache wird dann an die Disziplinarbehörde zurückverwiesen, die nun unter genauester Berücksichtigung der Argumente des Gerichtshofs eine neue Entscheidung trifft.

Die verhängte **Disziplinarstrafe** wird **im Personalakt vermerkt**. Im Falle einer Verwarnung oder eines Verweises kann der Beamte nach drei Jahren, bei den anderen Strafen mit Ausnahme der Entfernung aus dem Dienst nach sechs Jahren den Antrag stellen, sämtliche die Strafe betreffenden Vorgänge aus seinem Personalakt zu entfernen. Darüber entscheidet die Anstellungsbehörde, die ggf den Disziplinarrat zu hören hat.

G. Beschwerdeweg und Rechtsschutz

Art 90 und 91 Statut sehen die Modalitäten des **Beschwerdeverfahrens** und der möglichen gerichtlichen Überprüfung vor.

Jeder Beamte kann einen **Antrag** auf Erlaß einer ihn betreffenden Entscheidung an die Anstellungsbehörde richten. Diese hat dem Antragsteller die begründete Entscheidung innerhalb von 4 Monaten mitzuteilen; ergeht innerhalb dieser Frist kein **Bescheid**, so gilt dies als stillschweigende Ablehnung, gegen die eine Beschwerde ebenso wie gegen jede beschwerende Maßnahme der Anstellungsbehörde zulässig ist. Die **Beschwerde** gegen eine nachteilige Entscheidung der Anstellungsbehörde muß innerhalb von drei Monaten eingelegt werden, worauf die Anstellungsbehörde vier Monate für ihre begründete Entscheidung Zeit hat.

Fällt diese Entscheidung negativ aus oder erfolgt innerhalb der viermonatigen Frist keine Entscheidung, so kann innerhalb von drei Monaten beim Gericht 1. Instanz **Klage** erhoben werden. Voraussetzung dafür ist allgemein das Einhalten der erforderlichen Fristen, die Ausschöpfung aller Rechtsmittel, der Nachweis eines Rechtsschutzinteresses und das Vorliegen einer beschwerenden bzw nachteiligen Entscheidung der Verwaltung. Gegen die Entscheidung des Gerichts 1. Instanz kann innerhalb von zwei Monaten der EuGH angerufen werden.

TEIL II

Integration

1. KAPITEL

Der Binnenmarkt und die Grundfreiheiten

Stefan Weber und *Sebastian Bohr*

Übersicht:

A. Der Binnenmarkt

Die europäische Integration und der Binnenmarkt sind komplexe Gefüge und Prozesse, die im besonderen von politischen, wirtschaftlichen und rechtlichen Faktoren bestimmt werden. Vorrangiges Ziel der Unionsverträge ist es, „Frieden und Freiheit" in Europa zu sichern und die Grundlagen für „einen immer engeren Zusammenschluß der europäischen Völker" zu schaffen (siehe die Präambeln zum EGKS-Vertrag und zum EG-Vertrag). Als Mittel der europäischen Integration verweisen die Verträge auf den „Zusammenschluß der Wirtschaftskräfte" und den „zwischenstaatlichen Wirtschaftsverkehr". Den europäischen Völkern und den einzelnen Bürgern soll es ermöglicht werden, direkt miteinander zu kommunizieren. Das Forum für diese Kommunikation zwischen den europäischen Bürgern und Völkern ist nach den Unionsverträgen der **Markt**. Im Gemeinschaftsrecht wird der Markt somit **politisch** instrumentalisiert. Im Vordergrund standen anfangs und stehen weiterhin politische Ziele, insbesondere die Friedenssicherung. Die Errichtung eines einheitlichen europäischen Wirtschaftsraums (des sog **Gemeinsamen Markts**) ist das wichtigste Mittel zur Erreichung dieser politischen Ziele und selbst Ziel des EG-Vertrags. So erachtete der EuGH im Jahr 1971 in bezug auf den freien Warenverkehr[1]) den „Zusammenschluß der nationalen Märkte zu einem einheitlichen Markt" als ein wesentliches Ziel des EG-Vertrags (damals EWG-Vertrags).

Integrationsmethodisch geht die Gemeinschaft von einer grundsätzlichen Freiheit der Mitgliedstaaten zur Gestaltung ihrer Märkte aus. Mitgliedstaaten können ihre Gestaltungsfreiheit einerseits mit der Wirkung nützen, daß Märkte abgeschottet werden (beschränkende Gestaltung). Andererseits kann das innerstaatliche Recht auch attraktiv gestaltet werden, um bestimmte Marktteilnehmer oder Produkte anzuziehen (attraktive Gestaltung); dies kann soweit gehen, daß Attraktionsmaßnahmen auf Kosten anderer gemeinschaftsrechtlich anerkannter Interessen erfolgen und der Binnenmarkt zum Nutzen der nationalen Märkte beeinträchtigt wird. In dieser Situation verfolgt die Gemeinschaft einen dualen Ansatz: Vermieden werden sollen zum einen ungerechtfertigte Beschränkungen und zum anderen ungerechtfertigte Attraktionsmaßnahmen. Ungerechtfertigte Beschränkungen werden durch die Grundfreiheiten, durch Gebote zur gegenseitigen Anerkennung und abschließende Rechtsangleichungsmaßnahmen in Richtlinien hintangehalten. Ungerechtfertigte Attraktionsmaßnahmen werden durch Rechtsangleichungsmaßnahmen, die regelmäßig punktuell eingreifen und Mindestvorschriften enthalten sowie durch primärrechtliche Vorschriften verhindert. Die Elemente der gemeinschaftsrechtlichen Integration der nationalen Märkte und der Errichtung des Binnenmarkts sind (somit)

- die allgemeine Liberalisierung des wirtschaftlichen Verkehrs durch die **Grundfreiheiten,**
- die punktuelle, hierarchisch koordinierte Vereinheitlichung[2]) der Rechtsordnung durch **rechtsangleichende Maßnahmen,**
- die **gegenseitige Anerkennung** von Rechtsakten sowie
- **Grenzen für Attraktionsmaßnahmen.**

Dieses Integrationskonzept entspricht dem Bild eines „unvollkommenen Binnenmarkts", wonach der Binnenmarkt durch den Fortbestand von Rechtsunterschieden und daraus resultierenden Hindernissen für den grenzüberschreitenden Verkehr gekennzeichnet ist.[3]) Vom „unvollkommenen Binnenmarkt" geht auch der EuGH in seiner Rechtsprechung aus: Erst wenn über eine vollständige Rechtsvereinheitlichung das Problem der Inländerdis-

---

1) EuGH Rs 78/70 – Deutsche Grammophon – Slg 1971, 487 RZ 12.

2) *Scharpf,* Autonomieschonend und gemeinschaftsverträglich: Zur Logik der europäischen Mehrebenenpolitik, MPI für Gesellschaftsforschung – Discussion Paper 1993/9, 14ff, bezeichnet dies als „Einheitstechnik".

3) *Steindorff,* Unvollkommener Binnenmarkt, ZHR 1994, 149 (160); vgl auch *Mülbert,* Privatrecht, die EG-Grundfreiheiten und der Binnenmarkt, ZHR 1995, 2 (22f).

kriminierung entfällt, könnte ein „vollkommener Binnenmarkt“ entstehen.[4]) Ob dieses Ziel im Lichte des Subsidiaritätsgedankens tatsächlich erreicht werden sollte, ist davon zu unterscheiden.

Im Vordergrund der Diskussion über die Errichtung des Binnenmarkts stand bisher der **Abbau von Handelsbeschränkungen** durch die Grundfreiheiten, durch Rechtsangleichungsmaßnahmen sowie durch das Gebot der gegenseitigen Anerkennung. Die Rechtsprechung zum Warenverkehr (insb das „Dassonville“-Urteil aus 1974 und das „Cassis de Dijon“-Urteil aus 1979) veranlaßte die Kommission, sich die Vollendung eines Binnenmarkts zum Ziel zu setzen. In der Mitteilung der Kommission vom Jänner 1980 über ein „neues Konzept“ für die Politik der Gemeinschaft auf dem Gebiet der technischen Handelshemmnisse[5]) finden sich bereits die Kernaussagen: Es gilt der Grundsatz der gegenseitigen Anerkennung; die Harmonisierung (Rechtsangleichung) wird auf jene Bereiche beschränkt, in denen dies unerläßlich ist. Der Europäische Rat vom Dezember 1982 nahm diese Zielrichtung an. Gleichzeitig hatte der EuGH neuerlich ausgeführt, „der Vertrag [ziele] mit der Errichtung eines Gemeinsamen Markts und der schrittweisen Annäherung der Wirtschaftspolitik der Mitgliedstaaten auf den Zusammenschluß der nationalen Märkte zu einem einheitlichen Markt ab, der die Merkmale eines Binnenmarkts aufweist“ und „dessen Bedingungen denjenigen eines Binnenmarkts möglichst nahekommen.“

Außerdem verfüge die Gemeinschaft über „Instrumente . . ., um innerhalb des Gemeinsamen Markts zur einheitlichen Anwendung des Gemeinschaftsrechts und zur schrittweisen Abschaffung der Unterschiede in den Rechtsvorschriften zu gelangen.“[6])

Im Jahr 1985 legte die Kommission das „Weißbuch über die Vollendung des Binnenmarkts“[7]) (im folgenden: Das **„Weißbuch“**) vor, das ein konkretes Arbeitsprogramm zur Verwirklichung eines einheitlich integrierten Binnenmarkts unter Nennung der erfolgreichen Maßnahmen und des vorgesehenen Zeitplans enthält. Dieses Programm umfaßte 282 Maßnahmen zur Beseitigung sog materieller Hindernisse (dh Waren- und Personenkontrollen), rechtlicher Hindernisse (dh nicht-tarifäre Handelshemmnisse für den freien Warenverkehr, öffentliches Auftragswesen, Freizügigkeit für abhängig Beschäftigte und Selbständige, gemeinsamer Dienstleistungsmarkt, Angleichung des Gesellschaftsrechts und Kapitalverkehr) sowie steuerlicher Hindernisse (dh indirekte Steuern wie Mehrwert- und Verbrauchsteuern).

In der Folge des „Weißbuchs“ wurde das **Binnenmarkt-Konzept** rechtlich durch die Einheitliche Europäische Akte im EG-Vertrag verankert. Gem Art 7a Abs 2 EGV (Art 8a Abs 2 EWGV) umfaßt der „Binnenmarkt (. . .) einen Raum ohne Binnengrenzen, in dem der freie Verkehr von Waren, Personen, Dienstleistungen und Kapital gemäß den Bestimmungen dieses Vertrags gewährleistet ist.“

---

[4]) Siehe unten D.

[5]) BullEG 1980/1, 12ff.

[6]) EuGH Rs 270/80 – Polydor – Slg 1982, 329 RZ 16, 18 und 20, wo der EuGH die Besonderheiten des EWG-Vertrags in bezug auf Freihandelsabkommen unterstrich. Fast wortgleich das vielzitierte Urteil in der Rs 15/81 – Schul – Slg 1982, 1409 RZ 33.

[7]) KOM(85) 310 endg v 14. 6. 1985.

Der in Art 7a Abs 1 EGV enthaltenen Terminvorgabe des 31. Dezember 1992 kam keine rechtliche Wirkung zu.[8]) Ergänzend wurden gewisse verfahrensrechtliche Erleichterungen geschaffen, insbesondere die vermehrte Anwendung der Mehrheitsentscheidung zur Rechtsangleichung (insb Art 100a EGV).

Ausschlaggebend für die Erarbeitung des „Weißbuch"-Programms waren neben politischen nicht zuletzt auch wirtschaftliche Überlegungen: Um im Wettbewerb mit den Hauptkonkurrenten der Gemeinschaft, den USA und Japan, bestehen zu können, müsse der große Wirtschaftsraum mit über 320 Millionen Menschen zu einem großen Markt ausgestaltet werden. Die wirtschaftlichen Vorteile der im „Weißbuch" genannten Maßnahmen wurden im sog *Cecchini*-Bericht dargestellt.

Die in Art 7a EGV gegebene Definition des Binnenmarkts darf nicht darüber hinwegtäuschen, daß zur Klärung der Begrifflichkeit die Rechtsprechung des EuGH zu den Grundfreiheiten, dem Kern des Binnenmarkts, heranzuziehen ist. Aus der Rsp läßt sich ermitteln, welches Ziel und welcher konkrete Inhalt dem Binnenmarktkonzept innewohnen.

Da der Kommission bewußt war, daß die Verabschiedung der von ihr im „Weißbuch" genannten Maßnahmen durch den Rat nur den Ausgangspunkt für den Binnenmarkt darstellt, setzte sie im März 1992 eine Arbeitsgruppe unter der Leitung von *Peter Sutherland* ein, die sich in einem Bericht zu Fragen der Fortentwicklung und Verwaltung des Binnenmarkts äußerte (sog *Sutherland*-Bericht: „Der Binnenmarkt nach 1992 – Die Herausforderungen annehmen"). Vom Rat in einer Entschließung aufgefordert,[9]) brachte die Kommission im Dezember 1993 ein strategisches Programm für den Binnenmarkt[10]) heraus, in dem sie vier Hauptschwerpunkte vorsieht: Die Vollendung des Rechtsrahmens, die Verwaltung des Binnenmarkts („Management"), die Ausgestaltung des Binnenmarkts und schließlich äußere Aspekte.

Annähernd alle „Weißbuch"-Maßnahmen sind vom Rat bis Ende 1994 verabschiedet worden; es fehlen jedoch Maßnahmen insb zum Abbau der Personenkontrollen, zur Harmonisierung der Besteuerung von Unternehmen sowie zur Errichtung einer Europäischen Aktiengesellschaft.[11]) Der Grad der Umsetzung weist je nach Sektor beachtliche Unterschiede auf (vgl Anhang 2). Über die bloße Umsetzungskontrolle hinaus setzt sich die Kommission zum Ziel, eine hinreichend homogene Anwendung und Durchsetzung des Gemeinschaftsrechts in den Mitgliedstaaten zu erreichen.[12]) Zu

---

[8]) In ihrer Mitteilung zur „Beseitigung der Kontrollen an den Binnengrenzen" v 8. 5. 1992 (Sek(92) 877 endg) vertrat die Kommission die Auffassung, Art 7a EGV stelle für die Gemeinschaft und die Mitgliedstaaten eine Verpflichtung dar, ein bestimmtes Ereignis, dh die Beseitigung sämtlicher Kontrollen, herbeizuführen.

[9]) Vgl ABl C 1992/334, 1.

[10]) KOM(93) 632 endg v 22. 12. 1993.

[11]) Zum Stand der Umsetzung vgl die Binnenmarktberichte, zuletzt KOM(95) 238 endg v 15. 6. 1995; s auch Anhang 1.

[12]) Vgl die Entschließung des Rates v 29. 6. 1995 zur einheitlichen und wirksamen Anwendung des Gemeinschaftsrechts und zu Sanktionen bei Verstößen gegen das Gemeinschaftsrecht im Bereich des Binnenmarkts, ABl C 1995/188, 1.

diesem Zweck soll die Zusammenarbeit zwischen den in den Mitgliedstaaten für die Durchsetzung zuständigen Behörden gestärkt werden;[13]) auf einigen Gebieten wie etwa Zoll, Mehrwertsteuer, Landwirtschaft und Lebensmittel sind bereits konkrete Vorschriften angenommen worden. Durch Austauschprogramme für nationale Beamte (Karolus, Matthäus) soll das gegenseitige Vertrauen der nationalen Verwaltung gefördert werden. Was den effektiven Rechtsschutz betrifft, sollen die Ausbildung und Information auf dem Gebiet des Gemeinschaftsrechts für alle Rechtsberufe sowie der Zugang des Verbrauchers zum Recht verbessert werden. Über das Brüsseler Übereinkommen über die gerichtliche Zuständigkeit und die Vollstrekkung gerichtlicher Entscheidungen in Zivil- und Handelssachen von 1968 hinaus sind weitere Schritte geplant (etwa die Ausdehnung des Brüsseler Übereinkommens auf das Gebiet des Familienrechts, die Annahme eines Abkommens über Insolvenzverfahren und die Übermittlung von gerichtlichen und außergerichtlichen Urkunden). Schließlich plant die Kommission, bis Mitte 1996 eine Analyse der Binnenmarktmaßnahmen im Hinblick auf ihre wirtschaftlichen Auswirkungen vorzulegen und dabei insb zu untersuchen, inwieweit dadurch ein Beitrag zur Stärkung der Wettbewerbsfähigkeit, zur Schaffung neuer Arbeitsplätze und zur Förderung eines regional ausgeglichenen Wirtschaftswachstums erfolgte. In Zusammenarbeit mit Unternehmen und Bürgern strebt die Kommission eine Verbesserung der Qualität der Rechtsvorschriften auf dem Gebiet des Binnenmarkts an (Vereinfachung, Kodifizierung und Konsolidierung der Rechtsvorschriften) sowie der Kommunikations- und Informationspolitik. Zu den außenwirtschaftlichen Aspekten des Binnenmarkts zählen eine dynamische Handelspolitik (Einfuhr- und Ausfuhrregelungen, Gemeinschaftsinstrumente gegen Dumping und Subventionen, GATT) und ein effizientes Konzept zur Verwaltung der Außengrenzen (insb betreffend das Zollwesen).

Mit der Verwirklichung des Binnenmarkts werden die Voraussetzungen für eine **Vielzahl von miteinander kommunizierenden Märkten** geschaffen. Ist der wirtschaftliche Verkehr liberalisiert, können die Mitgliedstaaten ihre Märkte oder Standorte grundsätzlich nicht (mehr) durch Beschränkungen sondern nur (mehr) durch eine Erhöhung der (wirtschaftlichen) Attraktivität bevorzugen. Wenn mehrere Mitgliedstaaten ihre Politik gleichartig ausrichten, kann ein Markt der Märkte entstehen, was im Hinblick auf Rechtsvorschriften auch einen Wettbewerb der Rechtsordnungen mit sich bringt: Dabei geht es um die Erhöhung der Attraktivität der eigenen nationalen Märkte, die auch durch mitgliedstaatliche Gesetzgebungsmaßnahmen erfolgen kann; das Ergebnis ist ein europäischer Wettbewerb zwischen den einzelnen Rechtsordnungen. Für die betroffenen Marktteilnehmer sind einzelne der rechtlichen Regelungen Kostenfaktoren. Diese Kostenfaktoren können von den innerstaatlichen Gesetzgebern beeinflußt werden, nämlich – schlicht – durch Gesetzesänderungen. Mobile Marktteilnehmer können darauf reagieren und ihren Standort oder Vertriebsort dort wählen, wo die für sie jeweils günstigsten Faktoren bestehen. Die mitgliedstaatlichen Gesetzgeber stehen daher inso-

[13]) Vgl KOM(94) 29 v 16. 2. 1994; Entschließung des Rates v 16. 6. 1994, ABl C 1994/179, 1.

weit in Wettbewerb zueinander.[14]) Meist dienen steuerrechtliche oder unternehmensaufsichtsrechtliche Vorschriften der Verbesserung der Attraktivität.

Im folgenden werden die Elemente der Errichtung des Binnenmarkts, nämlich die Grundfreiheiten, die gegenseitige Anerkennung, die Angleichung der Rechtsvorschriften und die Grenzen eines Wettbewerbs der mitgliedstaatlichen Rechtsordnungen im Detail dargestellt.

B. Die Grundfreiheiten

Der EG-Vertrag regelt die **Grundfreiheiten als Verbote** und erlaubt den Mitgliedstaaten ausnahmsweise, zur Erreichung bestimmter Schutzziele, freiheitsbeschränkende Maßnahmen aufrechtzuerhalten oder zu ergreifen. Flankierend dienen **rechtsangleichende Maßnahmen** (der EG) dazu, ursprünglich zulässige Unterschiede zwischen den Mitgliedstaaten aufzuheben und die sich daraus ergebenden Behinderungen der Freiheitsrechte zu beseitigen. Wie auch auf anderen Gebieten kommt dem EuGH das Verdienst zu, die Grundfreiheiten näher ausgeformt zu haben. Schon früh sah sich der EuGH mit Auslegungsfragen zum freien Warenverkehr konfrontiert. Die in diesem Bereich gefundenen Auslegungen legten den Grundstein für die Rechtsprechung zu den anderen Freiheiten.[15])

Die Grundfreiheiten sind nur auf Sachverhalte anwendbar, die ein grenzüberschreitendes Element enthalten, wenn etwa eine in einem Mitgliedstaat hergestellte Ware in einen anderen Mitgliedstaat verbracht wird. Ein Staatsangehöriger eines anderen Mitgliedstaats kann daher uU auf Grund der Anwendbarkeit gemeinschaftsrechtlicher Bestimmungen gegenüber einem Inländer in vergleichbarer Lage begünstigt sein. Diese umgekehrte oder Inländerdiskriminierung ist aus der Sicht des Gemeinschaftsrechts hinzunehmen, umgekehrt hindert es jedoch ein nationales Gericht nicht daran, zu prüfen, ob eine solche innerstaatliche Rechtsvorschrift mit der Verfassung des Mitgliedstaats (zB Gleichheitsgrundsatz) vereinbar ist.[16]) Eine Änderung der gegenwärtigen Lage kann nur durch eine vollständige Rechtsangleichung erfolgen, gegen die wiederum gewichtige rechtspolitische Gründe sprechen.[17])

1. Überblick über die Grundfreiheiten

a) Der freie Warenverkehr

Die Gemeinschaft ist über eine Freihandelszone hinaus als Zollunion konzipiert, die sich auf den gesamten **Warenaustausch** erstreckt (Art 9 EGV). Entsprechend ist die Einnahme von **Ein- und Ausfuhrzöllen und Abgaben gleicher Wirkung** zwischen den Mitgliedstaaten **verboten.** Darüber hinaus ist

---

[14]) Der Markt der Märkte in der Form eines Wettbewerbs der Rechtsordnungen ist letztlich eine bekannte Erscheinung: Ein Staat sucht sich als Wirtschaftsplatz (im allgemeinen) attraktiv zu gestalten. Für besonders attraktive Orte wird der Begriff „Oase“ oder im Englischen „Off Shore Center“ oder „Haven“ verwendet.

[15]) Siehe unten B.2.

[16]) EuGH Rs C-132/93 – Steen II – Slg 1994, I-2715 RZ 10.

[17]) Vgl dazu unten D.

die Einführung eines Gemeinsamen Zolltarifs (GZT)[18]) sowie im Verhältnis zu Drittstaaten die Errichtung einer Gemeinsamen Handelspolitik (Art 110, 113 EGV)[19]) vorgesehen. Im Rahmen des Binnenmarkts kommt dem Verbot nichttarifärer Handelshemmnisse eine zentrale Bedeutung zu. Die Errichtung einer **Zollunion** allein führt nicht zur Beseitigung von sämtlichen Hindernissen im innergemeinschaftlichen Verkehr. Der freie Warenverkehr kann nämlich durch mengenmäßige Beschränkungen der Einfuhr und der Ausfuhr sowie Maßnahmen gleicher Wirkung wie mengenmäßige Beschränkungen empfindlich beeinträchtigt werden (Art 30 bis 36 EGV). Die Bandbreite der Maßnahmen gleicher Wirkung reicht dabei von Rechtsvorschriften, technischen Normen, Ursprungsangaben, Preisregelungen bis hin zu Verwaltungsvorschriften. Schließlich ist die Umformung staatlicher Handelsmonopole vorgesehen (Art 37 EGV).[20]) In Ergänzung zum Verbot der Erhebung zollgleicher Abgaben sieht Art 95 EGV vor, daß die Mitgliedstaaten aus einem anderen Mitgliedstaat eingeführte Waren nicht steuerlich diskriminieren dürfen.[21])

Die Vorschriften über den freien Warenverkehr gelten für die aus den Mitgliedstaaten stammenden Waren sowie für Waren aus Drittstaaten, die sich in den Mitgliedstaaten im freien Verkehr befinden (Art 9 Abs 2 EGV). Der Zollkodex der Gemeinschaft[22]) enthält Vorschriften zur Bestimmung des Ursprungs von Waren, die aus Mitgliedstaaten stammen. Als im freien Ver-

---

[18]) Die in Art 9 Abs 1 EGV vorgesehene Einführung eines gemeinsamen Zolltarifs erfolgte durch die V 950/68 mit Wirkung vom 1. 6. 1968 (ABl L 1968/172, 1). Diese V wurde durch die V 2658/87 über die zolltarifliche und statistische Nomenklatur sowie den Gemeinsamen Zolltarif (ABl L 1987/256, 1, zuletzt geändert durch V 3009/95, ABl L 1995/319, 1) ersetzt. Jeder im internationalen Handel verwendeten Ware ist eine bestimmte Bezeichnung und Codierung, die sowohl zolltariflichen und statistischen Zwecken dienen (sog kombinierte Nomenklatur), sowie ein bestimmter Regelzollsatz zugeordnet. Die zolltariflichen Bestimmungen der Präferenzabkommen (etwa Zollaussetzungen, -präferenzen, -kontingente und Antidumpingzölle), die die EG mit den EFTA-Staaten, den Mittelmeerländern und den AKP-Staaten abgeschlossen hat, sind im sog integrierten Tarif der Gemeinschaft (TARIC) zusammengefaßt. Gemeinschaftsvorschriften über den Warenursprung finden sich in der V 802/68 (ABl L 1968/148, 1) sowie in den jeweiligen Präferenzabkommen (zB Protokoll 4 zum EWR-Abkommen, ABl L 1994/1, 54). Das nicht-tarifäre Zollrecht der Mitgliedstaaten, insbesondere das Zollverfahren, wurde schrittweise angeglichen; eine Kodifizierung erfolgte durch den Zollkodex im Jahr 1992 (V 2913/92, ABl L 1992/302, 1). Vgl unten *Lux,* Die Gemeinschaft als Zollunion.

[19]) Siehe unten *Neumann/Welge,* Die Gemeinsame Handelspolitik und ihre Instrumente.

[20]) Siehe dazu unten *Erhart,* Das Recht gegen Wettbewerbsbeschränkungen und die Wettbewerbspolitik.

[21]) Ein wesentliches Ziel des „Weißbuchs" bestand darin, die noch bestehenden, gemeinschaftsrechtlich zulässigen Warenkontrollen (vgl EuGH Rs 159/78 – Kommission gg Italien – Slg 1979, 3247 RZ 7) an den Grenzen innerhalb der Gemeinschaft zu beseitigen. Mit dem Binnenmarktkonzept vereinbar sind stichprobenartige interne Kontrollen, dh die nur ausnahmsweise an den Grenzen durchgeführt werden; unzulässig sind dagegen Grenzkontrollen, die sich etwa durch eine ständige Verwaltung an der Grenze und eine ständige Beeinträchtigung des Warenverkehrs kennzeichnen. Siehe *Ayral,* La suppression des contrôles aux frontières intra-communautaires, RMUE 1993, 13 (20).

[22]) V 2913/92, ABl L 1992/302, 1.

kehr eines Mitgliedstaats befindlich gelten Drittlandswaren, wenn für sie in dem betreffenden Mitgliedstaat die Förmlichkeiten bei der Einfuhr erfüllt sowie die vorgeschriebenen Zölle und Abgaben gleicher Wirkung erhoben und nicht ganz oder teilweise rückvergütet worden sind (Art 10 Abs 1 EGV). Sonderregelungen gelten für landwirtschaftliche Erzeugnisse (Art 38ff EGV), militärische Güter (Art 223 Abs 1 EGV) und Produkte, auf die der EGKS- oder der Euratom-Vertrag anwendbar ist.

1) Die Verbote mengenmäßiger Ein- und Ausfuhrbeschränkungen und Maßnahmen gleicher Wirkung

Nach Art 30 und 34 Abs 1 EGV sind **mengenmäßige Ein- und Ausfuhrbeschränkungen** und alle Maßnahmen gleicher Wirkung zwischen den Mitgliedstaaten untersagt. Diese Verbote richten sich sowohl gegen bestehende Beschränkungen als auch gegen neue Maßnahmen. Art 36 EGV sieht – eng auszulegende – Ausnahmen von diesen Verboten vor; Maßnahmen aus bestimmten schutzwürdigen Gründen sind zulässig, wenn mit ihnen weder eine willkürliche Diskriminierung noch eine verschleierte Handelsbeschränkung verbunden ist.

Aus der Stellung des Art 30 EGV im Gefüge des EG-Vertrags ergibt sich, daß die beschränkenden Maßnahmen den Warenverkehr betreffen müssen. Der EuGH versteht unter einer Ware Erzeugnisse mit Geldwert, die sich daher zu einem Handelsgeschäft eignen.[23]) Abgrenzungsfragen ergeben sich im Verhältnis zum Begriff der Dienstleistung,[24]) des Kapitals und der Zahlungen.[25]) Ein weiteres ungeschriebenes Tatbestandsmerkmal besteht darin, daß die von Art 30 EGV erfaßten Maßnahmen staatlichen Organen zurechenbar sein müssen.[26]) Dabei kann es sich sowohl um eine Maßnahme einer untergeordneten Ebene des Staats (Land, Region, Kreis, Gemeinde)[27]) als auch einer öffentlichen Körperschaft oder Einrichtung[28]) handeln. Das Verbot des Art 30 EGV zielt in der Regel auf Rechts- und Verwaltungsvorschriften ab; davon sind auch eine hinreichend gefestigte Verwaltungspraxis,[29]) Empfehlungen der öffentlichen Hand[30]) und Standesregeln[31]) erfaßt. Bestehen ge-

---

[23]) EuGH Rs 7/68 – Kommission gg Italien – Slg 1968, 633 (642).

[24]) Rundfunk- und Fernsehsendungen werden als Dienstleistungen angesehen (EuGH Rs 155/73 – Sacchi – Slg 1974, 409 RZ 6 und EuGH Rs 52/79 – Debauve – Slg 1980, 833 RZ 8). Der Handel mit Filmen, Videokassetten etc, die im Zuge von Fernsehsendungen verwendet werden, fällt unter Art 30 EGV (EuGH Rs 155/73 – Sacchi – Slg 1974, 409 RZ 7). Ein Werbeverbot für die Teilnahme an Lotterien ist unter Art 59 EGV zu beurteilen (EuGH Rs C-275/92 – Schindler – Slg 1994, I-1039 RZ 27ff). Abfall hat der EuGH in der Rs C-2/90 – Kommission gg Belgien – Slg 1992, I-4431 RZ 30 als „besondere Ware" qualifiziert.

[25]) Dem Warenbegriff entzogen sind alle gesetzlichen Zahlungsmittel (EuGH Rs 7/78 – Thompson – Slg 1978, 2247 RZ 26).

[26]) EuGH Rs 311/85 – VZW – Slg 1987, 3801 RZ 30.

[27]) EuGH Rs 45/87 – Kommission gg Irland – Slg 1988, 4929 RZ 12.

[28]) EuGH Rs 53/76 – Bouhelier – Slg 1977, 197 RZ 3ff; EuGH Rs 222/82 – Apple and Pear – Slg 1983, 4083 RZ 12ff; EuGH verb Rs 266 und 267/87 – Royal Pharmaceutical Society – Slg 1989, 1321 RZ 14f.

[29]) EuGH Rs 21/84 – Kommission gg Frankreich – Slg 1985, 1355 RZ 13.

[30]) EuGH Rs 249/81 – Kommission gg Irland – Slg 1982, 4005 RZ 27f („buy Irish").

meinschaftsrechtliche Regelungen zur Rechtsangleichung, so sind diese zunächst anzuwenden.[32]) Ziel des Art 30 EGV ist die Durchsetzung des Herkunftsprinzips.

Zu mengenmäßigen Einfuhr- und Ausfuhrbeschränkungen iSv Art 30 und 34 EGV zählen staatliche Maßnahmen, die die Einfuhr oder die Ausfuhr einer Ware der Menge oder dem Wert nach begrenzen **(Kontingente)** oder gänzlich untersagen (umfassendes Ein- oder Ausfuhrverbot).[33]) Wegen des weitgefaßten Begriffs der Maßnahme gleicher Wirkung und nach Ablauf der Übergangsfrist kommt der genauen Abgrenzung der beiden Begriffe zueinander keine praktische Bedeutung mehr zu, sodaß auch vom EuGH darauf verzichtet wird.[34])

Damit kommt aber dem Anwendungsfeld der Maßnahmen gleicher Wirkung eine besondere Bedeutung zu. Der EuGH hat im Fall „Dassonville"[35]) den Versuch unternommen, dafür eine Definition zu geben: „Jede Handelsregelung der Mitgliedstaaten, die geeignet ist, den innergemeinschaftlichen Handel unmittelbar oder mittelbar, tatsächlich oder potentiell zu behindern, ist als Maßnahme gleicher Wirkung anzusehen" (sog **„Dassonville"-Formel**). Ausgangspunkt der Beurteilung einer Maßnahme eines Mitgliedstaats im Lichte der Art 30ff EGV ist daher ihre einfuhrbehindernde Eignung.[36]) Diese ist etwa bei Regelungen, die den Vorgang der Einfuhr betreffen (zB Grenzkontrollen),[37]) Vorlage bestimmter Bescheinigungen,[38]) Einfuhrlizenzen,[39]) oder Vorschriften über die Vermarktung, die zwischen inländischen und eingeführten Waren differenzieren,[40]) gegeben. Das Verbot umfaßt neben der unterschiedlichen Behandlung eingeführter Waren gegenüber inländischen Waren (offene Diskriminierung) auch Fälle versteckter Diskriminierung, wenn zwar formell betrachtet die staatliche Regelung auf eingeführte und inländische Waren unterschiedslos anwendbar ist, sich aber materiell für die Waren aus anderen Mitgliedstaaten beim Inverkehrbringen im betreffenden

---

[31]) EuGH verb Rs 266 und 267/87 – Royal Pharmaceutical Society – Slg 1989, 1321 RZ 15.

[32]) EuGH Rs 5/77 – Tedeschi – Slg 1977, 1555 RZ 35; Rs 251/78 – Denkavit – Slg 1979, 3369 RZ 14.

[33]) EuGH Rs 2/73 – Geddo – Slg 1973, 865 RZ 7; EuGH Rs 124/81 – Kommission gg Vereinigtes Königreich – Slg 1983, 203 RZ 11.

[34]) Vgl *Müller-Graff* in *von der Groeben/Thiesing/Ehlermann* (Hg), Kommentar zum EWG-Vertrag, Art 30 RZ 12ff.

[35]) EuGH Rs 8/74 – Dassonville – Slg 1974, 837 RZ 5.

[36]) Vgl *Müller-Graff* (FN 34) Art 30 RZ 21f.

[37]) EuGH Rs 68/76 – Kommission gg Frankreich – Slg 1977, 515 RZ 16. Gesundheitskontrollen sind noch zulässig, soweit sie durch Erfordernisse des öffentlichen Gesundheitsschutzes gerechtfertigt sind (vgl EuGH Rs 35/76 – Simmenthal – Slg 1976, 1871 RZ 13; EuGH Rs 251/78 – Denkavit – Slg 1979, 3369 RZ 11; EuGH Rs 272/80 – Biologische Producten – Slg 1981, 3277 RZ 14).

[38]) EuGH Rs 8/74 – Dassonville – Slg 1974, 837 RZ 9; EuGH Rs 53/76 – Bouhelier – Slg 1977, 197 RZ 16f.

[39]) EuGH verb Rs 51 bis 54/71 – International Fruit – Slg 1971, 1107 RZ 17; EuGH Rs 212/88 – Levy – Slg 1989, 3526 RZ 12; EuGH Rs C-304/88 – Kommission gg Belgien – Slg 1990, I-2812 RZ 9.

[40]) EuGH Rs 13/78 – Eggers – Slg 1978, 1935 RZ 26; EuGH Rs 119/78 – Peureux – Slg 1979, 978 RZ 23; EuGH Rs 59/82 – Schutzverband – Slg 1983, 1217 RZ 7.

Mitgliedstaat nachteilig auswirkt. Rechtsvorschriften des Bestimmungsstaates, auch wenn sie ohne Unterschied nach der Warenherkunft anwendbar sind, wirken behindernd, wenn dem Hersteller bzw Warenanbieter dadurch höhere Kosten entstehen und inländischen Herstellern ein Wettbewerbsvorteil erwächst. Durch einen weiten Anwendungsbereich des Art 30 EGV wird auch vermieden, daß die Mitgliedstaaten den Zweck der Regelung durch allgemein anwendbare Regelungen betreffend die Herstellung, den Vertrieb, den unlauteren Wettbewerb etc, die wegen ihrer Hinderung des innergemeinschaftlichen Handels für inländische Erzeugnisse eine Schutzwirkung haben, umgehen.

Da aber jeder Unterschied zwischen den Rechtsvorschriften des Herkunfts- und des Bestimmungsstaats, auch wenn es sich dabei um den Ausdruck legitimer öffentlicher Interessen handelt, zu einer Kostenerhöhung und damit zu einer Behinderung eingeführter Waren führt, sah sich der EuGH genötigt, eine Einschränkung der genannten Definition für unterschiedslos anwendbare Regelungen vorzunehmen. Das **„Cassis de Dijon"-Urteil**[41]) betraf die unterschiedslos geltende deutsche Regelung, die den Mindestalkoholgehalt von Fruchtsaftlikören mit 25% festsetzte. Dadurch war der Vertrieb von französischem Cassis de Dijon, dessen Alkoholgehalt zwischen 15 und 20% lag, untersagt. Der EuGH stellte zunächst fest, daß (noch) keine diesbezügliche Gemeinschaftsmaßnahme getroffen worden war, weshalb die Mitgliedstaaten zuständig wären, die Herstellung und den Vertrieb der Ware betreffende Vorschriften zu erlassen. Hemmnisse, die sich aus den Unterschieden zwischen den nationalen Rechtsordnungen für den Binnenhandel ergeben, müßten insoweit hingenommen werden, als sie notwendig sind, „zwingenden Erfordernissen" gerecht zu werden. Aus der nachfolgenden Rechtsprechung[42]) ergibt sich, daß eine unterschiedslos anwendbare staatliche Maßnahme in Ermangelung einer Gemeinschaftsregelung trotz ihrer einfuhrbehindernden Wirkung iSd „Dassonville"-Formel dann keine „Maßnahme gleicher Wirkung" ist, wenn sie notwendig ist, zwingenden Erfordernissen gerecht zu werden. Diese Auslegung wird als Ausweg aus dem zu weit gefaßten Begriffsverständnis nach der „Dassonville"-Formel und dem Grundsatz der eng auszulegenden Ausnahme des Art 36 EGV gesehen.[43]) Im „Cassis"-Urteil hat der EuGH zugleich das **Herkunftslandprinzip** anerkannt, wonach die Einfuhr von in anderen Mitgliedstaaten rechtmäßig hergestellten oder in den Verkehr gebrachten Waren[44]) grundsätzlich (außer es liegen zwingende Erfordernisse des Bestimmungslands vor) gestattet sein muß. Daraus folgt die

[41]) EuGH Rs 120/78 – Rewe-Zentral AG („Cassis de Dijon") – Slg 1979, 649 RZ 8.

[42]) EuGH Rs 58/80 – Dansk Supermarked – Slg 1981, 181; EuGH Rs 130/80 – Kelderman – Slg 1981, 527; EuGH Rs 113/80 – Kommission gg Irland – Slg 1981, 1625; EuGH Rs 220/81 – Robertson – Slg 1982, 2349; EuGH Rs 261/81 – Rau – Slg 1982, 3961.

[43]) *Müller-Graff* (FN 34) Art 30 RZ 81 mwN in FN 252. Dogmatisch betrachtet handelt es sich um eine teleologische Reduktion des Begriffs der Maßnahme gleicher Wirkung.

[44]) In einem anderen Mitgliedstaat in Verkehr gebrachte Drittlandswaren fallen ebenfalls unter diesen Grundsatz; vgl *Matthies* in *Grabitz* (Hg), Kommentar zum EWG-Vertrag, Art 30 RZ 23.

gegenseitige Anerkennung rechtlicher Vorschriften als gleichwertig, ohne daß die Rechtsangleichung eine unbedingt notwendige Voraussetzung dafür ist.[45])

Im **„Keck"-Urteil**[46]) nahm der EuGH eine weitere Einschränkung des Begriffs der Maßnahme gleicher Wirkung im Falle unterschiedslos anwendbarer Maßnahmen vor:[47]) Nationale Rechtsvorschriften, die bestimmte Verkaufsmodalitäten beschränken, fallen nicht unter das Verbot des Art 30 EGV (iSd „Dassonville"-Formel), wenn sie für alle betroffenen Wirtschaftsteilnehmer gelten, die ihre Tätigkeit im Inland ausüben und sofern sie den Absatz der inländischen Erzeugnisse und der Erzeugnisse aus anderen Mitgliedstaaten rechtlich wie tatsächlich in der gleichen Weise berühren. Sind diese Voraussetzungen erfüllt, so ist die Anwendung derartiger Regelungen auf den Verkauf von Erzeugnissen aus einem anderen Mitgliedstaat, die den von diesem Staat aufgestellten Bestimmungen entsprechen, nicht geeignet, den Marktzugang für diese Erzeugnisse zu versperren oder stärker zu behindern, als sie dies für inländische Waren tut. Damit qualifiziert der EuGH bei der Beurteilung bestimmter Verkaufsmodalitäten Art 30 EGV statt als ein Beschränkungsverbot als ein auch mittelbare Diskriminierungen umfassendes Verbot.[48]) Gleichzeitig bestätigte der EuGH in diesem Urteil die „Cassis"-Rechtsprechung: Hemmnisse für den freien Warenverkehr, die sich in Ermangelung einer Harmonisierung der Rechtsvorschriften daraus ergeben, daß Waren aus anderen Mitgliedstaaten, die dort rechtmäßig hergestellt und in den Verkehr gebracht worden sind, bestimmten unterschiedslos anwendbaren produktbezogenen Vorschriften entsprechen müssen, fallen unter Art 30 EGV, wenn sie nicht durch zwingende Erfordernisse von seiner Anwendung ausgenommen sind.

Die „Keck"-Rechtsprechung kann dahin verstanden werden, daß zwischen warenbezogenen (produktbezogenen) und unternehmensbezogenen Maßnahmen zu unterscheiden ist. **Warenbezogene Beschränkungen** treffen die Ware unabhängig von unternehmerischen Vertriebsmaßnahmen; **unternehmensbezogene Beschränkungen** schränken die Freiheit der mit der Ware handelnden Unternehmer ein. Diese Sicht steht im Einklang mit der Präzisierung des Begriffs der Verkaufsmodalitäten durch den EuGH in seiner Folgerechtsprechung: Neben dem Verbot des Verkaufs zu Verlustpreisen[49])

---

[45]) Siehe unten D.

[46]) EuGH verb Rs C-267 und 268/91 – Keck und Mithouard – Slg 1993, I-6097 RZ 16f.

[47]) Bereits vorher hatte der EuGH bestimmte allgemeine Regelungen zB betreffend das deutsche Nachtbackverbot (Rs 155/80 – Oebel – Slg 1981, 1993 RZ 12ff), ein Ausschankverbot (Rs 75/81 – Blesgen – Slg 1982, 1211 RZ 9ff), das Verkaufsverbot am Sonntag (Rs C-145/88 – Torfaen Borough Council/B & Q – Slg 1989, 3851 RZ 12ff; Rs C-169/91 – B & Q – Slg 1992, I-6635 RZ 9ff) oder das französische Verbot, Filme auf Videokassetten zu verwerten (verb Rs 60 und 61/84 – Cinéthèque – Slg 1985, 2605 RZ 21ff) entweder wegen der Natur der Regelung nicht als Maßnahme gleicher Wirkung angesehen oder die Rechtfertigung der Maßnahme bejaht. Vgl dazu GA *Tesauro* in der Rs C-292/92 – Hünermund – Slg 1993, I-6787 (I-6812f); *Steindorff* (FN 3) 154ff.

[48]) *Mülbert* (FN 3) 17.

[49]) Analog in EuGH Rs C-63/94 – Groupement national des négociants en pommes de terre – Slg 1995, I-2467.

zählen die Werbeverbote,[50]) das Verbot, Waren außerhalb der Öffnungszeiten zu verkaufen[51]) sowie das einer Apotheke eingeräumte ausschließliche Recht, Babymilch zu verkaufen,[52]) zu den Verkaufsmodalitäten. Als problematisch ist die Differenzierung zwischen produkt- und unternehmensbezogenen Regelungen insbesondere im Hinblick auf die Produktwerbung anzusehen, weil eine Trennung zwischen Ware und Verkaufsmodalitäten nicht eindeutig möglich ist.[53]) Im „Mars"-Urteil[54]) hat der EuGH die Beschränkung einer auf dem Produkt vorgenommenen Werbung als warenbezogene Regelung eingestuft. Inwieweit staatliche Regelungen gegen den unlauteren Wettbewerb als Verkaufsmodalitäten zu qualifizieren sind, war Gegenstand des „Clinique"-Urteils.[55]) Da die Verwendung unterschiedlicher Warenzeichen in der Gemeinschaft dem Hersteller zusätzliche Kosten verursacht, sah der EuGH das Verbot der Verwendung eines bestimmten Warenzeichens wegen irreführender Werbung als eine nicht zulässige Maßnahme gleicher Wirkung an.

Unterschiedslos anwendbare staatliche Maßnahmen lassen sich daher in zwei Gruppen unterteilen:

- Vorschriften, die sich auf die **Wareneigenschaften** beziehen (wie etwa hinsichtlich ihrer Bezeichnung, ihrer Form, ihrer Abmessungen, ihres Gewichts, ihrer Zusammensetzung, ihrer Aufmachung, ihrer Etikettierung und ihrer Verpackung), müssen vom Warenanbieter zwingend eingehalten werden, wenn er seine Produkte in einem anderen Mitgliedstaat vertreiben will. Zusätzliche Kosten des Herstellers sollen vermieden werden. Daher ist in diesem Fall die „Cassis"-Rechtsprechung anwendbar. Dazu sind Absatzverbote, die sich aus den Regelungen betreffend etwa die Zusammensetzung,[56]) Etikettierung[57]) oder Verpackungsform[58]) ergeben, zu rechnen, Bezeichnungsvorbehalte[59]) und -verbote,[60]) die Pflicht, eine inländische

---

[50]) EuGH Rs C-292/92 – Hünermund – Slg 1993, I-6787; EuGH Rs C-412/93 – Leclerc-Siplec – Slg 1995, I-179; vgl dagegen EuGH Rs C-320/93 – Ortscheid – Slg 1994, I-5243.

[51]) EuGH verb Rs C-401 und C-402/92 – Tankstation – Slg 1994, I-2199; EuGH verb Rs C-69 und C-258/93 – Punto Casa – Slg 1994, I-2355.

[52]) EuGH Rs C-391/92 – Kommission gg Griechenland – Slg 1995, I-1621.

[53]) Vgl *Reich,* The November Revolution of the European Court of Justice, CMLR 1994, 459 (471); *Steindorff* (FN 3) 149 (164).

[54]) EuGH Rs C-470/93 – Slg 1995, I-1923.

[55]) EuGH Rs C-315/92 – Schutzverband/Estée Lauder Cosmetics – Slg 1994, I-317.

[56]) EuGH Rs 120/78 – Rewe-Zentral-AG – Slg 1979, 649; EuGH Rs 130/80 – Kelderman – Slg 1981, 527; EuGH Rs 178/84 – Kommission gg Deutschland („Reinheitsgebot" für Bier) – Slg 197, 1227; EuGH Rs 153/78 – Kommission gg Deutschland – Slg 1979, 2555; EuGH Rs 407/85 – Drei Glocken – Slg 1988, 4233.

[57]) EuGH Rs 94/82 – de Kikvorsch – Slg 1983, 947.

[58]) EuGH Rs 261/81 – Rau – Slg 1982, 3961; EuGH Rs 16/83 – Prantl – Slg 1984, 1299.

[59]) EuGH Rs 193/80 – Kommission gg Italien – Slg 1981, 3019 (Gattungsbegriff Essig); EuGH Rs 178/84 – Kommission gg Deutschland – Slg 1987, 1227 (Gattungsbegriff Bier); EuGH Rs 298/87 – Smanor – Slg 1988, 4489 (Bezeichnungsverbot für tiefgefrorenes Joghurt).

Bezeichnung zu verwenden,[61]) oder die Pflicht, das Ursprungsland anzugeben.[62])

- Vorschriften, die in anderer Weise die Wettbewerbschancen des Anbieters von Waren aus anderen Mitgliedstaaten beeinträchtigen, fallen nicht automatisch unter das Verbot des Art 30 EGV.[63]) Bei Vorschriften, die unternehmerisches Verhalten regeln **(Verkaufsmodalitäten),** ist zu zeigen, daß sie den Marktzugang von Waren aus anderen Mitgliedstaaten stärker beeinträchtigen als den inländischer Waren.

Art 34 EGV entspricht dem Verbot des Art 30 EGV für die Ausfuhr von Waren in einen anderen Mitgliedstaat und vervollständigt die Vertragsvorschriften zur Durchsetzung des freien Warenverkehrs. Allerdings faßte der EuGH den Begriff der Maßnahme gleicher Wirkung im Falle unterschiedslos anwendbarer Regelungen insofern enger, als darunter nur staatliche Vorschriften fallen, die spezifische Beschränkungen der Ausfuhrströme bezwekken oder bewirken.[64])

Mengenmäßige Ein- und Ausfuhrbeschränkungen sowie Maßnahmen gleicher Wirkung sind zulässig, wenn sie auf Grund eines in Art 36 EGV genannten Grundes **gerechtfertigt** sind. Dazu zählen Gründe der öffentlichen Sittlichkeit, Ordnung und Sicherheit, der Schutz des Lebens von Menschen, Tieren und Pflanzen, der Schutz des nationalen Kulturguts von künstlerischem, geschichtlichem oder archäologischem Wert und der Schutz des gewerblichen und kommerziellen Eigentums.[65]) Da der EuGH Art 36 EGV als Ausnahmevorschrift eng auslegte,[66]) entwickelte er beginnend im „Cassis"-Urteil[67]) eine

---

[60]) Ursprungsbezeichnungen und Herkunftsangaben können inländischen Waren vorbehalten werden, wenn diese aus einem bestimmten geographischen Gebiet stammen und tatsächlich Eigenschaften und Wesensmerkmale aufweisen, die sie ihrem geographischen Ursprung verdanken und diesen eine Qualität und besondere Wesensmerkmale verleihen, die geeignet sind, diese zu individualisieren; EuGH Rs 12/74 – Kommission gg Deutschland – Slg 1975, 181 RZ 7; EuGH Rs C-3/91 – Exportur – Slg 1992, I-5529 RZ 27.

[61]) EuGH Rs 220/81 – Robertson – Slg 1982, 2349; EuGH Rs C-293/93 – Houtwipper – Slg 1994, I-4249.

[62]) EuGH Rs 207/83 – Kommission gg Vereinigtes Königreich – Slg 1985, 1201.

[63]) Voraussetzung ist überdies, daß die Regelung ohne Unterschied auf die Herkunft der Ware angewendet wird; da dies in EuGH Rs C-320/93 – Ortscheid – Slg 1994, I-5243 RZ 9 nicht gegeben war, fiel ein Werbeverbot unter Art 30 EGV, wurde vom EuGH jedoch als gerechtfertigt betrachtet.

[64]) EuGH Rs 53/76 – Bouhelier – Slg 1977, 197 RZ 16f; EuGH Rs 15/79 – Groenveld – Slg 1979, 3409 RZ 7; EuGH Rs 174/84 – Bulk Oil – Slg 1986, 576 RZ 41.

[65]) EuGH Rs 15/74 – Centraform gg Sterling drug – Slg 1974, 1147; EuGH Rs 16/74 – Centrafarm gg Winthrop – Slg 1974, 1183; EuGH Rs 119/75 – Terrapin – Slg 1976, 1039; EuGH Rs 102/77 – Hoffmann-La Roche – Slg 1978, 1139; EuGH Rs 187/80 – Merck – Slg 1981, 2063; EuGH Rs C-10/89 – Hag II – Slg 1990, I-3711; EuGH Rs C-317/91 – Audi – Slg 1993, I-6227; EuGH Rs C-9/93 – Ideal Standard – Slg 1994, I-2789. Vgl auch *Röttinger,* L'épuisement du droit d'auteur – The Exhaustion of Copyright = Agotamiento del derecho de autor, RIDA 157 (1993) 50 (63 ff).

[66]) EuGH Rs 7/68 – Kommission gg Italien – Slg 1968, 633 /644).

[67]) Siehe FN 42 zur Folgerechtsprechung.

weitere, offene Kategorie zur Begründung[68]) von Maßnahmen, die notwendig sind, um zwingenden Erfordernissen gerecht zu werden, etwa den Erfordernissen einer wirksamen steuerlichen Kontrolle, des Schutzes der öffentlichen Gesundheit[69]), der Lauterkeit des Handelsverkehrs, des Verbraucherschutzes, des Umweltschutzes[70]) oder der Kulturpolitik. Die genannten Schutzgüter können nicht als Rechtfertigung für beschränkende Maßnahmen dienen, die zur Behebung wirtschaftlicher Schwierigkeiten (zB bei Streiks oder öffentlichen Unruhen) getroffen werden.[71]) Art 36 Satz 2 EGV sieht eine weitere Einschränkung der Ausnahme vor. Die von Satz 1 erfaßten (unterschiedlichen oder unterschiedslosen) Maßnahmen dürfen weder ein Mittel zur willkürlichen Diskriminierung noch eine verschleierte Handelsbeschränkung zwischen den Mitgliedstaaten darstellen. Daher sind Differenzierungen sachlich im Hinblick auf den geltend gemachten Grund zu rechtfertigen.[72])

Die „zwingenden Erfordernisse" („Cassis"-Rechtsprechung) sowie die in Art 36 EGV genannten Gründe unterliegen dem **Grundsatz der Verhältnismäßigkeit**. Zwar ist es grundsätzlich Sache der Mitgliedstaaten, die genannten Schutzgründe auszugestalten und das Ausmaß der Schutzmaßnahmen zu bestimmen. Allerdings unterliegt diese Prärogative der nachprüfenden Kontrolle des EuGH, der die staatliche Maßnahme daraufhin untersucht, ob sie zur Erreichung des Zieles überhaupt erforderlich, ob sie zur Abwehr der Gefährdung des Schutzzieles geeignet, und ob sie das den Warenverkehr am wenigsten einschränkende Mittel darstellt, dh angemessen ist. Auf dem Gebiet des Gesundheitsschutzes, dem er den ersten Rang unter den Rechtfertigungsgründen zuweist,[73]) räumt der EuGH den Mitgliedstaaten ein weites Ermessen ein; so genügt etwa bei noch fehlenden wissenschaftlichen Erkenntnissen über die Schädlichkeit einer Substanz bereits die potentielle Gefährdung.[74]) Eine Maßnahme ist etwa geeignet, wenn die Verwendung von Zusatzstoffen an eine Zulassung gebunden wird, die zu erteilen ist, wenn die Substanz keine Gefahr für die Gesundheit darstellt und die Verwendung einem Bedürfnis technologischer Natur entspricht.[75])

Da die Maßnahme das gelindeste Mittel zur Erreichung des Schutzziels darstellen muß, sah der EuGH Einfuhr- oder Vertriebsverbote, die sich aus zwingenden Vorschriften über die Produktzusammensetzung ergaben, als unverhältnismäßig beschränkend an. Angemessen und ausreichend für den Schutz des Verbrauchers ist in diesem Fall die entsprechende Etikettierung

---

[68]) Sie werden auch als „immanente Schranken" des Art 30 EGV bezeichnet, weil sie den Anwendungsbereich des Art 30 EGV eingrenzen.

[69]) Dieses Erfordernis wird im Rahmen des Art 36 EGV geprüft; vgl EuGH verb Rs 266 und 267/87 – Royal Pharmaceutical Society – Slg 1989, 1295 RZ 20 ff.

[70]) EuGH Rs 302/86 – Kommission gg Dänemark – Slg 1988, 4607; EuGH Rs C-2/90 – Kommission gg Belgien – Slg 1992, I-4431.

[71]) EuGH Rs 72/83 – Campus Oil – Slg 1984, 2727 RZ 35.

[72]) EuGH Rs 121/85 – Conegate – Slg 1986, 1007 RZ 15.

[73]) EuGH Rs 104/75 – de Peijper – Slg 1976, 613 RZ 15.

[74]) EuGH Rs 53/80 – Eyssen – Slg 1981, 409 RZ 14; EuGH Rs 227/82 – van Bennekom – Slg 1983, 3383 RZ 37; EuGH Rs 97/83 – Melkunie – Slg 1984, 2367 RZ 18.

[75]) EuGH Rs 174/82 – Sandoz – Slg 1983, 2445 RZ 19.

der Waren.[76]) Ebenso sind im Herkunftsland durchgeführte gleichwertige Kontrollen und Untersuchungen zu berücksichtigen, wenn sie den Behörden des Bestimmungsstaates zugänglich sind; erneute Kontrollen sind daher zu vermeiden.[77]) Parallelimporte von Arzneimitteln, die bereits zugelassen wurden, sind in einem erleichterten Verfahren auf die Identität mit dem genehmigten Produkt hin zu überprüfen.[78]) Zur Vereinfachung der Kontrollen ist eine nähere Zusammenarbeit der Behörden anzustreben.[79])

2) Das Verbot der Zölle und zollgleicher Abgaben

Das **allgemeine Zollverbot** umfaßt die Erhebung von Einfuhr- und Ausfuhrzöllen sowie von zollgleichen Abgaben. Entsprechende Verbote finden sich auch in besonderen Gemeinschaftsverordnungen (vor allem in den gemeinschaftlichen Marktordnungen).[80]) Die Mitgliedstaaten beseitigten sämtliche Einfuhr- und Ausfuhrzölle bereits eineinhalb Jahre früher als vertraglich vorgesehen (mit Wirkung vom 1. Juli 1968).[81]) Dies umfaßte auch Finanzzölle (zB auf Kaffee und Tee), deren Zweck in einer Einnahmequelle des Staats besteht. Seit Ablauf der Übergangszeit (31. Dezember 1969) gilt das Verbot der Erhebung und Neueinführung von Abgaben zollgleicher Wirkung zwischen den Mitgliedstaaten auf Grund von Art 12, 13 Abs 2 und 16 EGV uneingeschränkt.[82])

In der Praxis relevant wurde das **Verbot zollgleicher Abgaben**. Der EuGH hat die zollgleiche Wirkung einer Abgabe danach beurteilt, ob ihre Erhebung den innergemeinschaftlichen Warenverkehr beeinträchtigt. Daher stellt „eine – auch noch so geringe – den in- oder ausländischen Waren wegen ihres Grenzübertritts einseitig auferlegte finanzielle Belastung ... unabhängig von ihrer Bezeichnung und der Art ihrer Erhebung eine Abgabe gleicher Wirkung im Sinne von Art 9 und 12 EGV dar, selbst wenn sie nicht zugunsten des Staats erhoben wird und keine diskriminierende oder protektionistische Wirkung hat und wenn die belastete Ware nicht mit inländischen Erzeugnissen in Wettbewerb steht".[83]) Mit der Abgabenerhebung verbundene Förmlichkeiten, die auch den Warenverkehr einschränken können, sind gleichfalls erfaßt.[84]) Entscheidend für die Qualifikation als zollgleiche Abgabe ist, daß ihre Erhebung bei der Grenzüberschreitung der Waren erfolgt. Unterfallen

---

[76]) EuGH Rs 120/78 – Rewe-Zentral-AG – Slg 1979, 649 RZ 13; EuGH Rs 178/84 – Kommission gg Deutschland – Slg 1987, 1227 RZ 35 f; EuGH Rs 407/85 – Drei Glocken – Slg 1988, 4233 RZ 22.

[77]) EuGH Rs 272/80 – Biologische Producten – Slg 1981, 3277 RZ 14.

[78]) Vgl Mitteilung der Kommission, ABl C 1982/115, 5.

[79]) Vgl für den Bereich der Lebensmittel RL 89/397, ABl L 1989/186, 23 und RL 93/99, ABl L 1993/290, 14 sowie allgemein die Mitteilung über die Zusammenarbeit der staatlichen Verwaltungen (FN 13).

[80]) Vgl EuGH Rs 25/67 – Milchkontor – Slg 1968, 311 (330); EuGH Rs 43/71 – Politi – Slg 1971, 1039 RZ 7; EuGH Rs 34/73 – Variola – Slg 1973, 981 RZ 3.

[81]) Auf Grund des „Beschleunigungsbeschlusses" des Rates vom 26. 7. 1966, ABl 1966, 2971; mit Ausnahme der landwirtschaftlichen Produkte.

[82]) EuGH Rs 77/72 – Capolongo – Slg 1973, 611 RZ 11.

[83]) EuGH verb Rs 2 und 3/69 – Diamantarbeiders – Slg 1969, 211 (222).

[84]) EuGH Rs 34/73 – Variola – Slg 1973, 981 RZ 6; EuGH Rs 63/74 – Cadsky – Slg 1975, 281 RZ 5.

nur eingeführte oder ausgeführte Waren einer Belastung, ohne daß die gleichen inländischen Waren davon betroffen sind, handelt es sich um eine Abgabe. Allerdings kann es sich um eine erlaubte inländische Abgabe iSd Art 95 EGV handeln, sofern die Einhebung der Abgabe an der Grenze Teil eines allgemeinen, auch inländische Waren nach den gleichen Kriterien umfassenden Systems darstellt und keine diskriminierende Wirkung hat. Während Abgaben gleicher Wirkung ausschließlich ein- oder ausgeführte Waren einseitig belasten, bewirken inländische Abgaben iSv Art 95 EGV eine alle Waren einer bestimmten Art unabhängig von ihrer Herkunft betreffende Belastung. Fehlt eine inländische Produktion der belasteten eingeführten Waren, muß die Abgabe einem steuerlichen System genereller Art zugeordnet werden können, um eine innere Abgabe iSv Art 95 EGV darzustellen. Dies gilt etwa für Umsatzausgleichssteuern, die durch das allgemeine Mehrwertsteuersystem des betreffenden Mitgliedstaats sachlich gerechtfertigt sind. Probleme bereitet die Abgrenzung bei besonderen Verbrauchsteuern. Der EuGH bejaht das Vorliegen einer inländischen Abgabe, wenn ganze Kategorien einheimischer oder fremder Erzeugnisse, die sich alle und ohne Rücksicht auf ihren Ursprung in einer vergleichbaren Lage befinden, davon umfaßt sind.[85])

Unter **Abgaben gleicher Wirkung** fallen etwa Gebühren für Qualitäts- und Gesundheitskontrollen, Statistiken und Lizenzen sowie sog parafiskalische Abgaben.[86]) Diese Abgaben sind nur dann erlaubt, wenn sie eine angemessene Gegenleistung für einen dem Importeur bzw Exporteur tatsächlich geleisteten Dienst darstellen.[87]) Da dem Importeur bzw Exporteur ein individueller, meßbarer Vorteil erwachsen muß, fallen Abgaben, die im allgemeinen öffentlichen Interesse erhoben werden, nicht darunter.[88]) Eine Ausnahme von diesem Grundsatz gilt dann, wenn der Gemeinschaftsgesetzgeber im gemeinschaftlichen Interesse für die Gesamtheit der betreffenden Erzeugnisse eine Abgabenerhebung angeordnet hat. So war durch Richtlinien ein gemeinschaftliches System von Kontrollen der Gesundheitsbehörden für den Versand bestimmter Agrarerzeugnisse eingeführt worden, wonach die im

[85]) EuGH Rs 78/76 – Steinike – Slg 1983, 3573 RZ 21; EuGH Rs 193/85 – Co-Frutta – Slg 1987, 2085 RZ 11.

[86]) Parafiskalische Abgaben belasten inländische und gleichartige eingeführte Waren nach den gleichen Kriterien, insb in gleicher Höhe, die einer inländischen Einrichtung zugeführt werden, wodurch Maßnahmen zur Förderung der Herstellung und/oder des Absatzes der Waren finanziert werden. Soweit ausschließlich inländische Waren dadurch in spezifischer Weise bevorzugt werden, fehlt die bei Abgabenerhebung bestehende Gleichbehandlung. Je nach Umfang der wirtschaftlichen Vorteile für das mit dem belasteten Erzeugnis identische inländische Produkt ist diese Situation als diskriminierende inländische Abgabe zu betrachten (wenn inländische Waren nur einen teilweisen Ausgleich erhalten) oder als zollgleiche Abgabe (wenn es sich um einen vollständigen Ausgleich zugunsten der inländischen Waren handelt). Siehe EuGH Rs 2/73 – Geddo – Slg 1973, 865 RZ 6; EuGH Rs 51/74 – van der Hulst – Slg 1975, 79 RZ 15ff; EuGH Rs 77/72 – Capolongo – Slg 1973, 611 RZ 13f; EuGH Rs 94/74 – IGAV – Slg 1975, 699 RZ 18; EuGH Rs 77/76 – Cucchi – Slg 1977, 987 RZ 19; EuGH Rs 222/78 – ICAP – Slg 1979, 1179 RZ 24f.

[87]) EuGH Rs 24/68 – Kommission gg Italien – Slg 1969, 193 (202); EuGH Rs 46/76 – Bauhuis – Slg 1977, 5 RZ 11.

[88]) EuGH Rs 29/72 – Marimex – Slg 1972, 1309 RZ 5; EuGH Rs 314/82 – Kommission gg Belgien – Slg 1984, 1543 RZ 11.

Herkunftsland durchgeführten Kontrollen vom Bestimmungsland anzuerkennen waren. Dadurch sollten die einseitigen Kontrollen der Mitgliedstaaten, die gem Art 36 EGV zulässig gewesen wären, beseitigt werden. Der EuGH hält diese Kontrollen für zulässig, wenn die Gebühren nicht die tatsächlichen Kosten der Kontrollen übersteigen.[89])

3) Das Verbot diskriminierender innerstaatlicher Abgaben

Um einen umfassenden Schutz des freien Warenverkehrs vor ungerechtfertigten finanziellen Belastungen durch die Mitgliedstaaten sicherzustellen, tritt zu dem Verbot zollgleicher Abgaben Art 95 EGV, der jegliche **diskriminierende steuerliche Behandlung** aus einem anderen Mitgliedstaat eingeführter Waren untersagt. Der EuGH hat das Verbot aus Art 95 EGV auch auf diskriminierende Abgaben auf inländische Waren bei der Ausfuhr erstreckt.[90]) Da der EG-Vertrag den Mitgliedstaaten grundsätzlich die Gesetzgebungszuständigkeit für das Steuerrecht vorbehält,[91]) ist die Erhebung inländischer Abgaben nur unzulässig, wenn sie einen diskriminierenden oder protektionistischen Charakter hat, dh eingeführte Waren höher belastet werden als gleichartige inländische Produkte.[92]) Zwar ist gem Art 99 EGV eine Harmonisierung der indirekten Steuern vorgesehen, doch wird durch die Festlegung lediglich von Mindeststeuersätzen wie zB für Alkohol und alkoholische Getränke[93]) eine Diskriminierung nicht völlig beseitigt, sodaß Art 95 EGV weiterhin zur Anwendung gelangt.[94])

Art 95 EGV erfaßt „Abgaben gleich welcher Art"; kennzeichnend für eine inländische Abgabe ist eine finanzielle Belastung, die alle oder bestimmte Kategorien von Produkten betrifft und auf sachlich-objektiven Tatbestandsmerkmalen ungeachtet der Herkunft der Ware beruht.[95]) Eingeführte Waren werden dadurch in dieselbe steuerliche Lage gebracht wie die inländischen Produkte. Die Erhebung der Abgaben kann aus technischen Gründen beim Grenzübergang erfolgen, doch ist dies nicht für die Qualifikation als inländische Abgabe erforderlich. Art 95 EGV umfaßt etwa die Umsatz- und besondere Verbrauchsteuern sowie steuerähnliche Abgaben wie eine Abgabe auf Edelmetalle[96]) oder eine Sondersteuer auf Kraftfahrzeuge.[97])

Art 95 Abs 1 EGV untersagt, Waren aus anderen Mitgliedstaaten weder unmittelbar noch mittelbar mit höheren inländischen Abgaben zu belasten,

[89]) EuGH Rs 46/76 – Bauhuis – Slg 1977, 5 RZ 20ff; EuGH Rs 18/87 – Kommission gg Deutschland – Slg 1988, 5427 RZ 8ff. Ebenso können Gebühren auf Grund internationaler Abkommen der Mitgliedstaaten zulässig sein; vgl EuGH Rs 89/76 – Kommission gg Niederlande – Slg 1977, 1355 RZ 12.

[90]) EuGH Rs 152/77 – Statens Kontrol – Slg 1978, 1543 RZ 24.

[91]) Vgl dazu unten *Joa,* Steuerharmonisierung.

[92]) EuGH Rs 57/65 – Lütticke – Slg 1966, 257 (265); EuGH Rs 78/76 – Steinike – Slg 1977, 595 RZ 27.

[93]) RL 92/83, ABl L 1992/316, 1.

[94]) Eine vollständige Harmonisierung wird zT durch Gemeinsame Marktordnungen erreicht.

[95]) EuGH Rs 90/79 – Kommission gg Frankreich – Slg 1981, 283 RZ 14.

[96]) EuGH Rs 142/77 – Statens Kontrol – Slg 1978, 1543.

[97]) EuGH Rs 112/84 – Humblot – Slg 1985, 1367.

als gleichartige inländische Waren unmittelbar oder mittelbar zu tragen haben. Waren sind gleichartig, wenn sie gleiche Eigenschaften haben und in den Augen der Verbraucher denselben Bedürfnissen dienen. Bei der Beurteilung der Gleichartigkeit berücksichtigt der EuGH sämtliche objektiven typischen Merkmale wie etwa den Ausgangsstoff, das Produktionsverfahren, die geschmacklichen Eigenschaften und den Alkoholgehalt. Das Diskriminierungsverbot von Art 95 Abs 1 EGV wird durch die Regelung des Abs 2 dahin ergänzt, daß auch inländische Abgaben unzulässig sind, die geeignet sind, andere Produktionen mittelbar zu schützen. Dieses Verbot bezweckt, daß in Abwesenheit gleichartiger inländischer Waren die inländische Produktion nicht vor mit dieser in Wettbewerb stehenden Waren aus anderen Mitgliedstaaten geschützt wird. Nach Auffassung des EuGH bewirkten die verschiedenen Steuersätze für Bier und Wein im Vereinigten Königreich, daß dadurch die heimische Bierproduktion geschützt werde.[98])

Für die Beurteilung der Diskriminierung sind die tatsächlichen Auswirkungen der jeweiligen Abgabe auf die eingeführten und auf die inländischen Erzeugnisse beachtlich. Dabei kann sich die Diskriminierung aus unterschiedlichen Steuersätzen, Bemessungsgrundlagen oder Erhebungsmodalitäten oder Befreiungen für inländische Produkte ergeben.[99]) In der Praxis prüft der EuGH die beiden Absätze getrennt, wobei er das in Art 95 Abs 2 EGV enthaltene Verbot als Auffangtatbestand versteht.[100])

b) Die Freizügigkeit der Arbeitnehmer

Gem Art 48 Abs 1 EGV umfaßt die Freizügigkeit der Arbeitnehmer die Abschaffung jeder auf der Staatsangehörigkeit beruhenden Ungleichbehandlung aus anderen Mitgliedstaaten stammender Arbeitnehmer im Hinblick auf Beschäftigung, Entlohnung und sonstige Arbeitsbedingungen. Im besonderen wird den Arbeitnehmern das Recht auf Zugang zu einer Beschäftigung, ein Einreise-, Aufenthalts- und Verbleiberecht eingeräumt (Art 48 Abs 3 EGV). Die genannten Rechte wurden durch sekundärrechtliche Vorschriften näher festgelegt.[101])

Der **Arbeitnehmerbegriff** umfaßt eine unselbständige Tätigkeit, die auf Weisungen und mit einer Vergütung für die erbrachte Leistung erfolgt.[102]) Vorausgesetzt wird eine tatsächliche und echte Erwerbstätigkeit,

---

[98]) EuGH Rs 170/78 – Kommission gg Vereinigtes Königreich – Slg 1983, 2265 RZ 27; vgl auch EuGH 356/85 – Kommission gg Belgien – Slg 1987, 3299 RZ 18ff.

[99]) EuGH Rs 74/75 – Ianelli – Slg 1977, 557 RZ 21.

[100]) Vgl EuGH Rs 168/78 – Kommission gg Frankreich – Slg 1980, 347 RZ 39 (Steuerunterschiede zwischen Wein- und Obstbränden sowie Wacholder und anderen Kornbranntweinen).

[101]) V 1612/68 über die Freizügigkeit der Arbeitnehmer innerhalb der Gemeinschaft, ABl L 1968/257, 1; RL 68/360 zur Aufhebung der Reise- und Aufenthaltsbeschränkungen für Arbeitnehmer der Mitgliedstaaten und ihre Familienangehörigen innerhalb der Gemeinschaft, ABl L 1968/257, 13; V 1251/70 über das Recht der Arbeitnehmer, nach Beendigung einer Beschäftigung im Hoheitsgebiet eines Mitgliedstaats zu verbleiben, ABl L 1970/142, 24.

[102]) Selbständige Tätigkeiten fallen unter Art 52 und 59 EGV; s dazu unten c) und d).

sodaß auch Teilzeitarbeit darunter fällt.[103]) Studien- und Rechtsreferendaren gewährte der EuGH die Freizügigkeitsrechte.[104]) Studenten als solche sind keine Arbeitnehmer; der EuGH hat dennoch Art 48 EGV für anwendbar erklärt, wenn dem Studium eine unselbständige Tätigkeit in dem betreffenden Mitgliedstaat vorausgegangen war.[105]) Beim Zugang zur Berufsausbildung sind Staatsangehörige anderer Mitgliedstaaten mit Inländern gleich zu behandeln; höhere Studiengebühren verstoßen gegen das allgemeine Diskriminierungsverbot des Art 6 EGV (früher Art 7 EWGV).[106]) Art 48 EGV erfaßt wirtschaftliche, aber auch sportliche und soziale Tätigkeiten. Familienangehörige (Ehegatte, Kinder) des begünstigten Arbeitnehmers haben, ungeachtet ihrer Staatsangehörigkeit, das Recht, bei dem Arbeitnehmer zu wohnen und eine unselbständige Berufstätigkeit auszuüben. Seinen Kindern steht die Teilnahme am allgemeinen Unterricht und der Lehrlings- und Berufsausbildung unter den gleichen Bedingungen wie Inländern zu.

Damit eine Berufstätigkeit aufgenommen und ausgeübt werden kann, besteht das **Recht auf Einreise und auf Aufenthalt** für den Arbeitnehmer und seine Familienangehörigen. Zur Einreise ist lediglich der Besitz eines gültigen Personalausweises oder Reisepasses erforderlich.[107]) Das Aufenthaltsrecht gilt für die Dauer der Tätigkeit unbefristet; die besondere Aufenthaltserlaubnis hat nur deklaratorische Bedeutung.[108]) Zur Arbeitssuche wird eine Mindestfrist von drei Monaten gewährt; nach sechs Monaten kann das Aufenthaltsrecht beendet werden, wenn der Betroffene nicht nachweist, daß er mit begründeter Aussicht auf Erfolg Arbeit sucht.[109])

Der **Grundsatz der Gleichbehandlung** des Arbeitnehmers nach Art 48 EGV und näher konkretisiert durch die V 1612/68 erstreckt sich auf den Zugang zur Beschäftigung, auf die Beschäftigungs- und Arbeitsbedingungen, die Entlohnung, Kündigung und Wiederanstellung. Es sind ihm auch die gleichen sozialen Vergünstigungen (zB Zuschüsse, Darlehen, Ermäßigung, Sozialhilfe) wie Inländern zu gewähren. Der EuGH hat eine Regelung des deutschen Einkommensteuergesetzes als eine versteckte Diskriminierung iSd Art 48 EGV gewertet.[110])

---

[103]) EuGH Rs 53/81 – Levin – Slg 1982, 1035 RZ 17; EuGH Rs 139/85 – Kempf – Slg 1986, 1741 RZ 8; EuGH Rs C-357/89 – Raulin – Slg 1992, I-1027 RZ 13.

[104]) EuGH Rs 66/85 – Lawrie-Blum – Slg 1986, 2126 RZ 18; GEI Rs T-50/89 – Sparr – Slg 1990, II-207 RZ 21 ff.

[105]) Der EuGH geht von einer fortdauernden Arbeitnehmereigenschaft aus; EuGH Rs 39/86 – Lair – Slg 1988, 3161 RZ 36 ff; EuGH Rs 197/86 – Brown – Slg 1988, 3205 RZ 21 ff.

[106]) EuGH Rs 293/83 – Gravier – Slg 1985, 593 RZ 24 f; EuGH Rs 24/86 – Blaizot – Slg 1988, 379 RZ 17 ff; EuGH Rs 309/85 – Barra – Slg 1988, 355 RZ 17 ff. Förderungen für den Lebensunterhalt und die Ausbildung fallen nicht in den Anwendungsbereich des Art 6; EuGH Rs 39/86 – Lair – Slg 1988, 3161 RZ 15; EuGH Rs C-109/92 – Wirth – Slg 1993, I-6447 RZ 25.

[107]) Vgl RL 68/360 (FN 101); EuGH Rs C-376/89 – Giagounidis – Slg 1991, I-1069 RZ 15.

[108]) EuGH Rs 8/77 – Sagulo – Slg 1977, 1495 RZ 8.

[109]) EuGH Rs C-292/89 – Antonissen – Slg 1991, I-745 RZ 21.

[110]) EuGH Rs C-279/93 – Schumacker – Slg 1995, I-225 RZ 29.

Die Freizügigkeit kann aus Gründen der öffentlichen Ordnung, Sicherheit und Gesundheit beschränkt werden (Art 48 Abs 3 EGV).[111]) Allerdings bezieht sich diese Ausnahme nur auf das Einreise- und Aufenthaltsrecht, die eingeschränkt werden können, wenn die Anwesenheit oder das Verhalten des Arbeitnehmers eine tatsächliche und hinreichend schwerwiegende Gefährdung eines der Grundinteressen der Gesellschaft darstellt.[112]) Bei der Beurteilung ist auf die persönliche Lage des Betroffenen abzustellen. Eine Gefährdung ist nicht anzunehmen, wenn der Mitgliedstaat das gleiche Verhalten eigener Staatsangehöriger nicht mit Zwangs- oder anderen tatsächlichen Maßnahmen zur Bekämpfung ahndet.[113]) Dem Betreffenden sind die Gründe jeder seine Freiheit einschränkenden Maßnahme bekanntzugeben und ein Rechtsmittel einzuräumen.[114])

Auf eine Beschäftigung in der **öffentlichen Verwaltung** finden die Vorschriften über die Freizügigkeit keine Anwendung (Art 48 Abs 4 EGV). Der EuGH hat diesen Begriff dahin ausgelegt, daß davon Stellen umfaßt sind, „die eine unmittelbare oder mittelbare Teilnahme an der Ausübung hoheitlicher Befugnisse und an der Wahrung solcher Aufgaben mit sich bringen, die auf die Wahrung der allgemeinen Belange des Staats oder anderer Körperschaften gerichtet sind“.[115]) Damit fallen nur ein Kern hoheitlicher Tätigkeiten wie Justiz, Polizei, Militär, Steuerverwaltung und bestimmte leitende Positionen der Leistungsverwaltung darunter; Tätigkeiten bei der Bahn, Post, im Gesundheitswesen oder an staatlichen Bildungseinrichtungen dagegen nicht.

Ergänzend dazu sind Maßnahmen zu treffen, um diskriminierende Verwaltungsverfahren bei der Arbeitsvermittlung abzuschaffen, eine Zusammenarbeit der Arbeitsmarktverwaltungen der Mitgliedstaaten einzurichten sowie den Austausch junger Arbeitskräfte zu fördern.[116]) Zur Erleichterung der Freizügigkeit sehen Art 51 EGV und die V 1408/71 zur Anwendung der Systeme der sozialen Sicherheit auf Arbeitnehmer und deren Familien, die innerhalb der Gemeinschaft zu- und abwandern,[117]) vor, daß die nationalen Versicherungssysteme nur koordiniert, aber nicht angeglichen werden. Die jeweiligen Leistungsansprüche stützen sich auch weiterhin auf innerstaatliche Rechtsvorschriften.

c) Die Niederlassungsfreiheit

Natürliche und juristische Personen haben gem Art 52 EGV das Recht, eine dauernde selbständige Tätigkeit in einem anderen Mitgliedstaat als ihrem Herkunftstaat zu den gleichen Bedingungen wie Inländer aufzunehmen

---

[111]) Die RL 64/221 zur Koordinierung der Sondervorschriften für die Einreise und den Aufenthalt von Ausländern, soweit sie aus Gründen der öffentlichen Ordnung, Sicherheit und Gesundheit gerechtfertigt sind, (ABl 1964/56, 850) konkretisiert die Ausnahme.

[112]) EuGH Rs 36/75 – Rutili – Slg 1975, 1219 RZ 28; EuGH Rs 30/77 – Bouchereau – Slg 1977, 1999 RZ 35.

[113]) EuGH verb Rs 115 und 116/81 – Adoui – Slg 1982, 1665 RZ 8.

[114]) EuGH Rs 36/75 – Rutili – Slg 1975, 1219 RZ 37.

[115]) EuGH Rs 149/79 – Kommission gg Belgien – Slg 1980, 3881 RZ 10.

[116]) Vgl das Programm PETRA, ABl L 1995/87, 1.

[117]) ABl C 1992/325, 1 (kodifizierte Fassung).

und auszuüben. Staatsangehörige eines Mitgliedstaats können sich daher in einem anderen Mitgliedstaat niederlassen, um dort einer handwerklichen, freiberuflichen, kaufmännischen, landwirtschaftlichen oder sonstigen gewerblichen Tätigkeit nachzugehen.[118]) Zu diesem Zweck können auch Unternehmen iSd Art 58 Abs 2 EGV gegründet und geleitet werden.[119]) Ebenso begünstigt ist die Gründung einer sekundären Niederlassung, die organisatorisch oder wirtschaftlich von einer in einem anderen Mitgliedstaat ansässigen Gesellschaft abhängig ist (Agenturen, Zweigniederlassungen oder Tochtergesellschaften, Art 52 Abs 1 Satz 2 EGV).

Art 52 EGV verbietet Vorschriften, nach denen die Aufnahme oder Ausübung einer selbständigen Tätigkeit durch eine natürliche oder juristische Person eines anderen Mitgliedstaats von speziell für Fremde bestimmten Voraussetzungen abhängig gemacht wird. Da die **Niederlassung** eine langfristige Einrichtung mit Schwerpunkt der Tätigkeit im Aufnahmestaat darstellt,[120]) ist die Beachtung aller dort auf seine Tätigkeit anwendbaren Vorschriften grundsätzlich auch dem Niederlassungswilligen zumutbar. In seiner späteren Rechtsprechung hat der EuGH das Verbot des Art 52 EGV dahin erweitert, daß davon auch unterschiedslos anwendbare Regelungen, die Hindernisse für die Niederlassung bewirken, erfaßt sind, soweit sie nicht durch Gründe des Allgemeininteresses gerechtfertigt werden können. Das französische Verbot der **Doppelniederlassung** von Rechtsanwälten und Ärzten verstößt gegen Art 52 EGV: Da Art 52 EGV selbst Zweigniederlassungen als zulässig anerkennt, ist davon auch die Möglichkeit umfaßt, unter Beachtung der jeweiligen Berufsregelungen in der Gemeinschaft mehr als eine Arbeitsstätte einzurichten und beizubehalten.[121]) Auch unterschiedslos geltende nationale Qualifikationsvoraussetzungen (wie etwa betreffend die Zulassung zum Rechtsanwaltsberuf) können die Ausübung der Niederlassungsfreiheit beschränken. Dies gilt für den Fall, wenn in einem anderen Mitgliedstaat erworbene Kenntnisse und Fähigkeiten des Ausländers von den nationalen Regelungen nicht berücksichtigt werden. Nach dem Urteil des EuGH in der Rechtsache „Vlassopoulou"[122]) hat ein Mit-

---

[118]) Ähnlich wie für Arbeitnehmer gestalten die RL 73/148 (ABl L 1971/172, 14) und die RL 75/34 (ABl L 1975/14, 10) das Aufenthalts- und Verbleiberecht selbständig Tätiger näher aus.

[119]) Dazu zählt auch die Sitzverlegung eines Unternehmens; vgl EuGH Rs 81/87 – Daily Mail – Slg 1988, 5483 RZ 16: Maßnahmen des Sitzstaats, die die Verlegung einer Gesellschaft in einen anderen Mitgliedstaat behindern, fallen grundsätzlich auch unter Art 52 EGV. Der EuGH stellte jedoch fest, daß die Unterschiede der Rechtsordnungen betreffend die Sitzverlegung nicht über die Anwendung des Art 52 EGV, sondern im Wege der Rechtsetzung oder des Abschlusses eines Abkommens gem Art 220 EGV zu beheben seien (RZ 23).

[120]) Zur Abgrenzung, ob die Niederlassungs- oder die Dienstleistungsfreiheit anwendbar ist, sind der Schwerpunkt der Tätigkeit sowie die weiteren Umstände des Sachverhalts zu berücksichtigen; vgl EuGH 30. 11. 1995 Rs C-55/94 – Gebhard – (noch nicht veröffentlicht) RZ 27.

[121]) EuGH Rs 107/83 – Klopp – Slg 1984, 2971 RZ 19; EuGH Rs 96/85 – Kommission gg Frankreich – Slg 1986, 1475 RZ 14f.

[122]) EuGH Rs C-340/89 – Vlassopoulou – Slg 1991, I-2357 RZ 15ff; EuGH Rs C-104/91 – Newman – Slg 1992, I-3003 RZ 16. Die Entscheidung, mit der die Anerkennung versagt wird, muß begründet und gerichtlich anfechtbar sein.

gliedstaat daher bei der Zulassung zu einem Beruf, dessen Aufnahme vom Besitz eines Diploms oder einer Berufsqualifikation abhängt, die Diplome, Prüfzeugnisse und sonstigen Befähigungsnachweise, die der Ausländer erworben hat, um den gleichen Beruf in seinem Herkunftstaat auszuüben, zu berücksichtigen. Dazu sind die durch das Diplom bescheinigten Kenntnisse mit den nach nationalem Recht vorgeschriebenen Fähigkeiten zu vergleichen. Bei nur teilweiser Entsprechung der Diplome kann ein Nachweis verlangt werden, daß die fehlenden Kenntnisse erworben wurden. Der EuGH hat damit den Grundsatz der Anerkennung bezüglich ausländischer Befähigungsnachweise aus dem Primärrecht hergeleitet, ohne daß zuvor eine Gemeinschaftsregelung hätte erlassen werden müssen. Die Nichtgewährung von Steuervergünstigungen an Gebietsfremde im Gegensatz zu Gebietsansässigen stellt eine verbotene Diskriminierung dar.[123])

Zur praktischen Erleichterung der Niederlassungs-, aber auch der Dienstleistungsfreiheit (Art 57 iVm Art 66 EGV) sieht Art 57 EGV die Annahme von **Richtlinien zur gegenseitigen Anerkennung der Diplome, Prüfungszeugnisse und sonstigen Befähigungsnachweise** zum Berufszugang (Abs 1) sowie von Richtlinien zur Koordinierung der Rechts- und Verwaltungsvorschriften der Mitgliedstaaten über die Aufnahme und Ausübung selbständiger Tätigkeiten (Berufsausübung; Abs 2) vor.[124])

Um Hindernisse für die Niederlassungsfreiheit von Gesellschaften zu beseitigen, wurden die innerstaatlichen Regelungen des Gesellschaftsrechts betreffend die Publizität, Strukturfragen, die Verschmelzung und das Börsenrecht durch die Annahme von Richtlinien angeglichen.[125]) Darüber hinaus ist die Schaffung einer **Europäischen Aktiengesellschaft** vorgesehen. Seit Juli 1989 besteht als eigene Gesellschaftsform europäischen Rechts die **Europäische wirtschaftliche Interessenvereinigung** (EWIV) zur Zusammenarbeit zwischen Unternehmen.[126])

Art 52 EGV unterliegt dem Vorbehalt, daß Sonderregelungen aus Gründen der öffentlichen Ordnung, Sicherheit und Gesundheit gerechtfertigt sind (Art 56 Abs 1 EGV). Ähnlich wie für die Freizügigkeit erfolgte die weitere Ausgestaltung durch die RL 64/221.[127]) Darüber hinaus sind Tätigkeiten, die dauernd oder zeitweise mit der Ausübung öffentlicher Gewalt verbunden sind, von den Vorschriften über die Niederlassungsfreiheit ausgenommen (Art 55 Abs 1 EGV). Ein Beruf als ganzer fällt unter die Ausnahme, wenn die Tätigkeiten, die allenfalls mit der Ausübung öffentlicher Gewalt verbunden sind, nicht einen von der Berufstätigkeit insgesamt abtrennbaren Teil darstellen. Die Rechtsberatung und der Rechtsbeistand durch einen Rechtsanwalt sind nicht dazu zu rechnen.[128])

---

[123]) EuGH 11. 8. 1995 Rs C-80/94 – Wielockx – Slg 1995, I-2493.

[124]) Vgl die Auflistung bei *Schweitzer/Hummer,* Europarecht[4], 224ff.

[125]) Vgl *Gleichmann* in *von der Groeben/Thiesing/Ehlermann* (Hg), Kommentar zum EWG-Vertrag[4], Europäisches Unternehmensrecht, Bd 4, 6325.

[126]) V 2137/85, ABl L 1985/193, 1.

[127]) FN 111.

[128]) EuGH Rs 2/74 – Reyners – Slg 1974, 631 RZ 51ff; vgl auch EuGH Rs C-42/92 – Thijssen – Slg 1993, I-4047 RZ 22.

d) Der freie Dienstleistungsverkehr

Die Freizügigkeit der Arbeitnehmer und die Niederlassungsfreiheit werden durch die Dienstleistungsfreiheit insofern ergänzt, als diese Erwerbstätigkeiten ohne eine Verlegung des Wohnsitzes umfaßt. Die Dienstleistungsfreiheit wurde ursprünglich als personenbezogene Freiheit verstanden, doch wird nunmehr die **Produkteigenschaft der Dienstleistung** stärker betont. Diese Auffassung liegt auch der Rechtsprechung des EuGH zugrunde, der die Grundsätze des freien Warenverkehrs in ähnlicher Weise auf den freien Dienstleistungsverkehr anwendet.

Dienstleistungen iSd Art 59 und 60 EGV sind Leistungen gegen Entgelt wie etwa gewerbliche, kaufmännische, handwerkliche und freiberufliche Tätigkeiten, soweit sie nicht den Vorschriften über den freien Waren-, Kapital- und Personenverkehr unterliegen. Tätigkeiten im Lotteriewesen wie das Versenden von Werbematerial, Anmeldeformularen und auch Losen sollen die Teilnahme an der Lotterie ermöglichen und sind als Dienstleistungen anzusehen.[129]) Beschränkungen des Dienstleistungsverkehrs für Angehörige anderer Mitgliedstaaten, die in einem anderen Mitgliedstaat als dem des Leistungsempfängers ansässig sind, sind aufzuheben (Art 59 Abs 1 EGV). Zusätzlich sieht Art 60 Abs 2 EGV vor, daß der Leistende zwecks Erbringung seiner Leistungen seine Tätigkeit vorübergehend[130]) in dem Staat ausübt, in dem die Leistung erbracht wird, und zwar unter den Voraussetzungen, welche dieser Staat für seine Angehörigen vorschreibt. Damit geht der EG-Vertrag von dem Fall aus, daß der Leistungserbringer sich zum Empfänger der Dienstleistung in einen anderen Mitgliedstaat begibt (sog **aktive Dienstleistungsfreiheit**). Der Leistungserbringer kann Art 59ff EGV sowohl gegen ihn behindernde Maßnahmen des Bestimmungsstaats als auch gegen solche seines Heimatstaats[131]) geltend machen. Auch Leistungsempfänger, die zur Inanspruchnahme einer Dienstleistung in einen anderen Mitgliedstaat reisen (zB zur ärztlichen Behandlung, Touristen), können sich auf Art 59ff EGV berufen (sog **passive oder negative Dienstleistungsfreiheit**).[132]) Schließlich sind auch Dienstleistungen wie etwa durch Banken oder Versicherungen[133]) oder Fernsehsendungen[134]) erfaßt, bei denen eine Grenzüberschreitung weder des Erbringers noch des Empfängers erfolgt **(sog personenunabhängige Dienstleistungsfreiheit)**.[135])

---

[129]) EuGH Rs C-275/92 – Schindler – Slg 1994, I-1039 RZ 22ff; vgl zur Abgrenzung zum Warenbegriff auch FN 24.

[130]) Der vorübergehende Charakter der Dienstleistung ist unter Berücksichtigung ihrer Dauer, ihrer Häufigkeit, ihrer regelmäßigen Wiederkehr und ihrer Kontinuität zu beurteilen; EuGH 30. 11. 1995 Rs C 55/94 – Gebhard – noch nicht veröffentlicht RZ 27.

[131]) EuGH Rs C-18/93 – Corsica Ferries – Slg 1994, I-1783 RZ 30; EuGH Rs C-379/92 – Peralta – Slg 1994, I-3453 RZ 48; EuGH Rs C-381/93 – Kommission gg Frankreich – Slg 1994, I-5145 RZ 14.

[132]) EuGH verb Rs 286/82 und 26/83 – Luisi und Carbone – Slg 1984, 377 RZ 10, 16; EuGH Rs 186/87 – Cowan – Slg 1989, 195 RZ 15.

[133]) EuGH Rs 205/84 – Kommission gg Deutschland – Slg 1986, 3755 RZ 24.

[134]) EuGH Rs 155/73 – Sacchi – Slg 1974, 409 RZ 6; EuGH Rs 352/85 – Bond van Adverteerders – Slg 1988, 2085 RZ 14ff.

[135]) Auch telephonisch erbrachte Dienstleistungen sind dazuzurechnen; EuGH Rs C-384/93 – Alpine Investments – Slg 1995, I-1141 RZ 21f.

Entsprechend der Produkteigenschaft von Dienstleistungen hat der EuGH in jüngerer Zeit die Grundsätze des freien Warenverkehrs auf die Art 59 ff EGV übertragen. Über das Gebot einer reinen **Inländerbehandlung** hinaus, wie sie aus dem Wortlaut des Art 60 Abs 2 EGV folgen würde, sind auch unterschiedslos anwendbare Regelungen am **Verhältnismäßigkeitsgrundsatz** zu messen: Es sind „alle Beschränkungen aufzuheben, die – obwohl sie unterschiedslos für einheimische Dienstleistende wie für Dienstleistende anderer Mitgliedstaaten gelten – geeignet sind, die Tätigkeit eines in einem anderen Mitgliedstaat ansässigen Dienstleistenden, der dort rechtmäßig gleichartige Dienstleistungen erbringt, zu unterbinden oder zu behindern".[136]) Regelungen über die Berufszulassung und -ausübung des Dienstleistungserbringers im Empfängerstaat sind daraufhin zu überprüfen, ob sie einem zwingenden Grund des Allgemeininteresses dienen, ob dieses Ziel nicht bereits durch Vorschriften des Staats, in dem der Leistungserbringer niedergelassen ist, erreicht wird und ob es sich um das mildeste Mittel handelt. Bei der Anwendung dieser Formel orientiert sich der EuGH an seiner Rechtsprechung zum Warenverkehr.[137]) Der Vermeidung von Doppelbelastungen dient der **Grundsatz der Sitzlandkontrolle,**[138]) der auch in das Sekundärrecht übernommen wurde.

Zwingende **Gründe des Allgemeininteresses** stellen die zum Schutz der Dienstleistungsempfänger bestimmten Berufsregeln dar, der Schutz des gewerblichen Eigentums, der Schutz der Arbeitnehmer, der Verbraucherschutz, die Erhaltung des nationalen historischen und künstlerischen Erbes, die Aufwertung der archäologischen, historischen und künstlerischen Reichtümer, die bestmögliche Verbreitung der Kenntnisse über das künstlerische Erbe eines Landes, die Kulturpolitik, die Meinungsvielfalt, die Steuerpolitik und der Schutz der Sozialordnung.[139]) Die neuere Rechtsprechung zeigt, daß der EuGH den genannten Katalog bei Bedarf um neue Rechtfertigungsgründe erweitert.

Soll der Dienstleistungsverkehr praktisch möglich sein, kann für die Erbringung von Dienstleistungen nicht die Erfüllung aller Bedingungen einer Niederlassung verlangt werden, sondern die Anforderungen müssen auf das Erforderliche begrenzt werden. Ein Staat kann jedoch Maßnahmen erlassen, um zu verhindern, daß ein Dienstleistungserbringer, dessen Tätigkeit ganz oder vorwiegend auf das Gebiet dieses Staats ausgerichtet ist, sich auf Art 59 EGV beruft, um sich den Berufsregelungen zu entziehen, die auf ihn im Falle einer dortigen Niederlassung anwendbar wären.[140]) Das Erfordernis des stän-

[136]) EuGH Rs C-76/90 – Säger/Dennemeyer – Slg 1991, I-4221 RZ 12; EuGH Rs C-43/92 – Vander Elst – Slg 1994, I-3803 RZ 14.

[137]) Siehe oben bei FN 72. In der Rs C-384/93 – Alpine Investments – Slg 1995, I-1141 lehnte der EuGH im konkreten Fall die analoge Anwendung der „Keck"-Rechtsprechung auf die Dienstleistungsfreiheit ab, wobei jedoch offenbleibt, ob eine solche Einschränkung auch für diese Freiheit vorgenommen werden kann.

[138]) EuGH verb Rs 110 und 111/78 – van Wesenmael – Slg 1979, 35 RZ 30; EuGH Rs 279/80 – Webb – Slg 1981, 3305 RZ 20.

[139]) Vgl EuGH Rs C-353/89 – Mediawet II – Slg 1991, 4069 RZ 18; EuGH Rs C-275/92 – Schindler – Slg 1994, I-1039 RZ 58.

[140]) EuGH Rs 33/74 – van Binsbergen – Slg 1974, 1299 RZ 13; EuGH Rs 205/84 – Kommission gg Deutschland – Slg 1986, 3755 RZ 22; EuGH Rs C-23/93 – TV 10 SA – Slg 1994, I-4795 RZ 20.

digen Aufenthalts im Inland für die Erbringung einer anwaltlichen Dienstleistung sah der EuGH als unzulässig an.[141]) Dagegen sah der EuGH eine Vorschrift, die eine feste Niederlassung im Bestimmungsstaat sowie eine Zulassung für Versicherungen vorschrieb, als zum Schutz der Verbraucher gerechtfertigt an.[142]) Auch wenn das Verbot, für Lotterien zu werben, eine Beschränkung iSd Art 59 EGV darstellt, ist es wegen der besonderen Natur von Lotterien zum Schutz der Sozialordnung und zur Betrugsbekämpfung erforderlich.[143]) Das Verbot der Telephonwerbung für Finanzdienstleistungen ist durch den Schutz des Vertrauens der Kapitalanleger in die nationalen Finanzmärkte gerechtfertigt.[144])

Art 66 EGV erstreckt bestimmte Vorschriften betreffend die Niederlassungsfreiheit auch auf Dienstleistungen. So sind hoheitliche Tätigkeiten vom Verbot des Art 59 EGV nicht erfaßt. Die Anerkennung von Diplomen und die Angleichung der Rechtsvorschriften ist auch für den Dienstleistungssektor vorgesehen.[145])

e) Der freie Kapitalverkehr

Der EU-Vertrag hat die Kapitalverkehrsfreiheit grundlegend umgestaltet: Art 67 bis 73 EGV, die eine schrittweise **Liberalisierung des Kapitalverkehrs** vorgesehen hatten, wurden mit Wirkung vom 1. Jänner 1994 durch die Art 73 b bis 73 g EGV ersetzt. Art 73 b bis 73 g EGV regeln neben dem Kapitalverkehr auch den Zahlungsverkehr, der unten behandelt wird. Gem Art 73 b Abs 1 EGV sind „alle Beschränkungen des Kapitalverkehrs zwischen den Mitgliedstaaten sowie zwischen den Mitgliedstaaten und dritten Ländern verboten".[146]) Diese Vorschrift ist unmittelbar anwendbar.[147])

Der **Begriff Kapitalverkehr** in Art 73 b Abs 1 EGV umfaßt den Verkehr von Sachkapital (Rechte an Immobilien, Unternehmensbeteiligungen) und von Geldkapital (Wertpapiere, Kredite). Beschränkungen des Kapitalverkehrs werden üblicherweise in devisenrechtliche und administrative Beschränkungen eingeteilt. Administrative Beschränkungen können beispielsweise mit der Zulassung von Wertpapieren zu den Kapitalmärkten mit dem Gebot eines Börsen- oder Transparenzzwangs, mit dem Verbot von freien

---

[141]) EuGH Rs 33/74 – van Binsbergen – Slg 1974, 1299 RZ 14 ff.

[142]) EuGH Rs 205/84 – Kommission gg Deutschland – Slg 1986, 3755 RZ 49, 55. Dieses Urteil war noch vor der vollständigen Liberalisierung ergangen.

[143]) EuGH Rs C-275/92 – Schindler – Slg 1994, I-1039 RZ 59 ff.

[144]) EuGH Rs C-384/93 – Alpine Investments – Slg 1995, I-1141 RZ 44.

[145]) Siehe oben FN 124.

[146]) Siehe *Weber*, Kapitalverkehr und Kapitalmärkte im Vertrag über die Europäische Union, EuZW 1992, 563.

[147]) EuGH 14. 12. 1995 verb Rs C-163/94, C-165/94 und C-250/94 – Sanz de Lera – noch nicht veröffentlicht RZ 41. Damit entfallen notwendige Liberalisierungsmaßnahmen, wie sie nach der früheren Fassung (Art 69 EGV) vorgesehen waren. Die RL 88/361/EWG zur Durchführung von Art 67 EGV (ABl L 1988/178, 5), die zum 1. 7. 1990 die vollständige Liberalisierung des Kapitalverkehrs beinhaltete, ist nur noch insoweit gültig, als sie mit dem Primärrecht vereinbar ist.

Börsen oder mit den Regelungen über Investmentfonds, über Wertpapieremissionen und über die Erbringung von Finanzdienstleistungen verbunden sein. Die administrativen Beschränkungen werden mit dem Wegfall der devisenrechtlichen Zuständigkeit der Mitgliedstaaten in der 3. Stufe der Währungsunion und mit dem Euro als einheitlicher Währung die einzig praktisch bedeutsamen Beschränkungen des innergemeinschaftlichen Kapitalverkehrs sein.[148])

Die Vorschriften über die Kapitalverkehrsfreiheit beseitigen nicht die Zuständigkeit der Mitgliedstaaten, gemeinschaftsrechtlich anerkannte Schutzziele selbständig zu verfolgen.[149]) Der Kapitalverkehr darf durch Rechtsvorschriften dann behindert werden, wenn diese Rechtsvorschriften entweder als „zwingende Erfordernisse" im Rahmen von Art 73b Abs 1 EGV oder durch die – ähnlich wie Art 36 EGV formulierten – Ausnahmebestimmungen des Art 73d EGV gerechtfertigt sind. Unterschiedslos anwendbare Regelungen sind auf ihre Verhältnismäßigkeit hin zu überprüfen. Der EuGH hielt eine Genehmigungspflicht für die Ausfuhr von Hartgeld, Banknoten oder Inhaberschecks ab einer bestimmten Höhe für unzulässig; eine vorherige Anmeldung sei ausreichend, um etwaigen Zuwiderhandlungen vorzubeugen.[150])

Zwingende Erfordernisse ergeben sich aus den Erwägungen **des Gemeinwohls**[151]) und umfassen im kapitalmarktrechtlichen Bereich etwa den Anlegerschutz, die Lauterkeit des Kapitalhandelsverkehrs (etwa des börsegeschäftlichen Verkehrs), die Erhaltung des Vertrauens in den Kapitalmarkt oder die Erhaltung des guten Rufs eines nationalen Finanzplatzes.[152]) Die Funktionsfähigkeit des Kapitalmarkts kann ein zwingendes Erfordernis für behindernde Maßnahmen sein, wenn diese Maßnahmen die Funktionsfähigkeit eines gemeinsamen Kapitalmarkts – insbesondere strukturell – unterstützen. Neben Art 73b Abs 1 EGV erlaubt auch Art 73d EGV den Mitgliedstaaten, unter bestimmten Voraussetzungen zum Schutz bestimmter Rechtsgüter vom Verbot des Art 73b EGV abzuweichen. Hervorzuheben ist Art 73d Abs 1 lit b 1. Fall EGV, wonach unerläßliche Maßnahmen zur Verhinderung von Zuwiderhandlungen gegen mitgliedstaatliche Rechts- und Verwaltungsvorschriften insb in den Bereichen Steuerrecht und Aufsicht über Finanzinstitute zulässig bleiben. Diese Vorschrift ist im wesentlichen dort anzuwenden, wo die Durchsetzung der Rechtsfolgen bestimmter Rechtsvorschriften auf Schwierigkeiten stößt und Beschränkungen des Kapitalverkehrs eine **mittelbare** Durchsetzung dieser Vorschriften gewährleisten. Im übrigen sind folgende Ausnahmegründe vorgesehen: Die unterschiedliche Behandlung von Steuerpflichtigen mit unterschiedlichem Wohnort oder Kapitalanlageort aufgrund steuerrechtlicher Vorschriften (Art 73d Abs 1 lit a EGV), unerläßliche Maßnahmen zur Einrichtung eines Meldeverfahrens für den Kapitalverkehr

[148]) Siehe *Weber* (FN 146) 561.

[149]) Dies ergibt sich schon aus Art 73d Abs 1 EGV.

[150]) EuGH verb Rs C-358/93 und C-416/93 – Bordessa – Slg 1995, I-361 RZ 27; EuGH 14. 12. 1995 verb Rs C-163/94, C-165/94 und C-250/94 – Sanz de Lera – noch nicht veröffentlicht.

[151]) Siehe *Weber* (FN 146) 563.

[152]) Vgl EuGH Rs C-384/93 – Alpine Investments – Slg 1995, I-1141 RZ 44.

zwecks administrativer oder statistischer Information (Art 73d Abs 1 litb 2. Fall EGV), Gründe der öffentlichen Ordnung oder Sicherheit (Art 73d Abs 1 litb 3. Fall EGV) und zulässige Beschränkungen des Niederlassungsrechts (Art 73d Abs 2 EGV). Das Vorliegen der Ausnahmevoraussetzungen ist streng zu prüfen. Der Anwendungsbereich der Ausnahme ist restriktiv zu sehen und gilt nur für Art 73b EGV. Die Ausnahmegründe sind abschließend aufgeführt. Aufgrund der Ausnahmebestimmungen getroffene Maßnahmen und Verfahren dürfen weder ein Mittel zur willkürlichen Diskriminierung noch eine verschleierte Beschränkung des freien Kapitalverkehrs darstellen (Art 73d Abs 3 EGV).

Durch Rechtsangleichungsmaßnahmen wurde die nötige Grundlage geschaffen, damit der freie Kapitalverkehr tatsächlich verwirklicht wird. Die **Harmonisierung der staatlichen Vorschriften** betreffend Kapitalmärkte, Börsen und Kapitalanlageorganismen, der indirekten Steuern[153]) und Maßnahmen zur Verhinderung der Doppelbesteuerung auf dem Gebiet der direkten Steuern[154]) trug zur Schaffung eines europäischen Finanzraums bei.

Art 73b Abs 1 EGV sieht die vollständige Liberalisierung des Kapitalverkehrs auch im Hinblick auf Drittstaaten vor. Allerdings können die am 31. Dezember 1993 geltenden Beschränkungen auf der Grundlage innerstaatlichen oder Gemeinschaftsrechts beibehalten werden (Art 73c Abs 1 EGV); zur Verwirklichung des freien Kapitalverkehrs mit Drittstaaten kann der Rat entsprechende Maßnahmen (über das Erreichte zurückgehende Maßnahmen bedürfen der Einstimmigkeit) erlassen (Abs 2). Für den Fall, daß Kapitalbewegungen aus oder in Drittstaaten schwerwiegende Gefahren für das Funktionieren der Wirtschafts- und Währungsunion bewirken oder zu bewirken drohen, kann der Rat maximal sechs Monate gültige Schutzmaßnahmen gegenüber Drittstaaten erlassen (Art 73f EGV). Embargomaßnahmen betreffend den Kapitalverkehr gegenüber Drittstaaten können vom Rat ergriffen werden; bei Säumigkeit des Rates können auch einzelne Mitgliedstaaten derartige Maßnahmen verabschieden (Art 73g EGV).

f) Der freie Zahlungsverkehr

Die Freiheit des Zahlungsverkehrs ist eine **komplementäre Freiheit** zu den Grundfreiheiten des Warenverkehrs, der Arbeitnehmer, der Niederlassung, der Dienstleistung und des Kapitals („6. Grundfreiheit"). Gem Art 73b Abs 2 EGV sind „alle Beschränkungen des Zahlungsverkehrs zwischen den Mitgliedstaaten sowie zwischen den Mitgliedstaaten und dritten Ländern verboten". Im übrigen ist die Zahlungsverkehrsfreiheit gemeinsam mit der Kapitalverkehrsfreiheit geregelt, weshalb auf die dortigen Ausführungen verwiesen wird. Erwähnt sei nur, daß auch Art 73b Abs 2 EGV unmittelbar anwendbar ist und Beschränkungen des Zahlungsverkehrs bei „zwingenden Er-

---

[153]) 6. MwSt-RL 77/388, ABl L 1977/145, 1.

[154]) RL 90/434 über das gemeinsame Steuersystem für Fusionen, Spaltungen, die Einbringung von Unternehmensteilen und den Austausch von Anteilen, die Gesellschaften verschiedener Mitgliedstaaten betreffen, ABl L 1990/225, 1.

fordernissen“ im öffentlichen Interesse und aus den in Art 73 d EGV genannten Gründen zulässig sind.

2. Vom freien Personenverkehr zum europäischen Bürgerrecht

Die Freizügigkeit der **Wanderarbeitnehmer** wurde bereits früh nicht nur unter rein wirtschaftlichen Gesichtspunkten betrachtet, sondern um soziale Elemente erweitert. So hat die V 1612/68[155]) die soziale Eingliederung der Arbeitnehmer aus anderen Mitgliedstaaten in das Gastland zum Ziel; ferner ist der Arbeitnehmer berechtigt, seine Familienangehörigen nachkommen zu lassen und die gleichen sozialen Vergünstigungen zuerkannt zu bekommen wie Inländer. Weitere Schritte im Rahmen der gemeinschaftlichen Sozialpolitik stellen die Europäische Charta sozialer Grundrechte vom Dezember 1989 sowie das dem Unionsvertrag beigefügte Protokoll über die Sozialpolitik sowie das Abkommen zwischen elf Mitgliedstaaten über die Sozialpolitik dar.

Die Bemühungen, weitere besondere (vor allem politische) Rechte für Gemeinschaftsangehörige vorzusehen, gehen bis auf das Jahr 1974 zurück. Die Kommission nannte damals das kommunale Wahlrecht, das Recht auf den Zugang zu öffentlichen Stellen sowie das Vereinigungs- und Versammlungsrecht. Der im Jahr 1984 eingesetzte *Adonnino*-Ausschuß schlug vor, neben Maßnahmen betreffend die rechtliche Stellung der Bürger im Hinblick auf den Aufenthalt in einem anderen Mitgliedstaat (allgemeines Aufenthaltsrecht) auch andere, die Bürger besonders betreffende Fragen zu berücksichtigen (zB Grenzkontrollen, Diplomanerkennung, Kultur- und Jugendförderung). Erst der EU-Vertrag hat bestimmte Rechte in einem eigenen Teil des EG-Vertrags eingeführt. Die darin vorgesehenen Unionsbürgerrechte ergänzen die bestehenden Rechte, die aus den Grundfreiheiten ableitbar sind. Gem Art 8 EGV kommt den Staatsangehörigen der Mitgliedstaaten die **Unionsbürgerschaft** zu. Die Grundlage für diese Unionsbürgerschaft ist allerdings die jeweilige Staatsangehörigkeit der Mitgliedstaaten.

Jeder Unionsbürger hat das Recht, sich – unabhängig von einer Erwerbstätigkeit – im Hoheitsgebiet der Mitgliedstaaten frei zu bewegen und aufzuhalten, jedoch unter dem Vorbehalt der vertraglichen und in Durchführungsbestimmungen enthaltenen Voraussetzungen und Beschränkungen. Dieses allgemeine Aufenthaltsrecht ist nunmehr primärrechtlich verankert, nachdem bereits im Jahr 1990 drei Richtlinien[156]) zu diesem Zweck erlassen worden waren. Danach ist das Recht auf Einreise und Aufenthalt

---

155) FN 101.

156) RL 90/364 über das Aufenthaltsrecht, ABl L 1990/180, 26; RL 90/365 über das Aufenthaltsrecht der aus dem Erwerbsleben Ausgeschiedenen, ABl L 1990/180, 28; RL 90/366 über das Aufenthaltsrecht der Studenten, ABl L 1990/180, 30 idF RL 93/96, ABl L 1993/317, 59; die RL 90/366 war vom EuGH wegen fehlerhafter Rechtsgrundlage für nichtig erklärt worden (EuGH Rs C-295/90 – Europäisches Parlament gg Rat – Slg 1992, I-4193); vgl *Röttinger,* Bedeutung der Rechtsgrundlage einer EG-Richtlinie und Folgen einer Nichtigkeit, EuZW 1993, 117 sowie *Röttinger,* Das Aufenthaltsrecht in der EG, ecolex 1991, 298.

von aus dem Arbeitsleben ausgeschiedenen Personen, Studenten und sonstigen Personen daran gebunden, daß sie über ausreichende Geldmittel sowie eine Krankenversicherung, die alle Risiken abdeckt, verfügen. Ihre Rechtsstellung entspricht derjenigen des Wanderarbeitnehmers. Der Aufenthalt der Studenten ist zeitlich auf die Dauer der Ausbildung beschränkt. Gem Art 8a Abs 2 EGV können Vorschriften getroffen werden, wodurch die genannten Vorbehalte eingeschränkt werden. Die Kommission hat vor kurzem einen Vorschlag ausgearbeitet, wodurch sämtliche sekundärrechtlichen Bestimmungen aufgehoben werden sollen, die das Recht zum Überschreiten der Binnengrenzen von der Vorlage eines gültigen Personaldokuments abhängig machen.[157])

Das aktive und passive **Wahlrecht bei Kommunalwahlen** steht gem Art 8b Abs 1 EGV jedem Unionsbürger, der in einem Mitgliedstaat wohnt, dessen Staatsangehörigkeit er nicht besitzt, zu den gleichen Bedingungen wie Inländern zu. Die Einzelheiten wurden in der RL 94/80[158]) festgelegt. Ebenso besitzt der Unionsbürger ein aktives und passives Wahlrecht bei Wahlen zum Europäischen Parlament im Mitgliedstaat seines Wohnsitzes (Art 8b Abs 2 EGV), das in der RL 93/109[159]) näher ausgeführt ist. Gemeinschaftsangehörige haben Anspruch auf diplomatischen und konsularischen Schutz in Drittstaaten, in denen der Heimatstaat nicht vertreten ist (Art 8c EGV).[160]) Das Recht, eine Petition an das Europäische Parlament zu richten, wird nunmehr vertraglich verankert (Art 8d und 138d EGV). Alle Unionsbürger und jede in den Mitgliedstaaten niedergelassene natürliche und juristische Person kann sich in allen Belangen, die sie unmittelbar betreffen und die in die Zuständigkeit der Gemeinschaft fallen, an das Parlament wenden. Darüber hinaus wurde ein Bürgerbeauftragter eingesetzt (Art 8d und 138e EGV), der Beschwerden von Unionsbürgern und Dritten über Mißstände bei der Tätigkeit von Gemeinschaftsorganen entgegennimmt und untersucht. Gem Art 8e EGV ist vorgesehen, daß diese Rechte erweitert werden können. Es ist noch nicht abzuschätzen, inwieweit die bestehenden Rechte einen wesentlichen Schritt hin zur Schaffung eines europäischen Staatsvolks darstellen.

Die Kommission wertete im „Weißbuch" den **Abbau der Personenkontrollen** an den Gemeinschaftsgrenzen[161]) als ein wesentliches Ziel zur Vollendung des Binnenmarkts. Da entsprechende Gemeinschaftsmaßnahmen auf politischen Widerstand einiger Mitgliedstaaten (Dänemark, Irland und Vereinigtes Königreich) stießen, verlagerten einige Mitgliedstaaten ihre Zusammenarbeit auf diesem Gebiet auf die Ebene des Völkerrechts. Das **Schengener Abkommen** vom 14. Juni 1985 und das Durchführungsabkommen aus 1990, das am 1. Februar 1994 in Kraft gesetzt werden konnte, sehen – im Vorgriff auf gemeinschaftsweit geltende Regelungen – vor, daß zwischen den be-

---

[157]) KOM (95) 348 endg v 12. Juli 1995, wodurch die RL 68/360 (FN 101) und die RL 73/148 (FN 118) geändert werden sollen.

[158]) ABl L 1994/368, 38.

[159]) ABl L 1993/329, 34.

[160]) Vgl Beschluß der im Rat vereinigten Vertreter der Regierungen der Mitgliedstaaten v 19. 12. 1995, ABl L 1995/314, 73.

[161]) Vgl *Bohr,* Keine Personenkontrollen an den Grenzen in der EU, ecolex 1994, 288.

teiligten Staaten (alle Mitgliedstaaten[162]) mit Ausnahme der drei zuvor genannten Staaten; für die neu beigetretenen Mitgliedstaaten ist eine Übergangsfrist vorgesehen) die Binnengrenzen ohne Kontrolle überschritten werden können. Die Kontrollen an den Außengrenzen werden dagegen verstärkt und die Zuständigkeit für die Behandlung von Visaanträgen wird geregelt. Zur Vorbeugung und Bekämpfung von Verbrechen ist die polizeiliche Zusammenarbeit der staatlichen Behörden und der Aufbau des sog Schengener Informationssystems vorgesehen. Flankierend dazu wurde von allen Mitgliedstaaten das Dubliner Abkommen über die Bestimmung des zuständigen Staats für die Prüfung eines in einem Mitgliedstaat gestellten Asylantrags unterzeichnet. Art K EUV sieht in den Bereichen Inneres und Justiz eine Zusammenarbeit zwischen den Mitgliedstaaten vor, wobei ua die **Asylpolitik,** die Kontrolle der Außengrenzen, die Einwanderungspolitik sowie die Drogen- und internationale Verbrechensbekämpfung zu Angelegenheiten von gemeinsamem Interesse erklärt werden. Nach Inkrafttreten des EU-Vertrages hat die Kommission das Abkommen über Kontrollen von Personen, welche die Außengrenzen der EG-Mitgliedstaaten überschreiten, überarbeitet und als Rechtsgrundlage Art K. 3 Abs 2c EUV gewählt.[163]) Wegen der fehlenden Einigung zwischen Spanien und dem Vereinigten Königreich in bezug auf Gibraltar konnte das Abkommen bislang nicht unterzeichnet werden. Seit Mitte 1992 besteht ein Europäisches Polizeiamt (Europol)[164]) in Den Haag, das der Zusammenarbeit zur Verhütung und Bekämpfung des internationalen Terrorismus, des illegalen Drogenhandels und sonstiger schwerwiegender Formen der internationalen Kriminalität dient. Vergleichbar mit dem Informationssystem im Rahmen der Schengener Abkommen ist die Errichtung eines gemeinsamen europäischen Informationssystems geplant.

Mitte 1995 legte die Kommission einen Vorschlag für eine Richtlinie zur Abschaffung der **Personenkontrollen an den Binnengrenzen** vor, der auf Art 100 EGV gestützt ist.[165]) Damit sollen sämtliche Grenzkontrollen oder -formalitäten beseitigt werden, sodaß auch Kontrollen bezüglich Staatsangehörigen aus Drittländern[166]) entfallen. Allerdings wird das Inkraftsetzen der Regelung an die Anwendung wesentlicher Begleitmaßnahmen (Dubliner Abkommen, Abkommen betreffend die Außengrenzen, gemeinsames europäisches Informationssystem, Visapolitik) geknüpft.Tragendes Argument, die Binnengrenzen aufrecht zu halten, war die fehlende Angleichung der innerstaatlichen Rechtsvorschriften im Hinblick auf Drittstaatsangehörige. Art 100c EGV weist nunmehr der EG die entsprechende Zuständigkeit für die Visapolitik zu. Die V

162) Seit 26. 3. 1995 werden die Abkommen zwischen Belgien, Deutschland, Spanien, Frankreich, Luxemburg, den Niederlanden und Portugal angewendet, die übrigen Staaten werden nach Abschluß der Ratifikation folgen.

163) KOM(93) 684 endg v 10. 12. 1993.

164) Zur Zusammenarbeit der Polizeibehörden wurde am 26. 7. 1995 das Europol-Übereinkommen unterzeichnet; ABl C 1995/316, 1.

165) ABl C 1995/289, 16.

166) Damit Drittstaatsangehörige, die sich rechtmäßig in einem Mitgliedstaat aufhalten, auch Kurzaufenthalte in anderen Mitgliedstaaten vornehmen können, legte die Kommission einen entsprechenden Vorschlag für eine Richtlinie vor; KOM(95) 346 endg v 12. 7. 1995.

2317/95[167]) bestimmt die Drittländer, deren Staatsangehörige beim Überschreiten der Außengrenzen der Mitgliedstaaten im Besitz eines Visums sein müssen. Eine weitere Verordnung[168]) führt ein einheitliches Modell für ein Visum ein, sodaß nur noch die genannten Abkommen ratifiziert werden müssen, damit der Binnenmarkt ohne Binnengrenzen für Personen verwirklicht ist.

3. Das Verhältnis der Grundfreiheiten zueinander

Der EG-Vertrag regelt entsprechend den Objekten wirtschaftlichen Handelns getrennt die Freiheiten des Verkehrs mit Waren, Dienstleistungen und Kapital, die Freizügigkeit von abhängigen Arbeitnehmern und selbständig Erwerbstätigen (samt den Kapitalgesellschaften) sowie die Freiheit der Zahlungen. Wenngleich es damit mehrere Grundfreiheiten gibt, dienen sie alle dem Ziel, die nationalen Märkte der Mitgliedstaaten zu einem Binnenmarkt zusammenzuschließen. Es ist daher nicht verwunderlich, wenn die einzelnen Freiheiten im Verhältnis zueinander Ähnlichkeiten in der rechtlichen Ausgestaltung aufweisen. Darüber hinaus ist zu beobachten, daß sich der EuGH bei der Auslegung der einzelnen Grundfreiheiten an Lösungen orientiert, die er in bezug auf andere Grundfreiheiten gefunden hat. Insofern wird von einer **„Konvergenz"**[169]) oder **„Parallelität"**[170]) der **Grundfreiheiten** gesprochen.

Die einzelnen Grundfreiheiten sind durch Verbotstatbestände gekennzeichnet, wobei Art 30, 34 und 73b EGV neutral formuliert sind, Art 48, 52 und 59 EGV nach ihrem Wortlaut ein Diskriminierungsverbot bzw den Grundsatz der Inländergleichbehandlung aufstellen. Der EuGH ist jedoch über den reinen Wortlaut hinausgegangen und hat die Grundfreiheiten in ihrem Anwendungsbereich aneinander angeglichen. Den Ausgangspunkt bildete dafür das „Dassonville"-Urteil, in dem der EuGH Art 30 EGV als ein alle den innergemeinschaftlichen Handel behindernden Maßnahmen umfassendes Verbot auslegte.[171]) Die Dienstleistungsfreiheit erfaßt neben Anforderungen, die den Leistenden gegenüber den Inländern diskriminiert, auch solche, die „in anderer Weise geeignet sind, die Tätigkeit des Leistenden zu unterbinden oder zu behindern".[172]) Im Urteil „Säger"[173]) erstreckte der EuGH das Beschränkungsverbot des Art 59 EGV auf unterschiedslos anwendbare Rechtsvorschriften. Auch in bezug auf Art 48 und 52 EGV führte der EuGH aus, diese Vertragsbestimmungen stünden solchen innerstaatlichen Rechtsvorschriften entgegen, die geeignet sind, die Ausübung der Personenfreizügigkeit zu behindern oder weniger attraktiv zu machen.[174]) In Anlehnung an

---

[167]) ABl L 1995/234, 1.

[168]) V 1683/95, ABl L 1995/164, 1.

[169]) *Behrens,* Die Konvergenz der wirtschaftlichen Freiheiten im europäischen Gemeinschaftsrecht, EuR 1992, 145.

[170]) *Bleckmann,* Europarecht[5], 34.

[171]) Zur engen Auslegung des Art 34 EGV vgl Text bei FN 64.

[172]) EuGH Rs 33/74 – van Binsbergen – Slg 1974, 1299 RZ 10.

[173]) EuGH Rs C-76/90, Slg 1991, I-4221 RZ 12; ebenso EuGH Rs C-275/92 – Schindler – Slg 1994, I-1039 RZ 43 und EuGH Rs C-43/93 – Vander Elst – Slg 1994, I-3803 RZ 13.

[174]) EuGH Rs C-19/92 – Kraus – Slg 1993, I-1663 RZ 32; vgl schon EuGH Rs 152/73 – Sotgiu – Slg 1974, 153 RZ 11 (auch alle versteckten Formen der Diskriminierung

die Rechtsprechung zu Art 30 EGV sollte auch für die Freiheit des Kapital- und Zahlungsverkehrs von einem Beschränkungsverbot ausgegangen werden können. Es bleibt allerdings derzeit noch offen, ob die teilweise Rückführung des Art 30 EGV zu einem Diskriminierungsverbot durch die „Keck"-Rechtsprechung bei der Auslegung der anderen Grundfreiheiten herangezogen werden kann.[175])

Die einzelnen Grundfreiheiten enthalten jeweils ausdrücklich im Vertrag festgelegte (Art 36, 48 Abs 3 und 4, 55, 56, 66 und 73d EGV) und/oder durch die Rechtsprechung entwickelte Ausnahmetatbestände. Den im „Cassis"-Urteil genannten zwingenden Erfordernissen, wonach bestimmte den Warenverkehr unterschiedslos behindernde Maßnahmen nicht unter Art 30 EGV fallen, entsprechen bei der Dienstleistungs- und Niederlassungsfreiheit sowie der Arbeitnehmerfreizügigkeit sog zwingende Gründe des Allgemeininteresses. Mit Ausweitung des Anwendungsbereichs der einzelnen Freiheitsrechte lag es nahe, im Gegenzug ungeschriebene Rechtfertigungsgründe[176]) zu schaffen. Die Ausnahmetatbestände sind eng auszulegen[177]) und können nur solange herangezogen werden, als keine Gemeinschaftsregelungen bestehen. Die Mitgliedstaaten tragen die Beweislast dafür, daß mit der beanstandeten Regelung ein berechtigter Zweck verfolgt wird, der mit dem EG-Vertrag vereinbar und aus zwingenden Gründen gerechtfertigt ist. In diesem Fall ist darüber hinaus zu zeigen, daß die fragliche innerstaatliche Regelung geeignet ist, die Verwirklichung des mit ihr verfolgten Zwecks zu gewährleisten, und nicht über das hinausgeht, was zur Erreichung dieses Zwecks erforderlich ist (sog **Verhältnismäßigkeitsgrundsatz**).[178]) Bei der Waren-, Niederlassungs- und Dienstleistungsfreiheit sind die im Herkunftsland anwendbaren Vorschriften (zB durchgeführte Kontrollen, Prüfungen und Bescheinigungen über bestimmte Kenntnisse) zu berücksichtigen.

4. Die grundfreiheitliche Bindung der Mitgliedstaaten und der EG

Die Grundfreiheiten sind in erster Linie an die Mitgliedstaaten gerichtet und verpflichten sie zu einem bestimmten Handeln oder Unterlassen. Diese Verpflichtungen werden durch Art 5 EGV flankiert, der den Mitgliedstaaten

sind verboten); EuGH Rs C-340/89 – Vlassopoulou – Slg 1991, I-2357 RZ 15 (die Nichtberücksichtigung in einem anderen Mitgliedstaat erworbener Kenntnisse könne die Ausübung des Niederlassungsrechts beeinträchtigen); EuGH Rs C-370/90 – Singh – Slg 1992, I-4265 RZ 16ff; zuletzt EuGH 15. 12. 1995 Rs C-415/93 – Bosman – noch nicht veröffentlicht RZ 94ff (zu Art 48 EGV); EuGH Rs C-1/93 – Halliburton Services – Slg 1994, I-1137 RZ 15 (zu Art 52 EGV).

[175]) Der EuGH hat diese Frage bisher verneint; vgl EuGH Rs C-384/93 – Alpine Investments – Slg 1995, I-1141 RZ 36ff; EuGH 15. 12. 1995 Rs C-415/93 – Bosman – noch nicht veröffentlicht RZ 102ff.

[176]) Methodisch korrekt handelt es sich um teleologische Reduktionen der jeweiligen Verbotstatbestände.

[177]) Vgl EuGH Rs 222/84 – Johnston – Slg 1986, 1651 RZ 26.

[178]) Vgl EuGH Rs C-19/92 – Kraus – Slg 1993, I-1663 RZ 32; EuGH 30. 11. 1995 Rs C-55/94 – Gebhard – noch nicht veröffentlicht RZ 37 und EuGH 15. 12. 1995 Rs C-415/93 – Bosman-Urteil noch nicht veröffentlicht RZ 104 (für Art 48 und 52 EGV); EuGH Rs C-106/91 – Ramrath – Slg 1992, I-3351 RZ 31 (für Art 59 EGV).

generell aufträgt, ihre Vertragspflichten zu erfüllen. Aufgrund ihrer unmittelbaren Anwendbarkeit wirken die Grundfreiheiten direkt auf das innerstaatliche Recht ein. Trotz des Vorrangs des Gemeinschaftsrechts ist bestehendes Recht anzupassen, neue staatliche Rechtsvorschriften sind auf ihre Vereinbarkeit mit dem EG-Vertrag hin zu überprüfen. In bezug auf den freien Warenverkehr wurde ein Verfahren eingerichtet, wonach Rechtstexte, die technische Regelungen festlegen, der Kommission vor Annahme mitzuteilen sind.[179]) Damit soll bereits im Entwurfstadium verhindert werden, daß neue Hemmnisse für den Warenverkehr entstehen.

Die Grundfreiheiten sind ferner von den Gemeinschaftsorganen bei ihrer rechtsetzenden und rechtsvollziehenden Tätigkeit zu beachten. Im Hinblick auf die Warenverkehrsfreiheit erklärt der EuGH, daß die Organe keine Maßnahmen ergreifen dürfen, wodurch die im Vertrag festgelegten Ziele gefährdet würden.[180]) Bei Maßnahmen zur Angleichung staatlicher Regelungen, die gem Art 36 EGV oder wegen zwingender Erfordernisse zulässig waren, verfügen die Gemeinschaftsorgane über einen Ermessensspielraum.[181]) Gemeinschaftsvorschriften können die Warenverkehrsfreiheit einschränken, wenn sie auf Grund der dadurch verfolgten, im allgemeinen Interesse der Gemeinschaft liegenden Ziele (zB Umweltschutz) gerechtfertigt sind.[182]) Diese Grundsätze gelten gleichermaßen für die anderen Grundfreiheiten.

5. Die Grundfreiheiten als subjektive Rechte

Die Verbote der Art 30, 34, 48, 52, 59 und 73b EGV **gelten uneingeschränkt und unmittelbar.**[183]) Damit kann ein einzelner sich vor (innerstaatlichen und gemeinschaftlichen) Behörden und Gerichten unmittelbar auf sie berufen, um entgegenstehende Rechtsvorschriften für nicht anwendbar erklären zu lassen. Ein Verwerfungsmonopol des EuGH besteht nicht.

Für innerstaatliche Rechtsvorschriften eröffnet die unmittelbare Anwendbarkeit der Grundfreiheiten nur die Möglichkeit, die betreffende Vorschrift auf ihre Vereinbarkeit mit dem Gemeinschaftsrecht überprüfen zu lassen – uU mit der Möglichkeit eines staatlichen Gerichts, an den EuGH ein Ersuchen um **Vorabentscheidung** gem Art 177 EGV zu richten. Einzelne Rechtsunterworfene können ferner bei der Kommission eine **Beschwerde** einreichen, woraufhin diese ein **Vertragsverletzungsverfahren** einleiten kann (vgl Art 169 EGV). Die unmittelbare Wirkung von Bestimmungen des primären Gemein-

---

[179]) RL 83/189, ABl L 1983/109, 8, zuletzt geändert durch RL 94/10, ABl L 1994/100, 30.

[180]) EuGH verb Rs 80 und 81/77 – Ramel – Slg 1978, 927 RZ 35f. Die Kommission ist nicht befugt, gegen den Vertrag verstoßende Verhaltensweisen zu genehmigen; EuGH 15. 12. 1995 Rs C-415/93 – Bosman – noch nicht veröffentlicht RZ 13.

[181]) EuGH Rs 37/83 – Rewe – Slg 1984, 1229 RZ 20.

[182]) *Müller-Graff* (FN 34) Art 30 RZ 126; vgl EuGH Rs 240/83 – ADBHU – Slg 1985, 531 RZ 12.

[183]) EuGH Rs 74/76 – Ianelli – Slg 1977, 557 RZ 13 (Art 30 EGV); EuGH Rs 83/78 – Pigs Marketing Board – Slg 1978, 2347 RZ 66f; EuGH Rs 48/75 – Royer – Slg 1976 RZ 23 (Art 48 EGV); EuGH Rs 2/74 – Reyners – Slg 1974, 631 RZ 26ff (Art 52 EGV); EuGH Rs 33/74 – van Binsbergen – Slg 1974, 1299 RZ 24ff (Art 59 EGV); FN 147 (Art 73b EGV).

schaftsrechts enthebt jedoch die Mitgliedstaaten nicht von der Verpflichtung, gemeinschaftsrechtswidrige staatliche Maßnahmen entsprechend anzupassen. Inländer können sich auch ihrem Herkunftsmitgliedstaat gegenüber auf die Grundfreiheiten berufen, soweit sie von einem Gemeinschaftsrecht tatsächlich Gebrauch gemacht haben. Ausfluß der unmittelbaren Wirkung der Grundfreiheiten ist schließlich die Möglichkeit des einzelnen, vom betreffenden Mitgliedstaat **Schadenersatz** wegen Verstoßes gegen das primäre Gemeinschaftsrecht zu fordern. Dazu sind auch Verstöße zu rechnen, die darin bestehen, daß das nationale Recht dem Gemeinschaftsrecht widerspricht, sofern die dem Staat durch die betreffende Grundfreiheit auferlegte Verpflichtung, auf die sich der einzelne beruft, ihm Rechte verleiht, der Verstoß hinreichend qualifiziert ist und ein unmittelbarer Kausalzusammenhang zwischen diesem Verstoß und dem vom einzelnen erlittenen Schaden besteht.[184])

Gemeinschaftliche sekundärrechtliche Vorschriften (insb Verordnungen und Entscheidungen) sind von den Gemeinschaftsorganen auf ihre Vereinbarkeit mit den Grundfreiheiten zu überprüfen und gf unangewendet zu lassen.

Im Bereich der Freizügigkeit der Arbeitnehmer und der Dienstleistungsfreiheit hat der EuGH zugelassen, daß die im EG-Vertrag eingeräumten Rechte auch im Verhältnis zwischen Privatpersonen **(„Drittwirkung“)** gelten. Die in Art 48 und 59 EGV enthaltenen Verbote erstrecken sich nicht nur auf staatliche Regelungen, sondern auch auf sonstige Maßnahmen, die eine kollektive Regelung im Arbeits- und Dienstleistungsbereich enthalten.[185]) Der EuGH begründete diese Auslegung im Hinblick auf von Sportverbänden aufgestellten Regeln damit, daß die Arbeitsbedingungen für Radrennfahrer oder Fußballspieler in den verschiedenen Mitgliedstaaten teilweise durch Gesetze oder Verordnungen und teilweise durch von Privatpersonen geschlossene oder vorgenommene Verträge oder sonstige Akte geregelt sind. Insofern könnten sich Ungleichheiten bei der Anwendung des Gemeinschaftsrechts ergeben, wenn es nur auf behördliche Maßnahmen beschränkt würde.

6. Der kompetenzrechtliche Gehalt der Vorschriften über die Grundfreiheiten

Die Vorschriften über die Grundfreiheiten sind nicht nur materiellrechtlich sondern auch kompetenzrechtlich von Bedeutung; sie legen Gesetzgebungszuständigkeiten für die Gemeinschaft fest. Diese Zuständigkeiten sind jedoch keine ausschließlichen sondern konkurrierende. Sowohl die EG als auch die Mitgliedstaaten sind in diesen Bereichen zur Gesetzgebung im Bereich der Grundfreiheiten befugt. Die EG kann ihre Gesetzgebungskompetenz jederzeit wahrnehmen. Solange und soweit die EG keine Rechtsakte erlassen hat, die eine Sache abschließend regeln, sind die Mitgliedstaaten zur Gesetzgebung zuständig.

---

[184]) EuGH 5. 3. 1996 verb Rs C-46/93 und C-48/93 – Brasserie du Pêcheur – noch nicht veröffentlicht – welche die Rechtsprechung des EuGH in den verb Rs C-6/90 und 9/90 – Francovich – Slg 1991, I-5357 auf das Primärrecht anwendet.

[185]) EuGH Rs 36/74 – Walrave – Slg 1974 RZ 17 ff; EuGH Rs 13/76 – Donà – Slg 1976, 1333 RZ 17; EuGH 15. 12. 1995 Rs C-415/93 – Bosman – noch nicht veröffentlicht RZ 82 ff.

Nach dem Grundsatz der begrenzten Einzelermächtigung („compétence d'attribution") können Rechtsakte nur dann und nur soweit erlassen werden, als es die Bestimmungen des EG-Vertrags vorsehen. Im Rahmen der Grundfreiheiten finden sich eine Vielzahl von Einzelermächtigungen (zB Art 49, 54, 63, 73c EGV). Wenn keine speziellen Ermächtigungen zur Regelung einer bestimmten Sache bestehen, kommt insbesondere Art 100a EGV als Rechtsgrundlage in Betracht.

C. Die gegenseitige Anerkennung

Neben den Grundfreiheiten ist die **gegenseitige Anerkennung von Rechtsakten** durch die Mitgliedstaaten das wesentlichste Element der Errichtung des Binnenmarkts. Der EuGH hat den Grundsatz der gegenseitigen Anerkennung aus dem primärrechtlich verankerten Beschränkungsverbot der Grundfreiheiten entwickelt: Im „Cassis"-Urteil zunächst für Warenverkehrsfreiheit, später auch für die anderen Freiheiten. Der Binnenmarkt wird damit durch das Herkunftsprinzip gekennzeichnet: Waren, Dienstleistungen, Kapital und Zahlungen können in der Gemeinschaft frei verkehren, wenn sie den Rechtsvorschriften des Herkunftsstaats entsprechen. Arbeitnehmer und Selbständige können in einem anderen Mitgliedstaat tätig werden, wenn sie über die dafür erforderlichen Qualifikationen des Herkunftsstaats verfügen. Dieser Grundsatz löst das Prinzip des Bestimmungs- und Tätigkeitslands ab, parallel zu dem die Grundfreiheiten als reine Diskriminierungsverbote ausgelegt wurden. Die Änderung ist damit zu begründen, daß nach dem Bestimmungslandprinzip die nationalen Märkte weiterhin nebeneinander bestehen bleiben und dies mit dem einheitlichen Binnenmarkt nicht vereinbar ist.

Die gegenseitige Anerkennung wird in bestimmten Bereichen sekundärrechtlich unterstützt. So sieht Art 57 EGV zur praktischen Erleichterung der Niederlassungs-, aber auch der Dienstleistungsfreiheit (Art 57 iVm Art 66 EGV) die Annahme von Richtlinien zur gegenseitigen Anerkennung der Diplome, Prüfungszeugnisse und sonstigen Befähigungsnachweise zum Berufszugang (Abs 1) sowie von Richtlinien zur Koordinierung der Rechts- und Verwaltungsvorschriften der Mitgliedstaaten über die Aufnahme und Ausübung selbständiger Tätigkeiten (Berufsausübung; Abs 2) vor. Für Ärzte und andere medizinische Berufe (Krankenschwestern, Hebammen, Tierärzte,[186]) Apotheker) wurden **Anerkennungs- und Koordinierungsrichtlinien** angenommen.[187]) Darin werden die Regelungen betreffend die ärztliche Ausbildung koordiniert und hierfür zeitliche und inhaltliche Mindestanforderungen festgelegt. Anerkannt werden solche Befähigungsnachweise, die diesen Voraussetzungen entsprechen. Für Architekten besteht die gegenseitige Anerkennung der Diplome,[188]) für Rechtsanwälte besteht nur eine Richtlinie betreffend die Ausübung von Dienstleistungen.[189]) Die RL 89/48[190]) betreffend

---

[186]) Vgl EuGH Rs C-319/92 – Haim – Slg 1994, I-425.

[187]) FN 124.

[188]) RL 85/384, ABl L 1985/223, 15; vgl EuGH Rs C-310/92 – Egle – Slg 1992, I-177.

[189]) RL 77/249, ABl L 1977/78, 17.

die Einführung eines allgemeinen Systems zur Anerkennung von Hochschuldiplomen, die auf einer mindestens dreijährigen Hochschulausbildung beruhen, erleichtert den Zugang zu Berufen, soweit für diese noch keine besonderen Richtlinien erlassen wurden. Die Richtlinie betrifft sowohl selbständig als auch unselbständig Tätige, die einen an den Besitz eines Diploms gebundenen Beruf in einem anderen Mitgliedstaat ausüben wollen. Unter bestimmten Voraussetzungen kann der Nachweis von Berufserfahrung oder die Absolvierung eines Anpassungslehrgangs bzw einer Eignungsprüfung verlangt werden.

Allgemein ist die gegenseitige Anerkennung in Art 100b Abs 1 EGV verankert. Danach kann der Rat zur Verwirklichung des Binnenmarkts (Art 100a EGV) beschließen, daß die in einem Mitgliedstaat geltenden Vorschriften als den Vorschriften eines anderen Mitgliedstaats gleichwertig anerkannt werden müssen.

D. Die Angleichung von Rechtsvorschriften

Die Grundfreiheiten und die gegenseitige Anerkennung allein sind jedoch nicht geeignet, einen funktionierenden Binnenmarkt zu gewährleisten. Die Kompatibilität von Produkten oder Qualifikationen wird in bestimmten Fällen nicht durch eine Gleichwertigkeit der Maßnahmen, sondern nur durch eine Gleichartigkeit der Maßnahmen gewährleistet (Standardisierung). Ferner sind zulässige mitgliedstaatliche Beschränkungen zum Schutz der Allgemeininteressen mit diesen beiden Elementen nicht zu verhindern. Schließlich können Attraktionsmaßnahmen der Mitgliedstaaten das Funktionieren des Binnenmarkts beeinträchtigen.

Das im EG-Vertrag für diese Fälle vorgesehene Mittel ist die Rechtsangleichung **(„Harmonisierung“)**. Die Rechtsangleichung sorgt für die erforderlichen Standardisierungen, für eine gemeinschaftsweite Regelung legitimer Schutzinteressen und verhindert (bestimmte) Attraktionsmaßnahmen der Mitgliedstaaten. Rechtsangleichung kann in bezug auf einzelne Regelungen Rechtsvereinheitlichung bedeuten; mit der Rechtsangleichung werden aber nicht ganze Rechtsbereiche vereinheitlicht (gleichwertige **und** gleichartige Rechtsvorschriften). Den Mitgliedstaaten bleibt eine Vielzahl von Gestaltungsräumen. Diese Gestaltungsräume sind zunächst formeller Natur, da der Gemeinschaft grundsätzlich die Richtlinie als Instrument zur Rechtsangleichung dient. Diese läßt die Identität der Rechtsordnungen der Mitgliedstaaten grundsätzlich unberührt, verlangt aber eine anpassende Veränderung. Gem Art 189 Abs 3 EGV sind Richtlinien nur hinsichtlich des zu erreichenden Ziels verbindlich, wobei die Wahl der Form und der Mittel den innerstaatlichen Stellen überlassen bleibt. Über diesen formellen Bereich hinaus belassen Rechtsangleichungsmaßnahmen in den Richtlinien den Mitgliedstaaten regelmäßig auch materielle Gestaltungsräume. Rechtsangleichungsmaßnahmen greifen (nur) punktuell ein und sind häufig als Mindestvorschriften formuliert. **Mindestvorschriften** ermöglichen es den Mitgliedstaaten, zu-

[190]) ABl L 1989/19, 16; ergänzt durch RL 92/51, ABl L 1992/209, 25, die für nichtakademische Ausbildungsgänge von mindestens einem Jahr gilt.

sätzliche Vorschriften vorzusehen.[191]) Bei den **Mindestvorschriften** sind mobilitätsbezogene und standortbezogene Vorschriften[192]) zu unterscheiden. Bei standortbezogenen Vorschriften führt eine Erhöhung der Standards durch einen Mitgliedstaat über die gemeinschaftsrechtlichen Mindeststandards hinaus nicht zu einer Beschränkung des wirtschaftlichen Verkehrs, da nur Unternehmen am eigenen Standort relativ benachteiligt werden **(echte Mindestvorschriften).** Bei mobilitätsbezogenen Vorschriften hingegen können höhere Standards als die gemeinschaftsrechtlichen Mindeststandards beschränkend wirken und in Konflikt mit den Grundfreiheiten geraten **(unechte Mindestvorschriften).** Wo sich das Gemeinschaftsrecht darauf beschränkt, nur bestimmte und nicht alle Aspekte eines Bereichs zu regeln, besteht im übrigen ein Gestaltungsraum der mitgliedstaatlichen Gesetzgeber **(regelungsfreier Bereich).** Während Mindestvorschriften als solche meist erkennbar sind, sind regelungsfreie Bereiche (und komplementär dazu abschließend geregelte Bereiche) oft nur durch Auslegung der Richtlinie zu ermitteln.[193]) Wo **abschließende Regelungen** bestehen, dürfen die Mitgliedstaaten keine Bestimmungen anwenden oder erlassen, die dem Gemeinschaftsrecht widersprechen (ausgenommen Art 100a Abs 4 EGV, „nationaler Alleingang"). In diesem Fall ist eine unterschiedliche Behandlung von rein internen und gemeinschaftsrechtlich relevanten Sachverhalten (Inländerdiskriminierung) nicht mehr zulässig.

E. Die Grenzen von mitgliedstaatlichen Attraktionsmaßnahmen im Binnenmarkt

Bei liberalisiertem wirtschaftlichen Verkehr im Binnenmarkt können die Mitgliedstaaten – wie eingangs dargelegt – ihre Märkte oder Standorte grundsätzlich nur (mehr) durch eine Erhöhung ihrer (wirtschaftlichen) Attraktivität bevorzugen. Dies kann insb mit steuer- oder aufsichtsrechtlichen Maßnahmen erfolgen. Einem mitgliedstaatlichen Gesetzgeber ist es grundsätzlich nicht verwehrt, Maßnahmen dafür vorzusehen, daß Unternehmen und Kapital im Land bleiben oder ins Land kommen und daß Waren und Dienstleistungen exportiert werden, solange die gemeinschaftsrechtlichen Grenzen beachtet werden (attraktivierende Gestaltung). Doch auch der Erhöhung der Attraktivität sind gemeinschaftsrechtliche Grenzen gesetzt.

Die Entscheidung, eine Rechtsordnung wirtschaftlich attraktiv zu gestalten, ist (primär) eine **wirtschaftspolitische Entscheidung.** Gegenstand der Wirtschaftspolitik sind makro- und mikroökonomische[194]) Ziele, somit (auch) das Attraktionsverhalten der Mitgliedstaaten (s Art 103 EGV). Die Wirtschaftspolitik der Gemeinschaft beruht auf einer engen Koordinierung

---

[191]) Im Sekundärrecht finden sich schließlich auch Bestimmungen, die Mitgliedstaaten oder „zuständige Stellen" zur Erlassung abweichender Vorschriften ermächtigen.

[192]) Siehe *Scharpf* (FN 2).

[193]) *Bleckmann,* Europarecht[5], 96.

[194]) Damit sind gerade jene Maßnahmen mit umfaßt, die ein Mitgliedstaat zur Erhöhung der wirtschaftlichen Attraktivität seiner Rechtsordnung einsetzt.

der Wirtschaftspolitiken der Mitgliedstaaten samt der Festlegung gemeinsamer Ziele (Art 3a EGV). Die Mitgliedstaaten betrachten ihre Wirtschaftspolitiken als eine Angelegenheit von gemeinsamem Interesse und koordinieren sie im Rat (Art 103 Abs 1 EGV), dem die Abstimmung der Wirtschaftspolitiken obliegt (Art 145 EGV). Der Rat ist berechtigt, die Grundzüge der Wirtschaftspolitiken der Mitgliedstaaten mittels Empfehlungen festzulegen (Art 103 Abs 2 EGV). Die Mitgliedstaaten und der Rat haben sich an den generellen wirtschaftspolitischen Zielen der Gemeinschaft zu orientieren, etwa der Preisstabilität, den gesunden öffentlichen Finanzen (Art 3a Abs 3 EGV), dem hohen Beschäftigungsniveau (Art 2 EGV) und vor allem dem hohen Grad an Konvergenz der Wirtschaftsleistungen. Der Rat hat zur Gewährleistung dieser wirtschaftspolitischen Ziele und der wirtschaftspolitischen Grundzüge nach Art 103 Abs 2 EGV eine (sog) multilaterale Überwachung vorzunehmen (Art 103 Abs 2 EGV). Über diese inhaltlichen Vorgaben hinaus haben die Mitgliedstaaten ihre Wirtschaftspolitiken (und damit den Beschluß von Attraktionsmaßnahmen für Standorte und Märkte) als eine Angelegenheit von gemeinsamem Interesse zu betrachten. Wirtschaftspolitische Entscheidungen wie jene betreffend die Markt- oder Standortattraktivität haben die Interessen der anderen Mitgliedstaaten und die Interessen der Gemeinschaft insgesamt zu beachten.

Gleichsam in Ergänzung des **wirtschaftspolitischen Koordinierungsgebots** verlangt Art 102 EGV, daß Mitgliedstaaten sich dann ins Benehmen mit der Kommission zu setzen haben, wenn zu befürchten ist, daß Rechtsetzungsmaßnahmen zu Wettbewerbsverzerrungen führen **(Konsultationspflicht).**[195]) Die Pflicht zur Konsultation entsteht schon dann, wenn Rechtsetzungspläne auch nur entfernt die Gefahr von Verzerrungen mit sich bringen könnten.[196]) Verhindert werden soll, daß Unterschiede noch vergrößert werden, die unter dem Gesichtspunkt der Vertragsziele zwischen den Rechtsordnungen der Mitgliedstaaten bestehen. Die Kommission kann bei Kenntnis von Plänen für wettbewerbsverzerrende Rechtsetzungsmaßnahmen ein Verfahren nach Art 102 EGV einleiten. In diesem hat die Kommission mit den Mitgliedstaaten über Ausmaß und Umfang der möglichen Verzerrungen zu beraten und gegebenenfalls geeignete Maßnahmen zu empfehlen. Erläßt der Mitgliedstaat trotzdem das wettbewerbsverzerrende Gesetz, so kann er nach Art 101 EGV verpflichtet werden, die vorgenommene Rechtsänderung rückgängig zu machen.

Mißachten die Mitgliedstaaten die wirtschaftspolitischen Ziele des EG-Vertrags, die Interessen der anderen Mitgliedstaaten oder der Gemeinschaft oder die Ergebnisse der multilateralen Überwachung, stehen der Gemeinschaft zwei Sanktionsinstrumente zur Verfügung: Ein schwerwiegendes Fehlverhalten der Mitgliedstaaten kann Anlaß für Klagen nach Art 169 oder 170

---

[195]) Siehe etwa *Oppermann,* Europarecht 419f, der auf die geringe praktische Bedeutung der Art 101 und 102 EGV verweist. Je strikter das Verbot von beschränkenden Maßnahmen gestaltet wird, desto mehr werden die Art 101 und 102 EGV an Bedeutung gewinnen.

[196]) Vgl EuGH Rs 6/64 – Costa/ENEL – Slg 1964, 1251 (1271f).

EGV vor dem EuGH sein.[197]) Neben diesen in der Praxis schwierig zu handhabenden Instrumenten besteht als weiteres (indirektes) Durchsetzungsinstrument das **Ergreifen von Rechtsangleichungsmaßnahmen** durch die Gemeinschaft. Ergibt beispielsweise die multilaterale Überwachung, daß von einzelnen Mitgliedstaaten Attraktionsmaßnahmen ergriffen wurden, die wettbewerbsverfälschend wirken, kann die Gemeinschaft – und damit wäre der Kreis geschlossen – die Rechtsangleichung der mitgliedstaatlichen Rechtsordnungen betreiben. Die Rechtsangleichung steht als Rute mit der Konsequenz im Fenster, daß jede Rechtsangleichungsmaßnahme die Folgewirkung hat, daß sich die Gesetzgebungshoheit von den Mitgliedstaaten auf die Gemeinschaft verlagert.[198])

Grenzen des Gestaltungsraums der Mitgliedstaaten sind weiters der Grundsatz der Gemeinschaftstreue nach Art 5 EGV, die Wettbewerbsvorschriften der Art 85 und 86 iVm Art 5 sowie das Beihilfenrecht der Art 92 ff EGV. Nach der Rechtsprechung des EuGH[199]) dürfen die Mitgliedstaaten aufgrund von Art 85 und 86 iVm Art 5 EGV keine Maßnahmen treffen oder beibehalten, die die praktische Wirksamkeit dieser Wettbewerbsvorschriften aufheben könnten.[200])

Zusammenfassend lassen sich die Wechselwirkungen zwischen den Elementen des Binnenmarkts (Grundfreiheiten, gegenseitige Anerkennung, Rechtsangleichung und Grenzen von Attraktionsmaßnahmen) wie folgt darstellen:

- Die Verkehrsfreiheit erfordert über die Grundfreiheiten (Beschränkungsverbote) hinaus eine gegenseitige Anerkennung von Rechtsakten sowie ein bestimmtes Maß an Angleichung der mitgliedstaatlichen Rechtsordnungen und regt Attraktionsmaßnahmen an.
- Die gegenseitige Anerkennung erfordert einen bestimmten Grad von gleichwertigen und gleichartigen Rechtsvorschriften oder erfolgter Rechtsangleichung.
- Ein hoher Harmonisierungsgrad stärkt die Verkehrsfreiheit und verhindert Attraktionsmaßnahmen. Die Möglichkeit der Rechtsangleichung wirkt dis-

---

[197]) Eine Klage gemäß Art 169 oder 170 EGV ist materiell auf Art 103 EGV (Wirtschaftspolitik als Angelegenheit von gemeinsamem Interesse) oder auf Art 104 EGV zu stützen.

[198]) Vgl etwa *Seidel,* Grundsätzliche rechtspolitische Probleme bei der Verwirklichung des Binnenmarktes, EA 1987, 553.

[199]) EuGH Rs 231/83 – Cullet – Slg 1985, 305; EuGH Rs 267/86 – Van Eycke – Slg 1988, 4789.

[200]) Siehe EuGH Rs 267/86 – Van Eycke – Slg 1988, 4769: Eine königliche Verordnung in Belgien aus dem Jahr 1986 hatte Höchstzinssätze und Höchstprämien für Spareinlagen festgelegt. Die Festlegung erfolgte nach vorhergehender Abstimmung mit den Vertretern der Kreditinstitute. Der EuGH hatte zu überprüfen, ob damit eine Kartellvereinbarung in Verordnungsform gegossen wurde. Der EuGH erachtete diese Regelung als gemeinschaftsrechtskonform. Die Grenze nach Art 5 iVm Art 85 und 86 EGV bestehe für den einzelstaatlichen Gesetzgeber dort, wo eine Regelung bestehende Kartellabsprachen, etwa durch die Übernahme von Vereinbarungen, die von Wirtschaftsteilnehmern geschlossen wurden, verstärkt. Eine Konsultation der Vertreter der Kreditinstitute vor Erlassung eines Gesetzes entspricht der Anhörung von Sachverständigen und sei daher zulässig (RZ 18, 19).

ziplinierend für Attraktionsmaßnahmen und beschränkungshemmend in bezug auf die Verkehrsfreiheit.

- Ein (zielführender) Einsatz von Attraktionsmaßnahmen setzt ein bestimmtes Maß an Verkehrsfreiheiten voraus. Ein übertriebener Einsatz von Attraktionsmaßnahmen fordert Verkehrsbeschränkungen (Schutzmaßnahmen) der Mitgliedstaaten oder Rechtsangleichungsmaßnahmen der Gemeinschaft heraus.[201])

---

[201]) Oder verstößt gegen das Gemeinschaftsrecht.

Anhang 1: Stand der Richtlinien-Umsetzung auf dem Gebiet des Binnenmarkts

Situation je Mitgliedstaat (Stand: 21. November 1995)

	Umgesetzte Maßnahmen	Ohne Gegenstand	Abweichungen	Nicht umgesetzte Maßnahmen	Teilweise Umsetzung	Vertragsverletzungsverfahren
DK	1112	134	0	46	14	2
NL	1100	131	0	67	4	6
L	1086	125	0	94	3	0
E	1098	101	2	88	10	8
UK	1081	140	0	89	13	5
F	1073	123	0	93	12	7
D	1065	124	0	87	15	17
P	1107	74	3	116	1	7
IRL	1045	135	0	120	6	2
B	1047	116	0	127	7	11
FIN	997	131	27	114	39	0
S	1081	37	34	116	40	0
I	1026	123	0	147	7	5
EL	1039	104	3	153	2	7
A	991	75	71	149	22	0

Derzeit sind 1308 Richtlinien in Kraft.

Anhang 2: Stand der Richtlinien-Umsetzung auf dem Gebiet des Binnenmarkts

Situation je Sektor (Stand: 21. November 1995)

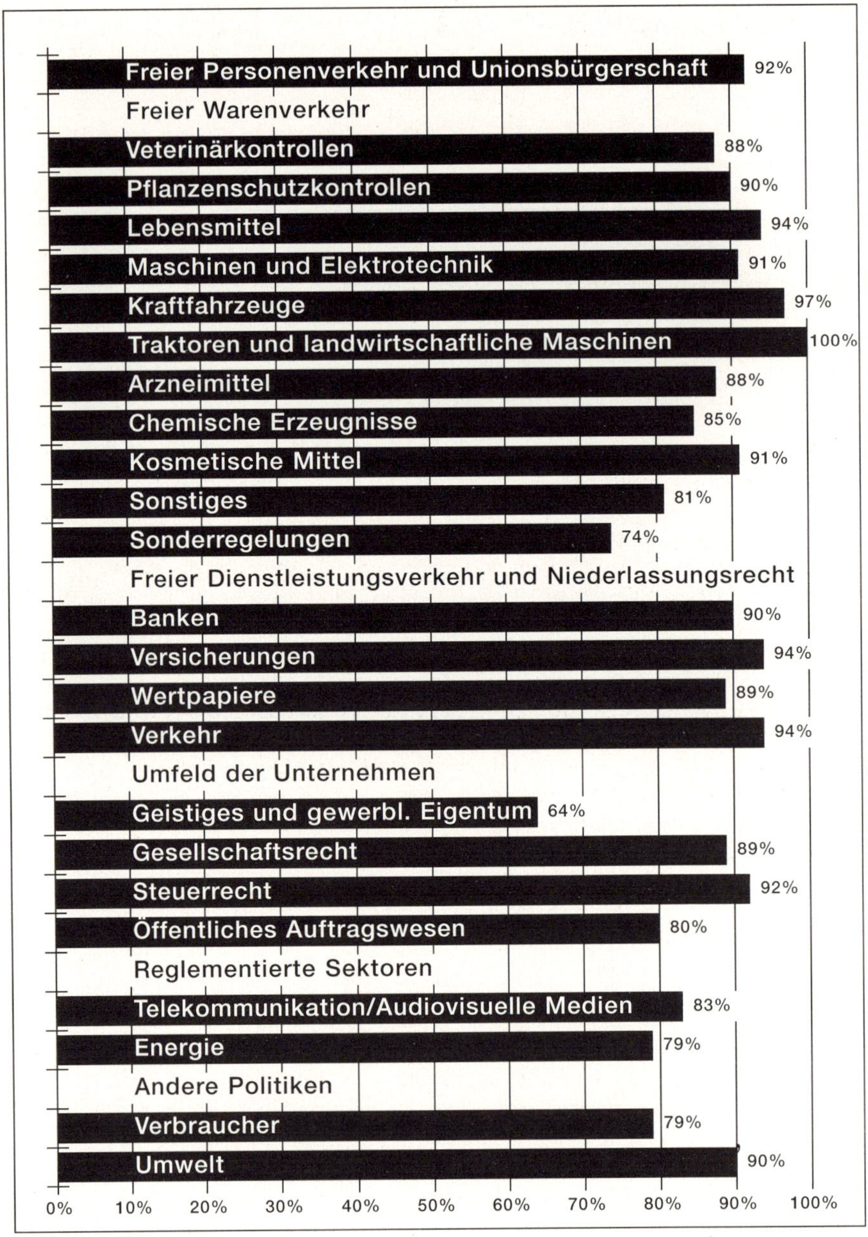

2. KAPITEL

Die EG auf dem Weg ins nächste Jahrhundert

John Fitzmaurice

Übersicht:

A. Vorbemerkung

Die EG hat sich immer in wechselnden Phasen von Dynamik und Konsolidierung entwickelt. Zwischen 1985 und 1992 hat die EG eine lang anhaltende, durchgreifende Entwicklung mitgemacht, die den Binnenmarkt, die Einheitliche Europäische Akte und die Unterzeichnung des Maastrichter Vertrages mit sich gebracht hat.

Die EG hatte im Zuge davon eine starke Anziehungskraft ausgestrahlt, die die EFTA-Länder zur Beitrittskandidatur bewegt hat und maßgeblich zum Zerfall des Kommunismus beigetragen hat. Die Maastrichter Ziele schienen eine natürliche und logische Fortsetzung der Erfolge der Einheitlichen Akte. Die Währungsunion und die Gemeinsame Außen- und Sicherheitspolitik (GASP) waren logische und kohärente Weiterentwicklungen des Binnenmarktes zur politischen Union.

Das Jahr 1992 mit Volksabstimmungen der Dänen und Franzosen, die schwere politische **„Schlacht" um Maastricht,** die im britischen Unterhaus ausgefochten wurde, und sogar die schleichenden Unsicherheiten, die in Deutschland hochkamen, haben diesen Elan gebrochen und verdeutlichen, daß die Entwicklung der Union nicht nur zwangsläufig und fast mühelos in eine Richtung gehen wird. Diese politischen Ereignisse haben nachdenklich gemacht und sollten eine Lehre sein, die im politischen Prozeß eingearbeitet werden muß.

Einige sind der Ansicht, daß die diplomatische Methode von Maastricht versagt hat. Manche meinen sogar, daß Maastricht „eine Brücke zu weit war"; andere dagegen sind der Ansicht, daß Maastricht inhaltlich und aus demokratischer Sicht hingegen unzulänglich und zuwenig politisch mobilisierend wirkte. Allerdings ist eines klar geworden: Es genügt nicht, ein Verhandlungsergebnis zu erreichen. Dafür muß politisch gerungen werden.

Es ist fast so, als ob diese anhaltende Entwicklung der EG wie die Blitzkriegsmaschine funktioniert hat. Die Hindernisse und Blockaden wurden nicht überwunden, sondern umgangen, abgeschnitten und isoliert – und das in rauschender Eile. Um mit einer militärischen Metapher zu sprechen, könnte man sagen, daß es nur so lange weitergeht, bis jemand – wie die dänischen Wähler – die Bewegung aufhält. Dann bricht das Momentum zusammen, und die isolierten und abgeschnittenen Widerstände können wieder hochkommen und den Integrationsprozeß in eine defensive Stellung umschlagen lassen.

Die EU hat jedoch diese Zerreißprobe bestanden. Maastricht wurde ratifiziert und in Wirkung gesetzt. Die EFTA-Erweiterungsrunde ist abgeschlossen. Die **Leistungs- und Beschlußfähigkeit** der EG ist unter Beweis gestellt. Doch wissen wir aus der Maastrichter Erfahrung, daß der Integrationsprozeß sich innerhalb einer sehr engen Marge der politischen Toleranz und Akzeptanz bewegen muß. Der Prozeß muß Fragen wie nationale Identität, Demokratieverständnis und Leistungsfähigkeit ernst nehmen. Drohende Probleme wie Arbeitslosigkeit müssen seriös gelöst werden. Es geht hier um politische Glaubwürdigkeit. Die EU ist auch – vielleicht sogar mehr als Staaten – von dem ambienten Phänomen der Politikverdrossenheit betroffen.

Der Integrationsprozeß scheint empfindlicher und verwundbarer als in den 80er Jahren. Wir müssen darum mit einer breiten Palette von möglichen Szenarios rechnen.

B. Die mittel- und osteuropäische Erweiterung

Die EG ist bei ihrer vierten Erweiterung angelangt. Die ursprüngliche 6er-Gemeinschaft hat jetzt 15 Mitgliedstaaten. Drei Mittelmeerländer (Zypern, Malta und die Türkei) haben formell einen Beitrittsantrag gestellt. Die Kommission hat auch die vorgesehenen Stellungnahmen ausgearbeitet. Diese **Mittelmeererweiterung** scheint allerdings keineswegs Priorität zu haben. Anders aber ist die Frage einer **mittel- und osteuropäischen Erweiterung,** die sich seit dem Fall des Kommunismus 1989 stellt und immer mehr ins Vorfeld der Realität rückt. Jetzt ist es soweit: Ungarn und Polen haben die Beitrittsanträge am 1. April 1994 bzw am 9. April 1994 eingereicht. Tschechien hat sich ebenfalls für seine schnelle Aufnahme in die Union ausgesprochen, hielt es aber bisher für zweckmäßiger, keinen formellen Antrag zu stellen.

Während des Kalten Krieges hat Europa zwei Teilungen mitgemacht. Die erzwungene Ost-West-Teilung hat die Teilnahme der mittel- und osteuropäischen Länder vom Integrationsprozeß ausgeschlossen, was anders durchaus möglich und von ihnen auch erwünscht gewesen wäre. Der westliche Teil Europas hat danach eine zweite Teilung erlebt. Westliche Länder, die entweder damals keine politische Akzeptanz fanden, wie Spanien und Portugal oder jene wie das Vereinigte Königreich, welches die politischen Voraussetzungen zum Ziel der Gemeinschaft nicht für wünschenswert hielt, sind bei der Gründung draußen geblieben.

Diese Teilung war auch – das gilt besonders für Österreich und Finnland mit ihrem besonderen politischen Status, aber auch gewissermaßen für Schweden – mit dem Kalten Krieg verbunden. Der dynamische Erfolg und die wirtschaftliche Anziehungskraft der Gemeinschaft und der damit natürlich in einem gewissen Zusammenhang stehende Fall des Kommunismus, hat stufenweise – 1973, 1981, 1986 und 1995 – diese „westliche Teilung“ überwunden.

Die EU ist allmählich dabei – wie sie es längst überheblich mit dem Namen „Europa" behauptet hat –, ihre **Universalität** wahr zu machen. Europa ist dabei, mehr als nur ein geographischer Begriff zu werden.[1]) Diese Universalität darf nicht nur Westeuropa erhalten. Die kulturelle Universalität Europas war niemals nur eine westeuropäische kulturelle Eigenständigkeit.

1985 hat die EG mit dem **Binnenmarktprogramm** ihre verlorengegangene Dynamik wieder gefunden. Diese neue Vertiefung war wie eine empfindliche Pflanze und mußte sorgfältig, ohne von außen gestört zu werden, gepflegt werden. Diese Dynamik hat zur Einheitlichen Europäischen Akte 1986 und dem Vertrag von Maastricht mit dem Ziel der Wirtschafts- und Währungsunion von 1992 geführt. Die EFTA-Länder lebten seit 1984 praktisch in einer industriellen Freihandelszone mit der EG. EG und EFTA hatten darüber hinaus in der Luxemburger Erklärung von 1984 eine weitere Zusammenarbeit eingeleitet.[2])

Dieses Zusammenarbeitspotential wurde sehr schnell unterschiedlich von beiden Seiten gehandhabt. Die EFTA sah in der Vollendung des Binnenmarktes und der neuen wirtschaftlichen und politischen Dynamik der EG die drohende Gefahr der Isolation. Sie wollte nicht nur an diesem Prozeß beteiligt werden, sondern auch die Möglichkeit haben, in die Beschlußfassung der EG einzugreifen, um ihre Interessen zu verteidigen.

Dagegen sah die EG ein mögliches Eingreifen der EFTA-Länder als einen Störfaktor des wieder in Gang gesetzten Integrationsprozesses an. Die EG hatte damals zur Doktrin erhoben: „Keine Erweiterung vor der Vollendung des Binnenmarktes" und „Vertiefung zuerst – als Vorbereitung einer Erweiterung".

Mit dem Wegfall der geopolitischen Hindernisse in der Ära *Michail Gorbachows* und der damit verbundenen Tendenz der EFTA-Länder, sich um eine Vollmitgliedschaft zu bewerben, wuchs die Gefahr für eine Gemeinschaftsstrategie. Allen voraus hat sich Österreich ja dann auch tatsächlich sehr rasch für diesen Schritt entschlossen. Um das Zwischenstadium schmackhafter zu machen, hat im Jahre 1989 der damalige Präsident *Jaques Delors* eine Zusammenarbeit der Organe vorgeschlagen. Dieser Vorschlag hat zum **EWR** geführt, aber in einem ganz anderen politischen Kontext, nicht als Abwehr der Vollmitgliedschaft, sondern als Vorraum. Die EWR-Verhandlungen und die kurze Zeit der EWR-Mitgliedschaft (1994) hat als Vorbereitung und Annäherung eine positive Vorarbeit geleistet.[3])

Die drei neuen EU-Mitgliedstaaten sollten sich praktisch reibungslos in die EU eingliedern. Sie sind seit 1990 beinahe „Schattenmitglieder". Sie hatten den „acquis communautaire" schon fast übernommen. Ihre Politiker und ihre Verwaltungen kennen aus eigener Erfahrung den Beschlußfassungspro-

---

[1]) Vgl dazu unten *van den Broek,* Die Herausforderung eines erweiterten Europa.

[2]) Zum Verhältnis EG–EFTA s *Burtscher,* Der Europäische Wirtschaftsraum (EWR) und die Beziehungen der EG zu den EFTA-Staaten, in: *Röttinger/Weyringer* (Hg), Handbuch der europäischen Integration[1] (1991) 499.

[3]) Zu den EWR-Verhandlungen s *Burtscher* (FN 2) und *Du Bois,* La négociation EEE vue par un historien, in: *Jacot-Guillarmod* (Hg), Accord EEE (1992) 13; zum EWR s unten *Ettl,* Der Europäische Wirtschaftsraum.

zeß der Union. Sie konnten lange an der „Europäisierung“ ihrer Verwaltung arbeiten. Ihr Entwicklungsstand entspricht dem der EU.

Der Zusammenbruch des kommunistischen Systems in Mittel- und Osteuropa 1989/1990 hat die Vertiefungsstrategie der EG überrollt. Die EG hätte viel besser mit der „*Gorbachowschen* Strategie“, die gerade dabei war, Beziehungen zwischen EG und COMECON zu entwickeln – ohne Überstürzungen – leben können.

Die EG hat immer behauptet, mehr als ein europäischer wirtschaftlicher Teil des westlichen Bündnissystems NATO und WEU, nämlich ein westliches Gegenstück zum RGW, zu sein. So mußte die EG dann einen universalistischen Anspruch der gesamteuropäischen Verantwortung wahrmachen. Darüber hinaus mußte die EG eine Antwort auf die Herausforderung der mittel- und osteuropäischen Länder geben, ua um die Stabilität des Kontinents zu gewährleisten, ohne seine neue Dynamik aufs Spiel zu setzen. Nur eine starke EG kann wirksam **Mittel- und Osteuropa** helfen – so hieß es zumindest in der damaligen Sprachregelung. Alles sollte im Tempo von der EG aus bestimmt werden. Vertiefung als Vorbereitung sowie Anpassung der mittel- und osteuropäischen Länder sollten vorausgehen. Der Zeitpunkt einer möglichen Wiederkehr nach Europa lag selbst für die am weitesten entwickelten mittel- und osteuropäischen Länder in ferner Ungewißheit. Hilfsbereitschaft gab es doch: das PHARE-Programm, eine Aufwertung des Abkommens der ersten Generation und des politischen Dialogs – um nur nicht die Marktöffnung und das erlösende Wort eines Beitritts in Aussicht zu stellen, wie es die Visegrad Länder wollten.[4])

Zwei zusätzliche Faktoren haben ihre Wirkung auf die Entwicklung der Mentalitäten innerhalb der EG gehabt. Als innenpolitische Faktoren galt es, den Notwendigkeiten der Überwindung des dänischen und britischen Widerstands gegen Maastricht standzuhalten. Bekanntlich wollten diese beiden Länder eine zügige Erweiterung und keine neue Vertiefung als Vorbedingung.

Der europäische Rat von Lissabon – unmittelbar nach der ersten dänischen Volksabstimmung – hat die notwendigen Signale gegeben. Er hat die Aufnahme der EFTA-Länder beschleunigt und 1995 als Beitrittstermin festgelegt. Er hat auch eine EFTA-Erweiterung ohne institutionelle Reformen über Maastricht hinaus gebilligt. Die EFTA-Erweiterung sollte dann als eine Stärkung der Union und als solche in eine Vorbereitung auf eine mittel- und osteuropäische Erweiterung eingebunden werden. Der europäische Rat in Kopenhagen hat sich damals bereit erklärt, die **Visegrad-Länder** prinzipiell in die Union aufzunehmen, sobald sie die dafür notwendige Annäherung durchgemacht haben.

Die **nächste Phase der Entwicklung der Union** wird von der Einbindung der Visegrad-Länder in die Union geprägt werden. Das ist eine geschichtliche Verantwortung unserer Generation. Die einmalige Gelegenheit ist geboten, die politische Universalität Europas, die noch nie existiert hat, wirklich zu schaffen. Die „Europäische“ Union wird wahrhaft deckungsgleich mit Europa sein.

---

[4]) Dazu s unten *Bachmann/Kalbe*, Die Beziehungen der EG zu den osteuropäischen Staaten.

C. Die notwendige institutionelle Struktur

Die Frage der angemessenen institutionellen Struktur einer EU mit 15 oder 20 Mitgliedstaaten läßt sich nicht länger aufschieben. Die Vertiefungsfrage wurden durch die EFTA-Erweiterung in Erwartung auf die in Maastricht als Kompromiß beschlossene Regierungskonferenz, die 1996 stattfinden soll, vertagt.

Eines ist klar: Ohne Fortschritte im Bereich institutioneller Reformen zu erzielen, wird das Europäische Parlament wohl kaum einer erneuten Erweiterungsrunde zustimmen, wie das gem dem EU-Vertrag notwendig ist. Die Problematik der Leistungsfähigkeit der Institutionen bei 20 Mitgliedstaaten läßt sich nicht mehr leugnen. Vertiefung steht dann nicht länger im Gegensatz zur Erweiterung – ganz im Gegenteil. Sie ist ihr notwendiger Begleiter in der Gewährleistung der Funktionsfähigkeit der Institutionen und der Dynamik der EU. Vertiefung verstößt nicht gegen die Interessen der beitrittswilligen Staaten. Beide Prozesse – Erweiterung und Vertiefung – sind unentbehrliche Teile der Gesamtentwicklung der EU.

Maastricht hat grundsätzlich **keine neue Grundordnung** der Gemeinschaft bzw Union trotz erheblicher Fortschritte in einigen Bereichen wie zB den Befugnissen des Europäischen Parlaments geschaffen. Wie frühere Vertragsänderungen, ist der EU-Vertrag eine Etappe des weiteren strukturellen Aufbaus der Union. Dieser Vertrag erweitert die Unionskompetenzen, bietet neue Ansätze und ändert die Spielregeln im institutionellen Bereich. Jetzt muß der neue Rahmen ausgefüllt werden.

Die Problematik des demokratischen Defizits hat höchste Priorität. Nach dem dänischen Referendum und dem Widerstand gegen Maastricht in Frankreich, dem Vereinigten Königreich und in Deutschland ist klar geworden, daß es dem Integrationsprozeß an Legitimierung fehlt. Es ist ebenfalls klar geworden, daß eine weitere Vertiefung der Integration nur dann möglich sein wird, wenn ein neuer politischer Konsens herbeigeführt wird. Das Europäische Parlament nimmt dabei eine Schlüsselrolle ein.

Maastricht hat die Möglichkeiten des Europäischen Parlaments (EP) sehr gestärkt. Das EP hat als einziges ein kohärentes, realistisches und politisch realisierbares Programm für die Regierungskonferenz 1990/91 vorgestellt (*Martin*-Bericht). Es hat einen nicht unerheblichen Teil dieses Programms durchgesetzt. Der endgültige Kompromiß liegt natürlich unter den höheren Erwartungen der föderalistischen Strömung im **Parlament.** Es lag auch an der Untergrenze des Annehmbaren zumindest für Deutschland und Italien. Auf der anderen Seite war von den Briten nicht mehr zu erhoffen. In diesem Engpaß wurde als Kompromiß für eine Weiterentwicklung die Regierungskonferenz 1996 als Vertragsverpflichtung geboren. Maastricht soll Ausgangspunkt und nicht Endpunkt sein. Die unvollendete Symphonie von Maastricht soll dann 1996 wieder aufgenommen werden.

Das EP hat sich seit 1987 in die Rolle eines Mitgesetzgebers eingearbeitet – angefangen beim Zusammenarbeitsverfahren der Einheitlichen Europäischen Akte bis zum EU-Vertrag mit dem Mitentscheidungsverfahren. Bei dem **Kooperationsverfahren** bekam das EP ein Abänderungsrecht. Solche Rechte konnten damals noch vom Ministerrat einstimmig überstimmt werden. Im **Mitentscheidungsverfahren** kann ein Rechtsakt, der in den Anwendungsbereich dieses Gesetzgebungsverfahrens fällt, nicht gegen den Willen des EP angenommen werden. Das EP kann den Vorschlag entweder ändern oder ablehnen. Eine wiederholte Ablehnung mit absoluter Mehrheit ist dann endgültig. Bei Änderungen, die vom Rat nicht akzeptiert werden, tritt ein Vermittlungsausschuß auf den Plan. Dieser paritätische Ausschuß soll unter Mitwirkung der Kommission versuchen, einen Kompromiß zwischen den beiden Positionen zu finden. Wenn es gelingt, wird der Kompromiß formell dem Rat und dem EP vorgelegt. Wenn eine der beiden Institutionen den Kompromiß ablehnt, ist dieser Rechtsakt endgültig abgelehnt.[5])

Für das EP entspricht dieses komplizierte Verfahren nicht ganz seiner Vorstellung einer Mitbestimmung, die die beiden Institutionen völlig gleichsetzen würde. Die ausdrückliche Zustimmung des EP ist nicht gefordert, es ist ihm eine negative Rolle vorgeschrieben. Politisch bekommt das Parlament den „schwarzen Peter" zugeteilt. Darüber hinaus kommt noch dazu, daß die Stärke der Parteien im **Vermittlungsausschuß** weitgehend davon abhängt, wer – Rat oder Parlament – mehr darunter leiden würde, wenn kein Beschluß zustande käme. In wenigen Fällen nur wird sich der Rat für einen Beschluß einsetzen und dafür die notwendige Kompromißbereitschaft aufbringen. Doch haben die ersten Erfahrungen mit dem Vermittlungsausschuß gezeigt, daß dieses Verfahren eine Eigendynamik annehmen und den Rat zu Kompromissen zwingen kann. In der Regierungskonferenz 1996 wird sicher eine Evaluierung und Überprüfung sowohl der Wirkungsbereiche des Mitentscheidungsverfahrens als auch der Ungleichheiten zwischen Rat und Parlament erforderlich sein.

Der Beziehung zwischen EP und Kommission im interinstitutionellen Dreieck wird auch ein neues Kräfteverhältnis unterstellt. Trotz der theoretischen Möglichkeit, einen **Mißtrauensantrag** gegen die Kommission durchzuführen, hat die parlamentarische Verantwortung der Kommission diese Möglichkeit bisher nur in abgeschwächter Form wahrgenommen. Die Kommission hat realitätshalber immer stärkere Rücksicht auf den Rat genommen. Ein Mitwirken bei der **Ernennung der Kommission** hatte dem EP sehr gefehlt. Dieser Mangel ist durch den EU-Vertrag weitgehend beseitigt.[6])

Dies könnte ein wichtiger Schritt auf dem Weg zu einer parlamentarischen Kommission sein, zu einer Kommission, die einer vollen parlamentarischen Verantwortung unterliegen wird und die ihre Programme nach dem Willen des Parlaments stärker orientieren muß und in ihrer Zusammensetzung die politische Konsultation im Parlament stärker widerspiegeln wird. Die Regierungskonferenz 1996 wird auch die Frage der Anzahl der Kommissionsmitglieder überprüfen. Die bisherige Regelung – zwei Mitglieder für große Mitgliedstaaten und jeweils ein Mitglied für die anderen – wird im Zuge der Erweiterungen eine übergroße Kommission ergeben. Eine neue Rege-

---

[5]) Ausführlich zu diesen Verfahren s oben *Borchardt,* Die rechtlichen Grundlagen der Europäischen Gemeinschaften – Rechtsquellen, Rechtshandlungen, Rechtsetzung, sowie *Bieber,* Struktur und Befugnisse des Europäischen Parlaments.

[6]) Zur Ernennung der Kommission s oben *Röttinger,* Organisation und Arbeitsweise der Kommission, sowie *Bieber* (FN 5).

lung mit zB nur einem garantierten Mitglied für die großen Mitgliedstaaten muß erwogen werden. Eine solche Regelung, die sich nicht mehr allein auf nationale Vertretungen stützen wird, geht natürlich auch in Richtung einer parlamentarischen Exekutive.

D. Binnenmarkt und Wirtschaftspolitik

Der Eckpfeiler der Europäischen Union wird allerdings der Binnenmarkt sein. Die Vollendung des Binnenmarkts ist ein Prozeß und nicht ein plötzliches Ereignis. Dieser Prozeß ist eigentlich seit 1958 im Gang, aber mit neuem Nachdruck vor allem seit 1985. Die Vollendung des Binnenmarkts am 31. Dezember 1992 bedeutet die Schaffung eines neuen Wirtschaftsraums ohne Hemmnisse für den Warenverkehr, den Verkehr von Dienstleistungen, den Personenverkehr und den Kapitalverkehr.[7]) Dazu kommt die Einsetzung der dritten Stufe der Wirtschafts- und Währungsunion, die für 1997–2000 vorgesehen ist.

Diese Entwicklung wird bedeutende Konsequenzen haben. Der jetzt spürbare Umdenkprozeß wird sich weiter durchsetzen. Wirtschaftsstrategien werden nur im europäischen Rahmen gelten können, Karriere und Ausbildung von Spitzenmanagern werden auch eine europäische Dimension erhalten. Der Markt wird europäisch und nicht mehr national sein, die Spielregeln im ganzen Binnenmarkt werden direkt von Brüssel aus gelenkt werden. Wettbewerbsbedingungen, soziale Leistungen und Arbeitsbedingungen werden sich erheblich annähern. Die günstigen Auswirkungen des Europäischen Währungssystems (EWS) auf die Inflationsraten werden weiter verstärkt, indem stabile Wechselkurse und endlich eine europäische Währung eingeführt werden. Das Gewicht der DM wird dieses Gesamtsystem weiter stark prägen (was für Österreich kein Problem mit sich bringen wird).

Die Kombination des **Binnenmarkts** und der **Wirtschafts- und Währungsunion** schafft eine ganz neue und revolutionäre Situation. Ohne aber den Anteil des gesamteuropäischen Bruttonationalprodukts im EG-Haushalt[8]) (etwa 1% und ohne große Steigerungsaussichten) erheblich zu erhöhen, wird die Wirtschaftslenkungsfunktion im Binnenmarkt sehr schnell weitgehend auf EG-Institutionen übergehen. Wichtige sektorielle Reglementierungen (zB im Bereich der Finanzdienstleistungen) werden schon jetzt auf EG-Ebene bestimmt. Das ist besonders wichtig, denn es geht hier nicht nur um eine einmalige Deregulierung, sondern um eine Übertragung von Interventionskompetenzen, die jederzeit gebraucht werden können, um **neue politische Ziele** zu erreichen oder Korrekturen vorzunehmen. Das gilt besonders im Bereich der Umweltnormen, Mindestsozialstandards oder Steuerharmonierung. Hier geht es nicht nur um eine mehr oder weniger technische, neutrale Harmonisierung, sondern vielmehr um die Festsetzung bestimmter politischer, europäischer Standards. Wenn man diese politischen Entscheidungen beeinflussen will, muß man auf europäischer Ebene intervenieren.

---

[7]) Dazu s oben *Weber/Bohr,* Der Binnenmarkt und die Grundfreiheiten.
[8]) Dazu s oben *Wuermeling,* Der EU-Haushalt: Politik in ECU.

Die allmähliche Einführung der Wirtschafts- und Währungsunion wird diese Entwicklung stärken und beschleunigen.[9]) Mit der dritten Stufe wird die Handhabung der traditionellen Instrumente der makroökonomischen Wirtschaftspolitik weitgehend nicht mehr bei den nationalen Staaten liegen, sondern auf **europäische Behörden** übergehen. Die nationale Manipulation der Währungskurse, der Renten, der Währungspolitik, der Finanzierung von staatlichen Ausgaben durch die Ausweitung der Geld- und Kreditmenge oder durch die Aufnahme von Anleihen, wird ausgeschlossen. Die wirtschaftliche Lenkung wird nur durch die Europäische Zentralbank möglich sein. Die haushaltspolitischen Rahmen der Nationalregierungen werden sehr stark eingeengt. Der nationale Spielraum, die Ausgaben innerhalb der Marge entsprechend der politischen Zielsetzungen zu verteilen, würde aber innerhalb von festgesetzten Rahmen weiterbestehen. Das mag sehr streng klingen, entspricht aber den äußeren Konsequenzen der Wirtschafts- und Währungsunion. Sicher wird diese Tatsache auch erhebliche politische Konsequenzen mit sich bringen.

Eine **gemeinsame Währung** und damit eine gemeinsame Währungspolitik dritten Währungen wie dem Dollar gegenüber, gemeinsame Politiken in Bereichen wie Agrarpolitik, Umwelt, Forschung, Verkehr und EG-Normen im Binnenmarkt, sind eine Reihe von Gründen, warum die Gemeinschaft ein handelspolitischer und damit wirtschaftlicher und politischer Koloß geworden ist. Die Gemeinschaft ist nicht nur durch die Verträge verpflichtet, gemeinsam in internationalen Verhandlungen aufzutreten, sondern auch durch ihr wirtschaftliches Gewicht und die sich daraus ergebende Verantwortung und Erwartung dazu gezwungen.

Die Möglichkeit, in die dritte Stufe der Wirtschafts- und Währungsunion zeitgemäß einzutreten, wird sehr stark von der Wirtschaftsentwicklung abhängen. Derzeit ist es zu früh, weder Optimismus wie in Maastricht, noch Pessimismus wie in der Zeit danach völlig auszuschließen. Alles ist möglich, alles bleibt offen. Nur die politischen Erfahrungen seit Maastricht müssen einbezogen werden. Der besonders wichtige und unumkehrliche Schritt der dritten Stufe kann nur mit breitem Konsens in und zwischen den Ländern durchgeführt werden. Um diesen Konsens herbeizuführen und auch in den neuen Mitgliedstaaten sicherzustellen, müssen breitere soziale und volkswirtschaftliche Zielsetzungen und politische Möglichkeiten bei der Wirtschafts- und Währungsunion wie die sozialen Konsequenzen der einheitlichen Konvergenzkriterien und die Arbeitslosigkeits- und Langzeitarbeitslosigkeitsraten berücksichtigt werden. Schaffung und Verteilung von Arbeitsplätzen wird eine der wichtigsten Prioritäten der EU sein und ihre Glaubwürdigkeit weitgehend bestimmen.

E. Der außen- und sicherheitspolitische Bereich (GASP)

In einer EU, die sich ständig auch nach Mittel- und Osteuropa erweitert und die beinahe dabei ist, ganz West-, Nord- und Mitteleuropa einzubeziehen,

---

[9]) Dazu s unten *Aspetsberger/Guan/Pauer/Schubert,* Auf dem Weg zur Wirtschafts- und Währungsunion.

wird dringend eine gemeinsame Außen- und Sicherheitspolitik gebraucht. Jedoch muß diese Politik die Identitäten und Traditionen in der Außenpolitik der einzelnen Mitgliedstaaten und insbesondere der Großmächte innerhalb der EU respektieren. Die Gestaltung der GASP, den Herausforderungen zu entsprechen, denen die Union gegenübersteht – die Jugoslawienfrage, die Osterweiterung, die Beziehungen mit Rußland und mit den Vereinigten Staaten –, ist auch eine Frage der Glaubwürdigkeit der Union.

Seit den 70er Jahren hat man versucht, sich in einem gemeinsamen politischen Rahmen zu bewegen und – soweit möglich – der Handels- und Wirtschaftspolitik eine politische Orientierung zu geben. Die **Europäische Politische Zusammenarbeit** (EPZ) hat bescheiden mit gegenseitiger Information, Annäherung, Koordination und gemeinsamen Erklärungen zu aktuellen Fragen der Außenpolitik begonnen. Sie hat ihre Probe bestanden.

Mit dem voraussichtlichen Verknüpfen aller Fäden und Instrumente der Außenpolitik (mit Ausnahme der militärischen Gewalt) auf Unionsebene, reicht diese lockere Form der außenpolitischen Zusammenarbeit nicht mehr aus. Die Sicherheitspolitik ist umfassender geworden, nichtmilitärische Aspekte haben im Atomwaffenzeitalter ein neues Gewicht bekommen. Ausgerechnet diese nichtmilitärischen Instrumente sind weitgehend auf die Union übergegangen. Es ist damit fast unmöglich, Handels-, Wirtschafts-, Außen- und Sicherheitspolitik voneinander zu trennen.

Die Diskussion bezieht sich auf drei Aspekte:

- den Inhalt der gemeinsamen Politik und ihre Eingliederung in die noch bestehenden nationalen Politiken,
- den Beschlußfassungsprozeß,
- die Durchführungsinstrumente.

Klar ist, daß im Bereich der Außen- und Sicherheitspolitik mit einer anderen Struktur als in den normalen Gemeinschaftsbereichen angefangen werden muß. Auf der einen Seite scheint ohnehin angenommen zu werden, daß hier eine bessere Zusammenarbeit und eine effektivere Koordinierung angestrebt werden muß. Auf der anderen Seite scheint es allerdings ebenso festzustehen, daß das **„klassische" interinstitutionelle Dreieck** mit den normalen „Spielregeln" der Verträge nicht ohne weiteres auf das Gebiet der Außen- und Sicherheitspolitik ausgedehnt werden kann. Es scheint auch klar, daß die künftigen Bereiche der gemeinsamen Außen- und Sicherheitspolitik nur als Mindestwerte gelten sollten, die mit steigender Zusammengehörigkeit und Vertrauen weiter ausgebaut werden können. Es geht daraus hervor, daß bei einem solchen stufenweisen Vorgehen mögliche Abweichungen oder „opting out"-Möglichkeiten weithin bewahrt werden müssen. Die außenpolitischen Stellungen und Bindungen der einzelnen Mitgliedsländer und ganz besonders die der ehemaligen Großmächte Vereinigtes Königreich, Frankreich und Deutschland, aber auch Spaniens und in einem gewissen Maße Italiens müssen weitgehend berücksichtigt werden. Diese Bindungen müssen – soweit sie nicht gegen die Unionsinteressen sind – allerdings übergangsweise bestehen bleiben können, dh daß NATO-Mitgliedschaft, aber auch Nicht-NATO-Mitgliedschaft, weiter möglich sein sollten. Man könnte darin auch Formen der Neutralität einschließen.

Die **Sicherheitspolitik** der Union würde die Zusammenarbeit technischer und industrieller Art im militärischen Bereich, die Kontrolle und Unterbindung von Waffenlieferungen und des Transfers von militärischen Technologien in Drittländer, die Sicherheitsdimension der Konferenz für Sicherheit und Zusammenarbeit in Europa (KSZE), sowie die Beteiligung (und die notwendige Koordination) an militärischen Aktionen im Rahmen der UNO oder der Westeuropäischen Union (WEU) beinhalten. Was die Instrumente der Außen- und Sicherheitspolitik anbelangt, ist vorgesehen, daß die bestehenden Instrumente der Handels- und Wirtschaftspolitik, die in der Gemeinschaft schon heute vorhanden sind, in vollem Umfang gültig bleiben und auch noch nach dem normalen Verfahren angewandt werden können. Natürlich werden sie dann mehr als bisher der **politischen Zweckmäßigkeit** unterstellt werden. Die Beschlüsse wären auf Vorschlag der Kommission oder der Mitgliedstaaten im Ministerrat mit qualifizierter Mehrheit zu fassen. Ausnahmsweise könnte ein Mitgliedstaat eine Derogation erhalten, dh die Erlaubnis von der gemeinschaftlichen Politik abzuweichen. Diese Erlaubnis müßte auch mit qualifizierter Mehrheit gegeben werden. Die Ausführung der gemeinsamen Politik soll durch die Gemeinschaftsorgane und die Mitgliedstaaten erfolgen. Die Gemeinschaft soll die weitere detaillierte Vorgangsweise erarbeiten und organisieren.

Es obliegt dem Europäischen Rat, einstimmig zu beschließen, welche Bereiche im Außenministerrat mit Mehrheit weiterbehandelt werden könnten. In anderen, noch nicht freien Bereichen, sollte die bisherige Konsensformel der EPZ weitergelten. Nach Meinung der Kommission sollte der Ausbau von gegenseitigem Vertrauen und von gemeinsamen Interessen es ermöglichen, den Bereich gemeinsamer Politik allmählich auszudehnen. Ausführungskompetenzen im Bereich der Außenpolitik würden bei einem gestärkten Sekretariat, der Kommission, der Ratspräsidentschaft und den Mitgliedstaaten liegen.

F. Politische Union und europäische Politik

Was ist unter dem freilich vagen Begriff „Politische Union“ zu verstehen? Wie wird die Entwicklung der Union auf die Beziehungen zwischen der Unionsebene und der nationalen Ebene einwirken?

Sie hat kein fertiges Muster, sondern muß sich schrittweise und pragmatisch entwickeln. Die Unklarheit des Begriffs dient sicher auch dazu, die Dynamik zu erhalten. Jeder will die Reise mitmachen, kann aber weitgehend seine eigenen Vorstellungen über die wünschenswerten Endziele behalten. Man kann nicht im voraus sagen, daß die Gemeinschaft eine **Föderation (Bundesstaat)** oder einen **Staatenbund** anstrebt, nicht zuletzt, weil sie auf die existierenden Staaten Europas, auf ihre Beziehungen und Traditionen aufbauen muß. Wir können aber sicher sein, daß wir keinen Einheitsstaat erreichen können oder wollen. Man kann wohl auch sicher sein, daß die Politische Union, die aus der heutigen EG errichtet werden soll, im Jahre 2000 noch Züge sowohl von bundesstaatlichen als auch von staatenbundlichen Elementen in gleichem Maße aufweisen wird. Es ist schon heute so: Die gemeinsamen Politiken, bei denen Mehrheitsbeschlüsse weitgehend Alltag sind, nähern sich einem bundesstaatlichen Modell. In anderen Bereichen, zB im Rahmen der Europäischen Politischen Zusammenarbeit (EPZ) oder bei der Arbeitsweise des Europäischen Rates, zeigen sich mehr staatenbundliche Züge.

Beide Elemente können durchaus auch in der Zukunft nebeneinander in friktionsfreier Koexistenz bestehen. Bereiche, die bisher überhaupt nicht von der Gemeinschaft erfaßt worden sind, werden zuerst den nationalen oder zwischenstaatlichen Bereich im staatenbundlichen Rahmen erreichen. Ob und wie sie dann weiter eine bundesstaatliche Struktur erlangen sollen, ist noch unklar. Jedenfalls wird der Integrationsprozeß Einschränkungen hinnehmen müssen. Das Ziel ist **kein Einheitsstaat;** lockere Strukturen – EG, Nationalstaaten und auch Bundesländer – gehören durchaus zum neuen Europa. Mit der Einheitlichen Europäischen Akte (EEA) von 1986 hat eine Debatte über wünschenswerte Kompetenzverteilungsprinzipien begonnen. Es hat sich daraus ergeben, daß bisher kein eigentliches Prinzip die Kompetenzaufteilung zwischen EG und Mitgliedstaaten untermauert hat. Im Grunde genommen ist die heutige Kompetenzverteilung nur in einigen Kernbereichen einigermaßen rational gestaltet. Für alles andere, zB in Bereichen wie Umwelt, Regionalpolitik, Sozialpolitik, Außenpolitik, Handelspolitik, die die Gründungsväter nur eingeschränkt interessiert hatten, ist die Verteilung schlechthin ohne Zusammenhang oder Logik. Andere Bereiche sind kaum in den Verträgen erfaßt worden. Die Gemeinschaft hat dann Umwege gehen müssen, um die sich daraus ergebenden Probleme zu lösen. Zu diesen Mitteln gehört die Schaffung von „Kompetenzgrenzzonen" durch gemischte Strukturen (EG/zwischenstaatlich), die sich dann durch schöpferische Ausgestaltung weiterentwickeln konnten. Dieses Vorgehen, wenngleich nicht ohne Erfolg, konnte nicht alle politisch hochbrisanten Probleme lösen und hat erhebliche Kritik wegen mangelnder Transparenz und schleichendem Zentralismus hervorgerufen. Die EEA hat teilweise nützliche Korrekturen insbesondere im Bereich der Regional-, Sozial- und Forschungspolitik durchgesetzt, ohne ein gültiges Verteilungsprinzip künftig in den Verträgen festzuschreiben. Jetzt hat sich ein Prinzip herauskristallisiert: Das seit langem bekannte **Subsidiaritätsprinzip**, das schon immer eine Rolle in der föderalistischen Lehre gespielt hat, wurde als ein auf die Gemeinschaft anwendbares Prinzip hervorgehoben.[10])

Nach diesem Prinzip sollen auf der höheren Ebene nur jene Befugnisse ausgeübt werden, die unbedingt dort ressortieren müssen und die am effizientesten auf dieser Ebene ausgeübt werden können. Man versteht, daß nach diesem Prinzip eine Vermutung für Dezentralismus besteht. Alle anderen Kompetenzen sollen auf der niedrigstmöglichen Ebene verbleiben. Die Beweisbürde bleibt bei denjenigen, die eine Übertragung von Kompetenzen auf eine höhere Ebene wünschen. Sogar das Europäische Parlament hat ein solches Prinzip und seine gerichtliche Durchsetzbarkeit vorgeschlagen. Jeder Rechtsakt könnte dann an diesem Grundprinzip, das jetzt im Art 3b EGV verankert ist, gemessen werden.[11])

---

[10]) Dazu s auch oben *Grunwald,* Die EG als Rechtsgemeinschaft.

[11]) Zur Justitialität des Subsidiaritätsprinzips vgl ua – positiv – *Langgut* in *Lenz* (Hg), EG-Vertrag Kommentar (1994) Art 3b Rz 26ff.

Natürlich gibt es bei denjenigen, die die Integration stärker fördern wollen, dagegen Bedenken. Sie glauben, daß dieses an sich gute Prinzip noch nicht jetzt in einem so frühen Stadium der Integration angewendet werden sollte, wo es sich eher als eine gefährliche Bremse denn als eine notwendige Schutzklausel gegen den Zentralismus erweisen könnte. Die Regionalisten hingegen wollen das Prinzip auch auf das Verhältnis zur regionalen Ebene ausdehnen.

Diese neue Situation wird auch sehr starke **politische Auswirkungen** haben. Die Vollendung des Binnenmarktes und seine soziale Dimension bedeuten nicht allein eine Deregulierung, sondern auch eine Regulierung auf europäischer Ebene. Für die Wirtschaftsinteressen mancher Betroffener wird die Politik der EG wichtiger als die Politik ihrer Nationalstaaten werden. Sie sollen dann nicht nur wirtschaftlich, sondern auch politisch, europäisch und nicht mehr national denken. Dann werden sie supranationale Bündnisse schließen, um ihre Interessen in Brüssel erforderlichenfalls auch gegen ihre nationale Regierung zu verteidigen; Bauernorganisationen, Arbeitgeberorganisationen, Fachorganisationen und Arbeitnehmerorganisationen haben diese neue Realität verstanden, müssen aber diese Logik weitertreiben.

Es stellt sich auch die Frage der Beseitigung des **demokratischen Defizits,** da die Integration tiefer in den Kern der nationalen Befugnisse eindringt: eine Union mit einer Wirtschafts- und Währungsunion, die fast alle Instrumente der makroökonomischen Lenkung zumindest teilweise übernommen hat, eine Union mit einer gemeinsamen Außen- und Sicherheitspolitik, die sich parallel zu den Außenpolitiken der Mitgliedstaaten entwickelt, eine allein kompetente Union in Außenhandelsfragen, ein Binnenmarkt, in dem fast 80% der Gesetzgebung von europäischer Herkunft sein werden. Allmählich kommt eine politische Union zustande, die eine kritische Menge an Kompetenzen erhalten haben wird.

Was würde ein **stärkeres Parlament** im politischen Leben der Gemeinschaft bedeuten? Bisher haben die nationalen politischen Parteien sich nicht sonderlich bemüht, die Tätigkeit des Europäischen Parlaments in den Griff zu bekommen. Die Mitglieder des EP und die EG-weiten Parteibündnisse haben nur einen geringfügigen Einfluß auf die nationalen politischen Linien in EG-Fragen. Kandidatenauswahl, Programmatik und Wahlkampfstrategie sind weiterhin praktisch unverändert nur national bestimmt. Es ist, als ob die Parteien im EP ein mehr oder weniger unwichtiges politisches „Reservat" für Europainteressierte sehen. Die Einheitliche Europäische Akte hat spürbare Änderungen in Mentalität und Vorgangsweise gebracht. Häufige Mehrheitsbeschlüsse im Rat und Einflußmöglichkeiten des Parlaments haben einerseits nationale parlamentarische Eingriffsmöglichkeiten teilweise ausgeschaltet, andererseits auch neue Perspektiven eröffnet.

Eine bessere Koordinierung der parlamentarischen und parteilichen Arbeit zwischen nationalen und europäischen Ebenen ist jetzt eine große Notwendigkeit. Neue Ansätze, europäische Kandidatenauswahl, Programmatik und laufende Zwischenberichterstattung, Eingriffe und auch Kontrolle sind notwendig. Eine **Umschichtung in der Parteienlandschaft** steht auch zur Diskussion.

Heute gibt es im EP acht Fraktionen. Die linken und rechten Flügel sind aufgespalten und suchen eine größere Effizienz durch Fraktionszusammenlegung oder Zusammenarbeit. Die Entwicklung tendiert zu zwei großen mehrheitsfähigen Blöcken mit einigen kleineren Gruppierungen am Rande. Zusammenarbeit oder Zusammenschlüsse der Europäischen Volkspartei, der Liberalen und der Konservativen stehen weitgehend zur Diskussion. Am linken Flügel stehen die italienischen Kommunisten, die sich jetzt in „Demokratische Linke“ umbenannt haben, vor der Tür der Sozialistischen Internationale und damit der sozialistischen Fraktion im Parlament. Eine weitgehende Umschichtung der Parteienlandschaft ist jetzt zu erwarten. Eine Erweiterung um Österreich und Skandinavien wird die gemäßigte Linke verstärken. Vermutlich würde eine Erweiterung nach Mittel- und Osteuropa das Gegenteil bewirken, würde jedenfalls aber erhebliche Veränderungen in der Parteienlandschaft mit sich bringen. Es ist aber damit zu rechnen, daß noch lange die einzig stabile Mehrheit die des in Österreich bekannten Modells der großen Koalition (Mitte-Links) sein wird.

Gleichzeitig mit der Stärkung des EP müssen auch die nationalen Parlamente stärker und organisch eingebunden werden. Die entsprechende Erklärung im Anschluß an den Maastrichter Vertrag bietet dazu eine Möglichkeit, die genutzt werden muß. Eine kollektive Einrichtung der nationalen Parlamente, die vor konstitutionellen Entscheidungen eingeschaltet wird, steht durchaus innerhalb des Bereichs des Möglichen.

Ein stärkeres **regionales Bewußtsein** wird auch die neu erweiterte Union prägen. Gestaltungsmöglichkeiten der Regionen und der regionalen Identitäten werden gefordert: Möglichkeiten für die Mitwirkung der Regionen im Ministerrat, Ausbau des Ausschusses der Regionen und unmittelbare Beziehungen der Regionen zu den Gemeinschaftsinstitutionen.

In der Werkstatt der neuen Union bleibt noch reichlich Gestaltungsarbeit übrig. Die Instrumente des Erfolges sind vorhanden. Sicher geht es schnell weiter. Marschroute, Tempo und Endziel können noch – auch durch die neuen Mitglieder der Union – beeinflußt werden.

3. KAPITEL

Auf dem Weg zur Wirtschafts- und Währungsunion – von der Währungskooperation zu einer gemeinsamen Geld- und Währungspolitik

Axel Aspetsberger, Ernest Gnan, Franz Pauer und *Aurel Schubert*

Übersicht:

A. Das historische und vertragliche Umfeld der Wirtschafts- und Währungsunion (WWU)

1. Einleitung

Mit 1. November 1993 ist der Vertrag über die Europäische Union in Kraft getreten, der unter anderem die Errichtung einer europäischen Wirtschafts- und Währungsunion (WWU) nach einem Dreistufenplan vorsieht. Stufe zwei dieses Prozesses hat mit dem 1. Jänner 1994 begonnen.

Das Ziel einer europäischen **monetären Integration** ist damit beschlossen und der Weg dorthin festgelegt und teilweise bereits zurückgelegt. Nur die genaue Dauer des Prozesses bis zur Erreichung des Zieles und der Kreis der teilnehmenden Länder sind noch offen.

Die Schaffung einer europäischen Währungsunion ist kein neues Thema. Sie gehört seit über dreißig Jahren zu den Zielen der Gemeinschaft. Das wiederholte Bestreben der Mitgliedstaaten der Europäischen Union, zu einer Währungsunion zu gelangen, hat ihre hauptsächliche Begründung in der starken Außenhandelsorientierung und gegenseitigen wirtschaftlichen Verflechtung der betroffenen Länder. Alle diese Länder fallen in die Kategorie der sog kleinen offenen Volkswirtschaften. Daher haben für sie (unerwartete) Wechselkursänderungen bedeutende wirtschaftliche Rückwirkungen. Jede Form der Währungsunsicherheit verursacht für diese Länder Kosten und daher die Notwendigkeit, sich gegen diese Kosten abzusichern.

Eine **Währungsunion** setzt neben unwiderruflich festgelegten Wechselkursen die Konvertibilität der betroffenen Währungen und die vollständige

Liberalisierung des grenzüberschreitenden Kapitalverkehrs voraus. Theoretisch ist also eine gemeinsame Währung für eine Währungsunion nicht notwendig; doch ist sie eine starke Klammer für eine dauerhafte monetäre Verbindung.

Bei der Verwirklichung der Wirtschaftsunion geht es in erster Linie um die Vollendung des Binnenmarktes, um die Sicherung des freien und fairen Wettbewerbs und um die Koordination der Wirtschaftspolitik zwischen den Mitgliedstaaten.

Frühere Versuche der Schaffung einer Währungsunion kamen regelmäßig – vor allem durch unvorhergesehene Veränderungen im internationalen Umfeld – vorzeitig zum Stillstand. Daß die Bedeutung dieser Frage und damit die Aufmerksamkeit ihr gegenüber mit Anfang der 70er Jahre stark zugenommen hat, ist ua darauf zurückzuführen, daß bis 1971 bzw 1973 die monetäre Nachkriegsordnung des **Bretton-Woods-Systems** in Kraft war. Daher ergab sich (noch) nicht die Notwendigkeit für ein eigenes europäisches System stabiler Wechselkurse. Mit dem Ende des Bretton-Woods-Festkurssystems änderte sich die Lage dramatisch: Europa mußte sich sein eigenes System schaffen.

Von Anfang an standen sich in der Diskussion um Zeitpunkt und Ausprägung eines solchen europäischen Systems fester Wechselkurse zwei Denkschulen gegenüber: Die sog monetaristische (institutionalistische) und die sog ökonomistische Schule. Die erstere betrachtete die monetäre Integration als Instrument für die Vertiefung der wirtschaftlichen und politischen Integration,[1]) die zweitere sah sie als Krönung des vorangegangenen Integrationsprozesses.[2]) Währungsunion als Ziel oder als Mittel, das war die Frage.

Die ökonomische Strategie sieht die Erreichung eines ausreichenden Grades an wirtschaftlichem Gleichlauf **(„Konvergenz")** als die unabdingbare Voraussetzung für den Übergang zu einer Währungsunion, während die monetaristische Strategie auf die von einer monetären Integrationen ausgehenden Zwänge zur Erreichung der notwendigen Konvergenz vertraut. Der Vertrag von Maastricht stellt einen Kompromiß zwischen diesen Denkschulen dar. Durch einen Zeitplan soll die Unwiderruflichkeit des Prozesses festgeschrieben werden, doch über die strikten wirtschaftlichen Eintrittskriterien soll sichergestellt werden, daß nur die Länder der Währungsunion beitreten können, die die notwendige Konvergenz bereits erreicht haben.

2. Vorgeschichte der WWU

a) Entwicklung der Idee

Bereits im Jahr 1962 wurde in dem von der EG-Kommission vorgelegten „Aktionsprogramm für die zweite Stufe des Gemeinsamen Marktes" die Errichtung einer Währungsunion als das mögliche Ziel einer dritten Stufe des

[1]) Dieser auch als „Disziplinierungstheorie" bezeichnete Ansatz geht also davon aus, daß die Umstellung auf eine gemeinsame Währung die teilnehmenden Länder automatisch zur fiskal- und geldpolitischen Disziplin und wirtschaftlichen Konvergenzen zwingt. Siehe im einzelnen dazu Abschnitt E.

[2]) Letztgenannter Weg wird daher allgemein als „Krönungstheorie" bezeichnet.

Gemeinsamen Marktes angeführt. Es wurden Maßnahmen zur Vorbereitung einer Währungsunion beschlossen, jedoch noch nicht eine Währungsunion selbst. Unter diesen Maßnahmen war zB die Schaffung des Ausschusses der Präsidenten der Zentralbanken der Europäischen Wirtschaftsgemeinschaft. Dieser Ausschuß diente bis Ende 1993 der Koordination zwischen den Notenbanken der Mitgliedstaaten der Gemeinschaft.[3])

Der Europäische Rat vom Dezember 1969 in Den Haag faßte den Beschluß, einen Plan für einen stufenweisen Übergang zu einer WWU ausarbeiten zu lassen. Es gab in der Folge vier miteinander konkurrierende Stufenpläne, die eine Expertengruppe unter Leitung des damaligen luxemburgischen Ministerpräsidenten *Pierre Werner* im Oktober 1970 zu einem Bericht, dem sog *Werner*-**Bericht,** zusammenfaßte.[4]) Dieser Bericht sah bereits drei Stufen auf dem Weg zur Verwirklichung einer WWU vor. Der Plan legte die vollständige und unwiderrufliche Konvertibilität aller Währungen, die unwiderrufliche Festlegung der Wechselkurse ohne Schwankungsmargen und eine gemeinschaftliche Zentralbankorganisation fest. Die erste Stufe begann 1971, und das Ziel einer Währungsunion sollte 1980 erreicht werden. Bereits im April 1972 wurde die Schaffung der europäischen Währungsschlange **(„Schlange im Tunnel")** mit dem Ziel vereinbart, die Schwankungsbreiten zwischen den europäischen Währungen und gegenüber dem Dollar zu beschränken. Daneben wurde im April 1973 der Europäische Fonds für währungspolitische Zusammenarbeit (EFWZ) gegründet.[5])

Der Übergang zur zweiten Stufe konnte jedoch 1974 nicht mehr wie geplant erfolgen. Die Umsetzung des Planes war in die Turbulenzen des Bretton-Woods-Systems und der Ölkrise geraten. Die einzelnen EG-Länder reagierten in sehr unterschiedlicher Weise auf diese wirtschaftlichen Spannungen; es mangelte an einem koordinierten Vorgehen.

Als nächster Versuch in Richtung eines währungspolitischen Quantensprunges in der Integrationspolitik wurde vom Europäischen Rat im Dezember 1978 die Installation des Europäischen Währungssystems (EWS) beschlossen, das am 13. März 1979 in Kraft trat. Die Initiative war vom deutschen Bundeskanzler *Helmut Schmidt* und dem französischen Präsidenten *Valérie Giscard d'Estaing* ausgegangen. Das Ziel war, in Europa durch feste Austauschverhältnisse zwischen den beteiligten Währungen eine Zone monetärer Stabilität zu schaffen. Nach zwei Jahren sollte es in ein institutionelles System eingebettet werden, das ua einen Europäischen Währungsfonds (EWF) beinhalten sollte. Zu diesem Schritt kam es aber nicht.

Die Einheitliche Europäische Akte von 1987 bekräftigte erneut das Ziel einer Währungsunion in Europa. Der Europäische Rat vom Juni 1988 in Hannover beauftragte einen Ausschuß, konkrete Schritte zu einer WWU auszuarbeiten. Der Vorsitz dieser Gruppe, die neben den Notenbankpräsidenten der

---

[3]) Der Ausschuß ging per 1. Jänner 1994 im Europäischen Währungsinstitut (EWI) auf.

[4]) „Bericht an Rat und Kommission über die stufenweise Verwirklichung der Wirtschafts- und Währungsunion in der Gemeinschaft".

[5]) Die Funktionen des EFWZ wurden per 1. Jänner 1994 vom EWI übernommen.

Länder der Gemeinschaft auch einige Währungsexperten umfaßte, wurde Kommissionspräsident *Jacques Delors* übertragen. Im April 1989 wurde der sogenannte „*Delors*-**Bericht**" vorgelegt.[6]) Dieser skizzierte – wie bereits der *Werner*-Bericht 19 Jahre zuvor – einen Dreistufenplan zu einer Wirtschafts- und Währungsunion. Im Juni 1989 billigte der Europäische Rat in Madrid diesen Bericht und legte fest, daß auf seiner Basis die erste Stufe der WWU mit 1. Juli 1990 beginnen sollte. Im Dezember 1989 beschloß der Europäische Rat in Straßburg, ab Ende 1990 eine Regierungskonferenz einzurichten, die die konkrete Ausgestaltung der zweiten und dritten Stufe ausarbeiten sollte.

Im Dezember 1990 wurden dann zwei Regierungskonferenzen mit dem Auftrag eröffnet, Vertragsänderungen für die Verankerung sowohl der WWU als auch einer politischen Union vorzubereiten. Nach nur einem Jahr kam es am 9. und 10. Dezember 1991 in Maastricht zum Abschluß der Verhandlungen dieser beiden Regierungskonferenzen und zur Bekanntgabe der Ergebnisse. Nach letzten Korrekturen konnte der „Vertrag über die Europäische Union" am 7. Februar 1992 in Maastricht unterzeichnet werden.

Bis Oktober 1993 hatten alle EU-Staaten den Vertrag von Maastricht ratifiziert, und er trat am 1. November 1993 – zehn Monate später als geplant – in Kraft. Ua hatte es wegen der Anrufung des deutschen Bundesverfassungsgerichts in Karlsruhe eine Verzögerung bei der Ratifizierung gegeben. Mit dem positiven Urteil der deutschen Verfassungsrichter vom 12. Oktober 1993[7]) stand dem Abschluß des Ratifizierungsverfahrens letztlich nichts mehr im Wege. Nur zwei Monate später, am 1. Jänner 1994, begann – wie im Vertrag vorgesehen – die zweite Stufe der WWU.

b) Die ökonomische Motivation für eine Währungsunion

Die ökonomische Motivation für eine europäische Währungsunion liegt vor allem in dem durch die Verwirklichung des Binnenmarktes geschaffenen unvereinbaren Dreieck aus freiem Kapitalverkehr, festen Wechselkursen und eigenständigen Geldpolitiken in den einzelnen Mitgliedstaaten. Will man die Errungenschaften des freien Kapitalmarktes nicht aufs Spiel setzen und feste Austauschverhältnisse zwischen den Währungen sicherstellen, dann müssen aufeinander abgestellte Geldpolitiken verfolgt werden. Darüber hinaus können durch feste Wechselkurse, aber insbesondere durch eine gemeinsame Währung Transaktionskosten gespart werden. Berühmt geworden ist das – wenn auch extreme – Beispiel eines Reisenden, der Brüssel mit einer bestimmten Summe belgischer Francs verläßt und nach einer Reise durch alle EU-Staaten nur durch die Umwechslungsgebühren rund die Hälfte des Geldes verloren hat.

Viele sehen eine gemeinsame Währung auch als **notwendige Ergänzung des Binnenmarktes.** Abrupte Wechselkursänderungen könnten sonst zu Schutzmaßnahmen einzelner Länder führen, die den Binnenmarkt gefährden würden. Umgekehrt könnten flexible Wechselkurse zur kurzfristigen Verbes-

---

[6]) Ausschuß zur Prüfung der Wirtschafts- und Währungsunion, Bericht zur Wirtschafts- und Währungsunion in der Europäischen Gemeinschaft (1989).

[7]) BVerfG v 12. Oktober 1993, 2 BvR 2134/92 und 2 BvR 2159/92.

serung der Wettbewerbsfähigkeit gegenüber den Partnerländern mißbraucht werden. Tun dies mehrere Länder, kann eine Spirale „kompetitiver Abwertungen" ausgelöst werden, die schwere wirtschaftliche und politische Spannungen provozieren würde. Feste Wechselkurse und eine gemeinsame Währung verringern bzw beseitigen das Wechselkursrisiko und schaffen dadurch einen Anreiz für zusätzlichen Außenhandel und vermehrte Auslandsinvestitionen. Seit den EWS-Turbulenzen im September 1992 hat ein zusätzliches Argument an Bedeutung gewonnen: Eine gemeinsame Währung schützt gegen „spekulative Attacken" auf die Wechselkurse.

c) Die politische Motivation für eine europäische Währungsunion

Die politische Motivation liegt vor allem in der Tatsache, daß das derzeitige „asymetrische" System mit der dominierenden Rolle der D-Mark als „Ankerwährung"[8]) in Europa zu einer starken Abhängigkeit von der Politik der Bundesbank geführt hat und daher politisch in manchen Ländern nicht unumstritten ist. Eine gemeinsame geldpolitische Instanz soll zu einem Teilen der geldpolitischen Souveränität und damit zu einer gleichberechtigten Mitgestaltungsmöglichkeit aller Teilnehmerländer führen.

3. Überblick über die vertraglichen Grundlagen und den Stufenplan

a) Vertragliche Grundlagen

Der Vertrag über die Europäische Union ist ein Mantelvertrag, der in seinen Artikeln A bis S sowie in den beigefügten 17 Protokollen und 33 Erklärungen die Gründungsverträge der drei Europäischen Gemeinschaften (EGKS, EWG, EAG) ändert und „drei Säulen" zusammenführt. Nach den in den Artikeln A bis F dargelegten „Gemeinsamen Bestimmungen", die den Rahmen für die Europäische Union darlegen, werden in den Artikeln G bis K die drei Säulen der EU näher ausgeführt:

Die erste Säule wird durch die drei Europäischen Gemeinschaften[9]) gebildet, deren Vertragsgrundlagen durch den Unionsvertrag abgeändert werden. Von besonderer Bedeutung ist dabei die Änderung und Erweiterung des EWG-Vertrags in Art G VEU vor allem um die Wirtschafts- und Währungsunion (sowie einige andere Gebiete, wie zB die Sozial- und Umweltpolitik). Die zweite Säule (Art J VEU) enthält Bestimmungen betreffend die gemeinsame Außen- und Sicherheitspolitik (GASP). Die dritte Säule (Art K VEU) behandelt die Zusammenarbeit in den Bereichen Justiz und innere Angelegenheiten auf Gebieten von gemeinsamem Interesse wie zB die Asylpolitik oder die Bekämpfung der Rauschgiftkriminalität. Art L bis S VEU enthalten Schlußbestimmungen.

---

[8]) Das bedeutet, daß sich die Geldpolitiken der Partnerländer, insb jene des „harten Kerns" des EWS, an der Geldpolitik der Bundesbank orientieren. De facto ist damit der Zinsentwicklung in diesen Ländern durch das deutsche Zinsniveau eine untere Grenze gesetzt. In vielen Fällen ist diese durch eine Risikoprämie noch zusätzlich angehoben. Das kann bei unterschiedlicher konjunktureller Entwicklung zu übermäßig restriktiver Geldpolitik in den Partnerländern führen.

[9]) Europäische Wirtschaftsgemeinschaft, Europäische Gemeinschaft für Kohle und Stahl sowie Europäische Atomgemeinschaft.

Während in den Angelegenheiten der ersten Säule die Gemeinschaften – innerhalb der Grenzen der ihnen in den Verträgen übertragenen Befugnisse und unter Beachtung des Prinzips der Subsidiarität (Art 3 b EGV) – selbst tätig werden, bleiben die Inhalte der zweiten und der dritten Säule zwischenstaatlich (dh intergouvernemental) geregelt.

Der Kern der Änderungen des Vertrags zur Gründung der Europäischen Gemeinschaft (EGV) ist die geplante Wirtschafts- und Währungsunion, die in Art B VEU der Gemeinsamen Bestimmungen als Ziel der Union genannt und in den Art 2 und 3 a EGV verankert ist. Die Bestimmungen zur Wirtschafts- und Währungsunion sind in den Art 102 a bis 109 m EGV sowie in mehreren Protokollen und Erklärungen festgelegt. Die Art 102 a bis 104 c EGV betreffen die Wirtschaftspolitik, während die gemeinsame Währungspolitik in den Art 105 bis 109 EGV verankert ist und die Art 109 a bis 109 d EGV die institutionellen Bestimmungen behandeln. Die Übergangsbestimmungen, die die zweite Stufe, das Europäische Währungsinstitut (EWI) und den Übergang zur dritten Stufe der WWU betreffen, finden sich in den Art 109 e bis 109 m EGV. In engem Zusammenhang stehen auch die Bestimmungen bezüglich des (freien) Kapitalverkehrs, die in den Art 73 a bis 73 g EGV festgeschrieben sind.

Der Vertrag sieht 15 Fälle vor, in denen der Ministerrat Sekundärnormen zur Wirtschafts- und Währungsunion verabschieden muß bzw kann. Die Sekundärgesetzgebung dient der Präzisierung der Bestimmungen des Vertrags. Es geht dabei vor allem um eine Festlegung von Begriffen, Definitionen bzw Einzelheiten zu bestimmten Artikeln.

b) Der Stufenplan

Die **erste Stufe** der europäischen Wirtschafts- und Währungsunion (WWU), die als Hauptziele die vollständige Liberalisierung des innergemeinschaftlichen Kapitalverkehrs und die Vollendung des Binnenmarktes hatte, begann am 1. Juli 1990 und wurde mit Ende 1993 abgeschlossen. Währungspolitisch war sie von großen Turbulenzen und Desintegrationstendenzen (zB Austritt Italiens und Großbritanniens aus dem Wechselkursmechanismus des EWS, erzwungene Ausweitung der Wechselkursbänder auf +/– 15%) gekennzeichnet. Dennoch begann mit 1. Jänner 1994 die **zweite Stufe** planmäßig. Dazu war kein separater Beschluß notwendig. Es handelt sich bei dieser Stufe im wesentlichen um eine Übergangsphase, die eine Reihe von Neuerungen, wie zB die Schaffung des Europäischen Währungsinstitutes (EWI), das Verbot der Budgetfinanzierung durch die Notenbanken, das Verfahren bei Vorliegen eines übermäßigen Budgetdefitis etc bringen. Die **dritte Stufe** der WWU soll in allen ihren Aspekten vorbereitet werden, sodaß sie per 1. Jänner 1997 beginnen könnte. Vor allem der geld- und währungspolitische Gehalt dieser Stufe ist hinter den Erwartungen mancher EU-Länder zurückgeblieben, die bereits in diesem Stadium eine Europäische Zentralbank und eine schrittweise Übertragung der Notenbankfunktionen auf diese Institution und damit auf eine europäische Ebene angestrebt hatten.

Von entscheidender geld- und währungspolitischer Bedeutung ist es, daß die Verantwortung für die Geldpolitik in dieser Phase uneingeschränkt in der Hand der jeweiligen nationalen Zentralbanken bleibt.[10]) Dem EWI kommt dabei lediglich koordinierende Funktion zu.

Die dritte Stufe sieht vorerst die Fixierung der Wechselkurse zwischen den für die Währungsunion qualifizierten Ländern, die Gründung der Europäischen Zentralbank (EZB) und die Übertragung der geldpolitischen Entscheidungsgewalt an diese Institution und in späterer Folge die Einführung der gemeinsamen Währung vor. Im Gegensatz zur ersten und zweiten Stufe beginnt die dritte nicht automatisch: Ihr Beginn ist an die Erfüllung von Bedingungen gebunden. Die Beurteilung der Eignung eines Mitgliedstaates für die dritte Phase der WWU erfolgt auf Basis der sog **Konvergenzkriterien.** Der Vertrag sieht vor, daß vor Ende 1996 erstmals geprüft werden soll, welche Länder diese Bedingungen erfüllen. Nur für den Fall, daß mehr als die Hälfte der EU-Mitgliedstaaten diesen Test bestehen, kann, sofern der Rat dies für zweckmäßig hält, die dritte Stufe zu einem vom Rat zu bestimmenden Zeitpunkt beginnen (Art 109j Abs 3 EGV). Ist bis Ende 1997 der Zeitpunkt für den Beginn der dritten Stufe nicht festgelegt worden, so beginnt die dritte Stufe am 1. Jänner 1999 mit den vom Rat mit qualifizierter Mehrheit als konvergent beurteilten Ländern (Art 109j Abs 4 EGV). Dabei gibt es rechtlich betrachtet keine Mindestanzahl von Teilnehmerländern. Aus politischer Sicht ist aber de facto eine europäische Währungsunion ohne die Teilnahme von (zumindest) Deutschland und Frankreich undenkbar.[11])

Die entscheidenden Kriterien für die Teilnahme an der Währungsunion sind in Art 109j Abs 1 EGV in Verbindung mit dem Protokoll über die Konvergenzkriterien nach Artikel 109j des Vertrags zur Gründung der Europäischen Gemeinschaft festgelegt. (Sie werden in Abschnitt E näher erläutert.)

Am ersten Tag der dritten Stufe nimmt der Rat aufgrund eines einstimmigen Beschlusses der teilnehmenden Staaten die Umrechnungskurse, auf die die Währungen unwiderruflich festgelegt werden, sowie die unwiderruflich festen Kurse, zu denen diese Währungen gemäß Art 109l Abs 1 EGV durch die gemeinsame europäische Währung ersetzt werden sollen, an.[12]) Das vorgeschriebene Einstimmigkeitsprinzip gibt also jedem Land ein Vetorecht gegenüber ungewollten Umrechnungskursen. Auch die sonstigen, zur nachfolgenden Einführung einer gemeinsamen Währung notwendigen Maßnahmen erfordern Einstimmigkeit im Rat.

---

[10]) In Vorbereitung der Voraussetzungen für eine gemeinsame stabilitätsorientierte Geldpolitik leiten die Mitgliedsländer, soweit erforderlich, den Prozeß ein, der zur Unabhängigkeit ihrer jeweiligen Notenbanken vor Beginn der dritten Stufe führt.

[11]) Das Urteil des BVerfG v 12. Oktober 1993 (FN 7) hält fest, daß ohne eine deutsche Zustimmung und damit ohne maßgebliche Mitwirkung des deutschen Bundestages die Konvergenzkriterien nicht „aufgeweicht" werden können (S 70/71). Eine Mitwirkung Deutschlands setzt daher eine strikte Erfüllung der Konvergenzkriterien durch alle Teilnehmerländer voraus. Sollte das nicht gegeben sein, dann behält es sich der deutsche Bundestag vor, einer Teilnahme Deutschlands nicht zuzustimmen.

[12]) Der Europäische Rat in Madrid im Dezember 1995 einigte sich auf den Namen der gemeinsamen Währung („Euro") sowie den Fahrplan zu ihrer Einführung. Die Entscheidung über den Kreis der teilnehmenden Länder soll zu Beginn des Jahres 1998 gefaßt werden. Mit 1. Jänner 1999 beginnt der Zeitraum der Einführung des Euro, der mit der für das erste Halbjahr 2002 vorgesehenen Ausgabe des Euro-Bargeldes (Banknoten und Münzen) abgeschlossen sein wird.

Für die Festlegung der gemeinsamen europäischen Währungspolitik und deren Ausführung wird das Europäische System der Zentralbanken (ESZB), bestehend aus EZB und den nationalen Zentralbanken, zuständig sein, wobei „die EZB die nationalen Zentralbanken zur Durchführung von Geschäften, die zu den Aufgaben des ESZB gehören, in Anspruch nimmt, soweit dies möglich und sachgerecht erscheint".[13])

B. Das Europäische Währungssystem (EWS)

1. Der Wechselkursverbund als Vorstufe des EWS

Das auf den Tagungen des Europäischen Rates von Bremen, Kopenhagen und Brüssel im Jahr 1978 vorbereitete und beschlossene EWS knüpfte hinsichtlich seiner Hauptzielsetzung, nämlich der Schaffung einer Zone monetärer Stabilität in Europa, an die parallel zur Endphase des Systems von Bretton Woods eingeleiteten europäischen Währungskooperationen an.

Ein erster institutioneller Ansatz fand sich bereits im „*Werner*-Bericht" des Jahres 1970 bzw in einer entsprechenden Entschließung des Ministerrats der EG über die stufenweise Verwirklichung einer WWU in den EG-Mitgliedstaaten. Doch erst das Ende des Systems von Bretton Woods und die auf Basis des Washingtoner Währungsabkommens vom Dezember 1971 („Smithsonian Agreement") erweiterten Bandbreiten gegenüber dem US-Dollar veranlaßten die europäischen Währungsbehörden zur Einführung eines eigenständigen Wechselkurssystems zwischen den Währungen der EG-Länder, das den Umfang der Schwankungsbreiten zwischen den europäischen Währungen auf den Umfang der Bandbreiten gegenüber dem US-Dollar begrenzte. Dieses System war unter der Bezeichnung „Schlange im Tunnel" bekannt. Zur Einhaltung der engen Bandbreiten innerhalb der Währungen der Gemeinschaft wurde ein **Interventionssystem** geschaffen, das in seinen Grundzügen bereits dem später errichteten EWS entsprach. Der Europäische Wechselkursverbund entsprach dem Bestreben, den Folgen von Störungen im Funktionieren des internationalen Währungssystems entgegenzuwirken und bestehende Turbulenzen auf den Devisenmärkten zugunsten einer gemeinsamen Politik zu beseitigen.

Bereits zu Beginn des Jahres 1973 veranlaßten die durch die Dollar-Krise verursachten Spannungen im internationalen Währungsgefüge einen weiteren grundlegenden Schritt. Die EG-Mitgliedstaaten beschlossen, ihre Währungen gegenüber dem Dollar frei schwanken zu lassen, wobei aber das innergemeinschaftliche Paritätengitter beibehalten wurde.

Mangelnde wirtschaftliche Konvergenz der am Wechselkursverbund beteiligten Staaten, teils unterschiedliche wirtschaftspolitische Zielsetzungen und die Auswirkungen des ersten Ölpreisschocks führten im weiteren Verlauf zu wiederholten Spannungen im Wechselkursgefüge, Änderungen der Paritäten sowie zum Ausscheiden von Teilnehmerländern aus dem Wechselkursverbund, sodaß dieser ab Mitte 1976 auf die Währungen Deutschlands, der Benelux-Staaten und Dänemarks beschränkt war.

---

[13]) Art 12.1 der Satzung des Europäischen Systems der Zentralbanken und der Europäischen Zentralbank.

Gleichzeitig wurde der destabilisierende Charakter von Währungsspekulationen, die zu Wechselkursverschiebungen führten, die weit über das Ausmaß hinausgingen, das durch die zugrunde liegenden wirtschaftlichen Verhältnisse gerechtfertigt gewesen wäre, immer deutlicher. Dies bewirkte ein Klima der Unsicherheit, Wettbewerbsverzerrungen und steigende Inflationsraten, erschwerte den innergemeinschaftlichen Wirtschaftsverkehr und beeinträchtigte insgesamt den europäischen Integrationsprozeß. Das **Floaten der Währungen** hatte nicht die erwarteten Wirkungen in Richtung einer Erleichterung der wirtschaftlichen Anpassungsprozesse. Abwertungen erwiesen sich nicht als ein Instrument der Wirtschaftspolitik, mit dem längerfristig positive gesamtwirtschaftliche Effekte erzielt werden können. Wegen der in ihrer Folge erforderlichen Maßnahmen zur Inflationsdämpfung und zur Vermeidung destabilisierender Kapitalbewegungen erschwerten sie vielmehr eine effiziente Wirtschaftpolitik.

Damit rückt die Zielsetzung der Schaffung einer Zone relativer Währungsstabilität in Europa wieder in den Mittelpunkt des wirtschaftspolitischen Interesses. Im Jahr 1978 wurde schließlich das EWS in seinen Grundzügen von den EG-Mitgliedstaaten ausverhandelt und verabschiedet. Hinsichtlich seiner praktischen Umsetzung und Durchführung wurden diese Beschlüsse durch das zwischen den Zentralbanken der Mitgliedstaaten abgeschlossene Abkommen vom März 1979 ergänzt.

2. Die Bestandteile des EWS

a) Vorbemerkung

Die Errichtung des EWS war ursprünglich in zwei Stufen geplant. Nach einer Anlaufphase von zwei Jahren sollte – aufbauend auf die bis dahin gewonnenen Erfahrungen – die Überleitung in ein endgültiges System erfolgen, das auch grundlegende institutionelle Neuerungen wie etwa die Errichtung eines Europäischen Währungsfonds umfaßt hätte. Wenngleich der Übergang in diese zweite Phase nie vollzogen wurde, beinhaltete das EWS doch wesentliche gegenüber dem Wechselkursverbund zusätzliche Elemente. Neben dem schon im Wechselkursverbund bekannten Interventionssystem mit Paritätengitter, Interventionskursen sowie kurz- und mittelfristigen Kreditmechanismen hat im EWS die als Korbwährung definierte Europäische Währungseinheit ECU die frühere Europäische Währungspolitische Rechnungseinheit (EWRE) abgelöst.

b) Die ECU (European Currency Unit)

Die ECU ist im Gegensatz zu den bis zu seiner Schaffung in den europäischen Institutionen benutzten Rechnungs- und Währungseinheiten, die von einer bestimmten Bezugsgröße abgeleitet werden konnten, als **Korbwährung** definiert, die aus festen, nach der wirtschaftlichen Bedeutung der Mitgliedstaaten ermittelten Beträgen der Währungen der Mitgliedstaaten errechnet wird. Regelmäßige, alle fünf Jahre durchzuführende Korbrevisionen boten die Möglichkeit, die Gewichte der einzelnen Währungen durch eine Veränderung der Zusammensetzung der einzelnen ECU-Komponenten geänderten wirtschaftlichen Gegebenheiten anzupassen bzw die Währungen neuer Mitgliedstaaten in den ECU-Korb aufzunehmen. Die letzte Korbrevision erfolgte im September 1989. Mit Inkraftreten des Vertrages über die Europäische Union im November 1993 wird die Zusammensetzung des ECU-Währungskorbs nicht mehr geändert.

Als **„offizielle ECU"** spielt sie eine zentrale Rolle im EWS als Bezugsgröße für die Festlegung der Leit- und Interventionskurse des Wechselkursmechanismus (Paritätengitter), zur Berechnung des Abweichungsindikators für die am EWS beteiligten Währungen, als gemeinsame Recheneinheit für die Verbuchung der Interventionen in Gemeinschaftswährungen sowie als Reserveinstrument beim Saldenausgleich zwischen den am EWS beteiligten Zentralbanken. Die offizielle ECU wird durch die Hinterlegung von 20% der Gold- und Dollarreserven der beteiligten Zentralbanken beim Europäischen Fonds für währungspolitische Zusammenarbeit (EFWZ) bzw nunmehr beim Europäischen Währungsinstitut (EWI) geschöpft.[14])

In der Praxis liegt die Hauptbedeutung der ECU innerhalb des EWS im wesentlichen in ihrer Funktion als Rechnungseinheit für Forderungen und Verbindlichkeiten im Interventions- und Kreditmechanismus. Im Unterschied zu dieser „offiziellen" ECU hat die auf den internationalen Finanzmärkten verwendete **„private" ECU** als Buchgeld bzw Denominierungswährung für Anleihen Bedeutung erlangt. Die einzige Gemeinsamkeit mit der „offiziellen" ECU besteht darin, daß die private ECU in ihrer theoretischen Zusammensetzung exakt der offiziellen ECU nachgebildet ist.[15]) Die private ECU hat mittlerweile in den meisten Ländern der EU **Devisenstatus.** Bei der Bank für Internationalen Zahlungsausgleich (BIZ) in Basel wurde überdies ein Clearing-System für private ECU eingerichtet.

Zu den Neuerungen des EWS zählte auch eine Erhöhung des Umfangs und der Laufzeit der zwischen den Zentralbanken zu gewährenden Kredite und eine Flexibilisierung des Gesamtsystems durch die Schaffung der Möglichkeit zur Teilnahme innerhalb erweiterter Bandbreiten (+/– 6%).

c) Der Abweichungsindikator

Die Einführung eines „Abweichungsindikators", der anzeigen soll, wie weit sich eine Mitgliedswährung von der Durchschnittsentwicklung der anderen EWS-Währungen entfernt, war ebenfalls ein neuer Bestandteil. Der Mechanismus des Abweichungsindikators sollte als eine Art Frühwarnsystem rechtzeitig über abweichende Entwicklungen der einzelnen Währungen Auskunft geben. Der Gemeinschaftsdurchschnitt wird dabei durch die neu geschaffene Korbwährung ECU repräsentiert, gegenüber der für jedes Mitgliedsland ein Leitkurs errechnet wird. Die Abweichungen des ECU-Tageswertes vom ECU-Leitkurs einer Währung sollten in der Folge als Meßgröße für den Abweichungsindikator benutzt werden. Zur Berechnung dieses Indikators wird die tatsächliche Abweichung des ECU-Tageswertes vom ECU-Leitkurs einer Währung mit der maximal möglichen verglichen und so die

---

[14]) Die Hinterlegung erfolgt in Form von revolvierenden Dreimonatsswaps gegen ECU.

[15]) Dies bedeutet aber in der Praxis keine völlig gleichartige Kursentwicklung.

Abweichung der Wechselkursentwicklung einer Währung vom Durchschnitt der anderen Währungen zum Ausdruck gebracht. Das Erreichen einer sogenannten Abweichungsschwelle[16]) sollte auf einen „Handlungsbedarf“ der währungspolitisch verantwortlichen Behörden des entsprechenden Landes hinweisen. Eine wesentliche Schwachstelle des Abweichungsindikators ist aber die Tatsache, daß es von der konkreten Wechselkurskonstellation abhängt, ob er eine deutliche Abweichung signalisiert, bevor die bilateralen Interventionspunkte gegenüber einer (oder mehreren) Währungen erreicht werden. Dies ist auch ein wesentlicher Grund dafür, daß dem Abweichungsindikator in der Praxis die ihm zugedachte Bedeutung nicht zukam.

d) Das Interventionssystem

Zentraler Bestandteil des Wechselkurs- und Interventionsmechanismus des EWS ist die Verpflichtung, die Marktkurse der teilnehmenden Währungen innerhalb bestimmter Bandbreiten um einen gegenseitig festgelegten bilateralen Leitkurs zu halten. Die im Rahmen des Wechselkurs- und Interventionsmechanismus **festgelegten Schwankungsbreiten** betrugen bis Ende Juli 1993 für den Großteil der EWS-Währungen +/– 2,25%. Zusätzlich bestand eine – als vorübergehend gedachte – erweiterte Bandbreite von +/– 6%. Die Währungsturbulenzen im Sommer 1993 ließen eine grundlegende Neugestaltung der Bandbreiten zweckmäßig erscheinen, die mit 2. August 1993 vorläufig auf +/– 15% ausgeweitet wurden.

Aus den ECU-Leitkursen der am Wechselkursmechanismus teilnehmenden Währungen ergibt sich ein Gitter von bilateralen Leitkursen mit Kursober- und -untergrenzen, die jeweils bis zu einer Neufestlegung der Paritäten im EWS durch die beteiligten Währungsbehörden Geltung haben. Die am Wechselkursmechanismus teilnehmenden Notenbanken haben die Verpflichtung, die vereinbarten bilateralen Leitkurse innerhalb der geltenden Schwankungsmargen zu verteidigen. Man unerscheidet dabei zwischen obligatorischen und intramarginalen Interventionen.

Mit sog obligatorischen Interventionen greifen die teilnehmenden Zentralbanken immer dann in das Marktgeschehen ein, wenn ihre Währungen gegenüber einer Partnerwährung den oberen bzw unteren Interventionspunkt erreichen. Im Falle der sog intramarginalen Interventionen werden die Notenbanken bereits vor Erreichen der äußersten Ankaufs- bzw Verkaufskurse ihrer Währungen aktiv, um die Kursentwicklung im erwünschten Sinne zu beeinflussen. Intramarginale Interventionen müssen unter den Zentralbanken abgestimmt werden, dh sie bedürfen der vorherigen Zustimmung der Zentralbank, die die Interventionswährung emittiert.

Anzumerken ist, daß angesichts der Erfahrungen mit intramarginalen Interventionen im Basel-Nyborg-Abkommen von 1987 klargestellt wurde, daß zu einer aktiven Wechselkurspolitik neben Interventionen auch die Ausnutzung der EWS-Schwankungsmargen und zinspolitische Maßnahmen gehören. Diese Regeln sollen für ein gleichgerichtetes Verhalten der Zentralban-

[16]) Die Abweichungsschwelle beträgt 75% der maximal zulässigen Abweichung des ECU-Tageswertes einer Währung von ihrem ECU-Leitkurs.

ken am Markt sorgen, da erfahrungsgemäß Interventionen als Mittel der Wechselkursstabilisierung nur ein kurzfristiges und ein lediglich im Zusammenspiel mit anderen Maßnahmen wirksames Mittel sind, mit dem Notenbanken reagieren, wenn ihre Währungen unter Kursdruck stehen.

e) Beistandssysteme

Da die für die Interventionsverpflichtungen erforderlichen Reserven in aller Regel von den Zentralbanken nicht in dem in der Praxis meist erforderlichen Umfang gehalten werden, sieht das EWS-Abkommen einen der Höhe nach unbegrenzten Rückgriff auf die Partnerwährungen im Rahmen einer sehr kurzfristigen gegenseitigen Kreditgewährung unter Einschaltung des EWI bzw früher des EFWZ vor. Die auf diese Weise zur Verfügung gestellten Beträge in nationaler Währung werden zum ECU-Tageskurs in ECU umgerechnet, auf den Finanzierungskonten beim EWI verbucht und zu einem Satz verzinst, der dem gewichteten Durchschnitt repräsentativer Geldmarktsätze auf den Märkten der Mitgliedstaaten entspricht. Die Notenbanken stellen ihre Währungen bis zum Saldenausgleich, der grundsätzlich binnen dreieinhalb Monaten nach Entstehen der Verbindlichkeit zu erfolgen hat, zur Verfügung. Eine Verlängerung dieser Frist ist höchstens um insgesamt sechs Monate möglich, wobei in diesem Falle die ausstehenden Beträge mit der Höhe der doppelten Schuldnerquote des betreffenden Landes im kurzfristigen Währungsbeistand begrenzt sind.

Diese sehr kurzfristige Finanzierung wird durch kurz- und mittelfristige **Beistandsmechanismen** ergänzt. Der kurzfristige Währungsbeistand beruht auf einem System von Schuldner- und Gläubigerquoten. Die Mittel aus diesen Überbrückungskrediten stehen vorerst drei Monate zur Verfügung, wobei eine Prolongation der Frist um insgesamt sechs Monate erfolgen kann. Von größerer Bedeutung als der kurzfristige Währungsbeistand ist in der Praxis der mittelfristige Beistand. Bei diesem handelt es sich um Kredite, die vom Ministerrat der EU im Falle von schwerwiegenden Zahlungsbilanzschwierigkeiten eines Mitgliedstaates gewährt werden. Im Unterschied zu den beiden anderen Beistandsfazilitäten ist jedoch die Vergabe von Darlehen in diesem Bereich an wirtschaftspolitische Auflagen gebunden. Die Laufzeit derartiger Finanzierungen reicht von zwei bis fünf Jahren. Bei diesem Kreditmechanismus gibt es nur festgelegte Gläubiger-Quoten, dh Höchstbeträge, die eine Zentralbank im Falle eines Kreditersuchens durch ein anderes Land in den Bereitstellungsfonds einzubringen hat. Der größte Teil der erforderlichen Kredite im Rahmen dieses Beistands kann jedoch von der Gemeinschaft auf den internationalen Kapitalmärkten aufgenommen werden.

f) Wechselkursanpassungen

Das EWS ist ein Wechselkurssystem mit festen, aber anpaßbaren Wechselkursen. Zur Vermeidung dauerhafter Spannungen, die sich vor allem aus dem Auftreten fundamentaler wirtschaftlicher Ungleichgewichte in den Mitgliedstaaten ergeben können, sieht das System ausdrücklich die Möglichkeit von **Leitkursanpassungen** (Realignments) vor. Anpassungen der Leitkurse sind im gegenseitigen Einvernehmen nach einem Verfahren vorzunehmen, in das alle am Wechselkursmechanismus teilnehmenden Länder einbezogen sind. Das bedeutet in der Praxis, daß die Entscheidung über neue Leitkurse nach Vorbereitung durch den Währungsausschuß[17]) einstimmig gefaßt wird.

Bei Leitkursverhandlungen stehen die Veränderungen der bilateralen Leitkurse im Mittelpunkt. Aus den Veränderungsraten der bilateralen Kurse ergeben sich dann neue ECU-Leitkurse. Jede Veränderung der bilateralen Leitkurse einer Währung gegenüber allen anderen zieht eine Änderung der ECU-Leitkurse aller Währungen nach sich. Daher bedarf jedes Realignment im EWS der Zustimmung aller am System Beteiligten.

3. Die Entwicklung des EWS seit seiner Gründung

In der Zeit zwischen der Errichtung des EWS und dem Abschluß des Basel-Nyborg-Abkommens im Jahr 1987 sind die Wechselkursparitäten zwölfmal in mehr oder weniger großem Ausmaß neu festgesetzt worden. Die meisten Leitkursanpassungen fielen in die Zeit bis Mitte der 80er Jahre, also in die Anfangsphase des EWS. Die Hauptgründe dafür waren teilweise stark voneinander abweichende Inflationsraten, Leistungsbilanzsalden sowie die Entwicklung der Haushaltsdefizite der einzelnen Mitgliedstaaten. Etwa ab Mitte der 80er Jahre konnte ein stabilitätspolitisches Bewußtsein verstärkt an Boden gewinnen, das die Wechselkursanpassungen (genauer: das Unterlassen von Wechselkursanpassungen), unterstützt durch entsprechende binnenwirtschaftliche Maßnahmen, auch verstärkt als ein Instrument der Inflationsbekämpfung einsetzte.

Einen wesentlichen Schritt zur Weiterentwicklung des EWS stellte das **Basel-Nyborg-Abkommen** vom September 1987 dar. Auf der informellen Tagung des Ecofin-Rates in Nyborg (Dänemark) vereinbarten die Wirtschafts- und Finanzminister verschiedene Schritte zur Stärkung des EWS und stimmten den Maßnahmen, die zuvor von den Zentralbankpräsidenten in Basel vereinbart worden waren, uneingeschränkt zu. Diese Vereinbarungen enthalten unter anderem eine halbjährliche Überwachung der wirtschaftlichen Entwicklung unter Verwendung wirtschaftlicher Indikatoren und Projektionen, um etwaige Widersprüche in der Politik der EWS-Mitgliedstaaten und damit nicht zu vereinbarende Entwicklungen gegenüber Drittwährungen aufzuzeigen, sowie eine monatliche Überwachung der Wechselkurs- und Zinsentwicklung im Währungsausschuß. Überdies wurde Übereinstimmung erzielt, durch eine verstärkte Nutzung von Zinsgefällen und durch flexible Ausnutzung der zulässigen Schwankungsmargen die Möglichkeiten zur Aufrechterhaltung der Paritäten zu verbessern, damit die Notwendigkeit intramarginaler Interventionen über einen längeren Zeitraum hinweg zu vermeiden und so Leitkursanpassungen möglichst selten und begrenzt vornehmen zu müssen. Maßnahmen zur Verbesserung des Interventionsmechanismus beinhalteten eine Ausweitung der Nutzungsmöglichkeiten der sehr kurzfristigen Finanzierung auf intramarginale Interventionen.

In der Zeit nach Abschluß des Basel-Nyborg-Abkommens erfuhr das EWS eine nahezu fünf Jahre andauernde Phase hoher **Stabilität,** in der kein

---

[17]) S unten D.

Realignment stattfand. Obwohl weiterhin unübersehbare wirtschaftliche Divergenzen zwischen den Mitgliedstaaten bestanden, war die europäische Währungspolitik in diesem Zeitraum insgesamt von einer Ausrichtung auf das Ziel nominell stabiler Wechselkurse gegenüber der D-Mark geprägt. Die Devisenmärkte schätzen das Risiko eines Realignments zunehmend geringer ein. Ungeachtet der fundamentalen Schwäche einiger Währungen bestimmte sich deren Position im EWS hauptsächlich an der Erwartung einer zukünftigen Währungsunion und der ihr vorausgehenden wirtschaftlichen Konvergenz. Hand in Hand mit der beginnenden Umsetzung des Binnenmarktprogramms schien sich auch die Entschlossenheit zu verstärkter wirtschafts- und währungspolitischer Kooperation zu verfestigen, was letztlich auch im Hinblick auf die Vorarbeiten und die im Frühjahr 1992 erfolgte Unterzeichnung des Vertrages über die Europäische Union zu einer Verstetigung der Wechselkurserwartungen führte, die bis zum Sommer 1992 aufrechterhalten werden konnte.

Der negative Ausgang des Referendums über den Unionsvertrag in Dänemark leitete auf den Devisenmärkten einen Umdenkprozeß in bezug auf die Stabilität des EWS und die künftige währungspolitische Integration in Europa ein. Da die Marktteilnehmer zunehmend Zweifel über die Aufrechterhaltung der Wechselkursparitäten hegten, wurde Kapital aus den Währungen jener Länder abgezogen, deren wirtschaftliche Eckdaten deutlich von jenen der Hartwährungsländer abwichen. Hatten die Devisenmärkte bislang nur sehr eingeschränkt auf Wettbewerbseinbußen infolge akkumulierter Inflationsdifferenzen, auf fehlende Budgetkonsolidierung sowie auf zunehmende Wachstumsschwäche und Arbeitslosigkeit reagiert, so flossen diese Faktoren nun vermehrt in ihre Entscheidungsbildung ein. Verstärkt wurden diese unterschiedlichen Entwicklungen noch dadurch, daß Deutschland aufgrund der Folgen der Wiedervereinigung, eines vergleichweise starken Preisanstiegs und der unzureichenden Stabilitätskonformität der Lohn- und Fiskalpolitik zur Beibehaltung eines straffen geldpolitischen Kurses veranlaßt war, während die Wachstumsschwäche in den meisten übrigen Mitgliedstaaten das zur Aufrechterhaltung der Wechselkursbindung an die europäische „Ankerwährung“ erforderliche relativ hohe Zinsniveau zunehmend zu einer starken konjunkturellen Belastung werden ließ.

Als den zunehmenden Spannungen auch mittels Zinserhöhungen und Interventionen nicht mehr wirksam begegnet werden konnte, war im September 1992 eine Abwertung der italienischen Lira als erstes Realignment nach mehr als fünf Jahren unvermeidlich. Dies verdeutlichte den Märkten gleichzeitig, daß – in Übereinstimmung mit der Konstruktion des EWS als System fester, aber anpaßbarer Wechselkurse – Änderungen der Kursrelationen als Instrument zur Beseitigung fundamentaler Ungleichgewichte durch die Märkte ausgelöst werden konnten. Die aus dem erhöhten Abwertungsrisiko resultierenden massiven Devisenabflüsse erzwangen in der Folge ein Ausscheiden des britischen Pfunds und der italienischen Lira aus dem Wechselkursmechanismus sowie eine Abwertung der Peseta. Auch auf die Währungen Frankreichs, Dänemarks und Irlands erhöhte sich der Abwertungsdruck, dem mit Notenbankzinserhöhungen und Interventionen begegnet wurde. Portugal, Irland und Spanien setzten auch vorübergehend teilweise Kapitalverkehrsbeschränkungen ein. Dennoch mußte im November 1992 neuerlich eine Abwertung der Peseta sowie des Escudo und im Jänner 1993 ein Realignment des irischen Punt vorgenommen werden. Auch die Währungen Norwegens, Schwedens und Finnlands konnten ihre unilaterale ECU-Bindung außerhalb des EWS nicht aufrechterhalten und gingen zu floatenden Wechselkursen über.

Ende Juli 1993 kam es wiederum zu einer massiven Vertrauenskrise um den Wechselkursmechanismus. Die neuerlichen Turbulenzen verdeutlichten, daß bei freiem Kapitalverkehr auch solche Wechselkurse Spekulationsattakken ausgesetzt sein können, die mit den Fundamentaldaten der jeweiligen Volkswirtschaft in Einklang stehen. Während der Abwertungsdruck gegen die Lira, das Pfund und die Peseta im Herbst 1992 primär eine Folge der unzureichenden Konvergenz war und die spekulativen Angriffe gegen das Punt und den Escudo mit einer durch die Abwertung des Pfunds bzw der Peseta akzentuierten Verschlechterung der preislichen Wettbewerbsfähigkeit dieser Länder begründet werden konnten, ließen sich die Devisenmarktunruhen vom Sommer 1993 kaum mit bestehenden oder sich entwickelnden makroökonomischen Divergenzen erklären.

Um dem Druck zu begegnen, beschlossen die Finanzminister und Notenbankgouverneure der Mitgliedstaaten der EU Anfang August 1993, die **Bandbreiten** für die am Wechselkursmechanismus teilnehmenden Währungen vorübergehend auf +/– 15% zu erweitern. Zwischen Deutschland und den Niederlanden wurde eine bilaterale Vereinbarung geschlossen, das enge Band von +/– 2,25% aufrechtzuerhalten. Eine Anpassung der Leitkurse wurde nicht vorgenommen, da die grundlegenden ökonomischen Daten in den EWS-Ländern den bestehenden Paritäten entsprachen. In diesem Zusammenhang betonten die EU-Finanzminister die Notwendigkeit, den monetären Integrationsprozeß mit dem Ziel einer gemeinsamen europäischen Währung fortzusetzen. Dies erfordere die strikte Einhaltung der Stabilitätsorientierung der Wirtschafts- und Währungspolitik und das Festhalten an den Konvergenzkriterien.

Die Kursschwankungen zwischen den Währungen, die am Wechselkursmechanismus des EWS teilnehmen, hielten sich auch nach der Ausweitung der Bandbreiten für geraume Zeit überwiegend in ziemlich engen Grenzen.[18]) Der größere Spielraum der erweiterten Schwankungsbreiten wurde also unmittelbar weder für „kompetitive" Abwertungen noch für autonome Zinssenkungen genutzt. Grundsätzlich zielte die Politik der am EWS teilnehmenden Länder auf die Erhaltung oder Wiedererlangung des Vertrauens der Finanzmärkte in die Stabilitätsorientierung ihrer Währungspolitik, womit auch auf das Wechselkurskonvergenzkriterium für die Teilnahme an der Europäischen Währungsunion Bedacht genommen werden sollte.

Rund eineinhalb Jahre nach der massiven Ausweitung der Bandbreiten war aufgrund anhaltender Spannungen eine Abwertung der iberischen Währungen notwendig geworden. Mit 6. März 1995 wurden die Leitkurse der Peseta und des Escudo um 7% bzw 3,5% abgewertet.

---

[18]) Insb zwischen den Währungen, die zuvor im engen Wechselkursband gewesen waren.

Eine stabilitätspolitische Stärkung erfuhr das EWS hingegen durch den im Gefolge des Beitritts Österreichs zur EU möglich gewordenen Eintritts des Schillings in den Wechselkursmechanismus. Die Schlußfolgerungen, die sich aus den Entwicklungen im EWS ergeben, sind eindeutig: Bei liberalisierten und globalisierten Finanzmärkten ist das Vertrauen in eine glaubwürdige Stabilitätspolitik entscheidend. Es zeigte sich deutlich, daß letztlich nur eine langfristig auf Stabiliät ausgerichtete Wirtschaftspolitik für die Wertbeständigkeit einer Währung entscheidend ist. Interventionen und zinspolitische Maßnahmen der Notenbanken sind wichtige Instrumente, aber sie haben geringe Erfolgschancen, wenn sie „gegen den Markt" und gegen die Entwicklung der wirtschaftlichen Fundamentaldaten eingesetzt werden müssen.

C. Institutionen der europäischen Wirtschafts- und Währungsunion[19])

1. Das Europäische Währungsinstitut (EWI)

Wie bereits ausgeführt, hat das in Frankfurt am Main angesiedelte Europäische Währungsinstitut (EWI) am 1. Jänner 1994 das Licht der Welt erblickt und den Ausschuß der Präsidenten der Zentralbanken der Mitgliedstaaten der Europäischen Wirtschaftsgemeinschaft wie auch den 1973 geschaffenen EFWZ abgelöst. Der Ausschuß, der 1964 durch eine Entscheidung des Rates (64/300/EWG) geschaffen wurde, ist nach 30jähriger, sich schrittweise erweiternder Tätigkeit für eine bessere Zusammenarbeit der für die Geldpolitik zuständigen Institutionen mit seinen Unterausschüssen und Arbeitsgruppen im EWI aufgegangen (Art 109f Abs 1 EGV).

a) Aufgaben des EWI

Die Aufgaben des EWI kann man in koordinierende, vorbereitende, operationelle und beratende einteilen. Sie lassen sich in zwei nicht unbedingt miteinander verbundene Bereiche gliedern. Einerseits wird sich das EWI der Vorbereitung der Endstufe der WWU widmen, und andererseits wird es einen bedeutenden Teil seiner Energien für die Betreuung des Wechselkursmechanismus des EWS aufbringen, eine Aufgabe, die mit der Verwirklichung der Währungsunion nicht direkt zu tun hat.

Die wichtigste Aufgabe aus der Sicht der Verwirklichung der WWU ist die Vorbereitung der für eine einheitliche Geldpolitik in der dritten Stufe notwendigen Instrumente und Verfahren, sowohl aus regulatorischer, organisatorischer als auch logistischer Sicht (Art 4.2 der Satzung des EWI). Aus den nationalen Notenbanken mit sehr unterschiedlichen währungspolitischen Instrumentenkästen, Arbeitsweisen und rechtlichen Gebäuden muß bis spätestens Ende 1996 ein Gebilde vorbereitet werden, das – bei Respektierung der historisch gewachsenen Eigenheiten und getreu dem im Vertrag postulierten Grundsatz der Subsidiarität – eine zielkonforme und effiziente gemeinschaft-

[19]) In diesem Abschnitt sind das EWI sowie das ESZB und die EZB dargestellt. Die übrigen Institutionen der wirtschaftspolitischen Koordination werden in Abschnitt D erläutert.

liche Arbeitsweise ermöglicht.[20]) Im einzelnen geht es dabei vor allem um die Vorbereitung der geldpolitischen Instrumente und Verfahren, die das ESZB verwenden wird.[21]) Bei der geldpolitischen Strategie einer künftigen EZB geht es in erster Linie um die Frage, ob die gemeinsame Geldpolitik ein Zwischenziel benötigt und, wenn ja, welche Variable als dieses Zwischenziel dienen soll. Derzeit verfolgt Deutschland ein **Geldmengenziel,** wobei M3[22]) als Zielgröße fungiert. Die Orientierung der Geldpolitik an diesem Aggregat basiert auf der empirischen Feststellung, daß langfristig ein verläßlicher Zusammenhang zwischen der Entwicklung von M3 und der Preisentwicklung in Deutschland besteht. Daher gibt es auch Stimmen, die für eine Übernahme dieses Konzeptes auf europäischer Ebene plädieren. Voraussetzung für die Brauchbarkeit einer solchen Orientierung ist jedoch eine stabile EU-weite Nachfrage nach M3.[23]) Im Zusammenhang mit der geldpolitischen Strategie müssen auch die Instrumente und Verfahren entwickelt werden, die für die Umsetzung der geldpolitischen Strategie notwendig sind. Die endgültigen Entscheidungen über Strategie, Instrumente und Verfahren werden zwar erst vom Rat der EZB getroffen werden, doch werden die Weichenstellungen bereits durch das EWI vorgenommen.

Weiters müssen als Voraussetzung für eine funktionstüchtige gemeinschaftliche Geldpolitik sowohl die grenzüberschreitenden Zahlungsverkehrssysteme als auch die monetären Statistiken verbessert und harmonisiert werden. Die Vorbereitung der gemeinschaftlichen Zahlungsmittel, Banknoten und Münzen,[24]) fällt ebenfalls in diesen Aufgabenbereich.

Das EWI muß in allen diesen Fragen nicht völliges Neuland betreten, denn der Ausschuß der EG-Notenbankpräsidenten hat mit seinen Unterausschüssen und Arbeitsgruppen bereits bedeutende Vorarbeiten geleistet, auf denen das EWI aufbauen kann bzw die es fertigstellen wird.

Eine wichtige Rolle wird das EWI bei der Festlegung des **Übergangs zur dritten Stufe** der WWU spielen. So ist es eine Aufgabe des Instituts, dem Rat jährlich einen Bericht über den Stand der Vorbereitungen der dritten Stufe wie auch über die Fortschritte auf dem Weg zur Konvergenz vorzulegen (Art 109j Abs 1 EGV und Art 7.1 der Satzung des EWI). Auf der Grundlage des EWI-Berichts – zusammen mit einem Bericht der EG-Kommission zu demselben Thema – wird der ECOFIN-Rat erstmals 1996 auf Empfehlung der Kommission mit qualifizierter Mehrheit beurteilen, ob eine Mehrheit der Länder die

---

[20]) Die Beschlußfassung darüber obliegt dann zum Zeitpunkt ihrer Errichtung der EZB (Art 109f Abs 3 EGV).

[21]) Vgl dazu *Aspetsberger/Schubert,* Möglichkeiten und Grenzen der Subsidiarität in einer Europäischen Währungsunion, Berichte und Studien, 3/1993, Oesterreichische Nationalbank.

[22]) Bargeldumlauf ohne Kassenbestände der Kreditinstitute, Sichteinlagen inländischer Nichtbanken, Termingelder inländischer Nichtbanken (mit einer Laufzeit bis unter 4 Jahren) und Spareinlagen inländischer Nichtbanken (mit dreimonatiger Kündigungsfrist).

[23]) Andere Stimmen sprechen sich eher für ein direktes Anpeilen eines Inflationszieles bzw -zielbandes ohne die Festlegung eines Zwischenzieles aus.

[24]) Die Münzprägung ist in den meisten Mitgliedstaaten nicht Notenbankangelegenheit.

für den Eintritt in die dritte Stufe erforderlichen Voraussetzungen erfüllt und wird seine Feststellung den Staats- und Regierungschefs zur Entscheidung über den Übergang in die dritte Stufe empfehlen (Art 109j Abs 2 und 3 EGV).

Schließlich kann das EWI vom Rat durch einstimmigen Beschluß auch noch weitere Aufgaben im Rahmen der Vorbereitung der dritten Stufe übertragen erhalten (Art 109f Abs 7 EGV).

Parallel zur Vorbereitung der dritten Stufe der WWU soll das EWI die Koordinierung der Geldpolitiken der Mitgliedstaaten mit dem Ziel verstärken, die Preisstabilität sicherzustellen. Diese Koordination durch das EWI stößt dort an ihre Grenzen, wo die Souveränität der einzelnen Notenbanken beginnt. Art 3 der Satzung des EWI legt nämlich fest, daß das EWI die ihm übertragenen Aufgaben „unbeschadet der Verantwortlichkeit der für die Geldpolitik in den einzelnen Mitgliedstaaten zuständigen Behörden" erfüllt. Die schwierige Aufgabe des EWI besteht daher darin, die Abstimmung der Geldpolitiken der Mitgliedstaaten zu verstärken, während die Verantwortung für die Erarbeitung und Durchführung dieser Politiken noch in der Hand der nationalen Notenbanken bleibt. Es wird daher von der Qualität der Analysen und Argumente des EWI abhängen, ob es wirkungsvolle Anstöße für eine bessere Koordinierung geben kann. Eine bessere Abstimmung der Geldpolitiken der Mitgliedsländer und die Sicherstellung der Preisstabilität sind, nicht zuletzt im Hinblick auf die Konvergenzkriterien Preisstabilität und niedrige Zinsen, wichtige Voraussetzungen für die Verwirklichung der dritten Stufe der WWU.

Weiters ist das EWI von der Gemeinschaft wie auch von den Mitgliedstaaten zu allen Entwürfen für Rechtsvorschriften, die seinen Zuständigkeitsbereich berühren, anzuhören.[25])

Das EWI wird auch bestimmte **operationale Aufgaben** erfüllen. So können die Mitgliedsnotenbanken Teile ihrer Währungsreserven auf das EWI zum Zwecke des Haltens und Verwaltens übertragen (Art 6.4 der Satzung des EWI). Damit jedoch die Geschäfte des EWI mit diesen Reserven die Währungs- und Wechselkurspolitik der Mitgliedstaaten nicht beeinträchtigen, sieht der Vertrag explizit vor, daß der Rat des EWI mit Zweidrittelmehrheit für diese Geschäfte Vorschriften festlegt.

Weiters sind die Funktionen des Europäischen Fonds für währungspolitische Zusammenarbeit (EFWZ) auf das EWI übergegangen (Art 109f Abs 2 EGV).[26])

b) Organisation des EWI

Die Mitglieder des EWI sind die Zentralbanken der Mitgliedstaaten.[27]) Das EWI wird vom Rat des EWI geleitet und verwaltet, der aus dem EWI-

---

[25]) S Art 5.3 der Satzung des EWI; für die Konsulation durch nationale Behörden in Verbindung mit der entsprechenden, mit 1. 1. 1994 in Kraft getretenen Ratsverordnung.

[26]) ZB Schaffung offizieller ECU, Multilateralisierung der aus den Interventionen der nationalen Notenbanken entstandenen Salden, Verwaltung der sehr kurzfristigen Finanzierung und des kurzfristigen Währungsbeistands und der Darlehen im Rahmen des mittelfristigen Beistands (s Art 6.1 der Satzung des EWI).

[27]) Das Luxemburgische Währungsinstitut gilt im Sinne der Satzung des EWI als die Zentralbank Luxemburgs.

Präsidenten und den Präsidenten der nationalen Zentralbanken besteht. Während der Ausschuß der EG-Notenbankpräsidenten noch von einem amtierenden nationalen Notenbankpräsidenten geleitet wurde, hat das EWI in der Person des früheren Generaldirektors der Bank für Internationalen Zahlungsausgleich, Baron *Alexandre Lamfalussy,* einen hauptamtlichen Präsidenten, der von den Regierungen der Mitgliedstaaten einvernehmlich für die Dauer von drei Jahren ernannt wurde. Ihm zur Seite steht ein aus dem Kreis der EG-Notenbankpräsidenten stammender Vizepräsident, derzeit der Präsident der Banco d'España, *Rojo.*

Im **Rat des EWI** hat jedes Mitglied unabhängig davon, aus welchem Land es stammt, eine Stimme (Art 10.2 der Satzung des EWI). Dieses Prinzip wird auch den Rat der EZB in seinen währungspolitischen Entscheidungen charakterisieren. Während jedoch im Rat der EZB nur die Notenbankpräsidenten vertreten sein werden, deren Länder vollwertig, dh ohne Ausnahmeregelung, an der dritten Stufe der WWU teilnehmen, sind im Rat des EWI alle EU-Länder vertreten, unabhängig davon, ob die Währung des betreffenden Landes im Wechselkursmechanismus ist oder ob das Land beabsichtigt, an der dritten Stufe teilzunehmen. Beschlüsse werden in der Regel mit einfacher Mehrheit gefaßt, doch ist bei den wichtigen, vor allem die Vorbereitung der dritten Stufe betreffenden Weichenstellungen Einstimmigkeit oder zumindest eine Zweidrittelmehrheit erforderlich (Art 10.3 und 10.4 der Satzung des EWI).

Der Rat des EWI ist unabhängig. Er darf bei der Wahrnehmung seiner Aufgaben weder von Organen der Gemeinschaft noch von den Regierungen der Mitgliedstaaten Weisungen einholen oder entgegennehmen (Art 8 der Satzung des EWI); umgekehrt verpflichten sich die Gemeinschaftsorgane und Mitgliedstaaten, diesen Grundsatz zu beachten und nicht zu versuchen, Einfluß auszuüben.

Bezüglich der **Finanzierung** des EWI legt der Vertrag fest, daß das EWI eigene Mittel haben soll, die aus Beiträgen der nationalen Zentralbanken stammen. Der in Art 29.1 der Satzung des ESZB festgelegte, auf Bevölkerungszahl und Bruttoinlandsprodukt aufbauende Schlüssel findet auch hier seine Anwendung.

Durch die Teilnahme und das gleichgewichtige Stimmrecht im Rat des EWI haben alle nationalen Notenbanken die gleiche Verantwortung für die Vorbereitung des Rahmens der künftigen europäischen Währungspolitik. Damit ist überall eine stärkere Europaorientierung notwendig, wenn auch die jeweilige Zuständigkeit für die nationale Geldpolitik in dieser Stufe noch unberührt bleibt. Die Mitarbeit am europäischen Notenbankgebäude ist nicht auf den Rat des EWI beschränkt, sondern erstreckt sich auf eine Vielzahl von Arbeitsgruppen. Damit erhalten die traditionellen Aufgaben der Notenbanken eine neue räumliche Dimension. Die nationalen geldpolitischen Instrumentarien müssen überdacht und eventuell notwendige Anpassungen an die europaweiten Gepflogenheiten rechtzeitig vorbereitet werden.

Die Ansichten über die tatsächliche Bedeutung und den künftigen Einfluß des EWI gehen noch beträchtlich auseinander. In jedem Fall stellt das Zustandekommen dieser Institution ein wichtiges und glaubhaftes Signal für den Willen zu einer weitergehenden monetären Integration in Europa dar.

Unmittelbar nach Errichtung der Europäischen Zentralbank (EZB) übernimmt diese erforderlichenfalls die Aufgaben des EWI. Dieser wird nach Errichtung der EZB liquidiert.

2. Das Europäische System der Zentralbanken

Mit Beginn der dritten Stufe ist eine grundlegende Änderung der geld- und währungspolitischen Verfassung Europas vorgesehen. Die Währungsunion erfordert eine einheitliche Geld- und Währungspolitik, die von einem einzigen gemeinsamen Gremium festzulegen sein wird. Daher muß die Entscheidungsbefugnis von den nationalen Zentralbanken an eine gemeinsame europäische Währungsinstitution übergehen. Diese Institution wird die Europäische Zentralbank (EZB) sein. Neben ihr werden die nationalen Zentralbanken weiterhin als Teile des Europäischen Systems der Zentralbanken (ESZB) bestehen bleiben. Sie werden zugleich bestimmende Aktionäre und ausführende Organe der EZB sein.

a) Aufgaben des ESZB und der EZB

Die grundlegenden Aufgaben des ESZB werden darin bestehen, die Geldpolitik der Gemeinschaft festzulegen und auszuführen, die offiziellen Währungsreserven der Mitgliedstaaten zu halten und zu verwalten und das reibungslose Funktionieren der Zahlungssysteme zu fördern (Art 3.1 der Satzung des ESZB und der EZB). Darüber hinaus trägt es zur reibungslosen Durchführung der von den zuständigen Behörden auf dem Gebiet der Aufsicht über die Kreditinstitute und der Stabilität des Finanzsystems ergriffenen Maßnahmen bei (Art 3.3 der Satzung des ESZB und der EZB). Die EZB muß auch zu allen Vorschlägen für Rechtsakte der Gemeinschaft wie auch der nationalen Behörden im Zuständigkeitsbereich der EZB gehört werden.

Die Satzung des ESZB und der EZB sieht für das gemeinsame europäische währungspolitische Haus drei Hauptsäulen vor:

- Vorrang für die Erhaltung der Preisstabilität,
- Unabhängigkeit der Notenbank und ihrer Organe von politischer Einflußnahme sowohl auf nationaler als auch auf europäischer Ebene,
- Verbot der Staatsfinanzierung sowohl durch die europäische als auch die nationalen Notenbanken.

Es ist das explizit festgelegte vorrangige Ziel des ESZB, die **Preisstabilität** zu gewährleisten. Soweit es ohne die Beeinträchtigung dieses Zieles möglich ist, hat das ESZB die allgemeine Wirtschaftspolitik in der Gemeinschaft zu unterstützen.

Zentrales wirtschaftspolitisches Motiv für die Unabhängigkeit einer Zentralbank liegt in der Absicherung einer auf Geldwertstabilität ausgerichteten Währungspolitik.[28]) Preisstabilität kann nur durch einen sehr langfristig ausgerichteten geldpolitischen Kurs gewährleistet werden. Ein kurzfristiges Lockern der geldpolitischen Zügel zwecks vorübergehender Wachstumsvor-

---

[28]) Für eine detaillierte Darstellung s *Schubert/Aspetsberger*, Europäische Währungspolitik und Notenbankautonomie, BankArchiv 1992, 977–987.

teile fördert erst mit einiger Zeitverzögerung eine (dauerhaft) erhöhte Inflation. Dies macht die wirksame Verfolgung einer Stabilitätspolitik nur auf langfristiger Basis möglich und glaubwürdig. Die Schaffung einer unabhängigen, dem (oftmals kürzerfristig planenden) politischen Einflußbereich entzogenen und explizit der Preisstabilität verpflichteten Institution soll das Glaubwürdigkeitsproblem lösen und einen kontinuierlichen währungspolitischen Stabilitätskurs sicherstellen.

Die Unabhängigkeit einer Notenbank wird in der Praxis durch das Konglomerat an politischem Freiraum und ökonomischen Wirkungsmöglichkeiten umschrieben, für welches die rechtlichen Regelungen eine wesentliche Grundlage bilden. Sie wird aber gleichzeitig auch dadurch bestimmt, inwieweit die politische und ökonomische Realität Einfluß auf eine eigenständige Zielverwirklichung hat. Entscheidend dafür ist auch der Grad an allgemeiner Sensibilität gegenüber einer Geldentwertung, gepaart mit der Überzeugung, daß längerfristig nur eine unabhängige Notenbank eine ausreichende Gewähr dagegen bietet.

In der Literatur werden meist verschiedene Auswirkungen der **Notenbankautonomie** unterschieden. Zweckmäßig für die Beurteilung der Frage der Einflußmöglichkeiten auf die Notenbankpolitik bzw des Umfangs ihres autonomen Gestaltungsspielraums ist die Unterscheidung zwischen funktioneller und personeller Autonomie. Kern der funktionellen Unabhängigkeit ist die Freiheit gegenüber Weisungen staatlicher Stellen. Von entscheidender Bedeutung ist auch das Verbot der Finanzierung öffentlicher Haushalte. Weiters muß die Notenbank für die Festlegung des geldpolitischen Kurses und die dabei anzuwendende geldpolitische Strategie zuständig sein. Sie muß über die erforderlichen geldpolitischen Instrumente verfügen. Alle diese Aspekte sind in der Satzung des ESZB und der EZB berücksichtigt. Weder die EZB noch eine nationale Zentralbank darf bei der Wahrnehmung der ihnen übertragenen Befugnisse, Aufgaben und Pflichten Weisungen einholen oder entgegennehmen. Gleichzeitig ist es den Organen und Einrichtungen der Gemeinschaft sowie den Regierungen der Mitgliedstaaten verboten, die Beschlußorgane der EZB oder der nationalen Zentralbanken zu beeinflussen zu versuchen. Die Finanzierung staatlicher Stellen durch Notenbanken ist verboten.[29]) Die EZB ist allein für den geldpolitischen Kurs gemäß dem ihr gesetzten Ziel zuständig. Sie hat vollkommene Freiheit bei der Wahl allfälliger monetärer Zwischenziele und verfügt gemäß Statut über eine breite Palette an geldpolitischen Instrumenten.

Die personelle Unabhängigkeit der Mitglieder des Direktoriums der EZB wird vor allem durch eine lange Amtszeit von acht Jahren und den Ausschluß einer Wiederernennung abgesichert.[30]) Darüber hinaus ist eine Amtsenthebung nur dann möglich, wenn die Voraussetzungen für die Ausübung des Amtes nicht mehr erfüllt sind oder eine schwere Verfehlung begangen wurde. Auch in finanzieller Hinsicht ist die Unabhängigkeit der EZB vertraglich garantiert.

---

[29]) Vgl dazu unten D.

[30]) Die Amtszeit der Gouverneure der nationalen Notenbanken muß mindestens 5 Jahre betragen; eine Wiederernennung ist zulässig.

Förmliche Wechselkursvereinbarungen der gemeinsamen europäischen Währung gegenüber Drittlandswährungen fallen in die Kompetenz des Rates (Art 109 Abs 1 EGV), der auch allgemeine Orientierungen für die Wechselkurspolitik gegenüber diesen Währungen aufstellen kann (Art 109 Abs 2 EGV). Derartige Ratsentscheidungen dürfen das Preisstabilitätsziel nicht beeinträchtigen. Die EZB ist dabei anzuhören.

b) Organisation des ESZB und der EZB

Die Beschlußorgane der Europäischen Zentralbank sind der Rat der EZB, das Direktorium und der Erweiterte Rat. Der Rat der EZB besteht aus dem Direktorium der EZB sowie den Präsidenten der nationalen Zentralbanken, die an der dritten Stufe der Wirtschafts- und Währungsunion teilnehmen.

Der **Rat der EZB** legt die Geldpolitik der Gemeinschaft einschließlich eventueller geldpolitischer Zwischenziele, der Leitzinsen und der Bereitstellung von Reserven im ESZB fest. Das Direktorium führt mit seinen sechs Mitgliedern die Geldpolitik gemäß den Beschlüssen des Rates der EZB aus. Es greift dabei – dem Prinzip der Subsidiarität entsprechend –, soweit dies möglich und sachgerecht erscheint, auf die nationalen Zentralbanken zurück.[31]) Die Mitglieder des Direktoriums sind hauptamtlich tätig.

Im Rat wird das Prinzip „one central bank, one vote" herrschen. Das heißt, jeder nationale Notenbankpräsident wird unabhängig von der Größe seines Landes eine Stimme haben. Damit wird sich in diesem Gremium eine vollkommene Gleichberechtigung der Notenbanken kleiner Länder gegenüber jenen der großen EU-Mitgliedstaaten ergeben.

Das **Direktorium,** das aus bis zu sechs auf jeweils acht Jahre bestellten und nicht wiederernennbaren Personen bestehen wird, wird die Beschlüsse des Rates umsetzen und dabei auf die Expertise und die Organisation der nationalen Notenbanken zurückgreifen.

Der **Erweiterte Rat** umfaßt den Präsidenten und den Vizepräsidenten der EZB sowie die Präsidenten aller nationalen Notenbanken, dh auch der Länder, die (noch) nicht an der gemeinsamen Währungspolitik teilnehmen.

c) Instrumente des ESZB und der EZB

Als Instrumente einer künftigen Europäischen Zentralbank sieht der Vertrag die traditionellen Notenbankinstrumente, Offenmarktpolitik, Diskont und Lombard sowie Mindestreserven vor. Die Vorbereitung des Instrumentenmixes der EZB bzw des ESZB erfolgt durch das EWI bis Ende 1996.

Der EZB wird für ihre Marktaktivitäten entsprechendes Kapital zur Verfügung stehen. Der Vertrag sieht ein von den Aktionären anläßlich der Gründung einzuzahlendes Grundkapital von 5 Mrd ECU und eine Reservenausstattung von 50 Mrd ECU vor. Der Schlüssel für die Kapitalzeichnung wie auch für den Anteil an den zu übertragenden Währungsreserven basiert je zur Hälfte auf dem Anteil jenes Landes an der EU-Gesamtbevölkerung und am EU-weiten Bruttoinlandsprodukt.

---

[31]) Für eine ausführliche Diskussion der Frage der Subsidiarität in der Geldpolitik der EZB, s *Aspetsberger/Schubert* (FN 21).

D. Wirtschaftspolitische Koordinationsmechanismen

1. Wirtschaftspolitische Koordination der Gemeinschaft vor dem Maastrichter Vertrag

Die Koordination der Wirtschaftspolitiken war bereits in den Verträgen von Rom ein Anliegen der Gemeinschaft. Die Art 103 bis 109, 6 und 145 EWGV behandelten die kurzfristige Wirtschaftspolitik, Zahlungsbilanzgleichgewichte sowie die Geld- und Wechselkurspolitik als Angelegenheiten von gemeinsamem Interesse. Erst in den 60er Jahren jedoch wurden diese etwas unkonkreten Vorstellungen durch die Errichtung von fünf Ausschüssen – drei für die Wirtschaftspolitik, zwei für die Geldpolitik – institutionell unterstützt. Der Schwerpunkt lag damals auf der Abstimmung der kurzfristigen Fiskalpolitik. In der Praxis blieb die Koordinierung jedoch rudimentär, und die Mitgliedstaaten wiesen eine wirtschaftlich stark divergierende Entwicklung auf.

Maßnahmen im Zusammenhang mit der im erwähnten *Werner*-Bericht vorgesehenen „ersten Stufe der WWU" umfaßten unter anderem Ratsentscheidungen zur Stärkung der Koordination der kurzfristigen Wirtschaftspolitiken und zur engeren Kooperation zwischen den Notenbanken aus 1971 sowie die Einrichtung der „Schlange im Tunnel" im Jahr 1972. Weitere Initiativen betrafen die Schaffung des Europäischen Fonds für währungspolitische Zusammenarbeit im Jahr 1973 sowie eine Konvergenzentscheidung und eine Richtlinie über Stabilität, Wachstum und Vollbeschäftigung aus 1974. Die drei wirtschaftspolitischen Ausschüsse wurden im neu eingerichteten Wirtschaftspolitischen Ausschuß zusammengefaßt. Dennoch führten die wirtschaftlichen Divergenzen im Gefolge des ersten Ölpreisschocks Mitte der 70er Jahre zur Aushöhlung der Koordinationsbestrebungen, und es kam nie zur zweiten Stufe des *Werner*-Plans.[32])

Erst Ende der 70er Jahre führte ein erneutes Interesse an der Europäischen Integration zur Gründung des EWS. Trotz der anfänglichen Turbulenzen gelang es dem EWS, die Wechselkurspolitik innerhalb der Gemeinschaft zu einer kollektiven Entscheidung zu machen.[33])

Um aus der „Eurosklerose" Anfang der 80er Jahre auszubrechen, lancierte die Kommission 1985 ein erweitertes Koordinationsprogramm, das sich nicht wie bisher nur auf die Nachfrageseite der Wirtschaft und auf die Lokomotivfunktion eines Landes stützte, sondern die Angebotsseite und die mikroökonomische Fundierung der Wirtschaft ins Visier nahm. Strukturpolitiken und mittelfristige Maßnahmen waren ein direktes Ergebnis. Ab 1986 bewegte sich die Gemeinschaft aus der Krise, und die Wirtschaftspolitiken konvergierten. Die neu entdeckte stärkere Marktorientierung spiegelte sich auch in der Reform der EWS-Interventionsregeln („Basel-Nyborg-Abkommen" von 1987) wider. Entscheidende Schritte waren auch die Einheitliche Europäische Akte 1986, die die Errichtung des Binnenmarktes einleitete, sowie die Kapitalverkehrsliberalisierungsrichtlinie 1988, die die Rahmenbedingungen für die Geld- und Wechselkurspolitik fundamental änderte. Beide Entwick-

---

[32]) S oben A.

[33]) S im einzelnen dazu oben B.

lungen riefen nach einem qualitativen Sprung in der wirtschafts- und geldpolitischen Koordinierung. 1988 wurde auch der mittelfristige gemeinschaftliche Zahlungsbilanzbeistand reformiert: Zahlungsbilanzdarlehen würden künftig mit wirtschaftspolitischen Auflagen gekoppelt sein. Der *Delors*-Bericht von 1989 war der Anfang eines neuen Anlaufs zur Errichtung einer Wirtschafts- und Währungsunion. Die geldpolitische Koordinierung mit dem Ziel einer Einheitswährung sollte demgemäß parallel durch eine gestärkte fiskalpolitische Koordinierung begleitet werden.

Im März 1990 wurde die **„Konvergenzentscheidung“**[34]) verabschiedet, die die Konvergenzentscheidung von 1974 ersetzte und fortan den rechtlichen Rahmen für die wirtschaftspolitische Koordinierung in der ersten Stufe der WWU bildete. Insbesondere rief die Konvergenzentscheidung eine „multilaterale Überwachung“ der Wirtschaftspolitiken der Mitgliedstaaten ins Leben (halbjährliche Prüfungen der Wirtschaftsentwicklung der Gemeinschaft und der Mitgliedstaaten durch den Ministerrat, regelmäßige Aussprachen auf Minister- und Expertenebene).

2. Das System der wirtschaftspolitischen Koordination im Maastrichter Vertrag

a) Überblick

Während die Geldpolitik in der dritten Stufe der WWU zentralisiert wird, bleibt die Fiskalpolitik in der Kompetenz der Mitgliedstaaten. Unbeschadet dessen spiegelt der Maastrichter Vertrag die Sichtweise wider, daß die Errichtung einer Währungsunion einen ausreichenden Grad an wirtschaftlicher Konvergenz zwischen den teilnehmenden Mitgliedstaaten voraussetzt und daß eine gemeinsame Geld- und Währungspolitik durch eine Abstimmung der Wirtschaftspolitiken abgestützt werden muß. Zu diesem Zweck wurde das bestehende Instrumentarium an Koordinierungsmechanismen erheblich ausgebaut und verfeinert. Der Großteil der diesbezüglichen Bestimmungen ist bereits mit dem Inkrafttreten des Maastrichter Vertrages (1. November 1993) oder mit dem Beginn der zweiten Stufe der WWU (1. Jänner 1994) wirksam geworden.[35]) Die grundlegende Zielsetzung ist klar: Eine frühzeitige wirtschaftspolitische Koordination soll die Mitgliedstaaten an das künftige geldpolitische Regime gewöhnen und sie für die Teilnahme an einer dem vorrangigen Ziel der Preisstabilität verpflichteten Geld- und Wechselkurspolitik rüsten; die Partnerländer signalisieren durch die – in vielen Fällen nicht leichte – Erreichung der Konvergenzbedingungen einander ihre „stabilitätspolitische Verläßlichkeit“.[36])

---

[34]) Beschluß des Rates vom 12. 3. 1990 (90/141/EWG) zur Erreichung einer schrittweisen Konvergenz der Politiken und der wirtschaftlichen Ergebnisse während der ersten Stufe der Wirtschafts- und Währungsunion.

[35]) Lediglich der rechtlich bindende Charakter der Vermeidung übermäßiger Defizite und die Möglichkeit von Sanktionen bei Verletzung dieser Verpflichtung gelten erst für die an der dritten Stufe teilnehmenden Mitgliedstaaten.

[36]) Vgl dazu oben A und unten E.

Die **Koordinierung der Wirtschaftspolitik** erfolgt vor dem Hintergrund der in Art 2, 3a und 102a VEU festgeschriebenen wirtschaftspolitischen Ziele und ordnungspolitischen Grundsätze. Art 2 VEU legt allgemeine programmatische Ziele der Gemeinschaft fest: „Eine ausgewogene Entwicklung des Wirtschaftslebens innerhalb der Gemeinschaft, ein beständiges, nichtinflationäres und umweltverträgliches Wachstum, einen hohen Grad an Konvergenz der Wirtschaftsleistungen, ein hohes Beschäftigungsniveau, ein hohes Maß an sozialem Schutz, die Hebung der Lebenshaltung und der Lebensqualität, den wirtschaftlichen und sozialen Zusammenhalt und die Solidarität zwischen den Mitgliedstaaten zu fördern". Art 3a VEU sieht eine „enge Koordinierung der Wirtschaftspolitik der Mitgliedstaaten" und die „Festlegung gemeinsamer Ziele" vor und verpflichtet die gemeinschaftliche Wirtschaftspolitik auf den ordnungspolitischen „Grundsatz einer offenen Marktwirtschaft mit freiem Wettbewerb". Als „richtungsweisende Grundsätze" für die Tätigkeit der Mitgliedstaaten und der Gemeinschaft werden „stabile Preise, gesunde öffentliche Finanzen und monetäre Rahmenbedingungen sowie eine dauerhaft finanzierbare Zahlungsbilanz" festgeschrieben (Art 3a Abs 3 VEU).

Der Kern der Mechanismen zur wirtschaftspolitischen Koordination ist in Art 103 bis 104c und 109j EGV sowie in den dazugehörigen Vertragsprotokollen und Sekundärrechtsakten niedergelegt. Die wirtschaftspolitische Koordination erfolgt in der Gemeinschaft über verschiedene Kanäle: Zum einen durch vertraglich fixierte wirtschaftspolitische Zielgrößen, die sich in den Rahmen des Artikel 3a Abs 3 VEU einfügen und die Stabilitätsorientierung der künftigen Währungsunion sicherstellen sollen;[37]) zweitens durch das gemeinsame jährliche Aufstellen von „Grundzügen der Wirtschaftspolitik", an denen die Regierungen der Mitgliedstaaten und die Gemeinschaft ihre Wirtschaftspolitik ausrichten; drittens durch die laufende Beobachtung der nationalen Wirtschaftspolitiken hinsichtlich Konvergenz und Kompatibilität mit den Grundzügen der Wirtschaftspolitik im Rahmen der „multilateralen Überwachung" sowie durch die laufende Überwachung der Mitgliedstaaten im Hinblick auf die Vermeidung übermäßiger Staatsdefizite;[38]) viertens durch Regeln, um die Kreditaufnahme des Staates der disziplinierenden Wirkung des Marktmechanismus zu unterwerfen.[39])

Parallel zu diesem neuen Rahmen für die wirtschaftspolitische Koordination existieren eine Reihe weiterer, teilweise älterer und historisch gewachsener Mechanismen zur gegenseitigen Beobachtung und Überwachung der Wirtschaftspolitiken, die sich auf bestimmte Teilbereiche der Wirtschaftspoli-

---

[37]) Vgl das Verfahren für den Übergang zur dritten Stufe der Währungsunion – Art 109j; Protokoll (Nr 6) über die Konvergenzkriterien nach Artikel 109j des Vertrages zur Gründung der Europäischen Gemeinschaft.

[38]) Vgl das Verfahren bei einem übermäßigen Defizit – Art 104c; Protokoll (Nr 5) über das Verfahren bei einem übermäßigen Defizit; Verordnung (EG) Nr 3605/93 des Rates vom 22. November 1993 über die Anwendung des dem Vertrag zur Gründung der Europäischen Gemeinschaft beigefügten Protokolls über das Verfahren bei einem übermäßigen Defizit.

[39]) Verbot der Notenbankfinanzierung des Staates – Art 104; Verbot des bevorrechtigten Zugangs des Staates zur Finanzierung durch Finanzinstitute – Art 104a; Verbot der gegenseitigen Schuldenübernahme – Art 104b.

tik konzentrieren oder sich in ihrem Blickwinkel unterscheiden. Die Koordinierungswirkung des Wechselkursmechanismus des EWS nimmt dabei eine Sonderstellung ein.

Im folgenden werden die ab der Stufe zwei der WWU wirksamen Mechanismen der wirtschaftspolitischen Koordinierung näher erläutert.[40]) Ein Überblick über Rolle und Aufgabenverteilung der für die wirtschaftspolitische Koordinierung zentralen Gremien (Ecofin-Rat, Kommission, Beratender Währungsausschuß bzw Wirtschafts- und Finanzausschuß, Wirtschaftspolitischer Ausschuß, EWI bzw EZB) ergänzen die Darstellung.

b) Vertraglich fixierte wirtschaftspolitische Zielgrößen

Art 104c EGV bestimmt, daß die Mitgliedstaaten übermäßige Defizite vermeiden. Die Bestimmung ist ab der dritten Stufe für die an der gemeinsamen Geldpolitik teilnehmenden Mitgliedstaaten verpflichtend. In der zweiten Stufe der WWU bemühen sich die Mitgliedstaaten lediglich, übermäßige Defizite zu vermeiden. Auch die in diesem Zusammenhang vorgesehenen Sanktionsmechanismen treten erst mit der dritten Stufe in Kraft. Das Kriterium des übermäßigen Defizits dient jedoch zusammen mit weiteren Zielgrößen (Inflation, langfristige Zinssätze, Wechselkursstabilität) auch dazu, vor Beginn der dritten Stufe für jeden einzelnen Mitgliedstaat zu prüfen, ob er die für die Teilnahme an der dritten Stufe geforderte wirtschaftliche Konvergenz aufweist (daher „Konvergenzkriterien"). Die Konvergenzkriterien sind während der zweiten Stufe der WWU ein zentrales Instrument zur Orientierung der nationalen Wirtschaftspolitiken, sind sie doch von großer Bedeutung dafür, ob ein Mitgliedstaat in der Gründungsphase an der WWU teilnehmen kann.[41])

c) Grundzüge der Wirtschaftspolitik (Art 103 Abs 2 EGV)

Einmal pro Jahr (jeweils zur Jahresmitte) erstellt der Rat mit qualifizierter Mehrheit auf Empfehlung der Kommission einen Entwurf für die Grundzüge der Wirtschaftspolitik der Mitgliedstaaten und der Gemeinschaft und erstattet dem Europäischen Rat hierüber Bericht. Dieser erörtert darauf aufbauend Schlußfolgerungen, auf deren Grundlage wiederum der Rat mit qualifizierter Mehrheit eine Empfehlung verabschiedet, in der die Grundzüge dargelegt werden. Der Rat unterrichtet das Europäische Parlament über diese Empfehlung. Die in den Grundzügen der Wirtschaftspolitik ausgesprochenen Empfehlungen wenden sich sowohl an einzelne (namentlich angesprochene) Mitgliedstaaten als auch an die Gemeinschaft insgesamt und greifen konkrete Problembereiche gezielt heraus.

d) Multilaterale Überwachung (Art 103 Abs 3 bis 5 EGV)

Der Rat überwacht anhand von Berichten der Kommission die wirtschaftliche Entwicklung in jedem Mitgliedstaat und in der Gemeinschaft so-

---

[40]) Dabei bilden die mit dem Maastrichter Vertrag neu geschaffenen Mechanismen und die älteren, weiter bestehenden Instrumente ein umfassendes System. Sie werden dementsprechend gemeinsam behandelt.

[41]) S dazu im einzelnen oben D.

wie die Einhaltung der Grundzüge der Wirtschaftspolitik. Einmal jährlich im Dezember erstattet der Ecofin-Rat an den Europäischen Rat diesbezüglich Bericht (vgl zB Schlußfolgerungen des Europäischen Rates in Brüssel vom Dezember 1993). Ist die Wirtschaftspolitik eines Mitgliedstaates nicht mit den Grundzügen vereinbar oder gefährdet sie das ordnungsgemäße Funktionieren der WWU, kann der Rat mit qualifizierter Mehrheit auf Empfehlung der Kommission entsprechende Empfehlungen an den Mitgliedstaat richten. Der Rat kann auch beschließen, diese zu veröffentlichen. Der Präsident des Rates und die Kommission erstatten dem Europäischen Parlament über diese Aktivitäten Bericht. Weitere Einzelheiten über die multilaterale Überwachung können durch Sekundärrecht festgelegt werden, doch ist dies bisher nicht erfolgt. Weitere zentrale Elemente des Systems der multilateralen Überwachung iwS bilden die nationalen Konvergenzprogramme sowie das Verfahren bei einem übermäßigen Defizit.

e) Konvergenzprogramme der Mitgliedstaaten

Bereits während der Regierungskonferenz zur Währungsunion wurde die Idee geboren, die Mitgliedstaaten zu ersuchen, „Konvergenzprogramme" zur Erreichung der im Vertrag festgelegten wirtschaftspolitischen Zielgrößen zu präsentieren. Auf dem Ecofin-Rat vom Juli 1991 wurde die Idee aufgenommen, und die Mitgliedstaaten wurden ersucht, soweit erforderlich, mittelfristige Anpassungsprogramme zu entwickeln und zu unterbreiten. Der Gedanke wurde auch in Art 109e Abs 2 2. Teilstrich EGV aufgenommen. Italien präsentierte als erstes Land im November 1991 ein Konvergenzprogramm. Inzwischen hat der Rat Konvergenzprogramme von elf Mitgliedstaaten diskutiert und ihnen zugestimmt. Lediglich Luxemburg, das die Konvergenzkriterien erfüllen dürfte, hat noch kein Programm vorgelegt.

Anläßlich des Ecofin-Rates vom 12. Juli 1993 verpflichteten sich die Mitgliedstaaten, auf der Basis gemeinschaftskompatibler makroökonomischer Annahmen und mit einheitlichem Zeithorizont, nämlich Ende 1996, neue Konvergenzprogramme zu unterbreiten bzw ihre bestehenden Programme zu überarbeiten. Es ist beabsichtigt, diese in regelmäßigen Abständen zu überprüfen und auf den neuesten Stand zu bringen. Obwohl die Konvergenzprogramme rechtlich gesehen rein der Initiative der einzelnen Mitgliedstaaten entspringen, haben sie in der Praxis erhebliche politische Bedeutung erlangt.

f) Verfahren bei einem übermäßigen Defizit

Art 104c EGV sieht vor, daß die Kommission die Entwicklung der Haushaltslage und die Höhe des öffentlichen Schuldenstands in den Mitgliedstaaten im Hinblick auf schwerwiegende Fehler überwacht. Dabei spielen die unter E.3 näher erläuterten Kriterien eine besondere Rolle. Erfüllt ein Mitgliedstaat eines dieser Kriterien nicht, so erstellt die Kommission darüber einen **Bericht,** der auch weitere Faktoren berücksichtigt. Die Kommission kann auch einen Bericht erstellen, wenn sie trotz Erfüllung der Kriterien die Gefahr eines übermäßigen Defizits sieht. Nach Stellungnahme des Beratenden Währungsausschusses (bzw in der dritten Stufe des Wirtschafts- und Finanzausschusses) legt die Kommission dem Rat ihre Stellungnahme vor. Dieser entscheidet mit qualifizierter Mehrheit auf Empfehlung der Kommission und unter Berücksichtigung allfälliger Stellungnahmen des betroffenen Mitgliedstaates, nach Prüfung der Gesamtlage, ob ein übermäßiges Defizit vorliegt, und richtet zunächst vertrauliche Empfehlungen, unter Setzung einer Frist, an den Mitgliedstaat. Falls innerhalb der Frist keine Maßnahmen gesetzt wurden, kann der Rat seine Empfehlungen veröffentlichen. Bei weiterer Nichtbeachtung der Empfehlungen kann der Rat den Mitgliedstaat in Verzug setzen, innerhalb einer Frist Sanierungsmaßnahmen im vom Rat für notwendig erachteten Ausmaß zu setzen; der Mitgliedstaat kann dabei ersucht werden, regelmäßige Berichte über die Anpassungsbemühungen vorzulegen. Bei weiterer Nichtbefolgung sieht der Vertrag als Sanktionen eine verschärfte Prospektpublizität bei der Emission von Staatsanleihen, die Beschränkung von Darlehen der Europäischen Investitionsbank, eine unverzinsliche Einlage bei der Gemeinschaft und Geldbußen vor. Letztere Punkte (In-Verzug-Setzung sowie die Sanktionen) gelten erst ab der dritten Stufe der WWU.

Alle Beschlüsse des Rates ab der (vertraulichen) Empfehlung erfolgen mit qualifizierter Mehrheit ohne die Stimmen des jeweils betroffenen Mitgliedstaates. Dies gilt auch für die Entscheidung über die Aufhebung eines Verfahrens nach Korrektur der budgetären Situation. Definitionen für die Anwendung des Verfahrens sowie die genauen Modalitäten der Meldungen der Mitgliedstaaten an die Kommission sind in dem, dem Vertrag beigefügten Protokoll (Nr 5) über das Verfahren bei einem übermäßigen Defizit sowie in der Verordnung 3605/93/EG des Rates vom 22. November 1993 über die Anwendung des dem Vertrag zur Gründung der Europäischen Gemeinschaft beigefügten Protokolls über das Verfahren bei einem übermäßigen Defizit, niedergelegt. Die (unter E näher erläuterten) 3%- und 60%-Referenzwerte sind im Protokoll angeführt; der Rat kann dieses einstimmig auf Vorschlag der Kommission und nach Anhörung des Europäischen Parlaments sowie der EZB durch andere geeignete Bestimmungen ersetzen.

g) Budgetdisziplin durch Stärkung der Marktkräfte

Das Konzept des Maastrichter Vertrages baut auf einer Doppelstrategie zur Vermeidung von übermäßiger Staatsverschuldung auf. Diese Zielsetzung soll zum einen durch explizite Obergrenzen und gegenseitige Kontrolle ihrer Einhaltung („peer pressure") erreicht werden; diese Stoßrichtung wird durch das Verfahren bei übermäßigen Defiziten verfolgt. Zum anderen sind Bestimmungen festgelegt, die sicherstellen sollen, daß der Staat bei seiner Kreditaufnahme den Marktkräften unterliegt. Zu diesem Zweck verbietet der Vertrag eine direkte Kreditgewährung der Notenbank an den Staatssektor (Art 104 EGV) sowie einen bevorrechtigten Zugang des Staates zur Finanzierung durch Finanzinstitute (Art 104a EGV) und schließt die Haftung der Gemeinschaft und der Mitgliedstaaten für die Verbindlichkeiten eines in Schwierigkeiten befindlichen Mitgliedstaates aus (Art 104b EGV). Der Inhalt der Art 104 und 104a EGV wurde in Sekundärrechtsakten näher bestimmt, die gleichzeitig mit den Vertragsartikeln am 1. Jänner 1994 in Kraft getreten sind. Ergänzt durch das Sekundärrecht läßt sich der Inhalt der Art 104 und 104a EGV folgendermaßen zusammenfassen.

Art 104 EGV untersagt erstens die Bereitstellung von Überziehungs- und anderen Kreditfazilitäten seitens der EZB und der nationalen Notenbanken an den öffentlichen Sektor. Kredite mit fixer Laufzeit, die vor dem 1. Jänner 1994 gewährt wurden, dürfen bis zu Laufzeitende gehalten werden. Zweitens ist der direkte Erwerb von Schuldtiteln des öffentlichen Sektors durch die Notenbanken untersagt. Eine Konversion von nicht marktgängigen und/oder nicht marktmäßig verzinsten Krediten in marktmäßig verzinste handelbare Wertpapiere ist gestattet, sofern durch die Operation die Laufzeit der Forderung nicht verlängert wird. Der direkte Erwerb von marktgängigen Papieren eines Staates durch die Notenbank eines anderen Staates ist nur zum Zwecke der Veranlagung von Währungsreserven möglich. Mit der dritten Stufe treten diesbezüglich weitere Einschränkungen in Kraft.

Der öffentliche Sektor ist für die Zwecke der Art 104, 104a und 104b Abs 1 EGV weit definiert: Er umfaßt Gemeinschaftsorgane und -einrichtungen, Gebiets- und andere öffentlich-rechtliche Körperschaften, sonstige Einrichtungen des öffentlichen Rechts und öffentliche Unternehmen (indiziert durch das Kriterium des „beherrschenden Einflusses").

Art 104a EGV untersagt jede Art von bindendem Rechtsakt in der Ausübung von Staatsgewalt, der entweder Finanzinstitute zwingt, Forderungen gegenüber dem öffentlichen Sektor zu erwerben oder zu halten, oder mittels nur auf Finanzinstitute anwendbarer steuerlicher Begünstigungen oder mittels marktwirtschaftlichen Grundsätzen widersprechender finanzieller Vorteile den Erwerb oder Besitz derartiger Forderungen durch Finanzinstitute fördert. Die Definition von Finanzinstituten ist sehr umfassend. Auch von den Notenbanken erlassene Vorschriften wie etwa für die Mobilisierung und Verpfändung von Schuldtiteln dürfen nicht dazu dienen, das Verbot des bevorrechtigten Zugangs zu umgehen; bei der Bereitstellung von Zentralbankgeld durch die Notenbanken sind Kreditinstitute im öffentlichen Eigentum jedoch privaten Kreditinstituten gleichzustellen. Aufsichtsrechtliche Maßnahmen sind, soweit sie auf Gemeinschaftsrecht basieren oder mit diesem vereinbar sind, vom Verbot des Art 104a EGV explizit ausgenommen; sie dürfen aber nicht zur Umgehung dieses Artikels mißbraucht werden. Eine weitere Ausnahme bildet die Finanzierung des sozialen Wohnbaus und der Beseitigung von Katastrophenschäden, sofern keine Bevorzugung öffentlicher Kreditnehmer gegenüber privaten vorliegt.

h) Jahreswirtschaftsbericht der Kommission und Länderstudien

Der Jahreswirtschaftsbericht der Kommission analysiert die wirtschaftlichen Entwicklungen im abgelaufenen Jahr und die augenblickliche Wirtschaftslage in der Gemeinschaft und den Mitgliedstaaten. Der Bericht enthält Kapitel zu den einzelnen Mitgliedstaaten und die neuesten Prognosezahlen über die zukünftige Wirtschaftsentwicklung. Sein hoher politischer Stellenwert wurde durch die Praxis verstärkt, ihn vom Rat beschließen zu lassen (nach entsprechenden Diskussionen in dem vorgelagerten Gremium des wirtschaftspolitischen Ausschusses).

In größeren Zeitabständen erstellt die Kommission Länderstudien. Diese legen ihren Schwerpunkt auf die Analyse struktureller Probleme des untersuchten Landes, die mittelfristig zu lösen sind. Die Länderstudien werden im wirtschaftspolitischen Ausschuß diskutiert.

i) Überwachung der mit dem mittelfristigen Finanzbeistand verbundenen Konditionalität

Die Vergabe von Darlehen unter dem mittelfristigen finanziellen Beistand[42]) erfolgt unter der Bedingung, daß der betroffene Mitgliedstaat ein wirtschaftliches Sanierungsprogramm präsentiert („Konditionalität"). Die Überwachung erfolgt durch die Kommission, den Währungsausschuß und den Ecofin-Rat in regelmäßigen Abständen nach den Erfordernissen des Einzelfalles.

j) Die Koordinationswirkung des EWS

Die Koordinierungswirkung des Wechselkursmechanismus des EWS geht über die bloße „Fixierung" nomineller Wechselkurse weit hinaus. Seit seiner Gründung, insbesondere jedoch in der Phase des „harten EWS" 1987–1992, ist das EWS eine starke Triebfeder zur Inflationsbekämpfung und Budgetkonsolidierung als entscheidende Grundlage für die nominelle Wechselkursstabilität gegenüber der europäischen „Ankerwährung"; die Funktion blieb auch nach der Auswirkung der Wechselkursbandbreiten auf +/– 15% aufrecht.[43])

3. Institutionen der wirtschaftspolitischen Koordination

Die Verantwortung für die Koordination der Wirtschaftspolitiken liegt beim Rat der Wirtschafts- und Finanzminister **(„Ecofin-Rat").** Die Kommission bereitet die für die Koordination relevanten Dokumente vor, überwacht die Einhaltung der entsprechenden Rechtsakte und verfolgt die wirtschaftliche Entwicklung der Mitgliedstaaten. Die zuständige Kommissionsdienststelle ist die Generaldirektion II („Wirtschaft und Finanzen").

Eine zentrale Rolle in der wirtschaftspolitischen Koordinierung spielt der in Art 109c EGV geregelte **Beratende Währungsausschuß.** Er setzt sich aus je einem hochrangigen Regierungs- und Notenbankvertreter jedes Mitgliedstaates sowie zwei Vertretern der Kommission zusammen. Sein Sekretariat wird durch die Kommission gestellt. Sein Ziel ist, die Koordinierung der Politiken der Mitgliedstaaten zu fördern. Seine Aufgaben umfassen die Beratung der Kommission und des Ecofin-Rates sowie die Vorbereitung von Entscheidungen des Ecofin-Rates im Bereich der Wirtschafts- und Wechselkurspolitik. Bei vielen der oben genannten Koordinations- und Überwachungsmechanismen erfolgen wesentliche Weichenstellungen in diesem Gremium. Dies gilt auch für Entscheidungen im Zusammenhang mit dem Wechselkursmechanismus des EWS. Mit Beginn der dritten Stufe der WWU wird der Währungsausschuß durch einen **Wirtschafts- und Fi-**

---

[42]) Vgl V 1989/88/EWG des Rates v 24. 6. 1988 zur Einführung eines einheitlichen Systems des mittelfristigen finanziellen Beistands zur Stützung der Zahlungsbilanzen der Mitgliedstaaten.

[43]) S dazu im einzelnen oben B.

nanzausschuß ersetzt werden. In diesem werden zusätzlich zwei von der EZB ernannte Mitglieder vertreten sein (das EWI hat im Währungsausschuß Beobachterstatus). Seine Aufgaben werden in wesentlichen Zügen jenen des Beratenden Währungsausschusses ähneln, im Bereich der Währungspolitik wird sich seine beratende Funktion allerdings – entsprechend der ausschließlichen Kompetenz des ESZB für die Geldpolitik – auf die Vorbereitung allfälliger internationaler Wechselkursabkommen der Währungsunion mit Dritten beschränken.

Der sog **Wirtschaftspolitische Ausschuß** wurde durch den Ratsbeschluß vom 18. Februar 1974 (74/122/EWG) eingesetzt. Seine Aufgaben sind die Koordinierung der kurz- und mittelfristigen allgemeinen Wirtschaftspolitik, die Analyse struktureller Wirtschaftsfragen und die Erstellung und Überwachung mittelfristiger Wirtschaftsprogramme.

Die Einsetzung einer neuen europäischen Behörde, die für die Geldpolitik und monetäre Fragen iwS[44]) auf Gemeinschaftsebene zuständig ist – in der dritten Stufe die EZB, in der zweiten Stufe das EWI im Sinne einer Koordinations-, Kooperations- und Vorbereitungsfunktion – bewirkt (und beabsichtigt) Verschiebungen der Kompetenzen in diesem Politikbereich. Dies spiegelt sich etwa auch in der unterschiedlichen Aufgabendefinition des Wirtschafts- und Finanzausschusses der dritten Stufe gegenüber jener des Währungsausschusses der zweiten Stufe wider: Während letzterer die „Währungs- und Finanzlage" zu beobachten hat, wird ersterer nur mehr für die „Wirtschafts- und Finanzlage" zuständig sein.

Die **Kompetenzaufteilung für die Wechselkurspolitik** der Union nach außen verdient besonderes Augenmerk. Sie ist in Art 109 EGV höchst komplex geregelt: Der Rat hat die „oberste Entscheidungskompetenz" für den Abschluß allfälliger formeller Vereinbarungen über ein Wechselkurssystem für die ECU gegenüber Drittlandswährungen, der Änderung der ECU-Leitkurse innerhalb eines derartigen Wechselkurssystems sowie für die Aufstellung allgemeiner Orientierungen für die Wechselkurspolitik; sowohl die EZB als auch die Kommission haben das Recht, diesbezüglich Empfehlungen abzugeben, die EZB ist jedoch zumindest zu hören. Erfolgen derartige Ratsentscheidungen nicht, so ergibt sich die Wechselkurspolitik als Ausfluß der in der alleinigen Kompetenz der EZB verfolgten Geldpolitik. Vereinbarungen über internationale Währungsfragen und Devisenregelungen werden gemäß den vom Rat (auf Empfehlung der Kommission und nach Anhörung der EZB) zu beschließenden Modalitäten ausgehandelt und abgeschlossen. Die Kommission ist bei derartigen Verhandlungen jedoch in vollem Umfang zu beteiligen.

Auch in anderen Bereichen ergab bzw ergibt sich mit Beginn der zweiten bzw dritten Stufe eine geänderte Kompetenzlage. Das EWI bzw die EZB ist für die Überwachung der Vertragseinhaltung seitens der nationalen Notenbanken (etwa des Verbots der Staatsfinanzierung durch die Notenbank) zuständig, während die Kommission diese Funktion gegenüber den Mitgliedstaaten behält; die Kommission verliert also ihr „Monopol" als „Hüterin der Verträge". Auch das Initiativrecht für Sekundärrecht teilt die

---

[44]) Vgl dazu im einzelnen oben C.

Kommission in monetären Angelegenheiten mit der EZB. Schließlich müssen nationale Behörden das EWI bzw die EZB bei in deren Kompetenz fallenden Entwürfen für nationale Rechtsvorschriften konsultieren – eine Bestimmung, die kein Äquivalent im nicht-monetären Bereich hat. Bei entsprechenden Gemeinschaftsrechtsakten ist das EWI bzw die EZB ebenfalls zu hören. Das EWI hat weiters gem Art 7 seiner Satzung den Auftrag, dem Rat jährliche Konvergenzberichte vorzulegen – parallel zu den ebenfalls jährlich zu erwartenden Berichten der Kommission (die allerdings nicht eigens im Vertrag erwähnt sind). Eine Reihe weiterer, im Vertrag nicht explizit geregelten Kompetenzen wird nur in enger Koordination zwischen „politischen" Entscheidungsträgern und den Währungsbehörden sinnvoll zu erfüllen sein. Dies gilt etwa für verschiedene „technische" Fragen im Zusammenhang mit dem Beginn der dritten Stufe und mit der Einführung einer Einheitswährung. Ein weiteres Beispiel bildet der Zahlungsverkehr, bei welchem dem EWI bzw der EZB in deren Satzungen explizit eine Rolle zugeteilt wird, während Gemeinschaftsrechtsakte wie bisher von der Kommission zu initiieren sind.

E. Konvergenzbedingungen für die Teilnahme an der dritten Stufe der WWU

1. Vorbemerkung

Um die Kosten des Übergangs zu einer einheitlichen Währung und einer gemeinsamen stabilitätsorientierten Währungspolitik möglichst niedrig zu halten, ist – wie bereits ausgeführt – ein hoher Grad an Konvergenz zwischen den beteiligten Volkswirtschaften notwendig. Der EU-Vertrag trägt diesem Erfordernis mit verschiedenen Konvergenzbestimmungen Rechnung, die den Übergang zur WWU regeln. Damit das von der künftigen EZB vorrangig anzustrebende Ziel der Preisstabilität möglichst friktionsfrei erreicht werden kann, verlangt der EG-Vertrag die Erfüllung einer Reihe nomineller Konvergenzkriterien, die Vorlage von Konvergenzprogrammen und eine Abstimmung der Wirtschaftspolitik der Mitgliedstaaten.[45])

Gleich vorweg sei darauf hingewiesen, daß bei der Interpretation der rechnerischen Ergebnisse der einzelnen Konvergenzkriterien größte Vorsicht geboten ist. Behutsamkeit ist schon allein aufgrund statistischer Erhebungsprobleme und der eingeschränkten Vergleichbarkeit nationaler Statistiken angebracht. Abgesehen davon ist eine statische Analyse des Erfüllungsgrades der einzelnen Kriterien problematisch, da eine Momentaufnahme der wirtschaftlichen Konvergenz zu gravierenden Fehlschlüssen führen kann. Diese Gefahr besteht insbesondere bei entgegengesetzten Positionen im Konjunkturzyklus verschiedener Länder.

[45]) Die angeführten Prämissen einer monetären Integration lassen sich weitgehend von der „Krönungstheorie" ableiten. Der Streit zwischen dieser Denkschule und dem „Disziplinierungsansatz" (vgl dazu oben A) beeinflußt maßgeblich die Diskussion um den Nutzen der Konvergenzkriterien, auf die im folgenden eingegangen wird.

2. Erreichung eines hohen Grades an Preisstabilität

a) Wortlaut und Interpretationsspielraum des Kriteriums

Laut Art 109j EGV und gem Art 1 des dazugehörigen Protokolls über die Konvergenzkriterien prüfen die Kommission und das EWI, ob die einzelnen Mitgliedstaaten einen **hohen Grad an Preisstabilität** erreicht haben. Dieses Kriterium bedeutet, daß ein Mitgliedstaat eine während des letzten Jahres vor der Prüfung gemessene durchschnittliche Inflationsrate aufweisen muß, die um nicht mehr als $1^1/2$ Prozentpunkte über der Inflationsrate jener – höchstens drei – Mitgliedstaaten liegt, die auf dem Gebiet der Preisstabilität das beste Ergebnis erzielt haben.

Die für die Teilnahme eines Landes an der dritten Stufe der Währungsunion maximal zulässige Inflationsrate kann anhand dieser Textstellen nicht eindeutig ermittelt werden, da der EU-Vertrag von „höchstens drei Mitgliedstaaten“ spricht, die zur Berechnung der Referenzrate heranzuziehen sind. Bei engster Auslegung der entsprechenden Vertragspassagen ergibt sich der Referenzwert (höchste zulässige Inflationsrate), indem man zur niedrigsten Inflationsrate unter den EU-Staaten $1^1/2$ Prozentpunkte addiert. Bei weitester Auslegung werden die $1^1/2$ Prozentpunkte auf die drittniedrigste Inflationsrate in der EU aufgeschlagen.

b) Ökonomische Begründung des Kriteriums

Gehen Länder mit sehr unterschiedlicher Inflationsneigung eine Währungsunion ein, so besteht die Gefahr, daß die notwendige Teuerungsreduktion in den weniger preisstabilen Ländern Wachstums- und Beschäftigungseinbußen nach sich zieht. Die negativen realwirtschaftlichen Auswirkungen wären umso gravierender, je langsamer der Inflationsabbau vorankäme, weil damit ein kumulierter Verlust an Wettbewerbsfähigkeit einherginge. Ein restriktiver fiskalpolitischer Kurs zur raschen Brechung der Inflationserwartungen hätte – zumindest kurzfristig – ebenfalls wachstums- und beschäftigungsdämpfende Effekte. Diese hohen Anpassungskosten würden ihrerseits möglicherweise den politischen Druck zugunsten einer stabilitätswidrigen Lockerung der Geldpolitik der gemeinsamen Zentralbank verstärken.

Der im EG-Vertrag geforderte hohe Grad an Preisstabilität vor dem Eintritt eines Landes in die Währungsunion soll sicherstellen, daß sich die Lohn- und Preispolitik rechtzeitig an die Erfordernisse einer auf Preisstabilität ausgerichteten Europäischen Währungsunion anpassen. Das Kriterium der Preisstabilität dient damit letztlich auch der **Disziplinierung der Lohnentwicklung** der EU-Mitgliedstaaten. Sie müssen nachweisen, daß sie vorhandene Inflationstendenzen brechen können und in der Lage sind, die Lohnpolitik so flexibel zu gestalten, daß hohe Beschäftigungseinbußen, übermäßige Budgetdefizite und umfangreiche innereuropäische Transferzahlungen vermieden werden können.

Die Zweckdienlichkeit des Inflationskriteriums wird von Anhängern der Disziplinierungsthese in Zweifel gezogen. Der Übergang zu einer Währung mit hoher Stabilitätsreputation (beruhend auf der Unabhängigkeit der EZB, der Preisstabilität als ihrem vorrangigen Ziel und dem Verbot der Notenbankfinanzierung des Staates) sollte die Inflationserwartungen mit einem Schlag senken und damit das Verhalten der Wirtschaftssubjekte und der wirtschaftspolitischen Instanzen unmittelbar an die neue preisstabile Umgebung anpassen, argumentieren sie. Aus diesem Grund sei eine gleichlaufende Entwicklung bei den Inflationsraten als Vorbedingung für den Eintritt in eine Währungsunion nicht erforderlich. Sollten die Inflationserwartungen selbst unter den Bedingungen eines gemeinsamen Finanzmarkts, einer gemeinsamen Währung und einer auf Preisstabilität ausgerichteten einheitlichen Geldpolitik nicht gebrochen werden können, ohne eine Rezession und steigende Arbeitslosigkeit hervorzurufen, dann dürfte dies erst recht nicht vor der Einführung einer gemeinsamen Währung gelingen.

Im Gegensatz zur eben erwähnten Argumentationslinie, die auf das Kriterium der Inflationskonvergenz überhaupt verzichten zu können glaubt, hält eine andere Kritik die konkrete Ausformulierung des Kriteriums für zuwenig streng. Sie beanstandet, daß das Konvergenzkriterium nicht absolut, sondern nur relativ – in bezug auf die EU-Länder mit der niedrigsten Inflationsrate – definiert ist, womit auch bei vergleichsweise starker Teuerung eine Währungsunion errichtet werden könnte.

c) Erfüllungsgrad des Kriteriums

Die nachfolgende Grafik zeigt, welche Länder das Inflationskriterium im Jahr 1994 voraussichtlich erfüllen werden. Aufgrund der besseren Vergleichbarkeit und der Verfügbarkeit von Prognosen wurde der Deflator des privaten Konsums für die Darstellung herangezogen. Demzufolge werden 1994 nur fünf Länder, und zwar Großbritannien, Italien, Spanien, Portugal und Griechenland, das Inflationskriterium verfehlen.

Deflator des privaten Konsums (Veränderungsrate gg. 1993)

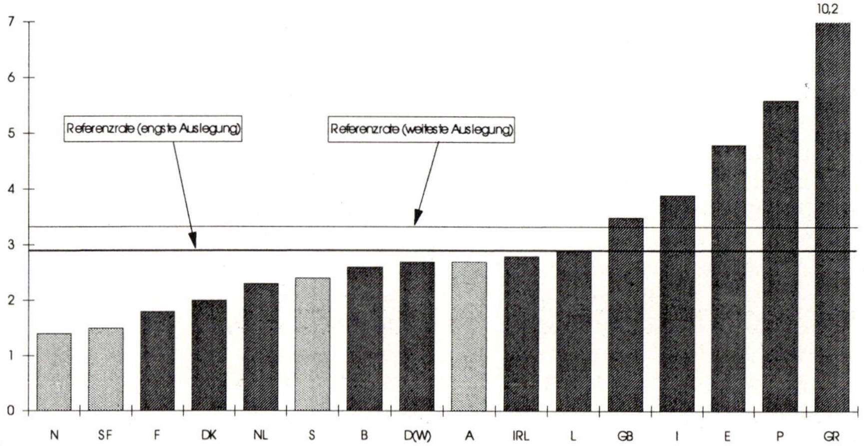

Quelle: EU, OECD

3. Vermeidung übermäßiger öffentlicher Defizite

a) Wortlaut und Interpretationsspielraum des Kriteriums

Das Konvergenzkriterium einer **auf Dauer tragbaren Finanzlage der öffentlichen Haushalte** ist gem Art 109j EGV und Art 2 des dazugehörigen Protokolls über die Konvergenzkriterien erfüllt, wenn zum Zeitpunkt der Prüfung keine Ratsentscheidung vorliegt, wonach in dem betreffenden Mitgliedstaat ein übermäßiges Defizit besteht.

Wie erwähnt, überwacht die Kommission gem Art 104c EGV und gem Art 1 des Protokolls über das Verfahren bei einem übermäßigen Defizit die Entwicklung der Haushaltslage und der Höhe des öffentlichen Schuldenstands in den Mitgliedstaaten im Hinblick auf die Feststellung schwerwiegender Fehler. Insbesondere prüft sie die Einhaltung der Haushaltsdisziplin anhand von zwei Kriterien, nämlich daran,

- ob das Verhältnis des geplanten oder tatsächlichen öffentlichen Defizits zum Bruttoinlandsprodukt einen bestimmten Referenzwert (3%) überschreitet, es sei denn, daß
  - entweder das Verhältnis erheblich und laufend zurückgegangen ist und einen Wert in der Nähe des Referenzwerts erreicht hat
  - oder der Referenzwert nur ausnahmsweise und vorübergehend überschritten wird und das Verhältnis in der Nähe des Referenzwerts bleibt, und
- ob das Verhältnis des öffentlichen Schuldenstands zum Bruttoinlandsprodukt einen bestimmten Referenzwert (60%) überschreitet, es sei denn, daß das Verhältnis hinreichend rückläufig ist und sich rasch genug dem Referenzwert nähert.

Erfüllt ein Mitgliedstaat keines oder nur eines dieser Kriterien, so setzt die Kommission das oben in Abschnitt C.7 näher erläuterte Verfahren in Gang. Für die inhaltliche Interpretation des Konvergenzkriteriums ist hervorzuheben, daß die Kommission in ihrem Bericht auch berücksichtigt, ob das öffentliche Defizit die öffentlichen Ausgaben für Investitionen übertrifft sowie alle sonstigen einschlägigen Faktoren, einschließlich der mittelfristigen Wirtschafts- und Haushaltslage des Mitgliedstaates beachtet. Weiters kann die Kommission auch einen Bericht erstellen, wenn sie trotz Erfüllung der Kriterien die Gefahr eines übermäßigen Defizits sieht.

Der Vertragstext macht deutlich, daß die Kommission und der Rat bei der Feststellung, ob ein übermäßiges Defizit vorliegt oder nicht, einen gewissen **Ermessensspielraum** besitzen. Die Ausnahmeregelung bei den Referenzwerten für das Budgetdefizit und die Staatsschuld bewirken, daß auch deren Entwicklungsdynamik in die von der Kommission vorzunehmende Prüfung der Einhaltung der Haushaltsdisziplin einfließt.

Ist das öffentliche Defizit eines Landes höher als 3% des BIP, stellt sich die Frage, was die Kommission unter einem „erheblichen und laufenden" Rückgang der Defizitquote bzw unter einer „nur ausnahmsweisen und vorübergehenden" Überschreitung des Referenzwerts versteht. Außerdem ist offen, welche Höhe der Defizitquote ihrer Auffassung nach noch „in der Nähe des Referenzwerts" liegt.

Überschreitet die öffentliche Verschuldung 60% des BIP, stellt sich die Frage, was die Kommission unter einer „hinreichend rückläufigen" Schuldenquote und unter einer „genügend raschen" Annäherung an den Referenzwert versteht. Im Gegensatz zum Defizitkriterium, für das eine Quote in der Nähe des Referenzwerts gefordert wird, verlangt der Vertragstext beim Schuldenkriterium also lediglich eine hinreichend rückläufige Quote, die sich rasch genug an den Referenzwert annähert. Beim Schuldenkriterium steht das dynamische Element also stärker im Vordergrund als beim Verhältnis vom Defizit zum BIP.

Hat die Kommission über einen Mitgliedstaat einen Bericht erstellt, liegt es am Rat, auf Empfehlung der Kommission zu entscheiden, ob ein übermäßiges Defizit vorliegt. Die vom Rat nach Prüfung der Gesamtlage vorzunehmende Entscheidung enthält also einen über die Interpretation des Defizit- und Schuldenkriteriums hinausgehenden Ermessensspielraum. Die erstmalige Einleitung eines Verfahrens bei übermäßigem Defizit gegen zehn Mitgliedstaaten im Herbst 1994 gibt erste Hinweise über die praktische Handhabung des Verfahrens durch Kommission und Rat.[46])

b) Ökonomische Begründung des Kriteriums

Eine Währungsunion ohne Konvergenz im Fiskalbereich kann – entsprechend dem *Delors*-Bericht – zu monetärer und wirtschaftlicher Instabilität führen. Die Heranziehung der Defizitquote (Budgetdefizit in Prozent des BIP) zur Beurteilung der Finanzlage der öffentlichen Hand ist darin begründet, daß die Geldpolitik bei überhöhten Haushaltsdefiziten entweder durch Zinserhöhungen die private Nachfrage zurückdrängen oder den haushaltspolitischen Kurs auf Kosten der Preisstabilität akkommodieren muß. Theoretisch ist die Sicherung der Preisstabilität zwar bei fast jeder Höhe des Defizits durch eine knappe Geldversorgung möglich, doch das Risiko eines stabilisierungsbedingten Wachstums- und Beschäftigungseinbruchs nimmt mit dem Fehlbetrag des Haushalts zu. In einem derartigen Fall könnte rasch der Ruf nach einer monetären Lockerung laut werden. Das Defizitkriterium stellt somit eine Vorleistung für das Ziel der Preisstabilität bzw einen Beitrag zu ihrer Absicherung dar.

Ein weiteres Argument für die Verwendung der Defizitquote hebt die veränderten Zinsfolgen einer unsoliden Fiskalpolitik in einer Währungsunion hervor. Zum einen würden überbordende Defizite eines Mitgliedslandes wegen der Größe des gemeinsamen Finanzmarkts nur zu einem geringfügigen Anstieg des Zinsniveaus im betreffenden Mitgliedstaat führen, was zu einer unvorsichtigen Fiskalpolitik verleiten könnte.[47]) Zum anderen würde sich der Zinsanstieg nicht mehr auf das betreffende Land beschränken, sondern auf die gesamte Gemeinschaft verteilen und damit auch den Zinsendienst fiskalpolitisch solider Regierungen erhöhen (free-rider-Problem). Um einen unerwünschten Zinsanstieg zu verhindern, könnte die EZB unter öffentlichen

---

[46]) Vgl unten E.3.c.

[47]) Dies wäre umso bedenklicher, zumal mit dem Eintritt in eine Währungsunion auch andere Restriktionen, die bis dahin einer laxen Budgetpolitik möglicherweise Grenzen setzen (zB die Entwicklung der nationalen Leistungsbilanz), ihre Bedeutung für die Disziplinierung der Budgetpolitik verlieren.

Druck geraten, den steigenden Finanzierungsbedarf der öffentlichen Haushalte eines oder mehrerer Mitgliedsländer mit einem akkomodierenden geldpolitischen Kurs zu unterstützen.

Ähnlich wie das Defizitlimit soll auch die Vorgabe einer Verschuldensobergrenze von vornherein jeglichem politischen Druck auf die EZB einen Riegel vorschieben. Regierungen, die eine hohe Verschuldung mit langer Restlaufzeit aufweisen, würden von einem unerwarteten Anstieg der Inflationsrate profitieren, weil damit der Realwert ihres Schuldendienstes abnähme. Ein Rückgang der Inflationsrate würde den realen Schuldendienst dagegen ansteigen lassen. Aus diesem Grund könnten sie Interesse an einer höheren Inflationsrate haben und sich entsprechend dafür stark machen. Auch Regierungen mit hohen kurzfristigen bzw zu geldmarktorientierten Sätzen verzinsten Schulden können für eine laxe Geldpolitik empfänglich sein, da niedrige Geldmarktzinsen den Zinsendienst für die Staatsschuld unmittelbar verringern würden. Damit derartige Versuchungen in der Europäischen Währungsunion erst gar nicht aufkommen können, wird von den Kandidaten für die Teilnahme an der dritten Stufe verlangt, daß sie ihr Staatsschuldenniveau erforderlichenfalls vorher kräftig reduzieren und dieses auch in der Währungsunion im Rahmen der vertraglich festgelegten Grenzen halten.

Eine überhöhte Staatsverschuldung schränkt auch den in einer Währungsunion dringend erforderlichen Handlungsspielraum der Fiskalpolitik bei der Reaktion auf asymmetrische Schocks ein. In diesem Fall könnte sich die Geldpolitik ebenfalls zunehmendem Druck ausgesetzt sehen, die Folgen solcher Schocks durch eine expansive Geldpolitik abzumildern.

Die **Kritik am Defizit- und Verschuldenskriterium** sieht die Einschränkung des fiskalischen Handlungsspielraums in einer Währungsunion deshalb als problematisch an, weil die Anpassungslast bei länderspezifischen Schocks dann verstärkt von der Fiskalpolitik getragen werden müßte. Im Falle fortbestehender Arbeitsmarktrigiditäten und fehlender zwischenstaatlicher Finanztransfers – Tatbestände, die auf die EU zuträfen – bliebe überhaupt nur mehr die Fiskalpolitik übrig, um die negativen Folgen asymmetrischer Schocks zu absorbieren. Die fiskalischen Konvergenzkriterien würden die Flexibilität der Haushaltspolitik in einer solchen Situation unnötig einschränken und damit die realen Anpassungskosten erhöhen, wird beanstandet.

Nach Ansicht verschiedener Kritiker ist die Vorgabe einer Obergrenze für das Defizit der öffentlichen Haushalte entbehrlich, weil der damit angestrebte Disziplinierungsdruck ohnedies von den Märkten ausgeübt werde. Die Finanzmärkte würden von Regierungen, die keine Budgetdisziplin üben, eine höhere Risikoprämie verlangen, sodaß sich durch die in einer Währungsunion vergleichsweise niedrig bleibenden Zinsen kein Verschuldensanreiz ergäbe. Das im EU-Vertrag vorgesehene Verbot des **automatischen Finanzbeistands („bail out")out** sorge dafür, daß die Märkte die Bonität staatlicher Schulden bei ihren Zinskonditionen berücksichtigen.

Diese Auffassung kann aber nicht unwidersprochen bleiben. Insbesondere ist die Frage der Glaubwürdigkeit der Einhaltung des bail-out-Verbots einzuwenden, da Zahlungsschwierigkeiten einer Regierung negative Auswirkungen auf das Finanzsystem der gesamten Währungsunion hätten und damit zu einem die gesamte Gemeinschaft betreffenden Problem würden.

Eine andere Überlegung kommt aufgrund einer genaueren Analyse der Risikoprämie zu dem Schluß, daß die Disziplinierung durch die Märkte im wesentlichen nur außerhalb, nicht jedoch innerhalb einer Währungsunion funktioniere. Das Hauptrisiko hoher Budgetdefizite sei häufig nicht die Zahlungsunfähigkeit des Staates, sondern die Abwertung der entsprechenden Landeswährung als Folge fiskalpolitisch verursachter außenwirtschaftlicher Schwierigkeiten. Die für Anleihen von Regierungen mit mangelnder Budgetdisziplin verlangte Risikoprämie (Zinsaufschlag) diene daher eher der Deckung des Wechselkursrisikos als der Deckung des Insolvenzrisikos. Da es in einer Währungsunion zwischen den beteiligten Ländern aber kein Wechselkursrisiko mehr gibt, falle auch der Risikozuschlag und damit der disziplinäre Effekt höherer Zinsen weg. Auch die Furcht vor einem abwertungsbedingten Prestigeverlust, der Regierungen zu einer verantwortungsvollen Fiskalpolitik bewegen kann, existiere dann nicht mehr.

Schließlich ist darauf zu verweisen, daß die Disziplinierung durch den Markt bisher nicht immer erfolgreich war. So hat der im Verlauf der 80er Jahre eingetretene unterschiedliche Verschuldungsanstieg in Europa lange Zeit zu keiner angemessenen Veränderung der Zinsdifferenzen geführt. Dies läßt Zweifel an einer Früherkennung und an einer entsprechenden Bonitätsbeurteilung durch die Märkte aufkommen. Außerdem zeigte sich, daß öffentliche Haushalte wesentlich zinsrobuster sind als der private Sektor, was zur Folge hat, daß hier der Zinsmechanismus generell nur eine geringe Wirkung entfaltet.

Die angeführten Überlegungen legen den Schluß nahe, daß die Finanzmärkte offensichtlich nur unzureichend in der Lage sind, die Regierungen zu einer soliden Fiskalpolitik zu bewegen, weshalb konkrete Konvergenzvorschriften zur Disziplinierung der Fiskalpolitik unentbehrlich erscheinen.

c) Erfüllungsgrad des Kriteriums

Wie erwähnt, wurden erstmals im Herbst 1994 gegen zehn Mitgliedstaaten Verfahren wegen übermäßiger Defizite eingeleitet. Zur Anwendung des Verfahrens durch Kommission und Rat ist insbesondere folgendes anzumerken:

- Das Defizit-Kriterium wurde dahingehend angewandt, daß für alle Mitgliedstaaten mit einem Wert über 3% das Kriterium als nicht erfüllt angesehen wurde.
- Die Verschuldungsquote wurde in allen Mitgliedstaaten mit einem Wert über 60% mit Ausnahme Irlands, das die Quote zwischen 1987 und 1994 um über 20 Prozentpunkte zurückgeführt hatte, als nicht erfüllt angesehen.

Eine nähere Betrachtung der EU-Mitgliedstaaten im Hinblick auf die Referenzwerte zeigt folgendes Bild: Im Jahr 1994 wird nur Luxemburg sowohl den Referenzwert für das Budgetdefizit als auch jenen für die Staatsverschuldung unterschreiten. Die Hälfte der 15 Länder verfehlt beide Werte.

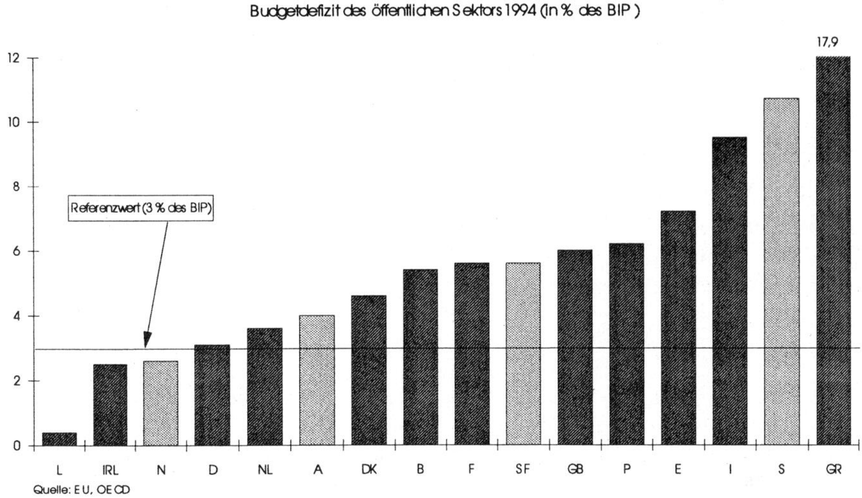

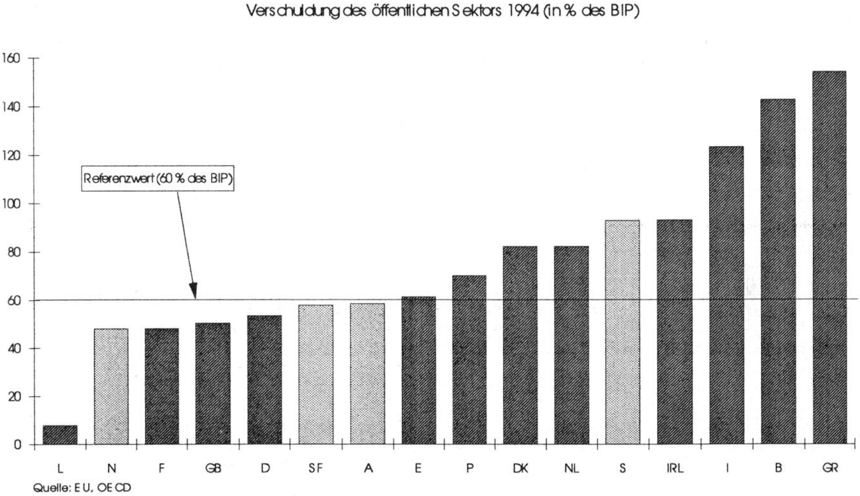

4. Teilnahme am Wechselkursmechanismus des EWS

a) Wortlaut und Interpretationsspielraum des Kriteriums

Laut Art 109j EGV und gem Art 3 des dazugehörigen Protokolls über die Konvergenzkriterien prüfen die Kommission und das EWI, ob die einzelnen Mitgliedstaaten die im Rahmen des Wechselkursmechanismus des EWS vorgesehenen **normalen Bandbreiten** zumindest in den letzten zwei Jahren vor der Prüfung ohne starke Spannungen **eingehalten** haben. Insbesondere dürfen sie den bilateralen Leitkurs ihrer eigenen Währung innerhalb dieses

Zeitraums gegenüber der Währung eines anderen Mitgliedstaats nicht von sich aus abgewertet haben.

Über die Auslegung des Wechselkurskriteriums besteht nach der Erweiterung der EWS-Bandbreiten auf +/– 15% Unsicherheit. Eine Auffassung geht davon aus, daß das Wechselkurskriterium seit dem Beschluß zur Ausweitung der Bandbreiten dann als erfüllt gilt, wenn die jeweilige EWS-Währung nicht stärker als +/– 15% von ihrem Leitkurs abweicht. Da es nur mehr diese eine Bandbreite gibt, handle es sich dabei folgerichtig um die **„normale Bandbreite“**, die es gemäß EG-Vertrag einzuhalten gelte, wird erklärt.

Dieser Auslegung wird aber mit dem Argument widersprochen, sie laufe den Intentionen des Maastricht-Vertrags zuwider, weshalb es plausibel erscheine, nach wie vor die Einhaltung der ursprünglich engen Bandbreite von +/– 2,25% zu verlangen, zu der man gegebenenfalls auch formell zurückkehren müsse. Weiters wird darauf hingewiesen, daß die Bandbreite von +/– 15% gemäß dem Ministerratsbeschluß vom 2. August 1993 lediglich als „temporäre“ Lösung gedacht war.

Dem kann jedoch entgegengehalten werden, daß die Verfasser des Vertrages von der „technischen“ Aufrechterhaltbarkeit der engen EWS-Interventionsbänder ausgingen. Nach den Währungsspekulationen der Jahre 1992 und 1993 ist hingegen offensichtlich geworden, daß ein derartiges Wechselkurssystem destabilisierend wirken kann und damit die Beurteilung der fundamental begründeten Wechselkursstabilität eines Landes uU stark verzerren kann. Dieser Gesichtspunkt führt zur Schlußfolgerung, daß die tatsächliche Konvergenz der Wechselkurse von entscheidender Bedeutung ist. Zur Beurteilung der Wechselkurskonvergenz ist es wichtig, daß eine Währung realiter eine hohe Stabilität aufweist. Dies trifft jedenfalls dann zu, wenn sich die Währung seit mindestens zwei Jahren innerhalb der (ursprünglich) engen Bandbreite (+/– 2,25%) bewegt. Dies könnte grundsätzlich aber auch dann zutreffen, wenn sie sich innerhalb der erweiterten Bandbreite (+/– 15%) stabil verhält.

b) Ökonomische Begründung des Kriteriums

Das Wechselkurskriterium soll dazu beitragen, das Verhalten der Wirtschaftssubjekte an die Gegebenheiten einer Währungsunion anzupassen. Da in einer Währungsunion regionale Schocks nicht durch eine Änderung der Wechselkurse gemildert werden können, muß die bei unzureichender Arbeitskräftemobilität und fehlenden Fiskaltransfers notwendige Korrektur der relativen Preise im wesentlichen durch Reallohnanpassungen erfolgen. Dazu bedarf es Verhaltensänderungen, die möglichst schon vor Beginn der dritten Stufe der Europäischen Währungsunion eingeübt werden sollen, und zwar durch den bewußten Verzicht auf Abwertungen. Das Wechselkurskriterium dient damit indirekt als Nachweis für die in einem einheitlichen Währungsgebiet erforderliche Flexibilität des Arbeitsmarkts und der Löhne.

Gemeinsam mit dem Zinskriterium liefert das Wechselkurskriterium eine Beurteilung der Reife eines Landes für die währungspolitische Integration durch die Märkte. Die „Mitsprache“ der Märkte soll verhindern, daß eine stark überbewertete Währung in die Währungsunion einbezogen wird, was einen hohen deflationären Druck im betreffenden Land zur Folge hätte.

Skeptiker stellen jedoch die Frage, inwieweit die Märkte ein „objektiver" Gradmesser für den „richtigen" Wechselkurs sein können. Sie argumentieren, daß das EWS im Falle einer Reduktion der Bandbreiten wieder mit den alten Problemen konfrontiert würde. Nachdem die Märkte die Erfahrung gemacht haben, daß spekulative Attacken selbst dann erfolgreich sein können, wenn sie den fundamentalen Wirtschaftsdaten widersprechen, würden engere Schwankungsbreiten einem sofortigen Test unterzogen werden. Aus diesem Grund sei es vernünftiger, direkt von der erweiterten Bandbreite in die dritte Stufe der Währungsunion einzutreten, als dem im Maastricht-Vertrag vorgezeichneten Weg zu folgen, wird argumentiert. Auf diese Weise könnten spekulationsbedingte Störungen der Wechselkurs- und Zinsentwicklung weitgehend vermieden werden, was die Stabilitätspolitik erleichtern würde. Dies hätte letztlich auch positive Auswirkungen auf die Konvergenz der wirtschaftlichen Fundamentaldaten der EU-Länder. Grundvoraussetzung für diese Vorgangsweise wäre aber jedenfalls ein ausreichendes Maß an faktischer Wechselkursstabilität.

5. Konvergenz der Zinssätze

a) Wortlaut und Interpretationsspielraum des Kriteriums

Gem Art 109j EGV und Art 4 des dazugehörigen Protokolls über die Konvergenzkriterien prüfen die Kommission und das EWI, ob die Dauerhaftigkeit der von einem Mitgliedstaat erreichten Konvergenz und seiner Teilnahme am Wechselkursmechanismus des EWS im **Niveau der langfristigen Zinssätze** zum Ausdruck kommt. Das Kriterium der Zinskonvergenz bedeutet, daß im Verlauf von einem Jahr vor der Prüfung der durchschnittliche Nominalzinssatz langfristiger Staatsschuldverschreibungen in einem Mitgliedstaat um nicht mehr als 2 Prozentpunkte über dem entsprechenden Satz in jenen – höchstens drei – Mitgliedstaaten liegen darf, die auf dem Gebiet der Preisstabilität das beste Ergebnis erzielt haben.

Bei der Berechnung des Referenzsatzes für das Zinskriterium wird auf dieselben Referenzländer zurückgegriffen wie beim Inflationskriterium. Demzufolge kann sich auch bei der Bestimmung dieses Referenzwerts (höchstzulässiger Zinssatz) ein Interpretationsspielraum ergeben.

b) Ökonomische Begründung des Kriteriums

Wie schon erwähnt, zielt auch das Zinskriterium darauf ab, die Dauerhaftigkeit der erreichten Konvergenz von den Märkten einschätzen zu lassen. Die Marktbeurteilung der Reife eines Landes für die Teilnahme an einer stabilitätsorientierten Währungsunion kann an der Höhe seiner Zinsdifferenz gegenüber dem Ankerwährungsland abgelesen werden. Niedrige Differenzen bei den langfristigen Zinssätzen weisen darauf hin, daß die Märkte für die jeweilige Währung kein oder nur ein minimales Abwertungsrisiko sehen, was unter normalen Marktbedingungen darauf schließen läßt, daß sie die Entwicklung der Inflationsrate, des Budgetsaldos und anderer wechselkursrelevanter Fundamentaldaten günstig beurteilen.

c) Erfüllungsgrad des Kriteriums

Jene Länder, die 1994 das Zinskriterium verfehlen, erfüllen auch das Inflations- und das Haushaltskriterium nicht, sodaß dieses Kriterium derzeit keine Schlüsselrolle bei der Beantwortung der Frage spielt, ob ein Land für die Teilnahme an der dritten Stufe der Währungsunion reif ist.

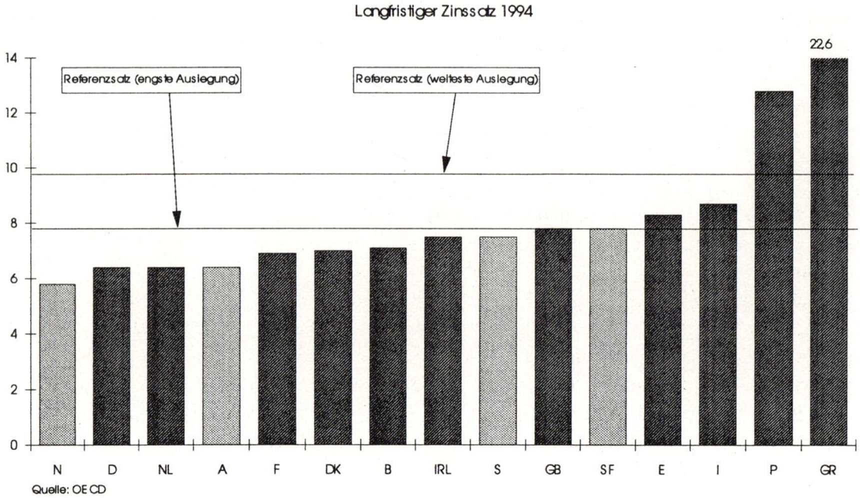

6. Reale und strukturelle Konvergenzerfordernisse

Die Erfüllung der im Vertrag von Maastricht expressis verbis genannten Bedingungen für die Teilnahme an der dritten Stufe der Europäischen Währungsunion (nominelle Konvergenzkriterien, Notenbankautonomie, Verbot der monetären Finanzierung und Verbot des bevorrechtigten Zugangs der öffentlichen Hand zu Finanzinstituten) ist möglicherweise nicht in jedem Fall eine Garantie dafür, daß ein Land die von der EZB angestrebte klare Stabilitätsorientierung ohne beträchtliche Anpassungskosten mittragen kann. Es ist daher nützlich, bei der Beurteilung der Reife eines Landes für die Teilnahme an einer Währungsunion auf einige zusätzliche Aspekte Bedacht zu nehmen.

Von besonderer Relevanz sind in diesem Zusammenhang vor allem realwirtschaftliche Größen, wie die relative Wettbewerbsfähigkeit, die Entwicklung der Arbeitslosigkeit, des Wirtschaftswachstums und der Leistungsbilanz. Für die stärkere Berücksichtigung einiger dieser Wirtschaftskennzahlen bietet bereits der EG-Vertrag Ansatzmöglichkeiten. So hält Art 109j EGV fest, daß die Kommission und das EWI in ihrem Bericht über die Erreichung eines hohen Grades an dauerhafter Konvergenz auch „die Ergebnisse bei der Integration der Märkte, den Stand und die Entwicklung der Leistungsbilanzen, die Entwicklung bei den Lohnstückkosten und andere Preisindizes" berücksichtigen. Für eine **Einbeziehung realer Kriterien** spricht sich auch die Kommission in ihrem ersten Bericht über die Fortschritte bei der Konvergenz im Wirtschafts- und Währungsbereich aus, wenn sie schreibt: „Auch wenn die reale Konvergenz in Artikel 109 des Vertrages nicht genannt wird, kann sie doch nicht außer acht bleiben."

In bezug auf die Arbeitslosenquote wird ein gewisses Ausmaß an Konvergenz nicht nur von verschiedenen EU-Instanzen empfohlen, sondern auch von den Märkten verlangt. Die Erfahrungen der vergangenen Jahre haben gezeigt, daß die Märkte am politischen Willen zur Verteidigung der Wechselkurse zu zweifeln beginnen, wenn hohe und steigende Arbeitslosenquoten ein Umschwenken auf einen weniger restriktiven geldpolitischen Kurs nahelegen. Im Falle eines Konflikts zwischen Wechselkurs- und Beschäftigungsziel schwindet in den Augen der Märkte die Glaubwürdigkeit der Stabilitätsorientierung der Währungsbehörden, was sie veranlaßt, gegen die entsprechende Währung zu spekulieren und den Konflikt damit noch zu verschärfen.

Für die Absicherung der nominellen und die Verstärkung der realen Konvergenz ist auch ein gewisses Maß an struktureller Konvergenz erforderlich. Strukturelle Gegebenheiten einer Volkswirtschaft haben großen Einfluß darauf, wie hoch die realen Kosten der Inflationsreduktion und der Inflationsvermeidung sind, wie flexibel die Wirtschaft auf länderspezifische Schocks reagiert und wie geldpolitische Aktionen in die Realwirtschaft transformiert werden, ein Aspekt, der mit der Einrichtung einer gemeinsamen europäischen Zentralbank besonders wichtig wird. Große Bedeutung bei der Bewältigung der genannten Probleme kommt der Arbeitsmarkt- und hier wiederum der Lohnflexibilität zu. Auf diesem Gebiet erscheinen daher Reformen der Institutionen und Rahmenbedingungen in den meisten EU-Staaten notwendig.

4. KAPITEL

Die Gemeinschaft als Zollunion

Michael Lux

Übersicht:

A. Einführung

1. Die Zollunion als Bestandteil des Gemeinsamen Marktes

Aufgabe der Gemeinschaft ist es gem Art 2 und 3 EGV ua, einen Gemeinsamen Markt zu errichten, in dem Waren und andere Leistungen frei und ohne Wettbewerbsverzerrung verkehren können. Ohne einheitliche Regeln an den Außengrenzen kann ein Gemeinsamer Markt nicht funktionieren; deshalb sehen die Art 9ff sowie Art 113 EGV die Einführung eines Gemeinsamen Zolltarifs und die Durchführung einer **gemeinsamen Handelspolitik** vor. Art 7a EGV verpflichtet die Gemeinschaftsorgane darüber hinaus dazu, den Binnenmarkt schrittweise zu verwirklichen, dh einen **Raum ohne Binnengrenzen,** in dem der freie Verkehr von Waren, Personen, Dienstleistungen und Kapital gewährleistet ist (s oben *Weber/Bohr,* Der Binnenmarkt und die Grundfreiheiten). Die Zollunion ist Bestandteil dieses Konzepts eines Gemeinsamen Marktes bzw eines Binnenmarktes, da sie einen Teilbereich hiervon – nämlich den Warenverkehr – erfaßt, und dies sowohl nach innen als auch nach außen. Zwar schließt der Begriff der Zollunion nicht aus, daß im Warenverkehr zwischen zwei Mitgliedern an der Grenze Formalitäten zu erfüllen sind (so wie dies bis 1992 in der Gemeinschaft der Fall war), aber ohne eine Zollunion gäbe es weder einen Gemeinsamen Markt noch einen Binnenmarkt. Für die Gemeinschaft als Zollunion, die ja schon vor der Einfügung dieser Vorschrift einen freien Warenverkehr zwischen den Mitgliedstaaten vorgesehen hat,[1]) liegt die Bedeutung der **Einheitlichen Europäischen Akte** vor allem darin, daß seit deren Inkrafttreten für alle Bereiche des Zollrechts die Möglichkeit besteht, mit qualifizierter Mehrheit verbindliche Regelungen zu beschließen.[2]) Der in den Art 100 und 235 EGV festgelegte Zwang zur Einstimmigkeit hatte zuvor eine wirksame Harmonisierung stark behindert, so wie dies bei den indirekten Steuern heute leider noch der Fall ist.[3])

2. Die Zollunion im GATT und im EG-Vertrag

Art XXIV GATT definiert den Begriff der **Zollunion** für alle Vertragsparteien in völkerrechtlich verbindlicher Weise und grenzt ihn zugleich von der Freihandelszone ab. Danach ist Zollunion ein **Zusammenschluß mehrerer Zollgebiete** zu einem einzigen Zollgebiet, innerhalb dessen für annähernd den gesamten Handel die Zölle und beschränkenden Handelsvorschriften zumindest für solche Waren beseitigt werden, die aus diesen Gebieten stammen; im Handel mit dritten Ländern wenden die Mitglieder der Zollunion im wesentlichen dieselben Zölle und Handelsvorschriften an.

Dieser Außenaspekt unterscheidet die Zollunion von der **Freihandelszone**: Die Freihandelszone liberalisiert nämlich nur den Warenverkehr zwischen den beteiligten Zollgebieten, beläßt den betroffenen Staaten aber das Recht, gegenüber Drittländern ihren Zolltarif und ihre sonstigen Handelsbeschränkungen unabhängig voneinander festzulegen. Als Folge hiervon können in einer Freihandelszone nur **Ursprungswaren** der beteiligten Staaten begünstigt werden, da anderenfalls **Drittlandswaren** auf dem Umweg über den liberalsten Staat eingeführt werden und damit den höheren Außenschutz der anderen Freihandelszonenmitglieder unterlaufen könnten. In einer Zollunion

[1]) Vgl Art 9ff EGV; s auch die Mitteilung der Kommission an den Rat, das Europäische Parlament und den Wirtschafts- und Sozialausschuß „Die Zollunion im Rahmen des Binnenmarktes" (KOM [90] 572 endg) vom 31. 1. 1991.

[2]) Siehe Art 28, 43, 100a und 113 EGV.

[3]) Vgl Art 99 EGV.

ist nach den GATT-Regeln eine Beschränkung des freien Warenverkehrs auf Ursprungswaren zwar zulässig; dies ist – wirtschaftlich gesehen – aber nicht erforderlich, wenn Drittlandswaren bei ihrer Einfuhr in jedem Mitgliedstaat der Zollunion denselben Belastungen und Beschränkungen unterworfen sind.

Da die Schaffung einer Zollunion oder Freihandelszone nicht von einem Tag auf den anderen erfolgen kann, läßt Art XXIV GATT zu, daß innerhalb einer angemessenen Zeitspanne (idR nicht mehr als zehn Jahre) **Übergangsbestimmungen** gelten, sofern

- ein Plan und ein Programm zur Bildung der Zollunion oder Freihandelszone vorliegen und
- die bei Abschluß des Abkommens gegenüber Drittländern tatsächlich angewandten Zölle und Handelsbeschränkungen unter Berücksichtigung des nach dem Handelsumfang gewichteten Durchschnitts insgesamt nicht höher bzw einschränkender als vor diesem Zeitpunkt sind.

Der EG-Vertrag definiert den Begriff „Zollunion" nicht, sondern setzt ihn voraus; damit verweist er indirekt auf die Begriffsbestimmung des GATT. Art 9 EGV hebt allerdings zwei besonders wichtige Aspekte der gemeinschaftlichen Zollunion hervor, und zwar

- das Verbot, zwischen den Mitgliedstaaten **Ein- und Ausfuhrzölle** sowie **Abgaben gleicher Wirkung** zu erheben, und
- die Einführung eines **Gemeinsamen Zolltarifs** gegenüber dritten Ländern.

Das nach **Art XXIV GATT** für den Warenverkehr innerhalb einer Zollunion außerdem erforderliche Verbot von **mengenmäßigen Beschränkungen** und **Maßnahmen gleicher Wirkung** ist in den Art 30 und 34 EGV verankert, und Art 113 EGV ist die Rechtsgrundlage für die Vereinheitlichung der mengenmäßigen Beschränkungen und Maßnahmen gleicher Wirkung gegenüber Drittländern. Ein Plan und ein Programm zur Einführung eines Gemeinsamen Zolltarifs ist in den Art 18 bis 26 EGV und zur Einführung einer gemeinsamen Handelspolitik war in dem inzwischen aufgehobenen Art 111 EWGV vorgesehen. Die mit der Gründung der Zollunion neu festgesetzten Zölle waren dank der gleichzeitig im GATT stattfindenden Zollsenkungsrunde niedriger als die durchschnittlichen Zölle der zusammengeschlossenen vier Zollgebiete (die Benelux-Länder, Bundesrepublik Deutschland, Frankreich, Italien).

Die Europäische Gemeinschaft erfüllt damit die im GATT für Zollunionen aufgestellten Voraussetzungen. Allerdings geht die Gemeinschaft mit ihrer umfassenden Zielsetzung eines Gemeinsamen Marktes bzw eines Binnenmarktes sowohl hinsichtlich der innergemeinschaftlichen Freizügigkeit als auch hinsichtlich der Vereinheitlichung der Außenhandelsregelungen über die im GATT für Zollunionen geregelten Verpflichtungen weit hinaus, da sie sich nicht nur mit der Abschaffung (nach innen) bzw Harmonisierung (nach außen) von Zöllen und mengenmäßigen Beschränkungen befaßt, sondern auch mit allen anderen Regelungen, welche den Handel beeinflussen oder beeinträchtigen können, also zB einschließlich solcher **Normen,** die dem **Gesundheits-, Umwelt- oder Verbraucherschutz** dienen. Auch die Vereinheitlichung des Zollschuld- und des Zollverfahrensrechts ist nach dem EG-Vertrag und den darauf gestützten Rechtsakten als Bestandteil dieser Zollunion anzusehen. Die im GATT festgelegte Definition der Zollunion ist für die Gemeinschaft folglich nur insoweit von Bedeutung, als sie den Mindeststandard dessen enthält, dem die Gemeinschaft aufgrund ihrer weitergehenden Zielsetzung zu entsprechen hat.[4])

3. Die EGKS als „annähernde" Zollunion

Während der EG-Vertrag die Begriffe „Gemeinsamer Markt" und „Zollunion" nebeneinander verwendet, trifft man im EGKS-Vertrag nur den Ausdruck „gemeinsamer Markt" an. Insbesondere verbietet Art 4 EGKSV innerhalb der Gemeinschaft Ein- und Ausfuhrzölle oder Abgaben gleicher Wirkung sowie mengenmäßige Beschränkungen. Ebenso wie im Rahmen des EG-Vertrages gilt der Grundsatz des **freien innergemeinschaftlichen Verkehrs** nicht nur für die aus den Mitgliedstaaten stammenden Waren, sondern auch für Drittlandswaren, die in einem Mitgliedstaat in den freien Verkehr überführt worden sind. Nur in den vom EGKS-Vertrag vorgesehenen Fällen darf von diesem Grundsatz abgewichen werden.[5])

Für den **Warenverkehr mit Drittländern** sieht der EGKS-Vertrag – anders als der EG-Vertrag – eine Aufteilung der Zuständigkeiten zwischen der Gemeinschaft und den Mitgliedstaaten vor:

- Die **Gemeinschaft** kann Mindest- und Höchstzölle festsetzen,[6]) die Handhabung und Kontrolle von Lizenzen koordinieren[7]) und Schutzmaßnahmen gegen Dumping, Subventionen oder Preisunterbietungen treffen, und zwar auch in Form von mengenmäßigen Beschränkungen.[8])
- Im übrigen sind die **Mitgliedstaaten** für die Handelspolitik zuständig.[9]) Die Gemeinschaft kann aber auch in diesem Bereich tätig werden, etwa indem sie den Mitgliedstaaten Maßnahmen für einen gegenseitigen Beistand vorschlägt[10]) oder sich der Generalklausel bedient, die ihr erlaubt, Maßnahmen in solchen Fällen zu treffen, in denen dies erforderlich erscheint, um eines der Ziele der Gemeinschaft zu erreichen.[11])

Der Europäische Gerichtshof (EuGH) hat aus der Gesamtheit dieser Vorschriften gefolgert, daß die EGKS keine Freihandelszone darstellt, in der der Ursprung eines Erzeugnisses für den Binnenhandel ein entscheidendes Merkmal ist, sondern sich „ihrem Aufbau nach eher dem **Prinzip einer Zollunion** annähert".[12])

Die Gründung der EWG hat an dieser Zuständigkeitsverteilung grundsätzlich nichts geändert.[13]) Allerdings gelten die auf der Grundlage des EG-

---

[4]) Vgl GA Reischl in der Rs 266/81 – SIOT – Slg 1983, 797.
[5]) Vgl EuGH Rs 36/83 – Mabanaft – Slg 1984, 2524.
[6]) Art 72 EGKS-Vertrag.
[7]) Art 73 Abs 2 EGKS-Vertrag.
[8]) Art 74 EGKS-Vertrag.
[9]) Art 71 Abs 1 EGKS-Vertrag.
[10]) Art 71 Abs 3 EGKS-Vertrag.
[11]) Art 95 EGKS-Vertrag.
[12]) EuGH Rs 36/83 – Mabanaft – Slg 1984, 2523.
[13]) Vgl Art 232 Abs 1 EG-Vertrag.

Vertrags erlassenen Zollvorschriften (insb der Zollkodex, s unten D.2.) auch in bezug auf EGKS-Waren,[14]) sofern der EGKS-Vertrag oder eine hierauf gestützte Bestimmung nicht eine Sonderregelung vorsieht.[15]) Ferner hat der EuGH zugelassen, daß auch der Zolltarif und sonstige Handelsbeschränkungen auf der Grundlage des EG-Vertrages geregelt werden, wenn ein größerer Warenkreis betroffen ist, der EGKS-Waren einschließt.[16])

Für die der **Europäischen Atomgemeinschaft** unterliegenden Waren gilt in zollrechtlicher und zolltariflicher Hinsicht dagegen der EG-Vertrag, da der EURATOM-Vertrag für die Zeit nach Ablauf der Übergangszeit insoweit keine Sonderregelungen enthält.[17])

B. Die Binnenwirkung der Zollunion

1. Der Grundsatz des freien Warenverkehrs

Wie bereits oben unter A.2. ausgeführt, geht die Gemeinschaft mit ihren **Garantien eines freien Warenverkehrs** zwischen den Mitgliedstaaten weit über das hinaus, was nach den Bestimmungen des GATT für die Bildung einer Zollunion erforderlich ist. Dies ergibt sich insb aus folgenden Umständen:

- Der in den Art 9ff EGV geregelte Grundsatz des freien Warenverkehrs gilt nicht nur für die aus den Mitgliedstaaten stammenden Waren, sondern auch für **Drittlandswaren**, die sich in den Mitgliedstaaten im **freien Verkehr** befinden, dh die vorgeschriebenen Einfuhr-Förmlichkeiten – einschließlich der Entrichtung der vorgeschriebenen Zölle und Abgaben gleicher Wirkung – erfüllt haben.
- Sowohl nach dem GATT als auch nach dem EG-Vertrag ist für den Binnenhandel zwar die Erhebung von Zöllen und zollgleichen Abgaben sowie die Anwendung von mengenmäßigen Beschränkungen und Maßnahmen gleicher Wirkung verboten. Aufgrund der Entwicklung des Gemeinschaftsrechts und der Rechtsprechung des EuGH geht die Tragweite des Verbots von **Abgaben zollgleicher Wirkung** und Maßnahmen mit gleicher Wirkung wie mengenmäßige Beschränkungen jedoch erheblich weiter als nach den GATT-Bestimmungen.
- Die Verbote des GATT können im innerstaatlichen Recht nur insoweit Wirkung entfalten, wie eine Gemeinschaftsregelung diese übernommen hat oder zur Durchführung des GATT erlassen worden sind (wie zB die AntidumpingV).[18]) Wird ein Gemeinschaftsbürger durch einen nationalen

---

[14]) Vgl EuGH Rs 239/84 – Gerlach – Slg 1985, 3507 und Rs 328/85 – Babcock – Slg 1987, 5119.

[15]) Wie zB die Entscheidung Nr 2424/88/EGKS über den Schutz gegen gedumpte oder subventionierte Einfuhren aus nicht zur EGKS gehörenden Ländern, ABl L 1988/209, 18 und ABl L 1988/273, 19.

[16]) Vgl EuGH-Gutachten 1/94 Slg 1994, I-5267. Die auf Art 113 EGV gestützte Regelung der allgemeinen Zollpräferenzen schließt zB EGKS-Waren ein, vgl V (EG) 3281/94 ABl L 1994/348, 1. Das gleiche gilt für die gemeinsame Einfuhrregelung, vgl V (EG) 3285/94, ABl L 1994/349, 53.

[17]) Vgl Art 93 bis 95 EURATOMV sowie Art 232 Abs 2 EGV.

[18]) Vgl EuGH Rs 266/81 – SIOT – Slg 1983, 731, Rs 69/89 – Nakajima – Slg 1991, I-2069 und Rs C 280/93 – Bananen – Slg 1994, I-4973.

oder Gemeinschaftsrechtsakt verletzt, der gegen das im EG-Vertrag enthaltene Verbot der Zölle oder Abgaben zollgleicher Wirkung verstößt, so kann er sich **unmittelbar** auf diese Vorschrift mit der Folge berufen, daß eine solche Abgabe nicht erhoben werden darf.[19]) Dies gilt entsprechend für mengenmäßige Beschränkungen und Maßnahmen gleicher Wirkung.

Für das Gemeinschaftszollrecht hat die Verwirklichung der Zollunion insb zur Folge, daß für **Gemeinschaftswaren** (dh in der Gemeinschaft erzeugte oder aus Drittländern stammende Waren, die in einem Mitgliedstaat in den zollrechtlich freien Verkehr übergeführt worden sind) in der Regel **keine zollrechtlichen Bestimmungen** erforderlich sind. Gleichwohl kann mittels gemeinschaftlicher Zollvorschriften eine Regelung darüber getroffen werden, wie der Gemeinschaftsstatus einer Ware nachzuweisen ist, und daß sie bei Fehlen eines solchen Nachweises als Nichtgemeinschaftsware angesehen wird.[20]) Andererseits schließt der Charakter der Gemeinschaft als Zollunion es aus, daß für dieselbe Ware eine Zollschuld zweimal – nämlich nacheinander in zwei verschiedenen Mitgliedstaaten – entstehen kann.[21])

2. Ausnahmen

a) Zölle und Abgaben gleicher Wirkung

Der EG-Vertrag und das sekundäre Gemeinschaftsrecht sehen grundsätzlich keine Ausnahmen vom Verbot der Erhebung von Zöllen und zollgleichen Abgaben vor. Die Erhebung von **Gebühren** und **parafiskalischen Abgaben** ist indessen unter bestimmten Voraussetzungen auch im innergemeinschaftlichen Handel zulässig. Gebühren sind Abgaben, die für eine **Leistung** der Verwaltung erhoben werden. Überqueren Waren eine Binnengrenze der Gemeinschaft, so dürfen aus diesem Grunde grundsätzlich keine Gebühren erhoben werden, weil dies gegen das Verbot der Erhebung zollgleicher Abgaben verstoßen würde. Ausnahmsweise ist eine Abgabenerhebung jedoch gerechtfertigt, wenn die Gebühr

- eine **angemessene Gegenleistung** für eine im Zusammenhang mit der Warenbeförderung zur Verfügung gestellte Dienstleistung darstellt (wie zB das Zurverfügungstellen einer Rohrleitung) oder
- eine Gemeinschaftsregelung bestimmte **Kontrollen** (zB gesundheitspolitischer Art) vorschreibt, ohne die Gebührenfrage zu regeln.[22])

Parafiskalische Abgaben sind solche Abgaben, die sowohl auf eingeführte als auch auf inländische Erzeugnisse nach denselben Kriterien erhoben werden; die so erzielten Einnahmen werden einer Ausgleichskasse zugewiesen, die damit die Erzeugung und den Absatz dieser Waren fördert. Werden mit solchen Abgaben Tätigkeiten finanziert, die nur den einheimischen Erzeugnissen zugute kommen, so wäre damit deren finanzielle Belastung aufgehoben. Ein solches Abgaben- und Subventionssystem würde deshalb gegen

---

[19]) Vgl EuGH Rs 77/72 – Capolongo – Slg 1973, 623.

[20]) Vgl EuGH Rs 117/88 – Trend-Moden – Slg 1990, 631.

[21]) Vgl EuGH Rs 252/87 – HZA Hamburg-St. Annen/Kiwall – Slg 1988, 4753.

[22]) Vgl EuGH Rs 18/87 – Kommission/Bundesrepublik Deutschland – Slg 1988, 5427.

das Verbot der Abgaben mit zollgleicher Wirkung verstoßen.[23]) Soweit eine solche **Entsprechung zwischen Be- und Entlastung einheimischer Waren** jedoch nicht besteht, unterliegen parafiskalische Abgaben lediglich dem Diskriminierungsverbot des Art 95 EGV.

Die **Mehrwertsteuer** und die besonderen **Verbrauchsteuern** sind ohnehin nicht als Abgaben mit zollgleicher Wirkung anzusehen, solange sie einheimische und aus anderen Mitgliedstaaten stammende Waren nach den gleichen Kriterien erfassen. Dies gilt auch dann, wenn die betroffenen Waren in diesem Mitgliedstaat gar nicht erzeugt werden, wie zB Bananen oder Wein.[24]) Eine Diskriminierung kann allerdings dann vorliegen, wenn vergleichbare konkurrierende Erzeugnisse (zB Bier und billiger Wein) so besteuert werden, daß im Ergebnis die im betreffenden Mitgliedstaat hergestellte Ware einen Konkurrenzvorteil gegenüber dem nur in anderen Mitgliedstaaten hergestellten Produkt erhält.[25])

b) Mengenmäßige Beschränkungen und Maßnahmen gleicher Wirkung

Die Definition der Zollunion bzw des Gemeinsamen Marktes schließt nicht nur die Erhebung von Zöllen und zollgleichen Abgaben an den Binnengrenzen aus, sondern verlangt auch den Abbau sonstiger Handelshemmnisse zwischen den Mitgliedstaaten, insb der mengenmäßigen Beschränkungen und Maßnahmen gleicher Wirkung. Damit sind grundsätzlich alle Maßnahmen verboten, die geeignet sind, den innergemeinschaftlichen Handel zu behindern.[26]) Sind Waren in einem Mitgliedstaat rechtmäßig hergestellt und in den Verkehr gebracht worden, so dürfen diese bei der Verbringung in einen anderen Mitgliedstaat nicht aufgrund nationaler Vorschriften (zB über ihre Bezeichnung, Abmessungen, Zusammensetzung, Verpackung) behindert werden, es sei denn, diese Vorschriften sind durch einen im Allgemeininteresse liegenden Zweck (insb zwingende Erfordernisse des **Verbraucher-** und **Umweltschutzes** sowie die **Lauterkeit des Handelsverkehrs**) gerechtfertigt, der den Erfordernissen des freien Warenverkehrs vorgeht.[27]) Nicht erfaßt von diesem Verbot sind nationale Bestimmungen, die bestimmte Verkaufsmodalitäten beschränken oder verbieten, sofern sie für alle betroffenen Wirtschaftsteilnehmer in gleicher Weise gelten und keine Regelung des innergemeinschaftlichen Handels bezwecken.[28]) Im übrigen erlaubt Art 36 EGV nationale Beschränkungen, die aus Gründen der **öffentlichen Sittlichkeit, Ordnung und Sicherheit,** zum Schutze der **Gesundheit** und des **Lebens von Menschen, Tieren** oder **Pflanzen,** des nationalen **Kulturguts** von künstlerischem, geschichtlichem oder archäologischem Wert oder des **gewerblichen** und **kommerziellen Eigentums** gerechtfertigt sind.Diese Verbote oder Beschränkun-

---

[23]) Vgl EuGH Rs 77/76 – Cucchi – Slg 1977, 987; siehe hierzu auch Entscheidung Nr. 91/255/EWG der Kommission, ABl L 1991/123, 51, in der ein Verstoß gegen das in Art 92 EGV festgelegte Beihilfeverbot festgestellt wird.

[24]) Vgl EuGH Rs 193/85 – Cooperation Co-Frutta SRL – Slg 1987, 2085.

[25]) Vgl EuGH Rs 356/85 – Kommission/Belgien – Slg 1987, 3299.

[26]) Vgl EuGH Rs 8/74 – Dassonville – Slg 1974, 837.

[27]) Vgl EuGH Rs 120/78 – Cassis de Dijon – Slg 1979, 649.

[28]) Vgl EuGH Rs C-292/92 – Hünermund – Slg 1993, 6787.

gen dürfen jedoch weder ein Mittel zur willkürlichen Diskriminierung noch eine verschleierte Beschränkung des Handels zwischen den Mitgliedstaaten darstellen. Die Gemeinschaft hat im Rahmen des Binnenmarktprogramms einen großen Teil dieser nationalen Schutzregelungen harmonisiert und im übrigen dem Grundsatz der **gegenseitigen Anerkennung** Geltung verschafft, so daß Behinderungen von Waren aus anderen Mitgliedstaaten auf der Grundlage des Art 36 EGV nur in Ausnahmefällen zulässig sind.

Art 115 EGV gestattet der Kommission, die Mitgliedstaaten zu Schutzmaßnahmen zu ermächtigen,

- wenn die Durchführung der von den Mitgliedstaaten im Einklang mit diesem Vertrag getroffenen handelspolitischen Maßnahmen durch **Verkehrsverlagerungen** verhindert wird oder
- wenn Unterschiede zwischen diesen Maßnahmen zu **wirtschaftlichen Schwierigkeiten** in einem oder mehreren Staaten führen.

Diese Ermächtigung hat seit der Verwirklichung einer **gemeinsamen Handelspolitik** (insb der Vereinheitlichung der Kontingente) keine praktische Bedeutung mehr. Die bereits 1988 vom EuGH für grundsätzlich unzulässig erklärte Aufteilung von Kontingenten in nationale Quoten[29]) findet nicht mehr statt, seitdem die EG-Kommission ein System zur zentralen Verwaltung der Kontingente geschaffen hat.

C. Die Außenwirkung der Zollunion

1. Gemeinsamer Zolltarif, gemeinsame Agrarpolitik und gemeinsame Handelspolitik

Der EG-Vertrag verwendet in den Art 18 bis 29, 38 bis 47, 110 und 113 nebeneinander die Begriffe „Gemeinsamer Zolltarif", „gemeinsame Agrarpolitik" und „gemeinsame Handelspolitik". Zwischen diesen Begriffen bestehen folgende Zusammenhänge:

- Die **Handelspolitik** ist die nach außen gerichtete Politik der Zollunion, die zum Ziel hat, den Warenverkehr und den sonstigen Wirtschaftsverkehr mit Drittländern zu regeln.
- Die **Agrarpolitik** hat zum Ziel, für die Landwirtschaft und den Handel mit landwirtschaftlichen Erzeugnissen Sonderregelungen zu treffen, soweit dies wegen der besonderen Situation der Landwirtschaft innerhalb des Gemeinsamen Marktes erforderlich ist. Insoweit können auch Sonderregelungen für den Warenverkehr mit Drittländern getroffen werden.
- Der **Gemeinsame Zolltarif** ist dagegen ein Instrument, das der Handelspolitik und gegebenenfalls auch der Agrarpolitik dient. Der Gemeinsame Zolltarif umfaßt alle diejenigen Regelungen, die **Abgaben** festlegen, die wegen des Verbringens von Waren in das oder aus dem Zollgebiet der Gemeinschaft erhoben werden und für die deshalb eine **Zollschuld** entstanden ist. Außerhalb des Geltungsbereichs des Gemeinsamen Zolltarifs stehen jedoch Gebühren (dh ein Entgelt für Leistungen) und Verbrauchsteuern (dh

[29]) Rs 51/87 – Allgemeine Zollpräferenzen – Slg 1988, 5459.

Abgaben, die sowohl auf eingeführte als auch auf einheimische Erzeugnisse erhoben werden) sowie die sog Abgaben zollgleicher Wirkung (s unten C.2.a.).

Der Wirtschaftsverkehr mit dem Ausland kann natürlich auch im Rahmen weiterer Politiken geregelt werden, so zB

- Vorschriften, die gem Art 100a EGV zur Verwirklichung der Ziele des Binnenmarktes erlassen werden,
- Umweltschutzregelungen gem Art 130s EGV,
- die Regelung der Beziehungen zu den von einem Mitgliedstaat abhängigen Ländern und Hoheitsgebieten (Art 136 EGV),
- Maßnahmen bei sicherheits- und außenpolitischen Krisensituationen (Art 223 und 224 EGV),
- Wirtschaftssanktionen im Rahmen der Gemeinsamen Außen- und Sicherheitspolitik (Art 228a EGV),
- Außenhandelsregelungen, die im Rahmen von Assoziierungs- bzw Kooperationsabkommen getroffen werden (Art 238 EGV).

Soweit solche Maßnahmen sich auf die nach dem Gemeinsamen Zolltarif zu erhebenden Zölle auswirken,[30]) sind sie gleichfalls Bestandteil des Gemeinsamen Zolltarifs.

Das Instrumentarium der Handels- sowie sonstigen Außenwirtschaftspolitik der Gemeinschaft besteht natürlich nicht allein aus dem Gemeinsamen Zolltarif. Die wichtigsten Maßnahmen im nicht-tarifären Bereich sind

- einseitige und vertragliche **Beschränkungen** für Einfuhren in die Gemeinschaft,
- das Erfordernis, bei der Einfuhr oder Ausfuhr eine **Lizenz** oder Bescheinigung vorzulegen, sowie
- die Zahlung von **Ausfuhrerstattungen** für landwirtschaftliche Erzeugnisse.

Die Bestimmungen des GATT lassen allerdings mengenmäßige Beschränkungen und Ausfuhrsubventionen nur unter engen Voraussetzungen zu.[31])

2. Ausnahmen

Eine Zollunion bzw ein Gemeinsamer Markt, die/der zwischen den Mitgliedstaaten alle Beschränkungen zolltariflicher und nicht-tarifärer Art beseitigt, kann naturgemäß nur funktionieren, wenn an den Außengrenzen **einheitliche Regeln** angewandt werden. Denn Unterschiede an den Außengrenzen führen zwangsläufig zu Verkehrsverlagerungen, die ihrerseits die Gefahr heraufbeschwören, daß einzelne Mitgliedstaaten sich gegen andere abschotten, um ein Leerlaufen ihrer strengeren Vorschriften zu vermeiden. Abgesehen davon, daß dadurch der Binnenmarkt gefährdet wird, schwächt eine Zersplitterung der gegenüber Drittländern anwendbaren Außenhandelsregelungen aber auch die **Verhandlungsposition der Gemeinschaft,** die – wenn sie einheitlich auftritt – immerhin 370 Millionen Verbraucher vertritt.

[30]) ZB Zollpräferenzregelungen gem den Art 136 und 238 EGV.

[31]) Siehe ua Art XI, XVI und XIX GATT.

Die wenigen heute noch bestehenden Ausnahmeregelungen widersprechen deshalb der in den Art 28, 43 und 113 EGV festgelegten Zielsetzung einer gemeinsamen Zoll-, Agrar- und Handelspolitik. Im übrigen sind seit Ablauf der Übergangszeit nationale Zoll- oder Handelsregelungen nur noch aufgrund einer **Ermächtigung der Gemeinschaft** zulässig.[32])

a) Zölle und Abgaben gleicher Wirkung

Im Geltungsbereich des EG-Vertrages bestehen nur wenige Ausnahmen, die einzelnen Mitgliedstaaten ein Abweichen von den Zöllen des Gemeinsamen Zolltarifs gestatten. Die wichtigsten sind

- das in der Beitrittsakte festgelegte Zollkontingent zugunsten des Vereinigten Königreichs für die Einfuhr neuseeländischer Butter,[33])
- die im Anschluß an den Beitritt Spaniens und Portugals eröffneten Zollkontingente für die Einfuhr von Mais und Sorghum in Spanien bzw Portugal,[34])
- die in der Beitrittsakte Finnland zugestandene Übergangsregelung, nach der dieses Land für bestimmte Waren höhere Zollsätze beibehalten und für Styrol ein zollfreies Zollkontingent eröffnen darf,[35])
- die zusätzlichen Zollpräferenzen, die Frankreich Algerien, Marokko und Tunesien aufgrund eines Protokolls zu den entsprechenden Gemeinschaftsabkommen gewähren darf,[36])
- die den Kanarischen Inseln eingeräumte Übergangsfrist für die Einführung des GZT sowie die Aussetzung bestimmter Zölle,[37])
- die Aussetzung der Zölle für bestimmte landwirtschaftliche Erzeugnisse zugunsten der Azoren und Madeiras[38]) sowie
- die Zollaussetzungen, die im Anschluß an die Vereinigung der beiden deutschen Staaten als Übergangsmaßnahme gegenüber bestimmten Drittländern beschlossen worden sind.[39])

In bezug auf **Abgaben mit zollgleicher Wirkung** ist die rechtliche Situation an den **Außengrenzen** weniger deutlich als für den innergemeinschaftlichen Handel. Es fehlt nämlich eine Vorschrift, die für den Außenhandel ausdrücklich eine Regelung über solche Abgaben trifft. Der EuGH konnte sich deshalb nur auf die in Art 9 EGV verwendeten Begriffe der „Zollunion" und des „Gemeinsamen Zolltarifs" sowie auf die in Art 113 EGV vorgesehene „gemeinsame Handelspolitik" stützen, um die Unzulässigkeit von nationalen zollgleichen Abgaben zu begründen, die neben den Zöllen des Gemeinsamen Zolltarifs angewandt werden.[40])

---

[32]) Vgl EuGH Rs 41/76 – Donckerwolcke – Slg 1976, 1921.
[33]) Vgl Art 9 V (EG) 1600/95, ABl L 1995/151, 12.
[34]) Vgl V (EG) Nr 1839/95, ABl L 1995/177, 4.
[35]) Vgl Art 101 der Beitrittsakte, ABl L 1994/241, 21.
[36]) Vgl ABl L 1978/265, 116.
[37]) Vgl V (EWG) 1601–1605/92, ABl L 1992/173, 13 ff.
[38]) Vgl V (EWG) 1600/92, ABl L 1992/173, 1.
[39]) Vgl V (EG) 665/94, ABl L 1994/83, 1.
[40]) EuGH verb Rs 37 und 38/73 – Social Fonds voor de Diamantarbeiders – Slg 1973, 1609.

Der EuGH hat indessen nur die Einführung neuer Abgaben zollgleicher Wirkung untersagt und es im übrigen zur Aufgabe der Gemeinschaft erklärt, die bestehenden Abgaben zu harmonisieren oder abzuschaffen.[41]) Viele gemeinsame Marktorganisationen sowie mehrere Freihandelsabkommen enthalten dementsprechend ein Verbot der Abgaben mit zollgleicher Wirkung.[42]) Eine generelle Regelung steht jedoch noch aus. Soweit die Mitgliedstaaten in einem noch nicht harmonisierten Bereich solche Abgaben erheben, sind sie nicht verpflichtet nachzuweisen, daß in anderen Mitgliedstaaten identische oder vergleichbare Abgaben erhoben werden.[43])

b) Mengenmäßige Beschränkungen und Maßnahmen gleicher Wirkung

Die gemeinschaftlichen Einfuhrregelungen in bezug auf mengenmäßige Beschränkungen verteilen sich auf eine Reihe von Verordnungen, und zwar entsprechend dem betroffenen Warenkreis und/oder den betroffenen Ländern. Spezifische Waren betreffende Sonderregelungen bestehen insb in bezug auf bestimmte landwirtschaftliche Erzeugnisse[44]) und Textilwaren[45]).

Im übrigen unterscheiden die Einfuhrregelungen danach, ob es sich um bestimmte Länder ohne Marktwirtschaft (wie zB China und Rußland)[46]) oder um sonstige Länder handelt.[47])

Im Rahmen dieser beiden Regelungen sind gegenwärtig lediglich in bezug auf China Einfuhrkontingente vorgesehen.[48]) Das Verfahren zur Verwaltung dieser Kontingente ist in der V (EG) 520/94[49]) festgelegt. Für Ausfuhrkontingente besteht gleichfalls eine Gemeinschaftsregelung.[50]) Die Ausfuhrbeschränkungen für Waffen- und Kriegsmaterial sind noch nicht harmonisiert;[51]) für die Ausfuhr von Gütern mit sowohl militärischem als auch zivilem Verwendungszweck (sog dual-use-Waren) besteht dagegen eine Gemeinschaftsregelung.[52])

Die Freihandelsabkommen der Gemeinschaft sehen grundsätzlich auch einen Abbau der mengenmäßigen Einfuhr- und Ausfuhrbeschränkungen vor.[53])

In bezug auf **Maßnahmen mit gleicher Wirkung** wie mengenmäßige Beschränkungen ist der EG-Vertrag ebensowenig deutlich wie bei den zollglei-

---

[41]) EuGH (FN 36).

[42]) Vgl Art 12 und 13 des Abkommens mit Polen, ABl L 1993/348, 2.

[43]) Vgl EuGH Rs 1/83 – IFG – Slg 1984, 349.

[44]) Vgl zB V (EG) 1213/94, ABl L 1994/133, 36, mit der ein Kontingent für Knoblauch aus China eingeführt worden ist.

[45]) V (EWG) 3030/93, ABl L 1993/275, 1 und V (EG) 517/94, ABl L 1994/67, 1.

[46]) V (EG) 519/94, ABl L 1994/67, 89.

[47]) V (EG) 3289/94, ABl L 1994/349, 53.

[48]) Vgl Anhang II der V (EG) 519/94 aaO (FN 46).

[49]) ABl L 1994/66, 1.

[50]) V (EWG) 2603/69, ABl L 1969/324, 25.

[51]) Für Antipersonenminen wurde allerdings im Rahmen der Gemeinsamen Außen- und Sicherheitspolitik ein Ausfuhrverbot beschlossen, Beschluß 95/170/GASP, ABl L 1995/115, 1.

[52]) V (EG) Nr 3381/94, ABl L 1994/367, 1 und Beschluß 94/942/GASP, ABl L 1994/367, 8.

[53]) Vgl Art 9 Abs 4 und Art 13 des Abkommens mit Polen, ABl L 1993/348, 2.

chen Abgaben. Sicher ist jedoch, daß die Gemeinschaft auf der Grundlage der Art 43, 113 und 238 EGV nicht nur mengenmäßige Beschränkungen, sondern auch Maßnahmen mit gleicher Wirkung einführen oder verbieten kann, wie dies zB in einigen gemeinsamen Marktorganisationen sowie verschiedenen Abkommen mit Drittländern geschehen ist.[54]) Im übrigen sieht der Anhang III der V (EG) 519/94 für bestimmte Waren die Vorlage eines Überwachungsdokuments vor.

Soweit eine bestimmte Regelung mengenmäßige Einfuhrbeschränkungen und Maßnahmen gleicher Wirkung verbietet, ist in der Regel eine Ausnahme für den Schutz der in Art 36 EGV genannten Rechtsgüter vorgesehen.[55]) Denn wenn die Mitgliedstaaten sogar im innergemeinschaftlichen Handel solche Maßnahmen treffen dürfen, dann muß dies erst recht für den Warenverkehr mit Drittländern gelten. Die Bemühungen zur Verwirklichung des Binnenmarktes strahlen indessen auch auf den **Drittlandshandel** aus: Die Harmonisierungsmaßnahmen schließen nämlich in der Regel auch den Handel mit Drittländern ein, weil uneinheitliche Einfuhr- oder Ausfuhrregelungen durch eine **Umleitung der Warenströme** leicht unterlaufen werden können und damit die Wirksamkeit strengerer nationaler Bestimmungen beeinträchtigt wird. Soweit der Gemeinschaftsgesetzgeber in diesem Bereich noch von einer umfassenden Regelung gegenüber Drittländern absieht, schreibt er den Mitgliedstaaten häufig bestimmte **Mindeststandards** vor.[56])

Die darüber hinausgehenden Anforderungen einzelner Mitgliedstaaten lassen sich im Binnenmarkt nur schwer aufrechterhalten, da Waren aus Drittländern, die in einem Mitgliedstaat rechtmäßig in den freien Verkehr übergeführt worden sind, ohne Behinderungen in andere Mitgliedstaaten verbracht werden können (Grundsatz der **gegenseitigen Anerkennung**). Das Gleiche gilt für nationale Ausfuhrbeschränkungen, die durch eine Umleitung über einen anderen Mitgliedstaat leicht unterlaufen werden können. Diejenigen Mitgliedstaaten, die zB aus Gründen des Gesundheits- oder Umweltschutzes an einem **hohen Standard** interessiert sind, müssen sich also dafür einsetzen, eine entsprechende Regelung auf Gemeinschaftsebene zu erreichen.

D. Das Zoll- und Außenhandelsrecht der Gemeinschaft

Die Gemeinschaft kann als supranationale Institution in den Bereichen, für die sie zuständig ist, ebenso wie ein Staat **Abkommen mit Drittländern** oder **internationalen Organisationen** (zB WTO, ECE, WCO) schließen.[57]) Darüber hinaus kann sie autonom verbindliche Regelungen treffen, die entweder unmittelbar in den Mitgliedstaaten anwendbar sind oder aber einer Umsetzung durch den nationalen Gesetzgeber bedürfen[58]) (s oben *Borchert,* Die rechtlichen Grundlagen der Europäischen Gemeinschaften – Rechtsquel-

---

[54]) Vgl Art 169 des Vierten AKP-EWG-Abkommens (Lomé IV), ABl L 1990/84, 4.

[55]) Vgl Art 170 des Vierten AKP-EWG-Abkommens, aaO (FN 54).

[56]) Vgl Art 14 der RL 90/167/EWG, ABl L 1990/92, 42.

[57]) Vgl Art 113 und 238 EGV.

[58]) Vgl Art 189 EGV.

len, Rechtshandlungen und Rechtsetzung). Das **Zollrecht** der Gemeinschaft folgt diesen allgemeinen Vorgaben. Die Frage, ob die Gemeinschaft überhaupt für das Zollrecht insgesamt zuständig ist, wird heute allgemein bejaht. Der EuGH hat nämlich bereits 1973 entschieden, das wirksame Funktionieren der Zollunion rechtfertige eine weite Auslegung der Art 9, 28 und 113 EGV sowie der Befugnisse, welche diese Bestimmungen den Gemeinschaftsorganen übertragen, um ihnen eine zusammenhängende **Regelung der Außenhandelsbeziehungen** durch autonome Maßnahmen sowie durch Vereinbarungen zu ermöglichen.[59]) Soweit die speziellen Ermächtigungsgrundlagen für den Erlaß umfassender Zollregelungen nicht ausgereicht haben, hat man in der Vergangenheit die Art 100 und 235 EWGV herangezogen, die allerdings Einstimmigkeit voraussetzen. Seit dem Inkrafttreten der **Einheitlichen Europäischen Akte** liegt jedoch mit Art 100a EGV eine Ermächtigungsnorm vor, die den Erlaß von Zollvorschriften mit **qualifizierter Mehrheit** für diejenigen Bereiche gestattet, in denen die übrigen Rechtsgrundlagen (insb die Art 28, 43, 113 und 238 EGV) nicht einschlägig sind. Dementsprechend stützt sich der **Zollkodex** auf die Art 28, 100a und 113 EGV.[60])

1. Völkerrechtliches Zoll- und Außenhandelsrecht

Beim völkerrechtlichen Zoll- und Außenhandelsrecht ist zwischen multilateralen Abkommen, die Bestandteil des allgemeinen Völkerrechts sind (wie zB das GATT und das Übereinkommen über das Harmonisierte System), und den bilateralen Abkommen, welche die Gemeinschaft mit bestimmten Drittländern vereinbart hat, zu unterscheiden.

a) Multilaterale Abkommen

Das Allgemeine Zoll- und Handelsabkommen (General Agreement on Tariffs and Trade – GATT) bildet einen Grundpfeiler für das Zoll- und Außenhandelsrecht der Gemeinschaft. Der EG-Vertrag nimmt in mehreren Bestimmungen hierauf indirekt Bezug,[61]) und in Art 229 EGV wird die Kommission damit beauftragt, zweckdienliche Beziehungen zu den Organen des **GATT** (jetzt: Welthandelsorganisation, World Trade Organisation – WTO) zu unterhalten. Als Vertragspartei der WTO und des GATT ist die Gemeinschaft an die Bestimmungen dieser Abkommen gebunden.[62]) Daraus folgt ua, daß die Gemeinschaft den **Meistbegünstigungsgrundsatz**,[63]) die **Durchfuhrfreiheit**,[64]) das Verbot einer willkürlichen **Zollwertermittlung**,[65]) den **Liberalisierungsgrundsatz**[66]) und das **Diskriminierungsverbot**[67]) beachten muß und

---

[59]) Vgl EuGH Rs 8/73 – Massey-Ferguson – Slg 1973, 897; s auch EuGH Rs 275/87 – vorübergehende Verwendung von Behältern – Slg 1989, 259.

[60]) V (EWG) 2913/92, ABl L 1992/302, 1.

[61]) Vgl Art 9, 18, 29, 110 und 234 Abs 1 EGV.

[62]) Vgl EuGH verb Rs 21 bis 24/72 – International Fruit – Slg 1972, 1219; ausführlich zur GATT-Problematik s unten *Jansen,* Die EG und die WTO (GATT).

[63]) Art I und II GATT.

[64]) Art V GATT.

[65]) Art VII GATT.

[66]) Art XI GATT.

Schutzmaßnahmen nur in dem vom GATT vorgegebenen Rahmen[68]) treffen darf, zumindest soweit der Warenverkehr mit Vertragsparteien des GATT betroffen ist. Darüber hinaus ist die Gemeinschaft an den die WTO und das GATT ergänzenden Übereinkommen beteiligt; hierzu gehören ua

- die **Tarifprotokolle**, die für eine Vielzahl von Zollsätzen eine verbindliche Obergrenze festlegen,
- das Übereinkommen über den Handel mit **Zivilluftfahrzeugen,** das Zollfreiheit für Waren vorsieht, die zur Instandsetzung oder Instandhaltung von Zivilluftfahrzeugen dienen,[69])
- der **Antidumping**- und der **Subventions-Kodex,** die genauere Bestimmungen darüber enthalten, wie im Falle von Dumping oder Subventionen zu verfahren ist, wenn eine dadurch verursachte Schädigung eines einheimischen Wirtschaftszweigs abgewehrt werden soll,[70])
- der **Zollwert-Kodex**, der die Einheitlichkeit, Neutralität und Überschaubarkeit bei der Zollwertermittlung zum Ziel hat,[71])
- das Übereinkommen über **Einfuhrlizenzverfahren,** das genauere Regeln für solche Verfahren festlegt (insb im Hinblick auf eine Erleichterung und Vereinfachung des internationalen Handels, eine größere Transparenz sowie eine etwaige Streitbeilegung auf internationaler Ebene),[72]) und
- das Übereinkommen über **technische Handelshemmnisse,**[73]) das die Vertragsparteien verpflichtet, den internationalen Handel durch Normen nicht unnötig zu behindern sowie Normen, technische Vorschriften und Kennzeichnungssysteme ohne Diskriminierung anzuwenden.

Für das Zollrecht sind ferner die im Rahmen des Rates für die Zusammenarbeit auf dem Gebiet des Zollwesens – jetzt: **Weltzollorganisation** (World Customs Organisation – WCO) – geschlossenen Übereinkommen von besonderer Bedeutung. Das Übereinkommen über das **Harmonisierte System**[74]) bildet die Grundlage für die Nomenklatur des Gemeinsamen Zolltarifs, des sonstigen **Außenwirtschaftsrechts** sowie der gemeinschaftlichen **Außen- und Binnenhandelsstatistik**. Da gleichzeitig die wichtigsten Handelspartner der Gemeinschaft Vertragsparteien dieses Übereinkommens sind (ua die EFTA-Länder, die USA, Kanada, Japan), können die Zolltarife und Außenhandelsstatistiken dieser Länder miteinander verglichen werden, wodurch internationale Handelsverhandlungen erleichtert werden. Das Übereinkommen zur Vereinfachung und Harmonisierung der Zollverfahren **(Kyoto-Übereinkommen)**[75]) enthält Normen und empfohlene Praktiken für fast alle Bereiche des Zollrechts, um damit eine weitgehende Vereinfachung und Angleichung der Zollgesetzgebung aller am Welthandel beteiligten

---

[67]) Art XIII GATT.

[68]) Ua Art VI, XII, XIX bis XXI GATT.

[69]) ABl L 1980/71, 58.

[70]) ABl L 1994/336, 103 und 156.

[71]) ABl L 1994/336, 119.

[72]) ABl L 1994/336, 151.

[73]) ABl L 1994/336, 86.

[74]) ABl L 1987/198, 3.

[75]) Siehe ua ABl L 1975/100, 1, L 1977/166, 1, 1978/160, 13, L 1980/100, 28, L 1985/87, 8, L 1987/362, 1, 8 und 22, L 1994/76, 28.

Staaten und Zollunionen zu erreichen. Das Übereinkommen über die vorübergehende Verwendung **(Istanbul-Übereinkommen)**[76]) legt fest, unter welchen Bedingungen Waren vorübergehend ohne die Zahlung von Eingangsabgaben in das Gebiet der betreffenden Vertragspartei verbracht werden dürfen.

Eine weitere im Bereich des Zoll- und Außenhandelsrechts tätige Organisation ist die **Wirtschaftskommission für Europa** (Economic Commission for Europe – ECE). Die Europäische Gemeinschaft ist Vertragspartei des **TIR-Übereinkommens**,[77]) das ein erleichtertes Verfahren für die Beförderung unverzollter Waren in Straßenfahrzeugen oder Behältern über eine oder mehrere Grenzen vorsieht. Das **Zollabkommen für Behälter,** zu dessen Vertragsparteien die Mitgliedstaaten gehören, wird von der Gemeinschaft angewendet[78]); in bezug auf das **Container-Poolübereinkommen** ist die Gemeinschaft Vertragspartei.[79]) Die Gemeinschaft hat sich darüber hinaus am internationalen Übereinkommen zur Harmonisierung der Warenkontrollen an den Grenzen[80]) beteiligt. Im Rahmen der ECE sind auch die Regeln für den **elektronischen Datenaustausch** zwischen Handel, Transport und Verwaltung (Electronic Data Interchange for Administration, Commerce and Transport – EDIFACT) entwickelt worden, die nunmehr als ISO-Norm weltweite Geltung beanspruchen und die beim elektronischen Datenaustausch zwischen der Kommission und den Mitgliedstaaten (zB bei der elektronischen Übermittlung von TARIC-Daten) berücksichtigt werden.

Daneben ist die Gemeinschaft noch an einer **Vielzahl** weiterer Übereinkommen[81]) beteiligt, die hier jedoch nicht im einzelnen aufgeführt werden können.

Die sich aus solchen Übereinkommen ergebenden **internationalen Verpflichtungen** der Gemeinschaft sind gegenüber etwaigem entgegenstehenden autonomen Recht grundsätzlich **vorrangig** (vgl Art 228 Abs 7 und Art 238 EGV sowie Art 2 Zollkodex). Solche Verpflichtungen können allerdings nur dann vor Gericht geltend gemacht werden, wenn die Gemeinschaft mit dem Erlaß einer bestimmten Regelung eine internationale Verpflichtung erfüllen will (wie zB bei der AntidumpingV) oder wenn eine Gemeinschaftshandlung ausdrücklich auf spezielle Bestimmungen eines internationalen Übereinkommens verweist.[82]) Dagegen ist eine Berufung auf das Völkerrecht generell zulässig bei Verfahren nach der V (EG) 3286/94,[83]) die vorsieht, daß ein **Wirtschaftszweig** der Gemeinschaft, der sich durch eine unerlaubte Handelspraktik für geschädigt hält, einen Antrag auf Einleitung eines Verfahrens gem die-

---

[76]) ABl L 1993/130, 4.

[77]) ABl L 1978/252, 1.

[78]) Vgl ABl L 1989/321, 5.

[79]) ABl L 1995/91, 45.

[80]) ABl L 1984/126, 1.

[81]) Vgl Fundstellennachweis des geltenden Gemeinschaftsrechts, insb Sachgebiete 02.70, 03.80, 04.20, 11.30 und 11.40.

[82]) Vgl einerseits EuGH verb Rs 21 bis 24/72 – International Fruit – Slg 1972, 1219, sowie EuGH Rs C-280/93 – Bananen – Slg 1994, I-4973 und andererseits EuGH Rs 69/89 – Nakajima – Slg 1991, I-2069.

[83]) ABl L 1994/349, 71.

ser Verordnung stellen kann. Um zu begründen, warum er eine **Handelspraktik** für **unerlaubt** hält, kann er sich auf die Bestimmungen des GATT sowie sonstige völkerrechtliche Regeln berufen.[84]) Dabei ist indessen zu bedenken, daß mit einem solchen Antrag die Völkerrechtswidrigkeit der Praxis eines Drittlandes – und nicht etwa der Rechtswidrigkeit einer Gemeinschaftsregelung – geltend gemacht wird.

b) Bilaterale Abkommen

Die Gemeinschaft hat mit einer Vielzahl von Ländern auf Art 113 oder 238 EGV gestützte **Präferenzabkommen** geschlossen, die einen Abbau der Zölle und Abgaben zollgleicher Wirkung sowie eine Beseitigung der mengenmäßigen Beschränkungen und Maßnahmen gleicher Wirkung vorsehen. Die Gewährung der Präferenz ist an die Vorlage eines besonderen **Ursprungsnachweises** gebunden,[85]) um zu vermeiden, daß auch Waren aus nicht beteiligten Ländern begünstigt werden; bei Abkommen über die Gründung einer Zollunion (zB mit der Türkei) genügt dagegen der Nachweis, daß die Waren sich im zollrechtlich freien Verkehr befunden haben. Es lassen sich folgende Gruppen von Drittländern unterscheiden, mit denen solche Abkommen vereinbart worden sind:

- die **EFTA-Länder** (Island, Liechtenstein, Norwegen, Schweiz),
- die **Mittelmeerländer** (Ägypten, Algerien, Israel, Jordanien, Libanon, Malta, Marokko, Slowenien, Syrien, Tunesien, Türkei, Zypern),
- die **mittel-** und **osteuropäischen Länder** (Bulgarien, Estland, Lettland, Litauen, Polen, Rumänien, Slowakei, Tschechien, Ungarn),
- **Andorra** und **San Marino** sowie
- die **AKP-Staaten** (Äquatorialguinea, Äthiopien, Angola, Antigua und Barbuda, Bahamas, Barbados, Belize, Benin, Botswana, Burkina Faso, Burundi, Dominica, Dominikanische Republik, Dschibuti, Elfenbeinküste, Fidschi, Gabun, Gambia, Ghana, Grenada, Guinea, Guinea-Bissau, Guyana, Haiti, Jamaika, Kamerun, Kap Verde, Kenia, Kiribati, Komoren, Kongo [Volksrepublik], Lesotho, Liberia, Madagaskar, Malawi, Mali, Mauretanien, Mauritius, Mosambik, Namibia, Niger, Nigeria, Papua-Neuguinea, Ruanda, Salomonen, Sambia, São Tomé und Principe, Senegal, Seychellen, Sierra Leone, Simbabwe, Somalia, St. Christoph und Nevis, St. Lucia, St. Vincent und die Grenadinen, Sudan, Surinam, Swasiland, Tansania, Togo, Tonga, Trinidad und Tobago, Tschad, Tuvalu, Uganda, Vanuatu, Westsamoa, Zaire, Zentralafrikanische Republik).

Die Abkommen mit den EFTA-Ländern, den mittel- und osteuropäischen Ländern, Andorra, San Marino sowie mit Israel, Malta, der Türkei und Zypern sehen auch Präferenzen zugunsten der Gemeinschaft vor, die gegenüber den übrigen Ländern angesichts deren Entwicklungsstandes auf die Einräumung von Gegenpräferenzen verzichtet hat.

Der EuGH läßt bei solchen Präferenzabkommen eine **unmittelbare Anwendung** einzelner Bestimmungen zu, soweit diese unbedingt und hinrei-

---

[84]) Vgl EuGH Rs 70/87 – Fediol – Slg 1989, 1781.
[85]) Zu den Ursprungsregeln s unten D.2.f.

chend klar gefaßt sind.[86]) Allerdings kommt den in diesen Abkommen enthaltenen Verboten (wie zB das Verbot, Abgaben mit zollgleicher Wirkung zu erheben) nicht notwendigerweise dieselbe Tragweite zu wie den Bestimmungen für den innergemeinschaftlichen Handel; denn die Zielsetzung des EG-Vertrages, einen Binnenmarkt zu erreichen, ist nicht vergleichbar mit der weniger weitgehenden Zielsetzung eines Freihandelsabkommens.[87])

Keine unmittelbare Geltung haben dagegen die vielen nicht-präferentiellen Kooperationsabkommen, in denen die Gemeinschaft sich lediglich allgemein zur Förderung des gegenseitigen Handelsaustauschs und zur Anwendung der Meistbegünstigung verpflichtet.[88])

2. Autonomes Zoll- und Außenhandelsrecht

a) Gemeinsamer Zolltarif, TARIC, verbindliche Zolltarifauskunft

Die wichtigsten Funktionen des Gemeinsamen Zolltarifs (GZT) liegen darin,

- eingeführte Waren zu verteuern und damit Produktion und Absatz der in der Gemeinschaft erzeugten Waren zu fördern **(Schutzzölle)**,
- Einnahmen für den Gemeinschaftshaushalt zu erzielen **(Finanzzölle)**,
- bestimmten Ländern eine Zollpräferenz zu gewähren **(Präferenzzölle)**,
- Dumping oder Ausfuhrsubventionen abzuwehren **(Antidumping- bzw Ausgleichszölle)** oder
- Gegenmaßnahmen gegen unlautere Handelspraktiken von Drittländern oder eine Diskriminierung der Gemeinschaftserzeuger zu treffen **(Kampf- bzw Retorsionszölle)**.

Die Zölle des GZT werden für einzelne Waren in unterschiedlicher Höhe festgesetzt. Der GZT besteht deshalb aus zwei Elementen, nämlich

- einerseits der Nomenklatur, einem auf dem Harmonisierten System[89]) beruhenden **Warenverzeichnis** mit weiteren hierzu gehörenden Bestimmungen (zB über die Verzollung von zusammengesetzten Waren und Behältnissen) und
- andererseits den **Zollsätzen,** die für jede Ware oder Warengruppe die Bemessungsfaktoren für die Berechnung des Zolls angeben (zB ein Prozentsatz des Wertes der Ware oder ein Betrag, der pro Kilogramm erhoben wird).

Der GZT legt also fest, wie hoch der Zoll ist, wenn zu verzollen ist; ob und wann Zoll zu zahlen ist, richtet sich indessen nach dem Zollschuld- und Zollverfahrensrecht. Daneben besteht jedoch eine Fülle weiterer Bestimmungen, die einzelne Aspekte der Verzollung regeln (zB Zollbefreiungen, Ursprung, Zollwert, Erstattung zu Unrecht erhobener Zölle).

Die für den GZT grundlegende Regelung ist in der V (EWG) 2658/87[90]) enthalten. Danach besteht der GZT aus

---

[86]) Vgl EuGH Rs 104/81 – Kupferberg – Slg 1982, 3641.
[87]) Vgl EuGH Rs 270/80 – Polydor – Slg 1982, 329.
[88]) Siehe zB das Abkommen mit der Mongolei, ABl L 1993/41, 45.
[89]) Siehe oben D.1.a.
[90]) ABl L 1987/256, 1.

- der in dieser Verordnung festgelegten **Kombinierten Nomenklatur** und den dazu gehörigen Zollsätzen,
- den im integrierten Zolltarif **(TARIC)** enthaltenen zolltariflichen Maßnahmen sowie
- den in sonstigen Gemeinschaftsregelungen enthaltenen zolltariflichen Maßnahmen.

Der GZT umfaßt somit folgende Abgabenregelungen:

- die in der V (EWG) 2658/87 enthaltenen autonomen und vertragsmäßigen Regelzölle, die bei der Überführung von Waren in den zollrechtlich freien Verkehr oder der Erfüllung eines sonstigen Zollschuldentstehungstatbestands (s unten D.2.h.) zu erheben sind,
- die im Rahmen gemeinsamer Marktorganisationen geregelten **Einfuhr- und Ausfuhrabgaben** (zB Zusatzzölle, Ausgleichsabgaben),
- die allgemein für die Einfuhr von Waren aus Drittländern festgelegten **Zollkontingente** und **Zollaussetzungen**,
- die einzelnen Drittländern auf autonomer oder vertraglicher Grundlage gewährten **Zollpräferenzen** (einschließlich solcher, die durch ein Zollkontingent oder einen Plafond begrenzt sind) sowie
- die gegenüber bestimmten Ländern festgelegten **Antidumping-, Ausgleichs-** oder **Retorsionszölle.**[91])

Der integrierte Zolltarif der Gemeinschaft (TARIC) faßt alle diese Abgabenregelungen in einer Datenbank zusammen. Allerdings geht der TARIC über den Geltungsbereich des GZT insofern hinaus, als er auch die bei der Einfuhr und Ausfuhr anwendbaren **Gemeinschaftsregelungen nicht-tarifärer Art** angibt (wie zB mengenmäßige Beschränkungen). Der TARIC bildet die Grundlage für die von den Mitgliedstaaten erstellten Gebrauchs-Zolltarife und Tarifdateien für die automatisierten Verfahren. Die Mitgliedstaaten fügen darüber hinaus ihre nationalen Anforderungen ein (zB Ausfuhrbeschränkungen für Rüstungsgüter, Mehrwertsteuer- und Verbrauchsteuersätze).

Angesichts der Komplexität des gemeinschaftlichen Außenhandelsrechts besteht bei den Importeuren und Exporteuren ein Bedarf an verbindlichen Auskünften seitens der Verwaltung. Der Zollkodex[92]) sieht in Art 12 ein Verfahren für die Erteilung **verbindlicher Zolltarifauskünfte** vor. Solche Auskünfte binden die Zollbehörden aller Mitgliedstaaten allerdings nur hinsichtlich der Einreihung in die betreffende Unterposition der Nomenklatur, also nicht in bezug auf die daran anknüpfenden Zollsätze, Ausfuhrerstattungen oder Lizenzerfordernisse (die sich nach Erteilung der Auskunft ja ändern können). Im Falle von Änderungen der Nomenklatur endet die Bindungswirkung. Ändert sich dagegen die Auslegung der Nomenklatur, so kann unter bestimmten Voraussetzungen bis zu sechs Monate nach dem Ungültigwerden der Auskunft **Vertrauensschutz** gewährt werden, dh die Waren werden weiterhin entsprechend der Auskunft eingereiht, und es werden die an diese Unterposition anknüpfenden Maßnahmen angewendet.

---

[91]) Vgl insb V (EG) 3282/94, ABl L 1994/349, 1.
[92]) V (EWG) 2913/92, ABl L 1992/302, 1.

b) Zollbefreiungen

Die Funktion der Zollbefreiungen besteht im allgemeinen darin, von der Zollerhebung aus anderen als wirtschaftlichen Gründen abzusehen. Motiv hierfür sind zB **humanitäre** oder **kulturelle Gründe,** die Aufrechterhaltung guter zwischenstaatlicher Beziehungen, die Erleichterung des Grenzverkehrs, die Förderung der **Wissenschaft** oder die Verwaltungsvereinfachung. Als Folge dieser übergreifenden Zielsetzung sind Zollbefreiungen in der Regel auf alle Waren anwendbar, für welche die festgelegten Voraussetzungen (zB Übersiedlungsgut) zutreffen. Der GZT legt die Zölle bzw die tarifliche Zollfreiheit dagegen grundsätzlich nur hinsichtlich bestimmter – konkret bezeichneter – Waren oder Warengruppen fest.

Das gemeinschaftliche System der Zollbefreiungen ist in der V (EWG) 918/83[93]) geregelt. Soweit Waren in das Zollgebiet der Gemeinschaft zurückkehren, sind die Voraussetzungen für eine Zollbefreiung in den Art 185–187 des Zollkodex[94]) festgelegt. Schließlich enthalten auch die Einführenden Vorschriften zur V (EWG) 2658/87[95]) eine als **Zollaussetzung** bezeichnete Befreiung für Waren, die in Seeschiffe sowie Bohr- und Förderplattformen eingebaut werden. Hier liegt der Grund für die Zollbefreiung darin, daß solche Schiffe und Plattformen sich in der Regel ohnehin außerhalb des Zollgebiets der Gemeinschaft aufhalten und eine Zollerhebung somit wirtschaftlich nicht gerechtfertigt wäre.

c) Zollverfahren mit wirtschaftlicher Bedeutung, Freizonen und Freilager

Die Funktion der Zollverfahren mit wirtschaftlicher Bedeutung liegt darin, für Waren, die in das Zollgebiet der Gemeinschaft verbracht werden, aus wirtschaftlichen Gründen zunächst von einer Zollerhebung abzusehen. Einige dieser Verfahren haben zum Ziel, die Ausfuhren der Gemeinschaft zu fördern. Die Gemeinschaftsregelung über die **vorübergehende Verwendung** enthält allerdings insofern eine Besonderheit, als sie für bestimmte Fälle eine **Teilverzollung** vorsieht, dh daß für jeden Monat, in dem die Waren in der Gemeinschaft verwendet werden, 3% der Abgaben anzuwenden sind, die erhoben worden wären, wenn die Waren bei der Einfuhr in den freien Verkehr übergeführt worden wären. Bei der **passiven Veredelung** wird eine **Differenzverzollung** durchgeführt, dh der Zoll für die wieder eingeführten veredelten Waren wird um denjenigen Betrag vermindert, der auf die zuvor ausgeführten unveredelten Erzeugnisse im Falle einer Einfuhr zu erheben gewesen wäre. Im übrigen aber entsteht eine **Zollschuld** nur dann, wenn die Waren

- aus einem solchen Verfahren in den zollrechtlich freien Verkehr übergeführt werden,
- der im Rahmen eines solchen Verfahrens bestehenden zollamtlichen Überwachung entzogen werden,
- ihrer besonderen Zweckbestimmung nicht zugeführt werden oder

---

93) ABl L 1983/105, 1.
94) FN 80.
95) ABl L 1987/256, 1.

- unter anderen als den vorgesehenen Bedingungen verbraucht oder verwendet werden.

Im einzelnen gehören folgende Regelungen zu den Zollverfahren mit wirtschaftlicher Bedeutung:

- Das **Umwandlungsverfahren** ermöglicht es, Waren vor ihrer Überführung in den freien Verkehr so zu verändern, daß sie einer niedrigeren Abgabenbelastung unterliegen.[96]) Voraussetzung für die Bewilligung dieses Verfahrens ist ua, daß die betreffende Umwandlung in einer Liste der Durchführungsbestimmungen aufgeführt ist, eine Rückumwandlung ausgeschlossen werden kann und Arbeitsplätze geschaffen oder beibehalten werden, ohne daß wesentliche Interessen der Hersteller gleichartiger Waren in der Gemeinschaft beeinträchtigt werden.
- Der **aktive Veredelungsverkehr** stellt eingeführte Waren von den Zöllen des GZT frei, wenn diese Waren nach einer Weiterverarbeitung wieder ausgeführt werden.[97]) Die Bewilligung dieses Verfahrens setzt ua voraus, daß die Ausfuhr der veredelten Erzeugnisse erleichtert wird, ohne daß dadurch wesentliche Interessen der Gemeinschaftshersteller beeinträchtigt werden. In bestimmten Fällen dürfen die Veredelungserzeugnisse aus anderen als den zollfrei eingeführten Waren (sog Ersatzwaren) hergestellt werden.
- Im **passiven Veredelungsverkehr** können Waren vorübergehend ausgeführt werden, um nach einer Be- oder Verarbeitung oder Ausbesserung unter Anwendung einer Differenzverzollung (s oben) wieder eingeführt zu werden; im Falle einer kostenlosen Ausbesserung aufgrund einer Gewährleistungspflicht oder wegen eines Fabrikationsfehlers werden bei der Wiedereinfuhr keine Einfuhrabgaben erhoben. Im Verfahren des Standardaustauschs können auch andere Waren an die Stelle der ausgeführten Gemeinschaftswaren treten.[98]) Eine Bewilligung des Verfahrens wird nur erteilt, wenn eine Beeinträchtigung wesentlicher Interessen der Verarbeiter in der Gemeinschaft ausgeschlossen werden kann.
- Die **vorübergehende Verwendung** ist ein Verfahren, das es ermöglicht, Waren (zB Baumaschinen, Behälter und Beförderungsmittel) unter vollständiger oder teilweiser Befreiung von Eingangsabgaben im Zollgebiet der Gemeinschaft vorübergehend zu verwenden und sie dann in unverändertem Zustand wieder auszuführen.[99]) Die eingangsabgabenfreie vorübergehende Verwendung wird insb für Beförderungsmittel, Berufsausrüstung, auf Messen, Kongressen etc ausgestellte Waren, pädagogisches Material und wissenschaftliches Gerät, für Krankenhäuser oder Katastropheneinsätze bestimmtes Material, für Umschließungen, Muster, Formen, Meß- und Prüfgeräte sowie persönliche Gebrauchsgegenstände von Reisenden gewährt.[100]) Für die übrigen Waren ist eine vorübergehende Verwendung

---

[96]) Art 130–136 Zollkodex (FN 80).

[97]) Art 114–129 Zollkodex (FN 80).

[98]) Art 145–160 Zollkodex (FN 92).

[99]) Art 137–144 Zollkodex (FN 92).

[100]) Vgl Art 671–689 der Durchführungsvorschriften zum Zollkodex, V (EWG) 2454/93, ABl L 1993/2531.

unter Anwendung einer Teilverzollung zulässig, es sei denn, die betreffenden Waren sind in einer besonderen Ausschlußliste enthalten.[101])

- Ziel der Regelung über **Zollager** sowie **Freizonen** und **Freilager** ist es, unverzollte Drittlandswaren im Gebiet der Gemeinschaft so lange zu lagern, bis sie tatsächlich am Wettbewerb mit Gemeinschaftswaren teilnehmen. Im Falle der Ausfuhr von Gemeinschaftswaren dient das Verfahren dazu, die an die Ausfuhr anknüpfenden Maßnahmen (zB Ausfuhrerstattung) anzuwenden; die Waren müssen zu diesem Zweck in besondere Lagerstätten verbracht werden.[102])

Im weiteren Sinne kann man auch die Regelung über die **besondere Verwendung** zu diesem Rechtsbereich zählen.[103]) Hier werden die Voraussetzungen festgelegt, unter denen Waren zu einer **Abgabenbegünstigung** aufgrund ihrer besonderen Eigenschaften (zB sog „flue-cured" Virginia Tabak) oder ihrer besonderen Verwendung zugelassen werden (zB Verarbeitung von Fisch zu Konserven).

d) Versand, Ausfuhr, Wiederausfuhr

Das Versandverfahren dient dazu, Nichtgemeinschaftswaren ohne Zahlung von Einfuhrabgaben sowie Gemeinschaftswaren, für welche die Ausfuhrzollförmlichkeiten erfüllt worden sind, zwischen zwei Orten in der Gemeinschaft zu befördern **(externes Versandverfahren)**[104]). Dieses Verfahren kann auch dazu verwendet werden, Gemeinschaftswaren ohne Änderung ihres zollrechtlichen Status zwischen zwei Orten in der Gemeinschaft über das Gebiet eines Drittlandes – zB von Deutschland über die Schweiz nach Italien – zu befördern **(internes Versandverfahren)**[105]). Befinden sich die Waren in einem internationalen Versandverfahren (zB gem dem TIR- oder dem ATA-Übereinkommen), so kann dieses Verfahren auf dem Zollgebiet der Gemeinschaft fortgeführt werden. Die wichtigsten Funktionen des Versandverfahrens bestehen darin,

- Staus und Verzögerungen an den Grenzübergängen zu vermeiden, indem die Abfertigung auf eine Binnenzollstelle verlagert wird, und
- die Verzollung effektiver zu organisieren, indem diejenige Zollstelle mit der Abfertigung befaßt wird, die sich am Sitz des versendenden bzw empfangenden Unternehmens befindet und die neben der Ware auch die Buchhaltung prüfen kann.

Dies wird in der Weise erreicht, daß der Hauptverpflichtete die Waren mit einer **Versandanmeldung** (T 1 für das externe gemeinschaftliche Versandverfahren, T2 für das interne gemeinschaftliche Versandverfahren) bei der **Abgangszollstelle** anmeldet. Das Erststück des Versandscheins verbleibt bei der Abgangszollstelle, die übrigen Exemplare begleiten die Ware. Bei Abschluß der Beförderung werden die Waren der **Bestimmungszollstelle** ge-

---

[101]) Vgl Anhang 95 der Durchführungsvorschriften (FN 100).
[102]) Art 98–113 und Art 166–181 Zollkodex (FN 92).
[103]) Art 21, 82 Zollkodex (FN 92).
[104]) Art 91–97 Zollkodex (FN 92).
[105]) Art 163–165 Zollkodex (FN 92).

stellt, damit diese die erforderlichen Prüfungen durchführen (ua Einhaltung der Gestellungsfrist, Unversehrtheit des Verschlusses) und die Abgangszollstelle mittels eines Rückscheins über das Ergebnis unterrichten kann. Bei ordnungsgemäßem Abschluß des Versandverfahrens gibt die Abgangszollstelle die geleistete Sicherheit frei.

Sollen Gemeinschaftswaren aus dem Zollgebiet der Gemeinschaft verbracht werden, so geschieht dies im **Ausfuhrverfahren**[106]). Dieses Verfahren soll sicherstellen, daß die ausfuhrbezogenen Maßnahmen (zB Ausfuhrverbote, Ausfuhrerstattungen) korrekt angewendet werden; es ist zweistufig aufgebaut:

- Zunächst ist eine Ausfuhranmeldung abzugeben bei der Zollstelle am Sitz des Ausführers bzw der Zollstelle an demjenigen Ort, in dem die Waren zur Ausfuhr verpackt oder verladen werden.
- Im Anschluß daran hat der Ausführer die Waren in unverändertem Zustand bei der Ausgangszollstelle zu gestellen und dabei eine Kopie der Anmeldung vorzulegen.

Neben der endgültigen Ausfuhr ist auch eine vorübergehende Ausfuhr mit Carnet ATA – also der umgekehrte Fall der vorübergehenden Verwendung – möglich.[107])

Werden Nichtgemeinschaftswaren ausgeführt, so spricht man von einer **Wiederausfuhr**.[108]) Ziel dieses Verfahrens ist es, die Zahlung der Einfuhrabgaben zu vermeiden. Dies kann ferner durch eine Vernichtung oder Zerstörung sowie eine Aufgabe zugunsten der Staatskasse erreicht werden.

e) Überführung in den zollrechtlich freien Verkehr

Art 10 Abs 1 EGV legt fest, daß Waren aus Drittländern sich dann im freien Verkehr der Gemeinschaft befinden, wenn die Einfuhrförmlichkeiten erfüllt sowie die vorgeschriebenen Zölle und Abgaben gleicher Wirkung erhoben und nicht ganz oder teilweise rückvergütet worden sind. Die Erfüllung der Einfuhrförmlichkeiten erfolgt im Wege der Überführung in den zollrechtlich freien Verkehr, bei der nicht nur die zollrechtlichen, sondern auch die übrigen handelspolitischen Anforderungen (zB Vorlage einer Einfuhrgenehmigung, Abgabe einer außenhandelsstatistischen Anmeldung) erfüllt werden müssen. Ferner ist zu diesem Zeitpunkt die Mehrwertsteuer zu beheben; soweit auch Verbrauchssteuern anwendbar sind (zB Mineralölsteuer) kann deren Erhebung ausgesetzt werden. Mit der Überführung in den zollrechtlich freien Verkehr erhält die Ware den Status einer Gemeinschaftsware, dh sie ist den in der Gemeinschaft hergestellten Erzeugnissen gleichgestellt[109]). Genießt die Ware nur dann Abgabenfreiheit, wenn sie zu einem besonderen Zweck verwendet wird (zB Einbau eines Tachometers in ein ziviles Luftfahrzeug, Verwendung eines wissenschaftlichen Geräts in einer gemeinnützigen Einrichtung), so bleibt sie unter zollamtlicher Überwachung, um sicherzustel-

[106]) Art 161–162 Zollkodex (FN 92).
[107]) Art 797, 798 der Durchführungsbestimmungen (FN 100).
[108]) Art 182 Zollkodex (FN 92).
[109]) Vgl Art 79 Zollkodex (FN 92).

len, daß sie nicht einem anderen als dem begünstigten Verwendungszweck zugeführt wird[110]).

f) Ursprung

Viele zolltarifliche und sonstige handelspolitische Regelungen der Gemeinschaft behandeln Waren aus verschiedenen Drittländern unterschiedlich (zB Präferenz- und Antidumpingzölle, mengenmäßige Einfuhrbeschränkungen). Kriterium für die unterschiedliche Behandlung der Waren ist in der Regel ihr **Ursprung**. Die gemeinschaftlichen Bestimmungen über den Warenursprung sind enthalten

- einerseits im Zollkodex und seinen Durchführungsvorschriften[111]), soweit es um die allgemeinen sowie die autonomen präferentiellen Ursprungsregeln geht, und
- andererseits in Sonderregelungen, die für die vertraglichen **Präferenzregelungen** der Gemeinschaft geschaffen worden sind.[112])

Der Zollkodex bestimmt als Ursprungsland jenes Land, in dem die Waren entweder vollständig gewonnen bzw hergestellt worden sind oder in dem die letzte wesentliche und wirtschaftlich gerechtfertigte **Be- oder Verarbeitung** stattgefunden hat, die in einem dazu eingerichteten Unternehmen vorgenommen worden ist und zur Herstellung eines **neuen Erzeugnisses** geführt hat oder die eine bedeutende Herstellungsstufe darstellt. Das neue Erzeugnis muß besondere Eigenschaften besitzen, die es vor der Be- oder Verarbeitung nicht gehabt hat, es muß qualitativ erheblich verändert sein und darf nicht nur eine andere Aufmachung im Hinblick auf seine Verwendung haben.[113]) Der Ursprungsbegriff setzt jedoch nicht voraus, daß jeder Bestandteil des be- oder verarbeiteten Erzeugnisses seinen Ursprung in dem betreffenden Land haben muß, sofern die Fremdanteile ohne merklichen Einfluß auf den Endpreis sind.[114]) Ein **Montagevorgang** kann als ursprungsbegründend angesehen werden, wenn er aus technischer Sicht und im Hinblick auf die Definition der betreffenden Waren die entscheidende Herstellungsstufe bildet; hilfsweise kann auch die durch die Montage erzielte **Wertschöpfung** herangezogen werden.[115]) Wird ein bestimmter Verarbeitungsvorgang verlagert, um damit eine handelspolitische Maßnahme (zB einen Antidumpingzoll) zu umgehen, so kann dies nicht zur Begründung des Ursprungs führen.[116])

Die im Rahmen der Präferenzregelungen geschaffenen Ursprungsregeln gehen dagegen vom Grundsatz des **„Tarifsprungs“** aus, dh der Ursprung wird grundsätzlich durch solche Be- oder Verarbeitungen begründet, die zu einem Wechsel der Position innerhalb der Nomenklatur des Zolltarifs führen. Diese Grundregel trägt zum einen dem Gesichtspunkt der

---

[110]) Art 82 Zollkodex (FN 92).
[111]) Art 22–27 Zollkodex FN 92).
[112]) Siehe zB Protokoll Nr 4 zum Abkommen mit Polen, ABl L 1993/348, 91.
[113]) EuGH Rs 49/76 – Überseehandel – Slg 1977, 41.
[114]) EuGH Rs 34/78 – Yoshida – Slg 1979, 115.
[115]) EuGH Rs C-26/88 – Brother – Slg 1990, 4253.
[116]) Art 25 Zollkodex, s auch EuGH Rs C-26/88 aaO.

Rechtssicherheit und zum anderen der Schwierigkeit Rechnung, zahlreiche und verschiedenartige wirtschaftliche Sachverhalte in den Griff zu bekommen. Da aber die Positionen des Gemeinsamen Zolltarifs für eigene Zwecke und nicht für die Bestimmung des Warenursprungs geschaffen wurden, bedarf diese Grundregel in bestimmten Fällen einer Korrektur.[117]) Zu diesem Zweck werden in den **Ursprungsregeln** Fallgestaltungen festgelegt, bei denen zusätzlich zu einem Tarifsprung weitere Voraussetzungen erfüllt sein müssen oder bei denen auch ohne einen Wechsel der zolltariflichen Position der Ursprung begründet werden kann. Diese besonderen Ursprungsregeln können anders und enger gefaßt werden als im Rahmen der allgemeinen Regelung des Zollkodex.[118])

Für die Gewährung von Zollpräferenzen ist außerdem der Nachweis der unmittelbaren Beförderung sowie die Vorlage eines **Ursprungszeugnisses** erforderlich, das den Voraussetzungen der betreffenden Präferenzregelung entsprechen muß. Ausnahmsweise kann ein Ursprungszeugnis auch noch nach der tatsächlichen Ausfuhr ausgestellt werden.[119]) Bei Abkommen über die Gründung einer Zollunion ist der Nachweis erforderlich, daß die Waren sich im zollrechtlich freien Verkehr der anderen Vertragspartei befunden haben und die gegebenenfalls vorgeschriebenen Ausgleichsmaßnahmen angewandt worden sind.

g) Zollwert

Die Zölle des GZT werden überwiegend als **Prozentsatz** vom Zollwert der Ware bemessen. Die Grundsätze für die Ermittlung des Zollwerts ergeben sich aus dem Zollkodex und seinen Durchführungsvorschriften,[120]) die ihrerseits auf dem im Rahmen der WTO vereinbarten **Zollwert-Kodex**[121]) beruhen. Danach richtet sich der Zollwert grundsätzlich nach dem **Transaktionswert**, dh dem bei einem Verkauf zur Ausfuhr in die Gemeinschaft tatsächlich bezahlten oder zu zahlenden Preis, dem allerdings bestimmte Kosten (insb Beförderung, Provision, Verpackung, Lizenzgebühren) hinzuzurechnen sind. Tritt ein Einkaufskommissionär im eigenen Namen, aber für Rechnung des Einführers auf, so ist die zwischen dem Hersteller/Lieferanten und dem Einführer erfolgte Transaktion maßgebend für den Zollwert; der an den Kommissionär zu zahlende Betrag ist als Einkaufsprovision nicht in den Zollwert einzubeziehen.[122]) Kann der Zollwert nicht anhand des Transaktionswertes ermittelt werden (zB weil kein Kaufvertrag vorliegt), so sind in einer bestimmten Reihenfolge andere Methoden der Wertfeststellung anzuwenden. Hat der Einführer einen zu hohen Rechnungspreis angemeldet (etwa um Kapital ins Ausland zu transferieren oder um eine Handelsbeschränkung zu umgehen), so kann er nicht nachträglich eine Erstattung des zuviel gezahlten

---

117) EuGH Rs 162/82 – Cousin – Slg 1983, 1101.

118) EuGH Rs 385/85 – S R Industries – Slg 1986, 2929.

119) Vgl Art 81 der Durchführungsvorschriften zum Zollkodex, s auch EuGH Rs C-368/92 – Chiffre – Slg 1994, I-605.

120) Art 28–36 Zollkodex (FN 80)

121) Siehe oben D.1.a.

122) EuGH Rs C-299/90 – Hepp – Slg 1991, I 4319.

Zolls verlangen, da er bewußt falsche Angaben gemacht hat.[123]) Die nationalen Behörden sind jedoch nicht verpflichtet, den unzutreffend angemeldeten Wert auch für andere Rechtsbereiche (zB Außenwirtschafts- und Steuerrecht) anzuerkennen.[124])

Der Transaktionswert kann jedoch herabgesetzt werden, wenn eine mangelfrei ausgeführte Ware vor ihrer Überführung in den freien Verkehr der Gemeinschaft beschädigt worden ist.[125]) Ebenso sind nach der Einfuhr in die Gemeinschaft entstandene **Beförderungskosten** grundsätzlich nicht Bestandteil des Zollwerts, sofern diese Kosten gesondert ausgewiesen werden.[126]) Andererseits sind die bei der Beförderung außerhalb der Gemeinschaft entstandenen Kosten auch dann zu berücksichtigen, wenn sie über die üblichen Kosten hinausgehen, wie zB Schiffsliegegebühren, die wegen einer verzögerten Beladung verlangt werden.[127])

h) Zollschuld

Bereits bei der Definition des Gemeinsamen Zolltarifs[128]) ist darauf hingewiesen worden, daß eine Erhebung der darin festgelegten **Zölle** die Erfüllung eines Zollschuldentstehungstatbestandes voraussetzt. Die wichtigsten **Entstehungstatbestände**[129]) sind:

- die Überführung in den zollrechtlich freien Verkehr oder in die vorübergehende Verwendung unter teilweiser Befreiung von den Einfuhrabgaben,
- die vorschriftswidrige Verbringung in das Zollgebiet der Gemeinschaft,
- die Entziehung aus der zollamtlichen Überwachung,
- die Nichterfüllung von Verpflichtungen, die für das Zollverfahren gelten, in das die Waren überführt worden sind,
- die Nichterfüllung der Zweckbestimmung, die Voraussetzung für die Gewährung einer Einfuhrabgabenbefreiung war,
- der Verbleib im Zollgebiet der Gemeinschaft von Abfällen und Resten von Waren, die mit Zustimmung der Zollstelle zerstört worden sind, und
- der Verbrauch oder die Verwendung von Waren in einer Freizone oder in einem Freilager unter anderen als den vorgesehenen Bedingungen.

Eine Zollschuld kann selbstverständlich nur dann entstehen, wenn weder der Gemeinsame Zolltarif noch eine Zollbefreiung zur Abgabenfreiheit führen.

i) Buchmäßige Erfassung, Erlaß und Erstattung

Ist eine Zollschuld entstanden, so müssen die Zollbehörden den Abgabenbetrag berechnen und in die Bücher eintragen (buchmäßige Erfassung)[130]). Ist ein zu hoher oder zu niedriger Betrag buchmäßig erfaßt worden

[123]) EuGH Rs 328/85 – Babcock – Slg 1987, 5119.
[124]) EuGH Rs 65/85 – Chatain – Slg 1980, 1345.
[125]) Vgl EuGH Rs 183/85 – Repenning – Slg 1986, 1873.
[126]) EuGH Rs 84/79 – Meyer Uetze – Slg 1980, 291.
[127]) EuGH Rs C-11/89 – Unifert – Slg 1990, I 2275.
[128]) Siehe oben C.1.
[129]) Art 201–208 Zollkodex (FN 92).
[130]) Art 217 Zollkodex (FN 92).

oder eine buchmäßige Erfassung unterblieben, so kann dies noch innerhalb von drei Jahren ab dem Zeitpunkt des Entstehens der Zollschuld korrigiert werden; bei strafbaren Handlungen gelten längere Fristen.[131])

Trotz des Bestehens einer Zollschuld kann unter Umständen eine Erstattung gewährt bzw von einer Nacherhebung abgesehen werden, wenn besondere Umstände dies rechtfertigen (im Falle des Erlasses oder der Erstattung) oder wenn ein besonderer Vertrauenstatbestand geschaffen worden ist (im Falle der Nacherhebung). Im Falle einer Erstattung zahlt die Zollverwaltung grundsätzlich **Zinsen** nur dann, wenn das Recht des betreffenden Mitgliedstaats dies vorsieht.[132])

j) Sonstiges Außenhandelsrecht

Neben den Zöllen sind die **mengenmäßigen Einfuhr- und Ausfuhrbeschränkungen** von besonderer Bedeutung für das Außenhandelsrecht. Sonderregelungen hierzu sind in Abkommen mit Drittländern, in den gemeinsamen **Marktorganisationen** für landwirtschaftliche Erzeugnisse sowie in den Einfuhrregelungen für bestimmte Textilwaren[133]) enthalten. Die autonome gemeinsame **Einfuhrregelung** ist in der V (EG) 3289/94[134]) festgelegt. Gegenüber einigen ehemaligen Staatshandelsländern gilt die V (EG) 519/94.[135]) Aufgrund dieser Vorschriften können gemeinschaftliche Überwachungs- und Schutzmaßnahmen festgelegt werden, wenn durch die Einfuhr bestimmter Waren den Gemeinschaftserzeugern ein ernsthafter Schaden entsteht oder zu entstehen droht.

Die gemeinsame **Ausfuhrregelung** ist in der V (EWG) 2603/69[136]) und in bezug auf sog **dual-use-Waren** in der V (EG) 3381/94[137]) festgelegt. Die auf Gemeinschaftsebene festgesetzten Kontingente werden nach dem Verfahren der V (EG) 520/94[138]) verwaltet; für Textilwaren und landwirtschaftliche Erzeugnisse gelten Sonderregelungen.[139])

Werden Gemeinschaftserzeuger durch **unlautere Handelspraktiken** von Drittländern geschädigt oder geht es um die Ausübung der Rechte der Gemeinschaft im Hinblick auf bestimmte Handelspraktiken von Drittländern, so kann ein Verfahren nach der V (EG) 3286/94[140]) eingeleitet werden, das gleichfalls zum Erlaß von Schutzmaßnahmen führen kann. Verletzt eine eingeführte oder ausgeführte Ware ein Marken-, Urheber- oder Geschmacksmusterrecht, so kann aufgrund der V (EG) 3295/94[141]) gegen eine solche Pro-

---

[131]) Art 220, 221 und 236–242 Zollkodex (FN 92).

[132]) Art 241 Zollkodex (FN 92).

[133]) Siehe insb V (EG) 3030/93, ABl L 1993/275, 1; und V (EG) 517/94, ABl L 1994/67, 1.

[134]) ABl L 1994/349, 53.

[135]) ABl L 1994/67, 89.

[136]) ABl L 1969/324, 25.

[137]) ABl L 1994/367, 1; die betroffenen Waren sind mit dem Beschluß 94/942/GASP, ABl L 1994/367/8, festgelegt worden.

[138]) ABl L 1994/66, 1.

[139]) V (EG) 3719/88, ABl L 1988/331, 1.

[140]) ABl L 1994/349, 71.

[141]) ABl L 1994/341, 8.

duktpiraterie vorgegangen werden. Die **Ausfuhr** von **Kulturgütern** kann im Rahmen der V (EG) 3911/92[142]) beschränkt werden.

Zum Außenhandelsrecht gehören ferner die **statistischen Anmeldepflichten** der Einführer und Ausführer, die insb darin bestehen, die Waren

- für die Einfuhr aus Drittländern entsprechend den TARIC-Codes und
- für die Ausfuhr in Drittländer gemäß den Codes der Kombinierten Nomenklatur anzumelden.[143])

Der Handel zwischen den Mitgliedstaaten ist für eine Zollunion kein Außenhandel; gleichwohl sind solche Warenbewegungen anhand der Codes der Kombinierten Nomenklatur für statistische Zwecke anzumelden.[144])

k) Sanktionen bei Verstößen

Das gemeinschaftliche Zoll- und Außenwirtschaftsrecht enthält in der Regel keine Vorschriften über die Ahndung von Verstößen gegen diese Regelungen. Aufgrund der Art 5 und 209a EGV sind die Mitgliedstaaten jedoch verpflichtet, alle geeigneten Maßnahmen zu treffen, um die Geltung und Wirksamkeit des Gemeinschaftsrechts zu gewährleisten. Die Mitgliedstaaten, denen die Wahl der Sanktionen verbleibt, müssen darauf achten, daß Verstöße gegen das Gemeinschaftsrecht nach ähnlichen sachlichen und verfahrensrechtlichen Regeln geahndet werden wie nach Art und Schwere gleichartige Verstöße gegen nationales Recht, wobei die Sanktion wirksam, verhältnismäßig und abschreckend sein muß.[145])

E. Die Bedeutung der Zollunion seit der Verwirklichung des Binnenmarktes

Seit der Verwirklichung des Binnenmarktes sind die Kontrollen an den Binnengrenzen der Gemeinschaft sowohl für Personen als auch für Waren entfallen (einige Mitgliedstaaten führen allerdings entgegen Art 7a EGV Personenkontrollen durch). Die Zollbehörden werden im innergemeinschaftlichen Handel nur noch in Ausnahmefällen tätig werden, insb

- beim Versand von Drittlandswaren über einen anderen Mitgliedstaat (externes gemeinschaftliches Versandverfahren),
- beim Versand über die Schweiz (gemeinsames Versandverfahren).
- beim Verkehr mit verbrauchsteuerpflichtigen Waren.[146])

Etwa erforderliche Kontrollen werden jedoch nicht an der Binnengrenze, sondern bei der **Abgangs- und Empfangszollstelle** bzw am Sitz des betreffenden Unternehmens (Betriebsprüfung) vorgenommen.

---

[142]) ABl L 1992/395, 1.

[143]) Vgl V (EG) 1172/95, ABl L 1995/118, 10.

[144]) Vgl V (EG) 3330/91, ABl L 1991/316, 1.

[145]) Vgl EuGH Rs 68/88 – Kommission/Griechenland – Slg 1989, 2965. Siehe ferner die Schlußfolgerungen des Rates über Betrugsbekämpfung v 11. 7. 1994, ABl C 1994/292, 1; sowie die Entschließung des Rates zur einheitlichen und wirksamen Anwendung des Gemeinschaftsrechts und zu Sanktionen bei Verstößen gegen das Gemeinschaftsrecht im Bereich des Binnenmarktes v 29. 6. 1995, ABl C 1995/188, 1.

[146]) Vgl V (EWG) 2719/92, ABl L 1992/276, 1 und V (EWG) 3649/92, ABl L 1992/369, 17.

Hinsichtlich des Warenverkehrs mit Drittländern sind die Zoll- und Außenhandelsregelungen weitgehend vereinheitlicht worden. Die Zusammenarbeit zwischen den Staaten Europas hat sich vertieft. Gleichzeitig wird es immer wichtiger, dafür zu sorgen, daß das an den Außengrenzen der Gemeinschaft geltende Gemeinschaftsrecht einheitlich angewendet wird, um Wettbewerbsverzerrungen und Verkehrsverlagerungen zu vermeiden. Die Anwendung des Gemeinschaftsrechts ist grundsätzlich eine Aufgabe der Mitgliedstaaten, die beim Zoll- und Außenhandelsrecht in erster Linie von deren Zollverwaltungen erfüllt wird. Zu diesen Aufgaben gehören insb[147])

- die Erhebung der EG-Zölle auf Waren aus Drittländern,
- die Erhebung der Verbrauchsteuern und der Mehrwertsteuer bei der Einfuhr,
- die Durchführung gemeinschaftlicher Lizenz- und Kontingentsregelungen,
- die Durchsetzung der gemeinschaftlichen Tier- und Pflanzengesundheitsvorschriften,
- die Erstellung von Statistiken über den internationalen Handel,
- die Anwendung von Ausfuhrbeschränkungen und
- die Durchsetzung zahlreicher Einfuhrverbote und -beschränkungen zum Schutz der EG-Bevölkerung (zB Drogen).

Die beiden wichtigsten Instrumente zur Gewährleistung einer einheitlichen und effektiven Erfüllung dieser Aufgaben sind:

- einerseits der integrierte Tarif der Gemeinschaft **(TARIC)**[148]), der die auf spezifische Waren bezogenen Zoll- und Außenhandelsregelungen der Gemeinschaft zentral für die Zollverwaltungen der Mitgliedstaaten so aufbereitet und übermittelt, daß sie sowohl für die manuelle als auch für die automatisierte Zollabwicklung verwendet werden können, und
- andererseits der **Zollkodex**,[149]) der das grundlegende Gemeinschaftszollrecht in einem Rechtsakt zusammenfaßt und die Grundlage der Beziehungen zwischen den Wirtschaftsbeteiligten und den Zollbehörden bildet. Die umfangreichen Durchführungsbestimmungen hierzu sind in der V (EWG) 2454/93[150]) enthalten.

[147]) Vgl ABl C 1990/262, 3.
[148]) Siehe ABl C 1994/141 und 141 A.
[149]) FN 92.
[150]) ABl L 1993/253, 1.

TEIL III

Außenbeziehungen

1. KAPITEL

Die Herausforderung eines erweiterten Europa*)

Hans van den Broek

Übersicht:

A. Europa – mehr als ein geographischer Begriff

Für alle Geographen ist das Konzept eines weiteren Europa selbstverständlich absurd. Europa kann weder weiter noch enger sein. Es ist und wird immer „eine ungefähr dreieckige Halbinsel von Eurasien, breit, wo die Berge des Ural seine östliche Grenze bilden, enger werdend, je weiter man westlich die Iberische Halbinsel erreicht" bleiben. Nach dieser geographischen Größenbestimmung Europas unterbinden die Herausgeber der Random House Encyclopedia jede noch vorhandene Illusion der Größe, indem festgestellt wird, daß Europa nur das westliche Fünftel der eurasischen Landmasse darstellt und als eigener Kontinent angesehen wird. Von allen Kontinenten – so wird mit gewisser Befriedigung festgehalten – ist nur Australien kleiner.

In Wirklichkeit ist die Geographie natürlich ein untauglicher Führer zu den politischen und psychologischen Grenzen Europas, die sich je nach Standpunkt ausdehnen oder verengen. Staaten jenseits der Grenzen unserer dreieckigen Halbinsel melden manchmal den Anspruch an, Teil der europäischen Völkerfamilie zu sein, während andere, die zweifellos zu unserer tektonischen Platte gehören, sich oft benehmen, als wäre Europa ganz woanders. Der kasachische Präsident *Nasabajew* bekundete einmal sein Interesse an einer Mitgliedschaft in der EU, indem er die große Zahl der europäischen Bevölkerung seines Landes und der Gebiete westlich des Uralflusses hervorhob. Andererseits erstellte *Wladimir Schirinowski*, dessen Ansichten selbstverständlich nicht die offizielle russische Meinung wiedergeben, eine Landkarte, die seine Vision von Europa darstellte.[1]) Diese Landkarte ähnelt einer Wiederholung der 30er Jahre.

Europa ist heute weniger ein **geographischer Terminus** als vielmehr eine politische Hoffnung, der Wunsch verschiedener Völker unseres Kontinents,

---

*) Dieser Beitrag ist die überarbeitete und aktualisierte Fassung eines anläßlich der Feier zum 30jährigen Jubiläum des Institut d'Etudes européennes der Université Libre de Bruxelles in Brüssel gehaltenen Festvortrags. Die Übersetzung aus dem Englischen besorgte Dr. *Moritz Röttinger.*

[1]) Le Monde v 29. 1. 1994.

in politischer und wirtschaftlicher Freiheit zusammenzuleben. Diese Hoffnung, die bei kürzlich vom Totalitarismus befreiten Völkern besonders stark ist, bezieht sich auf die EU. Das Ziel der EU, sich in Richtung einer europäischen Föderation oder Konföderation zu bewegen, ist für Völker, die eine neue Bestimmung suchen, besonders ansprechend.

Die Berücksichtigung von Sicherheitsaspekten innerhalb der Politik der Union durch die Gemeinsame Außen- und Sicherheitspolitik (GASP) und die Westeuropäische Union (WEU) hat die Attraktivität der EU gerade in einer Zeit, in der unsere östlichen Nachbarn sich durch die Instabilität in Rußland, der Ukraine und dem ehemaligen Jugoslawien besonders verletzbar fühlen, erhöht. Aber kann die Union diese entstandenen Hoffnungen erfüllen?

B. Neue Herausforderungen für die Europäische Union

In gewissem Sinne ist es aufbauend, daß unsere Partner eine solche Bedeutung ihren Verbindungen mit der Union beimessen, während wir selbst eine Art **„Post-Maastricht-Kater“** erleben. Sehr vereinfacht gesagt, kann diese Katerstimmung durch zwei Faktoren erklärt werden: Europas längste und stärkste wirtschaftliche Rezession seit dem Zweiten Weltkrieg zum einen und Jugoslawien zum anderen. Es sei in diesem Zusammenhang bloß festgestellt, daß beständige Arbeitslosigkeit Zynismus über die Fähigkeit des politischen Systems im allgemeinen, auf die tatsächlichen Bedürfnisse der Völker zu reagieren, nährt, während die Tragödie im ehemaligen Jugoslawien Fragen zur Fähigkeit der Union, ihre eigenen außenpolitischen Interessen zu definieren und dementsprechend zu handeln, aufkommen ließ. Deswegen sind die Förderung eines ausbalancierten Wachstums und die Entwicklung einer gemeinsamen Außen- und Sicherheitspolitik essentielle Bereiche des Vertrags von Maastricht.

Unter diesen Umständen ist es verständlich, daß fundamentalere Fragen über die Europäische Integration gestellt werden. In den schlimmen Tagen des Kalten Krieges taten die Sowjetführer üblicherweise die EG als den **zivilen Arm der NATO** ab. Dies war niemals unser Konzept auf dem Weg zu einer europäischen Einheit. Aber vielleicht benötigte die Gemeinschaft die außenpolitische Herausforderung durch die Sowjetunion, um ihre interne Kohärenz und den Dynamismus in den vergangenen Jahrzehnten beizubehalten.

Heute ist die frühere außenpolitische Bedrohung verschwunden. Allerdings haben neue ihren Platz eingenommen, die aber diffuser sind: Aufrechterhaltung von Stabilität, Vermeidung bzw Bewältigung von Krisen, die unvermeidbar sind, Bereitstellung eines adäquaten internationalen Mechanismus zur Friedensschaffung und Friedenserhaltung, Vorbeugung der Weiterverbreitung von Massenvernichtungswaffen, Nationalismus und Extremismus sowie die Lösung von Minoritäten- und Grenzproblemen.

Eine andere – weltweite – Herausforderung betrifft die **Verantwortung internationaler Organisationen.** Multilaterale Foren mit überlappenden Zuständigkeiten entstehen. Enorme diplomatische Ressourcen werden für Fragen aufgewendet, wer Mitglied oder Beobachter einer internationalen Organisation oder von der Mitgliedschaft ausgeschlossen sein soll. Eine Rationalisierung der Arbeiten verschiedener internationaler Behörden ist überfällig, wenn die internationale Gemeinschaft den realen Herausforderungen unserer Zeit begegnen soll. Dies bedeutet zB eine bessere Definition des Verhältnisses zwischen der EU, der WEU und der NATO.

Beim NATO-Gipfel im Jänner 1994 wurden Fortschritte gemacht, eine „europäische Sicherheitsidentität" zu definieren, wobei aber alle beteiligten Institutionen Herausforderungen gegenüberstehen. Die NATO muß Aufgaben erhalten wie zB Krisenprävention und Friedenserhaltung; dies ist jedoch nicht in ihrem ursprünglichen Mandat vorgesehen. Die WEU sollte der europäische Pfeiler der Allianz werden, der die NATO bei der Bewältigung von Sicherheitsfragen in der Ära nach dem Kalten Krieg ergänzt; dies übersteigt jedoch ihre derzeitigen Kapazitäten. Die EU hat eine Rolle in der **Außen- und Sicherheitspolitik** erhalten, ihre Institutionen haben sich dieser neuen Verantwortung aber noch nicht angepaßt.

Um eine klarere europäische Identität herauszukristallisieren, sollte Frankreich seine Annäherung zur Allianz fortsetzen, Deutschland muß eine Lösung seiner Debatte über militärische Einsätze außerhalb des NATO-Gebiets lösen, und die Vereinigten Staaten sollen sich weiter in Europa, insb durch die NATO und die KSZE, engagieren. Das Ergebnis sollte eine Allianz sein, die besser den europäischen Sicherheitserfordernissen entspricht und in Ergänzung zur EU und der WEU arbeitet.

Es fehlt also nicht an neuen Herausforderungen in der Zeit nach dem Kalten Krieg. Die Regierungen reagieren aber langsam auf diese neuen Herausforderungen. Dies wurde beispielsweise deutlich an der Zeit, die die NATO benötigte, um auf der Basis einer franko-amerikanischen Initiative ihr Ultimatum an Bosnien zu erlassen. Dieses Ultimatum und die darauffolgenden Ereignisse bewiesen, daß Macht – und nicht nur die Beschwichtigung von heimischen Positionen – immer noch notwendig ist, um Außenpolitik effizient zu machen.

C. Ist Außenpolitik zu wichtig, um sie der Europäischen Union zu überlassen?

Der Vertrag von Maastricht bietet grundsätzlich die Mittel, außenpolitischen Herausforderungen zu begegnen: die Gemeinsame Außen- und Sicherheitspolitik (GASP).

Die Benützung dieses neuen Instruments in der kurzen Zeit, seit es zur Verfügung steht, hat wenig zusätzlichen Nutzen zu der bestehenden Kapazität der Union gebracht. Einige gemeinsame Aktionen wurden beschlossen, die humanitäre Hilfslieferungen in Bosnien, die Überwachung der Wahlen in Rußland und die Unterstützung für die Demokratisierung in Südafrika einschließen. Die Union überlegte auch eine gemeinsame Aktion, um den Friedensprozeß im Mittleren Osten zu unterstützen, wo es notwendig ist, Bedingungen zur Wiederaufnahme der Verhandlungen zu schaffen und eine Partnerschaft mit dem Mittleren Osten vorzubereiten, wenn der Friede erreicht ist.

Diese bescheidenen Anfänge sollten laufend in dem Maße wachsen, in dem die Union Erfahrungen bei der Zusammenarbeit auf **operationellem Gebiet** der Außen- und Sicherheitspolitik gewinnt und die dazu erforderlichen Mittel sich erarbeitet.

Aber eine solche Entwicklung ist keineswegs sichergestellt. Wenigstens für einige Regierungen ist Außenpolitik zu wichtig, um sie der EU zu überlassen. Es besteht eine Tendenz, bilaterale Kanäle wiederzubeleben und Aktionen unabhängig davon zu setzen, ob diese mit den anderen Mitgliedstaaten abgesprochen wurden oder nicht, wie es der Vertrag von Maastricht verlangt. Mehrere Mitgliedstaaten sind zurückhaltend, der Union die Werkzeuge in die Hand zu geben, um ihre außenpolitischen Entscheidungen wirksam werden zu lassen. Dies wurde besonders in der Ratsdebatte über die Finanzierung der GASP deutlich, die während mehrerer Monate blockiert war. Wenn man bedenkt, daß die im Vertrag von Maastricht vorgesehenen Verfahren im Bereich der Außen- und Sicherheitspolitik im wesentlichen **zwischenstaatlicher Natur** sind, so erscheint die Zurückhaltung, wenigstens diesen Ansatz effizient auszugestalten, umso ernster.

Wenn wir den Erwartungen unserer Partner und insb der neuen Demokratien in Mittel- und Osteuropa gerecht werden wollen, so müssen wir Ordnung in unser Haus bringen. Auf dem Gebiet der Außenpolitik bedeutet das zunächst, daß wir gemeinsame europäische Interessen anerkennen und dementsprechend handeln müssen. Wenn der Konsens aller Mitgliedstaaten für eine Aktion in einer bedrohenden internationalen Krise nicht erreicht werden kann, dann müssen manchmal jene, die zum Handeln bereit sind, aktiv werden.

D. Erweiterungen

Eine weitere Herausforderung eines größeren Europa ist die Frage der Erweiterungen. Am 1. 1. 1995 sind Österreich, Schweden und Finnland der EU beigetreten. Die Beitrittsverhandlungen waren schwieriger als erwartet, doch konnten insgesamt ausbalancierte Lösungen erreicht werden. Auch das Problem der Sperrminorität bei der Abstimmung im Ministerrat konnte – nach größeren Mühen – gelöst werden. Solche und andere komplexe institutionelle Fragen werden bei der Regierungskonferenz 1996 auf der Tagesordnung stehen.

Der Aspekt der Erweiterung wurde oft defensiv diskutiert, als handle es sich dabei um etwas Furchterregendes. Nach und nach waren die sechs, dann die neun, die zehn und schließlich die zwölf Mitgliedstaaten über die Folgen einer Erweiterung des „Klubs“ für neue Mitglieder besorgt. Daher kam die Überzeugung, daß die Union den Integrationsprozeß vertiefen muß, bevor neue Mitglieder zugelassen werden, um eine „Verwässerung“ und Schwächung der europäischen Institutionen zu vermeiden.

Man hat oft Angst vor dem Unbekannten, und diese defensive Einstellung ist daher verständlich. Neue Mitglieder benötigen Zeit, um die Spielregeln zu lernen. Es ist tatsächlich schwieriger, Entscheidungen zu treffen, je mehr Mitglieder um den Tisch sitzen. Dennoch haben die vergangenen Erweiterungen die Gemeinschaft insgesamt gestärkt. Dies geschah auf dreierlei Wegen: Einerseits bewirkt die Aussicht auf Erweiterung, daß die bestehenden Mitglieder ihre Überlegungen darauf konzentrieren, wie Politiken und Verfahren verstärkt werden können, bevor Neuzukömmlinge unangenehme Fragen stellen können. Während zweitens die neuen Mitglieder die eingefahrenen Pfade des „Klubs" aufrütteln, liefern sie auch durch ihre eigenen Traditionen und außenpolitischen Beziehungen einen wichtigen Beitrag. Schließlich kann den Erfordernissen einer erweiterten Gemeinschaft oft nur durch die **Schaffung neuer gemeinsamer Politiken** oder durch die Stärkung bereits bestehender begegnet werden.

Die Beitritte des Vereinigten Königreichs, Dänemarks und Irlands führten zur Schaffung des Regionalfonds, wodurch ein wichtiges Element der Umverteilung in die Gemeinschaftspolitiken aufgenommen wurde, was ein wesentlicher Teil jedes integrierten politischen Systems ist. Bei den Außenbeziehungen hatte diese erste Erweiterung eine deutliche Ausweitung der gemeinschaftlichen Entwicklungspolitik zur Folge und erreichte eine erste institutionalisierte Beziehung zu den EFTA-Staaten, welche im Laufe der Zeit sich zum Europäischen Wirtschaftsraum (EWR) entwickelte und schließlich im Beitritt einiger EFTA-Staaten mündete.

Die Beitritte von Griechenland sowie von Spanien und Portugal 1986 gaben den Fragen der Kohäsion und Solidarität in einer erweiterten Gemeinschaft neue Bedeutung. Im außenpolitischen Bereich führte dies zu neuen Beziehungen mit Lateinamerika und einer engeren Zusammenarbeit mit den Mittelmeeranrainerstaaten.

Die Erweiterung von zwölf auf fünfzehn Mitglieder wird ebenfalls eine Stärkung der Union bedeuten. Die parlamentarischen Traditionen der neuen Mitgliedstaaten werden das demokratische Fundament der Union verstärken. Ihre industriellen Leistungen insb im Bereich der Hochtechnologie werden zur Wettbewerbsfähigkeit der Union beitragen. Ihre Umweltstandards werden die Union insgesamt dazu bewegen, sich verstärkt auf die Verbesserung der Lebensqualität ihrer Bürger zu konzentrieren, wobei ihr relativer Wohlstand zu einem gewissen Grad den Druck auf das Unionsbudget verringern wird. Im außenpolitischen Bereich wird diese Erweiterung sicherstellen, daß Stabilität in Mittel- und Osteuropa sowie in der früheren Sowjetunion eine hohe Priorität bleiben wird, da die Union dann Grenzen mit der Slowakei, Ungarn und Rußland haben wird. Die engen Handelsbeziehungen zwischen den skandinavischen und den baltischen Staaten haben die Union bereits dazu bewogen, Estland, Lettland und Litauen Freiheitsabkommen anzubieten.

Fünf weitere Beitrittsanträge liegen bereits auf dem Tisch. Zu den Anträgen der Türkei, Maltas und Zyperns hat die Kommission bereits ihre Stellungnahme, den sog „avis", abgegeben. Ungarn und Polen haben ihre Beitrittsanträge im April 1994 gestellt. Die Gründe für diese Anträge sind insb vor dem Hintergrund all dessen, was sich in unseren Beziehungen mit diesen Staaten seit 1989 ereignet hat, verständlich. Es ist dem früheren Kommissionspräsidenten *Jacques Delors* Recht zu geben, daß die Reihenfolge der Beitrittsanträge nicht notwendigerweise die Reihenfolge möglicher zukünftiger Neubeitritte bestimmt. Ein **Wettlauf neuer Beitrittsanträge** hätte daher wenig Sinn.

Wie soll die Union auf solche Beitrittsanträge regieren? Wie kann sie dazu beitragen, daß die Bedingungen geschaffen werden, unter denen die Mitgliedschaft für die Staaten Mittel- und Osteuropas möglich werden?

Die Union unterstützt stark den Reformprozeß dieser Staaten. Sie ist nicht nur die größte Quelle wirtschaftlicher Unterstützung, sie entwickelt darüber hinaus besonders enge politische und wirtschaftliche Beziehungen. Diese haben in eine neue Form der Assoziierung gemündet, nämlich die Europaabkommen, die ausdrücklich auf eine zukünftige Mitgliedschaft gerichtet sind.[2]) Dieses Ziel wurde auch beim Europäischen Rat in Kopenhagen am 21. und 22. 6. 1993 bestätigt. Solche Abkommen wurden mit Polen, Ungarn, der Tschechischen Republik, der Slowakei, Rumänien und Bulgarien abgeschlossen, Verhandlungen gibt es mit Slowenien und werden sukzessive auf andere mögliche Staaten – einschließlich der baltischen Staaten – ausgedehnt werden.

Der Europäische Rat von Kopenhagen hat die wesentlichen **Kriterien für die zukünftige Mitgliedschaft** festgesetzt, zu denen die Stabilität von Institutionen zur Garantie der Demokratie, die Rechtsstaatlichkeit, die Beachtung der Menschenrechte, der Schutz der Minderheiten und die Fähigkeit, mit dem Wettbewerbsdruck und den Marktkräften innerhalb der Union fertigzuwerden, gehören. Mitgliedschaft bedeutet auch, daß die Kandidaten alle Ziele der Union – politische, Wirtschafts- und Währungsunion – akzeptieren. Auf der anderen Seite wird die nächste Etappe der Erweiterung von der Fähigkeit der Union abhängen, neue Mitglieder einzubinden und gleichzeitig das Integrationsmoment aufrechtzuerhalten.

Was sind die Ziele der Beitritte, ihre Kriterien und die Mittel, ihnen gerecht zu werden? Als die Staats- und Regierungschefs diese Beitritte formell zu ihrem Ziel erklärten, wurde dies zu Recht als ein wesentlicher Durchbruch gesehen. Geschichte bleibt aber nicht stehen, und unsere Partner möchten natürlich eine konkretere Perspektive ihren Völkern geben, für die der Reformprozeß oft nicht einfach ist. Die Union kann jetzt kein Datum für den Beginn von Verhandlungen festlegen, dazu bestehen zu viele Ungewißheiten auf beiden Seiten. Es scheint aber durchaus wahrscheinlich, daß die Union 1997 die Entwicklungen unter den Europaabkommen im Hinblick auf eine Mitgliedschaft prüfen und die nächsten Schritte entscheiden wird.

Hinsichtlich der Kriterien war der Europäische Rat hinreichend deutlich. Es gibt keine Notwendigkeit für zusätzliche Bedingungen, die von unseren Partnern als eine Form von Obstruktion angesehen werden könnten. Es wäre kontraproduktiv, die Reformen im Hinblick auf eine Mitgliedschaft in der Union zu unterstützen und gleichzeitig neue Hindernisse aufzustellen. Dies würde nur zu einem Unverständnis der Union in Osteuropa zugunsten der nationalistischen und sektiererischen Elemente führen.

Um unseren Partnern zu helfen, den Kriterien von Kopenhagen zu entsprechen, benötigt die Union eine **kohärente Prä-Beitrittsstrategie.** Dies schließt die zielgerichtete Gewährung finanzieller Hilfen für spezifische Regionen ein, die diese benötigen, um eine gewisse wirtschaftliche Konvergenz mit der Union zu erreichen; dazu gehören Investitionsbeihilfen und die Angleichung von Rechtsvorschriften. Ebenso sollte ein höchstmögliches Niveau der Handelsliberalisierung so schnell wie möglich angestrebt werden.

Die Union sollte helfen, die für den Beitritt notwendigen Bedingungen dadurch zu schaffen, indem die separaten bilateralen Abkommen, die sie mit

---

[2]) Zu den Europaabkommen s ausführlich unten *Bachmann/Kalbe,* Die Beziehungen der EG zu den osteuropäischen Staaten.

den osteuropäischen Staaten verbindet, aufgebrochen werden. An deren Stelle sollte eine multilaterale politische und wirtschaftliche Beziehung mit ihren Partnern treten, die ein echter Vorläufer für eine Mitgliedschaft wäre. Dies würde alle assoziierten osteuropäischen Staaten und die Union in eine multilaterale Beziehung einbinden, Handelshemmnisse eliminieren und einen Markt schaffen, der groß genug ist, um für potentielle Investoren attraktiv zu sein. Ähnliche Abkommen sollten auf den Bereich der Dienstleistungen und des Kapitalverkehrs ausgedehnt werden, wenn es die Umstände erlauben.

In den politischen Beziehungen ist es ebenfalls wichtig, über die Gefühle des „sie" und „wir" hinwegzukommen, die unvermeidlich auftauchen, wenn zwei Delegationen einander an einem rechteckigen Tisch treffen. Dies bedeutet weitere Entwicklungen auf allen Ebenen von den Regierungschefs bis zu den Beamten und die Schaffung eines multilateralen politischen Dialogs, in dem die Union und ihre Partner gemeinsam die sie betreffenden Themen diskutieren. Dies sollten keine rituellen Sitzungen, sondern Gelegenheiten für einen offenen und freien Gedankenaustausch im gleichen „Familienrahmen" sein.

Letzten Endes werden die Entscheidungen über die nächste Erweiterung – wie alle bisherigen – **politische Entscheidungen** sein. Dabei werden die Vorteile sowohl für die Kandidaten als auch für die Union berücksichtigt werden. Je mehr wir uns in Richtung einer Union mit 20 oder mehr Mitgliedstaaten bewegen, umso größere Aufmerksamkeit muß naturgemäß organisatorischen Aspekten geschenkt werden, um sicherzustellen, daß die Institutionen effizient arbeiten und die Beitrittskandidaten sich an die Rechte und Pflichten der Mitgliedschaft im Rahmen eines realistischen Zeitplans anpassen können.

Ein paar Worte sollen noch über Rußland und die anderen unabhängigen Staaten der früheren Sowjetunion gesagt werden, die Teil der gesamten kulturellen Einheit unseres Kontinents sind. Bis jetzt hat keiner dieser Staaten ausdrücklich Interesse an einer Mitgliedschaft in der EU angemeldet. Um *Lenin* zu paraphrasieren, würde sich im Falle von Rußland und der EU die Frage stellen, wer wem beitritt.

Die Herausforderung in unseren Beziehungen mit diesen Staaten besteht weniger in der Vorbereitung für eine Mitgliedschaft als im Finden sinnvoller Wege, um sie in die zukünftige Entwicklung Europas einzubinden. Deswegen sollten wir jeden Eindruck von Isolation oder Indifferenz vermeiden. Die Union befürwortet den allgemein kooperativen Ansatz, den Rußland seit Ende des Kalten Krieges gewählt hat, um internationale Probleme zu lösen, und vertraut darauf, daß dies zB in Bosnien und im Mittleren Osten positive Ergebnisse bringen wird. Die Befürchtungen in Mittel- und Osteuropa über die Rückkehr zur Großmachtpolitik sind verständlich, doch scheint Rußlands aktives Engagement in den europäischen und internationalen Institutionen der beste Weg zu sein, zu beweisen, daß diese Befürchtungen unbegründet sind.

Die Union hat die richtige Balance zwischen einer **partnerschaftlichen Beziehung und Kooperation** mit Rußland und den anderen unabhängigen Staaten gefunden, was sich insb auf Handelsliberalisierung und politischen Dialog bezieht. Insgesamt ist die Haltung der Union gegenüber den unabhängigen Staaten, daß sie bereit ist, ihre Reformanstrengungen durch jedes mögliche Mittel zu unterstützen, und daß sie engere Beziehungen mit den westlichen Institutionen wünscht.

Die zu Beginn gestellte Frage, ob die EU den Hoffnungen der verschiedenen europäischen Völker ringsherum gerecht werden kann, muß trotz aller festgestellten Schwierigkeiten positiv beantwortet werden. Sofern der politische Wille vorhanden ist, wird die Union den Herausforderungen eines erweiterten Europa begegnen können – und sie ist die einzige internationale politische Organisation, die das tun kann. Um auf der internationalen Ebene wirksam zu sein und die Hoffnungen unserer zukünftigen Mitglieder zu erfüllen, muß die Union sicherstellen, daß ihre internen Strukturen gut fundiert sind. Dies wird die Aufgabe der Regierungskonferenz 1996 sein, die Wege finden muß, die demokratischen Aspekte der Union zu verstärken und die Beschlußfassungsverfahren zu vereinfachen. Es sollte auch über einen Mechanismus nachgedacht werden, der es willigen und bereiten Mitgliedstaaten ermöglicht, in die höheren Stufen der EU einzusteigen („opt in"), ohne durch zurückhaltendere Mitgliedstaaten zurückgehalten zu werden.

Mitgliedstaaten müssen einfach akzeptieren, daß sie nicht in jedem einzelnen Punkt gewinnen können und daß die Mitgliedschaft in der Union auch eine bestimmte Menge des Gebens und Nehmens einschließt. Deswegen sollten sie bisweilen – wie in jedem demokratischen System – Beschlußfassungsverfahren akzeptieren, die auch einschließen, daß sie überstimmt werden, und dabei darauf vertrauen, daß das **Gesamtsystem zu ihrem Vorteil** funktioniert.

Einige Beobachter haben vorgeschlagen, daß Europa zwischen der Erweiterung, die notwendig ist, um unsere Verantwortung zu übernehmen, und der Vertiefung, die notwendig ist, um unsere Seelen zu retten, wählen wird müssen. Dies scheint aber eine falsche Dichotomie zu sein; beides ist notwendig, um der Union zu ermöglichen, den Herausforderungen eines größeren Europa mit Zuversicht zu begegnen.

2. KAPITEL

Der Europäische Wirtschaftsraum

Günther Ettl

Übersicht:

A. Einleitung

Am 1. Jänner 1994 trat das Abkommen über den Europäischen Wirtschaftsraum (EWR-Abkommen, EWRA) zwischen den damals zwölf Mitgliedstaaten der Europäischen Gemeinschaften und Finnland, Island, Norwegen, Österreich und Schweden als Mitglieder der Europäischen Freihandelsassoziation (EFTA) in Kraft. Damit war ein Wirtschaftsraum geschaffen worden, der auf gemeinsamen Bestimmungen über den freien Waren-, Personen- und Kapitalverkehr sowie der Dienstleistungs- und Niederlassungsfreiheit und auf den gleichen Wettbewerbsregeln beruht.

Der negative Ausgang der Schweizer Volksabstimmung über die Teilnahme am EWR im Dezember 1992 hatte zur Folge, daß die **Schweiz** als Vertragspartei des EWR-Abkommens ausschied. Damit war das siebente EFTA-Mitglied Liechtenstein, das mit der Schweiz in einer Wirtschafts- und Währungsgemeinschaft verbunden ist, gezwungen, erst seinen Zollvertrag mit der Schweiz anzupassen, ehe es am EWR teilnehmen konnte. Nachdem dies geschehen war, konnte am 1. Mai 1995 das EWR-Abkommen auch im Fürstentum Liechtenstein in Kraft treten.

Seine volle **integrationspolitische Bedeutung** hatte der EWR nur genau ein Jahr lang. Mit dem Beitritt Finnlands, Österreichs und Schwedens zur Europäischen Union am 1. Jänner 1995 verlor die EFTA-Seite ihre drei größten Mitglieder an die EU. Rechtlich hat sich dadurch am EWR-Abkommen nichts geändert, denn Finnland, Österreich und Schweden nehmen nun als EU-Mitgliedstaaten am EWR teil. An politischer Bedeutung hat der EWR aber eingebüßt, vor allem für die EU-Seite, die nun die drei größten ehemaligen EFTA Partner zu ihren Mitgliedern zählt. Dennoch darf die Bedeutung des EWR für die verbliebenen EFTA-Staaten nicht unterschätzt werden. Für Norwegen ist der EWR nach der Verwerfung der EU-Mitgliedschaft durch das Stimmvolk der einzige Weg zur europäischen Integration. Für Island war der EWR von Anfang an eine ideale Lösung: Weitestgehende Teilnahme am EG-Binnenmarkt aber ohne Integration seiner lebenswichtigen Fischindustrie. Liechtenstein schließlich bietet der EWR die Chance, unabhängig vom „großen Bruder“ Schweiz am europäischen Binnenmarkt teilzunehmen.

B. Geschichtlicher Überblick

1. Die Entwicklung der EG-EFTA-Beziehungen

Die Geschichte der EFTA und ihrer Beziehungen zur Europäischen Gemeinschaft (EG) läßt sich grob in drei Perioden zu zwölf Jahren gliedern. Die erste endete mit dem Abschluß der Freihandelsabkommen 1972; die Luxemburger Erklärung von 1984 stand am Beginn der dritten Phase.

Mit der Gründung der Europäischen Wirtschaftsgemeinschaft (EWG) im Jahre 1957 und der **Schaffung der EFTA**[1]) 1960 war die ursprünglich verfolgte Idee einer großen westeuropäischen Freihandelszone gescheitert. Fortan war Westeuropa wirtschaftlich in zwei Handelsblöcke geteilt. Die Jahre bis 1972 waren von vergeblichen Versuchen der EFTA geprägt, Brükken zur EG zu schlagen. Eine Annäherung der beiden Handelsblöcke ergab sich erst 1972, als die EFTA-Mitglieder Großbritannien und Dänemark den EG beitraten und die übrigen EFTA-Staaten bilaterale Freihandelsabkommen mit der EWG und der Europäischen Gemeinschaft für Kohle und Stahl (EGKS) abschlossen.

Die nun folgende Periode von 1972 bis 1984 war von der Durchführung der **Freihandelsabkommen** gekennzeichnet. Sie umfaßte den schrittweisen **Abbau von Zöllen und anderen Handelshemmnissen** im industriell-gewerblichen Warenverkehr zwischen den Staaten der EG und der EFTA. In diese Periode fallen auch die ersten politischen Kontakte zwischen den beiden Blöcken. Diese fanden zwischen dem Konsultativkomitee der EFTA und dem Wirtschafts- und Sozialausschuß der EG (WSA) erstmals Mitte der 70er-Jahre und dann in regelmäßigen Abständen statt. Das erste EG-EFTA-Treffen auf Ministerebene wurde aber erst am 9. April 1984 in Luxemburg abgehalten. Dabei kamen beide Seiten überein, ihre auf den Freihandelsabkommen basierende Zusammenarbeit zu verstärken und auf neue Bereiche mit dem Ziel auszudehnen, zwischen den Staaten der EG und der EFTA einen „homogenen und dynamischen Europäischen Wirtschaftsraum" zu schaffen. Darüber, wie dieser Wirtschaftsraum gestaltet sein soll, enthielt diese „Luxemburger Erklärung" keine Angaben.

Die vereinbarte engere Zusammenarbeit wurde in der nun folgenden Phase des sog **„Luxemburger follow-up"** von aus EFTA- und EG-Fachleuten bestehenden gemeinsamen Arbeitsgruppen besorgt, deren Arbeit von einer „High-Level Contact Group", die zweimal jährlich zusammentrat, koordiniert wurde. Der Arbeitsumfang nahm in den folgenden Jahren ständig zu, sodaß 1988 insgesamt 30 gemeinsame Arbeitsgruppen bestanden. Treffen zwischen Ministern der EFTA-Staaten und Vertretern der EG-Kommission fanden zumindest einmal im Jahr statt.[2]) Obwohl die EG-EFTA-Zusammenarbeit im Zuge des Luxemburger follow-up zu einigen konkreten Ergebnissen[3]) geführt hatte, war vor allem aus der Sicht der EFTA-Staaten der Fortschritt in den gemeinsamen Beziehungen zu gering.

---

[1]) Die Gründungsmitglieder waren Dänemark, Großbritannien, Österreich, Portugal, Schweden und die Schweiz. Island wurde 1970 Mitglied. Finnland trat der EFTA als Vollmitglied erst 1986 bei, war mit ihr aber seit 1961 durch ein Assoziierungsabkommen, das ihm praktisch den Status eines Mitglieds verlieh, verbunden.

[2]) Wien (1985), Reykjavik (1986), Interlaken (1987), Tampere (1988), Brüssel (1989).

[3]) So der Abschluß des Abkommens über die Vereinfachung der Formalitäten im Warenverkehr (1987), des Abkommens über ein gemeinsames Versandverfahren im EG-EFTA-Warenverkehr (1987), des Lugano-Abkommens über die gerichtliche Zuständigkeit und die Vollstreckung gerichtlicher Entscheidungen in Zivil- und Handelssachen und des Abkommens über gegenseitige Information im Falle der Einführung neuer technischer Vorschriften.

Neuen Impuls erhielten die EG-EFTA-Beziehungen durch die Rede des Präsidenten der EG-Kommission *Jacques Delors* am 17. Jänner 1989 vor dem Europäischen Parlament, in der *Delors* vorschlug, „eine neue Form des Zusammenschlusses zu finden, der institutionell strukturierter wäre und gemeinsame Entscheidungs- und Verwaltungsorgane hätte".[4]) *Delors'* Vorschlag stieß bei den EFTA-Staaten auf breite Zustimmung. Zur Überprüfung seiner Durchführbarkeit beschlossen die Minister von EG und EFTA die Einsetzung einer **„High-Level Steering Group"**, die auf ihrer konstituierenden Sitzung am 28. April 1989 fünf Arbeitsgruppen einrichtete: Arbeitsgruppe I für den Warenverkehr, Arbeitsgruppe II für die Dienstleistungs- und Niederlassungsfreiheit sowie den Kapitalverkehr, Arbeitsgruppe III für den Personenverkehr, Arbeitsgruppe IV für horizontale und flankierende Politiken und Arbeitsgruppe V für rechtliche und institutionelle Fragen. Sowohl die „High-Level Steering Group" als auch die einzelnen Arbeitsgruppen wurden unter gemeinsamem Vorsitz eines Vertreters eines EFTA-Staates und eines Beamten der Kommission geführt.[5])

In den folgenden Monaten wurde in **exploratorischen Gesprächen** das von den EFTA-Staaten zu übernehmende Gemeinschaftsrecht bestimmt sowie allfällige Ausnahmewünsche der EFTA-Staaten formuliert. Es handelte sich dabei um eine beachtliche Aufgabe, da über 12.000 Seiten Rechtstexte genau überprüft werden mußten. Die von *Delors* in Aussicht gestellte Teilnahme der EFTA-Staaten am gemeinschaftlichen Entscheidungsprozeß mußte nach gemeinschaftsinterner Kritik in eine bloße Mitwirkung abgeschwächt werden. Ende März 1990 waren die vorbereitenden Gespräche abgeschlossen.

2. Der Verlauf der EWR-Verhandlungen

Die formellen Verhandlungen zwischen der EG und den EFTA-Staaten über die Schaffung eines dynamischen und homogenen „Europäischen Wirtschaftsraums" begannen im Juni 1990. Das Ziel war die Verwirklichung des EWR zum 1. Jänner 1993, also zu demselben Zeitpunkt, zu dem die Vollendung des EG-Binnenmarktes geplant gewesen war.

Zum ersten großen Problembereich, den die Verhandler zu lösen hatten, zählte die Forderung der EFTA-Staaten nach vollständigen Ausnahmen von der Geltung des „acquis communautaire" in Bereichen, in denen vitale Interessen berührt wurden. In den Vorgesprächen waren beide Seiten übereingekommen, daß der EWR auf der Grundlage des geltenden Gemeinschaftsrechts (acquis communautaire), also aller von den Gemeinschaftsorganen erlassenen Rechtsakte sowie der Rechtsprechung des EuGH, geschaffen werden sollte. Die Gewährung von Ausnahmen an einzelne EFTA-Staaten für gewisse Bereiche hätte dem **Grundsatz der Homogenität** widersprochen. Als Lösung wurden den EFTA-Staaten angemessene Übergangsfristen zur Anpassung ihrer nationalen Rechtsordnungen sowie spezielle Schutzklauseln gewährt.

---

[4]) Verhandlungen des EP, Nr 2-373, 84 (Anhang zum ABl).

[5]) Die so geschaffene „Infrastruktur" blieb während der Verhandlungen und bis zum Inkrafttreten des EWR-Abkommens bestehen und war Vorbild für die Struktur des Gemischten Ausschusses sowie des Ständigen Ausschusses der EFTA-Staaten.

Weitere Problembereiche traten Anfang 1991 auf. Sie betrafen die **Fischerei,** den **Alpentransit** und die Frage eines eigenen EWR-Gerichts. Die Verhandlungen zur Lösung dieser Fragen verzögerten die für Juli geplante Paraphierung des EWR-Vertrages. Erst nachdem eine Einigung zwischen der EG sowie Österreich und der Schweiz über die Transitabkommen erreicht worden war, war der politische Durchbruch zum Abschluß des EWR-Abkommens gelungen. Wenige Tage vor der geplanten Paraphierung erließ jedoch der Gerichtshof der Europäischen Gemeinschaften (EuGH) am 14. Dezember 1991 ein negatives Gutachten.[6])

In diesem seinem Gutachten 1/91 verwarf der EuGH das geplante **Rechtsprechungssystem,** das einen EWR-Gerichtshof und ein EWR-Gericht erster Instanz, mit EG- und EFTA-Richtern besetzt, vorgesehen hatte. Da die von diesen Gerichten gefällten Urteile im gesamten EWR – daher auch in den EG-Staaten – bindend gewesen wären, sah der EuGH sein Rechtsprechungsmonopol gefährdet.

Die durch das Gutachten erforderlich gewordenen Neuverhandlungen des EWR-Abkommens begannen Mitte Jänner 1992 und dauerten einen Monat. Von dem Konzept eines gemeinsamen EWR-Gerichts wurde ganz abgegangen. An seine Stelle trat ein **politisches Streitbeilegungs- und Rechtsschutzsystem** mit einem eigenen EFTA-Gerichtshof. In einem zweiten Gutachten äußerte sich der EuGH nun positiv über die Neufassung des Abkommens und ebnete damit den Weg für seine Unterzeichnung. Diese erfolgte am 2. Mai 1992 in Porto (Portugal) durch die zwölf EG-Mitgliedstaaten, die EG-Kommission (für die EWG und die EGKS) sowie die sieben EFTA-Staaten.

Am selben Tag schlossen die EFTA-Staaten untereinander zwei Abkommen, um jene neuen Organe zu schaffen, die im EWR-Abkommen bereits vorgesehen waren. Durch das „Abkommen zwischen den EFTA-Staaten zur Errichtung einer Überwachungsbehörde und eines Gerichtshofs" wurden diese beiden Organe als **unabhängige supranationale Organisationen** eingerichtet und mit ähnlichen Befugnissen ausgestattet, die die vergleichbaren EG-Organe Kommission und Gerichtshof besitzen. Mit dem „Abkommen betreffend einen Ständigen Ausschuß der EFTA-Staaten" schufen die EFTA-Staaten ein politisches Entscheidungs- und Verwaltungsorgan, dem die Ausarbeitung gemeinsamer EFTA-Positionen in EWR-Angelegenheiten obliegt. Am 20. Mai 1995 schließlich unterzeichneten die EFTA-Staaten ein drittes Abkommen, nämlich „über einen Parlamentarischen Ausschuß der EFTA-Staaten".

Bevor das EWR-Abkommen in Kraft treten konnte, bedurfte es noch der Genehmigung seines Abschlusses durch die nationalen Parlamente aller EG- und EFTA-Staaten sowie des Europäischen Parlaments. In der Schweiz und in Liechtenstein war das EWR-Abkommen darüber hinaus Gegenstand einer Volksabstimmung. Während der Volksentscheid in Liechtenstein zu Gunsten des Abkommens ausging, war der Abstimmung in der Schweiz am 6. Dezember 1992 ein negatives Ergebnis beschert. Die knappe Mehrheit von

---

[6]) Am 14. 8. 1991 war der EuGH von der Kommission gem Art 228 Abs 6 EGV um ein Gutachten über den Entwurf des EWR-Vertrages, insbesondere dessen gerichtlichen Kontrollmechanismus, ersucht worden.

50,3% des Stimmvolks und 18 von 26 Kantonen hatten sich gegen die Ratifizierung des EWR-Abkommens ausgesprochen.

Nachdem somit feststand, daß die erforderlichen Ratifikationen nicht wie ursprünglich geplant bis spätestens 30. Juni 1993 vorliegen werden, kamen die Vertragsparteien gem Art 129 Abs 3 EWRA zu einer diplomatischen Konferenz zusammen. Am 17. März 1993 wurde von den nunmehr 18 Vertragsstaaten ein Anpassungsprotokoll zum EWR-Abkommen unterzeichnet, welches das Ausscheiden der Schweiz als Vertragspartei sowie die Streichung sämtlicher Bezugnahmen auf die Schweiz beinhaltet. Das Protokoll sieht jedoch für die Schweiz die Möglichkeit vor, dem EWR wieder beizutreten. Für **Liechtenstein** bedeutete der Nicht-Beitritt der Schweiz, daß es, um am EWR teilnehmen zu können, zuerst seinen Zollvertrag mit der Schweiz den neuen Umständen anpassen mußte. Das Anpassungsprotokoll sah daher vor, daß das EWR-Abkommen für Liechtenstein zu einem späteren Zeitpunkt durch Beschluß des EWR-Rates in Kraft gesetzt werden kann. Die drei zwischen den EFTA-Staaten abgeschlossenen Abkommen wurden ebenfalls durch Protokolle der Lage nach dem Ausscheiden der Schweiz angepaßt.

Obwohl das Anpassungsprotokoll als Zeitpunkt für das Inkrafttreten des EWR-Abkommens den 1. Juli 1993 vorsah, war den meisten Beobachtern klar, daß dieser Termin nur schwer zu halten sein werde. Die **Ratifizierungen durch die einzelnen nationalen Parlamente** erwiesen sich langwieriger als befürchtet, und in den meisten Parlamenten kam das Abkommen erst nach der Sommerpause im Herbst 1993 zur Vorlage. Nachdem die letzte Ratifikationsurkunde Anfang Dezember 1993 hinterlegt worden war, konnte das EWR-Abkommen schließlich mit einem Jahr Verspätung am 1. Jänner 1994 in Kraft treten.

3. Vom Inkrafttreten des EWR-Abkommens bis heute

Mit dem Inkrafttreten des EWR-Abkommens nahmen alle EWR-Organe ihre Arbeit im vollen Umfang auf. Obwohl die vier größten EFTA-Länder kurz vor dem Abschluß ihrer Beitrittsverhandlungen mit der EU standen, verlief die Arbeit in den EWR-Organen und die Zusammenarbeit mit der EU ohne größere Probleme. Jedoch erhielt in den Ländern der Beitrittskandidaten der EWR weniger Aufmerksamkeit als ihm zugestanden wäre. Oftmals wurden Vorteile, die sich aus der Mitgliedschaft im EWR ergaben, erst nach dem EU-Beitritt als solche erkannt und dann auf diesen zurückgeführt.

Mit ihrem Beitritt zur Europäischen Union am 1. Jänner 1995 schieden Finnland, Österreich[7]) und Schweden aus der Europäischen Freihandelsassoziation aus. Dadurch bedingt war auch das Ausscheiden dieser Länder aus den von den EFTA-Staaten errichteten EWR-Organen. In einem Übergangsabkommen hatten sich die EFTA-Staaten noch im September 1994 in Brüssel auf Übergangsregelungen betreffend die Tätigkeiten der EFTA-Überwachungsbehörde und des EFTA-Gerichtshofs geeinigt.[8])

Nach einjährigen Verhandlungen mit der Schweiz konnte **Liechtenstein** die mit der Schweiz gefundene Lösung zur Anpassung des Zollvertrages im

7) Vgl Rücktrittserklärung veröffentlicht in BGBl 1995/114 v 14. 2. 1995.

8) Abkommen über Übergangsregelungen für einen Zeitraum nach dem Beitritt bestimmter EFTA-Staaten zur Europäischen Union, BGBl 1995/120 v 22. 2. 1995.

EWR-Rat vorlegen. Am 10. März 1995 entschied dieser über die durch den Beitritt Liechtensteins notwendigen Anpassungen des EWR-Abkommens sowie zahlreiche Übergangsregelungen.[9]) Am 9. April 1995 stimmten 55,9% des Stimmvolks dem geänderten Zollvertrag mit der Schweiz zu. Das EWR-Abkommen trat am 1. Mai 1995 für das Fürstentum Liechtenstein in Kraft. Der Europäische Wirtschaftsraum umfaßt seither die 15 Mitgliedstaaten der Europäischen Union und die drei EFTA-Staaten Norwegen, Island und Liechtenstein.

C. Das EWR-Abkommen[10])

1. Ziele und Grundlagen

Das EWR-Abkommen zielt darauf ab, zwischen den Mitgliedstaaten der EG und den EFTA-Staaten einen dem EG-Binnenmarkt ähnlichen, homogenen Wirtschaftsraum zu schaffen. Dieser zeichnet sich durch die Verwirklichung des freien Waren-, Personen-, Dienstleistungs- und Kapitalverkehrs, die Geltung gemeinsamer Wettbewerbsregeln sowie die Zusammenarbeit in anderen Bereichen wie Forschung und Entwicklung, Sozialpolitik, Verbraucherschutz, Umwelt und Bildungswesen aus.

Die Grundlage dafür bilden die Bestimmungen des EG-Vertrages und des sekundären Gemeinschaftsrechts. Um die angestrebte Homogenität innerhalb des neuen Wirtschafts- und Rechtsraumes tatsächlich sicherzustellen, haben die Vertragsparteien besondere Vorkehrungen getroffen.[11]) Die materiellrechtlichen Bestimmungen des EWR-Abkommens wurden weitgehend textgleich mit den parallelen Bestimmungen des EG-Vertrages abgefaßt. Art 6 EWRA verpflichtet die Vertragsparteien, diese Bestimmungen und die übernommenen EG-Rechtsakte im Einklang mit der bis zur Vertragsunterzeichnung ergangenen Rechtsprechung des EuGH auszulegen. Des weiteren obliegt es den Vertragsparteien, die im Abkommen enthaltenen Rechtsakte gem dem Art 7 EWRA in das innerstaatliche Recht umzusetzen. Diese Bestimmung basiert auf der analogen Regelung des Art 189 EGV.

Zwei weitere grundlegende Bestimmungen des EG-Rechts wurden in das EWR-Abkommen übernommen. Art 3 EWRA verpflichtet die Vertragsparteien zur Vertragserfüllung – in Anlehnung an Art 5 EGV. Art 4 EWRA übernimmt das Verbot der Diskriminierung aus Gründen der Staatsbürgerschaft des Art 6 EGV.

2. Aufbau und Inhalt

Das EWR-Abkommen umfaßt neben dem Hauptteil, der den eigentlichen Vertragstext enthält, 49 Protokolle, 22 Anhänge sowie die Schlußak-

[9]) Beschluß 1/95 des EWR-Rates v 10. 3. 1995 über das Inkrafttreten des Abkommens über den Europäischen Wirtschaftsraum für das Fürstentum Liechtenstein (ABl L 1995/86 v 20. 4. 1995).

[10]) Die ausführlichste Darstellung des EWR-Abkommens bietet *Norbert/Hökborg/Johansson/Eliasson/Dedichen*, EEA Law (1993).

[11]) S dazu ausführlich *Cremona,* The „dynamic and homogeneous“ EEA: byzantine structures and variable geometry, ELRev 1994, 508.

te.[12]) Der **Hauptteil** gliedert sich in neun Teile, denen eine Präambel vorangestellt ist: Teil I: Ziele und Grundsätze (Art 1–7); Teil II: Freier Warenverkehr (Art 8–27); Teil III: Freizügigkeit, Freier Dienstleistungs- und Kapitalverkehr (Art 28–52); Teil IV: Wettbewerbs- und sonstige gemeinsame Regeln (Art 53–65); Teil V: Horizontale Bestimmungen im Zusammenhang mit den vier Freiheiten (Art 66–77); Teil VI: Zusammenarbeit außerhalb der vier Freiheiten (Art 78–88); Teil VII: Institutionelle Bestimmungen (Art 89–114); Teil VIII: Finanzierungsmechanismus (Art 115–117); Teil IX: Allgemeine und Schlußbestimmungen (Art 118–129).

Die **Protokolle** enthalten größtenteils verfahrensrechtliche Bestimmungen (zB über die Zusammenarbeit der EFTA-Überwachungsbehörde und der Kommission in Wettbewerbsangelegenheiten). In den **Anhängen** finden sich nach Sachgebieten geordnet die Titel der EG-Rechtsakte,[13]) die Bestandteile des Abkommens bilden, sowie deren Fundstellen im Amtsblatt der EG. Diese sog „Referenzmethode" wurde gewählt, um sich eine vollständige Wiedergabe der Texte zu ersparen. Wo erforderlich, sind zusätzlich zum Titel noch spezifische Anpassungen (zB Übergangsfristen oder länderspezifische Namen und Bezeichnungen) angeführt. Anpassungen, die für alle Rechtsakte gelten (sog „horizontale" Anpassungen) sind im Protokoll 1 enthalten. Die Anhänge werden von Zeit zu Zeit durch neue, mittels Beschluß des Gemeinsamen EWR-Ausschusses übernommene, Rechtsakte ergänzt.

3. Die vier Marktfreiheiten

Die Bestimmungen der Teile II und III des Abkommens über den freien Verkehr von Waren, Personen, Dienstleistungen und Kapital bilden das Kernstück des Abkommens.

a) Freier Warenverkehr

1) Allgemeines

Der EWR ist als **Freihandelszone** konzipiert, in der Binnenzölle und ähnliche Handelshemmnisse beseitigt sind. Die Erleichterungen des freien Warenverkehrs genießen nur jene Produkte, die ihren Ursprung in einem EWR-Staat haben. Demgegenüber bilden die EG-Migliedstaaten eine Zollunion mit einem gemeinsamen Außenzolltarif. Wurde ein Produkt aus einem Drittland ordnungsgemäß in einen EG-Mitgliedstaat eingeführt, kann es frei im gesamten EG-Binnenmarkt zu denselben Bedingungen wie ein EG-Produkt gehandelt werden. Im Gegensatz zu den EG-Staaten haben die EFTA-Staaten ihre Außenzolltarife beibehalten. Um zu verhindern, daß ein Drittlandprodukt über einen EWR-Staat mit niedrigem Zoll in den EWR gelangt

[12]) Diese enthält 30 Gemeinsame Erklärungen, 41 ein- oder mehrseitige Erklärungen, 3 Vereinbarungen in Form von Briefwechseln sowie eine Vereinbarte Niederschrift.

[13]) Ursprünglich enthielt das Abkommen etwa 1100 bindende Rechtsakte (Verordnungen, Richtlinien und Entscheidungen) sowie 300 nichtbindende Dokumente.

und Warenverkehrsfreiheit genießt, enthält das EWR-Abkommen Ursprungsregeln.[14])

Im Vergleich zu den Freihandelsabkommen 1972 ist die Anwendung der im Protokoll 4 des EWRA enthaltenen **Ursprungsregeln** einfacher. Bei der Berechnung der Wertzuwächse gilt der gesamte EWR als ein Territorium (sog volle Kumulierung). Jedoch verlieren im EWR be- oder verarbeitete Waren ihre Ursprungseigenschaft, sobald sie das Gebiet des EWR verlassen, außer die im Ausland erzielte Wertsteigerung ist nicht höher als 10% des Ab-Werk-Preises des Endprodukts. Textilprodukte sind von dieser Regelung ausgenommen.

Der EWR übernahm nicht die Gemeinsame Handelspolitik der EG. Im Handel mit Drittländern gelten weiterhin die nationalen Regelungen der EFTA-Staaten. Folglich gibt es zwischen den EFTA-Staaten und den Mitgliedstaaten der EG weiterhin Grenzkontrollen. Das Abkommen enthält aber Bestimmungen über die Vereinfachung der Grenzkontrollen und die Zusammenarbeit in Zollsachen.[15]) Darüber hinaus sind die Vertragsparteien übereingekommen, untereinander keine Antidumpingmaßnahmen, Ausgleichszölle oder Maßnahmen zum Schutz gegen unlautere Handelspraktiken von Drittländern anzuwenden (Art 26 EWRA).

2) Allgemeine Regeln für den Warenverkehr

Die vom EWR-Abkommen erfaßten Produkte sind in Art 8 EWRA genannt. Sofern das Abkommen keine Ausnahmen in bestimmten Bereichen vorsieht, gelten die Bestimmungen des EWR-Abkommens in erster Linie für industriell-gewerbliche Waren. Das sind jene Produkte, die unter die Kapitel 25 bis 97 des Harmonisierten Systems zur Bezeichnung und Kodierung der Waren fallen.[16]) Zusätzlich fallen bestimmte landwirtschaftliche Verarbeitungserzeugnisse unter das Abkommen; für diese sind Sonderregelungen im Protokoll 3 festgelegt.

Die Beseitigung der „klassischen" Handelsbeschränkungen hatten schon – wenn auch zum Teil nur in eingeschränkter Form – die Freihandelsabkommen zum Ziel. Es handelt sich dabei um Ein- und Ausfuhrzölle und Abgaben gleicher Wirkung (Art 10 EWRA und Protokoll 5 zum EWRA), mengenmäßige Ein- und Ausfuhrbeschränkungen sowie Maßnahmen gleicher Wirkung (Art 11, 12, 13 EWRA und Protokolle 6 und 7 zum EWRA) und inländische diskriminierende Abgaben (Art 14 und 15 EWRA).

Ein- und Ausfuhrzölle sowie Abgaben gleicher Wirkung wurden im Rahmen der Freihandelsabkommen für industriell-gewerbliche Güter im Handel zwischen den EFTA-Staaten und der EG bis 1984 gänzlich abgebaut. Dasselbe gilt für mengenmäßige Beschränkungen und Maßnahmen gleicher Wirkung – jedoch mit der wichtigen Ergänzung, daß diese Begriffe im Rahmen des EWR-Abkommens im Sinne der Rechtsprechung des EuGH auszu-

[14]) Diese legen für jede Produktgruppe fest, wie hoch der Wert der – aus Drittstaaten stammenden – Vormaterialien gemessen am Wert des Endprodukts sein darf, um noch den Ursprung im bearbeitenden Land zu erhalten.

[15]) Protokolle 10 und 11 des EWRA.

[16]) Einige wenige Ausnahmen sind in Protokoll 2 angeführt.

legen sind. Island kann für eine beschränkte Anzahl von Waren mengenmäßige Beschränkungen beibehalten. Liechtenstein ist befugt, eine Pflichtlagerhaltung für Erzeugnisse einzuführen, die in Krisenzeiten als unerläßlich erachtet werden und im Land selbst nicht hergestellt werden.

Im Vergleich zu den Freihandelsabkommen wurde der Anwendungsbereich der Bestimmung über das Verbot diskriminierender inländischer Abgaben im EWR-Abkommen erweitert. Das Verbot umfaßt nicht nur den Tatbestand der Diskriminierung von importierten Waren im Verhältnis zu vergleichbaren inländischen Erzeugnissen, sondern Art 14 Abs 2 EWRA verlangt überdies, daß die Vertragsparteien auf Waren der anderen Vertragsparteien keine inländischen Abgaben erheben, die geeignet sind, andere heimische Produktionen unmittelbar zu schützen. Beispielsweise darf ein Land, in dem Mineralöl, aber nicht Erdgas produziert wird, keine Sonderabgaben auf importiertes Erdgas erheben, um so seine Mineralölproduktion zu schützen, die keinen Abgaben unterworfen ist.

Obwohl die oben beschriebenen Verbote – mit den erwähnten Einschränkungen – schon im Rahmen der Freihandelsabkommen gegolten hatten, behielten die EFTA-Staaten eine Reihe von Handelsbeschränkungen noch bei, als das EWR-Abkommen schon in Kraft getreten war. Diese Beschränkungen wurden zum Teil erst nach Einschreiten der EFTA-Überwachungsbehörde aufgehoben.[17]) Finnland, Norwegen und Schweden belegten Warensendungen per Schiff aus und nach anderen EWR-Ländern mit speziellen Hafengebühren. Inlandssendungen waren von diesen Abgaben nicht betroffen oder im Fall Finnlands nur in gringerem Ausmaß. Die EFTA-Überwachungsbehörde betrachtete diese Gebühren als Abgaben gleicher Wirkung und in Finnland als inländische diskriminierende Abgabe. Während Norwegen die Gebühren mit 1. Jänner 1995 abschaffte, wurden die beiden anderen Fälle Anfang 1995 an die Kommission überwiesen. Im österreichischen **Außenhandelsförderungsbeitrag** sah die Überwachungsbehörde ebenfalls eine unerlaubte Abgabe gleicher Wirkung. Der Fall konnte geschlossen werden, nachdem das betreffende Gesetz in Österreich durch höchstgerichtliche Entscheidung für unanwendbar erklärt wurde. Der EFTA-Gerichtshof hielt das finnische staatliche Alkoholmonopol insoweit dem Art 11 EWRA widersprechend, als es die Einfuhr und das Inverkehrbringen von alkoholischen Getränken an den Besitz einer Genehmigung des Alkoholmonopols knüpfte.[18])

3) Technische Handelshemmnisse

Darunter sind vor allem jene Vorschriften und Verfahren zu verstehen, mit denen die einzelnen Staaten die Beschaffenheit von Produkten aus Gründen der Sicherheit und des Schutzes von Gesundheit und Umwelt regeln. Dazu zählen vor allem Produktstandards und Normen sowie Vorschriften über Zulassungs- und Genehmigungsverfahren. Unterschiede in den einzelstaatlichen Vorschriften und Verfahren können im Handel zwischen den

[17]) Vgl EFTA Surveillance Authority, Annual Report '94 (1995).

[18]) EFTA-GH 16. 12. 1994 Rs E-1/94 – Ravintoloitsijain Liiton Kustannus Oy Restamark.

Staaten Hindernisse darstellen. Um diese Handelshemmnisse zu beseitigen und im technischen Bereich die Anwendung gleicher Regeln durch alle Vertragsparteien zu gewährleisten, haben die EFTA-Staaten über 600 EG-Rechtsakte in ihr innerstaatliches Recht übernommen. Diese im Anhang II des Abkommens angeführten Rechtsakte erfassen zahlreiche Sektoren von Maschinen aller Art über Lebensmittel, Arzneimittel, Kosmetika bis zu Düngemitteln und gefährlichen Stoffen.

Die Beseitigung technischer Handelshemmnisse beruht auf der **Angleichung der Rechtsvorschriften** sowie auf der gegenseitigen Anerkennung. Die dafür verwendeten rechtlichen Instrumente sind die fakultativen Richtlinien und die Richtlinien zur vollständigen Harmonisierung. In einem Bereich, der durch eine fakultative Richtlinie reglementiert ist, hat ein Hersteller gesicherten Marktzugang für sein Produkt, wenn es den Anforderungen dieser Richtlinie entspricht. Diese schließt jedoch parallel dazu bestehende nationale Vorschriften, die denselben Bereich betreffen, nicht aus. Der Hersteller hat somit die Wahl.

Andererseits können in Bereichen, die unter die vollständige Harmonisierung fallen, nur diejenigen Erzeugnisse rechtmäßig auf den Markt gebracht werden, die den Anforderungen solcher Richtlinien entsprechen. Der Hersteller ist hier nur mit einer Vorschrift konfrontiert, der seine Produkte entsprechen müssen.

Für Bereiche, die nicht durch EG-Recht reglementiert sind, hat der EuGH den Begriff der **gegenseitigen Anerkennung** entwickelt.[19]) Demgemäß darf ein in einem Mitgliedstaat hergestelltes und rechtmäßig in den Verkehr gebrachtes Produkt auch in jedem anderen Mitgliedstaat auf den Markt gebracht werden. Diese prinzipielle Regel ist maßgeblich, es sei denn, ein Staat beweist, daß die Anwendung nationaler Vorschriften notwendig ist, um zwingenden Erfordernissen insbesondere zum Schutz der öffentlichen Gesundheit, der Interessen der Verbraucher oder der Umwelt, Genüge zu leisten.[20])

Neben der Harmonisierung von Produktvorschriften sieht das EWR-Abkommen auch die Anwendung eines einheitlichen Konformitätszeichens – des CE-Zeichens – vor. Prüfungsanstalten und/oder Hersteller im gesamten EWR haben das Recht, dieses Zeichen anzubringen, ohne Unterscheidung, ob die Prüfung in einem EG- oder EFTA-Land durchgeführt wurde.

4) Spezielle Bestimmungen für bestimmte Produkte

Für eine Reihe von Produkten, die nicht unter die allgemeinen Warenverkehrsbestimmungen fallen, bestehen Sonderregelungen, die Erleichterungen im Handel zwischen den EG- und EFTA-Staaten bringen sollen. Besondere Bestimmungen bestehen für Agrar- und Fischereierzeugnisse, Weine und Spirituosen sowie Kohle- und Stahlerzeugnisse. Gesondert geregelt ist auch der Bereich Veterinärwesen und Pflanzenschutz.

[19]) Auch als „Cassis de Dijon"-Prinzip bezeichnet.

[20]) In einigen Bereichen können die EFTA-Staaten nach wie vor strengere Vorschriften aufrechterhalten. Es handelt sich um Kraftfahrzeuge/Krafträder; Meßgeräte; elektrische Betriebsmittel und Maschinen; Lebensmittel; Düngemittel; Chemikalien; Spielzeug/Keramikerzeugnisse.

Im Gegensatz zu landwirtschaftlichen Verarbeitungserzeugnissen, die vom EWR-Abkommen erfaßt werden, regelt das Abkommen den Handel mit **landwirtschaftlichen Erzeugnissen** nur indirekt, nämlich in Form von bilateralen Abkommen zwischen den EFTA-Staaten und der Gemeinschaft.[21]) Der Handel mit **Fisch** und anderen **Meereserzeugnissen** ist im Protokoll 9 geregelt. Mit dem Inkrafttreten des EWR-Abkommens haben die EFTA-Staaten und die EG Einfuhrzölle und Abgaben gleicher Wirkung beseitigt und wenden für bestimmte Erzeugnisse keine mengenmäßigen Beschränkungen mehr an. Für gewisse Produkte bestehen Übergangsregelungen. Für eine dritte Gruppe von Erzeugnissen bleiben die vor dem Inkrafttreten des Abkommens bestehenden Zölle aufrecht.

Gem Protokoll 47 lassen die EWR-Mitglieder die Einfuhr und das Inverkehrbringen von **Weinen** und **Spirituosen** zu, sofern diese den Anforderungen der relevanten EG-Vorschriften entsprechen. Für alle anderen Zwecke als den Handel – vor allem Agrarpolitik, Drittlandregelungen, Marktorganisation, Besteuerung – behalten die EWR-Länder ihre einzelstaatlichen Vorschriften.

Der Handel mit **Kohle- und Stahlerzeugnissen** wird von den Freihandelsabkommen 1972 geregelt, die somit weiterhin gelten, sofern Protokoll 14 des EWR-Abkommens nichts anderes bestimmt. So wurden die sehr allgemein gehaltenen Wettbewerbsregeln und die Bestimmungen über die staatlichen Beihilfen der Freihandelsabkommen durch die Verpflichtung ersetzt, den sich auf die EGKS beziehenden relevanten acquis communautaire zu beachten. Des weiteren führte das Protokoll 14 neue Elemente ein, darunter die Beseitigung von mengenmäßigen Ausfuhrbeschränkungen und Maßnahmen gleicher Wirkung, von Zöllen und Abgaben gleicher Wirkung sowie das Verbot von Handelsbeschränkungen durch administrative oder technische Vorschriften.

Die im Anhang I zum EWR-Abkommen angeführten Regelungen betreffend das **Veterinärwesen,** die **Futtermittel** und den **Pflanzenschutz** stellen den für den EWR relevanten Teil der in der EG geltenden Bestimmungen dar. In Fragen der Tiergesundheit können die EFTA-Staaten ihre strengeren Vorschriften beibehalten. Die Einhaltung der EG-Rechtsvorschriften betreffend Fleischerzeugnisse und Fleischverarbeitungsbetriebe wird in den EFTA-Staaten von der EFTA-Überwachungsbehörde kontrolliert. Auch im Bereich der Futtermittel können die EFTA-Staaten in mehreren Fällen vor allem bei Zusatzstoffen ihre nationalen Regelungen beibehalten.

b) Freier Personenverkehr

Auf der Grundlage der fast gleich lautenden Bestimmungen des EG-Vertrags regelt das EWR-Abkommen einerseits die Freizügigkeit der Arbeitnehmer und selbständig Erwerbstätigen sowie die Niederlassungsfreiheit natürlicher und juristischer Personen. Die **Freizügigkeit** gibt Arbeitnehmern das Recht, sich im gesamten EWR um eine Stelle zu bewerben und sich frei zu bewegen, sich in jedem EWR-Land aufzuhalten, um einer Beschäftigung nach-

[21]) Vgl Protokoll 42 EWRA.

zugehen, und nach Beendigung derselben in diesem Land zu bleiben. Die Freizügigkeit umfaßt die Abschaffung jeder auf der Staatsangehörigkeit beruhenden unterschiedlichen Behandlung der Arbeitnehmer der EWR-Länder in bezug auf Beschäftigung, Entlohnung und sonstige Arbeitsbedingungen. Diese Regelung findet jedoch keine Anwendung auf die Beschäftigung im öffentlichen Dienst. Um die Freizügigkeit auch praktisch zu ermöglichen, haben sich die Vertragsparteien verpflichtet, sicherzustellen, daß die Zusammenrechnung von Sozialversicherungszeiten für den Erwerb und die Aufrechterhaltung des Leistungsanspruchs sowie für die Berechnung der Leistungen im gesamten EWR möglich ist. Weiters hatten die EWR-Staaten dafür zu sorgen, daß die Anerkennung von Diplomen, Prüfungszeugnissen und sonstigen Befähigungsnachweisen gem den relevanten EG-Vorschriften gewährleistet ist.

Die **Niederlassungsfreiheit** gibt EWR-Bürgern sowie juristischen Personen das Recht, sich in jedem Staat des EWR niederzulassen oder Agenturen, Zweigniederlassungen oder Tochtergesellschaften zu gründen. Durch die Übernahme der entsprechenden EG-Rechtsakte betreffend das Aufenthaltsrecht der Studenten, der aus dem Erwerbsleben Ausgeschiedenen sowie das allgemeine Aufenthaltsrecht, gilt im EWR weitgehend dieselbe Niederlassungsfreiheit wie innerhalb der EG.

Liechtenstein kann während einer dreijährigen Übergangszeit seine bestehenden Regelungen betreffend die Einreise, Beschäftigung und den Aufenthalt ausländischer Arbeitnehmer beibehalten. Island und Norwegen gesteht das Abkommen ständige Ausnahmen betreffend eine Tätigkeit im Fischfang oder der Fischindustrie zu.

c) Dienstleistungsfreiheit

Das EWR-Abkommen sieht grundsätzlich für alle gewerblich, kaufmännisch oder handwerklich Erwerbstätigen das Recht vor, in jedem EWR-Staat – auch grenzüberschreitend – Dienstleistungen zu erbringen.[22]) Dies gilt auch für freiberuflich Tätige, sofern ihre Tätigkeit nicht mit der Ausübung von öffentlicher Gewalt verbunden ist.

Für **Finanzinstitutionen,** also vor allem Banken und Versicherungen, gelten die Prinzipien „Einheitslizenz“ und „Herkunftslandkontrolle“. Das **Prinzip der Einheitslizenz** bedeutet, daß ein Unternehmen, das in seinem Ursprungsland zugelassen ist, in anderen EWR-Staaten ohne vorherige Genehmigung der Behörden des Aufnahmelandes Niederlassungen errichten und Geschäfte tätigen kann. Gem dem Prinzip der **Herkunftslandkontrolle** bleibt die zuständige Behörde im Herkunftsland für die Aufsicht der heimischen Unternehmen auch im Ausland verantwortlich.

Im Bereich der **Telekommunikationsdienstleistungen** haben die EFTA-Staaten im EWR-Abkommen die EG-Politik auf diesem Gebiet übernommen, die sich in zwei grundlegenden Richtlinien niedergeschlagen hat. Die

[22]) Art 36 bis 39 EWRA. Die Sekundärrechtsakte finden sich in Anhang IX (Finanzdienstleistungen), Anhang X (audio-visuelle Dienste) und Anhang XI (Telekommunikationsdienste).

„Wettbewerbsrichtlinie“[23]) zielt auf die Abschaffung der staatlichen Fernmeldemonopole durch die Trennung der hoheitlichen von den betrieblichen Funktionen. Da jedoch die Notwendigkeit des Bestandes öffentlicher Netze anerkannt wird, um die Integrität der Infrastruktur zu bewahren, sind die Betreiber dieser Netze verpflichtet, anderen Dienstanbietern den Zugang zum Netz zu gewähren. Die allgemeinen Kriterien hierzu sind in der Richtlinie über den offenen Netzzugang[24]) festgelegt.

Das EWR-Abkommen regelt auch das Senden von **Fernsehprogrammen** auf der Grundlage der „Fernsehrichtlinie“,[25]) deren Hauptziel darin besteht, die freie Verbreitung von Fernsehprogrammen in Europa sicherzustellen sowie kulturellen Zwecken wie der Förderung europäischer Werke zu dienen. Sie soll die freie Weiterverbreitung von Sendungen aus anderen Mitgliedstaaten gewährleisten und andererseits die Werbung regulieren sowie Leitlinien für die Programmgestaltung geben. Der EFTA-Gerichtshof hatte in zwei Fällen über die Vereinbarkeit des norwegischen Verbotes von für Kinder bestimmter Fernsehwerbung mit der Fernsehrichtlinie zu befinden. Die Beklagte hatte Werbespots für Spielzeug aus Schweden via Satellit nach Norwegen gesendet. Der Gerichtshof entschied, daß ein EWR-Staat Werbesendungen aus einem anderen EWR-Staat dann nicht verbieten darf, wenn der Werbende die Mindesterfordernisse, die die Richtlinie für an Kinder gerichtete Werbung vorsieht, erfüllt hat.[26])

Die Bestimmungen des EWR-Abkommens über das **Transportwesen** (Art 47 bis 52) beruhen auf dem Grundsatz des gegenseitigen Marktzuganges für die Vertragsparteien, einer weitergehenden Liberalisierung der Transportdienstleistungen auf multilateraler Ebene sowie harmonisierten technischen Bestimmungen und Arbeitsbedingungen. Diese Bestimmungen gelten für den Eisenbahn-, Straßen- und Binnenschiffsverkehr, während Anhang XIII neben dem Sekundärrecht für diese Transportarten auch Bestimmungen für den Luft- und Seeverkehr enthält.

d) Freier Kapitalverkehr

Dieser Bereich erfaßt insbesondere Direkt- und Immobilieninvestitionen, Geschäfte mit Wertpapieren, Kontokorrent- und Termingeschäfte, Handels- und Finanzkredite und Darlehen sowie den Kapitalverkehr mit persönlichem Charakter. Der Kapitalverkehr steht naturgemäß in engem Zusammenhang mit der Niederlassungsfreiheit, dem Prinzip der Inländerbehandlung, dem Gesellschaftsrecht sowie dem Erbringen von Dienstleistungen. Ausnahmen vom Prinzip des freien Kapitalverkehrs können in Verbindung

---

[23]) RL 90/388/EWG der Kommission v 28. 6. 1990 über den Wettbewerb auf dem Markt für Telekommunikationsdienste (ABl L 1990/192 v 24. 7. 1990, 10).

[24]) RL 90/387/EWG des Rates v 28. 6. 1990 zur Verwirklichung des Binnenmarktes für Telekommunikationsdienste durch Einführung eines offenen Netzzugangs (ABl L 1990/192 v 24. 7. 1990, 1).

[25]) RL 89/552/EWG des Rates v 3. 10. 1989 zur Koordinierung bestimmter Rechts- und Verwaltungsvorschriften der Mitgliedstaaten über die Ausübung der Fernsehtätigkeit (ABl L 1989/298 v 17. 10. 1989, 23).

[26]) EFTA-GH 16. 6. 1995 verb Rs E-8/94 und E-9/94 – Forbrukerombudet gg Mattel Scandinavia A/S und Lego Norge A/S.

mit dem Erwerb von Zweitwohnsitzen, verstaatlichten Unternehmen und in Angelegenheiten, in denen es um die öffentliche Ordnung, Sicherheit oder Gesundheit geht, zur Anwendung gelangen.

Das EWR-Abkommen verbietet Beschränkungen für Transaktionen von Kapital juristischer oder natürlicher Personen, die in EG- oder EFTA-Staaten ansässig sind, sowie die Diskriminierung aufgrund der Staatsangehörigkeit oder des Wohnortes solcher Personen oder des Anlageortes. Die Verpflichtung zur Liberalisierung erfaßt nicht nur die Beseitigung von Devisenkontrollen beim Kapitaltransfer, sondern auch indirekte Hemmnisse für den Kapitalverkehr wie zB steuerliche Begünstigungen für inländische Wertpapiere. Die Marktteilnehmer müssen auch zu allen Finanzverfahren Zugang haben. Beispielsweise umfaßt der Begriff des Erwerbs von Wertpapieren und anderen Finanzinstrumenten nicht nur Kassageschäfte, sondern auch andere zur Verfügung stehende Geschäftsformen wie Termingeschäfte, Optionsgeschäfte oder Transaktionen mit Optionsscheinen, Tauschgeschäfte gegen andere Vermögenswerte und ähnliche.

Die **vollständige Liberalisierung des Kapitalverkehrs** hindert die EWR-Staaten aber nicht daran, Meldeverfahren zu schaffen oder beizubehalten, die es ihnen ermöglichen, den Kapitalverkehr nach oder aus anderen Ländern zu verfolgen (zB aus Steuer- oder statistischen Gründen). Solche Maßnahmen dürfen jedoch keine Behinderung des Kapitalverkehrs zur Folge haben.

Die meisten in den EFTA-Staaten verbleibenden Beschränkungen für den Kapitalverkehr betreffen die Direkt- und Immobilieninvestitionen. Diese Übergangsperioden laufen noch im Falle Liechtensteins für Direktinvestitionen bis 1997 und für Investitionen in Immobilien bis 1999. Im Bereich der Investitionen im Fischereisektor können Island und Norwegen ihre geltenden nationalen Rechtsvorschriften beibehalten. Darüber hinaus enthält das EWR-Abkommen Schutzbestimmungen für den Fall von Störungen im Kapitalverkehr, Abwertungen aus Wettbewerbsgründen und Zahlungsbilanzschwierigkeiten.

4. Wettbewerb und andere gemeinsame Regeln

a) Allgemeines

Um einen homogenen Wirtschaftsraum zu schaffen, sind nicht nur einheitliche Bestimmungen über den freien Verkehr von Waren, Personen, Dienstleistungen und Kapital erforderlich, sondern es ist auch notwendig, einheitliche Wettbewerbsbedingungen für die Wirtschaftsteilnehmer festzulegen. Zu diesem Zweck wurden die Bestimmungen des EG-Rechts betreffend das Kartell- und Mißbrauchsverbot, die Fusionskontrolle, die öffentlichen Unternehmen, die staatlichen Beihilfen und Monopole sowie das öffentliche Auftragswesen in das EWR-Abkommen übernommen. Zusätzlich haben sich die EFTA-Staaten verpflichtet, eine eigene unabhängige Institution für die Anwendung der Wettbewerbsregeln einzurichten, die mit gleichwertigen Befugnissen und Aufgaben wie die EG-Kommission betraut ist. Es ist dies die EFTA-Überwachungsbehörde, die zusammen mit der Kommission die EWR-Wettbewerbsregeln anzuwenden hat.

Im **Bereich des Wettbewerbsrechts** stellt sich somit der EWR als **einheitlicher Rechtsraum** dar, in dem nicht nur dieselben materiellrechtlichen Bestimmungen gelten, sondern in dem darüber hinaus dieselben Verfahren zur Durchsetzung dieses Rechts zur Anwendung gelangen.

b) Das Kartell- und Mißbrauchsverbot

Art 53 EWRA untersagt den Wettbewerb behindernde, einschränkende oder verfälschende Vereinbarungen zwischen Unternehmen sowie aufeinander abgestimmte Verhaltensweisen, die den Handel zwischen den EWR-Staaten beeinträchtigen können. Art 54 EWRA verbietet die mißbräuchliche Ausnutzung einer marktbeherrschenden Stellung, soweit sie den Handel zu beeinträchtigen geeignet ist. Beide Verbote entsprechen jenen der Art 85 und 86 EGV.

In verfahrensrechtlicher Hinsicht bestimmt Art 55 EWRA, daß die EG-Kommission und die EFTA-Überwachungsbehörde für die Einhaltung der oben genannten Bestimmungen zuständig sind. Die Kommission geht dabei gem den verfahrensrechtlichen Vorschriften des EG-Rechts vor, auf die im Protokoll 21 und im Anhang XIV des EWRA verwiesen wird. Um diese Vorschriften auch zur Grundlage der Tätigkeit der EFTA-Überwachungsbehörde auf dem Gebiet des Wettbewerbsrechts zu machen, wurden sie von den EFTA-Staaten in das Überwachungs- und Gerichtshofabkommen übernommen.[27]) Sie verfügt damit über dieselben weitreichenden Auskunfts- und Untersuchungsbefugnisse wie die Kommission.

Um im Einzelfall feststellen zu können, welche der beiden Behörden zuständig ist, legt Art 56 EWRA folgende Kompetenzverteilung fest: Die EFTA-Überwachungsbehörde ist für Fälle zuständig, in denen nur der Handel zwischen EFTA-Staaten betroffen ist sowie für Fälle, in denen der Handel zwischen der Gemeinschaft und einem oder mehreren EFTA-Staaten beeinträchtigt ist und mindestens 33% des gesamten EWR-Umsatzes der betroffenen Unternehmen in EFTA-Staaten erzielt werden, vorausgesetzt der Handel zwischen EG-Mitgliedstaaten ist nicht spürbar beeinträchtigt. In allen anderen Fällen liegt die Zuständigkeit bei der Kommission.

c) Fusionskontrolle

Wie im Bereich des Kartell- und Mißbrauchsverbots wenden die beiden Aufsichtsbehörden im Rahmen der Fusionskontrolle einheitliche Vorschriften an. Gemäß Artikel 57 EWRA können jene Zusammenschlüsse von Unternehmen untersagt werden, die eine beherrschende Stellung schaffen oder verstärken, sofern der wirksame Wettbewerb im EWR erheblich behindert wird. Die EFTA-Überwachungsbehörde ist dann zuständig, wenn die Kriterien der Fusionskontrollverordnung Nr 4064/89 im Gebiet der EFTA-Staaten erfüllt sind.

d) Staatliche Beihilfen und Monopole

Auch in diesem Bereich der Wettbewerbsregeln wurden die gemeinschaftsrechtlichen Bestimmungen in das EWR-Abkommen übernommen. Bei-

---

[27]) Abkommen v 2. 5. 1992 zwischen den EFTA-Staaten zur Errichtung einer Überwachungsbehörde und eines Gerichtshofs.

hilfen, die ein EWR-Staat Unternehmen gewährt, sind verboten, soweit sie den Wettbewerb verfälschen und den Handel zwischen den EWR-Staaten beeinträchtigen. Es kann sich dabei um Zuwendungen jeglicher Art oder um Begünstigungen handeln. Dieses Verbot wird jedoch durch die Möglichkeit gemildert, gewissen wirtschaftlichen, sozialen und politischen Überlegungen Rechnung zu tragen. Die EFTA-Staaten sind verpflichtet, der EFTA-Überwachungsbehörde bestehende sowie geplante Beihilfemaßnahmen zu melden.[28]) Die Überwachungsbehörde überprüft deren Vereinbarkeit mit den EWR-Bestimmungen und kann gegebenenfalls Änderungen verlangen. Neue Beihilfen dürfen erst nach Genehmigung durch die Überwachungsbehörde gewährt werden.

In Anlehnung an die Regelung des EG-Vertrags enthält Art 16 EWRA die Verpflichtung für die EFTA-Staaten, **staatliche Handelsmonopole** so umzuformen, daß jede Diskriminierung in den Versorgungs- und Absatzbedingungen ausgeschlossen ist. Diese Bestimmung ist vor allem in den skandinavischen Ländern von Relevanz, die auch nach dem Inkrafttreten des EWR-Abkommens auf der Aufrechterhaltung ihrer Alkoholmonopole beharrten. In allen vier Fällen eröffnete die EFTA-Überwachungsbehörde Vertragsverletzungsverfahren. Jene betreffend Finnland und Schweden wurden Anfang 1995 in der Folge des EU-Beitritts der beiden Staaten an die Kommission übergeben; die beiden gegen Island und Norwegen sind zur Zeit noch anhängig.

e) Öffentliches Auftragswesen

Ziel der Bestimmungen über das öffentliche Auftragswesen ist die Ausdehnung des Wettbewerbsprinzips auf den Staat als Wirtschaftsteilnehmer. Im EWR kommen die **EG-Vergaberichtlinien** zur Anwendung, die für öffentliche Auftraggeber bei der Ausschreibung von Aufträgen ab einer gewissen Größenordnung bindend sind. Solche Aufträge müssen EWR-weit im Amtsblatt der Gemeinschaft und über die elektronische Datenbank TED (Tenders Electronic Daily) ausgeschrieben werden. Die technischen Spezifikationen müssen bei der Veröffentlichung der Ausschreibung genau angegeben werden und, so vorhanden, auf europäischen Normen oder nationalen Normen, die europäische umsetzen, basieren. Als Zuschlagskriterien gelten nur der niedrigste Preis oder das wirtschaftlich günstigste Angebot. Zur Durchsetzung sind neben der Kommission und der EFTA-Überwachungsbehörde auf EWR-Ebene von den EFTA-Staaten eigene nationale Nachprüfungsgremien eingerichtet worden. Diese haben die Möglichkeit, etwaige Verstöße zu beseitigen oder einen weiteren Nachteil für einen geschädigten Anbieter zu verhindern, sowie die Befugnis, zuerkannte Verträge auszusetzen und Entschädigungen zuzusprechen.

5. Andere Bereiche

Teil V des EWR-Abkommens enthält weitere für den Binnenmarkt relevante Bereiche. Diese sind Soziales, Verbraucherschutz, Umwelt, Statistik

---

[28]) Im ersten Jahr nach Inkrafttreten des EWR-Abkommens hatte die EFTA-Überwachungsbehörde 400 in den EFTA-Staaten bestehende Beihilfemaßnahmen zu überprüfen.

und Gesellschaftsrecht. Das Abkommen enthält dazu in den Anhängen 18 bis 22 die relevanten EG-Rechtsakte, die von den EFTA-Staaten zu übernehmen waren. Die im Teil VI behandelte Zusammenarbeit außerhalb der vier Freiheiten erstreckt sich auf die Bereiche Forschung und technologische Entwicklung, Informationsdienste, Umwelt, Bildung und Jugend, Sozialpolitik, Verbraucherschutz, kleine und mittlere Unternehmen, Fremdenverkehr, audiovisueller Sektor, Katastrophenschutz, Handelserleichterung, Verkehr und Mobilität sowie Kultur. Die Zusammenarbeit zwischen EFTA- und EG-Ländern besteht in der Beteiligung der EFTA-Staaten an Programmen der EG, in der Durchführung gemeinsamer Tätigkeiten, in der parallelen Gesetzgebung sowie in der Koordinierung der Tätigkeiten in internationalen Organisationen in diesen Bereichen.

6. Organe und Beschlußfassung

a) Institutionelle Struktur

Die institutionelle Struktur des EWR erscheint auf den ersten Blick als äußerst kompliziertes Gebilde. Dies liegt an der großen Zahl der beteiligten Organe, die wiederum durch den **„Zwei-Säulen-Aufbau"** der institutionellen Struktur des EWR bedingt ist. Auf ein und derselben Ebene übernimmt ein EG-Organ die Aufgaben innerhalb der Gemeinschaft und ein EFTA-Organ dieselben Aufgaben bezüglich der EFTA-Staaten. An der täglichen Umsetzung des Abkommens sind jedoch nur einige wenige Organe maßgeblich beteiligt.

Die am EWR beteiligten Organe lassen sich in drei Gruppen einteilen, die auseinanderzuhalten wichtig ist. Die erste Gruppe sind **EG-Institutionen,** die im EWR mit eigenen Aufgaben betraut werden, wie die Kommission und der EuGH. Die nächste Gruppe bilden die **„echten" EWR-Organe,** das sind jene, die durch das EWR-Abkommen geschaffen wurden und sich aus Vertretern der EG- und EFTA-Staaten zusammensetzen: Der EWR-Rat, der Gemeinsame EWR-Ausschuß, der Gemeinsame Parlamentarische EWR-Ausschuß sowie der Beratende EWR-Ausschuß. Die dritte Gruppe bilden die **reinen EFTA-Organe,** die zum Teil gemeinsamen EWR-Organen nachgebildet sind, aber nur die EFTA-Vertreter umfassen. Diese sind der Ständige Ausschuß der EFTA-Staaten,[29]) der Parlamentarische Ausschuß der EFTA-Staaten, das EFTA-Konsultativkomitee, die EFTA-Überwachungsbehörde sowie der EFTA-Gerichtshof.

Während die beiden Gerichtshöfe sowie die EFTA-Überwachungsbehörde nur rechtsprechende bzw rechtanwendende Organe sind, ist der Rest der Institutionen in den politischen Meinungsbildungs- und Entscheidungsprozeß eingebunden. Die Arbeitsweise der „politischen" Organe ist grundsätzlich so gestaltet, daß die Standpunkte der EG- und der EFTA-Seite zuerst in den jeweiligen eigenen Organen formuliert und dann erst in den gemeinsamen Organen behandelt werden, wo die EFTA-Staaten „mit einer Stimme sprechen", dh einen einheitlichen Standpunkt einnehmen. So erfolgen die Vorarbeiten zu den Beratungen des wichtigsten Gremiums, des Gemeinsa-

[29]) Im folgenden kurz Ständiger Ausschuß genannt.

men EWR-Ausschusses, einerseits in der Kommission, andererseits im Ständigen Ausschuß der EFTA-Staaten.

b) Die einzelnen Organe

Der **EWR-Rat,** als das höchste politische Organ, tagt zweimal im Jahr. Er setzt sich aus Mitgliedern des Rates und der Kommission der EG sowie je einem Regierungsmitglied aus den drei EFTA-Staaten zusammen. Die Aufgabe des Rates ist es, die allgemeinen politischen Leitlinien festzulegen, die politischen Entscheidungen über die Weiterentwicklung des EWR zu fällen sowie jene Fragen zu lösen, die ihm vom Gemischten Ausschuß zugeleitet wurden (Evokationsrecht).

Der **Gemischte EWR-Ausschuß** ist das bedeutendste Gremium des EWR. In ihm werden formell alle EWR-relevanten Beschlüsse gefaßt, vor allem jene zur Aufnahme neuer EG-Sekundärrechtsakte in das EWR-Abkommen. Er setzt sich aus Beamten der Generaldirektion I.A der Kommission sowie Vertretern der Brüsseler EFTA-Missionen zusammen. Ein Vertreter der EFTA-Überwachungsbehörde (in der Regel ihr Präsident) nimmt an den Sitzungen als Beobachter teil. Zu seiner Entlastung, insbesondere zur Vorbereitung seiner Beschlüsse, hat der Gemischte Ausschuß fünf Unterausschüsse eingesetzt, die genau dieselben Bereiche abdecken, wie die eingangs erwähnten fünf Arbeitsgruppen.[30]) Der Ausschuß entscheidet „im Einvernehmen" zwischen den beiden Seiten. Er tritt in der Regel einmal im Monat zusammen.

Der **Gemischte Parlamentarische EWR-Ausschuß** und der **Beratende EWR-Ausschuß** haben nur beratende Funktion. Ersterer setzt sich aus Mitgliedern des Europäischen Parlaments und des Parlamentarischen Ausschusses der EFTA-Staaten zusammen. Letzterer umfaßt Mitglieder des Wirtschafts- und Sozialausschusses der EG und des EFTA-Konsultativkomitees, also Vertreter der Sozialpartner aus den EWR-Ländern. Beide Gremien können Berichte und Stellungnahmen abgeben. Der Parlamentarische Ausschuß kann darüber hinaus den Präsidenten des EWR-Rates zu einer Anhörung einladen.

Die Koordinierung der Standpunkte der EFTA-Staaten erfolgt im **Ständigen Ausschuß.** Er besteht aus Diplomaten der Brüsseler Missionen der drei EFTA-Staaten Norwegen, Island und Liechtenstein. Er erhält seine Informationen von seinen fünf Unterausschüssen, deren Aufgabenbereiche sich mit jenen der Unterausschüsse des Gemeinsamen Ausschusses decken. Außerdem kann er auf die Arbeiten von zahlreichen Arbeits- und Expertengruppen zurückgreifen. Die administrative Vorbereitung und Koordinierung seiner Tätigkeit besorgt das EFTA-Sekretariat in Brüssel. Der Ständige Ausschuß tritt in der Regel monatlich jeweils vor den Sitzungen des Gemeinsamen EWR-Ausschusses zusammen.

Die **EFTA-Überwachungsbehörde** und der **EFTA-Gerichtshof** sind zwei Organe, die durch ein Abkommen zwischen den EFTA-Staaten[31]) er-

---

[30]) S oben B.1.
[31]) FN 27.

richtet wurden. Beiden Organen ist gemein, daß sie als selbständige internationale Organisationen errichtet und mit eigener Rechtspersönlichkeit ausgestattet wurden. Sie sind sowohl organisatorisch als auch personell von den EFTA-Staaten und den anderen EFTA-Organen vollkommen unabhängig.

c) Rechtsetzungsverfahren

In der bisherigen Betrachtung des EWR-Abkommens fand das Charakteristikum „Homogenität“ des EWR Beachtung, also die Einheitlichkeit von geltendem EG- und EWR-Recht und dessen Anwendung. Da der EWR aber nicht nur ein homogener sondern vor allem dynamischer, also ein sich fortentwickelnder, Rechts- und Wirtschaftsraum sein sollte, stellte sich den Vertragsverhandlern früh die Frage, wie die EFTA-Staaten auf die EWR-relevante Rechtsetzung der Gemeinschaft Einfluß nehmen könnten, ohne die Entscheidungsautonomie der EG zu beeinträchtigen.

Die Lösung bestand in einem vereinfachten Verfahren zur Übernahme neuer EG-Rechtsakte in das EWR-Abkommen durch Beschluß des Gemeinsamen EWR-Ausschusses (Art 99 bis 104 EWRA). Hingegen sieht das Abkommen für die Änderung von Bestimmungen des Hauptabkommens bzw die Erweiterung des Abkommens ein besonderes Änderungsverfahren in Art 118 vor.

Das Verfahren zur Übernahme neuen Sekundärrechts besteht aus einer **Vorbereitungsphase** (sog „decision shaping“) und der **Beschlußphase** („decision making“). Sobald die Kommission, die auch im EWR das Initiativrecht behält, mit der Ausarbeitung eines Vorschlages für einen Rechtsakt mit EWR-Relevanz beginnt, ist sie verpflichtet, EFTA-Experten auf die gleiche Weise in die Beratungen miteinzubeziehen wie Experten aus den EG-Mitgliedstaaten. Vor der offiziellen Annahme eines Vorschlages durch die Kommission ist in vielen Fällen die Befassung von Ausschüssen vorgesehen. In bestimmten Ausschüssen ist es EFTA-Experten gestattet, an den Beratungen mitzuwirken ohne jedoch Stimmrecht zu besitzen. Wird der Kommissionsvorschlag sodann offiziell dem Rat zugeleitet, ist er auch den EFTA-Staaten zu übermitteln, die eine Beratung darüber im Gemeinsamen Ausschuß beantragen können.

In der Beschlußphase hat der Gemeinsame Ausschuß so bald wie möglich nach Erlaß eines gemeinschaftlichen Sekundärrechtsaktes durch den Rat oder die Kommission einen Beschluß zur Änderung eines Anhangs des EWR-Abkommens zu fassen. Kommt ein solcher zustande, so tritt er nach erfolgter Ratifizierung in den EFTA-Staaten in Kraft. Sollten nicht alle erforderlichen Ratifikationserklärungen vorliegen, wird ein Beschluß des Gemeinsamen Ausschusses nach Ablauf einer Frist von sechs Monaten provisorisch angewendet. Kommt es im Gemeinsamen Ausschuß zu keiner Einigung oder erhebt eine Seite Einspruch gegen eine provisorische Anwendung eines Beschlusses, sowie im Fall der Verweigerung einer Ratifikation, gelten die vom Beschluß betroffenen Teile des Abkommens als vorläufig ausgesetzt, und zwar solange, bis es nicht zu einem entgegengesetzten Beschluß des Gemeinsamen Ausschusses kommt.

In der nun zweijährigen Praxis des Gemeinsamen Ausschusses, in der über hundert Beschlüsse[32]) gefaßt wurden, ist es noch zu keiner Suspendierung gekommen. Die Praxis hat gezeigt, daß einerseits der Druck auf die EFTA-Staaten, EG-Recht nachzuvollziehen, zwar vorhanden ist, andererseits aber auch das Bestreben der EG-Seite erkennbar ist, Regelungen, deren Anwendung den einen oder anderen EFTA-Staat vor ein unüberwindliches Hindernis stellen könnte, schon im Beratungsstadium zu entschärfen.

d) Überwachungsverfahren und Streitbeilegung

Die Erfüllung der Verpflichtungen aus dem EWR-Abkommen sowie die Einhaltung der gemeinsamen Regeln zu gewährleisten und zu überwachen, obliegt – getreu dem **„Zwei-Säulen-Prinzip"** – in den EG-Mitgliedstaaten der Kommission und für die EFTA-Staaten der EFTA-Überwachungsbehörde.[33]) Beide Behörden arbeiten eng zusammen, um eine einheitliche Überwachung sicherzustellen. Jede der beiden nimmt Beschwerden entgegen und übermittelt der anderen Beschwerden, für deren Behandlung das andere Organ zuständig ist. In der täglichen Praxis erfolgt ein reger Informations- und Gedankenaustausch auf Beamtenebene zwischen den einzelnen Generaldirektionen der Kommission und den entsprechenden Abteilungen der EFTA-Überwachungsbehörde.

Kommt es bei der Anwendung der Bestimmungen des EWR-Abkommens bzw deren Auslegung zu Meinungsverschiedenheiten entweder zwischen den Überwachungsbehörden oder den Mitgliedstaaten, so kann der Gemeinsame EWR-Ausschuß zur Streitbeilegung herangezogen werden. Liegt dem Streit die Auslegung einer aus dem EG-Recht übernommenen Bestimmung zugrunde, so kann der Gemeinsame EWR-Ausschuß den EuGH um eine Entscheidung ersuchen. Sollte eine Einigung innerhalb von sechs Monaten nicht zustande kommen, kann eine Vertragspartei entweder Schutzmaßnahmen ergreifen oder die Anwendung der strittigen Bestimmung oder des betroffenen Teiles des Abkommens aussetzen. Betrifft ein Streit die Angemessenheit von Schutzmaßnahmen und kommt es zu keiner Einigung im Gemeinsamen EWR-Ausschuß, kann jede Vertragspartei ein in diesem Fall von den Vertragsparteien einzurichtendes Schiedsgericht anrufen, dessen Spruch bindend ist.[34])

e) Schutzmaßnahmen

Im Fall ernstlicher wirtschaftlicher, gesellschaftlicher oder ökologischer Schwierigkeiten kann jede Vertragspartei bzw die Kommission für die EG **einseitige Maßnahmen** treffen, um diesen Schwierigkeiten zu begegnen. Ihr Umfang und ihre Dauer sind auf das unbedingt erforderliche Maß zu beschränken. **Schutzmaßnahmen** können erst nach Beratung im Gemeinsamen EWR-Ausschuß getroffen werden. Den anderen Vertragsparteien steht es

---

[32]) 1994 waren es 44 Beschlüsse, 1995 wurden insgesamt 75 Beschlüsse zur Ergänzung von Anhängen und Protokollen gefaßt.

[33]) S im einzelnen unten D.2.b.

[34]) Das Verfahren regelt Protokoll 33 zum EWRA.

frei, ihrerseits Maßnahmen zu treffen, um ein durch die Schutzmaßnahme entstandenes Ungleichgewicht zwischen Rechten und Pflichten aus dem EWR-Abkommen zu beheben.

D. Überwachung und Rechtsschutz

1. Allgemeines

Ein Ziel der Vertragsparteien war es, die einheitliche Auslegung und Anwendung der Bestimmungen des EWR-Abkommens sowie der gemeinschaftsrechtlichen Bestimmungen, die in das EWR-Abkommen übernommen wurden, zu gewährleisten sowie die Gleichbehandlung der Einzelpersonen und Marktteilnehmer hinsichtlich der vier Freiheiten und der Wettbewerbsbedingungen zu erreichen. Zu diesem Zweck sieht Art 108 EWRA die Einsetzung einer EFTA-Überwachungsbehörde und eines EFTA-Gerichtshofs vor. Gem dem „Zwei-Säulen-Prinzip“ wird die Überwachung des Abkommens nun von der Kommission für die EU-Staaten und der EFTA-Überwachungsbehörde für die EFTA-Staaten wahrgenommen. Für den Rechtsschutz sind für die EU-Staaten der EuGH und das Gericht Erster Instanz sowie für die EFTA-Staaten der EFTA-Gerichtshof zuständig.

2. Die EFTA-Überwachungsbehörde

a) Organisation

Die EFTA-Überwachungsbehörde wurde von den EFTA-Staaten als selbständige und von den EFTA-Staaten und der Europäischen Freihandelsassoziation unabhängige Organisation mit Sitz in Brüssel geschaffen.[35]) Ihre Aufgaben und Befugnisse regelt das Überwachungs- und Gerichtshofabkommen (ÜGA).[36]) Ihre Arbeitsweise ist in der Geschäftsordnung niedergelegt.[37])

Die Überwachungsbehörde wird von einem **Kollegium** bestehend aus je einem Mitglied aus Norwegen, Island und Liechtenstein gebildet.[38]) Sie werden von den Regierungen der EFTA-Staaten im Einvernehmen ernannt. Ebenso einvernehmlich wird der Präsident für zwei Jahre von den Regierungen bestellt. Das Kollegium trifft sich wöchentlich zu seinen Sitzungen, wobei die Anwesenheit von zumindest zwei Mitgliedern notwendig ist. Beschlüsse werden in der Regel in den Sitzungen getroffen und erfordern die Zustimmung von zwei Mitgliedern.

Das Kollegium wird von fünf Abteilungen mit insgesamt 40 Mitarbeitern unterstützt. Die Abteilungen sind: Juristischer Dienst und Generalsekre-

[35]) Ursprünglich war Genf als Sitz vorgesehen gewesen. Nach dem Ausscheiden der Schweiz aus dem EWR ist Brüssel der Vorzug gegeben worden.

[36]) FN 27. Nach dem Ausscheiden Finnlands, Österreichs und Schwedens wurde das Abkommen von Island und Norwegen den neuen Umständen angepaßt (Agreement adjusting certain Agreements between the EFTA States v 29. 12. 1994).

[37]) GO v 7. 1. 1994 (ABl L 1994/113 v 4. 5. 1994), zuletzt geändert durch Beschluß 71/95/COL v 5. 7. 1995.

[38]) Knut Almestad (Norwegen) Präsident, Björn Fridfinnsson (Island) und Bernd Hammermann (Liechtenstein).

tariat; Wettbewerb und staatliche Beihilfen; Warenverkehr; Dienstleistungen, Personen- und Kapitalverkehr; Verwaltung. Die Arbeitssprache der Behörde ist Englisch. Privatpersonen und Unternehmen können sich jedoch in jeder der offiziellen EWR-Sprachen an die Überwachungsbehörde wenden.

b) Aufgaben und Befugnisse

Gem Art 5 ÜGA obliegt es der Überwachungsbehörde zu gewährleisten, daß die EFTA-Staaten ihre Verpflichtungen aus den beiden Abkommen (EWR-Abkommen und ÜGA) erfüllen und daß die Wettbewerbsregeln des EWR-Abkommens eingehalten werden. Weiters hat die Behörde auch die Anwendung des EWR-Abkommens durch die anderen Vertragsparteien, also die EG und die EG-Staaten, zu überwachen. Darüber hinaus hat sie alle jene Aufgaben zu erfüllen, die sich aus den Sekundärrechtsakten des EWR-Abkommens ergeben.

Die Hauptaufgabe der EFTA-Überwachungsbehörde liegt in der **Kontrolle der Rechtsumsetzung und der Rechtsanwendung durch die EFTA-Staaten.**[39]) Das EWR-Abkommen verpflichtet die EFTA-Staaten, die Bestimmungen des Abkommens sowie der darin enthaltenen Sekundärrechtsakte in innerstaatliches Recht umzusetzen und vertragskonform anzuwenden. Kommt ein EFTA-Staat einer Verpflichtung aus dem EWR-Abkommen nicht nach, hat ihn die Behörde darauf hinzuweisen und Gelegenheit zur Äußerung zu geben. Ist diese unbefriedigend, gibt die Überwachungsbehörde eine mit Gründen versehene Stellungnahme ab. Kommt der EFTA-Staat weiter seiner Verpflichtung nicht nach, kann die Behörde Klage beim EFTA-Gerichtshof erheben.

Die **Überwachung der Wettbewerbsregeln** umfaßt die Kontrolle der Einhaltung der Vertragsbestimmungen durch die EFTA-Staaten sowie Einzelpersonen und Unternehmen in den Bereichen Wettbewerb, staatliche Beihilfen und öffentliches Auftragswesen.

Die Rechtsakte, auf die im EWR-Abkommen Bezug genommen wird, enthalten vielfach Bestimmungen, die der EG-Kommission Aufgaben zuweisen. So hat diese auf verschiedenen Gebieten Überprüfungen vorzunehmen oder Genehmigungen zu erteilen. Diese Aufgaben übernehmen in den EFTA-Staaten gem Protokoll 1 EWRA die EFTA-Überwachungsbehörde und der Ständige Ausschuß. Alle Aufgaben, die sich nicht auf die Erlassung von Rechtsakten beziehen und eine unabhängige Ausführung erfordern, wurden der Überwachungsbehörde überantwortet. Beispiele dafür sind die Genehmigung von Schutzmaßnahmen und anderen Verwaltungsbeschlüssen der EFTA-Staaten sowie die Gewährung von Ausnahmen von Bestimmungen des Sekundärrechts. Besondere Aufgaben nimmt die Behörde im Bereich des Veterinärwesens[40]) und des Pflanzenschutzes sowie auf dem Gebiet der technischen Handelshemmnisse wahr.

Zur Erfüllung ihrer Aufgaben verfügt die Überwachungsbehörde über eine Reihe von **Befugnissen.** Sie kann von den Regierungen und Behörden

[39]) Die Verpflichtung der EFTA-Staaten zu vertragskonformem Verhalten enthält Art 3 EWRA.

[40]) ZB die Überprüfung der nationalen Zulassung von Schlacht- und Verarbeitungsbetrieben.

der EFTA-Staaten sowie von Unternehmen und Unternehmensverbänden alle erforderlichen Informationen einholen (Art 6 ÜGA). Sie kann den EFTA-Gerichtshof anrufen, wenn ein EFTA-Staat gegen eine Verpflichtung aus dem EWR-Abkommen oder dem ÜGA verstoßen hat. Zudem stehen der Behörde besondere Befugnisse in den Bereichen Wettbewerb, staatliche Beihilfen und öffentliches Auftragswesen zu.

Um die **Anwendung der Wettbewerbsregeln** sicherzustellen, kann die Überwachungsbehörde alle notwendigen Auskünfte von Unternehmen verlangen und bei Unternehmen in den EFTA-Staaten vor Ort **Nachprüfungen** vornehmen. Bei Verstößen gegen die Wettbewerbsregeln ist sie befugt, **Bußgelder** zu verhängen. In Fällen, in denen sie zuständig ist, kann die Überwachungsbehörde auch die Kommission ersuchen, Nachprüfungen in der EU durchzuführen, an denen sie auch selbst teilnehmen kann.[41])

Auf dem Gebiet der **staatlichen Beihilfen** obliegt es der Überwachungsbehörde ua, neue Beihilfen auf ihre Vereinbarkeit mit dem EWR-Abkommens zu überprüfen. Wird eine Beihilfe unrechtmäßig gewährt, dh ohne Genehmigung oder vorherige Befassung der Überwachungsbehörde, kann diese dem betroffenen EFTA-Staat auferlegen, die Rückzahlung der Beihilfe von den Empfängern zu fordern.

Die EFTA-Überwachungsbehörde hat das Recht, bei der Vergabe von **öffentlichen Aufträgen** direkt zu intervenieren, wenn sie der Auffassung ist, daß ein Verstoß gegen die Bestimmungen des EWR-Abkommens begangen wurde. Sie richtet an den EFTA-Staat und die betroffene Vergabestelle eine Mitteilung und fordert die Beseitigung des Verstoßes. Als letztes Mittel kann sie gegen den EFTA-Staat ein Vertragsverletzungsverfahren einleiten.

Die Überwachungsbehörde wird im allgemeinen aus eigener Initiative, also von Amts wegen, tätig. Daneben nimmt sie Beschwerden entgegen, die die Anwendung des EWR-Abkommens oder des ÜGA betreffen. Sowohl EU- und EFTA-Staaten als auch Unternehmen und Einzelpersonen im gesamten Wirtschaftsraum haben Zugang zu der Überwachungsbehörde. Unternehmen und Einzelpersonen sind berechtigt, sich in allen offiziellen Sprachen der EFTA-Staaten und der EU-Staaten an die Überwachungsbehörde zu wenden und von ihr in diesen Sprachen angeschrieben zu werden. Beschwerden, die an die Überwachungsbehörde gerichtet sind, für die aber die Kommission zuständig ist, werden von der Behörde an die Kommission weitergeleitet.

Die Tätigkeit der EFTA-Überwachungsbehörde unterliegt der **Kontrolle durch den EFTA-Gerichtshof.**[42]) Entscheidungen der Behörde können von einem EFTA-Staat und von natürlichen und juristischen Personen angefochten werden. Ist die Klage begründet, hebt der EFTA-Gerichtshof die angefochtene Entscheidung auf. Unterläßt es die Überwachungsbehörde unter Verletzung des EWR-Abkommens oder des ÜGA, eine Entscheidung zu treffen, kann sie vor dem EFTA-Gerichtshof geklagt werden. Wurde eine Entscheidung der Behörde für nichtig erklärt oder wurde ihre Untätigkeit festgestellt, ist die Überwachungsbehörde verpflichtet, die sich aus dem Urteil ergebenden Maßnahmen zu ergreifen.

---

[41]) Die Kommission hat dieselben Rechte in bezug auf Nachprüfungen in EU-Staaten, die von der Überwachungsbehörde in den EFTA-Staaten durchzuführen sind.

[42]) S im Detail unten D.3.c.

3. Der EFTA-Gerichtshof

a) Organisation

Wie die EFTA-Überwachungsbehörde, so wurde auch der EFTA-Gerichtshof von den EFTA-Staaten als selbständige und unabhängige Organisation geschaffen. Sein Sitz ist in Genf.[43]) Seine Aufgaben und Befugnisse regelt das ÜGA, in dessen Protokoll 5 über die Satzung des Gerichtshofs nähere Bestimmungen über Organisation und Verfahren niedergelegt sind. Das Verfahren vor dem Gerichtshof ist im Detail in der Verfahrensordnung festgelegt.[44])

Der Gerichtshof besteht aus drei Richtern, die aus ihrer Mitte den Präsidenten für drei Jahre wählen. Der Gerichtshof kann nur tagen, wenn alle Mitglieder anwesend sind. Er fällt seine Entscheidungen mit Stimmenmehrheit.

Obwohl Organisation und Verfahren des EuGH bei der Errichtung des EFTA-Gerichtshofs als Vorbild dienten, gibt es einige Unterschiede. Der EFTA-Gerichtshof tagt nur in Plenarsitzungen und hat keine Generalanwälte. Das Vorabentscheidungsverfahren des EuGH wurde in abgeschwächter Form als Verfahren zur Abgabe eines nichtbindenden Gutachtens übernommen. Auch gibt es vor dem EFTA-Gerichtshof nur eine Verfahrenssprache, nämlich Englisch.[45])

b) Aufgaben und Befugnisse

Die Zuständigkeit des EFTA-Gerichtshofs ist im ÜGA geregelt (Art 31 bis 41). Sie ist weitgehend jener des EuGH nachgebildet.[46]) Sie umfaßt zum einen Rechtsstreitigkeiten zwischen der EFTA-Überwachungsbehörde und den EFTA-Staaten bzw der EFTA-Staaten untereinander, zum anderen zwischen Unternehmen oder Einzelpersonen und der Überwachungsbehörde. Darüber hinaus erstellt der Gerichtshof Gutachten über die Auslegung des EWR-Abkommens.

Der Gerichtshof entscheidet über **Klagen der EFTA-Überwachungsbehörde** auf Feststellung, daß ein EFTA-Staat gegen eine Verpflichtung aus dem EWR-Abkommen oder dem ÜGA verstoßen hat. Klage kann auch ein EFTA-Staat gegen einen anderen betreffend die Auslegung oder Anwendung eines der Abkommen erheben.

Entscheidungen der EFTA-Überwachungsbehörde können ebenfalls vor dem Gerichtshof angefochten werden. Zur Klage legitimiert sind die EFTA-Staaten sowie jede natürliche oder juristische Person, sofern die Ent-

---

[43]) Es bestehen Überlegungen der EFTA-Staaten, den Sitz des EFTA-Gerichtshofs nach Luxemburg zu verlegen.

[44]) Verfahrensordnung des EFTA-Gerichtshofs v 24. 3. 1994 (ABl L 1994/278 v 27. 10. 1994), zuletzt geändert am 7. 1. 1995.

[45]) Ausnahmen kann der Gerichtshof auf Antrag Einzelpersonen, Unternehmen als Parteien und Sachverständigen für das Vorbringen in der mündlichen Verhandlung gewähren. In Verfahren zur Abgabe eines Gutachtens kann die nationale Verfahrenssprache verwendet werden. S ausführlich oben *Di Bucci/Di Bucci*, Der Gerichtshof und das Rechtsschutzsystem der Europäischen Gemeinschaften.

[46]) Da die Verfahrensarten jenen vor dem EuGH entsprechen, werden sie hier nur kurz dargestellt.

scheidung an sie ergangen ist oder falls sie durch die Entscheidung unmittelbar und individuell betroffen ist. Als Gründe können die Unzuständigkeit der Behörde, Ermessensmißbrauch oder die Verletzung eines Abkommens oder einer wesentlichen Formvorschrift geltend gemacht werden. Außerdem besitzt der Gerichtshof unbeschränkte Gerichtsbarkeit in bezug auf Geldbußen, die von der Überwachungsbehörde verhängt wurden.

Die EFTA-Überwachungsbehörde kann überdies geklagt werden, wenn sie unter Verletzung des EWR-Abkommens oder ÜGA es unterläßt, eine Entscheidung zu treffen. Zuvor muß jedoch die Behörde aufgefordert worden sein, tätig zu werden. Die Klage kann von EFTA-Staaten und von natürlichen oder juristischen Personen unter den im vorigen Absatz erwähnten Voraussetzungen eingebracht werden.

Schließlich entscheidet der EFTA-Gerichtshof über **Schadenersatzklagen** gegen die Überwachungsbehörde, die sich aus der außervertraglichen Haftung der Behörde ergeben. Voraussetzung ist ein durch die Behörde oder einen ihrer Bediensteten verursachter Schaden.

Der EFTA-Gerichtshof kann von nationalen Gerichten oder vergleichbaren Spruchkörpern zur **Abgabe eines Gutachtens** über die Auslegung des EWR-Abkommens ersucht werden. Der Rechtsstreit vor dem nationalen Gericht wird solange ausgesetzt, bis das Gutachten des EFTA-Gerichtshofs vorliegt. Das Gutachten ist für das vorlegende Gericht nicht bindend.

c) Verfahren

Jede Partei muß durch einen Repräsentanten vor dem Gerichtshof vertreten sein. Natürliche und juristische Personen müssen durch einen in einem EWR-Land zugelassenen Rechtsanwalt vertreten sein; EFTA-Staaten können ihre Vertreter frei wählen.

Das Verfahren gliedert sich in einen schriftlichen und einen mündlichen Teil. Jede Partei kann **zwei schriftliche Eingaben** machen: Der Kläger die Klage und die Replik, der Beklagte die Klagebeantwortung und die Gegenreplik. Die Klageschrift wird außerdem den EFTA-Staaten, der EFTA-Überwachungsbehörde und der Kommission zugestellt, die Stellungnahmen abgeben können.

Im **mündlichen Verfahren** trägt zunächst ein Richter als Berichterstatter den Fall vor, dann werden die Parteienvertreter sowie gegebenenfalls Zeugen und Sachverständige gehört. Im Verfahren zur Abgabe eines Gutachtens werden auch jene Staaten und Institutionen gehört, die eine schriftliche Stellungnahme abgegeben haben. Das Urteil wird nach geheimer Beratung in öffentlicher Sitzung verlautbart.

Das Verfahren vor dem EFTA-Gerichtshof ist kostenlos. Die eigenen **Kosten** bekommt die obsiegende Partei vom Gericht zugesprochen, das sie der unterliegenden Partei auferlegt. EFTA-Staaten, Überwachungsbehörde und Kommission tragen ihre eigenen Kosten.

Abschließend sei noch eine Bemerkung zum Verhältnis des EFTA-Gerichtshofs und seiner Rechtsprechung zum EuGH hinzugefügt. Anders als im Fall der EFTA-Überwachungsbehörde und der Kommission enthält das EWR-Abkommen keine Bestimmungen über eine Zusammenarbeit der beiden Gerichtshöfe. Die generelle Verpflichtung des Art 6 EWRA, gleichartige

Bestimmungen des EG-Vertrages und des EWR-Abkommens im Einklang mit den einschlägigen Entscheidungen des EuGH, die vor Unterzeichnung des Abkommens ergangen sind, auszulegen, trifft auch den EFTA-Gerichtshof. Darüber hinaus legt Art 3 Abs 2 ÜGA diese Pflicht dem EFTA-Gerichtshof auch in bezug auf EuGH-Entscheidungen, die nach der Unterzeichnung ergangen sind und ergehen, auf.[47])

E. Innerstaatliches Recht und EWR

1. Allgemeines

Ein wichtiges Merkmal des EWR-Abkommens ist die Verpflichtung für die Mitgliedstaaten, jene Rechtsakte, auf die im Abkommen Bezug genommen wird, in innerstaatliches Recht umzusetzen, dh diese Bestimmungen Teil ihrer Rechtsordnung zu machen. Während sich diese Verpflichtung für die EU-Staaten bereits aus den EG-Verträgen ergibt, leitet sie sich für die EFTA-Staaten aus dem EWR-Abkommen ab.

Die EFTA-Staaten hatten bzw haben drei Arten von EWR-Recht umzusetzen: Erstens die Bestimmungen des EWR-Abkommens selbst, zweitens die im Abkommen angeführten EG-Verordnungen und drittens die angeführten EG-Richtlinien. Entsprechend dem EG-Recht sind Verordnungen gem Art 7 EWRA als solche in das innerstaatliche Recht zu übernehmen. Bei der Umsetzung von Richtlinien sind die EFTA-Staaten frei in der Wahl der Form und der Mittel. Das Protokoll 35 zum EWRA verpflichtet schließlich die EFTA-Staaten für Fälle möglicher Konflikte zwischen durchgeführten EWR-Bestimmungen und sonstigen gesetzlichen Bestimmungen, nötigenfalls eine Bestimmung einzuführen, die in diesen Fällen dem EWR-Recht den Vorrang einräumt.

2. Die Umsetzung des EWR-Rechts in den drei EFTA-Staaten

a) Norwegen

Das EWR-Abkommen und die begleitenden EFTA-Abkommen sind als völkerrechtliche Verträge nicht von vornherein Teile der innerstaatlichen norwegischen Rechtsordnung, sondern verpflichten nur den Staat. Der Hauptteil des EWR-Abkommens wurde daher vom Parlament inkorporiert, dh per Gesetz in das innerstaatliche Recht übernommen und auf Gesetzesstufe gestellt.[48])

---

[47]) Interessant könnte der Fall werden, daß der EuGH in einer Rechtssache über eine EWR-relevante Bestimmung zu entscheiden hätte, über die bereits vom EFTA-Gerichtshof entschieden worden ist. Sollte es hierbei zu einer abweichenden Auslegung des EuGH kommen, wäre dieser Konflikt vom Gemeinsamen EWR-Ausschuß im Verfahren nach Art 105 Abs 2 und 3 EWRA zu lösen. Dieser Fall könnte eintreten, da der EuGH zur Zeit in drei Fällen (C-34/95 bis 36/95) über die Auslegung der Fernsehrichtlinie zu entscheiden hat, nachdem der EFTA-Gerichtshof zuvor schon darüber zu entscheiden gehabt hat (FN 26).

[48]) EWR-Gesetz Nr 109 v 27. 11. 1992.

Die in den Anhängen des Abkommens angeführten Rechtsakte, die EG-Verordnungen entsprechen, wurden zum größten Teil mittels Referenzmethode in ihrem ursprünglichen Wortlaut übernommen. Die von der Verordnung betroffenen norwegischen Rechtsakte wurden durch Verweise auf die entsprechenden EWR-Rechtsakte ergänzt. In manchen Bereichen, wo besondere Transparenz angebracht schien, wurden neue Gesetze beschlossen bzw Verordnungen erlassen, deren Wortlaut dem der zu übernehmenden Rechtsakte unter Berücksichtigung der erforderlichen EWR-Anpassung entspricht. Die im Abkommen angeführten EG-Richtlinien wurden als Gesetze oder Verordnungen in innerstaatliches Recht umgesetzt, soweit die geltende Rechtslage es erforderte.

Die Frage des Vorrangs des EWR-Rechts ist in Norwegen durch den Art 2 EWR-Gesetz geregelt. Demnach hat eine Gesetzesbestimmung, mittels derer Norwegen seinen Verpflichtungen aus dem EWR-Abkommen nachkommt, im Falle eines Konflikts Vorrang vor anderen Gesetzesbestimmungen und Verordnungen. Bestimmungen in Verordnungen, die im Rahmen des EWR erlassen wurden, gehen anderen Verordnungen und später erlassenen Gesetzen vor. Darüber hinaus ist davon auszugehen, daß ein eventueller Konflikt nach der in Norwegen generell akzeptierten Vermutung gelöst wird, wonach norwegisches Recht im Einklang mit völkerrechtlichen Verträgen anzusehen ist.[49])

Das Verfahren, das bei der Übernahme in innerstaatliches Recht von Beschlüssen des Gemeinsamen EWR-Ausschusses anzuwenden ist, hängt in Norwegen von der geregelten Materie ab. Erfordert der Beschluß den Erlaß oder die Änderung von Gesetzen, so ist die vorherige Zustimmung des Parlaments erforderlich. Die Umsetzung erfolgt durch Gesetz. Liegt die geregelte Materie schon in der Zuständigkeit der Verwaltung, so ist die Zustimmung des Parlaments nicht erforderlich und die Umsetzung erfolgt auf Verwaltungsebene durch Verordnung oder Erlaß.

b) Island

Die Umsetzung des EWR-Abkommens in Island erfolgte weitgehend so wie in Norwegen. Der Hauptteil des Abkommens wurde durch das EWR-Gesetz (Nr 2/1993) in innerstaatliches Recht übernommen. Die in den Anhängen bezeichneten Verordnungen wurden teils als Gesetze teils als Verordnungen unverändert in isländisches Recht transformiert. Zur Umsetzung der Richtlinien wurden neue Gesetze beschlossen bzw bestehende geändert sowie Verordnungen erlassen oder geändert.

Die Frage des Vorrangs des EWR-Rechts ist in Island nicht eindeutig geregelt. Die einzige diesbezügliche Bestimmung ist Art 3 EWR-Gesetz, der besagt, daß inländisches Recht soweit erforderlich im Einklang mit den Bestimmungen des EWR-Abkommens auszulegen ist. Als Rechtfertigung für das Fehlen einer speziellen Bestimmung, die dem EWR-Recht Vorrang eingeräumt hätte, führt die isländische Regierung ins Treffen, daß Protokoll 35 EWRA dies nur „nötigenfalls" vorschreibt.[50])

[49]) So *Bull,* The EEA Agreement and Norwegian Law, EBLRev 12/94.

[50]) So *Thorisson,* Technics used in the implementation of EEA rules in Iceland, internes Papier, EFTA-Überwachungsbehörde (1993).

Die Übernahme von Beschlüssen des Gemeinsamen EWR-Ausschusses und darin enthaltener neuer EG-Rechtsakte erfolgt nach denselben Prinzipien wie für Norwegen geschildert. Anzumerken ist, daß jeder Beschluß als eigenes völkerrechtliches Abkommen betrachtet wird und somit vom Parlament zu genehmigen ist.

c) Liechtenstein

Die Umsetzung des EWR-Abkommens und der begleitenden EFTA-Abkommen erfolgte durch Kundmachung der vollständigen Vertragstexte im Liechtensteinischen Landesgesetzblatt.[51]) Damit stehen diese Abkommen auf Gesetzesstufe. Die EG-Rechtsakte, auf die in den Anhängen des EWR-Abkommens verwiesen wird, wurden in ihrer amtlichen deutschen Fassung in einer eigenen EWR-Rechtssammlung abgedruckt. Somit gelten jene EWR-Rechtsakte, die EG-Verordnungen und Richtlinien entsprechen, in Liechtenstein unmittelbar.

Bei der Umsetzung von Richtlinien ist Liechtenstein äußerst ökonomisch vorgegangen. Nur in einigen wenigen Bereichen wurden eigene Gesetze erlassen: Im übrigen vertraut der Gesetzgeber auf die unmittelbare Wirksamkeit von Richtlinien. Dies setzt aber voraus, daß der Normadressat seine individuellen Rechte aus den Richtlinientexten eindeutig erkennen kann und diese auch gegebenenfalls bei der geltenden Rechtslage durchsetzen kann. Ob dies wirklich der Fall ist, wird sich wohl erst bei der Anwendung der jeweiligen Bestimmungen erweisen.

Die Übernahme von Beschlüssen des Gemeinsamen EWR-Ausschusses und darin enthaltener neuer EG-Rechtsakte erfolgt nach denselben Prinzipien wie für Norwegen geschildert. Sie treten mit der Kundmachung im Landesgesetzblatt in Kraft.

F. Erweiterung des EWR

1. Beitritt nach Art 128 EWRA

Ein Beitritt zum EWR-Abkommen ist nur indirekt über einen Beitritt entweder zur EU oder zur EFTA möglich. Ein neuer EU-Mitgliedstaat ist verpflichtet, dem EWR-Abkommen beizutreten, während es einem neuen EFTA-Mitglied freisteht, dem EWR-Abkommen beizutreten oder nicht.[52])

Der Beitrittsantrag ist an den EWR-Rat zu richten, der entscheidet, ob Beitrittsverhandlungen aufgenommen werden. Die Bedingungen für den Beitritt werden in einem Abkommen zwischen den Vertragsparteien des EWR-Abkommens und dem antragstellenden Staat festgelegt. Erst wenn dieses Abkommen von allen Vertragsparteien genehmigt bzw ratifiziert ist, wird der Beitritt wirksam.

---

[51]) S lLGBl v 28. 4. 1995. Außerdem wurden die Beschlüsse 1/1994 bis 44/1994 und 1/1995 bis 10/1995 des Gemeinsamen EWR-Ausschusses kundgemacht (lLGBl 71/1995 v 28. 4. 1995).

[52]) Art 128 EWRA sieht ausdrücklich vor, daß die Schweiz jederzeit den Beitritt zum EWRA beantragen kann.

2. Der EWR als Option für mittel- und osteuropäische Staaten

In den vergangenen zwei Jahren sind die meisten der ehemals kommunistischen Staaten Mittel- und Osteuropas in vertragliche Beziehungen zu den EG getreten. Die von einigen Staaten[53]) abgeschlossenen sog **„Europa-Abkommen“** stellen eine zukünftige Mitgliedschaft in der EU in Aussicht. Mehrere haben bereits die Mitgliedschaft beantragt. Darüber hinaus hat der Europäische Rat in Essen erklärt, daß die assoziierten Staaten Mittel- und Osteuropas Mitglieder der Union werden könnten, sofern sie es wünschten und sobald sie die Voraussetzungen erfüllen.[54]) Zumindest für die assoziierten Staaten, die sich auf dem Weg in die Union befinden, stellt sich die Frage nach der bestmöglichen Vorbereitung auf eine zukünftige EU-Mitgliedschaft. Dazu ist es zweckmäßig zu überlegen, welche Vorteile diesen Staaten aus einer EWR-Mitgliedschaft erwachsen könnten.[55])

Grundsätzlich bringt das EWR-Abkommen den ost- und mitteleuropäischen Staaten die Vorteile eines multilateralen Abkommens gegenüber den bilateralen Europa-Abkommen. Die Rechte und Pflichten im EWR-Abkommen würden nicht nur zwischen einem Staat und der EG, sondern zwischen allen EWR-Staaten und somit auch zwischen den ost- und mitteleuropäischen Staaten untereinander gelten. Der Vorteil dürfte sich vor allem in einer einheitlichen Anwendung der Wettbewerbsregeln auswirken. Dies hätte beispielsweise zur Folge, daß die EG keine Antidumpingmaßnahmen mehr gegen diese Staaten ergreifen könnte. Die multilaterale Struktur würde sich ohne Zweifel auch auf politischer Ebene positiv auswirken, da die ost- und mitteleuropäischen Staaten in allen EWR-Gremien vertreten wären. Dagegen spielt sich der Dialog zur Zeit nur in den jeweiligen bilateralen Gremien und nur in viel größeren Abständen ab.

Das Funktionieren des EWR-Abkommens basiert zuallererst auf der Übernahme des Rechtsbestands der EG und des Nachvollzugs neuen Rechts. Auf diese Weise waren die EFTA-Staaten gezwungen, in kürzester Zeit ihre Rechtsordnungen dem geltenden EG-Recht anzupassen. Eine solche Verpflichtung enthalten die Europa-Abkommen nur in ganz allgemein gehaltener Form und nur für die in ihnen abgedeckten Bereiche, ohne eine Struktur oder einen genauen Zeitplan für eine Anpassung vorzusehen. Als EWR-Mitglieder wären die assoziierten Staaten gezwungen, innerhalb weniger Jahre ihre Rechtsordnungen dem EG-Recht anzupassen und könnten überdies am „decision shaping“[56]) aktiv teilnehmen. Aber nicht nur die Übernahme des EG-Rechts würde strukturiert erfolgen, sondern auch dessen Anwendung, da die ost- und mitteleuropäischen Staaten dem Überwachungs- und Rechtsschutzsystem des EWR unterlägen.

Der EWR bietet jedoch nicht nur im Vergleich mit den Europa-Abkommen Vorteile für die ost- und mitteleuropäischen Staaten, sondern könnte für

---

[53]) Assoziationsabkommen („Europa-Abkommen“) sind zwischen den EG und Ungarn, Polen, Rumänien, Bulgarien, der Slowakei und Tschechien in Kraft.

[54]) S Gesamtbericht 1994 der Kommission (1995) 254.

[55]) Vgl dazu im Detail *Peers,* An ever closer waiting room? The case für eastern European accession to the European Economic Area, CMLR 1995, 187.

[56]) S oben C.6.c.

manche von ihnen eine Alternative zu einem EU-Beitritt darstellen. Es stellt sich die Frage, warum ein Staat der Gemeinsamen Außen- und Sicherheitspolitik und der Zusammenarbeit in den Bereichen Justiz und Inneres – beides Elemente der EU – beitreten soll, wenn sein primäres Interesse der wirtschaftlichen Integration gilt. So gesehen ist ein Beitritt zum EWR-Abkommen die ideale Lösung: Weitestreichende Teilnahme am Binnenmarkt ohne die Pflichten eines EU-Mitglieds.

Aus dieser kurzen Schilderung folgt, daß eine Mitgliedschaft im EWR für die ost- und mitteleuropäischen Staaten nicht nur eine Alternative zu der Mitgliedschaft in der EU sein kann, sondern auch eine ideale Vorbereitung auf eine solche darstellt. Die EU hat sich zwar prinzipiell für eine Erweiterung um die ost- und mitteleuropäischen Staaten ausgesprochen, einen bindenden Zeitplan gibt es hierfür jedoch nicht. In der Zwischenzeit würde ein Beitritt zum EWR-Abkommen den ost- und mitteleuropäischen Staaten die Teilnahme am Binnenmarkt erlauben, die Rechtssicherheit und das Vertrauen ausländischer Investoren erhöhen und somit insgesamt zu einer rascheren wirtschaftlichen Integration beitragen.

G. Schlußbemerkungen

Das EWR-Abkommen stellt den gelungenen Versuch der EFTA-Staaten dar, sich der EU soweit wie möglich anzunähern, ohne dieser beizutreten. Seit über zwei Jahren funktioniert das Abkommen zur Zufriedenheit seiner Vertragsparteien. Für die drei neuen EU-Mitglieder und ehemaligen EFTA-Staaten Finnland, Österreich und Schweden war das Abkommen eine wichtige Vorstufe für den EU-Beitritt. Weder wären die Beitrittsverhandlungen so rasch über die Bühne gegangen, noch die Anpassung an das gemeinschaftliche Rechtssystem so klaglos erfolgt, hätten diese Staaten nicht einen großen Teil der erforderlichen „Vorarbeiten“ im Rahmen des EWR vorgenommen.

Für jene EFTA-Staaten, die aus politischen oder wirtschaftlichen Gründen es vorziehen, außerhalb der EU zu bleiben, erweist sich die Teilnahme am EWR als beste Alternative zu einem Beitritt. Die zweijährige Praxis hat überdies gezeigt, daß die Nachteile der unvollständigen Integration, vor allem der Nachvollzug des EG-Rechts, bei weitem als nicht so schwerwiegend empfunden werden, wie ursprünglich von Kritikern befürchtet.

Wenn der EWR durch den Beitritt der drei EFTA-Staaten Finnland, Österreich und Schweden zur EU auch seine volle integrationspolitische Bedeutung eingebüßt hat, so kann ihm dennoch eine Zukunft nicht abgesprochen werden. Der Schweiz steht die Rückkehr in den EWR nach wie vor offen. Für beitrittswillige Staaten Mittel- und Osteuropas könnte der EWR als idealer „Warteraum“ bis zum Zeitpunkt eines Beitritts zur EU dienen.

3. KAPITEL

Die Beziehungen der EG zu den osteuropäischen Staaten

Peter Kalbe und *Ingrid Bachmann*

Übersicht:

A. Einleitung

1. Vorbemerkung

Die Beziehungen der Europäischen Union (EU) zu ihren östlichen Nachbarn sind vielfältig. Terminologisch werden dabei die Länder Mittel-

und Osteuropas (MOEL)[1]) von den aus dem Zerfall der ehemaligen Sowjetunion hervorgegangenen Neuen Unabhängigen Staaten[2]) unterschieden.

Im Vordergrund steht dabei die vom EG-Vertrag geprägte Außenwirtschaftspolitik mit ihren vertraglichen Abmachungen, autonomen Regelungen, Finanzhilfen und Programmen technischer Zusammenarbeit, die in ihren Einzelheiten ein Spiegelbild sich rasch wandelnder Verhältnisse bietet.

2. Allgemeine Grundzüge

Niedergang und Zerfall des sowjetischen Herrschafts- und Wirtschaftssystems haben auch in den Beziehungen der Europäischen Union zu ihren östlichen Nachbarn einen grundlegenden Wandel bewirkt. Wo früher ein hegemonial geführter und weitgehend geschlossen auftretender Ostblock einer Mehrzahl von Eigeninteressen geleiteter Mitgliedstaaten und einer Europäischen Gemeinschaft gegenüberstand, die nur mühsam in eigene Zuständigkeiten und Politiken hineinwuchs, ist es heute eine weitgehend gefestigte und um außen- und sicherheitspolitische Kompetenzen erweiterte Europäische Union, die ihre Beziehungen zu einer Vielzahl unabhängiger Staaten im Wege bilateraler Beziehungen neu geordnet hat. So lange ihr ein Block von Staatshandelsländern gegenüberstand, der sie weder anerkannte noch ihre Zuständigkeit im Außenhandel zur Kenntnis nahm, beschränkte sich die Außenwirtschaftspolitik der Europäischen Gemeinschaft als solcher auf den einseitigen Schutz des Gemeinsamen Marktes vor Störungen aus Staatshandelsländern, zu dem vereinzelte bilaterale und sektoriell begrenzte Absprachen über Stahl, Textilien und Agrarerzeugnisse hinzutraten. Lediglich mit Rumänien und Jugoslawien konnten so geordnete und handelsvertraglich abgesicherte Beziehungen geknüpft werden.

Heute stehen die gegenseitigen Beziehungen zu den östlichen Nachbarn der Europäischen Union im Zeichen der Partnerschaft und der Zusammenarbeit bei deren Annäherung an und Eingliederung in ein umfassendes pan-europäisches Sicherheits- und Wirtschaftssystem auf allen Ebenen europäischer und internationaler Zusammenarbeit – OSZE, NATO, Europarat, Stabilitätspakt, GATT, Europäische Energiecharta – mit Schwerpunkt vor allem aber in den **bilateralen Wirtschaftsbeziehungen.** Die ursprünglich an den Zwängen des Augenblicks ausgerichteten Maßnahmen der EG haben sich inzwischen immer deutlicher zu einer geschlossenen Strategie gefügt, die in ihren grundlegenden politischen Impulsen von den Gipfeltreffen des Europäischen Rates geprägt (Rom 1990, Edinburgh 1992, Kopenhagen 1993, Korfu und Essen 1994, Madrid 1995) und insbesondere von der Europäischen Kommission umgesetzt und vorangetrieben wird.

---

[1]) Albanien, Bulgarien, Polen, Rumänien, Slowakei, Slowenien, Tschechien, Ungarn, ehem Jugoslawien. Zu den MOEL werden auch die drei baltischen Republiken (Estland, Lettland und Litauen) gerechnet, darüber hinaus aber auch die nach dem Zerfall Jugoslawiens entstandenen und als selbständig anerkannten Staaten Restjugoslawien (Serbien/Montenegro), Bosnien-Herzegowina, Kroatien, die ehemalige jugoslawische Republik Mazedonien (FYROM).

[2]) Hierzu gehören: Armenien, Aserbeidschan, Belarus (Weißrußland), Georgien, Kasakstan, Kyrgystan, Moldowa, die Russische Föderation, Tadschikistan, Turkmenistan, Ukraine, Usbekistan.

Ihre Grundlage findet sie in einer auf den EG-Vertrag gegründeten gemeinsamen **Außenwirtschaftspolitik**, die im Rahmen des Maastrichter Unionsvertrages um politische Komponenten ergänzt und erweitert wurde.

Abgestützt auf eine Reihe von Abkommen stehen insoweit die Bewältigung der vom Sozialismus hinterlassenen Probleme in den Partnerländern, der Aufbau parlamentarisch-demokratischer Staats- und Gesellschaftsformen sowie eine marktorientierte Wirtschaftsordnung im Vordergrund. Jedes der Partnerländer muß diese Aufbauarbeit anhand seiner eigenen Voraussetzungen, Möglichkeiten und Entwicklungsstand selbst leisten. Die Europäische Union kann und will aber einen maßgeblichen Beitrag zur Konsolidierung und Fortentwicklung dieser politischen und wirtschaftlichen Reformen erbringen.

Bei allen landesbezogenen Eigenheiten, die das bilaterale Verhältnis kennzeichnen, werden die Schwerpunkte dieser gemeinsamen Außenwirtschaftspolitik durch eine Reihe von Interessengebieten vorgegeben, die allen östlichen Partnerländern gemeinsam sind: Der gegenseitige Zugang zum Markt und die entsprechende Öffnung des Gemeinsamen Marktes wie der gemeinsamen Politiken, Finanz- und Zahlungsbilanzhilfen, Investitionsförderung sowie technische Hilfe und Zusammenarbeit bei der Schaffung der notwendigen institutionellen, rechtlichen, wirtschaftlichen und sozialen Voraussetzungen und Rahmenbedingungen für eine erfolgreiche Zukunft.

Andererseits bestehen Unterschiede in Zielrichtung und Intensität dieser Bemühungen zwischen den Ländern Mittel- und Osteuropas und den Neuen Unabhängigen Staaten.

Für die ersteren strebt die bestätigte Strategie „strukturierter Beziehungen“ und multi- wie bilateraler Zusammenarbeit deren späteren Beitritt zur Union an. Zwar wurde diese Strategie zunächst nur für die der Union durch sog Europa-Abkommen assoziierten Partnerländer Polen, Ungarn, Tschechien, Slowakei, Bulgarien und Rumänien formuliert, doch bildet sie darüber hinaus auch Grundlage und Vorbild für die Gestaltung der Beziehungen zu den anderen Ländern Mittel- und Osteuropas. Nach ausdrücklicher Weisung des Essener Gipfels werden auch mit den baltischen Republiken und Slowenien unverzüglich derartige Assoziierungsabkommen abgeschlossen.

Mit den **Neuen Unabhängigen Staaten** wird demgegenüber ein beiderseits gedeihliches und gut nachbarschaftliches, aber weniger weitgehendes Verhältnis angestrebt, als dessen Krönung nicht der Beitritt, sondern allenfalls eine Freihandelszone und ein ausgedehnter gemeinsamer Wirtschaftsraum ins Auge gefaßt wird. Dementsprechend bilden nicht Assoziierungsabkommen, sondern Verträge über „Partnerschaft und Zusammenarbeit“ Grundlage und Rahmen der gegenseitigen Beziehungen. Eine in sich geschlossene politische Strategie wird noch erarbeitet.

In weiten Teilen ihrer Politik handelt die Europäische Union nicht allein, sondern im internationalen Verbund. Die Europäische Kommission hat insbesondere die Aufgabe, die internationale Hilfe der ehemals 24 Industrieländer der OECD (G-24) zu koordinieren, vor allem im Bereich von Zahlungsbilanzstützungen, Nahrungsmittelhilfe und technischer Zusammenarbeit.

B. Die Entwicklung der Vertragsbeziehungen

Die so umrissene Ausrichtung der EG-Außenpolitik gegenüber ihren östlichen Nachbarn läßt sich in ihren zeitbedingten Änderungen und Fortschritten unschwer am stufenweisen Ausbau der gegenseitigen Vertragsbeziehungen ablesen.

1. Die Ausgangslage

In der Zeit der Konfrontation der Blöcke kam es lediglich zu vereinzelten, sektoriell beschränkten Handelsvereinbarungen über Stahl, Textilien und Agrarerzeugnisse, die im wesentlichen freiwillige Selbstbeschränkungen der RGW-Länder bei ihren Lieferungen in die Gemeinschaft zum Inhalt hatten. Im übrigen konzentrierte sich die Gemeinschaft auf den Schutz des Binnenmarktes über ihre eigene, autonome Gesetzgebung. Während im Bereich der Landwirtschaft der allgemeine Außenschutz zum Tragen kam, bestand für industrielle Erzeugnisse eine spezifische Handelsregelung gegenüber Staatshandelsländern, die Einfuhren nur im Rahmen besonderer mengenmäßiger Beschränkungen zuließ, die zwischen 2 und 10% der EG-Einfuhren betrafen. Die Antidumping Gesetzgebung der Gemeinschaft fand volle Anwendung, ihre Regeln waren auf die Verhältnisse in Staatshandelsländern zugeschnitten. Von den Vorteilen des Systems allgemeiner Zollpräferenzen blieben die Länder des Ostblocks ausgeschlossen. Die Mitgliedstaaten unterhielten darüber hinaus im Rahmen der ihnen verbliebenen Kompetenzen eigene Abkommen über Zusammenarbeit im Bereich von Wirtschaft, Industrie und Technologie.

Lediglich mit Rumänien, Jugoslawien und China wurden umfassendere Regelungen möglich, nachdem diese Staaten in ihrer Außenwirtschaftspolitik eine unabhängige Haltung gegenüber der UdSSR und dem RGW einnahmen. Das rumänische Abkommen über den Handel mit gewerblichen Erzeugnissen sah Handelserleichterungen nicht-präferentieller Natur vor und wurde durch die Einrichtung eines gemeinsamen Ausschusses ergänzt.

Ein ähnliches **Handelsabkommen** mit einer Bestätigung der Meistbegünstigung, produktbezogenen Zugeständnissen und einem gemeinsamen Ausschuß wurde schon 1970 mit dem nicht als Staatshandelsland geltenden Jugoslawien abgeschlossen, 1971 wurde das System allgemeiner Präferenzen geöffnet und in einer weiteren Vereinbarung von 1973 zusätzliche Zugeständnisse gemacht. Das folgende unbefristete Handels- und Kooperationsabkommen von 1980 war präferentieller Natur und stellte bis zu 70% der industriellen Ausfuhren Jugoslawiens in die EG frei und räumte erhebliche Vorteile im Agrarbereich ein.

Ein Zusatzprotokoll erleichterte 1982 die Einfuhr von Textilien. Darüber hinaus wurde eine enge Zusammenarbeit im wirtschaftlichen, technischen, finanziellen und sozialen Bereich vereinbart, die durch ein Finanzprotokoll abgestützt wurde, das inbesondere Investitionsdarlehen der EIB zur Verbesserung der Verkehrsinfrastruktur vorsah.

Nach dem Auseinanderfallen Jugoslawiens wurden 1991 die in diesem Abkommen vorgesehenen Handelszugeständnisse ausgesetzt.[3]) Die Gründe sind kriegsbedingt politischer Natur.

Über Serbien und Montenegro wurde ein Handelsembargo verhängt,[4]) im Bereich des Handelsaustauschs aber der Inhalt des Abkommens für die übrigen Republiken durch autonome Regelungen der EG fortgeführt.[5]) Mit Slowenien wurde außerdem ein ergänzendes Kooperationsabkommen abgeschlossen.[6])

2. Mittel- und Osteuropa nach der Wende

Seit der Aufnahme diplomatischer Beziehungen zwischen der EG und den Ländern des RGW Ende der 80er-Jahre wurde es möglich, die gegenseitigen Beziehungen durch umfassende Vereinbarungen zu festigen und fortzuentwickeln, wobei zunächst die Absicherung der Handels- und Wirtschaftsbeziehungen im Vordergrund stand. Während es im Verhältnis zu den aus der ehemaligen UdSSR hervorgegangenen Neuen Unabhängigen Staaten im wesentlichen bei diesem so gezogenen Rahmen geblieben ist, sind die mit den Ländern Mittel- und Osteuropas getroffenen Abmachungen Teil und Ausdruck einer wesentlich breiter angelegten gegenseitigen Annäherungspolitik, die im Ergebnis in den Beitritt zur Europäischen Union münden soll.

Die mit Polen, Ungarn, der ČSFR, Bulgarien und Rumänien zwischen 1988 und 1990 abgeschlossenen **Handels- und Kooperationsabkommen** enthalten die klassischen Vereinbarungen dieser Art: Meistbegünstigung und verbesserten Marktzugang durch den graduellen Abbau der bestehenden spezifischen mengenmäßigen Beschränkungen gegenüber Staatshandelsländern und die Einrichtung gemeinsamer Ausschüsse als gemeinsame Steuerungsinstrumente. Die außerdem vereinbarte handelspolitische Zusammenarbeit sah den Austausch von Handels- und Wirtschaftsinformation vor, Kontakte zwischen Wirtschafts- und Berufsverbänden sowie Zusammenarbeit im Zollwesen und bei der Investitionsförderung.

Im Bereich von Industrie, Bergbau, Landwirtschaft, Energie, Umwelt, Forschung, Normung, Statistik und Finanzdienstleistungen wurde ebenfalls eine engere Zusammenarbeit vereinbart – allerdings nicht durch entspre-

---

[3]) V 3300/91, ABl L 1991/315, 1 (allgemeine Aussetzung); V 3301/91, ABl L 1991/315, 3 (Textilien); V 3303/91, ABl L 1991/315, 46 (allgemeine Zollpräferenzen); für den EGKS-Bereich vgl die Entscheidungen des Rates und der Mitgliedstaaten 91/586/EGKS, 91/587/EGKS, 91/588/EGKS und 91/589/EGKS, alle ABl L 1991/315, 47.

[4]) V 1432/92, ABl L 1992/151, 4; V 2656/92, ABl L 1992/266,27; V 3534/92, ABl L 1992/358,16; V 40/93, ABl L 1993/7, 1; V 990/93, ABl L 1993/102, 14; V 2472/94 ABl L 1994/266, 8; gleichlautende Regelungen für EGKS: Entscheidungen 92/285/EGKS, 92/470/EGKS, ABl L 1994/266, 9; 93/235/EGKS, ABl L 1993/102, 17.

[5]) V 545/92, 546/92, 547/92, 548/92, 3567/91, ABl L 1992/342, 1; 343/92 ABl L 1992/38, 1, ABl L 1992/63 v 7. 3. 1992; Ausschluß Montenegros V 1433/92, ABl L 1992/151, 7 fortgeführt durch V 3953/92, ABl L 1992/406, 1; V 477/93 und 478/93, ABl L 1993/51; 3412/93, ABl L 1993/310, 29; Entscheidung 92/607/EGKS, ABl L 1992/406.

[6]) ABl L 1993/189, 1 v 29. 7. 1993 entsprechend Regelung EGKS, Entscheidung 93/598/EGKS, ABl L 1993/287, 1 Verkehrsabkommen.

chende Finanzzusagen abgesichert. Institutionell wurde die Zusammenarbeit in einem Gemischten Ausschuß vereinbart.

Die 1992 abgeschlossenen Handels- und Kooperationsabkommen mit Albanien, Estland, Lettland und Litauen haben handelspolitisch die gleiche Zielsetzung und Regelung, gehen als **„Abkommen der zweiten Generation“** in ihrer politischen Tragweite aber über die vorerwähnten Abkommen hinaus. Sie begründen die Zugeständnisse der Gemeinschaft ausdrücklich mit deren Streben, Demokratie, Marktwirtschaft und Rechtsstaatlichkeit in den Partnerländern zu fördern, und werden durch gemeinsame Erklärungen zur Einrichtung eines ständigen politischen Dialogs ergänzt. Hinzu treten Sondervereinbarungen über Textilien und Fischerei.

Im Zuge dieser Annäherung wurden mit den drei baltischen Republiken 1994 zusätzliche Freihandelsabkommen unterzeichnet, die ab 1. Jänner 1995 die ursprünglichen Handelsvereinbarungen zu bilateralen Freihandelszonen mit der Europäischen Union ausbauen. Diese Abkommen werden von beiden Seiten als Vorstufe zu Europaabkommen angesehen, die inzwischen paraphiert wurden.

Die darin getroffenen Abmachungen stehen unter dem schon in die Europaabkommen mit Bulgarien, Rumänien, der Slowakischen und der Tschechischen Republik eingearbeiteten Rechtsvorbehalt der Hinwendung zu Demokratie, Marktwirtschaft und Rechtsstaat. Für Industrieerzeugnisse wird in unterschiedlichem Rhythmus die Liberalisierung des Handels vorgesehen, für Agrarerzeugnisse ist neben neuen Konzessionen eine Konsolidierung der bisherigen Zugeständnisse vereinbart. Für Textilien gelten Sondervereinbarungen. Im übrigen enthalten sie die üblichen Bedingungen: „Stand-still“-Klausel, Inländerbehandlung, Schutzklauseln, Ausbildung, Anpassung der Wettbewerbsregeln und Staatsmonopole, Ursprungsregeln zur Bestimmung der begünstigten Erzeugnisse, Zusammenarbeit der Verwaltungen. Neben der Zusage freien Zahlungsverkehrs sehen sie die Anpassung der Wettbewerbsregeln nebst weiteren Formen der Rechtsangleichung sowie die Zusage der Union vor, über ihr Phare-Programm die hierfür erforderliche technische Unterstützung zu finanzieren.

Institutionell verweisen diese Abkommen auf die in den vorangehenden Handels- und Kooperationsabkommen eingerichteten gemischten Ausschüsse.

Die mit den sog „Visegrad“-Ländern Polen, Ungarn, Slowakische und Tschechische Republik und später auch mit Bulgarien und Rumänien abgeschlossenen und mit Estland, Lettland, Litauen und Slowenien ausgehandelten Assoziations- oder **„Europa“-Abkommen** haben die vorerwähnten Abkommen ersetzt und sind weit umfassender und als rechtlicher und politischer Rahmen konzipiert, innerhalb dessen die Partnerstaaten politisch wie wirtschaftlich an die Union herangeführt und auf ihren späteren Beitritt vorbereitet werden sollen. Sie erstrecken sich nicht nur auf Sachgebiete, die in die Gemeinschaftszuständigkeit fallen, sondern auch auf solche, die in der nationalen Zuständigkeit der Mitgliedstaaten verblieben sind. Rechtlich handelt es sich deshalb um gemischte Abkommen, die von der Gemeinschaft wie von jedem Mitgliedstaat einzeln ratifiziert werden müssen.

Ihre Vorschriften sollen schrittweise die wesentlichsten Elemente des Gemeinsamen Marktes auf die Partnerländer ausdehnen.

In ständigem politischen Dialog sollen auf jeder angemessenen Ebene, auch der höchsten, alle Angelegenheiten von gemeinsamem Interesse geklärt und abgestimmt werden, vom Fortschritt des Umwandlungsprozesses im Osten, den Entwicklungen in der Union bis hin zu allgemeinen europäischen (OSZE) oder internationalen Fragen (UNO) und von bilateralen Entwicklungen. Darüber hinaus hat mit allen Ländern mit Europaabkommen als Gruppe ein multilateraler politischer Dialog eingesetzt.

Um den Zugang zum Markt zu öffnen soll für industrielle Erzeugnisse jeweils zwischen den Partnern eine **Freihandelszone** errichtet werden, wobei die Europäische Union ihre Handelshemmnisse aufgrund mehrerer Beschleunigungsbeschlüsse bis Ende 1994 gegenüber Polen, Ungarn, Slowakei und Tschechien abgebaut hatte. Für Bulgarien und Rumänien gelten noch längere Fristen, die allerdings ebenfalls angeglichen werden sollen. Dieser Abbau von Handelshemmnissen ist „asymmetrisch" und läßt den Partnerstaaten längere Übergangsfristen. Längere Fristen sind außerdem generell für empfindliche Erzeugnisse wie Stahl, Textilien und Agrarerzeugnisse vorgesehen.

Der Freihandel gilt allerdings nur für solche Erzeugnisse der jeweiligen Partnerländer, die besonderen Ursprungsregelungen entsprechen, und unterliegt darüber hinaus einer Reihe von Schutzklauseln. Diese Handelsregeln entsprechen im übrigen denen der vorstehend erwähnten Freihandelsabkommen mit den baltischen Republiken.

Über den Handelsaustausch hinaus haben die Europaabkommen das Ziel, die weiteren Grundelemente des Gemeinsamen Marktes schrittweise auf die Partnerländer zu erstrecken:

- Die Inländerbehandlung soll im Bereich der Niederlassung und des Dienstleistungsverkehrs über die Grenze schrittweise eingeführt werden, wobei für den Verkehrsbereich Ausnahmen gelten.
- Mit Inkrafttreten der Verträge können sich Interessenten aus den Partnerländern gleichberechtigt um öffentliche Aufträge in den Mitgliedstaaten bewerben.
- Die Freizügigkeit der Arbeitnehmer wird denjenigen Angehörigen des jeweiligen Partnerstaats sowie deren Familienangehörigen gewährt, die im betreffenden Mitgliedstaat eine gültige Aufenthalts- und Arbeitserlaubnis besitzen, aber nicht darüber hinaus. Die Mitgliedstaaten werden zu großzügigen Lösungen aufgefordert.
- Der Zahlungsverkehr im kommerziellen und geschäftlichen Bereich soll liberalisiert, der Kapitaltransfer zu Investitionszwecken oder zur Rückführung von Gewinnen ermöglicht werden.
- Das Wettbewerbsrecht der Partnerstaaten soll an das der EG angepaßt werden, ebenso Urheberrecht und gewerblicher Rechtsschutz. Darüber hinaus soll das Wirtschaftsrecht umfassend an das der EG angeglichen werden. Die Kommission erarbeitet hierzu ein Weißbuch nach dem Vorbild des Binnenmarktes.
- Die wirtschaftliche Zusammenarbeit soll den marktwirtschaftlichen Umgestaltungsprozeß vorantreiben und die Leistungs- und Wettbewerbsfähigkeit der Partnerstaaten innerhalb des größeren europäischen Rahmens fördern. Ihre Ansatzpunkte sind daher breit gefächert und reichen von der In-

vestitionsförderung und dem Aufbau eines funktionsfähigen Finanzwesens bis zur Verwaltungsreform und dem Sozialwesen.

- Diese Zusammenarbeit wird finanziell seitens der Gemeinschaft durch ihr Phare-Programm, Investitionsdarlehen der EIB und der Montanunion sowie durch Zahlungsbilanzhilfen abgestützt.
- Über den wirtschaftlich-politischen Rahmen hinaus treffen die Europaabkommen auch zur Förderung kultureller Zusammenarbeit unter Einschluß der elektronischen Medien Vorsorge.

Institutionell wird diese Zusammenarbeit durch einen Assoziationsrat verfestigt, in dem beide Seiten vertreten sind. Neben der Aufgabe, die für die Durchführung der Abkommen und ihrer Ziele nötigen gemeinsamen Entscheidungen zu treffen und Empfehlungen auszusprechen, soll der Assoziationsrat auch einen die politischen und wirtschaftlichen Reformen begleitenden politischen Dialog führen. Er wird durch einen auf Beamtenebene beschickten Assoziationsausschuß unterstützt. Ein besonderer Ausschuß für Parlamentarische Zusammenarbeit tritt hinzu.

Die Europaabkommen bedurften der Ratifizierung nicht nur durch die Partnerstaaten und die Europäische Union, sondern auch durch die Mitgliedstaaten, soweit deren eigene Zuständigkeit berührt war. Solange diese einzelstaatlichen Ratifizierungen noch ausstanden, hat die Europäische Gemeinschaft, um die Liberalisierung des Handelsverkehrs zu beschleunigen, die ihrer ausschließlichen Zuständigkeit unterliegenden handels- und wirtschaftspolitischen Teile der Europaabkommen in deckungsgleichen sog „Interimsabkommen" mit den Partnerstaaten vorgezogen, die mit Inkrafttreten der Europaabkommen in diesen aufgehen.

3. Die Strategie „strukturierter Beziehungen"

Die Europaabkommen bilden Grundlage und Rahmen für eine breit angelegte Strategie „strukturierter Beziehungen" zur Vorbereitung des Beitritts der assoziierten MOEL. Förmliche Beitrittsanträge haben gestellt: Bulgarien, Estland, Lettland, Litauen, Polen, Ungarn und die Tschechische Republik. Sie geht vom Anspruch der MOEL aus, der Europäischen Union beizutreten, sobald das betreffende Land in der Lage ist, den mit einer Mitgliedschaft verbundenen Verpflichtungen nachzukommen und die damit verbundenen Lasten zu tragen. Die assoziierten MOEL haben hierin zwar bemerkenswerte Fortschritte gemacht, müssen aber ihre Anstrengungen verstärken. Die Europäische Union ist bereit, sie als Mitglieder aufzunehmen und sie bei ihrer schrittweisen Vorbereitung auf ihre spätere Eingliederung energisch zu unterstützen. Dabei geht es bereits jetzt um die stufenweise Übernahme der Binnenmarktregelungen der Union, aber auch um tatsächliche Formen der Integration wie zB die Entwicklung von Infrastrukturen, den Anschluß an transeuropäische Netze, Zusammenarbeit im Umweltbereich und auf regionaler Ebene vor allem über die gemeinsamen Grenzen hinweg. Hinzu tritt eine engere Zusammenarbeit im Bereich der Außen- und Sicherheitspolitik, von Justiz und Innerem, Kultur, Bildung und Berufsausbildung.

Der strukturierte Dialog soll den assoziierten MOEL eine aktive Beteiligung auf Regierungsebene, aber auch im parlamentarischen Rahmen bei der

Gestaltung wesentlicher Gemeinschaftsbereiche vor allem in solchen mit transeuropäischer Dimension wie zB Energie, Umwelt, Verkehr, Wissenschaft und Technik ermöglichen. Dafür werden die betreffenden Ratstagungen durch zusätzliche, vorher abgestimmte und vorbereitete Tagungen mit den entsprechenden Vertretern der assoziierten MOEL ergänzt. Hierzu kommt die gegenseitige Abstimmung im Rahmen der in den Europaabkommen vorgesehen institutionalisierten Zusammenarbeit.

Die schrittweise Ausdehnung der wesentlichen Elemente des Gemeinsamen Binnenmarktes, so wie sie in den Europaabkommen angelegt ist, soll zumindest mittelfristig die Fähigkeit der Partnerländer entwickeln, sich Wettbewerbsdruck und Marktkräften innerhalb der Union zu stellen. Dazu gehört auch eine vertragskonforme Wettbewerbspolitik insbesondere im Bereich staatlicher Beihilfen und die Angleichung der wirtschaftsrelevanten Gesetzeslage, Normen und Standards. Die Union leistet hierzu vor allem technische Hilfe, wobei externer Sachverstand aus Pharemitteln bezahlt wird. Die Kommission hat auftragsgemäß ein Weißbuch und ein Arbeitsprogramm für diese Rechtsangleichung erarbeitet. Erst wenn als Ergebnis dieser Bemühungen in den Partnerländern ein dem Gemeinsamen Markt vergleichbarer Schutz gegen Wettbewerbsverfälschungen gewährleistet ist, könnte seitens der Union auf den Einsatz handelspolitischer Schutzinstrumente verzichtet werden. Bis dahin werden einige kurzfristige Verbesserungen des Marktzugangs ins Auge gefaßt. So soll die gegenseitige Abstimmung vor der Anwendung von Schutzklauseln und die Kumulierung des Warenursprungs aus all den Ländern verbessert werden, mit denen die Union Freihandelsvereinbarungen unterhält; der passive Veredelungsverkehr für Textilien soll erleichtert, der Liberalisierungszeitplan für Rumänien und Bulgarien an den der Visegradstaaten angeglichen und die Europaabkommen an die durch GATT-Vereinbarungen und Beitritt veränderte Lage angepaßt werden.

Die Förderung von Investitionen soll neben der Umstrukturierung und Modernisierung von Produktionskapazitäten vor allem die Entwicklung der mittelständischen Wirtschaft vorantreiben, die grundlegenden Infrastrukturen ausbauen und dabei die östlichen Partnerländer vor allem im Verkehrs- und Energiebereich in die transeuropäischen Netze (TEN) und andere vorrangige Verkehrskorridore einbeziehen. Auch in diesem Zusammenhang kommt dem PHARE-Programm wesentliche Bedeutung zu.

Das PHARE-Programm wirtschaftlicher Zusammenarbeit soll die marktwirtschaftlichen Reformen wie die mittelfristige Umstrukturierung der Volkswirtschaft und gesellschaftlichen Verhältnisse in den MOEL begleiten und beschleunigen. Das Programm wird zu einem wirksamen mittelfristigem Finanzinstrument mit einem Schwerpunkt auf Infrastrukturverbesserung und regionaler Zusammenarbeit ausgebaut. Neben einer mehrjährigen Finanzierungsgarantie soll die Programmierung dieser Hilfe auf eine flexible Mehrjahresplanung umgestellt und der Anteil der für Infrastrukturinvestitionen verfügbaren Mittel auf 25% des gesamten Finanzvolumens angehoben werden.

Vermehrte gemeinsame Anstrengungen im Bereich des Umweltschutzes sollen unternommen werden.

Die Partnerländer sollen in die Zusammenarbeit der Innen- und Justizminister zur Bekämpfung der drückendsten Form grenzübertretender Kriminalität eingebunden werden (Drogenbekämpfung, Nuklearhandel, Schleusenkriminalität, Kfz-Schiebereien).

Neben verstärkter kultureller Zusammenarbeit sollen wesentliche Bildungsprogramme der Union wie zB Tempus, Leonardo, Socrates oder Jugend für Europa für die Partnerländer vorzugsweise im Hinblick auf eine Neustrukturierung des höheren Bildungswesens und der beruflichen Ausbildung geöffnet werden. Auch die Programme im Bereich von Forschung und Wissenschaft werden für Teilnehmer aus den MOEL geöffnet.

Diese Strategie hat zwar vorwiegend das Verhältnis der MOEL zur Union im Auge, sucht darüber hinaus aber auch die interregionale Zusammenarbeit wie den Ausbau gutnachbarlicher Beziehungen der Partnerländer untereinander zu fördern. Auch hier wird die EG nun Initiativen ergreifen. Ihr Programm grenzüberschreitender Zusammenarbeit[7]) ist im Rahmen von PHARE bereits darauf ausgerichtet, die gleichgewichtige Entwicklung der Gebiete beiderseits ihrer Grenzen voranzutreiben.

4. Die ehemalige Sowjetunion und ihre Nachfolgestaaten

a) Handels- und Kooperationsabkommen

Mit der ehemaligen Sowjetunion hatte die Europäische Gemeinschaft Ende 1989 ein 1990 in Kraft getretenes, nicht präferentielles allgemeines **Handels- und Kooperationsabkommen**[8]) geschlossen, das wie bei den Ländern Mittel- und Osteuropas die gegenseitige Meistbegünstigung einräumte, die besonderen wie allgemeinen Handelshemmnisse gegenüber Staatshandelsländern schrittweise abbaute und Schutzklauseln vorsah. Textilien[9]) und Montanerzeugnisse waren ausgenommen, doch schloß das Abkommen den Nuklearbereich ein. Zusätzlich waren gemeinsame Abmachungen zur Förderung des gegenseitigen Warenaustauschs einschließlich der Verfügbarkeit von Zahlungsmitteln getroffen worden. Außerdem wurde eine eingehende Zusammenarbeit auf einer Vielzahl von Wirtschaftsgebieten vorgesehen und ein Gemischter Ausschuß als institutioneller Rahmen zur Erörterung in diesem Zusammenhang auftretender gemeinsamer Fragen eingerichtet.

Dieses Abkommen wurde nach Auflösung der UdSSR jeweils bilateral auf Rußland und die anderen aus ihr hervorgehenden Neuen Unabhängigen Staaten (NUS) als Rechtsnachfolger übertragen und bildet gegenwärtig noch die Grundlage der Beziehungen, bis es schrittweise durch eigene Abkommen mit den einzelnen Nachfolgestaaten ersetzt wird. Auf der ausdrücklichen Grundlage von Demokratie, Rechtsstaat und Marktwirtschaft sollen sie die Partnerländer im Zeichen von Partnerschaft und Zusammenarbeit in einen erweiterten europäischen Wirtschaftsraum integrieren und dieses Ziel politisch wie rechtlich absichern.

---

[7]) Haushaltslinie B 7-612; V 1628/94, ABl L 1994/171, 14 v 6. 7. 1994.

[8]) ABl L 1990/68, 1 v 15. 3. 1990.

[9]) Abkommen v 12. 6. 1993.

b) Partnerschaft und Zusammenarbeit

Mit Rußland wurde beim Europäischen Rat in Korfu am 24. Juni 1994 ein Abkommen über Partnerschaft und Zusammenarbeit unterzeichnet, gleichartige Abkommen wurden mit Weißrußland, der Ukraine, Kasachstan, Kirgisistan und Moldavien unterzeichnet oder paraphiert. Für die übrigen NUS werden die Möglichkeiten einer über die bestehenden Handelsabkommen hinausgehenden Zusammenarbeit geprüft. Zur Beschleunigung der Handelsliberalisierung werden auch im Verhältnis zu den NUS Interimsabkommen vorbereitet.

Das neue Partnerschaftsabkommen mit der Russischen Föderation liefert die Vorlage für die gleichartigen Abmachungen mit den anderen NUS.[10]) Es trägt deren besonderem Verhältnis Rechnung, indem es Rußland die Möglichkeit vorbehält, mit den anderen aus der ehemaligen Sowjetunion hervorgegangenen Neuen Unabhängigen Staaten besondere und weitergehende Handels- und Wirtschaftsbeziehungen aufrechtzuerhalten. Im übrigen weist das Abkommen in seinen Grundzügen zahlreiche Übereinstimmungen mit den Regelungen gegenüber Mittel- und Osteuropa auf.

In ihren Handelsbeziehungen streben die Vertragsparteien einen verbesserten Marktzugang mit der längerfristigen Perspektive einer Freihandelszone an. Zu diesem Zweck gewähren sie den gegenseitigen Marktzugang nach Maßgabe der Meistbegünstigung und bauen mengenmäßige Beschränkungen ab, doch bleiben Schutzklauseln zulässig. Neben einer am GATT orientierten allgemeinen Klausel und Anti-Dumpingregeln, gibt das Abkommen Rußland und den anderen NUS die Möglichkeit, während einer Übergangszeit unter besonderen Umständen mengenmäßige Beschränkungen einzuführen, dies allerdings nur in beschränktem Umfang. Andererseits werden die NUS sich vorzeitig einigen GATT-Regeln zu unterwerfen haben. Eingeführte Waren sollen wie einheimische vermarktet, transportiert und verwendet und vor allem steuerrechtlich gleichbehandelt werden. Auch die freie Durchfuhr von Erzeugnissen wird gewährleistet. Diese Handelsregelungen gelten für alle Erzeugnisse mit Ausnahme von Textilien, Kohle und Stahl, für die Sondervereinbarungen bestehen. Sonderbestimmungen für den Handel mit nuklearem Spaltmaterial werden einem eigenen Abkommen vorbehalten.

Zur **Förderung von Investitionen** sieht das Abkommen die Meistbegünstigung auch im Hinblick auf die Niederlassung von Gesellschaften vor und garantiert ihnen dann – wenn auch mit sektoriellen Ausnahmen – die Gleichbehandlung mit Inländern. Ergänzende Abkommen zu Investitionsschutz und -förderung sowie Doppelbesteuerung sind vorgesehen; Rechte am geistigen Eigentum sollen auf Basis der Meistbegünstigung unter Aufsicht des Kooperationsrates wirksam geschützt werden. Hinzu tritt ein intensiver Informationsaustausch.

Die Vereinbarungen über den freien **Zahlungs- und Kapitalverkehr** sollen Zahlungen im Dienstleistungs- oder Warenverkehr in frei konvertierbaren

[10]) Abkommen zur Partnerschaft und Zusammenarbeit wurden mit der russischen Föderation, der Ukraine (nur paraphiert, noch nicht unterzeichnet), Kasachstan, Kirgisistan, Moldavien und Weißrußland abgeschlossen. Diesbezügliche Gespräche sollen mit Georgien, Armenien, Asarbaidschan, Usbekistan und Turkmenistan aufgenommen werden; mit Tadschikistan sind vorerst keine Verhandlungen vorgesehen.

Währungen sicherstellen. Auch der Kapitaltransfer zum Zwecke von Direktinvestitionen soll prinzipiell frei sein, Investitionen und Gewinne sollen rückgeführt werden können. Andere Formen des Kapitalverkehrs werden nicht liberalisiert, doch wurde ein „stand-still" der Beschränkungen vereinbart. Für laufende Zahlungen, Zahlungsweisen und den Kapitalverkehr ist die Meistbegünstigung vereinbart. Hierzu tritt ein engerer Informationsaustausch und Abstimmung zwischen den zuständigen Behörden. Die Öffnung des Marktes im Bereich von **Bank- und Finanzdienstleistungen** gestaltet sich schwierig. Während die Union die Einrichtung von Zweigniederlassungen russischer Banken erlaubt, gilt dies und die entsprechende Inländerbehandlung in Rußland nur eingeschränkt und mit Verzögerung. Auch Leistungen von Versicherungsgesellschaften werden auf Meistbegünstigungsbasis liberalisiert.

Das Abkommen verbessert Zugang und Mobilität von leitendem Personal von Zweigniederlassungen, sieht aber keine generelle Öffnung der Arbeitsmärkte vor. In der Europäischen Union liegen Einwanderungs- und Arbeitsmarktpolitik im wesentlichen in den Händen der Mitgliedstaaten. Dort legal Beschäftigte müssen jedoch wie Inländer behandelt werden. Die zusätzlich notwendige Koordinierung von Leistungen der sozialen Sicherheit ist späteren Zusatzvereinbarungen vorbehalten worden.

In einer eigenen „stand-still" Klausel vereinbaren beide Seiten, die Niederlassungs- und Geschäftsbedingungen nicht zu verschärfen.

Auch der grenzüberschreitende **Dienstleistungsverkehr** wird in zahlreichen Sektoren liberalisiert, vor allem bei Ausbildung, Marketing und Vertrieb, Datenverarbeitung, Ingenieurleistungen etc.

Der Kooperationsrat soll diese Listen überprüfen und Empfehlungen für weitere Liberalisierungen erarbeiten. Die bestehenden Beschränkungen sollen nicht verschärft werden.

Für den Verkehr, Trägerdienste und mobile Satellitenkommunikation gelten Sondervereinbarungen.

Andere Einzelbestimmungen des Abkommens sollen einen lauteren und nicht durch private oder staatliche Eingriffe oder Beihilfen verfälschten **Wettbewerb** sicherstellen, staatliche Monopole dürfen nicht diskriminieren. Darüber hinaus sollen zentrale Bereiche des russischen Wirtschaftsrechts an das der Union angeglichen und insbesondere die Rechte an geistigem, gewerblichem oder kommerziellem Eigentum wirksam geschützt werden.

Abmachungen über eine intensivierte Zusammenarbeit in einem breiten Spektrum von Tätigkeitsfeldern einschließlich des Zollwesens, der Verfolgung von Wirtschaftsstraftaten, Wissenschaft und Forschung und des Verkehrs nehmen einen breiten Raum ein.

Nach dem Vorbild der Europaabkommen wird der institutionelle Rahmen für die so vereinbarte Partnerschaft und Zusammenarbeit vom Kooperationsrat, dessen Kooperationsausschuß und dem Ausschuß für parlamentarische Zusammenarbeit gebildet. Auf Ministerebene überwacht der Kooperationsrat die Umsetzung des Abkommens, unterstützt vom Kooperationsausschuß auf Beamtenebene und in Abstimmung mit dem parlamentarischen Ausschuß. Streitigkeiten sollen in einem Schiedsverfahren bereinigt werden. Für Fragen des Kohle- und Stahlmarktes wird eine eigene Kontaktgruppe eingerichtet. Hinzu soll ein vertiefter politischer Dialog auf allen geeigneten Ebenen unter Einschluß von regelmäßigen Treffen des Präsidenten der Russischen Föderation mit den Präsidenten des Rates der Europäischen Union und der Europäischen Kommission treten.

C. Marktzugang

1. Die Öffnung der Märkte

Als Ergebnis einer „asymmetrischen“, dh nicht an eine gleichzeitige und gleichwertige Öffnung der Ostmärkte gebundenen Politik hat die Europäische Union im Zuge der mit den betreffenden Partnerländern in Mittel- und Osteuropa getroffenen Vereinbarungen sowie durch autonome Änderungen ihrer Gesetzgebung in einem mehrfach beschleunigten Rhythmus die gegenüber Staatshandelsländern ursprünglich bestehenden besonderen tariflichen und mengenmäßigen Beschränkungen des Handelsverkehrs aufgehoben, die Anwendung der gegenüber allen Drittländern bestehenden Maßnahmen ausgesetzt, das System allgemeiner Zollpräferenzen auf diese Länder ausgedehnt und mit den MOEL Freihandelszonen vereinbart.

Infolgedessen unterliegt die Einfuhr industrieller Erzeugnisse in die Gemeinschaft aus den sog „Visegrad“-Ländern Polen, Ungarn, Tschechien und Slowakei ab dem 1. Jänner 1995 keinen tariflichen oder mengenmäßigen Beschränkungen mehr, ab 1. Jänner 1996 auch die von Stahl und Stahlerzeugnissen und ab 1998 die von Textilien. Die Märkte dieser Länder werden demgegenüber erst ab dem Jahre 2002 für industrielle Erzeugnisse aus der Europäischen Union offen sein. Auf diese Weise sind zB Anfang 1995 die gesamten ungarischen Industrieausfuhren, aber nur etwa 15% der ungarischen Einfuhren aus der Union freigestellt.

Diese Politik einer **schrittweisen Öffnung des Gemeinsamen Marktes** gilt grundsätzlich auch für landwirtschaftliche Erzeugnisse, doch fordert die Gemeinsame Agrarpolitik dabei ein sehr viel behutsameres Vorgehen, das Handelszugeständnisse nur im Einklang mit dem Fortschritt ihrer Reform zuläßt. Andererseits haben die Europaabkommen die bestehenden allgemeinen Präferenzen konsolidiert und verbessert sowie zusätzliche gegenseitige Zugeständnisse vereinbart.

Für die anderen Staaten Mittel- und Osteuropas gilt noch jeweils ein differenzierender Zeitrahmen, doch wird auch hier eine beschleunigte Öffnung des Gemeinsamen Marktes angestrebt.

Im besonderen für Bulgarien und Rumänien soll der im Rahmen der Europaabkommen vorgesehene Zeitplan für Zölle und Zollkontingente für gewerbliche Waren, Textilien, EGKS-Erzeugnisse und Agrarprodukte sowie für landwirtschaftliche Verarbeitungserzeugnisse an den für die Visegrad-Länder geltenden Zeitplan angeglichen werden.

Für die baltischen Staaten sind gegenwärtig die Freihandelsabkommen maßgeblich, daneben gilt das System allgemeiner Zollpräferenzen. Für Slowenien kommt bis zum angestrebten Europaabkommen die autonome Handelsregelung gegenüber den Nachfolgestaaten Jugoslawien sowie das System allgemeiner Zollpräferenzen zur Anwendung.

Für die Neuen Unabhängigen Staaten sehen die bestehenden Handelsvereinbarungen oder Partnerschafts- und Kooperationsabkommen keine spezifischen Handelspräferenzen vor, sondern stellen den gegenseitigen Warenaustausch auf die Basis der Meistbegünstigungsklausel das GATT. Zusätzlich gelten die Regeln des Systems allgemeiner Zollpräferenzen der EG. Allgemein gesehen ist die Zollbelastung der EG für Einfuhren aus den NUS gering und beträgt im gewichteten Durchschnitt zB gegenüber Rußland weniger als 1%. Die Erklärung liegt in den Strukturen dieser Einfuhren mit Schwergewicht auf Rohmaterialien, Erzen, Brennstoffen etc, die ohnehin zollfrei sind und zB ungefähr 80% der EG-Importe aus Rußland freistellen.

2. Die Schutzklauseln

Die grundsätzliche Liberalisierung des Warenaustauschs bedeutet allerdings nicht, daß der Gemeinsame Markt fortan schutzlos offen stünde. Der notwendige Schutz wird jedoch nicht mehr über allgemein geltende tarifliche oder mengenmäßige Beschränkungen gewährleistet, sondern durch auf den Einzelfall abgestimmte Schutzklauseln.

Die in den Abkommen vereinbarten Zugeständnisse gelten nur für die Erzeugnisse des jeweiligen Partnerstaates, die den jeweils ausgehandelten besonderen **Ursprungsregeln** entsprechen. Da diese in ihren Einzelheiten nicht notwendig denjenigen gleichkommen, welche mit anderen Handelspartnern vereinbart wurden, stellt sich die Frage der Kumulierung der einzelnen Ursprungskriterien mit besonderer Dringlichkeit. Der Essener Gipfel vom Dezember 1994 hat insoweit beschleunigte Lösungen gefordert.

Die Abkommen erlauben es darüber hinaus, gegen Dumping oder subventionierte Einfuhren vorzugehen, wobei die Partnerländer als Marktwirtschaften und nicht mehr als Staatshandelsländer behandelt werden.

Sie enthalten im übrigen eine handelspolitische Schutzklausel, die es erlaubt, Einfuhren abzuwehren, die einzelne Industriezweige in ernste Schwierigkeiten bringen oder zu bringen drohen. Die Abkommen sehen hierzu detaillierte Verfahren vor, bei denen zunächst eine einverständliche Bereinigung der aufgetretenen Probleme gesucht werden soll.[11]) Daneben können Einfuhren aus den in Art 36 EGV aufgezählten Gründen zurückgewiesen werden,[12]) aber auch zum Schutz der inneren Sicherheit.[13])

Die assoziierten Länder haben ihrerseits die Möglichkeit, ihren Zollschutz vorübergehend zu erhöhen, um neu entstehende oder in einem Umstrukturierungsprozeß befindliche eigene Industrien zu schützen, wo andernfalls dort soziale Probleme entstehen.[14])

Von diesen Einzelregelungen abgesehen, behalten sich die Partner der Europaabkommen vor, bei schwerwiegenden Verstößen der anderen Seite gegen die übernommenen Verpflichtungen angemessene Gegenmaßnahmen zu ergreifen.[15]) Dies gilt ua auch für die Verpflichtung zu Demokratie, Rechtsstaat und Marktwirtschaft.

---

11) Vgl zB Art 20 Europaabkommen mit Ungarn.
12) Vgl zB Art 35 Europaabkommen mit Polen.
13) Vgl zB Art 112 Europaabkommen mit Polen; vgl auch Artikel 223 und 224 EGV.
14) Vgl zB Art 28 Europaabkommen mit Polen.
15) Vgl zB Art 115 Europaabkommen mit Polen.

3. Die Entwicklung des gegenseitigen Handelsaustauschs

Das Gesamtvolumen dieses Austauschs mit den MOEL ist seit 1991 jährlich um zweistellige Prozentsätze gewachsen und lag Ende 1993 bei etwa 46 Mrd ECU. Die Europäische Gemeinschaft ist zum wichtigsten Handelspartner Mittel- und Osteuropas geworden und hat gegenwärtig noch einen Überschuß von 5,6 Mrd ECU gegenüber den sechs assoziierten MOEL, gegenüber den baltischen Republiken aber ein Defizit von 500 Mio ECU. Etwa 40% der EG-Ausfuhren bestehen aus Investitionsgütern, Maschinen, Verkehrsausrüstungen und elektrischen Geräten. Erfreulicherweise zeigt sich auch zunehmend eine Auffächerung der MOEL-Ausfuhren im Bereich von verarbeiteten Industriegütern.

Die Neuen Unabhängigen Staaten beziehen etwa 40 bis 45% ihrer Einfuhren aus der EG, etwa die Hälfte ihrer Exporte gehen dorthin.

Vom Volumen her ist Rußland bei weitem der bedeutendste Handelspartner aus den NUS, auf den zwei Drittel des Gesamthandels entfallen, und weltweit der fünftwichtigste der EG mit einem Gesamtvolumen von etwa 30 Mrd ECU 1994. Ebenso bildet die EG den wichtigsten Exportmarkt Rußlands, dem gegenüber sie ein wachsendes Handelsdefizit aufweist (1994: 6,2 Mrd ECU). 1994 wurden Güter für 12,2 Mrd ECU nach Rußland ausgeführt und für 18,4 Mrd ECU von dort eingeführt. Andererseits verzeichnet die EG Überschüsse gegenüber den meisten anderen NUS.

D. Finanzhilfen

1. Allgemeines

Die Länder Mittel- und Osteuropas kommen in den Genuß von makroökonomischen Finanzhilfen der EG, die in den ersten Jahren nach dem Umbruch vor allem dazu dienten, die Konvertibilität ihrer Währungen zu ermöglichen und die Zahlungsbilanz zu stützen.

Derartige Finanzhilfen werden auf verschiedene Art und Weise gewährt:

- durch Zahlungsbilanzhilfen im Rahmen internationaler Stützungsaktionen, bei denen die EG im internationalen Verbund einen Teil des von internationalen Finanzinstitutionen nicht abgedeckten Bedarfs übernimmt und ebenfalls deren Bedingungen zugrundelegt;
- durch projektbezogene Darlehen, die über die Europäische Investitionsbank (EIB) oder die Bank für Wiederaufbau und Entwicklung (EBRD) vergeben und nötigenfalls über Bürgschaften der EG abgesichert werden;
- durch Gemeinschaftsbürgschaften, die es erlauben, Hilfslieferungen über Geschäftsbanken zu finanzieren.

Die damit verbundenen Haushaltsrisiken sollen durch eine eigens eingerichtete Rückstellung im EU-Haushalt aufgefangen werden.

Die EG und ihre Mitgliedstaaten haben darüber hinaus einen wesentlichen Beitrag zu internationalen Umschuldungs- und Entschuldungsmaßnahmen für öffentliche und private Außenschulden ihrer verschiedenen Partnerländer geleistet.

2. Zahlungsbilanzstützungen

Derartige Operationen der Europäischen Union haben grundsätzlich Ausnahmecharakter und rechtfertigen sich im Rahmen international konzertierter Aktionen zum Ausgleich von Deckungslücken, die von internationalen Finanzierungsinstitutionen nicht gedeckt werden. Insoweit werden sie zur Stützung international vereinbarter Programme für strukturelle Wirtschaftsreformen mit mehr oder minder deutlichen Zielvorgaben des Internationalen Währungsfonds eingesetzt. Für die Länder Mittel- und Osteuropas kommt außerdem das besondere Motiv zum Tragen, ihre Wirtschaft in einen gesamteuropäischen Wirtschaftsraum einzugliedern und darüber hinaus auf den Beitritt zur EU vorzubereiten.

Zahlungsbilanzhilfen werden grundsätzlich in Form rückzahlbarer Darlehen gewährt. Allerdings erhält Albanien einen nicht rückzahlbaren Zuschuß in Höhe von 105 Mio ECU.

Normalerweise bringt die Gemeinschaft die Hälfte des Fehlbetrags auf, und die Kommission fordert die anderen Mitglieder der G 24 auf, den Restbetrag zu übernehmen. Insgesamt wurden seitens der Gemeinschaft bis Ende 1994 2,9 Mrd ECU zur Verfügung gestellt.

3. Projektförderung

a) Euratom-Kredite

Der Bedarf an finanziellen Mitteln für Kernenergieprojekte in den Mitgliedsstaaten der Union ist gering einzustufen, sodaß die derzeit noch verfügbaren Mittel (etwa 1,1 Mrd ECU) weitgehend für Projekte in Drittstaaten eingesetzt werden können. Angesichts der politischen Bedeutung von nuklearer Sicherheit sind bedeutende Kreditzusagen in den nächsten 3 bis 4 Jahren an die Ukraine zu erwarten. Aber auch andere Länder (Slowakei, Rußland, Bulgarien) werden zukünftig Bedarf an Euratom-Mitteln haben.

b) EGKS-Kredite

Für die Umstrukturierung der Kohle- und Stahlindustrie in den MOEL stehen insgesamt 200 Mio ECU zur Verfügung, von denen ein erstes Darlehen von 40 Mio ECU für die Kattowitzer Hütte in Polen vergeben wurde.

c) EIB-Hilfen

Die Europäische Investitionsbank (EIB) ist seit 1958 das Bankinstitut der Europäischen Gemeinschaft für die langfristige Finanzierung von Anlageinvestitionen, welche die europäische Integration fördern. Sie beschafft sich die Mittel für ihre Finanzierungstätigkeit zu Vorzugsbedingungen auf den Kapitalmärkten und reicht sie an die Projektträger weiter.

Während der wirtschaftliche und soziale Zusammenhalt in der Gemeinschaft nach wie vor ihr Hauptziel ist, finanziert die Bank auch Vorhaben außerhalb der Europäischen Union im Rahmen der Entwicklungs- und Kooperationspolitik.

Seit 1990 stellt die EIB ihre Mittel, ihr Know-how und ihre Erfahrungen auch den Ländern Mittel- und Osteuropas zur Verfügung, um sie beim Übergang zur Marktwirtschaft zu unterstützen. Durch Beschlüsse von Ende 1989 und April 1991 hat der Rat der Gouverneure die Bank ermächtigt, Darlehen bis zu einem Gesamtbetrag von 1,7 Mrd ECU für Investitionsvorhaben in Bulgarien, Polen, Rumänien, der Slowakischen Republik, der Tschechischen Republik und Ungarn bereitzustellen. Im Zeitraum von 1994 bis 1996 kann die EIB aufgrund weiterer Beschlüsse in zehn mittel- und osteuropäischen Ländern (Albanien, Bulgarien, Estland, Lettland, Litauen, Polen, Rumänien, Slowakei, Tschechische Republik und Ungarn) insgesamt 3 Mrd ECU bereitstellen. Seit Juli 1993 ist es der EIB erlaubt, Darlehen bis zu einem Gesamtbetrag von 150 Mio ECU in Slowenien zu gewähren.

Entsprechend der von der EIB innerhalb und außerhalb der Gemeinschaft geübten Praxis sind ihre Ausleihungen in den Ländern Mittel- und Osteuropas eng an spezifische Projekte im öffentlichen und privaten Sektor gebunden. Sämtliche Projekte werden sorgfältig auf ihre wirtschaftliche, technische und finanzielle Tragfähigkeit geprüft. Die EIB finanziert normalerweise bis zu 50% der Projektkosten. In den meisten Fällen stellt sie weniger als die Hälfte der Mittel bereit, kofinanziert aber Investitionen zusammen mit anderen Banken und Finanzierungseinrichtungen (Finanzinstitute aus den Mitgliedsländern der Union, die Europäische Bank für Wiederaufbau und Entwicklung und die Weltbank-Gruppe).

In Mittel- und Osteuropa standen bisher folgende Sektoren im Vordergrund:

- Vorhaben zur Verbesserung nationaler Netze und zum Ausbau der Verbindungen mit anderen Ländern – insbesondere mit Ländern der Europäischen Union – im Verkehrs- und Telekommunikationsbereich;
- Umstrukturierung und technologische Modernisierung im Energiesektor, vor allem Investitionsvorhaben, die auf Energieeinsparungen und die Verringerung der Umweltbelastungen ausgerichtet sind;
- im Industriebereich Joint-Ventures mit EG-Partnern und direkte Investitionen von Unternehmen aus EG-Ländern. Die EIB stellt außerdem Banken in mittel- und osteuropäischen Ländern Globaldarlehen, praktisch Kreditlinien, für die Finanzierung kleiner und mittlerer Industrievorhaben zur Verfügung. Aus den Globaldarlehen reichen ortsansässige Banken Darlehen minderen Umfangs nach den Kriterien der EIB aus.

Die Einschaltung der EIB in den mittel- und osteuropäischen Ländern ergänzt das PHARE-Programm der EG-Kommission. Anders als bei den EIB-Darlehen ist die im Rahmen dieses Programms bereitgestellte Hilfe nicht rückzahlbar.

Bis zum 31. Dezember 1995 hat die EIB in Mittel- und Osteuropa langfristige Finanzierungen von insgesamt 3,7 Mrd ECU bereitgestellt.

d) EBRD-Hilfen

Die in London ansässige Europäische Bank für Wiederaufbau und Entwicklung (EBRD – European Bank for Reconstruction and Development) wurde 1991 eigens zur Unterstützung des Umwandlungsprozesses in Mittel-

und Osteuropa sowie den Neuen Unabhängigen Staaten geschaffen. Sie ist keine Institution der Europäischen Union, sondern eine internationale Bank mit 59 Mitgliedern unter Einschluß der begünstigten Partnerländer, an der die EG, ihre Mitgliedstaaten und die EIB insgesamt die Mehrheit der Anteile halten.

Aufgabe der Bank ist es, den östlichen Partnerländern Investitionskapital zur Durchführung struktureller Wirtschaftsreformen vorzugsweise bei der Entflechtung und Privatisierung von Betrieben und der Modernisierung der grundlegenden Infrastrukturen, aber auch zur Stärkung des Finanz- und Rechtssystems zur Verfügung zu stellen.

Geographisch liegt das Schwergewicht ihrer Tätigkeit bislang zwar in Mittel- und Osteuropa einschließlich der baltischen Staaten, Kroatiens und der früheren jugoslawischen Republik Mazedonien, doch umfaßt ihr Geschäftsbereich auch die NUS.

Die EBRD verfügt über ein breitgefächertes Spektrum von Finanzierungsinstrumenten, die den unterschiedlichen Bedürfnissen der Begünstigten angepaßt sind und sich bei Bedarf flexibel in internationale Konfinanzierungen einpassen. Sie finanziert private wie öffentliche Vorhaben, wobei ein Anteil von 60% für den Privatsektor angestrebt wird. Ihr Instrumentarium reicht von Darlehen und Bürgschaften bis zu Kapitalbeteiligungen und einem technischen Kooperationsfonds. Bis Ende 1995 hatte die Bank 382 Vorhaben im Gesamtbetrag von 6,3 Mrd ECU finanziert. An projektgebundener technischer Hilfe hatte sie bis dahin im Verein mit bilateralen Geldgebern 348 Mio ECU aus dem Kooperationsfonds zur Verfügung gestellt. Diese Vorhaben bezogen sich vorzugsweise auf die Sektoren Telekommunikation, Finanzwesen, verarbeitende Industrie, Bodenschätze, Gewerbeimmobilien, Energie und Stromerzeugung, Verkehr und Nahrungsmittelindustrie.

e) Kommerzielle Lieferungen

Neben erheblicher humanitärer und Nahrungsmittelhilfe wurden verschiedentlich im Rahmen des PHARE-Programms der EG Lieferprogramme finanziert, wodurch es entscheidenden Industriezweigen Mittel- und Osteuropas ermöglicht wurde, in Gang zu kommen oder zu bleiben. Hierzu gehören zB im Jahre 1991 die Lieferung von Ersatzteilen und Ausrüstungen für die rumänische Nahrungsmittelindustrie (9 Mio ECU) und Privatbauern (8,4 Mio ECU) sowie von Protein und Zusätzen für die Futtermittelherstellung (16 Mio ECU) oder von 1992 bis 1994 von Ausrüstungen, Ersatzteilen, Betriebsmitteln und Grundstoffen für lebenswichtige Industriezweige in Albanien (30 Mio ECU). Ähnliche Lieferprogramme laufen gegenwärtig zugunsten der früheren jugoslawischen Republik Mazedonien (23 Mio ECU 1994).

Derartige Lieferprogramme stehen häufig im Zusammenhang mit Nahrungsmittel- und humanitärer Hilfe, um besonderen Notsituationen zu begegnen. Sie kennzeichnen die Wiederaufbauhilfe der EU im ehemaligen Jugoslawien.

Zugunsten der damaligen Sowjetunion und ihrer Teilrepubliken hat die EG neben beträchtlichen Nahrungsmittelhilfen 1991 Kreditbürgschaften von 500 Mio ECU gestellt, um über westliche Bankenkonsortien finanzierte Lebensmittellieferungen zu ermöglichen.[16]) Diese Bürgschaft wurde nach dem Zerfall der Sowjetunion auf Rußland konzentriert und für 375 Mio ECU in Anspruch genommen. Der Sowjetunion wurde ein Darlehen von 1,25 Mrd ECU für dringende Einfuhren gewährt,[17]) das später anteilig auf ihre Nachfolgestaaten erstreckt wurde. Diese wurden praktisch voll ausgenutzt.

Wegen der mit derartigen Finanzhilfen verbundenen Ausfallrisiken, hat der Europäische Rat 1993 beschlossen, im EU-Haushalt eine Rücklage zu bilden, aus der Haushaltsrisiken abgedeckt werden sollen, wenn die Rückzahlungen ausbleiben.

E. Technische und strukturelle Zusammenarbeit

1. G-24: Koordination internationaler Hilfe

Auf dem G-7-Treffen in Paris wurde 1989 der Europäischen Kommission der Auftrag erteilt, die gesamten Hilfsanstrengungen der Industriestaaten und Internationalen Finanzinstitutionen zugunsten Mittel- und Osteuropas zu koordinieren. Diese ursprünglich für Hilfslieferungen humanitärer Art und Finanzhilfen für Polen und Ungarn ins Leben gerufene Zusammenarbeit erfaßt heute 12 Länder Mittel- und Osteuropas,[18]) ist auf die jeweils besondere Situation des einzelnen Landes abgestellt und bezieht alle Bereiche des Reform- und Umwandlungsprozesses ein. Sie reicht von makrofinanziellen Stützungsaktionen, Zahlungsbilanzhilfen und Schuldenregelungen über Export- und Investitionsförderung bis zu den verschiedensten Formen technischer und humanitärer Hilfe. Die Koordinierung erfolgt über gemeinsame Tagungen auf Ministerebene oder in technischen Arbeitsgruppen für die einzelnen Sektoren, multilateral oder für einzelne Länder und wird durch ein eigens bei der Kommission eingerichtetes Sekretariat getragen. Weltweit kommen mit 33,8 Mrd ECU etwa 45% dieser Hilfen aus der EU und ihren Mitgliedstaaten, von denen Deutschland mit 11,3 Mrd ECU den größten Beitrag leistet. Soweit diese Hilfe in Form nicht rückzahlbarer Zuschüsse geleistet wird, bringen die EU und ihre Mitgliedstaaten insgesamt fast 60% davon auf.

2. Programm PHARE – MOEL

a) Der geographische Anwendungsbereich

Mit ihrem Programm PHARE („Poland Hungary Assistance for the Reconstruction of the Economy") leistet die EU den weltweit bedeutendsten Beitrag zur Reform von Staat, Wirtschaft und Gesellschaft in den Ländern Mittel- und Osteuropas. PHARE ist ein eigenständiges Programm der Union und entscheidender Bestandteil gemeinschaftlicher Außenpolitik und ihrer Beitrittsstrategie. Es tritt zu den vielfältigen Hilfsmaßnahmen ihrer Mitgliedstaaten und anderer Länder hinzu. Die finanzielle Grundlage bildet der jähr-

---

[16]) V 599/91 ABl L 1991/67 v 5. 3. 1991.

[17]) Entscheidung 91/656.

[18]) Albanien, Bulgarien, Estland, Lettland, Litauen, Polen, Rumänien, Slowakei, Slowenien, Tschechien, Ungarn und FYROM.

liche Haushalt der EU, aus dem jeweils die für diese Zwecke vorgesehenen Mittel zur Verfügung gestellt werden. Die finanzielle Ausstattung von PHARE betrug 1990 500 Mio ECU, 1991 785 Mio ECU, 1992 1015 Mio ECU, 1993 1003 Mio ECU, 1994 979 Mio ECU und 1995 1095 Mio ECU. PHARE ist damit das umfassendste Hilfsprogramm seiner Art.

PHARE-Hilfe kommt gegenwärtig folgenden Ländern zugute: Albanien, Bulgarien, Estland, Lettland, Litauen, Polen, Rumänien, Slowakische Republik, Slowenien, Tschechische Republik, Ungarn und Kroatien. In eingeschränktem Maß wird auch der früheren jugoslawischen Republik Mazedonien (FYROM) Hilfe gewährt (im wesentlichen humanitärer Art).

Die Nachfolgestaaten der ehemaligen Sowjetunion stehen außerhalb PHARE. Für sie gilt ein gleichartiges Programm technischer Hilfe: TACIS.

b) Der rechtliche Rahmen

Die Ziele dieses Programmes und der erforderliche Handlungsrahmen sind in der Verordnung des Rates 3906/89[19]) niedergelegt, welche die rechtliche Grundlage des PHARE-Programms bildet.

Die Haushaltsordnung (Kapitel IX, Außenhilfe) der EU legt darüber hinaus die Verfahrensregeln fest, nach Maßgabe deren die Europäische Kommission und ihre Partnerländer bei der Durchführung des PHARE-Programms zusammenarbeiten und Aufträge erteilen.

Hinzu kommen Verwaltungsanweisungen der Kommission über die Vergabe von Aufträgen sowie Standardtexte für Ausschreibungen und Verträge.

c) Die Ziele

Nach Zielsetzung und Verfahren ist PHARE nicht als kommerzielles Förderprogramm zugunsten der einheimischen Wirtschaft in der Union konzipiert, das aus Steuermitteln geschäftliche Möglichkeiten in den Empfängerländern eröffnen und finanziell absichern soll. Mit PHARE betreibt die Gemeinschaft keine interne Mittelstandspolitik jenseits ihrer Grenzen.

PHARE ist vielmehr ein entscheidender **Bestandteil gemeinschaftlicher Außenwirtschaftspolitik**, der mit seiner besonderen Zwecksetzung zu der Vielzahl anderer Maßnahmen hinzutritt: Die strukturellen Reformen aktiv zu begleiten und zu beschleunigen, die in den Ländern Mittel- und Osteuropas in Gang gekommen sind, um demokratische Staats- und Gesellschaftsformen einzuführen und marktwirtschaftliche Verhältnisse herzustellen. PHARE ist das grundlegende Finanzinstrument zur Umsetzung der Europaabkommen und der in ihnen begründeten Politik strukturierter Beziehungen mit dem Ziel, die Partnerländer auf den Beitritt vorzubereiten.

Über ihr Programm PHARE finanziert die Union deshalb den Regierungen der Empfängerländer die Beratungsleistungen und technische Hilfe, deren diese zur Konzeption und praktischen Umsetzung ihrer Reformpolitik bedürfen. Neben dieser Vermittlung westlichen Sachverstands stellt PHARE Lieferungen, Ausrüstungen und Finanzmittel zur Verfügung, um Reformen

---

[19]) ABl L 1989/375, 11.

und Wirtschaftstätigkeit in Gang zu bringen. Diese Absicht, als generelle Initialzündung zu dienen, bestimmt Art und Umfang dieser Leistungen. Projektbezogene Kapitalinvestitionen müssen über den Kapitalmarkt finanziert werden, uU unter Einschaltung von EIB und EBRD.

Allgemein gesehen soll PHARE helfen, den verläßlichen Rechtsrahmen zu schaffen, innerhalb dessen sich Wirtschaftstätigkeit wirksam entfalten kann. Der vorhandene staatliche Produktionsapparat muß auf die neuen Verhältnisse umgestellt, entflochten, reorganisiert, modernisiert, privatisiert werden. Der Aufbau eines zusätzlichen privaten Sektors im Produktions- und Dienstleistungsgewerbe, vor allem im mittelständischen Bereich, ist unerläßlich. Die vorhandenen Verwaltungsstrukturen müssen reformiert und an marktwirtschaftliche, demokratische Verhältnisse angepaßt werden. Darüber hinaus geht es um den Aufbau leistungsfähiger Strukturen sozialer Absicherung, eines modernen Bankwesens und marktwirtschaftlicher Steuersysteme. Die Verbesserung der Infrastruktur im Straßen- und Verkehrswesen, dem Fernmeldebereich, der Energieversorgung und dem Umweltschutz ist unumgänglich. Die Sicherheit von Kernkraftwerken östlicher Bauart bildet ein besonderes Anliegen.

Mit Abschluß der „Europa"-Abkommen ist PHARE in eine neue Dimension hineingewachsen: Die Vorbereitung der Partnerländer auf einen späteren Beitritt zur Europäischen Union.

Diese Ziele lassen sich nicht alle sofort und in vollem Umfang verwirklichen, sondern müssen im Rahmen nationaler Entwicklungsstrategien schrittweise angegangen werden. Die Gemeinschaft ist aus einsichtigen Gründen nicht in der Lage, jedem Empfängerland Art und Tempo der nötigen Reformen von außen vorzuschreiben, sondern muß sich darauf beschränken, die von den nationalen Regierungen zu verantwortende Reformpolitik mit Rat und Tat zu begleiten. PHARE ist daher seiner Anlage nach „demanddriven", dh auf die Initiativen zugeschnitten, die von den Empfängerländern selbst ausgehen, und keine in Brüssel verbindlich vorformulierte Reformpolitik. Als Unterstützung nationaler Reformpolitik richten sich Art und Umfang der im einzelnen geförderten Maßnahmen zwangsläufig nach den politischen Strategien, Prioritäten, Zwängen und Möglichkeiten der Reformländer, deren Einzelheiten innerhalb entsprechender „Programme" im Dialog zwischen der Kommission und den Partnerstaaten festgelegt werden.

Dabei werden in einer ersten, mehrstufigen **„Programmierungsphase"** die nötigen Vereinbarungen getroffen, welche Maßnahmen in welchem Bereich innerhalb welchen Zeitraums und welchen finanziellen Rahmens durchgeführt werden sollen. Dies geschieht jährlich im Rahmen einer Mehrjahresplanung: Zu Beginn des EG-Haushaltsjahres, wenn feststeht, welche Summen für jedes einzelne Land insgesamt zur Verfügung gestellt werden können, unterbreiten die Regierungen der Europäischen Kommission ihre Vorstellungen. Diese stimmt ihrerseits ihre Vergaberichtlinien mit den Mitgliedstaaten ab. Auf dieser Grundlage werden gemeinsam die Sachbereiche festgelegt, in denen PHARE in Anspruch genommen werden soll, und eine Grobaufteilung der verfügbaren Mittel auf die entsprechenden Sachbereiche wird vorgenommen. Ihren Abschluß und Ausdruck findet diese Abstimmung in den sog Richtprogrammen, gemeinsamen Arbeitsplänen, die dann im Laufe des

Haushaltsjahres in konkrete „Sektorprogramme" umgesetzt werden. Diese Richtprogramme sind heute auf eine Mehrjahresplanung abgestellt.

Anhand der Vorgaben der **Richtprogramme** arbeiten Fachleute beider Seiten einzelne Projekte und Maßnahmen aus und legen innerhalb des vorgegebenen Rahmens die dafür notwendigen Mittel fest. Nach Abstimmung mit den Mitgliedstaaten im zuständigen Verwaltungsausschuß und der förmlichen Annahme durch die Kommission wird abschließend ein gemeinsames Finanzierungsprotokoll (Financing Memorandum) unterzeichnet, mit dem die betreffende Regierung die förmliche Zusage erhält, daß die darin beschriebenen Reformvorhaben in der dafür zugesagten Höhe von der Gemeinschaft finanziert werden.

Welche Art von Vorhaben dabei im einzelnen finanziert werden, hängt von den Verhältnissen, Möglichkeiten und Zwängen des betreffenden Empfängerlandes im jeweiligen Zeitpunkt ab. PHARE folgt der Entwicklung. Bei allen nationalen Unterschieden lassen sich jedoch Übereinstimmungen feststellen. In der ersten Umbruchphase stand gemeinhin das wirtschaftliche Überleben im Vordergrund, es mußte schnell gehandelt werden, und es fehlten weitgehend noch die für grundlegende Reformprogramme notwendige politische Strategie und organisatorisch-administrative Grundlage. Hier lag das Schwergewicht der PHARE-Hilfe auf Lieferprogrammen und Infrastrukturmaßnahmen vor allem im Bereich des Umweltschutzes. In einer zweiten, „klassischen" Phase geht es darum, auf breitestem Raum die Reform industrieller, finanzieller und administrativer Strukturen in Gang zu bringen und voranzutreiben, wobei der Privatisierung und Reorganisation der staatlichen Industrie besondere Bedeutung zukommt. Hinzu tritt dann der Aufbau eines funktionstüchtigen Bank- und Finanzwesens, die Schaffung eines geeigneten Steuerrechts, aber auch die Reform des Sozial- und Gesundheitswesens sowie die Förderung des sozialen Dialogs und bürgerlich-demokratischer Selbsthilfestrukturen. Das Schwergewicht der PHARE-Hilfe liegt insoweit naturgemäß in der Bereitstellung technischer Hilfe, wesentlichen Sachverstandes und Beratung, aber auch und vor allem in der beruflichen Aus- und Fortbildung.

Sind diese Aufgaben abgedeckt, so wird es entscheidend darauf ankommen, das Erreichte zu konsolidieren, die neugeschaffenen Strukturen zu festigen und den marktwirtschaftlichen Prozeß in Gang zu halten. Die Vermittlung von Sachverstand konzentriert sich auf engere Gegenstände und wird vor allem im Bereich der öffentlichen Verwaltung intensiver. Investitionsfinanzierung, Ausbau der Infrastrukturen und Wirtschaftsförderung rücken in den Vordergrund, wofür die Erhöhung der für Großinvestitionen einsetzbaren PHARE-Mittel auf 25% des Gesamtvolumens ein deutliches Zeichen setzt. Im Anschluß daran kann man darangehen, PHARE gezielt als Instrument zur Vorbereitung der Partnerländer auf den Beitritt und die Eingliederung in die Union vorzubereiten. Dabei spielt die Angleichung der Rechtssysteme an den Gemeinsamen Markt eine entscheidende Rolle und wird Inhalt und Umfang der technischen Zusammenarbeit beherrschen. Gleichzeitig muß die physische Vernetzung im Verkehrs-, Energie- und Telekommunikationsbereich vorangetrieben werden – vor allem entlang der und über die gemeinsamen Grenzen hinweg. In den Haushalten 1994 und 1995 wurden deshalb 150 Mio ECU bzw 169 Mio ECU für besondere Zwecke grenzüberschreitender Zusammenarbeit zwischen den Grenzregionen der EU und ihren PHARE-Nachbarn bereitgestellt (PHARE Cross Border Cooperation CROCO). Die Kommission versucht zunehmend, die nach wie vor jährlich zugewiesenen Haushaltsmittel in mehrjährige Planungen einzubringen und, so weit möglich, anstelle der bisherigen Förderung einzelner sektorieller Reformvorhaben die so verfügbare Finanzmasse gezielt als Instrument einer integrierten, mittelfristig angelegten wirtschaftlichen Entwicklungspolitik einzusetzen. Die Europaabkommen bilden den besonderen politischen und rechtlichen Rahmen auch für den künftigen Einsatz der PHARE-Hilfe. Im Vordergrund stehen dabei gegenwärtig die Angleichung der Rechtssysteme und Anschubfinanzierungen für Großinvestitionen.

d) Künftige Ausrichtung

Auf dem Essener Gipfeltreffen wurden im Rahmen der Strategie strukturierter Beziehungen auch für PHARE neue Ziele vorgegeben: Für die Länder, die der EU durch Europaabkommen verbunden sind, wird PHARE vorzugsweise zur Vorbereitung des Beitritts eingesetzt. Dies bedeutet, daß technische Hilfe über den bisherigen Wirkungskreis hinaus vor allem zur Angleichung der nationalen Gesetzgebung an das Gemeinschaftsrecht geleistet wird und der wirtschaftliche Reformprozeß vermehrt durch Investitionen und Stärkung der Infrastrukturen vorangetrieben werden soll.

Die politische Zusicherung einer angemessenen Finanzausstattung im Rahmen der mittelfristigen Finanzplanung der Union stellt PHARE auf eine sichere Grundlage. Von den Haushaltsansätzen für 1995 als Untergrenze ausgehend wird bis 1999 insgesamt ein Gesamtvolumen von 6,7 Mrd ECU in Aussicht genommen, das ggf an die Entwicklung angepaßt werden soll.

Obwohl diese PHARE-Mittel auch weiterhin jedes Jahr erneut im Einzelhaushalt zugewiesen werden müssen, erlaubt diese Finanzierungsgarantie eine flexiblere Mehrjahresplanung der Programme im Rahmen einer mittelfristig angelegten und mit den Partnerländern zu vereinbarenden sektoriellen Entwicklungspolitik.

Mit der Verlagerung der Schwerpunkte auf die Beitrittsvorbereitung werden dabei auch Programme zur Förderung der regionalen Zusammenarbeit in den Vordergrund treten – nicht nur zur Erleichterung des grenzüberschreitenden Warenverkehrs, sondern auch zur Förderung „gutnachbarlicher Beziehungen“ im Sinne einer gleichgewichtigen, abgestimmten Entwicklung der Grenzregionen, nicht nur zwischen den Partnerländern untereinander und mit den NUS, sondern auch über die Außengrenzen der Union hinweg. Für letztere Form der grenzüberschreitenden Zusammenarbeit sind eine eigene Haushaltslinie und Rechtsgrundlage[20]) mit dem Ziel eingerichtet worden, die seitens der Union vor allem über INTERREG betriebene Regionalentwicklung über Anschlußprojekte im angrenzenden PHARE-Partnerstaat zu ergänzen.

---

[20]) B 7-6020; 1994: 150 Mio ECU; 1995: 169 Mio ECU.

Diese grenzüberschreitende Zusammenarbeit erstreckt sich auf integrationswichtige Bereiche wie zB Verkehr, Versorgungsleistungen, Umwelt, Wirtschaftsentwicklung, Landwirtschaft und Humanressourcen. Nicht außer acht gelassen werden dabei auch die Bemühungen um einen Stabilitätspakt vor allem zur Entschärfung von Minderheitsproblemen in Grenzregionen und die Zusammenarbeit mit der Investitionsförderung und Finanzierung durch internationale Finanzinstitutionen. Im Zusammenhang mit dem Stabilitätspakt finanziert PHARE eine Reihe von Fördermaßnahmen zugunsten nationaler Minderheiten, vor allem im Bereich Ausbildung und zur Förderung kultureller Zusammenarbeit einschließlich Sprachunterricht.

Die Förderung privater Investitionen im mittelständischen Bereich über das nationale Banksystem der Partnerländer gehört seit langem zum Tätigkeitsbereich von PHARE und soll darüber hinaus ausgebaut werden. Vorzugsweise sollen PHARE-Mittel eingesetzt werden, um größere, vorwiegend öffentliche Investitionen zur Verbesserung grundlegender Infrastrukturen in Zusammenarbeit mit internationalen Banken und Finanzinstitutionen in Gang zu bringen – insbesondere zu dem Zweck, die Partnerländer in die im Aufbau befindlichen transeuropäischen Netze einzugliedern. Nachdem der Europäische Rat bereits 1993 angeregt hatte, bis zu 15% der verfügbaren PHARE-Mittel dafür einzusetzen (sog Kopenhagen-Facility) wurde diese Quote auf dem Essener Gipfel auf 25% erhöht. In diesem Zusammenhang hat die EU zB der polnischen Regierung 30 Mio ECU für den Bau der Eisenbahn Berlin – Warschau zur Verfügung gestellt.

e) Grenzüberschreitende Zusammenarbeit

Unter PHARE sind in den Jahren seiner Geltungsdauer eine Vielzahl von Einzelprogrammen aufgelegt worden. Eine herausragende und im Blick auf die in Gang gesetzte gemeinsame Vorbereitung des späteren Beitritts der MOEL zur Union zukunftsweisende Rolle spielt dabei das auf eine eigene Haushaltslinie (B 7-6020) gegründete Programm grenzüberschreitender Zusammenarbeit. Im Vordergrund dieses 1994 und 1995 mit insgesamt 319 Mio ECU ausgestatteten Programms steht die integrierte Strukturentwicklung der Grenzregionen der Europäischen Union mit den angrenzenden Gebieten ihrer östlichen Nachbarländer. Während seitens der Union diese Entwicklung vor allem über regionale Förderprogramme wie INTERREG vorangetrieben wird, werden PHARE-Mittel auf der östlichen Seite zur Finanzierung geeigneter Anschlußprojekte eingesetzt. Das Verfahren zur praktischen Umsetzung dieser grenzüberschreitenden Zusammenarbeit ist in der V 1628/94[21]) festgelegt worden, wobei es galt, die Vielzahl von Beteiligten auf Landes-, Bundes- und Gemeinschaftsebene sowie im Partnerstaat auf der Grundlage der allgemeinen PHARE-Vergaberegeln in die Entscheidungsprozesse einzubeziehen. Diese Regeln werden durch sachbezogene Abkommen zwischen den beteiligten Mitgliedstaaten und den angrenzenden Partnerstaaten ergänzt, in denen beide ihre Entwicklungspolitik abstimmen. Die Bandbreite der im einzelnen geförderten

[21]) ABl L 1994/171, 14 v 6. 7. 1994.

Vorhaben ist naturgemäß sehr weit und reicht von Verkehr, Umwelt, Energie und Landwirtschaft bis zu Ausbildung und Infrastrukturverbesserungen vor allem an den Grenzübergängen. Die Verknüpfung mit mehrjährig angelegten Strukturprogrammen der Gemeinschaft verstärkt den Druck zur Mehrjahresplanung.

f) Die Vergabe von Aufträgen

Die praktische Durchführung der PHARE-finanzierten Programme ist ihrer Natur nach ebenfalls nicht Sache der Gemeinschaft und der EG-Kommission, sondern eine originäre Aufgabe der Empfängerstaaten selbst, die sie in enger Zusammenarbeit mit der Kommission durchführen. Sie haben hierzu als „Programme Management Units“ bezeichnete Verwaltungsstellen für jedes einzelne Programm eingerichtet, die für die praktische Umsetzung der dort umschriebenen Vorhaben zuständig sind und die dabei anfallenden Aufträge vergeben und Verträge schließen.

Die Kommission leistet Amtshilfe, wo es nötig und gewünscht wird, und überwacht die ordnungsgemäße Vergabe und Verwendung der Mittel. Die Verfahren und Zuständigkeiten für die Vergabe PHARE-finanzierter Aufträge spiegeln diese grundlegenden Zwecksetzungen und Interessenlage wider: PHARE-Mittel stehen nicht zur allgemeinen Finanzierung des Geschäftsverkehrs zur Verfügung, sondern finanzieren Regierungsaufträge innerhalb klar umrissener Reformvorhaben. Wer sich für solche Aufträge interessiert, kann daher keine ihm direkt als Begünstigten zustehenden Fördermittel der EG zur Finanzierung seiner privaten Geschäftsvorhaben in den Ländern Mittel- und Osteuropas einfordern, sondern muß sich bei den lokalen Programme Management Units um öffentliche Aufträge der betreffenden Staaten bemühen, bei denen er sich im Wettbewerb mit anderen durchsetzen muß. PHARE gibt ihm die nötige Sicherheit sachgerechter Behandlung und garantiert die finanzielle Grundlage.

Für die **Vergabeverfahren** gelten einheitlich die Regeln der EG-Haushaltsordnung über die „Außenhilfe“, die auf gerechte Berücksichtigung aller Interessenten und Transparenz ausgelegt sind. Aufträge müssen daher grundsätzlich im Wege von Ausschreibungen vergeben werden. Die Möglichkeiten zur direkten Vergabe sind eingeschränkt: Bis zu einem Auftragswert von 50.000 ECU oder unabhängig vom Wert in Eilfällen oder wegen besonderer Umstände des Einzelfalles, die stets eigens zu belegen sind. Hierzu gehören vor allem Fälle der Kofinanzierung von Projekten in Zusammenarbeit mit anderen nationalen oder internationalen Geldgebern.

Lieferaufträge werden grundsätzlich im Amtsblatt der EG gemeinschaftsweit ausgeschrieben.

Beratungs- und Dienstleistungsaufträge werden im Wege beschränkter Ausschreibungen vergeben, bei denen eine begrenzte Zahl geeigneter Firmen zur Angebotsabgabe aufgefordert wird. Ihre Auswahl erfolgt aus den bei den lokalen Vergabestellen oder der EG-Kommission einschlägig bekannten Firmen. Beide arbeiten bei der Aufstellung der „short lists“ eng zusammen. Die Kommission greift im Bedarfsfall auf eine bei ihr geführte Referenzliste (Firmenregister) zurück, in der alle Firmen aufgenommen werden, die sich bei ihr melden. In einzelnen Bereichen wie zB Privatisierung, Restrukturierung von

Betrieben, Aufbau einer Zoll- und Arbeitsverwaltung wurden besondere Vorauswahlverfahren durchgeführt, aus denen Eignungslisten („long lists") hervorgegangen sind.

Bei der Zusammensetzung der „short lists" wird darauf geachtet, so viele Firmen einzuladen, daß ein ausreichendes kommerziell-technisches Angebot und Auswahl zu erwarten ist und eine möglichst ausgewogene geographische Streuung erzielt wird.

Im übrigen sind PHARE-finanzierte Ausschreibungen nicht wesentlich verschieden von den aus dem Geschäftsleben oder dem einzelstaatlichen Beschaffungswesen bekannten Formen. Im Wettbewerb der Anbieter wird anhand einer technischen/kommerziellen Prüfung das „wirtschaftlich günstigste Angebot" ermittelt. Bei von den Empfängerstaaten durchgeführten Ausschreibungen hat die Kommission ein Mitwirkungs- und Prüfungsrecht. Nur von ihr genehmigte Verträge werden finanziert, sie hat Verfahrensregeln und Mustertexte für Ausschreibungen und Verträge entwickelt. Verträge werden vorzugsweise mit den betreffenden Regierungen, seltener mit der EG abgeschlossen.

Besonderheiten gelten insofern, als sich ausschließlich Firmen aus den Mitgliedstaaten der Gemeinschaft oder den Empfängerländern als Anbieter oder Unterauftragsnehmer um PHARE-Aufträge bemühen können, dh nur solche, die nach dem Recht eines dieser Staaten gegründet wurden und dort niedergelassen sind oder sonst eine enge Beziehung zum Wirtschaftsleben der Gemeinschaft aufweisen. Desgleichen werden nur in den genannten Staaten hergestellte Waren und Ausrüstungen gekauft, wobei deren Ursprung sich nach den autonomen Regeln des EG-Zollkodex bestimmt.

g) Information

Die Kommission hat einen besonderen PHARE-Informationsdienst eingerichtet, der auf Anfrage Auskünfte darüber erteilt, wie PHARE im einzelnen arbeitet und welche Programme in welchen Ländern in welcher Höhe finanziert werden und welche Vertragsmöglichkeiten sich daraus ergeben. Interessenten können sich kostenlos in die Verteilerliste für ständige Informationen aufnehmen lassen. Auf diese Weise lassen sich erste Anhaltspunkte über geschäftliche Möglichkeiten ersehen. Welche Aufträge allerdings zu jedem gegebenen Zeitpunkt in jedem einzelnen Land im Rahmen eines bestimmten Programms erteilt sind, gerade vorbereitet oder später vergeben werden, muß jeweils bei den zuständigen nationalen Vergabestellen vor Ort erfragt werden.

3. Programm TACIS

Das Programm TACIS der EU (Technical Assistance for the Commenwealth of Independent States) bildet das Gegenstück zum „PHARE-Programm" zugunsten der Neuen Unabhängigen Staaten und der Mongolei, wodurch diesen Sachverstand und technische Hilfe zur Verfügung gestellt werden, um den Übergang zur Marktwirtschaft zu erleichtern und den Aufbau demokratisch und rechtsstaatlich verfaßter Staats- und Gesellschaftsformen zu fördern.

Für dieses 1991 zunächst noch für die Sowjetunion ins Leben gerufene Programm hat die EU bis 1995 insgesamt etwa 2,3 Mrd ECU[22]) bereitgestellt, die nach qualitativen (Stand des Reformprozesses) und quantitativen Kriterien (BSP, Bevölkerung, besondere Bedürfnisse) auf folgende Länder verteilt werden: Armenien, Aserbeidschan, Weißrußland, Georgien, Kasachstan, Kirgisistan, Moldawien, Mongolei, die Russische Föderation, Tadschikistan, Turkmenistan, Ukraine und Usbekistan.

Während die TACIS-Mittel in die mittelfristige Finanzplanung der EU aufgenommen wurden und jeweils über den Jahreshaushalt der EU aufgebracht werden (Haushaltslinie B 7-5200), fand das Programm bis Ende 1995 seine Rechtsgrundlage in der V 2053/93[23]) und wird für die Zukunft durch eine revidierte Fassung ersetzt werden. Für die Vergabe dieser Mittel gelten ebenfalls die Haushaltsordnung der EU sowie interne Verwaltungsanweisungen der Kommission. Darüber hinaus hat die Kommission Standardtexte für Ausschreibungen und Verträge entwickelt.

Wie bei PHARE werden Art und Umfang der im einzelnen finanzierten Vorhaben im Dialog zwischen der Kommission und dem Partnerstaat festgelegt, wobei die in den zukünftig auf vier Jahre angelegten Richtprogrammen festgehaltenen Schwerpunkte in (sektoriellen) Aktionsprogrammen in praktische Arbeit umgesetzt werden. Im Vordergrund stehen dabei die für den Übergang zu Marktwirtschaft und Rechtsstaat wichtigsten Bereiche: Neustrukturierung der Staatsbetriebe und Aufbau einer Privatwirtschaft, Landwirtschaft, Infrastrukturen im Bereich Verkehr, Energie und Telekommunikation, nukleare Sicherheit, Umwelt, Verwaltungsfragen, Sozialwesen, Bildung und Ausbildung. TACIS stellt Beratungsleistungen für die Ausarbeitung von Politiken, Strategien, Gesetzen und Verwaltungsvorschriften zur Verfügung, aber auch für Studien von Einzelfragen oder für Zwecke von Schulung und Ausbildung. Diese Leistungen werden häufig von interdisziplinär zusammengesetzten Beratergruppen erbracht, deren Angehörige aus einem breiten Spektrum privater und öffentlicher, gewerblicher und nicht gewerblicher Einrichtungen kommen. Andererseits finanziert TACIS auch Pilotprojekte, Partnerschaften und Netzwerke sowie die Lieferung der benötigten Ausrüstungen.

Die Vergabe von Aufträgen erfolgt grundsätzlich in Übereinstimmung mit den bei PHARE erläuterten Grundsätzen. Anders als bei PHARE erfolgt die Ausschreibung und Vergabe von Aufträgen jedoch nicht durch eigens eingerichtete Vergabestellen in den Partnerstaaten, sondern zentral für alle durch die Kommission und ihre Sachbearbeiter in Brüssel. Zwar sind in den Partnerländern jeweils Koordinierungsstellen als Verbindungsglied zur Regierung eingerichtet worden, doch liegen deren Aufgaben eher in der Vorbereitung der Aktionsprogramme sowie der Begleitung der Projekte und ihrer Ausführung vor Ort und nicht in deren Management.

Für die Vergabe von Aufträgen sind wie für PHARE die Vorschriften der Haushaltsordnung maßgeblich, die durch die TACIS-Grundverordnung sowie durch Standardtexte der Kommission für Ausschreibungen und Ver-

---

[22]) 1991 400, 1992 450, 1993 510, 1994 510 Mio ECU.

[23]) ABl L 1993/187, 1 v 29. 7. 1993.

träge ergänzt werden. Verträge werden mit der Europäischen Gemeinschaft abgeschlossen. Beteiligen können sich allgemein Interessenten aus den NUS, der EU und den Partnerländern; aus anderen Ländern aber nur in eng umschriebenen Ausnahmefällen. Auch für Lieferungen ist der Warenursprung in der EU oder den NUS Bedingung.

4. Förderprogramme, Zusammenarbeit in Wissenschaft und Forschung

Die Europäische Union hat begonnen, schrittweise ihre innergemeinschaftlichen Förder- und Forschungsprogramme in den verschiedensten Sektoren für Teilnehmer aus den östlichen Partnerländern zu öffnen. Hierzu gehören zB im Rahmen der Mittelstandspolitik die Einrichtung von Euro Info Centers (EIC), Business Cooperation Networks (BC-Net), Europartenariat oder Interprise, aber auch Leonardo für Berufsausbildung, Esprit, ACTS, oder Telematics im Hochtechnologiebereich oder Termic im Energiesektor. Das Programm „Tempus" ermöglicht als Gegenstück zum innergemeinschaftlichen Erasmusprogramm den Austausch von Studenten und Wissenschaftlern zwischen der EU und den MOEL sowie NUS.

Insbesondere im Bereich Wissenschaft und Fortbildung unternimmt die Europäische Union erhebliche Anstrengungen, ihre Partner aus Mittel- und Osteuropa sowie den Neuen Unabhängigen Staaten in die von ihr geförderte europaweite Zusammenarbeit im Bereich von Wissenschaft und Forschung einzubeziehen. Sie hat nicht nur ihre eigenen Forschungsprogramme für östliche Teilnehmer geöffnet, sondern auch besondere Programme zu deren Gunsten aufgelegt.

Neben Fördermaßnahmen im Rahmen ihrer allgemeinen Programme PHARE und TACIS zur technischen Zusammenarbeit hat die EG schon 1991 als Folge des Unfalls von Tschernobyl ein Programm zur wissenschaftlichen und technischen Zusammenarbeit mit Rußland, der Ukraine und Weißrußland aufgelegt, um die internationalen Forschungsarbeiten über die Folgen des Unfalls für Umwelt und Bevölkerung zu unterstützen. Im Jahre 1992 folgte auf Initiative des Europäischen Parlaments mit PECO-Kopernikus ein besonderes Programm zugunsten der MOEL, das neben der Mobilität von Forschern, der Bildung wissenschaftlicher Netzwerke und einem ausgedehnten Erfahrungsaustausch auch die Förderung gemeinsamer Forschungsprojekte und die Teilnahme an fünf ausgewählten Programmen des dritten Rahmenprogramms finanzierte. Seit 1993 werden Forschungsprojekte in den NUS gefördert, seit 1994 wird über die Beteiligung am Internationalen Wissenschafts- und Technologiezentrum in Moskau die Umstellung militärischer Forschung auf zivile Zwecke unterstützt.

Gegenüber Mittel- und Osteuropa wurden 1991 zunächst Mittel des allgemeinen Programms technischer Zusammenarbeit PHARE zum Aufbau der nötigen Infrastrukturen in einzelnen Partnerländern eingesetzt, aber zusätzlich auch über eigens eingerichtete jährlich erweiterte Haushaltslinien spezifische Förderprogramme finanziert.[24]) Diese sollen einerseits die Zusammenar-

[24]) 5 Mio ECU für 8 Programme im wesentlichen vorbereitender Art; Haushaltslinien B 6-8202/B 6-8203, heute B 6-8373/B 6-8374 mit insgesamt 1992 55 Mio ECU, 1993 87,7 und 1994 106,5 Mio ECU.

beit im Bereich Wissenschaft und Forschung fördern und andererseits die entsprechenden Einrichtungen in den MOEL in die Lage versetzen, sich erfolgreich an den Forschungsprogrammen der EG zu beteiligen.

Auf Grundlage einer von der Kommission 1992 vorgelegten Strategie[25]) mit Schwerpunkten im Bereich beruflicher Qualifikation, industrieller Modernisierung und Umgestaltung, Umwelt und Lebensqualität wurden unter dem Stichwort „Kopernikus" der gegenseitige Austausch und Fortbildung von Wissenschaftlern, der Erfahrungsaustausch und gemeinsame Forschungsprojekte gefördert, aber auch die Teilnahme an COST und ausgewählten Einzelprogrammen unter den 3. und 4. Forschungsrahmenprogrammen der EG.[26]) Hierzu traten Pilotprojekte wie zB CRIT (Cooperation Research in Information Technology) Polen – Deutschland; ALTEC (Algorithmus for Future Technologies) Deutschland/Frankreich/Niederlande – Visegrad-Länder, INDIS (Information Dissemination in European Research, Development and Technology) unter Einschluß russischer und MOEL-Partner.

Gegenüber den NUS wird eine ähnliche Strategie verfolgt. Unter dem TACIS-Programm allgemeiner technischer Zusammenarbeit wurden nicht nur seit 1992 eine Reihe von Projekten technischer Hilfe im Bereich nuklearer Sicherheit finanziert.[27]) Grundlage bildet eine Vereinbarung mit der Russischen Föderation, Ukraine und Weißrußland. Ein besonderes, weiterreichendes Abkommen mit Rußland über die Zusammenarbeit im Bereich der Reaktorsicherheit wird verhandelt.

Über ihre Beteiligung an INTAS (International Association for the Promotion of Cooperation with Scientists from the NUS) finanzieren die Kommission und die EG-Mitgliedstaaten seit 1993 einen breiten Fächer von Forschungsvorhaben im Bereich der Naturwissenschaften.[28]) Als Partner mittel- und osteuropäischer Einrichtungen können seit 1994 Interessenten aus den NUS an den Kopernikusprojekten beteiligt werden. Desgleichen werden über das ISTC (International Science and Technology Centre) in Moskau im internationalen Verbund Projekte zur Umsetzung ehemals auf militärischem Gebiet tätiger Ingenieure und Forscher gefördert. Hinzu kommen Einzelprojekte im Bereich der Informationstechnologie wie ACTS (Algorithm and Cooperational Tools for Complex Systems) oder für den Aufbau von und den Zugang zu Informationsnetzwerken im Wissenschaftsbereich.

---

[25]) KOM(92) 785 v 6. 5. 1992.

[26]) 1993: Umwelt, nicht-nukleare Energie, Sicherheit bei Kernspaltung, Biomedizin und Gesundheit, Humankapitel und Mobilität; 1994: industrielle Technologien, Information und Kommunikation, Fabrikations- und Verarbeitungsmethoden, Maße und Gewichte, Nahrungsmittel, Biotechnologie.

[27]) Schwerpunkte: Reaktorensicherheit, Ausbildung, Aufsichtsgremien, Technologietransfer; Finanzvolumen 1992 7 Mio ECU, 1993 7 Mio ECU, 1994 11 Mio ECU.

[28]) Finanzausstattung 1993/94 26 Mio ECU aus EU-Mitteln.

Anhang 1

EG-Abkommen mit den MOEL

Handels- und Kooperationsabkommen:

Ungarn (in Kraft getreten am 1. Dezember 1988), Polen (1. Dezember 1989), ČSFR (1. Oktober 1990), Bulgarien (1. November 1990), Rumänien (1. Mai 1991), Albanien (1. Dezember 1992), Lettland (1. Februar 1993), Litauen (1. Februar 1993), Estland (1. März 1993), Slowenien (1. September 1993).

Freihandelsabkommen:

Estland, Lettland und Litauen (alle am 18. Juli 1994 unterzeichnet und am 1. Jänner 1995 in Kraft getreten).

Europaabkommen:

Ungarn und Polen (beide am 1. Februar 1994 in Kraft getreten), Bulgarien, Rumänien, Slowakei und Tschechien (alle 1. Februar 1995).

4. KAPITEL

Die EG und die WTO (GATT)

Bernhard Jansen

Übersicht:

A. Die neue Welthandelsorganisation (WTO)[1])

1. Vorgeschichte und Verhältnis der WTO zum GATT 1947

Im Sommer 1986 wurde im uruguayischen Seebad Punta del Este eine neue (achte) GATT-Verhandlungsrunde eingeläutet, die seither als **Uruguay-Runde** bekannt geworden ist. Im Jahre 1989 fand in Montreal (Kanada) eine Ministerkonferenz statt (die als „mid-term review conference" bekannt wurde), die einige der ausgehandelten Verbesserungen des bestehenden **GATT-Systems** versuchsweise bereits einführte (nämlich das Handelsüberwachungssystem [s unten B.5] und Verbesserungen des Streitbeilegungsverfahrens). Die Runde wurde durch eine Ministerkonferenz abgeschlossen, die vom 12.

[1]) Vgl dazu auch *Jansen*, Die neue Welthandelsorganisation (World Trade Organization – WTO), EuZW 1994, 333.

bis 15. April 1994 in Marrakesch (Marokko) stattfand. Zum Abschluß der Ministerkonferenz wurde die Schlußakte von Marrakesch unterzeichnet, der das Abkommen zur Gründung der **Welthandelsorganisation (World Trade Organization – WTO)** nebst Anlagen beigefügt ist.[2]) Das Vertragswerk ist am 1. Jänner 1995 für 81 Mitglieder in Kraft getreten. Zwar wird durch das Inkrafttreten des WTO-Abkommens das bisherige Allgemeine Zoll- und Handelsabkommen (GATT 1947) nicht förmlich abgelöst, jedoch hat das GATT 1947 nach dem Inkrafttreten des WTO-Abkommens nur noch ein Schattendasein geführt. Darüber hinaus haben die Vertragsparteien des GATT 1947 beschlossen, daß das **GATT 1947** ein Jahr nach Inkrafttreten des WTO-Abkommens außer Kraft tritt. Das GATT 1947 ist daher am 31. Dezember 1995 erloschen.

Ein wesentliches Ziel der Verhandlungen der Uruguay-Runde bestand darin, ein **einheitliches Vertragswerk** („single undertaking") zu schaffen, das – anders als die Texte der Tokio-Runde – für alle Vertragsparteien als Ganzes verbindlich sein sollte. Während jedes der im Rahmen der Tokio-Runde ausgehandelten Abkommen für sich ratifiziert werden konnte, was zu unterschiedlichen Rechten und Pflichten der Vertragsstaaten je nach Ratifizierungsstand führte, kann das WTO-Abkommen nur zusammen mit seinen Anlagen, welche die multilateralen Handelsabkommen als untrennbare Bestandteile enthalten, ratifiziert werden (vgl Art XIV Abs 1 Satz 2 und Art II Abs 2 sowie Art XV Abs 1 WTOA bezüglich der Wirkung einer Kündigung). Ausgenommen von dieser Regel sind allein die sog plurilateralen Handelsabkommen in Anlage 4 zum WTO-Abkommen, die als einzige individuell ratifiziert werden können. Auf diese Weise wird die Einheitlichkeit der Rechte und Pflichten aller Vertragsparteien weitgehend gewährleistet und die Gefahr des Auftretens von „Trittbrettfahrern" („free-riders") im wesentlichen ausgeschaltet.

2. Aufgaben und Funktionsweise der WTO

Die **Aufgaben der WTO** sind in Art III des WTOA definiert. Danach besteht die Hauptaufgabe der WTO darin, die im Anhang enthaltenen **multilateralen Handelsabkommen zu verwalten und deren Zielsetzungen zu fördern.** Darüber hinaus ist es Aufgabe der WTO, in ihrem Tätigkeitsfeld als **Verhandlungsforum** zwischen ihren Mitgliedern **zum Abschluß weiterer multilateraler Handelsabkommen** zu dienen.

In der WTO haben allein die Mitglieder das **Initiativrecht** für ein Tätigwerden der Organisation. Damit bleibt die WTO im Rahmen bewährter Traditionen des GATT 1947 und der klassischen internationalen Organisationen. Dies bedeutet insbesondere, daß es nicht Sache des WTO-Sekretariats ist, von sich aus neue Aufgaben für die WTO zu suchen oder zu formulieren. Auch das Initiativrecht zur Verfolgung etwaiger Verstöße gegen die WTO-Regeln steht nicht dem Sekretariat oder einem WTO-Gremium zu, sondern

[2]) Veröffentlicht vom GATT-Sekretariat in 31 Bänden unter dem Titel „Uruguay Round of Multilateral Trade Negotiations – Legal Instruments Embodying the Results of the Uruguay Round of Multilateral Trade Negotiations Done at Marrakesh on 15 April 1994" (GATT/1994-7).

verbleibt – wie auch im GATT 1947 – bei den einzelnen WTO-Mitgliedern, die ihre Rechte durch den Regelverstoß verletzt sehen.

Die wichtigsten **Organe der WTO** sind in Art IV WTOA aufgeführt (zum organisatorischen Aufbau der WTO s Anhang 1). Es handelt sich auf der zentralen Ebene um die **Ministerkonferenz,** die das oberste Organ der WTO ist, und um den **Allgemeinen Rat,** der die Funktionen der Ministerkonferenz zwischen deren Sitzungen wahrnimmt. Die wichtigsten **sektoriellen Organe** sind der Rat für den Warenhandel, der Rat für den Handel mit Dienstleistungen und der Rat für handelsrelevante Fragen des geistigen Eigentums. Darüber hinaus sind spezialisierte Organe in den meisten multilateralen Handelsabkommen vorgesehen, die dem WTO-Abkommen als Anlagen beigefügt sind. Für die Abwicklung der Streitbeilegungsverfahren wurde ein **Streitbeilegungsorgan** (Dispute Settlement Body – DSB) gebildet, das gem Art IV Abs 4 WTOA dieselbe Zusammensetzung hat wie der Allgemeine Rat. Dieses Gremium entscheidet mit bindender Wirkung über alle Streitbeilegungsverfahren, ist dabei allerdings an die Beurteilung gebunden, die die von ihm eingesetzten **Streitbeilegungs-Panels** bzw das Berufungsorgan in ihren Berichten vorschlagen, soweit nicht ein Konsens unter den WTO-Mitgliedern zustande kommt, die Vorschläge abzulehnen. Ein solcher Konsens ist aber schon deswegen nicht zu erwarten, weil die am Streit beteiligten WTO-Mitglieder ebenfalls mit der Ablehnung des Panelberichts einverstanden sein müßten, was aber nicht im Interesse des obsiegenden WTO-Mitglieds liegt.

Auch in anderen Fällen spielt der **Konsens** für die Entscheidungsfindung in der WTO eine wesentliche Rolle, wie Art IX Abs 1 WTOA zu entnehmen ist. Der Konsens ist in FN 1 zu Art IX WTOA definiert: Danach liegt Konsens dann vor, wenn ein Vorschlag in der für die Entscheidung anberaumten Sitzung eines WTO-Organs von keinem WTO-Mitglied förmlich abgelehnt wird. Kommt ein Konsens nicht zustande, so ist eine Abstimmung möglich, bei der normalerweise die Mehrheit der abgegebenen Stimmen ausreicht. Allerdings sieht Art IX Abs 1 WTOA ausdrücklich die Beibehaltung der GATT-Praxis vor, Entscheidungen durch Konsens zu treffen. Der Antrag, einen Vorschlag zur Abstimmung zu stellen, unterliegt nach bisheriger GATT-Praxis ebenfalls normalerweise einer Entscheidung durch Konsens. Man kann daher davon ausgehen, daß es nur ganz ausnahmsweise, wenn überhaupt, zu erzwungenen Abstimmungen in den WTO-Organen kommen wird.

B. Die multilateralen Handelsabkommen

1. Überblick

Dem WTO-Abkommen sind in den Anlagen 1 bis 3 die multilateralen Handelsabkommen beigefügt, die gem Art II Abs 2 WTOA untrennbare Bestandteile des WTO-Abkommens sind und alle WTO-Mitglieder binden. Dabei enthält Anlage 1 die Handelsabkommen, die – zusammen mit den Konzessionslisten im Waren- und Dienstleistungshandel – die materiellen Rechte und Pflichten der WTO-Mitglieder begründen, während Anlagen 2 und 3 mit den Vertragstexten über das Handelsüberwachungssystem (Trade Review

Mechanism) und das Streitbeilegungsverfahren (Dispute Settlement Procedure) die verfahrensrechtlichen Rechte und Pflichten der Vertragsparteien festlegen.

2. Das GATT 1994

a) Allgemeines

Die Anlage 1 A zum WTO-Abkommen enthält die multilateralen Handelsabkommen im Bereich des Warenhandels und darunter an erster Stelle das GATT 1994. Allerdings sucht man den Text des GATT 1994 vergeblich, da Anlage 1 A insoweit auf das GATT 1947 nebst allen bis zum Inkrafttreten des WTO-Abkommens von den GATT-Vertragsparteien angenommenen Berichtigungen, Änderungen, Entscheidungen und sonstigen Nebenabreden verweist.

Diesem Vorgehen läßt sich entnehmen, daß die Verhandlungsteilnehmer nicht daran gedacht haben, das GATT in seiner Substanz zu ändern, abgesehen von den Vereinbarungen über die Auslegung bestimmter GATT-Artikel, die im Rahmen der Uruguay-Runde in Form von „understandings“ ausgehandelt wurden. Des weiteren ist Anlage 1 A eine **allgemeine Auslegungsregel** vorangestellt, die auf der Rechtsregel „lex specialis derogat legi generali“ beruht. Danach gehen die spezifischen Texte der Anlage 1 A dem GATT 1994 vor, soweit ein Konflikt zwischen den einschlägigen Bestimmungen besteht. Im übrigen entspricht das GATT 1994 dem bisherigen Allgemeinen Zoll- und Handelsabkommen in vollem Umfang.

b) Die Grundlagen des GATT 1994

Das GATT 1994 beruht, ebenso wie das GATT 1947, auf dem Grundgedanken, daß die **Liberalisierung des Welthandels** zu einer Verbesserung der Ausnutzung der Weltressourcen durch erhöhten internationalen Wettbewerb und eine günstigere Arbeitsteilung zwischen den beteiligten Volkswirtschaften führt. Da aber von vornherein anerkannt wurde, daß die unterschiedlichen Kräfteverhältnisse im internationalen Handel einen differenzierten Außenschutz rechtfertigen, wurde im Rahmen des GATT vereinbart, diesen **Außenschutz** durch ein möglichst transparentes Instrument, nämlich durch Einfuhrzölle, zu erreichen. Weitere Liberalisierungsschritte können dann durch die Verringerung der Zolltarife erreicht werden. Andere Handelsbarrieren müssen die GATT-Vertragsparteien daher im Grundsatz beseitigen, soweit sie sich auf den Außenhandel auswirken können. Darüber hinaus verpflichtet das GATT die Vertragsparteien, sich gegenseitig die Meistbegünstigung zu gewähren, um so im internationalen Wettbewerb jeder Vertragspartei die gleichen Ausgangsbedingungen einzuräumen.

Als eine **Grundregel des GATT** gilt daher die in Art I niedergelegte Regel der **Meistbegünstigung** bzw der **Nichtdiskriminierung.** Nach dieser Vorschrift darf keine GATT-Vertragspartei eine andere Vertragspartei ungünstiger behandeln als den meistbegünstigten Handelspartner. Das GATT selbst enthält allerdings einige Ausnahmen von dieser Grundregel. Die in der Praxis bedeutendsten dieser Ausnahmen betreffen zum einen die Möglichkeit, im Rahmen von Freihandelszonen und Zollunionen **Zollpräferenzen** zu gewähren, die anderen Vertragsparteien nicht eingeräumt werden müssen (Art XXIV Abs 5 bis 10 GATT), und zum anderen die Möglichkeit, die industrialisierten Staaten eingeräumt wird, Entwicklungsländern allgemeine Zollpräferenzen zu gewähren (Entscheidung der Vertragsparteien vom 28. November 1979).[3]) Diese Ausnahmen sind allerdings an die Einhaltung strenger Kriterien gebunden, die in den einschlägigen Bestimmungen detailliert niedergelegt sind.

Eine weitere Grundregel des GATT liegt in der **strikten Beachtung der Tarifbindungen,** die die einzelnen Vertragsparteien in ihren individuellen Konzessionslisten zugestanden haben (vgl Art II GATT). Die in den **Konzessionslisten** enthaltenen Zolltarife dürfen gem Art II Abs 5 GATT nicht überschritten werden. In der Vergangenheit war der Umfang der Tarifbindungen dadurch eingeschränkt, daß zahlreiche Vertragsparteien für bestimmte Güter keine Tarifbindung vorsahen (zB im Landwirtschaftssektor). Im Rahmen der Uruguay-Runde sind sektorielle Ausnahmen von den Tarifbindungen weitgehend beseitigt worden, so daß WTO-Mitglieder nunmehr Tarifbindungen für praktisch alle für den internationalen Handel bedeutsamen Erzeugnisse zugestanden haben.

Auch von der Grundregel, daß Tarifbindungen einzuhalten sind, gibt es eine wichtige Ausnahme, deren Inanspruchnahme allerdings „bezahlt" werden muß. Es handelt sich um die in Art XXVIII GATT vorgesehene Möglichkeit, die **Konzessionslisten** zu **ändern.** Will eine Vertragspartei von dieser Möglichkeit Gebrauch machen, muß sie für Erhöhungen gebundener Zolltarife Kompensationen in Form von Tarifsenkungen bei anderen Produkten zusagen, die für die Hauptlieferländer des von der Tariferhöhung betroffenen Erzeugnisses von Interesse sind. Hierüber werden, nach Genehmigung durch die Organisation, bilaterale Verhandlungen abgehalten. Das Verfahren ist im einzelnen in Art XXVIII GATT und in ergänzenden Entscheidungen geregelt. Es soll sicherstellen, daß das Gesamtniveau der Tarifbindungen jeder Vertragspartei erhalten bleibt.

Unter Berücksichtigung dieser Ausnahmebestimmung läßt sich sagen, daß das GATT zwar nicht die Höhe des Zolltarifs einzelner Tarifpositionen begrenzt, wohl aber zur Beibehaltung des ursprünglich ausgehandelten Gleichgewichts in den Konzessionslisten aller Vertragsparteien verpflichtet. Die Konzessionslisten sind im Rahmen der bisherigen acht GATT-Verhandlungsrunden jeweils substantiell liberalisiert worden. Allein im Rahmen der Uruguay-Runde wurde eine durchschnittliche Senkung der Zolltarife um etwa ein Drittel vereinbart. Beitrittswillige Länder müssen ihre Konzessionslisten dem ausgehandelten Beitrittsprotokoll beifügen. (Es handelt sich um den sogenannten „Eintrittspreis".)

c) Allgemeine Ausnahmen und Sonderregeln

Die in der Praxis wohl bedeutendste allgemeine Ausnahme von den GATT-Regeln besteht in der Möglichkeit, mit Zustimmung einer qualifizier-

[3]) GATT-Sekretariat (Hg), BISD 26 S (1980) 203.

ten Mehrheit der Vertragsparteien (nach dem GATT 1947 zwei Drittel der an der Abstimmung teilnehmenden Vertragsparteien, vgl Art XXV Abs 5 GATT, nach dem WTO-Abkommen drei Viertel der WTO-Mitglieder, vgl Art IX Abs 3 WTOA) einen **individuellen Dispens („waiver")** zu beantragen, um bei unvorhergesehenen Situationen mit der erforderlichen Flexibilität reagieren zu können. Von dieser Möglichkeit wurde in der Vergangenheit häufig Gebrauch gemacht.[4]) Insbesondere ermöglicht es ein Dispens, Situationen gerecht zu werden, in denen die GATT-Vertragsparteien anerkennen, daß eine unbegrenzte Anwendung der GATT-Prinzipien zu ungewollten Härten führen müßte. Eine solche Situation ergab sich zum Beispiel nach der Vereinigung Deutschlands, als die Bundesrepublik eine Anzahl von GATT-unvereinbaren Abkommen der DDR mit den ehemaligen Ostblockstaaten übernehmen mußte. Auch im Zusammenhang mit der Einführung des Harmonisierten Systems für die Zollklassifizierung wurden „waiver" erforderlich, um den GATT-Vertragsparteien Zeit zu geben, ihre bestehenden Tarifbindungen an die neuen Zollregeln anzupassen.

Eine **allein den Entwicklungsländern zugute kommende Sonderregelung** sieht vor, daß diese bei Zahlungsbilanzschwierigkeiten Handelsbeschränkungen vorsehen können, die anderenfalls mit dem GATT unvereinbar wären. Die sehr detaillierten Bedingungen, die der Nachprüfung durch einen Zahlungsbilanzausschuß unterliegen, sind in den Art XII, XV und XVIII GATT niedergelegt.

Darüber hinaus räumt Art XIX GATT den Vertragsparteien das Recht ein, vorübergehend Einfuhrbeschränkungen zu verhängen, wenn dies zur Vermeidung von Marktstörungen erforderlich ist, die ihre Ursache in erheblich anwachsenden Einfuhren haben, soweit die Tarifkonzessionen hierfür ursächlich sind. Weitere Voraussetzung für die Anwendbarkeit des Art XIX GATT ist, daß durch die erhöhten Einfuhren eine Schädigung der einheimischen Industrie eintritt oder einzutreten droht, soweit diese Industrie vergleichbare Erzeugnisse herstellt oder wenn ihre Erzeugnisse mit den eingeführten Erzeugnissen in unmittelbarem Wettbewerb stehen.

Abgesehen von diesen situationsbedingten Ausnahmen enthält das GATT auch einige ständig anwendbare Ausnahmen. Dazu gehören die Beschränkungen des Handelsverkehrs, die aus Gründen der nationalen Sicherheit verhängt werden (Art XXI GATT) ebenso wie die Ausnahmen, die aus Gründen des Gesundheits- oder Pflanzenschutzes bzw des Schutzes der guten Sitten usw erforderlich sind (Art XX GATT).

Schließlich gestattet das GATT die Erhebung von **Ausgleichsabgaben,** die über die Zollkonzessionen hinausgehen, soweit sie dazu dienen, unfaire Wettbewerbspraktiken zu bekämpfen, dh insbesondere Dumping oder Ausfuhrsubventionen. In derartigen Fällen ist es zulässig, soweit der einheimischen Industrie ein Schaden entsteht oder zu entstehen droht, Anti-Dumping-zölle bzw Ausgleichsabgaben bis zur Höhe der Dumping-Marge bzw der festgestellten Ausfuhrsubvention zu erheben, um den durch das Dumping bzw die Ausfuhrsubvention entstehenden ungerechtfertigten Wettbewerbsvorteil abzuschöpfen (Art VI GATT).

---

[4]) Vgl GATT-Dokument MTN/FA/Corr 6 v 21. 3. 1994.

d) Sonderabkommen im Warenhandel

Das GATT ist auf landwirtschaftliche Erzeugnisse und auf Textil- und Bekleidungserzeugnisse nicht unbeschränkt anwendbar. Für **Agrarerzeugnisse** ergibt sich dies aus Art XI Abs 2 GATT hinsichtlich mengenmäßiger Beschränkungen (obwohl diese Ausnahmebestimmung in Streitbeilegungsverfahren regelmäßig extrem eng ausgelegt wurde), sowie aus Art XVI Abs 2 GATT, der Ausfuhrsubventionen für Primärerzeugnisse zuläßt. Darüber hinaus hatten auch große Vertragsparteien, insbesondere die EG, wichtige Agrarerzeugnisse nicht in ihre Tarifkonzessionen aufgenommen. Für **Textilien** und Bekleidung wurde ein Sonderabkommen, das **Multifaserabkommen,** abgeschlossen, das bestimmte mengenmäßige Beschränkungen gestattet.

Die Uruguay-Runde hat insoweit zu erheblichen Änderungen geführt. Zwar wurde der Text des GATT, wie bereits dargestellt, von den Verhandlungen nicht berührt, doch sind nunmehr ergänzende Abkommen für den Agrar- und den Textil- und Bekleidungssektor abgeschlossen worden, die dem GATT nach der Anlage 1 A vorangestellten allgemeinen Auslegungsregel im Konfliktfall vorgehen. Das Agrarabkommen enthält eigene Konzessionslisten, die nicht nur Tarifbindungen für alle wesentlichen Agrarerzeugnisse enthält (was in der Vergangenheit nicht der Fall war), sondern auch Verpflichtungen bezüglich der internen Subventionierung der Landwirtschaft. Ausfuhrsubventionen (dh Subventionen, die nur auf ausgeführte Güter gewährt werden) sind künftig auch für Agrarerzeugnisse nicht mehr unbeschränkt zulässig. Die internen Subventionen sind nur noch innerhalb eines festgelegten Rahmens zulässig und dürfen nicht an die Produktion bestimmter Erzeugnisse gebunden sein. Das Abkommen über den Textil- und Bekleidungssektor, das im Rahmen der Uruguay-Runde abgeschlossen wurde, sieht vor, daß dieser Sektor nach einer Übergangszeit von zehn Jahren voll den Regeln des GATT 1994 unterstellt werden soll (Art 9 dieses Abkommens).

Die Verhandlungen der Uruguay-Runde haben eine große Zahl von multilateralen Handelsabkommen im Warenbereich hervorgebracht, die zum Teil völlig neue Regeln enthalten (so zB das Abkommen über die Ursprungsregeln und über die Warenkontrolle vor der Versendung), überwiegend aber eine Neufassung der entsprechenden Abkommen aus der Tokio-Runde darstellen (so zB das Abkommen über den Zollwert, über Einfuhrlizenzen, Antidumping-Maßnahmen sowie über Subventionen und Ausgleichsabgaben). Im Unterschied zu den Abkommen aus der Tokio-Runde, die nur von wenigen Vertragsparteien angenommen wurden, sind die multilateralen Handelsabkommen im Rahmen der Uruguay-Runde zu untrennbaren Bestandteilen des WTO-Abkommens erklärt worden und damit für alle künftigen WTO-Mitglieder verbindlich. Auf diese Weise soll die Zersplitterung des bestehenden multilateralen Vertragssystems beendet werden. Als einzige Ausnahme bleiben die sog „plurilateralen" Handelsabkommen in Anlage 4 zum WTO-Abkommen einzeln ratifizierbar.

Im Rahmen der Uruguay-Runde wurde ferner ein **Abkommen zum Schutz vor Tierseuchen und Pflanzenkrankheiten** abgeschlossen, um die Verschleppung durch den internationalen Handel eindämmen zu können. Ferner wurde ein neues **Abkommen über Anti-Dumping-Maßnahmen** abgeschlossen, in dem zusätzliche Verfahrensgarantien für die von solchen Maßnahmen Betroffenen vorgesehen sind. Ein besonders wesentliches Abkommen bezieht sich auf staatliche Subventionen. Hier wird zwischen verschiedenen Subventionskategorien unterschieden, die als unzulässig, eingeschränkt zulässig und im allgemeinen zulässig eingestuft werden, („rote", „gelbe" oder „grüne" Subventionen). Je nach ihrer Einstufung gilt die Subvention als unvereinbar mit den WTO-Regeln (zB Ausfuhrsubventionen), oder sie kann Anlaß zur Erhebung von Ausgleichsabgaben durch den Einfuhrstaat sein (wenn sie ihrer Natur nach zu einer Schädigung der einheimischen Industrie führt oder zu führen droht), oder sie ist als grundsätzlich handelsneutral und damit als unschädlich anzusehen.

3. Das Abkommen über den Handel mit Dienstleistungen (General Agreement on Trade in Services – GATS)[5])

Das Abkommen über den Handel mit **Dienstleistungen** gehört zu den wichtigsten Neuerungen, die durch die Uruguay-Runde in das WTO-Abkommen aufgenommen wurden. Angesichts der ständig wachsenden Bedeutung der Dienstleistungen in der volkswirtschaftlichen Gesamtrechnung, insbesondere der industrialisierten Staaten, ist der Abschluß des **GATS** als ein großer Fortschritt bei der Liberalisierung des Welthandels zu werten. Das GATS ist in Anlage 1 B zum WTO-Abkommen enthalten und bildet gem Art II Abs 2 WTOA einen untrennbaren Bestandteil des WTO-Abkommens. Damit ist sichergestellt, daß alle WTO-Mitglieder an die Regeln des GATS gebunden sind.

Ebenso wie das GATT keine Definition für den Begriff „Waren" enthält, gibt es im GATS auch keine Definition des Begriffs „Dienstleistungen". Was als Dienstleistung anzusehen ist, läßt sich nur mittelbar der (allerdings nicht erschöpfenden) Sektorenliste entnehmen, auf die das Abkommen über die Streitbeilegung Bezug nimmt.[6]) Das GATS ist aber (ebenso wie das GATT für den Warenbereich) im Grundsatz allumfassend. Ausgeklammert sind lediglich Dienstleistungen, die als Ausübung hoheitlicher Tätigkeit anzusehen sind (Art I Abs 3 lit b GATS). Das GATS erfaßt alle Formen grenzüberschreitender Dienstleistungen, gleichgültig ob diese vor Ort oder durch Korrespondenz erbracht werden oder ob der Empfänger sich an den Geschäftssitz des Leistungserbringers begibt.

Das **GATS** ist ein **Rahmenabkommen,** das selbst keine konkreten Einzelverpflichtungen enthält. Diese Einzelverpflichtungen ergeben sich vielmehr erst aus den Konzessionslisten für die einzelnen Dienstleistungssektoren, in denen Marktzugang bzw Inländerbehandlung für ausländische Dienstleistungserbringer zugesagt werden kann, dh daß die Dienstleistungen auslän-

---

[5]) Vgl dazu auch *Barth,* Das Allgemeine Übereinkommen über den internationalen Dienstleistungshandel (GATS), EuZW 1994, 455.

[6]) Vgl Dok MTN.GNS/W/120, Bezugnahme hierauf in FN 14 zu Art 22 des Abkommens über die Streitbeilegung.

discher Leistungserbringer nur denjenigen Einschränkungen unterliegen, die auch auf inländische Leistungserbringer Anwendung finden. Dabei sind die WTO-Mitglieder im Grundsatz frei, welche Art von Einschränkungen sie vorsehen wollen, allerdings dürfen diese nicht unverhältnismäßig oder ausländischen Dienstleistungserbringern gegenüber diskriminierend sein. Die **Konzessionslisten** sind das Ergebnis intensiver bilateraler und multilateraler Einzelverhandlungen und umfassen derzeit nur eine begrenzte Zahl von Sektoren (zB Bausektor, Finanzdienstleistungen, Beratungsberufe,[7]) bestimmte Dienstleistungen im Fernmeldesektor usw). Es ist daran gedacht, die Zahl der erfaßten Dienstleistungsbereiche zu vergrößern – zB durch die Einbeziehung des Seeverkehrs und einer Erweiterung der erfaßten Bereiche des Fernmeldesektors auf Basis-Telekommunikationsdienste und eine weitere Liberalisierung der Finanzdienstleistungen.

Die Grundregel des GATS, die sich auf alle Sektoren erstreckt, ist die **Meistbegünstigungsklausel** (Art II GATS). Nach dieser Regel muß jedes WTO-Mitglied im Dienstleistungssektor allen anderen WTO-Mitgliedern die gleichen Möglichkeiten einräumen, die es dem meistbegünstigten Handelspartner gewährt. Diese Meistbegünstigungsklausel verpflichtet allerdings nicht zur Inländerbehandlung ausländischer Dienstleistungserbringer, da hierfür eine besondere Verpflichtung im Rahmen der Konzessionslisten erforderlich ist (vgl Art XVII GATS). Von der Meistbegünstigungsklausel gibt es im GATS, ebenso wie im GATT, eine bedeutende Ausnahme im Falle von Freihandelszonen und Zollunionen. Die Mitglieder solcher wirtschaftlicher Zusammenschlüsse brauchen auf andere WTO-Mitglieder nicht die innerhalb des Zusammenschlusses geltenden Sonderregeln anzuwenden. Voraussetzung ist auch hier, daß die Freihandelszone bzw die Zollunion den im GATS niedergelegten Kriterien entspricht (vgl Art V und VI GATS).

Das GATS enthält auch eine Reihe anderer, schon aus dem GATT bekannter Ausnahmen, wie etwa Handelsbeschränkungen aus Zahlungsbilanzgründen (Art XII GATS), aus Gründen des Gesundheits- und Pflanzenschutzes usw (Art XIV GATS) sowie aus Gründen der nationalen Sicherheit (Art XIV bis GATS). Auch das GATS läßt allgemeine Schutzmaßnahmen bei schwerwiegenden Marktstörungen durch „importierte“ Dienstleistungen zu (Art X GATS) und gestattet die Neuverhandlung von Liberalisierungsverpflichtungen, die in den Konzessionslisten enthalten sind, gegen entsprechende „Bezahlung“ durch Liberalisierung in anderen Dienstleistungssektoren, die für die Handelspartner von Interesse sind, die die zu ändernde Konzession ausgehandelt hatten (Art XXI GATS).

Das GATS ist also in wesentlichen Punkten vom GATT beeinflußt, allerdings sind die Konzessionslisten, die letztlich für die Reichweite der konkreten Verpflichtungen der WTO-Mitglieder ausschlaggebend sind, weniger umfangreich als im GATT. Es ist daran gedacht, die Konzessionslisten, ähnlich wie dies auch beim GATT geschehen ist, im Laufe der Zeit durch weitere Verhandlungen auf zusätzliche Sektoren auszudehnen.

---

7) Vgl dazu *Errens,* Auswirkungen des GATS-Abkommens auf den Beruf des Rechtsanwaltes EuZW 1994, 460.

4. Das Abkommen über handelsrelevante Fragen des geistigen Eigentums (Agreement on Trade Related Aspects of Intellectual Property – TRIPs)[8])

Eine weitere ganz neue Dimenson hat das TRIPs-Abkommen in die WTO eingebracht (Anlage 1 C WTOA).

Der Sinn des TRIPs-Abkommens besteht darin, alle WTO-Mitgliedstaaten zur Beachtung eines Mindestschutzes auf dem Gebiet des **geistigen Eigentums** zu verpflichten. Das **TRIPs-Abkommen** geht damit über eine Harmonisierung der Formen des geistigen und gewerblichen Eigentums hinaus, indem es Mindeststandards schafft. Es bleibt den WTO-Mitgliedern unbenommen, einen weitergehenden Schutz zu gewähren. Die folgenden Bereiche sind von dem TRIPs-Abkommen abgedeckt: **Urheberrechte** (Copyright and Related Rights), Handelsmarken (Trade Marks), **geographische Herkunftsangaben** (Geographical Indications), **Geschmacksmuster** (Industrial Design), **Patente,** Topographie integrierter **Schaltkreise** (Layout-Designs of Integrated Circuits) und Schutz von **geheimen geschäftlichen Informationen.** Die Mitglieder verpflichten sich im Rahmen des TRIPs-Abkommens, diese geistigen Eigentums- und gewerblichen Schutzrechte in dem Umfang zu schützen, wie dies im TRIPs-Abkommen im einzelnen niedergelegt ist. Dazu gehört unter anderem ein ausreichender gerichtlicher Schutz der Rechtsinhaber im Falle von Rechtsverletzungen (vgl Art 41 ff TRIPsA).

WTO-Mitglieder, die die entsprechenden Vorschriften nicht in ihr nationales Recht aufnehmen, setzen sich – nach Durchführung eines WTO-Streitbeilegungsverfahrens – gegebenenfalls Handelssanktionen durch das WTO-Mitglied aus, dessen Staatsangehörige die Rechtsinhaber sind. Das TRIPs-Abkommen liegt somit im Interesse derjenigen WTO-Mitglieder, deren Staatsangehörige im Bereich geistigen und gewerblichen Eigentums besonders aktiv sind. Dies sind naturgemäß die industrialisierten Staaten, während die Entwicklungsländer in der Vergangenheit häufig vom Fehlen des Schutzes geistigen und gewerblichen Eigentums profitiert haben (insbesondere durch die ungenehmigte Nachahmung pharmazeutischer Produkte oder durch alle möglichen Formen von Raubkopien). Die Entwicklungsländer haben dennoch selbst auch ein gewisses Interesse an dem Abkommen, das es ihnen einerseits ermöglicht, höherrangige Güter besser gegen Nachahmung zu schützen, und ihnen darüber hinaus einen klaren rechtlichen Rahmen zu ihrer Verteidigung bei Angriffen aus den industrialisierten Ländern gewährt.

5. Das Handelsüberwachungssystem

Auf der „Halbzeit"-Konferenz in Montreal wurde 1989 vereinbart, versuchsweise ein **Handelsüberwachungssystem** einzuführen, das eine regelmä-

---

[8]) Statt vieler s *Lehmann,* TRIPs, the Bern Convention, and Legal Hybrids, CLRev 1994, 2621; zur Vorgeschichte s insb *Reinbothe,* Der Schutz des Urheberrechts und der Leistungsschutzrechte im Abkommensentwurf GATT/TRIPs, GRUR Int 1992, 707; *Daniel,* Intellectual Property in the Uruguay Round: The Dunkel Draft and a Comparison of United States Intellectual Property Rights, Remedies, and Border Measures, IntLPol 1993, 751; *Reichman,* Intellectual Property in International Trade, Opportunities and Risks of a GATT Connection, VJTL 1989, 747.

ßige multilaterale Überprüfung der Außenhandelsregeln der Vertragsparteien ermöglicht. Im Rahmen dieses Systems können Fragen an das überprüfte Land gerichtet werden und Probleme in den Handelsbeziehungen in einem multilateralen Rahmen erörtert werden. Dieses System hat sich zu einem wesentlichen Instrument des GATT zur Gewährleistung der notwendigen Transparenz in den Handelsbeziehungen entwickelt und soll daher im Rahmen der WTO fortgesetzt werden. Die entsprechenden Regeln finden sich nunmehr in Anlage 2 WTOA.

6. Das Abkommen über das Streitbeilegungsverfahren

Das Abkommen über das **Streitbeilegungsverfahren** ist dem WTO-Abkommen als Anlage 3 beigefügt. Es enthält im wesentlichen verfahrensrechtliche Regeln für die Streitbeilegung im Falle von Meinungsverschiedenheiten über die Auslegung des WTO-Abkommens und seiner Anlagen zwischen den WTO-Mitgliedern.

Dieses Verfahren[9]) besteht aus mehreren Phasen, für die jeweils Fristen festgelegt sind. Das Verfahren wird durch einen Antrag auf Konsultationen zwischen den am Streit beteiligten WTO-Mitgliedern eingeleitet. Nachdem die Konsultationen abgeschlossen sind, kann das antragstellende WTO-Mitglied beim Streitbeilegungsorgan die Einrichtung eines **Streitbeilegungs-Panels** verlangen. Das Panel besteht in der Regel aus drei unabhängigen Experten im internationalen Handel, von denen keiner die Staatsangehörigkeit eines der am Streit beteiligten WTO-Mitglieder haben darf. (Hierdurch unterscheiden sich diese Panels von der im internationalen Privatrecht häufig verwendeten Formel für die Zusammensetzung von Schiedsgerichten, da diese regelmäßig mit je einem Staatsangehörigen der beiden am Streit beteiligten Parteien besetzt werden.) Das Panel erstattet dem Streitbeilegungsorgan einen unabhängigen, allein auf rechtlichen Erwägungen beruhenden Bericht, nachdem es beide Seiten schriftlich und mündlich ausführlich angehört hat (mit idR zwei mündlichen Verhandlungen). Neu wurde in dem Abkommen über das Streitbeilegungsverfahren nunmehr die Einrichtung einer **Berufungsinstanz** vorgesehen, deren Nachprüfung auf Rechtsfragen beschränkt ist. Wie im Revisionsverfahren kann die Berufungsinstanz den Panel-Bericht bestätigen oder eine abweichende Entscheidung empfehlen. Die Möglichkeit der Zurückverweisung an das Panel ist allerdings nicht ausdrücklich vorgesehen. Die endgültige Entscheidung wird vom Streitbeilegungsorgan auf der Grundlage der ihm vorliegenden Berichte getroffen. Um von dem Bericht des Panels bzw der Berufungsinstanz abzuweichen, muß allerdings Konsens im Streitbeilegungsorgan erzielt werden, womit schon deshalb nicht zu rechnen ist, weil die obsiegende Partei dem nicht zustimmen wird.

Nach der Entscheidung durch das Streitbeilegungsorgan muß die unterliegende Partei ggf die Maßnahmen abändern, die Anlaß zur Klage gegeben haben, um sie mit ihren WTO-Verpflichtungen in Einklang zu bringen. Tut sie dies nicht, so kann die klagende Partei beim Streitbeilegungsorgan die Ge-

[9]) Zu einem der ersten Fälle vgl *Weiss,* The Second Tuna GATT Panel Report, LJIL 1995, 135.

nehmigung für Handelssanktionen beantragen, über deren Art und Umfang im Streitfalle eine Schiedsinstanz entscheidet. Das Verfahren dauert insgesamt (je nachdem ob die Berufungsinstanz angerufen wird oder nicht) etwa 15 bis 20 Monate und ist damit vergleichsweise rasch abzuwickeln. Schematisch dargestellt läuft es wie in der Graphik auf Seite 526 dargestellt ab.

Es kann kein Zweifel daran bestehen, daß dieses gut ausgebaute Streitbeilegungsverfahren eine besondere Stärke des WTO-Abkommens ist, da dem allgemeinen Völkerrecht nach richterlichen Entscheidungen vielfach glaubwürdige Vollziehungsmöglichkeiten fehlen. In dieser Beziehung ist die WTO gut ausgestattet und gibt auch schwächeren WTO-Mitgliedern, deren Rechte von stärkeren Handelspartnern beeinträchtigt werden, Mittel und Wege zur Durchsetzung ihrer Interessen in die Hand. Ob allerdings solche WTO-Mitglieder ggf zur Anwendung von Handelssanktionen bereit und in der Lage sind, wird erst die Praxis zeigen. Es ist auch daran zu erinnern, daß das WTO-Abkommen keine „öffentliche Klage“ kennt und jedes WTO-Mitglied daher seine Rechte selbst wahrnehmen muß.

7. Die plurilateralen Handelsabkommen

Anlage 4 WTOA enthält vier sog „plurilaterale“ Handelsabkommen: Das Abkommen über den **Handel mit Zivilluftfahrzeugen** (Agreement on Trade in Civil Aircraft), das Abkommen über das **öffentliche Auftragswesen** (Agreement on Government Procurement), das internationale **Milchabkommen** (International Dairy Agreement) und das internationale **Rindfleischabkommen** (International Bovine Meat Agreement). Diese Abkommen sind Überreste aus der Tokio-Runde; sie wurden im Rahmen der Uruguay-Runde nicht neu verhandelt. (Allerdings wurde parallel zur Uruguay-Runde ein neues Abkommen über das öffentliche Auftragswesen ausgehandelt, das am 1. Jänner 1996 in Kraft getreten ist.) Diese aus der Tokio-Runde stammenden Abkommen haben nur eine begrenzte Mitgliedschaft; es war daher nicht möglich, sie für alle WTO-Mitglieder verbindlich zu erklären. Die plurilateralen Handelsabkommen sind daher – anders als die multilateralen Handelsabkommen in den Anlagen 1 bis 3 – nur für diejenigen WTO-Mitglieder verbindlich, die sie gesondert angenommen haben. Soweit sie die plurilateralen Handelsabkommen angenommen haben, sind sie für diese Mitglieder allerdings Bestandteil ihrer WTO-Rechte und Verpflichtungen, sodaß insbesondere das Streitbeilegungsverfahren in Anspruch genommen werden kann (vgl Art II Abs 3 WTOA).

C. Die Mitwirkung der Europäischen Gemeinschaften in der WTO

1. Die Rolle der Gemeinschaft im GATT 1947

Die Frage der Mitwirkung der Europäischen Gemeinschaften hat sich im GATT 1947 erstmals im Rahmen der sog Dillon-Runde (1961/62) gestellt. Damals war zu klären, welche Wirkungen die Tarifbindungen des GATT auf den gemeinsamen Außenzoll der neugegründeten Europäischen Wirtschafts-

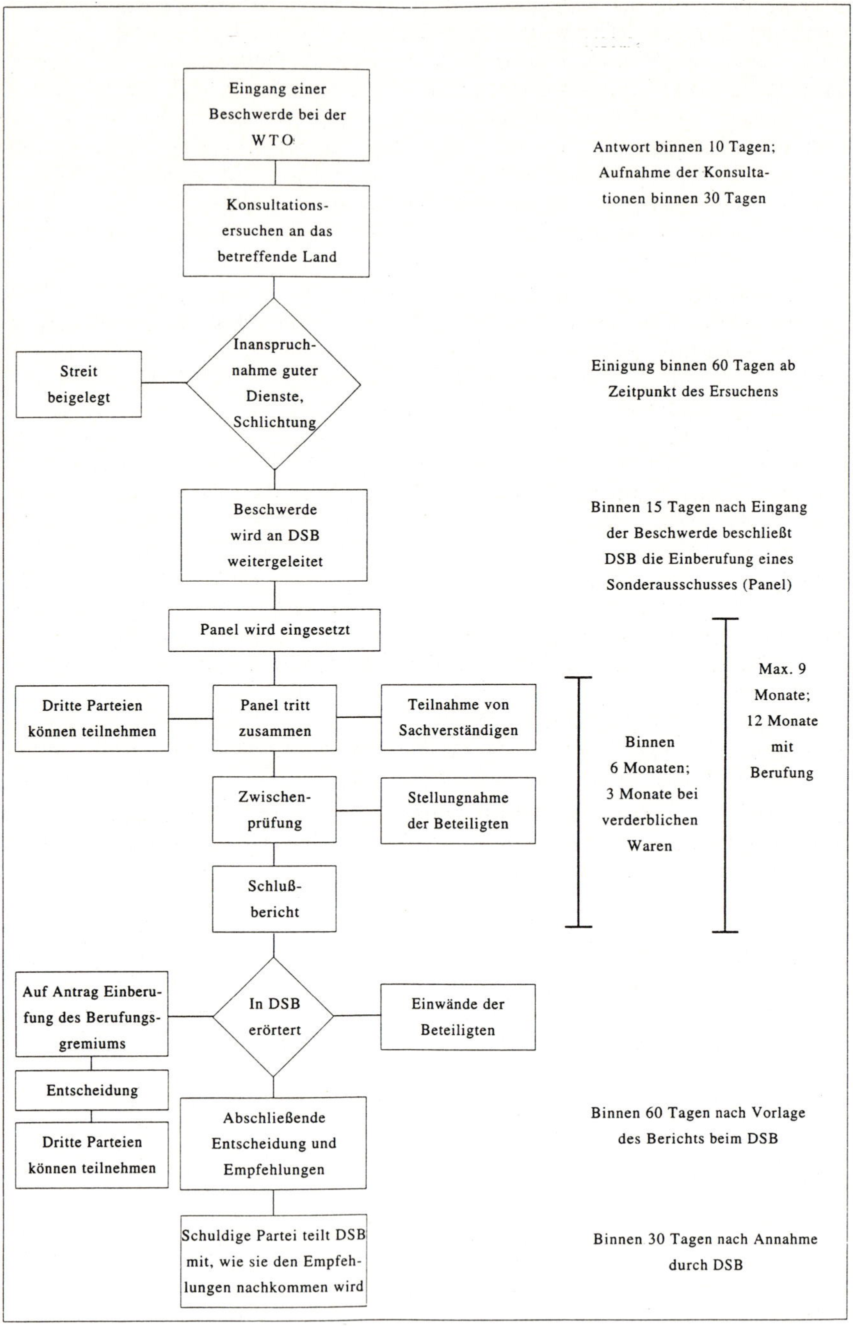
Eingang einer Beschwerde bei der WTO
Antwort binnen 10 Tagen; Aufnahme der Konsultationen binnen 30 Tagen
Konsultationsersuchen an das betreffende Land
Streit beigelegt
Inanspruchnahme guter Dienste, Schlichtung
Einigung binnen 60 Tagen ab Zeitpunkt des Ersuchens
Beschwerde wird an DSB weitergeleitet
Binnen 15 Tagen nach Eingang der Beschwerde beschließt DSB die Einberufung eines Sonderausschusses (Panel)
Panel wird eingesetzt
Max. 9 Monate; 12 Monate mit Berufung
Dritte Parteien können teilnehmen
Panel tritt zusammen
Teilnahme von Sachverständigen
Binnen 6 Monaten; 3 Monate bei verderblichen Waren
Zwischenprüfung
Stellungnahme der Beteiligten
Schlußbericht
Auf Antrag Einberufung des Berufungsgremiums
In DSB erörtert
Einwände der Beteiligten
Entscheidung
Dritte Parteien können teilnehmen
Abschließende Entscheidung und Empfehlungen
Binnen 60 Tagen nach Vorlage des Berichts beim DSB
Schuldige Partei teilt DSB mit, wie sie den Empfehlungen nachkommen wird
Binnen 30 Tagen nach Annahme durch DSB

gemeinschaft haben sollten. Diese Frage wurde relativ schnell und pragmatisch in dem Sinne gelöst, daß die Gemeinschaft von Anfang an Verhandlungsteilnehmerin war und für sie eine eigene Liste mit Tarifbindungen aufgestellt wurde (sog Konzessionsliste), wie sie im übrigen für jede GATT-Vertragspartei besteht. Andererseits wurde die Gemeinschaft nicht formell GATT-Vertragspartei. (Diese Stellung behielten die Mitgliedstaaten.) Auch wurde die Zollunion nach Art XXIV Abs 5 bis 8 GATT notifiziert und war Gegenstand einer GATT-Prüfung. Dies setzt nach der inneren Logik des GATT voraus, daß die Zollunion nicht selbst Vertragspartei wird, sondern daß die an der Zollunion beteiligten Staaten dem GATT gegenüber Verpflichtungen behalten.

Der Europäische Gerichtshof hat seit 1972 in mehreren Urteilen[10]) entschieden, daß die **Gemeinschaft im GATT Rechtsnachfolgerin ihrer Mitgliedstaaten** geworden ist und in die GATT-Rechte und -Pflichten der Mitgliedstaaten aufgrund der Kompetenzübertragungen im Außenhandelsrecht eingetreten ist. In der Praxis ist die Gemeinschaft im GATT wie eine Vertragspartei behandelt worden (ausgenommen bei Abstimmungen, an denen die Mitgliedstaaten im eigenen Namen und mit je einer Stimme pro Mitgliedstaat teilnehmen, sowie mit Ausnahme der Beiträge zum Haushalt des GATT, die unter Einbeziehung des innergemeinschaftlichen Handels berechnet und von den Mitgliedstaaten entrichtet werden). Insbesondere hat die Gemeinschaft in zahlreichen Streitbeilegungsfällen im GATT die Rolle des Klägers bzw des Beklagten übernommen. Hierin liegt zugleich eine Anerkennung der Kompetenzübertragung von den Mitgliedstaaten an die Gemeinschaft durch andere GATT-Vertragsparteien. Zuletzt ist im Jahre 1976 ein Streitbeilegungsverfahren gegen einen Mitgliedstaat der Gemeinschaft anhängig gemacht worden. Seither ist in allen Fällen ausschließlich die Gemeinschaft als Klägerin oder Beklagte aufgetreten, selbst dann, wenn die umstrittenen Maßnahmen von einem Mitgliedstaat erlassen worden waren.

Die Lage wurde noch komplizierter, als im Jahre 1979 die Abkommen (sog Kodizes) im Rahmen der Tokio-Runde abgeschlossen wurden. Diese **Kodizes** betreffen nichttarifäre Handelshemmnisse, die gleichfalls Gegenstand von Regelungen auf Gemeinschaftsebene sind und die im Verhältnis zu Drittländern gem Art 113 EGV der Gemeinschaftskompetenz unterliegen.[11]) Es lag daher nahe, die Abkommen der Tokio-Runde durch die Gemeinschaft und nicht durch die Mitgliedstaaten abzuschließen. Andererseits waren die Mitgliedstaaten nach wie vor formell GATT-Vertragsparteien, und die Kodizes dienen im wesentlichen einer Verbesserung (Verschärfung) der teilweise wenig klaren GATT-Regeln über nichttarifäre Handelshemmnisse. Es wurde daher ein Kompromiß des Inhalts vereinbart, daß die Gemeinschaft allein die Kodizes über Zollwert, Einfuhrlizenzen, öffentliche Aufträge, Antidumping-Maßnahmen und staatliche Beihilfen sowie über den internationalen Handel mit Milchprodukten und Rindfleisch abschloß,

---

[10]) StRsp seit EuGH Rs 21–24/72 – International Fruit Company – Slg 1972, 1219 (1228).

[11]) Zur Handelspolitik der Gemeinschaft s unten *Neumann/Welge,* Die Gemeinsame Handelspolitik und ihre Instrumente.

während die Kodizes über technische Handelshemmnisse und über den Handel mit Zivilluftfahrzeugen gemeinsam von der Gemeinschaft und ihren Mitgliedstaaten abgeschlossen wurden (sog **gemischte Abkommen).** In der Praxis hat diese Unterscheidung jedoch keinerlei Auswirkung, da die Gemeinschaft ebenso wie die Mitgliedstaaten jeweils durch eigene Delegationen in den Organen dieser Kodizes vertreten sind, unabhängig davon, ob die Mitgliedstaaten die Kodizes mit abgeschlossen haben oder nicht. In Streitbeilegungsverfahren ist (wie im GATT) allein die Gemeinschaft als Klägerin oder Beklagte aufgetreten (allerdings hat es bisher kein Streitbeilegungsverfahren im Rahmen der Kodizes über technische Handelshemmnisse bzw über Zivilluftfahrt gegeben). Im Rahmen einer Vereinbarung zwischen der Gemeinschaft und ihren Mitgliedstaaten, die im Rat bei Annahme der Kodizes der Tokio-Runde ausgearbeitet wurde, ist die Kommission zur Sprecherin der Gemeinschaft ernannt worden. Mitgliedstaaten ergreifen nur ausnahmsweise nach Vereinbarung mit der Kommission und nur zur Unterstützung der Gemeinschaftsposition das Wort. Wiederum ist jedoch in der Praxis das GATT-Verfahren angewandt worden, und die Kommission allein hat die Sprecherrolle ausgeübt, während die Mitgliedstaaten in den Sitzungen der GATT-Organe (mit Ausnahme des Haushaltsausschusses) nicht das Wort ergreifen.

2. Die Teilnahme der Gemeinschaft an der Uruguay-Runde

Als im Jahre 1986 in Punta del Este die Uruguay-Runde eingeläutet wurde, war erkennbar, daß der Verhandlungsgegenstand weit über die klassischen GATT-Regeln des Warenhandels hinausreichen würde. Insbesondere sollten Dienstleistungen, internationale Investitionen und handelsrelevante Aspekte der geistigen Eigentumsrechte in die Verhandlungen einbezogen werden. In allen neuen Bereichen war innerhalb der Gemeinschaft die Zuständigkeitsverteilung mit Bezug auf den Außenhandel umstritten. Die Kommission stellte sich auf den Standpunkt, daß Art 113 EGV genügend weit gefaßt sei, um alle diese neuen Bereiche zu umfassen, während die Mitgliedstaaten von einer solchen weiten Auslegung des Art 113 EGV nichts wissen wollten. Dennoch mußten die Verhandlungen vorangetrieben werden, und wie bei allen Verhandlungen war am Anfang nicht absehbar, welche Ergebnisse in den einzelnen Bereichen zu erwarten waren. Angesichts dieser Unsicherheit erschien es nicht sinnvoll, eine Abklärung der Zuständigkeiten auf der Grundlage eines hypothetischen Verhandlungsergebnisses vorzunehmen. Die Kommission wurde daher beauftragt, im Namen der Gemeinschaft und ihrer Mitgliedstaaten und unter Vorbehalt aller Rechte bezüglich der Zuständigkeitsverteilung zwischen der Gemeinschaft und ihren Mitgliedstaaten an den Verhandlungen teilzunehmen. Die Streitfrage wurde also nicht gelöst, sondern aufgeschoben; gleichzeitig hatte die Kommission den Verhandlungsauftrag ohne Einschränkung bezüglich aller Sachgebiete – wenn auch unter Vorbehalt. Auf dieser Grundlage sind die Verhandlungen in allen Gebieten von der Kommission geführt worden, wobei diese die in Art 113 EGV vorgesehene Koordinierung mit den Mitgliedstaaten im Rahmen zahlreicher Sitzungen in Brüssel und in Genf durchgeführt hat.

3. Die Teilnahme der Gemeinschaft und ihrer Mitgliedstaaten in der WTO

Nach dem Abschluß der Verhandlungen in der Uruguay-Runde wurde es unvermeidlich, den seit lange schwelenden Zuständigkeitsstreit zu lösen, zumal nunmehr der Umfang der ausgehandelten Vereinbarungen feststand und sich erneut (wie schon am Ende der Tokio-Runde) die Frage stellte, wer formell das WTO-Abkommen und seine Anlagen abschließen sollte: Die Gemeinschaft allein oder zusammen mit ihren Mitgliedstaaten? Darüber hinaus waren zwischen den Gemeinschaftsorganen (insbesondere der Kommission) und mehreren Mitgliedstaaten wegen des Streites über die Zuständigkeitsverteilung erhebliche Spannungen entstanden; insbesondere wurde die Kommission von diesen Mitgliedstaaten verdächtigt, sie habe die Verhandlungen in einer Weise geführt, die den Mitgliedstaaten eine Mitwirkung im eigenen Namen in der WTO erschweren könnte. Diese Verdächtigungen waren zwar unberechtigt, wie insbesondere aus dem Wortlaut des Art IX Abs 1 WTOA hervorgeht, wonach die Europäischen Gemeinschaften in den WTO-Organen über ebensoviele Stimmen verfügen wie Mitgliedstaaten als WTO-Mitglieder der Organisation angehören. Hieraus wird deutlich, daß die Gemeinschaft ein erhebliches Interesse daran hat, daß die Mitgliedstaaten auch individuell WTO-Mitglieder werden. Daher hat die Kommission schon vor dem Abschluß der Verhandlungen der Uruguay-Runde im Dezember 1993 der eigenständigen Mitgliedschaft der Mitgliedstaaten in der WTO ausdrücklich zugestimmt. Jedoch erlauben diese Überlegungen keine Antwort auf die konkrete Frage, welche Rolle die Mitgliedstaaten in der WTO spielen sollen und was ihre Mitgliedschaft im Verhältnis zu Drittstaaten und im Verhältnis zur Gemeinschaft sowie im Verhältnis der Mitgliedstaaten zueinander bedeutet. Angesichts der nunmehr auf politischer Ebene beschlossenen **„Doppelmitgliedschaft“** entstehen hier komplexe organisatorische und rechtliche Fragen. Es sei deshalb nur am Rande erwähnt, daß das große Interesse der Gemeinschaft an der Verwandlung des GATT in eine echte internationale Organisation nicht zuletzt durch den Wunsch bestimmt war, ein wenig Ordnung in die Rechtsstellung der Gemeinschaft im internationalen Rahmen zu bringen und, soweit möglich, bei dieser Gelegenheit auch eine Verbesserung des gemeinschaftlichen Handlungspotentials im Außenhandelsbereich zu erzielen. Erst die Praxis wird zeigen, ob dies tatsächlich gelungen ist; die rechtliche Stellung der Gemeinschaft in der WTO bleibt formal auch in der Zukunft einigermaßen unklar und schillernd.

Dies kam nicht zuletzt daher, daß die Gemeinschaft zwar auftritt, als ob sie ein einziges WTO-Mitglied wäre, jedoch gleichzeitig auch weiterhin die GATT-Bestimmungen über die Zollunion (Art XXIV Abs 5 bis 8 GATT) in Anspruch nehmen will. Dies zeigte sich kürzlich daran, daß die Erweiterung der Gemeinschaft um Österreich, Schweden und Finnland dem GATT wiederum nach Art XXIV GATT notifiziert wurde und damit der klassische Ansatz, nach dem die Gemeinschaft sich aus mehreren WTO-Mitgliedern (den Mitgliedstaaten) zusammensetzt, formal erhalten bleibt. Die damit verbundene Gefahr, daß die WTO auch den innergemeinschaftlichen Handel ihren Disziplinen unterwerfen will (und zB das Verbot der Exportbeihilfen auch auf den Handel zwischen Mitgliedstaaten mit der Folge anwendet, daß Drittländer bei gemeinschaftlich geförderten Industrieprojekten Ausgleichszölle nach Art der Antidumping-Zölle erheben dürfen), wurde bewußt in Kauf genommen. Diese Gefahr ist nicht neu und bestand schon unter dem GATT 1947. Sie hat konkret in dem Panel-Bericht über die Beihilfe zum Ausgleich von Wechselkursschwankungen im Rahmen des Airbus-Projekts seinen Ausdruck gefunden: Dieser Bericht betrifft eine Beihilfe der deutschen Bundesregierung, die dazu diente, Schwankungen der DM gegenüber dem US-Dollar aufzufangen und damit das Airbus-Projekt davon unabhängig zu machen, daß bestimmte Bestandteile in Deutschland gefertigt und von dort nach Frankreich geliefert wurden und damit einem erhöhten Wechselkursrisiko unterlagen; der Panel-Bericht gelangt zu dem Ergebnis, diese Beihilfe sei eine mit dem Subventions-Kodex unvereinbare Ausfuhrbeihilfe, da sie Lieferungen von Flugzeug-Teilen von Deutschland nach Frankreich betreffe, und die USA seien daher berechtigt, Ausgleichszölle nach Art der Antidumping-Zölle zu erheben. Diese Auslegung des Subventions-Kodex – an dem die Gemeinschaft allein teilnimmt, also ohne Beteiligung ihrer Mitgliedstaaten – ist höchst fragwürdig und hat zur Folge, den innergemeinschaftlichen Handel im Sinne des GATT und des Kodex zum Außenhandel zu erklären, was gerade dadurch vermieden werden sollte, daß die Gemeinschaft dem Kodex allein beitrat. Die bei einer solchen Auslegung des GATT entstehende Gefahr für den inneren Zusammenhalt der Gemeinschaft und für die Anerkennung des Gemeinsamen Marktes als eines Binnenmarktes ist also auch weiterhin vorhanden und konnte im Rahmen der Uruguay-Runde nicht ausgeräumt werden.

Zur Klärung der Zuständigkeitsverteilung für den Außenhandel in den neu hinzugekommenen Bereichen (insbesondere Dienstleistungen und geistiges Eigentum) mußte wegen des anhaltenden Streites zwischen der Gemeinschaft und ihren Mitgliedstaaten ein **Gutachten des EuGH** eingeholt werden, wie dies in Art 228 Abs 6 EGV im Falle des Abschlusses völkerrechtlicher Verträge durch die Gemeinschaft vorgesehen ist. Dieses Gutachten[12]) wurde erstellt, nachdem die Gemeinschaft und ihre Mitgliedstaaten das WTO-Abkommen nebst seinen Anlagen am 15. April 1994 in Marrakesch unterzeichnet hatten, aber bevor das Verfahren zur Ratifizierung des Abkommens abgeschlossen war.

Das Gutachten bestätigt zunächst für den Bereich des Warenhandels die in Art 113 EGV begründete ausschließliche Zuständigkeit der Gemeinschaft für den Außenhandel, der auch die Erzeugnisse aus dem Kohle- und Stahlsektor umfaßt, soweit das abzuschließende Abkommen über diese Sektoren hinausgeht. Der EuGH bestätigt dies auch noch einmal ausdrücklich für den Außenhandel im Landwirtschaftssektor, sodaß es keine Rolle spielt, ob für bestimmte Erzeugnisse eine gemeinsame Marktorganisation besteht oder nicht.

Für den Dienstleistungssektor unterscheidet der EuGH zwischen grenzüberschreitenden **Dienstleistungen ohne Bewegung von Personen,** die unter Art 113 EGV fallen und damit der ausschließlichen Gemeinschaftskompetenz unterliegen und anderen Erscheinungsformen der grenzüberschreiten-

[12]) EuGH GA 1/94 v 15. 11. 1994, Slg 1994-I, S 5267.

den **Dienstleistungen (mit Personenbewegung),** die der ausschließlichen Gemeinschaftskompetenz nur dann unterliegen, wenn sie vollständig harmonisiert sind oder wenn Gemeinschaftsregeln für die Ausübung der betreffenden Tätigkeit durch Staatsangehörige dritter Länder vorgesehen sind bzw wenn der Rat ein Verhandlungsmandat für die Gemeinschaft beschlossen hat. In allen anderen Fällen spricht der Gerichtshof von einer zwischen der Gemeinschaft und den Mitgliedstaaten geteilten Kompetenz, die es der Gemeinschaft zwar erlaubt, auch für diese anderen Bereiche tätig zu werden, die aber den Mitgliedstaaten die Kompetenz beläßt, solange eine Gemeinschaftsregel nicht besteht. Dabei ist daran zu erinnern, daß das WTO-Abkommen über Dienstleistungen (das GATS) vier verschiedene Formen vorsieht (vgl Art I Abs 2 GATS): Dienstleistungen, die ohne Personenbewegung grenzüberschreitend angeboten werden (zB Versicherungsverträge oder andere Finanzdienstleistungen, audiovisuelle Dienstleistungen, andere mit der Post angebotene Dienstleistungen); Dienstleistungen, bei denen der Empfänger die Grenze überschreitet (zB Tourismus, medizinische Versorgung im Ausland usw); Dienstleistungen, bei denen der Erbringer die Grenze für einen befristeten Zeitraum überschreitet (zB Durchführung eines Bauprojekts durch den ausländischen Dienstleistungserbringer im Inland) und Dienstleistungen, die von dauerhaften Niederlassungen im Ausland erbracht werden.

Der EuGH begründet seine Entscheidung mit dem Parallelismus zwischen dem grenzüberschreitenden Warenverkehr einerseits und dem grenzüberschreitenden Dienstsleistungsverkehr (ohne Personenbewegung) andererseits: Beide Fälle wiesen genügend Ähnlichkeit auf, um sie unter Art 113 EGV einzuordnen (mit der Folge ausschließlicher Gemeinschaftskompetenz). Bei Dienstleistungen mit Personenbewegungen sei jedoch der Parallelismus nicht gegeben, da auch innerhalb der Gemeinschaft dann nicht die Regeln über die Dienstleistungen anwendbar seien, sondern die Regeln über die Niederlassung bzw die Freizügigkeit der Arbeitnehmer Vorrang hätten.

Ob diese Unterscheidung voll zu überzeugen vermag, muß hier dahingestellt bleiben. Gewisse Schwierigkeiten treten jedenfalls vor allem für den Verkehrssektor auf. Verkehrsdienstleistungen können ohne Personenbewegung beim gegenwärtigen Stand der Technik nicht erbracht werden, andererseits kann ein einzelner Transportvorgang nicht ohne weiteres als Niederlassung oder als Ausübung der Freizügigkeit von Arbeitnehmern betrachtet werden. Der EuGH weist dem Verkehrssektor eine Sonderrolle zu, die er aus dem Kapitel über die Verkehrspolitik im EG-Vertrag herleitet. Soweit hier eine Harmonisierung stattgefunden hat, erkennt der EuGH unter Hinweis auf seine frühere Rechtsprechung[13]) ausdrücklich eine ausschließliche Gemeinschaftskompetenz an. Da der Verkehrssektor heute fast vollständig der Gemeinschaftsgesetzgebung unterliegt, kann für diesen Sektor gleichfalls von einer weitgehend ausschließlichen Gemeinschaftszuständigkeit ausgegangen werden.

Für den Bereich des **geistigen Eigentums** erkennt der EuGH eine ausschließliche Gemeinschaftszuständigkeit nur im Bereich der nachgeahmten Waren an, da hierauf Art 113 EGV anwendbar sei. In allen anderen Berei-

---

[13]) EuGH Rs 22/70 – AETR – Slg 1971, 263.

chen sei eine ausschließliche Gemeinschaftszuständigkeit nur insoweit begründet, als eine Harmonisierung durchgeführt worden sei. Dies ist gegenwärtig aber nur in einigen wenigen Bereichen (zB Computersoftware, europäisches Markenrecht) der Fall. Im übrigen erklärt der EuGH auch für den Bereich des geistigen Eigentums, daß sich Gemeinschaft und Mitgliedstaaten die Zuständigkeit teilen, da die Gemeinschaft zwar tätig werden könne (und dadurch ausschließliche Zuständigkeit erlange), aber solange dies nicht geschehen sei, den Mitgliedstaaten eine Zuständigkeit verbleibe. Diese sei allerdings keine „domaine réservé" der Mitgliedstaaten, sondern die Ausübung der Zuständigkeit für diesen Bereich geteilter Kompetenzen bedürfe einer Vereinbarung zwischen der Gemeinschaft und ihren Mitgliedstaaten, um eine kohärente Ausübung der jeweiligen Zuständigkeiten zu ermöglichen.

Hiermit wird die praktische Ausgestaltung der Arbeitsverteilung zwischen der Gemeinschaft und ihren Mitgliedstaaten in der WTO auf eine Vereinbarung geschoben, die noch ausgearbeitet werden muß. Es ist schwer vorstellbar, daß eine solche Vereinbarung anders aussehen könnte als die, die bei Abschluß der Tokio-Runde getroffen wurde und die im übrigen bei der Fortführung der Verhandlungen über bestimmte Dienstleistungssektoren (wie Basis-Telekommunikationsdienste, Seetransport, Finanzdienstleistungen und Personenbewegungen) entsprechend angewandt wird. Damit ist zu erwarten, daß in der Praxis das Auftreten der Gemeinschaft der schon bewährten Formel entsprechen wird, wonach die Kommission die Sprecherrolle übernimmt und die Mitgliedstaaten nur ganz ausnahmsweise (in der Praxis nie) das Wort ergreifen, wenn eine Debatte in den WTO-Organen stattfindet.

Fraglich bleibt allerdings, inwieweit diese praktische Vereinbarung auch von anderen WTO-Mitgliedern anerkannt wird und wie sie durchgeführt werden soll, wenn es im Rahmen der WTO zu Streitbeilegungsverfahren kommt. Dies betrifft die Rolle der Gemeinschaft als Klägerin und als Beklagte in den von der WTO neu erfaßten Bereichen (Dienstleistungen, geistiges Eigentum, Investitionen). Da dies über die rechtliche Beurteilung hinausreicht, enthält jede Äußerung zu dieser Frage ein Element der Spekulation.

Es hat sich im Rahmen des GATT in der Vergangenheit gezeigt, daß es letztlich sowohl im Interesse der Gemeinschaft als auch im Interesse der Drittstaaten liegt, wenn die Gemeinschaft in Streitbeilegungsverfahren als eine Einheit auftritt. Dies hat vielerlei Gründe, von denen hier nur einige beispielhaft herausgegriffen werden sollen. Soweit die Gemeinschaft die klagende Partei ist, liegt die Entscheidung zum gemeinsamen Auftreten zunächst bei ihr selbst. Im Rahmen des GATT ist die **Aktivlegitimation der Gemeinschaft** niemals bestritten worden. Es ist kaum zu erwarten, daß sich dies in der WTO ändern wird. Aus der Sicht der Drittländer ist die Zuständigkeitsverteilung innerhalb der Gemeinschaft schwer zu durchschauen; soweit die Gemeinschaft selbst aktiv wird, müssen die Drittländer davon ausgehen, daß eine Gemeinschaftszuständigkeit vorliegt. Sie werden daher die Aktivlegitimation nicht bestreiten. In der Gemeinschaft kann es in Zukunft eher zu Auseinandersetzungen über die Aktivlegitimation der Gemeinschaft kommen als in der Vergangenheit, soweit es sich um Streitigkeiten handelt, deren Gegenstand nicht in der ausschließlichen Gemeinschaftszuständigkeit liegt. Es ist aber zu beachten, daß die Streitbeilegungsregeln der WTO zur Durchsetzung der Entscheidungen des Streitbeilegungsorgans die Möglichkeit vorsehen, Konzessionen in Bereichen zurückzunehmen, die nicht den Streitgegenstand bilden. (Gewinnt zB ein WTO-Mitglied ein Streitbeilegungsverfahren im Bereich der Dienstleistungen, dann kann es zur Durchsetzung seiner Ansprüche die Erlaubnis erhalten, Konzessionen im Bereich der Warenzölle zurückzuziehen, also Strafzölle zu erheben.) Da die Zuständigkeiten der Mitgliedstaaten den Bereich des Warenhandels nicht umfassen (hier gibt es eine ausschließliche Gemeinschaftskompetenz), haben sie normalerweise kein Interesse daran, selbst Kläger in einem Streitbeilegungsverfahren zu werden, da die Durchsetzbarkeit der Ansprüche dann gefährdet wäre, weil ihnen Sanktionen im Bereich der Warenzölle nicht zur Verfügung stehen.

Auch in der **Beklagtenrolle** wird man voraussichtlich in Zukunft weiterhin allein die Gemeinschaft (und nicht die Mitgliedstaaten) vorfinden. Einerseits gilt auch hier, daß für Drittländer die Zuständigkeitsverteilung zwischen der Gemeinschaft und ihren Mitgliedstaaten schwer zu durchschauen ist, sodaß die Drittländer sicherheitshalber lieber die Gemeinschaft verklagen. Diese hat ihrerseits niemals zu ihrer Verteidigung ihre Unzuständigkeit vorgetragen, selbst in Fällen, in denen ausschließlich Maßnahmen der Mitgliedstaaten Streitgegenstand waren (so zB im ersten sog „Bananen-Panel", das mengenmäßige Einfuhrbeschränkungen in fünf Mitgliedstaaten der Gemeinschaft betraf). Schließlich sehen die Drittstaaten auch einen Vorteil darin, soweit sie sich überhaupt zum Vorgehen in einem multilateralen Zusammenhang entschließen, die Gemeinschaft für das Verhalten einzelner Mitgliedstaaten verantwortlich zu machen, da sie dann hoffen können, daß die Gemeinschaft selbst und die anderen Mitgliedstaaten ihren Einfluß im Sinne einer flexibleren Haltung des Mitgliedstaates geltend machen werden, der die umstrittene Maßnahme ergriffen hat. Die Gemeinschaft ist bei den Drittländern als Garant einer Kompromißlösung bekannt, in der extreme Positionen von Mitgliedstaaten sich nur schwer durchsetzen lassen.

4. Zusammenfassung

Die Rolle der Gemeinschaft in der WTO ist sowohl für das äußere Erscheinungsbild der Gemeinschaft als auch für ihren inneren Zusammenhalt von nicht zu unterschätzender Bedeutung. Unter den internationalen Organisationen ist die WTO diejenige, die die größten Überschneidungen mit dem Kernbereich der Gemeinschaftstätigkeit aufweist. Die Gemeinschaft muß daher in der WTO eine wichtige Rolle spielen, wenn sie Wert auf eine Einbindung in den internationalen Kontext legt. Angesichts des vielbeschworenen Bedeutungszuwachses des Welthandels kann an der Notwendigkeit hierfür kein Zweifel bestehen. Andererseits ist die Bedeutung Europas als wichtiger Handelspartner (neben den USA und Japan) nur auf Gemeinschaftsebene, nicht auf nationaler Ebene zu verteidigen. Es handelt sich hier um die deutlichste Demonstration dessen, was die Gemeinschaft erreichen kann, wenn sie geschlossen auftritt. Insoweit ist die Rolle der Gemeinschaft in der WTO gleichzeitig der Kitt für ihren inneren Zusammenhalt, da es keinen Zweifel geben kann, daß einzelne Mitgliedstaaten nicht in der Lage wären, in den Verhandlungen mit anderen WTO-Mitgliedern ähnliche Ergebnisse zu ihrem

Vorteil zu erzielen, wie die Gemeinschaft es vermag. Insoweit ist die Gemeinschaft der Garant für eine Fortführung der wesentlichen Rolle, die Europa im Rahmen der Uruguay-Runde spielen konnte. Dennoch ist und bleibt die Gemeinschaft ein einzigartiges Gebilde, dessen innerer Zusammenhalt nicht ohne weiteres auf Dauer gewährleistet ist und das daher immer wieder eine gewisse Selbstbestätigung benötigt, um die Legitimation für ihren Fortbestand aufrecht zu erhalten.

Anhang 1: Organisatorischer Aufbau der WTO

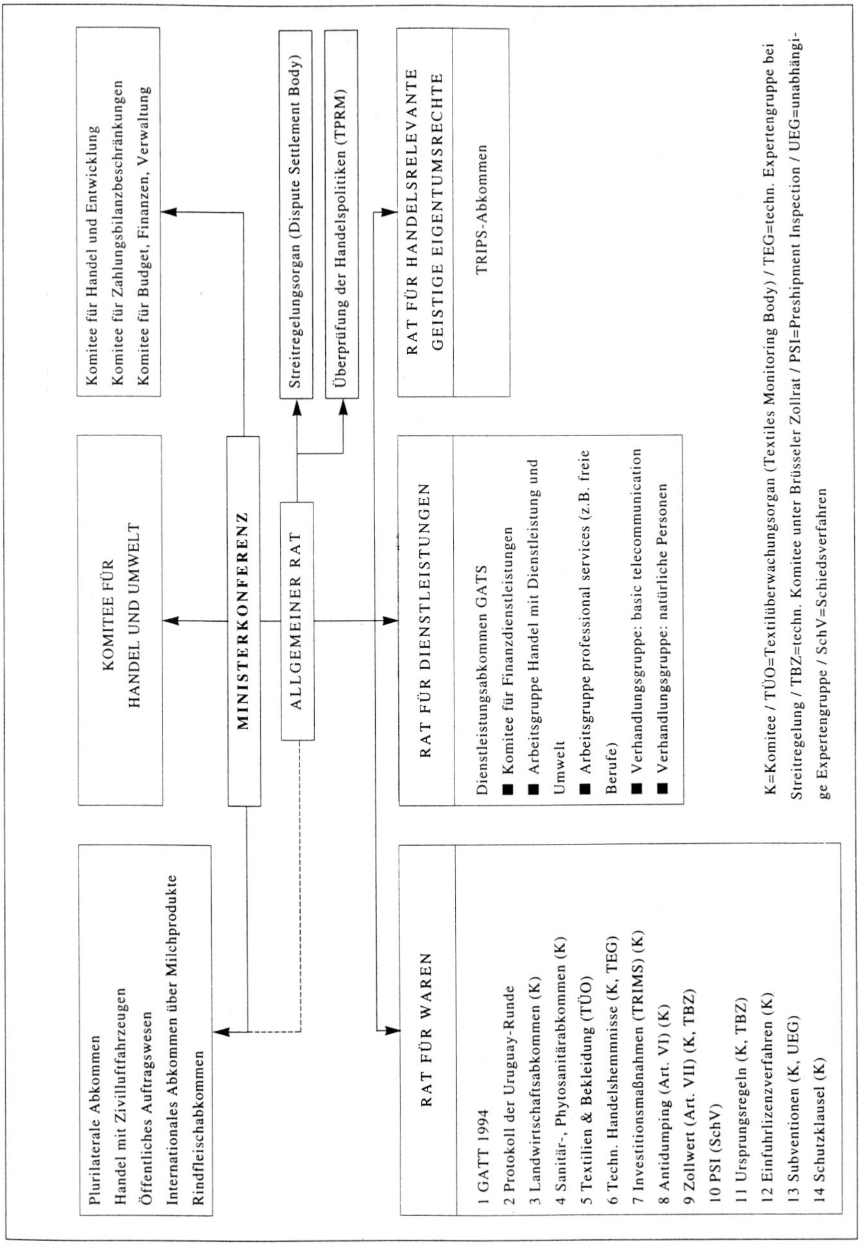

5. KAPITEL

Die EU und die USA

Astrid Schomaker und *Dirk Detken*

Übersicht:

A. Einleitung

Die Beziehung zwischen der EU und den USA ist die wichtigste bilaterale Beziehung der Welt – so oder ähnlich läßt sich das Ergebnis vieler Analysen des transatlantischen Verhältnisses zusammenfassen. Uneinigkeit setzt allerdings schnell ein, wenn es darum geht, das Wohlergehen der Beziehung zu bewerten. Hier reicht das Spektrum der Meinungen ungefähr von „nie wirklich gut und zunehmend schlechter" bis zu „gut und immer besser". Hintergrund dieser Divergenz ist zweifellos die Komplexität der transatlantischen Beziehungen, die ganz unterschiedliche Ansatzpunkte zur Bewertung bietet. Es gibt in der Tat kaum einen Politikbereich, in dem die EU und die USA nicht zusammenarbeiten oder doch zumindest Meinungen und Informationen austauschen. Wer die transatlantische Zusammenarbeit im Bosnienkonflikt zum Ansatzpunkt der Einschätzung nimmt, muß zu einem anderen Ergebnis gelangen als der Beobachter transatlantischer Handelsströme. Wer sich auf das Engagement der USA im pazifischen Raum konzentriert, verliert leicht den Blick für den transatlantischen Handel, der nichts an Bedeutung eingebüßt hat und für dessen weitere Entwicklung positive Prognosen erstellt werden.

Daß das Verhältnis zwischen der EU und den USA insgesamt gesehen besser ist, als es sich in einigen Bereichen erweist, wird auf den folgenden Seiten deutlich. Ist demnach keine transatlantische Malaise zu konstatieren, so führt jedoch auch kein Weg an der Erkenntnis vorbei, daß „im europäisch-amerikanischen Verhältnis das Ende der Selbstverständlichkeiten angebrochen" ist.[1]) Zwar ist durch das Ende des Kalten Krieges die transatlantische Partnerschaft nicht vom Zerfall bedroht, doch erfordern die geänderten ökonomischen und politischen Rahmenbedingungen, daß ihr eine neue Orientierung gegeben und das Bewußtsein für ihre fortdauernde Relevanz geschärft wird.[2]) Auch in Zeiten der Konzentration auf innenpolitische Fragen und regionale Integration bildet die enge wirtschaftliche Verflechtung von EU und USA zusammen mit den gemeinsamen historischen Wurzeln und dem gemeinsamen Glauben an den Wert demokratischer Institutionen hierfür eine solide Grundlage.

Schon die **wirtschaftliche Interdependenz** von EU und USA ist für sich genommen Grund genug, dem transatlantischen Verhältnis Aufmerksamkeit zu widmen. Von noch größerer Bedeutung ist allerdings die gemeinsame Verantwortung, die die EU und die USA aufgrund ihrer wirtschaftlichen und politischen Macht für die Sicherung globalen Wirtschaftswachstums und des Weltfriedens tragen. Nur eine funktionierende transatlantische Partnerschaft ist in der Lage, dieser Verantwortung Rechnung zu tragen und den sich ständig ändernden Herausforderungen der heutigen Zeit zu begegnen. Wie sehr sich die EU und die USA dieser Tatsache bewußt sind, zeigt nicht zuletzt die gegenwärtige Debatte über die Vertiefung und Konsolidierung ihrer Beziehungen.

B. Von der Gründung der EG bis zur Mitte der 90er-Jahre – ein kurzer Rückblick

1. Von der Gründung der EG bis zum Ende des Kalten Krieges

Basierend auf gegenseitigen Sicherheitsinteressen und beständig wachsendem transatlantischen Handel sind und waren die Beziehungen zwi-

---

[1]) *Weidenfeld,* Jenseits des Selbstverständlichen: Europa und USA brauchen einen Neubeginn, EA 1994, 365 (365).

[2]) Siehe dazu die Rede des für die Beziehungen zu den USA verantwortlichen Komissions-Vizepräsidenten Sir *Leon Brittan,* The EU-US Relationship: will it last?, gehalten am 27. April 1995 vor dem American Club of Brussels.

schen der EG (später der EU) und den USA – trotz einer nicht unerheblichen Reihe von Krisen – vor allem Beziehungen der Freundschaft und Zusammenarbeit.[3]) Mit dem Marschallplan legten die USA nicht nur den Grundstein für den wirtschaftlichen Wiederaufbau in Europa, sie war auch früh ein Förderer des europäischen Integrationsprozesses. 1957 trieben sie die Glaubwürdigkeit der noch jungen Europäischen Gemeinschaft voran, als sie diese als erste diplomatisch anerkannten und nur einen Monat nach Inkrafttreten der Römischen Verträge bereits eine eigene Vertretung in Brüssel eröffneten. Diese positive Grundeinstellung gegenüber der europäischen Einigung beruhte allerdings weniger auf Altruismus, als daß sie mit konkreten Erwartungen auf dem Gebiet der Sicherheits- und Wirtschaftspolitik verbunden war. Ein vereinigtes und damit starkes Europa erschien besser geeignet seinen Teil des gemeinsamen westlichen Sicherheitskonzeptes zu tragen und versprach ein vielversprechender Markt für US-Güter und -Dienstleistungen zu werden.

Vor diesem Hintergrund ist es nicht verwunderlich, daß die erste große Krise in den Beziehungen zwischen der EU und den USA in der zweiten Hälfte der 60er-Jahre hereinbrach, als der ehemalige „Juniorpartner“[4]) zu einem Konkurrenten herangewachsen war. Die EG begann, ihren Agrarmarkt mit einer protektionistischen Gemeinsamen Agrarpolitik vor Importen zu schützen, sie forderte die USA im Kampf um Marktanteile in Drittländern heraus und präsentierte sich als geschlossen auftretender und eigenwilliger Partner in der **Kennedy-Runde der GATT-Verhandlungen.** Auch auf dem Gebiet der Sicherheitspolitik sahen sich die Vereinigten Staaten enttäuscht, als die Gemeinschaft erste Ansätze eines eigenen sicherheitspolitischen Profils entwickelte und den USA die erwünschte Unterstützung im Vietnamkrieg versagte. Auch das französische Ausscheiden aus dem militärischen Arm der NATO ist Indiz für diese neue Eigenständigkeit.

Erst 1973 – die EG gewann nicht nur durch den Beitritt Großbritanniens, Irlands und Dänemarks an Gewicht, sie machte auch erste Schritte in Richtung einer gemeinsamen Außenpolitik im Rahmen der 1969/70 vereinbarten Europäischen Politischen Zusammenarbeit – ging von der US-Seite eine neue diplomatische Initiative aus. Nach einigen Jahren der Vernachlässigung der transatlantischen Beziehungen rief die Nixon-Regierung das „Year of Europe“ aus. Eine **„Atlantische Charta“** sollte die Basis der neuartigen transatlantischen Beziehungen sein, die sich ua durch verstärkte und intensivierte bilaterale Konsultationen auszeichnen sollten. Trotz dieser attraktiven Verpackung offenbarte dieser Vorschlag vor allem den Wunsch der USA weiterhin Einfluß auf die in Europa betriebene Außenpolitik zu behalten. Dies wurde auf europäischer Seite schnell erkannt und die Antwort auf die US-Initiative war durch wenig Begeisterung gekennzeichnet. Eine offizielle Ant-

---

[3]) Einen herausragenden Überblick über die EG-US-Beziehungen zwischen 1948–1986 bietet *Ginsberg,* Foreign Policy Actions of the European Community, The Politics of Scale 136ff.

[4]) *Krenzler,* The dialogue between the European Community and the United States of America: present form and future prospects, in *Schwarze* (Hg) The External Relations of the European Community, in particular EC-US relations (1989) 94.

wort ließ bis Juni 1974 auf sich warten. Auf ihrem informellen Treffen in Gymnich bevollmächtigten die europäischen Außenminister die jeweilige Präsidentschaft, von Fall zu Fall befreundete Regierungen zu konsultieren. In der Folge dieser Entscheidung nahmen die transatlantischen Kontakte zu, ohne allerdings etwas an den erheblichen Divergenzen in wichtigen außenpolitischen Fragen zu ändern. In den siebziger Jahren zeigten die EG und die USA aber auch, wie sie außenpolitisch erfolgreich kooperieren können, wenn sie beide an einem Strang ziehen. Die Unterzeichnung der KSZE-Schlußakte 1975 ist hierfür ein Beispiel.

Der Beginn der 80er-Jahre ging zunächst mit einer Verschlechterung der EG-US Beziehungen einher. Besonders betroffen war der wirtschaftliche Bereich. Eine anhaltende Rezession auf beiden Seiten des Atlantiks veranlaßte sowohl die EG als auch die USA zu einer protektionistischen Wirtschaftspolitik. Die Folge waren zahlreiche **Handelskonflikte,** deren teilweise spektakuläre Namen wie „chicken war", „pasta war" oder „soja dispute" schon darauf hindeuten, daß sie sich primär im Agrarbereich abspielten. Die US-Politik bestand in einer grundsätzlich wohlwollenden Grundeinstellung, die in vehemente Angriffe umschlug, sobald US-Interessen durch die EG gefährdet wurden.[5]) In diesem Zusammenhang ist auch das Aufbegehren der amerikanischen Öffentlichkeit gegen das Weißbuch der Kommission zur Vollendung des Binnenmarktes[6]) zu sehen, in dessen Kontext das berühmte Schlagwort des „Fortress Europe" erstmals aufkam.

2. Das Ende der 80er-Jahre und die „Transatlantische Erklärung"

Das Ende der 80er-Jahre verlangte nach einer Neuorientierung der transatlantischen Beziehungen – ein Prozeß, der bis heute nicht abgeschlossen ist. Die dramatisch veränderte sicherheitspolitische Lage in Europa, die erfolgreich – vor allem als Ergebnis der Einheitlichen Europäischen Akte – voranschreitende europäische Integration, die Wiedervereinigung Deutschlands und nicht zuletzt die zentrale Rolle der EU für den Wiederaufbau Osteuropas konnten nicht ohne einschneidenden Einfluß auf die EU-US-Beziehungen bleiben. Was die Europäer aus den USA vernahmen, änderte sich erheblich und reflektierte nunmehr den Wunsch, daß Europa nicht gänzlich durch seinen eigenen Integrationsprozeß vereinnahmt werde, sondern auf der weltpolitischen Bühne eigene Verantwortung übernehmen sollte. Der damalige Präsident der USA *George Bush* erklärte im Mai 1989, daß trotz bestehender US-Bedenken gegen den Binnenmarkt ein „starkes Europa" auch ein „starkes Amerika" bedeuten würde. Er begrüßte Europa als weltpolitische Macht, „as a partner in world leadership", und verlangte nach neuen Mechanismen der Zusammenarbeit in globalen Themen.[7])

Dies spiegelte sich auch in der Rede des damaligen US-Außenministers *James Baker* vor dem Berliner Presseclub im Dezember 1989 wieder.

---

[5]) Vgl *Devuyst,* European Community Integration and the United States; Towards a New Transatlantic Relationship?, Journal of European Integration 1990, 5 (7).

[6]) KOM (85) 310.

[7]) Rede von Präsident *Bush* an der Universität Boston, USA Text, Public Affairs Office, US Mission to the European Union, 21. Mai 1989.

Baker forderte gemeinsame Anstrengungen, um in Vertrags- oder anderer Form maßgeblich verstärkte institutionalisierte Beziehungen zu erreichen.[8]) Vor dem Hintergrund des Rufs nach einer wahren Partnerschaft zwischen der EU und den USA, ausgesprochen schon Anfang 1989 von Kommissionspräsident *Jacques Delors,* fielen die Reaktionen in Europa recht enthusiastisch aus.

Die Erkenntnis, angesichts der beschleunigten europäischen Integration und den Umwälzungen in Osteuropa die gemeinsamen Beziehungen einer Überprüfung unterziehen zu müssen, führte auf beiden Seiten demnach zur gleichen Schlußfolgerung: Alleine in der Intensivierung der transatlantischen Beziehungen konnte die adäquate Antwort auf diese neuen Herausforderungen liegen.

Die verschiedenen Initiativen führten schließlich am 23. November 1990 zur Unterzeichnung der **Transatlantischen Erklärung**[9]). Als Grundsatzerklärung der transatlantischen Solidarität, in der die EU und USA gemeinsame Zielsetzungen festlegen, enthält sie die Rahmenbedingungen für bilaterale Konsultationen und Zusammenarbeit bei einer Reihe von globalen Herausforderungen (zB Integration von ökologischen und ökonomischen Zielsetzungen, Terrorismus und internationale Kriminalität).

Die Transatlantische Erklärung hat nie große Publizität erlangt und ist über einen kleinen Kreis von Experten kaum bekannt. Dennoch ist es diese Erklärung, die bis heute das Rückgrat der EU-US-Beziehungen bildet. Dies ist um so erstaunlicher als sie rechtlich gesehen unverbindlich ist und letztlich nur eine Ansammlung von Absichtserklärungen verkörpert. Dies steht in offensichtlichem Kontrast zu viel komplizierteren Vertragsverbindungen der EU mit den Ländern Mittel- und Osteuropas oder den AKP-Staaten. Es wäre jedoch ein Trugschluß, darin automatisch eine Schwäche der EU-US-Beziehungen zu sehen.

Eine Reihe von Erwägungen weist vielmehr auf das Gegenteil hin: Erstens ist die Transatlantische Erklärung durch eine Reihe von speziellen Abkommen ergänzt. Diese umfassen so unterschiedliche Bereiche wie zB Nuklearenergie oder auch Studentenaustauschprogramme. Zweitens leuchtet es ein, daß ohne rechtlichen Rahmen der Dialog über den Atlantik flexibler neu aufkommenden Erfordernissen angepaßt werden kann. In diesem Sinne enthält die Transatlantische Erklärung eine **„Evolutionsklausel"**, nach der die unterzeichnenden Parteien nicht nur die Konsultationsmechanismen vertiefen, sondern sie auch im Lichte der allgemeinen Entwicklung der transatlantischen Beziehungen überprüfen sollen. Drittens ist der G 7-Gipfel ein Beispiel für das Funktionieren von informellen Abmachungen. Auch ohne rechtliche Grundlage ist er ein bedeutungsvolles und funktionelles Instrument im Bereich der globalen Wirtschaftspolitik.

---

[8]) „A New Europe, a New Atlantism, Architecture for a New Era", Rede von US Secretary of State *James Baker* vor dem Berliner Presseclub. US Vertretung, Büro für öffentliche Angelegenheiten: USA Text, 12. Dezember 1989, auch Agence Europe Document Nr 1599 v 28. Februar 1990.

[9]) Transatlantic Declaration on EC-US Relations v 23. November 1990, EUROPE Documents Nr 1622 v 23. November 1990.

Gleichzeitig ist natürlich nicht zu leugnen, daß ein derart flexibles System abhängig von der aktuellen Entwicklung der allgemeinen EU-US-Beziehungen ist. Einer möglichen Krise ist es mehr oder weniger schutzlos ausgesetzt, ohne daß wie im Falle einer institutionalisierten Verbindung die Partner zum Dialog „gezwungen" werden. Allerdings ist diese Gefahr seit der Unterzeichnung der Transatlantischen Erklärung noch nie in einen Nachteil umgeschlagen, im Gegenteil haben sich mit ihr die bilateralen Beziehungen vertieft und ausgeweitet. Diese Feststellung wirft die Frage nach dem „Warum" auf. Was bringt und hält die EU und USA zusammen? Warum versuchen beide Seiten immer wieder einen partnerschaftlichen Weg zu finden? Der Schlüssel zu dieser Entwicklung liegt in gegenseitiger Abhängigkeit – politischer und wirtschaftlicher.

3. Die Herausforderung der 90er-Jahre

Die politische Herausforderung hat sich mit dem Ende des Kalten Krieges in erheblichem Maße verändert. War die Bedrohung durch den Ostblock über lange Jahre gewissermaßen der „Kitt" im europäisch-amerikanischen Verhältnis, entfiel mit ihrem Ende auch der Zwang, geeint aufzutreten. Es besteht damit die Gefahr, daß kleinere politische Querelen oder Handelskonflikte unverhältnismäßiges Gewicht erlangen und das transatlantische Klima trüben. Das Ende der Bipolarität hat es außerdem beiden Seiten erlaubt, neue Beziehungen zu anderen Partnern aufzubauen.

In diesem Zusammenhang ist die Sorge geäußert worden, die EU und die USA könnten sich voneinander abwenden. Als Indiz werden die verstärkten regionalen Integrationsbemühungen auf beiden Seiten des Atlantiks gesehen. Die USA fürchten dabei auch, daß die Europaabkommen mit den Mittel- und Osteuropäischen Staaten und die Abkommen mit den Baltischen Staaten ihnen den Zugang zu diesen Märkten erschweren werden. Demgegenüber verfolgt man in Europa aufmerksam das Engagement der USA in NAFTA,[10]) APEC[11]) und im Rahmen des FTAA.[12]) Zu verhindern, daß unter berechtigtem Interesse regionaler Integration die transatlantischen Beziehungen leiden, ist eine der politischen Herausforderungen, die bewältigt werden müssen. Es wäre fatal, wenn die EU oder die USA versuchen würden, sich gegenseitig regional auszuspielen und Drittländern den Eindruck vermittelten, sie müßten sich für den einen oder anderen alternativ entscheiden.

Nichtsdestoweniger ist dieFurcht vor einem Auseinanderdriften aber wohl unbegründet. Die USA fürchteten auch den Binnenmarkt und sind nun einer seiner größten Nutznießer. Auch die europäischen Befürchtungen des Jahres 1993, die USA könnten ihre Interessen auf den asiatisch-pazifischen Raum verlagern, sind in den USA nicht auf taube Ohren gestoßen. 1994 war eher ein „Jahr Europas",[13]) allerdings unter den veränderten Rahmenbedingungen einer aus-

---

[10]) North Atlantic Free Trade Agreement (USA, Kanada, Mexiko).

[11]) Asian-Pacific Economic Cooperation Forum (Australien, Neuseeland, Japan, Kanada, USA, Mexiko, Chile, Brunei, Indonesien, Malaysia, Philippinen, Singapur, Thailand, Süd-Korea, China, Taiwan, Hong Kong, Papua Neu Guinea).

[12]) Free Trade of the Americas Agreement.

[13]) Diesmal allerdings ohne den negativen Beigeschmack der 70er-Jahre.

gewogenen Partnerschaft zwischen der EU und USA.[14]) Zahlreiche Äußerungen von amerikanischen Regierungsvertretern belegen dies. Präsident *Bill Clinton* hat seine Sympathie für den europäischen Einigungsprozeß bekundet.[15]) Der ehemalige Staatssekretär im US-Handelsministerium *Jeffrey Garten* verdeutlichte unlängst, daß das geringere Wirtschaftswachstum in der EU verglichen mit den asiatischen Märkten im Verhältnis zum Umfang der Handelsbasis gesehen werden muß. Dh selbst das prognostizierte Wachstum von nur 3% in der EU führt zu einer Zunahme des Handelsvolumens vergleichbar der Neuerschließung eines Marktes von der Größe Taiwans.[16])

Genauso wie im wirtschaftlichen Bereich, ist man sich auf beiden Seiten des Atlantiks auch darüber klar, daß die gegenseitige politische Zusammenarbeit nichts an Bedeutung verloren hat und in Zukunft eine global stabilisierende Funktion ausüben muß. Die EU und USA haben weiterhin gemeinsame politische Interessen und Zielsetzungen von globaler Bedeutung, die ein abgestimmtes Vorgehen erfordern. Die Stabilisierung und Reform Mittel- und Osteuropas, Frieden auf dem Balkan, die weltweite Sicherung von Demokratie und Menschenrechten oder die Bekämpfung von weltweiter Umweltzerstörung und internationalem Verbrechen sind nur einige Beispiele, deren Umfang aber verdeutlicht, daß keine Seite allein ihrer Herr werden kann. Ist damit die politische Zusammenarbeit von EU und USA von gleichbleibend großer Bedeutung, so muß aber zugleich eingestanden werden, daß zumindest auf EU-Ebene – nicht zuletzt aufgrund der wenig effizienten Strukturen im Bereich der Gemeinsamen Außen- und Sicherheitspolitik – der politische Dialog noch viel zu wünschen übrig läßt.[17]) Es ist daher heute in erster Linie die enge wirtschaftliche Interdependenz, die das Verhältnis von EU und USA kennzeichnet und die gewissermaßen zum „Anker" der transatlantischen Beziehungen geworden ist.

C. EU und USA als Wirtschaftspartner

1. Handel und Investitionen – ein Überblick

Die transatlantischen **Handels- und Investitionsströme** suchen in der Weltwirtschaft ihresgleichen. Zwar ist die EU in den letzten Jahren auf Platz zwei auf der Liste der wichtigsten US-Märkte abgerutscht, sie war aber 1994[18]) noch immer Ziel von 22% aller US-Exporte und Quelle von 16% aller Importe. Umgekehrt gingen 18% aller EU-Exporte in die USA, und 17% aller Importe stammten von dort.

[14]) Das jeweilige Interesse der USA am asitisch-pazifischen Raum bzw. an Europa wird im einzelnen dargestellt bei *Schweigler,* Die USA zwischen Atlantik und Pazifik, unveröffentlichtes Manuskript, Stiftung Wissenschaft und Politik, Ebenhausen, Oktober 1994.

[15]) Vgl auch *Frellesen/Ginsberg,* EU-US Foreign Policy Cooperation in the 1990s, 7–8.

[16]) Vgl „The United States and Europe: New Opportunities, New Strategies" Rede von *Jeffrey E. Garten* vor der US Handelskammer in Brüssel, 25. April 1995.

[17]) Siehe dazu auch unten D.

[18]) Geschätzte Zahlen auf Basis der Monate Jänner bis Oktober 1994.

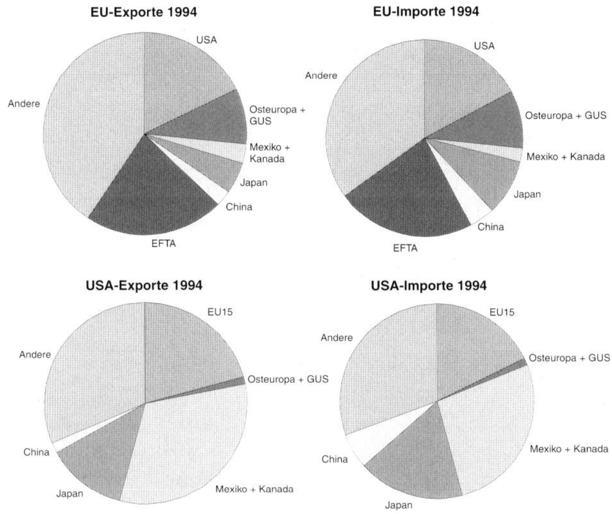

Quelle: OECD Quelle: OECD

In absoluten Zahlen deutete sich für 1994 ein weiteres Anwachsen des transatlantischen Handels an, der mittlerweile rund 190 Mrd ECU[19]) erreicht hat. Bemerkenswert ist dies insbesondere, weil diese Bilanz fast ausgeglichen, dh für beide Seiten gleich profitabel ist.

Im Bereich der ausländischen **Direktinvestitionen** sind die Zahlen noch beeindruckender. Die von EU-Unternehmen in den USA getätigten Direktinvestitionen beliefen sich 1993 auf 238 Mrd $, dies entspricht 56% aller ausländischen Direktinvestitionen in den USA. Umgekehrt investierten US-Unternehmen 225 Mrd $ in die EU, das sind 42% aller getätigten Fremdinvestitionen.

Die wirtschaftliche Bedeutung dieser Investitionen ist erheblich.[20]) In den USA bieten europäische Unternehmen zum Beispiel drei Millionen Arbeitsplätze, bei denen das amerikanische Durchschnittseinkommen um 19% überschritten wird. Diese Unternehmen zahlten 1991 7 Mrd $ an Körperschaftssteuern und investierten weitere 7,7 Mrd $ in Forschung und Entwicklung.[21]) US-Unternehmen in Europa verschaffen den USA Erträge in Höhe von ca 800 Mrd $ pro Jahr; das entspricht etwa 13% des amerikanischen Bruttosozialprodukts.[22])

Diese Zahlen sind Beleg für die intensive wirtschaftliche Verflechtung von EU und USA. Eine weitere Intensivierung der transatlantischen Wirt-

---

[19]) Quelle: Progress Report on EU-US Relations, Nr 6, Veröffentlichung der Europäischen Kommission. Diese Zahlen werden noch beeindruckender, wenn man das Volumen der Dienstleistungen von ca 250 Mrd ECU hinzuzieht.

[20]) Quelle: Survey of Current Business, US Department of Commerce, August 1994; zuverlässige Zahlen für 1994 lagen bei Drucklegung noch nicht vor.

[21]) *Gaster/Prestowitz,* Shrinking the Atlantic: Europe and the American Economy (1994).

[22]) FN 21.

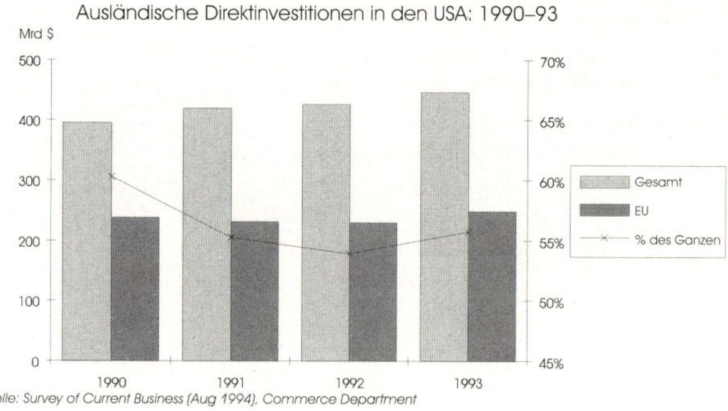

Quelle: Survey of Current Business (Aug 1994), Commerce Department

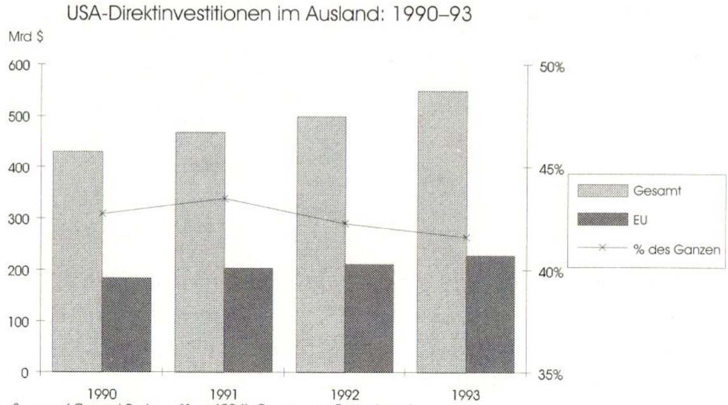

Quelle: Survey of Current Business (Aug 1994), Commerce Department

schaftsbeziehungen ist zu erwarten. Für diese Einschätzung ist neben der Rückbesinnung der USA auf die Bedeutung der EU als Handelspartner vor allem der erfolgreiche Abschluß der GATT-Verhandlungen im Rahmen der Uruguay-Runde von ausschlaggebender Bedeutung.

Die positiven Auswirkungen der **Uruguay-Runde** auf die Handelsbeziehungen von EU und USA sind vielfältig und zum gegenwärtigen Zeitpunkt teilweise erst im Ansatz erkennbar. Sie wird nicht nur zu einer weiteren Senkung der Zölle, die die EU und die USA auf die jeweiligen Importe der anderen Seite erheben, führen (die USA haben sich zu einer Senkung der Importzölle auf EU-Produkte um ca 46% verpflichtet, während die EU ihre auf US-Importe erhobenen Zölle um rund 50% senken wird[23])), sondern ihre Bedeutung liegt vor allem darin, daß sie dem internationalen Handel und damit auch dem EU-USA-Handel eine breitere und solidere Basis bietet. Über die Erfassung neuer Bereiche wie des geistigen Eigentums oder der Dienstleistungen hinaus bilden insbesondere die strengen Regeln der Welthandelsorganisation zur Streitbeilegung einen Rahmen, innerhalb dessen mögliche zukünftige Dispute der beiden größten Handelspartner der Welt kontrollierbarer geworden sind. Für das Verhältnis von EU und USA ist daneben von herausragender Bedeutung, daß nun erstmals auch der Agrarsektor diesen strengeren Regelungen unterliegt. Wie oben bereits angesprochen, waren es

[23]) Beginnend am 1. Januar 1995 werden diese Senkungen über einen Zeitraum von 5 bis 10 Jahren umgesetzt werden.

in der Vergangenheit zumeist Streitigkeiten über Agrarprodukte, die die Partner an den Rand von Handelskriegen trieben oder die sogar zur Verhängung von Sanktionen durch die USA führten. Mit ihrem berühmten „Blair House"-Übereinkommen erzielten EU und USA hier entscheidende Fortschritte im Bereich der Exportsubventionen, der internen Stützungsmaßnahmen, des Marktzugangs und der sanitären und phytosanitären Maßnahmen.

Für die künftige Zusammenarbeit von EU und USA im allgemeinen ist schließlich das psychologische Moment der Uruguay-Runde von Bedeutung: Erfolg stellte sich immer erst dann ein, wenn Europäer und Amerikaner an einem Strang zogen – ein Beweis für das Potential der transatlantischen Kooperation.

2. Einige Probleme im Handel mit den USA

In Anbetracht der oben geschilderten engen Wirtschaftsbeziehungen erstaunt es kaum, daß transatlantischer Handel und Investitionen von Zeit zu Zeit mit Problemen konfrontiert werden. Einige Charakteristika US-amerikanischer Gesetzgebung, die im folgenden näher erörtert werden, haben in Vergangenheit und Gegenwart immer wieder zu Unstimmigkeiten Anlaß gegeben. Die Stichwörter **Unilateralismus** und **Extraterritorialität** sind in dieser Beziehung „Klassiker"; zu ihnen gesellen sich vor allem Beschränkungen durch die exzessive Auslegung von Bestimmungen zum Schutz der nationalen Sicherheit, durch eine unzureichende Öffnung des öffentlichen Auftragswesens und durch ein sehr unübersichtliches Standardisierungsverfahren.[24])

a) US-Unilateralismus

Bestimmungen in der US-amerikanischen Handelsgesetzgebung, die die Regierung zu einseitigen Sanktionen oder Vergeltungsmaßnahmen gegen Handelspartner (Staaten, natürliche oder juristische Personen) ermächtigen, finden sich mehrfach. Diese Regeln sind einseitig, weil sie ohne Bezugnahme – und manchmal ohne Rücksicht – auf multilaterale Regeln (zB Streitbeilegung durch die WTO), ihre Rechtsgrundlagen allein im nationalen Recht der USA finden und ihre politische Legitimation auf einer einseitigen Einschätzung durch die USA beruht. Die „Section 301" und ihr verwandte Vorschriften sind insoweit Paradebeispiele. Sie ermöglichen es der amerikanischen Regierung, mit **Handelssanktionen** zu drohen oder diese zu verhängen, um solche Praktiken von Drittstaaten zu bekämpfen, die sie für diskriminierend oder nicht rechtfertigbar hält und die den Handel der USA belasten oder einschränken. Es ist klar, daß eine derartige Politik die weltweiten Handelsregeln und die multilateralen Streitbeilegungsmechanismen der Welthandelsorganisation(WTO) untergräbt. Darüber hinaus werden die betroffenen Staaten dazu verleitet, quid pro quo Maßnahmen zu treffen.

Allerdings ist der mögliche Anwendungsbereich für einseitige Handelsgesetze durch das Inkrafttreten der **WTO** erheblich verringert worden. Wie

[24]) Einen Überblick zu diesem Thema bietet der jährlich von der Kommission herausgegebene „Report on United States Barriers to Trade and Investment", zuletzt erschienen im Juli 1995.

alle anderen WTO-Mitglieder ist die USA nun durch internationales Recht verpflichtet sicherzustellen, daß ihr Recht im Einklang mit den unter der Uruguay-Runde eingegangenen Verpflichtungen steht. Zu diesen Verpflichtungen zählt auch Art XXIII GATT der „Vereinbarung über Regeln und **Verfahren für die Streitbeilegung**“, der festlegt, daß kein Mitgliedstaat alleine entscheiden kann, ob ihm zustehende Rechte verletzt worden sind, sondern daß diese Entscheidung Aufgabe der Streitbeilegung ist. Damit ist ein theoretisch wirksames Instrument gegen unilaterales Vorgehen einzelner Mitgliedstaaten gegeben. Maßnahmen, die den Handel mit Gütern, Dienstleistungen oder geistigem Eigentum unilateral beschränken, sind eine Verletzung internationalen Rechts.

Zweifel an der Bereitschaft der USA, sich diesen Regeln zu unterwerfen, kamen im Frühjahr 1995, also unmittelbar nach Inkrafttreten der Uruguay-Runde, auf. Nach über zwanzig Monaten fruchtloser Verhandlungen mit dem Ziel, verbesserten Zugang zum japanischen Fahrzeug- und Fahrzeugteilemarkt zu erlangen, kündigten die USA an, Sanktionen in Höhe von fast 6 Mrd $ verhängen zu wollen. Nur durch ein buchstäblich in letzter Minute und unter dem Druck der bevorstehenden Handelsmaßnahmen erzieltes Übereinkommen gelang es den Japanern, diese noch abzuwenden. Zwar hat die amerikanische Politik somit ihr Ziel erreicht, der WTO und ihrer Glaubwürdigkeit wurde jedoch kein Dienst erwiesen. Auch gegen die EU führen die USA derzeit ein „Section 301“-Verfahren durch, in dessen Verlauf der amerikanische Handelsbeauftragte Kantor bereits vorläufig entschieden hat, daß die Bananenmarktpolitik der EU amerikanische Interessen beeinträchtigt. Es ist ein wesentliches Anliegen der EU, daß bei Aufrechterhaltung dieser Entscheidung keine einseitigen Sanktionen verhängt, sondern der Weg der WTO-Streitbeilegung beschritten wird.

b) Extraterritoriale Wirkungen von US-Gesetzen

Die extraterritoriale Anwendung von US-amerikanischer Handelsgesetzgebung ist mit dem Unilateralismus eng verbunden. Sie steht nicht nur mit den Souveränitätsrechten der Handelspartner in Konflikt, sondern führt vielfach auch zu erheblicher Rechtsunsicherheit, wenn zum Beispiel Unternehmen sich widersprüchlichen Rechtsanforderungen ausgesetzt sehen. Letzteres wirkt sich schnell negativ auf Handel und Investitionen aus. Es verstößt daneben gegen allgemein anerkanntes Völkerrecht, wenn durch extraterritoriale Maßnahmen eines Staates Gesetze oder gar eigene politische Entscheidungen eines anderen souveränen Staates übergangen werden.

Beispiele für die **extraterritoriale Anwendbarkeit amerikanischen Rechts** sind vielfach und in so unterschiedlichen Gebieten wie Lufttransport oder Umweltschutz zu finden. Ein anderer besonders markanter Fall ist der „Cuban Democracy Act 1992“. Er untersagt ua ausländischen Firmen, die von US-Unternehmen kontrolliert werden oder in deren Eigentum stehen, den Handel mit Kuba. Mit dem „Cuban Liberty and Democratic Solidarity Act“ (LIBERTAD) hat der US-Kongreß 1995 sogar versucht, das Embargo gegen Kuba noch zu erweitern. Die EU hat dagegen die Entschlossenheit, ihre Rechte im Rahmen der WTO geltend zu machen, deutlich zum Ausdruck gebracht. Dies hat in den USA offensichtlich zur Bereitschaft geführt, über die Anpassung des LIBERTAD an internationales Recht erneut nachzudenken. Es wäre allerdings wohl zu optimistisch, hierin eine grundsätzliche Abkehr der USA von der Praxis extraterritorialer Gesetzgebung zu sehen.

Auch die EU selbst hat in dieser Beziehung keine weiße Weste. Ihr voraussichtlich zum 1. Jänner 1997 in Kraft tretender Importbann für Felle und verarbeitete Produkte von bestimmten mit Hilfe von Tellereisen oder anderen „inhumanen" Fangmethoden gefangenen Tierarten[25]) setzt die EU genau der Kritik aus, die sie vielfach an den USA übt. Zwar ist die Tellereisen-Verordnung von durchaus lobenswerten Tierschutzinteressen motiviert, doch versucht sie diese mit den falschen – nämlich einseitigen – Methoden durchzusetzen. Daß sowohl die USA als auch die EU zu extraterritorialen Maßnahmen greifen, ist bedauerlich. Beide haben aufgrund ihrer Stellung als führende Handelsmächte eine herausgehobene Position in der WTO und sollten gerade in einem sensiblen Bereich wie der extraterritorialen Anwendung von Gesetzen größte Zurückhaltung üben und nicht versuchen, andere (schwächere) Nationen zur Übernahme des von ihnen als richtig Erkanntem zu zwingen.

c) Handelshindernisse aufgrund sog nationaler Sicherheitsbedenken

Ein weiteres Problem, das sich europäischen Unternehmen beim Marktzugang in den USA häufig stellt, ist das der extensiven Interpretation von an sich GATT-legalen Ausnahmebestimmungen zum Schutz der nationalen Sicherheit. Das Recht souveräner Staaten, ihre eigenen nationalen Sicherheitsinteressen zu schützen, ist heute fast allgemein anerkannt. Dennoch ist es im Interesse aller am Handel Beteiligten, daß von nationalen Schutzmaßnahmen vorsichtig und zurückhaltend Gebrauch gemacht wird. Es besteht die latente Gefahr, daß unter dem **Vorwand nationaler Sicherheitsbedenken** primär protektionistische Handelsbeschränkungen eingeführt werden. In den USA ist diese Gefahr besonders akut. Durch die Gleichsetzung von nationaler Sicherheit mit eigener wirtschaftlicher Stärke, wird die Definition der nationalen Sicherheit in mißbräuchlicher Weise ausgeweitet.

Betroffen von derartigen Beschränkungen sind vor allem Ex- und Importe bestimmter Produkte, das öffentliche Auftragswesen, insbesondere im Verteidigungsbereich, und Investitionen.

d) Öffentliches Auftragswesen

Das öffentliche Auftragswesen ist von besonderer Bedeutung für Unternehmen, die Zugang zum amerikanischen Markt suchen. Der teilweise Ausschluß europäischer Unternehmen von der Teilnahme an öffentlichen Ausschreibungen, insbesondere durch die sog „Buy-America"-Gesetzgebung, enthält ein erhebliches Konfliktpotential. Der Buy-America-Act aus

[25]) V 91/3254 des Rates zum Verbot von Tellereisen in der Gemeinschaft und Einfuhr von Pelzen und Waren von bestimmten Wildtierarten aus Ländern, die Tellereisen oder den internationalen humanen Fangnormen nicht entsprechende Fangmethoden anwenden.

dem Jahre 1933 in seiner geltenden Form enthält die Grundsätze einer Politik der Bevorzugung nationaler Produkte. Darunter fallen eine Reihe diskriminierender Maßnahmen, die die Anschaffungen der öffentlichen Hand betreffen und unter dem Begriff **„Buy-America"-Beschränkungen** zusammengefaßt werden.

Nach der internationalen Handelsrechtsdoktrin der USA setzt sich nationale Gesetzgebung – wie der Buy-America-Akt von 1933 – über internationale Verpflichtungen hinweg. Das bedeutet, daß US-Bestimmungen nur dann nicht gelten, wenn sie in Anwendung spezieller internationaler Verpflichtungen aufgehoben werden.[26])

Derartige Verpflichtungen enthalten sowohl das GATT (Government Procurement Code) als auch das im April 1994 zwischen der EU und den USA abgeschlossene bilaterale Abkommen zum Öffentlichen Auftragswesen. Dieses neue Abkommen beruht sowohl auf dem 1993 erzielten „Understanding on the liberalisation of procurement markets" als auch auf den im Rahmen der Uruguay-Runde erreichten Ergebnissen. Das bilaterale Abkommen stellt einen bedeutenden Durchbruch auf dem Weg zur vollständigen Liberalisierung der Auftragsmärkte dar und wird die Möglichkeiten, sich an staatlichen Ausschreibungen zu beteiligen, auf beiden Seiten fast verdoppeln. Dennoch gelten die erreichten Fortschritte nur für 37 der 50 amerikanischen Bundesstaaten und 7 der 24 größten Städte und nicht für alle Sektoren. Dabei ist aber nicht zu vergessen, daß auch US-Unternehmen in der EU keinen freien Zugang zur öffentlichen Auftragsvergabe haben.[27]) Dies betrifft vor allem den Telekommunikationssektor. Die dort weiterhin bestehende Diskriminierung von Unternehmen aus Drittländern hat die USA veranlaßt, partielle Sanktionen gegen bestimmte Mitgliedstaaten der EU zu erlassen.[28])

Der nächste Schritt aus Sicht der EU besteht nun darin, die Möglichkeiten der erreichten Vereinbarungen auszuschöpfen. Dies dürfte die „Buy-America"-Gesetzgebung ihrer diskriminierenden Auswirkungen in weiten Teilen berauben.

e) Technische Handelshemmnisse

Angesichts eines anwachsenden Umwelt- und Gesundheitsbewußtseins müssen Produkte auf dem US-Markt immer umfassenderen technischen Vorschriften entsprechen. Auch wenn diese Anforderungen nicht absichtlich den Marktzugang verbauen sollen, wirkt die Komplexität des amerikanischen Regelungswesens doch als strukturelles Handelshemmnis. Es ist zB nicht ungewöhnlich, daß Arbeitsausrüstungen sowohl den Anforderungen des amerikanischen Arbeitsministeriums, regionalen (einzelstaatlichen) und lokalen

[26]) Vgl hierzu: *Guth/Ketelsen/Lambsdorff,* Barriers to Trade and Investment in the US (1994).

[27]) Vgl RL 90/531 EWG (Sektorenrichtlinie) betreffend die Auftragsvergabe im Bereich der Wasser-, Energie- und Verkehrsversorgung sowie im Telekommunikationsbereich, ABl L 1990/297, 1.

[28]) Das Embargo besteht heute noch, richtet sich aber nicht gegen Spanien, Griechenland, Portugal und Deutschland, die die diskriminierenden Bestimmungen der Sektorenrichtlinie nicht anwenden.

(städtischen) **Sicherheitsstandards** sowie zusätzlichen Erfordernissen der Versicherungsgesellschaften Genüge leisten müssen – eine Situation, die aus Sicht eines ausländischen Anbieters leicht unüberschaubar wird.

Darüber hinaus ist eine klare Trennung zwischen Sicherheitserfordernissen und Qualitätserfordernissen oft schwer zu erreichen. Die Normierung beider liegt teilweise in der Hand ein und derselben Organisation. Dort, wo nationale Anforderungen ganz fehlen, können über Nacht neue Verhältnisse entstehen, wenn Versicherungsunternehmen aus Gründen der Produkthaftung neue Anforderungen stellen. In den USA gibt es mehr als 2700 staatliche und kommunale Behörden, die eigene Sicherheitsanforderungen für Produkte verlangen.

Ein besonderes Problem war die bisher geringe Anwendung internationaler Normen. Mit der Unterzeichnung des GATT-Übereinkommens über Technische Handelshemmnisse haben sich jedoch alle Mitglieder zur vermehrten **Anwendung internationaler Normen** verpflichtet. Dies liegt auch im Interesse der USA, denn auch amerikanischen Unternehmen ist der Marktzugang in die EU durch unterschiedliche Produktanforderungen erschwert. Die US-Seite beklagt vor allem die uneinheitliche Auslegung von bestehenden Vorschriften durch verschiedene Mitgliedstaaten, das teilweise Fehlen einheitlicher Vorschriften innerhalb der EU, Grauzonen zwischen einigen Vorschriften und unklare Auszeichnungsbestimmungen.

Das Übereinkommen über Technische Handelshemmnisse zielt zwar auf einheitliche Normen ab, gestattet es den Partnern aber dennoch in den Bereichen der Gesundheitsfürsorge, des Pflanzen- und Tierschutzes sowie des Umweltschutzes eigene Normen aufzustellen. Jede Norm soll auf ihre Proportionalität überprüft werden, dh sie darf nicht unnötig handelshemmend sein und muß nach neuesten wissenschaftlichen Erkenntnissen notwendig sein.

Das GATT-Abkommen ist damit eine hervorragende Basis, von der aus die technischen Handelshindernisse angegangen werden können.

3. Die Schaffung verbesserter Handelsbedingungen

Die obige Auflistung einiger wesentlicher Handelsprobleme zwischen der EU und den USA ist zwar nicht vollständig[29]), vermittelt aber einen Eindruck von der Art der Barrieren, die den transatlantischen Handel nach wie vor behindern. Entscheidend ist jedoch, daß die Probleme nicht sich selbst überlassen bleiben, sondern Thema eines Dialoges sind, in dem beide Seiten konstruktiv versuchen, zu einem beidseitig befriedigenden Einverständnis zu gelangen. Da beide erkannt zu haben scheinen, daß Informationsaustausch und Kompromißbereitschaft für sie wirtschaftlich am vorteilhaftesten sind, wird keines der angesprochenen Themen von der anderen Seite blockiert.

[29]) So beklagen die USA mit Blick auf den europäischen Markt ua das Fehlen eines einheitlichen Schutzes für geistiges Eigentum bzw die mangelnde Durchsetzung bestehender Normen, Investitionshemmnisse sowie einige protektionistische Züge des europäischen Agrarmarktes (Bananen, Ölsaaten, Hormone, Fleisch, Dosenfisch). Auch die Liste der von der EU monierten Handelshemmnisse läßt sich fortsetzen.

Während im Bereich des Unilateralismus und der Extraterritorialität weniger an der Wurzel als an den Symptomen angesetzt wird[30]), werden strukturelle Handelshemmnisse, wie sie insbesondere aus divergierenden Produktanforderungen entstehen, systematisch und auf breiter Ebene angegangen. Hier hilft die Erkenntnis, daß in einem derart intensiven Handelsfluß, wie dem transatlantischen, jede wirtschaftspolitische Initiative auf einer Seite zu einer Veränderung der Handelsbedingungen auf der anderen Seite des Atlantiks führt. Letztlich ist es im Interesse aller Beteiligten, auf beiden Seiten vergleichbare und berechenbare Handelsverhältnisse zu haben. Es geht nicht nur darum, Krisen zu bewältigen, sondern das gesamte Handelsklima möglichst fruchtbar zu gestalten. Infolgedessen ist seit 1990 ein stetiges Anwachsen transatlantischer Initiativen zur Handelserleichterung zu beobachten. Neben der Einführung eines Frühwarnmechanismus zur Vermeidung von Handelskonflikten[31]) sind drei Initiativen zukunftsweisend und verdienen besondere Aufmerksamkeit: Verhandlungen über die gegenseitige Anerkennung von Zertifizierungsverfahren[32]), die ordnungspolitische Zusammenarbeit[33]) und der Transatlantische Wirtschaftsdialog.[34])

a) Gegenseitige Anerkennung von Zertifizierungsverfahren

Ein bedeutender Kostenfaktor für Exporteure auf beiden Seiten des Atlantiks besteht in dem Erfordernis, die Einhaltung der **Produktvorschriften** (insbesondere im Sicherheits- und Umweltbereich) im Exportland bestätigen zu lassen. Insbesondere für kleine und mittlere Unternehmen bedeutet die unter Umständen mehrfach zu wiederholende Vorlage ihrer Produkte auf der jeweils anderen Seite des Atlantiks, gekoppelt mit der Unkenntnis über dortige Verfahrensvorschriften, oft eine erhebliche Belastung.

Nach zweijährigen Sondierungsgesprächen haben die EU und die USA im Frühling 1994 mit Verhandlungen über den Abschluß von Abkommen zur gegenseitigen Anerkennung von Prüfungsergebnissen und Zertifikaten begonnen. Solche Abkommen würden es Exporteuren ermöglichen, die Übereinstimmung ihrer Produkte mit den auf der anderen Seite des Atlantiks bestehenden Standards jeweils im Heimatmarkt überprüfen zu lassen und dort die entsprechenden **Zertifikationen** zu erhalten. Die gegenwärtigen Verhandlungen beziehen sich ua auf die Bereiche Telekommunikation, elektrische Sicherheit, Arzneimittel und medizinische Geräte. Sie sollten in Kürze abgeschlossen werden.

---

[30]) Hier wird zumeist nach Lösungen im Einzelfall gesucht; so werden zB die Auswirkungen der EU-Bananenmarktordnung auf die USA miteinander diskutiert und versucht, gemeinsame Lösungsmöglichkeiten zu finden. Gleichermaßen besteht ein Dialog mit der amerikanischen Regierung über bestehende oder geplante Maßnahmen im Zuge ihrer Kuba-Politik, oder die Einsetzung einer Arbeitsgruppe zur Ausarbeitung „humaner" Fangstandards wird besprochen, um die negativen Handelskonsequenzen der Tellereisen-Verordnung zu vermeiden.

[31]) Im Englischen „early warning".

[32]) Im Englischen „Mutual Recognition Agreement" (MRA).

[33]) Im Englischen „Regulatory Cooperation".

[34]) Im Englischen „Transatlantic Business Dialogue" (TABD).

b) Ordnungspolitische Zusammenarbeit

Die Idee, bereits auf der Ebene der Normsetzung zusammenzuarbeiten, geht noch einen Schritt weiter als die gegenseitige Anerkennung der Zertifizierungsverfahren. Sie stützt sich auf die Erkenntnis, daß viele Probleme mit denen EU- und US-Unternehmer in den jeweiligen Exportmärkten konfrontiert sind, nicht auf bewußtem Protektionismus der anderen Seite beruhen, sondern auf inländischen Sachzwängen oder unterschiedlichen rechtlichen Lösungsansätzen. Der Nachteil für den ausländischen Exporteur ist in diesen Fällen zufällige Nebenfolge.

Ordnungspolitische Zusammenarbeit ermöglicht der EU und den USA bei Problemen, die auf beiden Seiten einer Reglementierung bedürfen, aufeinander abgestimmte „kompatible" Lösungen zu erarbeiten. Damit wird die Entstehung neuer ungewollter Handelsbarrieren verhindert, denn der Unternehmer im transatlantischen Handel muß dann sein Produkt nicht mehr zwei verschiedenen Anforderungen entsprechend gestalten.

Die Bedeutung einer solchen Zusammenarbeit ist groß. Vor allem mittelständischen Unternehmen, denen oftmals die Kapazitäten fehlen, um ihre Produkte zwei verschiedenen Standards entsprechen zu lassen, würden damit neue Absatzmöglichkeiten eröffnet.

Die ordnungspolitische Zusammenarbeit ist auch deshalb von außerordentlicher Bedeutung, weil es sich hierbei um die einzige Form der Zusammenarbeit handelt, die es ermöglicht, ein Problem von Beginn an in seiner gesamten Komplexität kooperativ anzugehen – und sie verhindert bereits die Entstehung von Handelshindernissen, anstatt nur auf sie zu reagieren.

In dieser Hinsicht ist das bisher erreichte Ausmaß der Zusammenarbeit noch bedauernswert gering. Obwohl die Idee sowohl von der Europäischen Kommission als auch der US-Regierung unterstützt wird, ergaben sich Schwierigkeiten bei einer Reihe von Pilotprojekten, und die Idee wurde für gewisse Zeit nicht weiter verfolgt. In Teilen der US-Regierung ist deutlicher Widerstand auszumachen, da dort die Befürchtung besteht, die USA könnten in ihrem Anspruch auf souveräne Rechtsetzung verletzt werden. Ein gemeinsam von Europäischer Kommission und US-Regierung im Frühjahr 1995 ausgearbeitetes Papier betont denn auch, daß es sich bei der **„regulatory cooperation"** um eine freiwillige Zusammenarbeit handelt, die der Stärkung der wirtschaftlichen Verbindungen von EU und USA dient, es beiden Seiten aber nicht verwehrt, ihre legitimen Ziele in den Bereichen der Produktsicherheit, des Gesundheits-, Umwelt- und Verbraucherschutzes zu verwirklichen. In den Bereich der ordnungspolitischen Zusammenarbeit gehört auch das Bestreben, für eine ausreichende Übergangsphase bis zum Inkrafttreten neuer Gesetze bzw. Verordnungen zu sorgen, damit die Industrie auf der jeweils anderen Seite des Atlantiks genügend Zeit zur Umstellung auf die neuen Anforderungen oder Bedingungen hat.

c) Der Transatlantische Wirtschaftsdialog

Komissionsvizepräsident Sir *Leon Brittan,* Kommissar *Martin Bangemann* und US-Handelsminister *Brown,* brachten Ende 1994 die Idee eines von der privaten Wirtschaft geführten Transatlantischen Wirtschaftsdialogs ins Rollen. Ziel dieses Dialoges ist, der Privatwirtschaft auf beiden Seiten des Atlantiks ein Forum zu bieten, in dem die Kernprobleme des transatlantischen Handels identifiziert werden können. Eine solche „Auflistung" der Probleme, die vom privaten Sektor auf beiden Seiten des Atlantiks als besonders dringend empfunden werden, wäre für die Europäische Kommission und die US-Regierung ein wertvoller Hinweis auf die Aktionsbereiche, die prioritär gemeinsame Anstrengungen zur Verbesserung verlangen.

In einem im Frühling 1995 an Unternehmen und Handelsverbände verschiedener Größenordnung versandten Brief der Initiatoren wurden die Unternehmen und Verbände in der EU und den USA dazu aufgefordert, eigene Ideen dazu beizusteuern, wie die transatlantische Zusammenarbeit auf wirtschaftlichem und industriellem Gebiet in Zukunft aussehen sollte.

Sowohl in der Europäischen Kommission als auch in der US-Regierung wurde mit Erstaunen festgestellt in welchem Maße sich die Antworten ähnelten, und daß Bereiche wie zB Standard bzw Normangleichung durch ordnungspolitische Zusammenarbeit, Unterstützung und Umsetzung der WTO sowie Zusammenarbeit bei der Erschließung von Märkten in Zentral- und Osteuropa ebenso wie in Asien, regelmäßig auf den „Wunschlisten" zu finden waren. Hier wird deutlich, wie sich der Dialog zu einem nützlichen Leitfaden für beide Seiten entwickeln könnte.

Noch allerdings steckt der **Transatlantische Wirtschaftsdialog** in seinen Kinderschuhen. Gegen Ende des Jahres 1995 fand in Sevilla ein Treffen der Kommissare *Brittan* und *Bangemann* sowie des US-Handelsministers *Brown* mit hochrangigen Wirtschaftsvertretern statt. Der vertiefte Informationsaustausch über die von der Wirtschaft identifizierten Themenbereiche bildete einen ersten Schritt zur verstärkten Orientierung der transatlantischen Wirtschaftspolitik auf die Bedürfnisse der Privatwirtschaft. Die vielen konkreten Vorschläge, die in Sevilla entwickelt wurden, sind nun auf beiden Seiten des Atlantiks sorgfältig zu prüfen.

D. EU und USA – Partner im außen- und sicherheitspolitischen Bereich

Im außen- und sicherheitspolitischen Bereich sind die Beziehungen der EU zu den USA durch eine weitgehend übereinstimmende Interessenlage und gemeinsame Zielvorstellungen geprägt. Wenn dennoch in der Öffentlichkeit häufig der Eindruck mangelnder Koordination entsteht, so liegt dies nicht zuletzt an einer Reihe von strukturellen Schwächen, die der Dialog trotz einer Vielzahl bestehender Konsultationsmechanismen aufweist. Die Bekämpfung dieser Mängel ist von vorrangigem Interesse für beide Seiten.

1. Außen- und sicherheitspolitische Zusammenarbeit – die Inhalte

Die außen- und sicherheitspolitische Zusammenarbeit zwischen der EU und ihren Mitgliedstaaten auf der einen und den USA auf der anderen Seite erstreckt sich über ein breitgefächertes Spektrum und erfaßt so unterschiedliche Bereiche wie Maßnahmen zur Stabilisierung Mittel- und Osteuropas oder humanitäre Hilfe am Horn von Afrika. Von den Medien kaum reflektiert, agieren die transatlantischen Partner in abgestimmter oder zumindest sich ergänzender Weise und tragen so zur Bewältigung verschiedenster globaler Herausforderungen bei. Dennoch zeigt der „Testfall Bosnien" die Grenzen des transatlantisch Machbaren mit erschreckender Deutlichkeit auf.

a) Sicherheitspolitik

Bei zunehmend verschwimmenden Grenzen zwischen Außen- und Sicherheitspolitik bleibt die Rolle der EU im letzteren Bereich nach wie vor weitgehend indirekt. So hat sie durch ihr Netzwerk von **Europaabkommen** mit den Staaten Mittel- und Osteuropas und den Verhandlungen zum Abschluß von Partnerschafts- und Kooperationsabkommen mit Rußland, der Ukraine und anderen GUS-Staaten wesentlich zur Stabilität dieses Raumes beigetragen. Die ebenfalls auf Spannungsabbau ausgerichtete amerikanische Politik hat gleichermaßen einen entscheidenden Beitrag zur Friedenssicherung in Gesamteuropa geleistet. Ein weiteres Beispiel für ein Gebiet, in dem die EU und die USA vergleichbare sicherheitspolitische Ziele verfolgen und ihre Politiken wechselseitig ergänzen, ist der **Mittelmeerraum.** Hier sind nicht nur die Abkommen der EU mit der Türkei, Zypern und Malta und die parallele Unterstützung der USA für die Zollunion der EU mit der Türkei oder die intensiven Bemühungen der USA zur Lösung des Zypernproblems zu nennen, sondern vor allem auch die intensive Zusammenarbeit im Bereich der Friedenssicherung in Nahost. Von der Öffentlichkeit weitgehend unbemerkt findet ein umfassender transatlantischer Meinungsaustausch zur Förderung des Nahost-Friedensprozesses statt. Praktische Probleme wie die Modalitäten der Errichtung einer Entwicklungsbank für die Region werden erörtert und Prioritäten künftiger Politik, wie zB die Probleme der Wasserversorgung, definiert.

Entscheidende Fragen im sicherheitspolitischen Bereich harren allerdings noch einer Lösung. US-Außenminister *Warren Christopher* machte in einer Rede Anfang Juni 1995 in Madrid deutlich, daß es der Wunsch der USA ist, eine umfassende Strategie der europäischen Sicherheit zu verfolgen, deren fünf Schlüsselelemente die Anpassung und Erweiterung der NATO, die Unterstützung des europäischen Integrationsprozesses und der Erweiterung der EU, die Stärkung einer **europäischen Sicherheits- und Verteidigungsidentität** in Ergänzung zur NATO und die Einbindung Rußlands in die europäische Sicherheitsstruktur sind.[35]) Die so definierten Schwerpunkte der amerikanischen Politik entsprechen den Interessen der EU, wenn auch im Einzelfall Divergenzen, so beispielsweise zur Rolle Rußlands, bestehen. Mit der Festlegung eines derartigen Zielkatalogs ist allerdings noch nicht mehr als ein erster Schritt getan, denn wie genau die zu stärkende europäische Sicherheitsidentität aussehen soll oder wie die komplizierten Fragen im Zusammenspiel von EU- und NATO-Erweiterung zu lösen sind, dazu bestehen derzeit auf beiden Seiten des Atlantiks noch keine genauen Vorstellungen.

---

[35]) Siehe hierzu die Rede *Warren Christophers* „Charting a transatlantic agenda for the 21st century" in der Casa de America, Madrid, 2. Juni 1995.

Jedenfalls steht fest, daß jede künftige EU-Erweiterung Konsequenzen für **WEU und NATO** haben kann. Nach einer im Anhang zum EU-Vertrag befindlichen Erklärung[36]) sind EU Mitgliedstaaten „eingeladen, der WEU ... beizutreten oder falls sie dies wünschen, Beobachter zu werden". Die USA haben darauf hingewiesen, daß für sie die Mitgliedschaft in der WEU nicht zur NATO-Mitgliedschaft quasi durch die Hintertür führen darf; de facto bedeutet dies, daß Mitgliedschaft in der WEU NATO-Mitgliedschaft voraussetzt – eine einleuchtende Forderung der Amerikaner, zumal sich nach Artikel V des Brüsseler Vertrages zur Gründung der NATO die NATO-Sicherheitsgarantien auf WEU-Mitgliedstaaten erstrecken, für deren Durchsetzung die WEU nicht zuletzt aufgrund des Fehlens eigener militärischer Schlagkraft aber wiederum auf die NATO zurückgreifen muß. Die erwähnte Option des Beobachter-Status bietet hier einen denkbaren Ausweg und zeigt, daß eine Trennung der verschiedenen Erweiterungsprozesse möglich ist.

Die Rolle der Regierungskonferenz 1996 wird in diesem Zusammenhang besonders deutlich. Schon in Artikel J.4 EU-Vertrag ist die Entwicklung der WEU als Verteidigungskomponente der Union und als Mittel zur Stärkung des europäischen Pfeilers innerhalb der NATO angelegt. Dies wird in einer weiteren dem EU-Vertrag angefügten Erklärung ausgeführt. Die Definition von Wegen zur Integration der WEU in die EU, um so zur Schärfung des **europäischen Sicherheitsprofils** und zur Verbesserung der Operationalität sicherheitspolitischer Maßnahmen beizutragen, ist eine wichtige Aufgabe der Regierungskonferenz, die sich zugleich auch der Frage des künftigen Verhältnisses von WEU und NATO widmen muß. Es ist leicht ersichtlich, daß die Lösungsfindung in diesen Bereichen das Herz amerikanischer Sicherheitsinteressen berührt. Ohne daß den USA damit ein „Sitz am Verhandlungstisch" eingeräumt werden soll, leuchtet ein, daß Wege zur Abstimmung der sich im Rahmen der Regierungskonferenz entwickelnden europäischen und der amerikanischen Position gefunden werden müssen.

b) Außenpolitik

Wie die sicherheits- ist auch die außenpolitische Zusammenarbeit von EU und USA in der **Transatlantischen Erklärung** angelegt. In den ersten beiden Jahren nach ihrer Verabschiedung hat sich der transatlantische politische Dialog maßgeblich intensiviert und auf neue Bereiche ausgedehnt. Konsultationen zwischen den Troika-Arbeitsgruppen der EPZ und dem stellvertretenden amerikanischen Außenminister bzw den regional oder funktional zuständigen Staatssekretären haben sich während des genannten Zeitraums verdoppelt[37]) und erstrecken sich ua auf Terrorismus, die Nichtverbreitung von Kernwaffen, UN- und OSZE-Fragen, Mittel- und Osteuropa, Rußland, die Ukraine, die GUS, die Mahgreb-Staaten, den Nahen Osten sowie Afrika, Asien und Lateinamerika.

---

[36]) Erklärung II zur WEU von Belgien, Deutschland, Spanien, Frankreich, Italien, Luxemburg, den Niederlanden, Portugal und dem Vereinigten Königreich, also denjenigen EU-Mitgliedstaaten, die zugleich Mitglied der WEU sind.

[37]) Vgl *Ginsberg*, Transatlantische Beziehungen, in: *Weidenfeld/Wessels* (Hg), Jahrbuch der Europäischen Integration 1992/93 (1993) 253 (254).

Zutreffend ist festgestellt worden, daß die schiere Breite des Dialogs wenig über seine Qualität aussagt.[38]) Vieles geschieht auf ad-hoc Basis und zu unsystematisch,[39]) der Inhalt des Dialoges besteht häufig mehr in der Reaktion auf aktuelles Tagesgeschehen als in der vorausschauenden Politikplanung und Koordination. Die Bilanz der außenpolitischen Zusammenarbeit von EU und USA fällt jedoch nicht nur negativ aus; sie hat vielmehr in einer bemerkenswerten Anzahl von Fällen zu koordiniertem oder doch sich gegenseitig ergänzendem Vorgehen geführt. In dem Maße, in dem die EU-Mitgliedstaaten ihrerseits ihre Zusammenarbeit im Rahmen der GASP intensivieren, wächst auch das Potential der transatlantischen Kooperation.[40]) Diese Auffassung findet ihre Bestätigung in einer Analyse der außenpolitischen Zusammenarbeit von EU und USA während der vergangenen Jahre. Koordinierte Aktionen oder Erklärungen sind vor allem in den Bereichen zu finden, in denen die Position der EU am klarsten formuliert ist.[41])

Eine empirische Untersuchung des transatlantischen Dialoges über den Zeitraum von Mitte 1989 bis Anfang (Februar) 1993 gelangt zu 31 Fällen abgestimmten oder komplementären Handelns bzw abgestimmter oder komplementärer Erklärungen, wobei jeweils die Anzahl komplementärer Maßnahmen die der koordinierten überwiegt.[42]) In Anbetracht der Tatsache, daß sowohl die EU und ihre Mitgliedstaaten als auch die USA jedes Jahr mehrere hundert Maßnahmen außenpolitischer Art ergreifen, ist diese Zahl nicht übermäßig beeindruckend.

Einen wichtigen Schwerpunkt des gemeinsamen Vorgehens, in dem die EU und die USA übereinstimmen, bildet die Förderung und der Schutz der Demokratie weltweit. Beispiele bilden hier die nach bilateralen Konsultationen aufeinanderfolgende Verhängung von Waffenembargos gegen Burma im Juli 1991, die Suspendierung der Wirtschaftshilfe für Haiti im Oktober 1991 im Anschluß an den Militärputsch und andere blutige Übergriffe und die beiderseitige Verhängung von Sanktionen gegen Nigeria im Juli 1993 als Antwort auf die Annullierung der Ergebnisse der dortigen Präsidentschaftswahlen.

Zwei weitere Bereiche fruchtbarer EU-US Kooperation sind die der **humanitären- und der Entwicklungshilfe.** Maßnahmen im humanitären Bereich sind vor allem praktisch orientiert. Die Tatsache, daß die EU und ihre Mitgliedstaaten zusammen mit den USA für 86% aller Ausgaben humanitärer Art aufkommen, läßt sie zu natürlichen Partnern werden. Ein regelmäßiger Daten- und Meinungsaustausch findet über den Atlantik statt, und zum Teil wird eine gemeinsame Auswertung der geförderten Projekte vorgenommen. Im Bereich der Entwicklungshilfe-Kooperation sind die Herausforderungen

---

[38]) *Rummel,* Der Dialog zwischen der Europäischen Union und den Vereinigten Staaten, Stiftung Wissenschaft und Politik, Ebenhausen (1994) 14.

[39]) Siehe unten D 2.

[40]) Daß die EU für die USA zu einem immer attraktiveren Partner wird, zeigt nicht zuletzt die Tatsache, daß die G 7 der Europäischen Kommission schon 1989 die Koordinierung der späteren G 24-Hilfe für Mittel- und Osteuropa antrug.

[41]) *Frellesen/Ginsberg,* EU-US Foreign Policy Cooperation in the 1990s (1994) 27.

[42]) (FN 41) 60ff.

eher politischer Natur. Unter dem Damoklesschwert des amerikanischen Kongresses, der im Zuge seiner Budgetdefizit-Reduzierungspolitik substantielle Kürzungen des amerikanischen Entwicklungshilfebeitrages vornehmen will, gehört zu den Zielen der Zusammenarbeit auch das Überzeugen der amerikanischen Öffentlichkeit von der Wichtigkeit des amerikanischen Beitrags in dieser Beziehung. Insgesamt gesehen besteht Raum für gemeinsames Vorgehen, insbesondere mit Blick auf die Koordination in Prioritätsfeldern und die verbesserte Analyse der Effektivität der geleisteten Hilfsmaßnahmen.

Die positiven Beispiele transatlantischer Kooperation werden vom Versagen der EU und der USA im Bosnienkonflikt überschattet. Zwar hat der transatlantische Dialog auch hier eine Spaltung von EU und USA verhindert und in einigen Fällen die Basis wirksamen Krisenmanagements geboten, doch kann dies nicht darüber hinwegtäuschen, daß es der „wichtigsten Achse der Weltpolitik“[43]) bisher nicht gelungen ist, eine adäquate Antwort auf die Krise im südöstlichen Europa zu finden. Während kaum einschätzbar ist, ob sich diese Krise noch weiter oder noch schneller verschärft hätte, wären EU- und US-Politik noch weniger koordiniert gewesen, kann auf der anderen Seite auch nicht ausgeschlossen werden, daß der Dialog zumindest teilweise zu einer „wechselseitige(n) Bestärkung in überzogener Vorsicht zugunsten abwartender Verhaltensweisen“[44]) beigetragen hat.

2. Außen- und sicherheitspolitische Zusammenarbeit – die Mechanismen

Zeigt die obige Analyse, daß die außen- und sicherheitspolitische Zusammenarbeit von EU und USA sowohl quantitativ als auch qualitativ oftmals unzureichend ist, so ist dies häufig weniger in einem mangelnden Willen zur Zusammenarbeit als in strukturellen Schwächen des Dialogs begründet. In diesem Zusammenhang kann insbesondere nicht geleugnet werden, daß das Funktionieren des Dialoges maßgeblich unter Beschränkungen leidet, die ihm durch das **interne Koordinationssystem der EU im Rahmen der GASP** auferlegt werden. Die Notwendigkeit, vor jeder Konsultation mit den Amerikanern internes EU-Übereinkommen erzielen zu müssen, setzt der Fähigkeit der EU und der USA, gemeinsam und effizient auf Krisen zu reagieren, deutliche Grenzen. Dies führt in der Praxis dann dazu, daß auch gemeinsame Sitzungen auf der Ebene hoher Beamter oft in erster Linie dem Informationsaustausch dienen[45]) und nur wenige operationelle Schlußfolgerungen gezogen werden können.

Auch die sich aus dem EU-Vertrag ergebende Aufteilung in die GASP auf der einen und Bereiche „klassischer“ EG-Kompetenz wie Handels- und Wirtschaftspolitik auf der anderen Seite kann ein Hindernis im Dialog bedeu-

---

[43]) *Hellmann,* EU und USA brauchen ein breiteres Fundament: Plädoyer für einen „transatlantischen Vertrag“, Außenpolitik 1994, 3, 237 (239).

[44]) (FN 38) 15.

[45]) Die Bedeutung dieses Informationsaustausches sollte jedoch nicht unterschätzt werden; er spielt insbesondere bei der Vermeidung der Entwicklung divergierender politischer Positionen eine Rolle.

ten. Die Grenzen zwischen Wirtschaftspolitik und Außenpolitik verwischen zunehmend; so sind es letztlich oft und gerade wirtschaftspolitische Maßnahmen, die im Zuge der Umsetzung von Zielvorgaben der GASP ergriffen werden. Die in den beiden Pfeilern sehr unterschiedlichen Mechanismen zur Entscheidungsfindung erschweren es der EU weiter, als vollwertiger Partner der USA aufzutreten.

Über die sich aus den Charakteristika der GASP und dem Zusammenspiel der drei Pfeiler ergebenden Schwierigkeiten hinaus bestehen Probleme in der **transatlantischen Dialogstruktur.** Die Vielfalt der Fora, innerhalb derer politische Fragen transatlantischen Interesses diskutiert werden, ist dabei ein Aspekt. Neben dem bilateralen Dialog wird eine Abstimmung der Positionen in so unterschiedlichen Foren wie der NATO, der OSZE, und der OECD versucht. Zwar bietet die Transatlantische Erklärung eine gewisse Orientierung für die Frage, was vorrangig im Rahmen des separaten EU-USA-Dialogs erörtert werden soll, doch bestehen zahlreiche sich überlappende oder komplementäre Bereiche.[46]) Die entstehenden Koordinierungsprobleme sind evident. Mängel koordinationstechnischer Art bestehen daneben aber selbst innerhalb des bilateralen EU-US-Dialogs als solchem. Dieser Dialog spielt sich auf einer Reihe verschiedener Ebenen ab und ist im unteren Bereich vertikal nach Sachgebieten gegliedert. Es gibt aber zB kaum Mechanismen, die eine umfassende Information der einzelnen Fachgruppen über die Arbeit ihrer Kollegen in anderen Gruppen gewährleisten. Auch darüber hinaus könnte einiges verbessert werden, denn derzeit entscheidet jede Ebene über ihre eigene Tagesordnung oft auf ad hoc Basis als Reaktion auf sich neu in den Vordergrund drängende Probleme. Dadurch, daß oft nicht systematisch „von unten nach oben" berichtet wird, kann die jeweils nächsthöhere Ebene den identifizierten Problemen nur ungenügend Rechnung tragen, und das Potential der dichten Dialogstruktur wird nicht in optimaler Weise genutzt.

Die recht offensichtlichen Schwächen im Bereich der außenpolitischen Zusammenarbeit haben den EU-US-Gipfel des Frühjahrs 1994 veranlaßt, eine hochrangige Arbeitsgruppe zur Zusammenarbeit im Bereich der GASP einzusetzen, die damit betraut wurde, Mittel und Wege zur Verbesserung der gemeinsamen Anstrengungen im internationalen Bereich zu erarbeiten. In ihrem 1995 vorgelegten Abschlußbericht macht die Gruppe eine Reihe von Vorschlägen zur Verbesserung des Dialogs auf allen Ebenen, ohne allerdings dabei seine Struktur in Frage zu stellen. Eine Aufwertung erfährt dabei insbesondere die Ebene der Politischen Direktoren, die eine zentrale Rolle bei der Identifizierung prioritärer Bereiche spielen soll. Darüber hinaus soll die Verbindung von politischer- und Arbeitsebene gestärkt werden, um eine bessere Umsetzung der Prioritäten der Politischen Direktoren zu gewährleisten.

Auch für eine umfassende Verbesserung der Mechanismen der außenpolitischen Zusammenarbeit werden die Ergebnisse der Regierungskonferenz von entscheidender Bedeutung sein. In dem Maße, in dem es gelingt die GASP so zu reformieren, daß die Fähigkeit der EU mit einer Stimme zu sprechen, auch auf dieses Gebiet ausgedehnt wird, wird sich auch die Operationalität und Qualität der Kooperation verbessern. Fernziel sollte eine Europä-

---

[46]) *Rummel* (FN 38) 11f.

isch-Amerikanische Politische Zusammenarbeit nach Vorbild der EPZ sein, in der „die gemeinsamen außenpolitischen Ziele und Strategien miteinander verzahnt werden.“[47])

E. Andere Bereiche der Zusammenarbeit

Die transatlantische Zusammenarbeit ist nicht auf die Bereiche der Handels- und Außen- und Sicherheitspolitik begrenzt. Zwar bilden die wirtschaftliche und politische Kooperation die wichtigsten Pfeiler der EU-US-Beziehungen, die Verbindungen sind aber so breitgefächert und das transatlantische Verhältnis wird von so vielen Faktoren beeinflußt, daß sich das Bedürfnis nach Kooperation auch auf zahlreiche andere Bereiche erstreckt. Zu diesen gehören Umweltschutz, Fragen im Zusammenhang mit der Entwicklung zur Informationsgesellschaft, Sozial- und Beschäftigungspolitik, Ausbildung sowie Innere Sicherheit.[48])

1. Umweltschutz

Umweltschutz ist für die EU-US Beziehungen eine doppelte Herausforderung. Erstens streben beide Partner innenpolitisch das **höchstmögliche Umweltschutzniveau** an, müssen aber gleichfalls darauf bedacht sein dadurch keine neuen Handelsbarrieren für den anderen aufzubauen. Damit dies gelingen kann, haben die EU und die USA jährliche hochrangige Zusammenkünfte der Umweltbehörden beider Seiten ins Leben gerufen. Dieser Dialog dient dem Informationsaustausch und der Entwicklung gemeinsamer Positionen in wichtigen Umweltfragen und hat auf dem Gebiet der Luftverschmutzung, Chemie und Biotechnologie bereits erste Erfolge gefeiert. Seine volle Wirkung wird er entfalten, wenn die Partner ihn dazu nutzen, einander frühzeitig auf neue Umweltschutzinitiativen aufmerksam zu machen. Neue Maßnahmen könnten miteinander abgestimmt und damit auch potentielle Handelskonflikte abgewendet werden.

Zweitens erscheint eine effektive Lösung globaler Umweltprobleme ohne gemeinsame Anstrengungen von EU und USA schwer vorstellbar. Nur wenn beide Partner mit ihrem erheblichen politischen Gewicht am selben Strang ziehen, ist im Rahmen internationaler Verhandlungen über globalen Umweltschutz weltweit etwas zu bewegen. Von besonderer Bedeutung in diesem Zusammenhang sind der Treibhauseffekt oder auch die gemeinsamen Bemühungen um nukleare Sicherheit in Osteuropa.

Der regelmäßig stattfindende Dialog über Umweltthemen hat auf beiden Seiten das Verständnis für die Anliegen des anderen erhöht. Dabei ist vor allem zu bedenken, daß der Übergang zwischen Umwelt- und Handelsfragen fließend ist, da beide Bereiche sich oftmals gegenseitig beeinflussen. Hier liegt eine der künftigen Hauptaufgaben der WTO, die nur erfolgreich bewältigt werden kann, wenn EU und USA eine gemeinsame Führungsrolle übernehmen.

---

[47]) *Weidenfeld,* „Europa Weltmacht im Werden“, Internationale Politik 1995/5, 17 (19).

[48]) Daneben bestehen natürlich noch andere Bereiche wie Wissenschaft und Technik und Zollfragen, um nur einige zu nennen.

2. Informationsgesellschaft, Informationstechnologie und Telekommunikation

Der technische Fortschritt auf dem Gebiet der Kommunikationsmittel und der Informationstechnik verändert die Welt. In wenigen Jahren wird die Vision einer globalen Informationsgesellschaft Realität werden. Damit ist nicht nur ein neuer Geschäftszweig am Entstehen, es ist vielmehr abzusehen, daß die neuen Kommunikations- und Informationsmethoden das Rückgrat der Wirtschaft der Zukunft sein werden. EU und USA haben beide die Bedeutung eines Ausbaus und einer Abstimmung von **Informationsnetzwerken** über den Atlantik erkannt. Die Konferenz der G 7 in Brüssel Anfang 1995 und die ersten beiden bilateralen Gesprächsrunden über die „Information Society" 1994 und 1995 haben dies bestätigt und den Weg für eine weitere Zusammenarbeit eröffnet.

3. Sozial- und Beschäftigungspolitik

Seit dem G 7-Gipfel in Detroit arbeitet die Europäische Kommission auch auf diesem Gebiet an einer Kooperation mit der US-Regierung. So werden beispielsweise finanzielle Anreize zur Schaffung von Arbeitsplätzen diskutiert. Sozial- und Beschäftigungspolitik gehörten in den letzten Jahren auch zu den Gesprächsthemen, die bei EU-USA-Gipfeltreffen regelmäßig aufgegriffen wurden. Probleme, die auf beiden Seiten des Atlantiks bestehen, sind zB Sicherheit und Gesundheit am Arbeitsplatz, soziale Absicherung, Chancengleichheit der Geschlechter oder die Überalterung der Gesellschaft. Man ist sich darin einig, daß hier weitere gemeinsame Initiativen möglich und notwendig sind. Diese können sowohl im Erfahrungsaustausch als auch in der Entwicklung gemeinsamer Strategien liegen. Die Förderung bilateraler Kontakte mit den USA ist besonders im Hinblick auf die Umsetzung des Weißbuchs über Wachstum und Beschäftigung sowie des Weißbuchs über Sozialpolitik von Bedeutung.

4. Innere Sicherheit

Auch zum Thema organisierte Kriminalität und Drogenhandel hat der Berlin-Gipfel von 1994 die Einsetzung einer hochrangigen Arbeitsgruppe beschlossen. Vor allem die US-Regierung ergriff hier in besonderem Maße die Initiative. Angestrebt wurde eine Kooperation auf der Ebene der Polizei (einschließlich gemeinsamer Ausbildung), sowie im Kampf gegen **Drogen, internationale kriminelle Organisationen und Geldwäsche.** Die Ergebnisse der Arbeitsgruppe blieben jedoch hinter den – vor allem auf der US-Seite gehegten – Erwartungen zurück. Grund war in erster Linie die Zurückhaltung der Mitgliedsstaaten, in deren Kompetenz die meisten der betroffenen Bereiche fallen und ohne deren politischen Willen keine Fortschritte möglich sind. Sie berufen sich vor allem auf den geringen Entwicklungsstand der Zusammenarbeit auf diesem Gebiet innerhalb der EU. Man will sich erst auf EUROPOL konzentrieren und eine funktionierende „interne" Kooperation aufbauen, bevor diese mit Drittländern in dem von den USA jetzt schon gewünschten Rahmen aufgenommen werden soll.

Trotz des derzeitig mangelnden Enthusiasmus der Mitgliedstaaten wird nirgendwo bezweifelt, daß gemeinsames Vorgehen auf dem Gebiet der inneren Sicherheit ein Feld zumindest zukünftiger sinnvoller Kooperation sein werden. Wirksame Verbrechensbekämpfung hat in der öffentlichen Meinung einen hohen Stellenwert. Es ist daher zu hoffen und zu erwarten, daß weitere transatlantische Initiativen ergriffen werden, um die derzeit mögliche Zusammenarbeit auszuschöpfen und zukünftige Projekte vorzubereiten.

5. Hochschul- und Berufsbildung

Im Bereich der Hochschul- und Berufsbildung hat die Kooperation zwischen der EU und den USA bereits erste Früchte getragen. Ein Abkommensentwurf über die Zusammenarbeit im Bereich der Hochschulausbildung und Berufsbildung wurde in der ersten Hälfte des Jahres 1995 von der für Bildungsfragen zuständigen Kommissarin *Edith Cresson* und US-Bildungsminister *Riley* unterzeichnet.[49]) Das Abkommen sieht gemeinschaftliche Projekte von EU/US-Konsortien vor, für die auf wettbewerblicher Basis Startkapital bereitgestellt werden soll.

Es ermöglicht eine weitgehende Vernetzung von US-Institutionen mit dem ERASMUS- und anderen Programmen. Es stellt eine innovative Form der Vertiefung der transatlantischen Beziehungen dar, indem es den direkten Dialog und damit das gegenseitige Verständnis zwischen Bürgern fördert.

F. Die Neue Transatlantische Agenda

Aus dem Vorangegangenen wird deutlich, daß trotz breit angelegter und insgesamt gut funktionierender Zusammenarbeit von EU und USA eine weitere Verbesserung der Beziehungen in allen Bereichen erstrebenswert ist. Wie eingangs ausgeführt, ist die Schaffung eines neuen Rahmens für die transatlantische Partnerschaft notwendig, um sicherzustellen, daß sie sich den geänderten Erfordernissen der Zukunft anpaßt und EU und USA weiterhin gemeinsam ihrer geopolitischen Verantwortung gerecht werden können.

Vor diesem Hintergrund ist Anfang 1995 eine lebhafte Diskussion um die Zukunft der transatlantischen Beziehungen entbrannt.[50]) Kommissionspräsident *Jacques Santer* verlieh der Debatte frühzeitig Orientierung, indem er sich im Jänner 1995 vor dem Europäischen Parlament für den Abschluß eines transatlantischen Vertrages aussprach. Ist dieser Gedanke auch bis jetzt inhaltlich wenig entwickelt, so ist er doch aufgrund seiner politischen Bedeutung faszinierend. Als Versuch, die Gesamtheit der EU-US-Beziehungen in einem umfassenden Regelwerk zu vereinen und substantielle Verpflichtungen nicht zuletzt im außen- und sicherheitspolitischen Bereich zu normieren, wäre er integraler Bestandteil der entstehenden neuen europäischen Sicher-

---

[49]) Das Abkommen tritt voraussichtlich Anfang 1996 in Kraft.

[50]) Der belgische Premierminister *Jean-Luc Dehaene,* der französische Premierminister *Alain Juppé,* der Vize-Präsident der Europäischen Kommission Sir *Leon Brittan,* US-Außenminister *Warren Christopher* sowie der ehemalige US-Außenminister *Henry Kissinger,* um nur einige Beispiele zu nennen, haben sich im ersten Halbjahr 1995 für eine Stärkung der transatlantischen Beziehungen ausgesprochen.

heitsarchitektur. Dies macht wiederum deutlich, daß eine praktische Diskussion eines möglichen Vertrages nicht vor Kenntnis der Ergebnisse der Regierungskonferenz 1996 möglich ist. Die Idee des **Transatlantischen Vertrages** ist damit vor allem ein Langzeitprojekt, bildet aber die Art von ambitionierter Perspektive, derer die transatlantischen Beziehungen bedürfen.

In einer weniger langfristigen Sicht müssen Ansätze zur Neuorientierung gleichermaßen das gesamte Spektrum der transatlantischen Beziehungen umfassen.[51]) Ist, wie oben ausgeführt, heute in erster Linie die wirtschaftliche Verflechtung Anker dieser Beziehungen,[52]) so ist damit ein natürlicher Ausgangspunkt gegeben. Auch unterhalb der Schwelle institutioneller Reformen, wie sie von der Regierungskonferenz erwartet werden, kann die Zusammenarbeit daneben im außen- und sicherheitspolitischen Bereich substantiell verbessert und über politische Absichtserklärungen hinaus entwickelt werden.

Die **Neue Transatlantische Agenda** und das sie begleitende detaillierte Aktionsprogramm sind die politische Antwort auf die Reformdiskussion. In nur wenigen Monaten von der vom Washingtoner Gipfel im Juni 1995 eingesetzten „Gruppe hochrangiger Repräsentanten“[53]) ausgehandelt, spiegeln beide Dokumente das hohe Maß an beiderseitiger Übereinstimmung von politischen Grundideen und globalen Interessen wider. Mit der am 3. Dezember 1995 anläßlich ihres Gipfeltreffens in Madrid von den Präsidenten von Rat und Kommission, *Gonzalez* und *Santer* sowie dem amerikanischen Präsidenten *Clinton* bezeichneten Agenda beginnt ein neues Kapitel der transatlantischen Beziehungen. Aufbauend auf den extensiven Konsultationsmechanismen, die durch die Transatlantische Erklärung von 1990 konsolidiert oder ins Leben gerufen wurden, bestätigen EU und USA nicht nur die fortdauernde Bedeutung enger transatlantischer Beziehungen, sondern sie verpflichten sich zugleich, künftig mehr gemeinsam zu handeln.

Nicht nur der Schritt von der Konsultations- zur Aktionspartnerschaft zeichnet jedoch die Dokumente des Madrider Gipfels aus. Bemerkenswert ist auch die Breite des Ansatzes, der in der Agenda in vier gemeinsamen Zielen definiert wird: „Förderung des Friedens und der Stabilität, der Demokratie und der Entwicklung in der Welt“, „Antwort auf die globalen Herausforderungen“, „Beitrag zur Ausweitung des Welthandels und zum Ausbau der (bilateralen) Wirtschaftsbeziehungen“ und „Brückenschlag über den Atlantik“. Hier zeigt sich vor allem, daß die EU in ihrer post-Maastricht-Gestalt für die USA ein wertvoller Partner geworden ist.

Im außenpolitischen Bereich verpflichten sich EU und USA ua zur Zusammenarbeit beim Wiederaufbau Bosniens, bei der Konsolidierung von Demokratie und marktwirtschaftlichen Strukturen in den Ländern Mittel- und Osteuropas sowie Rußlands, der Ukraine und anderer GUS-Staaten; sie wollen gemeinsame Anstrengungen zur Förderung des Friedensprozesses im Nahen Osten oder bei der Beantwortung humanitärer Krisen unternehmen. Im

---

[51]) Dies wird auch in der Kommunikation der Kommission an den Rat „Europa und die USA: Der Weg nach vorne“ deutlich (KOM [95] 411 endg).

[52]) Siehe oben B.3.

[53]) Ihr gehören jeweils zwei Vertreter der Kommission, der EU-Präsidentschaft und der amerikanischen Verwaltung an.

Bereich der globalen Herausforderungen beabsichtigen sie, künftig insbesondere zur Bekämpfung von organisiertem Verbrechen, Terrorismus und Drogenhandel, aber auch von Umweltzerstörung und Seuchen gemeinsam tätig zu werden. Konkret geht es hier zum Beispiel darum, gemeinsam Polizeibeamte in Mittel- und Osteuropa auszubilden und Rechtsstaatlichkeit zu lehren, die Verbreitung modernster Umwelttechnologien auch in Entwicklungsländern zu fördern oder einen Malariaimpfstoff zu entwickeln.

Im Bereich von Handel und Wirtschaft legen beide Partner den Schwerpunkt auf die Stärkung des Welthandelssystems und in diesem Zusammenhang auf den Abschluß der in Marrakesch nicht zu Ende geführten Verhandlungen über Waren und Dienstleistungen sowie auf die Prüfung der Möglichkeit weiterer Zollsenkungen für gewerbliche Produkte. Bilateral verpflichten sich beide Partner zur Schaffung des „Neuen Transatlantischen Marktes“, in dem Schranken, die den Austausch von Waren, Dienstleistungen und Kapital zwischen der EU und der USA behindern, schrittweise abgebaut werden sollen. Insbesondere im Bereich der Standards und Zertifizierung ist eine enge Zusammenarbeit vorgesehen; gerade Divergenzen in diesem Bereich wurden von dem **Transatlantischen Wirtschaftsdialog**[54]) als bedeutendste Schranke im transatlantischen Warenaustausch identifiziert. Daneben ist eine Vielzahl weiterer Maßnahmen zur weiteren Verbesserung des transatlantischen Wirtschaftsklimas vorgesehen, so der Abschluß eines Abkommens über die Zusammenarbeit im Zollbereich, eine vertiefte Zusammenarbeit in Kartell- und Wettbewerbsfragen sowie bei der Ausschöpfung der Möglichkeiten der Informationsgesellschaft. Eine gemeinsame Studie über Mittel und Wege zur Erleichterung des Handels mit Waren und Dienstleistungen und über den weiteren Abbau oder die Beseitigung tarifärer und nichttarifärer Handelshemmnisse, die im Laufe des Jahres 1996 durchgeführt werden soll, wird darüber hinaus wesentliche Handelsschranken identifizieren und konkrete Möglichkeiten der Liberalisierung aufzeigen.[55])

Der vierte Bereich der neuen transatlantischen Zusammenarbeit, der „Brückenschlag“ über den Atlantik, trägt der Erkenntnis Rechnung, daß eine wahre Partnerschaft von EU und USA einer breiten Basis bedarf. Es geht hier also vor allem darum, die transatlantische Zusammenarbeit nicht nur auf den Regierungsbereich zu beschränken, sondern auf allen gesellschaftlichen Ebenen zu stärken, es soll mit anderen Worten den Bürgern auf beiden Seiten des Atlantiks die Gelegenheit gegeben werden, einander besser kennenzulernen. Vorgesehen ist insbesondere der Abschluß eines Abkommens über die wissenschaftliche und technologische Zusammenarbeit sowie der Ausbau der Kontakte im Bildungsbereich aufbauend auf dem bilateralen Bildungsabkommen.

---

[54]) Siehe oben C.3.c.

[55]) Die in den Medien vielfach diskutierte transatlantische Freihandelszone ist damit nicht geschaffen, aber auch nicht ausgeschlossen worden. Ihr ist auch vielfach eine zu große Bedeutung beigemessen worden: angesichts Zollniveaus von durchschnittlich nur noch 3% (nach vollständiger Umsetzung der Uruguay-Runde) liegen die wahren Hemmnisse im nichttarifären Bereich.

Inwieweit die ehrgeizigen Verpflichtungen der Neuen Transatlantischen Agenda tatsächlich umgesetzt werden können, bleibt abzuwarten. Die Aussichten dafür sind nicht schlecht, denn nicht nur ist dazu auf beiden Seiten der politische Wille vorhanden, sondern der Madrider Gipfel hat sich auch verpflichtet, die Durchführung von Agenda und Aktionsplan sowie deren fortlaufende Aktualisierung zu verfolgen und zu steuern. Die „Gruppe hochrangiger Repräsentaten" wird auch künftig regelmäßig zusammentreffen, um dies zu erleichtern. Dennoch gilt es einige Klippen zu umschiffen: So ist 1996 zum Beispiel ein Wahljahr in den USA, und in der EU richtet sich alle Aufmerksamkeit auf die Regierungskonferenz. Die ehrgeizigen Ziele der Zusammenarbeit im Bereich des zweiten und dritten Pfeilers des Maastrichter Vertrages erstrecken sich zum Teil auf Bereiche, in denen die EU es jahrelang nicht geschafft hat, interne Einigung zu erzielen. Es wäre jedoch nicht das erste Mal in der Geschichte europäischer Integration, daß sich durch „Druck von außen" die Zusammenarbeit innerhalb der EU verbessert. Die EU hat sich in der Neuen Transatlantischen Agenda verpflichtet, ihrer politischen Bedeutung entsprechend und in partnerschaftlicher Verantwortung mit den USA aktiv zur Sicherung des Weltfriedens und zur erfolgreichen Bewältigung der neuen globalen Herausforderungen beizutragen – ein Versagen kann sie sich nicht leisten.

6. KAPITEL

Die EU und Ostasien unter besonderer Berücksichtigung der politischen und wirtschaftlichen Beziehungen zu Japan

Wolfgang Pape

Übersicht:

A. Vorbemerkung

„Asien" gilt als eine europäische Erfindung. Ursprünglich wurde das Wort von den Griechen geprägt, um sich von den Persern abzugrenzen. Später vom Christentum pauschal übernommen, wurde es zum Auffangbegriff für alles im Osten, was „nicht Teil unserer Welt" war[1]), und damit zum Zeugnis eines historischen Euro-Zentrismus par excellence.

Dabei kann man es durchaus auch anders, nämlich Europa als lediglich einen Sub-Kontinenten der asiatischen Landmasse betrachten. Jedoch läßt sich verallgemeinernd für Europa eine wesentlich deutlichere kulturelle und zivilisatorische Homogenität und Identität als in Asien feststellen, die insoweit unsere Definitionen erleichtern. Aus europäischer Sicht läßt die Vielfalt unserer Partner in Asien allerdings die Beziehungen mit ihnen besonders kompliziert, wenngleich auch ebenso reizvoll erscheinen.

Wie schwierig es ist, den Unterschieden innerhalb Asiens im einzelnen Rechnung zu tragen, ersieht man aus der umfangreichen Mitteilung, die die Europäische Kommission unter dem Titel „Auf dem Weg zu einer neuen Asien-Strategie"[2]) herausgegeben hat. Deswegen unterstreicht sie schon in der einleitenden Zusammenfassung, daß „Asien" eine grobe Vereinfachung

---

[1]) Vgl „Notions of Asia" in: International Tribune v 21. 6. 1994.
[2]) KOM(94) 314 v 13. Juli 1994.

und kein einheitliches Gebiet sei; vielmehr weisen die Länder **unterschiedliche kulturelle Traditionen** sowie soziale, wirtschaftliche und politische Merkmale auf, auch wenn die Industrialisierung diese Unterschiede weniger ausgeprägt erscheinen läßt als in der Vergangenheit. Zumal der Schwerpunkt der europäischen Politik gegenüber dem gesamten asiatischen Erdteil gemäß dem Strategiepapier erklärtermaßen auf der Wirtschaft liegt, muß dies um so mehr für die besonders dynamische Wirtschaftsregion im Osten Asiens gelten.

B. Außenpolitische Instrumente der EU gegenüber Ostasien

Ostasien umfaßt in diesem Zusammenhang die sieben Länder und Wirtschaftsgebiete von Japan, (Nord- und Süd-)Korea sowie China (mit Hong Kong) und Macao und Taiwan.

Nach Schätzungen der Weltbank wird bis zum Jahr 2000 ungefähr die Hälfte des Wachstums der Weltwirtschaft allein von Ostasien erzeugt werden. Diese Dynamik wird dafür sorgen, daß bis zu diesem Zeitpunkt eine Milliarde Verbraucher in Fernost eine beträchtliche Kaufkraft und fast 400 Millionen von ihnen ein durchschnittliches verfügbares Einkommen haben werden, das annähernd das Niveau ihrer westlichen Zeitgenossen erreichen wird.

Mit dieser anschwellenden wirtschaftlichen Bedeutung Ostasiens gewinnt es unweigerlich auch an Gewicht in der Weltpolitik. Gleichzeitig ist mit dem Ende des Kalten Krieges die politische Entwicklung in dieser Region mehr denn je in Fluß geraten. Die Reform der vormals zentral gelenkten Planwirtschaft Chinas ist dabei ein äußerst wichtiger Aspekt der gegenwärtigen Veränderungen in Ostasien.

1. Handels- und Sicherheitspolitik

Trotzdem liegt der Schwerpunkt der Ostasienpolitik der EU auch weiterhin auf dem Gebiet der Wirtschaft, sodaß sich die Zusammenarbeit mit diesen Ländern auf der Grundlage bestehender und neu abzuschließender **Handels- und Kooperationsabkommen** fortentwickeln wird. Darüber hinaus führt die EU einen strukturierten politischen Dialog insb mit Japan und China, aber auch Südkorea hat Interesse an einem solchen Austausch bekundet.

Diplomatische Vertretungen unterhält die EU in Ostasien gegenwärtig mit Delegationen in Japan (seit 1974), Südkorea (1989) und China (1988), während Hong Kong und Macao als Kolonien von EU-Mitgliedstaaten (bis 1997 bzw 1999) von lediglich einem Büro (seit 1993) betreut werden. Rasches Wirtschaftswachstum (zwischen 1965 und 1990 jährlicher Zuwachs des BSP pro Kopf 5,5% in Ostasien), Gebietsstreitigkeiten (zB um die rohstoffreiche Kette der Spratly-Inseln), immer ehrgeizigere Rüstungsprogramme, die Krisenanfälligkeit einer sehr weiten Region und die Schwächen der politischen Konstellationen in den multilateralen Organisationen – all dies sind Faktoren, die in Asien regionale Konflikte verursachen könnten, die das internationale Gleichgewicht stören würden und die in Widerspruch zu den Zielen der Gemeinsamen Außen- und Sicherheitspolitik der EU stünden.

Während 1993 weltweit insgesamt 20% weniger Mittel für militärische Zwecke ausgegeben wurde, stiegen diese Ausgaben allein in Ostasien. Für die

Union sind die Bemühungen um Rüstungskontrolle und die Nichtweitergabe von Massenvernichtungswaffen (Atomwaffen, chemische und biologische Waffen, ferngelenkte Raketen) wichtige Elemente der Gemeinsamen Außen- und Sicherheitspolitik.

Abgesehen von der Teilnahme der EU an der jährlichen ASEAN Post Ministerial Conference sowie dem sicherheitspolitischen ASEAN Regional Forum zusammen mit ua Japan und Südkorea pflegt die EU mit den ostasiatischen Ländern gleichfalls im Rahmen der UN-Organisationen einen umfassenden Dialog zu Themen von gemeinsamem Interesse wie Fragen des Weltfriedens und der Sicherheit im weitesten Sinne.

Die Zusammenarbeit erstreckt sich ebenfalls auf die OECD, in der Japan seit langem Mitglied ist, und der Korea in Bälde beitreten wird. Gegenwärtig im Vordergrund des Interesses der multilateralen Handelspolitik in Ostasien steht die Diskussion um den (Wieder-)Eintritt Chinas in die WTO, den die EU in ihrem Engagement zur Liberalisierung des Welthandels grundsätzlich unterstützt. Damit verspricht sie sich nach dem Abschluß der GATT-Uruguay-Runde auch eine weitere Verbesserung des Marktzugangs für europäische Exporteure.

In Ergänzung zu den die Ausfuhr fördernden Maßnahmen der EU verfügt die Union auf der Grundlage des GATT bzw der WTO zudem über die handelspolitischen Instrumente des Antidumping und anderer Schutzmaßnahmen.[3])

Im Textilsektor jedoch, der in den meisten ostasiatischen Ländern wie insb in China eine bedeutende Rolle spielt, sind im Rahmen der Uruguay-Runde alle Beschränkungen des Multifaserabkommens für einen Zeitraum von zehn Jahren aufgehoben.

2. Entwicklungshilfe

Bei der Entwicklungshilfe ist die EU nach Japan zweitgrößter Geldgeber in Asien und gewährt dreimal mehr Hilfe als die USA. Allein auf China entfielen im Laufe der letzten fünfzehn Jahre insgesamt mehr als 3 Mrd US-Dollar aus EU-Steuermitteln, der Großteil für Projekte zur landwirtschaftlichen Entwicklung wie Molkerei-Technologie usw.

1991 nahmen der EG-Ministerrat und die Mitgliedstaaten eine Entschließung über Menschenrechte, Demokratie und Entwicklung an. Auf deren Grundlage räumt die EU besonderen vereinbarten Aktionen zur Festigung der **Demokratie** und Förderung der **Menschenrechte** in einigen asiatischen Staaten hohe Priorität ein. Diese Aktionen sind sehr unterschiedlich und beziehen sich ua auf folgende Bereiche: Unterstützung von Wahlen, Nicht-Regierungsorganisationen, freie Medien, gefährdeten Gesellschaftsgruppen, Information über und Sensibilisierung für die Menschenrechte.

Die Union ist sich durchaus bewußt, wie wichtig der Zugang zu ihrem Markt für die Entwicklungsländer ist. Zu diesem Zweck werden den ostasiatischen Entwicklungsländern im Rahmen des Allgemeinen Präferenzsystems

---

[3]) Siehe ausführlich unten *Neumann/Welge,* Die Gemeinsame Handelspolitik und ihre Instrumente.

der EU seit Jahren einseitig Vorzugsbedingungen für den Marktzugang in Europa zugestanden. Dieses System kommt in erster Linie asiatischen Ländern zugute; auf sie entfielen 1992 rund 70% der gesamten APS-Einfuhren der Union.

Neben ihren Beiträgen zu einer ausgewogenen Entwicklung innerhalb der Union finanziert die Europäische Investitionsbank seit 1992 auch Investitionsprojekte in Asien. Das Programm steht allen Ländern offen, die ein Kooperationsabkommen mit der Union abgeschlossen haben. Für sie verfügt die Union über eine Zuweisung von 250 Mio ECU pro Jahr während drei Jahren. Im ersten Jahr wurden Kredite in Höhe von 100 Mio ECU für Projekte in Asien bewilligt.

Die European Community Investment Partners Facility dient der **Förderung von Joint Ventures** zwischen lokalen und europäischen Unternehmen ua in Asien. Zwischen 1988 und Ende 1993 wurden 292 Projekte in Asien mit ECIP-Finanzierungen in Höhe von insgesamt etwa 30 Mio ECU genehmigt.

Als konkretes Vorhaben der Zusammenarbeit mit ostasiatischen Partnern sticht das China-Europe Management Institute (CEMI) beispielhaft hervor, das seit 1984 die Europäische Kommission mit der chinesischen Regierung zur Ausbildung chinesischer Manager in Peking und Shanghai unterhält. CEMI bietet ua ein Zwei-Jahres-Programm an, in dem jährlich etwa 40 Studenten auf Englisch von europäischen Professoren zum Master of Business Administration geführt werden. Unter dem Titel „Executive Development" werden pro Jahr 200 Manager auf Englisch oder auch Chinesisch gleichfalls auf Joint-Ventures mit europäischen Unternehmen vorbereitet. Zudem finden zahlreiche Seminare über Themen von Interesse für ausländische Firmen in China statt. CEMI ist auf dem Weg, sich in eine renommierte Business School auf internationaler Ebene zu entwickeln, die ihre Titel gemäß den Beschlüssen eines akademischen Rates von Lehrkräften anerkannter europäischer Universitäten in Deutschland, Italien, Frankreich und dem Vereinigten Königreich sowie renommierten europäischen Business Schools verleiht.

C. Beziehungen zu Japan

1. Historische Vorbemerkung

Historisch betrachtet knüpften Europäer bereits im 16. Jahrhundert erste Kontakte mit Japanern, als Niederländer und Briten begannen, mit dem fernöstlichen Inselreich Handel zu treiben. Das damals politisch explosivste Handelsgut bezogen die Inselbewohner allerdings ursprünglich von den Portugiesen, deren Feuerwaffen als furchteinflößende Neuheit wahrscheinlich nicht nur die interne Einigung des Landes beschleunigten, sondern später auch wesentlich zur **Abschottung Japans** gegen ausländischen Einfluß (sakoku) bis Mitte des 19. Jahrhunderts beitrugen. Deutschland erlangte in den europäischen Beziehungen mit Japan erst mit der Wiedereröffnung des Landes während der Meiji-Periode Bedeutung, als Japan preußische Institutionen zum Vorbild für seine Modernisierung erkor. Weniger positiv waren jedoch die zu Beginn dieser Epoche ua mit europäischen Nationen abgeschlossenen und als „ungleich" bezeichneten Handelsverträge (ansei-joyaku), die den Ausländern extraterritoriale Privilegien einräumten und den Japanern während mehrerer Jahrzehnte Zollautonomie absprachen. Dennoch entwickelte sich ein reger Handel, der über 50 Jahre bis 1905 um das 70fache anwuchs, während die Regierung intensiv die Einfuhr von Mustern europäischer Waren förderte, die der keimenden einheimischen Produktion als Modelle dienen sollten. Der Anteil der Fertigwaren am Gesamtexport Japans betrug lediglich 2% im Jahre 1870, während sie die Hälfte der damaligen Einfuhren ausmachten.

Der steile Aufstieg des japanischen Kaufmannsstandes ging einher mit dem Aufblühen der Industrie und des Außenhandels unter der Ägide der westlich orientierten politischen Elite des Landes, die enge Bande mit dem Handels- und Gewerbestand entwickelte. Gleichwohl betrieben bis zum Ende des Jahrhunderts weitgehend Ausländer den Überseehandel Japans, dessen Importanteil zu 70% aus fünf westeuropäischen Ländern kam.

Erst mit dem Exportboom des 1. Weltkriegs wurde ein deutlicher **Überschuß in der Zahlungsbilanz** der Inselnation erzielt, und bis zur Weltwirtschaftskrise stiegen dann die Ausfuhren von Manufakturen weiter erheblich. Zur Bewältigung dieser einschneidenden Krise lancierten die wirtschaftlich wie auch politisch zur Macht gekommenen „zaibatsu“ (Finanz-Cliquen, die zu umfassenden Konglomeraten heranwuchsen[4]) eine beispiellose Export-Kampagne, indem sie aufgrund von Niedriglöhnen billig produzierte Massenwaren auf die Auslandsmärkte warfen und dabei durch Kopieren fremder Güter, wie zum Beispiel Fahrräder, Taschenlampen usw rücksichtslos im Ausland erarbeitetes Know-how ausnutzten. Die frühen 1930er Jahre brachten dann auch die ersten Rufe nach Abschließung der westlichen Märkte gegen die Flut von Billigimporten mit Ursprung Japan. Nur wenige Stimmen in Europa forderten schon damals industrielle Kooperation und Joint-Ventures zu beiderseitigem Vorteil. Vorwürfe wie „social dumping“ aufgrund der Dual-Struktur der japanischen Wirtschaft, die den als Krisenpuffer dienenden Zulieferbetrieben oft nur eine armselige Existenz erlaubt, waren allerdings lauter und fanden verstärkt Widerhall.

In Japan selbst jedoch verliehen die protektionistischen Drohungen des Auslandes eher jenen Kräften Auftrieb, die Gedanken wie die einer „Greater East Asia Co-Prosperity Sphere“ propagierten und letztlich unter Abwendung von westlichen Freiheitswerten in Chauvinismus und Xenophobie abglitten. Die Vorbereitungen zum 2. Weltkrieg ließen den Fertigwarenanteil am Export noch auf 60% emporschnellen, bevor dann 1945 mit der Kapitulation der völlige Zusammenbruch auch der Wirtschaft besiegelt wurde.

Nach dieser krassen Zäsur begann der Wiederaufbau Japans, dessen enormes Tempo und Ausmaß weltweit nicht nur Schlagzeilen, sondern zunehmend auch „Exportfluten“ von Konsumgütern lieferte.

2. Entwicklung seit Gründung der EWG

Mit der Unterzeichnung der Römer Verträge 1957 verpflichteten sich die EWG-Mitgliedstaaten zum Aufbau einer Zollunion und zur Einführung einer gemeinsamen Handelspolitik gegenüber Drittländern, also auch Japan.

---

[4]) Vgl *Pape,* Das Japanische am Kartellrecht Nippons, WuW 1992, 483.

Vor diesem Hintergrund gewann die EG als größte Wirtschaftseinheit im Welthandel verstärkt an Bedeutung innerhalb der **Triade mit den USA und Japan**.[5]) Ungleich den soliden Beziehungen USA-EG entwickelte sich die dritte Seite des Dreiecks, nämlich die Beziehungen der EG zum fernöstlichen Inselreich, anfangs nur zögernd. Einzig im Bereich der Montan-Union (EGKS) fanden bereits seit 1965 halbjährlich offizielle Kontakte statt. Nachdem 1970 aufgenommene Verhandlungen mit dem Ziel eines Handelsabkommens am Problem der Einführung einer Schutzklausel seitens der Gemeinschaft gescheitert waren, gingen verstärkte Anstrengungen zum Ausbau des Dialogs mit Japan von der Pariser Gipfelkonferenz der „Neun" im Jahre 1972 aus. Sie führten bald zur Aufnahme von breiter gefächerten **Konsultationen der Kommission** mit der japanischen Regierung, die seitdem zweimal im Jahr auf hoher Ebene stattfinden. Darüber hinaus konnten die Kontakte durch die im November 1974 in Tokyo eingerichtete diplomatische Vertretung und die japanische Mission in Brüssel seither wesentlich vertieft und gefestigt werden.[6])

Obleich die Umrisse einer gemeinsamen Strategie gegenüber Japan vom Ministerrat festgelegt und wiederholt bekräftigt worden sind, blieben hinsichtlich der steigenden Einfuhren aus Japan noch immer Divergenzen zwischen den Mitgliedstaaten bestehen. Besonders mengenmäßige Beschränkungen auf europäischer Seite, deren wirtschaftlicher Wert sich in manchen Fällen als lediglich symbolträchtige „quantité negligeable" erwies, erschwerten die Bemühungen der Kommission, in Verhandlungen eine Erleichterung des **Zugangs zum japanischen Markt** für europäische Waren zu erreichen, um das damals noch weiter anwachsende Ungleichgewicht im bilateralen Wirtschaftsverkehr abzubauen. Nur allmählich lernten die Mitgliedstaaten, deutlicher mit einer einzigen Stimme zu sprechen, um das wirtschaftliche Gewicht der Zehn und später Zwölf als Einheit besser zur Geltung zu bringen und nicht den gruppenorientierten Japanern die Strategie des „divide et impera" als Erfolgsrezept gleichsam aufzudrängen.

3. Handelsdefizit der EG

Seit den 70er Jahren wuchs das Ungleichgewicht im Handel der EG mit Japan fast stetig und erreichte 1992 mit einem Überschuß aus dem Fernen Osten von über 30 Mrd US-Dollar einen Höhepunkt, der sich in der Folgezeit (–16% in 1993) nicht nur wegen des Preisdruckes auf die japanischen Exporte durch die Aufwertung des Yen („endaka") deutlich zu senken begann.

Die Gründe für das europäische **Handelsdefizit** sind mannigfaltig. Verallgemeinernd kann man jedoch feststellen, daß die Anstrengungen der Ja-

---

[5]) Vgl insb *Ejersbo,* The Japan-EC Relation – A Secondary Bargain in a Triangular Trade Policy Confrontation (1992); ermutigend für Europa analysiert den Wettbewerb innerhalb der Triade *Thurow,* Head to Head – The Coming Economic Battle Among Japan, Europe and America (1993); vgl auch *Stumpf,* Das Dreieck EG-USA-Japan, in *Röttinger/Weyringer* (Hg), Handbuch der europäischen Integration[1] (1991), 571.

[6]) Zu Einzelheiten zur Anwesenheit der Europäer in Japan s *Pape,* European Presence in Japan, in Gestion 2000 (1993), 135.

paner, sich den europäischen Markt zu erschließen, von Anfang an langfristig angelegt und aufgrund ihres Durchhaltevermögens letztlich in hohem Maße von Erfolg gekrönt waren. Demgegenüber bemühten sich europäische Unternehmen nicht immer entsprechend bei ihren Versuchen um den Warenabsatz im Fernen Osten. Es wurde ihnen jedoch auch nicht gerade leicht gemacht. Die Insulaner hatten es nämlich geschickt verstanden, ihre Handelspolitik über die Nachkriegsdekade hinaus trotz vordergründiger Aufgabe von anfangs allseitigen Einfuhrkontrollen und Link-Trade-Systemen weitgehend auf die Exportförderung zu konzentrieren. Dem de iure größtenteils vollzogenen Abbau von Importschranken im Rahmen des GATT und der Multilateralen Trade Negotiations (besonders in der Tokyo-Runde) steht teilweise sogar heute noch die Existenz **faktischer Hürden beim Marktzugang** gegenüber, sodaß japanische Erklärungen zur Importliberalisierung zumindest früher oft unter stillem Vorbehalt abgegeben zu sein schienen. Das Auseinanderfallen von handelspolitischer Argumentation gegenüber dem Ausland und faktischen Gegebenheiten im Lande selbst, erinnerte in vielen Fällen stark an den Dualismus von „tatemae“ und „honne“, einer im japanischen Bewußtsein scharfen Trennung von Außen und Innen sowie von Form und Inhalt. In diesem Denkschema wird das kodifizierte Recht überwiegend der bloßen Fassade gegenüber dem Ausland „tatemae“ zugeordnet, eine Rolle, die es bereits bei seiner oberflächlichen Rezeption aus Europa im ausgehenden 19. Jahrhundert als Aushängeschild gegenüber dem Westen zu spielen bestimmt war.

4. Öffnung des japanischen Marktes

Japans Ministerpräsident *Nakasone* stellt am 30. Juli 1985 seiner weitgehend an die Außenhandelspartner gerichteten Ankündigung des „Aktionsprogramms“ zur Marktöffnung die Worte voraus: „Gensoku jiyu, reigai seigen.“ (Im Grundsatz besteht Freiheit, nur im Ausnahmefall gelten Beschränkungen.) Dieser Erklärung sollte es eigentlich nicht mehr bedürfen, denn Art 13 der japanischen Verfassung gewährt allen Bürgern, daß ihrem Recht auf Leben, Freiheit und Streben nach Glück in Gesetzgebung und Regierungshandeln „höchste Beachtung“ zu zollen ist, soweit dies nicht dem Allgemeinwohl widerspricht. Verstärkt wird dieses Freiheitsrecht durch die „Sicherstellung der von der landesweiten Freiheit hervorgebrachten Begünstigungen“, zu der sich das japanische Volk in der Präambel zur Verfassung entschlossen erklärt.

Als Mitglied des GATT seit 1955 hat sich Japan auch multilateral auf internationaler Ebene zur Liberalisierung des Welthandels und damit zu einer weitestmöglichen **Außenhandelsfreiheit** bekannt, wie sie sich im Geist des ursprünglichen Abkommens selbst, aber auch der Folgevorschriften (insbesondere der Tokyo-Runde) niedergeschlagen hat.

Im japanischen Außenhandelsgesetz wurde 1979 der während 30 Jahren Nachkriegszeit geltende Verbotsgrundsatz durch das Prinzip der Freiheit aller außenwirtschaftlichen Transaktionen ersetzt, sodaß sich de lege auch Japan der Liberalisierung verschrieben hat. Jedoch darf hier der weitreichende Pragmatismus der japanischen Administration nicht unerwähnt bleiben, die im konkreten Einzelfall einen sehr weiten Ermessensspielraum[7]) für sich beansprucht, um ggf auch bestimmte Interessen zu schützen und damit das Verhältnis von Grundsatz und Ausnahmeregelung in praxi umkehren kann.

Um dieser Flexibilität in der Gesetzesanwendung (von Außenseitern oft als mangelnde „Transparenz“ angeprangert) Rechnung zu tragen, gilt es in Japan besonders, nicht nur die oft hehren Prinzipien politischer Erklärungen und formeller Gesetze zu untersuchen, sondern auch Einzelfälle der Verwaltungspraxis, wenn man ein naturgetreues Bild der wirklichen Lage zeichnen will. Für eine Beschreibung der nichttarifären Handelshemmnisse bedeutet dies, über die teilweise aus den mittlerweile acht „Marktöffnungspaketen“ und die resultierende formelle Gesetzeslage hinaus, insb die tatsächlichen Gegebenheiten des japanischen Marktes darstellen zu müssen. Andererseits wird man nie den gesamten Katalog aller Nicht-Zoll-Maßnahmen abschließend aufstellen können, die eine Einschränkung oder Umlenkung des Außenhandels bewirken, da diese weder theoretisch noch empirisch insgesamt zu erfassen sind.[8]) Vielmehr geht es hier hauptsächlich um nichttarifäre Handelshemmnisse iSv technischen Normen und Standards[9]), die Japans europäische Handelspartner als Hemmnisse bei der Einfuhr in das fernöstliche Inselreich kritisiert haben.

a) Kulturhistorischer Hintergrund

Die Besonderheiten der japanischen Gesellschaftsstruktur sind unter dem Stichwort „nihonjin ron““ (Lehre von den Japanern)[10]) in den 80er Jahren in einem Maße publiziert worden, wie es nur noch von den Exporterfolgen des Landes übertroffen zu werden schien.

Trotzdem haben sich gewisse Eigenarten aus der **„japanisierenden Isolationsphase“** der Edo-Zeit trotz der – gelegentlich allerdings nur vordergründigen („tatemae“) – Öffnungen des Landes während der Meiji-Periode Ende des 19. Jahrhunderts und nach dem Zweiten Weltkrieg erhalten und sind teils im Wertesystem der Gegenwart noch verstärkt worden. Im Zusammenhang mit den hier zu untersuchenden nichttarifären Handelshemmnissen sind insbesondere das geringere Rechtsbewußtsein und damit zusammenhängend das Abhängigkeitsverhältnis zur Obrigkeit sowie die eher trennende Einstellung

---

[7]) Vgl *Pape,* Gyoseishido und das Anti-Monopol-Gesetz in Japan (1980) 16 (52); im japanischen Recht wird Ermessen („sairyo“) weit ausgelegt, und zwar nicht nur die Rechtsfolgen, sondern auch die Tatbestandsvoraussetzungen betreffend; vgl *Wada,* Gyoseiho (Verwaltungsrecht) (1968) 215.

[8]) Vgl *McGovern,* International Trade Regulation[2] (1986) 204: „The range and diversity of non-tariff barriers to trade is limited only by the ingenuity of the governments which create them. Over 600 are listed in an inventory maintained by the GATT Secretariat (1982)“; zu diesem Problem im Rahmen der Messung des „Protektionsniveaus“ vgl *Glismann/Horn/Neking/Vaubel,* Weltwirtschaftslehre (1982) 48.

[9]) Vgl Synopose nichttarifärer Handelshemmnisse von *Donges* in Handwörterbuch der Wirtschaftswissenschaft, Bd 3 (1981): „Handelshemmnisse, nicht-tarifäre“.

[10]) Statt zahlreicher Literaturangaben zu dieser Mythologisierung der derzeitig anschwellender Hinweise auf „han-(Anti)nihonjin ron“, *Mouer/Sugimoto,* Images of Japanese Society, A Study in the Structure of Social Reality (1986) sowie *Postel-Vinay,* La Révolution Silencieuse du Japon (1994).

zum Fremden von Außen („soto") von Bedeutung, zumal es letztlich hier um Einfuhren aus dem Ausland geht.

Die Einschaltung einer neutralen Instanz des Rechts (ungleich persönlicher Vermittler) führt in Japan oft nicht nur zum Verlust des Gesichts, sondern gelegentlich des gesamten sozialen Umfeldes. Folglich sind Gesetze zwar heute nicht mehr bloß äußerer Schmuck wie zur Meiji-Zeit, als sie gegenüber den Ausländern zur Aufgabe ihres Niederlassungsrechts vorgehalten wurden. Dennoch belegt die noch vergleichsweise geringe Zahl streitig entschiedener Rechtsfälle[11]) insb im Vergleich zu den USA ein deutlich schwächer ausgebildetes Rechtsbewußtsein.[12])

Während der Öffnung der Meiji-Zeit hat sich insb in Wirtschaftskreisen der Respekt vor der Obrigkeit in Form der staatlichen Verwaltung sogar verstärkt, da die Zuordnung der höchsten Stufe des „oyake" (ursprünglich die Vertretung der res publica gegenüber der Göttlichkeit) sich vom Tenno zur Administration zu verschieben begann und die Initiativen des Staates **zur Einführung westlicher Technologien** die neuen Industrien in seine Abhängigkeit („giri no iraishin") brachten. Darüber hinaus ergab sich aus dieser staatlich geführten späten Industrialisierung Japans auch die bis in die Gegenwart erkennbare Vorherrschaft der Regierung in der Normensetzung und parallel hierzu der Qualitätssicherung insb bei Exportwaren.

Zwar gilt heute das Schlagwort „kanson minpi" (wörtlich: Respekt vor der Verwaltung und Geringschätzung des Privaten) als altmodisch, doch kann man auch jetzt noch im internationalen Vergleich von einem starken Obrigkeitsglauben der Japaner sprechen, der sich nicht zuletzt bislang auch aus der Achtung vor der Elite-Bürokratie und ihrem Wissensvorsprung aus der Verflechtung mit den Grußunternehmen und Verbänden ergibt. Selbstverständlich schwächt sich die Autorität der Verwaltung mit der zunehmenden Liberalisierung und Internationalisierung Japans insb seit Beginn der 90er-Jahre deutlich ab.

b) Historische Entwicklung der Liberalisierung

Obgleich Japan seit 1955 Mitglied des GATT ist, wurden hier – ungleich der Öffnung der westeuropäischen Länder unmittelbar nach Kriegsende – erste systematische **Liberalisierungspläne** erst Anfang der 60er-Jahre aufgrund des äußeren Druckes („gaiatsu") seiner Handelspartner nach einer Dekade strenger Schutzpolitik von der Regierung vorgelegt. Insoweit als erster ist der Planentwurf zur Liberalisierung von Außenhandel und Devisengeschäften zu nennen, der im Juni 1960 vom Kabinett verabschiedet wurde. Dieser Planentwurf stellte noch eindeutig die Ausweitung der japanischen Ausfuhren in den Vordergrund und sah eine Liberalisierung der Einfuhren insb im Zusammen-

---

[11]) Umfassend zur japanischen Rechtsmentalität s *Rahn,* Rechtsdenken und Rechtsauffassung in Japan (1990) insb 307ff, sowie allgemein über das japanische Recht s *Eubel,* Das japanische Rechtssystem (1979).

[12]) Nicht zuletzt aus Furcht vor der Rechtsstreitsmentalität der Amerikaner konnte die japanische Anwaltskammer Nichibenren ihren sehr restriktiven Gesetzesvorschlag über die Auslandsrechtsanwälte („gaiben") 1986 durch den Reichstag bringen (vgl „Gaikokuho bengoshi ho" von 1987).

hang mit einer besseren Versorgung der Schwer- und chemischen Industrie mit Rohstoffen. Jedoch fand selbst ein solch zurückhaltender Liberalisierungsentwurf in der japanischen Öffentlichkeit zu jener Zeit kein ungeteiltes Echo. Die Furcht vor einem raschen Anstieg der Einfuhren und entsprechenden Folgen für die Handels- und Zahlungsbilanzen wurde als **Hauptargument gegen die Liberalisierungsvorschläge** vorgebracht. Schon damals hatte sich der interne Gegendruck seitens der Landwirtschaft, der sog „infant industries" (dh insb die damalige Automobil- und Stahlindustrie) und der Klein- und Mittelbetriebe wirksam mit Argumenten von Devisenabfluß sowie erhöhten Konsumausgaben und folglich geringeren Investitionen und Beschäftigungszahlen Gehör verschaffen können, obgleich sie international schon zu jener Zeit wenig überzeugten und durch die Entwicklung in der Folgezeit auch historisch widerlegt wurden.[13])

Da sich die Liberalisierungsmaßnahmen in den 60er Jahren noch wesentlich auf eine rein formale Verringerung der Warenposten auf der OECD-Negativliste beschränkten, nahm Japan seinen Kritikern somit lediglich vordergründig die allzu offensichtlichen Angriffsziele, ließ aber realiter zu jener Zeit kaum eine wahre Marktöffnung zu. Erst zu Beginn des siebenten Jahrzehnts wurden deutliche **Senkungen der durchschnittlichen Zolltarife** (zB für Konsumgüter von 44,6% 1963 auf 13,9% 1972) vorgenommen, Quotenbeschränkungen reduziert und Einfuhrsicherheitsleistungen abgeschafft. Der zeitliche Zusammenfall dieser Maßnahmen mit dem Start der GATT-Tokyo-Runde (1973–1979) läßt auch hier eher auf eine verhandlungspolitische Vorleistung des Gastgebers Japan als auf das Ergebnis interner Überzeugungsprozesse schließen. Nichtsdestoweniger begann das Inselreich zunehmend (eher als eine Yen-Aufwertung) steigende Einfuhren in gewissen Wirtschaftsbereichen als teilweisen Ausgleich für die weiterhin stark geförderten Ausfuhren in der Handelsbilanz zu betrachten, deren Überschüsse seit 1970 stark anstiegen. Die sog Ölkrise führte zwar zu einer starken Abnahme der Konsumgütereinfuhren entgegen den Forderungen von Japans Handelspartnern in Übersee, dies ließ jedoch keine wesentlichen Liberalisierungsmaßnahmen folgen. Lediglich sog **„Noteinfuhrprogramme"** und günstigere Einfuhrkredite insb für Flugzeugkäufe wurden 1977 vorgelegt, ansonsten begann man, gegen Handelsbilanzprobleme mit den USA und der EG mittels „Selbstbeschränkungen"[14]) bei den Ausfuhren zu reagieren. Weitere Zolltarifkürzungen (insb für Automobile auf 0% sowie geringfügiger für Stahlprodukte, alkoholische Getränke und Kaffee) und ein „Acht-Punkte-Programm" zur Liberalisierung und wirtschaftlichen Zusammenarbeit gingen einem auf den ersten Blick weitreichenden Vorschlag von Zollsenkungen der GATT-Verhandlungen voraus, die jedoch nur den arithmetischen Durchschnitt japanischer Zolltarife herabsetzten, aber wenig in den Bereichen boten, die auf dem japanischen Markt für das Ausland von Interesse sind. Diese Aussage gilt allgemein für

---

[13]) Eine umfassende Analyse und daraus resultierende Widerlegung der Thesen der Liberalisierungsgegner gibt *Foerschle,* Handelsprotektionismus und Liberalisierung (1981).

[14]) Zu dieser Problematik s *Mendes,* Antitrust in an World of Interrelated Economies (1991) insb 188ff.

Japans Versprechen in der Tokyo-Runde, Zolltarife im Durchschnitt ungefähr auf das Niveau der Tarife der EG und der USA zu bringen.

Entgegen jahrelangen Vorwürfen wegen **nichttarifärer Handelshemmnisse** in Japan nicht nur seitens der EG und der USA[15]), sondern auch aus ASEAN-Ländern, leugnete die Regierung bis 1982 einfach deren Existenz. So hatte die EG-Kommission schon seit 1976 in bilateralen Gesprächen zB die Beseitigung von nichttarifären Handelshemmnissen für Importe europäischer Kraftwagen verlangt und wiederholt seitdem diese Probleme unter anderem in sog halbjährlichen „High Level Consultations" (seit 1973) angesprochen. Aber erst 1982 gab die japanische Regierung dem Druck von außen nach und erklärte sich bereit, nichttarifäre Handelshemmnisse zum Gegenstand von Verhandlungen zu machen.

Dieser **Wandel in der japanischen Außenhandelspolitik** führte drei Jahre nach Unterzeichnung der „Vereinbarung über technische Handelshemmnisse" als Ergebnis der Tokyo-Runde im GATT und nach jahrelangen Vorhalten seitens der USA[16]) und letztlich dem breit angelegten Vorstoß der EG auf der Grundlage von Artikel XXIII GATT zur Öffnung des japanischen Marktes.

Die EG hatte 1982 drei Runden Konsultationen mit Japan auf der Basis von schriftlichen Vorstellungen und Vorschlägen, unter anderem zu spezifischen Prüfungs- und Zulassungsverfahren in den Bereichen Pharmazeutika, Kosmetika, Agrochemikalien, Veterinärmedizin, Kraftwagen, Traktoren, Elektrogeräte und Pflanzenschutz durchgeführt. Dabei hatte die Gemeinschaft diesbezügliche Verfahren Japans als Maßnahmen dargestellt, durch die ihre Vorteile aus dem GATT „zunichte gemacht oder geschmälert werden", „auch wenn diese nicht gegen dieses Abkommen verstoßen". Die Furcht, auch im multilateralen Rahmen des GATT, in dem Japans Ausfuhren so erfolgreich sind, angeprangert und möglicherweise isoliert zu werden, war dann kein unwesentlicher Anstoß für die Regierung, mit dem Abbau auch von nichttarifären Handelshemmnissen zu beginnen.

So wurde im Jahre 1983 im Parlament ein von der Regierung Nakasone vorgelegtes Rahmengesetz verabschiedet, das formalrechtlich die in dem sog „*Gotoda*-Review" (benannt nach dem Kabinett-Chefsekretär *Gotoda*) entwickelten Grundsätze der **Nicht-Diskriminierung, Transparenz** und **Internationalisierung** in 17 Einzelgesetze der Normung und Zulassungsverfahren einführte. Die prinzipielle Anerkennung ausländischer Testdaten sowie die Vereinfachung und Beschleunigung entsprechender Verfahren versprechen weitere Verbesserungen beim Marktzugang.

Unter dem Schlagwort der **Nicht-Diskriminierung** verstand der *Gotoda*-Ausschuß eine Sicherstellung in rechtlicher Hinsicht, daß kein Unterschied

[15]) Amerikanischen Äußerungen zufolge sollen noch zu Anfang der 80er Jahre rund 60% aller Industrieprodukte durch nichttarifäre Handelshemmnisse am Zugang zum japanischen Markt gehindert worden sein.

[16]) Am 16. Dezember 1981 kündigte ein Kabinettsausschuß erstmalig „zur Verbesserung von Einfuhrprüfungsverfahren etc" ein sogenanntes „Außenwirtschaftsmaßnahmen-Paket" an. Dieses Paket enthielt auch die Grundlage für die Einführung eines „Office of Trade Ombudsman" (OTO), der sich mit konkreten Beschwerden über Importprobleme beschäftigen soll.

zwischen In- und Ausländern in bezug auf Zulassungsverfahren gelten soll, insb um ausländischen Lieferanten direkte Antragstellung zu ermöglichen und ausländischen Waren und Lieferanten im wesentlichen gleiche Behandlung bei Prüfungsverfahren zuzuerkennen.

Zur Sicherstellung von **Transparenz** wurde in diesem Zusammenhang die Gelegenheit zur Meinungsäußerung bei der Aufstellung von Normen freiwilliger wie auch verbindlicher Natur und neun Wochen (statt bislang 45 Tage) Zeit für Kommentare im GATT eingeführt. Die Unterrichtung interessierter Kreise über derartige Normenaufstellungen und die Veröffentlichung eines Handbuchs über Normenaufstellung und Revisionsverfahren durch die japanische Regierung war ebenso Gegenstand der neuen Regelung. Zusätzlich sollte jedes betroffene Ministerium ein „Schalterfenster" („mado guchi") einrichten, um konkrete Ersuchen zu bearbeiten.

Zur **Internationalisierung** zählte der *Gotoda*-Ausschuß die Harmonisierung mit bestehenden internationalen Normen unter Rücksichtnahme auf „besondere Umstände Japans", die aktive Teilnahme Japans bei der Aufstellung neuer internationaler Normen und die Revision bestehender japanischer im Lichte eines Vergleichs mit ausländischen Normen.

Obgleich auch von der EG damals „als Schritt in die richtige Richtung" begrüßt, meldete das Ausland Bedenken im Hinblick auf die Notwendigkeit an, daß diese Grundsätze in formalen Gesetzen noch lange nicht die Durchführung im konkreten Einzelfall bedeuteten.

Um unter anderem dem „Handikap der Europa-Orientierung"[17]) der internationalen Normung zu begegnen, veranstaltete Japan 1983 zum zweiten Mal nach 1965 die jährliche Generalversammlung der International Electrotechnical Commission in Tokyo mit ungefähr 600 Teilnehmern aus 44 Ländern. Nach MITI's Ansicht gab dies der heimischen Elektrogeräte- und Elektronik-Industrie insb eine gute Gelegenheit der Selbstdarstellung.

Seitdem gilt es, die hehren Grundsätze des „*Gotoda*-Review" in die Praxis umzusetzen. Dies geschah oft nur zögernd und selten auf Eigeninitiative der japanischen Regierung, sondern meist nur, sobald dem politischen Druck von seiten der USA und der EG nicht mehr standgehalten werden konnte (dh „reaktiv") oder wenn anläßlich eines Staatsbesuches, Gipfeltreffens oder bei ähnlicher Gelegenheit ein „omiage" (Mitbringsel) in Form eines Zugeständnisses an einen Handelspartner vonnöten war oder wenn die Front des internen Gegendruckes Risse zeigte und in der angeblich so homogenen japanischen Gesellschaft abweichende Stimmen in das Klagelied des Auslands einstimmten.

In diesem Zusammenhang sind auch die zwei Gesprächsrunden der EG mit Japan im sog „Trade Expansion Committee" (TEC) im Frühjahr 1985 zu sehen, die sich aus der erwähnten Konsultation im GATT nach Artikel XXIII ergaben und in concreto Probleme behandelten wie **Regierungsausschreibungen,** die üblichen Schwierigkeiten mit Zulassungs- und Einfuhrverfahren, aber auch verstärkt Bereiche wie Nachahmungen europäischer Handelsmar-

---

[17]) Vgl *Hirakawa,* Normen, Zertifizierungssysteme und die Aufgaben des MITI, in: Normung, Zertifizierung, Zulassungsverfahren in Japan, Din-Normungskunde Bd 19 (1984) 83.

ken und irreführende Etikettierung aufgriffen. Aktuell waren damals auch die Privatisierung von Nippon Telegraph and Telephone und der Abbau des Tabak-Monopols sowie im breiteren Rahmen die Yen-Dollar-Währungsvereinbarung.

Ein Zusammenfallen dieser drei oben genannten Anlässe führte zum „Aktionsprogramm zum verbesserten Marktzugang“ vom Juli 1985 kurz vor Premierminister *Nakasones* Europa-Besuch. Hohe Handelsüberschüsse mit dem Ausland, Kritik daheim an unnötiger Bürokratie (Stichwort „Verwaltungsreform“) und seit kurzem sogar Hinweise auf die Interessen der Verbraucher an größerer Auswahl beim Einkauf, verlangten entsprechendes Handeln der Regierung. So verkündete *Nakasone* fernsehwerbewirksam für das Ausland Maßnahmen, die dem Grundsatz der Freiheit getreu im Bereich nichttarifärer Handelshemmnisse für 276 Verfahren nach 26 Gesetzen Fristen einführten, nach deren Ablauf dem Antragsteller eine Begründung zu erteilen ist. Des weiteren wurden zuständige Behörden angewiesen, „thorough checkups“ nicht-amtlicher Normen und Zulassungsverfahren gemäß den Grundsätzen des „*Gotoda*-Review“ durchzuführen. Innerhalb des Zeitrahmens von drei Jahren für das „Aktionsprogramm“ wurden noch im September 1985 gewisse Maßnahmen vorverlegt, um deren Priorität zu unterstreichen.

Im Frühjahr 1986 brachte dann die Veröffentlichung des „*Maekawa*-Reports“ die makro-ökonomische Bestätigung der **Notwendigkeit einer weiteren Marktöffnung,** wenngleich auch ohne jegliche amtliche Verbindlichkeit. Dieser „*Maekawa*-Report“ diente allerdings dem wachsenden Konsens intern, wie auch den ausländischen Kritikern mit zusätzlichen Argumenten aus japanischer Quelle zum Abbau noch verbliebener Beschränkungen. Diese wurden unter anderen bei einem Seminar im Keidanren mit dem „European Business Council“ (EBC) und zuständigen Beamten im Mai 1986 erläutert. Währenddessen hatte die US-amerikanische Seite einer *Reagan-Nakasone*-Initiative folgend, in den sog MOSS-(Market-Oriented Sector-Selective)[18]) Gesprächen begonnen, Einfuhrprobleme einzelner Handelswaren vom Zeitpunkt der Verladung im Hafen bis zum Verkauf an den Verbraucher mit den entsprechenden Behörden zu diskutieren.

Den Gedanken von **„sectoral talks“** hatte die EG schon im Rahmen des „Trade Expansion Committee“ auf Beamtenebene verwirklicht. Jedoch steigerte sich indes die Frustration der Importeure in einzelnen Wirtschaftszweigen in Japan, und zu allem Überfluß wurden zusätzliche Normenprobleme in Bereichen wie Ski-Artikel, in denen europäische Hersteller gerade erfolgreich einen Markt aufbauten, geschaffen. Der angeblich „andersartige Schnee in Japan“ diente der damals noch vom MITI und der Witschaft finanzierten, auf Englisch sich „Consumer Product Safety Association“ nennenden Vereinigung zum Vorwand für Abweichungen von den allgemein international anerkannten Ski-Standards der ISO (International Standard Organisation) und DIN[19]). Diese abweichende Normsetzung war nicht nur von der Begrün-

---

[18]) Den „MOSS-Talks“ folgten 1989 die noch fortlaufenden Gespräche der „Structural Impediments Initiative“ („SII“) der USA.

[19]) Der Verfasser konnte nicht umhin, anläßlich der eiligst einberufenen „Internationalen Experten-Konferenz für Ski-Standards“ Anfang Juli 1986 in Tokyo auf per-

dung her wenig überzeugend und lieferte dementsprechend der Auslandspresse höhnische Schlagzeilen als Beispiel der Verschlossenheit des japanischen Marktes. Sie widersprach auch inhaltlich eindeutig der von der Regierung wiederholt propagierten **Harmonisierung mit internationalen Vorschriften.** Nach anfänglicher Ablehnung jeglicher Verantwortung hierfür seitens des MITI lenkte schließlich der zuständige Minister im Dezember 1986 bei der Ministerkonferenz mit der EG-Kommission in Brüssel ein und versprach, das Problem einer Lösung zuzuführen.

Dieselbe Ministerkonferenz legte auch die Grundlagen für die Sektoren-Gespräche mit Experten über zuerst Automobile, Kosmetika und medizinische Geräte sowie später Pharmazeutika, Molkereiprodukte und Immaterialgüterrechte (dh insb Nachahmungen berühmter Handelsmarken). Im Februar und Juni 1987 wurden folglich in Tokyo ausführliche Gespräche mit Fachleuten aus Europa, nicht nur über Einzelheiten abweichender Normen in den ersten drei Bereichen, sondern auch über andere einfuhrhemmende Vorschriften wie zum Beispiel jene zur höheren Besteuerung größerer PKWs (dh der meisten Importwagen) und der diskriminierenden Versicherungsgebühren aller ausländischen Kraftwagen, geführt.

Bei PKWs konnten im Bereich der Zulassungsnormen zahlreiche Verbesserungen erzielt werden, sodaß vielfach lediglich deren Durchführung noch überwacht werden muß. Letztlich wurden 1989 mit der Fiskalreform auch weitgehend die Steuerfragen gelöst, sowie davon unabhängig, die Versicherungstarife angepaßt. Befriedigung wurde hinsichtlich des erreichten Fortschritts bei Kosmetika verzeichnet, und auch bei medizinischen Geräten berichtet die EG-Kommission von Fortschritt, obgleich einige offene Probleme weitere Gespräche geraten erscheinen lassen.

Mit dem in diesen Bereichen erzielten Fortschritten zeichnet sich eine deutliche Tendenz bei den Marktöffnungsgesprächen mit den Japanern ab, die ursprünglich in breiter Phalanx den japanischen Markt allgemein als geschlossen anprangerten, bis die Regierung überhaupt die Existenz von nichttarifären Handelshemmnissen anerkannte. Auf der nächsten Stufe wurden dann in einzelnen Problembereichen mit Experten auf beiden Seiten konkrete Marktzugangsschranken für einzelne Handelswaren mit zunehmender Detailkenntnis angesprochen und weitgehend deren Abbau durch Harmonisierung mit Internationalen Vorschriften oder zumindest größere Transparenz japanischer Vorschriften erreicht. Dieser „sectoral approach" basiert auf Erfahrungen von Importeuren in Japan, die von offiziellen Stellen, insb der USA und der EG aufgenommen und der japanischen Regierung oft in abstrakter Form vorgetragen wurden. Ziel war es dabei stets, erfolgversprechenden Ausfuhrindustrien den **Zugang zum japanischen Verbraucher** zu erleichtern. Dieses Vorgehen nach Sachbereichen brachte jedoch nur in Einzelfällen jene horizontalen Mechanismen zur Sprache, die für eine Vielzahl von Warengruppen gelten, wie zum Beispiel Probleme mit dem schwer durchdringli-

---

sönliche Erfahrungen aus seiner Studentenzeit mit dem feuchten Schnee vom Rokkosan in Kobe bis zum pulvrigen Weiß Hokkaidos zu verweisen, die ebenso im wesentlichen temperatur-(und keinesfalls kultur-)abhängig wie die Schneekristalle in Europa oder anderswo sind.

chen Distributionssystem, das ua unter „administrative guidance" auch heute noch vor Ort oft unter dem Einfluß der dortigen Konkurrenten neue Großraumgeschäfte aus letztlich mittelstandspolitischen Gesichtspunkten ausschließt.

Auf diesen Erfahrungen aus den 80er Jahren aufbauend, hat die EG-Kommission im Sinne ihrer Japanpolitik „Von der Konfrontation zur Kooperation" Anfang 1993 gemeinsam mit der japanischen Regierung einen sog „Trade Assessment Mechanism" (TAM) entwickelt, der zum Ziel hat, den **Marktzugang** nach Japan mit beiderseitiger Zustimmung zu einer objektiven Analyse der Sachlage zu verbessern. In diesem komplizierten Verfahren mit einer EU-Japan-Expertengruppe werden in einem neutralen Vergleich mit den Einfuhren anderer Länder die relevanten Hemmschwellen bestimmt, analysiert und möglichst einer Lösung zugeführt.

Die gemeinsame Analyse der objektiv festgestellten Probleme ist das wesentliche Merkmal von TAM und steht somit in krassem Gegensatz zu einseitigen Forderungen der USA gegen Japan nach numerischen Einfuhrzielvorgaben. Bis Mitte 1994 sind im Rahmen von TAM ungefähr 60 verschiedene Einfuhrwaren behandelt worden, wobei der Bereich der Dienstleistungen noch für später vorbehalten wurde.

Ebenso zeigt sich die Kommission aktiv in der Kooperation durch Vorlage von Vorschlagslisten bezüglich der umfassenden politischen Pläne zur Deregulierung in Japan, die langfristig wesentlich zum Abbau verbleibender nichttarifärer Handelshemmnisse beitragen kann.

5. Exportfördernde Maßnahmen der Kommission

Neben dem nachhaltigen Bemühen der Kommission um die Öffnung des japanischen Marktes hat sie 1979 ein Programm zur Förderung des Exports nach Japan in die Wege geleitet, das die Schwierigkeiten beim Zugang zum japanischen Markt für europäische Exporteure überwinden helfen soll. Unter dem Schlagwort „Gateway to Japan" laufen bis 1996 zB mehrere Aktionen, die europäische Firmen ua durch eine bessere Kenntnis des Absatzmarktes Nippon beim Export und der Präsenz in Japan in verschiedenen Sektoren – von Möbeln bis zu medizinischen Geräten – unterstützt.

Zu den Exportförderungsaktivitäten gehört auch das Executive Training Programme, das ca 50 großzügig bemessene Stipendien jährlich jungen europäischen Führungskräften gewährt, die im Anschluß an ein intensives Japanisch-Studium von einem Jahr in Tokyo ein sechsmonatiges Praktikum in japanischen Unternehmen absolvieren und so später als Japan-Experten ihren europäischen Firmen im Fernost-Geschäft von großer Hilfe sein können.

6. Kooperation

Über die beiderseitig geförderte industrielle Zusammenarbeit[20]) hinaus haben in den letzten Jahren besonders die Kooperationsvorhaben der EG-

[20]) Hierzu ist insb das „EC-Japan Centre for Industrial Cooperation" in Tokyo mit seinen zahlreichen Veranstaltungen zur Unterstützung europäischer Firmen im Japangeschäft zu nennen.

Kommission selbst mit japanischen Regierungsstellen zugenommen, wie zum Beispiel aufgrund von förmlichen Abkommen auf dem Gebiet der Atomfusion (1989) und des Umweltschutzes (1989).

Bilaterale Kontakte finden regelmäßig auf fast allen Ebenen von **Gipfeltreffen** zwischen Kommissionspräsident und Premierminister über jährliche Ministertreffen mit der Kommission, bis zu zahlreichen intensiven Gesprächen unter Sachbearbeitern statt. Dabei werden neben der Handels- und Wirtschaftspolitik alle beide Seiten interessierende andere Fragen der Zusammenarbeit insb im Bereich von Wissenschaft und Technologie, Wettbewerbsrecht, Sozialpolitik, Entwicklungshilfe, Umweltschutz, Kooperation im Kultursektor usw angesprochen. Gemeinsame Grundlage dieser heute sehr umfassenden bilateralen Zusammenarbeit der EU mit Japan sind die Gemeinsame Erklärung vom Juli 1991[21]) sowie die Mitteilung der Kommission vom Mai 1992 unter dem Titel „Ein durchgängiges und umfassendes Konzept“[22]).

[21]) Siehe *Stumpf,* Das Dreieck EG-USA-Japan, in: *Röttinger/Weyringer,* Handbuch der europäischen Integration[1] (1991) 571 (597).

[22]) KOM (92) 219 v 21. 5. 1992.

7. KAPITEL

Die Entwicklungspolitik der EU und die Beziehungen zu den Staaten der Dritten Welt

Barbara Brandtner und *Corrado Pirzio-Biroli*)*

Übersicht:

A. Geschichtliche Entwicklung und Rechtsgrundlagen
- 1. Historischer Abriß
  - a) Die Grundlagen
    - 1) Die überseeischen Länder und Gebiete
    - 2) Erste globale Ansätze – Nahrungsmittelhilfe und Allgemeines Präferenzzollsystem (APS)
    - 3) Die Politik von Lomé
  - b) Die Erweiterungen
    - 1) Die Mittelmeerpolitik der Gemeinschaft
    - 2) Die sonstigen vertraglichen Beziehungen mit Ländern der Dritten Welt – Asien, Lateinamerika und die Golfregion
- 2. Die Rechtsgrundlagen der Entwicklungspolitik der Gemeinschaft
  - a) Die gemeinsame Handelspolitik (Art 113 EGV)
  - b) Die Assoziationsverträge gem Art 238 EGV
  - c) Art 235 EGV als Rechtsgrundlage für Maßnahmen der Entwicklungspolitik
- 3. Schlußfolgerungen

B. Die Politik von Lomé
- 1. Grundlagen, allgemeine Zielsetzungen und finanzielle Ausstattung
  - a) Grundlagen
  - b) Allgemeine Zielsetzungen
  - c) Finanzielle Ausstattung
- 2. Die Handels- und Grundstoffpolitik von Lomé
  - a) Die Handelspolitik
  - b) Die Grundstoffprotokolle – Zucker, Bananen, Rindfleisch und Rum
  - c) STABEX und SYSMIN
- 3. Die technische und finanzielle Zusammenarbeit
  - a) Die technische Zusammenarbeit
  - b) Die finanzielle Zusammenarbeit
  - c) Die Strukturanpassungshilfe
- 4. Schlußfolgerungen

C. Das Allgemeine Zollpräferenzsystem der Gemeinschaft (APS)
- 1. Theoretische Grundlagen
  - a) Der autonome Charakter des APS
  - b) Die Zielsetzung des APS
  - c) Kritik des theoretischen Ansatzes
- 2. Die praktische Handhabung des APS
  - a) Die inhaltliche Ausgestaltung des Schemas

---

*) Es handelt sich bei diesem Beitrag um den von *Pirzio-Biroli* überarbeiteten, aktualisierten und ergänzten Text von *Brandtner.*

A. Geschichtliche Entwicklung und Rechtsgrundlagen

Der EWG-Vertrag von 1957 enthält bisher keinen eigenen Abschnitt über die **Kompetenzen** der gemeinschaftlichen Entwicklungspolitik. Diese hat sich vielmehr im Laufe der Geschichte der EG in dem Maße herausgebildet, in dem einzelne Probleme an die Gemeinschaft herangetragen wurden und sie hierfür zunehmend Verantwortung übernehmen mußte, womit ihre sukzessive Ausweitung die Änderung der Rolle der EG in der Welt widerspiegelt.

Eine nähere Betrachtung wird zeigen, daß die Gemeinschaft sich den an sie herangetragenen Aufgaben mit der notwendigen Flexibilität gestellt hat und mittlerweile über ein umfangreiches Instrumentarium zur Lösung der entwicklungspolitischen Probleme unserer Zeit verfügt.

So wurde die Entwicklungspolitik ausdrücklich in den Vertrag von Maastricht aufgenommen.[1])

1. Historischer Abriß

a) Die Grundlagen

1) Die überseeischen Länder und Gebiete

Im Verlaufe der Verhandlungen über den Abschluß der Römischen Verträge 1957 drängte Frankreich auf eine weitestgehende Einbeziehung seiner **Überseegebiete** in den geplanten Gemeinsamen Markt. Einerseits sollten nämlich die Kosten für deren Entwicklung durch eine Teilnahme an der gemeinschaftlichen Integration verlagert und auf die sechs ursprünglichen Mitgliedstaaten aufgeteilt werden. Andererseits konnte es auch nicht im Interesse des Mutterlandes liegen, die Loslösung der abhängigen Gebiete durch die Errichtung einer mit dem gemeinschaftlichen Außenzoll verbundenen Handelsschranke möglicherweise noch zu fördern.[2])

Doch stand Frankreich mit diesem Bestreben nicht allein: Belgien befand sich bezüglich des Kongos in einer vergleichbaren Situation.[3])

Als Ergebnis des letztlich erzielten politischen Kompromisses fand das Kapitel über die überseeischen Länder und Gebiete schließlich in Art 133 ff EWGV Eingang. Darin vorgesehen war eine einseitige **konstitutionelle Assoziierung** dieser Gebiete, die ja noch keine eigene Rechtspersönlichkeit besaßen, mit dem Ziel, im Gleichklang mit der innerhalb der Sechsergemeinschaft angestrebten Zollunion die schrittweise Abschaffung der Zölle zu erreichen und befristete Handelsregelungen vorzusehen.[4]) Als entwick-

---

[1]) Titel XVII EUV (Art 130u–130y).
[2]) *Loth,* Der Weg nach Europa[1] (1990) 122.
[3]) *Loth* (FN 2) 131.
[4]) *Bachmann,* Die Präferenzregelungen der Europäischen Gemeinschaft, ZfZ 1989, 34 ff.

lungspolitisches Kernstück dieser Vereinbarung wurde darüber hinaus die Schaffung eines **Europäischen Entwicklungsfonds (EEF)** in Höhe von 581 Mio Dollar für die ersten fünf Jahre ihrer Laufzeit vereinbart.[5]) Der Fonds wurde nicht in den Haushalt der Gemeinschaft aufgenommen, sondern nach einem besonderen Verteilerschlüssel durch Beiträge der Mitgliedstaaten finanziert.[6])

Bereits hier deutet sich ein **Kompetenzdualismus** zwischen Gemeinschaft und Mitgliedstaaten an, der insb auf dem Gebiet der Finanzierung teilweise nach wie vor fortbesteht.

Es wäre jedoch verfehlt, zu diesem Zeitpunkt bereits von einer Entwicklungspolitik der Gemeinschaft sprechen zu wollen. Die im Abs 7 der Präambel des EWG-Vertrages enthaltene Erklärung, „die Verbundenheit Europas mit den überseeischen Ländern zu bekräftigen, und in dem Wunsch, entsprechend den Grundsätzen der Vereinten Nationen den Wohlstand der überseeischen Länder zu fördern“, bezog sich nämlich lediglich auf die abhängigen Gebiete iSv Art 131 ff EGV. Nur für sie fühlte sich die EG verantwortlich. Und nur sie sollten in den Vertrag einbezogen werden.[7])

Im Verlauf der Dekolonialisierung verlor die konstitutionelle Assoziierung der abhängigen Länder und Gebiete jedoch rasch an Bedeutung, da die allermeisten der betroffenen Länder ihre Unabhängigkeit erlangten und damit automatisch aus dem Assoziationsverhältnis ausschieden.[8]) Gleichwohl waren die meisten der neuen Staaten bemüht, den relativ freien Zugang zum Markt der Gemeinschaft zu bewahren und auch weiterhin die Finanzhilfe aus dem EEF zu erhalten.[9])

Da auch die Gemeinschaft ein Interesse an der Erweiterung des Handelsverkehrs und der Entwicklung der wirtschaftlichen Beziehungen mit den ehemals abhängigen Gebieten hatte[10]), schlossen sich 1963 achtzehn afrikanische und madegassische Staaten, die Gemeinschaft und ihre Mitgliedstaaten im ersten **Abkommen von Jaunde** zusammen. Damit war die formelle Gleichberechtigung der Partner erreicht.

Obwohl in beiden Abkommen von Jaunde keine gemeinschaftsrechtliche Rechtsgrundlage genannt wurde, handelt es sich um Assoziationsverträge iSv Art 238 EGV.[11]) Ihre Laufzeit betrug fünf Jahre, und es wurden gemeinsame institutionelle Einrichtungen auf ministerieller und parlamentarischer Ebene geschaffen.

Der Europäische Entwicklungsfonds wurde über den Aufbau der Infrastruktur hinaus auf die Förderung des produktiven Bereichs in den Partnerländern ausgedehnt.

---

[5]) *Loth* (FN 2) 131.

[6]) *Flory,* Handelspolitik und Entwicklungspolitik, in 30 Jahre Gemeinschaftsrecht (1983) 425.

[7]) *von Arnim,* Die Entwicklungspolitik der Europäischen Gemeinschaften am Beispiel des „Allgemeinen Präferenzsystems“, ZfZ 1984, 290.

[8]) *Bachmann* (FN 4) 40 f.

[9]) EG-Kommission (Hg), Europa – Dritte Welt, ein Dialog (1988) 22.

[10]) *Grabitz,* Die Entwicklungspolitik der Europäischen Gemeinschaften – Ziele und Kompetenzen, EuR 1977, 217 ff.

[11]) *Bachmann* (FN 4) 37; s ausführlich unten A.2.b.

Das zweite Abkommen von Jaunde 1969–1975, wie auch der dritte EEF, übernahmen diese Strukturen.[12])

2) Erste globale Ansätze – und (APS)

In diesem Zeitraum entwickelte sich die Dritte Welt auf der politischen Welttribüne zu einer eigenständigen Macht. Die Gruppe der 77 formierte sich. Der Nord-Süd-Dialog wurde schwieriger. Innerhalb der Gemeinschaft setzte sich die Erkenntnis durch, daß eine umfassende, weltweite und kohärente Politik der Entwicklungszusammenarbeit erforderlich sei. Die EG erweiterte daher nach und nach ihr entwicklungspolitisches Instrumentarium.[13])

So leistete die Gemeinschaft seit 1968 **Nahrungsmittelhilfe,** nachdem sie dem ersten weltweiten Abkommen über Nahrungsmittelhilfe (Teil des Internationalen Weizenabkommens) auf der Basis von Art 113 EGV[14]) beigetreten war. Doch blieb es der EG nicht erspart, mit diesem Instrument schmerzliche Erfahrungen zu sammeln. Die Gewährung der Nahrungsmittelhilfe wurde nämlich im Inneren der Gemeinschaft als eine Maßnahme zur Beseitigung der Agrarüberschüsse begründet. Nun war zwar die gesellschaftliche Akzeptanz für humanitäre Nahrungsmittelhilfe ungleich höher als für durch die Vernichtung von Agrarprodukten. Sie hatte jedoch teilweise unerwünschte Folgen wie die Änderung einheimischer Ernährungsgewohnheiten in den Empfängerländern oder den Zusammenbruch lokaler Agrarproduktionen, da diese mit der gemeinschaftlichen Hilfe nicht konkurrieren konnten.[15])

Die Gemeinschaft zog jedoch erst 1986 mit einer Verordnung[16]) über die Nahrungsmittelhilfepolitik und -verwaltung die Konsequenz aus vergangenen Fehlern, indem sie den humanitären Charakter der betonte, die Verordnung auf Art 235 EGV[17]) stützte und die Gewährung von Nahrungsmittelhilfe von deren entwicklungspolitischer Verträglichkeit abhängig machte.

Seither bemüht sich die Gemeinschaft in immer stärkerem Maße um die Leistung von Hilfe in Form von **Dreiecksgeschäften und Substitutionsmaßnahmen,** um eine Interessensverquickung mit den Agrarüberschüssen zu vermeiden[18]). Den alten Vorwurf zur Gänze loszuwerden, ist ihr jedoch bislang nicht geglückt.

---

[12]) EG-Kommission (Hg) (FN 9) 22f.

[13]) *Flory* (FN 6) 423.

[14]) Siehe dazu unten A.2.a.

[15]) *Snyder,* European Community Law and Third Wold Food Entitlements, GYIL 1989, 87ff, 105f.

[16]) V 3972/86, ABl L 1986/370, 1.

[17]) Siehe dazu unten A.2.c.

[18]) Bei Dreiecksgeschäften kauft die EG in einem anderen Entwicklungsland Nahrungsmittel auf – wobei sie gem Art 3 lit b V 3972/86/EWG zu beachten hat, daß die Märkte der Lieferländer nicht gestört werden und negative Auswirkungen auf die Nahrungsmittelversorgung der einheimischen Bevölkerung unterbleiben – und liefert diese in ein Mangelland. Bei den Substitutionsmaßnahmen leistet die EG statt Nahrungsmitteln Finanzhilfe, indem sie das Empfängerland kostenlos mit Nahrungsmitteln beliefert, dieses die Nahrungsmittel jedoch zu Marktpreisen verkauft und so finanzielle Einnahmen erzielt. Auf diese Weise werden Infrastrukturmaßnahmen gefördert, die präventive Wirkung haben sollen. Siehe dazu auch EG-Kommission (Hg) (FN 9) 74.

Zur gleichen Zeit fand jener Dialog mit den Entwicklungsländern statt, an dessen Ende 1971 das **Allgemeine Zollpräferenzsysteme (APS)** der Gemeinschaft stehen sollte. Im Verlaufe der 60er-Jahre waren die Entwicklungsländer der Dritten Welt zu der Überzeugung gekommen, daß der im Rahmen des GATT angestrebte freie Welthandel ihren Interessen nicht in hinreichendem Maße Rechnung tragen würde. So verlagerte sich die Debatte über einseitige Zollsenkungen der Industriestaaten gegenüber den Entwicklungsländern vom GATT in die UNCTAD, wo die Idee einer **„Neuen Weltwirtschaftsordnung“** mit Nachdruck betrieben wurde[19]).

Auf der zweiten Welthandelskonferenz in Neu Delhi wurde 1968 eine Resolution „zur Einführung eines allseits annehmbaren und allgemeinen Systems nicht gegenseitiger, nicht diskriminierender Zollpräferenzen, das für Entwicklungsländer vorteilhaft ist“, verabschiedet[20]). Das GATT wiederum wurde 1965 durch einen neuen Teil IV über Handel und Entwicklung ergänzt, in dem den Industrieländern ermöglicht wurde, in ihrem Handel mit der Dritten Welt von Gegenleistungen abzusehen. Auch erfolgte 1979 eine Ausnahmeregelung im Rahmen des GATT zur Abweichung von der Meistbegünstigungsklausel zugunsten der Entwicklungsländer.[21])

Auf seiten der Industrieländer fand die Willensbildung im Rahmen der OECD statt, wo 1967 eine Einigung über ein Angebot auf Einführung von Präferenzzöllen erreicht wurde. Die Gemeinschaft führte daraufhin als erste einseitig 1971 ein allgemeines Präferenzsystem ein, nachdem sich auf der **UNCTAD-Konferenz** abgezeichnet hatte, daß es ein einheitliches Präferenzsystem aller Industriestaaten nicht geben würde.[22]) In diesem gewährte die Gemeinschaft auf die Einfuhren von Fertig- und Halbfertigwaren aus Entwicklungsländern nicht auf Gegenseitigkeit beruhende und nicht diskriminierende Zollpräferenzen.[23])

Das Agrarschema ist wesentlich weniger umfassend als das Schema für die gewerblichen Waren und das Textilschema. Dies wird darauf zurückgeführt, daß das APS primär die Industrialisierung der Entwicklungsländer und nicht so sehr die Exportförderung im Bereich der Grunderzeugnisse zum Ziel hat. Aufgrund der Gemeinsamen Agrarpolitik ist es äußerst schwierig, Zugeständnisse in Bereichen zu machen, für die eine gemeinsame Marktordnung gilt. Das APS hat sich mit der Zeit verringert – mit der allgemeinen Senkung der Zölle von GATT-Runde zu GATT-Runde und mit der zunehmenden Rolle der (unilateralen) Anti-Dumping- und Countervailing-Duty-Verfahren seitens der westlichen Länder (EU, USA, Kanada).

Das APS galt von 1971 bis 1980 und wurde von 1981 bis 1994 verlängert.[24]) In den letzten Jahren wurde das APS auf die osteuropäischen Staaten ausgedehnt. Ein etwas verändertes APS ist 1995 in Kraft getreten.

---

[19]) *von Arnim* (FN 7) 291.
[20]) *Bachmann* (FN 4) 41.
[21]) *von Arnim* (FN 7) 291.
[22]) *Bachmann* (FN 4) 41; *von Arnim* (FN 7) 291.
[23]) *Flory* (FN 6) 429.
[24]) *Bachmann* (FN 4) 42.

Mittlerweile sind etwa 140 Staaten von diesem System begünstigt, womit ein umfassendes Instrument der Entwicklungszusammenarbeit der Gemeinschaft entstanden ist. Im Verlaufe der beiden ersten Dekaden stellte sich allerdings heraus, daß das Präferenzsystem für die am wenigsten entwickelten Länder von keinerlei Nutzen war, da über 70% der Möglichkeiten von nur 10 Ländern genutzt werden.[25]) Seit 1977 gewährt daher die EU den am wenigsten entwickelten Ländern (die nicht vom Lomé-Abkommen profitieren) eine besondere Behandlung (Zollbefreiung statt Zollsenkung). Allerdings gilt auch für diese Länder weiter die Agrarschutzklausel.

3) Die Politik von Lomé

Der Beitritt des Vereinigten Königreiches zur Gemeinschaft im Jahre 1973 hatte eine neue Dynamisierung der Beziehungen der EG zu den Ländern Afrikas sowie des karibischen und pazifischen Raums zur Folge. In Anhang IV, 22. Protokoll, der Beitrittsakte des Vereinigten Königreiches, Dänemarks und Irlands vom 22. 1. 1972 wurde nämlich den sog AKP-Staaten die Einbeziehung in ein System privilegierter Handelsbeziehungen mit der Gemeinschaft eröffnet.

Es handelte sich hierbei neben den traditionellen Unterzeichnerstaaten der beiden Jaunde-Abkommen vorwiegend um Länder des britischen Commonwealth[26]) sowie um weitere Staaten, die ihrer Wirtschaftsstruktur und Produktion nach mit denen der AKP-Staaten vergleichbar waren.[27])

So wurde am 18. Februar 1975 das erste Abkommen von Lomé unterzeichnet, in dem man auf die Erfahrungen der beiden Jaunde-Abkommen zurückgriff. Die mittlerweile vier **Lomé-Abkommen** (Lomé I 1975–1980, Lomé II 1980–1985, Lomé III 1985–1990, Lomé IV 1990–2000) stellen einen grundlegend neuen Ansatz in der Entwicklungspolitik der Gemeinschaft dar[28]). Es handelt sich dabei um ein entwicklungspolitisches Gesamtkonzept unter Einsatz aller verfügbaren Kooperationsinstrumente mit dem Ziel einer umfassenden wirtschaftlichen, sozialen und kulturellen Zusammenarbeit zwischen den Partnern.

b) Die Erweiterungen

1) Die Mittelmeerpolitik der Gemeinschaft

Die Gemeinschaft hatte von Anfang an zum südlichen Mittelmeerraum nicht nur geographisch besonders enge Beziehungen. So war Algerien 1958 noch französisches Hoheitsgebiet und erhielt Gelder aus dem ersten EEF. Marokko und Tunesien waren ausdrücklich wegen ihrer privilegierten Wirtschaftsbeziehungen zu Frankreich in einem Protokoll zum EWG-Vertrag genannt.[29])

---

[25]) Vgl den Bericht des EP-Ausschusses für Entwicklung und Zusammenarbeit v 29. 11. 1990, PE 144.240/endg.

[26]) Durch diese Formel wurde Commonwealth-Asien (wegen seiner Größe) ausgeschlossen.

[27]) *Flory* (FN 6) 424.

[28]) EG-Kommission (Hg) (FN 9) 23ff; s dazu ausführlich unten B.

[29]) EG-Kommission (Hg) (FN 9), 40.

Im Verlaufe der 60er-Jahre wurden vereinzelt Abkommen geschlossen, die aber eine einheitliche Konzeption nicht erkennen ließen. Erst im Zusammenhang mit der Erweiterung der Gemeinschaft 1973, insb dem Beitritt Großbritanniens, das für verschiedene Mittelmeerländer einen wichtigen Markt darstellte, entwickelte die Gemeinschaft 1975 das Konzept der **globalen Mittelmeerpolitik.**[30]) Die vorhandenen regionalen Gegensätze (zB Griechenland–Türkei, Israel–arabische Staaten ließen dabei einen multilateralen Ansatz wie bei den **AKP-Staaten** nicht zu.[31]) Hinzu kam, daß – anders als grundsätzlich bei den AKP-Produkten – eine unmittelbare Konkurrenzsituation zwischen den traditionellen Agrarexporten der Mittelmeerländer und der Gemeinsamen Agrarpolitik der EG bestand. Insofern bot sich eine bilaterale Zusammenarbeit an, die eine bessere Gewähr für einen optimalen Interessenausgleich bot.[32])

Die **Kooperationsabkommen** sahen im wesentlichen eine unbegrenzte Laufzeit, Handelspräferenzen und technisch-finanzielle Hilfeleistung vor. Ihre Wirksamkeit wurde allerdings von allen Beteiligten als eher gering eingestuft.[33])

Neue Dynamik erfuhr die Mittelmeerpolitik erst 1985 anläßlich des Beitrittes Spaniens und Portugals, der eine Überprüfung der bisherigen Gemeinschaftsstrategie erforderlich werden ließ. Obwohl nämlich die Gemeinschaft nach der Erweiterung in noch mehr Bereichen landwirtschaftlich autark wurde, als sie dies schon vorher war, sicherte die EG den betroffenen Mittelmeerländern zu, daß deren herkömmliche Exportstrukturen gewahrt bleiben würden. Konkret bedeutet dies, daß in Zusatzprotokollen zu den bestehenden Abkommen vereinbart wurde, daß auch landwirtschaftliche Produkte aus den Mittelmeerländern die **gleiche zollrechtliche Behandlung** erfahren würden wie Erzeugnisse aus den neuen Mitgliedstaaten – bis hin zur völligen Zollfreiheit.[34])

Daneben wurde die technische und wirtschaftliche Hilfe umstrukturiert. In den dritten Finanzprotokollen wurden die Mittel auf Diversifizierungs-

---

[30]) *Bachmann* (FN 4) 38. Es existieren mittlerweile Abkommen mit der Türkei, Malta, Zypern, Israel, Tunesien, Algerien, Marokko, Ägypten, Jordanien, Syrien, Libanon und dem ehemaligen Jugoslawien. Bei Abkommen mit Israel und Jugoslawien handelt es sich um Sonderfälle, die auch inhaltlich vom Schema der globalen Mittelmeerpolitik abweichen. Ein Abkommen neuen Typs gem der seitens der Gemeinschaft seit Lomé verfolgten Präferenz für Regionalabkommen wird nunmehr für die UMA (Union Maghrébine-Arabe), der neben den oben genannten Maschrikländern auch Libyen und Mauretanien angehören, erwartet. Sein Abschluß wird aber wohl davon abhängen, ob die UMA ihre Funktionstüchtigkeit zu beweisen imstande ist, woran derzeit noch gezweifelt werden kann.

[31]) EG-Kommission (Hg) (FN 9) 41.

[32]) *Lucron,* Méditerrannée, Lomé: Des politiques globales? RMC 1988, 321 (322).

[33]) *Renier,* L'Europe et le Sud de la Méditerrannée, Le Courrier 1988, 53.

[34]) *Renier* (FN 33) 55. Das bedeutet jedoch auch, daß Länder, die vor dem Beitritt der neuen Mitgliedstaaten günstigere Zugangsbedingungen zum Gemeinsamen Markt hatten als Spanien und vor allem Portugal, sich nun mit einer Gleichbehandlung mit diesen Ländern begnügen müssen. Dies war der Fall Marokkos, das daraufhin selbst einen Beitrittsantrag zur EG stellte.

maßnahmen im Bereich der Landwirtschaft konzentriert, womit eine Selbstversorgung der Mittelmeerländer mit Lebensmitteln sichergestellt und die Notwendigkeit teurer Nahrungsmittelimporte reduziert werden soll. Die finanzielle Hilfe wird dabei anders als beim EEF im Zusammenhang mit den Lomé-Abkommen gänzlich aus dem Haushalt der Gemeinschaft bezahlt. Durch diese Maßnahmen soll erreicht werden, daß die Mittelmeerländer den klassischen Landwirtschaftsexport in die Gemeinschaft nicht mehr erheblich steigern.[35]) Letztlich wird eine „Euro-Med-Partnerschaft“ angestrebt.

Angesichts der wachsenden Verelendung des südlichen Mittelmeerraums und der vom islamischen Fundamentalismus ausgehenden Gefahren hat die Kommission neuerdings eine substantielle Erhöhung der finanziellen Hilfe für den Zeitraum 1992–1996 vorgeschlagen, um die Ruhe und Sicherheit des Mittelmeerraums zu erhalten. Mit diesen Mitteln sollen insb auch Wirtschaftsreformen finanziell abgefedert und sozial verträglich gestaltet werden.[36])

Neue Partnerschaften – Euro-Med-Assoziationsabkommen – sind den Maghreb- und Maschrekstaaten angeboten worden. Derzeit verhandelt die EG solche Abkommen mit Israel, Marokko, Tunesien und Ägypten. Diese Verhandlungen sollen dazu beitragen, eine Euro-Med-Zone zu schaffen, in der es weitgehend freien Handel hauptsächlich für industrielle Produkte, Wirtschaftskooperation und politische Stabilität gibt.[37])

2) *Die sonstigen vertraglichen Beziehungen mit Ländern der Dritten Welt – Asien, Lateinamerika und die Golfregion*

Bezüglich der sonstigen Länder der sich entwickelnden Dritten Welt blieben die Kontakte der Gemeinschaft zunächst auf einzelne Bereiche beschränkt. So bot die Gemeinschaft diesen sog **„nichtassoziierten Ländern“** (im Gegensatz etwa zu den assoziierten AKP-Staaten, auch wenn dieser Terminus wegen seiner kolonialen Konnotation keinen Eingang in die Lomé-Abkommen gefunden hat) Zugang zum APS und leistete im Bedarfsfall Nahrungsmittelhilfe. Weiters engagierte sich die EG immer stärker in den internationalen Rohstoffübereinkommen.[38]) Doch auch hier gab der Beitritt Großbritanniens wieder den entscheidenden Anstoß zur Formulierung einer umfassenderen entwicklungspolitischen Gesamtkonzeption seitens der Gemeinschaft. Großbritannien unterhielt nämlich traditionell besondere Beziehungen zu einer Reihe von Staaten, die nicht unter die Lomé-Formel fielen

[35]) *Renier* (FN 33) 56; *Lucron* (FN 32) 325. Auch hier mußte den Interessen der Gemeinsamen Agrarpolitik Tribut geleistet werden: Die hochwertigen und daher durchaus konkurrenzfähigen Oliven, Tomaten oder Zitrusfrüchte der Maghreb-Maschrekstaaten sollten einerseits die innergemeinschaftlichen Exporte Spaniens oder Portugals nicht schmälern, andererseits brauchten die nordafrikanischen Länder Devisen, die sie bislang aus den Exporten in die EG erwirtschaftet hatten. Die Gemeinschaft hat mithin die Beibehaltung der bisherigen Exportmengen seitens der Mittelmeerländer durch verstärkte Finanzleistungen gleichsam abgegolten.

[36]) *Cova,* Une nouvelle politique méditerrannéenne, RMC 1990, 349.

[37]) Siehe EG-Kommission (Sprachendienst), Note JP/94/56.

[38]) EG-Kommission (Hg) (FN 9) 68; vgl auch EuGH, Gutachten 1/78 – Internationales Naturkautschukabkommen – Slg 1979, 2871.

und daher nicht assoziierbar waren. Für diese Länder mußte ein Ausgleich gefunden werden, der es ihnen erlaubte, in angemessener Weise an den Hilfsleistungen der Gemeinschaft teilzuhaben.[39])

Die EG entwickelte daraufhin im Laufe der Zeit zahlreiche **ad-hoc-Hilfsprogramme,** die zumeist als autonome Instrumente ohne vertragliche Verankerung gehandhabt wurden. Diese Hilfsprogramme wurden aus dem Haushalt der Gemeinschaft finanziert. Der Großteil der in ihnen vergebenen finanziellen Hilfe ging nach Asien (etwa 75%, die restlichen 25% gingen nach Lateinamerika), insb nach Indien. Seit dem Beitritt Spaniens und Portugals gibt es stärkere Bemühungen in der Gemeinschaft, die Verteilung der Finanzhilfe zugunsten Lateinamerikas umzuschichten.[40]) Inhaltlich konzentriert sich die wirtschaftliche und technische Hilfe auf die Entwicklung des ländlichen Raums, die Steigerung der Nahrungsmittelproduktion und Selbstversorgung und die hierfür erforderliche Infrastruktur. Daneben sind aber auch Mittel für die Finanzierung von Landreformen vorgesehen. Als besondere entwicklungspolitische Maßnahme zur Förderung der Entwicklung landwirtschaftlicher Exporte aus den am wenigsten entwickelten Ländern (LLDC) haben diese seit 1987 die Möglichkeit – auch soweit sie nicht Vertragspartner der Lomé-Abkommen sind –, an einem eigens eingerichteten **STABEX-System** zum Ausgleich von Ausfällen bei den Ausfuhrerlösen teilzuhaben.[41])

Neben diesen bilateralen Vereinbarungen bemüht sich die Gemeinschaft, die **regionale Integration der Länder der Dritten Welt** untereinander zu fördern. Die EG hat mit der ASEAN, dem Andenpakt und Zentralamerika sowie dem Golfkooperationsrat Abkommen geschlossen, die zwar selbst keine Zollpräferenzen oder finanzielle Hilfen vorsehen, aber einen hinreichenden Rahmen für die Zusammenarbeit der Partner untereinander gewährleisten.[42]) So hat sich die EG etwa seit Beginn der 80er-Jahre verstärkt in Zentralamerika engagiert, um den wachsenden Spannungen in dieser Region und der damit verbundenen wirtschaftlichen und politischen Desintegration des gemeinsamen zentralamerikanischen Marktes entgegenzuwirken.[43]) Ebenso hat die Gemeinschaft seit Ende der 70er-Jahre nach der ersten Ölkrise mit den arabischen Erdölproduzenten einen euro-arabischen Dialog unterhalten, dessen konkretes Ergebnis 1988 der Abschluß eines nichtpräferentiellen Abkommens mit dem Golfkooperationsrat war.[44])

---

[39]) *Ntumba,* L'aide financière et technique de la CEE aux pays en voie de développement d'Asie et d'Amérique Latine (PVD-ALA), RMC 1989, 336.

[40]) *Ntumba* (FN 39) 340, 345.

[41]) Europäisches Parlament (Hg), Das Europäische Parlament und die Tätigkeit der Europäischen Gemeinschaft in Kurzdarstellungen (1991) De II/D/3; zum STABEX s unten B.2.c.

[42]) *Ntumba* (FN 38) 342 ff.

[43]) *Abou,* La Communauté et l'intégration économique en Amérique Centrale, RMC 1991, 194.

[44]) Zum euro-arabischen Dialog s *Kahler,* Europe and its „Privileged Partners" in Africa and the Middle East, JCMS 1982, 99 ff (200, 211 f); zum Abkommen mit dem Golfkooperationsrat s auch EG-Kommission (Hg) (FN 9) 42 (60). An diesem Beispiel wird besonders deutlich, inwieweit der Abschluß derartiger regionaler Abkommen von globalstrategischen und -politischen Überlegungen getragen wird; in der Tat wäre auch schwer ersichtlich, welche Entwicklungshilfe die EG den reichen Erdölproduzenten am

Insgesamt wird die zur Verfügung stehende wirtschaftliche und technische Hilfe von den Empfängerländern jedenfalls als unzureichend empfunden. Die Entwicklungsländer Asiens und Lateinamerikas begehren die Gleichstellung mit den Lomé-Partnern und den Mittelmeerländern, insb was den Zugang zu den **Kreditmöglichkeiten** der Europäischen Investitionsbank betrifft.[45]) Die EG-Kommission ist sich dieser Problematik bewußt und bemüht sich um eine Weiterentwicklung der Instrumente wirtschaftlicher und technischer Hilfe. So hat sie unlängst einen Verordnungsentwurf betreffend das Finanzierungsinstrument „EC-International Investment Partners" für die Länder Asiens, Lateinamerikas und des Mittelmeerraumes[46]) vorgelegt. Das grundlegende Spannungsverhältnis zwischen privilegierten und weniger privilegierten Entwicklungsländern läßt sich durch derlei Einzelmaßnahmen allerdings nicht bewältigen.[47])

2. Die Rechtsgrundlagen der Entwicklungspolitik der Gemeinschaft

Der EWG-Vertrag enthält anders als für die anderen Politiken der Gemeinschaft[48]) keine ausdrückliche Kompetenz für Entwicklungspolitik. Es ist daher nicht erstaunlich, daß die **Kompetenzverteilung** zwischen der Gemeinschaft und den Mitgliedstaaten auf diesem Gebiet von Anfang an umstritten war.

Um sich die Dimension des Problems zu verdeutlichen, muß der Begriff der Entwicklungspolitik näher umschrieben werden. Dabei fällt auf, daß sich Entwicklungspolitik einerseits durch ihre Zielsetzung begrenzen läßt: die Entwicklung eines bestimmten Gebietes in bezug auf seinen materiellen Wohlstand zu fördern[49]).

Persischen Golf, die selbst aus politischen Überlegungen Entwicklungshilfe leisten, weitergeben sollte. Das Abkommen ist daher in seiner ersten Stufe – es wurde schon bei Abschluß des ersten Abkommens vereinbart, sofort mit den Verhandlungen zu seiner zweiten Stufe zu beginnen – auch kaum entwicklungspolitisch orientiert.

[45]) *Ntumba* (FN 38) 344 f.

[46]) KOM (90) 575, ABl C 1991/81, 6 v 26. 3. 1991.

[47]) Eine genauere Betrachtung der vertraglichen Bindungen der EG zu den „nichtassoziierten Ländern" ergibt, daß der Abschluß dieser Verträge die Änderung der politischen Pritoritätensetzungen innerhalb der Gemeinschaft widerspiegelt. Da die Gemeinschaft jedoch mit den Lomé-Abkommen viel entwicklungspolitischen Gestaltungsspielraum gegenüber diesen Ländern eingebüßt hat, müssen die einzelnen Zugeständnisse, die sie noch zu geben in der Lage ist, in jedem Fall als unzureichendes Stückwerk erscheinen.

[48]) Wie etwa Landwirtschaftspolitik, Transportpolitik oder Umweltschutz.

[49]) Der Unzulänglichkeit dieser Definition ist sich der Autor durchaus bewußt, umfaßt doch Entwicklung neben der Schaffung zusätzlichen materiellen Wohlstandes auch wesentliche, soziale, kulturelle und politische Aspekte. Die innergemeinschaftliche Diskussion um die Kompetenzverteilung im Bereich der Entwicklungspolitik wird jedoch nur dann einigermaßen nachvollziehbar, wenn man ihr diese enge Zieldefinition zugrundelegt, auf der die seitens der Mitgliedstaaten vertretene „subjektiv-finalistische" These aufbaute. Nach dieser These wären nämlich nur ganz bestimmte, genau eingegrenzte Bereiche der handelspolitischen Kompetenz der Gemeinschaft unterlegen, alle anderen entwicklungspolitisch motivierten Maßnahmen, auch die Grauzone, wären den Mitgliedstaaten als alleinige Regelungskompetenz verblieben.

Andererseits ist es ungleich schwieriger, Entwicklungspolitik nach den zu ihrer Erreichung eingesetzten Instrumenten einzugrenzen. Es gibt nämlich keinen fest umrissenen Kanon entwicklungspolitischer Instrumente, die eine Maßnahme als „entwicklungspolitisch motiviert" erscheinen lassen könnten.[50])

Es sind schließlich die Gründe, aus denen Entwicklungshilfe von Staaten geleistet werden kann, wesentlich. Hierbei ist von vier Arten von Hauptgründen auszugehen: außenpolitische, militärische, ökonomische und humanitäre.[51])

Was außenpolitische und militärische Belange betrifft, leuchtet ein, daß die Mitgliedstaaten diese Bereiche ihrer ausschließlichen Zuständigkeit vorbehalten wollten und der Gemeinschaft daher jegliche Kompetenz in diesem Bereich absprachen.[52])

Nun begriffen die Mitgliedstaaten Entwicklungspolitik aber primär als Instrument der **Außen- und Sicherheitspolitik,** und setzten sie auch als solches ein. Sie waren damit von vornherein darauf festgelegt, der Gemeinschaft die Kompetenz für alle Maßnahmen abzusprechen, die eine entwicklungspolitische Zielsetzung oder auch nur entwicklungspolitische Nebenaspekte hatten.

a) Die gemeinsame Handelspolitik (Art 113 EGV)

Zum ersten Mal brach der oben skizzierte Konflikt im Fall des **Internationalen Naturkautschukabkommens** auf. Bei diesem handelte es sich um ein Rohstoffabkommen im Rahmen der UNCTAD. Es sah den Aufbau eines Ausgleichsfonds für Naturkautschuk vor, dessen Aufgabe es war, Überschüsse auf dem Markt aufzukaufen, zu verwalten und im Falle einer Verknappung wieder abzustoßen. Ziel war eine Stabilisierung der Rohstoffpreise auf dem Weltmarkt.

Die Kommission betrachtete dieses Abkommen als eine Maßnahme der gemeinsamen Handelspolitik gem Art 113 EGV und nahm daher eine ausschließliche Zuständigkeit der Gemeinschaft an. Der Rat hingegen betonte den entwicklungspolitischen Charakter des Abkommens und sprach der Gemeinschaft daher die alleinige Abschlußkompetenz ab. Er machte geltend, daß das Abkommen einen allgemein politischen Hintergrund habe. Die Verhandlungen seien Teil des Nord-Süd-Dialogs, der als Schlüsselfaktor im weltpolitischen Gleichgewicht nicht unter die Zuständigkeit der Gemeinschaft falle. Außerdem sei Naturkautschuk ein strategisch wichtiger Rohstoff.

---

[50]) Auf der Erkenntnis fußt auch die „objektiv-instrumentale" These der Kommission, nach der jede Maßnahme, die objektiv zur Errichtung entwicklungspolitischer Zielsetzungen (gleich welcher Definition) geeignet erscheint, dem Bereich der Entwicklungspolitik zuzurechnen ist. Diese These sollte es der Gemeinschaft ermöglichen, umfassende Kompetenzen in entwicklungsbezogenen Bereichen der Außenhandelspolitik zu erlangen.

[51]) Vgl *Grabitz* (FN 10) 221.

[52]) Diese Bereiche sind aus der gemeinschaftlichen Regelungskompetenz auch ausdrücklich ausgenommen (vgl zB Art 30 EEA über die außenpolitische Zusammenarbeit der Mitgliedstaaten oder Art 223 EGV über den Handel mit militärischen Gütern). Auch humanitäre Erwägungen fallen grundsätzlich nicht unter die Zielsetzungen einer Europäischen Wirtschaftsgemeinschaft.

Der Europäische Gerichtshof[53]) leistete dieser Argumentation jedoch nicht Folge. Er stellte in seinem Gutachten klar, daß der Begriff der gemeinsamen Handelspolitik in Art 113 EGV dynamisch ausgelegt werden müsse. Die **gemeinsame Handelspolitik** dürfe nicht auf die klassischen Instrumente zur Regierung des Welthandels (wie etwa Zölle, Exportübereinkommen etc) beschränkt bleiben. Daher falle auch ein internationales Rohstoffabkommen in den Bereich der gemeinsamen Handelspolitik, und weder seine allgemein politische Bedeutung noch sonstige entwicklungspolitische Aspekte könnten seinen Ausschluß aus dieser begründen.[54])

Daraus ergab sich noch eine weitere Konsequenz: Wenn es sich bei Präferenzregelungen aus entwicklungspolitischen Motiven um Maßnahmen der gemeinsamen Handelspolitik gem Art 113 EGV handelte, so ergab sich nach den allgemeinen Grundsätzen des Gemeinschaftsrechts für diese eine ausschließliche Zuständigkeit der Gemeinschaft.[55]) Die Mitgliedstaaten hatten damit einen Großteil ihres entwicklungspolitischen Handlungsspielraumes eingebüßt, der nunmehr in den Händen der EG lag.

Wenn die Mitgliedstaaten auch gezwungen waren, diese **Kompetenzverlagerung** zugunsten der Gemeinschaft anzuerkennen, leisteten sie doch weiterhin hartnäckig Widerstand gegen das Konzept einer umfassenden entwicklungspolitischen **Gemeinschaftskompetenz;** dies wurde im Fall APS[56]) deutlich. Seit der Einführung des **Allgemeinen Präferenzzollsystems** hatte die Kommission vorgeschlagen, diese autonome Maßnahme auf die Rechtsgrundlage des Art 113 EGV zu stützen. Demgegenüber hatte der Rat stets auf die Angabe einer konkreten Rechtsgrundlage verzichtet und vor dem EuGH geltend gemacht, daß nur Art 235 EGV als Rechtsgrundlage in Betracht komme.[57]) Art 113 EGV sei nicht anwendbar, da es nicht das Ziel des APS sei, eine Änderung des Handelsvolumens oder der Handelsströme zu erreichen,

[53]) FN 37. Gem Art 228 Abs 1 2. Satz EGV ist der Gerichtshof auf Anfrage der Kommission, des Rates oder eines Mitgliedstaates zur Abgabe eines solchen Gutachtens über die Vertragskonformität seitens der Gemeinschaft abgeschlossener internationaler Verträge befugt. Stellt der Gerichtshof fest, daß ein internationales Abkommen dem Gemeinschaftsrecht zuwiderlaufen würde, darf es erst nach Änderung des EWG-Vertrages abgeschlossen werden.

[54]) Der EuGH erkannte damit letztlich an, daß entwicklungspolitische Hilfeleistungen im wohlverstandenen Eigeninteresse der Gemeinschaft liegen können, auch wenn sie keinen unmittelbaren (handelspolitischen) Vorteil, sondern allenfalls langfristigen Erfolg versprechen. Zur Gemeinsamen Handelspolitik s ausführlich unten *Neumann/Welge,* Die gemeinsame Handelspolitik und ihre Mechanismen.

[55]) Das heißt, daß nur die Gemeinschaft (gem Art 228 Abs 1 EGV vertreten durch die Kommission) an der Aushandlung der Vertragstexte beteiligt ist und die Verträge für die Gemeinschaft vom Rat abgeschlossen werden. Für eine Beteiligung der Mitgliedstaaten an den Verhandlungen bleibt in diesem Falle kein Raum. Besteht jedoch keine ausschließliche Kompetenz seitens der Gemeinschaft, werden sie Mitgliedstaaten ebenfalls Vertragspartner der internationalen Übereinkommen. Es handelt sich dann um sog „gemischte Verträge“, an deren Aushandlung die Mitgliedstaaten auch direkt beteiligt sind.

[56]) EuGH Rs 45/86 – APS – Slg 1987, 1493.

[57]) Siehe dazu unten A.2.b. Für den Rat in diesem Zusammenhang wesentlich war aber vor allem die Änderung der Abstimmungsmodalitäten: Art 113 EGV sieht qualifizierte Mehrheit, Art 235 EGV hingegen Einstimmigkeit vor.

sondern zur Entwicklung der begünstigten Länder beizutragen. Die Kommission lehnte diesen Ansatz ab. Ihrer Ansicht nach stellten alle in Art 113 EGV genannten Maßnahmen solche der Handelspolitik dar – unabhängig von dem Ziel, das mit ihnen verfolgt werden sollte.[58])

Der Gerichtshof entschied, daß im Rahmen des Zuständigkeitssystems der Gemeinschaft die **Wahl einer Rechtsgrundlage** nicht von der Überzeugung des handelnden Organs abhängen könne. Vielmehr hob er den immer engeren Zusammenhang zwischen Handel und Entwicklung hervor und stellte klar, daß dieser Zusammenhang verhindere, daß ein entwicklungspolitisch motivierter Rechtsakt aus dem Bereich der gemeinsamen Handelspolitik, wie er im Vertrag definiert sei, herausfalle. Daraus folgte, daß das APS auf Art 113 EGV zu stützen war.

Dieses Urteil verdeutlichte nochmals, daß das entwicklungspolitische Instrumentarium nicht nur in den Zuständigkeitsbereich der Gemeinschaft übergegangen war, sondern auch den gleichen Abstimmungsmodalitäten unterliegt wie alle anderen gleichgelagerten Tätigkeitsbereiche der Gemeinschaft.

b) Die Assoziationsverträge gem Art 238 EGV

Neben dem Bereich der Handelspolitik verfügt die Gemeinschaft noch über ein weiteres Instrument zur umfassenden entwicklungspolitischen Zusammenarbeit, nämlich die **Assoziationsabkommen** gem Art 238 EGV. Die Gemeinschaft hat zahlreiche entwicklungspolitische Abkommen in dieser Form geschlossen, insb die Abkommen von Lomé. Auch in diesem Zusammenhang war jedoch stets eine Tendenz der Mitgliedstaaten zu beobachten, den entwicklungspolitischen Spielraum der EG zumindest institutionell in engen Grenzen zu halten. Unabhängig von der sachlichen **Regelungskompetenz** der EG gem Art 238 EGV wurde von den Mitgliedstaaten nämlich immer wieder geltend gemacht, daß ein Teil der in den Abkommen geregelten Materien nicht in die innere Zuständigkeit der Gemeinschaft fielen und der Assoziationsvertrag daher als gemischtes Abkommen[59]) geschlossen werden müsse.

Dieser Ansicht der Mitgliedstaaten kann nach dem **Demirel-Urteil** des EuGH[60]) jedoch kaum mehr gefolgt werden. In diesem Falle ging es um eine Freizügigkeitsklausel im Assoziierungsabkommen EWG–Türkei. Weder existiert im EWG-Vertrag eine ausdrückliche Außenkompetenz der Gemeinschaft zur Regelung der Freizügigkeit von Arbeitnehmern aus Drittstaaten, noch ergibt sich eine solche aus den **AETR-Grundsätzen.**[61]) Damit wäre es

---

[58]) Sie vertrat damit die „objektiv-finalistische“ These (s oben FN 50) gegen die „subjektiv-instrumentale“ des Rates (s oben FN 49). Generalanwalt *Lenz* weist jedoch mit einer gewissen Ironie in seinen Schlußanträgen darauf hin, daß beide Partner gezwungen waren, in anderem Zusammenhang (Abgrenzung zwischen Art 28 und 113 EGV; politisch motivierte Embargos) ihre Rollen zu tauschen und jeweils die andere These zu vertreten.

[59]) Zum Begriff der „gemischten Abkommen“ s oben FN 55; s auch *Meessen,* Das Abkommen von Lomé als gemischter Vertrag, EuR 1980, 37 (41).

[60]) EuGH Rs 12/86 – Demirel – Slg 1987, 3719.

[61]) EuGH Rs 22/70 – AETR – Slg 1971, 263: Nach dieser Rechtsprechung verfügt die Gemeinschaft dann über eine Außenkompetenz, wenn innerhalb der Gemeinschaft

nahe gelegen, diese Klausel als nicht im Zuständigkeitsbereich der Gemeinschaft liegend[62]) zu betrachten. Nach Ansicht des EuGH jedoch fällt diese Materie in die Zuständigkeit der Gemeinschaft im Rahmen des Art 238 EGV, da die Freizügigkeit der Arbeitnehmer gem Art 48 ff EGV einen der vom EG-Vertrag erfaßten Bereiche darstellt. Dieses Urteil impliziert damit, daß der sachliche Regelungsbereich des Art 238 EGV effektiv so weit wie der EG-Vertrag selbst reicht.

Daraus folgt, daß kaum mehr ein Bereich vorstellbar ist, in dem sich die rechtliche Notwendigkeit einer Beteiligung der Mitgliedstaaten in Form von gemischten Verträgen ergeben würde, wobei damit jedoch nicht festgelegt ist, ob der Abschluß von gemischten Abkommen weiterhin zulässig bleibt.

Festzuhalten ist jedoch, daß Assoziierungsabkommen aus politischen Gründen weiterhin meist als gemischte Verträge abgeschlossen werden.

c) Art 235 EGV als Rechtsgrundlage für Maßnahmen der Entwicklungspolitik

Insb Maßnahmen der Nahrungsmittelhilfe (wie zB die V 3972/86/EWG) wurden auf Art 235 EGV gestützt, doch auch andere Anwendungsbereiche sind denkbar.

Wie im innergemeinschaftlichen Bereich ist auch in diesen Fällen ein Rückgriff auf Art 235 EGV nur statthaft, wenn sonstige im EWG-Vertrag vorgesehene Befugnisse zum Erlaß der angestrebten Maßnahmen nicht ausreichen. Diese Maßnahmen müßten nach dem Wortlaut des Art 235 EGV erforderlich sein, um eines der Ziele der Gemeinschaft zu verwirklichen. Nun ist nach manchen Aussagen die Entwicklungspolitik der Gemeinschaft aber nicht mit hinreichender Deutlichkeit als Vertragsziel festgelegt[63]).

Dem ist entgegenzuhalten, daß die Gemeinschaft ein Interesse an der Stabilität gewisser Regionen hat. **Politische Umwälzungen** etwa im Mittelmeerraum können die Wirtschafts- und Lebensbedingungen in der Gemeinschaft ebenso unmittelbar betreffen wie Entwicklungen in der EG selbst. Die Gemeinschaft hat daher ein wohlverstandenes Eigeninteresse an der Hilfeleistung zugunsten mancher Staaten, das auch über Art 235 EGV verwirklicht werden kann.

An die Legitimität eines Rückgriffs auf Art 235 EGV zur Verwirklichung entwicklungspolitischer Ziele sollte daher kein Zweifel bestehen.

3. Schlußfolgerungen

Es zeigt sich, daß die Gemeinschaft seit ihrem Bestehen eine umfangreiche Palette von vertraglichen Beziehungen zu den Ländern der Dritten Welt aufgebaut hat. Sie hat sich dabei des gesamten ihr im Rahmen des EWG-Vertrages zur Verfügung stehenden rechtlichen Instrumentariums bedient und jedes je nach gewünschter Nähe zu dem betroffenen Partnerland moduliert:

---

eine Kompetenz besteht und die Gemeinschaft bereits begonnen hat, zur Verwirklichung dieser Politik Schritte zu unternehmen.

[62]) Und daher im Anlaßfall als nicht gem Art 177 EGV vorlagefähig.

[63]) *Grabitz* (FN 10) 237.

„privilegiertere“ Partner wurden über Assoziierungsverträge in möglichst vielen Bereichen, „weniger privilegierte“ über Verträge nach Art 113 EGV in ausgewählten Bereichen mit der Gemeinschaft verbunden. Wo die Gemeinschaftskompetenzen nicht auszureichen schienen, bediente man sich des Auffangtatbestandes des Art 235 EGV.

Diese Vorgangsweise, die der **souveränen Vertragshoheit** der Gemeinschaft und ihrer Mitgliedstaaten entspricht, kann daher auch vom Blickpunkt der Entwicklungspolitik nicht in Zweifel gezogen werden, auch wenn sich die entwicklungspolitischen Prioritäten der Gemeinschaft im Laufe der Zeit gewandelt haben und sie daher heute, würde sie am Anfang ihres entwicklungspolitischen Engagements stehen, möglicherweise zu anderen Ergebnissen käme.

B. Die Politik von Lomé

Die Vertragsbeziehungen der Gemeinschaft zu ihren privilegiertesten Partnern in Afrika, der Karibik und dem Pazifik **(AKP-Staaten)**, sind für viele Betrachter und auch für die Gemeinschaft selbst nach wie vor das Kernstück der gemeinschaftlichen Entwicklungspolitik. Am 15. Dezember 1989 unterzeichneten die Gemeinschaft und ihre mittlerweile 70 Partnerländer[64]) in der togolesischen Hauptstadt Lomé das nun vierte Abkommen dieses Namens[65]), das die vertraglichen Beziehungen zwischen EG und AKP-Staaten bis zum Jahr 2000 bestimmt.[66])

Im folgenden soll versucht werden, eine Gesamtschau dieses Vertragswerks nach den allen bisherigen Abkommen zugrundeliegenden gemeinsamen Prinzipien unter Berücksichtigung seiner historischen Anpassungen in einzelnen Bereichen vorzunehmen.[67])

1. Grundlagen, allgemeine Zielsetzungen und finanzielle Ausstattung

a) Grundlagen

Alle bisherigen Lomé-Verträge wurden auf der **Rechtsgrundlage** des Art 238 EGV, der eine Assoziierung von Drittstaaten mit der Europäischen

---

[64]) 45 Länder Afrikas südlich der Sahara, zu welchen nach seiner Unabhängigkeit nun auch Namibia als 69. AKP-Staat und Eritrea letztes Entwicklungsland aus diesem Raum gestoßen ist, 15 karibische Staaten und 8 Länder des südlichen Pazifik; vgl die Liste in EG-Kommission (Hg), Lomé IV: Hintergrund, Neuerungen, Verbesserungen, Europa Information DE 64 (März 1990).

[65]) Siehe den Text samt Protokollen in: Lomé IV Convention, The Courrier ACP-EC 1990/120.

[66]) Art 366 Abs 1 Lomé IV; dieses Abkommen trat am 1. März 1990 in Kraft, nachdem Lomé III bis 28. Februar 1990 gegolten hatte. Für den Zeitraum bis zur Ratifizierung von Lomé IV durch alle Unterzeichnerstaaten, die erfahrungsgemäß etwa zwei Jahre in Anspruch nehmen wird, sind seitens der Kommission Übergangsmaßnahmen vorgesehen; s dazu Pressemitteilung der Kommission v 8. 2. 1990.

[67]) Es würde den Rahmen dieser Darstellung bei weitem sprengen, auf alle Details dieses umfassenden Vertragswerks einzugehen. Es kann hier daher nur versucht werden, einen Überblick über die wichtigsten in diesem Abkommen oder seinen Protokollen behandelten Bereiche aufzustellen.

Gemeinschaft vorsieht, abgeschlossen. Das brachte für Lomé IV mit sich, daß durch die Änderung des Verfahrens von Art 238 EGV durch die Einheitliche Europäische Akte nun erstmals das Europäische Parlament seine ausdrückliche Zustimmung zu diesem Vertrag abgeben mußte.[68])

Da die in diesem Vertragswerk behandelten Bereiche über die Zuständigkeit der Gemeinschaft (etwa im kulturellen Bereich) hinausreichen und die finanzielle Absicherung der Transfers außerdem nicht aus dem gemeinschaftlichen Budget erfolgt (s dazu unten B.1.c), handelt es sich bei diesen Abkommen um gemischte Verträge, bei denen neben der Gemeinschaft **auch die Mitgliedstaaten direkte Vertragspartner** der AKP-Staaten sind. Sie sind als solche daher auch in den durch diese Konvention geschaffenen Institutionen (Ministerrat, Botschaftersausschuß und Paritätische Versammlung) vertreten[69]) und nehmen somit direkten Einfluß auf die Verwirklichung der in diesem Abkommen enthaltenen Zielsetzungen.

b) Allgemeine Zielsetzungen

Die **wichtigsten Neuerungen des Lomé-Modells** sind:[70])

- die Herstellung von **stabilen Vertragsbeziehungen** zwischen Staatengruppen, die interregionale und innerregionale Beziehungen verstärken, die bestmögliche Grundlage für eine Beziehung von Gleichberechtigung und insbesondere die stärkere Achtung der Souveränität der schwächsten Staaten;
- ein **globaler Ansatz,** der in einem Paket von institutionellen, wirtschaftlichen, finanziellen und sozialen Maßnahmen besteht, um bestmöglich den Bedürfnissen der Staaten gerecht zu werden, die sich in vielen Aspekten unterscheiden (Einkommen, Wettbewerbsfähigkeit, Verwaltung, Wirtschaftskraft, Verschuldung, politische Stabilität etc);
- die **gemeinsame Verwaltung der interregionalen Vereinbarung** durch gemeinsame Institutionen, deren Aufgabe die Überwachung der Einhaltung dieses Vertrags, die Stimulierung neuer Initiativen, Lösung entstehender Probleme wäre – bei maximaler Beachtung der Souveränität aller Teilnehmer (auch der schwächsten) und Minimierung des Risikos der Einmischung in deren innere Angelegenheiten;

---

[68]) Diese Zustimmung erfolgte am 13. Mai 1990 mit 294 Stimmen bei 92 Gegenstimmen und 8 Enthaltungen, s hierzu Viertes Abkommen von Lomé, in Europäisches Parlament (Hg), Das Europäische Parlament und die Tätigkeit der EG in Kurzdarstellungen (1991) De II/E.

[69]) Gem Kapitel V Art 29 bis 32 Lomé IV setzt sich der Ministerrat aus den Mitgliedern des EWG-Ministerrates, Vertretern der Kommission und je einem Regierungsmitglied jedes AKP-Staates zusammen. Den Botschafterausschuß bilden die Ständigen Vertreter der Mitgliedstaaten und die Leiter der Missionen der AKP-Staaten bei der EG sowie ein Vertreter der Kommission. Der paritätischen Versammlung gehören hingegen auf EG-Seite nur Mitglieder des Europäischen Parlaments, nicht jedoch auch nationale Parlamente an, während die AKP-Staaten durch Mitglieder ihrer nationalen Parlamente und, in deren Ermangelung, entsendete Regierungsvertreter repräsentiert werden.

[70]) *Pirzio-Biroli,* New Tensions in North-South-Relations-Responses by the European Community, in: *Douglass* (Hg), The New Interdependance (1980).

- Anerkennung, daß es in internationalen Wirtschaftsbeziehungen sinnvoll ist, einige bestehende **Ungleichheiten** nicht nur zwischen Industrie- und Entwicklungsländern, sondern auch unter letzteren zu einem gewissen Grad in Kauf zu nehmen;
- **freier Marktzugang** für arme Entwicklungsländer ohne Gegenseitigkeit;
- Anerkennung, daß das **freie Spiel der Marktkräfte nicht perfekt** ist (Quasigarantie eines Minimaleinkommens für Rohmaterialproduzenten [Stabex] oder ihre Subventionierung [Sysmin] oder sogar die Quasiindexierung dieses Einkommens [Zucker];
- **Neuverteilung der Finanzresourcen** von den reichen zu den armen Staaten und deren Verteilung unter den Partnerempfängern auf der Basis von fix vereinbarten Beträgen über die mehrjährige Laufzeit des Vertrags als Stabilisierungsfaktor für die Entwicklung;
- **Transformation der Geber-Nehmer-Beziehung** in einen Dialog zwischen Partnern unter Anerkennung ihrer Unabhängigkeit.

Diese Grundprinzipien sind jedoch im Laufe der Entwicklung der Politik von Lomé nicht immer in derselben Gewichtung deutlich geworden. Sie entsprechen vielmehr den historischen Gegebenheiten, verschiedenen gemeinschaftlichen Interessen, politischen Prioritäten und auch entwicklungspolitischen Strömungen, die im Verlauf der nunmehr 20 Jahre Lomé-Politik wirksam geworden sind.[71])

So war es etwa in einer Zeit der Erstarkung des politischen Bewußtseins der jungen afrikanischen Nationen im Rahmen der Gruppe der 77 notwendig, die Eigenbestimmtheit der wirtschaftlichen und sozialen Entwicklung dieser Staaten besonders hervorzuheben – die Gemeinschaft legte sich deshalb lange Zeit die Selbstbeschränkung auf, nicht nur auf die politischen und wirtschaftlichen Rahmenbedingungen dieser Länder[72]), sondern vor allem auch auf die sich aus diesen ergebenden konkreten Entwicklungsprioritäten und Projektschwerpunkten keinerlei Einfluß nehmen zu wollen. Infolge der schlechten Erfahrungen mit den konkreten Ergebnissen dieses Ansatzes mußte die Gemeinschaft jedoch mehr und mehr von dieser Grundhaltung abgehen.[73])

---

[71]) Dazu besonders aufschlußreich *Frisch,* Das Lomé-Abkommen in seiner praktischen Handhabung: Erfahrungen und Perspektiven, Europa Information X/57/1985 (März 1985) 2.

[72]) Was angesichts des allgemeinen völkerrechtlichen Prinzips der Nichteinmischung in die inneren Angelegenheiten souveräner Staaten auch geboten erscheint, in gewisser Weise jedoch durch die seit Lomé III erfolgte und mit Lomé IV in den Vertragstext aufgenommene Betonung der Achtung der Menschenrechte moduliert wird; s dazu *Kranz,* Lomé, le dialogue et l'homme, RTDE 1988/3, 451 (464ff). Diese Tendenz dürfte inzwischen innerhalb der gesamten Gebergemeinschaft der OECD Verbreitung gefunden haben: Siehe NN, Aide au développement: Selon le président du CAD/OCDE, les donneurs d'aide tiendront compte à l'avenir d'avantage des résultats économiques et du bilan en matière de droits de l'homme dans les PVD, Agence Europe v 6. 12. 1990, 16. Allgemein zu diesem Problem auch *Hofmeier,* Political Conditions Attached to Development Aid, Intereconomics 1991/3, 122.

[73]) Der von damaligen EG-Kommissar für Entwicklung in seinem „Pisani-Memorandum" 1982 im Ansatz entworfene und mit Lomé III (1985 bis 1990) erstmals eingeführte „Dialog über Politiken" kann als erster formeller Schritt in diese Richtung gewertet werden, obwohl dieser Dialog probeweise von dem Kommissar *Claude Cheys-*

Ebenso entsprach die Betonung der **Partnerschaftlichkeit** und **freien Verhandelbarkeit** des Inhaltes der jeweiligen Abkommen der Vorstellung, daß sich in den beiden regionalen Gruppen auch tatsächlich gleichwertige Verhandlungspartner gegenüberstanden. Auch diese Vorstellung stellte sich im Laufe der Zeit als nicht sachgerecht heraus[74]), was angesichts der schwindenden Bedeutung der AKP-Staaten für den Außenhandel und die Rohstoffversorgung der Gemeinschaft auch nicht weiter verwunderlich ist.[75])

Wahr bleibt jedoch, daß die **Vertragsdauer** der jeweiligen Lomé-Abkommen[76]) wie auch deren Fortschreibung und Konsolidierung ein besonderes **Vertrauensklima** zwischen den Vertragsparteien geschaffen haben, das durch die Stabilität der vertraglichen Bindungen und die daraus resultierende Voraussehbarkeit der zu erwartenden Leistungen wesentliche Entwicklungsimpulse zu geben vermochte, wenn auch deren konkrete Ergebnisse den Erwartungen beider Seiten nicht immer gerecht werden konnten.

Verhandlungen über eine Revision des Lomé IV-Abkommens am Ende der ersten Hälfte seiner Laufzeit sind in Cannes (1995) abgeschlossen und sollen 1996/97 ratifiziert werden. Das finanzielle Protokoll, das 1995 ausläuft, soll für die nächsten 5 Jahre wieder verhandelt werden. Weitere Revisionsvorschläge der Kommission haben als Ziel, die Effizienz der Entwicklungshilfe der EU in den AKP-Staaten zu steigern. In diesem Sinne werden folgende Hauptziele angestrebt:

---

son 1973 unter der Bezeichnung „indicative aid programming" eingeführt wurde. Durch diesen Mechanismus sicherte sich die Gemeinschaft ein Anhörungsrecht zu den entwicklungspolitischen Vorhaben ihrer Partner. Die Gemeinschaft setzte sich damals allerdings noch nicht das Ziel, in die Makroökonomie der AKP-Staaten einzugreifen; s dazu *Nötzold/von der Ropp,* Lomé IV: Chancen einer Rückkehr Schwarzafrikas in die Weltwirtschaft? Außenpolitik 1990/II, 187. Die konkrete Projektauswahl obliegt jedoch weiterhin allein den AKP-Staaten (s dazu unten B.3.b). Konkret äußert sich diese Tendenz nunmehr in der Umgestaltung der Zuschüsse, die seitens der Gemeinschaft im Rahmen des STABEX geleistet werden, von bedingungslosen Budgettransfers zu in bindenden Übereinkünften zwischen der Gemeinschaft und dem jeweiligen Empfängerstaat festgelegten Projektzuschüssen (s dazu unten B.2.c) wie auch in der in Lomé IV erstmals eingeführten Strukturanpassungshilfe, mit der die sozialen und wirtschaftlichen Nebeneffekte der budgetären Konsolidierungspolitik vieler AKP-Staaten im Rahmen von Vereinbarungen mit dem Internationalen Währungsfonds und der Weltbank abgefedert werden sollen (s dazu unten B.3.c).

[74]) So hat etwa der Verlauf der Verhandlungen zu Lomé IV deutlich gezeigt, daß davon schon aus gemeinschaftsinternen Gründen nicht die Rede sein konnte – so wurde etwa die finanzielle Ausstattung des neuen Abkommens seitens der EG als „nicht verhandelbar" betrachtet, obwohl diese doch für die AKP-Staaten das Kernstück des gesamten Abkommens darstellen mußte; s dazu *Nicora,* Lomé IV: Processus, phases et structures de la négociation, RMC 1990, 395.

[75]) Zur wirtschaftlichen Problematik der AKP-Staaten *s Nötzold/von der Ropp* (FN 73) 184f, 191ff; grundlegend *Kahler,* Europe and its Privileged Partners in Africa and the Middle East, JCMS 1982/1 bis 2, 199.

[76]) Lomé I–III jeweils fünf Jahre, Lomé IV nunmehr 10 Jahre, nachdem die Kommission ursprünglich – gleichsam als politisches Signal – die neue Konvention überhaupt auf unbestimmte Zeit abschließen und nur die Finanzprotokolle in regelmäßigen Abständen ausgehandelt wissen wollte; s dazu EG-Kommission (Hg), Europa – Dritte Welt, ein Dialog (1989) 35.

- Festschreibung der Grundsätze von Demokratie, Rechtsstaatlichkeit und ordnungsgemäßer Führung der öffentlichen Angelegenheiten neben der im Abkommen bereits genannten (Art 5) Achtung der Menschenrechte;
- Anpassung der Instrumente für den AKP-EU-Dialog, um die Entwicklungsziele der AKP-Staaten mehr mit den Grundprinzipien und Prioritäten der Kooperationspolitik der Union in Einklang zu bringen;
- Einführung eines politischen Dialogs auf regionaler Basis im Gemeinsamen AKP-EU-Rat;
- Schwächung des auf zwischenstaatlichen Beziehungen beruhenden Entwicklungskooperationskonzepts zugunsten der nicht-staatlichen Organisationen (NGOs), Genossenschaften, Bauernorganisationen etc;
- Einbeziehung Südafrikas in die regionale Kooperation.

c) Finanzielle Ausstattung

Die Gesamtausstattung des **finanziellen Protokolles**[77]), das gleichzeitig mit der IV. Lomé-Konvention für eine Laufzeit von fünf Jahren ausgehandelt wurde (1990–1995), beträgt 12000 Mio ECU, was einer Erhöhung gegenüber Lomé III von nominal 45%, real etwa 25% entspricht.[78]) Von diesem Betrag entfallen 10800 Mio ECU auf den Europäischen Entwicklungsfonds (EEF), die restlichen 1200 Mio ECU entstammen Eigenmitteln der Europäischen Investitionsbank (EIB). Die neu verhandelten Beträge für die zweite Hälfte (1995–2000) der Konvention betragen 12967 Mio ECU für den EEF und 1658 Mio ECU für die EIB; insgesamt ein Betrag von 14625 Mio ECU.

Mit dem EEF[79]) verfügt die Gemeinschaft über ein eigenes, wenn auch außerhalb des Budgets befindliches und daher jeweils direkt von den Mitgliedstaaten zu erbringendes Finanzierungsinstrument, das zur Gänze von der Kommission verwaltet wird. Im Gegensatz zu seinen Vorgängern vergibt der **EEF** nunmehr neben **Risikokapital** (825 Mio ECU zur Investitionsförderung von Klein- und Mittelbetrieben) ausschließlich nichtrückzahlbare Zuschüsse,[80])

---

[77]) Dieses Protokoll bildet gem Art 368 einen integrierten Bestandteil der Konvention. Seine finanzielle Dotierung bildete den heftigsten Streitpunkt zwischen AKP-Staaten und EG, obwohl dieses Problem hätte vermieden werden können, da die Rahmenbedingungen beiden Verhandlungspartner bekannt waren. Vgl *Nicora* (FN 74) 402.

[78]) Vgl EG-Kommission (Hg) Viertes Abkommen von Lomé (FN 70) 1. Demgegenüber betrug der Finanzrahmen für Lomé I 3450 Mio ECU, für Lomé II 5700 Mio ECU und für Lomé III 8500 Mio ECU, s dazu auch EG-Kommission (Hg), Lomé IV: Hintergrund, Neuerungen, Verbesserungen (FN 70) 1.

[79]) Dem nunmehr siebenten Fonds für die ersten fünf Jahre der Laufzeit von Lomé IV. Der erste EEF wurde in einem Ausführungsprotokoll zum vierten Teil des EWG-Vertrages eingerichtet. Es handelt sich hierbei um eine Einrichtung, die keine Rechtspersönlichkeit besitzt und – im Gegensatz etwa zur Weltbank – keine internationale Organisation darstellt. Siehe dazu und zum folgenden *Kranz* (FN 72) 452.

[80]) Der Grund dafür liegt darin, daß die Gemeinschaft sich der Schuldenproblematik ihrer Partner wohl bewußt war und daher dieser Thematik erstmals in Lomé IV einen eigenen Unterabschnitt gewidmet hat (Dritter Teil Titel III Kapitel 2 Abschnitt 3 Art 239 bis 242), sich jedoch nicht in der Lage sah, über eine Verwendungszusage ihren Mitgliedstaaten gegenüber, die den Hauptgläubiger der AKP-Staaten darstellen, hinausgehende Zugeständnisse zu machen; s dazu die dem Vertragstext beigefügte Erklärung der Gemeinschaft (Anhang L) und die Antwort der AKP-Staaten (Anhang LI).

die schwerpunktmäßig auf die Hauptbereiche der Lomé-Politik verteilt sind.[81])

Aufgabe der **EIB** ist es an sich, an die Mitgliedstaaten der Gemeinschaft und deren Unternehmen **Darlehen und Garantien** zu vergeben.[82]) Sie ist jedoch schon seit dem ersten Abkommen von Jaunde neben den EEF getreten.[83]) Im Gegensatz zum EEF vergibt die EIB weiterhin ausschließlich Darlehen für nationale und regionale Vorhaben – wenn auch inzwischen zu sehr weichen Bedingungen[84]).

2. Die Handels- und Grundstoffpolitik von Lomé

a) Die Handelspolitik

Im Rahmen ihrer Zielsetzung, als umfassende Kooperationsabkommen die wirtschaftliche, soziale und kulturelle Entwicklung der AKP-Staaten zu fördern[85]) und im Rahmen von Globalabkommen „Trade and aid" zu verbinden[86]), haben alle bisherigen Lomé-Abkommen neben den traditionellen Bestimmungen über technische und finanzielle Entwicklungshilfe auch umfangreiche Regelungen über den Handel zwischen den Vertragspartnern enthalten.

Grund dafür wäre nach *Kuschel,* Das neue Lomé-Abkommen zwischen der EG und den AKP-Ländern, Europa-Archiv 1990, 340, daß die Gemeinschaft über keine Kompetenz in Fragen der Verschuldung verfüge und daher die Mitgliedstaaten nicht zum gänzlichen Schuldenerlaß gegenüber den AKP-Staaten verpflichten könnte.

[81]) So entfallen etwa 1 500 Mio ECU auf STABEX, 480 Mio ECU auf SYSMIN, 1 150 Mio ECU auf Strukturanpassungsmaßnahmen und 1 250 Mio ECU auf regionale Projekte, wobei auch die restlichen Zuschüsse von den Zielvorgaben her an die Schwerpunktprogramme gebunden sind; vgl die Aufstellung im Anhang zu EG-Kommission (Hg), Viertes Abkommen von Lomé (FN 70) 9. Es gehört zu den wichtigsten Neuerungen von Lomé IV, daß nunmhr die bislang bestehende Verpflichtung zur Wiederauffüllung der STABEX-Ressourcen durch die AKP-Staaten (mit Ausnahme der LLDC, im Lomé-Jargon „am wenigsten entwickelte Länder, Binnen- und Inselstaaten") gänzlich weggefallen ist und SYSMIN an die AKP-Staaten als nichtrückzahlbarer Zuschuß, von diesen an die Endkreditnehmer jedoch als weiches Darlehen, insgesamt also in einem zweistufigen Verfahren zum Vorteil der DKP-Staaten vergeben wird.

[82]) Art 129 EGV. Gem Art 18 ihres Statuts ist die Bank jedoch berechtigt, mit einvernehmlicher Zustimmung ihres Gouverneursrates auch Kredite für die Durchführung von Projekten in Drittstaaten zu vergeben; s dazu *Kranz* (FN 72) 452.

[83]) Somit im Jahre 1963 gemeinsam mit dem 2. EEF; EG-Kommission (Hg) (FN 76) 22f. Anfangs vergab die EIB ihre Kredite noch zu marktähnlichen Bedingungen und in recht geringem Ausmaß.

[84]) Nunmehr 3 bis 6% Verzinsung (statt 5 bis 8% unter Lomé III) mit einer Laufzeit von maximal 25 Jahren; s dazu EG-Kommission (Hg), Lomé IV: Hintergrund, Neuerungen, Verbesserungen (FN 64) 4 und Art 235 und 236 Lomé IV. Die Bank verwaltet und vergibt ihre Ressourcen selbst.

[85]) Art 1 aller Lomé-Abkommen.

[86]) EG-Kommission (Hg) (FN 76) 26; dies widerspricht nicht nur der ehemals gängigen Strömung des „trade not aid", sondern spiegelt vor allem die Tatsache wider, daß durchaus konkrete beiderseitige Handelsinteressen bestehen und Lomé eben nicht von einem einheitlichen entwicklungspolitischen Konzept getragen ist; s auch *Frisch* (FN 71) 9.

Diese Bestimmungen orientieren sich im Einklang mit den Vorschriften des **GATT**[87]) an folgenden zwei Grundprinzipien:

- **keine Gegenseitigkeit** der seitens der EG eingeräumten Handelspräferenzen
- sondern lediglich **Meistbegünstigung** der AKP-Staaten gegenüber den Mitgliedstaaten der EG, dh die Verpflichtung, Importe aus EG-Ländern keinen unterschiedlichen Zollsätzen und auch sonst keinerlei diskriminierender Behandlung zu unterwerfen.[88])

Kernstück dieser Handelspolitik ist die seitens der EG schon in Lomé I eingegangene Verpflichtung, nahezu allen APK-Waren (genau 99,5%) freien Zugang zum gemeinsamen Markt im Sinne von Abschaffung jeglicher Zolleinhebung und mengenmäßigen Beschränkung (sowie auch jeglicher Maßnahme gleicher Wirkung) einzuräumen.[89]) Dieser an sich beachtliche Prozentsatz wird jedoch durch drei wesentliche Einschränkungen in Frage gestellt:[90]) Zum einen sind es jene restlichen 0,5% **„sensiblen Güter"**, die einen wirtschaftlichen Aufschwung der AKP-Staaten möglicherweise erst bewirken könnten – jene landwirtschaftlichen Produkte, deren Qualität an europäische Standards heranreicht und die daher in direkte Konkurrenz zur gemeinsamen Agrarpolitik treten können.[91]) Zum anderen wird der Export gewerblicher Güter durch **Ursprungsregeln** begrenzt, die zwar im Laufe der Zeit erleichtert wurden, jedoch immer noch mehr das Ziel der Verhinderung von Investitionen aus asiatischen Ländern zur Umge-

---

[87]) Grundlage des GATT bildet die sog „Meistbegünstigungsklausel", nach welcher jeder Vertragspartner jedwede Vergünstigung, die er einem anderen Vertragspartner im Handelsverkehr zusichert (etwa Zollpräferenzen), auch allen anderen Vertragspartnern einzuräumen hat. Dieses Prinzip kennt nur wenige Ausnahmen: einerseits die Bestimmungen des Art XXIV GATT über Freihandelszonen und Zollunionen, auf denen sowohl der EG-Vertrag selbst, als auch die Freihandelsabkommen der EG aufbauen, andererseits die Bestimmungen des IV. Teils des GATT über die besonderen Zugeständnisse gegenüber Entwicklungsländern. Nach letzteren fordert das GATT die Industrieländer auf, gegenüber Entwicklungsländern auf das Prinzip der Reziprozität zu verzichten, dh diesen Ländern im Wege einer positiven Diskriminierung Zollpräferenzen zuzugestehen, die diese weder dem Geber gegenüber einzuhalten, noch anderen Mitgliedern des GATT weiterzugeben brauchen. Zum GATT s ausführlich oben *Jansen,* Die EG und das GATT.

[88]) NN, Viertes Abkommen von Lomé, in Europäisches Parlament (Hg), Das Europäische Parlament und die Tätigkeit der EG in Kurzdarstellungen (1991) De II/E/2, 1, *Kuschel* (FN 80) 334.

[89]) Art 168 bis 169 Lomé IV. Die Gemeinschaft wird nicht müde, diese Tatsache immer wieder insb im Zusammenhang mit dem ihr gegenüber seit Vorlage des Binnenmarktprogrammes erhobenen Vorwurf der „Festung Europa" hervorzuheben; vgl zB *Hauswirth,* Relations between Africa and the Community on the Eve of the Conclusion of Lomé IV, Referat anläßlich der internationalen Konferenz vom 7. bis 9. 11. 1989 in Yamoussoukro „Africa and the Community of 1993: The international challenge", s auch EG-Kommission (Hg) (FN 76) 33.

[90]) Dazu grundlegend kritisch *Kahler* (FN 75) 199 ff.

[91]) *Nötzold/von der Ropp* (FN 73) 189 f. Demnach hatte die Kommission ursprünglich erwogen, in Lomé IV die „positive Liste" der Zollpräferenzen durch eine grundlegende Freihandelsklausel mit lediglich geringer „negativer Liste" zu ersetzen, zog diesen Vorschlag jedoch 1989 wegen des erbitterten Widerstands ihrer südlichen Mitgliedstaaten wieder zurück. Übrig blieb für Lomé IV lediglich eine schwache Verbesserung der jahreszeitlich und mengenmäßig beschränkten Einfuhrkontingente.

hung der gemeinschaftlichen Zollregelungen zu verfolgen scheinen als den wirtschaftlichen Aufbau Schwarzafrikas.[92]) Schließlich sind **Textilien,** die sich vor allem in Südostasien als Motoren der Entwicklung herausgestellt haben, von dieser Präferenzregelung gänzlich ausgenommen.[93])

Es ist wohl ebenso verfehlt, der Union in diesem Zusammenhang blinden Protektionismus wie schrankenlose Offenheit attestieren zu wollen. Wahr ist vielmehr, daß der Abbau von Handelsschranken einerseits nicht das entwicklungspolitische Allheilmittel zur wirtschaftlichen Ankurbelung der Entwicklungsländer darstellen kann[94]), andererseits jedoch die Frage erlaubt ist, welche Auswirkungen die von der Gemeinschaft in Lomé IV so forcierte Unterstützung der „VVVT" (Verarbeitung, Vermarktung, Verteilung und Transport) der AKP-Grundstoffproduktion unter diesen Rahmenbedingungen überhaupt noch haben kann.[95])

b) Die Grundstoffprotokolle – Zucker, Bananen, Rindfleisch und Rum

Diese **Protokolle**[96]), die die Einfuhr bestimmter zu den **„sensiblen Gütern"** gehörender Produkte regeln, liegen gewissermaßen am Scheidepunkt der in Lomé IV enthaltenen Bestimmungen über Handels- und Entwicklungspolitik. Einerseits wäre es nämlich denkbar gewesen, diese Produkte, die für manche AKP-Staaten von fundamentaler Bedeutung sind[97]),

---

[92]) *Nötzold/von der Ropp* (FN 73). Nach diesen Regeln müssen an sich 50% der Wertschöpfung eines Produktes in einem AKP-Staat oder der Gemeinschaft erfolgt sein, automatische Ausnahmen werden jedoch dann erteilt, wenn die in den AKP-Staaten erfolgte Wertschöpfung mindestens 45% beträgt. Diese 45% Schwelle reicht jedoch angesichts der schwachen wirtschaftlichen Integration der AKP-Staaten nicht aus. Nach *Kahler* (FN 73) 202, haben diese Ursprungsregeln vor allem zur Folge, Investitionen außereuropäischer Provenienz fernzuhalten. Wesentlicher für den gänzlichen Investitionsausfall, der nunmehr ein Hauptproblem der AKP-Staaten darstellt, sei jedoch die Einfügung einer Schutzklausel in alle Abkommen seit Lomé I gewesen, nach der die Gemeinschaft im Falle „ernstlicher Bedrohung" ihres Marktes AKP-Produkte zum Zugang zum gemeinsamen Markt jederzeit einseitig wieder ausschließen konnte. Diese Klausel habe, obwohl sie in der Praxis nie angewendet wurde, ausgereicht, um auch europäische Investoren davon abzuhalten, das Risiko einer von jederzeitigem Marktausschluß bedrohten Industrialisierung der AKP-Staaten einzugehen. Diese Bestimmung ist auch in Art 177 Lomé IV wieder enthalten.

[93]) *Kahler* (FN 73) 210ff. Sie unterliegen nunmehr innerhalb des internationalen Multifaserabkommens „autonomen" Selbstbeschränkungsabkommen, die aber dank der GATT-Uruguay-Runde in zehn Jahren ablaufen.

[94]) Was die Erfahrungen mit dem Allgemeinen Präferenzsystem der Gemeinschaft – wie auch aller anderen Präferenzsysteme der Industrieländer – hinlänglich bewiesen haben; s ausführlich dazu unten C.1.c.

[95]) Wenn nämlich die Erreichung internationaler Konkurrenzfähigkeit bestimmter Produkte dazu führen muß, daß diese von ihren traditionellen Absatzmärkten ausgeschlossen werden, fragt man sich, auf welchen Märkten diese Produkte dann eigentlich abgesetzt werden sollen. Eine eingehendere Erörterung dieser entwicklungspolitischen Grundproblematik, die sämtlichen Entwicklungsprogrammen aller Industriestaaten eigen ist, würde jedoch den Rahmen dieses Beitrags bei weitem sprengen.

[96]) Protokolle 5 bis 8 zu Lomé IV.

[97]) Vgl etwa für Zucker EG-Kommission (Hg) (FN 76) 33f. Die internationale Lage der Rohstoffmärkte ist weiterhin extrem prekär, s zB Wirtschaftswoche v 12. 4. 1991, 186.

gänzlich der allgemeinen präferentiellen Handelsregelung oder gar dem STABEX zu unterwerfen. Andererseits wollte man diese Produkte aber auch nicht völlig aus dem System ausscheiden, auch wenn in diesen Fällen eine ganz besondere politische Sensibilität seitens der EG-Mitgliedstaaten vorliegt.[98]) Die unter diesen Voraussetzungen erzielten Kompromisse lassen sich daher auch nur begreifen, wenn man die ganz besondere politische und wirtschaftliche Bedeutung dieser Produkte berücksichtigt.

Am meisten trifft diese Feststellung für das **Zuckerprotokoll** zu, das seit Lomé I unverändert fortgeschrieben wurde.[99]) Danach verpflichtet sich die Gemeinschaft gegenüber den Unterzeichnerstaaten des Protokolls[100]) zur jährlichen Abnahme von 1,3 Mio t Weißzucker zu jenem Preis, der den Zuckerproduzenten innerhalb der Gemeinschaft garantiert wird. Demgegenüber verpflichten sich die Unterzeichnerstaaten, die ihnen in einem eigenen Kontinent vorgeschriebene Menge auch pünktlich zu liefern, anderenfalls das Kontingent – außer im Falle höherer Gewalt – seitens der Gemeinschaft für die künftigen Lieferperioden um die Ausfallmenge reduziert und an einen anderen Begünstigten vergeben wird.[101])

Auch das **Bananenprotokoll** wurde unverändert übernommen[102]), es enthält jedoch keinerlei genaue Quoten, sondern lediglich die Sicherung der traditionellen Absatzmärkte für AKP-Bananen sowie die Absichtserklärung, innerhalb einer ständigen Gemischten Gruppe Maßnahmen zur Förderung der Produktions- und Vermarktungsbedingungen zu diskutieren und Empfehlungen abzugeben.

Eine leichte Verbesserung des Marktzuganges der AKP-Staaten brachte das neue **Rindfleischprotokoll 3,** nachdem die zugelassene jährliche Einfuhrmenge von 30000t unter Lomé III auf 39000t angehoben wurde.[103])

---

[98]) Sowohl Zucker als auch Rindfleisch unterliegen nämlich im Rahmen der Gemeinsamen Agrarpolitik (GAP) gemeinsamen Marktordnungen (s ausführlich unten *Ahner,* Gemeinsame Agrarpolitik – Herzstück und Sorgenkind). Sie gehören zu den chronischen Problembereichen der GAP, da der Zuckerkonsum innerhalb der Gemeinschaft ständig zurückgeht (Substitution durch Süßstoffe), in den Bereichen jedoch völlige Überproduktion vorherrscht. Bananen wiederum gehören zu den Hauptprodukten der DOM-TOMs (der französischen Überseedepartements und -territorien), weshalb es bisher aus politischen Gründen nicht gelang, zu einer gemeinschaftlichen Marktordnung zu kommen. Nur bei Rum dürfte die Marktlage entschärft sein, weshalb das neue Rumprotokoll ja auch eine schrittweise Liberalisierung des Marktzuganges vorsieht.

[99]) Dazu grundlegend und sehr kritisch EG-Kommission (Hg), Les produits de base et le STABEX (1984) 30ff; S auch NN, Viertes Abkommen von Lomé (FN 88).

[100]) Das Protokoll wurde nur von einzelnen AKP-Staaten unterzeichnet, was sich aus der völligen Kontingentierung der Liefermenge ergibt. Die Gemeinschaft hat daher die Dominikanische Republik, die mit Lomé IV zu den AKP-Staaten stieß, auch nicht den Zugang zum Zucker- und Bananenprotokoll gewährt, obwohl diese Produkte für sie lebenswichtig sind; s dazu *Nötzold/von der Ropp* (FN 73) 182.

[101]) Diese Regelung ermöglichte es zB, dem Uganda *Idi Amins* die diesem Staat zugedachte Quote auf null herabzusetzen, nachdem Uganda zwar die Lieferpflicht verletzt hatte, die Gemeinschaft aber vor allem auf die seitens des Regimes begangenen Menschenrechtsverletzungen reagieren wollte; s dazu *Kranz* (FN 72) 466ff. Die Quote wurde allerdings seither nicht wieder eingeführt.

[102]) Und zwar aus Lomé III.

[103]) Auch in diesem Falle wird die zugelassene Einfuhrmenge genau nach Ländern aufgeschlüsselt, die als „traditionelle Rindfleischexporteure“ bezeichnet werden.

Eine wesentliche Neuerung könnte hingegen das neue **Rumprotokoll** enthalten: Danach hat sich die Gemeinschaft verpflichtet, die Einfuhrquoten für Rum bis zum 31. Dezember 1995 schrittweise mit dem Ziel anzuheben, anschließend zu einer völligen Liberalisierung dieser Einfuhren zu gelangen. Festgelegt ist der Zeitpunkt dieser Liberalisierung allerdings nicht.[104])

Insgesamt bleiben die Grundstoffprotokolle wohl unbefriedigend. Dies wird sich allerdings so bald nicht ändern können, da die Liberalisierung des Handels mit diesen Produkten nämlich entscheidend von einer weiteren Anpassung der Gemeinsamen Agrarpolitik abhängt.

c) STABEX und SYSMIN

Diese beiden Systeme zählen zu den originellsten Neuerungen, die die Politik von Lomé der internationalen Entwicklungsdebatte beizusteuern vermochte. Ihre historische und politische Bedeutung wird in diesem Rahmen wohl nur noch durch die mit Lomé IV geschaffene Strukturanpassungshilfe erreicht, von der später (s unten B.3.c) die Rede sein wird. Wenn es auch Aufgabe beider Instrumente ist, in die Rohstoffpolitik der AKP-Staaten einmal im agrarischen (STABEX), das andere Mal im Bergbaubereich (SYSMIN) gestaltend einzugreifen[105]), so verfolgen die beiden Instrumente doch völlig unterschiedliche Zielvorstellungen und gehorchen daher auch verschiedenen Mechanismen.

Das **System zur Stabilisierung der Ausfuhrerlöse (STABEX)** war die Antwort von Lomé I auf die im Anschluß an die erste Ölkrise ausgebrochene internationale Grundstoffdiskussion.[106]) Anstatt nun aber ein weiteres Rohstoffabkommen im Sinne der Schaffung von Ausgleichslagern und Garantiefonds zu schaffen, beschloß die Gemeinschaft, einen dritten, bislang unbekannten Weg einzuschlagen.

Das Abkommen sichert primär die Exporte Botswanas (fast 19000 t), sonst betroffen sind Kenya, Madagaskar, Swaziland und Zimbabwe; vgl Art 2 Protokoll 7 zu Lomé IV. Das Protokoll schließt jedoch die Anwendung der Schutzklausel von Art 177 Lomé IV nicht aus (Art 4 Protokoll 7 zu Lomé IV).

[104]) Entgegen der in EG-Kommission (Hg) (FN 64) 7, aufgestellten Behauptung hat sich die Gemeinschaft in Protokoll 6 nämlich lediglich verpflichtet, die Modalitäten für den Abbau des Gemeinschaftszollkontingents unter Berücksichtigung der Lage und der voraussichtlichen Entwicklung des Gemeinschaftsmarktes sowie der Ausfuhren der AKP-Staaten festzulegen (Art 2 lit b Protokoll 6 zu Lomé IV). Das bedeutet, daß zwar feststeht, daß die Kontingente abgeschafft werden sollen, bis dahin jedoch nicht viel Zeit vergehen kann.

[105]) Titel II von Lomé VI (Art 186 bis 219): „Kooperation im Rohstoffbereich".

[106]) Dazu sehr aufschlußreich EG-Kommission (Hg) (FN 99) 7 ff. Nachdem es nämlich den Ölstaaten 1973 gelungen war, über ein Rohstoffkartell ihren Interessen international Gehör zu verschaffen, schnellten 1973/74 die Rohstoffpreise allgemein in die Höhe und veranlaßten die Produzentenstaaten, laut über die Schaffung neuer Rohstoffkartelle nachzudenken. 1974 wurde innerhalb der UNO die „neue Weltwirtschaftsordnung" von den in der Gruppe der 77 organisierten Entwicklungsländern gegen den Widerstand der Industriestaaten durchgedrückt, welche daher aus wirtschaftlichen wie politischen Befürchtungen unter akuten Zugzwang gerieten. Ergebnis dieser Periode war die Schaffung der internationalen Rohstoffabkommen.

Ziel des STABEX, das anfänglich neben einer Reihe von für die AKP-Staaten wesentlichen „cash-crops" (landwirtschaftliche Produkte zur Devisenbeschaffung) auch Eisenerz umfaßte[107]), ist es, durch finanzielle Ausgleichszahlungen bei Preiseinbrüchen oder einem Rückgang der Exportmengen größere **Exporterlöseinbußen der AKP-Länder abzufedern.**[108]) Es handelt sich also um eine Art „Ernteausfallversicherung", die jedoch aufgrund ihrer budgetären Begrenztheit nicht in der Lage ist, die Gesamtheit aufgetretener Verluste abzudecken, sondern nur dazu bestimmt sein kann, im Falle des Zusammenbruches der Weltmarktpreise ärgste Folgen zu verhindern.

Dem Antrag eines AKP-Staates auf Transferleistungen aus dem STABEX ist stattzugeben, wenn folgende zwei Voraussetzungen erfüllt sind:

- Im Jahr vor der Antragstellung müssen die Ausfuhrerlöse der einzelnen Waren nach allen Bestimmungsorten mindestens 5% (bzw 1% für die am wenigsten entwickelten Staaten, die Binnen- und Inselstaaten) der Gesamtexporterlöse des betroffenen Landes nach Abzug der Wiederausfuhren betragen haben (sog **Abhängigkeitsschwelle**);
- die Minderung der Exporterlöse für das betreffende Produkt muß mindestens 5% (bzw 1% für die am wenigsten entwickelten Staaten, die Binnen- und Inselstaaten) gegenüber dem Durchschnitt der letzten sechs Jahre vor Antragstellung betragen, wobei die beiden Jahre mit dem relativ besten bzw schlechtesten Ergebnis außer Betracht bleiben (sog **Auslösungsschwelle**).

Seit Lomé IV erfolgen die aus dem STABEX geleisteten Transfers in Form von Zuschüssen, die ehemalige Verpflichtung der AKP-Staaten zur Wiederauffüllung des STABEX ist somit weggefallen.[109]) Als Gegenleistung seitens der AKP-Staaten wurde jedoch die Gewährung der Zuschüsse an die Verwirklichung von zwischen der Kommission und dem betroffenen AKP-Staat im Rahmen eines verbindlichen **„Gegenseitigen Verpflichtungsrahmens"** vereinbarten Projekten gebunden, die entweder der durch die Exportausfälle am meisten getroffenen Bevölkerung innerhalb des betroffenen Sektors oder aber – wo eine Hilfe an den betroffenen Sektor nicht zielführend erscheint – Diversifizierungsmaßnahmen innerhalb des betroffenen Landes zugute kommen sollen.[110])

---

[107]) Seit Schaffung des SYSMIN unter Lomé II fällt Eisenerz unter dieses Instrument. Unter Lomé IV sind 49 Produkte von STABEX betroffen, wobei sich jedoch deren Zusammensetzung seit Lomé I nicht wesentlich verändert hat. Es handelt sich primär um die Grundstoffe und manche Produkte der ersten Verarbeitungsstufe von Kaffee, Kakao, Tee, bestimmten Ölsaaten, bestimmten Gewürzen, manchen Textilfasern, Holz und Bananen (vgl Art 187 Lomé IV).

[108]) Zum STABEX EG-Kommission (Hg), System zur Stabilisierung der Ausfuhrerlöse (STABEX), Europa Information (1990) DE 63; NN, Viertes Abkommen von Lomé (FN 88), EG-Kommission (Hg) (FN 76) 26ff; *Muller,* Le système de stabilisation des recettes d'exportation (STABEX) dans la quatrième convention de Lomé, RMC 1991, 383.

[109]) Zum Ausgleich für den Wegfall der Berücksichtigung von Wechselkursschwankungen haben sich die AKP-Staaten jedoch verpflichtet, bei jedem Transfer einen Abzug von 4,5% (bzw 1% für die am wenigsten entwickelten Staaten, die Binnen- und Inselstaaten) der Transfersumme hinzunehmen.

[110]) Art 186 Abs 2 Lomé IV. Der Begriff „Sektor" ist dabei so weit wie nur irgend möglich auszulegen. Zu den genauen Vergabemodalitäten s *Muller* (FN 108) 387f.

Das **System für Erze (SYSMIN)** war die Antwort der Gemeinschaft auf die heftigen Proteste mancher AKP-Staaten anläßlich der Verhandlungen zu Lomé II.[111]) Im Rahmen dieses Systems werden für derzeit acht Grundstoffe[112]) zur Wiederherstellung bzw Sicherung der Existenzfähigkeit der betroffenen Bergbausektoren Beihilfen gewährt.

Die Inanspruchnahme von SYSMIN unterliegt etwas komplizierteren Voraussetzungen als jene von STABEX:

- **Zweigliedrige Abhängigkeitsschwelle:**
  Das System wird angewandt, wenn die AKP-Staaten während zumindest zwei der letzten vier der Antragstellung vorangegangenen Jahren entweder 15% ihrer Ausfuhrerlöse (bzw 10% für die am wenigsten entwickelten Staaten, die Binnen- und Inselstaaten) aus der Ausfuhr eines unter die Regelung fallenden Grundstoffes außer oder mindestens 20% ihrer Erlöse aus der Ausfuhr sämtlicher Bergbauerzeugnisse[113]) (bzw 12% für die am wenigsten entwickelten Staaten, die Binnen- und Inselstaaten) erzielt haben.
- **Zweigliedrige Auslösungsschwelle:**
  Zur Errichtung der Auslösungsschwelle muß entweder die Lebensfähigkeit eines Bergbauunternehmens, das mit der Gewinnung eines der betroffenen Produkte betraut ist, durch zeitweilige oder unvorhersehbare Ereignisse generell in Frage gestellt sein, was zu einem „erheblichen Rückgang“ der Einnahmen des betroffenen AKP-Staates führte, oder aber es liegt ein Rückgang der Erlöse des betroffenen Staates aus der Ausfuhr aller Bergbauerzeugnisse vor, der zu einem „erheblichen Rückgang“ seiner Gesamtexporteinnahmen und zur Infragestellung bereits in Angriff genommener Entwicklungsprojekte geführt haben muß. In beiden Fällen ist unter „erheblichem Rückgang“ ein Rückgang von mindestens 10% zu verstehen.

Der Zweigliedrigkeit der Vergabekonditionen des SYSMIN entspricht auch die Zweistufigkeit der **Transfervergabe:** SYSMIN wird an die begünstigten AKP-Staaten als Zuschuß, von diesen an die Bergbauunternehmen jedoch als weicher Kredit vergeben. Mit den seitens der Gemeinschaft zur Verfügung gestellten Mitteln können entweder die direkt betroffenen Produktionsstätten und Exporteinrichtungen saniert werden, soferne die Erhaltung oder Wiederherstellung der Lebensfähigkeit des betroffenen Sektors möglich erscheint, oder aber Diversifizierungsmaßnahmen außerhalb des betroffenen Sektors vorgenommen werden, soferne dessen Erhaltung nicht möglich ist.

---

[111]) Zum SYSMIN s NN, Viertes Abkommen von Lomé (FN 88); EG-Kommission (Hg) (FN 76) 28f; *Martin,* Le SYSMIN, instrument de la coopération minière ACP-CEE et la Convention de Lomé IV, RMC 1991, 26. Die primär Erze exportierenden AKP-Staaten, allen voran Sambia und Zaire, hatten sich nämlich darüber beschwert, daß sie keine Preisgarantie erhielten und auch vom STABEX ausgeschlossen waren. SYSMIN wurde daher vor allem für diese Länder eingeführt und kommt diesen auch heute noch innerhalb der etwa zwölf vom SYSMIN betroffenen AKP-Staaten vorrangig zugute.

[112]) Art 215 Abs 1 Lomé IV: Kupfer (einschließlich der damit verbundenen Kobaltproduktion), Phosphate, Mangan, Bauxit und Aluminiumoxid, Zinn, Eisenerz, Uran und Gold.

[113]) Mit Ausnahme von anderen Edelmetallen als Gold, Erdöl und Erdgas.

Abschließend ist zu bemerken, daß zwar sowohl STABEX als auch SYSMIN durch Lomé IV hinsichtlich ihrer Anwendung und Verwaltung vereinfacht wurden, die konkreten Ergebnisse dieser Reformen jedoch erst nach Ablauf der ersten Halbzeit des Abkommens (und damit dem Ablauf des 7. EEF) einschätzbar sein werden.

3. Die technische und finanzielle Zusammenarbeit

Entsprechend der von Lomé verfolgten Zielsetzung, alle denkbaren entwicklungspolitischen Instrumente zum Einsatz zu bringen, um eine umfassende **Zusammenarbeit der Partner in allen Bereichen** zu ermöglichen, erstrecken sich die in ihrem Rahmen getroffenen Maßnahmen der technischen und finanziellen Zusammenarbeit auch in einer weitgefächerten Palette von Gebieten, die Wirtschaft und Kultur, Bevölkerungspolitik und die Rolle der Frau, Umweltschutz und Investitionsförderung gleichermaßen berücksichtigen sollen. Es werden daher nur die Grundzüge dieser Zusammenarbeit nach den prioritär behandelten Gebieten und deren finanzieller Abwicklung dargestellt, wobei der durch Lomé IV neu eingeführten Strukturanpassungshilfe besonderes Augenmerk geschenkt wird.

a) Die technische Zusammenarbeit

Standen unter Lomé I und II noch Infrastrukturmaßnahmen und Großprojekte im Mittelpunkt des beiderseitigen Interesses, so änderte sich der gemeinschaftliche Ansatz mit Lomé III grundlegend: Ab nun sollte die **ländliche Entwicklung** den Schwerpunkt der Entwicklungsbemühungen der AKP-Staaten bilden, wobei der Förderung von Klein- und Kleinstprojekten auf der Ebene der betroffenen Dorfgemeinschaften absolute Priorität zuerkannt wurde.[114]) Im Zusammenhang mit diesem Ansatz wurde daher erstmals die **kulturelle Dimension des Entwicklungsprozesses** betont, wonach der Mensch in seinem natürlichen Lebensraum und in seinem kulturellen und sozialen Umfeld im Zentrum der Entwicklung stehen sollte. Somit wurde jedes Projekt auf seine kulturelle und soziale Verträglichkeit hin überprüft und den durch das Projekt bedingten Ausbildungs- und Kerneffekten besondere Aufmerksamkeit gewidmet.

An dieser grundlegenden Ausrichtung hat sich auch unter Lomé IV nichts geändert, doch haben die Partner inzwischen erkannt, daß der **Förde-**

---

[114]) Die Gemeinschaft folgte damit dem internationalen entwicklungspolitischen Ansatz der Favorisierung der ländlichen Entwicklung auf „grass-root-level" durch verstärkte Zusammenarbeit mit NGOs (nicht regierungsabhängigen Entwicklungshilfeorganisationen). In ihren integrierten landwirtschaftlichen Programmen versucht sie, die Landflucht innerhalb der Entwicklungsländer zu bekämpfen und eine lebensfähige Landwirtschaft im Sinne der „self-reliance" und des Vorranges der Selbstversorgung der Landbevölkerung gemäß dem „basic-needs-approach" zu erreichen sowie auch erstmals Maßnahmen des Umweltschutzes durch die Spezialprogramme zur Verhinderung der Verwüstung und Versteppung insb der Sahelzone durchzuführen; s dazu NN, Lomé III, Europäisches Parlament (Hg), Das Europäische Parlament und die Tätigkeit der EG in Kurzdarstellungen, De/II/E. Zur Beurteilung der damit erzielten Erfolge s EG-Kommission (Hg), Lomé III, Bilan à mi-parcours 1986 bis 1988, Europe Information Développement 1989/DE 61.

rung der Frau im Entwicklungsprozeß wesentliche Bedeutung zukommt. Diese Tatsache wurde daher besonders hervorgehoben.[115])

Neben dem Hauptschwerpunkt der Entwicklung des ländlichen Raumes mit dem Ziel der Selbstversorgung und Ernährungssicherheit umfaßt der Katalog der im Rahmen der **technischen Zusammenarbeit** förderungsfähigen Maßnahmen[116]) insb folgende Neuerungen:

- Dem Abkommen wurde ein erster Titel über **Umweltschutz** vorangestellt[117]), nach dem die ökologische Verträglichkeit jedes Projektes im vorhinein einer Überprüfung zu unterziehen ist. Das Abkommen hat sich somit von punktuellen Aktionen der Umwelterhaltung weg und zu einem umfassenden, horizontalen Ansatz in diesem Bereich hinentwickelt. Nach diesem soll die Entwicklung der AKP-Staaten eine tragfähige Balance zwischen wirtschaftlichem und sozialem Fortschritt einerseits und Erhaltung des natürlichen Lebensraumes und der natürlichen Ressourcen andererseits gewährleisten. Ebenso enthält das Abkommen einen völlig neuen Abschnitt über **Bevölkerungspolitik**[118]), mit dem sich die Partner erstmals des schwierigen Themas der (wenn auch freiwilligen) Geburtenkontrolle angenommen haben.
- Im **gewerblichen Bereich** wurde der Entwicklung eines modernen **Dienstleistungssektors,** insb der Stärkung des Banken- und Versicherungswesens, des Aufbaus eines den sozialen und kulturellen Gegebenheiten angepaßten **Tourismus** und der Verbesserung der Transportdienste und **Telekommunikationsnetze** besonderes Augenmerk geschenkt.[119]) Ebenso enthält das neue Abkommen eine Ausweitung der Möglichkeiten zur Förderung der Investitionen im Privatsektor.[120])

Enttäuschend ist demgegenüber die Tatsache, daß sich die Parteien auf keine weitergehende Erklärung bezüglich der **Liberalisierung des internationalen Dienstleistungsverkehrs** einigen konnten. Hier wurde nur festgehalten, daß man die Entwicklungen innerhalb der Uruguay-Runde im GATT abwarten und erst dann über ausführliche Bestimmungen verhandeln werde.[121])

b) Die finanzielle Zusammenarbeit

Gem dem schon in Lomé III eingeschlagenen Weg werden die finanziellen Zuschüsse der Gemeinschaft im Rahmen von Sektorprogrammen, die je-

---

[115]) Lomé IV, 2. Teil, Titel XI „Kulturelle und soziale Zusammenarbeit" (Art 139 bis 155). Spezielle Erwähnung findet die Rolle der Frau in Art 143 Lomé IV (Überprüfung jedes Projektvorhabens auf seine Eignung zur Verbesserung der Situation und der Rolle der Frauen), 150 Lomé IV (Maßnahmen zur Verbesserung der „human resources") und vor allem 153 Lomé IV („Frauen und Entwicklung").

[116]) Art 229 Lomé IV.

[117]) Art 33 bis 41 Lomé IV.

[118]) In Titel XI „Kulturelle und soziale Zusammenarbeit" (Art 155 Lomé IV).

[119]) Teil II, Titel IX (Art 114 bis 134 Lomé IV).

[120]) *Anacoreta Correia,* Lomé IV, investissements et secteur privé, RMC 1990, 708.

[121]) Teil III, Titel I, Kapitel 3 „Handel mit Dienstleistungen" (Art 185 Lomé IV). Es handelt sich hierbei auch textuell um eine reine Absichtserklärung, die der Gemeinschaft keinerlei Verpflichtung (etwa hinsichtlich der Verhandlungsführung im GATT) auferlegt.

der Empfängerstaat entsprechend seinen eigenen entwicklungspolitischen Prioritäten festlegt, durch Abschluß von **bilateralen Finanzierungsabkommen** vergeben. Das heißt, daß neben der Unterstützung der regionalen Zusammenarbeit durch Förderung von länderübergreifenden Projekten [122]) die Planung und Durchführung der einzelnen nationalen Sektorprogramme der ständigen Zusammenarbeit zwischen AKP-Staat und EG-Kommission bedarf.[123])

Dabei sind der Gang des **Verfahrens** und die sich daraus ergebenden Zuständigkeiten zwischen den Partnern folgendermaßen verteilt:[124])

- Zunächst definiert der AKP-Staat seine Zielvorstellungen und Prioritäten und legt auf deren Grundlage den Entwurf seines **Sektorprogrammes** fest. Dieses wird sodann nach Absprache zwischen den Partnern einvernehmlich beschlossen. Die Auswahl und Vorbereitung der in diesem enthaltenen einzelnen Projekte sowie deren Einreichung in Form von Dossiers obliegt wiederum dem AKP-Staat, doch werden die Projektentwürfe von beiden Teilen einer Überprüfung unterzogen. Die Beschlußfassung über die Finanzierung des Sektorprogrammes wie auch der Einzelprojekte fällt demgegenüber in die alleinige Zuständigkeit der Gemeinschaft.
- Sind die Programme und Projekte einmal beschlossen und deren Finanzierung sichergestellt, obliegt es wiederum dem AKP-Staat, die notwendigen öffentlichen Ausschreibungen zu veranlassen und Lieferverträge abzuschließen sowie das Projekt schließlich durchzuführen und seinen Fortgang zu sichern. Die Kommission hat in der **Durchführungsphase** lediglich überwachende Funktionen: Sie überprüft, daß die Ausschreibungen unter gleichen und gerechten Bedingungen stattfinden, und verfolgt den Projektfortgang.
- Die **abschließende Evaluierung** eines durchgeführten Projektes unterliegt wiederum der gemeinsamen Verantwortung beider Partner, wobei die Ergebnisse der Einzelevaluierungen in seitens der Kommission aufgestellten „Grundprinzipien“ für bestimmte Projektbereiche ihren Niederschlag finden, damit einmal gemachte Fehler in künftigen Projekten vermieden werden können.

Interessant ist in diesem Zusammenhang die seitens der Kommission selbst vorgenommene Einschätzung der bisherigen Ergebnisse der Projektarbeit:[125]) Daraus ergibt sich, daß es zwar in der großen Mehrzahl der Fälle gelang, die technischen Projektziele zu erreichen – und dies meist auch zu vertretbaren Kosten –, daß aber hinsichtlich der entwicklungspolitischen Projektziele nur ein Drittel der Vorhaben voll erfolgreich, ein weiteres Drittel problematisch, aber letztlich positiv, und das letzte Drittel mit größten

---

[122]) Diese gab es auch schon unter Lomé III zB zu der Dürrebekämpfung in der Sahelzone. Nunmehr wird diesem Bereich ein eigener Abschnitt XII im zweiten Teil des Abkommens (Art 156 bis 166 Lomé IV) gewidmet und im Finanzprotokoll für den Zeitraum 1990 bis 1995 der Betrag von 1250 Mio ECU zu seiner Verwirklichung zweckgebunden. Ziel der Regionalförderung ist die wirtschaftliche Integration der AKP-Staaten untereinander.

[123]) Eine sehr ausführliche Darstellung und kritische Würdigung der erzielten Ergebnisse bietet *Frisch* (FN 71) 17.

[124]) Art 222 Lomé IV.

[125]) *Frisch* (FN 71) 20ff.

Schwierigkeiten behaftet waren. Sehr aufschlußreich ist auch die Feststellung, daß entwicklungspolitische Zielsetzungen am häufigsten in den Bereichen Ausbildung und Verkehr, am wenigsten häufig jedoch im Gesundheitswesen und in der Landwirtschaft erreicht werden konnten.

Ohne einer vorschnellen Einschätzung der finanziellen und technischen Hilfe der Lomé-Abkommen Vorschub leisten zu wollen, muß daher abschließend festgehalten werden, daß die im Rahmen der finanziellen und technischen Zusammenarbeit durchgeführten Projekte ausgerechnet in jenen Bereichen, die in der Theorie entwicklungspolitische Vorrangstellung genießen, in der Praxis am wenigsten erfolgreich waren. Dies dürfte jedoch seinen Grund vor allem in den objektiv innerhalb der AKP-Staaten vorgegebenen Rahmenbedingungen finden.[126])

c) Die Strukturanpassungshilfe

Die Einfügung dieses neuen Unterabschnittes[127]) in die Bestimmungen über die finanzielle Zusammenarbeit gehört zu den umstrittensten Neuerungen von Lomé IV. Durch diese Maßnahme trat die Gemeinschaft nämlich im internationalen Entwicklungsdialog an die Seite von Weltbank und Internationalem Währungsfonds, nachdem sie schon 1988 in einer Entschließung das Ziel der Strukturanpassung grundsätzlich gebilligt hatte.[128])

Anknüpfungspunkt der neuen Regelung ist die Tatsache, daß manche Entwicklungsländer an chronischen **Budgetdefiziten** und explodierender **Auslandsverschuldung** leiden.[129]) Zusätzliche Kredite erhalten diese notleidenden

[126]) *Frisch* (FN 71) 21.

[127]) Teil III, Titel III, Kapitel 2, Abschnitt 3, Unterabschnitt „Strukturanpassungshilfe“ (Art 243 bis 250 Lomé IV). Diese Tatsache zeigt sich unter anderem darin, daß anläßlich der Unterzeichnung der Konvention nur Kommissar *Manuel Marin* das „heiße Eisen“ in seinen Ausführungen wirklich aufgriff; s dazu Le Courrier 1990/120, 2 ff, insb 8 f („Excerpts from the speeches“). Ebenso wird dieser wesentliche Bereich in der Darstellung des Europäischen Parlaments kaum erwähnt. In der Tat genießen Weltbank und IWF in entwicklungspolitischen Kreisen wegen der sozialen Härte der von ihnen mit den Entwicklungsländern ausgehandelten Strukturanpassungsprogrammen einen eher schlechten Ruf.

[128]) EG-Kommission (Hg) Lomé IV: Hintergrund, Neuerungen, Verbesserungen (FN 70) 4; EG-Kommission (Hg), Viertes Abkommen von Lomé, Informatorische Aufzeichnungen P 76 (1989) 3 f. Weiters hob die Gemeinschaft in dieser Entschließung hervor, daß die im Rahmen der Strukturanpassung vorzusehenden Maßnahmen den Gegebenheiten und Zwängen innerhalb der betroffenen Staaten entsprechen müßten und daher insb von den Verantwortlichen dieser Länder selbst konzipiert und getragen sowie dem Tempo der sozialen Akzeptanz angepaßt und den langfristigen Entwicklungszielen wie Ernährungssicherheit oder Umweltschutz unterworfen werden sollten. Als erste Maßnahme wurde damals eine Sonderdotation von 600 Mio ECU für die Einrichtung eines Einfuhrprogrammes für stark verschuldete afrikanische Länder mit niedrigem Einkommen eingerichtet.

[129]) Eine Gesamtschau der Problematik aus der Sicht der EG bringen *Frisch/-Boidin,* Der Prozeß der Strukturanpassung in Afrika südlich der Sahara – Anpassung, Entwicklung und soziale Gerechtigkeit, in EG-Kommission (Hg), Europa Information (1988) DE 58. Die Schlußfolgerung, daß die Gemeinschaft keinen Parallelkurs zu IWF und Weltbank, sondern einen Dialog mit ihren AKP-Partnern anstrebe, scheint jedoch eher dem Wunsch einer Vermeidung entwicklungstheoretischer Grundsatzdiskussio-

Schuldner von IWF und Weltbank jedoch nur dann, wenn sie radikale Wirtschaftsreformen einleiten, die zwar durchaus sinnvoll und geeignet sind, die Staatsverschuldung zu vermindern oder zumindest einzubremsen, aber oftmals keinerlei soziale Komponente beinhalten, weshalb die in ihnen vorgesehenen Maßnahmen nur unter größten sozialen und politischen Kosten durchführbar sind. Die Gemeinschaft stellte daher innerhalb der Zuschüsse des EEF einen **Sonderfonds** von 1150 Mio ECU auf, dessen Mittel erforderlichenfalls auch durch Mittel aus den an die einzelnen Länder vergebenen Sektorprogrammen oder durch andere, speziell zu vereinbarende Mittel ergänzt werden können.

Grundsätzlich sind die Mittel dieses Fonds in folgenden Bereichen einsetzbar:[130])

- sektorale oder allgemeine Einfuhrprogramme,
- mit den Strukturanpassungsprogrammen im Zusammenhang stehende technische Hilfe,
- Maßnahmen, die auf die soziale Problematik dieser Anpassungsprogramme abstellen (Umschulungen, Entlassungsentschädigungen, Arbeitsbeschaffungsmaßnahmen etc).

Die Gewährung der **Strukturanpassungshilfe** setzt den Abschluß eines Übereinkommens zwischen der Gemeinschaft und dem Empfängerstaat voraus, wobei jedoch dem betroffenen Staat die Verantwortung für die Vorbereitung der Reformprogramme obliegt. Antragsberechtigt ist grundsätzlich jeder AKP-Staat, soferne bestimmte negative Indikatoren wie etwa Auslandsverschuldung, Zahlungsbilanzschwierigkeiten, Arbeitslosigkeit, soziale Schwierigkeiten im Ernährungs-, Wohnungs-, Gesundheits- oder Erziehungssektor vorliegen, doch gelten die diesbezüglichen Voraussetzungen automatisch als erfüllt, soferne der betreffende Staat Reformprogramme unternimmt, die von den multilateralen Hilfsinstitutionen anerkannt, wenn auch nicht notwendigerweise finanziell unterstützt werden.[131])

Damit steht fest, daß die Gemeinschaft durch die Einführung der Strukturanpassungshilfe ihrer traditionell starken Position im internationalen Geberfeld nun erstmals politisches Gewicht zumessen wollte. Der Ablauf des ersten Anwendungszeitraumes wird zeigen, welche entwicklungspolitischen Ergebnisse dieses verstärkte politische Engagement zu bewirken imstande ist.

4. Schlußfolgerungen

Das Vertragswerk von Lomé kann durch seine umfassende Ausgestaltung beeindrucken – es reicht inzwischen in alle Bereiche in denen ein ent-

---

nen entsprungen zu sein: Auch wenn nämlich die Gemeinschaft nicht parallel zu Aktionen dieser Institutionen auftritt, verfolgt sie eben das Ziel, flankierende Maßnahmen durchzuführen (s dazu auch NN unten FN 131).

[130]) Art 247 Abs 2 Lomé IV.

[131]) Art 246 Abs 1 und 2 Lomé IV. Aus dieser Bestimmung ergibt sich, daß, wenn auch IWF und Weltbank nicht direkt genannt sind, die Gemeinschaft doch in einen Dialog mit diesen Institutionen eintreten will und die Strukturanpassungshilfe auch aus diesem Grunde vorgesehen hat. Die Hilfe erfolgt auch nach ihren eigenen Worten „in Ergänzung der traditionellen langfristigen Entwicklungsaktionen"; s auch EG-Kommission (Hg) Viertes Abkommen von Lomé (FN 128) 4.

wicklungspolitischer Dialog überhaupt vorstellbar ist. Darin liegt jedoch auch einer der Gründe, weshalb die Gemeinschaft immer wieder Zielscheibe herber entwicklungspolitischer Kritik wurde: Die Erwartungen an die Leistungsfähigkeit der Politik von Lomé waren wohl überzogen. Denn weder Lomé noch andere internationale Hilfsaktionen vermochten die Lage insb in Afrika nachhaltig zu beeinflussen. Schließlich kann man Lomé zwar die Einrichtung eines breit gefächerten entwicklungspolitischen Instrumentariums bescheinigen, dessen Effektivität hängt jedoch – wie bei jeder entwicklungspolitischen Maßnahme – von einer Reihe von internen und externen Faktoren ab, die auch die wohlgemeinteste Entwicklungszusammenarbeit scheitern lassen müssen. Es wäre verfehlt, die administrativen Leerläufe, politisch bedingte Malversationen oder an der Gemeinsamen Agrarpolitik gescheiterte Entwicklungsansätze allein der Gemeinschaft vorwerfen zu wollen. Die Lomé-Politik der Gemeinschaft kann nur so gut oder so schlecht sein, nicht nur wie die Gesamtpolitik der Gemeinschaft selbst – und dieses Kriterium erfüllt sie in jedem Fall –, sondern auch wie die Wirtschafts- und Entwicklungspolitiken der AKP-Länder selbst. Denn Entwicklung ist letzten Endes ein endogenes Phänomen, wie der Erfolg der „Four Dragons“ (Hong-Kong, Singapur, Südkorea und Taiwan) und Süd-Ost-Asiens klar bewiesen hat.

C. Das Allgemeine Zollpräferenzsystem der Gemeinschaft (APS)

1. Theoretische Grundlagen

a) Der autonome Charakter des APS

Beim Allgemeinen Präferenzzollsystem der Gemeinschaft (APS) handelt es sich um ein **autonomes Instrument der Handels- und Entwicklungspolitik** der EG, das auf Art 113 EGV gestützt wird.[132]) Der einseitige und nicht bindende Charakter dieses Schemas erleichtert seine rasche Anpassung an wirtschaftliche und politische Entwicklungen. So wurden unlängst etwa Ungarn, Polen, die Tschechoslowakei, Bulgarien und Rumänien in das System einbezogen, während Südkorea wegen angeblich diskriminierender Maßnahmen gegen EG-Einfuhren diese Vergünstigung entzogen wurde.

Auf der anderen Seite mindert dieser Faktor die Attraktivität des Präferenzsystems, da es eine mittel- und langfristige Kalkulation durch die Produzenten und Importeure erheblich erschwert. Die Entwicklungsländer zeigen daher mittlerweile mehr Interesse an der Aushandlung konsolidierter, dh dauerhafter Zugeständnisse im Rahmen des GATT als Gegenleistung für ihrerseits vorgenommene Liberalisierungsmaßnahmen. Aus diesem Grunde

[132]) „Autonom“ bedeutet, daß die Gemeinschaft das APS einseitig festlegt, es also zu keinerlei vertraglichen Beziehungen zwischen der EG und den begünstigten Ländern kommt. Zur Rechtsgrundlage s oben A.2.a. Nicht von dieser erfaßt werden Erzeugnisse, die unter den EGKS-Vertrag fallen. In diesem Bereich stützt sich das APS auf einen Beschluß der im Rat bereinigten Vertreter der Regierungen der Mitgliedstaaten der EGKS (vgl ABl L 1990/370, 133). Diese Beschlüsse bedürfen der Umsetzung in nationales Recht.

soll eine grundlegende Reform des APS auch erst nach dem positiven Abschluß der GATT-Verhandlungen in der Uruguay-Runde erfolgen, um deren Ergebnisse berücksichtigen zu können.[133])

b) Die Zielsetzung des APS

Mit dem System der allgemeinen Zollpräferenzen verfolgt die Gemeinschaft folgende Ziele:

- Die **Exporterlöse** der begünstigten Länder sollen erhöht werden;
- die einseitige Ausrichtung der Entwicklungsländer auf **Rohstoffexporte** soll verringert werden;
- die **Individualisierung** der betroffenen Länder soll gefördert und deren wirtschaftliches Wachstum dadurch beschleunigt werden.

Diesen Zielvorstellungen entsprechen folgende Merkmale des APS:

- Grundsätzlich wird lediglich die Einfuhr gewerblicher Waren und landwirtschaftlicher Verarbeitungserzeugnisse gefördert, nicht jedoch die Einfuhr von Rohstoffen und landwirtschaftlichen Grunderzeugnissen;
- die begünstigten Waren müssen ihren Ursprung in Entwicklungsländern haben.[134])

c) Kritik des theoretischen Ansatzes

- Die Erfahrungen des ersten Anwendungszeitraumes des APS (1971–1980) haben gezeigt, daß seine vorgenannten Ziele nicht erreicht werden konnten, weshalb auch eine Verlängerung seiner Geltungsdauer vorgenommen werden mußte. In der Tat konnten die am wenigsten entwickelten Länder (LLDC) vom APS nur wenig profitieren, während zehn Schwellenländer 72% der präferentiellen Einfuhren bestritten.[135])
- Die breite Streuung der Zollvorteile führte darüber hinaus auch zu aus der Sicht der Gemeinschaft unbefriedigenden Ergebnissen: So gab es Fälle, in denen bestimmte für ein Jahr eingeräumte Zollkontingente bereits am 2. Jänner um 8 Uhr des betreffenden Jahres erschöpft waren. Dabei war aus der Abwicklung der Importe ersichtlich, daß alle Einfuhren bereits im Vorjahr erfolgt sein mußten. In Erwartung der Zollvorteile hatten die Importeure nämlich die Waren bereits im Vorjahr in ihre Zollager aufgenommen, eine Maßnahme, die lieferfähige Exportländer voraussetzt.
- Dennoch widerspricht ein solches Ergebnis nicht grundsätzlich dem Gedanken eines **Präferenzsystems**. Der Sinn der Zollvorteile des APS besteht eben auch darin, die Bestellung von Waren in einem Land vorzunehmen, das dem System angehört.[136]) Es liegt vielmehr in der Natur der Sache, daß

---

[133]) Das überkommene APS-Schema wird 1991 interimistisch weitergeführt. Vgl die Verordnungen V 3831/90/EWG, V 3832/90/EWG, V 3833/90/EWG, V 3834/90/EWG, V 3835/90/EWG, ABl L 1990/370, 1, 39, 86, 121 und 126.

[134]) *Bachmann* (FN 4) 41 f.

[135]) *Europäisches Parlament* NN (Hg), Das Gemeinschaftliche Allgemeine Präferenzsystem (APS), in Das Europäische Parlament und die Tätigkeit der Europäischen Gemeinschaft in Kurzdarstellungen (1991) De II/D/1.

[136]) *von Arnim* (FN 7) 292 f.

die am weitesten entwickelten Schwellenländer am meisten vom APS-Schema profitieren. Den ärmsten **Entwicklungsländern** (LLDC) ist es nicht gelungen, in einzelnen Bereichen auf den Exportmärkten wettbewerbsfähige Industriezweige aufzubauen. Hinzu kommen fehlende Verwaltungsstrukturen, Informationsmängel, Kommunikationsschwierigkeiten und Ursprungsregeln, die sich kontraproduktiv auswirken. All diese Faktoren führen dazu, daß die LLDC nur schwach am weltweiten Handel mit Industrieprodukten teilhaben und damit vom APS seiner Struktur nach nur verhältnismäßig geringe Vorteile erwarten können.[137]) Das APS ist damit schon seiner grundsätzlichen Ausrichtung nach ein nur für **Schwellenländer** effektives Hilfsinstrument.

- Dessen ungeachtet wurde nach 1980 eine nach Waren und Ländern differenzierende Präferenzregelung eingeführt, wodurch bestimmte Vorteile für die konkurrenzfähigsten Entwicklungsländer aufgehoben wurden, während der Zugang für die weniger entwickelten Länder erweitert wurde. Die unmittelbare Folge dieser Differenzierung war eine weitere Komplizierung des Schemas. Ihr Nutzen bleibt fraglich.[138])

2. Die praktische Handhabung des APS

a) Die inhaltliche Ausgestaltung des Schemas

Innerhalb des APS werden vier Produktkategorien unterschieden:

- **gewerbliche Waren** (V 3831/90/EWG)
  Die Einfuhr gewerblicher Waren ist grundsätzlich zollfrei. Bei für die Gemeinschaft empfindlichen Waren bestehen mengenmäßige Beschränkungen in Form von Zollkontingenten und Plafonds. Die nicht empfindlichen Waren unterliegen einer statistischen Überwachung. Bei starkem Ansteigen der Einfuhren bzw bei Erreichen einer sog Bezugsgrundlage können unter bestimmten Voraussetzungen die Zollsätze des gemeinsamen Zolltarifs (GZT) wieder eingeführt werden. Diese Schutzklausel gilt jedoch nicht gegenüber den LLDC.
- **Textilwaren** (V 3832/90/EWG)
  In diesem Bereich besteht ein enger Zusammenhang mit dem Multifaserabkommen (Welttextilabkommen, Allfaservereinbarung). Präferenzen werden hier nur Ländern gewährt, die entweder mit der Gemeinschaft Selbstbeschränkungsabkommen geschlossen haben oder zu den am wenigsten entwickelten Entwicklungsländern (LLDC), die in Anhang VI der Verordnung aufgeführt sind, zählen.
- **EGKS-Erzeugnisse** (Beschluß 90/672/EGHS)
- **landwirtschaftliche Erzeugnisse** (V 3833/90/EWG)

---

[137]) Vgl die Schlußfolgerungen der EG-Kommission, KOM(90)329 endg, 9f. Um ein entwicklungspolitisches Schlagwort zu paraphrasieren, ließe sich daher fast behaupten, daß die LLDC „aid, not trade" benötigten.

[138]) Da ja nur die schon industrialisierten Länder überhaupt konkurrenzfähige Produkte zu liefern imstande sind, werden die nicht lieferfähigen Entwicklungsländern eingeräumten Kontingente nicht ausgeschöpft werden, ohne daß daraus irgendein entwicklungspolitischer Vorteil resultieren könnte.

Agrarerzeugnissen werden im Vergleich zu gewerblichen Waren geringere Präferenzen eingeräumt. Die Gründe hierfür liegen in der besonderen Konkurrenzsituation, die in diesem Bereich gegenüber der Gemeinsamen Agrarpolitik der Gemeinschaft einerseits, den traditionell umfassenden Präferenzen der AKP- und Mittelmeerländer andererseits, besteht.[139]) Die LLDC genießen aber auch hier eine Vorzugsstellung.

b) Die Verwaltung des APS

Soweit nicht Zollfreiheit gewährt wird, werden die mengenmäßigen Beschränkungen in Form von Zollkontingenten und Gemeinschaftsplafonds ausgestaltet.

Die **Plafonds** werden auf Gemeinschaftsebene von der Kommission verwaltet, indem sie Meldungen der nationalen Zollverwaltungen entgegennimmt und überwacht, ob ein bestimmter Zollplafond mengenmäßig erschöpft ist. Ist dies der Fall, so kann die Kommission nach ihrem Ermessen die allgemeinen Zollsätze des gemeinsamen Zolltarifs (GZT) wieder einführen.[140])

Komplizierter gestaltet sich die Verwaltung der **Zollkontingente**. Diese sind nach allgemeinen wirtschaftlichen Kriterien auf die einzelnen Mitgliedstaaten verteilt, was innerhalb einer Zollunion, dem Grundpfeiler des Gemeinsamen Marktes, eine echte Anomalie darstellt. In der Praxis resultiert aus diesem System nämlich, daß eine Rückübertragung der nicht verbrauchten oder überzogenen nationalen Kontingente sowie deren Ausgleich auf Gemeinschaftsebene erforderlich werden. Hier setzt auch die Kritik der Kommission an: Das **System** der mengenmäßigen Beschränkungen ist für den Produzenten wie für den Importeur völlig **undurchschaubar.** Eine auch nur mittelfristige Planung ist nicht möglich, da die betroffenen nationalen Verwaltungen selbst nicht den notwendigen Überblick haben, um eine verbindliche Auskunft hinsichtlich der präferenzmäßigen Behandlung eines bestimmten Produktes geben zu können. Diese Unsicherheit hält potentiell Interessierte von den Investitionen in die Exportindustrie der präferenzbegünstigten Länder ab und erweist sich damit letztlich als kontraproduktiv. Hinzu kommt, daß die Wiedereinführung des GZT-Tarifs einseitig, dh ohne Konsultationen mit dem betroffenen begünstigten Land erfolgt, was auch von der Kommission als unbefriedigend empfunden wird.[141])

Auch der EuGH hat in seinem Urteil „APS II"[142]) das System der Zollkontingente grundsätzlich mißbilligt und diese nur unter der Voraussetzung für zulässig gehalten, daß sie den freien Warenverkehr in der Gemeinschaft nicht behindern. Ob es jedoch möglich sein wird, die Mitgliedstaaten innerhalb des Rates zur Aufgabe der für die vorteilhafteren nationalen Kontingente zu bewegen, bleibt abzuwarten.[143])

---

139) *Bachmann* (FN 4) 43.

140) Vgl auch Anhang II zu KOM (90) 329 endg.

141) Vgl KOM (90) 329 endg, 8 ff.

142) EuGH Rs 51/87 – Kommission gg Rat – Slg 1988, 5459.

143) Das System der nationalen Kontingentierung ermöglicht es den Mitgliedstaaten nämlich, im vorhinein (bei Festlegung der Kontingente für das nächste Jahr) die

c) Das Problem der Ursprungsregeln

Eine Förderung der Einfuhr von Waren aus Entwicklungsländern durch Zollvergünstigungen erscheint nur gerechtfertigt, wenn die eigentliche Wertschöpfung auch tatsächlich in dem betroffenen Land stattfindet. Zu diesem Zweck legen die APS-Ursprungsregeln Bedingungen fest, unter denen den begünstigten Ländern die Zollpräferenz gewährt werden kann.

Die Ursprungsregeln enthalten insb Angaben über **Grad und Art der Be- und Verarbeitung**, die erforderlich sind, damit einer Ware die **Ursprungseigenschaft** eines präferenzbegünstigten Landes zuerkannt werden kann, wenn aus anderen Ländern eingeführte Materialien und Einzelteile zu ihrer Herstellung verwendet wurden. Maßgeblich ist hierbei der Begriff der ausreichenden Be- und Verarbeitung in einem bestimmten Land. Eine Verarbeitung gilt dann als ausreichend, wenn sie zu einem Wechsel in der Tarifnummer des GZT geführt hat. Eine Modifizierung erfährt diese Grundregel durch die Vorschriften über die Kumulierung von Verarbeitungsvorgängen in mehreren begünstigten Gebieten.

Die entwicklungspolitische Problematik dieser Regelung ergibt sich aus folgendem Dilemma: Durch die auf dem Begriff der ausreichenden Be- und Verarbeitung im begünstigten Land beruhende Präferenzursprungsregel soll die Industrialisierung in den APS-Ländern gefördert werden, indem die Präferenzen nur bei Erreichung eines bestimmten Verarbeitungsgrades eingeräumt werden. Einerseits soll nun der Verarbeitungsgrad so hoch sein, daß ein Anreiz für die Ansiedlung einer echten Verarbeitungsindustrie gegeben ist (also nicht nur „Schraubenzieherfabriken"), andererseits gelangen die interessierten Länder oft nur unter größten Schwierigkeiten zu einem derartig hohen Verarbeitungsgrad, der außerdem der zunehmenden internationalen Arbeitsteilung widerspricht. Schließlich wirkt sich das APS-Ursprungsschema zum Nachteil der weniger entwickelten Länder aus, die in höherem Maße auf die Einfuhr bestimmter Warenkomponenten angewiesen sind, was für sie jedoch zu einem Verlust der Präferenzen führen kann.

Die Kommission hat daher eine umfassende **Reform der APS-Ursprungsregeln** vorgeschlagen, die insb eine Ersetzung des Kriteriums des Wechsels der GZT-Nummer durch eine Liste der die Ursprungseigenschaft verleihenden Be- oder Verarbeitungsvorgänge sowie eine wesentliche Verbesserung der Vorschriften über die Kumulierung vorsieht und damit letztlich auf eine tolerantere Handhabung des Ursprungsschemas selbst hinausläuft.[144])

„Aufnahmefähigkeit" ihres Marktes einzuschätzen, verstärkte Konkurrenz mit einheimischen Produktionen also auszuschließen. Weiters werden die Kontingente an den nationalen Binnengrenzen verwaltet, Parallelimporte (Importe derselben Ware aus einem anderen Mitgliedstaat) sind daher ebenfalls nur bis zur Höhe des an sich eingeräumten Kontingentes möglich. Ein Gemeinschaftskontingent könnte den Mitgliedstaaten eine derartige Sicherung ihrer nationalen Produktion jedoch niemals bieten, da ein einmal innerhalb der Gemeinschaft befindliches Gut ja frei zirkulieren kann und Parallelimporte daher nicht mehr verhindert werden können.

[144]) Vgl Anhang III zum KOM(90)329 endg. Die Kommission hatte bereits für 1991 eine verbesserte Ursprungsregelung zugunsten der LLDC angekündigt; diese ist

3. Schlußfolgerungen

Das APS ist ein zentrales Element der gemeinschaftlichen Entwicklungspolitik. Als effektives Hilfsinstrument für die Entwicklung der Dritten Welt ist es jedoch nur beschränkt anwendbar. Es erscheint jedenfalls durchaus verbesserungsfähig. Im Rahmen einer Reform wäre insb an eine Vereinfachung des Verwaltungsverfahrens durch Abschaffung der Zollkontingente und Plafonds sowie an die Festlegung fixer Präferenzsätze für längere Zeiträume mit der Möglichkeit, die Einhebung von Zöllen erst nach Ablauf dieser Zeiträume wieder einzuführen, zu denken.

D. Ausblick

Die Entwicklungspolitik der Europäischen Union, wie sie uns heute vorliegt, wurde aus historischen Rücksichten wegen der besonderen Beziehungen mancher Mitgliedstaaten zu ihren ehemaligen Kolonien begonnen. In der Folge wurde sie aufgrund geopolitischer Sachzwänge zur Erhaltung der wirtschaftlichen und sozialen Stabilität etwa des Mittelmeerraumes oder jüngst der Staaten Zentralamerikas und Osteuropas weitergeführt, sodaß sich nunmehr ein **komplexes Muster** rechtlich und entwicklungspolitisch verschiedenartig ausgestalteter Beziehungen ergibt.

Nicht immer hat die Gemeinschaft dabei den Weg vertraglicher Beziehungen eingeschlagen. Dem hinsichtlich der eingesetzten Entwicklungsinstrumente umfassendsten Vertragswerk in Gestalt der Lomé-Abkommen steht das aufgrund der Anzahl der betroffenen Entwicklungsländer nicht minder umfassende autonome Allgemeine Präferenzzollsystem gegenüber, das von der Gemeinschaft jährlich einseitig fortgeschrieben wird.

Beiden Instrumenten ist jedoch gemeinsam, daß sie innergemeinschaftlich wie allgemeinpolitisch bedingten Zwängen unterliegen: In beiden Fällen spielt die Ausgestaltung der Gemeinsamen Agrarpolitik bei der Gewährung präferentieller Marktzugänge eine entscheidende Rolle. In beiden Fällen wird die Zuerkennung einzelner Vorteile entscheidend durch die wirtschaftliche Situation der EG-Mitgliedstaaten bestimmt. In beiden Fällen ist schließlich die Effektivität der eingesetzten Hilfsinstrumente von der wirtschaftlichen und sozialen Entwicklungsfähigkeit der begünstigten Staaten abhängig.

Die dargestellten Systeme stehen darüber hinaus zueinander in einem Verhältnis der Konkurrenz: Zugeständnisse, die die EG in einem Bereich gewährt hat, haben Rückwirkungen nicht nur auf ihren eigenen **entwicklungspolitischen Handlungsspielraum,** sondern auch auf die Sinnhaftigkeit weiterer Zugeständnisse in anderen Bereichen. Da der Gemeinschaft aufgrund ihrer traditionell besonderen Beziehungen zu den Lomé-Staaten bei der Gewährung neuer Präferenzen etwa im Rahmen des APS weitgehend die Hände gebunden sind, wenn sie nicht den Grundcharakter dieser besonderen Beziehungen in Frage stellen will, kann das APS-System entwicklungspolitisch nie voll zum Tragen kommen, da die mangelnde Zuerkennung mancher Präfe-

---

jedoch noch nicht in Kraft getreten, sodaß die APS-Verordnungen für das Jahr 1991 immer noch auf die V 693/88/EWG verweisen.

renzen an die nichtassoziierten Staaten etwa im Agrarbereich deren wirtschaftlichen Aufschwung behindert.

Hierbei handelt es sich jedoch um ein Grundproblem der internationalen Entwicklungszusammenarbeit: Alle Gebernationen haben im bilateralen Bereich ihre Partner zunächst nach politischen oder wirtschaftlichen Affinitäten ausgewählt. Multilaterale Ansätze, wie etwa die Gewährung einer Allgemeinen Zollpräferenzregelung im Rahmen des GATT, mußten an den daraus resultierenden Interessenkonflikten scheitern. Weiters hat die internationale staatliche Entwicklungszusammenarbeit gezeigt, daß bilaterale Vereinbarungen immer besser gestaltbar, administrierbar und kontrollierbar waren als multilaterale Abkommen. Schließlich hat auch auf Empfängerseite die Einsicht Platz gegriffen, daß die „Dritte Welt" keinen monolithischen Block, sondern ein Amalgam von Staaten mit unterschiedlichen wirtschaftlichen Potentialitäten und politischen Zielrichtungen darstellt und multilaterale Ansätze aufgrund ihrer vereinfachenden Betrachtungsweise oftmals an den realen Gegebenheiten der Betroffenen vorbeigehen.

Es stellt sich daher die Frage, inwieweit multilaterale Abkommen (wie die von Lomé) oder umfassende Allgemeinregelungen (wie die im APS enthaltenen) der entwicklungspolitischen Realität der 90er-Jahre überhaupt noch gerecht zu werden vermögen. Ihre Handhabung zeigt jedoch, daß de facto eine weitgehende Bilateralisierung der Beziehungen, sei es durch die Länderprogramme im Rahmen von Lomé, sei es durch die Aushandlung einzelner Länderkontingente im Rahmen des APS, stattgefunden hat. Wenn es auch die Theorie noch verschweigt, die Praxis hat dem **Zusammenbruch der Globalkonzepte** und entwicklungspolitischen Allheilmittel längst Rechnung getragen.

Entwicklungspolitik ist und bleibt ein Mittel der Außen-, Wirtschafts- und Sicherheitspolitik der Staatengemeinschaft, und dies gilt für Entwicklungsländer ebenso wie für Industrienationen. Entgegen aller Lippenbekenntnisse und Sonntagsreden geht es im internationalen „Entwicklungsgeschäft" um die Durchsetzung handfester Eigeninteressen – die Beziehungen der Gemeinschaft zu ihren Entwicklungspartnern machen davon (leider) keine Ausnahme. Aber im Vergleich zu den anderen großen Geberländern – USA und Japan – bleibt doch die Entwicklungspolitik der EG beispielhaft.

Die EG hat einen langen Weg hinter sich, um ihr erstes außenpolitisches Ziel, wie es bei der Gipfelkonferenz 1972 in Paris formuliert wurde, zu erreichen: eine offenere Antwort auf die **Erwartungen der Entwicklungsländer** durch eine Politik der Assoziation, einen umfassenden und ausbalancierten Ansatz in der Mittelmeerpolitik und die fortschreitende Annahme einer umfassenden Politik der Entwicklungskooperationen auf weltweiter Ebene.

Obwohl ein guter Teil dieser Entwicklung auf extremen Druck und interne politische Umstände zurückzuführen ist, so sind doch für einen großen Teil dieses Erfolges die außerordentliche Vision und die besonderen Fähigkeiten von *Claude Cheysson*, 1973 bis 1979 und 1981 bis 1984 Mitglied der Europäischen Kommission, verantwortlich – eine starke Persönlichkeit, die bereit war, unorthodoxe Initiativen in den 70er-Jahren zu unternehmen, sodaß die Entwicklungszusammenarbeit eine Erfolgsstory der Gemeinschaft gerade in einer Zeit nach der Erdölkrise 1973 wurde. So konnte die trilaterale Kommission bereits 1976 feststellen, daß europäische Initiativen der effizienteste Weg bei der Behandlung der Nord-Süd-Beziehungen geworden sind. In mehr als 30 Jahren nach dem Vertrag von Rom wurde die Gemeinschaft nicht nur der größte Markt in der Welt, sondern – mit ihren Mitgliedstaaten – die größte Quelle von Entwicklungsunterstützung und der **größte Beitragszahler** (unter Zusammenzählung der Beiträge aller Mitgliedstaaten) bei der UNO und den internationalen Finanzinstitutionen (internationaler Währungsfonds, Weltbank, Europäische Bank für Wiederaufbau und Entwicklung und andere regionale Entwicklungsbanken).

Von den 60,4 Mrd US-Dollar der gesamten Übersee-Entwicklungshilfe (Overseas Development Assistance) der OECD-Staaten im Jahre 1992 brachten die Gemeinschaft und ihre Mitgliedstaaten mehr als die Hälfte bzw 31,6 Mrd US-Dollar gegenüber jeweils 19% von den USA und Japan auf. Die Entwicklungshilfe der Gemeinschaft machte 0,45% ihres BNP im Vergleich zu 0,20% für die USA und 0,30% für Japan aus.

Die Gemeinschaft und ihre Mitgliedstaaten kamen für 57% der 15,2 Mrd US-Dollar Übersee-Entwicklungshilfe der OECD-Staaten an multilaterale Organisationen (mit Ausnahme der EG) im Jahre 1992 auf (im Vergleich die USA für 25% und Japan für 19%).

Auch im Hinblick auf die Entwicklungshilfeleistungen zu den mittel- und osteuropäischen Staaten im Jahre 1990 brachte die Gemeinschaft zwei Drittel der Ressourcen auf.[145]) Im Durchschnitt verwaltet bereits jetzt die Europäische Kommission 15% der öffentlichen Entwicklungshilfe der EU-Mitgliedstaaten – 5,1 Mrd US-Dollar netto im Jahr 1994, während im selben Jahr die Nettoauszahlungen der Europäischen Bank für Wiederaufbau und Entwicklung sowie der Weltbank den Negativsaldo von 700 Mio US-Dollar aufwiesen. Die Hälfte dieser Hilfe geht an Afrika, ein Fünftel an Osteuropa und die GUS-Staaten und ein Viertel an Asien, Lateinamerika und den Mittelmeerraum.

Allgemein gesagt beschränkte sich die Außenpolitik der Gemeinschaft im wesentlichen auf den Handel, die **Entwicklungshilfe** und den **Aufbau regionaler Institutionen,** da sich die Mitgliedstaaten als unfähig erwiesen, sich auf die Schaffung der Instrumente für eine umfassende, proaktive und aktionsorientierte Außen- und Sicherheitspolitik zu einigen. Hohe Politik blieb und bleibt weiterhin die Exklusivität der Mitgliedstaaten insoferne, als mehrere der großen Mitgliedstaaten nicht davon zu überzeugen sind, ihre „Illusionen“ aufzugeben, daß nationale außenpolitische Initiativen effizienter als eine kollektive Außenpolitik auf europäischer Ebene sein könnte.

Und gerade weil die Gemeinschaft die weltweit größte zivile Kraft war und auch bleibt, war sie in der Lage, wirtschaftliche statt ideologische und militärische Aktionsmittel auf internationaler Ebene zu entwickeln, was sie zu einem einzigartigen und wichtigen Faktor in einer zunehmend verknüpften und multipolaren Welt werden ließ. Dies wurde besonders seit Ende des Kalten Krieges und der ideologischen Konflikte deutlich. Als nichtmilitärische

---

[145]) Quelle all dieser Daten: OECD (Hg), Development Cooperation, Efforts and Policies of the Members of the Development Assistance Committee (1993).

Kraft war es für die Gemeinschaft selbstverständlich, Einmischungen in andere Staaten zu vermeiden und die politische Autonomie und Souveränität von wirtschaftlich schwachen Ländern zu unterstreichen.

Bis jetzt war die Haltung der Gemeinschaft gegenüber den Entwicklungsstaaten auf die Geschichte, Geographie, Unterschiedlichkeit und innerhalb regionaler Gruppierungen auf Nichtdiskriminierung gegründet. Im Hinblick auf die verschiedenen Kategorien von Entwicklungsstaaten (least developed countries, arme Länder mit geringen Exportmöglichkeiten, rohstoffexportierende Staaten, teilindustrialisierte sowie erdölexportierende Staaten) ist die EG der Auffassung, daß deren Bedürfnisse am besten im Rahmen von **globalen Kooperationsverträgen** Rechnung getragen werden kann, in denen alle vorhandenen Aktionsinstrumente gemeinsam und wo immer möglich auf regionaler Basis angewandt werden: Handelsmaßnahmen, STABEX, Rohstoffabkommen, Industriekooperation, technische und finanzielle Unterstützung, Lebensmittelhilfe etc.

Dieser globale Ansatz ist von Natur aus ein vertraglicher und basiert auf gemeinsamen Institutionen, die – wie die Europäische Union selbst beweist – stärker die **Gemeinsamkeit der betroffenen Parteien** als deren Unterschiedlichkeit fördern. Ein zusätzlicher Vorteil dieses Modells, von dem das Lomé-Abkommen das Musterbeispiel ist, ist, daß es den Aufbau und die Verstärkung eines außenpolitischen „Puzzles“ ermöglicht, bei dem jeder Teil ein weiteres Stück verlangt. Die gemeinschaftliche Entwicklungspolitik breitete sich schließlich über die gesamte Welt aus und wurde nach dem Handel der zweite Pfeiler der gemeinschaftlichen Außenpolitik. Die fehlenden Teile sind eine gemeinsame Außen- und Sicherheitspolitik im engeren Sinne, die im Vertrag von Maastricht vorgesehen sind.

Da der Aufbau einer gemeinsamen Außen- und Sicherheitspolitik zwischen souveränen Nationen eine sehr schwierige Angelegenheit ist, begann die Gemeinschaft mit jenen Aspekten (Handel und Entwicklung), bei denen geringer Widerstand zu erwarten war, und mit jenen Bereichen, wo historische, geopolitische und budgetäre Faktoren ein frühzeitiges Handeln eher möglich machten. Dies erklärt, warum die EG-Entwicklungspolitik im wesentlichen mit den früheren französischen Kolonien begann – Frankreich hätte gegen den Rom-Vertrag sein Veto eingelegt, wäre Teil IV nicht inkludiert worden – und nach dem Beitritt des Vereinigten Königreichs auf ganz Schwarzafrika, den karibischen und südpazifischen Raum sowie dann auf den Mittleren Osten und Nordafrika (Arabische Liga, Israel, Arabische Magrebunion) ausgedehnt wurde.

Obwohl dieser Ansatz von seiner Natur her regional war und es auch blieb, hat er doch **weltweite Bedeutung** insofern, als er die Möglichkeit für Pilotprojekte einer neuen Politik der Entwicklungszusammenarbeit und eines neuen Systems internationaler Beziehungen fern des Bilateralismus bietet.

Ideologisch gesehen versuchte die Gemeinschaft, international ihr Konzept der sozialen Marktwirtschaft, das in der Union – mit Ausnahme des Vereinigten Königreichs – vorherrscht, zu verbreiten. Dies geschah allerdings mit einigem Zögern und Einschränkungen (sektorieller Protektionismus in der Landwirtschaft, im Textil-, Stahl- und Schuhbereich). Protektionistische

Maßnahmen ließen aber eine Art „kollektiven schlechten Gewissens“ entstehen, das dazu beitrug, kompensatorische Ressourcen für ausländische Unterstützung zum Nutzen der betroffenen Entwicklungsländer freizumachen.

In der Zwischenzeit hat das Lomé-Abkommen eine ganze Reihe von „Kindern“ bekommen. Sie haben die Form von **EG-Kooperationsabkommen** mit den Mittelmeerländern, den südostasiatischen Staaten (ASEAN), den zentralamerikanischen Staaten, den osteuropäischen Ländern (Europa-Abkommen), dem südamerikanischen gemeinsamen Markt (MERCOSUR) etc angenommen. Nur dort, wo der regionale Ansatz, dh Gespräche und Abkommen zwischen regionalen Gruppierungen, sich als unmöglich erwies, griff die Gemeinschaft auf bilaterale Abkommen zurück. Dabei unterstrich sie aber, daß diese im Verhältnis zu anderen Staaten der selben Region nicht diskriminierend sind. Deshalb waren es nur die israelisch-arabischen und innerarabischen Unstimmigkeiten, die die Gemeinschaft dazu bewog, auf bilaterale Abkommen mit einzelnen Staaten des Mittleren Ostens und Nordafrikas zurückzugreifen. Sie machte aber immer klar, daß sie ein europäisches Mittelmeerabkommen mit allen Staaten dieser Region und einen Dialog mit einer einzigen Institution, die sowohl die Israelis als auch alle Araber des Mittelmeerraums vertritt, bevorzugt hätte. Das fundamentale Ziel der Gemeinschaft in diesem Bereich ist, ein neues wirtschaftliches Gleichgewicht zwischen den südlichen Mittelmeerstaaten zu schaffen sowie einen neuen politischen Dialog zu strukturieren, sodaß er in einem Rahmen von Frieden und Prosperität sich entwickeln kann.

Der regionale Ansatz wurde in der Zwischenzeit durch die Entwicklung von Kooperationsaktivitäten auf einer weltweiten Basis ergänzt. Daher war es der Gemeinschaft als erste möglich, 1971 ein allgemeines Präferenzsystem anzunehmen und die World Food Convention zu unterschreiben, die von ursprünglich 600 Mio US-Dollar für die jährliche Lebensmittelhilfe zu einer 3 Mrd US-Dollar Soforthilfe für die von der ersten Erdölkrise 1973/74 am stärksten betroffenen Staaten ausgeweitet wurde. Diese Initiative führte letztlich dazu, daß der Europäischen Gemeinschaft Beobachterstatus bei der UNO zuerkannt wurde.

Das europäische **Allgemeine Präferenzsystem** (1971) war die erste operationelle Neuerung der GATT-Regeln. Es berücksichtigte die Ungleichheit der Handelspartner durch die Anerkennung zweier vollständig neuer Prinzipien: bevorzugte Behandlung und Nicht-Gegenseitigkeit für die schwächeren Partner. Obwohl diese Systeme unilateral sind und daher jederzeit einseitig aufgekündigt werden können, geschah dies niemals. Ihre Bedeutung wurde allerdings von jeder GATT-Runde zur nächsten geringer, da die Zolltarife weltweit verringert wurden.

Die regionalen Abkommen der Union sind Schritte zur Änderung der gegenwärtigen internationalen Situation. Der erste Schritt war die Schaffung der Europäischen Gemeinschaft für Kohle und Stahl, der Europäischen Wirtschaftsgemeinschaft und der Europäischen Atomgemeinschaft. Die Schaffung aller anderen regionalen Gruppierungen – vom Andenpakt vor langer Zeit zur NAFTA, der GUS und MERCOSUR – beweist, daß die **regionale Integration** eine starke Kraft im internationalen Bereich geworden ist. Dieses Phänomen ist nun auch von den USA akzeptiert, welche die Gemeinschaft unterstützten, gleichzeitig aber lange Zeit deren Partnerschaftsabkommen mit anderen Regionen kritisierten.

Das dem Lomé-Abkommen ähnlichste Modell ist der sog **San José-Prozeß,** der zu einem Abkommen zwischen der Europäischen Union und den Ländern des zentralamerikanischen gemeinsamen Marktes geführt hat.

Die Mittelmeerabkommen, die nicht auf gemeinsamen interregionalen Institutionen beruhen, ermöglichen einen beschränkteren Zugang zum europäischen Markt, beinhalten keine rohstoffbezogenen Vereinbarungen und sehen zeitliche Beschränkungen für handelsbezogene Gegenseitigkeitsklauseln und sogar umgekehrte Präferenzen (Israel) vor. Andererseits haben die Mittelmeerabkommen eine **unbeschränkte Laufzeit** (mit Ausnahme der Finanzprotokolle, die alle fünf Jahre erneuert werden); sie schließen auch Klauseln für die soziale Sicherheit für einwandernde Arbeitnehmer sowie Bestimmungen für die Kooperation bei Energieüberschüssen ein, beides Bereiche, die in der Folge auch den Lomé-Partnern zuerkannt wurden.

Die Europa-Abkommen mit den osteuropäischen Staaten weisen viele Elemente auf, die ähnlich jenen sind, die sich in den Beziehungen der Union mit den Mittelmeerstaaten finden, wobei der offensichtlichste Unterschied das Ziel einer möglichen EU-Mitgliedschaft ist.

Die Unterschiede zwischen den Lomé-Abkommen und dem San José-Prozeß auf der einen Seite und den Europa- und Mittelmeerabkommen auf der anderen Seite beruhen auf der größeren geographischen Nähe, der größeren wirtschaftlichen Stärke und der potentiellen Wettbewerbsfähigkeit der Nachbarstaaten der Union im Vergleich zu den AKP-Staaten.

Die größte Enttäuschung in der „Nachbarschaftspolitik" der EU sind ihre Beziehungen mit der arabischen Welt. 20 Jahre nach seinem Beginn hat der **europäisch-arabische Dialog** nichts Wesentliches hervorgebracht – nicht so sehr, weil die EU die Unterstützung zweier Mitglieder der Arabischen Liga (Libyen und Irak) abgelehnt hat, sondern auch weil die europäische Seite durch den Dialog hauptsächlich soziale, technische und wirtschaftliche Projekte unterstützen wollte, während die arabische Seite durch den Dialog hauptsächlich einen politischen Druck auf Europa zu Gunsten der Anerkennung der PLO ausüben wollte. Nachdem dies erfolgt ist, leidet der Dialog an drei Elementen: dem Mangel an intraarabischer Kohäsion, den Schwächen der intergouvernementalen außenpolitischen Kooperation der EU und dem außenpolitischen Einfluß eines Staates (USA) in einer Schlüsselregion auf ihre Wirtschaft (Erdöl), Politik (Israel) und Sicherheit (Eindämmung des islamischen Fundamentalismus im Bereich des Mittelmeers und dem Arabischen Golf).

Auch das Kooperationsabkommen von 1988 zwischen der EG und dem **Golf-Kooperationsrat** – Saudiarabien, Kuwait, die Vereinigten Arabischen Emirate, Qatar, Oman und Bahrein –, das 1990 in Kraft getreten ist, hat relativ wenig hervorgebracht – und dies auch nur in den Hauptkooperationsbereichen: Industrie, Energie und Umwelt. Im Handelsbereich sind schon 90% der Exporte der Golfstaaten in die EU zollfrei (Erdölprodukte), und EU-Exporte in die Golfstaaten sind beschränkt. Wieviel die von dem Abkommen stimulierte Förderung der Investitionstätigkeiten und Kooperationsmöglichkeiten in verschiedenen Bereichen wie Energie und petrochemische Industrie bewirkt haben, ist nicht absehbar. Wahrscheinlich hätten sich die meisten dieser Initiativen auch ohne Abkommen entwickelt.

Ein Thema, das zu Spannungen zwischen der EU und den Golfstaaten führt, ist der Vorschlag einer CO_2-Steuer in Europa – Element einer Gesamtstrategie der EU im Rahmen der UNO-Konferenz über Umwelt und Entwicklung in Rio de Janeiro 1992.

Trotz all dieser Schwierigkeiten werden sich die Beziehungen zwischen der EU und dem Golf-Kooperationsrat weiter entwickeln. Denn der Golf-Kooperationsrat ist der sechstwichtigste Exportmarkt der Gemeinschaft. Die Gemeinschaft importiert 20% des Erdöls aus den Ländern des Golf-Kooperationsrates, die über 45% der Welterdölreserven verfügen. Zwei Drittel der Exporte der Länder des Golf-Kooperationsrates gehen in die Staaten der EU, von denen 80% Erdölexporte sind, während ein Drittel der Importe der Länder des **Golf-Kooperationsrates** aus der Gemeinschaft stammt. Weiters ist die EU an der Sicherheit in der Golfregion interessiert (wie auch – und dies in noch größerem Maße – die USA), und die Staaten des Golf-Kooperationsrates sind an dem Dialog mit der EU interessiert, weil er ihrer eigenen intraregionalen Integration förderlich ist.

Die Kooperationsstrategie der Union mit regionalen Staatengruppen wurde das Opfer ihres eigenen Erfolgs. Es führte dazu, daß die Europäer offener und großzügiger mit den Entwicklungsstaaten in Europa, dem Mittelmeerraum, Asien und Lateinamerika wurden als dies bei einem bilateralen Ansatz der Kooperation der Fall gewesen wäre. Externer Druck in Richtung globaler Kooperationsabkommen, besserer Zugang zum EG-Markt und die zunehmende Entwicklungshilfe haben im Laufe der Zeit dazu geführt, daß die EU-Mitgliedstaaten nun der Auffassung sind, daß sie die Grenzen dessen erreicht haben, was sie tun können.

In Handelsangelegenheiten wurde die Position der Union ambivalent mit dem Wunsch, die Exportkapazitäten ihrer Nachbarn und gleichzeitig deren Importmöglichkeiten zu verstärken und ist durch Befürchtungen über Spaltungseffekte durch billigere Importe und Risiken des sozialen und Umweltdumpings durch ihre Mitgliedstaaten gekennzeichnet. Diese Befürchtungen stehen einer kohärenteren Gemeinschaftspolitik gegenüber ihren Nachbarstaaten im Weg. Die letzte Erweiterung (Österreich, Finnland und Schweden) könnte dazu beitragen, die **Freihandelsinitiativen der Union** weiterzubringen und zusätzliche finanzielle Hilfen zu gewähren. Allerdings haben vergangene Erweiterungen (Griechenland, Spanien und Portugal) die bestehenden Probleme verstärkt, indem sie die Gemeinschaft zum Selbstversorger für eine Reihe von mediterranen landwirtschaftlichen Produkten gemacht hat und den Einkommensüberschuß im Produktionsbereich (zB Textilbereich und Schuhe) vergrößert hat.

Die südeuropäischen EU-Mitgliedstaaten befürchten, daß eine neue Erweiterung in den Osten Produzenten von billigeren Industrieprodukten und Wettbewerber für die gemeinschaftlichen Strukturfonds mit sich bringen würde. Nordeuropäische Bauern befürchten, daß der Beitritt von Staaten wie Polen, Ungarn und Rumänien, wenn sie ihr Strukturmanagement verbessern, die Alarmglocken für die gemeinsame Agrarpolitik läuten lassen könnten.

Außerdem haben die **GATT-Uruguay-Runde** und die **Welthandelsorganisation (WTO)** mit ihrem verstärkten Streitbeilegungssystem und dem verringerten Importschutz die Bedeutung der Präferenzen verringert, die durch die Abkommen mit der Europäischen Union verschiedenen regionalen Gruppierungen zuerkannt wurden. Die WTO macht es auch schwieriger, den Ausschluß von großen Teilen der Landwirtschaft von den damit verbundenen Vorschriften der Handelsliberalisierung in Zukunft beizubehalten. Die GATT-Uruguay-Runde hat einmal mehr deutlich gemacht, daß Handelsliberalisierung für die Entwicklungsländer wichtiger als finanzielle Entwicklungshilfe ist.

Obwohl die regionale Handelsliberalisierung vermutlich weiterhin Vorreiterin der multilateralen Handelsliberalisierung sein wird – es hätte keine GATT-Uruguay-Runde ohne das EG-Binnenmarktprogramm gegeben –, so wird doch letztlich die multilaterale Handelsliberalisierung dazu aufschließen. Abkommen über Handelspräferenzen werden eines Tages der Vergangenheit angehören. Was bleiben wird, sind die Auswirkungen der Geschichte und Geographie auf Handelsflüsse und eine größere Bedeutung anderer Instrumente zur Entwicklungszusammenarbeit wie Entwicklungsunterstützung, industrielle Kooperation, Lebensmittel- und Notfallhilfe etc.

8. KAPITEL

Die Gemeinsame Handelspolitik und ihre Instrumente

Hans Adolf Neumann und *Gerhard-Hannes Welge*

Übersicht:

A. Der Begriff „Gemeinsame Handelspolitik"

1. Gemeinsame Handelspolitik als Wesensmerkmal der Gemeinschaft

Der Begriff „Gemeinsame Handelspolitik" bezeichnet – im Gegensatz zum innergemeinschaftlichen Handel – die handelspolitischen Außenbeziehungen der EG. Das Konzept einer gemeinsamen Handelspolitik, dh einer von der Gemeinschaft als solcher betriebenen Politik (und nicht lediglich untereinander abgestimmten Politiken der einzelnen Mitgliedstaaten), folgt logisch aus der Errichtung der **Zollunion** und des gemeinsamen **Binnenmarktes.** Daher ist die gemeinsame Handelspolitik in Art 3 lit b EGV als eines der Wesensmerkmale der Gemeinschaft aufgeführt.

Die gemeinsame Handelspolitik ist die wichtigste außenpolitische Teilkompetenz der Gemeinschaft. Die handelspolitische Zuständigkeit der Gemeinschaft ist ausschließlich. Daher unterliegt die gemeinsame Handelspolitik nicht dem Subsidiaritätsprinzip (Art 3b Abs 2 EGV).

Die **allgemeine Außenpolitik** fällt nicht in den gemeinschaftlichen Kompetenzbereich sondern in die Zuständigkeit der Mitgliedstaaten. Die durch den Vertrag über die Europäische Union (EUV) eingeführte gemeinsame Außen- und Sicherheitspolitik (GASP) besteht ihrem Wesen nach im Sich-Abstimmen der Regierungen der Mitgliedstaaten in außen- und sicherheitspolitischen Fragen. EG-Außenkompetenzen einschließlich der gemeinsamen Handelspolitik und die GASP sind damit Teile eines dualen Systems der Außenbeziehungen[1]) die jedoch unter dem Gebot der Kohärenz miteinander stehen (Art C Abs 2 EUV).

Im Verhältnis der Gemeinschaft zu Entwicklungsländern überschneiden sich Handelspolitik und **Entwicklungspolitik.** Auf entwicklungspolitischem Gebiet besitzt die Gemeinschaft keine voll integrierte

---

[1]) *Krenzler,* Stichwort „Außenbeziehungen der EG" in: Sachwörterbuch zur Europäischen Union (1993).

Politik;[2]) die im EG-Vertrag vorgesehene Politik der Entwicklungszusammenarbeit ist als eine „Ergänzung der entsprechenden Politik der Mitgliedstaaten" (Art 130u Abs 1 EGV) konzipiert. Die Gemeinschaft stützt ihre Entwicklungspolitik daher zusätzlich auf ihre Kompetenzen im handelspolitischen Bereich. Auch im Verhältnis der Handelspolitik zur Entwicklungspolitik besteht ein Kohärenzgebot (Art 130v EGV).

2. Die Gemeinschaft als Welthandelspartner

a) Stellung des gemeinschaftlichen Außenhandels im Welthandel

Die **Bedeutung der gemeinsamen Handelspolitik** wird aus der Stellung der Gemeinschaft als Welthandelspartner deutlich. Nach Bevölkerung und Bruttoinlandsprodukt (BIP) steht die Gemeinschaft an erster Stelle vor den USA und Japan. Das gleiche gilt für ihren Anteil am Welthandel (Güter und Dienstleistungen), der mit 15% deutlich vor der entsprechenden Zahl für die USA (12%) und Japan (9%) liegt; bezogen auf das BIP lag der Anteil des gemeinschaftlichen Außenhandels seit 1980 zwischen 22 und 25% und damit über dem Prozentsatz sowohl der USA (20–22%) als auch Japans (16%).[3])

Die geographische Verteilung der Ein- und Ausfuhren der Gemeinschaft im Warenhandel zeigt folgendes Bild.[4])

Einfuhren 1993

Land/Region	%
EFTA	22,6
USA	17,8
ASEAN, Südkorea, Hongkong, Singapur, Taiwan	10,4
Japan	9,8
OPEC-Länder	8,1
Mittelmeer-Länder	7,9
Lateinamerika	4,6
China	4,0
Ehemalige Sowjetunion	3,8
Mittel- und Osteuropa	3,2
Sonstige	7,8

[2]) Dazu im Detail s oben *Brandtner/Pirzio-Biroli,* Die Entwicklungspolitik der EU und die Beziehungen zu den Staaten der Dritten Welt.

[3]) Zahlen entnommen aus: World Trade Organisation, Trade Policy Review Mechanism, Report by the European Communities (1995).

[4]) Quelle: EUROSTAT.

Ausfuhren 1993

Land/Region	%
EFTA	22,0
USA	17,4
Mittelmeer-Länder	11,0
ASEAN, Südkorea, Hongkong, Singapur, Taiwan	10,2
OPEC-Länder	8,4
Lateinamerika	5,0
Japan	4,7
Mittel- und Osteuropa	4,2
Ehemalige Sowjetunion	3,3
China	2,3
Sonstige	11,5

b) Regeln und Institutionen des Welthandels

Die historischen Erfahrungen der negativen Konsequenzen gegenseitiger protektionistischer Handelsbarrieren, mit denen die Industrienationen rezessive Entwicklungen zwischen den Weltkriegen zu einer Weltwirtschaftskrise eskalieren ließen, waren der Hauptgrund für den Versuch, nach dem 2. Weltkrieg zu internationalen **Freihandelsregeln** zu kommen. Dabei ging es ursprünglich um eine **umfassende Welthandelsordnung,** die nicht nur den Handel mit Waren, sondern auch den mit Dienstleistungen erfassen sowie Regeln für eine internationale Wettbewerbs- und Kartellordnung enthalten sollte (Havanna-Konvention). Besonders wegen des Widerstandes der USA scheiterte dieses globale Konzept. Lediglich das auf den Handel mit Waren beschränkte Allgemeine Zoll und Handelsabkommen **GATT**[5]) konnte 1947 verwirklicht werden. In ihm wurden die allgemeinen Grundsätze der Nichtdiskriminierung und Meistbegünstigung festgeschrieben. Das GATT erwies sich als sehr erfolgreiches Instrument zur allgemeinen Bindung und Senkung von Zöllen, die schrittweise in mehreren Verhandlungsrunden (die bekanntesten sind die Kennedy- und die Tokyo-Runde) erreicht wurden. Ebenso wurden in gesonderten Kodizes die Bedingungen und Verfahren für die Anwendung bestimmter handelspolitischer Instrumente festgelegt (zB Anti-Dumping- und Anti-Subventionskodizes, die allerdings nicht automatisch für die GATT-Signatarstaaten verbindlich waren, sondern einen besonderen Beitritt erforderten.)

Mit der Gründung der **Welthandelsorganisation (WTO)** als Ergebnis der letzten Verhandlungsrunde, der Uruguay-Runde, ist dieser Zustand beendet worden. Die Uruguay-Runde integriert nicht nur die Bereiche Landwirtschaft und Textilien in den Anwendungsbereich der Regeln für den Warenhandel, sondern schafft zusätzlich und erstmalig Regelwerke für den Han-

---

[5]) Dazu ausführlich oben *Jansen,* Die EG und die WTO (GATT).

del mit Dienstleistungen sowie ua für handelsrelevante Aspekte des Schutzes des geistigen Eigentums (besonders Urheber-, Warenzeichen- und Patentrechte) und enthält Regeln über Investitionen. Zudem wurde das Streitschlichtungsverfahren gestärkt, indem die Entscheidungen nicht mehr der einstimmigen Annahme durch die Signatarstaaten bedürfen, sondern automatisch verbindlich sind.[6])

Die Erweiterung des Anwendungsbereiches des GATT trägt der Erkenntnis Rechnung, daß die Bedingungen für die Teilnahme von Unternehmen am internationalen Wettbewerb nicht nur durch die Möglichkeit, frei und ohne Zölle oder Mengenbeschränkungen zu exportieren, bestimmt werden; vielmehr können zB auch Unterschiede in den Bereichen der Finanzierung oder des Patent- oder Warenzeichenschutzes zu erheblichen Verzerrungen der Wettbewerbsposition einzelner Unternehmen führen. Trotz des unbestreitbaren Erfolges der Uruguay-Runde besteht Einigkeit, daß durchaus noch nicht alle relevanten Bereiche ausreichend geregelt sind. Deshalb wird neben einer Erweiterung und Vertiefung der bisher geregelten Bereiche eine Ausdehnung der WTO-Kompetenz auf sog neue Themen nötig sein. In diesem Zusammenhang seien vor allem internationale Wettbewerbs- und Kartellregeln sowie Kodizes zum Schutz gegen soziale Ausbeutung und zum Schutz der Umwelt genannt.

Neben der WTO ist vor allem die **OECD** als Organisation zu nennen, in der die Gemeinschaft handelspolitische Fragen verhandelt oder diskutiert. Anders als die WTO ist die OECD allerdings eher beratend tätig oder fungiert als Forum zur Erörterung neuer oder übergreifender handelspolitischer Fragen.[7]) Diese unterschiedliche Ausrichtung ist auch Folge der auf entwikkelte Industrienationen beschränkten Mitgliedschaft.

Die Gemeinschaft ist in den genannten internationalen Organisationen selbständiges Vollmitglied neben den Mitgliedstaaten. Dabei fungiert die Kommission im Rahmen von Verhandlungen als Verhandlungsführerin der Gemeinschaft, während die Mitgliedstaaten selbst nicht aktiv in die Diskussionen eingreifen. Dies setzt natürlich ein von den Mitgliedstaaten konkret umrissenes Verhandlungsmandat und intensive laufende Abstimmungen voraus.[8]) An Beratungen insbesondere in der OECD nehmen in der Regel die Mitgliedstaaten aktiv neben der Kommission teil.

c) Ziele der gemeinsamen Handelspolitik

Die **Ziele der gemeinsamen Handelspolitik** sind in Art 110 EGV beschrieben. Darin wird die Schaffung einer **Zollunion** als vorrangige Maßnahme zur schrittweisen Beseitigung der Beschränkungen im internationalen Handelsverkehr genannt. Diese nach innen wirkende Liberalisierung des Handels zwischen Staaten ist nicht nur durch die Erweiterung der Gemeinschaft auf 15 Mitgliedstaaten, sondern auch durch das Abkommen über die

---

[6]) FN 5.

[7]) Verbindliche Regeln wurden im Rahmen der OECD insbesondere für die Bereiche der Exportfinanzierung (sog „Exportkredit-Konsensus") sowie für staatliche Interventionen im Schiffbau festgelegt.

[8]) Hierzu näher unten 3.c, 2.

Errichtung eines europäischen Wirtschaftsraumes (EFTA-Staaten außer Schweiz sowie EU-Mitgliedstaaten), das tatsächlich Binnenmarktverhältnisse schafft, sowie durch die Zollunion mit der Türkei nochmals deutlich erweitert worden. Im 2. Absatz bekennt sich die Gemeinschaft grundsätzlich zu **Freihandel** und seinen positiven Auswirkungen auf die Steigerung der Wettbewerbsfähigeit der Unternehmen. Allerdings ist diese Verpflichtung nach innen gerichtet und kann keine Bindungswirkung gegenüber Drittstaaten haben;[9]) solche können nur durch die von der Gemeinschaft eingegangenen vertraglichen bi- und multilateralen Verpflichtungen entstehen.

3. Handelspolitische Kompetenzen und Gestaltungsformen; innergemeinschaftliche Verfahrensregeln

Für die Verfolgung ihrer handelspolitischen Ziele hat der EG-Vertrag der Gemeinschaft weitgehende Kompetenzen und Gestaltungsmöglichkeiten eingeräumt. Hierbei bildet Art 113 EGV die Kernnorm der handelspolitischen Vertragsbestimmungen. Verfahrensregeln betreffend den Abschluß von Abkommen mit Drittstaaten oder internationalen Organisationen enthält Art 228 EGV. Die Gemeinschaftszuständigkeit zum Abschluß von Assoziierungsabkommen ist in Art 238 EGV geregelt. Art 228 a und 73 g EGV enthalten schließlich Bestimmungen über Sanktionsmaßnahmen der Gemeinschaft gegenüber Drittländern.

a) Der Umfang der Gemeinschaftskompetenz

1) Grundsätze

Art 113 Abs 1 EGV bestimmt, daß die gemeinsame Handelspolitik „nach einheitlichen Grundsätzen gestaltet" wird. Die anschließende Aufzählung der möglichen Regelungsbereiche (Änderung von Zollsätzen, Abschluß von Zoll- und Handelsabkommen, Vereinheitlichung der Liberalisierungsmaßnahmen, Ausfuhrpolitik, handelspolitische Schutzmaßnahmen) hat allerdings nur beispielhaften Charakter. Die Praxis und die Rechtsprechung des Europäischen Gerichtshofs (EuGH) sind hierüber weit hinausgegangen.

Die gemeinsame Handelspolitik umfaßt grundsätzlich die **Gesamtheit der Regelungen,** die darauf gerichtet sind, die **Handelsvolumina und den Handelsfluß** zwischen der Gemeinschaft und Drittländern **zu beeinflussen.**[10]) Derartige Regelungen unterliegen den Bestimmungen des Art 113 EGV auch dann, wenn sie etwa im Rahmen entwicklungspolitischer Maßnahmen getroffen werden oder fälschlich als Maßnahmen der Wirtschaftskooperation bezeichnet werden.

Zur Frage, welche Bereiche des internationalen Handels Bestandteil der gemeinsamen Handelspolitik sind, hat der EuGH mehrfach Stellung genommen.[11]) Der Gerichtshof hat hierbei klargestellt, daß die handelspolitische

---

[9]) *Vedder* in *Grabitz* (Hg), Kommentar zum EWGV[2] (1989) Art 110 RZ 1.

[10]) So das an die Mitgliedstaaten gerichtete Memorandum der Kommission vom Juli 1987 (nicht veröffentlicht).

[11]) So vor allem die Gutachten des EuGH 1/75 – lokale Kosten – Slg 1975, 1362, 1/78 – Kautschukabkommen – Slg 1979, 2905 und 1/94 – GATS/TRIPs –, Slg 1994, I-5267.

Gemeinschaftskompetenz sich nicht auf die traditionellen Außenhandelsaspekte, dh den Warenhandel, beschränkt, sondern in evolutivem Sinn zu interpretieren ist: Sie folgt der Entwicklung des internationalen Handels und seiner Regelungsmechanismen.[12])

Auf dem Gebiet des **Warenhandels** umfaßt die Gemeinschaftskompetenz sämtliche Warenkategorien einschließlich der Güter, die im EGKS- und EURATOM-Vertrag geregelt sind.[13]) Die Bedeutung des Warenhandels hat sich jedoch im Zuge der Veränderungen der Welthandelsstruktur gewandelt; der **Dienstleistungsbereich** hat stark an Bedeutung gewonnen und in den Industrieländern bereits die Güterproduktion als wichtigsten Wirtschaftssektor überholt. Demgemäß unterfallen auch Dienstleistungen der gemeinsamen Handelspolitik, soweit die auf sie bezogenen Regelungen nicht überwiegend Aspekte enthalten, die einem anderen Politikbereich – für den die Gemeinschaft oder die Mitgliedstaaten zuständig sein können – zugewiesen sind.[14])

Einem allgemeinen Rechtsgrundsatz folgend sind Regelungen akzessorischen Charakters, die sich auf Materien der Handelspolitik beziehen, gleichfalls als Bestandteil der gemeinsamen Handelspolitik anzusehen.[15])

Der EuGH hat darüber hinaus im AETR-Urteil[16]) Außenkompetenzen der Gemeinschaft in solchen Bereichen bejaht, in denen sie vertragsgemäß Binnenkompetenzen besitzt und in ausreichendem Umfang wahrgenommen hat; in solchen Fällen kann sie internationale Verpflichtungen insoweit eingehen, als dies zur Realisierung der der Binnenkompetenz zugrundeliegenden Zielsetzung erforderlich ist. Diese sog implizite Außenkompetenz erlaubt es der Gemeinschaft, handelspolitische Maßnahmen zu treffen, um den externen Aspekten gemeinschaftsinterner Regelungen Rechnung zu tragen.[17])

Der Gemeinschaft ist schließlich durch Art 235 EGV die Möglichkeit eröffnet, Maßnahmen auch ohne spezifische Kompetenzzuweisung dann zu treffen, wenn ein Tätigwerden zur Verwirklichung eines ihrer Ziele erforderlich erscheint. Auch wenn eine solche Aktion außerhalb des eigentlichen Zuständigkeitsrahmens der gemeinsamen Handelspolitik liegt, ist Art 235 EGV in einer Reihe von Fällen angewendet worden, die die außenwirtschaftlichen Beziehungen der Gemeinschaft betreffen.

Insgesamt erlauben es die der Gemeinschaft zuerkannten Kompetenzen und Handlungsmöglichkeiten damit, von einer Entwicklung der gemeinsa-

---

[12]) So insb die Gutachten 1/78 und 1/94 (FN 11). Das Gutachten 1/94 spricht in diesem Zusammenhang vom „offenen Charakter der gemeinsamen Handelspolitik".

[13]) So ausdrücklich das Gutachten 1/94 (FN 11).

[14]) Vgl Gutachten 1/94 (FN 11).

[15]) So etwa Regelungen im Bereich der Exportfinanzierung und -versicherung oder das neue WTO-Abkommen betreffend sanitäre und phytosanitäre Maßnahmen, dessen Zweck es ist, negative Auswirkungen solcher Maßnahmen auf den Agrarhandel abzuwenden; gleiches gilt für die Einführung von Verkehrsbeschränkungen als Teil eines Handelsembargos. Vgl EuGH Gutachten 1/75 und 1/94 (FN 11).

[16]) EuGH – AETR – Slg 1971, 263; s auch in die FN 11 zitierten Gutachten 1/76 und 1/94.

[17]) Ein Beispiel bildet die Entschließung des Rats 90/C 10/01 zu einem Gesamtkonzept für die Konformitätsbewertung v 21. 12. 1989, ABl C 1990/10 v 16. 1. 1990, die RL für den Abschluß von Abkommen mit Drittländern auf der Basis von Art 113 EWGV enthält.

men Handelspolitik in Richtung einer **gemeinsamen Außenwirtschaftspolitik** zu sprechen. Dies entspricht auch der Rolle, die die Gemeinschaft im internationalen Handel heute tatsächlich spielt.

2) Verhältnis der Handelspolitik zu anderen Politikbereichen; Grenzen der handelspolitischen Kompetenz[18])

Die von der Gemeinschaft verfolgten verschiedenen Politiken gründen sich auf jeweils im EG-Vertrag vorgesehene eigene Kompetenzen. Ob und inwieweit die Gemeinschaft im Außenhandelsbereich tätig werden kann, hängt von der Zuordnung der jeweiligen Maßnahme zur gemeinsamen Handelspolitik ab.

Wie oben erwähnt, ist für die Handelspolitik insbesondere die Abgrenzung zur allgemeinen Außenpolitik und zur Entwicklungspolitik von Bedeutung. Grundsätzlich gilt, daß der Einsatz handelspolitischer Instrumente auch dann Teil der gemeinsamen Handelspolitik ist, wenn hierfür nicht allein oder nicht überwiegend handelspolitische Motive ausschlaggebend sind. Die Gewährung allgemeiner Zollpräferenzen ist daher eine Maßnahme der Handelspolitik.[19]) Für außenpolitisch motivierte Handelsbeschränkungen enthalten Art 228a und 73g EGV Sonderregelungen. Bei Maßnahmen, die handelspolitisch untypisch sind, entscheidet das mit ihnen primär verfolgte Ziel über ihren handelspolitischen Charakter;[20]) dabei ist unschädlich, daß die Maßnahme auch Bestimmungen anderweitigen Charakters enthält, solange nur ihr wesentlicher Gegenstand der Handelspolitik zuzuordnen ist.[21])

Allerdings werden in der Gemeinschaftspraxis diese Prinzipien nicht immer in aller Konsequenz angewendet. Insbesondere im Grenzbereich der Handelspolitik einerseits und der Außen- und Sicherheitspolitik andererseits zeigt sich eine Tendenz des Rats zur Ausdehnung der Kompetenzen der Mitgliedstaaten etwa mit der Folge, daß auch Maßnahmen, die die Anwendung des handelspolitischen Instrumentariums beinhalten, dem intergouvernementalen Bereich zugerechnet werden.[22])

Die Zuordnung bestimmter Materien durch den EG-Vertrag sowie das primäre Ziel einer Regelung bilden die entscheidenden Kriterien des EuGH für die Beurteilung der handelspolitischen Zuständigkeit in den Bereichen Dienstleistungen (GATS) und geistiges Eigentum (TRIPs), den sog „neuen Bereichen" der WTO.[23]) Die reine grenzüberschreitende Erbringung von **Dienstleistungen** ohne die damit notwendigerweise verbundene Bewegung von Personen aus der Gemeinschaft in ein Drittland bzw umgekehrt oder ohne das Vorhandensein einer kommerziellen Niederlassung am

---

[18]) Hierzu näher *Gilsdorf*, Die Grenzen der gemeinsamen Handelspolitik (1988).

[19]) EuGH 26. 3. 1987, Slg 1987, 1493.

[20]) EuGH Gutachten 1/94 (FN 11).

[21]) EuGH Gutachten 1/78 (FN 11).

[22]) Ein Beispiel hierfür bildet die Gemeinschaftsregelung (V 3381/94/EG v 31. 12. 1994, ABl L 1994/367) betreffend Exportkontrollen für Güter mit ziviler und militärischer Doppelverwendung (sog dual-use-Güter); die betroffenen Erzeugnisse und die Bestimmungsländer wurden im Wege der intergouvernementalen Zusammenarbeit der Mitgliedstaaten, also nicht im Gemeinschaftsrahmen, festgelegt.

[23]) Gutachten 1/94 (FN 11).

Bestimmungsort der Dienstleistung steht dem Warenhandel gleich und unterfällt der gemeinsamen Handelspolitik. Ist jedoch die Erbringung der Dienstleistung mit dem Grenzübertritt von Personen oder kommerzieller Niederlassung am Ort der Dienstleistung verbunden, so wird nach Ansicht des EuGH der Bereich der gemeinsamen Handelspolitik verlassen: Der EG-Vertrag enthält eigene Bestimmungen betreffend die Freizügigkeit natürlicher und juristischer Personen, die nicht als Bestandteil der für die gemeinsame Handelspolitik geltenden Regeln ausgestaltet sind. Der **Schutz des geistigen Eigentums** wiederum stellt ein selbständiges Ziel dar, das nicht notwendigerweise von Aspekten des internationalen Handels beeinflußt ist; auch hier handelt es sich daher nicht um einen Bereich der gemeinsamen Handelspolitik.[24])

Regelungen auf dem Gebiet des **Agrarhandels** sind grundsätzlich Bestandteil der gemeinsamen Handelspolitik.[25]) Anders ist es bei Regelungen, die der Verwirklichung eines der in Art 39 EGV genannten Ziele dienen; sie sind der gemeinsamen Agrarpolitik und nicht der Handelspolitik zuzurechnen.[26])

Die **Verkehrspolitik** ist durch den Vertrag als eigenständige Gemeinschaftspolitik geregelt (Art 74 ff EGV). Maßnahmen auf dem Gebiet des Verkehrs sind daher trotz möglicher Auswirkungen auf den Gütertransport ebenfalls nicht Teil der gemeinsamen Handelspolitik.[27])

Die Materien der Handelspolitik sind schließlich nicht deckungsgleich mit den Materien, die Gegenstand der Regelung des gemeinschaftlichen Binnenmarkts sind. Der Vertrag hat die handelspolitischen Kompetenzen nicht als „Verlängerung" der Binnenmarkt-Kompetenz ausgestaltet. Eine solche Kompetenzerweiterung wird auch nicht durch die Doktrin der impliziten Außenkompetenz gedeckt.[28]) Die handelspolitische Kompetenz erstreckt sich daher nicht auf die Gebiete der Freizügigkeit von Arbeitnehmern, der Niederlassungsfreiheit und des (jetzt in Art 73 bis 73 g EGV geregelten) Kapitalverkehrs.[29])

---

[24]) Der EuGH kommt auf Grund dieser Erwägungen zu dem Ergebnis, daß das GATS und das TRIPs-Abkommen nicht in die ausschließliche Zuständigkeit der Gemeinschaft fallen, sondern von der Gemeinschaft und den Mitgliedstaaten gemeinsam abzuschließen waren. Die Voraussetzungen für die Anwendung der AETR-Doktrin sah der Gerichtshof nicht für gegeben an.

Das für Warenfälschungen geltende Einfuhrverbot in die Gemeinschaft stellt dagegen eine typische Maßnahme der Handelspolitik iSv Art 113 EWGV dar (EuGH, Gutachten 1/94 [FN 11]).

[25]) EuGH Gutachten 1/94 (FN 11).

[26]) EuGH Urteil v 16. 11. 1989, Slg I-89, 3743.

[27]) EuGH Gutachten 1/94 (FN 11); *Vedder* in *Grabitz* (FN 9) Art 113 RZ 36.

[28]) Die gemeinschaftliche Zuständigkeit für Harmonisierungsmaßnahmen im Bereich des Binnenmarkts (Art 7 a, 100 und 100 a EGV) beinhaltet nicht automatisch die Ermächtigung zu internationalen Verhandlungen; dies trifft nach Maßgabe der AETR-Doktrin nur dann zu, wenn Harmonisierungsmaßnahmen tatsächlich in erheblichem Umfang erlassen wurden, sodaß einzelstaatliches Handeln gegenüber Drittländern die bestehenden Gemeinschaftsregelungen in Mitleidenschaft ziehen könnte; EuGH Gutachten 1/94 (FN 11).

[29]) *Gilsdorf* (FN 18) 31.

3) Kompetenzverteilung zwischen Gemeinschaft und Mitgliedstaaten

Die **handelspolitische Kompetenz** der Gemeinschaft ist **ausschließlich;** die Mitgliedstaaten können im handelspolitischen Bereich grundsätzlich nicht tätig werden. Nationales Außenwirtschaftsrecht ist nur insoweit gültig, als es mit der handelspolitischen Gemeinschaftskompetenz nicht in Widerspruch steht (ein entsprechender Vorbehalt findet sich zB in Art 1 Abs 3 des deutschen Außenwirtschaftsgesetzes). In einigen Außenwirtschaftsbereichen ergänzen sich jedoch die gemeinschaftlichen und die einzelstaatlichen Kompetenzen.

Dies trifft insbesondere in den Fällen der **Wirtschaftskooperation mit Drittländern,** der **Assoziierung** von Drittländern mit der Gemeinschaft und der „neuen Bereiche" der WTO zu. Die außenwirtschaftliche Aktion geht hier über den handelspolitischen Bereich im engeren Sinne hinaus; sie läßt somit Raum für einzelstaatliche Regelungen (Kooperation) oder erfordert die Beteiligung der Mitgliedstaaten beim Abschluß von Abkommen.

Der Fall gemischter – gemeinschaftlicher und einzelstaatlicher – Kompetenz für ein und dieselbe Maßnahme ist nicht unproblematisch. Das daraus resultierende Erfordernis der Einstimmigkeit begünstigt Kontroversen über die Geltung der gemeinsamen Handelspolitik im Einzelfall und erschwert gemeinsames Handeln. Sowohl bilateral als auch in internationalen Organisationen (insb der WTO) kann dies zur Schwächung der Position der Gemeinschaft führen.[30]) Zur Vermeidung derartiger unerwünschter Konsequenzen leitet der EuGH aus dem Prinzip der Einheitlichkeit der Gemeinschaftsrepräsentanz in internationalen Beziehungen die Verpflichtung „enger Kooperation zwischen den Mitgliedstaaten und den Gemeinschaftsinstitutionen" ab.[31]) Im Fall der WTO ist beabsichtigt, diese Kooperationspflicht durch den Abschluß eines für alle Beteiligten verbindlichen Verhaltenskodex („codes of conduct") zu formalisieren.

b) Gestaltungsformen der Handelspolitik

Die in Art 113 EGV erwähnten „einheitlichen Grundsätze" für die Gestaltung der Handelspolitik sind als solche von den Gemeinschaftsorganen nicht festgelegt worden.[32]) Die Gemeinschaft besitzt also hinsichtlich des Inhalts der von ihr betriebenen Handelspolitik grundsätzlich **Gestaltungsfreiheit.** Gebunden ist sie an die Grundprinzipien des Vertrags wie etwa die Freiheit des Warenverkehrs auf dem Binnenmarkt oder die Gemeinschaftspräferenz.[33]) Bindung besteht ferner an die auf Grund multilateraler oder bilateraler Abkommen für die Gemeinschaft verbindlichen internationalen Regeln.

---

[30]) Vgl *Schmitter,* La Communauté Européenne et l'Uruguay Round; Incertitudes et Faiblesses (1994).

[31]) Gutachten 1/94 (FN 11).

[32]) *Ernst/Beseler* in *von der Groeben/Bockh/Thiesing/Ehlermann,* Kommentar zum EWG-Vertrag[3], (1983) Art 113 RZ 2.

[33]) Gemeinschaftspräferenz als Grundprinzip: vgl *Gilsdorf/Priebe* in *Grabitz* (FN 9) Art 39 RZ 33. Ob das in Art 110 EGV zum Ausdruck gebrachte Ziel der Handelsliberalisierung bindend ist oder die Bestimmung lediglich Programmsatz-Charakter besitzt, ist streitig; s *Vedder* in *Grabitz* (FN 9) Art 110 RZ 1.

Zu ihnen gehören insbesondere die im Rahmen des GATT geschlossenen Abkommen[34]) sowie die zahlreichen bilateralen Abkommen der Gemeinschaft zur Regelung ihrer Handelsbeziehungen zu Drittländern. Praktisch wird hierdurch der Handlungsspielraum der Gemeinschaft nicht unerheblich eingeengt: So sind etwa zolltarifliche Maßnahmen in den meisten Fällen auf Grund der Zollbindung im GATT oder als Folge der Vereinbarung von Freihandelszonen ausgeschlossen; handelspolitische Schutzmaßnahmen, das Musterbeispiel autonomer Handelspolitik, können nur unter den im GATT vorgesehenen Bedingungen getroffen werden.

Handelspolitische Maßnahmen kann die Gemeinschaft entweder im Rahmen ihrer konventionellen Handelspolitik, dh durch bilaterale oder multilaterale Verträge, oder autonom treffen. Eine abschließende Regelung der Gestaltungsformen der Handelspolitik fehlt. Aus dem EG-Vertrag und der Gemeinschaftspraxis ergibt sich jedoch eine **gewisse Typisierung,** namentlich für den Bereich der vertraglichen Regelung der Handelsbeziehungen.

1) Zoll- und Handelsabkommen

Diese in Art 113 Abs 1 EGV genannten Abkommen stellen die klassische **Vertragsform zur Regelung zwischenstaatlicher Handelsbeziehungen** dar. Der Abschluß von Handelsabkommen dient insbesondere der Gewährung von Zollpräferenzen; Zollpräferenzen sind allerdings auch Gegenstand von Assoziierungsabkommen. Die in der Vergangenheit bisweilen durch Handelsabkommen erfolgte Einräumung der Meistbegünstigung ist heute weitgehend ohne Bedeutung, da die Mehrzahl der Partner der Gemeinschaft der WTO beigetreten ist, womit sie automatisch in den Genuß der Meistbegünstigung kommen.

Die zahlreichen Handelsabkommen der Mitgliedstaaten, die bei Inkrafttreten des EGV bestanden, sind gem Art 234 Abs 2 EGV an das Gemeinschaftsrecht anzupassen; obsolet gewordene Abkommen oder Teile von Abkommen müssen ggf von den Mitgliedstaaten gekündigt werden. Der (politisch heikle) Anpassungsprozeß befindet sich noch im Anfangsstadium. Einstweilen genehmigt die Gemeinschaft jährlich die Verlängerung der Altabkommen (Freundschafts-, Handels- und Schiffahrtsverträge) der Mitgliedstaaten, soweit darin keine Regelungen enthalten sind, die im Widerspruch zur gemeinsamen Handelspolitik stehen.

2) Kooperationsabkommen

Die im EG-Vertrag namentlich nicht erwähnten **Kooperationsabkommen,** dh Abkommen, deren Gegenstand die wirtschaftliche, industrielle und technische Zusammenarbeit mit Drittländern ist, werden in der Gemeinschaftspraxis als Grenzfall der gemeinsamen Handelspolitik und der allgemeinen Außenwirtschaftspolitik behandelt. Da Wirtschaftskooperation der genannten Art zu den üblicherweise verwendeten Formen der Gestaltung von Handelsbeziehungen zwischen Staaten gehört, schließt auch die Gemein-

[34]) Siehe oben sowie FN 5.

schaft Abkommen dieser Art ab – und zwar als Rahmenabkommen.[35]) Den Mitgliedstaaten bleibt es vorbehalten, mit dem Partnerland spezifische Regelungen zu treffen, die insbesondere Fragen des Investitionsschutzes, des Kapitaltransfers und der Handelsförderung (trade promotion) behandeln. Kooperationsabkommen können die Mitgliedstaaten aber auch unabhängig vom Bestehen eines Gemeinschaftsabkommens abschließen, soweit sie keine Regelungen treffen, die der gemeinsamen Handelspolitik vorbehalten sind. Solche Kooperationsabkommen der Mitgliedstaaten unterliegen vor ihrem Abschluß einem gemeinschaftlichen Konsultationsverfahren.[36]) Die Gemeinschaft schließt Kooperationsabkommen auf der Grundlage der Art 113 und 235 EGV, was innergemeinschaftlich zum Erfordernis einstimmiger Beschlußfassung führt.

3) Assoziierungsabkommen

Assoziierungsabkommen mit Drittstaaten oder internationalen Organisationen stellen gem Art 238 EGV „eine Assoziierung mit gegenseitigen Rechten und Pflichten, gemeinsamem Vorgehen und besonderen Verfahren" her. Abkommen dieser Art begründen ein **besonders enges Verhältnis der Gemeinschaft zum Vertragspartner** und gehen damit über den Bereich der reinen Handelspolitik hinaus. Auf handelspolitischem Gebiet beinhalten Assoziierungsabkommen idR Zollpräferenzen oder Freihandelszonen, aber auch Zoll-[37]) oder Wirtschaftsunion.[38]) Daneben werden häufig Vereinbarungen über Niederlassungsrecht, Freizügigkeit oder Kapitaltransfer getroffen. Neben wirtschaftlicher und finanzieller Zusammenarbeit können Assoziierungsabkommen auch politischen Dialog oder Zusammenarbeit auf kulturellem Gebiet vorsehen. Voraussetzung für den Abschluß von Assoziierungsabkommen sind in der Praxis der Gemeinschaft die demokratische Verfassung des Partnerlandes und die Achtung der Menschenrechte.[39])

Assoziierungsabkommen können im Hinblick auf einen späteren Beitritt des Vertragspartners zur Gemeinschaft abgeschlossen werden.[40]) Daneben gibt es die sog **Entwicklungsassoziierung.**[41]) Einen Sonderfall bildet das Abkommen über den **Europäischen Wirtschaftsraum,** das die engstmögliche Verbindung zwischen Gemeinschaft und den Partnerstaaten unterhalb der Vollmitgliedschaft in der EG herstellt.

---

[35]) Ein früher Beispielsfall ist das Rahmenabkommen betreffend die handelspolitische und wirtschaftliche Zusammenarbeit mit Kanada (1976). Das Abkommen behält den Mitgliedstaaten den Abschluß eigener Kooperationsabkommen im Rahmen des Gemeinschaftsabkommens vor (sog Kanada-Klausel).

[36]) Auf der Grundlage der Entscheidung des Rats 74/393/EWG v 22. 7. 1974, ABl L 1974/208, 23.

[37]) So im Fall der Türkei, Zyperns und Maltas.

[38]) So im Fall des Europäischen Wirtschaftsraums.

[39]) Vgl *Augustin,* Stichwort „Assoziierungsabkommen" in: Sachwörterbuch zur Europäischen Union (FN 1).

[40]) So im Fall der Abkommen mit Griechenland, der Türkei, Zypern und Malta sowie neuerlich der „Europaabkommen".

[41]) *Augustin* (FN 39). Beispiele sind das Lomé-Abkommen und die Abkommen mit den Maghreb- und Maschrikstaaten.

Der Abschluß von Assoziierungsabkommen bedarf einstimmiger Ratsentscheidung und der Zustimmung des Europäischen Parlaments. Soweit sich die Abkommen auf Bereiche erstrecken, für die keine Gemeinschaftskompetenz besteht (politischer Dialog, kulturelle Zusammenarbeit), werden sie als sog **„gemischte Abkommen“** abgeschlossen, an denen die Mitgliedstaaten als Vertragspartner beteiligt sind; dies erfordert Ratifizierung des Abkommens durch die Mitgliedstaaten.

4) Wirtschaftssanktionen

Sanktionen gegenüber Drittländern fallen – abweichend von den vorstehend genannten Aktionsformen – in den Bereich der autonomen Handelspolitik. Art 228 a EGV erlaubt die Aussetzung, Einschränkung oder Einstellung der Wirtschaftsbeziehungen zu Drittländern; Wirtschaftsbeziehungen iS dieser Bestimmung sind sowohl der Waren- als auch der Dienstleistungsverkehr. Art 73 g EGV sieht darüber hinaus Beschränkungen des Kapital- und Zahlungsverkehrs mit den betroffenen Ländern vor.

Sanktionen gegen Drittländer verhängt die Gemeinschaft in der Regel auf Grund entsprechender Beschlüsse des Sicherheitsrats der Vereinten Nationen. Die Maßnahmen sind also politisch motiviert. Da sie sich andererseits des handelspolitischen Instrumentariums bedienen (Ein- und Ausfuhrverbote und -beschränkungen), stellen sie einen Beispielsfall des Zusammenspiels der gemeinsamen Handelspolitik mit der GASP dar. Nach Art 228 a und 73 g EGV setzen Sanktionsmaßnahmen voraus, daß sie in (einstimmig angenommenen) gemeinsamen Standpunkten (Art J.2 Abs 2 EUV) oder gemeinsamen Aktionen (Art J.1 Abs 3 iVm Art J.3 EUV) im Rahmen der GASP vorgesehen sind; die Entscheidung über die Ausgestaltung der Sanktionen erfolgt dann mit qualifizierter Mehrheit.[42]) Im Verhältnis zu Art 113 wird Art 228 a EGV als lex specialis behandelt und in den entsprechenden Rechtsakten (ggf neben Art 73 g EGV) als alleinige Rechtsgrundlage genannt.[43])

c) Die Ausübung der handelspolitischen Kompetenz

Auf der Grundlage von Art 113 EGV hat die Gemeinschaft ein umfangreiches Sekundärrecht geschaffen (s unten B.). Daneben hat sie eine Vielzahl von Handels-, Kooperations- und Assoziierungsabkommen mit dritten Staaten geschlossen.[44]) (Zu den bilateralen handelspolitischen Beziehungen mit

---

[42]) Beispiele für Sanktionen auf der Grundlage des EU-Vertrags sind die Embargos gegen Libyen (V 3274/93/EG v 28. 11. 1993, ABl L 1993/295, 1) und Haiti (V 1263/94/EG v 30. 5. 1994, ABl L 1994/139, 1).

[43]) Wie die Libyen- und Haiti-Embargos zeigen, ist in der Praxis die Unterscheidung zwischen GASP-Entscheidung (Einstimmigkeit) und Sanktionsentscheidung (qualifizierte Mehrheit) reichlich theoretischer Art, da die Natur der zu treffenden Sanktionen im Zeitpunkt der politischen Entscheidung idR bereits bekannt ist. Jeder Mitgliedstaat kann daher durch Verweigerung der Zustimmung im Rahmen der GASP ihm unliebsam erscheinende Maßnahmen verhindern.

[44]) Vgl die Zusammenstellungen der EG-Kommission (Hg), Conventions et Accord Multilatéraux, Stand Januar 1988, sowie Analyse synthétique des Accords qui lient les Communautés à des Pays Tiers, Stand Juni 1994.

einigen wichtigen Handelspartnern der Gemeinschaft s unten C.) Im folgenden ist das innergemeinschaftliche Verfahren bei der Ausübung der handelspolitischen Kompetenz zusammengefaßt.

1) Gesetzgebung und Einzelentscheidungen

Das **handelspolitische Sekundärrecht** der Gemeinschaft besteht idR aus Verordnungen, die der Rat mit qualifizierter Mehrheit erläßt (Art 113 Abs 4 iVm Art 148 EGV).[45]) Der sog „Luxemburger Kompromiß", der de facto zum Erfordernis der Einstimmigkeit im Rat führte, ist durch die heutige Praxis überholt.

Bei Einzelentscheidungen auf der Grundlage des handelspolitischen Sekundärrechts entspricht es sowohl der Aufgabenverteilung zwischen den Gemeinschaftsorganen als auch den Erfordernissen eines zügigen Verfahrens, die Entscheidungsbefugnis der Kommission als Exekutivorgan zu übertragen. Ist dies geschehen, so entscheidet die Kommission regelmäßig nach Konsultation der Mitgliedstaaten. Diese haben das Recht, gegen die Kommissionsentscheidung den Rat anzurufen, der innerhalb einer bestimmten Frist abweichend entscheiden kann; tut er das nicht, bleibt die Kommissionsentscheidung bestehen. Dieses zweckmäßige Verfahren findet allerdings nicht in ausreichendem Umfang Anwendung. Viel zu häufig müssen auch Einzelentscheidungen vom Rat getroffen werden,[46]) was die Fähigkeit der Gemeinschaft, rasch und dezidiert zu handeln, erheblich beeinträchtigen kann.

2) Abschluß von Abkommen

Die Rollenverteilung zwischen den Gemeinschaftsinstitutionen ist durch Art 113 Abs 3 und Art 228 Abs 2 EGV grundsätzlich dahingehend geregelt, daß Abkommen von der Kommission nach Richtlinien des Rats verhandelt werden und daß der Rat über den Abschluß beschließt. Das Europäische Parlament (EP) wird in bestimmten Fällen in der Form der Anhörung oder als Zustimmungsinstanz beteiligt.

Nach den genannten Vorschriften bedarf die Kommission zur Aufnahme von Verhandlungen der Ermächtigung durch den Rat, die dieser auf Grund von Empfehlungen der Kommission erteilt. Die Kommission führt die Verhandlungen nach Maßgabe der Richtlinien des Rats (sog **Mandat**) und im Einvernehmen mit dem zu ihrer Unterstützung vom Rat bestellten Ausschuß (im allgemeinen der „Ausschuß Art 113"). Die Mitglieder dieses Ausschusses sind bei den Verhandlungen anwesend; Koordinierungssitzungen zwischen Kommission und Ausschuß finden vor jedem Verhandlungsabschnitt und während der Verhandlungen statt. Die Kommission kann jedoch, bevor sie vom Rat formell zu Verhandlungen

[45]) Die Konsultation des Europäischen Parlaments wird in ständiger Praxis von der Kommission dem Rat in Fällen wichtiger Gesetzgebungsvorhaben vorgeschlagen.

[46]) So werden zB endgültige Maßnahmen im Bereich des handelspolitischen Schutzes vom Rat getroffen, im Fall von Anti-Dumping-Zöllen seit kurzem allerdings mit einfacher statt qualifizierter Mehrheit.

ermächtigt ist, allein **exploratorische Vorgespräche** mit dem Verhandlungspartnr führen. Ihre spätere Verhandlungszuständigkeit reicht bis zur Paraphierung des Abkommens. Die Kommission bestimmt allein über die Verhandlungstaktik. Ihrer Beurteilung unterliegt schließlich die Frage, ob und wann das Verhandlungsergebnis dem Rat zur Annahme vorgelegt wird, auch wenn es den Verhandlungsrichtlinien nicht oder nicht voll entspricht.

Das komplexe Gemeinschaftsverfahren gewährt sowohl der Kommission als auch dem Rat und mit Einschränkungen dem EP Möglichkeiten der Einflußnahme in jedem Verfahrensabschnitt. Die Verhandlungsführung wird vom Rat insbesondere durch die Formulierung des Mandats beeinflußt, die eng oder weit sein kann.[47]) Mit der Vorlage des Verhandlungsergebnisses und dem Vorschlag zu dessen Annahme gibt die Kommission den Rahmen für die Abschlußdiskussion im Rat vor. Insgesamt kann man von einer **führenden Rolle der Kommission** während der Verhandlungen und des **Rats in der Abschlußphase** sprechen.[48])

Entscheidungen im Rat werden gem Art 113 Abs 3 sowie Art 228 Abs 1 Unterabs 2 und Abs 2 Satz 1 EGV mit qualifizierter Mehrheit getroffen. Assoziierungsabkommen und Abkommen, die einen Bereich betreffen, für den innergemeinschaftliche Vorschriften nur einstimmig erlassen werden können, erfordern Einstimmigkeit (Art 228 Abs 3 Unterabs 2 EGV).

Die **Rolle des EP** beim Abschluß von Abkommen wurde durch den Maastrichter Vertrag erheblich gestärkt. Art 228 Abs 3 EGV sieht vor, daß Assoziierungsabkommen sowie sonstige Abkommen, die einen besonderen institutionellen Rahmen schaffen, erhebliche finanzielle Folgen für die Gemeinschaft haben oder die Änderung eines im Mitentscheidungsverfahren (Art 189b EGV) angenommenen Rechtsakts bedingen, der Zustimmung des EP bedürfen. In anderen Fällen ist die Anhörung des EP erforderlich. Von diesen Regeln ausgenommen sind allerdings Abkommen, deren alleinige Rechtsgrundlage Art 113 EGV ist; soweit solche Abkommen „erhebliche Bedeutung" besitzen, haben sich Kommission und Rat jedoch verpflichtet, das Parlament vor Abschluß zu konsultieren.[49])

Gemischte Abkommen (so idR Assoziierungsabkommen) erfordern außer der (einstimmigen) Annahme durch den Rat die Ratifizierung durch die Mitgliedstaaten, dh die Zustimmung der nationalen Parlamente. Das kann zu erheblichen Verzögerungen der förmlichen Annahme führen; im Fall der „Europaabkommen" mit mittel- und osteuropäischen Staaten hat dies die Gemeinschaft veranlaßt, Teile der Abkommen durch Interimsabkommen vor

[47]) Wie stets gilt auch hier das Vorschlagsrecht der Kommission. Ohne Mandatsvorschlag der Kommission kann die Gemeinschaft nicht in Verhandlungen eintreten; vgl *Ernst/Beseler* (FN 32) Art 113 RZ 13.

[48]) *Schmitter* (FN 30) mit anschaulicher Darstellung der Rolle der Institutionen während der Verhandlungen der Uruguay-Runde.

[49]) Darüber hinaus hat sich die Kommission in einem Anfang 1995 abgeschlossenen Verhaltenskodex dem Parlament gegenüber zu ausführlicher Information über die Verhandlung internationaler Abkommen vom Zeitpunkt der Vorbereitung des Verhandlungsmandats an verpflichtet.

Beendigung der nationalen Ratifizierungsverfahren „ad interim" in Kraft zu setzen.[50])

B. Handelspolitisches Sekundärrecht: Instrumente der Handelspolitik

Außer der Möglichkeit, die gemeinsame Handelspolitik durch vertragliche Vereinbarungen zu gestalten, gibt es eine Reihe von autonomen, dh einseitig anwendbaren Instrumenten der Handelspolitik, die den Kern des handelspolitischen Sekundärrechtes der Gemeinschaft bilden. Neben den einheitlich festzusetzenden Zolltarifen und Präferenzen gehören hierzu insb die sog Schutzklausel (als Teil der gemeinsamen Einfuhrregelung), Anti-Dumping- und Anti-Subventionsverfahren, die sich gegen schädigende Importe wenden, wobei unterschiedliche Voraussetzungen für die Intensität des Schadens bestehen; sowie das Verfahren gegen Handelshemmnisse, das dem Schutz sonstiger Handelsinteressen der Gemeinschaftsindustrie insb in Drittstaaten dient. Rechtakte der Gemeinschaft in Anwendung dieser Instrumente (zB die Festsetzung eines Anti-Dumping-Zolles für bestimmte Einfuhren) stellen terziäres gemeinschaftliches Handelsrecht dar.

1. Gemeinschaftliches Zollrecht[51])

Es folgt aus der Natur der EG als Zollunion, daß neben gemeinsamen Zolltarifen auch gem Art 27 EGV einheitliche Regeln für das Zollwesen aufzustellen waren.

Der **gemeinsame Zolltarif** kann von der Gemeinschaft gem Art 28 EGV autonom festgesetzt werden. Allerdings sind die Zolltarife der Gemeinschaft ganz überwiegend auf Grund von Verhandlungen im Rahmen des GATT gebunden und können deshalb auch nur durch Neuverhandlungen verändert werden. Die letzte dieser multilateralen Verhandlungen zur Neufestsetzung gebundener Zollsätze war die Uruguay-Runde, die für die Gemeinschaft zu einer weiteren linearen Außenzollsenkung geführt hat.

Zum Zwecke der einheitlichen Bezeichnung und Einordnung sind die Waren und Güter in einer mittlerweile weltweit angewendeten Nomenklatur aufgelistet, dem Harmonisierten System. Die einzelnen von den nationalen Zollbehörden der Mitgliedstaaten anzuwendenden Zollsätze werden jährlich als Verordnung unter dem Titel „Gemeinsamer Zolltarif" veröffentlicht.

Die Ausnahmen vom tarifären Zoll sind fast die Regel. Sowohl aufgrund von Präferenzabkommen wie zB mit den Mittelmeerländern, den EFTA- (außer EWR-Staaten) und AKP-Staaten als auch im Rahmen des Allgemeinen Präferenzsystems werden bedeutende Zollvergünstigungen bis hin zur Zollfreiheit eingeräumt.

---

[50]) Vgl dazu oben *Kalbe/Bachmann,* Die Beziehungen der EG zu den osteuropäischen Staaten.

[51]) Siehe auch oben *Lux,* Die Gemeinschaft als Zollunion.

2. Mengenmäßige Beschränkungen

a) Ausfuhrregelungen

Ausfuhren aus der Gemeinschaft sind grundsätzlich frei.[52]) Ausnahmen bilden ua Kriegsmaterial und bestimmte lebenswichtige Güter, deren Export in Krisenzeiten beschränkt werden kann (ein Selbstbeschränkungsabkommen für Stahl gegenüber den USA ist 1991 ausgelaufen)[53]) sowie solche einzelstaatlichen Beschränkungen, die sich auf die Vorbehalte der Art 36 und 224 EGV stützen und in die Zuständigkeit der Mitgliedstaaten fallen.

b) Einfuhrregelungen

Importe in die EG unterliegen keinen mengenmäßigen Beschränkungen. (Einzige Ausnahme sind noch einige wenige Einfuhrkontingente insbesondere für Spielzeug, Schuhe und Keramik aus China.) Darüber hinaus hat sich die Gemeinschaft im neuen, im Rahmen der Uruguay-Runde vereinbarten Übereinkommen über Schutzmaßnahmen (Art XIX GATT) dazu verpflichtet, auch alle sog **„Grauzonenmaßnahmen"** (dh mit dem Exportland vereinbarte Maßnahmen der Ausfuhrbeschränkung, die keinen zulässigen Anwendungsfall des handelspolitischen Instrumentariums darstellen) aufzuheben. Einzige (zugelassene) Ausnahme ist die Vereinbarung zwischen der EG und Japan über bestimmte Kraftfahrzeuge, die am 31. Dezember 1999 außer Kraft tritt.

Die jüngere Entwicklung in **Osteuropa** hatte bereits zu einer erheblichen Lockerung der handelspolitischen Restruktionen geführt; seit 1993 gibt es keine gemeinschaftsweiten Einfuhrbeschränkungen mehr. Gleichfalls hat die Gemeinschaft mit dem Inkrafttreten des Binnenmarktes zum 1. Jänner 1993 auf alle einzelstaatlichen Beschränkungen verzichtet, deren interne Absicherung nur über eine Genehmigung durch die Kommission nach Art 115 EGV möglich war.

c) Sektorspezifische Regelungen (Textil)

Neben einer Reihe von landwirtschaftlichen Produkten unterliegen Textilwaren einer mengenmäßigen Beschränkung, die mit einer Vielzahl von Erzeuger- bzw Herstellerländern in der Form von Selbstbeschränkungsabkommen ausgehandelt wurden.[54]) Da **Selbstbeschränkungsabkommen** besonders im Hinblick auf Art XI GATT, der mengenmäßige Beschränkungen verbietet, grundsätzlich Bedenken begegnen, wurde in den Verhandlungen der Uruguay-Runde der Versuch unternommen, auch den Textilsektor in die allgemein gültige GATT-Ordnung zu integrieren, damit auf Selbstbeschränkungsabkommen ganz verzichtet werden kann. Vorgesehen ist eine **schrittweise Liberalisierung des Textilhandels:** Seit 1. Jänner 1995 werden die Importe von Textilien inner-

---

[52]) Vgl V (EWG) 2603/69, ABl L 1969/324, 25 idF der V (EWG) 1934/92, ABl L 1992/211, 1. Im Anhang hierzu sind in einer Negativliste die – relativ begrenzten – Ausnahmen aufgeführt.

[53]) Vgl die Übersicht über die verschiedenen Abkommen und Arrangements bei *Vedder* in *Grabitz* (FN 9) Art 113 RZ 157 ff.

[54]) (FN 53) RZ 112 ff.

halb von 10 Jahren in vier Schritten liberalisiert; die Auswahl der zu liberalisierenden Produkte bleibt dem Importland überlassen. Als Gegenleistung für diesen erleichterten Marktzugang haben sich die Textil-Exportländer zum Abbau von Exportsubventionen, zur Erleichterung des Zugangs zu den eigenen Märkten und zu der Beachtung fremder Rechte an geschütztem geistigen Eigentum verpflichtet. Daneben wurden die Antidumpingregeln den Besonderheiten des Textilhandels angepaßt, insb die Regeln über Stichprobenauswahl.

Zu erwähnen bleiben schließlich Einfuhrbeschränkungen und -verbote aus Gründen des **Umwelt- und Artenschutzes.**[55])

d) Schutzklausel

Auf der Grundlage ihrer gemeinsamen Einfuhrregelung kann die Gemeinschaft Schutzmaßnahmen in der Form von Überwachungen und mengenmäßigen Beschränkungen ergreifen.[56]) Die völkerrechtliche Grundlage für diesen Schutz gegen ansonsten liberalisierte Importe[57]) ist Art XIX GATT, dessen Interpretation und Anwendung in dem „Übereinkommen über Schutzmaßnahmen" der Uruguay-Runde festgelegt ist. Voraussetzung ist die Feststellung einer **ernsthafen Schädigung** (serious injury) für die Gemeinschaftsindustrie, die eine gleiche oder im direkten Wettbewerb stehende Ware herstellt. Wichtige Kriterien für eine solche bereits eingetretene oder drohende Marktstörung sind der Anstieg der Importe und das Ausmaß der Preisunterbietungen sowie deren Wirkung auf die betroffene Industrie.[58]) Im Vergleich zu den Schadensfeststellungen für Anti-Dumping oder – Subventionsverfahren ist die Schadensschwelle für Maßnahmen nach der Schutzklausel deutlich höher. Andererseits erfordert deren Anwendung nicht den Nachweis, daß die großen Importmengen oder die niedrigen Preise aufgrund unfairen Wettbewerbes erreicht wurden.

Als mildeste Eingriffsform, noch vor einer mengenmäßigen Beschränkung der Einfuhr (oder um deren Wirkung und Entwicklung zu verfolgen), können **Überwachungsmaßnahmen** angeordnet werden,[59]) mit denen sowohl Mengen als auch Preise der betreffenden Waren bei der Verzollung registriert werden, allerdings nicht die Einfuhr selbst verhindert werden darf.[60])

Über die Verhängung einer Maßnahme entscheidet die Kommission auf Antrag eines Mitgliedstaates (oder in Eigeninitiative) aufgrund einer Untersuchung und nach Konsultation der Mitgliedstaaten. Vorläufige Maßnahmen sind möglich.[61]) Der Rat kann mit qualifizierter Mehrheit die Entscheidung aufheben oder abändern, bleibt er untätig, so gilt die Entscheidung der Kommission nach drei Monaten als aufgehoben.[62])

---

[55]) (FN 53) RZ 115 ff.

[56]) Art 11 und 16 V 3285/94 v 22. 12. 1994, ABl L 1994/349, 53.

[57]) Art 1 Abs 2 V 3285/94 (FN 56).

[58]) *van Bael/Bellis,* Anti-Dumping and other Trade Protection Laws of the EEC[2] (1990) RZ 1304 f.

[59]) Art 11 ff V 3285/94 (FN 56).

[60]) *Ernst/Beseler* (FN 32) Art 113 RZ 32.

[61]) Art 8 V 3285/94 (FN 56).

[62]) Art 11 Abs 2 iVm Art 16 Abs 7 und 8 V 3285/94 (FN 56).

Die Gemeinschaft hat von dem Instrument der Schutzklausel bislang nur sehr zurückhaltend Gebrauch gemacht und bislang keine EG-weiten Mengenbeschränkungen verhängt. Die wenigen eingeleiteten Verfahren endeten (von Überwachungsmaßnahmen abgesehen) entweder mit regional begrenzten Gemeinschaftsmaßnahmen oder Selbstbeschränkungsabkommen mit den betroffenen Herstellerländern, die im Zusammenhang mit der Schaffung des Binnenmarktes und den Verpflichtungen aus der Uruguay-Runde sämtlich aufgegeben worden sind.

Ursache für die **geringe Inanspruchnahme der Schutzklausel** waren insbesondere die Verpflichtung zur Nichtdiskriminierung, auf Grund derer sich die Verfahren immer gegen alle aktuellen oder potentiellen Exportländer richten müssen und eine praktikablere Selektivität unmöglich ist,[63]) und das Recht des betroffenen Staates auf angemessene, auszuhandelnde Handelskonzessionen, oder, sofern dies scheitert, zu Vergeltungsmaßnahmen.[64]) Diese Ursachen sind nur zum Teil in den Verhandlungen der Uruguay-Runde behoben worden. Die Übereinkunft über Schutzmaßnahmen ermöglicht nach wie vor kein selektives Vorgehen gegen nur einzelne Drittstaaten. Es bleibt lediglich die Möglichkeit, bei einem disproportionalen Anstieg der Importe aus bestimmten Drittländern diesen autonom niedrigere Quoten zuzuweisen (sog **Quotenmodulation**). Allerdings sind Schutzklauselmaßnahmen insofern erleichtert worden, als das Recht des betroffenen Staates, Kompensation zu fordern, erst für Maßnahmen entsteht, die über eine Laufzeit von drei Jahren hinausgehen. Andererseits ist die Verhängung von Maßnahmen nur noch für eine Dauer von vier Jahren möglich, die nach neuerlicher Untersuchung nur einmal um vier Jahre verlängert werden kann.[65]) Eine erneute Verhängung ist erst nach Ablauf von zwei Jahren nach Auslaufen der ursprünglichen Maßnahme möglich. Die Maßnahmen werden während ihrer Laufzeit schrittweise liberalisiert und bei einer Geltungsdauer von mehr als drei Jahren einer Halbzeitprüfung unterzogen.[66]) Diese neuen Regelungen unterstreichen die Funktion der Schutzklausel als einer Maßnahme, die geschädigten Industrien lediglich eine zeitlich begrenzte Anpassungsfrist gibt.

3. Schutzmaßnahmen gegen unfaire Handelspraktiken

Im Gegensatz zu Handelsbeschränkungen aufgrund der Schutzklausel richten sich Anti-Dumping- und Anti-Subventionsmaßnahmen gegen unfaire Handelspraktiken in Form von gespaltenen Preisen auf unterschiedlichen Märkten oder staatlichen Subventionen. Beide Erscheinungsformen werden durch Art VI GATT erfaßt, der den Signatarstaaten das Recht einräumt, gegen gedumpte oder subventionierte Einfuhren vorzugehen, wenn durch sie

[63]) Nicht unbestritten, vgl *Beseler/Ernst* (FN 32) Art 113 RZ 51 mit ausführlicher Darstellung der Diskussion.

[64]) Daneben wurde die Gemeinschaft zunehmend auch wegen ihrer angeblich zu großen Geneigtheit zum Abschluß sog Selbstbeschränkungsabkommen kritisiert, weil hierdurch lediglich die Pflicht nach Art XIX GATT zum angemessenen Ausgleich umgangen werde.

[65]) Art 7 V 3285/94 (FN 56).

[66]) FN 65.

eine heimische Industrie geschädigt wird. In der 1994 abgeschlossenen Uruguay-Runde des GATT wurden mit dem Anti-Dumping und dem Anti-Subventions-Kodex[67]) beide Bereiche erneut in umfassender Weise geregelt. Für diese in ihre ausschließliche Zuständigkeit fallenden internationalen Verpflichtungen hat die EG in den Verordnungen 384/96 und 3284/94 sekundäres Gemeinschaftsrecht geschaffen.[68]) Aufgrund der Anti-Dumping- und Anti-Subventionsverordnung können Ausgleichszölle verhängt werden, wenn die eingeführten Waren gedumpt oder subventioniert sind, hierdurch eine bedeutende Schädigung eines Wirtschaftszweiges in der Gemeinschaft verursacht wurde oder verursacht zu werden droht und ein Eingreifen im Interesse der Gemeinschaft liegt.

Dem Anti-Dumping-Instrument kommt im Vergleich zu Schutzklausel, Anti-Subventionsverfahren und dem handelspolitischen Instrument (Verordnung gegen Handelshemmnisse) in der Praxis eine überragende Bedeutung zu.

a) Anti-Dumping

1) Definition und ökonomische Rechtfertigung

Eine Ware gilt als gedumpt, wenn ihr Ausfuhrpreis nach der Gemeinschaft niedriger ist als der Normalwert der gleichartigen Ware (Art 1 Abs 2 V 384/96). Eine solche Preisdiskriminierung zwischen zwei unterschiedlichen Märkten wird als unfairer Wettbewerb angesehen, und zwar weil der Exporteur die Gewinne aus den hochpreisigen Verkäufen auf seinem Heimatmarkt dazu verwenden kann, die Preise für den Export zu subventionieren. Diese Möglichkeit gibt ihm einen Vorteil gegenüber einem Wettbewerber, der nicht mit **gespaltenen Preisen** operieren kann. Dumping – und dies folgt aus der Logik der Marktkräfte – gedeiht daher auf dem Boden des Protektionismus, denn es wird auf die Dauer kaum möglich sein, auf einem Markt mit vitalem Wettbewerb – und zwar auch solchem von Anbietern aus Drittländern – isoliert hohe Preise aufrechtzuerhalten. Vielmehr würden Wettbewerber die Unterschiede in den Preisen nutzen, um entweder durch Rücklieferungen oder eigenen Export in den Heimatmarkt des Exporteurs diesem mit niedrigeren Preisen Konkurrenz zu machen. Aus diesem Grunde sind Märkte, von denen aus Dumping betrieben wird, oft auf die eine oder andere Weise gegen Reimport und Konkurrenz aus dem Ausland geschützt. Dieser Schutz kann

---

[67]) Übereinkommen zur Durchführung des Art VI GATT 1994, ABl L 1994/71, 90; Übereinkommen über Subventionen und Ausgleichsmaßnahmen, ABl L 1994/336, 156.

[68]) ABl L 1994/349 v 22. 12. 1994, 1 ff und 22 ff, erstere geändert durch V 355/95 v 20. 2. 1995, ABl L 1995/41, 2. Auch die in den meisten Regelungen identische Entscheidung über den Schutz gegen gedumpte oder subventionierte Einfuhren der Gemeinschaft für Kohle und Stahl (EGKS E 2424/88 ABl L 1988/209, 18) wird in Kürze geändert werden. Diese Regelungen sind grundsätzlich auf alle Einfuhren in die Gemeinschaft einschließlich landwirtschaftlicher Produkte anwendbar, soweit nicht zB in den Agrarmarktordnungen spezielle Regelungen vorgesehen sind (bei *Vedder* in *Grabitz* (FN 9) Art 113 RZ 123), und gilt gegenüber allen Drittstaaten, gleichgültig ob sie WTO-Mitglieder sind oder nicht.

nicht nur durch **hohen tarifären Zoll,** sondern auch mit Hilfe sog **nichttarifärer Maßnahmen** wie zB administrativer und technischer Prüfungs- und Genehmigungsverfahren, Kartellen und staatlich sanktioniertem abgestimmten Verhalten unter den inländischen Wettbewerbern, geschlossenen Vertriebssystemen etc erreicht werden. Daneben können Faktoren wie die Größe und Lage des Marktes sowie bestimmte Vorlieben der Konsumenten eine Rolle spielen.[69]) Für Dumpingpraktiken gibt es noch weitere Ursachen, so zB den Devisenbedarf von Staatshandelsländern oder den Export von Überschußproduktion in Zeiten sinkender Nachfrage auf dem Heimatmarkt. Diese beiden Erscheinungsformen beinhalten häufig den Verkauf der Ware unter ihren tatsächlichen Herstellungskosten („sales at a loss"), der neben der Differenzierung der Preise ebenfalls als Dumping angesehen wird (Art 2.2. des Anti-Dumping-Kodex) und besonders im Zusammenhang mit langfristig angelegten Exportoffensiven große Bedeutung hat.

Zum Teil werden diese ökonomischen Begründungen für Dumping und die Rechtfertigungen für Gegenmaßnahmen bezweifelt, da Preisdifferenzierungen und Verkäufe zu Verlust normale Handelspraktiken seien.[70]) Dem Hauptargument der Kritiker, die genannten Praktiken seien nach geltendem nationalen und EG-Wettbewerbs- und Kartellrecht nicht oder nur unter der Bedingung der Marktbeherrschung der beteiligten Unternehmen verboten, ist entgegenzuhalten, daß das Anti-Dumping-Recht zwar Regeln gegen unfairen Wettbewerb aufstellt, nicht jedoch Teil eines internationalen Wettbewerbsrechtes ist, das trotz früherer Versuche, umfassendere Wettbewerbsregeln allgemeinverbindlich aufzustellen, bis heute nicht existiert. Aus diesem Grunde sind Parallelen zu bestehenden, funktionsfähigen Wettbewerbsordnungen wie zB in den USA oder Deutschland mit ihren vielfältigen Regelungsmechanismen unmöglich. So kann zB weder eine Monopolstellung noch ein Kartell, eine Absprache oä ohne dessen Zustimmung in einem fremden Staat überprüft und damit zuverlässig festgestellt werden, noch gibt es Mittel, gegen die Behinderung des Marktzuganges durch Vertriebsbindungen etc wirksam vorzugehen. Hieraus folgt, daß man sich im internationalen Rahmen eben nicht auf das Funktionieren bestimmter grundlegender Wettbewerbsmechanismen verlassen kann.[71]) Andererseits hat die Gemeinschaft in ihrem

---

[69]) Eine teilweise Übersicht für die ökonomischen Begründungen für Dumping findet sich bei *Beseler/Williams,* Anti-Dumping and Anti-Subsidy Law (1986) 31 ff.

[70]) Zum Streitstand, wenn auch nicht erschöpfend, *van Bael/Bellis* (FN 58) RZ 204.

[71]) Der Exporteur muß auf seinem Heimatmarkt, wenn dieser isoliert und geschützt ist, nicht mit Preisunterbietungen rechnen, und dies womöglich noch durch seine eigenen Produkte, die er zuvor unter Kosten in einen anderen Markt geliefert hat. Deshalb wird ihn nichts auf Dauer davon abhalten, weiterhin Waren unter den eigenen durchschnittlichen Herstellungskosten zu exportieren, da ein Ausgleich durch hohe Gewinne des geschützten Heimatmarktes gesichert ist. Konkurrenten, die auf ihren Heimatmärkten vitalem Wettbewerb ausgesetzt sind, befänden sich ohne Abwehrmöglichkeit in einem entscheidenden, nicht aufholbaren Nachteil. Der Vorteil des Dumpenden entsteht genau in der Höhe der Spanne, die zwischen seinen unterschiedlichen Preisen liegt oder entspricht den finanziellen Vorteilen, die er aus hohen Gewinnen auf geschützten Märkten in andauernde Verkäufe zu Verlust im Export investieren kann. Anders dargestellt: Der Exporteur könnte die fixen Kosten seiner Produktion durch die

Abkommen mit der Mehrheit der EFTA-Staaten über die Schaffung des Europäischen Wirtschaftsraumes (EWR) ein Beispiel dafür gegeben, daß unter bestimmten Umständen auf die Anwendung von handelspolitischen Instrumenten verzichtet werden kann. Allerdings setzt dies nicht nur gleiche Wettbewerbsregeln voraus, sondern – über die Sicherstellung einer gleichförmigen Anwendung bei gemeinsamer Kontrolle durch den EuGH – auch die Übernahme der gesamten Binnenmarktregeln (aquis communautaire) durch die EFTA-Staaten. Erst hierdurch werden die Wettbewerbspositionen der beteiligten Unternehmen vergleichbar. Es ist bezeichnend, daß bloße Freihandelszonen wie diejenige der USA mit Kanada und Mexiko (NAFTA), mit denen kein wirklicher Binnenmarkt geschaffen wird, nicht den Verzicht auf handelspolitische Maßnahmen beinhalten.

2) Voraussetzungen

Die drei wesentlichen Tatbestandselemente einer Anti-Dumping-Untersuchung sind Dumping, Schädigung und ein Gemeinschaftsinteresse an der Verhängung einer Maßnahme. Im einzelnen hat das neue Anti-Dumping-Abkommen der Uruguay-Runde die anzuwendenden Regeln präzisiert, insbesondere hinsichtlich der Berechnung der Dumpingspanne und der Mindestanforderungen an Verfahrenssicherheit und Rechtsschutz für die betroffenen Unternehmen. Eine dringend notwendige Einigung auf klare Tatbestandsregeln für den Bereich der Umgehung von Antidumpingzöllen konnte nicht erreicht werden und wird in weiteren Verhandlungen der Signatarstaaten angestrebt. Obgleich die neuen Regeln die EG zu einer Neufassung ihrer Grundverordnung veranlaßten, bedeuten sie in der Substanz jedoch weitgehend lediglich eine Kodifizierung bisheriger Praxis.

Dumping ergibt sich aus dem **Vergleich des Normalwertes einer Ware mit ihrem Exportpreis.** Der Normalwert ist in der Regel der vergleichbare, tatsächlich zu zahlende Preis der zum Verbrauch im Ausfuhrland bestimmten gleichartigen Ware. Für die – nicht unbedingt seltenen – Fälle, in denen eine gleichartige Ware dort gar nicht, in gänzlich anderer Form oder nur in für einen zuverlässigen Vergleich zu geringen Mengen verkauft wurde, bieten sich zwei Ersatzmethoden zur Bestimmung des Normalwertes an. Zum einen der Exportpreis in ein Drittland, zum anderen der rechnerisch ermittelte Wert (constructed normal value), zusammengesetzt aus den Herstellungskosten sowie einem angemessenen Betrag für Vertriebs-, Verwaltungs- und Gemeinkosten sowie für Gewinn.[72])

Als für einen Vergleich zu gering, weil nicht hinreichend repräsentativ, gilt ein Verkauf von weniger als 5% der Ware im Exportland in Relation zu den Ausfuhren in das Importland (Art 2 Abs 2 V 384/96). Verkäufe außerhalb des normalen Handelsverkehrs, dh Verkäufe, die in erheblichen Mengen über einen längeren Zeitraum (von in der Regel einem Jahr) zu Preisen getätigt wurden, die nicht – innerhalb dieses Zeitraumes – die Deckung der durch-

---

Verkäufe auf dem geschützten Heimatmarkt decken und zu variablen Kosten exportieren. Auch in dieser Konstellation kann der Exporteur einen unfairen, weil dem Wettbewerber auf dem offenen Importmarkt nicht erreichbaren, dauerhaften Vorteil ziehen.

[72]) Art 2 Abs 3 V 3283/94.

schnittlichen Kosten erlauben, können bei der Berechnung des durchschnittlichen Verkaufspreises außer Betracht bleiben, wenn sie mehr als 20% der Gesamtverkäufe ausmachen. Handelt es sich jedoch ganz überwiegend um Verlustverkäufe oder stellt sich heraus, daß im Herkunftsland keine oder keine vergleichbaren Verkäufe vorhanden sind, so gehen die untersuchenden Dienststellen der Kommission in der Regel zur rechnerischen Ermittlung des Normalwertes über. Von der sowohl im Anti-Dumping-Kodex des GATT als auch in der V 384/96 gleichrangig genannten Möglichkeit des Vergleiches mit Ausfuhrpreisen in Drittländer wird fast nie Gebrauch gemacht, da man befürchten muß, daß auch gegenüber anderen Ländern Dumping betrieben wird, und darüber hinaus der administrative Aufwand die Verfahren unnötig verzögern würde.

Eine besondere Schwierigkeit bei der **Normalwertbestimmung** stellen die sog Staatshandels- oder Nichtmarktwirtschaftsländer dar. Ein Rückgriff auf Preise und Kosten ist hier in der Regel unmöglich (zudem erschwert die Nichtkonvertierbarkeit der Währungen den Vergleich von Normalwert und Exportpreis). In diesen Fällen wird der Normalwert anhand von Preisen und Kosten in einem vergleichbaren Marktwirtschaftsland bestimmt. Diese Praxis ist nicht unumstritten, hat aber, nachdem den Staaten Mittel- und Osteuropas sowie den baltischen Staaten vertraglich der Status von Marktwirtschaften eingeräumt wurde, im wesentlichen nur noch Bedeutung für China und die Nachfolgestaaten der UdSSR.

Der festgestellte oder errechnete Normalwert wird mit dem Exportpreis verglichen. Die Feststellung des Exportpreises ist unproblematisch, wenn es sich um Verkäufe an unabhängige Importeure handelt. Beim Verkauf an sog verbundene Importeure, die entweder als Verkaufsniederlassung betrieben werden oder mit dem Exporteur in einem anderen finanziellen oder rechtlichen Abhängigkeitsverhältnis stehen, ist der grenzüberschreitende Preis nur ein Verrechnungspreis und daher für die Feststellung des Exportpreises unzuverlässig. In diesen Fällen muß der Preis des verbundenen Importeurs an den ersten unabhängigen Käufer in der Gemeinschaft, berichtigt um die beim Importeur zwischen Einfuhr und Weiterverkauf entstandenen Kosten, zur Grundlage des Vergleiches gemacht werden.[73])

Als letzter Schritt zur Berechnung der **Dumpingmarge** erfolgt der Vergleich des Normalwertes mit dem Exportpreis. Um tatsächlich Vergleichbar-

[73]) Dieses Verfahren wird sowohl von Art 2 Abs 3 als auch Art 2 Abs 9 Anti-Dumping-Kodex V 384/96 vorgeschrieben. Das Ergebnis dieser Berechnung wird als Benachteiligung der Exporteure kritisiert, weil es bestimmte Vertriebskosten „asymmetrisch" auf der Exportseite abziehe, im Normalwert jedoch belasse, womit sich selbst bei gleichen Preisen auf beiden Märkten eine Dumpingmarge ergebe (so *Hindley,* The Design of Fortress Europe, in: Financial Times v. 6. 1. 1989). In Wirklichkeit ist dies jedoch nicht eine „errechnete" Dumpingmarge, sondern ein Problem des Preisvergleiches. Der rekonstruierte Exportpreis eines verbundenen Importeurs darf im Ausfuhrland nur mit Preisen auf gleicher Handelsstufe verglichen werden, zB an einen Großhändler oder Distributeur, wofür die Kommission in ihren Berechnungen Sorge trägt (vgl ‚CD-Player", V EWG 112/90, ABl L 1990/13, 21 ff). Diese Interpretation wird auch durch die ergänzende Klarstellung in Art 2.4 Satz 5 des neuen Anti-Dumping Kodex gestützt.

keit zu gewährleisten, müssen hierbei Berichtigungen für Unterschiede in unter anderem folgenden Bereichen durchgeführt werden: Produkteigenschaften, Abgaben und Steuern, Preisunterschiede, die durch unterschiedliche Handelsstufen, Mengen oder Verkaufsbedingungen begründet sind, und sonstige Kosten, soweit sie sich aus der Sicht des Käufers auf die Preisbildung auswirken.[74])

Weitere Voraussetzungen für eine Anti-Dumping-Maßnahme ist die Feststellung einer **bestehenden oder drohenden Schädigung** der eine gleichartige Ware herstellenden **Gemeinschaftsindustrie.** (Eine in der Praxis allerdings nicht sehr relevante Variante ist die erhebliche Verzögerung des Aufbaus einer Industrie). Die Frage der Schädigung kann nur unter Berücksichtigung einer Vielzahl von Faktoren beantwortet werden, wobei nicht immer alle Indikatoren gleichzeitig und gleichmäßig eine Schadensentwicklung erkennen lassen. Die wesentlichen Anhaltspunkte für eine Schädigung sind der Umfang der gedumpten Einfuhren, ihr absoluter oder relativer Anstieg, die Preise der Importe, die Unterbietung der Preise der Gemeinschaftshersteller und die Auswirkungen, die diese Einfuhren auf den betroffenen Wirtschaftszweig haben. Hierbei sind unter anderem solche Indikatoren wie Produktion und Kapazitätsauslastung, Lagerbestände, Marktanteile, Gewinn und Verlust, Amortisation der Investitionen und Beschäftigungsstand abzuwägen.[75]) Zwar ist es nicht erforderlich, daß sämtliche Indikatoren Anhaltspunkte für eine Schadensfeststellung aufzeigen, jedoch muß das Gesamtbild die Existenz eines erheblichen Schadens ergeben. Es ist wichtig hervorzuheben, daß andere Faktoren – wie zB Menge und Preis nicht gedumpter Einfuhren oder Rückgang der Nachfrage – in ihrer Wirkung nicht den gedumpten Einfuhren zugerechnet werden dürfen.[76]) Die Feststellung einer drohenden Schädigung kann nur getroffen werden, wenn der Eintritt des Schadens anhand der Steigerungsraten der gedumpten Einfuhren und der bestehenden Ausfuhrkapazitäten im Ursprungsland als wahrscheinlich vorausgesagt werden kann und unmittelbar bevorsteht.[77])

Letzte Tatbestandsvoraussetzung ist die Bejahung des **Gemeinschaftsinteresses an einer Anti-Dumping-Maßnahme** (Art 21 V 384/96). Allgemein kann man davon ausgehen, daß es im Interesse der betroffenen Industrie geboten ist, gegen schädigenden, unfairen Wettbewerb vorzugehen; gleichgewichtige oder gar übergeordnete andere Interessen können dem im Einzelfall entgegenstehen oder aber die Notwendigkeit einer Maßnahme noch verstärken. In diesem Zusammenhang sind einerseits das Interesse der Konsumenten sowie der gewerblichen Abnehmer an möglichst billigen Einfuhren oder die Aufrechterhaltung vitalen Wettbewerbs durch konkurrenzfähige Produkte aus Drittländern, andererseits der Erhalt von Arbeitsplätzen oder bestimmter Technologien in der Gemeinschaft[78]) zu nennen. Die V 384/96 sieht

[74]) Vgl Art 2 Abs 10 V 384/96; „differences which affect price comparability".

[75]) Vgl Art 3 V 3283/94.

[76]) Vgl Art 3 Abs 7 V 384/96.

[77]) Vgl Art 3 Abs 9 V 384/96.

[78]) Diese und andere Gesichtspunkte werden bei jeder Entscheidung über eine Maßnahme von den Gemeinschaftsorganen im Untersuchungsverfahren und in der Be-

in Art 21 ein besonderes Verfahren vor, in welchem die Informationen und Argumente betreffend das Gemeinschaftsinteresse vorgebracht werden können. In diesem Rahmen haben auch Konsumentenverbände und gewerbliche Abnehmer der untersuchten Ware das Recht, am Verfahren teilzunehmen. Die Gemeinschaft kann allerdings nur dann von Maßnahmen gegen schädigendes Dumping absehen, wenn die vorgelegten Beweise den sicheren Schluß zulassen, daß solche Maßnahmen nicht im Gemeinschaftsinteresse liegen.

Liegen die beschriebenen Voraussetzungen vor, kommen als Maßnahmen **Anti-Dumping-Zölle** oder die Annahme von **Preisverpflichtungen** in Frage. Die Gemeinschaft verhängt im Gegensatz zB zu den USA nicht automatisch einen Zoll in voller Höhe der Dumping-Marge, sondern beschränkt diesen nur auf das zur Beseitigung des Schadens notwendige Maß.[79]) Die Berechnung dieser sog **Schädigungsschwelle** muß die Besonderheiten des Einzelfalles insb im Hinblick auf die Frage berücksichtigen, inwieweit der wettbewerbsverzerrende Einfluß des Dumping die Ausgangslage der betroffenen Gemeinschaftsindustrie bereits verschlechtert hat. Immerhin wird in mehr als der Hälfte aller Fälle, in denen Maßnahmen festzusetzen sind, nicht die volle Dumping-Marge zugrundegelegt.

Die Gemeinschaft hat – häufiger als andere Staaten, die Anti-Dumping-Verfahren durchführen – von Exporteuren angebotene Preisverpflichtungen angenommen. Besonders gegenüber Entwicklungsländern wird dieses als der mildere Eingriff erachtet. Im Hinblick auf die mögliche Förderung von wettbewerbswidrigen Preisabsprachen ist diese Praxis jedoch kritisiert worden.[80])

Oft wird der verhängte Anti-Dumping-Zoll dadurch umgangen, daß insb bei technischen Produkten nicht die fertige Ware eingeführt wird, sondern ein Bausatz oder ein Paket von Teilen, die mit nur äußerst geringem Aufwand in der Gemeinschaft oder in Drittländern zusammengefügt werden. Diese sog **„Schraubenzieheraktivitäten"** waren für die Gemeinschaft Anlaß, gegen Umgehungen von Anti-Dumping-Zöllen eine Regelung zu schaffen, die auch die auf die beschriebene Weise in der Gemeinschaft zusammengesetzte Ware einem Anti-Dumping-Zoll unterwirft, solange die für ihren Zusammenbau verwendeten Teile zu mehr als 60% aus dem Exportland stammen und diese Montageaktivität erst nach der Eröffnung des zur späteren Verhängung des Anti-Dumping-Zolles führenden Verfahrens begonnen oder wesentlich ausgeweitet wurde.[81]) Diese Regelung ist vielfach als GATT-widrig angegriffen worden.[82]) Im Rahmen der Uruguay-Runde ist das Problem der Umgehung

teiligung der Mitgliedstaaten im Verfahren berücksichtigt, wenngleich dies in der Vergangenheit nicht immer in den Begründungen der veröffentlichten Entscheidungen hinreichend deutlich zum Ausdruck gebracht wurde.

[79]) Art 7 Abs 2 und Art 9 Abs 4 V 384/96.

[80]) Vgl *Steegemann,* EC Anti-Dumping Policy: Are Price Undertakings a Legal Substitute for Illegale Price Fixing? in: Weltwirtschaftliches Archiv 1990, 268, der allerdings einräumt, daß diese vermuteten Wirkungen der Preisverpflichtungen nicht nachweisbar sind.

[81]) Vgl Art 13 Abs 10 V 2423/88.

[82]) Ein von Japan angerufenes GATT-Panel hat Art 13 Abs 10 V 2423/88 für nicht mit dem GATT vereinbar erklärt. Die Gemeinschaft hat diesen Spruch unter der Bedingung akzeptiert, daß die Uruguay-Runde eine befriedigende Lösung des Pro-

allerdings nicht gelöst worden. Aus diesem Grunde hat sich die EG – ebenso wie die USA – entschlossen, erneut eigene Regeln gegen die Umgehung von Anti-Dumping-Zöllen aufzustellen (Art 13 V 384/96). Die anzuwendenden Regeln wurden allerdings neu gefaßt. Zu dem Test des Teilewertes tritt kumulativ ein Test, der den durch die Montage entstandenen **Mehrwert** berücksichtigt (25%), und die Verhängung von Maßnahmen wird zusätzlich vom weiteren Vorliegen von Dumping und Schädigung abhängig gemacht. Im übrigen wurde ein über Montageaktivitäten hinausgehender allgemeiner Umgehungstatbestand eingefügt, der sich auf den im Zollrecht verwendeten Begriff der fehlenden wirtschaftlichen Rechtfertigung stützt.

3) Verfahren

Die Einleitung eines Anti-Dumping-Verfahrens setzt einen schriftlichen Antrag eines größeren Teiles des betroffenen Wirtschaftszweiges in der Gemeinschaft voraus.[83]) Enthält der Antrag genügend Hinweise auf Dumping und Schädigung, konsultiert die Kommission die Mitgliedstaaten im aufgrund der V 384/96 eigens eingerichteten **Anti-Dumping-Ausschuß.** Es folgt die **Veröffentlichung über die Verfahrenseröffnung** (spätestens 45 Tage nach Erhalt des Antrages) im Amtsblatt der Gemeinschaft, durch welche den am Verfahren Beteiligten und Interessierten die Möglichkeit zur Stellungnahme gegeben wird. Die nachfolgende **Untersuchung** wird **von Kommissionsbeamten** durchgeführt, und zwar für einen Untersuchungszeitraum von idR einem – der Eröffnung direkt vorausgehenden – Jahr. Den Beteiligten, Exporteuren, Importeuren und Gemeinschaftsherstellern, werden detaillierte Fragebögen zugesandt, die darin enthaltenen Angaben werden von den Beamten vor Ort bei den betroffenen Firmen überprüft. Die Zusammenarbeit mit den Kommissionsdienststellen ist freiwillig, allerdings droht den nicht kooperationswilligen Unternehmen der Rückgriff auf die anderweitig verfügbaren Informationen. Ergibt die Untersuchung, daß sich der Verdacht auf Dumping und Schädigung bestätigt, kann die Kommission gleichfalls nach Konsultation der Mitgliedstaaten und durch Veröffentlichung im Amtsblatt **vorläufige Anti-Dumping-Zölle** verhängen (spätestens 9 Monate nach Verfahrenseröffnung), die in der Form von Sicherheiten geleistet werden. Ist das Untersuchungsergebnis negativ, wird das Verfahren – unter Einhaltung der gleichen Verfahrensregeln – eingestellt. Nach Festsetzung der vorläufigen Zölle werden die betroffenen Unternehmen über alle relevanten Ergebnisse der Untersuchung informiert und erhalten Gelegenheit zur Stellungnahme, die zu einer Abänderung der Resultate führen kann. Über die Verhängung eines **endgültigen Anti-Dumping-Zolles** entscheidet der Rat (spätestens 15 Monate nach Verfahrenseröffnung) mit einfacher Mehrheit (eine Stimme pro Mitgliedstaat, dh mindestens 8 von 15).[84]) Ersatzweise kann auf die

---

blems der Umgehung von Anti-Dumping-Zöllen erbringe, was jedoch nicht der Fall war.

[83]) Vgl Art 5 V 384/96; vom Antragsrecht eines Mitgliedstaates wird in der Praxis kein Gebrauch gemacht.

[84]) Die Zölle werden unterschiedlich für jedes Exportland und innerhalb dieses für jeden Exporteur getrennt festgelegt, und zwar idF als ad-valorem-Zoll, der als Prozentsatz des Zollwertes der Ware aufgeschlagen wird.

Erhebung des Zolles verzichtet werden, wenn die betroffenen Exporteure sog **Preisverpflichtungserklärungen** abgeben, wonach sie versprechen, nicht mehr unterhalb eines festgelegten Preises in die Gemeinschaft zu verkaufen. Zölle und Preisverpflichtungen haben eine Laufzeit von 5 Jahren, nach welcher sie automatisch auslaufen, sofern nicht eine von der geschädigten Industrie zu beantragende vorher eingeleitete Überprüfung die Notwendigkeit ihres Fortbestehens ergibt.

Ein Importeur kann im Einzelfall die **Rückerstattung eines gezahlten Zolles** beantragen, wenn er nachweist, daß sein Exporteur nicht mehr dumpt. Gleichfalls können Gemeinschaftsindustrie und Exporteure die vollständige Überprüfung eines abgeschlossenen Verfahrens nach Ablauf eines Jahres verlangen, wenn veränderte Umstände dies rechtfertigen. Den direkt vom Verfahren Betroffenen steht der Rechtsweg nach Art 173 EGV zum Europäischen Gerichtshof in Luxemburg (wobei seit 1994 zunächst das Gericht erster Instanz anzurufen ist) offen, der bereits in einer Reihe von Grundsatzurteilen wichtige Streitfragen verbindlich entschieden hat.[85])

b) Anti-Subvention

Das Recht, gegen subventionierte Einfuhren, die eine heimische Industrie schädigen, vorzugehen, hat seine Grundlage ebenso wie Anti-Dumping-Maßnahmen in Art VI GATT. In der Uruguay-Runde wurde ein neues **Subventionsübereinkommen** ausgehandelt, welches mit V 3284/94[86]) in Gemeinschaftsrecht umgesetzt worden ist. Sowohl die Tatbestandsvoraussetzungen hinsichtlich der Schädigung, Kausalität und dem Gemeinschaftsinteresse als auch die Verfahrensregeln unterscheiden sich kaum von jenen des Anti-Dumping-Rechtes.

Anti-Subventions-Verfahren richten sich nicht wie Anti-Dumping-Verfahren gegen unfaire Praktiken privater Unternehmen, sondern gegen staatliches Eingreifen in den Wettbewerb durch Subventionen, die im Ursprungsland unmittelbar oder mittelbar für die Herstellung, Erzeugung, Ausfuhr oder Beförderung einer Ware gewährt werden, wenn deren Import in die Gemeinschaft zu einer Schädigung führt.[87]) Eine Definition des Begriffes Subvention ist im Subventionsübereinkommen erstmals international verbindlich festgelegt worden: Eine **Subvention** ist eine von öffentlichen Stellen geleistete Beihilfe, durch die einem Unternehmen ein Vorteil gewährt wird (Art 2 V 3284/94). Subventionen können nur Gegenstand von Ausgleichsmaßnahmen sein, wenn sie spezifisch sind, dh sie sich zB nicht aus einem für alle Unternehmen des Ausfuhrlandes allgemein geltenden Steuervorteil ergeben (Art 3 Abs 2 bis 4 V 3284/94). Von Ausgleichsmaßnahmen ausgenommen sind gleichfalls jene im sog „grünen Korb" des Subventionsabkommens genannten Subventionen. Dabei handelt es sich um Subventionen für Forschungstätigkeiten (bis zu 75% der Kosten für industrielle Forschung und bis zu 50% der Kosten vorwettbe-

[85]) Vgl über die Übersicht bei *van Bael/Bellis* (FN 58) 453 ff.

[86]) ABl L 1994/349, 22 v 31. 12. 1994.

[87]) Art 5 V 3284/94; der Schadensbegriff ist hier der gleiche wie in Anti-Dumping-Verfahren.

werblicher Entwicklung – Art 3 Abs 8 V 3284/94), für die Förderung benachteiligter Regionen, wobei die Feststellung der Benachteiligung nach objektiven Kriterien zu erfolgen hat (Art 3 Abs 8 V 3284/94) und Subventionen zur Förderung der Anpassung bestehender Einrichtungen an neue Umweltvorschriften (Art 3 Abs 9 V 3284/94). Reine **Exportsubventionen** sind allerdings auf jeden Fall ausgleichbar. (In diesem Zusammenhang führt die V 3284/94 im Anhang eine illustrative Liste mit ausgleichbaren Ausfuhrsubventionen an, die jener des Anti-Subventionsabkommens entspricht.)

Gegen festgestellte Ausfuhrsubventionen, die einen Schaden verursachen oder zu verursachen drohen, können Ausgleichszölle erhoben werden. Bei der Berechnung der Höhe einer Subvention kommt es auf den dem Empfänger erwachsenden Vorteil an (Art 4 Abs 1 V 3284/94). Das Verfahren und die übrigen Voraussetzungen entsprechen im wesentlichen denen des Anti-Dumping-Verfahrens.

4. Die Verordnung gegen Handelshemmnisse

Zur Ergänzung ihres handelspolitischen Instrumentariums gab sich die EG 1984 das sog **neue handelspolitische Instrument.**[88]) Als Vorbild diente Sec-301 des Handelsgesetzes der USA, die vielfach als Hebel benutzt wurde, um gegen unfaire Handelshemmnisse auf Exportmärkten vorzugehen.[89]) Anders als Sec-301 war das neue handelspolitische Instrument jedoch nie als einseitiges Druckinstrument konzipiert, sondern sollte der Gemeinschaft ein geordnetes Untersuchungsverfahren mit der ausdrücklichen Möglichkeit, internationale **Streitschlichtungsmechanismen** anzurufen, an die Hand geben. Im Zuge der Schaffung effektiverer Streitschlichtung im Rahmen der WTO wurde das neue handelspolitische Instrument von der Verordnung gegen Handelshemmnisse,[90]) die zahlreiche Änderungen beinhaltet, abgelöst.[91])

Dieses Instrument ist gegenüber der Antidumping- und Antisubventionsverordnung subsidiär.[92]) **„Handelshemmnisse"** im Sinne der V 3286/94 sind

[88]) V (EWG) 2641/84 zur Stärkung der gemeinsamen Handelspolitik und insbesondere des Schutzes gegen unerlaubte Handelspraktiken v 17. 9. 1984, ABl L 1984/252, 1; geändert durch V 522/94, ABl L 1994/66, 10; dazu grundlegend *Bourgeois/Laurent,* Le Nouvel instrument de politique commerciale: un pas en avant vers l'élimination des obstacles aux échanges internationaux, RTDE 41; *Hilf/Rolf,* Das „Neue Instrument" der EG, RIW 1985, 297; *Steenbergen,* The New Commercial Policy Instrument, CMLR 1985, 421.

[89]) Sec 301 ermöglichte in der Vergangenheit unilaterales Vorgehen, muß aber heute ebenfalls dem weiten Anwendungsbereich der WTO-Abkommen entsprechend die Priorität der Streitschlichtung beachten.

[90]) V (EG) 3286/94 v. 22. 12. 1994 zur Festlegung der Verfahren der Gemeinschaft im Bereich der Gemeinsamen Handelspolitik zur Ausübung der Rechte der Gemeinschaft nach internationalen Handelsregeln, insb den im Rahmen der Welthandelsorganisation vereinbarten Regeln, ABl L 1994/349, 71 v 31. 12. 1994; geändert durch V 356/95 v 20. 2. 1995, ABl L 1995/41, 3 v 23. 2. 1995.

[91]) Art 15 Abs 2.

[92]) Art 15 Abs 1.

Handelspraktiken aller Art (außer Dumping und Subventionierung), gegen die der Gemeinschaft aufgrund internationalen Handelsrechts ein Aktionsrecht zusteht.[93]) Solche Rechte ergeben sich insb aus den WTO-Vereinbarungen.[94])

Die hiernach erfaßten Handelshemmnisse können sich sowohl auf den Markt der Gemeinschaft als auch auf dritte Märkte, also Exportmärkte der Gemeinschaftsindustrie, auswirken.[95]) Anders als bei Anti-Dumping ist Abhilfe nur durch Aktion gegenüber einem Drittland selbst, nicht gegenüber privaten Personen eines Drittlandes möglich. Daher müssen die inkriminierten Handelspraktiken dem betroffenen Staat (als Handeln oder Unterlassen seiner Organe) zurechenbar sein.[96])

Der Anwendungsbereich der Verordnung umfaßt dabei sowohl den Handel mit Waren als auch den mit Dienstleistungen,[97]) wobei bei letzteren jedoch die sich aus der EuGH-Rechtsprechung ergebende Kompetenzabgrenzung zwischen der EG und den Mitgliedstaaten zu beachten ist.[98])

Die Aktion gegenüber dem betroffenen Drittland besteht in allen Fällen, in denen das internationale Recht dies vorsieht, also insb in allen Verfahren auf der Grundlage der WTO-Abkommen, in der vorherigen Einleitung eines internationalen Streitbeilegungsverfahrens.[99]) Nur wenn ein solches Verfahren zur Anerkennung einer Rechtsposition der Gemeinschaft geführt hat und das Drittland gleichwohl nicht Abhilfe schafft, sind Vergeltungsmaßnahmen der Gemeinschaft möglich.[100])

Ein Verfahren gegen Handelshemmnisse kann in allen in der V 3286/94 vorgesehenen Fällen (Auswirkung der Handelshemmnisse auf den Gemeinschaftsmarkt oder einen Drittlandsmarkt, Aktionsrecht aufgrund bi- oder multilateraler Abkommen) von einem Mitgliedstaat beantragt oder von der Kommission von Amts wegen eingeleitet werden.[101]) Daneben besteht ein Antragsrecht der Gemeinschaftsindustrie,[102]) das je nach Gegenstand des Antrags unterschiedlich ausgestaltet ist: Ist ein Antrag der Gemeinschaftsindustrie auf die Behauptung gestützt, ein Handelshemmnis wirke sich auf den Gemeinschaftsmarkt aus, muß er, wie bei Anti-Dumping und Anti-Subvention, von einem größeren Teil der betroffenen Industrie unterstützt werden[103]) und ausreichenden

---

[93]) Art 2 Abs 1.

[94]) Art 1 iVm Art 2 Abs 2. In aller Regel wird es sich hierbei um Aktionsrechte gegen Verletzungen internationalen Rechts handeln. Jedoch fallen zB auch die sog nonviolation-complaints des Art XXIII Abs 1 lit b GATT darunter.

[95]) Art 1 lit a und lit b. Der Fall des Zugangshemmnisses zu dritten Märkten ist dabei in der bisherigen Praxis der eigentlich relevante.

[96]) ZB unzureichender Schutz geistigen Eigentums durch die Behörden des Drittlandes.

[97]) Art 2 Abs 5.

[98]) Art 2 Abs 8, der auf dem EuGH-Gutachten 1/1994 (FN 11) beruht.

[99]) Art 12 Abs 2.

[100]) Art 13 Abs 3.

[101]) Art 6.

[102]) Werden die Gemeinschaftsorgane trotz Antrag nicht tätig, so unterliegt die Ablehnung des Tätigwerdens der Kontrolle durch den EuGH; EuGH 22. 6. 1989 – Fediol – Slg 1989, 1781.

[103]) Art 2 Abs 5.

Nachweis eines erheblichen Schadens enthalten.[104]) Werden dagegen Handelshemmnisse auf Drittmärkten geltend gemacht, so genügt, da auf diesen Exportmärkten regelmäßig nicht die ganze Gemeinschaftsindustrie tätig ist, die Antragstellung eines Unternehmens;[105]) auch sind die Anforderungen an den Schädigungsnachweis geringer;[106]) allerdings kann ein solcher Antrag nicht auf die Verletzung bilateraler Abkommen der Gemeinschaft gestützt werden, sondern muß sich auf multilaterale Abkommen (zB GATT/WTO) beziehen.[107])

Das anschließende Verfahren ist dem Anti-Dumping-Verfahren nicht unähnlich. Nach Konsultationen mit einem beratenden Ausschuß,[108]) beschließt die Kommission über die Eröffnung des Verfahrens, wobei sie das Interesse der Gemeinschaft an der Durchführung berücksichtigt.[109])

Ist das Verfahren eröffnet, ermittelt die Kommission zunächst den Sachverhalt. Bestätigt dieser das Vorbringen der Antragsteller nicht, so wird das Verfahren eingestellt.[110]) Andernfalls kann die Gemeinschaft versuchen, mit dem Drittland eine einvernehmliche Lösung herbeizuführen, ggf im Verhandlungswege,[111]) oder, wo vorgesehen, ein internationales Streitbeilegungs-Verfahren betreiben.[112]) Führt dieses trotz Obsiegen der Gemeinschaft nicht zu einer Lösung, so sind Sanktionsmaßnahmen gegen das Drittland möglich.[113]) Über sie entscheidet der Rat mit qualifizierter Mehrheit.[114])

C. Die bilateralen Handelsbeziehungen der Gemeinschaft

Aufgrund ihrer Stellung als einer der Hauptakteure auf der Welthandelsbühne steht die Gemeinschaft handelspolitisch in Beziehungen zu der Mehrzahl der Drittländer (Industrieländer, Entwicklungsländer und Staatshandelsländer). Die Entwicklung in Mitteleuropa und in der früheren UdSSR hat die Lage, die in der Vergangenheit infolge der Nichtanerkennung der Gemeinschaft durch die Länder des COMECON entstanden war, grundlegend verändert.

---

[104]) Art 3 Abs 1 iVm Art 2 Abs 6; Art 10.

[105]) Art 2 Abs 6.

[106]) Art 2 Abs 4; es genügt der Nachweis „handelsschädigender Auswirkungen" – eine geringere Schadensschwelle als „erhebliche Schädigung".

[107]) Art 4 Abs 1 Satz 2.

[108]) Art 7.

[109]) Art 8 Abs 1.

[110]) Art 11 Abs 1. Die Entscheidung trifft die Kommission nach Konsultation der Mitgliedstaaten, die gegen die Kommissionsentscheidung den Rat anrufen können (Art 14).

[111]) Für Verhandlungen bedarf es eines Mandats durch den Rat (Art 11 Abs 3).

[112]) Art 12 Abs 2.

[113]) Als solche zählt Art 12 Abs 3 beispielhaft auf die Aussetzung oder Rücknahme von Zugeständnissen, die Anhebung von Zöllen oder Einführung anderer Einfuhrabgaben und die Einführung mengenmäßiger Beschränkungen.

[114]) Art 13 Abs 3.

1. EG – EFTA[115])

Die schon in der Vergangenheit besonders engen Beziehungen der Gemeinschaft zu den EFTA-Ländern[116]) haben sich mit der Schaffung des Europäischen Wirtschaftsraums (EWR) mit 1. Jänner 1994 zur engstmöglichen, unmittelbar unterhalb der Vollmitgliedschaft in der EG angesiedelten Form der Assoziierung entwickelt. Im EWR sind die „vier Freiheiten" des Waren-, Dienstleistungs-, Kapital- und Personenverkehrs verwirklicht. Dies wurde durch die Übernahme des wesentlichen Bestands der Gemeinschaftsgesetzgebung („aquis communautaire") durch die EFTA-Länder ermöglicht.

Durch den zwischenzeitlichen Beitritt Finnlands, Österreichs und Schwedens zur Europäischen Union sowie die Ablehnung des EWR-Abkommens durch die Schweiz ist dieses von der Entwicklung überholt worden. Als Modell einer Zwischenform der Integration bleibt es jedoch interesssant. So wurden Elemente des EWR-Konzepts als Teil der Strategie für die Vorbereitung einer künftigen Osterweiterung der Gemeinschaft übernommen.

2. EG – Mittel- und Osteuropa[117])

In der Periode der Ost-West-Konfrontation hatte die Gemeinschaft lediglich mit Rumänien (1980) ein allgemeines Handelsabkommen geschlossen. Im Zuge der politischen Reformen in Mittel- und Osteuropa schloß die Gemeinschaft zwischen 1988 und 1990 **Handels- und Kooperationsabkommen** mit Ungarn, der ehemaligen Tschechoslowakei, Polen und Bulgarien. Diese Abkommen sehen neben Wirtschaftskooperation[118]) den Abbau mengenmäßiger Beschränkungen für Einfuhren aus diesen Ländern bis 1995 vor. Ähnliche Abkommen wurden 1992 mit Albanien und 1993 mit Estland, Lettland und Litauen getroffen.

An die Stelle der Abkommen mit Ungarn, Polen, der Tschechischen Republik, der Slowakischen Republik[119]), Rumänien und Bulgarien traten ab 1992 die sog **„Europaabkommen"** bzw **Interimsabkommen**.[120]) Sie stellen Assoziierungsabkommen dar, deren Inhalt präferenzielle Handelsbeziehungen, wirtschaftliche, finanzielle und kulturelle Kooperation sowie politischer Dialog sind. Handelspolitisch wichtig sind die sofortige Aussetzung aller noch bestehenden mengenmäßigen Einfuhrbeschränkungen, der gegenseitige, jedoch zeitlich asymmetrische (dh seitens der Gemeinschaft vorgezogene) Abbau der Zölle für Industrieprodukte[121]) sowie Zollkonzessionen für landwirt-

---

[115]) Siehe dazu auch oben *Ettl,* Der Europäische Wirtschaftsraum.

[116]) Bis 31. 12. 1994 Finnland, Island, Liechtenstein, Norwegen, Österreich, Schweden, Schweiz; die EFTA als solche hat keine Rechtspersönlichkeit.

[117]) Siehe dazu auch oben *Kalbe/Bachmann,* Die Beziehungen der EG zu den osteuropäischen Staaten.

[118]) Insb in den Bereichen Energie, Verkehr, Umweltschutz, Berufsausbildung, Managementtraining.

[119]) Für die beiden letztgenannten Staaten nach Auflösung der ČSFR.

[120]) Die Europaabkommen mit Polen und Ungarn sind am 1. 2. 1994 in Kraft getreten; jene mit Bulgarien, Rumänien, Slowakei und Tschechien am 1. 2. 1995.

[121]) Ab 1. 1. 1995 wird die Gemeinschaft für diese Produkte, ausgenommen Textilien, keine Zölle mehr erheben. Zölle auf Textilprodukte werden zwei Jahre später

schaftliche Produkte und Lebensmittel. Diese Maßnahmen dienen der schrittweisen Einführung einer Freihandelszone.

Die Möglichkeit des Beitritts der Partnerländer zur Gemeinschaft ist in der Präambel der Europaabkommen angesprochen. Seit dem Gipfel von Kopenhagen (1993) gelten diese Länder als Beitrittskandidaten. Auf dem Essener Gipfel hat die Gemeinschaft Ende 1994 ihre Strategie präzisiert, mit Hilfe derer die Aufnahme dieser Länder verwirklicht werden soll, sobald diese in der Lage sind, die aus der Mitgliedschaft erwachsenden Verpflichtungen zu tragen. Die Übergangsphase dient der Intensivierung der Kooperation mit der Gemeinschaft; hierbei wird insb der Prozeß der Angleichung an das gemeinschaftliche Rechtsystem im Vordergrund stehen.

Die mit den baltischen Staaten und Albanien getroffenen Abkommen sehen insb den Wegfall mengenmäßiger Einfuhrbeschränkungen, die Gewährung der Meistbegünstigung und die Anwendung des Systems allgemeiner Zollpräferenzen durch die Gemeinschaft vor. 1993 nahm die Gemeinschaft Verhandlungen mit Estland, Lettland und Litauen über neue Freihandelsabkommen auf, die inzwischen abgeschlossen sind. Die Abkommen sind am 1. Jänner 1995 in Kraft getreten.

Die oben genannten mittel- und osteuropäischen Staaten sowie Slowenien werden durch ein multilaterales Hilfsprogramm unterstützt, das die EG-Kommission im Auftrag der „Gruppe der 24" koordiniert.[122]) Die Gemeinschaft beteiligt sich hieran mit ihrem Programm **„PHARE"**. Mit PHARE erhalten die begünstigten Länder finanzielle und technische Hilfe zum Aufbau der für funktionierende Marktwirtschaften erforderlichen Infrastruktur. Unterstützt werden ua Reformen der Rechts-, Sozial- und Steuersysteme, die Landreform, die Privatisierung der Wirtschaft sowie die Bereiche Umweltschutz, nukleare Sicherheit, Energieversorgung, Telekommunikation und Verkehr. Bis Ende 1994 hatte der Gesamtbetrag der Hilfe an die 11 Partnerländer durch PHARE 4,2 Mrd ECU erreicht.

Die Gemeinschaft unterstützt den Reformprozeß in den mittel- und osteuropäischen Ländern im übrigen durch ein Finanzprogramm der Europäischen Investitionsbank. An den Finanzierungen der Europäischen Bank für Wiederaufbau und Entwicklung, die private Investitionsvorhaben fördert, sind die Gemeinschaft und die Mitgliedstaaten mittelbar beteiligt.

3. EG – GUS[123])

Die handelspolitischen Beziehungen der Gemeinschaft mit dem Gebiet der jetzigen GUS-Staaten hatten bislang das 1989 noch mit der ehemaligen Sowjetunion geschlossene Handels- und Kooperationsabkommen zur Grundlage.

Dieses Abkommen wird durch **bilaterale** sog **„Partnerschafts- und Kooperationsabkommen"** (PKA) abgelöst, die die Gemeinschaft mit einer

---

wegfallen. Textilien, Wein und Schaffleisch sind derzeit Gegenstand von Sektorabkommen mit einzelnen mittel- und osteuropäischen Ländern.

[122]) Diese Gruppe umfaßt die 15 EU-Mitgliedstaaten und die übrigen OECD-Länder. Die Koordinierung erfolgt in enger Abstimmung mit der Weltbank und dem Internationalen Währungsfonds.

[123]) FN 117.

Reihe von GUS-Staaten[124]) verhandelt hat bzw verhandelt. Die Verhandlungen mit der Ukraine und Rußland sind bereits abgeschlossen, die Abkommen aber noch nicht ratifiziert; Interimsabkommen werden vorbereitet.

Von den PKA ist dasjenige mit Rußland das weitestgehende. Die anderen Abkommen (bzw Abkommensentwürfe) weisen jedoch eine ähnliche Struktur auf.

Das PKA mit **Rußland** sieht Zusammenarbeit auf politischem, kommerziellem, wirtschaftlichem und kulturellem Gebiet vor. Ziel ist, die Entwicklung Rußlands zur Marktwirtschaft auf der Basis demokratischer Prinzipien und der Achtung der Menschenrechte zu fördern; im derzeitigen Stadium dieses Entwicklungsprozesses wird Rußland als „Volkswirtschaft im Übergang" (economy in transition) bezeichnet.

Dem handelspolitischen Teil des PKA kommt deshalb besondere Bedeutung zu, weil die Gemeinschaft als Rußlands wichtigster Handelspartner fast 50% der russischen Exporte außerhalb der GUS aufnimmt.[125]) Das PKA gewährt gegenseitigen Marktzugang auf der Grundlage der Meistbegünstigung, begründet aber keine Freihandelszone.[126]) Die Meistbegünstigungsklausel ist dem GATT nachgebildet, da Rußland zwar noch nicht GATT-Mitglied ist, die Gemeinschaft aber Rußlands Beitritt zur WTO unterstützt. Mengenmäßige Einfuhrbeschränkungen der Gemeinschaft gegenüber Rußland sind außer bei Textil- und Stahlerzeugnissen aufgehoben.[127]) Rußland kann in Ausnahmesituationen (zB zur Absicherung von Restrukturierungsmaßnahmen) Mengenbeschränkungen für Gemeinschaftsgüter einführen.

Das PKA mit Rußland sieht grundsätzlich Niederlassungsfreiheit, das Recht freier Direktinvestitionen und die freie Rückführung von Kapital und Gewinn vor.[128]) Dienstleistungen über die Grenze hinweg unterliegen ebenfalls weitgehend dem Meistbegünstigungsprinzip.[129])

Mit ihrer Finanz- und technischen Hilfe für die GUS-Staaten gewähren die Gemeinschaft und die Mitgliedstaaten zwei Drittel der dieser Ländergruppe weltweit zur Verfügung gestellten Hilfe. Kern der Gemeinschaftshilfe

---

[124]) Rußland, Ukraine, Weißrußland, Moldavien, Kasachstan, Kirgisistan.

[125]) 1993 erzielte Rußland mit der Gemeinschaft einen Handelsüberschuß von 3,3 Mrd ECU. Die Zollbelastung russischer Importe in die Gemeinschaft ist auf Grund der Güterstruktur tatsächlich außerordentlich niedrig; bei voller Anwendung des grundsätzlich seit 1. 1. 1993 anwendbaren Allgemeinen Präferenzsystems der Gemeinschaft wird sie im Durchschnitt bei 0,3% liegen.

[126]) Über mögliche Verhandlungen betreffend die Schaffung einer Freihandelszone soll 1998 entschieden werden. Für den sensiblen Bereich des Handels mit Nuklearmaterial sieht das PKA bis 1997 die Weitergeltung der relevanten Teile des Handels- und Kooperationsabkommens von 1989 vor (ua Schutz- und Preisklausel).

[127]) Der Textilhandel ist Gegenstand eines gesonderten Textilabkommens (in Kraft seit 1. 1. 1993). Über ein Abkommen betreffend Stahlerzeugnisse wird verhandelt.

[128]) Für den Bankensektor hat Rußland schrittweise Marktöffnung zugesagt. Das umstrittene Dekret vom 17. 11. 1993, das ausländischen Banken die Tätigkeit in Rußland untersagt, wurde Ende 1995 außer Kraft gesetzt.

[129]) Dies gilt insb für Ingenieur- und Architektenleistungen, Computer- und Datenbankdienste, Werbung, management consulting, technische Prüfverfahren, bestimmte Telekommunikations-Dienstleistungen und Franchising.

ist das Programm **„TACIS“.**[130]) TACIS unterstützt den politischen, wirtschaftlichen und sozialen Reformprozeß in den Empfängerländern durch Zurverfügungstellung von Know-how und technischer Ausrüstung. Hilfsprogramme werden zusammen mit den Partnerländern entwickelt und über westliche (öffentliche und private) und örtliche Organisationen durchgeführt. Vorrangig unterstützt TACIS die Privatisierung der Wirtschaft, die Verwaltungsreform, die Reform der Sozialsysteme, das Erziehungswesen sowie die Sektoren Landwirtschaft, Energie, Telekommunikation, Verkehr, nukleare Sicherheit und Umweltschutz.

4. EG – USA[131])

Die Europäische Gemeinschaft und die USA wickeln miteinander ein eindrucksvolles Handelsvolumen ab. Beide sind den Prinzipien liberalen Außenhandels verpflichtet. Beide sind Hauptbeteiligte am Welthandel und tragen damit gemeinsam die Hauptverantwortung für das Funktionieren des Welthandelssystems.

Zwischen der Gemeinschaft und den USA wurde bisher kein umfassendes Handels- oder Kooperationsabkommen geschlossen. Grundlage der Beziehungen, auch auf handelspolitischem Gebiet, ist neben der **„Transatlantischen Erklärung“** von 1990[132]) nunmehr die im Dezember 1995 verabschiedete **„Neue Transatlantische Agenda“** zusammen mit dem sie begleitenden **„gemeinsamen EU-US-Aktionsplan“.** Aufbauend auf den breitgefächerten Konsultationsmechanismen der Transatlantischen Erklärung, verpflichten sich die EU und die USA in der Agenda konkret gemeinsam zu handeln. Neben verstärkter Kooperation im multilateralen Bereich ist bilateral insb die schrittweise Errichtung eines **„Neuen Transatlantischen Marktes“** vorgesehen.[133]) Entsprechend der fortschreitenden europäischen Integration sind auch **Fragen der Außen- und Sicherheitspolitik** sowie der in den EU-Vertrag aufgenommenen Rechts- und Innenpolitik angesprochen.[134])

Das Gewicht jedes der beiden Partner erklärt den Umstand, daß Handelskonflikte zwischen ihnen in der Öffentlichkeit oft als „Handelskriege“ apostrophiert werden. Die Publizität, die solche Konflikte erhalten, steht im Gegensatz zu der Tatsache, daß der weit überwiegende Teil

---

[130]) Begünstigte sind die 12 GUS-Staaten und die Mongolei; bis März 1994 betrug das Gesamtvolumen der TACIS-Hilfe 1,87 Mrd ECU; s auch FN 117.

[131]) Siehe dazu auch oben *Schomaker/Detken,* Die EG und die USA.

[132]) Eine entsprechende Erklärung wurde gleichzeitig auch von der Gemeinschaft und Kanada abgegeben.

[133]) Die Wirtschaftskooperation in diesem Rahmen soll insb einbeziehen: Technische und nichttarifäre Handelshemmnisse bei Industrie- und Landwirtschaftsprodukten, Dienstleistungen, Wettbewerbs- und Verkehrspolitik, Standards, Telekommunikation, Hochtechnologien und „andere relevante Gebiete“.

[134]) Beide Seiten betonen die Bedeutung der EG-US-Beziehungen unter dem Gesichtspunkt, daß die Sicherheit in der Welt gerade nach dem Ende des Kalten Kriegs in besonderem Maße von der Kooperation der beiden Partner bei der Lösung internationaler Probleme und weltwirtschaftlicher Aufgabenstellungen abhänge (so aus amerikanischer Sicht EG-Botschafter *Eizenstat* anläßlich einer Rede in Versailles, EG-Kommission (Hg), Progress Report on EU-US Relations, Juni 1994).

des bilateralen Handels problemlos abgewickelt wird. Konfliktstoff wurde im übrigen in jüngster Zeit durch den erfolgreichen Abschluß der Uruguay-Runde (in der insb hinsichtlich der Rolle der gemeinsamen Landwirtschaftspolitik und der Subventionsvergabe im industriellen Bereich Kompromisse erzielt wurden) oder bilateral (Abkommen betreffend Großflugzeuge, Teileinigung im Streit über das öffentliche Beschaffungswesen) abgebaut. Dies schlägt sich auch in den jüngsten Berichten beider Seiten über Hindernisse beim Zugang zum Markt des jeweiligen Partners positiv nieder.[135])

Daß die großen handelspolitischen Fragen der Gegenwart nur im Wege europäisch-amerikanischer Einigung gelöst werden können, hat die Schlußphase der GATT-Verhandlungen erneut gezeigt; ihr Ergebnis wird auch von der US-Verwaltung positiv bewertet.[136]) Die Gemeinschaft und die USA bemühen sich bereits um gemeinsame Ansätze für die Behandlung der „neuen Themen" der WTO.[137]) Hinsichtlich der für beide Seiten gleichermaßen wichtigen Fragen der Öffnung des japanischen Marktes verfolgen die Gemeinschaft und die USA dagegen unterschiedliche Strategien; hier befürchtet die Gemeinschaft Nachteile für europäische Unternehmen als mögliche Folge der amerikanischen Politik, mit Japan sektoriell Zielmengen für US-Importe nach Japan zu vereinbaren.

5. EG – Japan[138])

Im Verhältnis der Gemeinschaft zu Japan steht das Problem des Zugangs zum japanischen Markt im Vordergrund. Der **Japanhandel** der Gemeinschaft ist seit über 30 Jahren **defizitär**.[139]) Diese (auch den amerikanisch-japanischen Handel kennzeichnende) Tatsache hatte zu dem Vorwurf geführt, Japan profitiere einseitig von den Möglichkeiten des internationalen Handelssystems (GATT, aber auch europäischer Binnenmarkt),[140]) ohne selbst in einem seinen Handelspartnern vergleichbaren Maße zur Liberalisierung beizutragen.

---

[135]) Der jüngste Bericht der EG-Kommission (1995 Report on US Barriers to Trade and Investment) weist ua auf folgende Handelshemmnisse hin: Unilateralismus der amerikanischen Handelsgesetzgebung und deren extraterritoriale Anwendung, „Buy-America"-Gesetzgebung, prohibitive Spitzenzölle in einzelnen Bereichen, diskriminierende Steuergesetzgebung und Uneinheitlichkeit bei Normen und Standards.

[136]) Hierzu informativ, weil nicht politisch argumentierend: US General Accounting Office, Report to Congress: The Uruguay Round Final Act schould produce overall US economic gains (1994).

[137]) Verhältnis von Handel und Umweltschutz, internationale Wettbewerbsverzerrungen durch unterschiedliche Wettbewerbsgesetzgebung und -praktiken sowie durch unterschiedliche Standards der Arbeitsbedingungen.

[138]) Siehe dazu auch oben *Pape*, Die EU und Ostasien unter besonderer Berücksichtigung der politischen und wirtschaftlichen Beziehungen zu Japan.

[139]) Die Handelsdefizite betrugen 1990 20,7 Mrd $, 1991 29,5 Mrd $, 1992 33,1 Mrd $ und 1993 27,1 Mrd $, 1994 22,4 Mrd $ und 1995 21,4 Mrd $.

[140]) Im Zuge der Verwirklichung des Binnenmarkts wurden insb alle mengenmäßigen Beschränkungen der Mitgliedstaaten gegenüber Japan aufgehoben. Beschränkungen auf Gemeinschaftsebene bestehen abgesehen vom Selbstbeschränkungsabkommen für Automobile, das bis zum Jahr 2000 befristet ist, nicht.

Zwischen der Gemeinschaft und Japan bestehen keine handelsvertraglichen Regelungen. Nach dem Vorbild der „Transatlantischen Erklärung" gaben die Gemeinschaft und Japan 1991 eine **„Gemeinsame Erklärung"** ab, die verstärkte Wirtschaftskooperation[141]) und politischen Dialog vorsieht. Die Gemeinschaft verknüpft hiermit die Hoffnung, das Interesse Japans, seine politische Rolle weltweit auszubauen, werde das Land dazu veranlassen, in der kontroversen Frage des Zugangs zu seinem eigenen Binnenmarkt mit seinen Partnern einen modus vivendi zu finden.

Die **Zugangshindernisse in Japan** sind sowohl technisch-administrativer als auch struktureller Art.[142]) Zur ersteren Gruppe gehört, neben Spitzenzollsätzen für Produkte, bei denen die Gemeinschaftsindustrie besonders konkurrenzfähig ist,[143]) die Überregulierung des japanischen Marktes, insb exzessive Standardisierungs- und Prüfverfahren. Zu nennen sind ferner mangelhafte Transparenz und bürokratische Handhabung gesetzlicher und verwaltungsmäßiger Bestimmungen für das Importverfahren und für Investitionen in Japan. Sorge bereitet der Gemeinschaft daneben der Abschluß sektorieller Vereinbarungen zwischen Japan und den USA, in denen mengenmäßige Ziele anvisiert sind;[144]) die Gemeinschaft befürchtet, daß diese Art von „managed trade" für europäische Anbieter diskriminierende Wirkung haben könnte.

Zu den **strukturellen Handelshemmnissen** gehört die Ineffizienz der japanischen Anti-Kartell-Gesetzgebung, deren Folge ungenügendes Funktionieren der Marktmechanismen mit besonderen Nachteilen für (insb ausländische) „Newcomers" ist.[145]) Hinzuweisen ist ferner auf die hohen Kosten, die mit Auslandsinvestitionen in Japan verbunden sind und durch steuerliche Maßnahmen verringert werden könnten.

Angesichts der Natur dieser Zugangshemmnisse sind rasche Lösungen nicht zu erwarten. Auch die Frage, inwieweit sich die an das Konzept des Dialogs und der Kooperation geknüpften Hoffnungen erfül-

---

[141]) Die in diesem Zusammenhang relevanten Kooperationsbereiche sind insb Wettbewerbspolitik, Forschung und Technologie, industrielle Zusammenarbeit, soziale Angelegenheiten und Umweltschutz.

[142]) Nach einer Meldung der Frankfurter Allgemeinen Zeitung vom 28. 12. 1994, die auf eine vom Institute for International Economics, Washington, veröffentlichte Studie japanischer Wissenschaftler Bezug nimmt, führen diese Handelsschranken im Einzelfall zu Preisaufschlägen von mehreren hundert Prozent und kosten die japanischen Verbraucher jährlich zwischen 75 und 100 Mrd $.

[143]) ZB Ledererzeugnisse einschließlich Schuhe, Erzeugnisse der Lebensmittelindustrie.

[144]) ZB für Halbleiter.

[145]) Die Gemeinschaft drängt Japan, die Ausnahmen des Anti-Monopoly Act abzubauen und die Gesetzgebung wirksam anzuwenden. Hierbei verweist sie insb auf die Problembereiche des Vertriebs chemischer, pharmazeutischer und landwirtschaftlicher Produkte. Ein Wettbewerbsproblem stellen auch die „Keiretsu" dar, dh Gruppen insb durch gegenseitige Kapitalbeteiligungen eng verbundener Unternehmen; diese Form der Unternehmenszusammenarbeit innerhalb geschlossener „Verbände" führt praktisch zum Ausschluß von „Außenseitern". Zudem können geschlossene Vertriebssysteme, wobei die Vertriebskette oft bis hinunter zur Einzelhandelsebene von den Herstellern der Produkte beherrscht wird, den Vertrieb von importierten Produkten verhindern.

len, läßt sich noch nicht abschließend beurteilen.[146]) Seit dem europäisch-japanischen Gipfel von 1993 hat sich jedoch der Dialog zwischen beiden Seiten über Fragen des Marktzugangs intensiviert, wodurch konkrete Zugangserleichterungen für europäische Produkte erzielt werden konnten. Allgemein ist die Deregulierung in Japan Gegenstand eines 1995 beschlossenen dreijährigen Regierungsprogramms. Diese Bemühungen zeigen erste Früchte: Sinken des Handelsbilanzdefizits der Gemeinschaft bei erheblicher Ausweitung des bilateralen Handels in beiden Richtungen.[147])

Für die Stärkung der Position der Gemeinschaftsindustrie kommt neben Bemühungen auf Regierungsebene dem weiteren Ausbau der Industriekooperation privater Unternehmen der Gemeinschaft und Japans besonderes Gewicht zu; diese „private" Kooperation wird sowohl von der Gemeinschaft als auch von der japanischen Regierung unterstützt.[148])

6. EG-Entwicklungsländer[149])

Die Gemeinschaft wickelt mit der Gesamtheit der Entwicklungsländer (Erdöl- und Erdgasbezüge eingeschlossen) knapp ein Drittel ihres Außenhandels ab. Zu den globalen handelspolitischen Zielsetzungen gegenüber dieser Ländergruppe gehört insb die – für beide Seiten wichtige – Stabilität des Rohstoffbezugs; die Gemeinschaft gewährt ferner Zollpräferenzen für den Import gewerblicher Waren aus diesen Ländern und innerhalb bestimmter Grenzen auch für Landwirtschaftsimporte. Mit einer Vielzahl dieser Länder hat sie Handels- und/oder Kooperationsabkommen geschlossen. Soweit Handelspräferenzen nicht vertraglich zugesagt sind, wendet die Gemeinschaft – wie auch andere Industrieländer – gegenüber den Entwicklungsländern ihr System allgemeiner Zollpräferenzen an.

a) Mittelmeerländer

Die Beziehungen der Gemeinschaft zum Mittelmeerraum sind aufgrund historischer Bindungen eng. Die **Mittelmeerländer** stellen insgesamt einen der **wichtigsten Handelspartner der Gemeinschaft** dar. Gleichzeitig ist die Gemeinschaft im Mittelmeerraum mit weltpolitischen Problemen höchster Brisanz konfrontiert (Jugoslawien-Konflikt, israelo-arabische Beziehungen, islamischer Fundamentalismus).

---

[146]) Die Gemeinschaft und Japan haben vereinbart, den bilateralen Handelsfluß regelmäßig mit Hilfe eines sog Trade Assessment Mechanism (TAM) zu analysieren. TAM verwendet zwei Indikatoren: Die EG-Exporte nach Japan werden zum einen mit den Exporten anderer wichtiger Handelspartner (USA, Kanada, Australien, Neuseeland) nach Japan, zum anderen mit den EG-Exporten in die genannten vier Drittländer verglichen.

[147]) Beispielsweise erreichten KFZ-Einfuhren aus der Gemeinschaft Ende 1995 einen Marktanteil von 5,8% in Japan.

[148]) Ein regelmäßiger Dialog auf dem Gebiet der Industriepolitik und der Industriekooperation wurde 1993 ins Leben gerufen.

[149]) Siehe auch oben *Brandtner/Pirzio-Biroli,* Die Entwicklungspolitik der EU und die Beziehungen zu den Staaten der Dritten Welt.

Mit Ausnahme Libyens und den Staaten des früheren Jugoslawien ist die Gemeinschaft mit allen Mittelmeerländern durch **Kooperations- oder Assoziierungsabkommen** verbunden.[150]) Im handelspolitischen Bereich sehen diese Abkommen den Wegfall von Zöllen und Kontingenten für gewerbliche Waren der Partnerländer vor, Textilprodukte unterliegen teilweise Mengenbeschränkungen jedoch mit einer für die Partnerländer günstigeren Handhabung als bei der Quotenregelung des Multifaser-Abkommens. Für Landwirtschaftsausfuhren der Mittelmeerländer bestehen erhebliche Zollkonzessionen, allerdings verbunden mit Kontingentierung für „sensible" Produkte. Die gewährten Präferenzen sind, mit Ausnahme des Abkommens mit Israel, das für Industrieprodukte Freihandel vorsieht, grundsätzlich nicht reziprok.[151])[152])

Die Assoziierungsabkommen mit der Türkei, mit Zypern und Malta sehen die Errichtung einer Zollunion vor. Verhandlungen hierüber mit der Türkei sind abgeschlossen; die Zollunion wurde am 1. Jänner 1996 wirksam. Alle drei Länder haben ihren Beitritt zur Gemeinschaft beantragt.[153])

Mit den **Maghreb-Ländern** (Marokko, Algerien und Tunesien) steht die Gemeinschaft in Verhandlungen über den Abschluß sog **Partnerschaftsabkommen**, deren wesentliche Elemente verstärkte finanzielle und wirtschaftliche Kooperation, der Ausbau der Handelspräferenzen mit dem Ziel der späteren Errichtung von Freihandelszonen und politischer Dialog sind.[154])

Die Gemeinschaft unterstützt den **Friedensprozeß im Nahen Osten**, außer durch Beteiligung an multilateralen Programmen finanzieller und technischer Hilfe für die betroffenen Gebiete, durch direkte Finanzhilfen und handelspolitische Maßnahmen; letztere bestehen insb in Zugangserleichterungen für gewerbliche und landwirtschaftliche Produkte. Darüber hinaus plant die Gemeinschaft, das Projekt der Partnerschaft mit den Maghreb-Ländern auf die Länder des Maschrik (Ägypten, Jordanien, Libanon, Syrien), die Autonomie- und besetzten Gebiete sowie Israel auszudehnen; hierbei ist die Förderung der regionalen Kooperation zwischen diesen Ländern und Gebieten vorrangiges Ziel.

Die handelspolitischen Maßnahmen haben sich bisher auf einige Außenhandelsbereiche der Mittelmeerländer positiv ausgewirkt.[155]) Die Ausfuhrentwicklung ist jedoch von Land zu Land unterschiedlich. Mit Ausnahme von Marokko haben die Maghreb- und Maschrikländer vom freien Marktzugang

---

[150]) Betreffend Albanien s oben C.2. Mit Slowenien wurde 1994 ein Handels- und Kooperationsabkommen geschlossen.

[151]) Die Türkei, Zypern und Malta gewähren begrenzte Gegenkonzessionen.

[152]) Im Rahmen ihrer „Neuen Mittelmeerpolitik" hat die Gemeinschaft ab 1991 ferner die Finanzkooperation mit den Mittelmeerländern erheblich verstärkt.

[153]) Während die Aufnahme der Türkei als verfrüht angesehen wird, hält die Kommission in ihrer Stellungnahme zu den Beitrittsgesuchen Zypern und Malta für mögliche Beitrittskandidaten.

[154]) Die Gemeinschaft verknüpft damit die Erwartung, daß in diesem Rahmen auch Lösungen für das Problem der Migration gefunden werden.

[155]) So hat sich insb der Anteil gewerblicher Erzeugnisse an der Gesamtausfuhr in die Gemeinschaft durchwegs erhöht. Ferner sind die Textilexporte aus Ägypten, Marokko, Tunesien, der Türkei und Malta erheblich angestiegen. Für landwirtschaftliche Erzeugnisse war dagegen der Einfluß der Handelspräferenzen relativ gering.

für Industrieprodukte verhältnismäßig wenig profitiert; ihre Ausfuhrstruktur hat sich nicht substantiell verbessert. Die gesamtwirtschaftliche Situation der Länder des Mittelmeerraums hat sich in den letzten Jahren verschlechtert.[156])

b) AKP-Länder

Die Zusammenarbeit der Gemeinschaft mit heute 69 Ländern Afrikas, der Karibik und des Pazifiks (AKP) wurde in mehreren aufeinanderfolgenden Globalabkommen geregelt; derzeit gilt das sog **4. Lomé-Abkommen** (Lomé IV), das für den Zeitraum 1990 bis 2000 geschlossen wurde. Es stellt das weltweit größte einzelne Hilfsprogramm für Entwicklungsländer dar.

Auf handelspolitischem Gebiet enthält Lomé IV insb das Prinzip des zoll- und kontingentfreien Zugangs zum Gemeinschaftsmarkt, das den weit überwiegenden Teil der Importe aus AKP-Ländern erfaßt.[157]) Verbessert wurde in Lomé-IV namentlich der Zugang für landwirtschaftliche Erzeugnisse.[158]) Lomé IV hat ferner die Anerkennung des AKP-Ursprungs für Waren erleichtert. Die Präferenzen für AKP-Importe werden ohne Gegenpräferenzen durch die begünstigsten Länder gewährt.[159])

Obwohl sich die AKP-Länder im Handel mit der Gemeinschaft, ihrem bei weitem wichtigsten Wirtschaftspartner, bereits in der Vergangenheit auf das weltweit liberalste Außenhandelsregime für Entwicklungsländer stützen konnten, hat dies insgesamt bisher nicht zu einer Ausweitung ihrer EG-Exporte geführt. Auch der durch den Preisverfall für Rohstoffe und Agrarprodukte verursachte Einkommensverlust konnte nicht ausgeglichen werden. Während die Ursache hierfür bei gewerblichen Waren in erster Linie in der schwachen Wettbewerbsfähigkeit der AKP-Länder liegt, haben im landwirtschaftlichen Bereich die noch immer vorhandenen Zugangshemmnisse in der Gemeinschaft zu diesem unbefriedigenden Ergebnis beigetragen.

c) Asiatische und lateinamerikanische Entwicklungsländer

Die handelspolitischen Beziehungen der Gemeinschaft mit den Entwicklungsländern in **Asien und Lateinamerika** beruhen auf nichtpräferenziellen Handels- und/oder Kooperationsabkommen. Abkommen dieser Art wurden mit den Ländern des indischen Subkontinents (Indien, Pakistan, Sri-Lanka, Bangladesch), mit dem Verband Südostasiatischer Nationen (ASEAN) und seinen Mitgliedern (Brunei, Indonesien, Malaysia, Philippinen, Singapur, Thailand), mit der Volksrepublik China und der Mongolei sowie mit dem Andenpakt und seinen Mitgliedern (Bolivien, Kolumbien, Ecuador, Peru, Venezuela), den Mitgliedstaaten des Zentralamerikanischen Gemeinsamen Markts (El Salvador, Guatemala, Honduras, Costa Rica, Nicaragua) und mit Panama, Mexiko, Brasilien, Uruguay und Argentinien geschlossen.

---

156) Außer rückläufigen Öleinkünften spielt hierbei eine Rolle, daß sich die landwirtschaftlichen Einfuhren in die Mittelmeerländer stark erhöht haben.

157) Textilexporte aus AKP-Ländern fallen nicht unter die Quotenregelung des Multifaserabkommens.

158) Zu erwähnen ist insb die Einbeziehung der für die AKP-Länder wichtigen Produkte Sorghum, Hirse und Melassen in die Vorzugsbehandlung.

159) Exporte der Gemeinschaft in die AKP-Länder genießen Meistbegünstigung.

Die Abkommen haben ihren Schwerpunkt im Bereich der **Wirtschaftskooperation.** Daneben enthalten sie teilweise die Vereinbarung der Meistbegünstigung (Mexiko, Uruguay) oder Handelserleichterungen für bestimmte Produkte.[160]) Im übrigen sind alle Partnerländer Begünstigte des Allgemeinen Präferenzsystems der Gemeinschaft.[161]) Im Textilsektor hat die Gemeinschaft mit der Mehrzahl der Länder Asiens und Lateinamerikas Quotenregelungen auf der Grundlage des **Multifaser-Abkommens** getroffen.

Mit den Mitgliedstaaten des **Golf-Kooperationsrats** (Saudi-Arabien, Bahrein, Kuweit, Oman und den Vereinigten Arabischen Emiraten) besteht seit 1988 ein Kooperationsabkommen, das keine handelspolitischen Präferenzen enthält, sondern sich auf die Gewährung der Meistbegünstigung sowie eine „stand-still"-Vereinbarung betreffend Zolltarife beschränkt. Verhandlungen über ein Freihandelsabkommen wurden aufgenommen.

Hongkong, Korea, Taiwan, die ASEAN-Länder und China haben ihren Handel mit der Gemeinschaft stark ausgeweitet.[162]) Nicht befriedigend ist dagegen die Handelsentwicklung mit den lateinamerikanischen Ländern. Im Rahmen einer Neuorientierung ihrer Politik gegenüber den Ländern Asiens und Lateinamerikas hat die Gemeinschaft insbesondere ihre Finanzhilfe verstärkt.[163]) Hinsichtlich der asiatischen Länder, weltweit die Region mit dem stärksten Wirtschaftswachstum, verfolgt die Gemeinschaft eine im Herbst 1994 beschlossene Strategie verstärkter wirtschaftlicher und politischer Kooperation.[164])

D. Resultate der gemeinsamen Handelspolitik

Die folgende – notwendigerweise summarische – Betrachtung der Resultate der gemeinsamen Handelspolitik geht von einer dreifachen Fragestellung aus:

---

[160]) So für Kakaobutter (Brasilien, Indien, Bangladesh, Sri Lanka), löslichen Kaffee (Brasilien), Rindfleisch (Uruguay) sowie Zucker und Jute (Indien, Bangladesh, Sri Lanka). Die Vereinbarung der Meistbegünstigung hat in den meisten Fällen keine Bedeutung mehr, da fast alle Partnerländer der WTO angehören werden.

[161]) Die Anwendung des Allgemeinen Präferenzsystems erfolgt nach dem Prinzip der „Differenzierung", dh unter Berücksichtigung des Wettbewerbs zwischen begünstigten Ländern. Hierdurch soll verhindert werden, daß Exporte aus „stärkeren" Entwicklungsländern diejenigen der „schwächeren" vom Markt verdrängen.

[162]) 1992 betrug der Handelsüberschuß der Gemeinschaft mit Hongkong knapp 4,5 Mrd ECU; ihre Handelsdefizite beliefen sich mit Korea auf 1,2 Mrd ECU, mit den ASEAN-Ländern auf über 3 Mrd ECU und mit China auf knapp 10 Mrd ECU.

[163]) Für den Zeitraum 1991 bis 1995 beträgt der Finanzrahmen 2,75 Mrd ECU.

[164]) Bei der Wirtschaftskooperation wird die Förderung von Direktinvestitionen in Asien (hier ist die Gemeinschaft sowohl gegenüber Japan als auch den USA erheblich in Rückstand), technische Hilfe bei der Strukturreform in China, der Mongolei, Vietnam und Laos sowie die Unterstützung der Zusammenarbeit auf privater Unternehmensebene im Vordergrund stehen. Die Bedeutung verstärkter Kooperation mit dieser Region für die Gemeinschaft wird aus Schätzungen der Weltbank deutlich, wonach im Jahr 2000 die Volkswirtschaften der Länder Ost- und Südostasiens 50% des Weltwirtschaftswachstums repräsentieren und 400 Mio Menschen in dieser Region ein verfügbares Einkommen haben werden, das den Durchschnittseinkommen in der Gemeinschaft oder den USA entspricht oder diese übersteigt. Ungenügende Teilnahme an der Entwicklung dieses Wachstumszentrums würde auf die weltweite Wettbewerbsfähigkeit der Gemeinschaftsindustrie mit Sicherheit nicht ohne Auswirkungen bleiben.

- Inwieweit ist die gemeinsame Handelspolitik heute Realität?
- Besteht die Gefahr, daß bei einer durch Mehrheitsentscheidung definierten gemeinsamen Handelspolitik wesentliche Interessen einzelner Mitgliedstaaten „auf der Strecke bleiben"?
- Ist die gemeinsame Handelspolitik entsprechend dem Auftrag des EG-Vertrags liberal geprägt?

1. Die gemeinsame Handelspolitik als Realität

Geht man von der Formulierung des Art 113 Abs 1 EGV aus, wonach die gemeinsame Handelspolitik „nach einheitlichen Grundsätzen gestaltet" wird, so kann man von substantiell gemeinsamer Handelspolitik bei der Behandlung praktisch aller handelspolitisch bedeutsamen Vorgänge der jüngeren und jüngsten Zeit sprechen. Das gilt sowohl für den multilateralen Bereich der GATT-Verhandlungen als auch im bilateralen Verhältnis der Gemeinschaft zu einzelnen Handelspartnern. Ein aktuelles Beispiel bildet die Schlußphase der Uruguay-Runde, in der die Gemeinschaftssolidarität trotz erheblichen Interessengegensätzen der Mitgliedstaaten (in erster Linie in den Bereichen Landwirtschaft, Textil und im audio-visuellen Bereich) und trotz intensiven Versuchen der anderen Verhandlungspartner, diese Gegensätze für sich zu nutzen, nicht aufgegeben wurde.

Formell bedeutet gemeinsame Handelspolitik die Umsetzung der Gemeinschaftskompetenz auf handelspolitischem Gebiet. Für die traditionelle Handelspolitik (Warenhandel) ist dies heute problemlos. Für die „neuen Bereiche" der Handelspolitik ist dagegen die Gemeinschaftskompetenz eingeschränkt. Darüber hinaus ist die Tendenz der Mitgliedstaaten deutlich, im Grenzgebiet zwischen Handels- und allgemeiner Außenpolitik den Umfang der Gemeinschaftskompetenz zugunsten des Bereichs der intergouvernementalen Zusammenarbeit restriktiv zu interpretieren (vgl dual-use-Güter und Wirtschaftssanktionen).

Zweifellos ist es positiv zu werten, daß auch in denjenigen Außenwirtschaftsbereichen, für die die Geltung der gemeinsamen Handelspolitik streitig ist, die **Gemeinschaft und ihre Mitgliedstaaten** in der Lage sind, **einheitlich aufzutreten.** Das Risiko, das mit dem Herauslösen bestimmter Materien aus der Gemeinschaftskompetenz verbunden ist, sollte dabei allerdings nicht übersehen werden. Welche Lösung auch immer als Ersatz für die alleinige Anwendung des Art 113 EGV gewählt wird (Art 235 EGV, gemischte Kompetenz der Gemeinschaft und der Mitgliedstaaten, rein intergouvernementale Zusammenarbeit), stets erfordert sie anstelle der qualifizierten Mehrheit nach Art 113 EGV Einstimmigkeit mit der Folge, daß jeder Mitgliedstaat ein Vetorecht besitzt. Die Handlungsfähigkeit der Gemeinschaft könnte dadurch erheblich beeinträchtigt werden. Inwieweit die vom EuGH unterstrichene Kooperationspflicht der Gemeinschaft und der Mitgliedstaaten dem gegenzusteuern geeignet ist, läßt sich derzeit noch nicht absehen.[165])[166])

---

[165]) Während der Uruguay-Runde konnte dieses Problem pragmatisch gelöst werden: Die Verhandlungsführung lag auch für GATS und TRIPs in den Händen der Kommission; erfolgte jedoch in ständiger Abstimmung mit den Mitgliedstaaten. So-

2. Gemeinsame Handelspolitik und Interessen der Mitgliedstaaten

Die „Durchschlagskraft" der handelspolitischen Aktion der Gemeinschaft übersteigt bei weitem die Möglichkeiten jedes einzelnen Mitgliedstaats. Die Gemeinschaft bildet heute den größten Binnenmarkt der Welt. Dieser Markt, zu dem grundsätzlich freier Zugang besteht, repräsentiert eine gewaltige Kaufkraft. Die Gemeinschaft ist als Handelspartner für den Außenhandel praktisch jedes Drittlands von besonderer Wichtigkeit. Handelspolitische Konzessionen der Gemeinschaft wiegen schwer.

Unter diesen Umständen ist es verständlich, daß Mitgliedstaaten in Ratsdiskussionen über handelspolitische Fragen, die für sie besonders wichtig sind, häufig an die Gemeinschaftssolidarität appellieren, um Unterstützung für ihre Positionen zu finden. Die **Wirtschaftskraft der Gemeinschaft** und ihr politisches Gewicht sind offensichtlich Faktoren, die als wertvoll für die Durchsetzung eigener Interessen betrachtet werden.

Die Interessen der Mitgliedstaaten laufen vielfach auseinander, oft sind sie gegensätzlich. Bei einer Gemeinschaft von 15 hochentwickelten Industriestaaten mit jahrhundertelanger politischer, wirtschaftlicher und kultureller Eigengeschichte ist das natürlich. Dies erklärt, warum in der Öffentlichkeit mitunter in Zweifel gezogen wird, daß die Handelspolitik der Gemeinschaft den Interessen einzelner Mitgliedstaaten entspreche. Kritik dieser Art ist beispielsweise in der Krisenphase der Uruguay-Runde Ende 1990/Anfang 1991 geäußert worden.[167]) Auch die Gegner der europäischen Integration bedienen sich handelspolitischer Argumente.[168])

Diese Kritik verkennt die handelspolitischen Realitäten. Ohne geschlossenes Auftreten der Gemeinschaft befänden sich die Mitgliedstaaten insb gegenüber den USA und Japan in einer Position der Schwäche. Die Aufgaben,

---

wohl diese Verfahrensweise, die Art 113 EGV voll entspricht, als auch die Tatsache, daß der formelle Abschluß der Uruguay-Runde (Marrakesch, 15. 4. 1994) – wie bei gemischten Abkommen – durch die Gemeinschaft und die Mitgliedstaaten erfolgte, stand unter dem Vorbehalt, daß hierdurch der endgültigen Entscheidung über die Kompetenzfrage nicht vorgegriffen werde.

[166]) Pessimistisch hinsichtlich der Wirkung der jüngsten EuGH-Rechtsprechung auf die weitere Entwicklung des Begriffs „gemeinsame Handelspolitik" äußert sich *Bourgeois,* L'avis de la Cour de justice des Communautés européennes à propos de l'Uruguay Round: un avis mitigé, RMUE 4/1994. *Bourgeois* sieht in dem Gutachten 1/94 einen folgenschweren Rückschritt gegenüber der bisher vom EuGH vertretenen gemeinschaftsfreundlichen Auffassung.

[167]) So zB durch den Präsidenten von SGS-Thomson, *Gomez,* in einem Interview in „Le Monde" v 20. 4. 1991 („Transformer l'Europe en espace protégé). *Gomez* wendet sich darin entschieden gegen das von der Gemeinschaft in den GATT-Verhandlungen verfolgte Ziel des weltweiten Zollabbaus und plädiert für die Schaffung einer durch hohe Zollschranken abgesicherten europäischen Schutzzone.

[168]) So ist etwa von britischen Beitrittsgegnern behauptet worden, der Gemeinsame Markt führe zur Vernachlässigung der Handelsbeziehungen des Vereinigten Königreichs mit den Ländern des Commonwealth. Dies wird durch die Entwicklung des britischen Außenhandels seit dem EG-Beitritt 1973 widerlegt: Sie zeigt keine Verlagerung vom Drittlands- auf den innergemeinschaftlichen Handel. Die Importquote für Drittlandseinfuhren lag 1989 mit 12,6% nur geringfügig unter der Zahl für den Zeitraum 1961 bis 1970 (12,8%) und deutlich über der Quote der Jahre 1971 und 1972 (11,5%).

die sich im Verhältnis zu den Ländern Mittel- und Osteuropas sowie den GUS-Staaten stellen, sind nur durch mehrheitsfähige Gemeinschaftspolitik zu lösen. Der **Zwang zum Kompromiß** ist damit ein entscheidender Faktor wirksamer handelspolitischer Aktion. Das Erfordernis, für handelspolitische Lösungen „zu Hause" eine Mehrheit zu finden, läßt sich im übrigen in Verhandlungen taktisch nutzen.[169])

Dafür, daß die Gemeinschaft auch bei starken internen Interessengegensätzen insgesamt vorteilhafte Ergebnisse erzielt, bildet wiederum der Abschluß der GATT-Verhandlungen das beste Beispiel. Der Gemeinschaft ist es gelungen, die weitere Liberalisierung des Welthandels (durch den größten „Sprung" in der Geschichte des GATT) bei gleichzeitiger Wahrung als unverzichtbar angesehener Eigeninteressen (Anerkennung der Prinzipien der gemeinsamen Landwirtschaftspolitik, Vermeidung von Verpflichtungen im audio-visuellen Bereich) durchzusetzen.[170]) Ein entsprechendes Verhandlungspaket zu schnüren, war nur durch Bündelung der verschiedenen Interessen auf Gemeinschaftsebene möglich.

3. Liberale Prägung der gemeinsamen Handelspolitik

Daß die gemeinsame Handelspolitik **liberal** geprägt ist, wird nicht selten in Frage gestellt. Zur Begründung werden insb herangezogen: Angeblich antiliberale Tendenzen in den südeuropäischen Mitgliedstaaten, die Binnenintegration als Gefahr für den freien Außenhandel, die präferentielle Handelspolitik der Gemeinschaft als Widerspruch zum GATT-Prinzip des Multilateralismus, ungenügende Marktöffnung gegenüber Mitteleuropa, den GUS-Staaten und den Entwicklungsländern, protektionistische Tendenzen in der sektoriellen Handelspolitik der Gemeinschaft und schließlich die Anwendung handelspolitischer Schutzinstrumente.

Diese Kritik ist unberechtigt. Sie ist teilweise einseitig interessenbestimmt, beruht häufig auf wirtschaftspolitischen Idealvorstellungen und berücksichtigt nicht die konkreten Gegebenheiten, unter denen die Gemeinschaft Handelspolitik betreibt. Vor allem aber verkennt sie die offensichtlichen Leistungen der gemeinsamen Handelspolitik.

a) Die Haltung Südeuropas

Es trifft zu, daß die Mitgliedstaaten der Gemeinschaft unterschiedliche handelspolitische Traditionen haben. Merkantilistische Vorstellungen sind anders als in den „Freihandelsnationen" des nördlichen Europas in den weniger entwickelten Teilen Südeuropas noch nicht völlig verschwunden. Dieser Umstand hat in der Vergangenheit zu Spannungen bei der Definition handelspolitischer Ziele geführt und wird dies wohl auch in Zukunft tun. Die großen handelspolitischen Erfolge insbesondere der jüngsten Zeit (GATT-Abschluß mit eindeutig liberalem Gehalt, weitestgehende Einfuhrliberalisierung

[169]) Der Hinweis auf das Erfordernis der Zustimmung des Kongresses ist regelmäßiger Bestandteil der Verhandlungstaktik amerikanischer Unterhändler.

[170]) Portugiesische Textilinteressen wurden durch innergemeinschaftliche Finanzleistungen an Portugal ausgeglichen.

im Zuge der Vollendung des Binnenmarkts, Präferenzabkommen mit Mittel- und Osteuropa und den GUS-Staaten) sind durch solche internen Auseinandersetzungen nicht verhindert worden. Diese haben im Gegenteil der Gemeinschaft taktische Möglichkeiten eröffnet, die bei den GATT-Verhandlungen zum Zustandekommen einer „Paketlösung" führten.

b) Auswirkungen der Binnenintegration

Das Vorhaben der **Vollendung des Binnenmarkts** zum 1. Jänner 1993 war insb von amerikanischer und asiatischer Seite unter Außenhandelsgesichtspunkten heftig kritisiert worden (Schlagwort „Festung Europa"). Diese Kritik ist heute praktisch verstummt. In der Tat widersprechen die seitherigen Erfahrungen der These, der „große Markt" bedeute handelspolitischen Isolationismus. Die Importquote der Gemeinschaft ist in den letzten Jahren praktisch unverändert geblieben.[171]) Unternehmen aus Drittländern profitieren von den Vorteilen des Wegfalls der Binnengrenzen grundsätzlich in gleicher Weise wie Gemeinschaftsunternehmen. Mit Wirkung vom 15. April 1994 sind nationale Einfuhrbeschränkungen für über 6000 Produkte weggefallen.[172]) Wenn die Liberalisierungsmaßnahmen und -effekte noch nicht alle Erwartungen an die Handelsentwicklung erfüllt haben, so liegt das an der weltweiten Konjunkturkrise, von der sich der internationale Handel erst wieder zu erholen beginnt.

c) Präferenz- und Freihandelsabkommen

Das Argument, die Gemeinschaft trage durch ihre Politik regionaler Präferenz- und Freihandelsabkommen zur Bildung von **Handelsblöcken** bei,[173]) hatte stets mehr polemischen Charakter als realen Hintergrund. Die Gewährung von Präferenzen für bestimmte Handelspartner wäre nur dann bedenklich, wenn damit der weltweite Güteraustausch auf der Grundlage multilateral vereinbarter Regeln beeinträchtigt wird. Dies war bereits in der Vergangenheit nicht der Fall; der Nachweis, daß Freihandelszonen international handelshemmende Wirkung haben, konnte nie erbracht werden.[174]) Nach dem Abschluß der Uruguay-Runde kann davon erst recht keine Rede sein. Insb der weltweite Zollabbau und die Schaffung von Freihandelsregeln für Dienstleistungen im neuen GATS stellen ein für den multilateralen Welthandel einmaliges Wachstumsstimulans dar.

Im Gegensatz zur **These der Fragmentierung des internationalen Handels durch Blockbildung** gehen die an die Gemeinschaft gerichteten Vorwürfe, sie gewähre den Partnern der Präferenzabkommen keinen ausreichenden

---

[171]) Diese Quote, dh die EG-Einfuhren ausgedrückt als Prozentsatz des Bruttoinlandsprodukts der Gemeinschaft, betrug 1992 9,0%, 1993 8,7% und 1994 (vorläufig) 8,9%; vgl Europäische Kommission (Hg), European Economy 58/1994, 153.

[172]) Diesen weitestgehenden Liberalisierungsmaßnahmen seit dem Ende der Übergangszeit steht lediglich die Einführung gemeinschaftsweiter Einfuhrbeschränkungen im Chinahandel für 7 Produkte gegenüber.

[173]) Dazu *Hine,* The Political Economy of European Trade (1985) 225.

[174]) Dies bestätigt eine kürzlich veröffentlichte WTO-Studie; vgl Frankfurter Allgemeine Zeitung v 27. 4. 1995, 19.

Marktzugang, davon aus, daß solche Abkommen an sich wünschenswert sind. Richtig ist, daß es auch aus politischen Gründen das Ziel der Gemeinschaft sein muß, den Handel mit diesen Ländern auszubauen. Dem hat sie mit einer weitestgehenden Liberalisierung der Einfuhr industrieller Güter Rechnung getragen. In Konflikt mit Eigeninteressen und damit an die Grenze des innergemeinschaftlich Durchsetzbaren gerät die Handelspolitik der Gemeinschaft in den Sektoren Textil, Stahl, Landwirtschaft und Lebensmittelindustrie, die wiederum für die Volkswirtschaften der Partnerländer oft von besonderer Bedeutung sind. Hierbei fällt ins Gewicht, daß die Entwicklung der Handelsbilanzen sowohl mit Entwicklungsländern als auch mit den Ländern Mittel- und Osteuropas für diese Länder unbefriedigend ist. Trotz umfangreicher – seitens der Gemeinschaft einseitiger – Liberalisierung des Handels lassen sich in der Handelspolitik diesen Ländergruppen gegenüber also Defizite feststellen, die allerdings weniger außen- als binnenwirtschaftliche Ursachen haben.[175])

d) Sektorielle Handelspolitik

Traditionell **„sensible“ Wirtschaftssektoren der Gemeinschaft,** deren Außenhandelsaspekte innergemeinschaftlich umstritten sind, sind die Landwirtschaft, der Textilsektor, Stahl, der KFZ-Sektor und Bereiche der Hochtechnologien. In diesen Sektoren sind Liberalisierungstendenzen – soweit der Außenhandel nicht bereits liberalisiert ist – unverkennbar. Das neue GATT-Abkommen sieht für die Landwirtschaft der Gemeinschaft Subventionssenkungen und die Verringerung des Volumens subventionierter Ausfuhren vor. Der Textilhandel wird innerhalb der nächsten 10 Jahre stufenweise den allgemeinen GATT-Regeln unterstellt; die Beschränkungen des Multifaserabkommens entfallen dann. Die von der Gemeinschaft getroffenen Selbstbeschränkungsabkommen für Stahl sind bereits sämtlich aufgehoben oder ausgelaufen.

Einfuhrbeschränkungen für japanische Kraftfahrzeuge waren in verschiedenen Mitgliedstaaten in Kraft. Sie sind durch ein Selbstbeschränkungsabkommen Japans mit der Gemeinschaft abgelöst worden, das den stufenweisen Abbau der Beschränkungen bis zum Jahr 2000 vorsieht; neue Beschränkungen könnten dann nur nach den strengen Regeln der GATT-Schutzklausel eingeführt werden.

Tendenziell liberal war die gemeinsame Handelspolitik bereits bisher auf dem Gebiet der **Hochtechnologien.** Seit den 80er-Jahren sind bei elektronischen Bauelementen, Büroinformatik und elektronischen Verbrauchsgütern EG-Marktanteile US-amerikanischer, japanischer und koreanischer Hersteller von zusammen weit über 50% die Regel. Importbeschränkungen für einzelne Produkte sind größtenteils weggefallen (etwa noch vorhandene

---

[175]) Im Fall der ost- und südostasiatischen Entwicklungsländer hat die Gemeinschaft durch ihr liberales Importregime und die Gewährung von Handelspräferenzen erheblich zur positiven Außenhandelsentwicklung dieser Länder beigetragen. Sie selbst hat dagegen von dem außerordentlichen Wachstum in dieser Region nur sehr begrenzt profitiert. Eine Neuorientierung ihrer Politik gegenüber diesen Ländern basierend auf verstärkter Wirtschaftskooperation ist im Gange.

Selbstbeschränkungs-Verpflichtungen Japans und Koreas wurden nach dem Inkrafttreten der neuen WTO-Abkommen als sog „Grauzonen-Maßnahmen" unwirksam). Die Liberalisierung des Telekommunikationssektors ist Gegenstand weiterer Verhandlungen sowohl im Rahmen des GATS[176]) als auch bilateral.[177])

e) Handelspolitischer Schutz

Mit der Entscheidung, alle mengenmäßigen Einfuhrbeschränkungen der Mitgliedstaaten ab 15. April 1994 außer Kraft zu setzen, hat die Gemeinschaft eine der weitestgehenden Liberalisierungsmaßnahmen ihrer Geschichte getroffen. Neue Importrestriktionen dieser Art sind – wenn überhaupt – nur auf Gemeinschaftsebene und unter den strengen Voraussetzungen des Gemeinschaftsrechts und des GATT möglich.

Von einigen Kritikern werden als angeblicher Beleg für protektionistische Tendenzen der gemeinsamen Handelspolitik die von der Gemeinschaft durchgeführten Anti-Dumping-Verfahren zitiert.[178]) Hierbei wird übersehen, daß Abwehrmaßnahmen gegen Dumping als unfaire, vom GATT verurteilte („condemned") Handelspraxis nur für solche Märkte überhaupt erforderlich werden, die prinzipiell für Exporte aus Drittländern frei zugänglich sind.[179]) Im übrigen betreffen die Anti-Dumping-Zölle der Gemeinschaft ein im Verhältnis zu den Gesamtimporten unerhebliches Handelsvolumen und üben auf Struktur und Umfang des gemeinschaftlichen Außenhandels keinen erkennbaren Einfluß aus.[180])

---

[176]) Der Sektor gehört zum „unfinished business" des GATS und wird derzeit auch nicht von dem parallel zum GATT abgeschlossenen Übereinkommen über das öffentliche Beschaffungswesen erfaßt.

[177]) Verhandlungen der Gemeinschaft finden insb mit den USA statt.

[178]) Vgl *Engels,* Maginot-Denken, Wirtschaftswoche v 4. 1. 1991; *Engels* sieht in diesen Verfahren sogar „den besten Indikator" für den Grad liberalen Denkens in der Handelspolitik, wobei er bemerkenswerterweise Japan (das kaum Anti-Dumping-Verfahren durchführt) der Gemeinschaft und den USA (die relativ häufig auf dieses Instrument zurückgreifen) gegenüberstellt.

[179]) Die begrenzte Zahl von Anti-Dumping-Verfahren in Japan und Korea sind kein Zeichen liberaler Einfuhrpolitik, wie ein Blick auf die Importquote dieser Länder zeigt, sondern erklärt sich im Gegenteil daraus, daß der Marktzugang anderweitig erschwert ist (und damit Anti-Dumping-Maßnahmen überflüssig sind).

[180]) Vgl *Weidemann* The Anti-dumping Policy of the EC, Intereconomics 1990, 28.

TEIL IV

Sektorielle Politiken

1. KAPITEL

Das Recht gegen Wettbewerbsbeschränkungen und die Wettbewerbspolitik

Michael Erhart

Übersicht:

A. Einleitung

1. Allgemeines

Zur Verwirklichung und zum Funktionieren eines gemeinsamen Marktes in Form eines Wirtschaftsgebietes, in dem sich Unternehmen und Verbraucher so verhalten können wie in ihrem Heimatstaat, ist es notwendig, über ein EG-weit einheitliches **System von Wettbewerbsregeln** für Staat und Unternehmen zu verfügen. Seit dem Beginn der Schaffung des **Gemeinsamen Marktes** ist die Wettbewerbspolitik ein wichtiges Gemeinschaftsinstrument, um einerseits die wirtschaftliche Integration zu fördern und andererseits eine optimale Ressourcenallokation zu erreichen. Für die EG-Kommission ist wirksame Konkurrenz die Haupttriebfeder für Innovation und Verbesserung der Produktivität. Wettbewerb führt jedoch nicht nur zu verbesserter Produktivität, sondern gestattet auch dem Konsumenten, an dieser Verbesserung angemessen teilzuhaben. Der erreichte Lebensstandard hängt umgekehrt von der Aufrechterhaltung wirksamen Wettbewerbs ab.[1])

Diese traditionelle Aufgabe der Wettbewerbspolitik hat mit der Verwirklichung des Binnenmarktes 1992 noch an Bedeutung gewonnen. Es wird nur dann möglich sein, die Vorteile des Binnenmarktes in Form von Produktivitätssteigerungen, höherem Wirtschaftswachstum und verbesserten Arbeitsmarktbedingungen auszuschöpfen, wenn sich der Wettbewerb infolge der schrittweisen **Beseitigung der künstlichen Handelsbarrieren,** die noch bestehen, verschärft. Den Mitgliedstaaten darf nicht gestattet werden, durch Beihilfen oder Ausschließlichkeitsrechte, die gesetzlichen Monopolbetrieben zuerkannt werden, die Formen des Protektionismus zu ersetzen, welche die Integration der Märkte zum Verschwinden gebracht hat. Genausowenig darf es Unternehmen möglich sein, den Integrationsprozeß zu unterlaufen, indem sie zB Märkte untereinander aufteilen, Exporte oder Importe behindern, örtliche marktbeherrschende Stellungen mißbrauchen, den Markteintritt neuer Mitbewerber behindern oder neue marktbeherrschende Stellungen in Form von Unternehmenskonzentrationen schaffen, die dem Wettbewerb abträglich sind.

2. Die Bestimmungen des EG-Vertrages

Die Tätigkeit der Mitgliedstaaten und der Gemeinschaft umfaßt die Einführung einer Wirtschaftspolitik, die auf einer engen Koordinierung der Wirtschaftspolitik der Mitgliedstaaten, dem Binnenmarkt und der Festlegung gemeinsamer Ziele beruht und dem Grundsatz einer offenen Marktwirtschaft mit freiem Wettbewerb verpflichtet ist (Art 3a EGV).

Art 3 lit g EGV verlangt die Errichtung eines Systems, das den Wettbewerb innerhalb des gemeinsamen Marktes vor Verfälschungen schützt. In den Art 85 bis 94 EGV sind nähere Vorschriften zur Verwirklichung eines solchen Systems enthalten, die folgende Bereiche regeln:

- Art 85 EGV verbietet unter Nichtigkeitsandrohung Absprachen zwischen Unternehmen, die den Wettbewerb verfälschen, und führt die Bedingungen an, unter denen solche Absprachen ausnahmsweise genehmigt werden können.
- Art 86 EGV verbietet das **mißbräuchliche Ausnützen einer marktbeherrschenden Stellung;** hier ist keine Ausnahmemöglichkeit vorgesehen.
- Art 90 EGV bestimmt, daß **öffentliche Unternehmen** grundsätzlich voll unter das Wettbewerbsrecht fallen, außer wenn die Erfüllung ihrer im allge-

[1]) Vgl EG-Kommission (Hg), XX. Bericht über die Wettbewerbspolitik für die Aktivitäten der Kommission im Jahre 1990, 12.

meinen wirtschaftlichen Interesse stehenden besonderen Aufgaben dadurch verhindert würde.

- Art 92 EGV verbietet die Vergabe von **Beihilfen der öffentlichen Hand,** die den Wettbewerb in der Gemeinschaft verfälschen können.
- Art 93 bestimmt, daß Subventionen grundsätzlich nur nach vorheriger Genehmigung durch die Kommission gewährt werden dürfen.

Im Kapitel des Vertrages über den Warenverkehr untergebracht, jedoch eigentlich auch zum Wettbewerbsrecht gehörig, ist es der Art 37 EGV, der bestimmt, daß staatliche Handelsmonopole so umgeformt werden müssen, daß jede Diskriminierung in den Versorgungs- und Absatzbedingungen zwischen den Angehörigen der Mitgliedstaaten ausgeschlossen ist.

Mit dem Vertrag von Maastricht wurde im Art 130 EGV auch eine ausdrückliche Zuständigkeit der Gemeinschaft für den Bereich der **Industriepolitik** geschaffen. Die Gemeinschaft und die Mitgliedstaaten sorgen nach dieser Bestimmung dafür, daß die notwendigen Voraussetzungen für die Wettbewerbsfähigkeit der Industrie der Gemeinschaft gewährleistet sind. Zu diesem Zweck zielt die Tätigkeit entsprechend einem System offener und wettbewerbsorientierter Märkte auf folgendes ab:

- Erleichterung der Anpassung der Industrie an die strukturellen Veränderungen;
- Förderung eines für die Initiative und Weiterentwicklung der Unternehmen in der gesamten Gemeinschaft, insbesondere der kleinen und mittleren Unternehmen, günstigen Umfelds;
- Förderung eines für die Zusammenarbeit zwischen Unternehmen günstigen Umfelds;
- Förderung einer besseren Nutzung des industriellen Potentials der Politik in den Bereichen Innovation, Forschung und technologische Entwicklung.

Die Bestimmung des Art 130 EGV bietet jedoch ausdrücklich keine Grundlage dafür, daß die Gemeinschaft irgendeine Maßnahme einführt, die zu Wettbewerbsverzerrungen führen könnte.

3. Fusionskontrolle

Seit September 1990 ist in der Gemeinschaft außerdem eine Verordnung über die **Kontrolle von Unternehmenskonzentrationen**[2]) in Kraft. Zusammenschlüsse von Unternehmen, die eine bestimmte Umsatzgröße erreichen, müssen seither vor Durchführung des Zusammenschlusses von der Kommission genehmigt werden.

Im vorliegenden Beitrag werden nur die Wettbewerbsregeln des EGV besprochen. Der EGKSV enthält in den Art 65 bis 67 ausführliche Regelungen über Kartelle, Mißbrauch marktbeherrschender Stellungen und Fusionskontrolle. Im EURATOM-Vertrag hingegen sind keine Wettbewerbsregeln vorgesehen, weil der Vertrag eine enge Zusammenarbeit der im Bereich der

[2]) V 4064/89/EWG über die Kontrolle von Unternehmenszusammenschlüssen, ABl L 1990/257, 14.

Kernenergie tätigen Unternehmen erreichen will, wozu keine Wettbewerbsregeln notwendig scheinen.

4. Ziele und Grundsätze der Wettbewerbspolitik

a) Kartelle

Die Kommission sieht es als allgemein anerkannt an, daß die vom Binnenmarkt erhofften Vorteile ein **System gesunden Wettbewerbs** voraussetzen, in dem Unternehmen die Möglichkeit haben, untereinander in Wettstreit um Kunden zu stehen, indem sie das beste Produkt zum besten Preis anbieten. Das Ziel der Verwirklichung des **Binnenmarktes** 1992 hat dabei das Konzept der Wettbewerbspolitik nicht geändert. Es diente vielmehr als neuer Stimulus zur Umsetzung dieser Politik und zur Aufklärung von Industrie und Regierungen über die entscheidende Rolle des Wettbewerbs in der Gemeinschaft.[3])

Ein Hauptziel der Wettbewerbspolitik ist, die **Struktur der Märkte** zu ändern, in denen der Wettbewerb stattfindet. In der Gemeinschaft ist die **Beseitigung von vertikalen Beschränkungen** und **Gebietsabschottungen,** welche Märkte aufteilen, ein wesentlicher Schwerpunkt. Es gibt eine strenge Überwachung der Vergabe von Lizenzen über geistige Eigentumsrechte.

Die Wettbewerbspolitik der EG ist jedoch nicht nur ein Mittel zur Strukturänderung. Die Förderung des Wettbewerbs als Prozeß und wirtschaftliches System ist mit dem Ziel der **Integration der Märkte** untrennbar verbunden. Die Kommission stellt dazu fest, daß wirksame Wettbewerbspolitik heißt, daß Unternehmen in Zukunft ständig einen hohen Grad an **Effizienz** und **Wettbewerbsfähigkeit** aufrechterhalten werden müssen und sich nicht länger auf ihren Lorbeeren ausruhen können. Die Kommission ist davon überzeugt, daß diese Effizienz zu besseren Waren, besserem Service und mehr Innovation führt. Förderung des Wettbewerbs zwingt Firmen, ihren Kunden Waren zu möglichst niedrigen Preisen anzubieten, wodurch der Lebensstandard steigt.

Die Förderung von Wachstum, Wettbewerbsfähigkeit und Beschäftigung waren für die Kommission[4]) stets entscheidende Faktoren in der Wettbewerbspolitik. Wettbewerb führt ihrer Ansicht nach zu effizienterem Einsatz der Ressourcen und bringt Forschung und Entwicklung, Innovation und Investitionen voran. Dadurch werden Ressourcen und Arbeitsplätze von weniger zukunftsträchtigen Wirtschaftsbereichen zu aufstrebenden Sektoren umgelenkt. Die Bedeutung dieser traditionellen Rolle wurde nach Meinung der Kommission in den letzten Jahren in zweierlei Hinsicht bekräftigt. Zum einen wird ihr Anteil an der Vollendung des Arbeitsplätze schaffenden sowie Wachstum und Wettbewerbsfähigkeit fördernden Binnenmarktes weitgehend anerkannt. Weiters hat sie zentrale Bedeutung für die Industriepolitik der Gemeinschaft.

Der **Wettbewerbspolitik** kommt für die Kommission dabei in der Strategie der Gemeinschaft für eine nachhaltige **Wiederbelebung von Wachstum**

---

[3]) XX. Wettbewerbsbericht (FN 1).

[4]) Vgl XXIII. Bericht der Kommission über die Wettbewerbspolitik 1993, RZ 17 ff.

und Beschäftigung eine wesentliche Rolle zu. Die Prioritäten, die sich die Kommission hinsichtlich des Wettbewerbs gesetzt hat, sind daher weitgehend von dem Beitrag bestimmt, den diese Politik zum Gemeinschaftsziel Wachstum, Wettbewerbsfähigkeit und Beschäftigung leisten kann, das die Kommission in ihrem Weißbuch verankert hat.[5]) Das **Weißbuch** unterstreicht für die Kommission, wie wichtig die strenge Anwendung der Wettbewerbsregeln einschließlich der Vorschriften über staatliche Beihilfen ist, und hebt die Rolle dieser Politik bei der Überwindung der Rigiditäten des Marktes und bei der Erhöhung der Flexibilität in einer insgesamt wachsenden Wirtschaftsdynamik hervor. Gleichzeitig sieht sie aber ein, daß zu prüfen ist, wie die Wettbewerbspolitik noch effizienter bei der Förderung von Wachstum und Beschäftigung eingesetzt werden und wie sie die anderen im Weißbuch dargestellten Gemeinschaftspolitiken ergänzen und verstärken kann.

So möchte die Kommission **Unternehmenszusammenschlüsse** und **Unternehmenskooperationen,** die einen echten Wettbewerb und die Dynamik des Marktes nicht in Frage stellen, durch eine klare Politik und rasche Entscheidungen erleichtern. Die Ausgewogenheit zwischen den jeweiligen Möglichkeiten, die sich durch eine Kooperation bieten, und das reale wettbewerbliche Umfeld, in dem diese Kooperation stattfindet, sind für die Kommission wesentliche Elemente, die bei der Würdigung einer Zusammenarbeit im Lichte der Wettbewerbsregeln Berücksichtigung finden müssen.

Im Rahmen der Wettbewerbspolitik werden **KMUs** sowohl im Bereich der Beihilfen als auch im Bereich des Kartellrechts seit jeher bevorzugt. Eine weitere Verstärkung dieser Politik wird nach Ansicht der Kommission erforderlich sein, damit sowohl das arbeitsplatzschaffende Potential der KMU als auch ihre Fähigkeit zur raschen Einführung neuer, innovativer Techniken und zu schnellem Ergreifen neuer Möglichkeiten am Markt weiterhin benutzt werden können.

b) Beihilfen

Der Kontrolle der staatlichen Beihilfen auf Gemeinschaftsebene wird für das Gelingen des Binnenmarktprogramms entscheidende Bedeutung zugemessen. In einem stärker integrierten Markt vergrößert sich die **wettbewerbsverzerrende Wirkung bestimmter Beihilfenarten,** was die Bedeutung strenger Aufsicht darüber entsprechend verstärkt. Dies gilt insbesondere für Industriezweige mit chronischen Strukturproblemen. So galt der Überwachung der Beihilfenvorschriften im Schiffbau, in der Stahl-, Kunstfaser- und Kraftfahrzeugindustrie besonderes Augenmerk. Daß die Kommission ihre grundsätzlich vorhandenen weitreichenden Kontrollrechte nicht immer umsetzen kann, zeigte sich beispielsweise im Fehlschlagen des Versuches, 1993 und 1994 eine geordnete und durch Beihilfen abgestützte Rücknahme der Überkapazitäten im Bereich der Stahlindustrie der Gemeinschaft zu koordi-

[5]) Weißbuch über „Wachstum, Wettbewerbsfähigkeit, Beschäftigung. Herausforderungen der Gegenwart und Wege ins 21. Jahrhundert", KOM (93) 700 endg und Aktionsprogramm und Zeitplan für die Umsetzung der in der Mitteilung „Politik der industriellen Wettbewerbstätigkeit für die EU" angekündigten Initiativen, KOM (95) 87 endg.

nieren. Auch die Tatsache, daß 1994 auf Druck der betreffenden Regierungen umfangreiche Beihilfen für mehrere angeschlagene Luftfahrtunternehmen genehmigt wurden,[6]) zeigt, daß die Durchsetzungsfähigkeit der Kommission im Bereich der Beihilfenaufsicht ihre Grenzen hat.

Ihre Rechte bei der Überwachung der Vergabe von Beihilfen durch die Mitgliedstaaten sowie die damit verfolgte Beihilfenpolitik will die Kommission zielstrebig weiterführen, um zu verhindern, daß einzelne Mitgliedstaaten in dem Bestreben, die notwendigen strukturellen Veränderungen zu umgehen, Beihilfen defensiv und destruktiv einsetzen und damit die Kosten für die Anpassung im Hinblick auf Output-Erzeugnisse und Arbeitsplätze auf andere Mitgliedstaaten abwälzen. Vor allem will die Kommission verhindern, daß unsichere Arbeitsplätze durch Beihilfen künstlich erhalten werden. Beihilfen sollen nicht lediglich dazu dienen, eine Umstrukturierung hinauszuschieben. Sie sollen statt dessen dazu verwendet werden, sich auf Investitionen umzuorientieren, die wirtschaftlich lebensfähige Arbeitsplätze schaffen.

Beihilfen können nach Ansicht der Kommission bei dieser Umgestaltung daher **auch eine positive Rolle** spielen. Sie können den Wandel beschleunigen, Forschung und Entwicklung sowie Innovation fördern und die sozialen Auswirkungen umfassender und plötzlich eintretender Veränderungen mildern. Insbesondere will die Kommission überprüfen, ob der Schwerpunkt bei der Genehmigung von Beihilfen weg von der Förderung von Kapitalinvestitionen hin zur Unterstützung von Investitionen in Humanressourcen sowie organisatorische und wissensbasierte Ressourcen verlagert werden soll. Beihilfen sollten sich allgemein eher auf horizontale Maßnahmen und auf Bereiche konzentrieren, in denen es dem Markt nicht gelungen ist, umfassend oder schnell genug zu investieren (zB Forschung und Entwicklung, Umwelt, Innovation und Ausbildung).

c) Liberalisierung und Privatisierung

Ein weiterer Schwerpunkt der Gemeinschaftspolitik im Bereich des Wettbewerbs, der in den kommenden Jahren an Bedeutung weiter zunehmen dürfte, liegt in der Liberalisierung und Privatisierung bislang unter staatlicher Monopolaufsicht befindlicher Bereiche.[7]) Davon betroffen sind vor allem die Bereiche Verkehr, Post, Telekommunikation und Energie.

Die Infrastrukturen, die zur Schaffung transeuropäischer Netze fertigzustellen sind, werden nur in einem liberalisierten Rahmen voll zur Umgestaltung der europäischen Wirtschaft beitragen können und bei Investitionen und Dienstleistungen grundlegende Veränderungen herbeiführen können. Der schrittweise Übergang zum Wettbewerb in den entsprechenden Bereichen ist daher ein wichtiges Ziel der Kommission.

Sektoren, wo ausschließliche oder besondere Rechte bestehen, werden in der Analyse der Kommission durch zwei Merkmale ausgezeichnet: Die

---

[6]) Vgl Entscheidung der Kommission über die angemeldete Kapitalerhöhung von Air France, ABl L 1994/254, 73.

[7]) Vgl dazu XXIII. Bericht der Kommission über die Wettbewerbspolitik 1993, RZ 36ff; vgl auch zB *Buendia,* Summary of the most important recent developments, Competition Policy Newsletter Vol 1, No 5, 37–42.

Preise in diesen Bereichen sind oft höher als in Ländern, in denen dieser Sektor dem Wettbewerb ausgesetzt ist – insbesondere in den Sektoren Verkehr, Telekommunikation und Energie; weiters ergeben sich daraus höchstwahrscheinlich Arbeitsplatzverluste für die Industrie. Verbraucher werden direkt durch höhere Preise und indirekt durch die Auswirkungen des aus Ineffizienz resultierenden Produktivitätsverlustes der gesamten Industrie benachteiligt.

Liberalisierung soll allerdings nicht die Abschaffung jeglicher Vorschriften bedeuten: Im Verkehrssektor darf Wettbewerb zB nicht auf Kosten der Sicherheit der Fahrgäste gehen. Im Bereich von Telekommunikation und Post wird darauf zu achten sein, daß der universelle Dienst erhalten bleibt oder daß soziale Aspekte nicht vernachlässigt werden. Im Energiesektor muß Versorgungssicherheit und flächendeckende Stromversorgung erhalten bleiben. In allen Sektoren wird die Hauptschwierigkeit darin gesehen, die Grenze zwischen Tätigkeiten zu ziehen, die weiterhin einem Unternehmen vorbehalten bleiben können, und Tätigkeiten, die anderen frei zugänglich sein müssen, ohne daß die angestrebte Integration des Marktes in Frage gestellt wird.

Nach erfolgreicher Liberalisierung werden wiederum die Vorschriften des EG-Vertrages gegen Kartelle und den Mißbrauch einer marktbeherrschenden Stellung an Bedeutung gewinnen: Es gilt zu verhindern, daß Liberalisierungsschritte durch wettbewerbsbehindernde Absprachen zwischen neu entstandenen Konkurrenten zunichte gemacht werden, oder daß verbleibende marktbeherrschende Anbieter ihre Marktmacht gegenüber kleinen Unternehmen mißbrauchen, die versuchen, in dem neu liberalisierten Markt Fuß zu fassen.

Die Schaffung wirklicher transeuropäischer Netze könnte nach Ansicht der Kommission aufgrund des Umfanges der benötigten Investitionen bestimmte Formen der Partnerschaft entweder zwischen Unternehmen des privaten Sektors oder auch zwischen dem privaten und dem öffentlichen Bereich notwendig machen. Derartige Kooperationen werden jedenfalls auch im Lichte der Wettbewerbsvorschriften zu prüfen sein, dh ob sie die Kartell- bzw Zusammenschlußvorschriften erfüllen.

d) Änderungen durch den Vertrag von Maastricht

Der Vertrag von Maastricht brachte nur zwei unmittelbare Änderungen im Bereich des Wettbewerbsrechts mit sich.[8]) Erstens kann die Kommission „Beihilfen zur Förderung der Kultur und der Erhaltung des kulturellen Erbes, soweit sie die Handels- und Wettbewerbsbedingungen in der Gemeinschaft nicht in einem Maß beeinträchtigen, das dem gemeinsamen Interesse zuwiderläuft", genehmigen. Durch diese Regelung werden Kulturförderungen nun offiziell für genehmigungsfähig erklärt. Zweitens muß die Kommission nunmehr das Europäische Parlament anhören, wenn sie dem Rat Durchführungsverordnungen zu den Art 92 und 93 EGV vorschlagen möchte. Da solche Durchführungsverordnungen in der Praxis nicht vorkommen, ist die Bedeutung dieser Änderung marginal.

---

[8]) Vgl dazu XXIII. Bericht der Kommission über die Wettbewerbspolitik 1993, RZ 90ff.

Neben diesen zwei direkten Änderungen sind jedoch auch noch andere Teile des Vertrages von Maastricht von gewisser Bedeutung für die Wettbewerbspolitik: So wurde die Tragweite der Regelung für die Umweltpolitik der Gemeinschaft ausgedehnt, worauf die Kommission mit einer Änderung der Beihilfenregelung für **Umweltschutzbeihilfen** reagiert hat. Weiters vertritt die Kommission die Ansicht, daß sich aus einer Absprache ergebende Wettbewerbsbeschränkungen nach Art 85 Abs 3 EGV auch durch positive Auswirkungen auf die Umweltpolitik gerechtfertigt werden können. Die neue Regelung für Kulturbeihilfen ist auch im Zusammenhang mit der im Vertrag von Maastricht erstmals geschaffenen Kulturkompetenz der Gemeinschaft zu sehen. Letztlich ist auch die bereits erwähnte Schaffung einer ausdrücklichen Gemeinschaftszuständigkeit im Bereich der Industriepolitik eng mit der Wettbewerbspolitik verknüpft, wenn die Kommission auch die Ansicht vertritt, daß der Begriff der Industriepolitik für sich schon immer vorhanden war.

5. Vergleich mit der Wettbewerbspolitik anderer Länder

Aufgrund der miteinander verbundenen Ziele, einen Binnenmarkt zu schaffen und den Wettbewerb zu fördern, entstand eine Form des Wettbewerbsrechts, die sich nicht ganz einfach unter eine der Denkschulen wirtschaftlicher Analyse einordnen läßt, die in anderen Staaten verwendet werden. Der gegenwärtig in den USA favorisierte **Ansatz der Chicago-Schule**[9]) ist für die Wettbewerbspolitik der EG nicht unmittelbar relevant, da die Chicago-Schule sich nicht um die Schaffung eines einheitlichen Marktes zu kümmern braucht, sondern im Gegenteil das Bestehen eines solchen Marktes voraussetzt. Dies heißt jedoch nicht, daß die Wettbewerbspolitik der EG keinen wirtschaftlichen Ansatz hätte. Kommission und EuGH sind der Auffassung, daß die Anwendung einer **streng wirtschaftlichen Betrachtungsweise** mit den Zielen des Vertrages absolut vereinbar ist. Es ist notwendig, Märkte sorgfältig und richtig zu definieren, Kosten festzustellen und zu berechnen oder die Auswirkungen eines bestimmten Geschäftsabschlusses auf die Wettbewerbsbeziehungen und die Marktstruktur abzuschätzen. Sobald das Ziel der Marktintegration einmal erreicht ist, ist es möglich, daß die wirtschaftliche Analyse im Laufe der Jahre noch größere Bedeutung bei der Formulierung und Durchsetzung bestimmter Politiken einnehmen wird. Genausowenig ist die Wettbewerbspolitik der EG – obwohl auf klar entwickelten Prinzipien aufgebaut – so statisch, daß ein bestimmtes Verhalten oder eine bestimmte Beihilfe, die einmal mit den Zielen der Gemeinschaft vereinbar oder unvereinbar befunden worden ist, auch in Zukunft notwendigerweise so behandelt werden wird. So ist es durchaus möglich, bei der Erneuerung einer Freistellung gem Art 85 Abs 3 EGV, welche stets nur für einen begrenzten Zeitraum gewährt wird, die Entwicklung des Marktes etc in Betracht zu ziehen und allenfalls neue Auflagen zu erteilen oder die Freistellung nicht weiter zu gewähren.

---

[9]) Vgl dazu zB *Bittlingmayer,* Die wettbewerbspolitischen Vorstellungen der Chicago-School, WuW 9/1987, 709–718.

6. Verhältnis zu anderen Politiken

a) Allgemeines

Nach Ansicht der Kommission[10]) können die im Vertrag verankerten wettbewerbspolitischen Grundsätze nicht ohne Bezugnahme auf ihren Entfaltungsrahmen und auf die vorrangigen Ziele der Gemeinschaft zur Geltung gebracht werden. **Wettbewerbspolitik** ist für die Kommission ein **Instrument der Gemeinschaftspolitik.** Seit der Gründung der Gemeinschaft hat sie ihren Beitrag zur Verfolgung der grundlegenden Ziele wie Schaffung eines Gemeinsamen Marktes, harmonische Entwicklung der Wirtschaftsbedingungen und beschleunigte Hebung des Lebensstandards geleistet. Die allgemeinen Bedingungen, die gegenwärtig durch verlangsamtes Wachstum, abnehmende Wettbewerbsfähigkeit in einigen Sektoren der europäischen Wirtschaft und vor allem durch besonders hohe Arbeitslosigkeit gekennzeichnet sind, erfordern ein gemeinsames Vorgehen in allen gemeinschaftlichen Politikbereichen, um sich den wirtschaftlichen und sozialen Herausforderungen zu stellen.

Die strikte Anwendung der Wettbewerbsvorschriften wird, wie bereits erwähnt, als Schlüsselmaßnahme für die Sicherung der Verwirklichung und des Erfolges des Binnenmarktes gesehen.[11])

b) Industriepolitik

Ein besonderer Spannungsbereich wurde in der Gemeinschaft immer wieder zwischen einer (interventionistischen) Industriepolitik und der strengen Durchsetzung der Wettbewerbsvorschriften gesehen. Grundsätzliche Ansätze wurden sowohl innerhalb der Kommission zB zwischen der für Wettbewerb zuständigen GD IV und der für die Verwirklichung des Binnenmarktes und Industriepolitik zuständigen GD XV und GD III, als auch zwischen einzelnen Mitgliedstaaten gesehen. Bei letzteren stehen sich Frankreich, dem ein stärker interventionistischer Ansatz bei der Industriepolitik nachgesagt wird, und Länder wie Deutschland oder das Vereinigte Königreich, die vor Einmischung in die Unternehmenspolitik und dirigistischen Maßnahmen zurückstehen wollen, gegenüber. Kernpunkt der Debatte war immer wieder die Frage, inwiefern die Schaffung sog „europäischer Champions" zwecks Sicherung weltweiter Wettbewerbsfähigkeit eines solchen Unternehmens auch die Entstehung einer marktbeherrschenden Stellung und eine Reduktion des Wettbewerbs innerhalb der Gemeinschaft rechtfertigt oder ob die Sicherung der internationalen Wettbewerbsfähigkeit der Unternehmen in der Gemeinschaft gerade scharfen Wettbewerb im EG-Binnenmarkt voraussetzt.[12])

---

[10]) Vgl XXIII. Bericht der Kommission über die Wettbewerbspolitik 1993, RZ 3ff.

[11]) Vgl XXIII. Bericht der Kommission über die Wettbewerbspolitik 1993, RZ 149ff und XXIV. Bericht der Kommission über die Wettbewerbspolitik 1994, RZ 6ff.

[12]) Für eine Übersicht über die wirtschaftswissenschaftliche Literatur zu diesem Thema – untersucht im Zusammenhang mit der neuen österreichischen Fusionskontrolle – vgl *Erhart,* Die „Internationale Wettbewerbsfähigkeit" nach der neuen Fusionskontrolle, Economy 11/93, 263–272.

Mittlerweile übt sich die Kommission intern in Übereinstimmung: Für die GD IV sind **Wettbewerbspolitik und Industriepolitik komplementär.** Industriepolitik könne ohne echte Wettbewerbspolitik nicht bestehen. Nicht jede staatliche Maßnahme werde dadurch verboten. Im Gegenteil, derartige Maßnahmen können immer wieder notwendig sein, um Anreize zu geben, der Industrie den Weg zu weisen oder die sozialen Auswirkungen wirtschaftlicher Veränderungen abzufedern. Es sollte jedoch grundsätzlich der Industrie selbst überlassen werden, sich ihrer Umgebung anzupassen und darauf zu reagieren.[13]) Die GD III ruft in ihrer jüngsten Mitteilung für eine Politik der industriellen Wettbewerbsfähigkeit für die Europäische Union[14]) zu einer strengen Wettbewerbspolitik und einer neuen Betrachtungsweise bei der Kontrolle von staatlichen Beihilfen auf. Der oft behauptete Gegensatz zwischen der europäischen Industriepolitik und der europäischen Wettbewerbspolitik sei rein theoretischer Natur. Industrie- und Wettbewerbspolitik müßten Hand in Hand gehen. Um im weltweiten Wettbewerb bestehen zu können, bräuchten die europäischen Unternehmen ein offenes und wettbewerborientiertes Umfeld.[15])

c) Umweltschutz

Eine zunehmend wichtigere Schnittstelle ist jene zwischen Wettbewerbspolitik und Umweltschutz. Neben den schon seit Jahren bestehenden Vorschriften über Beihilfen im Bereich des Umweltschutzes muß sich die Kommission nunmehr auch vermehrt mit Kartellen im Umweltbereich auseinandersetzen – zB mit den Auswirkungen des deutschen Systems zur Sammlung von Verpackungsstoffen, dem DSD.[16])

d) Kultur

Ein weiterer Schnittpunkt, der gerade auch im Zusammenhang mit der zunehmenden Liberalisierung des europäischen Marktes für Fernsehen an Bedeutung gewinnt, ist jener zwischen Kultur- und Wettbewerbspolitik.[17]) Die große ökonomische Bedeutung des Kultursektors trat nicht zuletzt in den Verhandlungen zur GATT-Uruguay-Runde zutage, wo sich die USA und die Gemeinschaft nicht auf eine Lösung für den audiovisuellen Bereich einigen

---

[13]) So der für Wettbewerb zuständige Kommissar *Karel van Miert,* The role of competition policy today, Vortrag beim 2. EU/Japan seminar on competition, Rapid speech/94/96 v 16. 9. 1994. Vgl dazu näher XXIII. Bericht der Kommission über die Wettbewerbspolitik 1993, RZ 155 ff.

[14]) Kom (94) 319; vgl Rapid IP/94/809 v 14. 9. 1994; vgl auch Financial Times v 15. 9. 1994 „Brussels switches tack on industrial policy“.

[15]) So der für Industriepolitik zuständige Kommissar *Martin Bangemann,* Rapid IP/94/809 v 7. 9. 1994.

[16]) XXII. Bericht der Kommission über die Wettbewerbspolitik 1992, RZ 75–77; XXIII. Bericht der Kommission über die Wettbewerbspolitik 1993, RZ 162–171 mit weiteren Beispielen; Mitteilung über die industrielle Wettbewerbsfähigkeit und Umwelt, SEK (92) 1986 endg.

[17]) Vgl näher XXII. Bericht der Kommission über die Wettbewerbspolitik 1992, RZ 64–66; XXIII. Bericht der Kommission über die Wettbewerbspolitik 1993, RZ 172–177.

konnten.[18]) Auf die im Vertrag von Maastricht diesbezüglich enthaltenen Neuerungen wurde bereits verwiesen (s oben A.4.d.). Gerade bei der Bewertung von Zusammenschlüssen im **Medienbereich** stellt sich für die Kommission vermehrt das Problem, zwischen potentiellen europäischen „Riesen", die eventuell notwendig sind, um der US-Filmindustrie gegenübertreten zu können, und Wettbewerb im Binnenmarkt entscheiden zu müssen.[19]) Die Bedeutung von Kartellvorschriften dürfte bei der Diskussion von Maßnahmen zur Erhaltung bzw Schaffung fairer Wettbewerbsbedingungen für die europäische Filmindustrie bisher – vor allem im Vertriebsbereich – unterschätzt worden sein. Statt dessen dominierten bedenklicherweise eher Vorschläge wie Quotenregelungen,[20]) welche rasch in die Nähe von Zensurmaßnahmen kommen können.

Der österreichische Buchmarkt war eine der ersten Branchen, die im EWR mit dem EG-Kartellrecht in Berührung kamen. Für die Fortführung des festen Ladenpreises war eine Umstellung des alten Handelsbrauches auf ein vertraglich fixiertes System (den sog Sammelrevers) notwendig. Dieses System wurde nach einigen Abänderungen von der Kommission in einem sogenannten Verwaltungsschreiben für freistellungsfähig erachtet.[21])

Unverständlicherweise akzepierte die Kommission darin (wenn auch befristet) die Fortführung der Praxis deutscher Verlage, ihre Bücher in Österreich zu einem höheren Preis zu verkaufen als in der BRD.

e) Außenhandel

Für die Kommission sind Wettbewerbsregeln eine unerläßliche Ergänzung für die Beseitigung staatlicher Handelshemmnisse.[22]) Die Anwendung von Antidumpingmaßnahmen allein kann nämlich zu paradoxen Ergebnissen führen: Erhöhen zB Unternehmen aus Drittstaaten ihre Preise, um die Verhängung eines Antidumpingzolls zu verhindern, so erhöhen sich damit auch ihre Gewinne, und sie können ihre Vormachtstellung gegenüber den Gemeinschaftsunternehmen weiter ausbauen. Durch eine Öffnung der Märkte von Drittländern, insbesondere die Ermöglichung von Parallelimporten zwischen der Gemeinschaft und Drittstaaten, würde es im Fall von Dumping in der Gemeinschaft (dh beim Verkauf zu einem Preis, der unter jenem des Herkunfts-

---

[18]) Vgl Kommission, Die Uruguay-Runde (Hintergrundinformation), Rapid Memo/94/24 v 12. 9. 1994.

[19]) Vgl Kommission, Einzelheiten zu dem Fusionsfall MSG Media Service, Rapid Memo/94/66 v 9. 11. 1994; zur Untersagungsentscheidung „Nordic Satellite Distribution" vgl Competition Policy Newsletter Vol 1, No 5, 30; zur Untersagungsentscheidung „Holland Media Group" vgl Presseinformation der Kommission JP/95/995.

[20]) Art 4 RL zur Koordinierung bestimmter Rechts- und Verwaltungsvorschriften der Mitgliedstaaten über die Ausübung der Fernsehtätigkeit, ABl L 1989/298, 23.

[21]) Das Verwaltungsschreiben wurde veröffentlicht in Buch 16/1994; vgl dazu *Erhart,* Österreichische Buchpreise im Binnenmarkt, ecolex 1995, 236–240; vgl auch Europäische Kommission, Informationsvermerk zur Frage des Buchpreises, SEK (95) 1933.

[22]) Vgl dazu XXIII. Bericht der Kommission über die Wettbewerbspolitik 1993, RZ 178–181; s auch „Wettbewerbspolitik in der neuen Handelsordnung: Stärkung der internationalen Zusammenarbeit und der internationalen Wettbewerbsregeln, KOM (95) 359 endg (Bericht der Sachverständigengruppe).

landes liegt) sofort zu Reexporten aus der Gemeinschaft hin in das Herkunftsland kommen, um vom dortigen höheren Preisniveau profitieren zu können.

7. Transparenz der Vorschriften

Die Kommission ist bemüht, den genauen Inhalt der Wettbewerbsvorschriften sowie deren Anwendung möglichst transparent zu machen. Dies geschieht zum einen durch zunehmende Verrechtlichung, zB durch die zahlreichen **Gruppenfreistellungsverordnungen,** in denen für bestimmte typische und häufig vorkommende Vereinbarungen zwischen Unternehmen (zB Patentlizenzvereinbarungen) erlaubte und unzulässige Beschränkungen angeführt sind. Weiters legt die Kommission im jährlich erscheinenden Bericht über die Wettbewerbspolitik sowie in zahlreichen Vorträgen ihre Politik und ihre für die Zukunft geplanten Vorhaben dar. Dieses **Streben nach größtmöglicher Transparenz** und **Publizität** der Wettbewerbsvorschriften ist auch notwendig, um eine umfassende Überwachung der Einhaltung dieser Regeln zu garantieren. Die Kommission verfügt weder über genügend Personal, noch möchte sie bei jeder Verletzung der Wettbewerbsregeln eingreifen.

In letzter Zeit traf die Kommission in diesem Zusammenhang mehrere Maßnahmen. So wurde ein eigener Informationsbeauftragter ernannt, an den sich Unternehmen mit Rechtsfragen wenden können. Weiters wird seit Frühjahr 1994 ein vierteljährlicher „Competition Policy Newsletter“ veröffentlicht, in dem die GD IV wichtige Reden, Aufsätze und Pressemitteilungen veröffentlicht und so eine Brücke zwischen den nur jährlich erscheinenden Berichten über die Wettbewerbspolitik geschaffen hat. Weiters können alle wichtigen Entscheidungen der Kommission in Wettbewerbsangelegenheiten sowie wichtige Vorträge und Erklärungen über die Datenbank Rapid abgefragt werden.

8. Internationale Aspekte

Aufgrund der starken internationalen Verflechtung der Volkswirtschaften reichte es für die Gemeinschaft nie aus, Wettbewerbsregeln auf den eigenen Markt zu beschränken. So enthalten bereits die von der EG 1972 mit den Mitgliedstaaten der EFTA abgeschlossenen Freihandelsabkommen Bestimmungen über Kartelle und den Wettbewerb beeinträchtigende Beihilfen. Diese Vorschriften erwiesen sich jedoch in der Praxis mangels geeigneter Umsetzungsvorschriften als zahnlos. Nur im Bereich der Beihilfen wurden sie von der Gemeinschaft gegenüber Österreich – kurz vor Inkrafttreten des EWR – in mehreren Fällen angewandt, die in Österreich für großes Aufsehen sorgten.[23]) Es handelte sich dabei um österreichische Förderungen für die Unternehmen Eurostar (ein Gemeinschaftsunternehmen von Chrysler und Steyr Nutzfahrzeuge),[24]) General Motors Austria, Grundig Austria und Steyr Nutzfahrzeuge. Auch bei den Verhandlungen zwischen EG und EFTA über die Schaffung ei-

---

[23]) Vgl dazu XXIII. Bericht der Kommission über die Wettbewerbspolitik 1993, RZ 98 ff.

[24]) Vgl dazu XXII. Bericht der Kommission über die Wettbewerbspolitik 1992, RZ 344.

nes **Europäischen Wirtschaftsraumes EWR** zeigte sich sehr bald, daß Regelungen für ein einheitliches Wettbewerbssystem notwendig sind. Die Gemeinschaft verlangte daher von den EFTA-Staaten, eine eigene Wettbewerbsbehörde (eine sog „zweite Säule“) zu schaffen, die mit Befugnissen ausgestattet ist, die jenen der EG-Kommission entsprechen. Für die Bestimmung der Zuständigkeit entweder der EG-Kommission oder der EFTA-Behörde wurden objektive Kriterien aufgestellt. Entscheidungen einer der beiden Behörden sind im gesamten Wirtschaftsraum anwendbar. Zusätzlich wurden Konsultations- und Informationsmechanismen über das Funktionieren der zu schaffenden Systeme zur Überwachung der Wettbewerbsregeln eingerichtet.

Das EWR-Abkommen übernahm letztlich den gesamten Bestand an Wettbewerbsvorschriften im Bereich des EG-Vertrags, dh nicht nur die Bestimmungen des EG-Vertrags selbst, sondern auch alle auf seiner Basis erlassenen Verordnungen und Mitteilungen sowie die dazu ergangene Rechtsprechung des EuGH.

Mit einer Konsequenz, die fast schon einem Missionierungskreuzzug gleicht, gelang es der Kommission neben den EWR-Verhandlungen auch bei der Verhandlung der **Europaabkommen** mit den Reformstaaten Mittel- und Osteuropas, das im EG-Vertrag enthaltene Konzept einer Kartellregelung mit Verbotsprinzip (den „Gospel des Art 85“) sowie Beihilfenregelungen durchzusetzen. Die Abkommen sehen vor, daß innerhalb von drei Jahren entsprechende Durchführungsbestimmungen zu schaffen sind, welche derzeit zwischen der Kommission und den einzelnen Staaten beraten werden. Die Vorarbeiten für Kartellregeln sind dabei weiter gediehen als jene im Bereich der Beihilfen. Zusätzlich berät die Gemeinschaft die Reformstaaten intensiv bei der Schaffung eigener Kartellregeln und Kartellbehörden.[25]) Die Kartellbehörden der USA versuchen übrigens in ähnlicher Weise, mittels Abkommen und durch das Beistellen von Beratern ihr Konzept der Kartellaufsicht zu exportieren. Insofern kann man auch zur Zeit von einem Verbreitungswettlauf und von einer Konkurrenz des Art 85 EGV mit dem amerikanischen Sherman Act sprechen.

Das EG-Kartellrecht wird von Kommission und EuGH auch auf Unternehmen angewandt, die ihren Sitz außerhalb der Gemeinschaft haben, wenn zB Absprachen zwischen diesen Unternehmen eine Einschränkung des Wettbewerbs innerhalb des Gemeinsamen Marktes bezwecken oder bewirken.[26]) So sind auch österreichische Unternehmen bereits mit dem EG-Kartellrecht in Berührung gekommen.[27])

---

[25]) Vgl dazu *Rouam/Jacob/Suni,* La politique de concurrence de la Communauté à l'echelle mondiale: l'exportation des règles de concurrence communautaires, Competition Policy Newsletter, Vol 1, No 1, Spring 1994, 7; vgl *Carton, Jakob* und *Depypere* in Competition Policy Newsletter Vol 1, No 4, 54–55 und Vol 1, No 5, 55–57; vgl auch das gemeinsame Aktionsprogramm für sechs Osteuropäische Staaten, Presseinformation der Kommission JP/95/657.

[26]) ZB EuGH 27. 9. 1988 verb Rs 89, 104, 114, 116, 117 und 125 bis 129/85 – *Ahlström* ua („Zellstoffall“) – Slg 1988, 5240.

[27]) Vgl *Urlesberger,* Die Durchsetzung des EG-Wettbewerbsrecht gegenüber Unternehmen aus Drittstaaten, WBl 5/6 1987, 53–58. Vgl zuletzt die Firma Mayr-Melnhof, ABl L 1994/243.

Im Rahmen der **GATT-Uruguay-Runde** hat die Gemeinschaft in bezug auf die Schaffung fairer Wettbewerbsbedingungen insb in den Bereichen der handelsbezogenen Investitionen (TRIMs), der handelsbezogenen geistigen Eigentumsrechte (TRIPs), der Dienstleistungen, der Schutzklauseln und der Beihilfen Initiativen ergriffen. Direkte Kartellvorschriften wurden dem GATT-Abkommen jedoch nicht beigefügt.[28]) Was Beihilfen betrifft, so wurden verschiedene Arten von EG-Subventionen als nicht klagbar und damit nach Ansicht der Kommission als absolut zulässig eingestuft. Dazu gehören Regionalbeihilfen, Beihilfen für Forschung und Entwicklung sowie solche, mit denen Firmen die Anpassung an Umweltnormen erleichtert werden soll. Dem GATS-Abkommen wurde eine Bestimmung über restriktive Geschäftspraktiken von Dienstleistungsanbietern beigefügt. Die Kommission ist weiters im Rahmen der **OECD** aktiv – etwa durch die Teilnahme an den Verhandlungen über ein internationales Übereinkommen über Beihilfen im Bereich des Schiffbaus sowie durch aktive Präsenz im Komitee für Wettbewerbsrecht und -politik – sowie im Rahmen der **UNCTAD.**

Regelmäßige bilaterale Treffen der Kommission mit den Behörden von **Drittländern** finden unter anderem mit Japan statt, bei denen sich die Kommission insb um mehr Transparenz im japanischen Vertriebssystem bemüht. Mit den USA wurde im September 1991 ein Verwaltungsübereinkommen über bilaterale Zusammenarbeit im Bereich des Wettbewerbsrechts abgeschlossen.[29])

9. Regierungskonferenz 1996

Bei der für 1996 angesetzten neuerlichen Debatte zwischen den Mitgliedstaaten über eine weitere Fortentwicklung der römischen Verträge könnte es auch zu Änderungen im Bereich der Wettbewerbsregeln kommen. Diskutiert werden in diesem Zusammenhang zB folgende Vorschläge:[30])

- In den EG-Vertrag sollte eine ausdrückliche Ermächtigungsmöglichkeit aufgenommen werden, die dem für Wettbewerbsfragen zuständigen Kommissar größere Selbständigkeit zuerkennt. Damit könnte einerseits die oft mühsame und zeitraubende Befassung des Kollegiums der Kommissare in vielen Wettbewerbsangelegenheiten verringert werden und gleichzeitig die Unabhängigkeit der für Wettbewerb zuständigen GD IV gestärkt werden.
- Es sollte die Rechtsgrundlage für die Errichtung einer unabhängigen europäischen Wettbewerbsbehörde geschaffen werden.

---

[28]) Vgl Die Uruguay-Runde (Hintergrundinformation), Rapid Memo/94/24 v 12. 9. 1994; *Delsaux/Depypere/Jakob,* Aspects internationaux de la politique de concurrence, Competition Policy Newsletter, Vol 1, No 2, Summer 1994, 57; XXIII. Bericht der Kommission über die Wettbewerbspolitik 1993, RZ 114ff.

[29]) Nichtig erklärt durch EuGH Rs C-327/91, Französische Republik/Kommission v 9. 8. 1994, noch nicht in Slg. Das Abkommen wurde jetzt neu abgeschlossen, wobei auf Gemeinschaftsseite diesmal auch die Mitgliedstaaten unterzeichnen, ABl L 95/1995, korrigiert durch ABl L 134/1995.

[30]) Vgl dazu *Ehlermann,* Zukünftige Entwicklungen des Europäischen Wettbewerbsrechts, Competition Policy Newsletter Vol 1, No 2, Summer 1994, 8 .

10. Subsidiarität und Zusammenarbeit mit nationalen Behörden

Nach Ansicht der Kommission ist der Grundsatz der **Subsidiarität,** wie er nunmehr im neuen Art 3b EGV festgeschrieben wurde, **im Bereich des Kartellrechts seit jeher verankert.**[31]) Von ihrer Konzeption her könnten die Bestimmungen der Art 85 Abs 1 und 86 EGV erst dann angewendet werden, wenn sie spürbare Auswirkungen auf den grenzüberschreitenden Handel zwischen zumindest zwei Mitgliedstaaten haben. Fehlt diese Voraussetzung, so kann die Kommission nicht tätig werden. Dieser Grundsatz wurde auch in der Zusammenschlußkontrolle übernommen: Die Gemeinschaftszuständigkeit für die Prüfung eines Zusammenschlusses entsteht erst, wenn bestimmte Umsatzschwellen überschritten werden. Ansonsten sind die Mitgliedstaaten für die Prüfung zuständig.

Im Falle der Zusammenschlußkontrolle ist die Zuständigkeit der Kommission, wenn sie einmal gegeben ist, mit wenigen Ausnahmen eine ausschließliche. Das heißt, daß die Mitgliedstaaten diesen Zusammenschluß nicht mehr prüfen dürfen. Bei Kartellen und Marktmachtmißbrauch können die Behörden der Mitgliedstaaten nationale Vorschriften auch dann weiter anwenden, wenn die Kommission selbst in dieser Angelegenheit schon tätig ist. Die gleichzeitige Anwendbarkeit innerstaatlichen Wettbewerbsrechts ist mit der Anwendung des gemeinschaftlichen Wettbewerbsrechts vereinbar, solange dadurch die Wirksamkeit und Einheitlichkeit der Wettbewerbsregeln der Gemeinschaft und der zu ihrem Vollzug getroffenen oder noch zu treffenden Maßnahmen nicht beeinträchtigt wird. Konflikte, die möglicherweise aus der gleichzeitigen Anwendung innerstaatlicher und gemeinschaftsrechtlicher Vorschriften entstehen können, sind nach dem Grundsatz des Vorrangs des Gemeinschaftsrechts zu lösen.[32])

Die nationalen Behörden können allerdings nicht nur ihr eigenes Wettbewerbsrecht anwenden, sondern auch die Art 85 und 86 EGV. Gem Art 9 Abs 3 Verordnung Nr 17[33]) bleiben die Behörden der Mitgliedstaaten zuständig, Art 85 Abs 1 und 86 nach Art 88 EGV anzuwenden, solange nicht die Kommission selbst ein Verfahren eingeleitet hat. Abgesehen von Verfahren, die vor den nationalen Wettbewerbsbehörden durchgeführt werden, besteht noch zusätzlich die Möglichkeit, sich vor einem nationalen Gericht auf die Art 85 Abs 1 sowie Art 86 EGV zu berufen. Diese Bestimmungen sind unmittelbar anwendbar.[34]) Der Kommission ausschließlich vorbehalten bleibt allerdings die Befugnis, Einzelfreistellungen zu gewähren bzw sogenannte Gruppenfreistellungsverordnungen zu erlassen (s dazu näher unter B).

Aufgrund der großen Arbeitsbelastung versucht die Kommission schon seit Jahren, sich auf besonders schwerwiegende Verstöße gegen die Art 85

---

[31]) XXIII. Bericht der Kommission über die Wettbewerbspolitik 1993, RZ 189ff und XXIV. Bericht der Kommission über die Wettbewerbspolitik 1994, RZ 23–24.

[32]) Bekanntmachung über die Zusammenarbeit zwischen der Kommission und den Gerichten der Mitgliedstaaten bei der Anwendung der Artikel 85 und 86, ABl C 1993/39, 6, RZ 12; EuGH Rs 14/68 – Walt Wilhelm/Bundeskartellamt – Slg 1969, 1; EuGH verb Rs 253/78 und 1–3/79 – Procureur de la République gg Giry und Guerlain – Slg 1980, 2327.

[33]) V 17/1962, ABl 1962/204.

[34]) EuGH Rs 127/73 – BRT gg SABAM – Slg 1974, 51 RZ 16.

und 86 EGV zu konzentrieren und die Verfolgung von geringfügigen Verstößen an nationale Gerichte und Wettbewerbsbehörden abzugeben. Für die **Zusammenarbeit mit nationalen Gerichten** hat sie dazu unter anderem 1993 eine eigene Bekanntmachung veröffentlicht, in der die geltende Rechtslage zusammengefaßt wird.[35]) Für Unternehmen kann die Geltendmachung eines Verstoßes gegen Art 85 oder 86 EGV vor einem nationalen Gericht durchaus von Vorteil sein: Nationale Gerichte können auch gleich Schadenersatz zusprechen, was die Kommission nicht kann; einstweilige Verfügungen dürften rascher angeordnet werden können; auch eine Erstattung von Verfahrenskosten ist nur vor nationalen Gerichten möglich.

Der Erfolg dieses Ansatzes der Kommission (der weniger mit Subsidiarität als mit Arbeitsüberlassung zu tun hat) hängt wesentlich von den Kenntnissen des EG-Rechts ab, über die die Richter und Anwälte in den Mitgliedstaaten verfügen. Darum dürfte es allerdings zumindest teilweise noch schlecht bestellt sein. Die Fälle, in denen die Art 85 und 86 EGV von nationalen Gerichten angewendet werden, sind jedenfalls zahlenmäßig sehr gering.[36])

Im Bereich der **Beihilfenaufsicht** ist eine Delegation von der Kommission hin zu nationalen Behörden wohl nur schwer vorstellbar. Erstens kennen die einzelnen Staaten keine Verfahren, mit denen die Vergabe von Förderungen an Unternehmen unter dem Blickwinkel der Wettbewerbsverzerrung geprüft wird. Zweitens geht es bei der EG-Beihilfenaufsicht gerade auch darum, Wettbewerbsverzerrungen zwischen den einzelnen Mitgliedstaaten zu kontrollieren. Eine Behörde in einem Mitgliedstaat wäre dazu schon aufgrund ihrer beschränkten räumlichen Zuständigkeit nicht in der Lage.

B. Art 85 EGV – Absprachen zwischen Unternehmen

1. Das Verbot des Art 85 Abs 1 EGV

Art 85 Abs 1 EGV verbietet alle **Vereinbarungen zwischen Unternehmen, Beschlüsse von Unternehmensvereinigungen** und aufeinander **abgestimmte Verhaltensweisen,** welche den Handel zwischen Mitgliedstaaten zu beeinträchtigen geeignet sind und eine Verhinderung, Einschränkung oder Verfälschung des Wettbewerbs innerhalb des Gemeinsamen Marktes bezwecken oder bewirken. Zum besseren Verständnis des Umfangs dieses Verbots ist eine schrittweise Betrachtung dieser Bestimmungen notwendig.

a) Unternehmen

An der Vereinbarung müssen mindestens zwei selbständige Unternehmen beteiligt sein. Der **Unternehmensbegriff** des Art 85 Abs 1 EGV ist sehr

---

[35]) Bekanntmachung über die Zusammenarbeit zwischen der Kommission und den Gerichten der Mitgliedstaaten bei der Anwendung der Artikel 85 und 86 EGV, ABl C 1993/39, 6.

[36]) Vgl dazu *Bourgeois,* EC competition law and member state courts, in: Antitrust in a global economy, 1993 Fordham University School of Law, 475–496; mittlerweile wird eine leichte Zunahme festgestellt, vgl XXIV. Bericht der Kommission über die Wettbewerbspolitik 1994, RZ 48–52.

weit. Er umfaßt grundsätzlich jedes Rechtssubjekt, das eine **selbständige wirtschaftliche Tätigkeit** ausübt. Auch Erfinder oder Künstler werden von der Kommission als Unternehmen iSd Art 85 Abs 1 EGV betrachtet, wenn sie ihre Erfindungen oder künstlerischen Werke verwerten. Öffentliche Unternehmen fallen gem Art 90 EGV eindeutig unter die Art 85 und 86 EGV. **Unternehmensgruppen** werden als ein Unternehmen behandelt. Das Verhalten von **Tochterunternehmen** wird der kontrollierenden Mutter zugerechnet. Vereinbarungen zwischen Mutter und Tochter hingegen gelten nicht als Vereinbarungen zwischen zwei selbständigen Unternehmen.[37])

b) Vereinbarung

Unter den Begriff der Vereinbarung fallen nicht nur mündliche oder schriftliche **Verträge,** sondern auch formlose Absprachen, **„gentlemen's agreements",** die durch Schiedsgerichte überwacht werden. Die Kommission hat auch niemals unterzeichnete Verträge, die von den Parteien trotzdem eingehalten wurden, als Vereinbarung betrachtet.[38]) Wird ein bindender Vertrag beendet, halten sich die Parteien jedoch weiter daran, kann eventuell eine abgestimmte Verhaltensweise vorliegen.

c) Beschlüsse von Unternehmensvereinigungen

Darunter sind zB **wettbewerbsbeschränkende Vereinbarungen** einer Handelsvereinigung zu verstehen – gleich ob bindend oder nicht.[39])

d) Aufeinander abgestimmte Verhaltensweisen

Das sind für die Kommission **konkrete Aktionen** ohne tatsächliche Vereinbarung, die das Verhalten der beteiligten Unternehmen aufeinander abstimmen. So kann etwa der Austausch von detaillierten Informationen über Preisänderungen, Rabattsysteme und Produktion als abgestimmte Verhaltensweise betrachtet werden, wenn dem Austausch keine förmliche Abmachung zugrunde liegt. Jede Handlung, die es für Mitbewerber leichter macht, den gewöhnlichen Wettbewerbsdruck zu verringern – etwa eine lange vorher angekündigte Preiserhöhung, auf die man sich als Konkurrent entsprechend vorbereitet –, kann unter diesen Begriff fallen. Im Einzelfall kann es schwierig sein, normales marktkonformes Verhalten, das ja auch zB im Nachvollziehen von Preisbewegungen des Preisführers bestehen kann und als solches zulässig ist, von einer abgestimmten Verhaltensweise zu unterscheiden.

e) Beeinträchtigung des Handels zwischen Mitgliedstaaten

Vereinbarungen werden nur dann von Art 85 Abs 1 EGV erfaßt, wenn sie geeignet sind, die **Handelsbeziehungen zwischen den Mitgliedstaaten zu**

---

[37]) EuGH 31. 10. 1974 Rs 15/74 – Centrafarm – Slg 1974, 1147, GHI 12. 1. 1995, Rs T-102/92, VIHO/Kommission. Zum Unternehmensbegriff s neu EuGH v 16. 11. 1995, Rs C-244/94, Fédération française des sociétés d'assurances sowie Entscheidung der Kommission „COAPI", ABl L 1995/122, 37 (Anwälte sind Unternehmer).

[38]) Kommission ABl L 1979/286, 32 – BP Kemi.

[39]) EuGH 17. 10. 1974 Rs 8/72 – Vereeniging von Cementhandelaren gg Kommission – Slg 1972, 977.

beeinträchtigen. Der Gerichtshof hat festgestellt, daß auch Vereinbarungen, die nur das Gebiet eines Mitgliedstaates abdecken, unter das Verbot fallen, wenn sie die **Aufsplitterung des Gemeinsamen Marktes in nationale Märkte** bewirken oder verstärken.[40]) Genauso wird eine Vereinbarung erfaßt, die den Gemeinsamen Markt als ganzes vom Rest der Welt abschirmt, indem zB ein in der Gemeinschaft tätiger Hersteller mit einem nur außerhalb tätigen Konkurrenten eine entsprechende Marktaufteilung vornimmt, damit das Konkurrenzprodukt vom Gemeinsamen Markt fernhält und so den Wettbewerb ausschaltet.[41])

Obwohl in Art 85 EGV nicht angeführt, haben Kommission und Gerichtshof zusätzlich ein **Spürbarkeitskriterium** eingeführt: Bei Vereinbarungen zwischen Unternehmen mit sehr kleinem gemeinsamen Umsatz wird angenommen, daß sie den gemeinschaftlichen Handel nicht stören.[42]) Die Vereinbarung muß somit den tatsächlichen oder möglichen Handel zwischen den Mitgliedstaaten spürbar beeinträchtigen. Nicht betroffen sind daher auch Vereinbarungen, die keine Wirkung auf den Handel haben, zB Vereinbarungen über Warnhinweise auf gefährlichen Produkten.[43])

f) Verhinderung, Einschränkung oder Verfälschung des Wettbewerbs im Gemeinsamen Markt

Auch die Beeinträchtigung des Wettbewerbs muß spürbar sein, um von Art 85 Abs 1 EGV erfaßt zu werden. Der Gerichtshof stellte dazu fest, daß eine Firma, die weniger als 1% der in Deutschland produzierten Waschmaschinen herstellt, auch durch absoluten Gebietsschutz für Exklusivhändler in Belgien und Luxemburg Art 85 Abs 1 EGV nicht verletzen würde, wenn der Wettbewerb und der zwischenstaatliche Handel nicht spürbar beeinträchtigt wird.[44])

Um den Unternehmen die Beurteilung zu erleichtern, hat die Kommission in einer **Verlautbarung über geringfügige Vereinbarungen Kennzahlen über Umsatz und Marktanteile** veröffentlicht,[45]) unterhalb derer sie keine Beeinträchtigung annimmt (s unten zur de minimis-Regel B.2.a). Diese Mitteilung der Kommission ist allerdings für den Gerichtshof nicht bindend.[46]) Generalanwalt *Warner* hat darauf hingewiesen, daß die Mitteilung nur mit Schwierigkeiten auf vertikale Vereinbarungen anwendbar ist. Wenn ein Händler mit zahlreichen Abnehmern Verträge schließt, wird die Auswirkung auf den Wettbewerb von der Summe dieser Verträge und nicht von den Vereinbarungen zwischen den Parteien eines Vertrages abhängen.[47])

---

[40]) Vgl FN 39.

[41]) Kommission ABl L 1985/376, 29 – Siemens gg Fanuc.

[42]) Vgl dazu unten die Ausführungen zur de minimis-Regel (B.2.a).

[43]) Vgl dazu NN (Hg), Die Wettbewerbspolitik im Europäischen Binnenmarkt, Europäische Dokumentation 1/89.

[44]) EuGH 9. 7. 1969 Rs 5/69 – Volk gg Verwaecke – Slg 1969, 295.

[45]) Bekanntmachung über Vereinbarungen, Beschlüsse und aufeinander abgestimmte Verhaltensweisen von geringer Bedeutung, die nicht unter Art 85 Abs 1 EWGV fallen, ABl C 1986/231, 2; geändert durch ABl C 1994/368, 20.

[46]) So Generalanwalt *Warner* in EuGH 1. 2. 1978 Rs 19/77 – Miller Schallplatten gg Kommission – Slg 1978, 131.

[47]) FN 46.

Die Vereinbarung muß eine **Beschränkung des Wettbewerbs bezwecken oder bewirken.** Ist eine derartige Beschränkung explizit Inhalt der Vereinbarung, so ist eine weitere Untersuchung der tatsächlichen Auswirkungen auf den Markt nicht notwendig. Zur Feststellung, ob eine Vereinbarung eine Beschränkung des Wettbewerbs bewirkt, ist eine Marktuntersuchung notwendig. Um vom Verbot des Art 85 Abs 1 EGV erfaßt zu werden, muß erwiesen sein, daß Elemente vorhanden sind, die zeigen, daß der Wettbewerb tatsächlich in spürbarem Ausmaß verhindert, beschränkt oder verfälscht worden ist. Die zu untersuchende Wettbewerbssituation ist diejenige, in welcher der Wettbewerb in Abwesenheit der Vereinbarung stattfinden würde.[48])

2. Vereinbarungen, die nicht unter Art 85 Abs 1 EGV fallen

a) Die de minimis-Regel

Viele Vereinbarungen, die von kleinen und mittleren Unternehmen geschlossen werden, haben so geringe Auswirkungen auf den Markt, daß sie noch keinen Verstoß gegen die Wettbewerbsbestimmungen des EG-Vertrags darstellen. Zur besseren Orientierung hat die Kommission hiezu Marktanteils- und Umsatzkriterien verlautbart.[49]) **Zwei Voraussetzungen** müssen **gemeinsam erfüllt** werden, damit diese sog de minimis-Regel anwendbar ist. Vereinbarungen zwischen Unternehmen fallen idR dann nicht unter das Verbot des Art 85 Abs 1 EGV, wenn

- die Waren oder Dienstleistungen, die Gegenstand der Vereinbarung sind, und die sonstigen Waren oder Dienstleistungen der beteiligten Unternehmen, die vom Verbraucher aufgrund ihrer Eigenschaften, ihrer Preise und ihres Verwendungszwecks als gleichartig angesehen werden, weder mehr als **5% des gesamten Marktes** in dem Gebiet der Gemeinschaft, in dem die Vereinbarung wirksam ist, ausmachen noch gleichzeitig
- der **jährliche Gesamtumsatz** der beteiligten Unternehmen 300 Mio ECU nicht übersteigt.

Zu beachten ist, daß diese Bekanntmachung keine Anwendung findet, wenn der Wettbewerb auf dem relevanten Markt durch die kumulativen Auswirkungen nebeneinander bestehender Netze gleichartiger Vereinbarungen beschränkt wird, die von mehreren Herstellern oder Händlern errichtet worden sind.

b) Handelsvertreter

Ein Vertrag mit einem Handelsvertreter, der Handelsgeschäfte für den Auftraggeber tätigt, fällt nicht unter Art 85 Abs 1 EGV.[50]) Als **Handelsvertreter** wird nur betrachtet, wer kein finanzielles Risiko aus dem Handelsgeschäft trägt. Ausnahme ist die **Delkrederehaftung,** die den Handelsvertreter verpflichtet, dem

[48]) EuGH 30. 6. 1966 Rs 56/65 – La technique minière gg Maschinenbau Ulm – Slg 1966, 235.

[49]) Vgl FN 45.

[50]) Bekanntmachung über Alleinvertriebsverträge mit Handelsvertretern, ABl 1962, 2921. Eine Neufassung ist in Vorbereitung.

Auftraggeber Schadenersatz zu leisten, wenn ein Kunde seinen Zahlungsverpflichtungen nicht nachkommt. Der Handelsvertreter darf nicht mehr als ein **Vermittler** sein. Zur Bewertung dienen wirtschaftliche und nicht rein rechtliche Kriterien, zB ob der Handelsvertreter für mehrere Auftraggeber tätig ist, ob er ein eigenes großes Lager unterhält, das in seinem Eigentum steht, ob er auf eigene Kosten Serviceleistungen anbietet etc. Entscheidend ist für die Kommission, ob der Handelsvertreter vom Auftraggeber wirtschaftlich abhängig ist oder nicht.

c) Muttergesellschaft – Tochtergesellschaft

Art 85 Abs 1 EGV kann nur angewandt werden, wenn Unternehmen überhaupt miteinander in Wettbewerb stehen, der eingeschränkt werden kann. Vereinbarungen zwischen Muttergesellschaften und ihren Tochterfirmen oder zwischen Tochtergesellschaften, dh zwischen Unternehmen, die eine Wirtschaftseinheit bilden, fallen nicht unter Art 85 Abs 1 EGV, wenn

- die Tochterfirma ihr Verhalten am Markt nicht selbst bestimmen kann, wobei ein **Beurteilungskriterium** hiefür die Größe des Aktienanteils ist, der von der Muttergesellschaft gehalten wird, und
- die Vereinbarung lediglich die Zuweisung von Aufgaben innerhalb des Konzerns betrifft;[51]) bei einer derartigen Aufgabenverteilung wird keine Vereinbarung iSd Art 85 Abs 1 EGV getroffen, wenn die Muttergesellschaft von ihr voll kontrollierte Vertriebstöchter in verschiedenen Mitgliedstaaten anweist, keine Lieferungen ins Gebiet der jeweils anderen Tochtergesellschaften vorzunehmen. Eine Muttergesellschaft kann für das Verhalten einer Tochter verantwortlich gemacht werden, auch wenn sie erst später erworben wurde – zumindest dann, wenn die verbotene Verhaltensweise fortgesetzt wird.[52])

d) Kooperationsvereinbarungen

In einer Bekanntmachung[53]) listet die Kommission zahlreiche **Vereinbarungen über Zusammenarbeit** auf, die für sie unabhängig von der Unternehmensgröße **keine Wettbewerbsbeschränkungen darstellen.** Darunter fallen zB gemeinsame Betriebs- und Branchenvergleiche, die gemeinsame Erstellung von Statistiken und Kalkulationsschemata, gemeinsame Marktforschung, gemeinsame Kreditsicherung, Inkassogemeinschaften, gemeinsame Betriebs- oder Steuerberatungsstellen, die gemeinsame Durchführung von Forschungs- und Entwicklungsaufträgen und -vorhaben, die Benutzung von Produktionsanlagen sowie von Lager- und Transporteinrichtungen, die gemeinsame Durchführung von Aufträgen (aber nur, wenn die Beteiligten hinsichtlich der zu erbringenden Leistungen nicht

---

[51]) Vgl FN 37; in Rs T-102/95, VIHO/Kommission, E v 12. 1. 1995 scheint das GeI Vereinbarungen zwischen Mutter- und Tochtergesellschaften überhaupt von der Anwendung des EG-Kartellrechts ausnehmen zu wollen.

[52]) EuGH 16. 12. 1975 verb Rs 40–48, 50, 54–56, 111, 113, 114/73 – Suiker Unie – Slg 1975, 1663; vgl auch *Korah,* EEC Competition Law and Practice[3], 15.

[53]) Bekanntmachung über Vereinbarungen, Beschlüsse und aufeinander abgestimmte Verhaltensweisen, die eine zwischenbetriebliche Zusammenarbeit betreffen, ABl C 1968/75, 3.

miteinander im Wettbewerb stehen), Vereinbarungen über den gemeinsamen Verkauf durch nicht miteinander im Wettbewerb stehende Unternehmen und gemeinsamer Kunden- und Reparaturdienst, wenn die beteiligten Firmen nicht miteinander im Wettbewerb stehen oder wenn – selbst wenn dies der Fall ist – diese Dienste von einem von ihnen unabhängigen Unternehmen angeboten werden.

e) Zulieferverträge

Auch Zulieferverträge sind nach Ansicht der Kommission ihrem Wesen nach nicht wettbewerbsbeschränkend.[54]) Der Auftraggeber muß dem Zulieferer häufig besondere Kenntnisse und Betriebsmittel zur Verfügung stellen. Deshalb ist es auch gerechtfertigt, vom Zulieferer zu verlangen, die damit erzeugten Waren nur dem Auftraggeber zu liefern. Dies gilt nicht nur für den Fall, daß die besonderen Kenntnisse oder Betriebsmittel Gegenstand gewerblicher Schutzrechte oder geheimen Know-hows des Auftraggebers sind, sondern auch dann, wenn sie für die Herstellung eines bestimmten Produktes oder die Erbringung einer Dienstleistung, die von den anderen Unternehmen des Wirtschaftszweiges nicht angeboten werden, ausschlaggebend sind. Darüber hinaus darf die Freiheit des Zulieferers, auch von anderen Kunden Aufträge anzunehmen, jedoch nicht eingeschränkt werden.

3. Vom Verbot des Art 85 Abs 1 EGV erfaßte Verhaltensweisen

Art 85 Abs 1 EGV enthält eine nicht abschließende Liste verbotener Vereinbarungen. Man unterscheidet idR zwischen horizontalen und vertikalen Vereinbarungen. **Horizontale Vereinbarungen** werden zwischen Unternehmen abgeschlossen, die auf der gleichen Handels- oder Wirtschaftsstufe stehen, zwischen konkurrierenden Produzenten, zwischen Lizenznehmern desselben Patentes etc. Die im Art 85 Abs 1 EGV aufgelisteten Vereinbarungen gehören dieser Gruppe an. **Vertikale Vereinbarungen** werden von Unternehmen getroffen, die sich auf verschiedenen Handels- oder Wirtschaftsstufen befinden, zB zwischen einem Generalimporteur und seinem Abnehmer. Die Unterscheidung ist wichtig, da dieselbe Vertragsklausel – je nachdem ob sie Inhalt einer horizontalen oder einer vertikalen Vereinbarung ist – unterschiedliche Auswirkungen auf den Wettbewerb haben kann und entsprechend unterschiedlich zu beurteilen ist. Eine **Marktaufteilung** zwischen Konkurrenten (horizontale Vereinbarung) ist klar wettbewerbsbeschränkend und daher verboten. **Territorialer Gebietsschutz,** den ein Patentinhaber seinem Lizenznehmer gewährt (vertikale Vereinbarung), ist häufig notwendig, um den Lizenznehmer zum Vertragsabschluß zu bewegen und ihn zu veranlassen, Investitionen für die Markteinführung des lizenzierten Produkts zu tätigen. Die Gebietsabsprache ist hier dem Wettbewerb förderlich, weil sie dazu führt, daß ein neues Produkt auf dem Markt eingeführt wird. Deshalb wird eine solche Klausel zwar auch als unter Art 85 Abs 1 EGV fallend bewertet werden, aber freigestellt werden können, wenn sie nicht über das absolut notwendige Maß hinaus beschränkend wirkt.

Art 85 Abs 1 EGV verbietet ausdrücklich folgende Arten von Vereinbarungen:

---

[54]) Bekanntmachung der Kommission über Zulieferverträge, ABl C 1979/1, 2.

- **Preisabsprachen:** An- oder Verkaufspreise dürfen weder unmittelbar noch mittelbar festgesetzt werden.
- **Geschäftsbedingungen:** Absprachen zwischen Konkurrenten über Rabattsysteme, Stornogebühren, Kreditbedingungen, die den Kunden gewährt werden, sind verboten.
- **Produktionsabsprachen:** So ist es etwa unzulässig, daß Konkurrenten ihre Produktionspläne und Stückzahlen für das nächste Geschäftsjahr absprechen.
- **Marktaufteilung:** Dies gilt auch für die Aufteilung von Versorgungsquellen.
- **Kopplungsgeschäfte:** Darunter versteht man Vertragsbedingungen, die den Partner verpflichten, zusätzliche Leistungen anzunehmen, die weder sachlich noch nach Handelsbrauch mit dem Vertragsgegenstand in Beziehung stehen.

Immer unzulässig – wenn auch nicht in Art 85 Abs 1 EGV angeführt – ist der gemeinsame Boykott, bei dem Unternehmen Vereinbarungen treffen, um einen Mitbewerber vom Markt zu verdrängen oder am Eindringen in einen Markt zu hindern.

Neben diesen ausdrücklich verbotenen Verhaltensweisen hat die Kommission in mehreren hundert Entscheidungen, Presseinformationen und im jährlichen Wettbewerbsbericht zahlreiche andere Verhaltensweisen als je nach der tatsächlichen Wettbewerbssituation unzulässig beurteilt.[55])

- **Vereinbarungen über gemeinsamen Einkauf** können zu einer Wettbewerbsbeschränkung führen, wenn sie dem Lieferanten Einzelverkäufe an die Teilnehmer der gemeinsamen Bezugsvereinbarung erschweren. Gemeinsame Bezugsvereinbarungen zwischen kleinen Unternehmen[56]) können umgekehrt jedoch sinnvoll sein, um ihnen eine bessere Position gegenüber größeren Einkäufern zu verschaffen.
- **Vereinbarungen über den gemeinsamen Verkauf,** die die Vertragspartner bei der Festsetzung ihrer Verkaufspreise oder bei der Art und Weise des Verkaufs beschränken, verstoßen gewöhnlich gegen Art 85 Abs 1 EGV, außer wenn die Unternehmen nicht in tatsächlichem oder möglichem Wettbewerb miteinander stehen.[57])
- Verschiedene Arten der Handelsförderung können gegen Art 85 Abs 1 EGV verstoßen. **Handelsverbände,** die Handelsmessen gestalten, können gegen Art 85 Abs 1 EGV verstoßen, wenn sie es anderen Messeveranstaltern erschweren, die Mitglieder des Handelsverbandes für deren Messen zu gewinnen, oder wenn die Mitglieder des Handelsverbandes den Verkauf ihrer Waren nicht mehr anderweitig fördern können.
- **Gemeinsame Werbung** wirft so lange keine Probleme auf, als die Vertragspartner daneben noch selbst Werbung betreiben können.
- Die **Verwendung gemeinsamer Güte- oder Warenzeichen** fördert den Wettbewerb und ist zulässig, solange sie jeder Hersteller, der die objektiven Voraussetzungen für die Zeichen erfüllt, verwenden kann.
- **Informationsaustausch** ist zB in Form gemeinsamer Branchenvergleiche von der Kommission in ihrer Bekanntmachung über zwischenbetriebliche

---

[55]) Die folgende beispielhafte Liste folgt der Darstellung der Kommission (FN 43).

[56]) Kommission ABl L 1975/212, 23 – Intergroup.

[57]) Vgl dazu *Korah* (FN 52) 64 f.

Zusammenarbeit[58]) ausdrücklich genehmigt worden. Andere Arten des Informationsaustausches können jedoch zu einer Abstimmung des Geschäftsverhaltens der Vertragspartner führen und sind damit unzulässig.

4. Gruppenfreistellung von Spezialisierungs- sowie Forschungs- und Entwicklungsvereinbarungen

Solche Vereinbarungen enthalten häufig Klauseln, die unter Art 85 Abs 1 EGV fallen, die aber **wettbewerbspolitisch insgesamt positiv** zu bewerten sind und daher von der Kommission regelmäßig gem Art 85 Abs 3 EGV freigestellt werden. Aus Gründen der Verwaltungsvereinfachung und der rascheren Erledigung erläßt die Kommission immer wieder sog **Gruppenfreistellungsverordnungen.**[59]) Darin wird eine bestimmte Gruppe von Vereinbarungen automatisch freigestellt und damit genehmigt. Die Verordnungen enthalten Listen der Klauseln, die in den Vereinbarungen enthalten bzw nicht enthalten sein dürfen. Sind die Voraussetzungen erfüllt, ist die betreffende Vereinbarung freigestellt, ohne daß es einer Anmeldung und eines förmlichen Verfahrens bedarf. Die meisten Gruppenfreistellungsverordnungen wurden im Bereich der vertikalen Vereinbarungen erlassen, doch gibt es auch zwei auf horizontaler Ebene, die zu erwähnen sind.

a) Spezialisierungsvereinbarungen[60])

- Die Verordnung findet Anwendung auf Vereinbarungen, durch die sich Unternehmen zum Zwecke der Spezialisierung gegenseitig verpflichten, bestimmte Erzeugnisse weder herzustellen noch herstellen zu lassen und es ihren Vertragspartnern zu überlassen, diese Erzeugnisse herzustellen oder herstellen zu lassen oder bestimmte Erzeugnisse nur gemeinsam herzustellen oder herstellen zu lassen.[61]) Damit ihre Vereinbarung automatisch freigestellt ist, dürfen den Vertragsparteien ua folgende Beschränkungen auferlegt werden:
- die Verpflichtung, keine Spezialisierungsvereinbarungen über gleiche und gleichartige Produkte mit Dritten abzuschließen,
- die Verpflichtung, Erzeugnisse, die Gegenstand der Vereinbarung sind, nur vom Vertragspartner oder gemeinsam bestimmten Dritten zu beziehen,
- die Verpflichtung, Vertragspartnern den Alleinvertrieb zu übertragen, solange Dritte sich die Waren auch bei anderen Lieferanten beschaffen können, oder
- Verpflichtungen über Mindestqualität, Kunden- und Garantiedienst, Mindestlagerhaltung etc.[62])

Die Verordnung ist – mit Ausnahmen – nur anwendbar, wenn der **jährliche Gesamtumsatz der beteiligten Unternehmen** 1 Mrd ECU nicht überschreitet und die Erzeugnisse, die Gegenstand der Spezialisierung sind, in einem wesentlichen Teil des Gemeinsamen Marktes nicht mehr als 20% aller dieser Erzeugnisse ausmachen.[63])

---

[58]) Vgl FN 53.

[59]) Basis dafür ist V 2821/71/EWG des Rates, ABl L 1971/285, 46.

[60]) V 417/85/EWG der Kommission über die Anwendung von Art 85 Abs 3 des Vertrages auf Gruppen von Spezialisierungsvereinbarungen, ABl L 1985/53, 1; geändert durch VO 151/93, ABl L 1993/21, 8.

[61]) Art 1 V 417/85/EWG (FN 60).

[62]) Art 2 V 417/85/EWG (FN 60).

[63]) Art 3 Abs 1 V 417/85/EWG (FN 60).

b) Forschungs- und Entwicklungsvereinbarungen[64])

Mit dieser Verordnung werden Vereinbarungen freigestellt, welche die gemeinsame Forschung und Entwicklung von Erzeugnissen und Verfahren mit oder ohne gemeinsame Verwertung der Ergebnisse zum Gegenstand haben.

Diese Tätigkeiten müssen unter genau definierten Bedingungen vorgenommen werden, wobei zB

- sämtliche Erzeugnisse allen Vertragspartnern zugänglich sein müssen, oder
- wenn nur gemeinsame Forschung und Entwicklung vorgesehen sind, jeder Partner die Ergebnisse verwerten können muß.

Schließen Konkurrenten eine Forschungs- und Entwicklungsvereinbarung, so ist eine automatische Freistellung nur möglich, wenn alle von den Vertragspartnern hergestellten Erzeugnisse, die miteinander im Wettbewerb stehen, nicht mehr als 20% Marktanteil haben. Gemeinsamer Vertrieb ist nur gedeckt, wenn der Marktanteil nicht mehr als 10% beträgt.

Eine sog **„schwarze Liste"** enthält Klauseln, die nicht enthalten sein dürfen, wenn die Forschungs- und Entwicklungsvereinbarung unter die Gruppenfreistellungsverordnung fallen soll.[65]) Dazu gehören zB Vereinbarungen, gewerbliche Schutzrechte nicht anzugreifen, Beschränkungen der Menge der herzustellenden Vertragserzeugnisse oder der Freiheit bei der Preis- und Rabattgestaltung.

5. Vertikale Vereinbarungen

a) Allgemeines

In diesen Bereich fallen insb Vereinbarungen über Vertrieb sowie über die Verwendung von geistigen Schutzrechten und Know-how. Wie im Falle horizontaler Vereinbarungen ist für die Anwendbarkeit des Art 85 Abs 1 EGV Voraussetzung, daß **mindestens zwei voneinander unabhängige Unternehmen** daran beteiligt sind. Vertriebsvereinbarungen zwischen Mutter- und Tochtergesellschaften, zwischen Hersteller und 100%igen Vertriebstöchtern in verschiedenen Staaten der Gemeinschaft oder der Vertrieb über echte Handelsvertreter fallen nicht darunter. Die **de minimis-Regel** ist natürlich auch hier anwendbar, jedoch zT schwierig abzuschätzen. Die Kommission hat für zahlreiche, typische Vereinbarungen vertikaler Art Gruppenfreistellungsverordnungen erlassen. Sie betreffen

- Alleinvertriebsvereinbarungen[66]),
- Alleinbezugsvereinbarungen inklusive Bier und Mineralöl[67]),

---

[64]) V 418/85/EWG der Kommission über die Anwendung von Art 85 Abs 3 des Vertrages auf Gruppen von Vereinbarungen über Forschung und Entwicklung, ABl L 1985/53, 5. Geändert durch VO 151/93, ABl L 1993/21, 8.

[65]) Art 6 V 418/85/EWG (FN 64).

[66]) V 1983/83/EWG der Kommission über die Anwendung von Art 85 Abs 3 des Vertrages auf Gruppen von Alleinvertriebsvereinbarungen, ABl L 1983/173, 1.

[67]) V 1984/83/EWG der Kommission über die Anwendung von Art 85 Abs 3 des Vertrages auf Gruppen von Alleinbezugsvereinbarungen, ABl L 1983/173, 5; vgl dazu auch die Bekanntmachung zu den V 1983/83 und 1984/83, ABl C 1984/101, 2. Zum Problem von Bierbezugsverträgen und der Anwendbarkeit der V 1984/83 vgl EuGH 28. 2. 1991, Rs C-234/89 – Stergios Delimitis gg Henninger Bräu – Slg 1991 I-935.

- Patentlizenzvereinbarungen[68]),
- Vertriebs- und Kundendienstvereinbarungen über Kraftfahrzeuge[69]),
- Franchise-Vereinbarungen[70]) und
- Know-how-Vereinbarungen[71]).

Beim Abschluß von Vertriebsverträgen, die Auswirkungen auf den Handel zwischen Mitgliedstaaten haben oder haben können, ist es daher sinnvoll, zuerst zu prüfen, ob die geplante Vereinbarung von einer der Gruppenfreistellungsverordnungen gedeckt ist. Wenn einzelne Klauseln die Anwendbarkeit verhindern, sollte man überlegen, ob auf diese nicht verzichtet werden kann, um damit in den Genuß der automatischen Freistellung der abgeänderten Vereinbarung zu kommen.

Grundsätzlich sind **wettbewerbsbeschränkende Klauseln** dann **erlaubt,** wenn sie unbedingt notwendig sind, um die Vertragspartner zu dem Tun oder Unterlassen zu verhalten, das im Ergebnis eine Verbesserung der Warenerzeugung oder -verteilung, die Förderung des technischen oder wissenschaftlichen Fortschritts und Vorteile für die Verbraucher mit sich bringt. So wäre zB die Verpflichtung für einen Hersteller, im Gebiet A ein neues Produkt nur an seinen Alleinvertriebspartner zu liefern und ihn vor aktiven Verkaufsanstrengungen der Vertriebspartner in anderen Gebieten zu schützen, wettbewerbsbeschränkend, weil sie den Alleinvertriebshändler im Gebiet A vor Konkurrenz schützt. Ein Unternehmen wird jedoch häufig nur dann bereit sein, ein Vertriebsnetz für ein neues Produkt aufzubauen, Servicestellen einzurichten, Personal zu schulen, Werbung zu betreiben, und so das neue Produkt auf dem Markt einzuführen, wenn es während der teuren Anlaufphase Schutz genießt und danach, wenn das Produkt Gewinne abwirft, zumindest für einige Zeit auch einen entsprechenden Return on Investment erwirtschaften kann. Ohne diesen Schutz würde das neue Produkt gar nie auf dem entsprechenden Markt erscheinen, und es gäbe dort insgesamt weniger Angebot. Deshalb wird es in einem solchen Fall sinnvoll sein, zeitlich begrenzte Gebietsschutzklauseln zuzulassen. Vollständige Gebietsabschottung ist jedoch auch in solchen Fällen kaum zulässig. Zumindest sog **Passivlieferungen** dürfen grundsätzlich (Ausnahmen zB bei Patentlizenzverträgen) nicht verboten werden, dh daß es einem Alleinvertriebshändler nicht untersagt werden darf, auf Bestellungen aus dem Gebiet eines anderen Alleinvertriebshändlers zu reagieren und in dieses hinzuliefern. Nur sog **aktive Verkaufspolitik** kann beschränkt werden. Darunter versteht man das aktive Hineingehen in das Vertriebsgebiet eines anderen, indem man

---

[68]) V 2349/84/EWG der Kommission über die Anwendung von Art 85 Abs 3 des Vertrages auf Gruppen von Patentlizenzvereinbarungen, ABl L 1984/219, 15. Diese VO wird zur Zeit novelliert.

[69]) V 1475/95 der Kommission über die Anwendung von Art 85 Abs 3 des Vertrages auf Gruppen von Vertriebs- und Kundendienstvereinbarungen über Kraftfahrzeuge, ABl L 1995/145, 25; s dazu *Erhart,* Neuregelung des KFZ-Vertriebs im EG-Kartellrecht, ecolex 1995, 528–532.

[70]) V 4087/88/EWG der Kommission über die Anwendung von Art 85 Abs 3 des Vertrages auf Gruppen von Franchise-Vereinbarungen, ABl L 1988/359, 46.

[71]) V 556/89/EWG der Kommission zur Anwendung von Art 85 Abs 3 des Vertrages auf Gruppen von Know-how-Vereinbarungen, ABl L 1989/61, 1. Diese VO wird zur Zeit novelliert.

dort zielgerichtet Werbung betreibt, Kunden anspricht, Warenlager anlegt usw. Die Kommission achtet äußerst scharf darauf, daß sog **Parallelimporte** der von der Vereinbarung betroffenen Ware immer möglich sein müssen. Das bedeutet, daß Vertriebsverträge stets so gestaltet sein müssen, daß in das geschützte Gebiet Einfuhren außerhalb der offiziellen Vertriebswege möglich sind. Als Beispiele für erlaubte und verbotene Vertragsbestimmungen seien hier die Bestimmungen der Gruppenfreistellungsverordnung über Alleinvertriebsvereinbarungen erwähnt.

b) Alleinvertriebsvereinbarungen[72])

Die Verordnung ist auf Vereinbarungen anwendbar, an denen nur zwei Unternehmen beteiligt sind, und in denen sich der eine Vertragspartner dem anderen gegenüber verpflichtet, zum Zwecke des Weiterverkaufs im Gesamtgebiet oder in einem abgegrenzten Teilgebiet der Gemeinschaft bestimmte Waren nur an ihn zu liefern.[73]) Dem **Lieferanten** dürfen darüber hinaus keine anderen Wettbewerbsbeschränkungen auferlegt werden als die Verpflichtung, im Vertragsgebiet Verbraucher nicht mit Vertragswaren zu beliefern.[74]) Dem **Alleinvertriebshändler** dürfen keine anderen Wettbewerbsbeschränkungen auferlegt werden als

- die Verpflichtung, mit den Vertragswaren in Wettbewerb stehende Waren nicht herzustellen oder zu vertreiben,
- die Verpflichtung, Vertragswaren zum Zwecke des Weiterverkaufs nur von dem anderen Vertragspartner zu beziehen, und
- die Verpflichtung, außerhalb seines Vertragsgebiets für die Vertragswaren keine Kunden zu werben, keine Niederlassung einzurichten und keine Auslieferungslager zu unterhalten.[75])

Weiters stehen Verpflichtungen des Alleinvertriebshändlers der Anwendbarkeit der Gruppenfreistellungsverordnung nicht entgegen, vollständige Warensortimente oder Mindestmengen abzunehmen, Vertragswaren unter den Warenzeichen oder in der Ausstattung zu vertreiben, die der andere Vertragspartner vorschreibt und vertriebsfördernde Maßnahmen zu ergreifen, insb Werbung zu betreiben, ein Verkaufsnetz oder ein Lager zu unterhalten, Kundendienst und Garantieleistungen zu gewähren oder fachlich und technisch geschultes Personal zu verwenden.[76])

Die **Gruppenfreistellungsverordnung** ist hingegen **nicht anwendbar,** wenn Hersteller von gleichen oder gleichartigen Waren untereinander wechselseitige Alleinvertriebsvereinbarungen über diese Waren treffen, oder wenn Hersteller von gleichen oder gleichartigen Waren untereinander nicht wechselseitige Alleinvertriebsvereinbarungen über diese Waren treffen, es sei denn, daß mindestens einer der Vertragspartner einen jährlichen Umsatz von nicht mehr als 100 Mio ECU erzielt.

---

[72]) Vgl FN 66.
[73]) Art 1 V 1983/83/EWG (FN 66).
[74]) Art 2 Abs 1 V 1983/83/EWG (FN 66).
[75]) Art 2 Abs 2 V 1983/83/EWG (FN 66).
[76]) Art 2 Abs 3 V 1983/83/EWG (FN 66).

c) Selektiver Vertrieb

Selektive Vertriebssysteme können wie andere vertikale Vereinbarungen von Art 85 Abs 1 EGV erfaßt werden. Es ist somit grundsätzlich möglich, objektive qualitative Vorschriften für die Auswahl von Händlern aufzustellen (sog **Fachhandelsbindung**).[77]) Alle Kriterien müssen durch die Art der betreffenden Waren gerechtfertigt werden können. Sie fallen idR gar nicht unter Art 85 Abs 1 EGV. Zusätzliche Kriterien wie Mindestumsatz fallen unter Art 85 Abs 1 EGV, können aber freigestellt werden. IdR unzulässig sind quantitative Auswahlkriterien, die zB nur einen Händler pro 100.000 Einwohner zulassen.

Da viele dieser Beschränkungen nicht von der Gruppenfreistellungsverordnung gedeckt sind, ist diese idR auch nicht anwendbar. Quer- und Rücklieferungsverbote und in jedem Fall Ein- und Ausfuhrverbote sind unzulässig. Erlaubt wird das Verbot für Großhändler, direkt an Endverbraucher zu liefern.[78]) Beschränkungen des Intra-Brand-Preiswettbewerbs wurden akzeptiert, da er durch den Wettbewerb über das Dienstleistungsangebot – Kundendienst und Beratung – ersetzt wird.[79])

Der Großhändler ist so idR gezwungen, jeden Händler, der die objektiven Kriterien erfüllt, ins Vertriebsnetz aufzunehmen. Der Hersteller kann, was die Beziehungen zu seinen **Vertriebspartnern** betrifft, natürlich entscheiden, ob er mit ihnen in ein Vertragsverhältnis eintritt oder nicht. Belieferungspflichten könnten allenfalls im Zusammenhang mit einer marktbeherrschenden Stellung bestehen. Ein Lieferstop – zB an jemanden, der mit minimalen Spannen arbeitet – kann allerdings als konkludente Absprache des Herstellers mit seinen anderen Abnehmern betrachtet werden, nur solche Händler zu beliefern, die gewisse Mindestspannen einhalten.[80])

In letzter Zeit haben Kommission und das Gericht 1. Instanz in mehreren detaillierten Entscheidungen selektive Vertriebssysteme genehmigt. Daraus lassen sich jedenfalls zulässige Vertragsklauseln relativ leicht zusammenstellen, sodaß nunmehr die Rechtssicherheit beim Abschluß von Verträgen über selektive Vertriebssysteme durchaus befriedigend ist.[81])

C. Art 86 EGV – Mißbrauch einer marktbeherrschenden Stellung

1. Allgemeines

Art 86 EGV bestimmt: „Mit dem Gemeinsamen Markt unvereinbar und verboten ist die mißbräuchliche Ausnutzung einer beherrschenden Stellung auf dem Gemeinsamen Markt oder auf einem wesentlichen Teil desselben

[77]) EuGH 25. 10. 1983 Rs 107/82 – AEG Telefunken – Slg 1983, 3151 RZ 33.
[78]) EuGH 25. 10. 1977 Rs 26/76 – Metro-Kommission – Slg 1977, 1875.
[79]) EuGH (FN 77 und 78).
[80]) EuGH (FN 77).
[81]) ZB GeI 27. 2. 1992 Rs T-19/91 – Vichy gg Kommission; Kommission Rs Yves Saint Laurent Parfums, ABl L 1992/12, 24. Vgl dazu *Eilmansberger,* EWG-Kartellverbot und selektiver Vertrieb von Luxusartikeln, ecolex 1992, 677.

durch ein oder mehrere Unternehmen, soweit dies dazu führen kann, den Handel zwischen Mitgliedstaaten zu beeinträchtigen."

Art 86 EGV verbietet das **Erlangen,** die **Innehabung** oder den weiteren **Ausbau einer marktbeherrschenden Stellung** nicht. Nur die mißbräuchliche **Ausnutzung** derselben ist verboten. Ein Mißbrauch kann allerdings auch bereits im Ausbau der Marktposition liegen. Der Erwerb einer ausschließlichen Lizenz für die Herstellung eines Konkurrenzprodukts mittels Ankauf der Unternehmen, die Lizenznehmer sind, durch die marktbeherrschende Firma kann ein Mißbrauch iSd Art 86 EGV sein.[82])

2. Marktbeherrschende Stellung

a) Allgemeines

Kennzeichen für eine marktbeherrschende Stellung ist für den EuGH, wenn ein Unternehmen die Möglichkeit hat, unabhängig von seinen Mitbewerbern aufzutreten, dh daß es in einer Position ist, die ihm zu handeln gestattet, ohne auf Mitbewerber, Abnehmer, Lieferanten oder Konsumenten achten zu müssen. Eine solche Stellung wird eingenommen, wenn das Unternehmen aufgrund seines Marktanteils oder aufgrund seines Marktanteils in Verbindung mit der Verfügbarkeit von technischem Wissen, Rohstoffen oder Kapital die Möglichkeit hat, **für einen wesentlichen Teil des** in Frage kommenden **Produktmarktes** die **Preise zu bestimmen** oder dort die **Herstellung oder Verteilung dieser Waren zu kontrollieren.**[83]) Eine marktbeherrschende Stellung liegt vor, wenn sich Dritte in einer Situation wirtschaftlicher Abhängigkeit von einem Unternehmen befinden, welches die Möglichkeit hat, sich dem Aufkommen jeder effektiven Konkurrenz auf dem in Frage stehenden Markt zu widersetzen.[84]) Hohe Marktanteile – vom EuGH regelmäßig ab 40% angenommen – sind für sich allein idR Beweis einer marktbeherrschenden Stellung.[85]) Die Tatsache, daß ein Unternehmen eine Produktpalette anbietet, die größer ist als jene seiner Hauptkonkurrenten, trägt dazu bei, diesem Unternehmen eine marktbeherrschende Stellung zu sichern, ebenso wie umfangreiches Marketing-Know-how oder Wissen im Sicherheitsbereich, die über das der Konkurrenzunternehmen hinausgehen.[86])

Für die Feststellung, ob eine marktbeherrschende Stellung vorliegt, ist die Marktdefinition ausschlaggebend. Art 86 EGV selbst bietet hiefür keine Anhaltspunkte. Bei der Marktdefinition ist zwischen dem Produktmarkt und dem geographischen Markt zu unterscheiden.

b) Produktmarkt

Darunter versteht der EuGH alle Waren, die sich aufgrund ihrer Merkmale zur Befriedigung eines gleichbleibenden Bedarfs besonders eignen und

---

[82]) EuGH 10. 7. 1990 Rs T-51/89 – Tetra Pak – Slg 1990 II-309.

[83]) EuGH 13. 2. 1979 Rs 85/76 – Hoffmann-La Roche – Slg 1979, 461 RZ 38; EuGH 21. 2. 1973 Rs 6/72 – Continental Can – Slg 1973, 215 RZ 3.

[84]) EuGH 9. 11. 1983 Rs 322/81 – Michelin – Slg 1983, 3461 RZ 30.

[85]) (FN 83) RZ 41; EuGH 3. 7. 1991 Rs C-62/86 – Akzo – Slg 1991 I-3359 RZ 60.

[86]) EuGH 3. 7. 1991 (FN 85) RZ 58 und 61.

mit anderen Erzeugnissen nur in geringem Maße austauschbar sind.[87]) Es ist klar, daß dieses Kriterium der **Substituierbarkeit** immer wieder heftig umstritten ist. Entsprechend kasuistisch und für Verallgemeinerungen wenig geeignet sind daher die Entscheidungen des EuGH.

So wurde der Markt für Bananen als vom Markt für sonstiges Obst getrennt betrachtet, was den Marktanteil des Unternehmens, dem Mißbrauch vorgeworfen wurde, von wenigen Prozent des gesamten Obstmarktes auf über 40% des tatsächlich relevanten Bananenmarktes hochschnellen ließ.[88]) Viele Unternehmen sind sich auch nicht bewußt, daß sie eine beherrschende Stellung auf dem Markt für Originalersatzteile für ihre Erzeugnisse einnehmen.[89])

c) Geographischer Markt

Auch der räumlich relevante Markt, der in Betracht gezogen werden muß, ist nicht immer leicht zu bestimmen. So hat die Kommission bereits den Weltmarkt[90]) oder ganz Europa[91]) herangezogen. Für die Definition sind Produkteigenschaften, Transportkosten (zB bei schweren Gütern), Transportierbarkeit (zB bei leicht verderblichen Waren), besondere Vertriebssysteme etc in Betracht zu ziehen.

3. Wesentlicher Teil des Gemeinsamen Marktes

Schon das Gebiet eines einzigen Mitgliedstaates kann einen „wesentlichen Teil des Gemeinsamen Marktes" darstellen. Dies hat der EuGH etwa für Deutschland, für die Niederlande oder für Irland (hier allerdings inklusive Nordirland) bestätigt.[92]) Es könnte daher eine marktbeherrschende Stellung auf dem österreichischen Markt ausreichen, um unter die Mißbrauchskontrolle nach Art 86 EGV zu fallen.

4. Beeinträchtigung des Handels zwischen Mitgliedstaaten

Das mißbräuchliche Handeln eines marktbeherrschenden Unternehmens wird nur dann von Art 86 EGV erfaßt, wenn es zu einer Beeinträchtigung des Handels zwischen den Mitgliedstaaten führen könnte. Diese Voraussetzung ist nicht erst dann erfüllt, wenn das betreffende mißbräuchliche Verhalten den Handel tatsächlich beeinträchtigt hat. Es genügt der Nachweis, daß dieses Verhalten geeignet ist, eine derartige Wirkung zu entfalten.

Dieses Kriterium des Art 86 EGV dient dazu, die **Anwendbarkeit des Kartellrechts** der Gemeinschaft von dem der Mitgliedstaaten zu trennen. Unter das Gemeinschaftsrecht fallen alle Vereinbarungen und Verhaltenswei-

---

[87]) Vgl FN 84.

[88]) EuGH 14. 2. 1978 Rs 27/76 – United Brands – Slg 1978, 207.

[89]) EuGH 31. 5. 1979 Rs 22/78 – Hugin – Slg 1979, 1869.

[90]) Kommission ABl L 1977/30, 13 – Bayer gg Gist.

[91]) Kommission ABl L 1976/51, 15 – KEWA.

[92]) Für die Niederlande vgl FN 84; für Deutschland vgl EuGH 23. 4. 1991 Rs C-41/90 – Höfner und Elser – Slg 1991 I-1979 RZ 28.

sen, die sich auf die Freiheit des Handelsverkehrs zwischen den Mitgliedstaaten in einer Weise auswirken, die die Verwirklichung des Ziels eines einheitlichen Marktes der Mitgliedstaaten beeinträchtigt, insb indem natürliche Märkte abgeschottet werden oder die Wettbewerbsstruktur im Gemeinsamen Markt verändert wird.[93])

5. Mißbrauch

Art 86 EGV listet exemplarisch folgende Arten verbotenen Mißbrauchs auf:

- die unmittelbare oder mittelbare Erzwingung von unangemessenen Einkaufs- oder Verkaufspreisen oder sonstigen Geschäftsbedingungen,
- die Einschränkung der Erzeugung, des Absatzes oder der technischen Entwicklung zum Schaden der Verbraucher,
- die Anwendung unterschiedlicher Bedingungen bei gleichwertiger Leistung gegenüber Handelspartnern, wodurch diese im Wettbewerb benachteiligt werden,
- die an den Abschluß von Verträgen geknüpfte Bedingung, daß die Vertragspartner zusätzlich Leistungen annehmen, die weder sachlich noch nach Handelsbrauch in Beziehung zum Vertragsgegenstand stehen.

Der Begriff der mißbräuchlichen Ausnützung ist ein **objektiver Begriff,** der die Verhaltensweisen eines marktbeherrschenden Unternehmens bezeichnet, die geeignet sind, die **Struktur eines Marktes zu beeinflussen,** in dem infolge der Präsenz des fraglichen Unternehmens der Grad des Wettbewerbs bereits vermindert ist, und die geeignet sind, die Aufrechterhaltung des in diesem Markt verbleibenden Wettbewerbs oder die Entwicklung des Wettbewerbs dort zu behindern, indem Maßnahmen ergriffen werden, die sich von jenen in einer Situation normalen Wettbewerbs zwischen Waren oder Dienstleistungen verschiedener Unternehmen unterscheiden.[94])

Art 86 EGV untersagt daher einem marktbeherrschenden Unternehmen, einen Konkurrenten zu eliminieren und so seine Marktstellung zu stärken, indem es Maßnahmen ergreift, die nicht unter den Wettbewerb über Produktvorzüge fallen. Preise, die unter den durchschnittlichen variablen Kosten liegen und durch die ein marktbeherrschendes Unternehmen einen Mitbewerber auszuschalten versucht, sind als mißbräuchlich zu betrachten. Ein marktbeherrschendes Unternehmen hat nämlich kein Interesse, solche Preise zu verrechnen, außer jenes, seine Konkurrenten zu eliminieren, um die Preise nachher zu erhöhen und aus der Monopolstellung Gewinn schlagen zu können. Auch Preise, die unter dem Durchschnitt der Gesamtkosten (fixe und variable Kosten), aber über dem Durchschnitt der variablen Kosten liegen, sind als mißbräuchlich zu betrachten, wenn sie Teil eines Planes sind, Mitbewerber auszuschalten.[95])

---

93) (FN 89) RZ 17.
94) EuGH 13. 2. 1979 (FN 83) RZ 91.
95) EuGH 3. 7. 1991 (FN 85).

Zahlreiche Fragen ergeben sich im Zusammenhang mit der **Ausübung geistiger Schutzrechte.** Die Ausübung eines ausschließlichen Rechtes durch den Inhaber eines **Musters** für Karosserieteile eines Kfz kann durch Art 86 EGV verboten sein, wenn es zu mißbräuchlichen Verhaltensweisen eines marktbeherrschenden Unternehmens führt. Dazu gehören zB die willkürliche Weigerung, unabhängigen Reparaturwerkstätten Ersatzteile zu liefern, die Festsetzung unangemessener Preise oder der Beschluß, Ersatzteile für ein Kfz-Modell nicht mehr herzustellen, obwohl noch viele Autos dieses Typs gefahren werden.[96])

D. Die Zuständigkeit der Kommission zur Durchsetzung der Art 85 und 86 EGV

1. Genehmigung von Vereinbarungen

a) Allgemeines

In der V 17/1962 (im folgenden „V 17" genannt)[97]), legte der Rat fest, wie die Bestimmungen der Art 85 und 86 EGV im Detail zu handhaben sind. Art 1 V 17 stellt fest, daß Vereinbarungen, Beschlüsse und aufeinander abgestimmte Verhaltensweisen der in Art 85 Abs 1 EGV bezeichneten Art und die mißbräuchliche Ausnutzung einer marktbeherrschenden Stellung iSd Art 86 EGV verboten sind, ohne daß es einer vorherigen Entscheidung bedarf. Das bedeutet, daß Verhaltensweisen, die gegen die Art 85 oder 86 EGV verstoßen, nicht erst mit und ab dem Zeitpunkt einer förmlichen Entscheidung **illegal** werden, sondern **bereits mit Beginn der Verhaltensweise.**

b) Negativatteste

Art 2 V 17 ermächtigt die Kommission, auf Antrag der beteiligten Unternehmen ein sog **Negativattest** auszustellen. Darin stellt die Kommission fest, daß für sie kein Anlaß besteht, gegen eine Vereinbarung aus Gründen von Art 85 Abs 1 oder Art 86 EGV einzuschreiten. Es ist weder für nationale Gerichte noch für den EuGH bindend.

Wird ein Negativattest beantragt, muß die Kommission zunächst Dritte, die ein berechtigtes Interesse haben, zur Stellungnahme auffordern.[98]) Dies geschieht mittels einer kurzen Sachverhaltsdarstellung im Amtsblatt der EG. Es sollte im Interesse jedes Unternehmens liegen, derartige Aufforderungen aufmerksam selbst oder zB durch den Firmenanwalt zu verfolgen, um gegebenenfalls die Kommission über die eigenen Interessen und Standpunkte zu informieren.

---

[96]) EuGH 5. 10. 1988 Rs 238/87 – Volvo – Slg 1988, 6211 RZ 9.

[97]) V 17/1962, ABl 1962/13, 204 („V 17"); zur Durchführung erließ die Kommission V 3385/94 über die Form, den Inhalt und die anderen Einzelheiten der Anträge und Anmeldungen nach der V 17, ABl L 377/1994. Im Antrag zu dieser V findet sich auch die neue Fassung des für Anmeldungen zu verwendenden Formblatts A/B.

[98]) Art 19 Abs 3 V 17.

c) Freistellung

Vereinbarungen iSd Art 85 Abs 1 EGV, für welche die Beteiligten die **Freistellung** gem Art 85 Abs 3 in Anspruch nehmen wollen, sind bei der Kommission anzumelden. Solange sie nicht angemeldet worden sind, kann die Kommission keine Freistellungserklärung gem Art 85 Abs 3 EGV abgeben.[99])

Anträge auf Erteilung eines Negativattests oder Anmeldungen zur Freistellung müssen schriftlich auf einem bei den Dienststellen der Kommission erhältlichen Formblatt – dem sog **Formblatt A/B** – erfolgen. Darin sind ausführliche Angaben über die Vertragspartner und die wesentlichen Merkmale und Ziele der Vereinbarung zu machen. Eine vollständige Ausfertigung der Vereinbarung ist beizufügen. Die Anmeldung braucht nicht durch alle Vertragspartner zu erfolgen.

Vorbehaltlich der Nachprüfung der Entscheidung durch das Gericht erster Instanz und den EuGH ist die **Kommission ausschließlich zuständig,** Art 85 Abs 1 EGV für nicht anwendbar zu erklären.[100]) Vor einer solchen Freistellung hat die Kommission zu überprüfen, ob die Bedingungen hiefür gem Art 85 Abs 3 EGV vorliegen. Die Vereinbarungen, für die eine Freistellung beantragt wird, müssen dazu entweder zur Verbesserung der Warenerzeugung bzw -verteilung oder zur Förderung des technischen oder wirtschaftlichen Fortschritts beitragen. Dabei dürfen den Beteiligten keine Beschränkungen auferlegt werden, die für die Verwirklichung dieses Ziels nicht unerläßlich sind. Auch dürfen den beteiligten Unternehmen nicht Möglichkeiten eröffnet werden, für einen wesentlichen Teil der betreffenden Waren den Wettbewerb auszuschalten. Weiters ist es jedenfalls notwendig, daß die Verbraucher am entstehenden Gewinn angemessen beteiligt werden – zB durch technisch verbesserte Produkte, größeres Angebot oder verbessertes Service.

Die Freistellung wird **für eine bestimmte Zeit** abgegeben. Sie kann mit Bedingungen und Auflagen verbunden werden.[101]) Die Freistellung kann auf Antrag erneuert werden, wenn die Voraussetzungen des Art 85 Abs 3 EGV weiterhin gegeben sind.[102]) Die Kommission kann die **Freistellung** aber auch **widerrufen** oder **ändern** oder den Beteiligten bestimmte **Handlungen untersagen,** wenn sich zB die tatsächlichen Verhältnisse in einem wesentlichen Punkt geändert haben. Die Freistellung kann auch mit **rückwirkender Kraft widerrufen** werden.[103])

Vor der endgültigen Entscheidung über eine Freistellung muß die Kommission die wesentlichen Tatsachen im Amtsblatt bekanntgeben, um damit Dritten Gelegenheit zur Äußerung zu geben.[104])

2. Verstoßentscheidung

Stellt die Kommission auf Antrag oder von Amts wegen einen Verstoß gegen Art 85 oder 86 EGV fest, so kann sie die beteiligten Unternehmen ver-

---

[99]) Art 4 Abs 1 V 17.
[100]) Art 9 Abs 1 V 17.
[101]) Art 8 Abs 1 V 17.
[102]) Art 8 Abs 2 V 17.
[103]) Art 8 Abs 3 V 17.
[104]) Art 19 Abs 3 V 17.

pflichten, die festgestellten Zuwiderhandlungen abzustellen.[105]) Die Kommission erhält über Beschwerden, Anmeldungen, eigene Beobachtungen oder sektorielle Untersuchungen Informationen darüber, daß ein Verstoß gegen Art 85 Abs 1 EGV oder Art 86 EGV vorliegt. Vor Erlaß einer Entscheidung muß die Kommission den beteiligten Unternehmen Gelegenheit geben, sich zu den in **Betracht gezogenen Beschwerdepunkten** zu äußern.[106])

Die Kommission teilt den Unternehmen die in Betracht gezogenen Beschwerdepunkte schriftlich mit[107]) und setzt eine Frist zur Äußerung[108]). Sie können in ihren schriftlichen Bemerkungen alles zu ihrer Verteidigung zweckdienliche vortragen.[109]) Weiters können sie zum Nachweis vorgetragener Tatsachen alle zweckdienlichen Unterlagen beifügen. Außerdem können sie vorschlagen, daß die Kommission Personen hört, die die vorgetragenen Tatsachen bestätigen können.[110]) Um die Erwiderung vorzubereiten, können die Beteiligten die Akte bei der Kommission einsehen. Vertrauliche Unterlagen, die zB Geschäftsgeheimnisse anderer Unternehmen enthalten, oder interne Schriftstücke der Kommission sind idR davon ausgenommen. Die Kommission gibt Personen, die dies in ihrer schriftlichen Äußerung beantragt haben, Gelegenheit zur mündlichen Erläuterung, wenn sie ein ausreichendes Interesse glaubhaft machen oder wenn die Kommission eine Geldbuße oder ein Zwangsgeld gegen sie festsetzen will. Die Kommission kann auch in anderen Fällen Personen Gelegenheit zur mündlichen Äußerung geben.[111]) Für die Durchführung der Anhörung gibt es einen eigens von der Kommission hiezu bestellten **Anhörungsberechtigten.**[112]) Die Sitzung ist öffentlich. Die Personen werden einzeln oder in Anwesenheit anderer geladener Personen gehört. Im letzteren Fall ist dem berechtigten Interesse der Unternehmen an der Wahrung ihrer Geschäftsgeheimnisse Rechnung zu tragen.[113]) Wie vor Entscheidungen über Freistellung, muß auch hier der Beratende Ausschuß für Kartell- und Monopolfragen gehört werden.[114]) Stellt die Kommission eine Zuwiderhandlung gegen Art 85 Abs 1 EGV oder Art 86 EGV fest, so wird sie die beteiligten Unternehmen in ihrer abschließenden Entscheidung verpflichten, die festgestellten Zuwiderhandlungen abzustellen. Haben die beteiligten Unternehmen dies bereits getan, stellt die Kommission fest, daß die untersuchte Verhaltensweise einen Verstoß darstellte. Die Kommission kann darüber hinaus die beteiligten Unternehmen auch zu aktivem Tun verhalten. So kann zB ein Unternehmen,

[105]) Art 3 Abs 1 V 17.

[106]) Art 19 Abs 1 V 17.

[107]) Art 2 Abs 1 V 99/63/EWG der Kommission über die Anhörung nach Art 19 Abs 1 und 2 V 17 des Rates, ABl 1963/127, 2268.

[108]) Art 2 Abs 4 V 99/63/EWG (FN 107).

[109]) Art 3 Abs 2 V 99/63 EWG (FN 107).

[110]) Art 3 Abs 3 V 99/63/EWG (FN 107).

[111]) Art 7 V 99/63/EWG (FN 107).

[112]) Art 9 V 99/63/EWG (FN 107). Beschluß der Kommission v 23. 11. 1990 über die Durchführung von Anhörungen im Verfahren zur Anwendung der Art 85 und 86 EWGV sowie der Art 65 und 66 EGKSV, XX. Bericht über die Wettbewerbspolitik, 360, Beschluß der Kommission über das Mandat des Anhörungsbeauftragten in Wettbewerbsverfahren vor der Kommission, ABl L 1994/330.

[113]) Art 9 Abs 3 V 99/63/EWG (FN 107).

[114]) Art 10 Abs 3 V 17.

das seine marktbeherrschende Stellung mißbräuchlich ausnutzte, zur Wiederaufnahme eingestellter Lieferungen verhalten werden.[115])

3. Geldbußen

Die Kommission kann in ihren Entscheidungen zusätzlich gegen Unternehmen und Unternehmensverbände Geldbußen bis zu 10% des von den einzelnen an der Zuwiderhandlung beteiligten Unternehmen im letzten Geschäftsjahr erzielten Umsatzes festlegen, wenn sie vorsätzlich oder fahrlässig gegen Art 85 Abs 1 EGV oder Art 86 EGV verstoßen. Bei der Feststellung der Höhe der Geldbuße ist neben der **Schwere des Verstoßes** auch die **Dauer der Zuwiderhandlung** zu berücksichtigen[116]). Für die Zeit zwischen Anmeldung einer Vereinbarung und der Entscheidung darüber kann die Kommission keine Geldbußen festsetzen.[117]) Umgekehrt kann für die Zeit vor der Anmeldung einer Vereinbarung eine Geldbuße auferlegt werden. Diese Geldbußen erreichen mittlerweile beachtliche Größenordnungen, auch wenn die maximal möglichen 10% des Umsatzes noch nie erreicht worden sind. So verlangte die Kommission von der Firma Tetra Pak umgerechnet etwa 1,2 Mrd öS wegen Verstoßes gegen Art 86 EGV. Um Schaden etwa für einen Beschwerdeführer zu vermeiden, kann die Kommission bis zum Zeitpunkt des Erlassens der endgültigen Entscheidung unverzüglich **einstweilige Anordnungen** erlassen.[118])

Die Kommission kann auch – bereits bevor sie eine Entscheidung trifft – an die beteiligten Unternehmen die Empfehlung zur Abstellung der Zuwiderhandlungen richten.[119]) Außerdem kann sie den betreffenden Unternehmen mitteilen, daß sie aufgrund vorläufiger Prüfung der Auffassung ist, daß die Voraussetzungen des Art 85 Abs 1 EGV vorliegen und die Anwendung des Abs 3 nicht gerechtfertigt ist. In diesem Fall kann die Kommission auch für die Zeit zwischen dieser Mitteilung und dem Erlaß der endgültigen Entscheidung Bußgelder verhängen, wenn die Unternehmen ihr wettbewerbswidriges Verhalten fortsetzen.

4. Verwaltungsschreiben

Das Verfahren bis zum Erlaß einer abschließenden Entscheidung ist idR langwierig und kann weit über ein Jahr dauern. Deshalb ist die Kommission dazu übergegangen, in vielen Fällen auf eine förmliche Entscheidung zu verzichten und den beteiligten Unternehmen ein nicht förmliches sog **Verwaltungsschreiben** zuzustellen. Dies wird zB getan, wenn die Klauseln, die gegen Art 85 Abs 1 EGV verstoßen und nicht freigestellt werden können, von den an der Vereinbarung Beteiligten nach Kontakten mit der Kommission gestrichen wurden. Mittlerweile erläßt die Kommission jährlich mehrere hundert solcher Verwaltungsschreiben im Vergleich zu wenigen Dutzend förmlicher

---

[115]) Art 3 Abs 1 V 17.
[116]) Art 15 Abs 2 V 17.
[117]) Art 15 Abs 5 V 17.
[118]) EuGH 17. 1. 1980 Rs 792/79 – Camera Care – Slg 1980, 119.
[119]) Art 3 Abs 3 V 17.

Entscheidungen. Verwaltungsschreiben haben keine rechtlich bindende Wirkung wie ein Negativattest oder eine Freistellung. Der EuGH[120]) hat jedoch festgestellt, daß ein innerstaatliches Gericht den Standpunkt der Kommission, wie er im Verwaltungsschreiben enthalten ist, berücksichtigen sollte.

Problematisch sind Verwaltungsschreiben, in denen die Kommission feststellt, daß eine Vereinbarung vom Verbot des Art 85 Abs 1 EGV erfaßt ist, jedoch freigestellt werden könnte (sogenannte „discomfort letters"). Kommt es in einem solchen Fall nämlich zu einem Rechtsstreit, müßte der nationale Richter den Schluß ziehen, daß die Vereinbarung vom Kartellverbot erfaßt wird (das bestätigt ja das Verwaltungsschreiben), aber eben nicht formell freigestellt wurde. Nur eine formelle Freistellung schützt aber vor der Nichtigkeitsdrohung des Art 85 Abs 2. Der Richter wird in solchen Fällen meist das Verfahren unterbrechen und Gelegenheit geben, eine formelle Freistellung zu erlangen.

5. Veröffentlichung der Entscheidung

Die Kommission muß die Entscheidungen über Negativatteste, Zuwiderhandlungen und Freistellungen **im Amtsblatt** der EG **veröffentlichen.** Die Veröffentlichung erfolgt unter Angabe der Beteiligten und des wesentlichen Inhalts der Entscheidung. Sie muß dem Interesse der Unternehmen auf Wahrung ihrer Geschäftsgeheimnisse Rechnung tragen.[121])

6. Verbindung mit den Behörden der Mitgliedstaaten

Die Kommission muß den zuständigen Behörden der Mitgliedstaaten unverzüglich eine Abschrift der Anträge und Anmeldungen sowie der wichtigsten Schriftstücke, die zur Feststellung von Verstößen gegen Art 85 Abs 1 und Art 86 EGV, zur Erteilung eines Negativattests oder zur Abgabe einer Freistellungserklärung bei ihr eingereicht werden, zustellen.[122]) Die Kommission muß außerdem alle Verfahren in enger und stetiger Verbindung mit den zuständigen Behörden der Mitgliedstaaten durchführen. Diese sind berechtigt, zu diesen Verfahren Stellung zu nehmen.[123]) Der **Beratende Ausschuß für Kartell- und Monopolfragen,** der sich aus für diese Fragen zuständigen Beamten der Mitgliedstaaten zusammensetzt, ist vor jeder Entscheidung über Verstöße, Negativatteste oder Freistellungen sowie über Erneuerung, Änderung oder Widerruf von Freistellungen anzuhören[124]).

7. Die Behandlung bestehender Vereinbarungen

Die V 17/1962 enthält besondere Bestimmungen für Vereinbarungen, die vor dem Inkrafttreten dieser V 1962 bzw vor dem Beginn der Mitgliedschaft eines neuen Mitgliedstaates Bestand hatten. Im Falle des Beitritts eines

[120]) EuGH 10. 7. 1980 verb Rs 253/78 und 1–3/79 –Procureur gg Guig und Guerlain – Slg 1980, 2327.

[121]) Art 21 V 17.

[122]) Art 10 Abs 1 V 17.

[123]) Art 10 Abs 2 V 17.

[124]) Art 10 Abs 3 und 4 V 17.

neuen Mitgliedstaates wird für die Unternehmen, die für ihre Vereinbarungen eine Freistellung beantragen wollen, eine Frist zur Anmeldung gesetzt. Bei fristgerechter Anmeldung kann die Kommission die Freistellung mit einem vor dem Tag der Anmeldung der betreffenden Vereinbarung liegenden Datum aussprechen.[125])

Werden solche „alten" Vereinbarungen, die die Voraussetzungen des Art 85 Abs 3 EGV für eine Freistellung nicht erfüllen, fristgerecht angemeldet und setzen die beteiligten Unternehmen ihre Vereinbarungen nicht fort oder ändern sie diese so ab, daß sie entweder nicht mehr unter Art 85 Abs 1 EGV fallen oder nunmehr die Voraussetzungen des Art 85 Abs 3 EGV erfüllen, so gilt das Verbot des Art 85 Abs 1 EGV nur für den von der Kommission festgesetzten Zeitraum. Die Kommission kann in diesem Fall also eine Vereinbarung ausnahmsweise **rückwirkend** vor dem Zeitpunkt der Anmeldung **genehmigen** – und dies auch, wenn sie verbotene Beschränkungen enthielt.[126]) Eine derartige Entscheidung der Kommission kann denjenigen Unternehmen nicht entgegengehalten werden, die der Anmeldung nicht ausdrücklich zugestimmt haben.[127]) Das kann dann wichtig sein, wenn die nicht zustimmende Partei auf die Nichtigkeit der betreffenden Vertragsklauseln gebaut hat. Wo Standardverträge verwendet werden und entweder die Formulierung oder die Beschränkungen seit der Zeit vor dem Beitritt unverändert beibehalten werden, sind alle mit diesen Standardverträgen abgeschlossenen Vereinbarungen als Altkartelle zu behandeln.[128])

Diese Übergangsbestimmungen gelten allerdings nur mehr für Vereinbarungen und abgestimmte Verhaltensweisen, die zum Zeitpunkt des Beitritts Österreichs noch nicht in den Anwendungsbereich des EWR-Abkommens fielen.[129]) Dies wird nur für sehr wenige Vereinbarungen zutreffen. Schon im EWR-Abkommen bestand nämlich eine Verpflichtung bzw die Möglichkeit, bis 30. Juni 1994 entsprechende Anpassungen bzw Anmeldungen von Altkartellen vorzunehmen und damit im Vergleich zu neu abgeschlossenen Vereinbarungen bevorzugt behandelt zu werden. Dafür galten grundsätzlich die oben beschriebenen Übergangsregeln. Eine rechtzeitig angemeldete Vereinbarung ist bis zur Entscheidung der EFTA-Überwachungsbehörde (EFTA Surveillance Authority – ESA) als vorläufig gültig zu betrachten – auch vom nationalen Richter.[130]) Für solche schon im EWR anzumeldende Altkartelle ist deshalb eine neuerliche Sonderbehandlung im Zusammenhang mit dem EU-Beitritt nicht mehr vorgesehen.

---

[125]) Art 6 Abs 2 V 17.

[126]) Vgl *Korah* (FN 52) 38.

[127]) Art 7 Abs 1 V 17.

[128]) EuGH 30. 6. 1970 Rs 1/70 – Parfums Marcel Rochas – Slg 1970, 515; EuGH 20. 3. 1980 Rs 106/79 – Vereeniging ter bevordering van de belangen des boekhandels – Slg 1980, 1137; s auch *Korah* (FN 52) 38f.

[129]) Anhang I Kapitel III A des Beitrittsvertrages, bzw Beschluß des Rates der Europäischen Union v 1. 1. 1995 zur Anpassung der Dokumente betreffend den Beitritt neuer Mitgliedstaaten zur Europäischen Union, ABl L 1995/1 und ABl C 1994/241.

[130]) Vgl dazu *Erhart,* Anpassung von Altkartellen an das EWR-Recht, ecolex 1994, 208.

8. Zivilrechtliche Folgen von Verstößen gegen Art 85 Abs 1 und Art 86 EGV

Vom Kartellverbot erfaßte Vereinbarungen sind gem Art 85 Abs 2 EGV **nichtig.** Für die Nichtigkeit ist keine vorhergehende Entscheidung der Kommission erforderlich.[131]) Ein innerstaatliches Gericht wird eine Vereinbarung für nichtig erklären, wenn sie Gegenstand eines gerichtlichen Verfahrens wird und das Gericht entweder von sich aus den Verstoß gegen Art 85 Abs 1 EGV feststellt oder sich eine der Parteien auf die Nichtigkeit beruft. Es hängt vom innerstaatlichen Recht über die Gültigkeit von Verträgen ab, ob die Nichtigkeit nur die direkt verbotswidrigen Vertragsklauseln oder die gesamte Vereinbarung erfaßt. Da Art 85 EGV **unmittelbar anwendbar** ist, kann sich jede Partei vor Gericht darauf und damit auf die Nichtigkeit einer Vertragsklausel berufen. Sie kann feststellen lassen, daß die strittige Vereinbarung gegen Art 85 Abs 1 EGV verstößt und nichtig ist, da keine Freistellung erfolgt ist, oder daß die Voraussetzungen für die Anwendbarkeit einer Gruppenfreistellungsverordnung nicht gegeben sind. Das innerstaatliche Gericht kann die unter Art 85 Abs 1 EGV fallenden Vereinbarungen jedoch nicht selbst freistellen – dazu ist ausschließlich die Kommission befugt. Es kann aber überprüfen, ob eine Anmeldung oder eine Freistellung erfolgt ist oder nicht. Bestehen Zweifel, ob eine Vereinbarung gegen Art 85 Abs 1 EGV verstößt oder nicht, so kann das Gericht das Verfahren unterbrechen, damit die Parteien eine Anmeldung vornehmen und ein Negativattest oder eine Freistellung beantragen können. Das Gericht könnte auch eine **Vorabentscheidungsfrage** an den EuGH gem Art 177 EGV stellen. Das Risiko, gegen Art 85 Abs 1 EGV verstoßende Vereinbarungen gerichtlich nicht durchsetzen zu können, ist neben der Gefahr substantieller Geldbußen sicher der größte potentielle Nachteil derartiger Vereinbarungen.

Weder die V 17 noch andere Rechtsvorschriften sahen ursprünglich eine Verjährungsfrist vor. Seit 1975 gibt es eine **Verfolgungs- und Vollstreckungsverjährung** für die Befugnis der Kommission, Geldbußen oder andere Sanktionen wegen eines Verstoßes gegen die Art 85 Abs 1 EGV und 86 EGV zu verhängen.[132]) Die allgemeine Verjährungsfrist beträgt 5 Jahre, eine spezielle Frist für formelle Vergehen 3 Jahre.

Die Kommission hat keine Befugnis, Unternehmen, welche gegen die Art 85 Abs 1 EGV oder 86 EGV verstoßen, zu Schadenersatzleistungen zu verurteilen. Wem durch derartiges Verhalten von Unternehmen Schaden zugefügt wurde, der muß vor innerstaatlichen Gerichten auf **Schadenersatz** klagen. Die Entscheidung, ob, wie und wieviel Schadenersatz geleistet werden muß, ist auf Grundlage des innerstaatlichen Rechts zu fällen.

Entscheidungen der Kommission, mit denen eine Geldbuße oder ein Zwangsgeld festgesetzt werden, sind gem Art 192 EGV vollstreckbare Titel. Sie können nach der Zivilprozeßordnung des Staates, in dem das betroffene Unternehmen seinen Sitz hat, zwangsvollstreckt werden. Die Klage auf Auf-

---

[131]) Art 1 V 17.

[132]) V 2988/74/EWG des Rates über die Verfolgungs- und Vollstreckungsverjährung im Verkehrs- und Wettbewerbsrecht der EWG, ABl L 1974/378, 14.

hebung einer Entscheidung der Kommission hat nicht automatisch aufschiebende Wirkung. Deshalb muß das Unternehmen beim Gerichtshof zusätzlich den Aufschub der Vollstreckung beantragen.

9. Die Untersuchungsbefugnisse der Kommission

a) Allgemeines

Die Kommission kann auf verschiedene Art und Weise von Verstößen gegen die Art 85 Abs 1 EGV und 86 EGV erfahren. Der häufigste Fall sind Beschwerden von natürlichen oder juristischen Personen, die ein berechtigtes Interesse geltend machen können.[133]) **„Berechtigtes Interesse"** hat jeder, der nachweisen kann, daß er aufgrund einer wettbewerbsbeschränkenden Handlung zu Schaden kommt oder kommen könnte. Solche Wettbewerbsbeschränkungen können formlos oder mittels förmlicher Beschwerde bei der Kommission angezeigt werden. Für förmliche Beschwerden hat die Kommission ein **Formblatt „C"** erstellt, das vom Beschwerdeführer verwendet werden kann.

Weiters ist die Kommission berechtigt, sektorale Untersuchungen von Wirtschaftszweigen vorzunehmen, wenn in einem Wirtschaftszweig die Entwicklung des Handels zwischen den Mitgliedstaaten, Preisbewegungen, Preiserstarrungen oder andere Umstände vermuten lassen, daß der Wettbewerb eingeschränkt oder verfälscht ist.[134])

b) Auskunftsverlangen

Die Kommission kann von den Regierungen und den zuständigen Behörden der Mitgliedstaaten sowie von Unternehmen alle erforderlichen Auskünfte einholen.[135]) Alle Unternehmen – und nicht etwa nur die in einer Beschwerde angeführten – sind zur Auskunftserteilung verpflichtet. Wird eine von einem Unternehmen verlangte Auskunft innerhalb der von der Kommission festgesetzten Frist nicht oder nicht vollständig erteilt, so kann die Kommission die Auskunft durch eine förmliche Entscheidung anfordern. Zur Durchsetzung dieser Entscheidung kann die Kommission Zwangsgelder und Geldbußen festsetzen. Das einfache Auskunftsverlangen hat dem Verlangen in Form einer zwingenden Entscheidung vorauszugehen.

c) Nachprüfungen am Sitz eines Unternehmens

Die Kommission ist ermächtigt, am Sitz eines Unternehmens alle erforderlichen Nachprüfungen vorzunehmen.[136]) Es ist nicht notwendig, daß die Kommission vor der Vornahme einer Nachprüfung am Unternehmenssitz an dieses ein Auskunftsverlangen gerichtet hat. Zwei Arten von Nachprüfungen sind vorgesehen. Einerseits kann die Kommission an das Unternehmen die Aufforderung richten, eine **Nachprüfung freiwillig** zu gestat-

[133]) Art 3 Abs 2 V 17; Art 6 V 99/1963 (FN 107).
[134]) Art 12 V 17.
[135]) Art 11 V 17.
[136]) Art 14 V 17.

ten,[137]) andererseits kann sie eine **zwingende Nachprüfung** anordnen.[138]) Im Unterschied zum Auskunftsverlangen, in dem eine zwingende Entscheidung erst erlassen werden darf, wenn einer Aufforderung zur freiwilligen Auskunftserteilung nicht nachgekommen worden ist, kann die Kommission im Falle von Nachprüfungen sofort eine zwingende Entscheidung erlassen.[139]) Nachprüfungen werden unangekündigt vorgenommen, um zu verhindern, daß das gewarnte Unternehmen kompromittierende Unterlagen beiseite schafft. Die Bediensteten der Kommission nehmen die Nachprüfung unter **Vorlage eines Prüfungsauftrags** vor.[140]) Wenn ein Unternehmen die einfache Nachprüfung freiwillig gestattet, verpflichtet es sich damit auch, die verlangten Bücher und Unterlagen vollständig herauszugeben. Eine Verweigerung der einfachen Nachprüfung wird in einem schriftlichen Protokoll festgehalten und hat sonst weiter keine Folgen. Die Kommission muß dann eine zwingende Entscheidung erlassen, um das Unternehmen zur Duldung der Nachprüfung zu verpflichten.

d) Die Prüfungsbefugnisse der Kommission vor Ort[141])

Die Bediensteten der Kommission haben das Recht, alle Räumlichkeiten, Grundstücke und Transportmittel des Unternehmens zu betreten. Sie können die Räume auswählen, die sie zu betreten wünschen, doch gilt dies nur für gewerblich benutzte Räume, nicht etwa für die Privatwohnung des Unternehmensleiters. Bei Verweigerung des Zugangs können die Bediensteten der Kommission das Unternehmen nicht mit Gewalt betreten. Die zwangsweise Durchführung der **zwingenden Nachprüfungsentscheidung** ist durch die zuständigen Behörden des Mitgliedstaates vorzunehmen.

Die Bediensteten der Kommission haben selbst keine Durchsuchungsbefugnisse. Die Vertreter des untersuchten Unternehmens müssen die Schränke öffnen und die Geschäftsunterlagen aushändigen. Die Bediensteten der Kommission dürfen Dokumente nicht unmittelbar aus den Schränken entfernen. Im Falle einer Weigerung werden allenfalls dann die nationalen Behörden um zwangsweise Durchführung ersucht.

Die Bediensteten der Kommission können die Vorlage von Geschäftsunterlagen aller Art, dh auch Magnetbänder oder auf Computer gespeicherte Daten verlangen. Inoffizielle Unterlagen wie Terminkalender oder Sitzungsprotokolle können ebenfalls geprüft werden. Die Bediensteten der Kommission können weiters Abschriften von oder Auszüge aus Büchern und Geschäftsunterlagen anfertigen.

Die Kommission kann gegen Unternehmen **Geldbußen** von 100 bis 5000 ECU festsetzen, wenn sie bei Nachprüfungen die angeforderten Bücher oder

---

137) Art 14 Abs 2 V 17.

138) Art 14 Abs 3 V 17.

139) EuGH 26. 6. 1980 Rs 136/79 – National Panasonic –Slg 1980, 2033.

140) Art 14 Abs 2 V 17.

141) Vgl dazu insb EuGH 21. 9. 1989 verb Rs 46/87 und 227/88 – Hoechst – Slg 1989, 2919 RZ 26ff; vgl zu diesem Thema auch *Petropoulos,* The Commission's investigation powers and the undertakings' rights of defence – recent developments, Jus letter Bulletin 1990/1.

sonstige Geschäftsunterlagen nicht vollständig vorlegen oder die durch eine zwingende Entscheidung angeordnete Nachprüfung nicht dulden.[142]) Weiters kann sie für jeden Tag Verzug Zwangsgelder in der Höhe von 50 bis 1000 ECU festsetzen, um die Unternehmen anzuhalten, eine zwingende Nachprüfung zu dulden.[143]) Rein rechtlich kann sich ein Unternehmen einer zwingenden **Nachprüfungsentscheidung** nicht widersetzen. Tut es dies dennoch, so ist der Mitgliedstaat, in dessen Hoheitsgebiet sich dies zuträgt, verpflichtet, der Kommission Unterstützung zu gewähren, damit die Nachprüfung dennoch durchgeführt werden kann.[144]) Je nach Mitgliedstaat ist hiezu auch der Erlaß einer richterlichen Verfügung notwendig, die von der zuständigen nationalen Behörde beantragt wird. In Österreich muß ein Hausdurchsuchungsbefehl des Kartellgerichts eingeholt werden. Dann können die Bediensteten der Kommission ohne Mitwirkung des Unternehmens und unter Einschaltung der nationalen Behörde nach allen für die Nachprüfung notwendigen Informationsquellen suchen. Die Unterstützung der nationalen Behörden kann auch schon vorsorglich angefordert werden, um sich über einen etwaigen Widerspruch des Unternehmens hinwegsetzen zu können.[145]) Bei der Vornahme von Nachprüfungsmaßnahmen, die nicht auf der Mitwirkung der betroffenen Unternehmen beruhen, hat die Kommission die insoweit im nationalen Recht vorgesehenen Verfahrensgarantien zu beachten.[146]) Ohne Mitwirkung der nationalen Stellen und ohne Beachtung der nationalen Verfahrensgarantien ist die Kommission daher nicht befugt, Durchsuchungen vorzunehmen.[147])

e) Verfahrensgarantien

Die Kommission ist verpflichtet, die **Vertraulichkeit** des Schriftverkehrs zwischen einem Unternehmen und seinem Rechtsanwalt zu respektieren.[148]) Nur der Schriftwechsel ist geschützt, der entweder nach Beginn des Verfahrens stattfand oder vorher, wenn mit dem Verfahrensgegenstand in Verbindung stehend. Dieser Schutz kommt auch unternehmensinternen Schreiben zu, wenn sie lediglich den Inhalt von Schriftverkehr mit dem unabhängigen Rechtsanwalt zwecks unternehmensinterner Information wiederholen.[149])

Wenn ein Unternehmen die Herausgabe bestimmter Schriftstücke unter Berufung auf das Anwaltsgeheimnis verweigern will, ist der Nachweis für die Vertraulichkeit dieser Schriftstücke zu erbringen. Kommt es zu keiner Einigung über den vertraulichen oder nichtvertraulichen Charakter, so kann die Kommission eine **förmliche Entscheidung** erlassen, in der die Vorlage des strittigen Schriftwechsels angeordnet wird. Gegen diese Entscheidung kann das Unternehmen dann sofort beim Gerichtshof Klage erheben und gleichzeitig die Aussetzung der Durchführung der Entscheidung beantragen.

---

[142]) Art 15 Abs 1 c V 17.
[143]) Art 16 Abs 1 d V 17.
[144]) Art 14 Abs 6 V 17.
[145]) Vgl EuGH 21. 9. 1989 (FN 141) RZ 32.
[146]) (FN 145) RZ 34.
[147]) (FN 145) RZ 37.
[148]) Vgl dazu EuGH 18. 5. 1982 Rs 155/75 – AMS – Slg 1982, 1575.
[149]) EuGH Rs T-30/89 – Hilti – Slg 1990 II-163.

Ein Recht auf **Aussageverweigerung** wird in der V 17 nicht ausdrücklich anerkannt. Der EuGH stellte dazu fest, daß die Kommission einem Unternehmen nicht die Verpflichtung auferlegen darf, Antworten zu erteilen, durch die es das Vorliegen einer Zuwiderhandlung eingestehen müßte, für die die Kommission den Beweis zu erbringen hat. Die Kommission darf durch eine Entscheidung, mit der Auskünfte eingefordert werden, die Verteidigungsrechte des Unternehmens nicht beeinträchtigen.[150])

Die bei Auskunftsverlangen oder Nachprüfungen erlangten Kenntnisse dürfen nur zu dem damit verfolgten Zweck verwendet werden.[151]) Die Kommission und die zuständigen Behörden der Mitgliedstaaten sind verpflichtet, Kenntnisse nicht preiszugeben, die sie bei der Anwendung der V 17 erlangt haben und die ihrem Wesen nach unter das Berufsgeheimnis fallen.

Vor dem Erlaß einer Entscheidung über ein Negativattest, die Abstellung einer Zuwiderhandlung, eine Freistellung oder über die Verhängung von Buß- und Zwangsgeldern ist die Kommission verpflichtet,[152]) den beteiligten Unternehmen Gelegenheit zu geben, sich zu den von ihr in Betracht gezogenen Beschwerdepunkten zu äußern. Die **Anhörung der Unternehmen** wird durch die V 99/1963[153]) näher geregelt. Die Kommission teilt den Unternehmen die in Betracht gezogenen Beschwerdepunkte zunächst schriftlich mit. Die Unternehmen äußern sich ebenfalls schriftlich.[154]) Die Kommission kann in ihrer späteren Entscheidung nur die Beschwerdepunkte in Betracht ziehen, zu denen die Unternehmen, gegen die sich die Entscheidung richtet, Gelegenheit zur Äußerung hatten.[155]) Die Kommission kann außerdem Personen, die dies in ihren schriftlichen Äußerungen beantragt haben, Gelegenheit zu mündlichen Erläuterungen geben, wenn sie ein ausreichendes Interesse glaubhaft machen oder wenn die Kommission eine Geldbuße oder ein Zwangsgeld gegen sie festsetzen will.[156])

Die Kommission muß die beschuldigten Unternehmen nicht nur über alle sie belastenden Dokumente informieren, sondern auch über die sie entlastenden.[157])

10. Überprüfung der Entscheidungen der Kommission

Für Wettbewerbsangelegenheiten ist seit dessen Schaffung das **Gericht Erster Instanz** zuständig. Gegen zwingende Entscheidungen der Kommission über Auskunftsverlangen oder Nachprüfungen kann vom betroffenen Unternehmen binnen 2 Monaten auf Grundlage von Art 173 Abs 2 EGV Klage bei

---

[150]) EuGH 18. 10. 1989 Rs 374/87 – Orkem – Slg 1989, 3351 RZ 34f.

[151]) Art 20 V 17. Vlg EuGH 16. 7. 1992 Rs C-67/91 – Dirección de Defensa de la Competencia gg Asociación Española de Banco Privada ua – Slg 1992 I-4785.

[152]) Art 19 V 17.

[153]) Vgl FN 107.

[154]) Art 3 V 99/1963.

[155]) Art 4 V 99/1963.

[156]) Vgl FN 107.

[157]) EuGH Rs T 10/89 – Hoechst – Slg 1992-II, 629 RZ 54. Vgl allgemein für einen Überblick zu Entwicklungen im Verfahrensrecht *Ehlermann,* Developments in Community competition law procedures, Competition Policy Newsletter, Vol 1, No 1, Spring 1994, 2.

diesem erhoben werden.[158]) Erläßt die Kommission Entscheidungen über die Verhängung von Zwangs- oder Bußgeldern, hat das Gericht die Befugnis zu unbeschränkter Nachprüfung der Entscheidung iSd Art 172 EGV. Es kann die festgesetzte Geldbuße oder das festgesetzte Zwangsgeld aufheben, herabsetzen oder erhöhen. Auch gegen Entscheidungen, mit denen die Kommission die Herausgabe als vertraulich bezeichneter Schriftstücke verlangt, kann beim Gericht Klage erhoben werden.

Förmliche Entscheidungen der Kommission, mit denen über einen Antrag auf Freistellung oder ein Negativattest entschieden wird oder in denen ein Verstoß gegen Art 85 Abs 1 EGV und 86 EGV festgestellt und die Einstellung der verbotenen Verhaltensweisen verlangt wird, sowie die darin allenfalls enthaltene Anordnung zur Zahlung von Geldbußen, können ebenfalls vor dem Gericht erster Instanz angefochten werden. Die Entscheidung des Gerichts unterliegt dann einem beschränkten Rechtszug zum EuGH.

E. Die Kontrolle von Unternehmenszusammenschlüssen im Gemeinschaftsrecht

Seit September 1990 ist in der Gemeinschaft die V 4064/89 über die **Kontrolle von Unternehmenszusammenschlüssen** von gemeinschaftsweiter Bedeutung in Kraft (im folgenden FusionskontrollV).[159]) Ein Zusammenschluß iSd FusionskontrollV hat gemeinschaftsweite Bedeutung, wenn folgende Kriterien gemeinsam erfüllt sind:

- ein weltweiter Gesamtumsatz aller beteiligten Unternehmen von zusammen mehr als 5 Mrd ECU und
- ein gemeinschaftsweiter Gesamtumsatz von mindestens zwei der beteiligten Unternehmen von jeweils mehr als 250 Mio ECU.

Keine **gemeinschaftsweite Bedeutung** liegt vor, wenn die am Zusammenschluß beteiligten Unternehmen jeweils mehr als zwei Drittel ihres gemeinschaftsweiten Gesamtumsatzes in ein und demselben Mitgliedstaat erzielen.

Die derzeitigen Schwellenwerte wurden also recht hoch angesetzt. Mit der FusionskontrollV wurde dennoch ein erster, wichtiger Schritt zur Einführung einer gemeinschaftlichen Kontrolle von Zusammenschlüssen getan. Jährlich werden ca 60 Zusammenschlüsse bei der Kommission angemel-

---

[158]) Art 11 und 14 V 17.

[159]) V 4064/89/EWG des Rates über die Kontrolle von Unternehmenszusammenschlüssen, ABl L 1989/395 idF der Berichtigung ABl L 1990/257. Die V wird ergänzt durch V 3384/94 der Kommission über die Anmeldungen, über die Fristen sowie über die Anhörung nach der Verordnung 4064/89/EWG, ABl L 1994/377, mit Formblatt CO zur Anmeldung eines Zusammenschlusses gemäß der V 4064/89; Bekanntmachung der Kommission über die Unterscheidung zwischen konzentrativen und kooperativen Gemeinschaftsunternehmen nach der V 4064/89, ABl C 1994/385, 1; Bekanntmachung der Kommission über den Begriff des Zusammenschlusses nach der V 4064/89, ABl C 1994/385, 1; Bekanntmachung der Kommission über den Begriff der beteiligten Unternehmen in V 4064/89, ABl C 1994/385, 12; Bekanntmachung der Kommission über die Berechnung des Umsatzes im Sinne der V 4064/89, ABl C 1994/385, 21; Bekanntmachung der Kommission über Nebenabreden zu Zusammenschlüssen nach V 4064/89, ABl C 1994/203, 5.

det.[160]) Von dem ursprünglichen Plan, 1993 eine Senkung der Schwellenwerte vorzuschlagen, kam die Kommission vor allem aufgrund deutschen Widerstandes wieder ab, obwohl sie gute Gründe für eine solche Absenkung zu haben glaubte.[161]) Als sinnvoll betrachtet wurde eine Absenkung der 5 Mrd ECU-Grenze auf 2 Mrd ECU, sowie der 250 Mio ECU-Grenze auf 100 Mio ECU. Durch eine derartige Absenkung würde sich die Zahl der von der Kommission zu prüfenden Zusammenschlüsse deutlich erhöhen. Die Zuständigkeit nationaler Behörden würde entsprechend reduziert.

An die Stelle des Umsatzes tritt bei Kredit- und sonstigen Finanzinstituten ein Zehntel der Bilanzsumme, bei Versicherungsunternehmen die Summe der Bruttoprämien.[162])

Ein **Zusammenschluß wird dadurch bewirkt,** daß

- zwei oder mehr bisher voneinander unabhängige Unternehmen fusionieren oder daß
- eine oder mehrere Personen, die bereits mindestens ein Unternehmen kontrollieren, oder ein oder mehrere Unternehmen durch den Erwerb von Anteilsrechten oder Vermögenswerten, durch Vertrag oder in sonstiger Weise die unmittelbare oder mittelbare Kontrolle über die Gesamtheit oder über Teile eines oder mehrerer anderer Unternehmen erwerben; die Kontrolle wird durch Rechte, Verträge oder andere Mittel begründet, die einzeln oder zusammen unter Berücksichtigung aller tatsächlichen oder rechtlichen Umstände die Möglichkeit gewähren, einen bestimmenden Einfluß auf die Tätigkeit eines Unternehmens insb durch Eigentums- oder Nutzungsrechte an der Gesamtheit oder an Teilen des Vermögens des Unternehmens sowie durch Rechte oder Verträge, die einen bestimmenden Einfluß auf die Zusammensetzung, die Beratungen oder Beschlüsse der Organe des Unternehmens gewähren, auszuüben.[163])

Handlungen, einschließlich der Gründung eines Gemeinschaftsunternehmens, die eine Koordinierung des Wettbewerbsverhaltens voneinander unabhängig bleibender Unternehmen bezwecken oder bewirken, stellen keinen Zusammenschluß iSd FusionskontrollV dar. Die **Gründung eines Gemeinschaftsunternehmens**, das auf Dauer alle Funktionen einer selbständigen wirtschaftlichen Einheit erfüllt und keine Koordinierung des Wettbewerbsverhaltens der Gründerunternehmen im Verhältnis zueinander oder im Verhältnis zu dem Gemeinschaftsunternehmen mit sich bringt, stellt jedoch einen Zusammenschluß iSd V dar.[164]) Diese Unterscheidung zwischen **Kooperati-**

---

[160]) Für Zahlen vgl XXIII. Bericht über die Wettbewerbspolitik 1993, RZ 49. Für eine genaue Analyse ebendort, Anhang IV. Vgl auch Wettbewerb und Integration, Die Fusionskontrollpolitik der Gemeinschaft, Europäische Wirtschaft 1994/57. Tabellarische Übersichten finden sich zB in Europäische Kommission, Die Wettbewerbspolitik der Europäischen Gemeinschaft 1994, 41–42.

[161]) Vgl Gemeinschaftliches Fusionskontrollrecht, Bericht der Kommission an den Rat über die Anwendung der VO über Unternehmenszusammenschlüsse, KOM (93) 385 endg sowie XXIII. Wettbewerbsbericht 1993, RZ 43ff.

[162]) Art 5 Abs 3 FusionskontrollV.

[163]) Art 3 Abs 1 und 3 FusionskontrollV.

[164]) Art 3 Abs 2 FusionskontrollV.

ons- und **Konzentrationstatbeständen** ist schwierig. Eine Bekanntmachung der Kommission versucht, Anhaltspunkte für die Unterscheidung zu geben.[165]) Handlungen, die eine Koordinierung des Wettbewerbsverhaltens voneinander unabhängig bleibender Unternehmen bezwecken oder bewirken (Kooperationstatbestand), sind nach den Vorschriften der Art 85 und 86 EGV zu beurteilen.[166])

Zusammenschlüsse von gemeinschaftsweiter Bedeutung sind innerhalb einer Woche nach dem Vertragsabschluß, der Veröffentlichung des Kauf- oder Tauschangebots oder des Erwerbs einer die Kontrolle begründenden Beteiligung bei der Kommission anzumelden.[167]) Die Kommission hat den Zusammenschluß dann auf seine Vereinbarkeit mit dem Gemeinsamen Markt zu prüfen. Dabei hat sie folgende Aspekte zu berücksichtigen:

- die Notwendigkeit, im Gemeinsamen Markt **wirksamen Wettbewerb aufrechtzuerhalten und zu entwickeln,** insb im Hinblick auf die Struktur aller betroffenen Märkte und den tatsächlichen oder potentiellen Wettbewerb durch innerhalb oder außerhalb der Gemeinschaft ansässige Unternehmen;
- die **Marktstellung** sowie die **wirtschaftliche Macht** und die **Finanzkraft** der beteiligten Unternehmen, die Wahlmöglichkeiten der Lieferanten und Abnehmer, ihren Zugang zu den Beschaffungs- und Absatzmärkten, rechtliche oder tatsächliche Marktzutrittsschranken, die Entwicklung des Angebots und der Nachfrage bei den jeweiligen Erzeugnissen und Dienstleistungen, die Interessen der Zwischen- und Endverbraucher sowie die Entwicklung des technischen Fortschritts, sofern diese dem Verbraucher dient und den Wettbewerb nicht behindert.[168])

Je nachdem, ob durch den Zusammenschluß eine beherrschende Stellung begründet oder verstärkt wird, durch die wirksamer Wettbewerb im Gemeinsamen Markt oder in einem wesentlichen Teil davon erheblich behindert wird, oder nicht, ist der Zusammenschluß zu genehmigen oder zu untersagen.

Ein Zusammenschluß iSd FusionskontrollV darf weder vor der Anmeldung bei der Kommission noch während der auf die Anmeldung folgenden drei Wochen vollzogen werden. Die Kommission kann nach vorläufiger Prüfung der Anmeldung, die innerhalb dieser Frist erfolgt, beschließen, daß der Vollzug des Zusammenschlusses bis zum Erlaß einer endgültigen Entscheidung ganz oder teilweise ausgesetzt bleibt.

Stellt die Kommission fest, daß ein angemeldeter Zusammenschluß (eventuell nach entsprechenden Änderungen durch die beteiligten Unternehmen) mit dem Gemeinsamen Markt vereinbar ist, so erklärt sie dies in einer **förmlichen Entscheidung.** Diese Entscheidung kann mit Bedingungen und Auflagen verbunden werden. Entspricht der geplante Zusammenschluß den

---

[165]) Bekanntmachung der Kommission über die Unterscheidung zwischen konzentrativen und kooperativen Gemeinschaftsunternehmen nach V 4064/89, ABl C 1994/385, 1.

[166]) Bekanntmachung der Kommission über die Beurteilung kooperativer Gemeinschaftsunternehmen nach Art 85 EGV, ABl C 1992/43, 2.

[167]) Art 4 Abs 1 FusionskontrollV. Dazu ist das Formblatt CO zu verwenden (abgedruckt zB im XXIV. Bericht über die Wettbewerbspolitik 1994, 441).

[168]) Art 2 Abs 1 FusionskontrollV.

Voraussetzungen nicht, so erklärt die Kommission ihn für mit dem Gemeinsamen Markt unvereinbar.

Hat die Kommission innerhalb eines Monats keine Entscheidung erlassen, so gilt der Zusammenschluß als mit dem Gemeinsamen Markt vereinbar erklärt.[169])

Stellt die Kommission hingegen fest, daß der angemeldete Zusammenschluß unter die FusionskontrollV fällt und Anlaß zu ernsthaften Bedenken hinsichtlich seiner Vereinbarkeit mit dem Gemeinsamen Markt gibt, so trifft sie die Entscheidung, das Verfahren einzuleiten. Diese Entscheidung muß wieder binnen eines Monats ab Anmeldung erfolgen.[170]) Die Entscheidung, daß ein Zusammenschluß mit dem Gemeinsamen Markt unvereinbar ist, hat binnen vier Monaten nach der Einleitung des Verfahrens zu erfolgen. Sonst gilt der Zusammenschluß wiederum als für mit dem Gemeinsamen Markt vereinbar.[171])

Die FusionskontrollV enthält Vorschriften über Nachprüfungsbefugnisse der Kommission, Auskunftsverlangen, Geldbußen, Zwangsgelder, Berufsgeheimnisse, die Anhörung Dritter und die Nachprüfung durch den Gerichtshof, die jenen der Vorschriften zu den Art 85 und 86 EGV entsprechen.[172])

Unter bestimmten Voraussetzungen kann die Kommission einen angemeldeten Zusammenschluß an die zuständige Behörde eines Mitgliedstaates verweisen. Ein Mitgliedstaat kann dazu der Kommission binnen drei Wochen nach Erhalt der Abschrift der Anmeldung mitteilen, daß ein Zusammenschluß eine beherrschende Stellung zu begründen oder zu verstärken droht, durch die wirksamer Wettbewerb auf einem Markt in diesem Mitgliedstaat, der alle Merkmale eines gesonderten Markts aufweist, erheblich behindert würde – unabhängig davon, ob dieser einen wesentlichen Teil des Gemeinsamen Markts ausmacht oder nicht.

Die Mitgliedstaaten können ihr innerstaatliches Wettbewerbsrecht nicht auf Zusammenschlüsse von gemeinschaftsweiter Bedeutung anwenden.[173]) Damit wird das **Prinzip des sog „One stop shop"** verwirklicht, das erreichen soll, daß Zusammenschlüsse jeweils nur entweder von der Kommission oder von der zuständigen Behörde eines Mitgliedstaates überprüft werden, und das verhindern soll, daß es zu Doppelprüfungen mit eventuell unterschiedlichen Ergebnissen – Genehmigung des Zusammenschlusses im einen und Untersagung im anderen Verfahren – kommt.

Die FusionskontrollV hat diesen Grundsatz jedoch nicht bis in letzter Konsequenz verwirklicht. Die Mitgliedstaaten sind befugt, geeignete Maßnahmen zum Schutz anderer berechtigter Interessen als derjenigen zu treffen, welche in der V berücksichtigt werden, sofern diese Interessen mit den allgemeinen Grundsätzen und den übrigen Bestimmungen des Gemeinschafts-

---

[169]) Art 6 Abs 1 b und Art 10 Abs 1 und 6 FusionskontrollV.
[170]) Art 6 Abs 1 c und Art 10 Abs 1 und 6 FusionskontrollV.
[171]) Art 10 Abs 3 und 6 FusionskontrollV.
[172]) Art 11 bis 18 FusionskontrollV.
[173]) Art 21 Abs 1 und 2 FusionskontrollV.

rechts vereinbar sind. Als **berechtigte Interessen** gelten ausdrücklich die öffentliche Sicherheit, die Medienvielfalt und die Aufsichtsregeln.

F. Öffentliche Unternehmen

1. Allgemeines

Gem Art 90 Abs 1 EGV werden die Mitgliedstaaten in bezug auf öffentliche Unternehmen und auf Unternehmen, denen sie besondere oder ausschließliche Rechte gewähren, keine diesem Vertrag und insb dessen Art 7 EGV (Diskriminierungsverbot) und den Art 85 bis 94 EGV widersprechende Maßnahmen treffen oder beibehalten. Für Unternehmen, die mit Dienstleistungen von allgemeinem wirtschaftlichen Interesse betraut sind oder den Charakter eines Finanzmonopols haben, gelten gem Art 90 Abs 2 EGV die Vorschriften des EG-Vertrags, insb die Wettbewerbsregeln, soweit die Anwendung dieser Vorschriften nicht die Erfüllung der ihnen übertragenen besonderen Aufgaben rechtlich oder tatsächlich verhindert. Die **Entwicklung des Handelsverkehrs** darf dabei nicht in einem Ausmaß beeinträchtigt werden, das dem Interesse der Gemeinschaft zuwiderläuft. Mit dieser Regelung wird klargestellt, daß die Mitgliedstaaten dafür zu sorgen haben, daß öffentliche Unternehmen und Unternehmen, denen besondere oder ausschließliche Rechte gewährt werden, voll den Regelungen des EG-Vertrags über Kartelle und Beihilfen unterliegen. Sofern Unternehmen mit Dienstleistungen von allgemeinem wirtschaftlichen Interesse betraut sind, gilt dasselbe, außer wenn dadurch die Erfüllung dieser Aufgaben ver- (und nicht nur be-) hindert würde.[174])

Die Entscheidung des EuGH,[175]) mit der das **Vermittlungsmonopol** der deutschen Arbeitsämter für Führungskräfte der Wirtschaft für unzulässig erklärt wurde, ist eine gute Illustration der Art und Weise, wie der Gerichtshof Art 90 Abs 1 und 2 EGV interpretiert:

Eine öffentlich-rechtliche Anstalt für Arbeit, die nach dem Recht eines Mitgliedstaates mit Dienstleistungen von allgemeinem wirtschaftlichen Interesse betraut ist, unterliege gem Art 90 Abs 2 EGV den Wettbewerbsregeln, sofern deren Anwendung mit der Erfüllung der Aufgaben dieser Anstalt nicht nachweislich unvereinbar ist. Was das Verhalten einer öffentlich-rechtlichen Anstalt für Arbeit, die ein **Arbeitsvermittlungsmonopol** besitzt, gegenüber der Vermittlung von Führungskräften der Wirtschaft durch private Personalberatungsunternehmen betrifft, so könne die Anwendung von Art 86 EGV die Erfüllung der dieser Anstalt übertragenen besonderen Aufgabe nicht verhindern, wenn die Anstalt offenkundig nicht in der Lage ist, die Nachfrage auf dem Markt nach solchen Leistungen zu befriedigen und eine Beeinträchtigung ihres Monopols durch die genannten Unternehmen in der Praxis duldet.

---

[174]) EuGH 30. 4. 1974 Rs 155/73 – Sacchi – Slg 1974, 409 RZ 15; EuGH 3. 10. 1985 Rs 311/84 – CBEM – Slg 1985, 3261 RZ 17 und 19; EuGH 11. 4. 1989 Rs 66/86 – Ahmed Saeed – Slg 1989, 803 RZ 56.

[175]) EuGH 23. 4. 1991 Rs C-41/90 – Höfner und Elsen – RZ 24ff, Slg 1991, I-1979.

Die Schaffung einer beherrschenden Stellung durch die Gewährung eines ausschließlichen Rechts iSd Art 90 Abs 1 EGV sei als solche noch nicht mit Art 86 EGV unvereinbar. Ein Mitgliedstaat verstößt nämlich nur dann gegen die Verbote dieser beiden Bestimmungen, wenn das betreffende Unternehmen durch die bloße Ausübung des ihm übertragenen ausschließlichen Rechts seine beherrschende Stellung mißbräuchlich ausnutzt. Ein solcher Mißbrauch könne insb in einer Beschränkung der Leistung zum Schaden derjenigen, die die betreffende Dienstleistung in Anspruch nehmen wollen, bestehen. Ein Mitgliedstaat schaffe eine Lage, in der die Leistung beschränkt wird, wenn das Unternehmen, dem er ein ausschließliches Recht übertragen hat, offenkundig nicht in der Lage ist, die Nachfrage auf dem Markt nach solchen Leistungen zu befriedigen, und wenn die tatsächliche Ausübung dieser Tätigkeiten durch private **Unternehmen** durch die Beibehaltung einer Gesetzgebung unmöglich gemacht wird.

In diesem[176]) scheint der EuGH also der Ansicht zu folgen, daß nicht schon die bloße Einräumung von Exklusivrechten einen Verstoß gegen Art 86 iVm Art 90 Abs 2 EGV darstellt, sondern erst ein entsprechender Mißbrauch. An anderer Stelle[177]) wird jedoch der Eindruck erweckt, als ob schon die Einräumung eines Monopolrechts gegen Art 90 EGV verstoßen könne. Eine Einschränkung des Wettbewerbs durch solche Maßnahmen wäre folglich nur mehr dann zulässig, wenn sie durch andere als wirtschaftliche Motive gerechtfertigt werden kann.[178])

Diese Entscheidung ist auch ein Beispiel dafür, wie das Gemeinschaftsrecht die Kontrolle von **Dienstleistungsmonopolen** ermöglicht, für die es im EG-Vertrag keine dem Art 37 EGV entsprechende Bestimmung gibt, welcher die Mitgliedstaaten verpflichtet, ihre Warenhandelsmonopole so umzuformen, daß jede Diskriminierung in den Versorgungs- und Absatzbedingungen zwischen den Angehörigen der Mitgliedstaaten ausgeschlossen ist.

Art 90 Abs 3 EGV ermächtigt die Kommission, erforderlichenfalls an die Mitgliedstaaten geeignete Richtlinien oder Entscheidungen zur korrekten Anwendung von Art 90 Abs 1 und 2 EGV zu richten. Diese Bestimmung ist insofern interessant, als sie der Kommission ausnahmsweise die Möglichkeit eröffnet, selbst rechtliche Maßnahmen zu setzen, wenn zB der Rat in verschiedenen Bereichen der Gemeinschaftspolitiken gar nicht oder zu zögernd an die Lockerung nationaler Monopole und ausschließlicher Rechte herangeht. Problematisch erscheint dabei allerdings, daß damit Gesetzgebung durch ein nicht demokratisch legitimiertes Organ vorgenommen wird. Die Kommission versucht dieses Problem neuerdings durch Konsultationen mit Unternehmen, Rat und Parlament zu entschärfen.[179]) Diese **Ermächtigung der Kommission** wurde vom EuGH ausdrücklich bestätigt.[180]) Die Kommis-

---

[176]) Für eine Übersicht der Rechtsprechung s zB *Buendia,* Kommentar zur Rs C-323/93, „Centre d'insémination de La Crespelle", Competition Policy Newsletter Vol 1, No 3, 50–53.

[177]) EuGH 19. 5. 1993 Rs 320/91 – Corbeau – Slg 1993 I-2533.

[178]) Der Autor dankt *Andreas Reindl* für eine profunde Analyse der gesamten Judikatur zum Thema Art 90 EGV.

[179]) Pressemitteilung der Kommission IP (93) 1072.

[180]) EuGH 19. 3. 1991 Rs C-202/88 – Frankreich gg Kommission – Slg 1991 I-1223.

sion hat demnach in einer auf Art 90 Abs 3 EGV gestützten Richtlinie zB zu Recht verlangt, daß die Mitgliedstaaten, die Unternehmen ausschließliche Rechte betreffend die Einfuhr, den Vertrieb, die Einrichtung, die Inbetriebsetzung und die Wartung von Telekommunikationsendgeräten gewähren, für die Aufhebung dieser Rechte zu sorgen haben. Es ist jeweils zu überprüfen, ob ein gesetzliches Monopol in Verbindung mit **bestehenden Ausschließlichkeitsrechten** die einzige Möglichkeit ist, bestimmte wichtige Dienstleistungen zu erbringen, oder ob es weniger restriktive Lösungen gibt. Die Auslegung des Begriffs der vorbehaltenen Dienstleistungen, für die ein gesetzliches Monopol zulässig ist, hat sehr eng zu sein.

2. Spezifische Sektoren

a) Telekommunikation

In diesem Bereich hatte die Kommission bisher die größten Erfolge zu verzeichnen, was die Öffnung der Märkte der Mitgliedstaaten und die Zulassung von mehr Wettbewerb betrifft. „Ideologische" Grundlage dafür ist das 1988 veröffentlichte Grünbuch zum Telekommunikationswesen.[181]) Es folgten Maßnahmen betreffend Telekommunikationsendgeräte[182]), Telekommunikationsdienstleistungen[183]), öffentliche Auftragsvergabe[184]) und den offenen Netzzugang[185]). Die zwei erstgenannten Maßnahmen wurden 1994 um den Bereich der Satellitenkommunikation erweitert.[186]) 1991 veröffentlichte die Kommission außerdem umfangreiche Leitlinien für die Anwendung der EG-Wettbewerbsregeln im Telekommunikationsbereich.[187])

In einer Mitteilung[188]) über Anhörungen zum Bericht über die Lage im Telekommunikationssektor legte die Kommission den Zeitplan für die **Liberalisierung der Telekommunikationsdienste** fest, die in allen Mitgliedstaaten zum 1. Jänner 1998 vollständig abgeschlossen sein soll. Dieser Zeitplan (mit einer Frist bis 2003 für Spanien, Portugal, Irland und Griechenland) wurde mittlerweile auch vom Rat akzeptiert.[189]) Der Rat wies in einer Entschließung dazu vor allem auch darauf hin, daß es möglich sein müsse, bei Verlusten beim Basisangebot an Sprachtelefondiensten diese Leistungen über Quersubventionierung, Anschlußgebühren oder andere Mechanismen zu finanzieren, die mit den Wettbewerbsregeln vereinbar sind.[190]) Die Kommission will bis 1998 die notwendigen Maßnahmen zur Festlegung des Zeitplans und der für die vollständige Libe-

---

[181]) KOM (88) 48 endg.

[182]) RL 88/301/EWG, ABl L 1988/131, 73.

[183]) RL 90/388/EWG, ABl L 1990/192, 10.

[184]) ABl L 1990/297, 1 und ABl L 1993/199, 84.

[185]) ABl L 1990/192, 1.

[186]) RL 94/46 zur Änderung der RL 88/301 und 90/388, ABl L 1994/268, 15.

[187]) ABl C 1991/233, 2.

[188]) Mitteilung an den Rat und das Europäische Parlament über die Anhörung zum Bericht über die Lage im Telekommunikationssektor, KOM (93) 159 endg.

[189]) Nach der Entschließung des Rates v 22. 12. 1994, ABl C 1994/379 soll (mit Ausnahmen) die Infrastruktur für sämtliche Telekommunikationsdienste bis 1998 liberalisiert werden.

[190]) Entschließung v 7. 12. 1993, vgl XXIII. Bericht über die Wettbewerbspolitik 1993, RZ 127.

ralisierung erforderlichen Strukturanpassungen in den Randgebieten ergreifen, Entscheidungen über den ordnungsrechtlichen Rahmen für öffentliche Infrastrukturen fällen und Maßnahmen zur Gewährleistung der vollständigen Liberalisierung der öffentlichen Sprachtelefondienste durchsetzen.[191])

b) Postdienste

Zu diesem Bereich veröffentlichte die Kommission 1992 ein eigenes Grünbuch.[192]) Dem folgten 1993 Leitlinien für die Entwicklung des Postsektors.[193]) Darin stellt die Kommission Einverständnis über die Notwendigkeit fest, einen vorbehaltenen Sektor für den universellen Dienst zu gewährleisten. Unterschiedlich sind die Standpunkte zur Frage, wie sich spezielle Liberalisierungsmaßnahmen zB für grenzüberschreitende und direkte Postsendungen auf die wirtschaftliche Durchführbarkeit des universellen Dienstes und auf die Probleme seiner Kontrolle auswirken. Unterstrichen wird die Notwendigkeit einer klaren Trennung von ordnungsrechtlichen und operationellen Funktionen im Postsektor und hinsichtlich der Bedeutung der Einführung eines kostenorientierten Systems von Endgerätegebühren für eine rationelle Entwicklung der Postpolitik in der Gemeinschaft.[194])

c) Energie

So weitgehend die Märkte für Rohöl und Erdölerzeugnisse liberalisiert sind, so beschränkt sind weiterhin die Märkte in den Bereichen Gas und Strom. Bei **Erdölerzeugnissen** ging es in den letzten Jahren vor allem um Fragen wie zB die Öffnung des Tankstellennetzes für neue Anbieter.[195]) Die Kommission sieht in der Schaffung eines einheitlichen Energiebinnenmarktes weiterhin eine Priorität.[196]) 1992 veröffentlichte sie Vorschläge für gemein-

---

[191]) Vgl auch die Entschließung des Rates vom 7. Dezember 1993, ABl C 1994/48. S auch Grünbuch der Kommission über Mobilkommunikation und Personal Communications, KOM (94) 492, sowie den Entwurf einer RL zur Änderung der RL 90/388 betreffend die mobile Kommunikation und Personal Communications, ABl C 1995/197, 5; vgl auch XXIV. Bericht der Kommission über die Wettbewerbspolitik 1994, RZ 218–223. Auch 1995 wurden zahlreiche Maßnahmen mit dem Ziel der vollständigen Liberalisierung vorgeschlagen bzw beschlossen, wie zB: RL über die Liberalisierung von Kabelfernsehnetzen für bereits liberalisierte Telekommunikationsdienste, ABl C 1995/76, 8; Vorschlag für eine RL über die Zusammenschaltung in der Telekommunikation zur Gewährleistung des Universaldienstes und der Interoperabilität durch Anwendung der Grundsätze für einen offenen Netzzugang (ONP), KOM (95) 379; Vorschlag für eine RL zur Einführung des offenen Netzzugangs (ONP) beim Sprachtelefondienst, ABl C 1995/122, 4.

[192]) KOM (91) 476. Vgl XXII. Bericht über die Wettbewerbspolitik 1992, RZ 38.

[193]) Mitteilung der Kommission an den Rat und an das Europäische Parlament, „Leitlinien für die Entwicklung des Postsektors“, KOM (93) 247 endg.

[194]) Vgl XXIII. Bericht über die Wettbewerbspolitik 1993, RZ 130–132; vgl auch Bekanntmachung der Kommission über die Anwendung der Wettbewerbsregeln auf dem Postsektor und speziell über die Beurteilung bestimmter staatlicher Maßnahmen betreffend Postdienste, KOM (95) 830 endg, sowie den Vorschlag einer RL des EP und des Rates über gemeinsame Vorschriften für die Entwicklung des Postdienstes in der Gemeinschaft, KOM (95) 227.

[195]) Vgl XXIII. Bericht über die Wettbewerbspolitik 1993, RZ 134.

[196]) Vgl XXIII. Bericht über die Wettbewerbspolitik 1993, RZ 133–135.

same Vorschriften für den Elektrizitäts-[197]) und den Erdgasbinnenmarkt.[198]) Diese Vorschläge sahen unter anderem folgende Maßnahmen vor: Abschaffung ausschließlicher Produktionsrechte für Energie „unbundling“ (dh daß vertikal integrierte Unternehmen Produktion, Transport und Vertrieb in getrennten Einheiten mit getrennter Buchführung organisieren müssen) und die Pflicht von Transport- und Verteilungsunternehmen, ihre Netze gegen Kostenersatz Dritten zur Verfügung zu stellen.

Nach intensiven Debatten wurden diese Vorschläge Ende 1993 deutlich geändert. **Strom-** und **Gasproduzenten** sollen die Möglichkeit bekommen, die Bedingungen für den Netzzugang selbst auszuhandeln. Diese Möglichkeit tritt anstelle des reglementierten Zugangs, der in den ursprünglichen Texten vorgesehen war, und ist mit einem Schiedsverfahren zur Regelung von Streitigkeiten bei der Vertragsverhandlung oder -ausführung verbunden. Im Stromsektor wird nunmehr als Alternative zu dem ursprünglich vorgesehenen Lizenzvergabesystem ein Ausschreibungsverfahren für neue Beförderungs- und Produktionskapazitäten vorgeschlagen. Eine weitere Neuerung ist die Schaffung eines transparenten, nichtdiskriminierenden Systems zur Vergabe von Lizenzen an Eigenerzeuger und unabhängige Erzeuger. Schließlich sollen die Vorschriften für das Betreiben von Netzen vereinfacht werden. Ein klares Endergebnis dieser Liberalisierungsziele der Kommission ist allerdings noch nicht abzusehen.[199])

d) Eisenbahn

Am 1. Jänner 1993 trat eine eigene Richtlinie über die Entwicklung der Eisenbahnunternehmen in Kraft.[200]) Damit wird Eisenbahnunternehmen die Möglichkeit gegeben, unter bestimmten Voraussetzungen die Bahninfrastruktur in anderen Mitgliedstaaten zu nutzen. Die notwendig gewordene **Trennung von Schieneninfrastruktur und Bahnbetrieb** ist dabei Voraussetzung für eine transparente Kostenzurechnung für die Benützung der Schieneninfrastruktur.

e) Luftverkehr

Der Luftverkehr im EG-Binnenmarkt ist seit 1. Jänner 1993 weitgehend liberalisiert.[201]) Mit diesem Tag trat das sogenannte „dritte Paket“ von Libe-

[197]) ABl C 1992/65, 4.

[198]) ABl C 1992/65, 5.

[199]) Vgl XXII. Bericht über die Wettbewerbspolitik 1992, RZ 50. Die Diskussion konzentriert sich vor allem auch auf die Frage, inwiefern das Modell eines „single buyer“ für Strom in manchen Mitgliedstaaten mit einer vollen Liberalisierung in anderen koexistieren könnte. Vgl XXIV. Bericht der Kommission über die Wettbewerbspolitik 1994, RZ 228–231. Vgl auch *Buendia* in Competition Policy Newsletter Vol 1, No 5, 1995, 41–42.

[200]) RL 91/440, ABl L 1991/237, 25. Vgl auch die Mitteilung der Kommission über die Entwicklung der Eisenbahnunternehmen der Gemeinschaft, zur Durchführung der RL 91/440, zukünftige Maßnahmen zur Entwicklung der Eisenbahnunternehmen sowie den Vorschlag für eine RL des Rates zur Änderung der RL 91/440, KOM (95) 337 endg.

[201]) Vgl XXIII. Bericht über die Wettbewerbspolitik 1993, RZ 136–139.

ralisierungsmaßnahmen[202]) in Kraft, mit dem ein **einheitlicher Flugmarkt** verwirklicht werden sollte. Damit haben die Luftfahrtunternehmen Zugang zu fast allen Flugverbindungen innerhalb der Gemeinschaft. Flugtarife unterliegen keiner vorherigen Kontrolle mehr. Zur Klärung der Möglichkeiten für Luftfahrtunternehmen durch Zusammenarbeit ihre Position zu verbessern, erließ die Kommission eine **Gruppenfreistellungsverordnung**[203]) für die gemeinsame Flugplanung, die gemeinsame Bedienung neuer oder wenig beflogener Flugverbindungen, der Zuweisung von Zeitnischen auf Flughäfen und die Tarifkonsultation zur Einräumung von Interlining-Möglichkeiten. Eine bereits bestehende Gruppenfreistellung für computergesteuerte Buchungssysteme wurde abgeändert.[204])

Nachdem mit diesen Maßnahmen der Wettbewerb im Flugbereich im engeren Sinn sichergestellt worden war, stellte die Kommission aufgrund zahlreicher Beschwerden fest, daß es im Bereich der **Bodenabfertigung** auf zahlreichen Flughäfen der Gemeinschaft zu starken Wettbewerbsverzerrungen kommt. In diesem Bereich dürfte in der nächsten Zeit ein Schwerpunkt der Kommissionsaktivitäten liegen. Die Kommission will die Liberalisierung bestimmter Bodenabfertigungsaktivitäten auf größeren Flughäfen (mehr als zwei Millionen Passagiere oder mehr als 50.000 t Fracht pro Jahr) erreichen.[205])

In einen Zwiespalt mit ihrer Politik zur Öffnung der Flugmärkte geriet die Kommission vor allem in den Jahren 1993 und 1994, als mehrere Mitgliedstaaten umfangreiche **Beihilfenmaßnahmen für staatliche Fluglinien** durchsetzten,[206]) mit denen unter anderem Verluste ausgeglichen wurden, die neben der allgemeinen Krise der Zivilluftfahrt seit der Golfkrise auch auf den stärkeren Wettbewerb in Europa zurückzuführen sein dürften. Proteste gegen diese Wettbewerbsverzerrung seitens Fluglinien, die umfangreiche Umstrukturierung ohne staatliche Hilfe durchführten, blieben bisher ungehört.

G. Die Kontrolle von staatlichen Beihilfen

1. Materielles Recht

Zur Errichtung und Aufrechterhaltung eines Systems, in dem der Wettbewerb innerhalb des Gemeinsamen Marktes nicht verfälscht wird, ist neben der Kontrolle des Wettbewerbsverhaltens der Unternehmen auch eine **Kontrolle der Regierungen** der Mitgliedstaaten notwendig, um zu verhindern, daß letztere durch die unkoordinierte Vergabe von Beihilfen an Unternehmen den Wettbewerb verzerren.

---

202) ABl L 1992/240.

203) V 1617/93/EWG, ABl L 1993/155 und L 1993/177, Abänderungsvorschlag SEK (95) 1556.

204) V 1618/93/EWG, ABl L 1993/155 und V 3652/93/EWG, ABl L 1993/333.

205) KOM (94) 590, ABl C 1995/142, vgl XXIV. Bericht der Kommission über die Wettbewerbspolitik 1994, RZ 227.

206) Vgl zB XXIII. Bericht über die Wettbewerbspolitik 1993, RZ 536–539; Struggle at the airport gates, Financial Times 10. 11. 1994; Beihilfe für Air France: IP/94/699 v 27. 7. 1994; Beihilfe für Olympic Airways: IP/94/700 v 27. 7. 1994.

Einen Überblick über das von den einzelnen Mitgliedstaaten gewährte Volumen von Beihilfen gibt der dritte Beihilfenbericht der Kommission.[207]) Gaben die Mitgliedstaaten zwischen 1986 und 1988 im Schnitt 92 Mrd ECU an Beihilfen pro Jahr, so sank dieser Schnitt zwischen 1988 und 1990 leicht auf 89 Mrd ECU, 40% dieser Summe gingen an den produzierenden Bereich. 1990 wurde sogar wieder ein leichter Anstieg bei den Förderungen für diesen Bereich festgestellt. In den Krisenjahren ab 1991 scheint sich dies jedoch nicht weiter fortgesetzt zu haben.[208])

Die **höchsten Beihilfensätze** im produzierenden Bereich wurden in Italien (6,0% 1988–1990 nach 6,2% 1986–1988), Portugal (5,3% nach 2,2%) und Irland (4,9% nach 6,4%) gefunden.[209]) Die **niedrigsten Sätze** wiederum wiesen Deutschland (2,5% nach 2,7%), Dänemark (2,1% nach 1,9%) und das Vereinigte Königreich (2,0% nach 2,6%) auf. Mißt man die **Beihilfenintensität** als Prozentsatz des erwirtschafteten Mehrwerts in den vier größten Volkswirtschaften der Gemeinschaft, so waren die Beihilfen in Italien dreimal so hoch wie im Vereinigten Königreich, doppelt so hoch wie in Deutschland und mehr als eineinhalbmal so hoch wie in Frankreich. Interessant ist, daß die pro Beschäftigtem gewährten Beihilfen in den Randregionen der Gemeinschaft im Vergleich zu ihren vier reichsten Ländern verhältnismäßig niedrig sind. Auch machten die in den vier größten Volkswirtschaften gewährten Beihilfen für den produzierenden Bereich zwischen 1988 und 1990 79% der in der Gemeinschaft gewährten Beihilfen aus (nach 75% zwischen 1986 und 1988). Diese Unterschiede in der Förderintensität werfen die Frage auf, ob die von der Gemeinschaft im Bereich der Regionalpolitik gemachten Anstrengungen, das Wohlstandsniveau der ärmeren Regionen jenem der reicheren anzunähern, je Erfolg zeigen wird können.

Der **Begriff der Beihilfe** ist im Gemeinschaftsrecht sehr weit gefaßt. Er geht weit über staatliche Zuschüsse, günstige Darlehen und Zinszuschüsse, bei denen das Beihilfeelement sofort ersichtlich ist, hinaus. Auch Steuer- und Abgabenbefreiungen, Bürgschaften der öffentlichen Hand für Kredite, die private Unternehmen bei Finanzinstituten oder am Kapitalmarkt aufnehmen, die Lieferung von Waren und die Erbringung von Dienstleistungen zu Vorzugsbedingungen sowie unter bestimmten Voraussetzungen Beteiligungen der öffentlichen Hand an Unternehmen und alle sonstigen Maßnahmen gleicher Wirkung werden als Beihilfen angesehen.[210])

Besondere Schwierigkeiten wirft immer wieder die Frage auf, ob **Kapitalzufuhren des Staates an in seinem Eigentum befindliche Unternehmen** als Beihilfen zu bewerten sind – und deshalb nur nach Genehmigung durch die Kommission ausbezahlt werden dürfen – oder ob sie als Einlagen bzw Kapitalerhöhungen zu sehen sind, die nicht unter den Begriff der Beihilfe fallen. Die Kommission hat zur Beurteilung dieser Frage als Kriterium das Verhalten eines **privaten Investors**, der eine langfristige Gesamtpolitik betreibt, her-

---

207) XXII. Bericht über die Wettbewerbspolitik 1992, RZ 350–353.

208) Aussendung der Kommission MEMO/94/67 v 10. 11. 1994.

209) Für Griechenland standen keine Zahlen fest.

210) Vgl NN, Die Wettbewerbspolitik im Europäischen Binnenmarkt, Europäische Dokumentation 1/1989, 65; vgl auch *Bleckmann,* Europarecht[5], 601.

angezogen. Diesem Ansatz ist der EuGH gefolgt. Die Kapitalzufuhr muß nach seiner Ansicht zwar nicht dem Verhalten eines gewöhnlichen Investors entsprechen, der Kapital im Hinblick auf seine mehr oder minder kurzfristige Rentabilität anlegt, doch muß das Verhalten des staatlichen Eigentümers zumindest dem eines „privaten Investors" entsprechen, dh es muß zumindest das Verhalten einer privaten Holding oder einer privaten Unternehmensgruppe sein, die eine globale oder sektorielle Strukturpolitik betreibt und sich durch **längerfristige Rentabilitätsaussichten** leiten läßt.[211]) Kapitaleinlagen eines öffentlichen Investors ohne irgendeine Aussicht auf – selbst langfristige – Rentabilität dagegen sind als Beihilfen iSv Art 92 EGV anzusehen.[212])

Gem Art 92 Abs 1 EGV sind, soweit im EG-Vertrag nicht etwas anderes bestimmt ist, staatliche oder aus staatlichen Mitteln gewährte Beihilfen, gleich welcher Art, die durch die Begünstigung bestimmter Unternehmen oder Produktionszweige den Wettbewerb verfälschen oder zu verfälschen drohen, mit dem Gemeinsamen Markt unvereinbar, soweit sie den Handel zwischen Mitgliedstaaten beeinträchtigen. Damit wird ein **grundsätzliches Verbot** von Beihilfen ausgesprochen, sofern sie die genannten Kriterien erfüllen. Beihilfen müssen danach stets spezifische Maßnahmen sein, die bestimmten Unternehmen, Sektoren oder Regionen zukommen. Allgemeine Unterstützungsmaßnahmen, etwa eine Erleichterung der Soziallasten für sämtliche Unternehmen eines Mitgliedstaates, werden davon nicht erfaßt.

Art 92 Abs 2 EGV erklärt bestimmte Arten von Beihilfen für jedenfalls mit dem Gemeinsamen Markt vereinbar:

- **Beihilfen sozialer Art** an einzelne Verbraucher, wenn sie ohne Diskriminierung nach der Herkunft der Waren gewährt werden,
- **Beihilfen zur Beseitigung von Schäden,** die durch Naturkatastrophen oder sonstige außergewöhnliche Ereignisse entstanden sind,
- **Beihilfen für die Wirtschaft** bestimmter durch die **Teilung Deutschlands** betroffener Gebiete der Bundesrepublik Deutschland, soweit sie zum Ausgleich der durch die Teilung verursachten wirtschaftlichen Nachteile erforderlich sind.

Auf der Grundlage von Art 90 Abs 3 EGV werden folgende Beihilfen als uU mit dem Gemeinsamen Markt vereinbar angesehen:

- Beihilfen zur **Förderung der wirtschaftlichen Entwicklung von Gebieten,** in denen die Lebenshaltung außergewöhnlich niedrig ist oder eine erhebliche Unterbeschäftigung herrscht,
- Beihilfen zur **Förderung wichtiger Vorhaben von gemeinsamem europäischen Interesse** oder zur Behebung einer beträchtlichen Störung im Wirtschaftsleben eines Mitgliedstaates,
- Beihilfen zur **Förderung der Entwicklung gewisser Wirtschaftszweige oder Wirtschaftsgebiete,** soweit sie die Handelsbedingungen nicht in einer Weise verändern, die dem gemeinsamen Interesse zuwiderlaufen,

---

[211]) Vgl zB EuGH 21. 3. 1991 Rs C-305/89 – Italienische Republik gg Kommission – (Kraftfahrzeugsektor), Slg 1991 I-1603.

[212]) EuGH 21. 3. 1991 Rs C-303/88 – Italienische Republik gg Kommission – (Textilsektor), Slg 1991 I-1433.

- Beihilfen zur **Förderung der Kultur und der Erhaltung des kulturellen Erbes,** soweit sie die Handels- und Wettbewerbsbedingungen in der Gemeinschaft nicht in einem Maß beeinträchtigen, das dem gemeinsamen Interesse zuwiderläuft,
- sonstige Arten von Beihilfen, die der Rat durch eine Entscheidung mit qualifizierter Mehrheit auf Vorschlag der Kommission bestimmt.

Damit besteht die Möglichkeit, insb regionale und sektorale Beihilfen zu genehmigen. Die Kommission hat für beide Arten Kriterienkataloge erstellt, nach denen sie bei der Beurteilung von Beihilfeprojekten der Mitgliedstaaten vorgeht. Im Bereich der sektoralen Beihilfen hat die Kommission etwa Beihilfenrahmen für die Textilindustrie, die KFZ-Industrie oder die Stahlindustrie erarbeitet.

Für die **Auswahl der Regionen,** die für Beihilfen in Frage kommen, hat die Kommission detaillierte Vergleichs- und Berechnungsmethoden erstellt. Für die einzelnen Regionen wird dann von der Kommission die höchstzulässige Beihilfenintensität bekanntgegeben, die normalerweise mit dem sog **Nettosubventionsäquivalent** angegeben wird. Dieses errechnet sich auf Basis der ausbezahlten Beihilfe unter Einbeziehung von Abschreibungen, Abzinsungen etc. Durch die Methode der Nettosubventionsäquivalentsrechnung soll vor allem auch die Vergleichbarkeit von Beihilfen und damit die Transparenz der von den verschiedenen Mitgliedstaaten geleisteten Stützungsmaßnahmen verbessert werden.

Diese Regelungen sind in einer kaum überschaubaren Zahl von einzelnen Mitteilungen der Kommission an die Mitgliedstaaten (oft gar nicht veröffentlicht), Bekanntmachungen im EG-Amtsblatt und dem jährlichen Bericht der Kommission über die Wettbewerbspolitik enthalten. Im Zuge der EWR wurde eine Kodifizierung vorgenommen.[213])

2. Das Verfahren zur Genehmigung von Beihilfenvorhaben

Die Kommission ist von jeder beabsichtigten Einführung oder Umgestaltung von Beihilfen so rechtzeitig zu unterrichten, daß sie sich dazu äußern kann. Ist sie der Auffassung, daß ein derartiges Vorhaben gem Art 92 EGV mit dem Gemeinsamen Markt unvereinbar ist, so leitet sie ein Überprüfungsverfahren ein. Der betreffende Mitgliedstaat darf die beabsichtigte Maßnahme nicht durchführen, bevor die Kommission nicht eine abschließende Entscheidung erlassen hat.[214])

Die Kommission muß nunmehr den Beteiligten eine **Frist zur Äußerung** setzen. Stellt sie danach fest, daß eine von einem Staat oder aus staatlichen Mitteln gewährte Beihilfe mit dem Gemeinsamen Markt gem Art 92 EGV unvereinbar ist oder daß sie mißbräuchlich angewandt wird, so entscheidet sie, daß der betreffende Staat sie binnen einer von ihr bestimmten Frist aufzuheben oder umzugestalten hat oder nicht ausbezahlen darf. Kommt der betreffende Staat dieser Entscheidung innerhalb der festgesetzten Frist nicht

[213]) Eine gute Zusammenstellung dieser Regeln wurde (mit EWR-Bezug) von der EFTA-Überwachungsbehörde im ABl 1994/321 veröffentlicht. Die Kommission hat mit Stand 31. 12. 1994 ebenfalls eine Volltextsammlung veröffentlicht: „Wettbewerbsrecht in den Europäischen Gemeinschaften – Band II A – Wettbewerbsregeln für staatliche Beihilfen“, Luxemburg 1995.

[214]) Art 93 Abs 3 EGV.

nach, so kann die Kommission oder jeder betroffene Staat in Abweichung von den Art 169 und 170 EGV den Gerichtshof unmittelbar anrufen, dh daß das in Art 169 EGV als Voraussetzung der Vertragsverletzungsklage vorgesehene Vorverfahren nicht mehr durchgeführt werden muß.[215])

Wenn die Kommission in ihrer Entscheidung über die Vereinbarkeit einer Beihilfe zur Auffassung gelangt, daß diese mit dem Gemeinsamen Markt unvereinbar ist, so stellt sie in dieser Entscheidung auch fest, daß die Beihilfe von den Unternehmen, die sie erhalten haben, wieder zurückzufordern ist, soweit sie bereits ausbezahlt worden ist. Unternehmen müssen sich, bevor sie eine Beihilfe entgegennehmen und insb bevor sie die Mittel verwenden, davon überzeugen, daß der Mitgliedstaat, der die Beihilfe ausbezahlt, diese auch der Kommission ordnungsgemäß notifiziert hat. Der betreffende Mitgliedstaat kann die Rückforderung der **unzulässigerweise ausbezahlten Beihilfe nicht** mit dem Argument verweigern, daß der im innerstaatlichen Recht verankerte Schutz der rechtmäßigen Erwartung des Unternehmens dies unmöglich mache.[216])

Bestehende Beihilfenregelungen sind bis zu ihrer Untersagung legal. Sobald die Kommission Zweifel an der Vereinbarkeit einer bestehenden Regelung mit dem Gemeinsamen Markt hat, leitet sie das im Art 92 Abs 2 EGV vorgesehene Verfahren ein, nachdem sie dem betreffenden Mitgliedstaat Gelegenheit zur Anhörung gegeben hat.

3. Zukünftige Politik

Die zur Zeit für die Vergabe staatlicher Beihilfen bestehenden Sondervorschriften für besonders sensible Sektoren werden zwar zT als sinnvoll angesehen werden. Die Kommission ist jedoch der Ansicht, damit in die gefährliche Nähe sektorieller Industriepolitik zu geraten.[217])

Die weiteren laufenden Prioritäten werden von der Kommission in folgenden Bereichen gesehen:[218])

- Entwicklung von speziellen Regelungen für Beihilfen zur **Schaffung von Arbeitsplätzen,**
- die Zusammenfassung des derzeit bestehenden Wirrwarrs im Bereich der **Verfahrensvorschriften** für Beihilfen,
- Maßnahmen zur Korrektur der Tatsache, daß in den wohlhabenden Regionen der Gemeinschaft noch immer mehr staatliche Förderungen vergeben werden als in den armen Gebieten,
- Umsetzung der Ergebnisse der Uruguay-Runde des **GATT,** Schaffung der **WTO** sowie der Ausgestaltung der Beihilfenvorschriften in den **Europaabkommen,**
- Durchsetzung der Beihilfenvorschriften der Gemeinschaft in den **neuen Mitgliedstaaten.**

---

[215]) Art 93 Abs 2 1. und 2. Unterabsatz EGV.

[216]) EuGH 20. 9. 1990 Rs C-5/89 – Deutschland gg Kommission – Slg 1990 I-3437.

[217]) *Ehlermann,* Zukünftige Entwicklungen des Europäischen Wettbewerbsrechts, Competition Policy Newsletter, Vol 1, No 2, Summer 1994, 2.

[218]) Vgl dazu *Faull,* Some of the questions you always wanted to ask about state aid, Competition Policy Newsletter Vol 1, No 2, Summer 1994, 48. Leitlinien für Beschäftigungsbeihilfen veröffentlicht in ABl C 1995/334, 4.

H. Die Regelungen für staatliche Handelsmonopole

Im Kapitel des EG-Vertrags über den Warenverkehr befindet sich auch eine Bestimmung über **Handelsmonopole.** Obwohl damit nicht unter den Wettbewerbsvorschriften eingeordnet, scheint eine kurze Übersicht über die Tragweite des Art 37 EGV notwendig, da das Vorhandensein bzw Nichtvorhandensein von Monopolen ganz wesentlichen **Einfluß auf die Wettbewerbsbedingungen** hat, unter denen sich Unternehmen zu behaupten haben.

Art 37 Abs 1 EGV bestimmt: „Die Mitgliedstaaten formen ihre staatlichen Handelsmonopole schrittweise derart um, daß am Ende der Übergangszeit jede Diskriminierung in den Versorgungs- und Absatzbedingungen zwischen den Angehörigen der Mitgliedstaaten ausgeschlossen ist. Dieser Artikel gilt für alle Einrichtungen, durch die ein Mitgliedstaat unmittelbar oder mittelbar die Einfuhr oder die Ausfuhr zwischen den Mitgliedstaaten rechtlich oder tatsächlich kontrolliert, lenkt oder merklich beeinflußt. Er gilt auch für die von einem Staat auf andere Rechtsträger übertragenen Monopole."

Gem Art 37 Abs 2 EGV unterlassen die Mitgliedstaaten „jede neue Maßnahme, die den in Absatz 1 genannten Grundsätzen widerspricht oder die Tragweite der Artikel über die Abschaffung der Zölle und mengenmäßigen Beschränkungen zwischen den Mitgliedstaaten einengt".

Damit wird den Mitgliedstaaten also nicht befohlen, ihre Monopole zur Gänze abzuschaffen. **Produktionsmonopole** können weiterbestehen. Auch die Einführung neuer Produktionsmonopole und Verstaatlichungen zu deren Durchsetzung sind keineswegs verboten.[219]) Art 222 EGV bestimmt nämlich, daß durch diesen Vertrag die Eigentumsordnung in den verschiedenen Mitgliedstaaten unberührt bleibt.

Art 37 EGV betrifft **nur den Handel mit Waren** und kann sich nicht auf ein Dienstleistungsmonopol beziehen. Somit liegt zB das gewerblich betriebene Werbefernsehen wegen seines Dienstleistungscharakters außerhalb des Anwendungsbereiches dieser Bestimmung.[220]) Beschränkungen für **Dienstleistungsmonopole** können sich jedoch aus Art 86 iVm Art 90 EGV ergeben (s oben F.).

Art 37 Abs 1 EGV verlangt, staatliche Handelsmonopole so umzuformen, daß das ausschließliche Recht zur Einfuhr aus den anderen Mitgliedstaaten entfällt.[221]) Dasselbe dürfte für ausschließliche Ausfuhrrechte gelten. Die Beseitigung des ausschließenden Einfuhrrechts verlangt notwendigerweise auch die Beseitigung ausschließlicher Vertriebsmonopole für den Verkauf von aus anderen Mitgliedstaaten importierten Waren. Dies gilt jedenfalls für den Großhandel.[222]) Wie das Beispiel des Apothekenmonopols (s unten) zeigt, ist für den Einzelhandel nuancierter vorzugehen.

Art 37 Abs 1 EGV[223]) und Art 37 Abs 2 EGV[224]) sind unmittelbar anwendbar, dh daß sich der einzelne vor den nationalen Gerichten darauf berufen kann.

---

[219]) EuGH 15. 7. 1964 Rs 6/64 – Costa gg ENEL – Slg 1964, 1259.
[220]) EuGH 30. 4. 1974 Rs 155/73 – Sacchi – Slg 1974, 427 RZ 10.
[221]) EuGH 3. 2. 1976, Rs 59/75 – Manghera – Slg 1976, 99 RZ 13.
[222]) *Druesne,* Droit materiel et politiques de la Communauté européenne 224.
[223]) Vgl FN 222.
[224]) Vgl FN 219.

Die Vorschrift des Art 37 EGV gilt nicht nur für die Ein- und Ausfuhren, die unmittelbar Gegenstand des Monopols sind, sondern erfaßt **alle Maßnahmen**, die mit dessen Existenz im Zusammenhang stehen und sich bei bestimmten Waren – mögen diese dem Monopol unterliegen oder nicht – auf den Handel zwischen Mitgliedstaaten auswirken.

Der Anwendungsbereich von Art 37 Abs 1 EGV erstreckt sich nicht auf Maßnahmen, die die Einfuhr von Waren aus Drittländern berühren. Einfuhrregelungen für diese Erzeugnisse fallen unter die Bestimmungen über die Handelspolitik.

Der Gerichtshof befand eine italienische Regelung für mit den Erfordernissen des Art 37 Abs 1 EGV konform, die für den **Detailverkauf von Tabakerzeugnissen** inländischen wie ausländischen Erzeugern eine einheitliche Handelsspanne vorschrieb. Tabakerzeuger waren nämlich frei, den Preis ihrer Produkte zu bestimmen, auf den dann die Handelsspanne aufgeschlagen wurde.[225]) Umgekehrt verstieß Frankreich dadurch gegen den Art 37 Abs 1 EGV, daß es für Tabak Detailverkaufspreise festsetzte, die von den von den Herstellern oder den Importeuren bestimmten Preisen abwichen. Eine derartige Preisfestsetzung war für den Gerichtshof die Erstreckung eines für das staatliche Monopol typischen Vorrechts auf eingeführte Tabakwaren, die zu einer Beeinträchtigung des Handels mit eingeführten Tabakwaren unter normalen Wettbewerbsbedingungen führte.[226])

Nach diesen Grundsätzen hat auch die Umgestaltung des **österreichischen Tabakmonopols** vor sich zu gehen. So kann zB die Beschränkung des Einzelhandelsverkaufs auf Trafiken beibehalten werden – die Vergabe von Trafiklizenzen muß jedoch von einer neu zu schaffenden unabhängigen Einrichtung vorgenommen werden.[227])

Was das **Apothekermonopol** für den Vertrieb von Arzneimitteln betrifft, stellte der Gerichtshof fest, daß die Mitgliedstaaten grundsätzlich den Verkauf von Erzeugnissen, die unter die Gemeinschaftsdefinition des Arzneimittels fallen, im Einzelhandel den Apothekern vorbehalten können und daß vermutet werden kann, daß deren Monopol für diese Erzeugnisse eine geeignete Form des Schutzes der öffentlichen Gesundheit darstellt; der Gegenbeweis kann jedoch für bestimmte Arzneimittel geführt werden, deren Verwendung keine ernsthaften Gefahren für die öffentliche Gesundheit mit sich bringt und für die die Unterwerfung unter das Apothekermonopol offensichtlich unverhältnismäßig ist. Bei anderen Erzeugnissen (zB Kosmetika) muß, falls den Apothekern ein Monopol für ihren Verkauf eingeräumt wird, die Notwendigkeit dieses Monopols für den Schutz der öffentlichen Gesundheit oder den Verbraucherschutz in jedem Einzelfall bewiesen werden.[228])

---

[225]) EuGH 7. 6. 1983 Rs 78/82 – Kommission gg Italien – Slg 1983, 1965 RZ 18.

[226]) EuGH 21. 6. 1983 Rs 90/82 – Kommission gg Frankreich – Slg 1983, 2024 insb RZ 27.

[227]) Art 71 Beitrittsvertrag.

[228]) EuGH 21. 3. 1991 Rs C-60/89 – Monteil und Samanni – Slg 1991 I-1547.

2. KAPITEL

Öffentliches Auftragswesen

Michael Erhart

Übersicht:

A. Volkswirtschaftliche Aspekte der Öffnung des öffentlichen Auftragswesens

Das öffentliche Auftragswesen ist einer der Wirtschaftsbereiche der Gemeinschaft, der noch am weitesten von der Realität eines gemeinsamen, einheitlichen Marktes entfernt ist. In kaum einem anderen Gebiet wird so häufig zum Nachteil von Unternehmen aus anderen Mitgliedstaaten diskriminiert. Die Folgen der jahrzehntelangen Bevorzugung von „Haus- und Hoflieferanten" sind hohe Preise für die anschaffenden Stellen, Überkapazitäten in der Industrie, unnötige Parallelforschung in mehreren Staaten und mangelnde Größe der Unternehmen, um auf dem Weltmarkt konkurrenzfähig zu bleiben.

Die **wirtschaftliche Bedeutung** des öffentlichen Auftragswesens ist für die Kommission anhand einer einzigen Zahl nachweisbar: Die Käufe des öffentlichen Sektors beliefen sich 1990 auf 595 Mrd ECU, dh 14,4% des Bruttoinlandsprodukts der Europäischen Union, wobei 55% dieser Käufe durch die Vergabe von Aufträgen getätigt wurden. Im *Cecchini*-Bericht wurden für den Fall der autonomen und behinderungsfreien Verwirklichung eines Binnenmarktes aller Staaten der Gemeinschaft allein im Bereich der öffentlichen Aufträge Einsparungsmöglichkeiten von ca 21 Mrd ECU vorausgesagt. Gegenwärtig vergeben in der Gemeinschaft über 400.000 öffentliche und halböffentliche Auftraggeber Aufträge. Von ihnen sind etwa 100.000 finanziell in der Lage, Verträge mit einem über den Gemeinschaftsschwellen liegenden Wert zu schließen.[1]) In der Gemeinschaft stehen nur rund 20% des Gesamtmarktes Bietern aus anderen Mitgliedstaaten offen. In den EFTA-Staaten dürfte der Markt für öffentliche Aufträge nochmals ca ein Zehntel des EG-Werts betragen, dh ca 55 bis 60 Mrd ECU.[2])

B. Die auf öffentliche Aufträge anwendbaren Bestimmungen des EG-Vertrages

Für eine systematische Darstellung des auf die öffentliche Auftragsvergabe anwendbaren Gemeinschaftsrechts ist es notwendig, zuerst die Vertragsbestimmungen über den freien Warenverkehr, die Niederlassungsfreiheit und die Dienstleistungsfreiheit zu betrachten. Diese Vorschriften müssen auch dann beachtet werden, wenn die Vergaberichtlinien nicht anwendbar sind.

[1]) Zahlen aus einer Presseaussendung der Kommission IP/94/22 v 14. 1. 1994.

[2]) Zahlen aus Presseaussendung EWR 5/92 des EFTA-Sekretariats, aktualisiert im März 1993.

Dies kann zum einen der Fall sein, wenn die Schwellenwerte für die Anwendung dieser Richtlinien nicht erreicht werden, zum anderen dann, wenn die Umsetzung der Richtlinien in innerstaatliches Recht noch nicht oder nicht vollständig erfolgt ist.

1. Diskriminierungsverbot (Art 7 EGV)

Art 7 EGV enthält ein allgemeines Diskriminierungsverbot aus Gründen der Staatsangehörigkeit. Der Gerichtshof hat dem Art 7 in bestimmten Fällen unmittelbare Wirkung zuerkannt,[3]) dh daß sich der einzelne vor einem nationalen Gericht auf diese Bestimmung berufen kann. Zur Reichweite des Art 7 erkannte der EuGH in einer Fragen der öffentlichen Auftragsvergabe betreffenden Entscheidung,[4]) daß etwa die in Ausschreibungsbedingungen enthaltene Erfordernis der Einstellung von Langzeitarbeitslosen gegen das **Verbot der Diskriminierung aus Gründen der Staatsangehörigkeit** verstoßen könnte, wenn sich herausstellen sollte, daß eine solche Bedingung nur von einheimischen Bietern oder von Bietern aus anderen Mitgliedstaaten nur mit größeren Schwierigkeiten erfüllt werden könnte.

2. Freier Warenverkehr

Der freie Warenverkehr ist eine der im EG-Vertrag verbrieften Freiheiten. Art 30 EGV verbietet deshalb im Handel zwischen den Mitgliedstaaten alle mengenmäßigen Beschränkungen des Warenverkehrs sowie alle Maßnahmen, die gleiche Wirkung wie solche Beschränkungen haben (Maßnahmen gleicher Wirkung). Das Verbot des Art 30 EGV ist unmittelbar anwendbar. Das Verbot von Maßnahmen gleicher Wirkung gilt auch für die von öffentlichen Stellen bei der öffentlichen Auftragsvergabe angewandten Vorschriften und Praktiken. Die Kommission hat in einer Richtlinie,[5]) die heute nur mehr als Interpretationshilfe anwendbar ist, Beispiele für derartige **unzulässige Maßnahmen** angeführt:

- Vorschriften, die importierte Waren bei den Anforderungen für Sicherheitsleistungen oder Abschlagszahlungen diskriminieren oder nur von Lieferanten importierter Waren verlangen, ein Bank- oder Postscheckkonto zu eröffnen, wodurch die Lieferung importierter Waren schwieriger oder teurer als die einheimischer Produktion wird,
- Vorschriften, welche die Lieferung von importierten Waren von reziproker Behandlung durch den exportierenden Mitgliedstaat abhängig machen,
- technische Vorschriften, die, obwohl auf heimische und importierte Waren unterschiedslos anwendbar, dennoch ein Handelshemmnis darstellen: Solche Vorschriften können sich auf die Qualität, die Zusammensetzung oder Zertifizierungs- und Testverfahren der Waren beziehen, die von der Verga-

---

[3]) EuGH Rs 22/80 – Boussac – Slg 1980, 3436; vgl zu den Rechtsgrundlagen Vademecum über das öffentliche Auftragswesen, ABl C 1987/358, 1.

[4]) EuGH Rs 31/87 – Beentjes – Slg 1988, 4652.

[5]) RL 70/32/EWG über die Lieferung von Waren an den Staat, seine Gebietskörperschaften und die sonstigen juristischen Personen des öffentlichen Rechts, ABl L 1970/13, 1.

bestelle vorgeschrieben werden. Nach Ansicht der Kommission fallen sie immer dann unter die Definition einer Maßnahme gleicher Wirkung, wenn sie die Lieferung importierter Waren schwieriger oder teurer machen als die Lieferung heimischer Produkte, ohne durch legitime Anforderungen gerechtfertigt zu sein.

3. Niederlassungsfreiheit

Art 52 EGV sichert Staatsangehörigen eines Mitgliedstaates die Freiheit zu, sich im Hoheitsgebiet eines anderen Mitgliedstaates niederzulassen. Die Niederlassungsfreiheit umfaßt die Aufnahme und Ausübung selbständiger Erwerbstätigkeiten sowie die Gründung und Leitung von Unternehmen jeweils nach den für seine eigenen Angehörigen geltenden Bestimmungen des Aufnahmestaats. Der in Art 52 EGV enthaltene Grundsatz der Inländergleichbehandlung bei der Niederlassung wurde vom EuGH für unmittelbar anwendbar erklärt.[6])

Das Allgemeine Programm zur Verwirklichung der Niederlassungsfreiheit[7]) zählt ua folgende verbotene, direkt diskriminierende Behandlungen von Angehörigen anderer Mitgliedstaaten auf: Bedingung vorherigen Aufenthalts, zusätzliche steuerliche Lasten, Beschränkungen des Rechts, Verträge abzuschließen, Angebote einzureichen, Konzessionen zu erwerben, Anleihen aufzunehmen oder staatliche Beihilfen in Anspruch zu nehmen. Neben direkten sind auch indirekte Diskriminierungen unzulässig. Dies wurde vom EuGH bestätigt.[8]) Deshalb sind etwa auch in Vergaberichtlinien öffentlicher Stellen enthaltene direkte oder indirekte Diskriminierungen von Angehörigen anderer Mitgliedstaaten, die dem Grundsatz der Niederlassungsfreiheit widersprechen, unzulässig.

4. Dienstleistungsfreiheit((Dienstleistungsfreiheit))

Dienstleistungen iSd EG-Vertrages sind Leistungen, die idR gegen Entgelt erbracht werden, soweit sie nicht den Vorschriften über den freien Waren- und Kapitalverkehr und über die Freizügigkeit der Personen unterliegen. Der Leistende kann seine Tätigkeit zwecks Erbringung seiner Leistungen vorübergehend in dem Staat ausüben, in dem die Leistung erbracht wird – und zwar unter den Voraussetzungen, welche dieser Staat für seine eigenen Angehörigen vorschreibt (Art 60 EGV). Das Allgemeine Programm zur Aufhebung der Beschränkungen des freien Dienstleistungsverkehrs[9]) enthält Beispiele für die Reichweite des Grundsatzes der Inländergleichbehandlung. Unzulässig sind zB Vorschriften und Praktiken, die nur für Ausländer

- die Erbringung von Dienstleistungen verbieten,
- die Erbringung von Dienstleistungen von einer Genehmigung oder der Ausstellung einer Bescheinigung (zB eines Gewerbeausweises für ausländische Kaufleute) abhängig machen oder

---

[6]) EuGH Rs 71/76 – Thieffry – Slg 1977, 765.
[7]) ABl 1962/2, 36.
[8]) EuGH (FN 6).
[9]) ABl 1962/2, 32.

- die Erbringung von Dienstleistungen durch steuerliche und andere Lasten (zB die Hinterlegung einer Summe oder die Gestellung einer Kaution im Aufnahmeland) finanziell erschweren.

Gleiches gilt für Vorschriften und Praktiken, die allein für Ausländer die Befugnis zur Ausübung normalerweise mit der Erbringung von Dienstleistungen verbundener Rechte ausschließen, beschränken oder von bestimmten Voraussetzungen abhängig machen, wie zB die Befugnis, Angebote einzureichen und sich als direkter Vertragspartner oder im Wege des Untervertrages an den vom Staat oder von anderen juristischen Personen des öffentlichen Rechts vergebenen Aufträgen zu beteiligen. Für Baudienstleistungen, die im Rahmen öffentlicher Aufträge erbracht werden, erließ der Rat 1971 eine eigene Richtlinie.[10]) Wegen der unmittelbaren Geltung der Art 59 und 60 EGV[11]) besaß sie jedoch von Anfang an nur interpretativen Charakter.

C. Abgeleitetes Gemeinschaftsrecht – die Vergaberichtlinien

Für bestimmte öffentliche Aufträge wurden neben den bereits beschriebenen Vorgaben des EG-Vertrages spezielle Bestimmungen in Form von Richtlinien erlassen. Eine völlige Harmonisierung der Vergabevorschriften der Mitgliedstaaten war jedoch nie Ziel dieser Maßnahme. Diese Bestimmungen sind meist nur dann anwendbar, wenn der Wert des betroffenen Auftrages einen bestimmten Schwellenwert überschreitet. Unterhalb dieses Schwellenwerts liegende Aufträge unterliegen „nur" den Vorschriften des EG-Vertrages selbst.

1. Öffentliche Bauaufträge

a) Beschränkungen der Niederlassungsfreiheit und des freien Dienstleistungsverkehrs

Nach Beschluß der Allgemeinen Programme zur Aufhebung der Beschränkungen der Niederlassungsfreiheit[12]) und des freien Dienstleistungsverkehrs[13]) wurden die Einzelheiten der Verwirklichung dieser Freiheiten sowie die Einzelheiten der Übergangsmaßnahmen für das Baugewerbe 1964 in zwei Richtlinien niedergelegt.[14]) Nach diesen Richtlinien dürfen die öffent-

[10]) RL 71/304/EWG zur Aufhebung der Beschränkung des freien Dienstleistungsverkehrs auf dem Gebiet der öffentlichen Bauaufträge und bei öffentlichen Bauaufträgen, die an die Auftragnehmer über ihre Agenturen oder Zweigniederlassungen vergeben werden, ABl L 1971/185, 1.

[11]) EuGH Rs 33/74 – von Biensbergen – Slg 1974, 1299.

[12]) Allgemeines Programm zur Aufhebung der Beschränkungen der Niederlassungsfreiheit, ABl L 1962/2, 36; RL 71/304/EWG zur Aufhebung der Beschränkungen des freien Dienstleistungsverkehrs auf dem Gebiet der öffentlichen Bauaufträge und bei öffentlichen Bauaufträgen, die an die Auftragnehmer über ihre Agenturen oder Zweigniederlassungen vergeben werden, ABl L 1971/185, 1.

[13]) Allgemeines Programm zur Aufhebung der Beschränkungen des freien Dienstleistungsverkehrs, ABl L 1962/2, 32.

[14]) RL 64/429/EWG über die Verwirklichung der Niederlassungsfreiheit und des freien Dienstleistungsverkehrs für selbständige Tätigkeiten der be- und verarbeitenden

lichen Auftraggeber natürlichen oder juristischen Personen des Privatrechts, denen ein Auftrag erteilt wird, keine aus Gründen der Staatsangehörigkeit unterschiedliche Behandlung der Unternehmen vorschreiben, an die ein Unterauftrag vergeben wird. Beschränkungen bestanden vorläufig noch bei der Vergabe öffentlicher Bauaufträge hinsichtlich einer Beteiligung in Form von Dienstleistungen bzw über Agenturen oder Zweigniederlassungen. Diese wurden 1971 aufgehoben.[15])

b) Historische Entwicklung

Die Verwirklichung der Niederlassungsfreiheit und des freien Dienstleistungsverkehrs auf dem Gebiet der öffentlichen Bauaufträge erforderte neben der Aufhebung der Beschränkungen eine Koordinierung der einzelstaatlichen Verfahren zur Vergabe öffentlicher Bauaufträge. Die erste Richtlinie[16]) wurde 1978 und schließlich erheblich 1989 abgeändert.[17]) Das in einigen Mitgliedstaaten bereits praktizierte Verhandlungsverfahren wurde allgemein eingeführt, um die Anwendung des Ausnahmeverfahrens in Grenzen zu halten. Aus Gründen der Übersichtlichkeit war daraufhin eine Kodifizierung notwendig, bei der auch eine Angleichung der Bestimmungen an die Richtlinie für Liefer- und Dienstleistungsaufträge angestrebt wurde. Diesen Zweck erfüllt die nun geltende RL 93/37.[18]) Die RL 71/305 wurde dadurch aufgehoben.[19])

c) RL 93/37 zur Vergabe öffentlicher Bauaufträge

1) Anwendungsbereich

Diese Richtlinie (im folgenden: Baurichtlinie) gilt für öffentliche Bauaufträge, deren geschätzter Auftragswert ohne Mehrwertsteuer mindestens 5 Mio ECU beträgt. Besteht ein Bauwerk aus mehreren Losen, für die jeweils ein gesonderter Auftrag vergeben wird, so muß der Wert eines jeden Loses bei der Errechnung dieses Schwellenwerts berücksichtigt werden. Die Bau-

---

Gewerbe der CITI-Hauptgruppen 23 bis 40 (Industrie und Handwerk), ABl L 1964/117, 1880; RL 64/427/EWG über die Einzelheiten der Übergangsmaßnahmen auf dem Gebiet der selbständigen Tätigkeiten der be- und verarbeitenden Gewerbe der CITI – Hauptgruppen 23–40 (Industrie und Handwerk), ABl L 1964/117, 1863.

[15]) RL 71/304/EWG zur Aufhebung der Beschränkungen des freien Dienstleistungsverkehrs auf dem Gebiet der öffentlichen Bauaufträge und bei öffentlichen Bauaufträgen, die an die Auftragnehmer über ihre Agenturen oder Zweigniederlassungen vergeben werden, ABl L 1971/185, 1.

[16]) RL 71/305/EWG über die Koordinierung der Verfahren zur Vergabe öffentlicher Bauaufträge, ABl L 1971/185, 5.

[17]) RL 78/669/EWG, ABl L 1978/225, 41; RL 89/440/EWG, ABl L 1989/210, 1.

[18]) RL 93/37/EWG zur Koordinierung der Verfahren zur Vergabe öffentlicher Bauaufträge, ABl L 1993/199, 54; ein Änderungsvorschlag der Kommission, ABl C 1995/138, sieht unter anderem Anpassungen infolge des 1994 in Marrakesch unterzeichneten Übereinkommens über das öffentliche Beschaffungswesen vor.

[19]) Einschließlich folgender Änderungsvorschriften: RL 78/669/EWG, ABl L 1978/225, 41; RL 89/440/EWG, ABl L 1989/210, 1; Entscheidung 90/380/EWG, ABl L 1990/187, 55; Art 35 Abs 2 RL 90/531/EWG, ABl L 1990/297, 1; RL 93/4/EWG, ABl L 1993/38, 31.

richtlinie ist auf alle Lose anwendbar, wenn der kumulierte Wert der Lose den **Schwellenwert** erreicht. Ein öffentlicher Auftraggeber kann davon jedoch bei Losen abweichen, deren geschätzter Auftragswert ohne Mehrwertsteuer jeweils weniger als 1 Mio ECU beträgt, sofern der kumulierte Auftragswert dieser Lose 20% des kumulierten Werts aller Lose nicht übersteigt. Bauwerke oder Bauaufträge dürfen nicht in der Absicht aufgeteilt werden, sie der Anwendung der Baurichtlinie zu entziehen.[20])

Als **öffentliche Auftraggeber** iSd Baurichtlinie gelten: Der Staat, Gebietskörperschaften, Einrichtungen des öffentlichen Rechts und Verbände, die aus einer oder mehreren dieser Körperschaften oder Einrichtungen bestehen. Einrichtungen des öffentlichen Rechts müssen erstens Rechtspersönlichkeit besitzen. Zweitens müssen sie zu dem besonderen Zweck gegründet worden sein, im Allgemeininteresse liegende Aufgaben nicht gewerblicher Art zu erfüllen. Drittens müssen sie überwiegend vom Staat, von Gebietskörperschaften oder von anderen Einrichtungen des öffentlichen Rechts finanziert werden oder hinsichtlich ihrer Leitung der Aufsicht durch letztere unterliegen, oder es müssen ihre Verwaltungs-, Leitungs- oder Aufsichtsorgane mehrheitlich aus Mitgliedern bestehen, die vom Staat, den Gebietskörperschaften oder anderen Einrichtungen des öffentlichen Rechts ernannt worden sind.[21]) Anhang I zur Baurichtlinie listet die Stellen auf, welche diese Kriterien jedenfalls erfüllen.

Öffentliche Bauaufträge iSd Baurichtlinie sind die zwischen einem Unternehmen und einem öffentlichen Auftraggeber geschlossenen entgeltlichen Verträge über entweder die Ausführung oder gleichzeitig die Ausführung und die Planung von Bauvorhaben im Zusammenhang mit Tätigkeiten, die in Anhang II zur Baurichtlinie angeführt sind,[22]) oder eines Bauwerks iSd Baurichtlinie, oder die Erbringung einer Bauleistung durch Dritte, gleichgültig mit welchen Mitteln, gemäß den vom öffentlichen Auftraggeber genannten Erfordernissen.[23]) Bauwerk iSd Baurichtlinie ist das Ergebnis einer Gesamtheit von Tief- oder Hochbauarbeiten, das seinem Wesen nach eine wirtschaftliche oder technische Funktion erfüllen soll.[24]) Unter die Baurichtlinie fallen auch bestimmte von anderen Einrichtungen vergebene Bauvorhaben, die aus öffentlichen Mitteln zu mehr als 50% subventioniert werden.[25]) Die Baurichtlinie gilt auch für Baukonzessionsverträge, die den Schwellenwert übersteigen.[26]) Sie gilt nicht für Bauaufträge im Bereich Verkehr, Wasser, Energie und Telekommunikation, die von der RL 93/38/EWG erfaßt sind (s unten

[20]) Art 6 RL 93/37/EWG.

[21]) Art 1 lit b RL 93/37 EWG.

[22]) Dazu gehören die im allgemeinen Verzeichnis der wirtschaftlichen Tätigkeiten in der Europäischen Gemeinschaft (NACE) genannten Berufstätigkeiten der Klasse 50 (Baugewerbe) mit den Gruppen 500 bis 504 (Allgemeines Baugewerbe, Rohbaugewerbe, Tiefbau, Installation, Hausbaugewerbe).

[23]) Art 1 lit a RL 93/37/EWG.

[24]) Art 1 lit b RL 93/37/EWG.

[25]) Art 2 RL 93/37/EWG. Dies gilt für die in Klasse 50, Gruppe 502 NACE aufgeführten Aufträge und den Bau von Krankenhäusern, Sport-, Erholungs- und Freizeiteinrichtungen, Schul- und Hochschulgebäuden und Verwaltungsgebäuden.

[26]) Art 3 RL 93/37/EWG.

C.5), die geheim sind, besondere Sicherheitsmaßnahmen erfordern, oder wenn es der Schutz wesentlicher Interessen des Mitgliedstaates gebietet.[27]) Ausgenommen sind auch Vergaben, die unter besondere Vorschriften internationaler Organisationen fallen, von speziellen Abkommen mit Drittstaaten erfaßt werden usw.[28])

2) Vergabeverfahren

Die Baurichtlinie kennt drei zulässige Verfahren zur Auftragsvergabe. **Offene Verfahren** sind diejenigen, bei denen alle interessierten Unternehmen ein Angebot abgeben können. **Nicht offene Verfahren** sind diejenigen, bei denen nur die vom öffentlichen Auftraggeber aufgeforderten Unternehmen ein Angebot abgeben können. Verhandlungsverfahren sind schließlich jene, bei denen die öffentlichen Auftraggeber ausgewählte Unternehmen ansprechen und mit einem oder mehreren dieser Unternehmen über die Auftragsbedingungen verhandeln.[29]) Im Rahmen des sozialen Wohnbaus kann ein besonderes Verfahren angewendet werden.[30]) Grundsätzlich ist entweder das offene oder das nicht offene Verfahren anzuwenden.[31])

Das **Verhandlungsverfahren** darf nur angewandt werden, wenn bestimmte Voraussetzungen erfüllt sind. Dies ist zB der Fall, wenn in einem offenen oder nicht offenen Verfahren keine ordnungsgemäßen oder nur ungeeignete Angebote abgegeben worden sind. Es muß jedoch jedenfalls eine Vergabebekanntmachung veröffentlicht worden sein, und die Bewerber müssen nach bekannten Eignungskriterien ausgewählt worden sein.[32]) Ein Verhandlungsverfahren ohne vorherige Veröffentlichung einer Bekanntmachung ist nur in wenigen Fällen zulässig (zB dann, wenn die Arbeiten aus technischen Gründen nur von einem bestimmten Unternehmen ausgeführt werden können).[33])

Bewerber und Bieter haben Anspruch zu erfahren, warum ihre Bewerbung abgelehnt wurde, wer der erfolgreiche Bieter war, warum auf einen Wettbewerb verzichtet wurde oder das Verfahren neu eingeleitet wurde.[34])

3) Technische Vorschriften

Technische Spezifikationen müssen unter Bezugnahme auf innerstaatliche Normen, die europäische Normen umsetzen, oder auf europäische technische Zulassungen oder auf gemeinsame technische Spezifikationen festgelegt werden.[35]) Die Vorschreibung rein innerstaatlicher Normen, die sich nicht auf „europäische" Vorgaben stützen, ist daher grundsätzlich unzulässig. Ausnahmen von diesem Grundsatz sind nur beschränkt zulässig, etwa wenn die An-

---

[27]) Art 4 RL 93/37/EWG.
[28]) Art 5 RL 93/37/EWG.
[29]) Art 1 lit e bis g RL 93/37/EWG.
[30]) Art 9 RL 93/37/EWG.
[31]) Art 7 Abs 4 RL 93/37/EWG.
[32]) Art 7 Abs 2 RL 93/37/EWG.
[33]) Art 7 Abs 3 RL 93/37/EWG.
[34]) Art 8 Abs 1 und 2 RL 93/37/EWG.
[35]) Art 10 Abs 2 RL 93/37/EWG.

wendung solcher europäisch vorgegebener Normen zur Verwendung von Erzeugnissen zwingen würde, die mit dem bereits benutzten Material inkompatibel sind,[36]) oder wenn es keine solchen europäischen Normen gibt. In letzterem Fall ist zwingend eine Normenhierarchie vorgegeben: Zuerst ist auf innerstaatliche Normen zurückzugreifen, die internationale Normen umsetzen, dann auf sonstige innerstaatliche Normen und innerstaatliche technische Zulassungen, und zuletzt auf alle weiteren Normen.[37])

Verboten ist insbesondere die Angabe von Warenzeichen, Patenten oder Typen sowie die Angabe eines bestimmten Ursprungs oder einer bestimmten Produktion. Eine solche Angabe mit dem Zusatz „oder gleicher Art" ist jedoch zulässig, wenn der Auftraggeber den Auftragsgegenstand nicht durch hinreichend genaue, allgemein verständliche Bezeichnungen beschreiben kann.[38])

4) Bekanntmachung

Beabsichtigte Vergaben sind als unverbindliche Ankündigung, die Ausschreibung von Bauaufträgen, die über ein offenes, nicht offenes oder ein Verhandlungsverfahren vergeben werden sollen, sowie die Vergabe von Baukonzessionen in einer **Bekanntmachung der Öffentlichkeit** mitzuteilen. Dasselbe gilt für vergebene Aufträge. Die Anhänge IV, V und VI der Baurichtlinie enthalten genaue Angaben darüber, was in den einzelnen Fällen jeweils bekanntzugeben ist. Die Informationen müssen vom Auftraggeber dem Amt für Amtliche Veröffentlichungen der Gemeinschaft zur Verfügung gestellt werden. Dort wird die Bekanntmachung zT in vollem Umfang in allen Amtssprachen der Gemeinschaft im Amtsblatt der EG (Supplement S) sowie in der **Datenbank TED** veröffentlicht. Verbindlich ist nur der Wortlaut in der Originalsprache. Manche Ausschreibungen werden nur in der Originalsprache im vollen Wortlaut veröffentlicht, in den anderen Gemeinschaftssprachen nur in einer gekürzten Fassung. Die Kosten der Übersetzung trägt die Gemeinschaft.

Eine beabsichtigte Vergabe ist so bald wie möglich nach der Entscheidung, mit der die den beabsichtigten Bauaufträgen zugrundeliegende Planung genehmigt wird, zu übermitteln. Die erfolgte Vergabe ist spätestens 48 Tage nach Vergabe mitzuteilen. Um allen Unternehmen in der Gemeinschaft zumindest halbwegs gleiche Chancen bezüglich Zeitpunkt und Umfang der Information zu geben, darf eine Bekanntmachung in den Amtsblättern oder in der Presse des Landes des Auftraggebers generell nicht vor dem Tag der Absendung an das Amt für Amtliche Veröffentlichungen der EG veröffentlicht werden. Auch darf die nationale Veröffentlichung nur die im EG-Amtsblatt veröffentlichten Angaben enthalten.[39])

Bei offenen Verfahren hat der Auftraggeber für den **Eingang der Angebote** mindestens eine **Frist** von 52 Tagen ab dem Tage der Absendung der Bekanntmachung einzuhalten. Wurde vorher schon eine ordnungsge-

---

[36]) Art 10 Abs 3 RL 93/37/EWG.
[37]) Art 10 Abs 5 RL 93/37/EWG.
[38]) Art 10 Abs 6 RL 93/37/EWG.
[39]) Art 11 RL 93/37/EWG.

mäße Bekanntmachung vorgenommen, so verkürzt sich diese Frist auf 37 Tage.[40])

Bei nicht offenen Verfahren und Verhandlungsverfahren hat die Frist für den Eingang der Anträge auf Teilnahme mindestens 37 Tage, gerechnet vom Tag der Absendung der Bekanntmachung, zu betragen. Die ausgewählten Bewerber sind gleichzeitig schriftlich zur Angebotsabgabe aufzufordern. Der Mindestinhalt dieser Aufforderung wird von der Baurichtlinie vorgegeben. Bei nicht offenen Verfahren ist für den Eingang der Angebote dann mindestens eine Frist von 40 Tagen zu gewähren, gerechnet ab dem Tag der Absendung der schriftlichen Aufforderung. Kam es zu einer vorherigen Bekanntmachung, so kann diese Frist auf 26 Tage verkürzt werden. Im Fall der Dringlichkeit kann die Frist für den Eingang von Anträgen auf Teilnahme auf 15 Tage verkürzt werden, jene für den Eingang der Angebote auf 10 Tage.[41])

5) Teilnahmebedingungen und Eignungskriterien

Bietergemeinschaften sind zuzulassen. Von ihnen kann nicht verlangt werden, daß sie zwecks Einreichung des Angebots eine bestimmte Rechtsform annehmen. Dies kann erst geschehen, wenn sie tatsächlich den Zuschlag erhalten.[42])

Die Baurichtlinie enthält eine abschließende Liste der Gründe, aus denen ein Unternehmen von der Teilnahme am Vergabeverfahren ausgeschlossen werden kann. Dazu gehören Konkurseröffnung, durch rechtskräftige Verurteilung in Frage gestellte berufliche Zuverlässigkeit und die Nichtbezahlung von Sozialbeiträgen oder Steuern. Als Nachweis, daß solche Gründe nicht vorliegen, ist ein Strafregisterauszug oder eine gleichwertige Bescheinigung einer Gerichts- oder Verwaltungsbehörde bzw eine von der zuständigen Behörde des betreffenden Mitgliedstaates ausgestellte Bescheinigung zu akzeptieren. Ist ein solches Dokument nicht erhältlich, muß eine eidesstattliche Erklärung akzeptiert werden.[43]) Von Bewerbern kann der Nachweis der Eintragung in ein öffentliches Berufsregister des Ansitzstaates verlangt werden. Diese werden in der Baurichtlinie aufgezählt.[44])

Die Baurichtlinie enthält auch eine beispielhafte Aufzählung der Nachweise der finanziellen und wirtschaftlichen Leistungsfähigkeit, die gefordert werden können. Kann ein Unternehmer diesen aus einem gerechtfertigten Grund nicht beibringen, so hat er das Recht, den Nachweis durch Vorlage irgendeines anderen Beleges zu erbringen, den der Auftraggeber für geeignet hält.[45]) Abschließend regelt die Baurichtlinie den Nachweis der technischen Leistungsfähigkeit, den der Auftraggeber verlangen kann. Dazu gehören unter anderem Studiennachweise, eine Liste der in den letzten fünf Jahren erbrachten Bauleistungen, Erklärungen über Ausstattung und Baugeräte, über die der Unternehmer verfügt usw. Der Auftraggeber hat anzugeben, welcher

[40]) Art 12 RL 93/37/EWG.
[41]) Art 13 und 14 RL 93/37/EWG.
[42]) Art 21 RL 93/37/EWG.
[43]) Art 24 RL 93/37/EWG.
[44]) Art 25 RL 93/37/EWG.
[45]) Art 26 RL 93/37/EWG.

Nachweis vorzulegen ist.[46]) Sollte ein Mitgliedstaat amtliche Listen der für öffentliche Bauarbeiten zugelassenen Unternehmer führen, so müssen diese Listen den Anforderungen der Baurichtlinie für Eignungskriterien entsprechen. Für die Aufnahme von Unternehmen aus anderen Mitgliedstaaten können nur die für inländische Unternehmer vorgesehenen Nachweise und Erklärungen gefordert werden, und keinesfalls mehr oder andere als die nach der Baurichtlinie zulässigen.[47])

6) Zuschlag

Die Baurichtlinie läßt den Mitgliedstaaten für einzelne Vergabeverfahren die Wahl zwischen den **Zuschlagskriterien** des niedrigsten Preises oder des wirtschaftlich günstigsten Angebotes. Entscheidet sich ein Mitgliedstaat für das wirtschaftlich beste Angebot, so sind alle Kriterien dafür in der Bekanntmachung oder in den Verdingungsunterlagen anzugeben, möglichst in der Reihenfolge der ihnen zuerkannten Bedeutung. Ist ein Angebot ungewöhnlich niedrig, so muß der öffentliche Auftraggeber vor der Ablehnung eines solchen Angebotes schriftlich Aufklärung über die Einzelposten verlangen. Ist der Zuschlag nach dem niedrigsten Angebot vorgesehen, so muß der Mitgliedstaat der Kommission die Ablehnung von als zu niedrig erachteten Angeboten mitteilen.[48])

2. Lieferaufträge

a) Historische Entwicklung

Wie bereits ausgeführt, sind Beschränkungen des freien Warenverkehrs auf dem Gebiet der öffentlichen Lieferaufträge durch Art 30ff EGV verboten. Es erschien jedoch notwendig, neben diesem Verbot eine Koordinierung der Vergabeverfahren für Lieferaufträge einzuführen. Die RL 77/62[49]) wurde 1980[50]) im Zuge der GATT-Verhandlungen und noch einmal 1988[51]) abgeändert, um den bisher gewonnenen Erfahrungen Rechnung zu tragen und notwendige Verbesserungen bei der Transparenz der Vergabeverfahren und -praktiken zu erreichen. Weiters mußten die sich aus dem **GATT-Überein-**

---

[46]) Art 27 RL 93/37/EWG.

[47]) Art 29 RL 93/37/EWG.

[48]) Art 30 RL 93/37/EWG.

[49]) RL 77/62/EWG über die Koordinierung der Verfahren zur Vergabe öffentlicher Lieferaufträge, ABl L 1977/13, 1; vgl auch Entschließung des Rats betreffend die Revision der RL 77/62/EWG, ABl C 1977/11, 3.

[50]) RL 80/767/EWG zur Anpassung und Ergänzung der RL 77/62/EWG, ABl L 1980/215, 1; Beschluß des Rates 80/271/EWG über den Abschluß der multilateralen Übereinkommen, die im Zuge der Handelsverhandlungen 1972 bis 1979 ausgehandelt wurden, ABl L 1980/71, 1.

[51]) RL 88/295/EWG zur Änderung der RL 77/62/EWG und zur Aufhebung einiger Bestimmungen der RL 80/767/EWG, ABl L 1988/127, 1; Beschluß des Rates 87/565/EWG betreffend den Abschluß des Protokolls zur Änderung des GATT-Übereinkommens über das öffentliche Beschaffungswesen, ABl L 1987/345, 24; Mitteilung der Kommission über das Inkrafttreten des Protokolls zur Änderung des GATT-Übereinkommens über das öffentliche Beschaffungswesen, ABl C 1988/25, 2.

kommen vom Dezember 1986 ergebenden Änderungen berücksichtigt werden. Die Anwendung des offenen Verfahrens sollte zur Regel werden.

Nach diesen Änderungen erschien eine Neufassung notwendig, mit der auch eine Angleichung an die Baurichtlinie über die Vergabe von Bauaufträgen sowie die RL 92/50/EWG über die Vergabe von Dienstleistungsaufträgen[52]) angestrebt wurde. Dies geschah durch die RL 93/36/EWG.[53]) Darin enthaltene Anpassungen betrafen insbesondere: Die Möglichkeit, das offene oder das nicht offene Verfahren zu wählen, die Auflage, die Ablehnung von Bewerbern oder Bietern zu begründen, die Vorschriften über die Erstellung von Berichten über die Durchführung der verschiedenen Vergabeverfahren, die Voraussetzungen für einen Verweis auf gemeinsame technische Vorschriften, die Veröffentlichung und die Teilnahme sowie Klarstellungen hinsichtlich der Zuschlagskriterien und die Einführung des Verfahrens des Beratenden Ausschusses.[54]) Die Richtlinie 77/62/EWG wurde dadurch aufgehoben.[55]) In Kürze muß eine weitere Anpassung an GATT-Vorschriften erfolgen, die im Zuge der Uruguay-Runde geändert wurden. Vor allem sollen nun auch Lieferungen regionaler Gebietskörperschaften von den GATT-Regeln erfaßt werden.

b) RL 93/36 über die Vergabe öffentlicher Lieferaufträge

1) Anwendungsbereich

Die Richtlinie findet auf öffentliche Lieferaufträge Anwendung, die von öffentlichen Auftraggebern und Einrichtungen des öffentlichen Rechts vergeben werden, sofern der geschätzte Auftragswert ohne Mehrwertsteuer mindestens 200.000 ECU beträgt. Die im Anhang I genannten Stellen sind auch dann erfaßt, wenn sie Aufträge vergeben, welche den GATT-Schwellenwert (ca 130.000 ECU) erreichen. Für Leasing, Miete, Pacht oder Ratenkauf sowie für regelmäßige Aufträge oder Daueraufträge sind eigene Berechnungsmodalitäten festgelegt.[56])

Öffentliche Auftraggeber und Einrichtungen des öffentlichen Rechts werden gleich definiert wie in der Baurichtlinie. Die in deren Anhang I genannten Stellen sind jedenfalls erfaßt.[57])

Öffentliche Lieferaufträge werden als die zwischen einem Lieferanten und einem öffentlichen Auftraggeber oder einer Einrichtung des öffentlichen Rechts geschlossenen schriftlichen entgeltlichen Verträge über Kauf, Leasing, Miete, Pacht oder Ratenkauf – mit oder ohne Kaufoption – von Waren definiert. Diese Lieferung kann auch Nebenarbeiten wie das Verlegen und Anbringen umfassen.[58]) Ausnahmen vom Geltungsbereich decken sich mit der Baurichtlinie.[59])

---

52) ABl L 1992/209, 1; vgl dazu unten.

53) ABl L 1993/199, 1; s ABl C 1995/138 (FN 18).

54) So die Präambel der Richtlinie.

55) Einschließlich Änderungsvorschriften: RL 80/767/EWG, ABl L 1980/215, 1; RL 88/295/EWG, ABl L 1988/127, 1; Art 35 Abs 1 RL 90/531/EWG, ABl L 1990/297, 1; Art 42 Abs 1 RL 92/50/EWG, ABl L 1992/209, 1.

56) Art 5 RL 93/36/EWG.

57) Art 1 lit b RL 93/36/EWG.

58) Art 1 lit a RL 93/36/EWG.

59) Art 2 und 4 RL 93/36/EWG.

2) Vergabeverfahren

Die diesbezüglichen Vorschriften[60]) decken sich im wesentlichen mit jenen der Baurichtlinie.

3) Technische Vorschriften

Die diesbezüglichen Vorschriften[61]) decken sich im wesentlichen mit jenen der Baurichtlinie.

4) Bekanntmachung

Die Pflicht zur – unverbindlichen – Vorankündigung, die im Baubereich alle Vergaben betrifft, gilt bei Lieferaufträgen nur für geplante Aufträge, deren Lieferwert ohne Mehrwertsteuer mindestens 750.000 ECU beträgt. Die Mitgliedstaaten haben so bald wie möglich zu Beginn jedes Haushaltsjahres eine nach Warenbereichen gegliederte Liste mit solchen für die nächsten zwölf Monate geplanten Beschaffungen zu veröffentlichen. Ansonsten decken sich die Bekanntmachungsvorschriften[62]) im wesentlichen mit jenen der Baurichtlinie. Bei offenen Verfahren gibt es allerdings keine Möglichkeit, die Frist für den Eingang der Angebote von 52 auf 36 Tage zu verkürzen. Dasselbe gilt für die Frist von 40 Tagen im nicht offenen Verfahren.

5) Teilnahmebedingungen und Eignungskriterien

Die Vorschriften decken sich im wesentlichen mit jenen der Baurichtlinie. Informationen über die finanzielle, wirtschaftliche und technische Leistungsfähigkeit dürfen allerdings nur gefordert werden, soweit es durch den Gegenstand des Auftrags gerechtfertigt ist.[63])

6) Zuschlag

Die Vorschriften[64]) decken sich im wesentlichen mit jenen der Baurichtlinie.

3. Dienstleistungsaufträge

a) Historische Entwicklung

Reine Dienstleistungen waren der Bereich öffentlicher Aufträge, bei denen das Erlassen von Harmonisierungsmaßnahmen am längsten dauerte. Dabei stellen Dienstleistungen mit einem Wert von 145 Mrd ECU pro Jahr ca 25% des Wertes aller öffentlichen Aufträge dar. Untersuchungen haben gezeigt, daß die grenzüberschreitende Vergabe im Dienstleistungsbereich noch seltener ist als im Bau- und Lieferbereich – nämlich nur 1% des Volu-

---

[60]) Art 6 und 7 RL 93/36/EWG.
[61]) Art 8 RL 93/36/EWG.
[62]) Art 9 bis 14 RL 93/36/EWG.
[63]) Art 15 bis 25 RL 93/36/EWG.
[64]) Art 26 und 27 RL 93/36/EWG.

mens. Die mit 1. Juli 1993 umzusetzende RL 92/50/EWG[65]) war der erste wesentliche Rechtsakt, den die Gemeinschaft im Zusammenhang mit der Angleichung der Vorschriften für die Vergabe von Dienstleistungsaufträgen erließ.

b) RL 92/50/EWG zur Vergabe öffentlicher Dienstleistungsaufträge

1) Anwendungsbereich

Diese Richtlinie (im folgenden: Dienstleistungsrichtlinie) gilt für öffentliche Aufträge für Dienstleistungen, deren geschätzter Wert ohne Mehrwertsteuer 200.000 ECU oder mehr beträgt. Bei der Berechnung des geschätzten Auftragswerts ist vom Auftraggeber die geschätzte Gesamtvergütung des Dienstleistungserbringers zu berücksichtigen. Bei Verträgen, die Planung zum Gegenstand haben, sind zB die Gebühren oder Provisionen zu berücksichtigen, bei Versicherungsleistungen die Versicherungsprämien. Besteht die Dienstleistung aus mehreren Losen, für die jeweils ein gesonderter Auftrag vergeben wird, so muß der Wert eines jeden Loses bei der Berechnung des Schwellenwertes berücksichtigt werden. Erreicht der Wert aller Lose zumindest den **Schwellenwert,** so ist die Dienstleistungsrichtlinie auf alle Lose anzuwenden. Es können jedoch Lose ausgenommen werden, die einen geschätzten Wert ohne Mehrwertsteuer von weniger als 80.000 ECU betreffen, sofern der kumulierte Wert dieser Lose 20% des kumulierten Wertes aller Lose nicht übersteigt. Besondere Berechnungsmodalitäten gelten für Daueraufträge usw.[66])

Öffentliche Auftraggeber und Einrichtungen des öffentlichen Rechts werden gleich definiert wie in der Baurichtlinie. Die in deren Anhang I genannten Stellen sind jedenfalls erfaßt.[67])

Öffentliche Dienstleistungsaufträge sind die zwischen einem Dienstleistungserbringer und einem öffentlichen Auftraggeber bzw einer Einrichtung des öffentlichen Rechts geschlossenen schriftlichen entgeltlichen Verträge. **Nicht erfaßt** sind Aufträge, welche Liefer- oder Bauaufträge iSd oben unter C.1 und C.2 beschriebenen Richtlinien sind oder unter die Sektorenrichtlinie (s unten C.5) fallen.[68]) Fällt ein Auftrag gleichzeitig unter die Liefer- und die Dienstleistungsrichtlinie, so ist die Lieferrichtlinie anwendbar, wenn der Wert der Lieferung jenen der Dienstleistung übersteigt.[69])

Nicht erfaßt werden weiters ua, ungeachtet der Finanzmodalitäten,[70])

- Verträge über Erwerb oder Miete von oder Rechte an Grundstücken oder vorhandenen Gebäuden (dies gilt jedoch nicht für die finanziellen Dienstleistungsverträge, die vor oder nach dem Kauf- oder Mietvertrag dazu abgeschlossen werden),

---

[65]) RL 92/50/EWG über die Koordinierung der Verfahren zur Vergabe öffentlicher Dienstleistungsaufträge, ABl L 1992/209, 1; s ABl C 1995/138 (FN 18).

[66]) Art 7 RL 92/50/EWG.

[67]) Art 1 lit b RL 92/50/EWG.

[68]) Art 1 lit a RL 92/50/EWG.

[69]) Art 2 RL 92/50/EWG.

[70]) Art 1 lit a RL 92/50/EWG.

- Kauf, Entwicklung, Produktion oder Koproduktion von Programmen durch Rundfunk- oder Fernsehanstalten sowie die Ausstrahlung von Sendungen,
- Fernsprechdienstleistungen, Telexdienste, der bewegliche Telefondienst, Funkrufdienst und die Satellitenkommunikation,
- Aufträge über Schiedsgerichts- und Schlichtungsleistungen,
- Verträge über finanzielle Dienstleistungen im Zusammenhang mit Ausgabe, Verkauf, Ankauf oder Übertragung von Wertpapieren oder anderen Finanzinstrumenten sowie Dienstleistungen der Zentralbanken,
- Arbeitsverträge.

Dienstleistungsaufträge im Bereich der Verteidigung sind nur ausgenommen, wenn darauf Art 223 EGV Anwendung findet. Sonstige Ausnahmen für geheime Aufträge bzw Vergaben internationaler Organisationen usw entsprechen den Vorschriften der Baurichtlinie.[71])

Die Dienstleistungsrichtlinie trennt die Dienstleistungen in zwei Gruppen. Nur für die erste, in Anhang IA beschriebene, gelten die folgenden Vorschriften.

Für andere (Anhang IB) sind nur sehr beschränkte Auflagen vorgesehen, die im Anschluß dargestellt werden. Zu den laut Anhang IA voll erfaßten Dienstleistungen gehören ua Instandhaltung und Reparatur, Landverkehr (ohne Eisenbahn) einschließlich Geldtransport und Kurierdienste (ohne Postverkehr), finanzielle Dienstleistungen mit den erwähnten Ausnahmen, Datenverarbeitung, Werbung, Gebäudereinigung und Hausverwaltung, Abfall- und Abwasserbeseitigung.

2) Vergabeverfahren

Die diesbezüglichen Vorschriften[72]) decken sich im wesentlichen – mit sinngemäßen Anpassungen an die Natur von Dienstleistungen – mit jenen der Baurichtlinie. Für Wettbewerbe gibt es eine eigene Regelung.[73])

3) Technische Vorschriften

Die diesbezüglichen Vorschriften[74]) decken sich im wesentlichen mit jenen der Baurichtlinie.

4) Bekanntmachung

Die Auftraggeber haben sobald wie möglich nach Beginn ihres jeweiligen Haushaltsjahres eine nicht verbindliche Bekanntmachung über den vorgesehenen Gesamtwert der Aufträge für Dienstleistungen in jeder Kategorie des Anhangs IA, die in den nächsten zwölf Monaten vergeben werden sollen, zu veröffentlichen, wenn der geschätzte Gesamtwert mindestens 750.000 ECU beträgt.[75]) Ansonsten decken sich die Bekanntmachungsvorschriften[76]) im wesentlichen mit jenen der Baurichtlinie.

---

[71]) Art 4 und 5 RL 92/50/EWG.
[72]) Art 11 RL 92/50/EWG.
[73]) Art 13 RL 92/50/EWG.
[74]) Art 14 RL 92/50/EWG.
[75]) Art 15 Abs 1 RL 92/50/EWG.
[76]) Art 15 bis 22 RL 92/50/EWG.

5) Teilnahmebedingungen und Eignungskriterien

Die Vorschriften[77]) decken sich im wesentlichen mit jenen der Baurichtlinie. Juristische Personen können verpflichtet werden, die Namen und beruflichen Qualifikationen der Personen anzugeben, die für die Erbringung der Dienstleistung verantwortlich sein sollen.[78])

6) Zuschlag

Die Vorschriften[79]) decken sich im wesentlichen mit jenen der Baurichtlinie.

7) Dienstleistungen nach Anhang IB

Für die in Anhang IB genannten Dienstleistungen gelten ausschließlich die nachstehenden Vorschriften. Davon erfaßt werden ua Gaststätten und Beherbergungsbetriebe, Eisenbahnen, Schiffahrt, Neben- und Hilfstätigkeiten des Verkehrs, Rechtsberatung, Arbeits- und Arbeitskräftevermittlung, Auskunfts- und Schutzdienste (ohne Geldtransport), Unterrichtswesen und Berufsausbildung, Gesundheits-, Veterinär- und Sozialwesen.

Die Vorgaben für technische Vorschriften sind einzuhalten. Geplante Vergaben und Wettbewerbe für solche Dienstleistungen sowie die Ergebnisse des Vergabeverfahrens sind der Kommission bekanntzumachen. Eine Veröffentlichung ist jedoch nur vorgesehen, wenn der Auftraggeber damit einverstanden ist. Weiters werden auf Grundlage der Bekanntmachungen von der Kommission regelmäßige Berichte erstellt und veröffentlicht. Darüber hinaus bestehen keine weiteren Verpflichtungen aus der Dienstleistungsrichtlinie.[80])

4. Rechtsschutz im Bau-, Liefer- und Dienstleistungsbereich

Um die Öffnung des Auftragswesens in der Gemeinschaft wirklich erreichen zu können, ist jedoch auch ein Mindestmaß an Rechtsschutz notwendig. So wie in Österreich gab es in kaum einem Mitgliedstaat Möglichkeiten für Bieter, Verstöße gegen Vergabevorschriften zu bekämpfen. Mit der RL 89/665[81]) werden die Mitgliedstaaten nun verpflichtet sicherzustellen, daß ein **Nachprüfungsverfahren** zumindest jedem zur Verfügung steht, der ein Interesse an einem bestimmten Liefer- oder Bauauftrag hat oder hatte und dem durch einen behaupteten Rechtsverstoß ein Schaden entstanden ist bzw zu entstehen droht. Mit Inkrafttreten der RL 92/50 wurde der Geltungsbereich auf Dienstleistungsvergaben ausgedehnt.

In den Nachprüfungsverfahren müssen Befugnisse vorgesehen werden, damit so schnell wie möglich im Wege der einstweiligen Verfügung vorläufige Maßnahmen ergriffen werden können, um den behaupteten Rechtsverstoß zu beseiti-

[77]) Art 23 bis 35 RL 92/50/EWG.

[78]) Art 26 Abs 2 und 3 RL 92/50/EWG.

[79]) Art 36 und 37 RL 92/50/EWG.

[80]) Art 9, 15, 16 RL 92/50/EWG.

[81]) RL 89/665/EWG zur Koordinierung der Rechts- und Verwaltungsvorschriften für die Anwendung der Nachprüfungsverfahren im Rahmen der Vergabe öffentlicher Liefer- und Bauaufträge, ABl L 1989/395, 33.

gen oder weitere Schädigungen der betroffenen Interessen zu verhindern. Dazu gehören Maßnahmen, um das Verfahren zur Vergabe eines öffentlichen Auftrags auszusetzen, weiters Befugnisse, wodurch die Aufhebung rechtswidriger Entscheidungen – einschließlich der Streichung diskriminierender technischer, wirtschaftlicher oder finanzieller Spezifikationen in den Ausschreibungsdokumenten etc – vorgenommen werden und dem durch den Rechtsverstoß Geschädigten Schadenersatz zuerkannt werden kann. Es ist sicherzustellen, daß die Entscheidungen der für Nachprüfungsverfahren zuständigen Instanzen wirksam durchgesetzt werden können. Eine für Nachprüfungsverfahren zuständige Instanz, die kein Gericht ist, muß ihre Entscheidungen stets schriftlich begründen. Maßnahmen dieser Instanz müssen zum Gegenstand einer Klage oder Nachprüfung vor einem Gericht iSv Art 177 EGV gemacht werden können. Zusätzlich hat die Kommission gegenüber den Mitgliedstaaten Auskunftsrechte.

5. Vergabe bei Wasser-, Energie- und Verkehrsversorgung sowie Telekommunikation

a) Historische Entwicklung

Die Bau-, Liefer- und Dienstleistungsrichtlinien klammern jeweils Vergaben in den Bereichen der Wasser-, Energie- und Verkehrsversorgung sowie bei der Telekommunikation aus. Hauptgrund dafür ist, daß die Einrichtungen, welche die jeweiligen Leistungen erbringen, teils dem öffentlichen Recht, teils dem Privatrecht unterliegen und daher eine beide Typen umfassende Lösung notwendig war. Die wirtschaftliche Bedeutung dieser Sektoren ist dabei enorm: 1990 lag der Wert der öffentlichen Aufträge in diesen Bereichen bei fast 305 Mrd ECU. Das entsprach ca 8% des Bruttoinlandsprodukts der Gemeinschaft oder 55% aller öffentlichen Beschaffungen.[82]) Nach langwierigen Verhandlungen einigten sich die Mitgliedstaaten schließlich auf die RL 90/531[83]) (sog Sektorenrichtlinie, da sie die bisher ausgenommenen Sektoren umfaßt). Im Zuge der Neufassung der Bau- und Lieferrichtlinien wurde die Sektorenrichtlinie daran angepaßt. Außerdem galt es, auch für die Sektoren den Bereich der Dienstleistungen zu erfassen. Beides geschah mit der RL 93/38.[84]) Die RL 90/531 verlor mit Umsetzung dieser neuen Regelung ihre Geltung.[85])

b) RL 93/38 zur Vergabe bei Wasser-, Energie- und Verkehrsversorgung sowie bei der Telekommunikation (Sektorenrichtlinie)

1) Anwendungsbereich

Die Sektorenrichtlinie gilt für Aufträge, deren geschätzter Wert ohne Mehrwertsteuer sich mindestens beläuft auf: 400.000 ECU bei Liefer- und

[82]) Quelle: Presseaussendung der Kommission IP/94/17 v 12. 1. 1994.

[83]) RL 90/531/EWG betreffend die Auftragsvergabe durch Auftraggeber im Bereich der Wasser-, Energie- und Verkehrsversorgung sowie im Telekommunikationsbereich, ABl L 1990/297, 1.

[84]) RL 93/38/EWG zur Koordinierung der Auftragsvergabe durch Auftraggeber im Bereich der Wasser-, Energie- und Verkehrsversorgung sowie im Telekommunikationssektor, ABl L 1993/199, 84; s ABl C 1995/138 (FN 18).

[85]) Art 45 Abs 3 RL 93/38/EWG.

Dienstleistungsaufträgen im Bereich der Wasser-, Energie- und Verkehrsversorgung, 600.000 ECU bei Liefer- und Dienstleistungsaufträgen im Bereich der Telekommunikation, 5 Mio ECU bei Bauaufträgen. Bei Bauwerken können Lose mit einem Wert von maximal 1 Mio ECU von der Sektorenrichtlinie ausgenommen werden, wenn der Gesamtwert dieser Lose 20% des gesamten Auftrages nicht überschreitet. Die Teilungsregel für Dienstleistungen findet sich nicht wieder.[86])

Die Sektorenrichtlinie gilt für staatliche Behörden, Einrichtungen des öffentlichen Rechts (Definition wie in der Baurichtlinie) und öffentliche Unternehmen, die eine Tätigkeit iSd Sektorenrichtlinie ausüben. Öffentliches Unternehmen ist jedes, auf das die staatlichen Behörden aufgrund von Eigentum, finanzieller Beteiligung oder der für das Unternehmen einschlägigen Vorschriften unmittelbar oder mittelbar einen beherrschenden Einfluß ausüben können. Erfaßt werden außerdem Auftraggeber, die nicht staatliche Behörden oder öffentliche Unternehmen sind, die als eine ihrer Tätigkeiten eine oder verschiedene Tätigkeiten iSd Sektorenrichtlinie ausüben, sofern dies auf der Grundlage von besonderen oder ausschließlichen Rechten geschieht, die von einer zuständigen Behörde eines Mitgliedstaats gewährt wurden.[87])

Von der Sektorenrichtlinie werden nur bestimmte angeführte Tätigkeiten erfaßt. Dazu gehören:[88])

- die Bereitstellung oder das Betreiben fester Netze zur Versorgung der Öffentlichkeit im Zusammenhang mit der Produktion, dem Transport oder der Verteilung von Trinkwasser, Strom, Gas oder Wärme;
- die Nutzung eines geographisch abgegrenzten Gebietes zum Zwecke der Suche oder Förderung von Erdöl, Gas, Kohle oder anderen Festbrennstoffen oder die Versorgung von Beförderungsunternehmen im Luft-, See- oder Binnenschiffahrtsverkehr mit Flughäfen, Häfen oder anderen Verkehrsendeinrichtungen;
- das Betreiben von Netzen zur Versorgung der Öffentlichkeit im Bereich des Verkehrs per Schiene, automatischen Systemen, Straßenbahn, Trolleybus, Bus oder Kabel. Im Verkehrsbereich ist dann ein Netz vorhanden, wenn die Verkehrsleistung gemäß den von einer zuständigen Behörde eines Mitgliedstaates erteilten Auflagen erbracht wird; dazu gehören die Festlegung der Strecken, die Transportkapazitäten oder die Fahrpläne;
- das Bereitstellen oder das Betreiben von öffentlichen Telekommunikationsnetzen oder das Angebot von einem oder mehreren öffentlichen Telekommunikationsdiensten.

Ausnahmen beschränken diese Bestimmungen.[89]) Sondervorschriften gelten für Rahmenübereinkünfte.[90]) Die genaue Feststellung des Umfangs der von der Sektorenrichtlinie erfaßten Tätigkeiten, aber auch andere darin verwendeter Begriffe erweist sich in der Praxis oft als äußerst schwierig. Der Beratende Ausschuß für öffentliches Auftragswesen hat daher zu einigen Be-

[86]) Art 14 RL 93/38/EWG.

[87]) Art 1 Abs 1 und 2 sowie Art 2 Abs 1 RL 93/38 EWG.

[88]) Art 2 Abs 2 RL 93/38/EWG.

[89]) Art 2 Abs 3, Art 3, Art 6 bis 8, Art 10 bis 13 RL 93/38/EWG.

[90]) Art 5 RL 93/38/EWG.

reichen klärende Leitlinien erlassen.[91]) So wird zB für den Bereich der Flughafenaktivitäten klargestellt, daß das Anbieten von Hoteldienstleistungen durch Flughäfen nicht von der Sektorenrichtlinie erfaßt wird, ebensowenig Güterkraftverkehr, der nicht unmittelbar mit Frachtumschlag, Gepäckabfertigung, Auftanken von Flugzeugen verbunden ist usw. Die Wartung des Flugzeugparks fällt unter die Sektorenrichtlinie, ebenso Endeinrichtungen für Passagiere und Güterverladung. Die Sektorenrichtlinie ist auf bestimmte Dienstleistungen, die Anhang XVI Teil B auflistet, nur in sehr beschränktem Ausmaß anwendbar.[92])

2) Vergabeverfahren

Soferne ein Aufruf zum Wettbewerb durchgeführt wird, kann frei zwischen dem offenen, nicht offenen und Verhandlungsverfahren gewählt werden. In bestimmten Fällen, die in etwa jenen entsprechen, die in der Baurichtlinie das Verhandlungsverfahren zulässig machen, kann auch vom Aufruf zum Wettbewerb abgesehen werden.[93]) Der Aufruf zum Wettbewerb kann auf drei Arten erfolgen: durch Veröffentlichung einer **Bekanntmachung,** durch Veröffentlichung einer regelmäßigen Bekanntmachung oder durch Veröffentlichung einer Bekanntmachung über das Bestehen eines Prüfsystems. Die Anhänge XII–XIV bzw XVII zur Sektorenrichtlinie enthalten genaue Angaben zu Inhalt und Anforderungen für diese Aufrufe.[94]) Für Wettbewerbe, die ebenfalls zulässig sind, gibt es eine Sondervorschrift.[95])

3) Technische Vorschriften

Technische Spezifikationen sind durch Bezugnahme auf europäische Spezifikationen, sofern solche bestehen, festzulegen. Falls keine europäischen Spezifikationen bestehen, sollten die technischen Spezifikationen nach Möglichkeit durch Bezugnahme auf andere in der Gemeinschaft gebräuchliche Normen festgelegt werden. Eine zwingende Normenhierarchie bei Abwesenheit europäischer Normen ist nicht vorgesehen. Ansonsten entsprechen die Möglichkeiten, abweichende Normen zu verwenden, jenen der Baurichtlinie.[96])

4) Bekanntmachung

Mindestens einmal jährlich müssen Angaben über geplante Liefer- und Dienstleistungsvergaben mit einem Wert von mindestens 750.000 ECU sowie Bauvorhaben über 5 Mio ECU veröffentlicht werden.[97]) Auch vergebene

---

[91]) ZB für nicht unter die Sektorenrichtlinie fallende Flughafenaktivitäten, für Aufträge, die von getrennten Dienststellen eines öffentlichen Auftraggebers vergeben werden, zum Thema „in der Gemeinschaft gebräuchliche Normen“ gem Art 13 Abs 2 RL 93/38/EWG, für Rahmenübereinkünfte.

[92]) Art 16 RL 93/38/EWG.

[93]) Art 20 RL 93/38/EWG.

[94]) Art 21 RL 93/38/EWG.

[95]) Art 23 RL 93/38/EWG.

[96]) Art 18 und 19 RL 93/38/EWG.

[97]) Art 22 RL 93/37/EWG.

Aufträge sind der Kommission mitzuteilen.[98]) Alle Bekanntmachungen werden ungekürzt in der jeweiligen Originalsprache im EG-Amtsblatt und in der Datenbank TED veröffentlicht. Eine Zusammenfassung der wichtigsten Punkte wird auch in den anderen Gemeinschaftssprachen veröffentlicht.[99])

Bei offenen Verfahren beträgt die Frist für den Eingang der Angebote mindestens 52 Tage. Wurde vorher eine Bekanntmachung veröffentlicht, kann diese Frist auf 36 Tage verkürzt werden. Bei nicht offenen und Verhandlungsverfahren hat die Frist für den Eingang von Teilnahmeanträgen mindestens fünf Wochen zu betragen. Die Frist für den Eingang von Angeboten kann im gegenseitigen Einvernehmen festgelegt werden, bei Nichteinigung sind grundsätzlich drei Wochen zu gewähren, nie jedoch weniger als 10 Tage ab der Aufforderung zur Angebotsabgabe.[100])

5) *Teilnahmebedingungen und Eignungskriterien*

In diesem Bereich ist die Sektorenrichtlinie weit weniger präzis als es die drei anderen Richtlinien sind. Auftraggeber, die Bewerber für die Teilnahme an einem nicht offenen oder einem Verhandlungsverfahren auswählen, richten sich dabei nach den objektiven Regeln und Kriterien, die sie schriftlich festlegen und interessierten Unternehmen zur Verfügung stellen. Dabei können die Ausschließungsgründe der Baurichtlinie angewendet werden.[101]) Auftraggeber, die dies wünschen, können ein System zur Prüfung von Lieferanten, Unternehmen oder Dienstleistungserbringern einrichten und betreiben. Dafür enthält die Sektorenrichtlinie spezielle Vorschriften.[102])

6) *Zuschlag*

Die Vorschriften[103]) decken sich im wesentlichen mit jenen der Baurichtlinie. Die Sektorenrichtlinie enthält jedoch eine Schutzklausel gegenüber Drittstaaten. Angebote betreffend Waren aus Drittländern, mit denen die Gemeinschaft keine entsprechenden multi- oder bilateralen Übereinkünfte geschlossen hat, können zurückgewiesen werden, wenn der Anteil der aus Drittländern stammenden Waren mehr als 50% des Gesamtwertes der in dem Angebot enthaltenen Waren beträgt. Sind zwei oder mehrere Angebote gleichwertig, so ist das Angebot zu bevorzugen, das nicht zurückgewiesen werden kann. Die Preise solcher Angebote gelten als gleich, sofern sie um nicht mehr als 3% voneinander abweichen.[104])

7) *Dienstleistungen nach Anhang XVI Teil B*

Auf solche Dienstleistungen sind nur die Bestimmungen über technische Vorschriften und die Benachrichtigung über vergebene Aufträge anwendbar.

---

[98]) Art 24 RL 93/38/EWG.
[99]) Art 25 RL 93/38/EWG.
[100]) Art 26 RL 93/38/EWG.
[101]) Art 31 RL 93/38/EWG.
[102]) Art 30 RL 93/38/EWG.
[103]) Art 34 RL 93/38/EWG.
[104]) Art 36 RL 93/38/EWG.

6. Rechtsschutz im Bereich der Sektorenrichtlinie

Der Notwendigkeit von Rechtsschutzeinrichtungen wurde mit der RL 92/13 nachgekommen.[105]) Danach haben die Mitgliedstaaten sicherzustellen, daß ein **Nachprüfungsverfahren** zumindest jedem zur Verfügung steht, der ein Interesse an einem bestimmten Auftrag hat oder hatte und dem durch einen behaupteten Rechtsverstoß ein Schaden entstanden ist bzw zu entstehen droht. Die Mitgliedstaaten können verlangen, daß derjenige, der ein Nachprüfungsverfahren einzuleiten beabsichtigt, den Auftraggeber zuvor von dem behaupteten Rechtsverstoß und von der beabsichtigten Nachprüfung unterrichten muß.[106])

Die Mitgliedstaaten können zwischen zwei „Gruppen" von Rechtsschutzverpflichtungen wählen, die zu erfüllen sind:[107])

- entweder **einstweilige Verfügungen** zum Ergreifen vorläufiger Maßnahmen und die Aufhebung rechtswidriger Entscheidungen einschließlich der Streichung diskriminierender technischer, wirtschaftlicher oder finanzieller Spezifikationen oder
- so schnell wie möglich **andere Maßnahmen,** um den Rechtsverstoß zu beseitigen, insbesondere damit eine Aufforderung zur Zahlung eines Geldbetrages in bestimmter Höhe für den Fall ergehen kann, daß der Rechtsverstoß nicht beseitigt werden wird; dies kann auch nur für bestimmte Auftraggeber vorgesehen werden; zusätzlich muß jedenfalls eine Schadenersatzmöglichkeit für diejenigen eingeräumt werden, die durch einen Rechtsverstoß geschädigt worden sind.

Eine für Nachprüfungen zuständige Instanz, die kein Gericht ist, muß ihre Entscheidung stets schriftlich begründen. Außerdem ist in einem solchen Fall sicherzustellen, daß ein Rechtszug zu einer unabhängigen Instanz, die Gericht iSd Art 177 EGV ist, möglich ist.[108]) Weiters werden die Mitgliedstaaten verpflichtet, ein **Bescheinigungsverfahren** einzurichten, das von Auftraggebern in Anspruch genommen werden kann, um eine Bescheinigung erlangen zu können, daß diese Verfahren mit den Vorschriften des innerstaatlichen und des Gemeinschaftsrechts übereinstimmen.[109]) Der Kommission werden Einschau- und Auskunftsrechte übertragen.[110]) Außerdem steht jedem, der Interesse an einem bestimmten Sektorenauftrag hat, die Möglichkeit offen, bei der Kommission oder bei in einem Anhang zur Sektorenrichtlinie genannten Stellen die Durchführung eines Schlichtungsverfahrens zu beantragen.[111])

---

[105]) RL 92/13/EWG zur Koordinierung der Rechts- und Verwaltungsvorschriften für die Anwendung der Gemeinschaftsvorschriften über die Auftragsvergabe durch Auftraggeber im Bereich der Wasser-, Energie- und Verkehrsversorgung sowie im Telekommunikationssektor, ABl L 1992/76, 14.

[106]) Art 1 Abs 3 RL 92/13/EWG.

[107]) Art 2 Abs 1 RL 92/13/EWG.

[108]) Art 2 Abs 9 RL 92/13/EWG.

[109]) Art 3 bis 7 RL 92/13/EWG.

[110]) Art 8 RL 92/13/EWG.

[111]) Art 9 bis 11 RL 92/13/EWG.

D. Auswirkungen – Erfahrungen der Kommission

Eine Bewertung der bisherigen Maßnahmen zur Öffnung des Vergabemarktes der Mitgliedstaaten kann wohl noch nicht vorgenommen werden. Die Richtlinien sind zT erst seit kurzem in Kraft, in manchen Mitgliedstaaten wie zB Spanien und Portugal bei der Sektorenrichtlinie nicht einmal das. Außerdem muß bei den Unternehmen erst ein Lernprozeß einsetzen, die neuen Möglichkeiten des Zugangs zu öffentlichen Aufträgen in anderen Ländern zu nutzen. Zu oft stellt man eine passive Haltung fest: Unternehmen fürchten mehr die neue Konkurrenz auf ihrem angestammten Markt und suchen nach Maßnahmen, diesen für sich zu behalten, anstatt aktiv über Strategien nachzudenken, wie neue Chancen im Ausland genutzt werden können.

Zahlreich sind auch die Fälle, in denen die Mitgliedstaaten ihren Umsetzungsverpflichtungen noch nicht oder nur unzureichend nachgekommen sind. Außerdem mehren sich die Fälle von Verstößen gegen materiellrechtliche Vorschriften. Ende Oktober 1994[112]) war ein Drittel der Umsetzungsmaßnahmen, die bis zum 1. Juli 1994 fällig gewesen wären, noch ausständig. Innerhalb eines Jahres zum Oktober 1994 hat sich die Gesamtzahl der wegen Verletzungen der Vergabevorschriften anhängigen Vertragsverletzungsverfahren auf 250 verdoppelt. Vermehrt überlegt die Kommission auch, bei groben Verstößen mittels einstweiliger Verfügungen einen Stop einzelner Vergabeverfahren zu erreichen. Zwischen den Mitgliedstaaten bestehen außerdem weiterhin große Unterschiede hinsichtlich der Möglichkeit, Klagen einzubringen bzw bezüglich des Ergebnisses solcher Klagen.

Mittlerweile hat sich auch eine umfangreiche Doktrin und Praxis der Kommission entwickelt, welche zT noch nicht in die Rechtsprechung eingegangen ist, da viele Verstoßverfahren vor der Einbringung einer Klage beendet werden. Daraus seien einige Beispiele erwähnt:[113])

- Die **Eintragung in ein Register zugelassener Unternehmen** kann in einem Mitgliedstaat zwar gefordert werden, etwaige Eintragungen in amtliche Listen zugelassener Unternehmen eines anderen Mitgliedstaates können jedoch nicht ausgeschlossen werden, sondern sind anzuerkennen und zu berücksichtigen.
- Immer wieder würden von den Bietern zusätzlich, in den Richtlinien jedoch nicht vorgesehene und **unzulässige Bedingungen** gefordert wie zB die Verwendung von Erzeugnissen eines bestimmten Ursprungs, die Verpflichtung, a priori anzugeben, daß der Unternehmer mit wirtschaftlichen Ausgleichszahlungen einverstanden ist, die Verpflichtung zur Angabe der Zahl der unmittelbar sowohl im Mitgliedstaat des öffentlichen Auftraggebers als auch im Ausland geleisteten Arbeitsstunden, die Verpflichtung zur Angabe der Art und des Wertes der von der einzelstaatlichen Forschung und Entwicklung entwickelten Erzeugnisse, Art und Wert der Erzeugnisse, bei denen eine nationale Bezugnahme von Bedeutung wäre, die Pflicht für

---

[112]) Die Zahlen stammen aus „Brussels gets tough on public contracts", Financial Times v 23. 11. 1994.

[113]) Quelle ist eine Presseaussendung der Kommission, memo/94/01 v 12. 1. 1994.

die auf der Baustelle arbeitenden Personen, die Sprache des Mitgliedstaates, in dem die Arbeiten ausgeführt werden, zu beherrschen.

- Zahlreich seien auch die **Verstöße gegen das Diskriminierungsverbot:** Angabe des Umfangs der in dem Gebiet durchgeführten Arbeiten, Herabsetzung der Mindestbürgschaft für nationale Unternehmen, Verpflichtung zum Reservieren eines Mindestprozentsatzes der Arbeiten für regionale Unternehmen, Verpflichtung, ausschließlich von in dem Gebiet, in dem die Arbeiten durchgeführt werden, niedergelassenen Unternehmen hergestelltes und geliefertes Material zu verwenden, Anwendung eines Steigerungskoeffizienten auf Erzeugnisse aus anderen Mitgliedstaaten, Bevorzugung von Unternehmen, die persönliche, tatsächliche und wirtschaftliche Bindungen zu dem Gebiet haben, in dem die Arbeiten auszuführen sind.
- Mehrfach sei es notwendig gewesen, **Bezugnahmen auf nationale technische Vorschriften** und auf bestimmte Warenzeichen zu untersagen. Akzeptabel sei eine solche Bezugnahme nur mit dem Zusatz „oder gleichwertiger Art".
- Unzulässig ist die Forderung, **Angebote eigenhändig einzureichen** und dabei jedes sonstige Mittel der Übermittlung zu untersagen.
- Eng auszulegen ist die Möglichkeit zur Anwendung des **Verhandlungsverfahrens** zum Schutz wesentlicher Interessen der Sicherheit eines Staates. Zurückgewiesen wurde diese Begründung in Fällen, wo ein Mitgliedstaat Patrouillen- und Hafenüberwachungsboote kaufen wollte und wo es um Einrichtungsgegenstände für eine ständige Vertretung und ein Konsulat ging.
- Unzulässig ist nach Ansicht der Kommission auch die Forderung, zum Nachweis der finanziellen und wirtschaftlichen Leistungsfähigkeit **Bankreferenzen** von einem Kreditinstitut zu fordern, das im Hoheitsgebiet des Mitgliedstaats des öffentlichen Auftraggebers niedergelassen ist. Unzulässig ist auch der Vorbehalt eines Ablehnungsrechts für Bieter, die keine Garantie oder Bürgschaft eines in dem Mitgliedstaat gelegenen Kreditinstitutes vorlegen können, in dem der Auftrag ausgeführt werden soll.
- Unbehagen verursacht außerdem die Praxis vor allem einiger südlicher Mitgliedstaaten, nach dem Zuschlag **nachzuverhandeln.** Mit dieser Möglichkeit vertraute (idR lokale) Anbieter reichen in diesen Fällen risikolos zu extrem niedrigen Preisen ein und verhandeln nach dem erfolgten Zuschlag weiter, um auf ihre Kosten zu kommen.[114])

E. Transparenz der Vergabevorschriften

Zahlreiche Verstöße gegen die Vergabevorschriften beruhen erfahrungsgemäß weniger auf bösem Willen als auf Unkenntnis. Dies ist nur ein Grund, warum die Kommission verstärkt Maßnahmen setzt,[115]) um das Wissen über die neuen Regeln der Auftragsvergabe im Binnenmarkt bekannter zu machen. Dazu hat die Kommission nicht nur zahlreiche Informationsseminare abgehalten, sondern auch Ausbildungsaktivitäten in den Mitgliedstaaten

[114]) Financial Times v 23. 11. 1994.
[115]) Die Aufstellung folgt memo/94/3 der Kommission v 12. 1. 1994.

unterstützt. Weiters fördert die Kommission die Verwendung von Standardformularen, damit die Information über öffentliche Aufträge leichter übersetzt, übermittelt, gelesen und verstanden werden können.

Mit der Verwendung eines einheitlichen Vokabulars zur Beschreibung des Gegenstands der Bekanntmachungen über öffentliche Aufträge im EG-Amtsblatt kann die Gefahr von Übersetzungsfehlern und Mißverständnissen eingeschränkt werden. Deshalb hat die Kommission ein Vokabular für öffentliche Aufträge ausgearbeitet (CPV).

Durch die notwendige Übermittlung der Informationen an das Amt für amtliche Veröffentlichungen kommt es notgedrungen zu einem Zeitverlust bei der Weitergabe an interessierte Personen. Deshalb werden zur Zeit Möglichkeiten untersucht, elektronischen Datenaustausch zwischen Rechnern unabhängiger Gesellschaften zu nutzen, um das Tempo des Informationsflusses zu erhöhen. Weiters ist die Kommission dabei, ein Informationssystem über das öffentliche Auftragswesen (SIMAP) zu installieren. Ausgangsüberlegung ist, daß die im Amtsblatt veröffentlichten Informationen unzureichend sind. Sie sollen durch das SIMAP sinnvoll ergänzt werden. SIMAP soll sich auf Relais zwingend vorgeschriebener Eingangsdaten stützen, indem Informationen bei den öffentlichen Auftraggebern gesammelt und an das Amt für Amtliche Veröffentlichungen weitergegeben werden. Territorial oder sektoral organisierte Relais sollen die Information dann standardisiert weitergeben können. Weiters soll dadurch die Zahl nicht veröffentlichter, aber veröffentlichungsbedürftiger Ausschreibungen abnehmen.

Von den Unternehmen bei weitem noch nicht genutzt sind auch die Möglichkeiten der Datenbank TED, in die täglich die neuesten Ausschreibungen eingegeben werden. 1993 wurden bereits 67.000 Vergabebekanntmachungen veröffentlicht.[116]) Da diese Datenbank auch vergebene Aufträge mit Preis und erfolgreichem Bieter enthält, können damit nicht nur Möglichkeiten für Subunternehmeraufträge aufgespürt werden, sondern auch Preisuntersuchungen über die Wettbewerbsfähigkeit der eigenen Produkte gemacht werden.

---

[116]) Presseaussendung der Kommission IP/94/22 v 14. 1. 1994.

3. KAPITEL

Sozial- und Arbeitsmarktpolitik

Johann Egger

Übersicht:

A. Einleitung

Die inhaltliche Angleichung oder gar Vereinheitlichung der Arbeitsrechtsordnungen der einzelnen Mitgliedstaaten der Gemeinschaft ist aufgrund der unterschiedlichen Interessenlagen und auch aus kompetenzrechtlichen Gründen nur sehr punktuell verlaufen, wobei neben einigen arbeitsrechtlichen Richtlinien nur die Bereiche der Gleichbehandlung von Frau und Mann im Arbeitsleben und der Arbeitnehmerschutz verstärkte Bedeutung erlangt haben. Ein letzter großer Aufschwung bezüglich der Rechtsetzungstätigkeit der Gemeinschaftsorgane[1]) erfolgte im Hinblick auf die Verwirklichung des Binnenmarktes durch das Aktionsprogramm der Kommission zur Anwendung der Gemeinschaftscharta der sozialen Grundrechte im Jahre 1989,[2]) wobei dabei aber zum Teil auf schon lange zurückliegende Richtlinienentwürfe zurückgegriffen wurde; zusätzlich wurden auch Maßnahmen zugunsten älterer Menschen, der Armen und Behinderten unterbreitet.

B. Die Entwicklung der Kompetenzen[3])

1. Gründungsverträge und sozialpolitisches Aktionsprogramm 1974

Eine exakte Unterscheidung der Begriffe **„Arbeitsrecht"** und **„Sozialrecht"** wird nicht in allen Mitgliedstaaten der Gemeinschaft vorgenommen. Im EWG-Vertrag selbst wurde der Begriff „Arbeitsrecht" überhaupt nur einmal und zwar bei der Zusammenarbeit in sozialen Fragen in Art 118 erwähnt. Arbeits- und sozialrechtliche Kompetenzen fand man hingegen vermischt unter dem Titel III „Die Sozialpolitik". Mit der **Sozialpolitik** untrennbar verbunden sind auch die Gemeinschaftsregelungen zur Herstellung der Freizügigkeit der Arbeitnehmer.

---

[1]) Loseblatt-Textsammlung von *Hellmer* (Hg), Arbeitsrecht, Gesundheitsschutz und Sozialpolitik in der EU und im EWR. Anlagenband (1994); *Oetker/Preis,* Europäisches Arbeits- und Sozialrecht (1995) und *Wachter/Egger/Grömmer,* Das Arbeitsrecht der EU (1995).

[2]) KOM (89) 568 endg.

[3]) Vgl dazu *Balze,* Die sozialpolitischen Kompetenzen der Europäischen Union (1994); *Birk,* Die Gesetzgebungszuständigkeit der Europäischen Gemeinschaft im Arbeitsrecht, RdA 1992, 68; *Blanpain/Klein,* Europäisches Arbeitsrecht (1992); *Buchner,* Die sozialpolitische Entwicklung der Europäischen Gemeinschaft im Spannungsfeld von hoheitlicher Regelung und tarifautonomer Gestaltung, RdA 1993, 193; *Däubler* (Hg), Sozialstaat EG? Die andere Dimension des Binnenmarktes (1989); *Egger,* Das Arbeits- und Sozialrecht der EG (1993); *Hailbronner,* Die EG-Sozialpolitik nach Maas-

Schon in der Präambel und in Art 2 EWGV war die Zielsetzung der Gemeinschaft festgelegt, „die stetige Besserung der Lebens- und Beschäftigungsbedingungen ihrer Völker" bzw „eine beschleunigte Hebung der Lebenshaltung" zu fördern. Auch gem Art 117 EWGV sind sich die Mitgliedstaaten über die Notwendigkeit einig, „auf eine Verbesserung der Lebens- und Arbeitsbedingungen der Arbeitskräfte hinzuwirken und dadurch auf dem Wege des Fortschritts ihre Angleichung zu ermöglichen". Die Mitgliedstaaten waren der Auffassung, daß sich eine solche Entwicklung sowohl aufgrund des eine Abstimmung der Sozialordnungen begünstigenden Wirkens des Gemeinsamen Marktes als auch aus den im EWG-Vertrag vorgesehenen Verfahren[4]) sowie aus der Angleichung der Rechts- und Verwaltungsvorschriften der Mitgliedstaaten[5]) ergeben werde. Die wirtschaftliche Integration Europas hätte also nach Auffassung der bei der Ausarbeitung der Gemeinschaftsverträge beauftragten Expertengruppe automatisch den sozialen Fortschritt begünstigt, sodaß die Aufnahme umfassender sozialpolitischer Zuständigkeiten in die Gemeinschaftsverträge entbehrlich sei. Allein Art 118 EWGV verpflichtete die Kommission, eine enge Zusammenarbeit zwischen den Mitgliedstaaten durch (unverbindliche) Untersuchungen, Stellungnahmen und Vorbereitung von Beratungen in sozialen Fragen zu fördern, und das ohne die Befugnis, rechtsverbindliche Verordnungen, Richtlinien oder Entscheidungen setzen zu können.

Allerdings konnten wegen des programmatischen Charakters[6]) von Art 117 und 118 EWGV keine rechtsverbindlichen Akte des Gemeinschaftsrechts auf sozialpolitischer Ebene gesetzt werden, dh daß die sozialpolitische Zuständigkeit danach grundsätzlich den Mitgliedstaaten vorbehalten blieb – vorbehaltlich der Beachtung grundlegender Gemeinschaftsprinzipien und der Wahrnehmung von Befugnissen, die den Gemeinschaftsorganen aufgrund anderer Vertragsbestimmungen, insbesondere gem Art 7 (nunmehr Art 6 EGV), 49, 51, 100, 118a und 235 EWGV, verliehen wurden.[7])

---

tricht, in *Grabitz*-GedS (1995) 125; *Heinze*, Europarecht im Spannungsfeld zum nationalen Arbeitsrecht, ZfA 1992, 331; *Jansen*, Das Arbeits- und Sozialrecht im Zweck- und Kompetenzgefüge der Europäischen Gemeinschaften, in *Nicolaysen/Rabe* (Hg), Europäisches Arbeits- und Sozialrecht, Europarecht Beiheft 1/1990; *Kuhn*, Die soziale Dimension der Europäischen Gemeinschaft (1995); *Schuster*, Rechtsfragen der Maastrichter Vereinbarungen zur Sozialpolitik, EuZW 1992, 178; *Vieß*, Die Bedeutung des EG-Rechts für die Bundesmittel in der landwirtschaftlichen Sozialversicherung. Zugleich ein Beitrag zum Umfang der sozialpolitischen Kompetenzen (1995); *Wank*, Arbeitsrecht nach Maastricht, RdA 1995, 10; *Weinmeier*, Freizügigkeit und Sozialpolitik im EWR und ihre Umsetzung im österreichischen Recht (1994); *Zwanziger*, Zur Zuständigkeit der Europäischen Gemeinschaft auf dem Gebiet des Arbeitsrechts, ArbuR 1995, 430.

[4]) So die Verbürgung der Freizügigkeit nach Art 48 bis 51 EWGV und die Förderung der Zusammenarbeit nach Art 118 EWGV.

[5]) So durch Art 100 und 235 EWGV.

[6]) EuGH 15. 6. 1978 Rs 149/77 – Defrenne III – Slg 1978, 1365 (1378); EuGH 29. 9. 1987 Rs 126/86 – Zaera – Slg 1987, 3697 (3716); EuGH 17. 3. 1993 verb Rs C-72/91 u 73/91 – Neptun AG – Slg 1993, I-887.

[7]) *Curall* in *von der Groeben/Thiesing/Ehlermann* (Hg), Kommentar zum EWG-Vertrag[4] Bd 3, 3340.

In dieser ersten, neo-liberalen Phase der damaligen EWG wurden nur einige wenige konkrete völkerrechtliche Vertragsverpflichtungen im EWG-Vertrag verankert, um die sozialkostenbedingten Wettbewerbsnachteile auszugleichen. Es waren dies zB die Pflichten zur innerstaatlichen Verwirklichung des Grundsatzes des gleichen Entgelts für Männer und Frauen bei gleicher Arbeit (Art 119 EWGV), die Aufrechterhaltung der als gleichwertig unterstellten nationalen Rechtsvorschriften über bezahlte Freizeit (Art 120 EWGV) und die Harmonisierung der Berufsausbildung (Grundsatzkompetenz des Art 128 EWGV). Eine herausragende Bedeutung erlangte aber das Ziel der Herstellung eines gemeinsamen Arbeitsmarktes und damit die gemeinschaftliche Beschäftigungspolitik, wobei aufgrund der in Art 49 und 51 EWGV[8]) vorgesehenen Rechtsgrundlagen für Rechtsakte des Rates eine Reihe von Verordnungen und Richtlinien im Rahmen der grenzüberschreitenden Freizügigkeit der Arbeitnehmer (Art 48 EWGV) erlassen wurden.[9]) Art 50 EWGV sieht besondere Programme zur Förderung des Austauschs junger Arbeitskräfte vor. Gegenstand des Kapitels 2 des EWGV-Titels „Die Sozialpolitik" war der Europäische Sozialfonds,[10]) dem auf Grundlage der Art 123ff EWGV die Aufgabe zugewiesen wurde, sich an der Finanzierung von Maßnahmen der beruflichen Bildung, der Arbeitsförderung und der räumlichen Freizügigkeit zu beteiligen. In einzelnen Bereichen des Arbeits- und Sozialrechts enthielt der EWG-Vertrag weitere supranationale Rechtset-

---

[8]) Art 51 EWGV betrifft die auf dem Gebiet der sozialen Sicherheit für die Herstellung der Freizügigkeit der Arbeitnehmer notwendigen Maßnahmen. Maßgebende Normen sind V (EWG) 1408/71 des Rates v 14. 6. 1971 zur Anwendung der Systeme der sozialen Sicherheit auf Arbeitnehmer und Selbständige sowie deren Familienangehörige, die innerhalb der Gemeinschaft zu- und abwandern, ABl C 1992/325 v 10. 12. 1992, 1 (konsolidierte Fassung) idF V (EWG) 1945/93 des Rates v 30. 6. 1993, ABl L 1993/181 v 23. 7. 1993, 1 und ABl L 1995/1 v 1. 1. 1995, 22 und die DurchführungsV (EWG) 574/72 v 21. 3. 1972, ABl C 1992/325 v 10. 12. 1992, 96 (konsolidierte Fassung). Letzte Änderung durch V (EG) 3095/95 und 3096/95 v 22. 12. 1995, ABl L 1995/335 v 30. 12. 1995, 1 u 10.

[9]) V (EWG) 1612/68 des Rates v 15. 10. 1968 über die Freizügigkeit der Arbeitnehmer innerhalb der Gemeinschaft, ABl L 1968/257 v 19. 10. 1968, 2 idF V (EWG) 312/76 v 9. 2. 1976, ABl L 1976/39 v 14. 2. 1976, 2 und V (EWG) 2434/92 v 27. 7. 1992, ABl L 1992/245 v 26. 8. 1992, 1; V (EWG) 1251/70 der Kommission v 29. 6. 1970 über das Recht der Arbeitnehmer, nach Beendigung einer Beschäftigung im Hoheitsgebiet eines Mitgliedstaats zu verbleiben, ABl L 1970/142 v 30. 6. 1970, 24; RL 64/221/EWG des Rates v 25. 2. 1964 zur Koordinierung der Sondervorschriften für die Einreise und den Aufenthalt von Ausländern, soweit sie aus Gründen der öffentlichen Ordnung, Sicherheit oder Gesundheit gerechtfertigt sind, ABl L 1964/56 v 4. 4. 1964, 850; RL 68/360/EWG des Rates v 15. 10. 1968 zur Aufhebung der Reise- und Aufenthaltsbeschränkungen für Arbeitnehmer der Mitgliedstaaten und ihre Familienangehörigen innerhalb der Gemeinschaft, ABl L 1968/257 v 19. 10. 1968, 13; RL 90/364/EWG des Rates v 28. 6. 1990 über das Aufenthaltsrecht, ABl L 1990/180 v 13. 7. 1990, 26; RL 90/365/EWG des Rates v 28. 6. 1990 über das Aufenthaltsrecht der aus dem Erwerbsleben ausgeschiedenen Arbeitnehmer und selbständig Erwerbstätigen, ABl L 1990/180 v 13. 7. 1990, 28; RL 93/96/EWG des Rates v 29. 10. 1993 über das Aufenthaltsrecht der Studenten, ABl L 1993/317 v 18. 12. 1993, 59.

[10]) Art 3 lit i EWGV erwähnte im Rahmen der Tätigkeitsbereiche der Gemeinschaft „die Schaffung eines Europäischen Sozialfonds, um die Beschäftigungsmöglichkeiten der Arbeitnehmer zu verbessern und zur Hebung ihrer Lebenshaltung beizutragen".

zungskompetenzen, so bezüglich der gemeinsamen Agrarpolitik (Art 41 iVm Art 39 und 43 EWGV) und der gemeinsamen Verkehrspolitik (Art 75 EWGV). Aufgrund der speziellen Ermächtigung in Art 30 und 31 EURATOMV gelten Richtlinien zum Schutz der Arbeitskräfte gegen radioaktive Strahlung.[11]) Art 68 EGKSV betrifft das wettbewerbsverfälschende Lohndumping auf dem gemeinsamen Kohle- und Stahlmarkt, zu dessen Beseitigung die Hohe Behörde Empfehlungen erteilen kann.

Eine große Wende im Hinblick auf eine aktivere Sozialpolitik brachten die Gipfelkonferenzen der Staats- und Regierungschefs in Den Haag 1969 und Paris 1972. Die dort erarbeiteten sozialpolitischen Leitlinien gingen weit über die ursprüngliche sozialpolitische Relevanz der Gemeinschaftsverträge hinaus und ließen das politische Postulat einer Entwicklung der EG zur Sozialunion neben der Wirtschafts- und Währungsunion entstehen. Ein sichtbares Ergebnis war die Ratsentschließung aus 1974 über ein **sozialpolitisches Aktionsprogramm,**[12]) welches eine völlig geänderte Einstellung zur Sozialpolitik in der Gemeinschaft aufzeigte; der Glaube an das Selbstregulativ der freien Marktwirtschaft für den sozialen Fortschritt war nicht zuletzt aufgrund des wirtschaftlichen Zusammenbruchs von 1974, der dem Ölkrisenwinter 1973/74 gefolgt war, verloren gegangen. Mit dem drastischen Anstieg der Arbeitslosenrate von 3% im Jahre 1973 auf 12% im Jahre 1987[13]) waren aufgrund der Wirtschaftslage Richtlinien zur Angleichung der Rechtsvorschriften der Mitgliedstaaten über Massenentlassungen,[14]) über die Wahrung von Ansprüchen der Arbeitnehmer beim Betriebsübergang[15]) und den Schutz der Arbeitnehmer bei Zahlungsunfähigkeit des Arbeitgebers[16]) beschlossen worden. Das Problem der Diskriminierung der Frau im Arbeitsleben wurde durch die Richtlinie über die Anwendung des Grundsatzes des gleichen Entgelts für Männer und Frauen[17]) und zur Verwirklichung des Grundsatzes der Gleichbehandlung von Männern und Frauen hinsichtlich des Zugangs zur Beschäfti-

---

[11]) RL 76/579/Euratom des Rates v 1. 6. 1976, mit denen die Grundnormen für den Gesundheitschutz der Bevölkerung und der Arbeitskräfte gegen die Gefahren ionisierender Strahlungen festgelegt wurden, ABl L 1976/187 v 12. 7. 1976, 1 idF RL 80/836/ Euratom des Rates v 15. 7. 1980, ABl L 1980/246 v 17. 9. 1980, 1 und RL 84/467/Euratom v 3. 9. 1984, ABl L 1984/265, 4; RL 90/641/Euratom des Rates v 4. 12. 1990 über den Schutz externer Arbeitskräfte, die einer Gefährdung durch ionisierende Strahlungen beim Einsatz im Kontrollbereich ausgesetzt sind, ABl L 1990/349 v 13. 12. 1990, 21.

[12]) Entschließung des Rates v 21. 1. 1974 über ein sozialpolitisches Aktionsprogramm, ABl C 1974/13 v 12. 2. 1974, 1.

[13]) Auch 1995 waren immer noch etwa 10% aller Gemeinschaftsbürger arbeitslos.

[14]) RL 75/129/EWG des Rates v 17. 2. 1975 zur Angleichung der Rechtsvorschriften der Mitgliedstaaten über Massenentlassungen, ABl L 1975/48 v 22. 2. 1975, 29.

[15]) RL 77/187/EWG des Rates v 14. 2. 1977 zur Angleichung der Rechtsvorschriften der Mitgliedstaaten über die Wahrung von Ansprüchen der Arbeitnehmer beim Übergang von Unternehmen, Betrieben oder Betriebsteilen, ABl L 1977/61 v 5. 3. 1977, 26.

[16]) RL 80/987/EWG des Rates v 20. 10. 1980 zur Angleichung der Rechtsvorschriften der Mitgliedstaaten über den Schutz der Arbeitnehmer bei Zahlungsunfähigkeit des Arbeitgebers, ABl L 1980/283 v 28. 10. 1980, 23.

[17]) RL 75/117/EWG des Rates v 10. 2. 1975 zur Angleichung der Rechtsvorschriften der Mitgliedstaaten über die Anwendung des Grundsatzes des gleichen Entgelts für Männer und Frauen, ABl L 1975/45 v 19. 2. 1975, 19.

gung, zur Berufsbildung und zum beruflichen Aufstieg sowie in bezug auf die Arbeitsbedingungen[18]) und vor allem der Arbeitnehmerschutz verstärkt in Angriff genommen.

2. Sozialpolitische Kompetenzen vor der Einheitlichen Europäischen Akte

a) Subsidiäre Kompetenzen

Art 100 EWGV ermächtigte den Rat, einstimmig auf Vorschlag der Kommission Richtlinien für die Angleichung derjenigen Rechts- und Verwaltungsvorschriften der Mitgliedstaaten zu erlassen, die sich unmittelbar auf die Errichtung oder das Funktionieren des Gemeinsamen Marktes auswirken.[19]) Art 100 EWGV stellt eine Generalklausel zur Rechtsangleichung dar, die nicht in Konkurrenz zu den besonderen Harmonisierungsvorschriften steht, sondern nur subsidiär eingreift.[20])

Seit der Entschließung des Rates über ein sozialpolitisches Aktionsprogramm 1974[21]) erlangte eine weitere subsidiäre Kompetenz – Art 235 EWGV, dessen nichtamtliche Artikelüberschrift „Vorschriften für unvorhergesehene Fälle“ lautet – eine besondere Bedeutung. Diese Vertragsbestimmung ermächtigt den Rat, einstimmig auf Vorschlag der Kommission und nach Anhörung des Europäischen Parlaments geeignete Vorschriften des Gemeinschaftsrechts zu erlassen, wenn dies zur Erreichung der Ziele im Rahmen des Gemeinsamen Marktes erforderlich wird und im EWG-Vertrag hierfür keine Kompetenzen[22]) vorgesehen sind. Art 235 EWGV hat im Vergleich zu Art 100 EWGV einen weiter gefaßten Tatbestand, da die Ziele der Gemeinschaft über die Verwirklichung eines reibungslos funktionierenden Gemeinsamen Marktes bzw die Schaffung oder das Funktionieren des Binnenmarktes hinausgehen.[23]) Da der Rat gem Art 235 EWGV „geeignete Vorschriften“ erlassen kann, ist er nicht auf den Rechtsakt der Richtlinie beschränkt, sondern kann auch alle anderen verbindlichen (Verordnungen, Entscheidungen) und unverbindlichen (Empfehlungen, Stellungnahmen) Rechtshandlungen und Akte sui generis (zB Beschlüsse) als Gemeinschaftsrecht setzen.

---

[18]) Richtlinie 76/207/EWG des Rates v 9. 2. 1976 zur Verwirklichung des Grundsatzes der Gleichbehandlung von Männern und Frauen hinsichtlich des Zugangs zur Beschäftigung, zur Berufsbildung und zum beruflichen Aufstieg sowie in bezug auf die Arbeitsbedingungen, ABl 1976/39 v 14. 12. 1976, 40.

[19]) Gem EG-Vertrag ist nunmehr auch die Anhörung des Europäischen Parlaments und des WSA vorgesehen.

[20]) EuGH 23. 2. 1988 Rs 68/86 – Vereinigtes Königreich gg Rat – Slg 1988, 855 und EuGH 23. 2. 1988 Rs 131/86 – Vereinigtes Königreich gg Rat, Slg 1988, 905.

[21]) In diesem Aktionsprogramm wird auf S 1 ausdrücklich darauf hingewiesen, daß die in dem Programm beschriebenen Aktionen gem den Bestimmungen der Verträge einschließlich des Art 235 EWGV durchgeführt werden müssen.

[22]) Aufgrund dieses Tatbestandsmerkmals kommt die Subsidiarität von Art 235 EWGV gegenüber den Einzelermächtigungen zum Ausdruck.

[23]) *Langeheine* in *Grabitz/Hilf* (Hg), Kommentar zur Europäischen Union Art 100 RZ 80.

b) Zuständigkeit kraft Sachzusammenhangs

Neben Art 235 EWGV hat der EuGH die Berufung auf die sog Implied-powers-Doktrin zugelassen:[24]) Der Gerichtshof hält die Anwendung einer sowohl im Völkerrecht als auch im innerstaatlichen Recht allgemein anerkannten Auslegungsregeln für zulässig, wonach die Vorschriften eines völkerrechtlichen Vertrages oder eines Gesetzes zugleich diejenigen Vorschriften beinhalten, bei deren Fehlen sie sinnlos wären oder nicht in vernünftiger und zweckmäßiger Weise zur Anwendung gelangen könnten. Allerdings darf die Implied-powers-Doktrin nicht dazu führen, daß etwa Befugnisse über den Vertragstext hinaus erweitert werden; es handelt sich hier lediglich um die Inanspruchnahme von sog Annexzuständigkeiten zu den im EWG-Vertrag ausdrücklich begründeten Zuständigkeiten wegen des engen Zusammenhangs der geregelten wirtschaftlichen Materie mit deren sozialpolitischen Aspekten.[25])

3. Neue Rechtsetzungszuständigkeiten nach der Einheitlichen Europäischen Akte

Die Einheitliche Europäische Akte (EEA)[26]) hatte aufgrund der vielversprechenden Worte der Präambel „durch die Vertiefung der gemeinsamen Politiken und die Verfolgung neuer Ziele die wirtschaftliche und soziale Lage zu verbessern“ im Hinblick auf die soziale Flankierung des bis 1992 herzustellenden Binnenmarktes zunächst hohe Erwartungen in bezug auf die Schaffung neuer institutioneller Mechanismen geschaffen. So wurde in den EWG-Vertrag ein neuer Titel V „Wirtschaftlicher und sozialer Zusammenhalt“ mit den Art 130a bis 130e eingefügt, dessen Regelungen aber primär die strukturpolitischen Instrumente der Gemeinschaft, insb die Strukturfonds, betrafen. Immerhin wurde die Gemeinschaft jetzt aber verstärkt als ein gemeinschaftlicher Wirtschafts- und Sozialraum gesehen, der vor dem Hintergrund eines enormen Wohlstandsgefälles zwischen den Regionen der erweiterten Gemeinschaft auch dem Prinzip der Solidarität verbunden war.

Für die Verwirklichung der Ziele des Binnenmarktes wurden ua die neuen Kompetenzbestimmungen des Art 100a, für den Schutz der „Sicherheit und der Gesundheit der Arbeitnehmer“ Art 118a in den EWGV eingefügt.

a) Harmonisierungsmaßnahmen gem Art 100a EWGV

Während Art 100 EWGV, der eine ausdrückliche Rechtsgrundlage für die meisten der arbeitsrechtlichen Richtlinien darstellte, für die Angleichung derjenigen Rechts- und Verwaltungsvorschriften der Mitgliedstaaten, die sich

[24]) EuGH 29. 11. 1956 Rs 8/55 – Fédéchar gg Hohe Behörde – Slg 1956 Bd II 297 (312); EuGH 15. 7. 1960 Rs 20/59 – Italien gg Hohe Behörde – Slg 1960 Bd VI/II, 681 (708); EuGH 15. 7. 1960 Rs 25/59 – Niederlande gg Hohe Behörde – Slg 1960 Bd VI/II, 743 (781).

[25]) Vgl auch EuGH 28. 11. 1978 Rs 97/78 – Schumalla – Slg 1978, 2311 betreffend Sozialvorschriften im Straßenverkehr.

[26]) ABl L 1987/169 v 29. 6. 1987, 2.

unmittelbar auf die Errichtung oder das Funktionieren des Gemeinsamen Marktes auswirken, Einstimmigkeit des Rates verlangte, genügte gem Art 100a Abs 1 EWGV[27]) nunmehr eine qualifizierte Mehrheit[28]) bei der Beschlußfassung von Harmonisierungsmaßnahmen, welche die Schaffung und das **Funktionieren des Binnenmarktes** zum Gegenstand haben. Die Rechtsangleichung unter Art 100a EWGV ist nur möglich, soweit im EWG-Vertrag nichts anderes bestimmt ist (Subsidiaritätsklausel) und kann mit qualifizierter Mehrheit auch durch Verordnungen und Entscheidungen vollzogen werden, wenn auch der Rechtsform der Richtlinie der Vorzug gegeben wird. Das Initiativrecht für Rechtsangleichungsmaßnahmen nach Art 100a EWGV liegt bei der Kommission, eine Zusammenarbeit mit dem Europäischen Parlament ist vorzunehmen, die Anhörung des WSA ist vorgesehen; im EG-Vertrag gilt nunmehr das sog Mitentscheidungsverfahren nach Art 189b EGV.

Allerdings bestimmt Art 100a Abs 2 EWGV wiederum, daß Abs 1 unter anderem nicht für die Bestimmungen über die Freizügigkeit und die Bestimmungen über die Rechte und Interessen der Arbeitnehmer gilt. Der Anwendungsbereich von Art 100a EWGV ist daher folgender: Bezüglich technischer Harmonisierung, Normung und freiem Warenverkehr löste nunmehr Art 100a EWGV die bisherige Kompetenzbestimmung des Art 100 EWGV ab. Richtlinien nach Art 100a EWGV regeln nunmehr allgemein gültige Sicherheits- und Gesundheitsanforderungen – man spricht von produktbezogenen **Arbeitsschutzbestimmungen** – (technische Harmonisierung, Normung, Inverkehrbringen und freier Warenverkehr, in den Anhängen sind Bestimmungen wie grundlegende Sicherheits- und Gesundheitsanforderungen bei Konzipierung und Bau, EG-Konformitätserklärung, EG-Zeichen, EG-Baumusterprüfungen) und greifen weder den Bestimmungen über die Organisation der Sicherheit noch den Arbeitsschutzbestimmungen insgesamt vor (hierzu werden nämlich Richtlinien nach Art 118a erlassen).

Für das Jahr 1992 sah Art 100b EWGV eine Bestandsaufnahme der unter Art 100a EWGV fallenden Rechts- und Verwaltungsvorschriften vor, für die keine Angleichung gem diesem Artikel erfolgt ist. Ein erstes Ergebnis war die Mitteilung der Kommission über die Handhabung der gegenseitigen Anerkennung einzelstaatlicher Vorschriften nach 1992.[29])

b) Richtlinien gem Art 118a EWGV

Art 118 EWGV übergibt der Kommission die Aufgabe, „eine enge Zusammenarbeit zwischen den Mitgliedstaaten in sozialen Fragen zu fördern". Diese Bestimmung wurde durch die EEA durch Art 118a EWGV ergänzt: Gem Abs 1 bemühen sich die Mitgliedstaaten, die Verbesserung insb der Arbeitsumwelt zu fördern, um die Sicherheit und die Gesundheit der Arbeitnehmer zu schützen, und setzen sich die Harmonisierung der in diesem Bereich bestehenden Bedingungen bei gleichzeitigem Fortschritt zum Ziel. Als Beitrag zur Verwirklichung dieses Ziels erläßt der Rat gem Art 118a Abs 2

[27]) Art 100a EWGV wurde durch Art 18 EEA eingefügt und ist lex specialis im Verhältnis zu Art 100 EWGV.

[28]) Zu den verschiedenen Abstimmungsmodalitäten s Art 148 Abs 2 EWGV.

[29]) KOM (93) 669 endg.

EWGV auf Vorschlag der Kommission, in Zusammenarbeit mit dem Europäischen Parlament (nach EG-Vertrag gem dem Zusammenarbeitsverfahren nach Art 189c EGV) und nach Anhörung des WSA unter Berücksichtigung der in den einzelnen Mitgliedstaaten bestehenden Bedingungen und technischen Regelungen mit qualifizierter Mehrheit[30]) durch Richtlinien Mindestvorschriften, die schrittweise[31]) anzuwenden sind. Art 118a Abs 2 Satz 2 EWGV sieht weiters vor, daß diese Richtlinien keine verwaltungsmäßigen, finanziellen oder rechtlichen Auflagen vorschreiben sollen, die der Gründung und Entwicklung von Klein- und Mittelbetrieben entgegenstehen.

Die aufgrund von Art 118a EWGV erlassenen Bestimmungen hindern gem dessen Abs 3 die einzelnen Mitgliedstaaten nicht daran, „Maßnahmen zum verstärkten Schutz der Arbeitsbedingungen beizubehalten oder zu treffen, die mit diesem Vertrag vereinbar sind". Die gemeinschaftsrechtlichen Vorschriften gem Art 118a EWGV enthalten also nur Mindeststandards, günstigere Vorschriften in den einzelnen Mitgliedstaaten können daher erlassen werden.

c) Europäischer Sozialer Dialog (Art 118b EWGV)

Nach dem durch Art 22 EEA eingefügten Art 118b EWGV bemüht sich die Kommission darum, den Dialog zwischen den Sozialpartnern auf europäischer Ebene zu entwickeln, der, wenn diese es für wünschenswert halten, zu vertraglichen Beziehungen führen kann.

Schon vor der EEA wurde der soziale Dialog intensiv praktiziert. Dabei ist nicht nur die Tätigkeit des **Wirtschafts- und Sozialausschusses** (WSA) in Erinnerung zu rufen, sondern auch die Arbeit der sog Dreierkonferenzen der Regierungen der Mitgliedstaaten, der Gemeinschaft und der Sozialpartner (1975–1978), des ständigen Ausschusses für Beschäftigungsfragen, der soziale Dialog in sektoriellen Fällen und vor allem der „Ausschuß sozialer Dialog", der schon etwa 15 gemeinsame Stellungnahmen abgegeben hat.

Entsprechend den Beschlüssen des Treffens von Val Duchesse v 12. November 1985 hatte die Kommission den sozialen Dialog intensiviert und in Abstimmung mit dem Europäischen Gewerkschaftsbund (EGB), der Union der Industrie- und Arbeitgeberverbände Europas (UNICE) und dem Europäischen Zentralverband der öffentlichen Wirtschaft (CEEP) zwei Arbeitsgruppen eingesetzt, die die makro-ökonomischen Probleme im Zusammenhang mit der Durchführung der von der Kommission in ihrem Jahreswirtschaftsbericht 1985/86 vorgeschlagenen „Kooperativen Wachstumsstrategie für mehr Beschäftigung" und die Problematik der Einführung der neuen Technologien und des **sozialen Dialogs** prüfen sollten. Im Jahre 1989 beschlossen die Partner des sozialen Dialogs von Val Duchesse (EGB, UNICE, CEEP), einen politischen Lenkungsausschuß einzusetzen, der dem sozialen Dialog neue Impulse

---

[30]) Die Erlassung von Richtlinien auf dem Gebiete des Arbeitsschutzes mit qualifizierter Mehrheit stellte eine Neuheit dar.

[31]) So zB durch Übergangsvorschriften. Was die Kommission dem Rat für eine Beschlußfassung mit qualifizierter Mehrheit vorschlägt, wird somit eine Rechtsangleichung „im Fortschritt" sein, mit dem Ziel, eine schrittweise Angleichung an das Niveau der fortschrittlichsten Mitgliedstaaten zu fördern.

geben, die Arbeiten planen und gemeinsame Stellungnahmen sowie ihre möglichen Auswirkungen beurteilen soll (Ausschuß sozialer Dialog). Ferner wurden 1990 Arbeitsgruppen für Fragen der allgemeinen Bildung, Erstausbildung, beruflichen- und Erwachsenenbildung und für Perspektiven des Europäischen Arbeitsmarktes gebildet. Im Jahre 1991 wurde eine ad-hoc-Gruppe zwecks Definition der Rolle und des Platzes des sozialen Dialogs eingesetzt. Rechtlich konnten natürlich außer gemeinsamer Stellungnahmen und Empfehlungen[32]) kaum konkrete Anwendungsergebnisse erbracht werden. Allein die Europäische Rahmenvereinbarung v 6. September 1990 zwischen dem Europäischen Gewerkschaftsbund und dem Europäischen Zentralverband der öffentlichen Wirtschaft über Ausbildung und Gesundheitsschutz in sektoralen Unternehmen der öffentlichen Wirtschaft (Schienenverkehr, Energieversorgung) sticht hervor. Erste Ansätze für „Europäische Kollektivverträge" ergaben sich erst nach der Ratifizierung des Abkommens über die Sozialpolitik im Zusammenhang mit dem Vertrag über die Europäische Union.[33]) Durch dieses Abkommen wurde Art 118b EWGV überhaupt bedeutsam weiterentwickelt, wobei Anhörung und Verhandlungen zwischen den Sozialpartnern nunmehr die Hauptfunktionen des sozialen Dialogs darstellen.

4. Gemeinschaftscharta der sozialen Grundrechte samt Aktionsprogramm

Die neuen durch die EEA in den EWGV eingefügten Kompetenzvorschriften der Art 100a, 118a und 118b EWGV hatten – wenn man die zahlreichen Rechtsakte auf dem Gebiet des Arbeitnehmerschutzes außer acht läßt – in Wirklichkeit nicht viel Neues gebracht. Die zentralen Bereiche der Sozialpolitik waren mit Ausnahme des Arbeitsschutzes eben nicht unter den Hauptzielen des anzustrebenden Binnenmarktes zu finden; dies ging auch aus Art 8a EWGV hervor, der als solche allein den freien Verkehr von Waren, Personen, Dienstleistungen und Kapital aufzählte. Auch die EG-Kommission konnte mit ihrem Arbeitsdokument v 14. September 1988 über „Die soziale Dimension des Binnenmarktes", welches als *Marin*-Bericht bekannt geworden ist,[34]) das weitgehende Fehlen sozialer Aspekte um die Diskussion um die Vollendung des Binnenmarktes nicht verheimlichen, da als vorrangige Aufgabe einer europäischen Sozialpolitik ihr Beitrag zur Vollendung eines „großräumigen Arbeitsmarktes" angesehen wurde.[35]) Daher war es nur verständlich, daß seitens des Europäischen Gewerkschaftsbundes die Forderung nach Mindeststandards für Arbeitsbedingungen im weitesten Sinn, nach einem „sozialen Sokkel" erhoben wurde. Am 12. April 1989 kam es dann tatsächlich zur Verabschiedung einer Entschließung zur Erklärung der Grundrechte und Grundfreiheiten durch das Europäische Parlament.[36]) Auch wurde am 30. Mai 1989 von der EG-Kommission ein Entwurf über eine **Gemeinschaftscharta der sozialen**

[32]) Aufzählung in *Mesch* (Hg), Sozialpartnerschaft (1995) 320 und KOM(95) 184 endg, 2 (FN 1).

[33]) Siehe dazu unten F.2.

[34]) SEC(88) 1148 endg.

[35]) SEC(88) 1148 endg, 2.

[36]) ABl C 1989/120 v 16. 5. 1989, 51.

Grundrechte vorgelegt.[37]) Die Verabschiedung der Charta am Madrider Gipfel Ende Juni 1989 scheiterte am britischen Widerstand; schließlich wurde am 8. u 9. Dezember 1989 am Straßburger Gipfeltreffen der verbleibenden 11 Staats- und Regierungschefs der EG-Staaten eine Erklärung der Gemeinschaftscharta der sozialen Grundrechte abgegeben, deren Programmsätze aber nur politische Absichtserklärungen enthalten und sich somit nicht als verbindliches Rechtsinstrumentarium ins Rechtssystem der Gemeinschaft einfügen. Deshalb hatte die Kommission in einer Mitteilung vom 29. November 1989 zur Konkretisierung und Umsetzung ein Aktionsprogramm zur Anwendung der Gemeinschaftscharta der sozialen Grundrechte vorgeschlagen,[38]) in einem der Erwägungsgründe der Gemeinschaftscharta aber betont, daß die Durchführung der Charta nicht zu einer Ausweitung der im Vertrag festgelegten Befugnisse führen darf.[39]) Dieses Aktionsprogramm wird vom Prinzip der Subsidiarität geleitet, nach dem die Kommission nur dann tätig wird, wenn die gesetzten Ziele sich besser durch sie als durch die Mitgliedstaaten, ihre Gebietskörperschaften oder die Sozialpartner erreichen lassen.[40])

5. Maastrichter Vereinbarungen zur Sozialpolitik

Einen weiteren großen Schritt zur Sozialunion bildeten die Ergebnisse des Gipfels von Maastricht vom Dezember 1991. Die Sozialpolitik stand hierbei überraschenderweise zum ersten Mal ganz im Mittelpunkt einer derartigen Regierungskonferenz. Allerdings hatte wieder einmal Großbritannien keinerlei Bereitschaft gezeigt, im Sozialbereich irgendwelche Änderungen am bestehenden Vertrag, insb bezüglich erweiterter Kompetenzen, zuzulassen. Daher wurde beschlossen, dem Vertrag über die Europäische Union ein **Protokoll Nr 14 über die Sozialpolitik** beizufügen, welches dann durch ein Abkommen über die Sozialpolitik zwischen den Mitgliedstaaten der EG mit Ausnahme des Vereinigten Königreichs Großbritannien und Nordirland umgesetzt wurde und das der Gemeinschaft erlaubte, ihren durch die Sozialcharta vorgezeichneten Weg weiterzugehen. Somit steht im Bereich der Sozialpolitik neben den bisherigen Kompetenzbestimmungen ein weiteres Verfahren zur Verfügung („Europa der zwei Geschwindigkeiten"), um bei Nichteinigung doch noch zu Integrationserfolgen zu kommen.

Art 2 Abs 1 des Abkommens bringt – über den geltenden Art 118a EGV hinaus – eine wesentliche Erweiterung des Katalogs von Bereichen, über die im Rat mit qualifizierter Mehrheit und im Verfahren der Zusammenarbeit mit dem Europäischen Parlament gemäß Art 189c EGV abgestimmt

---

[37]) KOM (89) 471 endg.

[38]) KOM (89) 568 endg; vgl dazu die kritische Stellungnahme des Europäischen Parlaments, ZSR 1993, 266 u 334.

[39]) Eine solche Ausweitung erfolgte erst durch das Abkommen über die Sozialpolitik im Rahmen der Maastrichter Vereinbarungen.

[40]) KOM (89) 568 endg, 4; eine Präzisierung dieses Prinzips erfolgte dann durch Art 3b EGV; s auch die Mitteilung der Kommission an den Rat und an das Europäische Parlament betreffend das Subsidiaritätsprinzip, Europa/Dokumente 1804/05 v 31. 10. 1992. Vgl weiters *Schima,* Das Subsidiaritätsprinzip im Europäischen Gemeinschaftsrecht (1994).

werden kann. Es handelt sich dabei um Verbesserungen insb der Arbeitsumwelt zum Schutz der Gesundheit und der Sicherheit der Arbeitnehmer, um Arbeitsbedingungen, Chancengleichheit von Männern und Frauen auf dem Arbeitsmarkt und Gleichbehandlung am Arbeitsplatz und die berufliche Eingliederung der aus dem Arbeitsmarkt ausgegrenzten Personen.

Einstimmig anzunehmende Rechtsakte des Rates bedürfen aber der Stimmen aller Mitglieder des Rates mit Ausnahme von Großbritannien. Zu diesem Bereich gehören die **soziale Sicherheit** und der **soziale Schutz der Arbeitnehmer** (= soziale Sicherung im weitesten Sinne), der Schutz der Arbeitnehmer bei Beendigung des Arbeitsvertrags, die Vertretung und kollektive Wahrnehmung der Arbeitnehmer- und Arbeitgeberinteressen, einschließlich der Mitbestimmung (ausgenommen sind aber: Arbeitsentgelt, Koalitionsrecht, Streikrecht und Aussperrungsrecht), die Beschäftigungsbedingungen der Staatsangehörigen dritter Staaten, die sich rechtmäßig im Gebiet der Gemeinschaft aufhalten, ferner finanzielle Beiträge zur Förderung der Beschäftigung und zur Schaffung von Arbeitsplätzen. Somit kann der Rat nunmehr mit Ausnahme der genannten Bereiche im Prinzip fast die gesamte Breite des individuellen und kollektiven Arbeitsrechts regeln! Da in Art 2 des Abkommens aber immerhin klargestellt wird, daß die Gemeinschaft die Tätigkeit der Mitgliedstaaten lediglich „unterstützt" und „ergänzt", ist davon auszugehen, daß für die Sozialpolitik in erster Linie die Mitgliedstaaten verantwortlich bleiben. Eine ausdrückliche Verankerung eines (weitergehenden) Subsidiaritätsprinzips ist in der Vereinbarung der Elf aber nicht enthalten. Es ist jedoch davon auszugehen, daß diese Vereinbarung als Anhang zum Unionsvertrag einen Teil desselben bildet und daß daher dessen gemeinsame Bestimmungen (Subsidiaritätsprinzip in Art 3b Abs 2 EGV und Übermaßverbot in Art 3b Abs 3 EGV) zu beachten sind. Die Gemeinschaftsorgane dürfen also nur dann tätig werden, wenn das nationale Recht nicht in der Lage ist, kompetenzmäßig festgelegte sozialpolitische Ziele der Gemeinschaft zu verwirklichen.

Alle Maßnahmen, die beschlossen werden, sind als Richtlinien, die nur Mindestvorschriften festlegen können, zu verabschieden. Die vom Rat so angenommenen Rechtsakte gelten nicht für das Vereinigte Königreich. Die Mitgliedstaaten dürfen strengere Maßnahmen beibehalten oder einführen.

In Art 3i EGV wird die „Sozialpolitik mit einem Europäischen Sozialfonds" unter den Tätigkeiten der Gemeinschaft ausdrücklich erwähnt; weitere damit zusammenhängende Tätigkeiten sind ja noch die Stärkung des wirtschaftlichen und sozialen Zusammenhalts in Art 3 lit j EGV, die Erreichung eines hohen Gesundheitsschutzes in Art 3 lit o EGV sowie die berufliche Bildung in Art 3 lit p EGV.

Die Gestaltung der Sozialpolitik soll in Zukunft nicht mehr allein von den Mitgliedstaaten und vom Gemeinschaftsgesetzgeber vorgenommen werden. Gem Art 2 Abs 4 des Abkommens können die Mitgliedstaaten den (nationalen) Sozialpartnern ganz oder teilweise die Durchführung von Richtlinien übertragen,[41]) anstatt diese durch die innerstaatliche Gesetzgebung zu

[41]) Dies steht eigentlich schon seit EuGH 30. 1. 1985 Rs 143/83 – Kommission gg Dänemark – Slg 1985, 427 sicher fest.

vollziehen,[42]) was allerdings in der Praxis in etlichen Mitgliedstaaten wegen der unterschiedlichen Gestaltung des Tarifvertragsrechts auf Umsetzungsschwierigkeiten stoßen wird.

Gem Art 3 und 4 des Abkommens wurde die Rolle der **Europäischen Sozialpartner** (UNICE, CEEP, EGB) ferner beträchtlich gestärkt. Die Kommission hat nunmehr zunächst die Sozialpartner auf Gemeinschaftsebene zu hören, bevor sie Vorschläge im Bereich der Sozialpolitik macht; hält die Kommission nach einer solchen Anhörung eine Gemeinschaftsmaßnahme für zweckmäßig, so hört sie zum Inhalt des in Aussicht genommenen Vorschlags wiederum die Sozialpartner an.[43])

Die Europäischen Sozialpartner können der Kommission auch mitteilen, daß sie selbst über diesen Gegenstand eine (schuldrechtliche) Vereinbarung auf Gemeinschaftsebene treffen wollen. Die Dauer der Verhandlungen ist grundsätzlich mit 9 Monaten begrenzt, kann aber verlängert werden. Die Durchführung der auf Gemeinschaftsebene geschlossenen Vereinbarungen erfolgt dann entweder nach den jeweiligen Verfahren und Gepflogenheiten der Sozialpartner (zB Kollektivverträge) und der Mitgliedstaaten, was mangels eines Mandats der Europäischen Spitzenverbände und der damit resultierenden Unverbindlichkeit[44]) in der Praxis wohl auf Umsetzungsschwierigkeiten stoßen wird. Es kommt schließlich auf den guten Willen der Mitgliedstaaten an. Schließlich können aber die europäischen Sozialpartner auf gemeinsamen Antrag und auf Vorschlag der Kommission diese Vereinbarungen durch einen Beschluß des Rates verbindlich werden lassen. Zu beachten ist, daß wegen der Autonomie der Sozialpartner weder Wirtschafts- und Sozialausschuß noch das Europäische Parlament ins Verfahren eingebunden wurden.

Die Kommission will künftig bei allen Vorschlägen im Bereich der Sozialpolitik prüfen, ob eine Anwendung des Sozialprotokolls angebracht ist. Im Bereich Gesundheitsschutz und Sicherheit am Arbeitsplatz wird sie jedoch demjenigen Instrument den Vorzug geben, das eine Entscheidung der 12 (jetzt 15) Mitgliedstaaten erlaubt. Bei noch anhängigen Vorschlägen soll von Fall zu Fall darüber entschieden werden.[45])

Abschließend ist zu erwähnen, daß von der EG-Kommission nunmehr die Diskussion über ein „Grünbuch über die Europäische Sozialpolitik: Weichenstellung für die Europäische Union“ aufgenommen wurde.[46]) Hintergrund dieser Aktion war, daß das laufende Aktionsprogramm zur Umsetzung der Gemeischaftscharta weitgehend abgearbeitet worden war und der Anstieg der Arbeitslosigkeit in den Mitgliedstaaten eine neue Betrachtung der Beziehungen zwischen Wirtschafts- und Sozialpolitik erforderte. Durch die

---

[42]) ZB wurde die Arbeitszeitrichtlinie in Dänemark durch ein Sozialpartnerabkommen umgesetzt.

[43]) Siehe auch die Mitteilung der Kommission über die Anwendung des Protokolls über die Sozialpolitik an den Rat und an das Europäische Parlament, KOM(93) 600 endg, 13 Z 24.

[44]) Siehe dazu die Erklärung der Vertragsparteien zu Art 4 Abs 2 des Abkommens.

[45]) KOM(93) 600 endg, 8f.

[46]) KOM(93) 551 endg.

Verträge von Maastricht standen außerdem nunmehr neue Möglichkeiten für sozialpolitische Initiativen bereit. Das Weißbuch der Kommission über Wachstum, Wettbewerbsfähigkeit und Beschäftigung und die entsprechenden Schlußfolgerungen des Europäischen Rates auf seiner Tagung im Dezember 1993 in Brüssel stellten einen Wendepunkt in der Ausarbeitung einer konzertierten Aktion der Union zur Bewältigung der europäischen Beschäftigungsprobleme als Teil einer umfassenden Wirtschaftsstrategie dar.

Die Kommission genehmigte aufgrund von über 500 erhaltenen Anregungen am 27. Juli 1994 ein Weißbuch „Europäische Sozialpolitik – ein zukunftsweisender Weg für die Union“,[47]) das neue Vorschläge für konkrete Maßnahmen in der Phase zwischen 1995–1999 enthält. Im Weißbuch wird die Notwendigkeit einer umfassenden Sichtweise der Sozialpolitik betont, insb im jetzigen Klima größerer sozio-ökonomischer Veränderungen. In einer nun angestrebten Konsolidierungsphase wird auch nicht eine verstärkte **Harmonisierung der Sozialpolitik** in der Europäischen Union angestrebt, sondern zur Wahrung des Zusammenhalts der Union werden Mindestvorschriften ins Auge gefaßt, wenn die Unionsziele sonst nicht erreicht werden und die betreffenden Fragen nicht auf Ebene der Mitgliedstaaten gelöst werden können. Mit diesen Mindestvorschriften soll ein „Damm gegen die Ausnützung eines niedrigeren sozialen Standards als Instrument unlauteren wirtschaftlichen Wettbewerbs und als Schutz gegen Sozialdumping“ aufgerichtet werden.[48]) Dazu wurde von der Kommission am 12. April 1995 ein neues mittelfristiges sozialpolitisches Aktionsprogramm 1995–1997 vorgelegt[49]) und – auf dieses gestützt – nunmehr auch eine Mitteilung „Die Zukunft des Sozialschutzes. Ein Rahmen für eine Europäische Debatte“,[50]) welche die neu eingeleitete Strategie der schrittweisen Konvergenz (Angleichung nationaler Zielsetzungen) der Systeme fortsetzt,[51]) die mit den Empfehlungen des Rates über die Annäherung der Ziele und der Politiken im Bereich des sozialen Schutzes[52]) („Konvergenzempfehlung“) und über gemeinsame Kriterien für ausreichende Zuwendungen und Leistungen im Rahmen der Systeme der sozialen Sicherung[53]) (Normen für Existenzminima) eingeleitet wurde.

C. Organisation des Arbeitsmarktes

1. Arbeitsvermittlung

Für die Zusammenführung von Stellenangeboten und Arbeitsgesuchen sind auch im grenzüberschreitenden Verkehr in erster Instanz die **Arbeitsverwaltungen** zuständig. Um eine bessere Transparenz auf dem gemeinsamen

---

[47]) KOM (94) 333 endg; vgl dazu *Votruba*, Sozialpolitik im inszenierten Eurokorporatismus, ZSR 1995, 1.

[48]) KOM (94) 333 endg, 9.

[49]) KOM (95) 134 endg.

[50]) KOM (95) 466 endg.

[51]) Siehe auch die Ratsentschließung v 6. 12. 1994 zu bestimmten Perspektiven einer Sozialpolitik der Europäischen Union: Ein Beitrag zur wirtschaftlichen und sozialen Konvergenz in der Union, ABl C 1994/368 v 23. 12. 1994, 6.

[52]) ABl L 1992/245 v 26. 8. 1992, 49.

[53]) ABl L 1992/245 v 26. 8. 1992, 46.

Arbeitsmarkt zu gewährleisten, hat V (EWG) 1612/68[54]) außerdem besondere **Zentralstellen der Arbeitsvermittlung** mit spezifischen Funktionen geschaffen. Es sind dies in jedem Mitgliedstaat die besonderen Dienststellen und das Europäische Koordinierungsbüro für den Ausgleich von Stellenangeboten und Arbeitsgesuchen bei der Kommission der EG in Brüssel.

Die besonderen Dienststellen – unterstützt durch das MISEP-System über die gegenseitige Unterrichtung über beschäftigungspolitische Maßnahmen und das SEDOC-System betreffend den Informationsdienst der Gemeinschaft über Angebot und Nachfrage auf dem Arbeitsmarkt – haben eine doppelte Aufgabe im Rahmen des grenzüberschreitenden Arbeitskräfteausgleichs. Zum einen sind sie verpflichtet, den besonderen Dienststellen der anderen Mitgliedstaaten sowie dem Europäischen Koordinierungsbüro regelmäßig Stellenangebote und Arbeitsgesuche zu übermitteln. Zum anderen führen diese Dienststellen aufgrund dieser Zusammenstellungen die Arbeitsvermittlung im Einzelfall durch, dh sie leiten die eingehenden Stellenangebote und Bewerbungen an die zuständigen Arbeitsämter weiter. In individuellen Vermittlungsfällen können die Arbeitsämter verschiedener Mitgliedstaaten auch unmittelbar untereinander in Verbindung treten, wenn sie von der obersten innerstaatlichen Dienststelle dazu ermächtigt sind.

Die **Arbeitsämter** gewähren den Arbeitnehmern aus den Mitgliedstaaten den gleichen Vorrang, wie er durch die entsprechenden Maßnahmen den inländischen Arbeitnehmern gegenüber den Arbeitnehmern aus Nichtmitgliedstaaten eingeräumt wird.

Neben den Dienststellen der praktischen Arbeitsvermittlung bestehen bei der Kommission der EG ein Fachausschuß und ein Beratender Ausschuß, deren Aufgabe es ist, die Auswirkungen der V (EWG) 1612/68 laufend zu kontrollieren, den gemeinsamen Arbeitsmarkt zu beobachten und durch entsprechende Vorschläge für eine Vollbeschäftigungspolitik zu sorgen.

Die praktische Bedeutung des SEDOC-Systems hielt sich in Grenzen, zumal diesem ja nur diejenigen (unattraktiven) Stellen gemeldet wurden, die innerstaatlich nicht besetzt werden konnten. Daher wurde dieses System überarbeitet und durch ein neues europäisches Informationsnetz für Fragen der Beschäftigung (EURES) abgelöst.[55]) Diesem Netzwerk gehören die Arbeitsverwaltungen der Mitgliedstaaten, ihre eventuellen Partner und die Kommission an; es besteht hauptsächlich aus einer zentralen Informations- und Kommunikationsstelle und Verantwortlichen in jedem Mitgliedstaat (unter Einbeziehung der EFTA-Länder), die die Informationen in die Datenbanken eingeben und mit den anderen nationalen Arbeitsverwaltungen zusammenarbeiten.

---

[54]) V (EWG) 1612/68 des Rates v 15. 10. 1968 über die Freizügigkeit der Arbeitnehmer innerhalb der Gemeinschaft, ABl L 1968/257 v 19. 10. 1968, 2 idF V (EWG) 312/76 v 9. 2. 1976, ABl L 1976/39 v 14. 2. 1976, 2 und V (EWG) 2434/92 v 27. 7. 1992, ABl L 1992/245 v 26. 8. 1992, 1.

[55]) Siehe dazu im Detail die Entscheidung der Kommission v 22. 10. 1993 zur Durchführung der Bestimmungen der V (EWG) 1612/68 des Rates über die Freizügigkeit der Arbeitnehmer innerhalb der Gemeinschaft, insb hinsichtlich eines Netzwerkes unter der Bezeichnung EURES (European Employment Services), ABl L 1993/274 v 6. 11. 1993, 32.

Prinzipiell sollen nunmehr alle Gemeinschaftsbürger einen gleichberechtigten Zugang zu den nationalen Arbeitsmärkten der Mitgliedstaaten haben, wenn es die dortige Lage zuläßt; dies schließt auch die Information und Beratung über arbeits- und sozialrechtliche Aspekte der Arbeitskraftmobilität mit ein. Auch sollen die besonderen Belange in den Grenzregionen der Gemeinschaft durch die Einbeziehung insb der Sozialpartner und der Sozialdienste an „EURES in den Grenzregionen" verstärkt berücksichtigt werden. Sog Euroberater, welche durch das EURES-Netzwerk unterstützt werden, werden von den Arbeitsverwaltungen der Mitgliedstaaten freigestellt.

Auf Gemeinschaftsebene soll nunmehr auch ein Beobachtungszentrum für Beschäftigungsfragen die wichtigsten Beschäftigungstendenzen in Zusammenarbeit mit den Arbeitsverwaltungen der Mitgliedstaaten prognostizieren, analysieren und überwachen. Mit Hilfe des LEDA-Programms (örtliche Beschäftigungsinitiativen) sollen erfolgreiche lokale Konzepte zur Lösung von Beschäftigungsproblemen ermittelt werden. Das ERGO-Aktionsforschungsprogramm soll erfolgreiche Programme und Vorhaben zugunsten von Langzeitarbeitslosen und Jugendlichen ermitteln.

2. Staatliche Arbeitsvermittlungsmonopole

Die Lockerung von staatlichen **Arbeitsvermittlungsmonopolen** und der fortlaufende Ausbau privater Vermittlungstätigkeit waren in den letzten Jahren Gegenstand von zahlreichen Diskussionen. Der EuGH bezog im Urteil Höfner u Elser gg Macroton[56]) erstmals zur rechtlichen Zulässigkeit eines solchen Monopols (es ging um die deutsche Bundesanstalt für Arbeit) Stellung. Er sah dann eine mißbräuchliche Ausnutzung einer marktbeherrschenden Stellung und damit einen Verstoß gegen Art 86 EGV und Art 90 Abs 1 EGV (Grundsatz der Gleichbehandlung von privaten und öffentlichen Unternehmen), wenn sich das Monopol auf Tätigkeiten zur Vermittlung von Führungskräften der Wirtschaft erstreckt, wenn die öffentlich-rechtliche Anstalt für Arbeit offenkundig nicht in der Lage ist, die Nachfrage auf dem Markt nach solchen Leistungen zu befriedigen, wenn die Ausübung der Vermittlungstätigkeit durch Private verboten und die Nichtigkeit der entsprechenden Verträge vorgesehen wird und sich die Vermittlungstätigkeiten (auch) auf Angehörige oder das Gebiet anderer Mitgliedstaaten erstrecken.

3. Der Europäische Sozialfonds

Durch Art 123ff EGV wurde der **Europäische Sozialfonds** (ESF)[57]) eingerichtet, dessen Zweck es ist, innerhalb der Gemeinschaft die berufliche Verwendbarkeit und die örtliche und berufliche Mobilität der Arbeits-

---

[56]) EuGH 23. 4. 1991 Rs 41/90 – Höfner u Elser gg Macroton – Slg 1991, I-1979; vgl dazu *Schröder,* Das Arbeitsvermittlungsmonopol der Bundesanstalt für Arbeit im europäischen Binnenmarkt (1995).

[57]) Vgl dazu *von Drygalski,* Die Fonds der Europäischen Gemeinschaften (1988) 31; *Glaesner,* Der Grundsatz des wirtschaftlichen und sozialen Zusammenhalts im Recht der Europäischen Wirtschaftsgemeinschaft (1990); Soziales Europa 2/91 „Der Europäische Sozialfonds".

kräfte innerhalb eines oder zwischen den Mitgliedstaaten zu fördern; er dient also nicht zur Schaffung von Arbeitsplätzen oder zur Unterstützung sonstiger sozialpolitischer Tätigkeiten. Auch die Bezeichnung „Fonds" ist irreführend, denn er ist weder ein Sondervermögen mit eigener Rechtspersönlichkeit noch ein Fonds im technischen Sinne. Seine Mittel werden vielmehr im eigenen Haushalt eingesetzt und aus den eigenen Einnahmen der Gemeinschaft finanziert.[58]) Der ESF gehört als „Arbeitsmarktstrukturfonds" mit dem Europäischen Regionalfonds[59]) und dem Europäischen Agrarfonds[60]) zu den Strukturfonds der EG, ist das **finanzpolitische Instrument der EG-Sozialpolitik** und hat gem Art 123 EGV die Beschäftigungspolitik in den einzelnen Mitgliedstaaten zu unterstützen und damit zur Hebung der Lebenshaltung beizutragen; er wurde aufgrund der ständig wechselnden Situation auf den Arbeitsmärkten in den Jahren 1971 und 1983 erheblich reformiert. Im Jahre 1988 erfolgte eine stärkere Koordinierung der drei Strukturfonds durch die V (EWG) 2052/88[61]) und V (EWG) 4255/88 des Rates.[62]) Man trug damit dem durch die EEA eingefügten Art 130 a EGV Rechnung, in dem das Prinzip des wirtschaftlichen und sozialen Zusammenhalts als Gemeinschaftsziel verankert worden war. Damit soll der Abstand zwischen den verschiedenen Regionen und der Rückstand der am wenigsten begünstigten Gebiete verringert werden.[63]) Die Grundprinzipien dieser Reform von 1988 waren hauptsächlich: Konzentration der Interventionen auf vorrangige Ziele, Programmplanung, Partnerschaft, Subsidiarität und Additionalität.

Das **Partnerschaftsprinzip** besagt, daß in jeder Phase eine enge Zusammenarbeit zwischen der Kommission, dem betroffenen Mitgliedstaat und den von diesem benannten Behörden auf nationaler, regionaler und lokaler Ebene stattfinden soll. Die verschiedenen Phasen dieser Zusammenarbeit finden im Rahmen einer oft mehrjährigen Programmplanung statt. Die Dienststellen, die mit der Verwaltung der ESF-Programme in den Mitgliedstaaten betraut sind, unterbreiten der Kommission zunächst für jedes der fünf Ziele Gesamtpläne. Daraufhin folgt eine Phase intensiver partnerschaftlicher Verhandlungen. Da eine Kommissionsentscheidung nicht gegen den Willen eines Mitgliedstaates getroffen werden kann, soll im Vorfeld der Entscheidung eine Einigung herbeigeführt werden. Die Programmentwürfe oder globalen Beihilfen (gemeinschaftliche Förderkonzepte) werden dann in operationale Pro-

---

[58]) Vgl *Schulz* in *von der Groeben/Thiesing/Ehlermann* (Hg), Kommentar zum EWG-Vertrag[4] I 3501.

[59]) Europäischer Fonds für regionale Entwicklung (EFRE).

[60]) Europäischer Ausrichtungs- und Garantiefonds für die Landwirtschaft, Abteilung Ausrichtung (EAGFL).

[61]) V (EWG) 2052/88 des Rates v 24. 6. 1988 über Aufgaben und Effizienz der Strukturfonds und über die Koordinierung ihrer Interventionen untereinander sowie mit denen der Europäischen Investitionsbank und der anderen vorhandenen Finanzinstrumente, ABl L 1988/185 v 15. 7. 1988, 9; ber ABl L 1989/144, 64. Diese V wurde durchgeführt durch V (EWG) 4253/88 des Rates v 19. 12. 1988, ABl L 1988/374 v 31. 12. 1988, 1.

[62]) V (EWG) 4255/88 des Rates v 19. 12. 1988 zur Durchführung der V (EWG) 2052/88 hinsichtlich des Europäischen Sozialfonds, ABl L 1988/374 v 31. 12. 1988, 21.

[63]) Vgl Art 130 a Unterabs 2 EGV.

gramme umgesetzt, wobei Begleitung,[64]) Bewertung sowie Finanzkontrolle nach der Programmgenehmigung von großer Bedeutung sind. Für jedes Programm wird zu diesem Zweck ein eigener Ausschuß eingerichtet.

Das **Subsidiaritätsprinzip** ist in diesem Zusammenhang so zu verstehen, daß die Programme, die in Brüssel genehmigt werden, von nationalen und regionalen Stellen nicht nur konzipiert, sondern auch verwaltet werden. Additionalität bedeutet, daß Kommissionsmittel nicht die Eigenmittel ersetzen sollen, die die einzelnen Empfängerländer zur Verfügung stehen haben, sondern daß der nationale Einsatz von Mitteln nur unterstützt werden soll. Den Strukturfondsregeln folgend beteiligt sich der ESF nur zu einem bestimmten Prozentsatz an den Gesamtausgaben einer Förderungsmaßnahme; dies macht meistens bis zu 45% aus. Der Rest muß jeweils durch öffentliche Gelder aus „öffentlichen Kassen“ (Bund, Länder, Gemeinden, Arbeitsämter ua) ko-finanziert werden. Die Mittel der Strukturfonds wurden im Zeitraum von 1987 bis 1993 verdoppelt;[65]) somit konnten die in der Rahmen-V (EWG) 2052/88 festgelegten fünf vorrangigen Ziele in Angriff genommen werden, wobei als vorrangige Ziele des ESF die Bekämpfung der Langzeitarbeitslosigkeit[66]) von Arbeitnehmern über 25 Jahren (Ziel Nr 3) und die Erleichterung der Eingliederung der Jugendlichen in das Erwerbsleben (Ziel Nr 4) zu nennen sind. Der ESF beteiligt sich an Maßnahmen zur Berufsbildung in besonderen Einrichtungen, in öffentlicher oder privater Trägerschaft oder in Betrieben, die erforderlichenfalls von Maßnahmen zur Berufsberatung begleitet werden. Er beteiligt sich auch an Einstellungs- und Existenzgründungsbeihilfen. Ansonsten beteiligt sich der ESF auch an den regional ausgelegten Zielen Nr 1 (Förderung der Entwicklung und der strukturellen Anpassung der Regionen mit Entwicklungsrückstand), Nr 2 (Umstellung der Regionen, die von der rückläufigen industriellen Entwicklung schwer betroffen sind) und Nr 5 b (Förderung der Entwicklung des ländlichen Raumes).

Die Kommission als Verwalter des ESF legt für einen Mehrjahreszeitraum umfassende Leitlinien fest, in denen die Zielvorstellungen und Kriterien der Gemeinschaft zur Bekämpfung der genannten Ziele Nr 3 und 4 präzisiert werden.[67]) In den Leitlinien werden also die förderungswürdigen bildungs- und beschäftigungspolitischen Schwerpunktbereiche festgelegt. So fördert die Kommission bevorzugt Maßnahmen, die Teil eines integrierten Programms darstellen, also nicht mehr Einzelprojekte. Weiterhin fördert der ESF Maßnahmen zugunsten von Personen mit besonderen Schwierigkeiten auf dem Arbeitsmarkt, wie Behinderte, Frauen, Wanderarbeitnehmer ua.[68])

---

[64]) Ein Begleitausschuß hat die Aufgabe, die Durchführung von Förderkonzepten und Programmen zu verfolgen.

[65]) Der ESF erhielt zB im Zeitraum 1989 – 1993 für die Verwirklichung sämtlicher Ziele ca 25 Mrd ECU (vgl jeweils die Jahresberichte über die Durchführung der Strukturfonds); für den Zeitraum 1994–1999 sind in den 15 EU-Mitgliedstaaten ca 42 Mrd ECU vorgesehen.

[66]) Das sind gem den Leitlinien Personen, die länger als 12 Monate arbeitslos sind.

[67]) Vgl bspw ABl C 1989/45 v 24. 2. 1989, 6.

[68]) Vgl im einzelnen die Leitlinien ABl C 1989/45 v 24. 2. 1989, 6.

Neben den gemeinschaftlichen Förderungskonzepten werden die Mittel des ESF auch für Gemeinschaftsinitiativen eingesetzt, welche nicht unter die von den Mitgliedstaaten eingereichten Pläne fallen. Die von der Kommission im Dezember 1990 beschlossenen drei Initiativen EUROFORM über neue Berufsqualifikationen, Fachkenntnisse und Beschäftigungsmöglichkeiten, NOW zur Förderung der Chancengleichheit von Frauen und HORIZON für die Behinderten sind transnational.[69])

Im Vertrag über die Europäische Union, wie er in Maastricht unterzeichnet worden ist, wurden die Zielsetzungen des ESF nach Art 123 EGV erweitert und neu ausgerichtet: Nunmehr ist es auch Ziel des ESF, die Anpassung an die industriellen Wandlungsprozesse und an die Veränderung der Produktionssysteme insb durch berufliche Bildung und Umschulung zu erleichtern. Auch sollen im Rahmen einer Reform der bestehenden Fonds die Mittel des ESF weiter aufgestockt werden.[70])

Eine weitere große Reform erfolgte auch im Jahre 1993; neue Rechtsgrundlagen sind nunmehr die V (EWG) 2081/93,[71]) V (EWG) 2082/93[72]) und V 2084/93 des Rates.[73]) Die Grundprinzipien der Strukturfondsreform von 1988 sollen nun weiterhin für die Tätigkeiten der Fonds bis 1999 gelten, doch haben die bisherigen Erfahrungen gezeigt, daß Verbesserungen vorzunehmen sind, um die Effizienz der Strukturpolitik zu erhöhen und sie weiter zu vereinfachen und transparenter zu gestalten. Die Ziele 3 und 4 (Bekämpfung der Langzeitarbeitslosigkeit und Erleichterung der Eingliederung der Jugendlichen in das Erwerbsleben), deren Verwirklichung dem ESF übertragen ist, wurden ferner neu festgelegt, wobei die Ziele 3 und 4 in Ziel 3 zusammengefaßt wurden und in dieses Ziel auch die Eingliederung der vom Ausschluß aus dem Arbeitsmarkt bedrohten Personen in das Erwerbsleben einbezogen wurde; auch wurden die Auswahlkriterien für bereits förderungswürdige Kategorien flexibler gestaltet. Ferner wurde ein neues Ziel 4 festgelegt, mit dem die Anpassung der Arbeitskräfte an die industriellen Wandlungsprozesse und an die Veränderungen der Produkti-

---

[69]) Näheres in ABl C 1990/327, 3; neue Schwerpunkte für den Zeitraum 1994–1999 sind YOUTHSTART für Ausbildung und Beschäftigung von Jugendlichen unter 20 Jahren und ADAPT, mit der eine leichtere Anpassung der Arbeitnehmer an den industriellen Wandel angestrebt wird.

[70]) Vgl dazu Mitteilung der Kommission (KOM/92/2000): Von der Einheitlichen Akte zu der Zeit nach Maastricht: Ausreichende Mittel für unsere ehrgeizigen Ziele, EG-Bulletin Blg 1992/1.

[71]) V (EWG) 2081/93 des Rates v 20. 7. 1993 zur Änderung der V (EWG) 2052/88 über Aufgaben und Effizienz der Strukturfonds und über die Koordinierung ihrer Interventionen untereinander sowie mit denen der Europäischen Investitionsbank und der anderen vorhandenen Finanzinstrumente, ABl L 1993/193 v 31. 7. 1993, 5.

[72]) V (EWG) 2082/93 des Rates v 20. 7. 1993 zur Änderung der V (EWG) 4253/88 zur Durchführung der V (EWG) 2052/88 hinsichtlich der Koordinierung der Interventionen der verschiedenen Strukturfonds einerseits und zwischen diesen und den Interventionen der Europäischen Investitionsbank und der sonstigen vorhandenen Finanzinstrumente andererseits, ABl L 1993/193 v 31. 7. 1993, 20.

[73]) V (EWG) 2084/93 des Rates v 20. 7. 1993 zur Änderung der V (EWG) 4255/88 zur Durchführung der V 2052/88 hinsichtlich des Europäischen Sozialfonds, ABl L 1993/193 v 31. 7. 1993, 39.

onssysteme erleichtert werden soll. Ziel 4 soll die Beschäftigung und die beruflichen Qualifikationen durch Vorausschau, Beratung, Vernetzung und berufliche Bildungsmaßnahmen gemeinschaftsweit verstärken. Angesichts der gravierenden Arbeitslosigkeit wird die Aktion der Gemeinschaft in bezug auf die Ziele 3 und 4 vorwiegend dem Ziel „Bekämpfung der Langzeitarbeitslosigkeit und Erleichterung der beruflichen Eingliederung der Jugendlichen und der vom Ausschluß aus dem Arbeitsmarkt bedrohten Personen" gelten, was bei der Aufteilung der Finanzmittel zwischen den Zielen 3 und 4 berücksichtigt wird. Wegen der begrenzten verfügbaren Mittel kommt der Bekämpfung der Langzeitarbeitslosigkeit und den Maßnahmen zur beruflichen Eingliederung von Jugendlichen im Rahmen von Ziel 3 weiterhin Priorität zu. Zur Bekämpfung der Arbeitslosigkeit beteiligt sich der ESF insb an der Erleichterung des Zugangs zum Arbeitsmarkt, der Förderung der Chancengleichheit auf dem Arbeitsmarkt, der Entwicklung beruflicher Kenntnisse, Fähigkeiten und Qualifikationen und der Förderung der Schaffung neuer Arbeitsplätze. In diesem Rahmen unterstützt der ESF Untersuchungen und Modell- und Demonstrationsvorhaben, besonders, wenn es sich um Aspekte handelt, die mehrere Mitgliedstaaten betreffen. Die zuschußfähigen Maßnahmen wurden neu festgelegt und erweitert, insb in bezug auf Beschäftigungsbeihilfen (zB in Form von Beihilfen für die geographische Mobilität, für die Einstellung und für die Existenzgründung).

D. Arbeitsverhältnis

1. Nachweis des Arbeitsverhältnisses

Die Entwicklung neuer Arbeitsformen in den Mitgliedstaaten wie Teilzeitarbeit, Job-Sharing und Arbeit auf Abruf haben einige Staaten veranlaßt, Maßnahmen vorzusehen, um die Arbeitnehmer besser vor etwaiger Unkenntnis ihrer Rechte zu schützen und den Arbeitsmarkt transparenter zu machen. Da sich die unterschiedlichen Rechtsvorschriften unmittelbar auf das Funktionieren des Gemeinsamen Marktes auswirken können, wurde die sog EG-Nachweis-Richtlinie verabschiedet:[74]) Die Arbeitnehmer haben spätestens 2 Monate nach Arbeitsaufnahme Anspruch auf Aushändigung einer schriftlichen Aufzeichnung **(Dienstzettel)** über die wesentlichen Rechte und Pflichten aus dem Arbeitsvertrag. Keine Verpflichtung zur Aushändigung eines Dienstzettels besteht, wenn das Arbeitsverhältnis höchstens einen Monat dauert oder der Arbeitsvertrag schriftlich abgeschlossen wurde und die in der Richtlinie festgelegten Mindestangaben enthält. Angaben bezüglich des gewöhnlichen Arbeitsorts (Einsatzorts), Kündigungsfristen und -terminen, Entgelt, Urlaubsausmaß und Arbeitszeit können auch durch Verweisung auf die entsprechenden Gesetze oder kollektivvertraglichen Regelungen erfolgen.

[74]) RL 91/533/EWG des Rates v 14. 10. 1991 über die Pflicht des Arbeitgebers zur Unterrichtung des Arbeitnehmers über die für seinen Arbeitsvertrag oder sein Arbeitsverhältnis geltenden Bedingungen, ABl L 1991/288 v 18. 10. 1991, 32.

2. Kollisionsregeln, Entsende-Richtlinie

Mit Ausnahme von Griechenland ist nunmehr in allen Mitgliedstaaten der ehemaligen 12er-Gemeinschaft das „Römer" Übereinkommen über das auf vertragliche Schuldverhältnisse anzuwendende Recht (EVÜ) in Kraft. Dieses schon im Jahre 1980 zur Unterzeichnung aufgelegte Übereinkommen[75]) zählt aber nicht zum Gemeinschaftsinstrumentarium, sondern stellt einen völkerrechtlichen Vertrag dar. Ziel des Übereinkommens ist es, zur Vereinheitlichung der bisherigen einzelstaatlichen Rechtsanwendungsregeln **(internationales Privatrecht)** bezüglich solcher Sachverhalte beizutragen, die Anknüpfungspunkte zu verschiedenen Rechtsordnungen aufweisen. Das Übereinkommen erfaßt in seinem sachlichen Geltungsbereich nur vertragliche Schuldverhältnisse und enthält in seinem Art 6 spezielle Vorschriften für Arbeitsverträge. Nach Art 20 EVÜ wird Rechtsakten des Gemeinschaftsrechts auch gegenüber dem vorliegenden „Römer"-Abkommen der Vorrang eingeräumt. Ein diesbezüglicher Rechtsakt wurde noch nicht verabschiedet. Da nun aber nach wie vor große Unterschiede bezüglich der in den einzelnen Mitgliedstaaten bestehenden Sozialvorschriften und Kollektivverträge bestehen, müssen bis zur Angleichung der sozialen Rechte die Gesetze der Mitgliedstaaten koordiniert werden, um einen Kern zwingender Mindestschutzbestimmungen festzulegen, welche im Gastland von Arbeitgebern zu gewähren sind, die Arbeitnehmer für eine zeitlich begrenzte Dienstleistung in das Hoheitsgebiet eines Mitgliedstaates zur Dienstleistungserbringung entsenden. Diesem entspricht der Vorschlag für eine Richtlinie des Rates über die Entsendung von Arbeitnehmern im Rahmen der Erbringung von Dienstleistungen (Entsende-Richtlinie),[76]) welcher drei Fälle der Entsendung abdeckt: Die Entsendung von Arbeitnehmern in einen anderen Mitgliedstaat in Ausführung einer Dienstleistung, die Entsendung von Arbeitnehmern durch ein Leiharbeitsunternehmen und die Entsendung eines Arbeitnehmers innerhalb einer Unternehmensgruppe (konzerninterne Arbeitnehmerüberlassung). In allen drei Fällen bleibt das Arbeitsverhältnis zum entsendenden Unternehmen bestehen. Die Mitgliedstaaten werden verpflichtet zu gewährleisten, daß unabhängig von dem auf das jeweilige Arbeitsverhältnis anwendbaren Recht das Unternehmen (selbst aus Nichtmitgliedstaaten) dem Arbeitnehmer nicht die Arbeitsbedingungen versagt, die an dem Ort, an dem die Arbeitsleistung vorübergehend erbracht wird, für Tätigkeiten der gleichen Art gelten; vorausgesetzt, diese Bedingungen sind in den Rechtsvorschriften oder kollektivvertraglichen Regelungen enthalten und beziehen sich auf die im Richtlinien-Vorschlag taxativ aufgezählten Angelegenheiten. Ferner sind organisatorische Vorkehrungen vorgesehen, die es den entsendenden Unternehmen ermöglichen sollen, die Arbeitsbedingungen des Arbeitsorts in Erfahrung zu bringen (ua Verbindungsbüros, Amtshilfe).

---

[75]) ABl L 1980/266 v 9. 10. 1980, 1; s auch die Kommentierung durch den Bericht von *Giuliano* und *Lagarde,* ABl C 1980/282 v 31. 10. 1980, 1 und den Bericht über die Protokolle betreffend die Auslegung des Übereinkommens, vorgelegt von *Tizzano,* ABl C 1990/219 v 3. 9. 1990, 1. Vgl dazu *Rammeloo,* Das neue EG-Vertragskollisionsrecht (1992); *Reichelt* (Hg), Europäisches Kollisionsrecht (1993).

[76]) ABl C 1991/225 v 30. 8. 1991, 6; geändert ABl C 1993/187 v 9. 7. 1993, 5.

3. Atypische Arbeitsverhältnisse

Teilzeitarbeit, befristete Arbeitsverhältnisse und Leiharbeit fallen nach EG-Sprachgebrauch unter die **„atypischen Arbeitsverhältnisse“,** wobei **befristete Arbeitsverhältnisse** und **Leiharbeit** unter den Begriff „Zeitarbeit“ fallen. Diesbezügliche Richtlinien-Vorschläge des Rates über bestimmte Arbeitsverhältnisse hinsichtlich der Arbeitsbedingungen[77]) und über bestimmte Arbeitsverhältnisse im Hinblick auf Wettbewerbsverzerrungen,[78]) welche für alle drei Formen der atypischen Arbeitsverhältnisse gelten, wurden aber zurückgezogen.[79]) Nunmehr steht allein ein Richtlinien-Vorschlag zur Förderung der Beschäftigung und zum Schutz der Teilzeitarbeitsverhältnisse und der befristeten Arbeitsverhältnisse – die Leiharbeit wird also nicht mehr erfaßt – zur Diskussion.[80]) Zum Thema der flexiblen Arbeitszeitgestaltung wird derzeit ein Sozialpartnerverfahren nach Art 4 Sozialabkommen durchgeführt. Schon beschlossen wurde aber eine Richtlinie zur Ergänzung der Maßnahmen zur Verbesserung der Sicherheit und des Gesundheitsschutzes atypisch Beschäftigter.[81]) Diese war deswegen notwendig, weil Untersuchungen gezeigt haben, daß Arbeitnehmer mit befristetem Arbeitsverhältnis oder Leiharbeitsverhältnis in höherem Maße als andere Beschäftigte der Gefahr von Arbeitsunfällen und Berufskrankheiten ausgesetzt sind.

4. Entgelt und sonstige Arbeitsbedingungen

a) Angemessenes Arbeitsentgelt

Im Bereich der Beschäftigung und des Arbeitsentgelts liegt die Verantwortung nach Auffassung der Kommission im wesentlichen bei den Mitgliedstaaten und den Sozialpartnern; es ist nicht Aufgabe der Gemeinschaft, einen angemessenen Bezugslohn festzusetzen. Die Kommission hält es aber für ihre Aufgabe, sich in dieser Frage zu äußern und in engem Kontakt mit den Mitgliedstaaten durch die Abgabe einer Stellungnahme zu einem **angemessenen Arbeitsentgelt,**[82]) welches ungeachtet des Geschlechts, eventueller Behinderungen, ethnischer Herkunft oder Staatsangehörigkeit sicherzustellen ist, zu handeln. Hiefür werden Maßnahmen wie Erfassung und Verbreitung statistischer Informationen über Lohnstrukturen, Aktionen zur Gewährleistung des Rechts auf ein angemessenes Arbeitsentgelt, zB durch Überprüfung der Angemessenheit bestehender Regelungen sowie Entwicklung von Verhaltenskodizes bezüglich der Behandlung von sog Niedriglohnempfängern, Aktionen zur Entwicklung der Humanressourcen auf allen Entwicklungsstufen ein-

---

[77]) ABl C 1990/224 v 8. 9. 1990, 4.

[78]) ABl C 1990/224 v 8. 9. 1990, 6.

[79]) Vgl dazu *Schmidt,* Die Richtlinienvorschläge der Kommission der Europäischen Gemeinschaften zu den atypischen Arbeitsverhältnissen (1992).

[80]) Vgl dazu *Lutz,* Schutz der Teilzeitarbeitsverhältnisse und der befristeten Arbeitsverhältnisse, DRdA 1994, 538.

[81]) RL 91/383/EWG des Rates v 25. 6. 1991 zur Ergänzung der Maßnahmen zur Verbesserung der Sicherheit und des Gesundheitsschutzes von Arbeitnehmern mit befristetem Arbeitsverhältnis oder Leiharbeitsverhältns, ABl L 1991/206 v 29. 7. 1991, 19.

[82]) ABl C 1993/248 v 11. 9. 1993, 7.

schließlich Schul-, Hochschul- und Berufsausbildung, Fort- und Weiterbildung, Umschulung und Persönlichkeitsentwicklung, vorgeschlagen.

b) Arbeitszeit und Urlaub

In der Empfehlung 75/457/EWG des Rates v 22. 7. 1975 über den Grundsatz der 40 Stunden-Woche und den Grundsatz des vierwöchigen bezahlten Jahresurlaubs[83]) legt dieser den Mitgliedstaaten nahe, bis 1978 die Höchstarbeitszeit auf 40 Stunden pro Woche zu begrenzen und einen Mindesturlaub von 4 Wochen pro Jahr einzuführen.

Am 18. Dezember 1979 verabschiedete der Rat vor dem Hintergrund eines geringeren Wirtschaftswachstums, der ständig steigenden Ölpreise und der ansteigenden Arbeitslosenzahlen eine Entschließung über die Anpassung der Arbeitszeit,[84]) welcher die Aktionsbereiche Einschränkung von Überstunden, Verringerung des jährlichen Arbeitsvolumens, Ausbau der flexiblen Altersgrenze gegen Ende des Arbeitslebens, die nähere Bestimmung der Voraussetzungen für Teilzeitbeschäftigung, die Überwachung von Zeitarbeit und die Schichtarbeit umfaßte. Davon wurden folgende Projekte näher verfolgt:

In der Empfehlung des Rates 82/857/EWG v 18. 12. 1982 zu den Grundsätzen für ein gemeinsames Vorgehen betreffend die Altersgrenze[85]) wird den Mitgliedstaaten vorgeschlagen, Arbeitnehmern von einer gegebenen Altersgrenze an und ggf bis zu einem bestimmten Alter das Recht einzuräumen, den Zeitpunkt ihres Rentenbezuges frei zu wählen. Damit verbunden soll auch die Möglichkeit bestehen, die Arbeitszeit der Arbeitnehmer während der letzten Jahre vor Eintritt des Ruhestandes schrittweise zu verkürzen.

Bezüglich RL 93/104/EG des Rates v 23. 11. 1993 über bestimmte Aspekte der Arbeitszeitgestaltung,[86]) welche bis 23. November 1996 von den Mitgliedstaaten umzusetzen ist, ist anzumerken, daß diese in etlichen Mitgliedstaaten punktuelle Verbesserungen zB in bezug auf eine Reduktion der Überstunden und der Wochenarbeitszeit bei Arbeitsbereitschaft bringen wird. Auch wird die durchschnittliche wöchentliche Arbeitszeit (einschließlich der Überstunden) auf 48 Stunden begrenzt. Ansonsten blieb die Richtlinie hinter den Erwartungen zurück; sie regelt ja hauptsächlich nur die Ruhezeiten und bestimmte Aspekte der Nacht- und Schichtarbeit; bezüglich eines bezahlten Mindestjahresurlaubs wird die Zeitdauer von nur 4 Wochen festgelegt. Auch durchlöchern die zahlreichen Ausnahmeregelungen die Richtlinien-Grundsätze sehr. Immerhin darf die Durchführung der Richtlinie aber keine wirksame Rechtfertigung für eine Zurücknahme des allgemeinen Arbeitnehmerschutzes darstellen.

---

[83]) ABl L 1975/199 v 30. 7. 1975, 32.

[84]) ABl C 1980/2 v 4. 1. 1980, 1.

[85]) ABl L 1982/357 v 18. 12. 1982, 27; s auch die Entschließung des Rates v 30. 6. 1993 über flexible Regelungen für das Ausscheiden aus dem Erwerbsleben, ABl C 1993/188 v 10. 7. 1993, 1.

[86]) ABl L 1993/307 v 13. 12. 1993, 18. Vgl dazu *Balze,* Die Richtlinie über die Arbeitszeitgestaltung, EuZW 1994, 205; *Klein,* Die Arbeitszeitrichtlinie der EU, DRdA 1994, 190, 293; *Lörcher,* Die Arbeitszeitrichtlinie der EU, ArbuR 1994, 49.

c) Elternurlaub und Urlaub aus familiären Gründen

Ein diesbezüglicher Richtlinien-Vorschlag[87]) fand im Rat keine Zustimmung. Damit Frauen und Männer ihre beruflichen und privaten Pflichten besser miteinander in Einklang bringen können, hat der Rat nunmehr wenigstens eine Empfehlung zur Kinderbetreuung veröffentlicht.[88]) Sie enthält vier Initiativen, welche den Mitgliedstaaten empfohlen werden: Bereitstellung von Angeboten zur Kinderbetreuung, Sonderurlaub für erwerbstätige Eltern, denen die Betreuung und Erziehung von Kindern obliegt, Gestaltung der Rahmenbedingungen sowie der Struktur und Organisation der Arbeit in der Weise, daß sie den Bedürfnissen von Arbeitnehmern mit Kindern entsprechen und Teilung der beruflichen, familiären und erzieherischen Pflichten im Hinblick auf die Kinderbetreuung zwischen Männern und Frauen. Am 14. Dezember 1995 wurde aber nun dennoch eine erste Sozialpartner-Rahmenvereinbarung gem Art 4 Sozialabkommen bezüglich eines Elternurlaubs abgeschlossen, die uU durch Ratsbeschluß Verbindlichkeit erlangen wird.

d) Entgeltgarantie bei Zahlungsunfähigkeit

RL 80/987/EWG des Rates zur Angleichung der Rechtsvorschriften der Mitgliedstaaten über den Schutz der Arbeitnehmer bei Zahlungsunfähigkeit des Arbeitgebers[89]) sieht gemeinschaftsrechtliche Grundsätze einer Ausfallzahlung vor, wenn der insolvente Arbeitgeber rückständige Verpflichtungen zur Zahlung der Arbeitsvergütung nicht erfüllen kann. Sie schreibt den Mitgliedstaaten die Schaffung von Einrichtungen vor, die infolge der Zahlungsunfähigkeit des Arbeitgebers nicht erfüllte Ansprüche der Arbeitnehmer zu befriedigen haben. Hinsichtlich der Organisation dieser Einrichtungen bleibt den Mitgliedstaaten ziemlich freie Hand, sodaß durch die Richtlinie die verschiedenen in den einzelnen Mitgliedstaaten bestehenden Organisationsformen im wesentlichen gedeckt sind. Die Richtlinie stellt nur organisatorische Mindesterfordernisse auf, die zur Garantie der Arbeitnehmeransprüche notwendig sind. An Arten der Zahlungsunfähigkeit erfaßt die Richtlinie jedes in den Rechtsordnungen der Mitgliedstaaten vorgesehene Verfahren, das zur gemeinschaftlichen Befriedigung der Gläubiger über das Vermögen des Arbeitgebers eröffnet worden ist (Konkurs, Nachlaßkonkurs, Ausgleich, Zwangsausgleich etc).

Begünstigt sind nicht befriedigte Ansprüche des Arbeitnehmers auf das Arbeitsentgelt. Dieses wird jedoch nicht definiert; hiefür ist der Entgeltbegriff der jeweiligen nationalen Rechtsordnung heranzuziehen. Ebenfalls der nationalen Rechtsordnung zu entnehmen ist die Definition des Arbeitnehmer- und Arbeitgeberbegriffs, des Anwartschaftsrechts und des „erworbenen Rechts".

Ferner werden durch die Richtlinie zeitliche oder beitragsmäßige Begrenzungen der Zahlungspflicht der Garantieeinrichtung in mehrfachen

---

[87]) Vorschlag für eine RL des Rates über Elternurlaub und Urlaub aus familiären Gründen, ABl C 1983/333 v 9. 12. 1983, 6; geändert ABl C 1984/316 v 27. 11. 1984, 7.

[88]) ABl L 1992/123 v 8. 5. 1992, 16.

[89]) ABl L 1980/283 v 28. 10. 1980, 23; geändert durch RL 87/164/EWG des Rates v 2. 3. 1987, ABl L 1987/66, 11 und Ratsbeschluß ABl L 1995/1, 67.

Kombinationen zugelassen. Die Gesetzgeber der Mitgliedstaaten haben die Wahl, welche Alternative dieser Begrenzungsmöglichkeit sie im staatlichen Recht einführen wollen. Es handelt sich dabei aber um höchstzulässige Begrenzungen der Zahlungspflicht, sodaß für den Arbeitnehmer günstigere Begrenzungen auch gegenüber der Richtlinie zulässig bleiben.

Die Mitgliedstaaten werden verpflichtet, Maßnahmen zu treffen, um entstandene Leistungsansprüche oder Anwartschaften gegenüber betrieblichen oder überbetrieblichen Zusatzversorgungssystemen auch im Falle der Zahlungsunfähigkeit des Arbeitgebers zu gewährleisten. Dies wird vor allem dann aktuell, wenn die Zusatzversorgung aus dem allgemeinen Betriebsvermögen des insolvent gewordenen Arbeitgebers finanziert wird.

5. Gleichbehandlung von Mann und Frau

Die Gleichbehandlung von Männern und Frauen im Arbeitsleben[90]) gehörte schon immer zu den wichtigen Gemeinschaftszielen, ja gerade zu den Grundlagen der Gemeinschaft (Grundrechtscharakter).[91]) Obwohl schon Art 119 EGV die Verpflichtung der Mitgliedstaaten festlegte, in ihren Rechtsordnungen den Grundsatz der gleichen Entlohnung für Männer und Frauen bei gleicher Arbeit einzuführen und in der Folge beizubehalten,[92]) ergaben sich in der Praxis doch zahlreiche Umsetzungsschwierigkeiten, wenn man nur etwa an die sog tariflichen Leichtlohngruppen für typische Frauenberufe (zB Textilsektor) denkt.

Gleichheit des Arbeitsentgelts ohne Diskriminierung aufgrund des Geschlechtes bedeutet nach Art 119 letzter Abs EGV, daß das Entgelt für eine nach Akkord bezahlte Arbeit aufgrund der gleichen Maßeinheit festgesetzt wird[93]) und daß für eine nach Zeit bezahlte Arbeit das Entgelt bei gleichem Arbeitsplatz gleich ist.

Der EuGH hatte bereits in der Rechtssache Defrenne gg Sabena[94]) den Standpunkt vertreten, daß der Grundsatz der Gleichheit des Arbeitsentgelts nach Art 119 EGV in den Mitgliedstaaten trotz Ausformulierung als völkerrechtliche Vertragspflicht unmittelbar verbindliches Recht sei, daß sich die betroffenen Prozeßparteien auf ihn vor den staatlichen Gerichten berufen

---

[90]) Vgl dazu *Blomeyer,* Das Verbot der mittelbaren Diskriminierung gemäß Art 119 EGV (1994); *Eichinger,* EU-Rechtsangleichung und österreichisches Frauenarbeitsrecht (1995); *Ende,* Soziale Schutzgebote im Europäischen Arbeitsrecht (1995); Kommission der EG (Hg), Chancengleichheit für Frauen und Männer, Soziales Europa 3/91; *Kyriazis,* Die Sozialpolitik der Europäischen Wirtschaftsgemeinschaft in bezug auf die Gleichbehandlung männlicher und weiblicher Erwerbstätiger (1990); *Langenfeld,* Die Gleichbehandlung von Mann und Frau im Europäischen Gemeinschaftsrecht (1990); *Wisskirchen,* Mittelbare Diskriminierung von Frauen im Erwerbsleben (1994).

[91]) Vgl EuGH 17. 6. 1978 Rs 149/77 – Defrenne gg Sabena – Slg 1978, 1365 (1379 RZ 26–29).

[92]) Hintergrund dieser Bestimmung war, daß die französische Industrie durch die Errichtung des gemeinsamen Warenmarktes konkurrenzmäßig benachteiligt würde, wenn es keine ähnliche Bestimmung in den anderen Mitgliedstaaten gäbe.

[93]) Zur Anwendung von Art 119 EGV auf Stücklohnsysteme vgl EuGH 31. 5. 1995 Rs 400/93 – Royal Copenhagen – Slg 1995, I-1275.

[94]) EuGH 8. 4. 1976 Rs 43/75 – Defrenne gg Sabena – Slg 1976, 455.

können und daß die innerstaatlichen Gerichte verpflichtet sind, ihn auf jede Art von Sachverhalt anzuwenden. Art 119 EGV habe nicht nur in den Beziehungen zwischen Staat und Einzelperson, sondern auch zwischen Einzelpersonen Geltung (sog horizontale unmittelbare Wirkung), betrifft auch Kollektivverträge und natürlich alle Arbeitsverträge zwischen Privatpersonen.

Die gemeinschaftsrechtliche Rechtsetzungstätigkeit auf dem Gebiet der Gleichbehandlung umfaßt ein ganzes Bündel von Maßnahmen, welche über den Grundsatz der Entgeltgleichbehandlung hinaus weitere Prinzipien der Gleichbehandlung von Frau und Mann im Arbeitsleben festlegen. Dies geschah durch folgende Rechtsakte: RL 75/117/EWG des Rates v 10. 2. 1975 zur Angleichung der Rechtsvorschriften der Mitgliedstaaten über die Anwendung des Grundsatzes des gleichen Entgelts für Männer und Frauen;[95]) RL 76/207/EWG des Rates v 9. 2. 1976 zur Verwirklichung des Grundsatzes der Gleichbehandlung von Männern und Frauen hinsichtlich des Zugangs zur Beschäftigung, zur Berufsbildung und zum beruflichen Aufstieg sowie in bezug auf die Arbeitsbedingungen;[96]) RL 79/7/EWG des Rates v 19. 12. 1978 zur schrittweisen Verwirklichung des Grundsatzes der Gleichbehandlung von Männern und Frauen im Bereich der sozialen Sicherheit;[97]) RL 86/613/EWG des Rates v 11. 12. 1986 zur Verwirklichung des Grundsatzes der Gleichbehandlung von Männern und Frauen, die eine selbständige Erwerbstätigkeit – auch in der Landwirtschaft – ausüben, sowie über den Mutterschutz;[98]) RL 86/378/EWG des Rates v 24. 7. 1986 zur Verwirklichung des Grundsatzes der Gleichbehandlung von Männern und Frauen bei den betrieblichen Systemen der sozialen Sicherheit.[99]) Weitere wichtige Akzente auf dem Wege einer faktischen Realisierung der Gleichbehandlung geben die vier mittelfristigen Aktionsprogramme der Gemeinschaft für die Chancengleichheit für Frauen und Männer 1982–1985, 1986–1990, 1991–1995 und 1996–2000,[100]) die erste[101]) und zweite Entschließung zur Förderung der Chancengleichheit der Frauen,[102]) die Empfehlung des Rates vom 13. Dezember 1984 zur Förderung positiver Maßnahmen für Frauen[103]) und die Empfehlung der Kommission vom 27. November 1991 zum Schutz der Würde von Frauen und Männern am Arbeitsplatz.[104])

Mehrere hauptsächlich im Laufe des 2. Aktionsprogramms aufgebaute Netzwerke, welche sich aus unabhängigen Sachverständigen aller Mitgliedstaaten zusammensetzen, arbeiten mit der Kommission eng auf dem Gebiet der Forschung und der Aufstellung von Aktionen zusammen, die die Gleichheit von Männern und Frauen fördern sollen.[105])

---

[95]) ABl L 1975/45 v 19. 2. 1975, 19.
[96]) ABl L 1976/39 v 14. 2. 1976, 40.
[97]) ABl L 1979/6 v 10. 1. 1979, 24.
[98]) ABl L 1986/359 v 19. 12. 1986, 56.
[99]) ABl L 1986/225 v 12. 8. 1986, 40.
[100]) ABl L 1995/335 v 30. 12. 1995, 37.
[101]) ABl C 1982/186 v 21. 7. 1982, 3.
[102]) ABl C 1986/203 v 12. 8. 1986, 2.
[103]) ABl L 1984/331 v 19. 12. 1984, 34.
[104]) ABl L 1992/49 v 24. 2. 1992, 1.
[105]) Eine Aufzählung dieser Netzwerke findet sich in Soziales Europa 3/91, 14f.

Zweck der Lohngleichheits-RL 75/117/EWG war es, den Grundsatz der Entgeltgleichheit näher zu konkretisieren und seine Durchführung durch flankierende Maßnahmen praktikabel zu machen. Der **Grundsatz der Entgeltgleichheit** verbietet Diskriminierungen aufgrund des Geschlechts in bezug auf sämtliche Entgeltbestandteile und -bedingungen, dh diese sind für Männer und Frauen nach gemeinsamen Kriterien festzulegen. Insb ist dieser Grundsatz nicht nur auf gleiche Arbeit, sondern darüber hinaus auch auf gleichwertige Arbeit von Männern und Frauen anzuwenden. Letzteres zielt auf die Systeme beruflicher Einstufung (zB Kollektivverträge), und besagt, daß Systeme beruflicher Einstufung auf „für Männer und Frauen gleichen Kriterien" beruhen müssen. In der Praxis bedeutet dies zB, daß die Anwendung von einseitigen Einstufungskriterien als mittelbare Diskriminierung interpretiert wird, wie Leichtlohngruppen in Kollektivverträgen. Die Kommission verabschiedete nunmehr zur Information und Orientierung ein Memorandum,[106]) welches eine Strategie aufzeigt, wie der Grundsatz der gleichen Entlohnung für gleichwertige Arbeit besser verwirklicht werden kann.

Der Anspruch auf gleiches Entgelt muß vor den innerstaatlichen Gerichten einklagbar sein. Die innerstaatliche Rechtsordnung muß so gestaltet sein, daß alle Bestimmungen in Kollektivverträgen, in sonstigen Lohn- oder Gehaltsvereinbarungen, in Betriebsvereinbarungen oder in Einzelarbeitsverträgen, die mit dem Grundsatz des gleichen Entgelts unvereinbar sind, nichtig sind oder für nichtig erklärt werden können.

Kündigungen oder Entlassungen allein aus dem Grund, daß der Arbeitnehmer seinen Anspruch auf gleiches Entgelt außergerichtlich oder gerichtlich geltend macht, sind von der innerstaatlichen Rechtsordnung für unzulässig zu erklären.

Es ist gegenüber den Arbeitnehmern eine Pflicht zur Bekanntmachung der einschlägigen Rechtsvorschriften über die Entgeltgleichheit einzuführen.

Auch sonst haben die Mitgliedstaaten alle notwendigen Maßnahmen zu treffen, um die innerstaatlichen Rechts- und Verwaltungsvorschriften, die dieser Richtlinie widersprechen, aufzuheben und die Durchführung des Grundsatzes des gleichen Entgelts zu gewährleisten.

Bezüglich Gleichbehandlung und Teilzeitarbeit befaßte sich der EuGH schon mehrmals mit dem Problem der **mittelbaren Diskriminierung.**[107]) Eine solche liegt vor, wenn eine benachteiligende Regelung zwar unterschiedslos für Männer und Frauen gilt, bei Angehörigen eines Geschlechts aber wesentlich nachteiligere Wirkungen entfaltet und keine objektive Rechtfertigung für eine Geschlechterungleichbehandlung, also eine Diskriminierung aufgrund des Geschlechts vorliegt.

Wenn nun zB Teilzeitbeschäftigte einen geringeren Lohn als Vollzeitbeschäftigte erhalten[108]) oder aus der betrieblichen Altersversorgung ausge-

---

[106]) KOM (94) 6 endg.

[107]) Vgl dazu *Blomeyer,* Das Verbot der mittelbaren Diskriminierung gemäß Art 119 EGV (1994).

[108]) Vgl EuGH 31. 3. 1981 Rs 96/80 – Jenkins gg Kingsgate – Slg 1981, 911 und EuGH 13. 12. 1994 Rs 297/93 – Grau-Hupka – Slg 1994, I-5535.

klammert werden,[109]) wertet dies der EuGH nicht schon von vornherein als verbotene Diskriminierung, insb dann nicht, wenn der Arbeitgeber auf diesem Weg einen Anreiz zur Vollzeitarbeit geben wollte. Ein unterschiedliches Entgelt für Vollzeit- und Teilzeitarbeitnehmer stellt nur dann eine verbotene Diskriminierung dar, wenn es in Wirklichkeit nur ein indirektes Mittel dafür ist, das Lohnniveau der Teilzeitarbeitnehmer aus dem Grunde zu senken, weil diese Arbeitnehmergruppe ausschließlich oder überwiegend aus weiblichen Personen besteht.

Keinen Verstoß gegen Art 119 EGV und RL 75/117/EWG sah aber der EuGH bei der Gewährung von Überstundenzuschlägen (an Teilzeitbeschäftigte) erst nach Überschreiten der Regelarbeitszeit für Vollzeitbeschäftigte.[110])

Durch RL 75/117/EWG ließen sich die vielschichtigen Probleme der Entgeltgleichheit nicht umfassend und befriedigend lösen. Der EuGH hatte in der Rechtsache Defrenne III[111]) festgestellt, daß Art 119 EGV nicht über den Grundsatz der Gleichheit des Entgelts hinaus analog auf andere Fragen der Gleichbehandlung von Männern und Frauen im Arbeitsleben angewandt werden könne. Diese Lücke füllte dann Richtlinie 76/207/EWG: Die Mitgliedstaaten werden nunmehr verpflichtet, jede unmittelbare oder mittelbare Diskriminierung auf Grund des Geschlechts im Arbeitsleben abzuschaffen bzw zu verhindern. Als unzulässige Diskriminierung wird auch die unterschiedliche Behandlung von Mann und Frau aufgrund des Ehe- und Familienstandes angesehen. Die Richtlinie hat aber nicht zum Gegenstand, interne Verhältnisse der Familien zu regeln oder die Aufgabenteilung zwischen den Eltern zu ändern. So sind die Mitgliedstaaten durch die Richtlinie nicht gebunden, Vaterschaftsurlaub einzuführen, wenn Mutterschaftsurlaub nach dem Ende der Schutzfrist gewährt wird.[112])

Die Richtlinie verbietet ausdrücklich die unterschiedliche Behandlung der Geschlechter hinsichtlich des Zugangs zu Beschäftigungen oder Arbeitsplätzen unabhängig davon, ob es sich um die staatliche Arbeitsvermittlung oder um privatrechtliche Einstellungskriterien handelt, hinsichtlich des innerbetrieblichen Aufstieges, der Berufsberatung und -bildung, der beruflichen Weiterbildung und Umschulung sowie der individualarbeitsvertraglichen und kollektivrechtlichen Arbeitsbedingungen einschließlich des Kündigungsrechts.

RL 76/207/EWG zählt erschöpfend die Fälle ungleicher Behandlung auf, die nicht als Diskriminierung aufgrund des Geschlechts angesehen werden sollen: Der Vorbehalt von beruflichen Tätigkeiten, für deren Ausübung das Geschlecht eine unabwendbare Voraussetzung darstellt; die besonderen Rechtsvorschriften zum Schutz der Frau (insb Mutterschutz); Maßnahmen zur Förderung der Chancengleichheit für Männer und Frauen.

---

[109]) EuGH 13. 5. 1986 Rs 170/84 – Bilka gg Weber v Hartz – Slg 1986, 1607.

[110]) EuGH 15. 12. 1994 verb Rs 399/92, 409/92, 425/92, 34/93 u 78/93 – Helmig ua – Slg 1994, I-5727.

[111]) EuGH 15. 6. 1978 Rs 149/77 – Defrenne gg Sabena – Slg 1978, 1365.

[112]) EuGH 12. 7. 1984 Rs 184/83 – Hofmann gg Barmer Ersatzkasse – Slg 1984, 3047.

Hinsichtlich des Zugangs zur Beschäftigung hat der EuGH entschieden,[113]) daß im Falle einer Diskriminierung wegen des Geschlechts durch RL 76/207/EWG nicht vorgeschrieben wird, daß als Sanktion der Arbeitgeber einen Arbeitsvertrag mit dem diskriminierten Bewerber (Bewerberin) abzuschließen verpflichtet ist. Entscheidet sich aber ein Mitgliedstaat für die Sanktion einer Entschädigung, muß diese in einem angemessenen Verhältnis zum Schaden stehen und abschreckend und wirksam sein.

Gegen den Grundsatz der Gleichbehandlung verstoßen kann auch ein unerwünschtes Verhalten sexueller Natur oder ein sonstiges Verhalten aufgrund der Geschlechtszugehörigkeit, das die Würde von Frauen und Männern am Arbeitsplatz beeinträchtigt, einschließlich des Verhaltens von Vorgesetzten und Kollegen. Daher hat die Kommission eine Empfehlung zum Schutz der Würde von Männern und Frauen am Arbeitsplatz samt praktischen Verhaltensregeln und Maßnahmen zur Bekämpfung sexueller Belästigungen erlassen.[114]) Großes Aufsehen erregte der EuGH mit der Entscheidung in der Rechtssache „Kalanke“ (EuGH 17. 10. 1995 Rs 450/93), daß Quotenregelungen, die Frauen bei Ernennungen und Beförderungen absolut und unbedingt Vorrang einräumen, über eine Förderung der Chancengleichheit hinausgehen und den Bestimmungen der Gleichbehandlungs-Richtlinie 76/207/EWG entgegenstehen.

6. Schutz des Arbeitsplatzes

a) Betriebsübergang

RL 77/187/EWG des Rates v 14. 2. 1977 zur Angleichung der Rechtsvorschriften der Mitgliedstaaten über die Wahrung von Ansprüchen der Arbeitnehmer beim Übergang von Unternehmen, Betrieben oder Betriebsteilen[115]) schützt in umfassender Weise die Rechte der Arbeitnehmer im Falle der Betriebs- oder Unternehmensnachfolge. Dabei ist es belanglos, ob das ganze Unternehmen, ein einzelner Betrieb eines Unternehmens oder gar nur ein

---

[113]) EuGH 10. 4. 1984 Rs 14/83 – von Colson u Kamann gg Land Nordrhein-Westfalen – Slg 1984, 1891; EuGH 10. 4. 1984 Rs 79/83 – Harz gg Deutsche Tradax – Slg 1984, 1921.

[114]) ABl L 1992/49 v 24. 2. 1992, 1. Eine Anwendungshilfe für den Verhaltenskodex der Kommission wurde von *Rubenstein* erarbeitet, s Commission of the European Communities, How to combat sexual harassment at work (1993).

[115]) ABl L 1977/61 v 5. 3. 1977, 26. Vgl dazu *von Alvensleben,* Die Rechte der Arbeitnehmer bei Betriebsübergang im Europäischen Gemeinschaftsrecht (1992); *Debong,* Die EG-Richtlinie über die Wahrung der Arbeitnehmeransprüche beim Betriebsübergang (1988); *Löw,* Die Betriebsveräußerung im europäischen Arbeitsrecht (1992); *Tomandl,* Der Betriebs(teil)übergang im Arbeitsrecht (1995). RL 77/187/EWG soll nunmehr durch eine neue RL ersetzt werden (Vorschlag in ABl C 1994/274 v 1. 10. 1994, 10; vgl dazu *Waas,* EuZW 1995, 52), welche die Auswirkungen des Binnenmarktes, die Rechtsprechung des EuGH, die verabschiedete Überarbeitung der RL über Massenentlassungen sowie die in den Mitgliedstaaten geltenden Normen bezüglich der Sanierung von in wirtschaftlichen Schwierigkeiten stehenden Unternehmen berücksichtigt; ua wird auch eine Mindestharmonisierung des Arbeitnehmerbegriffs angestrebt und der Geltungsbereich der RL ausdrücklich auch auf öffentliche Unternehmen erstreckt.

Betriebsteil auf einen anderen übergeht – die Rechte der gerade dort beschäftigten Arbeitnehmer bleiben auf alle Fälle gewahrt. Es hat auf die Anwendbarkeit der Richtlinie auch keinen Einfluß, ob es sich um Kauf, Verpachtung oder die im Umgründungssteuerrecht auftretenden Tatbestände Verschmelzung, Umwandlung, Einbringung, Zusammenschluß, Realteilung oder Spaltung handelt. Veräußerung im Konkurs ist nach der Judikatur des EuGH nicht von der RL 77/187/EWG erfaßt. Dies beläßt den Mitgliedstaaten jedoch die Möglichkeit, unabhängig vom Gemeinschaftsrecht die Grundsätze dieser Richtlinie auf einen solchen Übergang anzuwenden.[116])

Der territoriale Geltungsbereich der Richtlinie erstreckt sich auf alle innerhalb des Gemeinsamen Marktes gelegenen Unternehmen, Betriebe und Betriebsteile ohne Rücksicht auf die Staatsangehörigkeit des Unternehmens oder den Sitz der Gesellschaft. Ausgenommen sind nur Seeschiffe.

Individualarbeitsrechtlich legt die Richtlinie bei Betriebsübergang zwingend den automatischen Übergang der bestehenden Arbeitsverhältnisse auf den Erwerber fest, und zwar mit allen Rechten und Pflichten, die der Veräußerer bisher hatte.

Die Frage, ob der Arbeitnehmer durch Widerspruch den Übergang des Arbeitsverhältnisses auf den Erwerber verhindern kann, ist in der Richtlinie nicht geregelt. Der EuGH hatte dazu in der Rechtsache Berg gg Besselsen[117]) Stellung genommen und ausdrücklich festgestellt, daß die Richtlinie kein Zustimmungs- bzw Widerspruchsrecht der Arbeitnehmer vorsieht. Dies hat in Deutschland angesichts des Festhaltens des BAG am Widerspruchsrecht eine heftige Diskussion ausgelöst.[118]) Im Jahre 1992 hat der EuGH aber dann festgestellt,[119]) daß es dem einzelnen Arbeitnehmer nicht verwehrt ist, dem Übergang seines Arbeitsverhältnisses zu widersprechen und daß es im übrigen Sache der Mitgliedstaaten ist, zu bestimmen, was in einem solchen Fall mit dem Arbeitsvertrag mit dem Veräußerer geschieht.

Ferner bestimmt die Richtlinie, daß der Übergang bzw die Fusion als solche keinen Kündigungsgrund darstellt. Daraus ist zu schließen, daß entgegen diesem Verbot ausgesprochene Kündigungen (und Entlassungen) seitens des Arbeitgebers nach innerstaatlichem Recht mit Nichtigkeit zu bedrohen sind. Unberührt von diesem Verbot bleiben jedoch Kündigungen und auch Änderungskündigungen, die aus betrieblichen Erfordernissen ausgesprochen werden, welche zusätzlich zum Übergang oder zur Fusion hinzutreten (zB Personalreduktion aus Rationalisierungsgründen).

Auch die normative Wirkung der **„Kollektivverträge“** (darunter werden sowohl Kollektivverträge als auch Betriebsvereinbarungen verstanden), an die der Veräußerer gebunden war, geht auf den Erwerber über, selbst wenn dieser an sich nicht kollektivvertragsunterworfen ist. Der Fortbestand der

[116]) EuGH 7. 2. 1985 Rs 135/83 – Abels gg Bedrijfsvereinigung voor de Metaalindustrie en de Electrotechnische Industrie – Slg 1985, 469.

[117]) EuGH 5. 5. 1988 verb Rs 144 u 145/87 – Berg gg Besselsen – Slg 1988, 2559.

[118]) *Bauer,* Kein Widerspruchsrecht der Arbeitnehmer bei Betriebsübergang, NZA 1990, 881 u NZA 1991, 139; *Däubler,* NZA 1991, 134; *Löw,* DB 1991, 546; *Meilicke,* DB 1991, 1326.

[119]) EuGH 16. 12. 1992 verb Rs 132/91, 138/91 u 139/91 – Katsikas ua – Slg 1992, I-6577.

normativen Wirkungen erlischt jedoch mit dem Außerkrafttreten des betreffenden Kollektivvertrages oder mit dem Inkrafttreten eines Kollektivvertrages, an den der Erwerber gebunden ist.[120]) Dieser hat mithin die Möglichkeit, Betriebsvereinbarungen des Veräußerers durch den Abschluß neuer Betriebsvereinbarungen zu ersetzen. Außerdem werden die Mitgliedstaaten ermächtigt, die Fortdauer der normativen Wirkung dieser übernommenen Kollektivverträge zeitlich, jedoch nicht weniger als ein Jahr, zu begrenzen.

Kommt es zu einer Beendigung des Arbeitsverhältnisses, weil der Übergang oder die Fusion eine wesentliche Änderung der Arbeitsbedingungen zum Nachteil des Arbeitnehmers zur Folge hat, so ist eine solche Beendigung ohne Rücksicht auf ihre Art und Weise als Beendigung seitens des Arbeitgebers gem den Vorschriften des innerstaatlichen Rechts anzusehen.

Rechtsstellung, Funktion und Schutz der Mitglieder der Betriebsvertretungen bleiben trotz Übergangs erhalten, sofern der Betrieb seine Selbständigkeit behält. Aber selbst dann, wenn das Mandat wegen Verlustes der Betriebseigenschaft erlischt, bleiben die besonderen Schutzvorschriften zu Gunsten der Mitglieder der Betriebsvertretung auf die ehemaligen Mandatare weiterhin anwendbar.

Hinsichtlich der zusätzlichen Altersversorgung werden die Mitgliedstaaten ohne nähere Konkretisierung aufgefordert, Maßnahmen zur Erhaltung erworbener Rechte und Anwartschaften aus Anlaß des Betriebsüberganges zu treffen.

Betriebsverfassungsrechtlich werden in dieser Richtlinie Ansätze zur einheitlichen Einführung von Mitwirkungsrechten der Betriebsvertretungen im Gemeinsamen Markt erkennbar: Auf jeden Fall obliegt sowohl dem Veräußerer als auch dem Erwerber gegenüber den betroffenen Betriebsvertretungen eine Informationspflicht über den Grund für den Übergang, über die rechtlichen, wirtschaftlichen und sozialen Folgen des Übergangs für die Arbeitnehmer und über die hinsichtlich der Arbeitnehmer in Aussicht genommenen Maßnahmen. Der Veräußerer hat diese Informationen rechtzeitig vor dem Vollzug des Übergangs, der Erwerber rechtzeitig vor dem Zeitpunkt vorzunehmen, an dem die Arbeitsbedingungen von dem Übergang betroffen werden. Werden aus Anlaß des Übergangs Änderungen der Arbeitsbedingungen in Betracht gezogen, so haben Veräußerer bzw Erwerber über die Informationspflicht hinaus Beratungen mit der Betriebsvertretung durchzuführen und eine Übereinkunft über die geplanten Maßnahmen anzustreben.

Schließlich sind die Mitgliedstaaten zu bestimmten Modifikationen des Geltungsbereichs ermächtigt. Sie können das betriebsverfassungsrechtliche Verfahren auf die nach innerstaatlichem Recht betriebsratspflichtigen Betriebe beschränken. Sie können aber auch bestimmen, daß in Betrieben, in denen keine Betriebsvertretung besteht, alle Arbeitnehmer von dem bestehenden Übergang zu informieren sind.

Den Mitgliedstaaten wird die Möglichkeit belassen, für den Arbeitnehmer günstigere Vorschriften anzuwenden oder zu erlassen.

---

[120]) Vgl dazu EuGH 12. 11. 1992 Rs 209/91 – Watson Rask und Christensen – Slg 1992, I-5755.

b) Massenentlassungen

RL 75/129/EWG betrifft die Angleichung der Rechtsvorschriften der Mitgliedstaaten über Massenentlassungen.[121]) Diese Richtlinie verpflichtet die Mitgliedstaaten zur gesetzlichen Einführung bestimmter Verfahren vor der Durchführung von **Massenentlassungen** (Kündigungen, Entlassungen), die nach Maßgabe von Betriebsgrößen näher definiert sind.

Zum ersten hat der Arbeitgeber über die beabsichtigten Massenentlassungen mit dem Betriebsrat zu beraten, um zu einer Einigung zu gelangen. Die Beratungen erstrecken sich zumindest auf die Möglichkeit, Massenentlassungen zu vermeiden oder zu beschränken sowie auf die Möglichkeit, ihre Folgen zu mildern, und zwar durch soziale Begleitmaßnahmen, die insb Hilfen für eine andere Verwendung oder Umschulung der entlassenen Arbeitnehmer zum Ziel haben.

Als weitere Pflicht hat der Arbeitgeber die beabsichtigten Massenentlassungen der zuständigen innerstaatlichen Behörde schriftlich anzuzeigen. Die Massenentlassungen werden alsdann frühestens 30 Tage nach Eingang der Anzeige bei der Behörde wirksam. Die Mitgliedstaaten können jedoch die Behörde ermächtigen, diese Frist in Ausnahmefällen zu verkürzen oder, wenn die Gefahr besteht, daß die durch die beabsichtigten Massenentlassungen aufgeworfenen Probleme innerhalb der ursprünglichen Frist nicht gelöst werden können, bis zu 60 Tagen zu verlängern.

Kommt der Betriebsinhaber bei derartigen Betriebsänderungen seinen oben genannten Verpflichtungen nicht nach, so sind die ausgesprochenen Kündigungen rechtsunwirksam.

Der Arbeitgeber hat mit dem Betriebsrat Verhandlungen aufzunehmen, um die Möglichkeit der Verhinderung, Beseitigung oder Milderung der Massenentlassung zu erörtern. Bei wesentlichen Nachteilen für alle oder erhebliche Teile der Arbeitnehmerschaft kann ein Sozialplan abgeschlossen werden. Die Nichtverständigung des Betriebsrats bei Massenentlassungen ist innerstaatlich unter Strafe zu stellen.[122])

E. Arbeitnehmerschutz

Im Jahre 1978 verabschiedete der Rat ein umfassendes Aktionsprogramm der EG für **Sicherheit und Gesundheitsschutz am Arbeitsplatz**.[123]) Ziel war eine umfassende Vereinheitlichung des Arbeitsschutzes. Dieses Unterfangen ging aber auch nach einer Ratsentschließung vom 27. Februar 1984 über ein zweites Aktionsprogramm der EG für Sicherheit und Ge-

---

[121]) RL 75/129/EWG des Rates v 17. 2. 1975 zur Angleichung der Rechtsvorschriften der Mitgliedstaaten über Massenentlassungen, ABl L 1975/48 v 22. 2. 1975, 29 idF RL 92/56/EWG v 24. 6. 1992, ABl L 1992/245 v 26. 8. 1992, 3. Vgl dazu *Weiss,* Die europarechtliche Regelung der Massenentlassung, RdA 1992, 367.

[122]) Vgl dazu EuGH 8. 6. 1994 Rs 383/92 – Kommission gg Vereinigtes Königreich – Slg 1994, I-2479.

[123]) ABl C 1978/165 v 11. 7. 1978, 1.

sundheitsschutz am Arbeitsplatz[124]) nicht schnell genug voran, was wohl auch am erforderlichen Einstimmigkeitsprinzip von Art 100 und 235 EGV lag. Die EEA brachte hier Abhilfe, indem sie die neuen Kompetenzbestimmungen Art 100a u Art 118a in den EWG-Vertrag einfügte und nunmehr eine qualifizierte Mehrheit bei der Beschlußfassung von arbeitsschutzrechtlichen Materien vorsah;[125]) nunmehr setzte eine starke diesbezügliche Rechtsetzungstätigkeit der Gemeinschaftsorgane ein.[126]) Dazu trugen auch noch weitere Aktionsprogramme für Sicherheit, Arbeitshygiene und Gesundheitsschutz am Arbeitsplatz[127]) und zur Anwendung der Gemeinschaftscharta der sozialen Grundrechte[128]) bei. Am 25. Juli 1991 beschloß der Rat ein Aktionsprogramm zum Europäischen Jahr für Sicherheit, Arbeitshygiene und Gesundheitsschutz am Arbeitsplatz (1992).[129]) Zuletzt hatte die EG-Kommission eine Mitteilung „Allgemeiner Rahmen für die Tätigkeit der Kommission der EG im Bereich Sicherheit, Arbeitshygiene und Gesundheitsschutz am Arbeitsplatz (1994–2000)“[130]) mit dem Ziel vorgelegt, die Zahl der Arbeitsunfälle und Berufskrankheiten weitgehend zu verringern. Auch soll in den nächsten Jahren die korrekte Umsetzung der Richtlinien durch die Mitgliedstaaten überwacht und die einschlägige Gemeinschaftsgesetzgebung implementiert, konsolidiert, rationalisiert und erweitert werden.

Eine wichtige Rolle bei der Förderung von Gesundheit und Sicherheit spielt die Europäische Stiftung zur Verbesserung der Lebens- und Arbeitsbedingungen[131]) mit Sitz in Dublin, welche im Rahmen der laufenden Vierjahresturnusprogramme den Gemeinschaftsorganen zahlreiche einschlägige Studien, ua über den betrieblichen Arbeitsschutz, unterbreitet und Informationsquellen über Arbeitsschutz in der Gemeinschaft vernetzt. Zur Unterstützung der Kommission wurde nunmehr auch eine Europäische Agentur für Sicherheit und Gesundheitsschutz am Arbeitsplatz (Sitz Bilbao) geschaffen,[132]) welche als flexibles Instrument die Durchführung der Programme unterstützen, für die technische und wissenschaftliche Beratung und Koordinierung (Informationserfassung und -verarbeitung) zuständig sein und auch Ausbildungsmaßnahmen durchführen soll.

---

[124]) ABl C 1984/67 v 8. 3. 1984, 2.

[125]) Näheres oben B.3.

[126]) Vgl dazu *Beglinger,* Die Harmonisierungsbestrebungen der EG auf dem Gebiet des technischen Arbeitsschutzes (1991); *Bücker/Feldhoff/Kohte,* Vom Arbeitsschutz zur Arbeitsumwelt. Europäische Herausforderungen für das deutsche Arbeitsrecht (1994); *Leitner/Strasser,* Der technische Arbeitnehmerschutz im Recht der EG (1993); *Sehmsdorf,* Europäischer Arbeitsschutz und seine Umsetzung in das deutsche Arbeitsschutzsystem (1995); *Wank/Börgmann,* Deutsches und europäisches Arbeitsschutzrecht (1992).

[127]) ABl C 1988/28 v 3. 2. 1988, 3.

[128]) KOM (89) 568 endg, Punkt 10.

[129]) ABl L 1991/214 v 2. 8. 1991, 77.

[130]) KOM (93) 560 endg.

[131]) V (EWG) 1365/75 des Rates über die Gründung einer Europäischen Stiftung zur Verbesserung der Lebens- und Arbeitsbedingungen, ABl L 1975/139 v 30. 5. 1975, 1; geändert durch V (EWG) 1947/93, ABl L 1993/181 v 23. 7. 1993, 13.

[132]) V (EG) 2062/94 des Rates v 18. 7. 1994, ABl L 1994/216 v 20. 9. 1994, 1.

1. Gefährdung durch chemische, physikalische und biologische Arbeitsstoffe

Am 29. Juni 1978 verabschiedete der Rat die RL 78/610/EWG zur Angleichung der Rechts- und Verwaltungsvorschriften der Mitgliedstaaten über den Schutz der Gesundheit von Arbeitnehmern, die Vinylchloridmonomer ausgesetzt sind.[133])

Durch die Rahmen-RL 80/1107/EWG des Rates v 27. 11. 1980 zum Schutz der Arbeitnehmer vor der Gefährdung durch chemische, physikalische und biologische Arbeitsstoffe bei der Arbeit[134]) sollen die Mitgliedstaaten verpflichtet werden, einheitliche Vorbeugungsmaßnahmen gegen Berufskrankheiten durch Schadstoffe zu ergreifen. Die Richtlinie legt fest, daß bei der Festlegung von Grenzwerten für gesundheitsgefährdende Arbeitsstoffe auch deren Probenahme, die Meßmethoden und die Bewertung der Ergebnisse geregelt werden müssen. Für chemische Arbeitsstoffe wird in einem Anhang zur Richtlinie ein Meßverfahren beschrieben, das eine objektive Beurteilung der Exposition gegenüber einem bestimmten Schadstoff gewährleisten soll. In Sonderfällen müssen die Arbeitnehmer, die einem Schadstoff ausgesetzt werden, die Möglichkeit haben, nach Beendigung der Belastung eine allgemeine Überwachung ihres Gesundheitszustandes in angemessener Form in Anspruch zu nehmen. Arbeitnehmer, die aus gesundheitlichen Gründen aus der durch einen Arbeitsstoff belasteten Umgebung entfernt werden, ist – soweit möglich – ein anderer Arbeitsplatz zuzuweisen. Arbeitnehmervertretungen sind ferner auf einzelstaatlicher Ebene Beteiligungsrechte bei der Anwendung von Schutzmaßnahmen einzuräumen.

Auf Grund der Rahmen-RL 80/1107/EWG ergingen Einzel-Richtlinien betreffend die Gefährdungen durch Blei,[135]) Asbest,[136]) Lärm[137]) und Verbote bestimmter Arbeitsstoffe und/oder Arbeitsverfahren.[138]) Ein Richtlinien-Vorschlag des Rates zum Schutz von Gesundheit und Sicherheit der Arbeitnehmer vor der Gefährdung durch chemische Arbeitsstoffe bei der Arbeit überarbeitet die RL 80/1107/EWG, 82/605/EWG und 88/364/EWG des Rates und faßt diese in einer einzigen Richtlinie, einer Einzel-Richtlinie iSd Art 16 Abs 1 der RL 89/391/EWG zusammen.[139]) Die Richtgrenzwert-RL 91/322/EWG des Rates wird als Teil des geltenden rechtlichen Rahmens beibehalten.

---

[133]) ABl L 1978/197 v 22. 7. 1978, 12.

[134]) ABl L 1980/327 v 3. 12. 1980, 8 idF RL 88/642/EWG v 16. 12. 1988, ABl L 1988/356 v 24. 12. 1988, 74. Richtgrenzwerte werden durch RL 91/322/EWG v 29. 5. 1991, ABl L 1991/177 v 5. 7. 1991, 22 festgesetzt.

[135]) RL 82/605/EWG des Rates v 28. 7. 1982 über den Schutz der Arbeitnehmer gegen Gefährdung durch metallisches Blei und seine Ionenverbindungen am Arbeitsplatz (Erste Einzelrichtlinie iSd Art 8 der RL 80/1107/EWG), ABl L 1982/247 v 23. 8. 1982, 12.

[136]) RL 83/477/EWG des Rates v 19. 7. 1983, ABl L 1983/263 v 24. 9. 1983, 25; geändert durch RL 91/382/EWG v 25. 6. 1991, ABl L 1991/206 v 29. 7. 1991, 16.

[137]) RL 86/188/EWG des Rates v 12. 5. 1986, ABl L 1986/137 v 24. 5. 1986, 28.

[138]) RL 88/364/EWG des Rates v 9. 6. 1988, ABl L 1988/179 v 9. 7. 1988, 44.

[139]) ABl C 1993/165 v 16. 6. 1993, 4; geändert ABl C 1994/191 v 14. 7. 1994, 7.

2. Sicherheit und Gesundheitsschutz bei der Arbeit

Die zweite große Rahmen-Richtlinie auf dem Gebiet des Arbeitsschutzes ist RL 89/391/EWG des Rates v 12. 6. 1989 über die Durchführung von Maßnahmen zur Verbesserung der Sicherheit und des Gesundheitsschutzes der Arbeitnehmer bei der Arbeit,[140]) welche auf alle privaten oder öffentlichen Tätigkeitsbereiche Anwendung findet. Durch diese wird der Arbeitgeber verpflichtet, für jeden Arbeitsplatz eine **Risikoabschätzung** (Evaluierung mit Aufzeichnungspflicht, auch der Arbeitsunfälle) durchzuführen, aufgrund welcher er die geeigneten Maßnahmen zur Minimierung der für die Arbeitnehmer bestehenden Gefahren oder Beeinträchtigungen von sich aus zu treffen hat. Der Arbeitgeber hat Arbeitnehmer bzw deren Vertreter über alle Fragen, die die Sicherheit und den Gesundheitsschutz betreffen, zu informieren, deren Meinung zu sicherheitstechnischen Problemen anzuhören und ihnen das Recht einzuräumen, Vorschläge zu unterbreiten. In den Betrieben sind „Arbeitnehmervertreter mit einer besonderen Funktion bei der Sicherheit und beim Gesundheitsschutz der Arbeitnehmer" zu wählen oder zu bestellen. Darüber hinaus ist der Arbeitgeber verpflichtet, ihnen eine ausreichende Arbeitsbefreiung ohne Lohnentfall und Entstehung eines Nachteils zu gewähren und die erforderlichen Mittel zur Verfügung zu stellen, die sie zur Wahrnehmung ihrer Aufgaben benötigen. Arbeitnehmer, die bei erster, unmittelbarer und nicht vermeidbarer Gefahr den Arbeitsplatz verlassen, dürfen deswegen nicht benachteiligt werden.

Aufgrund der Rahmen-RL 89/391/EWG wurden Einzel-Richtlinien für folgende Bereiche erlassen: Arbeitsstätten,[141]) Arbeitsmittel,[142]) persönliche Schutzausrüstungen,[143]) Handhabung schwerer Lasten, die Gefährdungen der Lendenwirbelsäule mit sich bringen,[144]) Arbeit an Bildschirmgeräten,[145]) Gefährdung durch Karzinogene,[146]) Gefährdung durch biologische Arbeitsstoffe,[147]) Baustellen,[148]) Mindestvorschriften für die Sicherheits- und/oder Ge-

---

140) ABl L 1989/183 v 29. 6. 1989, 1.

141) RL 89/654/EWG des Rates v 30. 11. 1989 über Mindestvorschriften für Sicherheit und Gesundheitsschutz in Arbeitsstätten (Erste Einzelrichtlinie iSd Art 16 Abs 1 der RL 89/391/EWG), ABl L 1989/393 v 30. 12. 1989, 1.

142) RL 89/655/EWG des Rates v 30. 11. 1989 (2. Einzel-RL), ABl L 1989/393 v 30. 12. 1989, 13 idF RL 95/63/EG v 5. 12. 1995, ABl L 1995/335 v 30. 12. 1995, 28.

143) RL 89/656/EWG des Rates v 30. 11. 1989 (3. Einzel-RL), ABl L 1989/393 v 30. 12. 1989, 18; s auch die Mitteilung der Kommission über die anläßlich der Durchführung der Richtlinie 89/656/EWG vorzunehmende sicherheitsbezogene Bewertung persönlicher Schutzausrüstungen im Hinblick auf ihre Auswahl und Benutzung, ABl C 1989/328 v 30. 12. 1989, 3.

144) RL 90/269/EWG des Rates v 29. 5. 1990 (4. Einzel-RL), ABl L 1990/156 v 21. 6. 1990, 9.

145) RL 90/270/EWG des Rates v 29. 5. 1990 (5. Einzel-RL), ABl L 1990/156 v 21. 6. 1990, 14.

146) RL 90/394/EWG des Rates v 28. 6. 1990 (6. Einzel-RL), ABl L 1990/196 v 26. 7. 1990, 1.

147) RL 90/679/EWG des Rates v 26. 11. 1990 (7. Einzel-RL), ABl L 1990/374 v 31. 12. 1990, 1; geändert durch RL 93/88/EWG des Rates v 12. 10. 1993, ABl L 1993/268 v 29. 10. 1993, 71 u RL 95/30/EG v 30. 6. 1995, ABl L 1995/155 v 6. 7. 1995, 41.

sundheitsschutzkennzeichnung am Arbeitsplatz,[149]) Schutz von schwangeren Arbeitnehmerinnen, Wöchnerinnen und stillenden Arbeitnehmerinnen,[150]) Gesundheitsschutz von Arbeitnehmern in Betrieben, in denen durch Bohrungen Mineralien gewonnen werden,[151]) Sicherheits- und Gesundheitsschutz der Arbeitnehmer in übertägigen oder untertägigen mineralölgewinnenden Betrieben[152]) und bei der Arbeit an Bord von Fischereifahrzeugen.[153])

RL 92/29/EWG zum Zweck der Verbesserung der medizinischen Versorgung auf Schiffen[154]) deckt den Hochrisikosektor der Tätigkeit auf hoher See ab. RL 91/383/EWG ergänzt die Maßnahmen zur Verbesserung der Sicherheit und des Gesundheitsschutzes von Arbeitnehmern mit befristetem Arbeitsverhältnis oder Leiharbeitsverhältnis.[155])

3. Arbeitszeit („Sozialvorschriften") im Straßenverkehr

Die Gemeinschaft verfügt über eigene Arbeitnehmerschutzvorschriften für Lenker im Straßenverkehr.[156]) Ziel dieser Vorschriften ist die Harmonisierung der Bedingungen des Wettbewerbs zwischen Landverkehrsunternehmen insb im Straßenverkehrssektor sowie die Verbesserung der Arbeitsbedingungen und der Sicherheit im Straßenverkehr. Zentrale Vorschriften sind V (EWG) 3820/85 des Rates v 20. 12. 1985 über die Harmonisierung bestimmter Sozialvorschiften im Straßenverkehr[157]) und V (EWG) 3821/85 des Rates v 20. 12. 1985 über das Kontrollgerät im Straßenverkehr,[158]) welches auf Schaublättern die Einhaltung von Lenk-, sonstigen Arbeitszeiten, Bereitschaftszeiten, Arbeitsunterbrechungen und Ruhezeiten ersichtlich macht.

4. Jugendarbeitsschutz

RL 94/33/EG des Rates v 22. 6. 1994 über den Jugendarbeitsschutz[159]) ist bis 22. Juni 1996 ins nationale Recht umzusetzen. Sie gilt für Personen unter

---

[148]) RL 92/57/EWG des Rates v 24. 6. 1992 (8. Einzel-RL), ABl L 1992/245 v 26. 8. 1992, 6.

[149]) RL 92/58/EWG des Rates v 24. 6. 1992 (9. Einzel-RL), ABl L 1992/245 v 26. 8. 1992, 23.

[150]) RL 92/85/EWG des Rates v 19. 10. 1992 (10. Einzel-RL), ABl L 1992/348 v 28. 11. 1992, 1.

[151]) RL 92/91/EWG des Rates v 3. 11. 1992 (11. Einzel-RL), ABl L 1992/348 v 28. 11. 1992, 9.

[152]) RL 92/104/EWG des Rates v 3. 12. 1992 (12. Einzel-RL), ABl L 1992/404 v 31. 12. 1992, 10.

[153]) RL 93/103/EG des Rates v 23. 11. 1993 (13. Einzel-RL), ABl L 1993/307 v 13. 12. 1993, 1.

[154]) RL 92/29/EWG des Rates v 31. 3. 1992, ABl L 1992/113 v 30. 4. 1992, 19.

[155]) RL 91/383/EWG des Rates v 25. 6. 1991, ABl L 1991/206 v 29. 7. 1991, 19.

[156]) Vgl dazu *Egger,* Arbeitsrechtliche Probleme des Transits, in *Hummer* (Hg), Alpenquerender Transitverkehr aus regionaler und überregionaler Sicht (1993) 297; *Wann,* Lenk- und Ruhezeiten im Straßenverkehr (1987).

[157]) ABl L 1985/370 v 31. 12. 1985, 1.

[158]) ABl L 1985/370 v 31. 12. 1985, 8; Änderung ABl L 1990/353 v 17. 12. 1990, 12; angepaßt an den technischen Fortschritt durch V (EWG) 3314/90 des Rates v 16. 11. 1990, ABl L 1990/318 v 17. 11. 1990, 20 u V (EWG) 3688/92 v 21. 12. 1992, ABl L 1992/374 v 22. 12. 1992, 12.

[159]) ABl L 1994/216 v 20. 8. 1994, 12.

18 Jahren, die einen Arbeitsvertrag haben oder in einem Arbeitsverhältnis stehen; Ausnahmen sind nur zulässig für gelegentliche oder kurzfristige Hausarbeiten in einem Privathaushalt (zB Babysitten) oder Arbeiten in Familienbetrieben, sofern diese Arbeiten für junge Menschen weder als schädlich, noch nachteilig, noch gefährlich anzusehen sind.

Die Mitgliedstaaten haben die für ein **Verbot der Kinderarbeit** erforderlichen Maßnahmen zu treffen, wobei für leichte Arbeiten und zu Zwekken des Unterrichts Ausnahmen festgelegt werden können. Die Beschäftigung von Kindern und Jugendlichen bei kulturellen, künstlerischen, sportlichen oder Werbetätigkeiten unterliegt einem Verfahren der vorherigen Genehmigung im Einzelfall. Kinder über 14 Jahren dürfen im Rahmen eines Systems der dualen Berufsausbildung (Lehre) oder eines Betriebspraktikums arbeiten. Darüber hinaus dürfen sie leichte Arbeiten ausführen, wobei allerdings Arbeitszeitbegrenzungen zu beachten sind. Ferner regelt die Richtlinie Nachtarbeitsverbote, tägliche Ruhezeiten, wöchentliche Ruhezeiten und Ruhepausen. Die Mitgliedstaaten haben Sanktionen bei Verstößen festzulegen, die wirksam, verhältnismäßig und abschreckend sein müssen. Diese Richtlinie darf allerdings nicht zur Folge haben, daß den Kindern und Jugendlichen ein geringerer Arbeitsschutz zuteil wird, als er in den einzelnen Mitgliedstaaten zum Zeitpunkt des Erlasses der Richtlinie besteht (Regressionsklausel).

5. Frauen- und Mutterschutz

a) Frauen-Nachtarbeit

Der EuGH hatte in der Rechtsache Stoeckel[160]) ausgesprochen, daß ein allgemeines **Nachtarbeitsverbot** für Frauen EG-rechtswidrig ist, wenn ein solches für Männer nicht besteht. Dies gelte auch dann, wenn das Nachtarbeitsverbot durch zahlreiche Ausnahmevorschriften durchlöchert sei. Der EuGH läßt weder das Argument der besonderen Schutzbedürftigkeit der weiblichen Arbeitskräfte noch das Argument einer besonderen sozialen Rücksichtnahme auf die Arbeitnehmerinnen gelten. Er führt dazu aus, daß die Nachtarbeit (außer im Falle von Schwangerschaft und Mutterschaft) Frauen grundsätzlich nicht mehr belaste als Männer, daß das Risiko nächtlicher Agressionen zur Rechtfertigung eines solchen Verbotes nicht ausreiche, sondern vornehmlich durch andere Maßnahmen beseitigt werden solle, und daß es nicht Aufgabe der Richtlinie sei, eine möglicherweise noch existierende ungleiche Verteilung der Familienlasten auf Männer und Frauen gerechter zu verteilen.

RL 93/104/EG des Rates v 23. 11. 1993 über bestimmte Aspekte der Arbeitszeitgestaltung enthält – wohl zukunftsweisend – in Abschnitt III ge-

---

[160]) EuGH 25. 7. 1991 Rs 345/89 – Stoeckel – Slg 1991, I-4047; vgl dazu *Colneric,* Konsequenzen der Nachtarbeitsverbotsurteile des EuGH und des BVerfG, NZA 1992, 393; *Csillag/Eichinger,* Frauennachtarbeitsverbot und Gleichbehandlung im EG-Raum: Anmerkungen zum Urteil des EuGH v 25. 7. 1991, „Rs Stoeckel“, ZAS 1992, 17; *Weinmeier,* Gesetzliches Verbot der Nachtarbeit der Frauen und Gleichbehandlung, DRdA 1992, 168.

schlechtsneutrale Mindestvorschriften zum Schutz der Arbeitnehmer bei Verrichtung regelmäßiger Nacht- bzw Nachtschichtarbeit.[161])

b) Mutterschutz

RL 92/85/EWG des Rates v 19. 10. 1992 über die Durchführung von Maßnahmen zur Verbesserung der Sicherheit und des Gesundheitsschutzes von schwangeren Arbeitnehmerinnen, Wöchnerinnen und stillenden Arbeitnehmerinnen am Arbeitsplatz[162]) enthält die Garantie eines mindestens 14-wöchigen bezahlten **Mutterschaftsurlaubes** ohne Unterbrechung; die Aufteilung desselben auf die Zeit vor und/oder nach der Geburt ist mit Ausnahme einer zweiwöchigen Rahmenfrist den Mitgliedstaaten überlassen. Während dieser Zeit gebührt die Fortzahlung eines Arbeitsentgelts und/oder der Anspruch auf eine angemessene Sozialleistung; deren Höhe muß mindestens den Bezügen entsprechen, die die betreffende Arbeitnehmerin im Falle einer Unterbrechung ihrer Erwerbstätigkeit aus gesundheitlichen Gründen erhalten würde.

Vom Beginn der Schwangerschaft bis zum Ende des Mutterschaftsurlaubs besteht ein grundsätzliches Kündigungsverbot. Schwangere dürfen auch grundsätzlich keine Nachtarbeit ausführen. Ferner sind in der Richtlinie Schutzvorschriften gegen die Gefahren bestimmter Arbeitsbedingungen und gesundheitsgefährdender Stoffe für schwangere und stillende Arbeitnehmerinnen vorgesehen. Es handelt sich dabei um Mindestvorschriften. Der Befürchtung, daß diese zum Vorwand genommen werden können, um weitgehende nationale Schutzstandards abzusenken, wird wie in der Jugendarbeitsschutz-Richtlinie durch eine Regressionsklausel entgegengewirkt.

F. Kollektives Arbeitsrecht

Ein kollektives Arbeitsrecht im Verständnis hochentwickelter mitgliedstaatlicher Rechtsordnungen mit Einzelbereichen wie Berufsverbandsrecht, Sozialpartnerschaft, Kollektivvertragsrecht, Arbeitskampfrecht, Betriebsvertretung und deren Beteiligungsrechte gibt es auf Gemeinschaftsebene erst in gewissen Ansätzen.[163])

1. Europäische Interessenvertretungen

Auf europäischer Ebene existieren schon eine Reihe von Interessenvertretungen, wobei die Arbeitgeberseite besser organisiert ist. Der wichtigste von den EG-Institutionen anerkannte Arbeitgeberverband der Privatwirtschaft ist die Union der Industrie- und Arbeitgeberverbände Europas (UNICE). Ihm zur Seite tritt der Europäische Zentralverband der öffentlichen

---

[161]) ABl L 1993/307 v 13. 12. 1993, 18.

[162]) ABl L 1992/348 v 28. 11. 1992, 1.

[163]) Vgl dazu *Eser,* Arbeitsrecht im Multinationalen Unternehmen (1994); *Figge,* Mitbestimmung auf Unternehmensebene in Vorschlägen der Europäischen Gemeinschaften (1992); *Heinemann* (Hg), Das kollektive Arbeitsrecht in der Europäischen Gemeinschaft (1991); *Kirschbaum,* Handbuch zum internationalen Betriebsverfassungsrecht (1994); *Wunsch/Semmler,* Entwicklungslinien einer europäischen Arbeitnehmermitwirkung (1995).

Wirtschaft (CEEP). Diesen beiden wichtigsten Sozialpartnern auf Arbeitgeberseite steht der Europäische Gewerkschaftsbund (EGB) gegenüber, welcher die Dachorganisation der nationalen Gewerkschaftsbünde auf europäischer Ebene bildet. Daneben gibt es noch den vor allem schon von der Mitgliederzahl her nicht so bedeutsamen allgemeinen Gewerkschaftsbund auf europäischer Ebene CESI. Die nationalen Verbände der Industrie- und Handelskammern in Europa werden von der Vereinigung der europäischen Industrie- und Handelskammern (EUROCHAMBRES) repräsentiert. Ferner existieren noch ein paar überbetriebliche Organisationen, die gewisse Berufsgruppen von Arbeitnehmern oder Unternehmen vertreten (zB Europäischer Verband der Führungskräfte – CEC) und zahlreiche sektorale Organisationen, die keinem branchenübergreifenden Dachverband angeschlossen sind, zB die COPA (Ausschuß der berufsständischen landwirtschaftlichen Organisationen der EG).[164])

Die **europäischen Interessenvertretungen** wirken in den verschiedenen Ausschüssen (zB Wirtschafts- und Sozialausschuß als höchstes sozialpartnerschaftliches Gremium der Gemeinschaft mit zahlreichen Anhörungs- und Initiativrechten; ständiger Ausschuß für Beschäftigungsfragen; beratender Ausschuß des Europäischen Sozialfonds; beratende Ausschüsse für die Berufsbildung, für die Freizügigkeit der Wanderarbeitnehmer, für die soziale Sicherheit der Wanderarbeitnehmer und für die Gleichbehandlung von Männern und Frauen) mit und versuchen ua schon im Vorfeld von gemeinschaftlichen Rechtsetzungsakten als „pressure groups" Einfluß auf Kommission, Europäisches Parlament und Rat zu nehmen.

2. Kollektive Vereinbarungen auf Gemeinschaftsebene

Überlegungen bezüglich der Möglichkeit des Abschlusses supranationaler Kollektivverträge[165]) wurden erst realistischer, als der Entwurf eines Statuts einer Europäischen Aktiengesellschaft, welcher Europäische Betriebsräte vorsah und die Befugnis zum Abschluß von Kollektivverträgen enthielt,[166]) vorlag. Eine gewisse Aufwertung der **europäischen Sozialpartnerschaft** brachte dann die EEA durch die Einfügung eines Art 118b EGV,[167]) der die Aufgabe der Kommission festhielt, den Dialog zwischen den Sozialpartnern zu entwickeln, der, wenn diese es für wünschenswert halten, zu vertraglichen Beziehungen führen kann. Dies bedeutete aber nicht, daß nunmehr auf der Grundlage von Art 118b EGV europäische Kollektivverträge abgeschlossen werden konnten, wie *Jansen*[168]) es kurz andeutete. Abgesehen davon, daß die Europäischen Spitzenverbände derzeit kein Mandat ihrer nationalen Interes-

---

[164]) Verzeichnis der Organisationen in KOM(93) 600 endg, Anhang 2.

[165]) Vgl dazu *Däubler,* Europäische Tarifverträge nach Maastricht, EuZW 1992, 329; *Lecher,* Perspektiven europäischer Kollektivverhandlungen, in *Bispinck/Lecher* (Hg), Tarifpolitik und Tarifsysteme in Europa (1993) 401; *Schnorr,* Kollektivverträge in einem integrierten Europa, DRdA 1994, 193; *Stiller,* Europäische Tarifverträge als Instrumente der sozialen Integration der Gemeinschaft, ZIAS 1991, 194.

[166]) EG-Bulletin Blg 1970/8 und 1975/4.

[167]) Siehe dazu oben B.3.c).

[168]) *Jansen* in *Grabitz/Hilf* (Hg), Kommentar zur Europäischen Union Art 118b RZ 2.

senvertretungen zum Abschluß solcher Vereinbarungen haben und auch kein EG-Tarifvertragsrecht existiert, würde es sich bei den in Art 118b EGV erwähnten vertraglichen Beziehungen bloß um schuldrechtliche Vereinbarungen und nicht solche mit normativer Wirkung handeln.[169])

Erst Art 3 und 4 des Abkommens zwischen den Mitgliedstaaten über die Sozialpolitik gingen schrittweise etwas weiter. Bezüglich des Abschlusses von Vereinbarungen in der Nähe von **„Europäischen Kollektivverträgen“** wurde in Art 4 Abs 1 des Abkommens neben der Möglichkeit der Herstellung vertraglicher Beziehungen nunmehr ausdrücklich die Möglichkeit des Abschlusses von Vereinbarungen (in der Praxis etwa Rahmenabkommen) erwähnt, wobei diese nur schuldrechtlicher Natur sind;[170]) gem Art 4 Abs 2 können diese europäischen Sozialpartnervereinbarungen auf gemeinsamen Antrag derselben und auf Vorschlag der Kommission vom Rat aber durch Beschluß als verbindlich erklärt werden.

Den ersten und lange einzigen Ansatz eines tatsächlich abgeschlossenen „europäischen Kollektivvertrages“ bildete ein vom Arbeitgeberverband der Landwirte auf europäischer Ebene und den Gruppierungen der Landarbeiter abgeschlossenes Rahmenabkommen über die Arbeitszeit der Landarbeiter aus dem Jahre 1968. Am 6. September 1990 schloß ferner der EGB mit dem CEEP eine Europäische Rahmenvereinbarung über Ausbildung und Gesundheitsschutz in Unternehmen der öffentlichen Wirtschaft ab, welche sektoral aber nur den Schienenverkehr und die Energieversorgung betraf.

3. Mitbestimmung der Arbeitnehmervertretungen

In einem Wirtschaftsraum mit binnenmarktähnlichen Bedingungen muß es Unternehmen möglich sein, ihren Standort in Europa frei zu wählen, was aber zunächst einheitliche Rahmenbedingungen, dh auch eine Harmonisierung des Gesellschaftsrechts voraussetzt. Grenzüberschreitende Operationen und die Schaffung europäischen Rechts für Gesellschaften erfordern aber auch die Absicherung der Rechte der in diesen Unternehmen beschäftigten Arbeitnehmer. Mitbestimmungsregelungen wurden in der Gemeinschaft meist nur als Annexregelungen einer Harmonisierung des Gesellschaftsrechts gesehen. Nachdem die Gemeinschaftsorgane nunmehr schon seit etwa 25 Jahren verschiedene Entwürfe und Modelle verfolgen, wobei sich die Intensität der geplanten Mitbestimmungsregelungen aber großteils auf schlichte Informations- und Konsultationsrechte beschränkt, hat nunmehr die Kommission die Debatte über die Europäische Aktiengesellschaft und andere gesellschaftsrechtliche Vorhaben durch eine Mitteilung zur Information und Konsultation der Arbeitnehmer[171]) wieder zu beleben versucht. Nunmehr soll unter Umständen auf spezielle Mitbestimmungsregelungen überhaupt verzichtet und statt dessen die mit der Richtlinie über die Einsetzung eines Europäischen Betriebsrates[172]) gefundene Lösung als Musterbeispiel für einen

---

169) Vgl *Däubler,* EuZW 1992, 329 (332).

170) Siehe dazu die Erklärung der Vertragsparteien zu Art 4 Abs 2 des Abkommens über die Sozialpolitik.

171) KOM(95) 547 endg.

172) ABl L 1994/254 v 30. 9. 1994, 64; s dazu gleich unten F.3.b)1).

allgemeinen Rahmen in Sachen Unterrichtung und Anhörung der Arbeitnehmer (nationale Dimension dieser Problemstellung) herangezogen werden.

a) Arbeitnehmermitbestimmung in Gesellschaftsorganen

Diesbezügliche Richtlinien-Vorschläge und Ansätze entwickelten sich in der Tat zu einer „unendlichen Geschichte“. So hatte die EG-Kommission schon im Jahre 1972 einen Vorschlag für eine fünfte Richtlinie des Rates nach Artikel 54 EWGV über die Struktur der Aktiengesellschaft sowie die Befugnisse und Verpflichtungen ihrer Organe vorgelegt.[173]) Ein geänderter Vorschlag einer fünften Richtlinie[174]) enthält nun neben der grundsätzlichen Einrichtung des dualistischen Systems (Vorstand als Leitungsorgan, Aufsichtsrat als Kontrollorgan) in Aktiengesellschaften mit mehr als 1000 Arbeitnehmern die Möglichkeit, ein monistisches System (Verwaltungsorgan ohne zusätzliches Kontrollorgan) dann beizubehalten, wenn es mit Merkmalen ausgestattet wird, die es in der Funktionsweise an das dualistische angleichen. Ferner gibt der Richtlinien-Vorschlag dem nationalen Gesetzgeber im Falle des dualistischen Systems Optionsmöglichkeiten zwischen vier verschiedenen Formen der Beteiligung der Arbeitnehmer am Leitungsorgan: Wahl der Arbeitnehmervertreter im Aufsichtsorgan durch die Arbeitnehmer des Unternehmens (mindestens ein Drittel und höchstens die Hälfte der Mitglieder); Kooption neuer Mitglieder durch den Aufsichtsrat mit Widerspruchsrecht der Hauptversammlung und der Arbeitnehmervertreter; Schaffung einer separaten Arbeitnehmervertretung auf Unternehmensebene, welche weitgehende Informations- und Konsultationsrechte gegenüber dem Leitungsorgan hat; Beteiligung der Arbeitnehmer durch tarifvertragliche Vereinbarung. Der Richtlinien-Vorschlag sieht auch vor, daß die Mitgliedstaaten eine Bestimmung normieren können, nach der die Arbeitnehmer eines Unternehmens eine Beteiligung in Form einer Arbeitnehmervertretung in einer Gesellschaft ablehnen können.

Ebenso langsam verläuft die Ausformung einer **Europäischen Aktiengesellschaft** (Societas Europaea – SE).[175]) Mit der SE soll den Gesellschaften, die dem Recht verschiedener Mitgliedstaaten unterliegen, die Möglichkeit gegeben werden, eine Kooperations- und Organisationsstruktur zu wählen, die der Dimension des künftigen Binnenmarktes entspricht. Die SE ist ein Rechtsinstrument, mit dem es für die Unternehmen zum ersten Mal möglich sein wird, nicht nur durch öffentliche Übernahmeangebote, sondern auch durch internationale Verschmelzungen Umstrukturierungen über die Gren-

---

[173]) ABl C 1972/131 v 13. 12. 1972, 49.

[174]) ABl C 1983/240 v 9. 9. 1983, 2. Weitere Änderungen zum Vorschlag durch ABl C 1991/7 v 11. 1. 1991, 4 u ABl C 1991/321 v 12. 12. 1991, 9; vgl dazu *Figge,* Mitbestimmung auf Unternehmensebene in Vorschlägen der Europäischen Gemeinschaften (1992) 103 und *Striebeck,* Reform des Aktienrechts durch die Strukturrichtlinie der Europäischen Gemeinschaften (1992).

[175]) Vgl dazu *Dreher,* Sockellösung statt Optionsmodell für die Mitbestimmung in der Europäischen Aktiengesellschaft, EuZW 1990, 476; *Lutter,* Die Europäische Aktiengesellschaft^2 (1978); *Nagel,* Erosion der Mitbestimmung und EG-Kommissionsentwürfe zur Europa-AG, ArbuR 1990, 205; *Wißmann,* Die Mitbestimmung der Arbeitnehmer in der Europäischen Aktiengesellschaft (SE), RdA 1992, 320.

zen hinweg vorzunehmen. Auch für die Gründung gemeinsamer Tochtergesellschaften oder Holdinggesellschaften wird die SE von großem Nutzen sein. Der erste Vorentwurf von *Sanders* wurde schon 1966 vorgelegt. Nach zahlreichen zurückgestellten Entwürfen wurden die Mitbestimmungsregelungen, da sie seit jeher das eigentliche Hindernis auf dem Weg zur SE darstellten, überhaupt in einem eigenen Richtlinien-Vorschlag zur Ergänzung des SE-Status hinsichtlich der Stellung der Arbeitnehmer[176]) ausgegliedert. Dieser stellt eine untrennbare Ergänzung des vorliegenden SE-Verordnungsentwurfs dar und wurde mittlerweile schon wieder abgeändert.[177]) Nunmehr wurde auf eine gemeinschaftseinheitliche Form der Arbeitnehmerbeteiligung in der SE gänzlich verzichtet. Der Richtlinien-Vorschlag enthält 3 (nicht gleichwertige) Mitbestimmungsmodelle, zwischen denen die Mitgliedstaaten auswählen können: Als erstes Modell steht die Mitbestimmung im Aufsichtsorgan (dualistisches System) oder Verwaltungsorgan (monistisches System) zur Auswahl, wobei die Zahl der Arbeitnehmervertreter in diesem Organ mindestens ein Drittel und höchstens die Hälfte beträgt. Das zweite Modell betrifft die Mitbestimmung in einem separaten Arbeitnehmervertreterorgan unterhalb der Leitungsebene. Dieses Organ hat aber nur gewisse Einsichts-, Informations- und Auskunftsrechte. Das dritte Modell ist der Unternehmenstarifvertrag – eine Vereinbarung zwischen Arbeitnehmervertretern und Unternehmensleitung, welche gewisse Mindestzusicherungen an Information und Anhörung erfüllen muß.

Nach dem Richtlinien-Vorschlag können die Mitgliedstaaten die Wahl der Modelle auch begrenzen oder den SE mit Sitz in ihrem Hoheitsgebiet ein einziges dieser Modelle vorschreiben.

b) Information und Konsultation

1) Europäische Betriebsräte

Die Vollendung des Binnenmarktes löste zwangsläufig einen Prozeß der Konzentration von Unternehmen, grenzüberschreitenden Fusionen, Übernahmen und Joint-Ventures und damit einhergehend eine transnationale Strukturierung von Unternehmen und Unternehmensgruppen (Konzernen) aus; damit die Beschäftigten dieser in mehreren Mitgliedstaaten tätigen Unternehmen und Unternehmensgruppen von Unternehmensentscheidungen, die in der Zentrale außerhalb des Beschäftigungslandes gefällt werden, in angemessener Weise konsultiert und informiert werden, sollte grundsätzlich ein Europäischer Betriebsrat errichtet werden. Nachdem ein Kommissionsvorschlag betreffend die Einsetzung Europäischer Betriebsräte nicht die nach Art 100 EGV erforderliche einhellige Zustimmung gefunden hatte, beschloß die Kommission Ende 1993, das in Art 2 Abs 2 des Abkommens über die Sozialpolitik[178]) festgelegte Verfahren (erstmalig!) einzuleiten. Die nach zähen Verhandlungen darauf verabschiedete RL 94/45/EG des Rates v 22. 9. 1994 über die Einsetzung eines Euro-

---

[176]) ABl C 1989/263 v 16. 10. 1989, 69.

[177]) ABl C 1991/138 v 29. 5. 1991, 8.

[178]) Siehe dazu oben B.5.

päischen Betriebsrats oder die Schaffung eines Verfahrens zur Unterrichtung und Anhörung der Arbeitnehmer in gemeinschaftsweit operierenden Unternehmen und Unternehmensgruppen,[179]) welche von den Grundsätzen der Flexibilität und der Autonomie der nationalen Sozialpartner und fernab des Gedankens einer Harmonisierung einzelstaatlicher Regelungen der Arbeitnehmervertretungen geprägt ist, sieht die Einrichtung eines „Europäischen Betriebsrats", auf den die Arbeitnehmervertreter auch verzichten können, oder anderer geeigneter Verfahren zur grenzüberschreitenden Unterrichtung und Anhörung der Arbeitnehmer vor. Diese Europäischen Betriebsräte sollen in allen Zweigunternehmen geschaffen werden, wenn ein international tätiger Betrieb insgesamt mehr als 1000 Beschäftigte aufweist, wovon mindestens 150 Mitarbeiter in mindestens 2 der Mitgliedstaaten arbeiten.

Wenn innerhalb von 3 Jahren keine Vereinbarung bezüglich der Einsetzung eines Europäischen Betriebsrates oder eines Unterrichtungs- und Anhörungsverfahrens zustandegekommen ist, gelangen die subsidiären Rechtsvorschriften des Mitgliedstaates, in dem die zentrale Leitung ihren Sitz hat, zur Anwendung. Diese müssen wiederum zumindest den im Anhang zur Richtlinie niedergelegten Bestimmungen genügen: Die Unterrichtung muß sich vor allem auf die Struktur des Unternehmens, seine wirtschaftliche und finanzielle Situation, die voraussichtliche Entwicklung der Geschäfts-, Produktions- und Absatzlage sowie auf die Beschäftigungslage und ihre voraussichtliche Entwicklung, auf die Investitionen, auf grundlegende Änderungen der Organisation, auf die Einführung neuer Arbeits- und Fertigungsverfahren, auf Verlagerungen der Produktion, auf Fusionen, Verkleinerungen oder Schließungen von Unternehmen, Betrieben oder wichtigen Teilen dieser Einheiten und auf Massenentlassungen beziehen.

Von Unterrichtungs- und Anhörungsrechten abgesehen, verbleibt die Entscheidungsfindung also weiterhin auf Unternehmensebene. Auch wird den Unternehmensleitungen gestattet (bei objektiver Begründbarkeit), Informationen zurückzuhalten, deren Bekanntwerden erhebliche Nachteile für die betreffenden Unternehmen mit sich bringen würde.

2) Multinationale Informations- und Konsultationsverfahren

Ansätze von **„Euro-Betriebsräten"**, welche im Einzelfall auf freiwilliger Basis „Konzernvereinbarungen" abschließen, und eines multinationalen Informations- und Konsultationsverfahrens sind in der Zwischenzeit schon in etlichen gemeinschaftsweit operierenden Konzernen wie Airbus Industries, BSN, Bull, Continental Can Europe, Digital Equipment, Europipe, Pechiney,

---

[179]) ABl L 1994/254 v 30. 9. 1994, 64; vgl dazu *Däubler,* Richtlinie über Europäische Betriebsräte, AuA 1995, 153; *Deppe* (Hg), Euro-Betriebsräte (1992); *Hromadka,* Rechtsfragen zum Eurobetriebsrat, DB 1995, 1125; IG Metall (Hg), Handbuch Europäische Betriebsräte (1995); *Mayer,* Richtlinie Europäische Betriebsräte – Harmonisierungsprobleme bei der Umsetzung, BB 1995, 1794; *Weiss,* Die Umsetzung der Richtlinie über Europäische Betriebsräte, ArbuR 1995, 438; *Zügel,* Mitwirkung der Arbeitnehmer nach der EU-Richtlinie über die Einsetzung eines Europäischen Betriebsrats (1995).

Renault, Thomson Consumer Electronics und vor allem Volkswagen AG verwirklicht worden.[180])

3) Informations- und Konsultationsverfahren in diversen Richtlinien

Auch in anderen Rechtsetzungsakten der Gemeinschaft sind Verfahren zur Unterrichtung und Anhörung der Betriebsvertretung zwingend vorgeschrieben, so in RL 75/129/EWG des Rates v 17. 2. 1975 zur Angleichung der Rechtsvorschriften der Mitgliedstaaten über Massenentlassungen,[181]) in Art 6 RL 77/187/EWG des Rates v 14. 2. 1977 zur Angleichung der Rechtsvorschriften der Mitgliedstaaten über die Wahrung von Ansprüchen der Arbeitnehmer beim Übergang von Unternehmen, Betrieben oder Betriebsteilen[182]) und in Art 10 und 11 der Rahmen-RL 89/391/EWG des Rates v 12. 6. 1989 über die Durchführung von Maßnahmen zur Verbesserung der Sicherheit und des Gesundheitsschutzes der Arbeitnehmer bei der Arbeit[183]) und in zahlreichen Einzel-Richtlinien. So verweist die dritte (gesellschaftsrechtliche) RL 78/855/EWG des Rates v 9. 10. 1978 betreffend die Verschmelzung von Aktiengesellschaften[184]) bezüglich der Wahrung der Ansprüche der Arbeitnehmer der sich verschmelzenden Gesellschaften auf die Schutzvorschriften der Betriebsübergangsrichtlinie 77/187/EWG. Schließlich sieht Art 18 Abs 4 V (EWG) 4064/89 des Rates v 21. 12. 1989 über die Kontrolle von Unternehmenszusammenschlüssen[185]) ein Anhörungsrecht von nach nationalem Recht anerkannten Arbeitnehmervertretern der an einem Zusammenschluß beteiligten Unternehmen vor, wenn diese im Verfahren vor der Kommission einen diesbezüglichen Antrag stellen. Die Arbeitnehmervertretungen haben aber keinen Anspruch etwa auf Fortbestand der Unternehmensstruktur; nach einem Zusammenschluß ist ein Personalabbau also durchaus möglich.[186])

4) Europäischer Verein, Europäische Genossenschaft,
Europäische Gegenseitigkeitsgesellschaft

Im Dezember 1991 wurden von der Kommission drei Richtlinien-Vorschläge vorgelegt, die jeweils die Vorschläge für Verordnungen des Rates über das Statut des Europäischen Vereins,[187]) der Europäischen Genossenschaft[188]) und der Europäischen Gegenseitigkeitsgesellschaft[189]) hinsichtlich

---

[180]) Vgl dazu *Gold/Hall,* Europaweite Informations- und Beratungsmaßnahmen in multinationalen Unternehmen: Auswertung der Praxis (1992); *Mertens,* Europaweite Kooperation von Betriebsräten multinationaler Konzerne. Das Beispiel des Volkswagen-Konzerns (1994).

[181]) ABl L 1975/48 v 22. 2. 1975, 29.

[182]) ABl L 1977/61 v 5. 3. 1977, 26.

[183]) ABl L 1989/183 v 29. 6. 1989, 1.

[184]) ABl L 1978/295 v 20. 10. 1978, 36.

[185]) ABl L 1989/395 v 30. 12. 1989, 1.

[186]) Vgl dazu die 2 Urteile des EuGH 27. 4. 1995 verb Rs 96/92 u 12/93 – Perrier u Vittel gg Kommission – noch nicht in der Slg veröffentlicht, s aber Tätigkeitsbericht des EuGH 1995, Nr 11/95, 3 u 8; vgl dazu *Kirschbaum,* DRdA 1995, 447 ff.

[187]) ABl C 1992/99 v 21. 4. 1992, 1; geändert ABl C 1993/236 v 31. 8. 1993, 1.

[188]) ABl C 1992/99 v 21. 4. 1992, 17; geändert ABl C 1993/236 v 31. 8. 1993, 17.

der Rolle der Arbeitnehmer ergänzen sollen.[190]) Ziel dieser Verordnungs-Vorschläge ist die Schaffung einer vereinsrechtlichen Organisationsmöglichkeit europäischen Rechts und Schaffung supranationaler Rechtsformen für Konsum- und Agrargenossenschaften, Genossenschaftsbanken, Kreditvereine und Versicherungsvereine auf Gegenseitigkeit. Dafür existiert der Begriff economie sociale(Sozialwirtschaft), wobei gemeinsames Kriterium das Nichtvorhandensein von Gewinnorientierung (Gemeinnützigkeit) ist. Die Richtlinien-Vorschläge räumen nun den Mitgliedstaaten ein Wahlrecht ein, entweder die allgemeinen nationalen Vorschriften über die Mitbestimmung der Arbeitnehmer in den Aufsichts- und Verwaltungsorganen der nationalen Unternehmen auf die neuen Rechtsformen anzuwenden oder die in den Richtlinien-Vorschlägen vorgesehenen Vorschriften bezüglich Informations- und Konsultationsverfahren vorzusehen. Danach wäre ein Informations- und Konsultationsausschuß (separate Arbeitnehmervertretung) oder ein entsprechendes anderes Gremium über alle Aktivitäten und strategische Vorhaben, die die Interessen der Arbeitnehmer berühren können (alle die Arbeitsbedingungen betreffenden Fragen, insb Organisationsänderungen, Einführung neuer Arbeitsmethoden oder neuer Erzeugnisse bzw Dienstleistungen), zu unterrichten und zu hören. Da diese Richtlinien-Vorschläge eine „untrennbare Ergänzung“ der Verordnungen darstellen, können die neuen supranationalen Rechtsformen erst dann als juristische Person entstehen, wenn die Mitbestimmung der Arbeitnehmer geregelt ist.

c) Arbeitnehmerbeteiligung an den Betriebserträgen

In einem Bericht über die Förderung der Gewinn- und Betriebsergebnisbeteiligung der Arbeitnehmer (sog *Pepper*-Bericht)[191]) wurde festgestellt, daß es genügend Anzeichen dafür gibt, daß diesbezügliche Systeme eine Reihe positiver Auswirkungen insb auf die Motivation und die Produktivität der Arbeitnehmer und die Wettbewerbsfähigkeit der Unternehmen haben. Daher erschien es angebracht, eine weitere Verbreitung der Systeme der finanziellen Beteiligung in der Gemeinschaft zu fördern, ohne jedoch eine aktive Harmonisierung oder eine Einschränkung der Vielfalt der bestehenden Systeme anzustreben. Dabei ist auch der Rolle und Verantwortung der Sozialpartner, von deren Interesse und aktiver Mitwirkung der Erfolg dieser Gemeinschaftsinitiative letzten Endes abhängt, Rechnung zu tragen. Dies geschah nun durch die Empfehlung des Rates 92/443/EWG v 27. 7. 1992 zur Förderung der Beteiligung der Arbeitnehmer an den Betriebserträgen (einschließlich Kapitalbeteiligung).[192]) Dabei wird insb den Mitgliedstaaten empfohlen, sich Gewißheit

---

[189]) ABl C 1992/99 v 21. 4. 1992, 40; geändert ABl C 1993/236 v 31. 8. 1993, 40; durch diese Kooperationsform werden bspw Krankenversicherungsträger in verschiedenen Mitgliedstaaten in die Lage versetzt, ebenso wie Versicherungsgesellschaften im Binnenmarkt unternehmerisch tätig zu werden.

[190]) ABl C 1992/99 v 21. 4. 1992, 14, 37, 57; geändert ABl C 1993/236 v 31. 8. 1993, 14, 36, 56.

[191]) Vgl *Uvalic,* Der „Pepper-Bericht“. Die Förderung der Gewinn- und Betriebsergebnisbeteiligung der Arbeitnehmer in den Mitgliedstaaten der Europäischen Gemeinschaft, Soziales Europa, Beiheft 3/91.

[192]) ABl L 1992/245 v 26. 8. 1992, 53.

zu verschaffen, daß die bestehenden rechtlichen Strukturen die Einführung der Systeme der Beteiligung der Arbeitnehmer am Gewinn und am Betriebsergebnis in Form einer Gewinn- oder Kapitalbeteiligung oder einer Kombination dieser beiden Varianten ermöglichen; ferner die Möglichkeit zu prüfen, als Anreiz für die Einführung bestimmter Beteiligungssysteme steuerliche oder sonstige finanzielle Vergünstigungen zu gewähren und die Anwendung solcher Systeme durch Erleichterung einer angemessenen Information aller relevanten Gruppen zu fördern. Bei der Entwicklung neuer Systeme der finanziellen Beteiligung oder bei der Überprüfung bereits bestehender Systeme sollen dabei die im Anhang zur Empfehlung enthaltenen Punkte beachtet werden.

4. Kapitel

Sozialpolitik und Beschäftigung – Freunde oder Feinde?[1])

Pádraig Flynn

Übersicht:

A. Einleitung

Sozialpolitik als Feind der Beschäftigung zu sehen, hieße, die enge gegenseitige Abhängigkeit der beiden zu ignorieren. Es gibt eine inhärente Gemeinsamkeit zwischen der **Sozialpolitik** und den **Zielen des Beschäftigungswachstums** in den fortschrittlichen Staaten der Europäischen Union. Eine Fortsetzung der Pensionszahlungen, der Gesundheitsdienstleistungen, des sozialen Schutzes und der Bildungsmöglichkeiten in einem instabilen Arbeitsmarkt und einer sich ändernden Gesellschaft hängt von Investitionen für produktive Zwecke und stark von Handlungs- und Verbrauchermustern ab.

Investitionen sind die Grundvoraussetzung für Ausbildung und Fortbildung, welche eine gesunde Zukunft für die jungen Menschen sicherstellen und ihnen ermöglichen wird, so kreativ und produktiv zu sein, wie sie es verdienen. Und diese jungen Menschen haben Angst, daß sie eines Tages die Rechnungen zahlen werden müssen, wenn die Älteren von deren Anstrengungen, Energie und Unternehmergeist abhängig werden. Die Sozialpolitik, in die heute investiert wird, ist jene, deren Früchte in 20 oder 30 Jahren zu Tage treten werden.

Sozialpolitik und Beschäftigung sind ebenfalls eng miteinander verbunden, wenn in **Ausbildung** und **Fortbildung** investiert wird, was notwendig ist, um die Produktivität zu steigern und den neuen Bedürfnissen von Unternehmen und Beschäftigten aller Altersstufen gerecht zu werden.

Sozialpolitik und Beschäftigung hängen in so unterschiedlichen Bereichen wie Chancengleichheit, Gesundheit und Sicherheit am Arbeitsplatz zusammen. Beschäftigung bei Vernachlässigung von Sozialpolitik ist gefährlich, unsicher und zutiefst ungerecht. Beschäftigung, die von einer Sozialpolitik ge-

---

[1]) Text des im Rahmen der S.J. Berwin Lecture am 11. Dezember 1995 in Brüssel gehaltenen Vortrags. Die Übersetzung besorgte *Moritz Röttinger*.

stärkt wird, ist die Grundlage für Wachstum und Produktivität und bedeutet, daß das Potential der wichtigsten und wertvollsten Ressourcen, nämlich der Menschen, genützt wird.

Es gibt ein Paradoxon in der Europäischen Union: Auf dere einen Seite gibt es sehr gute makroökonomische Bedingungen – Preisstabilität, geringe Inflation und eine gute Entwicklung des Handels –, auf der anderen Seite ist das Vertrauen der Konsumenten, Investoren und Beschäftigten schwach und wenig ausgeprägt. Dies ist ein Paradoxon, weil beides nicht zusammenpaßt.

Aber der Mangel an Vertrauen ist nachvollziehbar. Es ist die Unsicherheit, die es ausmacht, daß die Eltern Angst vor der Zukunft ihrer Kinder haben, Arbeiter um ihre Arbeitsplätze fürchten, daß Familien sich um die kommenden Jahre ängstigen und daß Unternehmen Angst um ihre Produktivität, Wettbewerbsfähigkeit und Investitionen haben. Das Vertrauen fehlt wegen der Geschwindigkeit der Veränderungen. Es muß erst richtig erkannt werden, daß diese Veränderungen eine Stärke, ein Grund für Vertrauen und Sicherheit sind.

B. Wechselwirkung von Beschäftigung und Sozialpolitik

Wenn die Beschäftigung sich verändert, so muß sich auch die Sozialpolitik ändern. Denn Sozialpolitik ist wichtig. Die soziale Dimension war ein wesentlicher Teil der Entwicklung der europäischen Gesellschaften im Laufe dieses Jahrhunderts. Es wurde hart um den Fortschritt gekämpft. Und es ist die fortschrittliche Sozialpolitik, der wir die Fähigkeiten und Unternehmungen verdanken, die unsere Gesellschaften wohlhabend gemacht haben. Das europäische Sozialmodell ist eine bedeutende Errungenschaft. Es wurde auf den Idealen von politischer Demokratie gebaut. Aber dies ist ein ständig fortschreitender Prozeß. Gleichheit im politischen Sinn hat den Wunsch nach Gleichheit im Sozialen mit sich gebracht.

Es gab immer eine enge Beziehung zwischen den sozialen Bedingungen und der Lage der Wirtschaft. Das ist nicht komplexe Wirtschaftstheorie, es ist einfach Hausverstand. Eine produktive und stabile Gesellschaft ist das Ergebnis von Investitionen in Menschen, Unternehmen und soziale Gerechtigkeit. Wenn der Arbeitsplatz aber unsicher, gefährdet oder ungerecht ist, wird die starke und produktive Gesellschaft nicht zu erreichen sein, die notwendig ist, um die Europäische Union in das 21. Jahrhundert zu führen. Denn das Fehlen von Sozialpolitik macht die Arbeitsplätze unsicher, instabil und ungerecht.

In Europa gibt es eine enorme **Vielfalt von Systemen des sozialen Schutzes,** der Beziehungen zwischen Arbeitnehmern und Arbeitgebern, der Gesundheitsdienste, von Ausbildung und Fortbildung. Aber die Ziele sind ganz wesentlich dieselben. Und die europäische Sozialpolitik hat richtigerweise versucht, die Gemeinsamkeiten oder die Konvergenz dieser Ziele zu betonen. Das bedeutet nicht Harmonisierung. Das bedeutet, auf den gemeinsamen Interessen aufzubauen und die soziale Dimension der Union zu stärken.

Im Herzen des europäischen Sozialmodells liegt ein tiefes Verlangen nach **Solidarität,** deren Wurzeln sich in christlichen und gewerkschaftlichen Traditionen finden und die von den politischen Parteien in die öffentlichen

Politiken weiterentwickelt wurden. In diesem Sinne war Sozialpolitik in Europa der Zustand ihrer Annährung an diese Solidarität.

Denn das gegenwärtige Sozialmodell hat sich dadurch stark weiterentwickelt, daß der Staat die Verantwortung für die Entwicklung und Würde der Menschen im weitesten Sinne übernommen hat. Diese Entwicklung drückt sich in den kollektiven Transfersystemen für Ausbildung, Fortbildung und öffentliches Gesundheitswesen aus. So werden die Menschen gegen soziale Risiken durch Aus- und Fortbildung, Gesundheitsversorgung und Sicherung ihres Einkommens in Situationen wie hohes Alter, Pension, Tod des Alleinverdieners, Behinderungen, Krankheit, Geburt und Erziehung von Kindern sowie natürlich Arbeitslosigkeit gesichert.

Es gibt ein (öffentliches) Sozialsystem mit der Fähigkeit, sozialen Zusammenhalt zu schaffen und Solidarität zwischen den Bürgern zu gewährleisten.

Das europäische Sozialmodell gibt auch fundamentale soziale Rechte im Hinblick auf Gesundheit und Sicherheit am Arbeitsplatz, Chancengleichheit und Mobilität der Beschäftigten. Und das gegenwärtige Sozialmodell räumt dem **sozialen Dialog** eine wichtige Rolle ein, indem den Sozialpartnern wichtige Verantwortung für die Verbesserung der Arbeits- und Lebensbedingungen übertragen wird. Selbst hier gibt es Veränderungen durch die stärkere Einbeziehung von Nicht-Regierungsorganisationen in diese Verantwortung. Das ist gutes Wirtschaftswissen und Hausverstand, es ist nicht Altruismus. Sozialpolitik in allen ihren Aspekten – von den Rechten der Arbeiter bis zum sozialen Schutz – ist nicht ein Feind. Sie trägt positiv und wesentlich zur Produktivität bei und in diesem Sinne zur individuellen Sicherheit, die es den Menschen ermöglicht, in einem Klima intensiver wirtschaftlicher und sozialer Veränderungen gut bestehen zu können. Denn das ist das Klima, das jetzt herrscht.

C. Beschäftigungsprobleme und Sozialprobleme

Allerdings zu sagen, daß es gewisse Probleme in der Beschäftigung gibt, wäre wohl Understatement. Die **Arbeitslosigkeit** ist immer noch über 10%, zwischen 8 und 9 Millionen Menschen in Europa zählen zu den Langzeitarbeitslosen. Die Beschäftigungsrate ist niedrig – nur 58% der aktiven Bevölkerung.

Diese Probleme erfordern es nicht, das Sozialmodell aufzugeben, sondern es zu reformieren. Eine Reform des Sozialmodells ist lebenswichtig: Größere Flexibilität, größerer Anreiz für Produktivität und Qualitätssicherung, Steuerreform, die Stärkung eines unternehmerischen Geistes beim einzelnen, beim Unternehmen und für die ganze Gesellschaft. Wir haben die Wahl, entweder nichts zu tun oder das Sozialmodell zu reformieren.

Diese Reformen sind notwendig, nicht weil das gegenwärtige Sozialsystem Europa auf dem Weltmarkt weniger wettbewerbsfähig machen würde. Die Gründe für die Reform sind vielmehr, daß das Alter der europäischen Bevölkerung zunimmt und daß die gegenwärtigen Systeme für eine andere Art von Gesellschaft als jener, in der wir jetzt leben, geschaffen wurden.

Die Systeme der Arbeitsmarktpolitik und des sozialen Schutzes in Europa wurden entwickelt, um dem einzelnen, insbesondere dem arbeitenden Menschen, eine bestimmte Sicherheit, Stabilität und Schutz sowie die Möglichkeit eines angemessenen Lebens zu geben, wenn er einmal sein Einkommen wegen Arbeitslosigkeit, Krankheit oder Ruhestand verloren hat. Dies brachte den Beschäftigten Sicherheit und Stabilität – sowohl physisch als auch auf dem Arbeitsmarkt – und eine in der Höhe variierende Einkommensgarantie, um mit persönlichen Problemen (Krankheit, Behinderung) oder mit Strukturveränderungen (Veränderungen auf Märkten, in Industrien und Unternehmen) zurechtzukommen. Das war eine sehr gute Errungenschaft, aber sie paßt nicht mehr in die heutige Gesellschaft.

Veraltete Gesetze, die für die alten Massenproduktionsmethoden und alte Arbeitsmuster ohne laufende Weiterentwicklung ausgerichtet sind, erlauben heute nicht die Veränderung in der notwendigen Geschwindigkeit, um neue Verfahren, weitere Ausbildung, neue Produkte, neue Märkte und neue Formen der Arbeitskraft zu berücksichtigen.

Lange Perioden der Zahlung von Arbeitslosenunterstützung in Kombination mit oft großzügigen Systemen der Frühpensionierung haben die Menschen dazu bewogen, aus dem Arbeitsleben auszusteigen. Aber die Zahlung solcher Unterstützungen bzw Vergünstigungen bringt Arbeitslose nicht ins Arbeitsleben zurück und hilft behinderten Menschen nicht, einen ersten Arbeitsplatz zu finden. Die europäischen Systeme des Sozialschutzes – wie die Beschäftigungssysteme – wurden ursprünglich nach dem Prinzip „erst der Verdienst, dann die Arbeit“ gestaltet.

Wenn die verschiedenen Elemente des Sozialmodells den geänderten Bedingungen der Arbeitswelt gerecht werden sollen, dann muß es umgekehrt funktionieren: erst die Arbeit und als letzte Möglichkeit die Zahlung von Zuschüssen.

D. Gründe für Reformen der Sozialmodelle

Die gegenwärtigen Systeme basieren auf überholten Annahmen und einem Mangel an Verständnis, wie die Wirtschaft und damit der Arbeitsmarkt sich verändern. Man kann vor allem nicht mehr erwarten, daß alte Arbeitsplätze bei einer Wirtschaftserholung wieder zurückkommen. Wenn ein Arbeitsplatz einmal verloren ist, dann bleibt er verloren. **Neue Arbeitsplätze** sind nichts anderes als das – neue Arbeitsplätze – und sie bringen eine ganze Reihe von neuen Erfordernissen mit sich: höhere Produktivität, neue Fähigkeiten, andere Unternehmen, andere Industrien und oft andere Regionen. Die Beschäftigungssysteme müssen nun neu konzipiert werden, um diese Veränderungen zu berücksichtigen. Die Systeme des sozialen Schutzes müssen die neuen Möglichkeiten reflektieren, daß die einzelnen einen neuen Anfang machen, Neues lernen oder ein Unternehmen neu aufbauen. Die derzeitige Form der Sozialmodelle mit dem Schwerpunkt auf passiven Maßnahmen im Arbeitsmarkt und Sicherung der Einkommen ist einer der Hauptfaktoren, der dazu zwingt, Reformen ins Auge zu fassen. Der andere wichtige Faktor, der eine Reform erforderlich macht, ist ganz einfach die Tatsache, daß die Menschen älter werden; Europa wird älter.

Demographische Veränderungen verändern bereits jetzt radikal Form und Struktur unserer Gesellschaft. In den nächsten zwei Jahrzehnten wird die Bevölkerungszahl in der Union gleich bleiben oder vielleicht sogar sinken. Dies bedeutet eine erhebliche Verringerung der Anzahl der Menschen im arbeitsfähigen Alter, weniger junge Menschen und damit eine dramatische Zunahme der Zahl der Menschen im Pensionsalter.

Wenn man überlegt „Sozialpolitik“ durch „Beschäftigung“ zu ersetzen, so muß man sich die folgende Frage stellen: Wenn das Sozialmodell verändert wird, wird die arbeitende Generation, deren Zahl sinken wird, weiterhin den unausgesprochenen Generationenvertrag einhalten können? Wird das gegenwärtige Beschäftigungsniveau ausreichen, um die massiven Ressourcentransfers von der arbeitenden Bevölkerung zur Generation im Ruhestand zu finanzieren, die nur zur Erhaltung ihrer Pensionen und der Pflege der alten Menschen erforderlich sind? Denn die Alten werden zahlreich sein: Die Anzahl der Personen über 60 Jahren in Europa wird in den kommenden 25 Jahren um fast 50% zunehmen.

Nur mit einer Reform kann ein Sozialmodell geschaffen (und wiedergeschaffen) werden, das der sich ändernden Gesellschaft entspricht: einem verändernden Gleichgewicht zwischen der arbeitenden Bevölkerung und der Generation der Pensionisten, Veränderungen in Arbeitsabläufen, neuen notwendigen Fähigkeiten, sozialen und kulturellen Differenzen, dem Welthandel sowie den technologischen Herausforderungen.

Eine Reform des Sozialmodells ist notwendig, um das **Pensionssystem zu sichern,** um Menschen gesünder zu machen und um es den Menschen leichter zu machen, Arbeit und Kindererziehung bzw Betreuung von Abhängigen zu verbinden. Vor allem aber gilt es, das Sozialmodell mehr beschäftigungsorientiert zu gestalten. Beschäftigung ist der wichtigste Einzelfaktor bei den Bemühungen, die Systeme des sozialen Schutzes beständig zu machen. Und es ist das europäische Sozialmodell, das unsere Gesellschaft funktionsfähig macht. Natürlich ist das nicht die Meinung aller. Die Regelungssysteme und sozialen Schutzsysteme der Europäischen Gemeinschaft werden manchmal beschuldigt, große Hürden für europäische Unternehmen aufzustellen und sie damit in eine ungünstige Position in der globalen Wettbewerbsfähigkeit zu stellen.

E. Europas Wirtschaft im internationalen Vergleich

Was ist aber die Auswirkung dieser angeblich so großen Behinderungen auf die Stellung der europäischen Wirtschaft in der Weltwirtschaft? Es stimmt, daß die Kosten der europäischen Systeme zunehmen. Wenn man alle Mitgliedstaaten betrachtet, so erkennt man in der Tat einen Trend zur überdurchschnittlichen **Zunahme der Sozialausgaben** im Vergleich zur Steigerung des Bruttonationalprodukts: 1980 betrugen die durchschnittlichen Sozialausgaben 24% des Bruttonationalprodukts, 1993 fast 28%.

Es ist kein Geheimnis, wo mehr Geld ausgegeben wurde. Es ist ein Faktum, daß Europa eine lange Periode hoher Arbeitslosigkeit, geringen Wachstums und geringer Arbeitsplatzschaffung durchgemacht hat. Mehr Arbeitslose benötigen höhere Zuschüsse, mehr ältere Menschen benötigen Unterstützung und medizinische Versorgung, die Inanspruchnahme der Gesundheitsversorgung nimmt allgemein zu, das Problem der sozialen Ausgrenzung wächst – dies alles bedeutet höhere Ausgaben.

Die Anzahl der Menschen, die eine **langfristge Unterstützung** benötigen, erreichte Höhen, die man sich niemals vorgestellt hatte, als die Sozialsysteme entwickelt wurden. Diese Ausgabenniveaus variieren abhängig von der Risikoabdeckung durch private Systeme: In den skandinavischen Ländern beträgt diese 35% des Bruttonationalprodukts, in Griechenland und Portugal macht sie etwa 17% aus. Spanien, das Vereinigte Königreich und Irland liegen beispielsweise mit 22–27% in der Mitte.

Die Ausgaben zur Sozialversorgung sind also hohe Beträge für die öffentlichen Haushalte. Diese Ausgaben kamen unter größeren Druck, als die Regierungen sich stark steigenden Defiziten gegenüber sahen (derzeit bei 5–6% in der ganzen Europäischen Union und in den Zeiten der Rezession in manchen Mitgliedstaaten zwischen 10 und 13%). Dies zwang die Regierungen, Wege zu einer Restrukturierung ihrer Steuerpolitiken zu finden.

Es muß aber klar gesagt werden, daß die Frage, ob oder ob wir uns nicht die europäischen Sozialmodelle leisten können, unter Berücksichtigung der Gesamtwirtschaft und nicht einfach unter Bezugnahme auf ihren Anteil an den öffentlichen Ausgaben diskutiert werden muß. Es ist aber richtig, daß so, wie die Diskussion in der Öffentlichkeit geführt wird, die europäischen Unternehmen sowohl in den wirtschaftlich stark entwickelten als auch in den Niedriglohnländern die Schwierigkeiten bei ihren Versuchen, wettbewerbsfähig zu sein, spüren.

Wenn man aber den Handel, die Profitabilität und die Stellung der europäischen Unternehmen im internationalen Zusammenhang betrachtet, schaut das Bild anders aus:

- Trotz der immer zunehmenden Anzahl der Wirtschaftsmächte, die um einen **steigenden Anteil am Welthandel** kämpfen, hält die Europäische Union immer noch 20% des Welthandels.
- Der europäische Handel mit dem Rest der Welt ist jetzt ausgeglichen und zeigt sogar einen geringen Überschuß. Die Verbesserung dieser Situation hat sich in den letzten 5 bis 10 Jahren ergeben. In dieser Zeit erlangte Europa einen wesentlichen Marktanteil in einigen der schnell wachsenden Wirtschaften. Es gibt aber auch einen **Handelsbilanzüberschuß** gegenüber den USA. Dies ist eine bemerkenswerte Veränderung nach vielen Jahren der Handelsdefizite.
- Die Stellung der europäischen Unternehmen ist auch in einigen der Niedriglohnländer wie beispielsweise in Lateinamerika, im Mittelmeerraum und in Ost- und Zentraleuropa mit einem Handelsbilanzüberschuß positiv. Europa schlägt sich im Handel mit diesem Teil der Welt nicht nur nicht schlecht, es waren in Wirklichkeit vielmehr die europäischen Exporte vor allem in diese Niedriglohnländer, die Europa aus der Rezession von 1993 herauszogen.
- Der gegenwärtige Status für die Europäische Union unter Berücksichtigung aller Wirtschaftstransaktionen zwischen Europa und dem Rest der

Welt hat sich verbessert und zeigt einen kleinen Überschuß. Demgegenüber leiden die **USA** unter einem permanenten Defizit in ihrer Handelsbilanz, das vor allem durch das Defizit im Handel mit Gütern und Dienstleistungen verursacht ist.

- Ein anderes wichtiges Faktum zur Position der europäischen Wirtschaft ist, daß die **Profite der europäischen Industrie** seit Beginn der 90er-Jahre sich wesentlich verbessert haben. Sie befinden sich jetzt fast auf dem gleichen Niveau wie während der 60er-Jahre.

Im Ganzen gesehen geht es Europa im Welthandel besser als den USA, Profite sind in Europa höher als in den USA, und das Haushaltsdefizit in den USA zeigt weniger positive Zeichen zur Reduzierung als in Europa.

Innerhalb der Europäischen Union geht es den Staaten mit geringeren Sozialausgaben wirtschaftlich nicht besser als jenen mit stärkeren (und damit teureren) Sozialsystemen. Es ist eher umgekehrt: Griechenland und Portugal haben beide Handelsbilanzdefizite, während die skandinavischen Länder mit dem höchsten Niveau an Sozialausgaben Überschüsse verzeichnen.

Daraus ist zu folgern, daß schwache Sozialsysteme der Feind einer produktiven Wirtschaft sind, daß also ein schwaches, dereguliertes oder wenig kostenintensives System des sozialen Schutzes und der Sicherheit keine wirtschaftlichen Vorteile bringt. Vielmehr bringt es schwierige soziale Auswirkungen mit sich, wie man in den USA gesehen hat. So heißt es in einem kürzlich vom amerikanischen Council of Competitiveness herausgegebenen Bericht: „Der endgültige Test der wirtschaftlichen Stärke einer Nation ist . . . der **Wohlstand ihrer Bevölkerung.**" Dieses Dokument bestätigt, daß das Realeinkommen der durchschnittlichen amerikanischen Familie während der beiden letzten Jahrzehnte gleichgeblieben ist. Das universale System des sozialen Schutzes hat Europa nicht wettbewerbsunfähig gemacht. Europa ist vielmehr auf den Weltmärkten sehr erfolgreich. Dieses Sozialsystem machte Europa produktiv, weil es die öffentliche Politik für Aus- und Fortbildung, die Abdeckung der sozialen Risiken in allen Formen, Investitionen in Forschung und Entwicklung und Infrastruktur betrifft.

F. Ansatzpunkte für eine Strukturreform der Sozialsysteme

Was sind nun die Hauptpunkte für eine Strukturreform in der Europäischen Union?

Es geht dabei darum, die stabilen und starken makroökonomischen Bedingungen dazu zu verwenden, das System des sozialen Schutzes zu reformieren, und **den heutigen Verhältnissen** anzupassen, damit eine gerechte und produktive Gesellschaft mit einer hohen Beschäftigungsrate ermöglicht wird. Natürlich gibt es Probleme, Arbeitsplätze zu schaffen und die gemeinsamen sozialen Ziele zu finanzieren. Man kann aber nicht in das 19. Jahrhundert zurückkehren oder die Amerikaner nachmachen. Dies wäre weder hinsichtlich der langfristigen Wettbewerbsfähigkeit noch des sozialen Friedens erstrebenswert. Wenn es Hürden für das Unternehmertum gibt, so müssen diese beseitigt werden. Man soll aber nicht glauben, daß man eine hohe Beschäftigungsrate und sicheren Wohlstand schaffen kann, wenn man den Fortschritt in der europäischen Sozialpolitik stoppt.

Beschäftigung und Sozialpolitik sind nicht Feinde, sie gehören vielmehr zusammen. Wie in allen engen Beziehungen und Abhängigkeitsverhältnissen, kann es tiefe Meinungsunterschiede geben. Aber die Wechselbeziehung bleibt bestehen. Diese Beziehung zwischen Beschäftigung und Sozialpolitik zu akzeptieren, ist der Schlüssel zu einer produktiven und gerechten Gesellschaft, was wir alle wollen. Man kann nicht Beschäftigung sichern ohne die Sozialpolitik zu sichern.

5. KAPITEL

Regionalpolitik

Egon Schoneweg

Übersicht:

A. Die regionalen Disparitäten und die Entstehung der Regionalpolitik der Europäischen Gemeinschaft

Die Europäische Gemeinschaft ist durch bedeutende **regionale Disparitäten** in bezug auf Volkseinkommen, Beschäftigung und Produktivität gekennzeichnet. Was die Einkommensunterschiede betrifft, weisen die Regionalstatistiken des Statistischen Amtes (EUROSTAT) und der „Fünfte Periodische Bericht über die sozio-ökonomische Lage und Entwicklung der Regionen der Gemeinschaft"[1]) bei einem Gemeinschaftsdurchschnitt von 100 für das Bruttoinlandsprodukt je Einwohner für die Mitgliedstaaten Werte von 49 (Griechenland) bis 131 (Luxemburg) auf, für die Regionen sogar Werte von 36 (Ägäische Inseln [GR], Alentejo [P]) bis 209 (Hamburg).[2]) Bei den vergleichbaren Arbeitslosenquoten reichte das Spektrum bei den

[1]) EUROSTAT, Schnellberichte Regionen, 1995 Nr 1 Fünfter Periodischer Bericht 1994.

[2]) Gemeinschaftsdurchschnitt BIP/Einwohner (KKS) 1991 = 14989, 1992 (KKS) 15735 (EUR 15).

Regionen von 290,5 (Andalusien) bis 20,1 (Luxemburg).[3]) Die sukzessiven periodischen Berichte der Kommission[4]) haben erwiesen, daß eine Verbesserung der relativen Position einer Region nur über sehr lange Zeiträume zu erfolgen pflegt, während sich eine Verschlechterung, insbesondere bei kumulativen Krisenerscheinungen mehrerer Branchen, relativ rasch vollzieht.

Mit dem Problem der regionalen Disparitäten war die Gemeinschaft zwar seit ihrer Gründung konfrontiert, die Verdoppelung der Anzahl der Mitgliedstaaten von sechs auf zwölf in den dreizehn Jahren von 1973–1986 hat sie jedoch nach und nach grundlegend verändert. Sie wurde größer, aber auch heterogener. Überdurchschnittliche Arbeitslosigkeit, Inflationsraten und Leistungsbilanzdefizite in mehreren der neuen Mitgliedstaaten während der 80er-Jahre waren dafür besonders kennzeichnend. Mit jeder der drei Erweiterungen seit 1973 übernahm jeweils einer der neu beigetretenen Staaten den letzten Platz in der Einkommensrangfolge. Eine ähnliche Erscheinung trat anläßlich der deutschen Vereinigung mit der Eingliederung der neuen Bundesländer ein, für die sich 1991 BIP-Werte von 30 (Thüringen) bis 36 (Brandenburg) ergaben. In den drei neuen Mitgliedstaaten Österreich, Schweden und Finnland sind die regionalen Disparitäten dagegen insgesamt geringer, wobei als Sonderfälle beim BIP pro Kopf Wien (166) und bei den Arbeitslosenquoten Finnland herausragen.

Das Wachstum von Produktion und Einkommen in den 60er-Jahren ging mit einem **Konvergenzprozeß** einher, bei dem sich die Einkommensdisparitäten zwischen den Staaten spürbar verringerten. Diese Periode der Konvergenz war gekennzeichnet durch relativ niedrige Inflationsraten, stabile Wechselkurse, geringe Arbeitslosigkeit und zeitlich und volumenmäßig begrenzte Ungleichgewichte der öffentlichen Haushalte und der Zahlungsbilanzen. Allerdings war der zu beobachtende Konvergenzprozeß dieses Zeitabschnitts nicht nur auf ein rascheres Wachstum der schlechter gestellten Regionen zurückzuführen, sondern auch auf interregionale Wanderungsbewegungen. Diese trugen das ihre zur Verringerung der Disparitäten bei, verstärkten aber die Konzentration und Zusammenballung der Bevölkerung in den wirtschaftlich stärkeren Gebieten, zumal in den meisten Fällen keine oder nur eine schwach ausgeprägte Regionalpolitik betrieben wurde.

Seit Anfang der 70er-Jahre bestimmten hingegen schwaches Wachstum sowie erhebliche nominale Divergenzen und große Ungleichgewichte das Gesamtbild. Gleichzeitig strebten die natürlichen demographischen Entwicklungen zwischen den Regionen auseinander. Zusätzlich schrumpften die regionalen Wanderungsbewegungen auf weniger als die Hälfte. Die regionalen Wachstumsunterschiede verringerten sich so weit, daß der Prozeß der Konvergenz der Einkommen zum Stillstand kam.

Schwaches Produktionswachstum und gravierende nominale Divergenzen bei anhaltend wachsender Zahl der Erwerbspersonen führten zu allgemein steigender Arbeitslosigkeit und zu fortschreitend sich verstärken-

[3]) EUR 12 = 100, vergleichbare Arbeitslosenquote der EG 91–93 = 9,4%.

[4]) 1981, 1984, 1987, 1991, 1994.

den Ungleichgewichten, sowohl zwischen den Mitgliedstaaten, als auch innerhalb derselben. Weit überdurchschnittliche Steigerungen der Arbeitslosigkeit gab es vor allem in großen Teilen der weniger entwickelten Regionen der südlichen und westlichen Peripherie der Gemeinschaft, aber auch in einem Teil der stärker entwickelten Regionen, deren Industrie von Branchen oder Unternehmen mit schwerwiegenden strukturellen Anpassungsproblemen gekennzeichnet war, wobei die regionalen Unterschiede der Gesamtarbeitslosigkeit in der Zwölfergemeinschaft zwischen 1975 und 1985 auf das Zweieinhalbfache ihres Ausgangswertes stiegen. Einem Rückgang der Arbeitslosenquoten nach 1985 folgte ab 1990 wiederum ein starker Anstieg.

Trotz der Problematik der Regionalgefälle innerhalb der Europäischen Gemeinschaft bedurfte die Schaffung einer gemeinsamen Regionalpolitik mehrerer Jahre. Zwar hatten in der Präambel der Römischen Verträge von 1957 die Unterzeichnerstaaten ihrem Bestreben Ausdruck gegeben, „ihre Volkswirtschaften zu einigen und deren harmonische Entwicklung zu fördern, indem sie den Abstand zwischen einzelnen Gebieten und den Rückstand weniger bedürftiger Gebiete verringern“, doch wurde erst anläßlich der Konferenz von Paris im Oktober 1972 grundsätzlich beschlossen, daß die Gemeinschaft auch eine Regionalpolitik verfolgen sollte und diese mit entsprechenden Finanzmitteln ausgestattet werden müsse. Im Zusammenhang mit der ersten Erweiterung der Gemeinschaft und der damit verbundenen Zunahme der regionalen Probleme (Irland, Industrieregionen des Vereinigten Königreiches, Grönland) wurde dem angestrebten Abbau der strukturellen und regionalen Ungleichgewichte in der Gemeinschaft eine höhere Priorität beigemessen als in der Vergangenheit.

Demgemäß wurde bei einer vom Rat am 18. März 1975 erlassenen Verordnung[5]) der **Europäische Fonds für regionale Entwicklung (EFRE)** geschaffen. Seine Aufgabe bestand darin, „die wichtigsten regionalen Ungleichgewichte in der Gemeinschaft zu beseitigen, namentlich diejenigen, die aus einer überwiegend landwirtschaftlichen Struktur, industriellen Wandlungen und struktureller Unterbeschäftigung entstanden sind“.

Die gesamten Mittel des EFRE wurden nach einem Quotensystem auf die einzelnen Mitgliedstaaten aufgeteilt. Der EFRE finanzierte zunächst ausschließlich Aktionen zur Unterstützung der von den Mitgliedstaaten beschlossenen regionalpolitischen Maßnahmen. Die gemäß den Zuschußanträgen der Mitgliedstaaten gewährten Beteiligungen beschränkten sich auf Einzelvorhaben von Infrastrukturinvestitionen oder Investitionsbeihilfen für Unternehmen, die auch staatliche Beihilfen mit regionaler Zweckbestimmung erhielten.

Die Verordnung von 1975 sah bereits vor, daß sich die Zuschußanträge in sogenannte **Regionalentwicklungsprogramme** (REP) einfügen müssen, die von den einzelnen Mitgliedstaaten der Kommission zu übermitteln waren. Diese mehrjährigen Programme wurden nach einem gemeinsamen Schema aufgestellt. Sie beschrieben die wirtschaftliche und soziale Lage der Region, die Entwicklungsziele, die geplanten Maßnahmen zu ihrer Verwirklichung,

---

[5]) V (EWG) 724/75, ABl L 1975/73 v 21. 3. 1975.

die dafür vorgesehenen finanziellen Mittel und die einzusetzenden Instrumente.

Mit einem gleichzeitig gefaßten Beschluß des Rates wurde ein Ausschuß für Regionalpolitik bei Rat und Kommission eingesetzt, dessen Aufgabe darin bestand, die Probleme der Regionalentwicklung, die erzielten oder zu erzielenden Fortschritte zur Beseitigung dieser Probleme und die zur Verwirklichung der regionalen Ziele der Gemeinschaft erforderlichen regionalpolitischen Maßnahmen zu prüfen.

1979 wurde mit der Einführung einer „quotenfreien" Abteilung zur Finanzierung spezifischer Gemeinschaftsmaßnahmen zur regionalen Entwicklung eine erste wichtige Reform des EFRE durchgeführt.[6]) Diese Maßnahmen, die durch die regionalen Auswirkungen der Gemeinschaftspolitiken begründet und in Form einstimmig vom Rat auf Vorschlag der Kommission erlassener Verordnungen beschlossen wurden, stellten seinerzeit den am stärksten gemeinschaftlich ausgerichteten Teil des EFRE dar, auch wenn dieser nur 5% seines Volumens ausmachte. Außerdem wiesen diese Maßnahmen, verglichen mit den „quotengebundenen" Maßnahmen, drei wesentliche Unterschiede auf: Durchführung in Form von mehrjährigen Programmen, Unterstützung nicht nur „materieller" Investitionen, sondern auch „nicht materieller" Investitionen zugunsten kleiner und mittlerer Unternehmen (zB Beratungsdienstleistungen) sowie Auswahl der Gebiete anhand von Gemeinschaftskriterien, wodurch zumindest ansatzweise eine Abkoppelung von der nationalen Förderkulisse erfolgte. In diesem Rahmen wurden ab Oktober 1980 sieben Aktionen beschlossen.

Zur gleichen Zeit wurde die **Regionalpolitik** gemäß einem Beschluß des Rates[7]) als **Bestandteil der Wirtschaftspolitik** der Gemeinschaft von den Mitgliedstaaten anerkannt. Sie beschränkte sich somit nicht mehr auf Finanztransfers, sondern erhielt eine umfassendere Aufgabenstellung. In diesem Beschluß, der auch die Ausarbeitung von periodischen Berichten über die sozioökonomische Lage und Entwicklung der Regionen der Gemeinschaft vorsah, wurden zwei wesentliche Grundsätze aufgestellt: Erstens die Beurteilung der regionalen Auswirkungen der übrigen Gemeinschaftspolitiken, die im Hinblick auf die regionale Entwicklung nicht neutral sind, und zweitens die Notwendigkeit der Koordinierung der nationalen Regionalpolitiken – und zwar vor allem über die Regionalentwicklungsprogramme und die Beihilferegelungen mit regionaler Zweckbestimmung.

Eine weitere Anpassung des EFRE führte 1984 zu einer neuen Verordnung.[8]) Die Ziele des EFRE wurden neu formuliert, um den zunehmenden Problemen infolge der industriellen Umstrukturierungen Rechnung zu tragen. Danach sollte der Fonds „zur Korrektur der wichtigsten regionalen Ungleichgewichte in der Gemeinschaft beitragen, indem er sich an der Entwicklung und strukturellen Anpassung der rückständigen Gebiete sowie an der Umstellung der Industriegebiete mit rückläufiger Entwicklung beteiligt".

---

[6]) V (EWG) 214/79, ABl L 1979/35 v 9. 2. 1979.

[7]) E 136/79, ABl L 1979/35 v 9. 2. 1979.

[8]) V (EWG) 1787/84, ABl L 1984/169 v 28. 6. 1984.

Diese Verordnung verlieh der Regionalpolitik einen stärker gemeinschaftlich orientierten Charakter:

- Die nicht finanziellen Instrumente wurden Bestandteil der Verordnung; ihr Titel 1 war der Koordinierung der Regionalpolitik gewidmet.
- Die Quoten wurden durch ein Spannensystem ersetzt, wobei die Mittel, die den einzelnen Mitgliedstaaten über einen Zeitraum von drei Jahren zugeteilt wurden, zwischen gewissen Unter- und Obergrenzen lagen. Die Zuweisung von Mitteln über die Untergrenze hinaus hing davon ab, wieweit die Zuschußanträge den in der Verordnung festgelegten Prioritäten und Kriterien entsprachen.
- Die Finanzierung von Programmen, die eine größere Kohärenz der regionalpolitischen Aktionen ermöglichen als Einzelvorhaben, wurde auf den gesamten Fonds ausgedehnt. So sollten nach Ablauf von drei Jahren mindestens 20% der Fondszuschüsse für Programme verwendet werden.
- Der EFRE konnte sich beteiligen an der Finanzierung von:
  - **Gemeinschaftsprogrammen,** die unmittelbar mit der Durchführung von Politiken der Gemeinschaft zusammenhingen. Sie wurden von der Kommission aufgestellt und mit qualifizierter Mehrheit vom Rat genehmigt. Die beiden ersten Gemeinschaftsprogramme STAR und VALOREN betrafen die am stärksten benachteiligten Regionen und zielten auf einen besseren Zugang zu den fortgeschrittenen Telekommunikationsdiensten und die Erschließung des endogenen Energiepotentials ab. Sie wurden 1986 erlassen und hatten eine Laufzeit von fünf Jahren. 1988 folgten die Gemeinschaftsprogramme RESIDER und RENAVAL zur Umstrukturierung von Stahl- bzw Werftenstandorten, die hohe Arbeitsplatzverluste erlitten hatten. Die Laufzeit von RESIDER erstreckte sich bis Ende 1992, die von RENAVAL bis Ende 1993. Wesensmerkmale der Gemeinschaftsprogramme waren einerseits, daß die Initiative hierfür von der Kommission ausging, und andererseits, daß sie sich auf mehrere Mitgliedstaaten erstreckten.
  - **Nationalen Programmen von gemeinschaftlichem Interesse** (NPGI), bei denen es sich um Mehrjahresprogramme handelt, die zur Verwirklichung von Gemeinschaftspolitiken beitragen sollten, auf nationaler Ebene aufgestellt wurden und die in den Regionalentwicklungsprogrammen enthaltenen Leitlinien in operationelle Maßnahmen umsetzten. Sie konnten zusammen oder einzeln Beihilfesysteme zugunsten von Unternehmen, Infrastrukturinvestitionen sowie Maßnahmen zur Erschließung des endogenen Entwicklungspotentials betreffen. Insgesamt wurden etwa 70 NPGI verabschiedet.
  - **Maßnahmen zur Erschließung des endogenen Entwicklungspotentials.** Sie zielten darauf ab, die Entwicklungsmöglichkeiten der Regionen zu ermitteln, die kleinen und mittleren Unternehmen zu unterstützen (Technologietransfer, Marktstudien, gemeinsame Dienstleistungen, Zugang zum Kapitalmarkt usw) oder auch einen Beitrag zu den Ausgaben der öffentlichen Hand für die Ausführung von Arbeiten zur Planung, zur technischen Vorbereitung und zur Durchführung der Maßnahmen des EFRE zu leisten.
  - Vorhaben von Infrastrukturinvestitionen oder von Investitionen in Industrie-, Handwerks- und Dienstleistungsbetrieben.

– Untersuchungen, die eng mit den Maßnahmen des Fonds zusammenhängen oder sich auf Probleme bezogen, die für die Effizienz der Verwendung der EFRE-Mittel von besonderer Bedeutung waren.

- Die Verordnung sah zum ersten Mal auch Bestimmungen über die Beteiligung des EFRE an integrierten Maßnahmen vor. Diese waren dadurch gekennzeichnet, daß sie ein Zusammenwirken der verschiedenen Strukturfonds der Gemeinschaft vorsahen. In diesem Zusammenhang sind insbesondere die integrierten Mittelmeerprogramme (IMP) zu nennen, deren erstes im September 1986 eingeleitet wurde. Der EFRE beteiligte sich an der Durchführung dieser IMP in Form nationaler Programme von gemeinschaftlichem Interesse.

B. Das Binnenmarktprogramm und die Reform der Strukturfonds

Im Anschluß an die Einheitliche Europäische Akte von 1987 kam es zu einer grundlegenden Reform der Strukturpolitik. Die damals aufgestellten Grundsätze und die entsprechenden Verfahren sind 1993 angepaßt worden, in ihrer Substanz jedoch erhalten geblieben.

1. Die regionalen Auswirkungen des Binnenmarktes

Die Vollendung des einheitlichen Binnenmarktes zielte darauf ab, die zwischen den Mitgliedstaaten noch bestehenden zahlreichen physischen, technischen und steuerlichen Hindernisse abzubauen. Die Verwirklichung dieses Zieles hat die allgemeinen Rahmenbedingungen der wirtschaftlichen Entwicklung wesentlich verbessert und neue Impulse freigesetzt. Die Verwirklichung des großen Binnenmarktes war daher ein wesentlicher Beitrag zur Schaffung der Dynamik, ohne die nur wenig Aussicht auf die Wiederingangsetzung des Konvergenzprozesses bestand.

Allerdings ergaben sich in dieser Hinsicht Risiken. Zum einen erwuchs die Gefahr, daß Problemregionen auf die neue Herausforderung nicht mit der erforderlichen Dynamik reagierten. Zum anderen war nicht auszuschließen, daß die angestrebte Beseitigung noch bestehender Hindernisse für den freien Personen-, Waren-, Dienstleistungs- und Kapitalverkehr dazu führte, daß vornehmlich die stärkeren und attraktiveren Regionen daraus Nutzen zögen. Die besondere Bedeutung der Standortfaktoren für die Unternehmen ging eindringlich aus einer von der Kommission in Auftrag gegebenen Studie des Info-Instituts hervor,[9]) die später durch umfassendere Analysen im wesentlichen bestätigt wurde.

Schwierigkeiten bestanden demnach insbesondere für die **rückständigen Regionen.** Dies sind durchwegs periphere Gebiete, die häufig weit von den wichtigen Nachfrage- und Angebotszentren entfernt und weit weniger dicht besiedelt sind als die Gemeinschaft insgesamt. Ihre Produktionsstruk-

---

[9]) EG-Kommission (Hg), An Empirical Assessment of Factors Shaping Regional Competitiveness in Problem Regions (1990).

turen sind überproportional auf die Landwirtschaft und weniger auf die Industrie und den Dienstleistungssektor ausgerichtet. Ihre Arbeitslosigkeit ist häufig überdurchschnittlich hoch. Gemessen am Einkommen und an der Arbeitsproduktivität sind sie im untersten Fünftel der Rangfolge der Regionen angesiedelt. Ihre besonderen Probleme beruhen zum Teil auf Standortbedingungen, die zu höheren Transportkosten, längeren Transport- und Reisezeiten, längeren Lieferfristen, größerem Aufwand für Lagerhaltung, geringeren Möglichkeiten, größenbedingte Kosteneinsparungen zu erzielen, und größeren Zugangshindernissen zu Informationen führen. Die genannten Faktoren stellen Handicaps dar, die die Ausnutzung der Anreize beeinträchtigen, die von der Verwirklichung des Binnenmarktes ausgehen. Schließlich besteht teilweise eine übermäßige Zusammenballung der Bevölkerung in wenigen nationalen Zentren bei gleichzeitigem Fehlen eines größeren Netzes von zentralen Orten, das eine kostengünstigere Ausnutzung von Ballungsvorteilen erlauben würde. Diese quantitativen und qualitativen Nachteile beruhen zu einem erheblichen Teil auf einer schlechteren Ausstattung mit wirtschaftsnahen Infrastrukturen. Gleichzeitig fehlt es auch an Unternehmensinvestitionen zur Steigerung der Produktivität und Wettbewerbsfähigkeit.

Risiken ergaben sich auch für **Industrieregionen mit rückläufiger Entwicklung.** Im Unterschied zu den rückständigen peripheren Gebieten weisen sie jedoch Ballungsvorteile auf und besitzen allgemein eine erheblich stärker entwickelte Infrastrukturausstattung. Die Risikofaktoren in diesen Gebieten lagen in erster Linie in den Bereichen unzureichender Investitionen im Unternehmenssektor zur Schaffung neuer Arbeitsplätze und fehlender unternehmerischer Dynamik und Effizienz bei der Ausnutzung der regionalen Entwicklungspotentiale.

Als ein weiteres Risiko für die Nutzung der Chancen und dynamischen Impulse des großen Binnenmarktes könnten sich die überdurchschnittlichen Lohnstückkosten in einer Reihe von Problemregionen der einen wie der anderen Art erweisen. **Hohe Lohnstückkosten** sind ein Wettbewerbsnachteil, der die Möglichkeiten zur Schaffung neuer oder alternativer Arbeitsplätze, die Rentabilität der erforderlichen Investitionen und damit die Aussichten auf mehr beschäftigungswirksames Wachstum und verbesserte Anpassungsbedingungen der betroffenen Regionen beeinträchtigt.

Ein reibungslos funktionierender Binnenmarkt ist indes nicht vorstellbar ohne ein Mindestmaß an Kohäsion. Dies ist in den Vertragstexten der Gemeinschaft zum erstenmal von der Einheitlichen Europäischen Akte explizit festgestellt worden. Im Gegensatz zum EWG-Vertrag in seiner ursprünglichen Fassung enthielt diese nicht nur Bestimmungen im Hinblick auf den freien Waren-, Kapital- und Dienstleistungsverkehr, sondern auch in bezug auf die Verstärkung des „wirtschaftlichen und sozialen Zusammenhalts“ der Gemeinschaft, dh auf den Abbau der regionalen Disparitäten von Wohlstand und Beschäftigung. Der seinerzeit neue Artikel 130a EWGV sah vor, daß im Sinne einer harmonischen Entwicklung die Gemeinschaft sich insbesondere zum Ziel setzt, „den Abstand zwischen den verschiedenen Regionen und den Rückstand der am wenigsten begünstigten Gebiete zu verringern". Es war damit also die Notwendigkeit anerkannt worden, die Schaffung des Binnenmarktes regional- und arbeitsmarktpolitisch zu flankieren.

Die Strukturpolitik, deren integrierender Bestandteil die Regionalpolitik ist, wurde damit zu einer der großen politischen Aufgaben der Gemeinschaft in der Gegenwart. Bis 1999 soll hierfür mehr als ein Drittel der Mittel des Gemeinschaftshaushalts aufgewendet werden. Die Strukturpolitik entwickelte sich somit zum zweitgrößten Haushaltsposten nach der gemeinsamen Agrarpolitik, deren relativer Anteil während der gleichen Zeitspanne jedoch fühlbar verringert werden soll.

2. Die Einheitliche Europäische Akte und die Reform der Strukturfonds

a) Die Grundsätze

Mit der Unterzeichnung der Einheitlichen Europäischen Akte legten die Staats- und Regierungschefs der Gemeinschaft im Jahre 1986 die Grundlage für einen Neuanfang der Strukturpolitik der EG und vor allem ihrer Regionalpolitik. Der Europäische Fonds für regionale Entwicklung (EFRE) wurde zum erstenmal in das Vertragsrecht aufgenommen – in ähnlicher Weise wie die anderen Strukturfonds (Europäischer Sozialfonds – ESF und die Abteilung Ausrichtung des Europäischen Ausrichtungs- und Garantiefonds für die Landwirtschaft – EAGFL) – mit dem ausdrücklichen Ziel, die regionalen Ungleichgewichte in der Gemeinschaft zu verringern. Darüber hinaus sah die Einheitliche Europäische Akte eine grundlegende Reform der Funktionsweise der drei Fonds vor, die anschließend Gegenstand von Verhandlungen wurde, die zu der Verabschiedung der sogenannten Rahmenverordnung (2052/88),[10]) einer Koordinierungsverordnung für das Zusammenwirken der Strukturfonds einerseits und der Finanzinstrumente wie der Europäischen Investitionsbank andererseits[11]) und zu der Überarbeitung der Verordnungen bezüglich von EFRE,[12]) ESF[13]) und EAGFL-Ausrichtung[14]) führten. Diese Verordnungen sind 1993 novelliert und um eine weitere Verordnung bezüglich der Schaffung eines Finanzinstruments zur Anpassung der Fischerei (FIAF) ergänzt worden.[15])

Die Reform der Strukturfonds war durch drei Schwerpunkte gekennzeichnet: Stärkere Selektivität der Förderung, Erhöhung der Finanzmittel und Verbesserung der Funktionsweise. Kurzum, es wurde eine funktionale und geographische Konzentration des Mitteleinsatzes angestrebt.

---

[10]) V (EWG) 2052/88, ABl L 1988/85 v 15. 7. 1988.

[11]) V (EWG) 4253/88, ABl L 1988/374 v 31. 12. 1988.

[12]) V (EWG) 4254/88, ABl L 1988/373 v 31. 12. 1988.

[13]) V (EWG) 4255/88, ABl L 1988/374 v 31. 12. 1988.

[14]) V (EWG) 4256/88, ABl L 1988/374 v 31. 12. 1988.

[15]) V (EWG) 2080/93, ABl L 1993/93 v 31. 7. 1993, V (EWG) 2081/93, ABl L 1993/193 v 31. 7. 1993, V (EWG) 2082/93, ABl L 1993/193 v 31. 7. 1993, V (EWG) 2083/93, ABl L 1993/193 v 31. 7. 1993, V (EWG) 2084/93, ABl L 1993/193 v 31. 7. 1993, V (EWG) 2085/93, ABl L 1993/193 v 31. 7. 1993.

Die strukturpolitischen Interventionen sollten sich nunmehr auf fünf vorrangige Ziele beschränken. Einige davon erstrecken sich auf die Gesamtheit des Territoriums der Gemeinschaft, andere wurden nach bestimmten Kriterien geographisch eingegrenzt. Die Novellierung von 1993 hat diese Systematik im wesentlichen beibehalten.

- Ziel 1: Die Förderung der **Regionen mit Entwicklungsrückstand.** Sie bezweckt die Ankurbelung der produktiven Investitionen und die Beschleunigung des Wachstums über den Gemeinschaftsdurchschnitt hinaus in den Regionen, in denen das BIP pro Kopf weniger als 75% des Gemeinschaftsdurchschnitts beträgt. Diese Regionen, in denen etwa ein Viertel der Bevölkerung der Gemeinschaft lebt, umfassen die Gesamtheit des Staatsgebietes von Griechenland, Irland und Portugal sowie große Teile Spaniens, den Süden Italiens, Korsika und die Überseedepartements in Frankrich sowie Nordirland. Neben den neuen deutschen Ländern sind 1993 als Ausnahme auch Altindustriegebiete wie der Hennegau in Belgien, die angrenzende Region (Valenciennes) in Frankreich und Merseyside in Großbritannien in diese Kulisse aufgenommen worden, sowie einige Sonderfälle wie die niederländische Provinz Flevoland. Die Abgrenzung erfolgt auf der Ebene NUTS II der territorialen statistischen Systematik NUTS.[16])
- Ziel 2: Die Umstellung der **Regionen, die von rückläufiger industrieller Entwicklung betroffen sind,** und ihre Wiedereingliederung in den Prozeß der wirtschaftlichen Entwicklung. Diese Gebiete werden nach folgenden obligatorischen Kriterien abgegrenzt:

  a) eine durchschnittliche Arbeitslosenquote, die über dem Gemeinschaftsdurchschnitt liegt, der während der letzten drei Jahre verzeichnet wurde;

  b) ein Anteil der in der Industrie beschäftigten Erwerbstätigen an der Gesamtzahl der Erwerbstätigen, der in einem beliebigen Bezugsjahr seit 1975 dem Gemeinschaftsdurchschnitt entsprach oder über diesem lag;

  c) ein festgestellter Rückgang der Zahl der Erwerbstätigen in der Industrie im Vergleich zu dem gemäß Buchstabe b) ausgewählten Bezugsjahr.

  Hierzu können als fakultative Kriterien treten:

  d) angrenzende Gebiete, die die Kriterien der Buchstaben a) und c) erfüllen;

  e) Verdichtungsräume, in denen die Arbeitslosenquote um mindestens 50% über dem Gemeinschaftsdurchschnitt liegt und in denen ein erheblicher Rückgang der Zahl der Erwerbstätigen in der Industrie verzeichnet wurde;

  f) andere Gebiete, die in den letzten drei Jahren in Industriesektoren, die für wirtschaftliche Entwicklung entscheidend sind, substantielle Ar-

---

[16]) Systematik der statistischen Gebietseinheiten. In der Zwölfergemeinschaft gab es 183 Regionen der NUTS-Ebene II und 1044 Regionen der NUTS-Ebene III. NUTS I (71 Regionen) sind Gebietseinheiten unmittelbar unterhalb des gesamtstaatlichen Territoriums (zB Länder), NUTS II und III sind jeweils kleinere Abgrenzungen (zB Regierungsbezirke und Kreise). Die Zahlen für EUR 15 lauten: NUTS I: 77, NUTS II: 206, NUTS III: 1032, NUTS IV: 1074, NUTS V (Gemeinden): 98433.

beitsplatzverluste verzeichnet haben, derzeit substantielle Arbeitsplatzverluste verzeichnen oder von diesen bedroht sind;

g) Gebiete mit Industriebranchen;

h) Industriegebiete, die von der Umstrukturierung der Fischwirtschaft betroffen sind.

Die Abgrenzung erfolgt auf der Ebene NUTS III.[17])

Anläßlich der Novellierung der Fondsverordnungen im Jahre 1993 wurden die vormaligen Ziele 3 und 4 zusammengefaßt und ein neues Ziel 4 geschaffen. Beide Ziele gelten für das Gesamtgebiet der Gemeinschaft.

- Ziel 3: Maßnahmen zur **Bekämpfung der Langzeitarbeitslosigkeit** und zugunsten der Erleichterung der Eingliederung der Jugendlichen in das Erwerbsleben.
- Ziel 4: Maßnahmen zur **Erleichterung der Anpassung der Arbeitskräfte an die industriellen Wandlungsprozesse** und an Veränderungen der Produktionssysteme.
- Ziel 5: Maßnahmen zugunsten von **landwirtschaftlich genutzten Gebieten.** Im Hinblick auf die Reform der gemeinsamen Agrarpolitik werden die beschleunigte Anpassung der Agrarstrukturen (Ziel 5 a) und die Förderung der Entwicklung des ländlichen Raumes (Ziel 5 b) angestrebt. Statistische Abgrenzungskriterien für Ziel 5 b sind der Anteil der Beschäftigten in der Landwirtschaft, der höher sein muß als der Gemeinschaftsdurchschnitt, die landwirtschaftlichen Einkommen, die niedriger liegen müssen als der Gemeinschaftsdurchschnitt, sowie geringe Bevölkerungsdichte und/oder eine starke Tendenz zur Abwanderung. Mindestens zwei dieser Kriterien müssen erfüllt sein.

Für den Zeitraum 1994–1999 erfaßte die gesamte Kulisse der Fördergebiete (Ziele 1, 2 und 5 b) 51,6% der Bevölkerung der Europäischen Gemeinschaft.

Im Zuge der Beitrittsverhandlungen mit den EFTA-Staaten ist für die skandinavischen Länder ein neues Ziel 6 für die **Regionen mit arktischem Klima** geschaffen worden, deren statistisches Abgrenzungskriterium eine Bevölkerungsdichte von weniger als acht Einwohnern pro km^2 ist.

Für Österreich ist das Burgenland als Ziel 1-Gebiet eingestuft worden. Für die drei neuen Mitgliedstaaten wurden Anfang 1995 die Förderkulissen für die Ziele 2 und 5 b von der Kommission festgelegt.

Um die Effizienz der Strukturpolitik zu steigern, wurde die Tätgkeit der Fonds aufeinander abgestimmt, während sie in der Vergangenheit unabhängig von einander intervenierten, was zuweilen zu widersprüchlichen Ergebnissen führte. Wenn der EFRE federführend für die Ziele 1, 2 und 6 ist, so trägt er auch zu den Maßnahmen für den ländlichen Raum bei. Der Europäische Sozialfonds, der natürlich bei den sozialpolitischen Maßnahmen von Ziel 3 und 4 im Mittelpunkt steht, wirkt auch an Ausbildungsmaßnahmen in den Entwicklungs- bzw Umstellungsgebieten mit. Aufgrund ihrer immer noch stark landwirtschaftlichen Ausrichtung ergibt sich aus dieser Logik auch, daß der größte Teil der Ausgaben der Abteilung Ausrichtung des EAGFL in die

[17]) Zur weiteren Bedeutung von NUTS III s auch unten C.

Regionen von Ziel 1 fließt. Neben dieser Koordinierung der Strukturfonds, die nicht rückzahlbare Beihilfen vergeben, erfolgte auch eine Einbeziehung der Finanzinstrumente, und hierbei vor allem der Europäischen Investitionsbank, deren Tätigkeit auf der Vergabe von Krediten beruht.

Es ist nicht zu übersehen, daß im Vergleich zu den früheren Regelungen die Grundsätze der Reform der Strukturfonds einen wesentlichen Fortschritt im Hinblick auf die Wirksamkeit ihres Einsatzes darstellten. Hierbei sind vor allem folgende Aspekte zu unterstreichen:

- Konzentration des Mitteleinsatzes auf die am stärksten benachteiligten Gebiete, dh Südeuropa und Irland für die Regionen mit Entwicklungsrückstand sowie Großbritannien, Frankreich, die Benelux-Länder und Deutschland für die in der Umstrukturierung befindlichen Industriegebiete. Diese geographische Konzentration ist allerdings bei der Überarbeitung der Förderkulissen anläßlich der Novellierung der Strukturfondsverordnung wieder aufgeweicht worden.
- Umstellung auf den Programmansatz anstelle von Projektfinanzierungen mit Einführung von gemeinschaftlichen Förderkonzepten und Gemeinschaftsinitiativen.
- Verstärkte Partnerschaft bei der Vorbereitung und Durchführung der Maßnahmen mit den nationalen, regionalen und kommunalen Behörden der Mitgliedstaaten.
- Zusätzlichkeit des Mitteleinsatzes anhand von in mehrjährigen Entwicklungsprogrammen enthaltenen Ausrichtungen.

b) Die Finanzbeschlüsse

Im Februar 1988 wurde im Rahmen des Europäischen Rates die reale Verdoppelung der Strukturausgaben der Gemeinschaft beschlossen, die von 7 Mrd ECU im Jahre 1987 auf 14 Mrd im Jahre 1993 ansteigen sollten.

Die Aufteilung der Mittel ergibt sich aus nachstehender Tabelle:

Mittel der Strukturfonds für den Zeitraum von 1989 bis 1993 (in Mio ECU zu Preisen von 1989)	
Ziele:	
1: Regionen mit Entwicklungsrückstand	38300
2: Industrielle Umstrukturierungsgebiete	7205
3 und 4: Langzeitarbeitslosigkeit und berufliche Eingliederung	7450
5 a): Anpassung der Agrarstrukturen	3415
5 b): Entwicklung des ländlichen Raumes	2795
Übergangs- und innovative Maßnahmen	1150
Insgesamt	60315

Hierzu traten später noch 3 Mrd ECU für die neuen deutschen Länder während des Zeitraums 1991–1993.[18])

[18]) V (EWG) 3575/90, ABl L 1990/353 v 17. 12. 1990.

Die entsprechenden Finanzbeschlüsse für den Zeitraum 1994–1999 wurden im Dezember 1992 auf der Tagung des Europäischen Rates in Edinburgh gefaßt.

Der Gesamtbetrag der für Strukturmaßnahmen zu bindenden Mittel für den Zeitraum 1993–1999 wird sich wie folgt gestalten (in Mio ECU zu Preisen 1992):

1993	1994	1995	1996	1997	1998	1999
21277	21885	23480	24990	26526	28240	30000

Diese Verpflichtungen belaufen sich für den Zeitraum der neuen mittelfristigen Finanzplanung auf insgesamt etwa 176 Mrd ECU gegenüber 67 Mrd ECU für die Strukturfonds während der Laufzeit der ersten Programme. Dies entspricht einem durchschnittlichen Jahresbetrag von ca 25 Mrd ECU für den Zeitraum 1993 bis 1999 gegenüber 13 Mrd ECU pro Jahr im Zeitraum 1988 bis 1992 (alle Zahlen zu konstanten Preisen von 1992).

Aufgrund der Vereinbarungen von Maastricht sollten sich die Ausgaben für Strukturmaßnahmen auf die am wenigsten wohlhabenden Mitgliedstaaten, die am stärksten benachteiligten Gebiete und die ländlichen Gebiete der Gemeinschaft gem Art 130a EGV konzentrieren. Für Irland, Portugal, Griechenland und Spanien bedeuten die oben genannten Zahlen, daß zwischen 1992 und 1999 die Verpflichtungen verdoppelt werden können. Für diese Länder belaufen sich die Mittel im Zeitraum 1993–1999 auf rund 85 Mrd ECU.

Für die vier oben stehenden Mitgliedstaaten, deren Pro-Kopf-BSP weniger als 90% des Gemeinschaftsdurchschnitts beträgt, ist zusätzlich im Sinne der in Maastricht getroffenen Vereinbarung ein besonderer Kohäsionsfonds errichtet worden. Seine Dotierung beträgt für den Zeitraum 1993 bis 1999 15,15 Mrd ECU, die sich wie folgt aufschlüsseln (in Mio ECU zu Preisen 1992)[19]):

1993	1994	1995	1996	1997	1998	1999
1500	1750	2000	2250	2500	2550	2600

Der **Kohäsionsfonds** ist kein Strukturfonds im eigentlichen Sinne, und seine Tätigkeit hat keine regionale Zielsetzung. Er soll die betroffenen Mitgliedstaaten dabei unterstützen, die für die geplante Wirtschafts- und Währungsunion festgelegten Konvergenzkriterien zu erreichen.

Die Zuweisung der Mittel des Kohäsionsfonds in seiner endgültigen Form ist an bestimmte Bedingungen geknüpft: Entscheidet der Rat, daß in einem Mitgliedstaat ein übermäßiges öffentliches Defizit besteht und wird diese Situation nicht binnen einer vom Rat festgesetzten Frist korrigiert, so werden die Zahlungen an diesen Mitgliedstaat ausgesetzt.

Im Gegensatz zu den Strukturfonds wird beim Kohäsionsfonds jedes Projekt einzeln genehmigt. Förderungsfähig sind nur Verkehrsinfrastruktur- und Umweltvorhaben. Der Satz der Gemeinschaftsbeteiligung beträgt 80 bis

[19]) V (EG) 1164/94, ABl L 1994/130 v 20. 5. 1994.

85% (ausgenommen Durchführbarkeitsstudien, die bis zu 100% finanziert werden können). Ein Vorhaben kann nicht gleichzeitig aus dem Kohäsionsfonds und den Strukturfonds finanziert werden.

Entsprechend den Beschlüssen des Europäischen Rates von Edinburgh sind die Mittel wie folgt aufgeteilt worden:

Spanien	52–58%
Griechenland	16–20%
Portugal	16–20%
Irland	7–10%

Während der Geltungsdauer der neuen Finanzplanung können die vier Länder weiter Mittel aus dem Fonds erhalten, wenn sie nach der 1996 stattfindenden Halbzeitprüfung weiterhin unter dem oben genannten Schnitt von 90% liegen.

Für die drei klassischen Strukturfonds wurden folgende Mittel gebunden (in Mio ECU zu Preisen 1992):

1994	1995	1996	1997	1998	1999
20135	21480	22740	24026	25690	27400

Dies ergibt für den Zeitraum von 1994–1999 einen Gesamtbetrag von 141,471 Mrd ECU. Für das Ziel 1 werden hiervon 96,346 Mrd ECU bereitgestellt.

Gemäß den Vorgaben des Europäischen Rates von Edinburgh hat die Kommission im Oktober 1993 die indikative Aufteilung der Fördermittel für die Entwicklung der Regionen mit Entwicklungsrückstand (Ziel 1) für die Zeit bis 1999 beschlossen.

Dabei hat sie zunächst festgelegt, daß die Mittelzuweisungen innerhalb der nachstehend aufgeführten Spannen liegen sollen. Bei diesen Spannen werden die im Rahmen von Ziel 1 für die sieben Jahre von 1993 bis 1999 vorgesehenen Kohäsionsfonds-Mittel für die vier genannten Länder mitberücksichtigt. 1993 ist zwar das letzte Jahr der früheren Mittelzuweisungen aus den Strukturfonds, aber das erste Jahr des Inkrafttretens des Kohäsionsfonds und muß daher mitgerechnet werden.

Es ergeben sich hieraus folgende Spannen für 1993–1999 (in Mrd ECU zu Preisen 1992):

Die vier Kohäsions-Länder:

Griechenland	19–20	(Strukturfonds und Kohäsionsfonds)
Spanien	36,5–38,5	
Irland	8,1–9,3	
Portugal	19–20	

Die übrigen Ziel-1-Regionen:

Belgien	0,8	(nur Strukturfonds)
Deutschland	14,0	
Frankreich	2,4–2,6	
Italien	17,1–18,9	
Niederlande	0,2	
Vereinigtes Königreich	2,2–2,7	

Für Belgien und die Niederlande wurde jeweils nur ein Betrag festgelegt, da die Bevölkerungszahl in den Ziel 1-Regionen dieser Länder nur sehr gering ist und dementsprechend niedrige Mittelzuweisungen vorgesehen sind. Auch für Deutschland, dessen neue Bundesländer einen Sonderfall darstellen, gibt es nur einen Betrag, da die verfügbaren Statistiken mit denen der übrigen Ziel 1-Regionen nicht vergleichbar sind.

Die indikative Mittelaufteilung für die übrigen Ziele wurde von der Kommission Ende 1993 vorgenommen. Sie gestaltet sich wie folgt (in Mrd ECU):

Ziel 2	15,316	
Ziele 3 und 4	15,840	
Ziel 5 a	6,143	(davon Fischerei 0,858)
Ziel 5 b	6,296	
Übergangsmaßnahmen und innovative Aktionen	1,530	
Insgesamt	45,125	

Im Rahmen der Beitrittsverhandlungen sind für die drei betroffenen Länder für die Strukturpolitik im Zeitraum 1995–1999 insgesamt 4,747 Mrd ECU vorgesehen worden. 1,623 Mrd ECU entfallen dabei auf Österreich, auf Finnland 1,704 Mrd ECU und auf Schweden 1,420 Mrd ECU.

Für die **Gemeinschaftlichen Förderkonzepte** (GFK) ergibt sich aus der obenstehenden Gliederung folgendes Raster[20]):

[20]) ABl L 1993/280 v 13. 11. 1993, ABl L 1994/82 v 15. 3. 1994, ABl L 1994/97 v 15. 4. 1994.

Finanzausstattung der GFK in Mio ECU (Preise 1994)

	A	B	DK	D	GR	E	F	IRL	I	L	NL	P	SF	SV	UK	Insgesamt
Ziel 1 1994–1999	165	730	–	13640	13980	26300	2190	5620	14860	–	150	13980	–	–	2360	93975
Ziel 2 1994–1996	101	160	56	733	–	1130	1765	–	684	7	300	–	183	160	2142	7421
Ziel 3 und 4 1994–1999	395	465	301	1942	–	1843	3203	–	1715	23	1079	–	343	520	3377	15206
Ziel 5 a 1994–1999	388	192	263	1134	–	432	1913	–	799	40	159	–	354	208	439	6321
Ziel–5 b 1994–1999	411	77	54	1227	–	664	2238	–	901	6	150	–	194	138	817	6845
Ziel 6 1995–1999	–	–	–	–	–	–	–	–	–	–	–	–	459	252	–	711
Insgesamt	1460	1642	674	18676	13980	30369	11309	5620	18959	76	1838	13980	1553	1278	9135	130479

3. Die Durchführung der Reform

a) Die Gemeinschaftlichen Förderkonzepte

Nachdem mit der Einheitlichen Europäischen Akte und mit den daran anschließenden Verordnungen die Grundsätze des Reformwerks festgelegt worden waren, erfolgte ab 1989 die praktische Durchführung der Reform. Zunächst faßte die Kommission eine Anzahl von Beschlüssen bezüglich der Abgrenzung der förderberechtigten Gebiete von Ziel 2 und 5 b. Anschließend erließ sie Leitlinien für die Ziele 1 und 2, deren Aufgabe darin bestand, den Mitgliedstaaten die Grundsätze und Ausrichtungen für die verschiedenen Phasen der Durchführung der Reform zu erläutern.

Die Hauptaufgabe lag jedoch in der Ausarbeitung der sogenannten **Gemeinschaftlichen Förderkonzepte (GFK),** auf die rund 90% der Ausgaben entfallen. Es handelt sich hierbei um vertragliche Abmachungen mit den Mitgliedstaaten, die für die förderberechtigten Gebiete die Entwicklungsschwerpunkte, die Interventionsformen und die Modalitäten der Finanzierung enthalten.

Im Regelfalle werden die Entwicklungsschwerpunkte durch sogenannte operationelle Programme verwirklicht, über die auch die Finanzierung abgewickelt wird. In allen Fällen handelt es sich um Kofinanzierungssysteme mit Fördersätzen von maximal 75% für Ziel 1, wobei diese 1993 in Ausnahmefällen auf 80 bzw 85% angehoben wurden, und von 50% für die Ziele 2 und 5 b.

Die GFK für die Regionen von Ziel 1 wurden von der Kommission formell im Oktober 1989, dh weniger als 7 Monate nach der Einreichung der nationalen Regionalentwicklungspläne, verabschiedet und die GFK für Ziel 2 am 20. Dezember des gleichen Jahres. Die Verabschiedung der GFK für die Regionen von Ziel 5 b erfolgte im Juni 1990.

Mehr als 60% der Mittel der Strukturfonds wurden den Regionen von Ziel 1 vorbehalten, die die stärksten Entwicklungsprobleme aufweisen; innerhalb dieser Kategorie erfolgte eine zusätzliche Konzentration auf die am wenigsten begünstigten Mitgliedstaaten Portugal, Griechenland und Irland. Insgesamt wurden 11 GFK aufgestellt, sie hatten eine Laufzeit von 5 Jahren.

Für die Regionen von Ziel 1 wurde die Betonung auf **Infrastrukturmaßnahmen** gelegt, um die negativen Auswirkungen der Randlage dieser Gebiete abzubauen und die Wettbewerbsfähigkeit ihrer Wirtschaft in Bereichen wie dem Fernmeldewesen, Forschung und Entwicklung sowie Dienstleistungen für die Unternehmen zu verbessern. Besonderes Augenmerk wurde auch Maßnahmen der beruflichen Bildung gewidmet.

Auch in bezug auf Ziel 2 hat die Kommission den Grundsatz der Konzentration angewandt, was sich vor allem in einer Verringerung der ursprünglich als förderberechtigt anerkannten Region widerspiegelte. Nach einer ersten Berechnung aufgrund der oben erwähnten statistischen Kriterien hätte sich die förderberechtigte Bevölkerung auf etwa 25% der Gesamtbevölkerung der Gemeinschaft belaufen. Dieser Wert wurde gemäß den Ausrichtungen der Rahmenverordnung auf etwa 18% zurückgeführt und die Förderkulisse entsprechend beschnitten. Die indikative Verteilung der für Ziel 2 verfügbaren Mittel erstreckte sich vorrangig auf die am stärksten von der Umstrukturierung betroffenen Industriegebiete. Die insgesamt 54 GFK hatten eine Laufzeit von drei Jahren und wurden anschließend um zwei Jahre verlängert.

Für Ziel 2 bestand das Hauptziel in der **Schaffung neuer Arbeitsplätze,** um die Beschäftigungsverluste auszugleichen, die sich aufgrund der Anpassungskrise in den traditionellen Branchen der Industrie wie Stahl, Textil und Schiffbau ergeben hatten. Daher wurde der Schwerpunkt auf Maßnahmen zugunsten der Klein- und Mittelbetriebe, der Verbesserung der Umwelt, der Förderung von Forschung und Entwicklung, des Tourismus sowie wiederum auf die Berufsbildung gelegt.

Auch bei der Ausarbeitung der 44 GFK für Ziel 5b waren die geplanten Maßnahmen geograpisch konzentriert und auf folgende 5 Prioritäten ausgerichtet worden, um die bestehenden Ressourcen maximal zu nutzen und die Entwicklung des ländlichen Raums tatsächlich zu beeinflussen:

- Entwicklung primärer Wirtschaftszweige: Landwirtschaft, Forstwirtschaft und Fischerei;
- Entwicklung anderer Wirtschaftszweige, insbesondere Förderung von kleinen und mittleren Unternehmen;
- Fremdenverkehr und Freizeitaktivitäten: Unterstützung, Innovation, Einrichtung von Naturparks usw.
- Infrastruktur: Soweit notwendig, um andere Maßnahmen zu untermauern;
- Humankapital: Unterstützung der Ausbildung für die oben genannten Schwerpunkte.

Die Laufzeit der GFK betrug 5 Jahre.

Die **Partnerschaft mit den Regionalbehörden** war neben dem **Programmansatz** eine weitere wesentliche Neuerung der Reform und ein wichtiger Faktor für den Erfolg ihrer Durchführung. Selbst wenn es aufgrund der verfassungsrechtlichen Strukturen bestimmter Mitgliedstaaten zuweilen schwierig war, das neue Dreiecksverhältnis zwischen Kommission, Zentral- und Regionalbehörden zu verwirklichen, so ist doch insgesamt das Ziel der Einbeziehung der Regionen in das System erreicht worden.

Im Verlauf der Verwirklichung der Gemeinschaftlichen Förderkonzepte sind die positiven Ansätze der Partnerschaft weiter vertieft worden. Dies erfolgte vor allem auf der Ebene der Begleitausschüsse und bei der Vorbereitung und Durchführung der operationellen Programme.

Was die Befassung der Sozialpartner betrifft, so erfolgt diese im wesentlichen im Rahmen des Sozialfondsausschusses. Darüber hinaus hat die Kommission in allen Mitgliedstaaten auf regionaler Ebene Informationsveranstaltungen für die Sozialpartner durchgeführt.

Die verstärte Koordinierung der Maßnahmen geht auch aus der Tatsache hervor, daß die Gemeinschaftlichen Förderkonzepte einen Zusammenhang zwischen den Strukturfonds und den Finanzinstrumenten der Gemeinschaft herstellen. Wenn man von den Integrierten Mittelmeerprogrammen absieht, die als Vorläufer anzusehen sind, so sind erstmals alle Bestandteile der Strukturpolitik der Gemeinschaft gemeinsam geplant und ausgehandelt worden. Um die besonderen Bedürfnisse der einzelnen Regionen zu berücksichtigen, erfolgte die Verteilung der Finanzmittel im Rahmen jedes einzelnen Gemeinschaftlichen Förderkonzepts.

Im Zuge der Verabschiedung der Gemeinschaftlichen Förderkonzepte und der Vergabe der ersten Beihilfen, die sich hieraus ergaben, haben die Mitgliedstaaten und die Kommission beschlossen, ein System der Erfolgskontrolle auf nationaler und regionaler Ebene zu schaffen. Hierbei handelte es sich darum, regelmäßig den Fortgang der Arbeiten zu überprüfen und gegebenenfalls Anpassungen der Programme vorzunehmen. Ebenso wie für die Ausarbeitung der Gemeinschaftlichen Förderkonzepte ergab sich mit dieser permanenten Erfolgskontrolle eine neue Aufgabe für die Mitgliedstaaten und die Kommission. Diese Kontrollmaßnahmen sollen es ihr insbesondere ermöglichen, die Zusätzlichkeit der bereitgestellten Mittel zu überprüfen, um zu gewährleisten, daß in den förderberechtigten Regionen die angestrebten Wachstumsimpulse erzielt werden, und um zu verhindern, daß die Mittel der europäischen Strukturfonds zur Refinanzierung nationaler Maßnahmen verwendet werden. Dieser Punkt ist für die Kommission insofern von großer Bedeutung, als er letztlich über die Glaubwürdigkeit ihrer Strukturpolitik entscheidet.

Die gleichen Verfahren wurden auch 1994 angewandt, als die neuen Gemeinschaftlichen Förderkonzepte verabschiedet wurden. Ihre Laufzeit für Ziel 1 wie auch für Ziel 5b beträgt sechs Jahre, während die GFK für Ziel 2 jeweils drei Jahre umfassen. Neu war im Anschluß an die Novellierung der Fördermaßnahmen die Einführung von sogenannten Einheitlichen Dokumenten der Programmplanung (EDPP) außerhalb von Ziel 1, die eine Zusammenfassung von GFK und operationellen Programmen darstellten.

b) Die Gemeinschaftsinitiativen

Nach der Aufstellung der Gemeinschaftlichen Förderkonzepte als einer mehrjährigen Planung für die in Zusammenarbeit mit den Mitgliedstaaten durchzuführenden Maßnahmen blieb als nächster Schritt, die zukünftige Entwicklung der Strukturpolitik durch spezifische Maßnahmen der Kommission zu ergänzen. Die sogenannten **Gemeinschaftsinitiativen** schlossen sich im wesentlichen an die früheren Gemeinschaftsprogramme an. Sie konzentrierten sich auf die Umstrukturierung bestimmter Industriegebiete, auf die Förderung bestimmter Typen von Regionen wie Grenzregionen oder auf die Unterstützung bestimmter sektoraler Maßnahmen wie zB im Fernmeldewesen oder bei der Energieversorgung.

Zu diesem Zwecke wurde 1988 ein Finanzvolumen von etwa 5 Mrd ECU bereitgestellt.

In ihrem Aktionsprogramm für 1989 hatte die Kommission drei Gemeinschaftsinitiativen mit den Titeln RECHAR, ENVIREG und STRIDE angekündigt. Die grundsätzliche Entscheidung über das Programm **RECHAR,** das zur Umstrukturierung von Kohlerevieren beitragen sollte, fiel bereits im gleichen Jahr.[21]) Das Programm **ENVIREG,** dessen Ziel es war, eine Verbindung zwischen regionaler Entwicklung und der Verbesserung der Umwelt herzustellen und das sich vor allem auf die Mittelmeerregionen erstrekken wird, wurde kurz darauf verabschiedet.[22]) Das Programm **STRIDE** stellte

---

[21]) ABl C 1990/185 v 26. 7. 1990.

[22]) ABl C 1990/115 v 9. 5. 1990.

den Aspekt der Forschung und Entwicklung in den Mittelpunkt der Bemühungen für die regionale Entwicklung.[23]) Es ging hierbei im wesentlichen darum, die Konzentrationseffekte der nationalen und gemeinschaftlichen Forschungspolitik durch regionale Fördermaßnahmen zu kompensieren. Fünf weitere Programme folgten: **INTERREG,** dessen Zielsetzung in der grenzüberschreitenden und interregionalen Zusammenarbeit lag,[24]) **REGIS,** ein Programm für die entferntesten Gebiete der Gemeinschaft, vor allem die französischen, spanischen und portugiesischen Inselregionen im Atlantik,[25]) **REGEN,** das auf die Verknüpfung der Energieversorgungsnetze in den Gebieten mit Entwicklungsrückstand abzielte,[26]) **TELEMATIQUE,** ein Fernmeldeprogramm,[27]) und **PRISMA,** ein Programm zur Unterstützung der Klein- und Mittelbetriebe in den gleichen Gebieten.[28]) Ergänzt wurden diese spezifisch regionalpolitischen Investitionen durch die sozialpolitischen Gemeinschaftsinitiativen zur Förderung des Humankapitals durch Ausbildungsmaßnahmen – **EUROFORM** (Berufsbildung), **NOW** (Maßnahmen für Frauen) und **HORIZON** (Maßnahmen für Behinderte) sowie das Programm **LEADER** für die beschleunigte Integration des ländlichen Raums.

Bis 1993 traten zu diesen Gemeinschaftsinitiativen noch zwei weitere hinzu: **RETEX** zugunsten von Regionen, die stark vom Textil- und Bekleidungssektor abhängig waren[29]) und **KONVER** zugunsten von Standorten der Rüstungsindustrie und militärischer Einrichtung.[30])

Die überarbeiteten Fondsverordnungen bestätigten den Grundsatz der Gemeinschaftsinitiativen und präzisierten einige Elemente der Funktionsweise dieses Instruments.

Für den Zeitraum 1994–1999 sind 9% der Verpflichtungsermächtigungen der Strukturfonds, dh 13,45 Mrd ECU (zu Preisen von 1994), für Gemeinschaftsinitiativen vorgesehen. Ein begrenzter Teil der Mittel für regionalbezogene Initiativen kann außerhalb der unter die Ziele 1, 2, 5 b und 6 fallenden Gebiete ausgegeben werden.

Im Zusammenhang mit der Zukunft von INTERREG ist auch noch vorgesehen, daß ein einziger Beschluß für mehrere Mitgliedstaaten für transnationale Maßnahmen möglich sein wird. Darüber hinaus ist im Rahmen des PHARE-Programms eine besondere Regelung zur Finanzierung von Maßnahmen getroffen worden, die in den Grenzgebieten der Nachbarländer Mittel- und Osteuropas durchgeführt werden und darauf abzielen, Interventionen der Strukturfonds im Rahmen von INTERREG zu ergänzen.[31]) Die Gemeinschaftsinitiativen behalten in der Regel die Form operationeller Programme, können jedoch auch die Form von Globalzuschüssen annehmen.

---

[23]) ABl C 1990/196 v 4. 8. 1990.
[24]) ABl C 1990/215 v 30. 8. 1990.
[25]) ABl C 1990/196 v 4. 8. 1990.
[26]) ABl C 1990/326 v 28. 12. 1990.
[27]) ABl C 1991/33 v 8. 2. 1991.
[28]) ABl C 1991/33 v 8. 2. 1991.
[29]) ABl C 1992/142 v 4. 6. 1992.
[30]) Kommission SEK (93) 543.
[31]) V (EG) 1628/94, ABl L 1994/171 v 6. 7. 1994.

Schließlich ist bei der Kommission ein Verwaltungsausschuß für Gemeinschaftsinitiativen gebildet worden. Er setzt sich aus Vertretern der Mitgliedstaaten zusammen. Den Vorsitz führt ein Vertreter der Kommission.

Im Juni 1993 hatte die Kommission als Diskussionsrahmen ein Grünbuch über die **zukünftigen Gemeinschaftsinitiativen** veröffentlicht.

In diesem Grünbuch empfahl sie vier Schwerpunktthemen:

- grenzübergreifende, transnationale und interregionale Zusammenarbeit und Netze, ländliche Entwicklung,
- Förderung der ultraperipheren Regionen,
- Förderung der Beschäftigung und Entwicklung von Humanressourcen,
- Bewältigung des industriellen Wandels.

Die Kommission hat dann auf der Grundlage der im Herbst 1993 abgegebenen Stellungnahmen im Juni 1994 folgende Initiativen und Dotierungen beschlossen, wobei im wesentlichen die Kontinuität mit dem ersten Programmzeitraum gewahrt wurde:

INTERREG/REGEN für die grenzüberschreitende Zusammenarbeit, REGIS (Inselgebiete), eine Reihe von Initiativen zur Begleitung des industriellen Wandels, insbesondere zur Förderung von kleinen und mittleren Unternehmen, für die eine besondere Initiative (KMU) geplant ist, die Wiederaufnahme eines Programms für Stahlstandorte, RESIDER, sowie die Fortschreibung von RECHAR, RETEX und KONVER und neue spezielle Maßnahmen zur Anpassung der Unternehmen und ihrer Belegschaften an den technologischen Wandel (ADAPT) sowie schließlich ein besonderes Programm für die portugiesische Textilindustrie. Hinzu treten eine Initiative zugunsten städtischer Ballungsgebiete, URBAN, die Beschäftigungsinitiativen NOW und HORIZON, ergänzt durch YOUTHSTART zugunsten jugendlicher Arbeitnehmer, die Initiative LEADER für die Entwicklung des ländlichen Raums, und eine weitere zugunsten der Fischerei, PESCA.[32])

1995 kam hierzu noch eine weitere Gemeinschaftsinitiative, die darauf abzielt, den Friedensprozeß in Nordirland und den Grenzbezirken Irlands zu fördern. Sie trägt die Bezeichnung PEACE.[33])

Ferner wurde eine Reserve vorgesehen, um zukünftige Entwicklungen berücksichtigen zu können. Die **Dotierung der einzelnen Gemeinschaftsinitiativen** gestaltete sich demnach zunächst wie folgt (im Mrd ECU zu Preisen 1994):

Interreg/Regen	2,9
Regis	0,6
Industrieller Wandel	
– Resider	0,5
– Rechar	0,4
– Retex	0,5
– Konver	0,5

32) ABl C 1994/180 v 1. 7. 1994.
33) ABl C 1995/186 v 20. 7. 1995.

– Adapt	1,4
– KMU	1,0
– Portugiesische Textilindustrie	0,4
Städtische Probleme (URBAN)	
Beschäftigung	
– Now	
– Horizon	1,4
– Youthstart	
Leader II	1,4
Fischerei (PESCA)	0,25
Reserve	1,6
Insgesamt	13,45

Im Verlauf von 1994 hat die Kommission die Mittel der ersten 13 Gemeinschaftsinitiativen indikativ auf die Mitgliedstaaten aufgeteilt.

1995 erfolgte die Aufteilung der Reserve auf die bestehenden Gemeinschaftsinitiativen, wobei INTERREG in drei Teilgebiete (Grenzüberschreitende Zusammenarbeit (G. Z.), Überschwemmungen (Ü), Trockenheit (T)) untergliedert wurde; ferner wurden die neuen Mitgliedstaaten einbezogen.

Die endgültige Aufteilung geht aus der nachstehenden Tabelle hervor (Stand Oktober 1995 in Mio ECU):

Aufteilung der Gemeinschaftsinitiativen auf die Mitgliedstaaten

Mitgliedstaat	KONVER		RECHAR		RESIDER		RETEX		INTERREG (Ü)		INTERREG (T)		INTERREG (G.Z.)		URBAN		LEADER		PESCA		EMPLOI + ADAPT		**INSGESAMT**	
	nicht Ziel 1	Ziel 1	nicht Ziel 1	Ziel 1	nicht Ziel 1	Ziel 1	nicht Ziel 1	Ziel 1	nicht Ziel 1	Ziel 1	nicht Ziel 1	Ziel 1	nicht Ziel 1	Ziel 1	nicht Ziel 1	Ziel 1	nicht Ziel 1	Ziel 1	nicht Ziel 1	Ziel 1	nicht Ziel 1	Ziel 1	nicht Ziel 1	Ziel 1
B	3,6		1,5		1,2	2,0	0,1		1,8	17,0			2,0		1,4	2,0	1,1	1,0			9,6	10,0	**22,7**	**32,0**
DK													1,2				1,7		3,1		7,2		**13,3**	
D	34,4	85,8	7,9	10,6	11,5	3,2	1,5	4,4	24,9				14,1	5,1	7,1	9,7	20,6	9,7			47,3	16,3	**169,7**	**145,2**
GR		9,1		0,1		0,3		6,0				22,8		2,2		5,3		14,8		3,3		7,7		**71,9**
E	3,8	8,7	0,6	3,9	2,9	2,1	3,5	3,5				106,0	3,7	6,3	9,8	17,0	12,8	35,0		3,5	35,5	50,8	**73,1**	**237,2**
F	24,3		2,6		4,8		2,8		3,2	3,0			12,3		14,7		40,4	0,5	5,2		71,8		**182,6**	**3,5**
IRL														3,0		4,8		16,0				17,5		**41,4**
I	13,2	5,0	0,0	0,1	4,5	1,8	4,0	2,6	5,0			15,0	7,0	6,2	6,4	11,8	22,0	18,6	2,8		39,6	31,1	**104,8**	**92,5**
L					1,0												0,2						**1,2**	
NL	15,0				5,0				110,0				5,0		13,0		3,0		2,0		30,0		**183,0**	
P		5,5		0,1		0,4		13,2				6,1		2,1		5,1		11,8		3,1		4,3		**51,9**
UK	30,4	5,6	17,0		3,7		2,9						11,9		18,6	4,1	9,3	2,3	5,8		73,0	2,0	**173,0**	**14,1**
Eur 12	125,0	120,0	30,0	15,0	35,0	10,0	15,0	30,0	145,0	20,0		150,0	57,5	25,0	71,2	60,0	111,5	110,0	19,1	10,0	314,2	140,0	**923,7**	**690,0**
AT													6,1		3,5		3,1				4,7		**17,5**	
FI													4,2		3,7		3,3		0,4		6,6		**18,4**	
SE													7,0		1,5		1,9		0,4		4,3		**15,3**	
Eur 3													17,4		8,7		8,4		0,8		15,7		**51,2**	
Eur 15	125,0	120,0	30,0	15,0	35,0	10,0	15,0	30,0	145,0	20,0		150,0	75,0	25,0	80,0	60,0	120,0	110,0	20,0	10,0	330,0	140,0	**975,0**	**690,0**

c) Studien und Pilotvorhaben

Ergänzend zu den Gemeinschaftsinitiativen hatte die Kommission im ersten Programmzeitraum auch **Pilotvorhaben** beschlossen, die dazu bestimmt waren, die regionale Entwicklung auf Gemeinschaftsebene zu fördern und innovatorische Maßnahmen durchzuführen. Sie wiesen als Besonderheit den Aspekt auf, daß sie nicht geographisch gebunden waren und sich daher auf das gesamte Gebiet der Gemeinschaft erstrecken konnten.

Die von 1989 bis 1993 beschlossenen Vorhaben und **Studien** betrafen insbesondere:

- Maßnahmen in den Gebieten der Binnen- und Außengrenzen der Gemeinschaft, um die physischen Hemmnisse zu beseitigen, die Zusammenarbeit zu fördern und zur Schaffung eines Europas ohne Grenzen beizutragen;
- Maßnahmen zur Förderung des Erfahrungsaustauschs und der Entwicklung der Zusammenarbeit zwischen Regionen und Städten, um die Regional- und Kommunalbehörden in die Lage zu versetzen, an den strukturpolitischen Aktionen der Gemeinschaft mitzuwirken;
- Studien zur Raumordnung;
- Untersuchungen städtischer Probleme.

Für den Zeitraum 1994–1999 stehen für neuartige Aktionen des EFRE rund 400 Mio ECU zur Verfügung. Diese Maßnahmen betreffen vier Bereiche:

- Interregionale Zusammenarbeit innerhalb der Gemeinschaft sowie mit Drittländern (180 Mio ECU),
- Innovation zur Förderung der regionalen und lokalen Wirtschaftsentwicklung (90 Mio ECU),
- Raumordnung (45 Mio ECU),
- Städtepolitik (80 Mio ECU).

Konkret sollen diese Themen im Rahmen von **drei Programmen** angegangen werden (ein Programm mit Maßnahmen, die sich auf die beiden ersten Themen beziehen; für die beiden anderen Themen gibt es jeweils ein eigenes Programm). Diese Programme werden vor Ort in acht Typen von Projekten umgesetzt, an denen sich die Gemeinschaft finanziell beteiligt:

- Städtische Pilotprojekte,
- Kooperationsprojekte, die das Konzept der Informationsgesellschaft mit einbeziehen,
- Kooperationsprojekte für Innovation und Technologietransfer,
- Kooperationsprojekte zur Nutzung der neuen Beschäftigungspotentiale,
- Kooperationsprojekte im Kulturbereich,
- Kooperationsprojekte zwischen Regionen in der Gemeinschaft,
- Kooperationsprojekte mit Regionen von Drittländern,
- Pilotprojekte auf dem Gebiet der Raumordnung.

C. Das Zusammenspiel von gemeinschaftlicher und nationaler Regionalpolitik

Der Beitrag der gemeinschaftlichen Strukturpolitik zur Konvergenz im weitesten Sinne spiegelt sich in deren Beiträgen zur Finanzierung der Investitionen wider. Schätzungen für die Jahre seit 1989 belaufen sich auf 7 bis 9% der Bruttoanlageinvestitionen in Portugal, Griechenland und Irland.

Das Gewicht der Aufwendungen der Mitgliedstaaten im Vergleich zu denen der Gemeinschaft veranschaulicht indes ein Vergleich der entsprechenden Ausgaben beider Seiten. So belaufen sich die Ausgaben der europäischen Strukturfonds für Infrastrukturinvestitionen in Fördergebieten auf weniger als ein Fünftel der gesamten jährlichen nationalen Infrastrukturinvestitionen in diesen Gebieten. Im Bereich der Regionalbeihilfen für Unternehmensinvestitionen bestehen ähnliche Größenordnungen zwischen den nationalen und gemeinschaftlichen Ausgaben.

Diese Größenordnungen zeigen global den begrenzten, wenn auch auf der Ebene einzelner Mitgliedstaaten nicht unerheblichen Umfang des Beitrags der Strukturfonds zur Finanzierung der nationalen Infrastruktur- und Unternehmensinvestitionen. Sie zeigen auch die primäre Verantwortlichkeit der Mitgliedstaaten für die reale Konvergenz und die subsidiäre Rolle der Gemeinschaft im Sinne einer gezielten Verstärkung und die nationalen Anstrengungen in ausgewählten besonderen Problemgebieten.

Nationale und gemeinschaftliche Strukturpolitiken müssen daher an gemeinsamen Grundsätzen ausgerichtet werden. Dies erfolgt im wesentlichen über die Kontrolle der nationalen Regionalbeihilfen. Trotz des generellen Beihilfeverbots gem Art 92 Abs 1 EGV können gem Abs 3 **Beihilfen** zur Förderung der wirtschaftlichen Entwicklung von Gebieten mit außergewöhnlich niedrigem Lebensstandard und erheblicher Unterbeschäftigung als mit dem Gemeinsamen Markt vereinbar angesehen werden. Für deren Genehmigung legt die Kommission ein Verfahren zugrunde, mit dem der am Gemeinschaftsdurchschnitt gemessene relative Entwicklungsstand einer Region ermittelt wird.[34]) Die Methode beruht auf folgenden Grundsätzen:

- Die soziale und wirtschaftliche Lage der Regionen nach Artikel 92 Abs 3 lit a EGV wird überwiegend anhand des Bruttosozialprodukts (BSP) pro Kopf der Bevölkerung, gemessen in Kaufkraftstandards (KKS) ermittelt, wobei der Gemeinschaftsindex der betreffenden Region angewandt wird;
- die Gebiete werden auf der Grundlage der Ebene NUTS III als geographische Einheit bewertet;
- der relative Entwicklungsstandard einer Region wird mit dem Durchschnitt der Gemeinschaft verglichen;
- um als Region nach Art 92 Abs 3 EGV eingestuft zu werden, darf bei der Mehrzahl der in einem Gebiet der NUTS-Ebene II gelegenen Regionen der Ebene III der BSP/KKS-Schwellenwert von 75 nicht überschritten werden, sodaß von einer ungewöhnlich niedrigen Lebenshaltung und erheblicher Unterbeschäftigung ausgegangen werden kann.

Die Methode bedient sich des in Kaufkraftstandards ausgedrückten BSP pro Kopf der Bevölkerung, das anhand des Vergleichs der Preise für eine Auswahl in gleichen Waren und Dienstleistungen in den einzelnen Mitgliedstaaten ermittelt wird. Mit dieser Methode können die unterschiedlichen Le-

---

[34]) ABl C 1988/212 v 12. 8. 1988.

benshaltungskosten zwischen den Regionen der einzelnen Mitgliedstaaten berücksichtigt werden.

Unterbeschäftigung betrifft alle Arbeitnehmer, die in irgendeiner Weise nicht voll beschäftigt sind. Bei einem hohen Grad an Unterbeschäftigung ist der Produktionsausstoß in der Regel tendenziell niedrig, was sich auch in den BSP-Daten niederschlägt. In den betroffenen Gebieten – vorwiegend ländliche Gebiete mit einer unterentwickelten industriellen Grundlage oder einem begrenzten Angebot an Dienstleistungen – ist die Arbeitslosenstatistik keine aussagekräftige Meßgröße für die Unterbeschäftigung. Bei einem niedrigen technologischen Niveau der gewerblichen Infrastruktur und einem unterentwickelten Dienstleistungssektor erhält der Faktor Arbeit im Produktionsprozeß ein relativ hohes Gewicht. Dadurch kann eine von der Arbeitslosenstatistik nicht erfaßte Unterbeschäftigung in erheblichem Umfang verdeckt werden.

Die zur Analyse herangezogene geographische Einheit sind die Regionen der NUTS-Ebene III. Zur Ermittlung der Einstufbarkeit als Region gem Art 92 Abs 3 lit a EGV wird jedoch auf die Lage der Mehrzahl der in der größeren Region der Ebene II gelegenen Regionen der Ebene III Bezug genommen. Dadurch kann den Verhältnissen einer Region der Ebene III, die von den sie umgebenden Regionen erheblich abweicht, Rechnung getragen werden. Liegt eine vergleichsweise günstige Region in einem ansonsten rückständigen Gebiet, so kann sie als Region nach Art 92 Abs 3 lit a EGV eingestuft werden, wenn die Mehrzahl der Regionen der Ebene III des entsprechenden Gebiets der Ebene II die BSP/KKS-Schwellenwerte erfüllt. Im entgegengesetzten Fall kann jedoch eine rückständige Region, deren Nachbarregionen diese Voraussetzungen nicht erfüllen, nicht auf diese Weise eingestuft werden.

Gem Art 92 Abs 3 lit c EGV können Beihilfen zur Förderung der Entwicklung bestimmter Wirtschaftsgebiete als mit dem Gemeinsamen Markt vereinbar angesehen werden, soweit sie die Handelsbedingungen nicht in einer dem gemeinsamen Interesse zuwiderlaufenden Weise verändern.

Zur Anwendung von Art 92 Abs 3 lit c EGV wendet die Kommission ein Verfahren an, das die Prüfung der sozialen und wirtschaftlichen Lage einer Region sowohl im nationalen als auch im Gemeinschaftsrahmen ermöglicht. Auf diese Weise kann die Kommission im Gemeinschaftsinteresse überprüfen, ob erhebliche regionale Abweichungen vorliegen und, falls ja, den betreffenden Mitgliedstaat ermächtigen, eine nationale Regionalpolitik ungeachtet seines wirtschaftlichen Entwicklungsstandes zu verfolgen. Bei ihren Entscheidungen läßt sich die Kommission von folgenden Grundsätzen leiten:

- Regionen werden auf der Grundlage der Ebene NUTS III als geographische Einheit bewertet (in begründeten Ausnahmefällen kann eine kleinere Einheit zugrunde gelegt werden);
- im ersten Prüfschritt wird die soziale und wirtschaftliche Lage einer Region anhand von zwei alternativen Kriterien untersucht: Entweder das BIP oder die Bruttowertschöpfung zu Faktorkosten (BWSF) und strukturelle Arbeitslosigkeit;
- im zweiten Prüfschritt werden diese Ergebnisse durch Heranziehung weiterer Indikatoren ergänzt.

Die soziale und wirtschaftliche Lage einer Region wird im Verhältnis zu bestimmten Schwellenwerten beurteilt, die in zwei Stufen ermittelt werden. In der ersten Stufe wird ermittelt, ob eine regionale Mindestabweichung im nationalen Rahmen vorliegt, während in der zweiten Stufe diese Mindestabweichung an die Gegebenheiten der Mitgliedstaaten mit einer höheren Entwicklungsstufe im Gemeinschaftsrahmen angepaßt wird.

Da nur Beihilfen zulässig sind, die zur Entwicklung bestimmter Wirtschaftsgebiete beitragen, muß eine gewisse Rückständigkeit des Gebietes innerhalb eines Mitgliedstaats vorliegen, das heißt eine negative regionale Mindestabweichung des Entwicklungsstandes des Mitgliedstaats im Gemeinschaftsrahmen. Diese regionale Mindestabweichung im nationalen Rahmen gilt als erfüllt, wenn:

- das Einkommen, ausgedrückt als Pro-Kopf-BIP/BWSF, wenigstens 15% unter dem Landesdurchschnitt liegt oder
- die strukturelle Arbeitslosigkeit wenigstens 10% über dem Landesdurchschnitt liegt.

Dies trifft zu, wenn der BIP/BWSF-Index für die Region nicht über dem Basisschwellenwert von 85 liegt und/oder der Index für die strukturelle Arbeitslosigkeit nicht unter einem Basisschwellenwert von 110. In beiden Fällen beträgt der Index für den Mitgliedstaat 100.

Bei der **strukturellen Arbeitslosigkeit** wurde ein flexiblerer Index gewählt, um dem vorrangigen Erfordernis des Abbaus der Arbeitslosigkeit Rechnung zu tragen.

Beihilfen sind ferner nur dann zulässig, wenn sie die Handelsbedingungen nicht in einem dem gemeinsamen Interesse zuwiderlaufenden Maße verändern. Da eine Verschärfung der bestehenden Unterschiede zwischen den Regionen und der Entwicklungsrückstände der am wenigsten entwickelten Gebiete dem gemeinsamen Interesse zuwiderlaufen würde, hat die Kommission festgesetzt, daß bei Mitgliedstaaten, deren Bezugswerte über dem Gemeinschaftsdurchschnitt liegen, die Abweichungen einer Region vom Landesdurchschnitt entsprechend größer sein müssen, damit eine Beihilfe für Gebiete zugelassen werden kann.

Zu diesem Zweck ist es erforderlich, die **relative Lage der Mitgliedstaaten innerhalb der Gemeinschaft** zu ermitteln. Hierzu werden für jeden Mitgliedstaat zwei Gemeinschaftsindizes berechnet. In diesen Indizes wird das Einkommen eines Mitgliedstaats und seine strukturelle Arbeitslosigkeit als Prozentsatz des Gemeinschaftsdurchschnitts ausgedrückt. Errechnet werden Durchschnittswerte innerhalb eines Fünfjahreszeitraums, die jährlich aktualisiert werden. In der zweiten Stufe wird anhand des Gemeinschaftsindex der Schwellenwert der über dem Gemeinschaftsdurchschnitt liegenden Mitgliedstaaten nach Maßgabe ihrer Gemeinschaftswerte unter Anwendung folgender Formel angepaßt:

$$\left(\text{Ausgangsschwellenwert} + \frac{\text{Ausgangsschwellenwert} \times 100}{\text{Gemeinschaftsindex}}\right) : 2 = \text{veränderter Schwellenwert}$$

Da in der ersten Stufe die Lage einer Region gemessen am Landesdurchschnitt ermittelt wird, kann mit dieser Formel die Auswirkung des Gemeinschaftsindex abgeschwächt werden. Je besser die Lage eines Mitgliedstaats im Vergleich zum Gemeinschaftsdurchschnitt ist, desto größer muß die Abweichung einer Region im nationalen Rahmen sein, um die Gewährung einer Beihilfe zu rechtfertigen.

Um eine Situation zu vermeiden, in der sich der Schwellenwert für die strukturelle Arbeitslosigkeit als zu streng erweist, ist eine maximale Abweichung festgelegt worden, die einem Index von 145 entspricht. Dadurch können Beihilfen in Regionen zugelassen werden, deren Arbeitslosigkeit im nationalen Rahmen gravierend, jedoch auf Gemeinschaftsebene weniger schwerwiegend ist. Da bei den Schwellenwerten für das BIP/BWS eine geringere Schwankungsbreite gegeben ist, war es nicht notwendig, eine erforderliche Höchstabweichung festzulegen.[35])

Die **wirtschaftliche und soziale Lage einer Region** hinsichtlich Arbeitslosigkeit und Einkommenshöhe kann in ihren Grundzügen im ersten Prüfschritt im nationalen Rahmen und auf Gemeinschaftsebene ermittelt werden. Um jedoch ein genaueres Bild der sozioökonomischen Lage einer Region zu entwerfen, können noch andere ökonomische Indikatoren herangezogen werden. Selbst wenn also eine Region im ersten Prüfschritt die entsprechenden Schwellenwerte erreicht hat, kommt sie nicht in jedem Fall für die Gewährung einer staatlichen Beihilfe in Frage. Deshalb muß der erste Prüfschritt in einem zweiten Schritt vertieft werden, in dem anhand der verfügbaren nationalen und gemeinschaftlichen statistischen Angaben weitere aussagefähige Indikatoren berücksichtigt werden müssen. Hierzu können unter anderem Struktur und Entwicklung der Arbeitslosigkeit, Wanderbewegungen, die demographische Entwicklung, Bevölkerungsdichte, Beschäftigungszahlen, die Produktivität, die Wirtschaftsstruktur (insbesondere Anteil der Sektoren im Niedergang), Investitionen, die geographische Lage, topographische Gegebenheiten und die Infrastruktur zählen.

Dieses Problem wurde vor allem im Hinblick auf die skandinavischen Länder akut. Die Analysen und Prognosen im Rahmen der Erweiterung hatten in der Tat ergeben, daß die im ersten Prüfschritt verwendeten Indikatoren die besonderen regionalen Probleme bestimmter Beitrittsländer nicht angemessen widerspiegeln.

Diese ungenügende Aussagefähigkeit der verwendeten Indikatoren hängt vor allem mit einer Reihe von Besonderheiten zusammen, die im Falle Schwedens und Finnlands die geographische Lage (Gebiete im äußersten Norden, harte klimatische Bedingungen, sehr große Entfernungen) und die äußerst geringe Bevölkerungsdichte in einigen Gebietsteilen betreffen. Diese Besonderheiten stellen für die Europäische Gemeinschaft neue Gegebenheiten dar. Sie sind in keinem gegenwärtigen Mitgliedstaat anzutreffen und wurden folglich bei der Ausarbeitung der vorerwähnten Methode auch nicht berücksichtigt. Diese charakteristischen Merkmale, die sowohl Hemmnisse für die regionale Entwicklung als auch von den Unternehmen in diesen Regionen zu überwindende Nachteile darstellen, kommen in den im ersten Prüfschritt verwendeten statistischen Indikatoren

[35]) Schwellenwerte in ABl C 1993/119 v 29. 4. 1993.

nicht zum Ausdruck. Deswegen hat die Kommission 1994 beschlossen, die Methode zur Anwendung von Art 92 Abs 3 lit c EGV auf Regionalbeihilfen zu ändern.

Diese Änderung besteht in der Einführung eines neuen Förderkriteriums, das die geringe Bevölkerungsdichte betrifft, die auf 12,5 Einwohner je Quadratkilometer auf der Grundlage der Ebene NUTS III festgelegt wurde. Dieses neue Förderkriterium soll neben allen anderen Kriterien für die gesamte Gemeinschaft gelten, wird sich aber auf die anderen Gemeinschaftsregionen derzeit nicht auswirken. Es wird als Alternative zu den Kriterien Arbeitslosigkeit und BIP des ersten Prüfschritts im Rahmen einer Zusatzphase A untersucht.

Alle Regionen der NUTS-Ebene III, die die für das Land, dem sie angehören, spezifischen Kriterien der Arbeitslosigkeit oder des BIP erfüllen oder eine Bevölkerungsdichte von weniger als 12,5 Einwohnern/km^2 haben, können also gegebenenfalls in den Anwendungsbereich des Art 92 Abs 3 lit c EGV fallen.[36])

D. Die politische Dimension – der Ausschuß der Regionen

Um die Regionen stärker an die Regionalpolitik heranzuführen, hatte die Kommission bereits im Vorgriff auf die Reform der Strukturfonds im Juni 1988 die Einsetzung eines **Beirats der regionalen und lokalen Gebietskörperschaften** beschlossen. Dieser Beirat konnte von ihr zu allen Fragen der regionalen Entwicklung und insbesondere der Ausarbeitung und Durchführung der Regionalpolitik der Gemeinschaft, einschließlich der regionalen und lokalen Auswirkungen der anderen Politiken der Gemeinschaft, angehört werden.

Er bestand aus 42 Mitgliedern, die auf regionaler oder lokaler Ebene ein Wahlmandat innehatten. Sie wurden von der Kommission auf gemeinsamen Vorschlag der Versammlung der Regionen Europas, des Internationalen Gemeindeverbands und des Rates der Gemeinden und Regionen Europas für einen Zeitraum von drei Jahren ernannt.[37])

Im Anschluß an die Bildung des Ausschusses der Regionen wurde der Beirat aufgelöst.

Mit dem Vertrag über die Europäische Union wurde mit Art 198 a EGV ein beratender Ausschuß aus Vertretern der regionalen und lokalen Gebietskörperschaften errichtet: Der **Ausschuß der Regionen,** der im März 1994 zu seiner konstituierenden Sitzung zusammentrat.

Der Vertrag bestimmt hierzu, daß „der Ausschuß der Regionen vom Rat oder von der Kommission in den in diesem Vertrag vorgesehenen Fällen und in allen anderen Fällen gehört wird, in denen eines dieser beiden Organe dies für zweckmäßig erachtet". Die Bereiche, in denen der Ausschuß verbindlich gehört werden muß, betreffen die folgenden fünf Politikfelder der Gemeinschaft:

---

[36]) Kommission IP/94/470 v 1. 6. 1994.

[37]) ABl L 1988/247 v 6. 9. 1988.

- Sozialpolitik: Allgemeine Bildung,
- Kultur,
- Gesundheitswesen,
- Transeuropäische Netze: Verkehrswesen, Telekommunikation und Energiewesen,
- wirtschaftlicher und sozialer Zusammenhalt.

Der Rat oder die Kommission können dem Ausschuß der Regionen für die Vorlage seiner **Stellungnahme** eine Frist setzen. Diese beträgt mindestens einen Monat, vom Eingang der diesbezüglichen Mitteilung beim Präsidenten des Ausschusses an gerechnet. Die Stellungnahme des Ausschusses sowie ein Bericht über die Beratungen werden dem Rat und der Kommission übermittelt. Wird der Wirtschafts- und Sozialausschuß nach Art 198 EGV gehört, so wird der Ausschuß der Regionen vom Rat oder der Kommission über dieses Ersuchen um Stellungnahme unterrichtet. Der Ausschuß der Regionen kann, wenn er der Auffassung ist, daß spezifische regionale Interessen berührt werden, eine entsprechende Stellungnahme abgeben. Es handelt sich demnach um eine indirekte Art der Anhörung.

Der Ausschuß kann des weiteren von sich aus Stellungnahmen abgeben, wenn er dies für zweckdienlich erachtet. Dies bedeutet, daß der Ausschuß auch dann eine Stellungnahme zu einer Politik der Gemeinschaft abgeben kann, wenn diese nicht in die Bereiche fällt, in denen er gehört werden muß. Diese Regelung stellt für den Ausschuß ein Mittel zur Betonung seiner Autonomie dar.

Der Ausschuß der Regionen setzte sich zunächst aus 189 Mitgliedern sowie aus gleich vielen Stellvertretern zusammen. Im Zuge des Beitritts der neuen Mitgliedstaaten wurde die Anzahl der Mitglieder 1995 auf 222 erhöht. Die Mitglieder und Stellvertreter werden auf Vorschlag der jeweiligen Mitgliedstaaten durch einstimmigen Beschluß des Rates auf vier Jahre ernannt. Wiederernennung ist zulässig. Sie dürfen an keine Weisungen gebunden sein und sollen ihre Tätigkeit in voller Unabhängigkeit zum allgemeinen Wohl der Gemeinschaft ausüben.

Die Verteilung der Sitze der 222 Vertreter nach Mitgliedstaaten ist folgende:

- Deutschland, Frankreich, Italien und das Vereinigte Königreich: je 24
- Spanien: 21
- Belgien, Griechenland, die Niederlande, Österreich, Portugal und Schweden: je 12
- Dänemark, Finnland und Irland: je 9
- Luxemburg: 6

Gemäß den Bestimmungen des Vertrags setzt sich der Ausschuß aus **Vertretern der regionalen und lokalen Ebene** zusammen. Die Anzahl der Vertreter und Stellvertreter einer jeden Ebene ist ungefähr gleich. Diese Zusammensetzung spiegelt die äußerst unterschiedlichen gebietsmäßigen Organisationsstrukturen innerhalb der Europäischen Union wider.

Der Vertrag schreibt nicht vor, daß der Ausschuß aus gewählten Vertretern der regionalen oder lokalen Ebene zu besetzen sei. Die Kommission hatte jedoch den Wunsch zum Ausdruck gebracht, daß die Vertreter ein Wahlmandat haben, um die Legitimität des Ausschusses zu untermauern. Dementsprechend sind Mitglieder und Stellvertreter in der überwiegenden Mehrheit gewählte Vertreter.

Eine weitere wichtige Neuerung für die Regionen war die Neuformulierung von Art 146 EGV. Er bestimmt in bezug auf den Rat: „Der Rat besteht aus je einem Vertreter jedes Mitgliedstaats auf Ministerebene, der befugt ist, für die Regierung des Mitgliedstaats verbindlich zu handeln.“ Damit ergab sich zum erstenmal die Möglichkeit einer Vertretung der Regionen im Ministerrat, von der bereits Gebrauch gemacht wurde.

E. Schlußbetrachtung

Mit der Diskussion um das Maastrichter Vertragswerk rückte auch die Strukturpolitik der Europäischen Gemeinschaft wieder in den Mittelpunkt des Interesses. Vor dem Hintergrund der Schaffung der Wirtschafts- und Währungsunion kommt ihr für die Zukunft eine wachsende Bedeutung zu. So ist es nicht überraschend, daß das Ziel des wirtschaftlichen und sozialen Zusammenhalts, das in der Einheitlichen Europäischen Akte zum erstenmal formuliert worden war, in die gemeinsamen Bestimmungen und damit in die Grundsätze der europäischen Verträge aufgenommen wurde und gleichzeitig der größte Teil der geplanten Ausgabensteigerungen im Rahmen des sog Delors-II-Pakets der Strukturpolitik zugewiesen wurde.

Die **Anpassung der Strukturpolitik** erfolgte in mehreren Schritten, die zwar nicht der ursprünglichen Logik der Ratifizierung der Maastrichter Verträge entsprachen, aber dennoch nach und nach die Konturen des zukünftigen Gebäudes erkennen ließen. Ausgangspunkt war dabei die Feststellung, daß sich das System, das sich 1988 aus der ersten Reform der Strukturfonds ergeben hatte, im wesentlichen bewährt habe und daß es vor allem um eine Fortschreibung desselben gehen sollte. Deshalb seien noch kurz die bedeutendsten der erzielten wirtschaftlichen Ergebnisse in Erinnerung gerufen.[38])

Diese lassen sich auf drei Ebenen überprüfen:

- makroökonomische Auswirkungen der finanziellen Transfers,
- qualitative und quantitative Bewertung der Programme in bezug auf die angestrebten Ziele,
- Ausschöpfung der eingeplanten Mittel (Absorptionskapazität).

Obgleich es noch verfrüht ist, die mit Hilfe der Strukturfondsprogramme erzielten Ergebnisse endgültig zu bewerten, dürfte es gleichwohl möglich sein, einige makroökonomische Auswirkungen auf die vollständig unter Ziel 1 fallenden Länder abzuschätzen.

So haben die Strukturfonds zB zu 3,5% in Portugal, 2,9% in Griechenland und 2,3% in Irland zum BSP beigetragen. Ihr Beitrag zum jährlichen Wachstum betrug schätzungsweise 0,7% in Portugal, 0,5% in Griechenland und 0,3% in den anderen Ziel-1-Regionen.

---

[38]) Vgl Die gemeinschaftlichen Strukturpolitiken, Bilanz und Perspektiven, Mitteilung der Kommission v 20. 3. 1992 und Vierter Jahresbericht der Kommission über die Durchführung der Strukturfondsreform – 1992, 29. 10. 1993, Kapitel III.

Insgesamt lag das Wachstum in Portugal, Irland und Spanien seit 1989 über dem Gemeinschaftsdurchschnitt.

Ferner dürften die Strukturfonds zur Schaffung von 120.000 neuen Arbeitsplätzen in Spanien, 85.000 in Italien und 70.000 in Portugal beigetragen haben.

Erinnert sei außerdem an die positiven Rückwirkungen, die sich aus den in den Förderregionen getätigten Investitionen zugunsten der wohlhabenden Regionen ergeben. So führen beispielsweise 100 ECU, die in Portugal investiert werden, in den anderen Mitgliedstaaten schätzungsweise zu Ausfuhren von rund 45 ECU. Der gleiche Betrag, der in Griechenland, Irland oder in den Förderregionen Italiens und Spaniens investiert wird, dürfte in den übrigen Mitgliedstaaten zu Ausfuhren in Höhe von 15 bis 35 ECU führen.

Seit 1989 konzentrieren sich die Bewertungsbemühungen der Kommission auf eine Analyse der Auswirkungen der einzelnen Gemeinschaftlichen Förderkonzepte und – auf einer niedrigeren Ebene – der operationellen Interventionen.

Anfänglich waren zwei Schwachpunkte zu verzeichnen, denn einerseits gab es eine mangelnde Sensibilität der Mitgliedstaaten für diesen Aspekt bei der Vorbereitung und Prüfung der Interventionen, sodaß man sich nur unzureichend darum bemühte, präzise und quantifizierte Ziele für die geplanten Aktionen aufzustellen, und andererseits war es der Kommission 1989 noch nicht möglich, Bewertungsmethodologien zu liefern, die für alle sich ergebenden Fälle anwendbar waren.

Die Arbeiten der letzten Jahre konzentrierten sich darauf, eine **gemeinsame Bewertungsmethodologie** für die drei Phasen der operationellen Intervention (ex-ante, begleitend, ex-post) auszuarbeiten. Diese Methodologie legt den Akzent auf die Festlegung und Quantifizierung klarer Ziele der Programme und ihre Begleitung sowie auf die Qualität des Programmanagements, um genaue Informationen nicht nur über die finanziellen Aspekte, sondern auch über die materielle Abwicklung zu erhalten, um auf diese Weise eine Analyse der effektiven mikroökonomischen Auswirkungen und der Auswirkungen auf die Entwicklung des betreffenden Gebiets zu ermöglichen.

Die zahlreichen inzwischen eingeleiteten Evaluierungsstudien werden von unabhängigen Sachverständigen durchgeführt und können auch als Orientierungen für die Begleitausschüsse angesehen werden.

Als die Reform der Fonds im Jahre 1988 begann, betraf die Hauptsorge die **Kapazität der Regionen und der nationalen Verwaltungen** insbesondere bei Ziel 1, die großen Fördervolumen zu absorbieren. Diese Befürchtung hat sich als unberechtigt erwiesen. Es hat sich herausgestellt, daß für die Gebiete des Ziels 1 die Durchführung insgesamt dem Rhythmus gefolgt ist, der 1989 vorgesehen worden war. Für Ziel 2 war die Verpflichtungsrate der Zahlungen etwas geringer, die Auszahlungsrate dagegen zufriedenstellend.

Die Beschlüsse des Ministerrates vom 17. Juli 1993 wahren im wesentlichen die Kontinuität des 1988 geschaffenen Systems, insbesondere was seine regionalpolitische Dimension, also die Ziele 1, 2 und 5b, betrifft. Bei den Verhandlungen zeigte sich jedoch eine eindeutige Tendenz von seiten der Mitgliedstaaten, einen Teil der 1988 der Kommission übertragenen Kompetenzen zurückzufordern. Dies galt insbesondere für die Gemeinschaftsinitiativen, deren relativer Anteil an der Finanzierung der Strukturpolitik gekürzt wurde. In das Beschlußfassungsverfahren in diesem Bereich wurde ein neugeschaffener Verwaltungsausschuß einbezogen. Einen weiteren Konfliktpunkt bildete die Rolle des Beratenden Ausschusses für die Entwicklung umd Umstellung der Regionen, der – wie der bis Ende 1988 bestehende EFRE-Ausschuß – wieder eine Verwaltungsfunktion erhalten sollte, wozu es aber schließlich nicht kam. Kontrovers waren ferner die Modalitäten bezüglich der Abgrenzung der Förderkulissen für die Ziele 2 und 5 b, die 1989 von der Kommission autonom bestimmt worden waren.

An diesen Beispielen wird deutlich, daß das Kräftegleichgewicht wieder zugunsten der Verwaltungen der Mitgliedstaaten verschoben werden sollte. Wenn damit auch noch nicht die Gefahr entstand, die Strukturpolitik – wie die Regionalpolitik vor 1989 – zu einem bloßen Instrument des Finanzausgleichs zu machen, so tat sich doch unübersehbar die Perspektive einer gewissen Renationalisierung dieses Politikfeldes auf. Wie sich die Dinge schließlich zwischen der Kommission und den zuständigen Verwaltungen der Mitgliedstaaten einpendeln, kann erst die Zukunft erweisen.

Mittlerweile eröffnet sich im Hinblick auf die zukünftige Entwicklung der Strukturpolitik auch die Perspektive einer möglichen Osterweiterung der Europäischen Union. Allein die unmittelbaren Nachbarstaaten Polen, Ungarn, die Tschechische und die Slowakische Republik entsprechen in ihrer Größenordnung den jetzigen vier „Kohäsionsländern“. Selbst wenn durch einen Beitritt der mittel- und osteuropäischen Länder der Gemeinschaftsdurchschnitt im Hinblick auf das BIP pro Kopf sänke, würde eine vergleichbare Förderung wie bei den Ziel 1-Gebieten eine Aufstockung der Strukturfonds um mehr als die Hälfte erfordern. Dies ist jedoch bei dem augenblicklichen Zustand der öffentlichen Finanzen in den Mitgliedstaaten kaum vorstellbar. Hieraus ergibt sich, daß für den Zeitraum nach 1999 das gesamte gegenwärtig bestehende System auf den Prüfstand gestellt werden muß.

Anhang 1: Unter Ziel 1 fallende Regionen (1994–1999)

Deutschland:	**Ost-Berlin, Brandenburg, Mecklenburg-Vorpommern, Sachsen, Sachsen-Anhalt, Thüringen**
Belgien:	**Hainaut**
Spanien:	Andalusien, Asturien, Kastilien und Léon, **Kantabrien,** Kastilien-La Mancha, Ceuta-Melilla, Valencia, Estremadura, Galicien, Kanarische Inseln, Murcia
Frankreich:	Überseeische Departments, Korsika, **Arrondissements Avesnes, Douai und Valenciennes**
Irland:	das gesamte Staatsgebiet
Griechenland:	das gesamte Staatsgebiet
Italien:	Basilicata, Kalabrien, Kampanien, Molise, Apulien, Sardinien, Sizilien, **Abruzzen (1994–1996)**
Portugal:	das gesamte Staatsgebiet
Vereinigtes Königreich:	Nordirland, **Highlands and Islands Enterprise Area,** Merseyside
Österreich:	**Burgenland**

Die in das Verzeichnis neu aufgenommenen Regionen sind in fettgedruckten Buchstaben angegeben.

Anhang 2: Die Zielgebiete der Strukturfonds

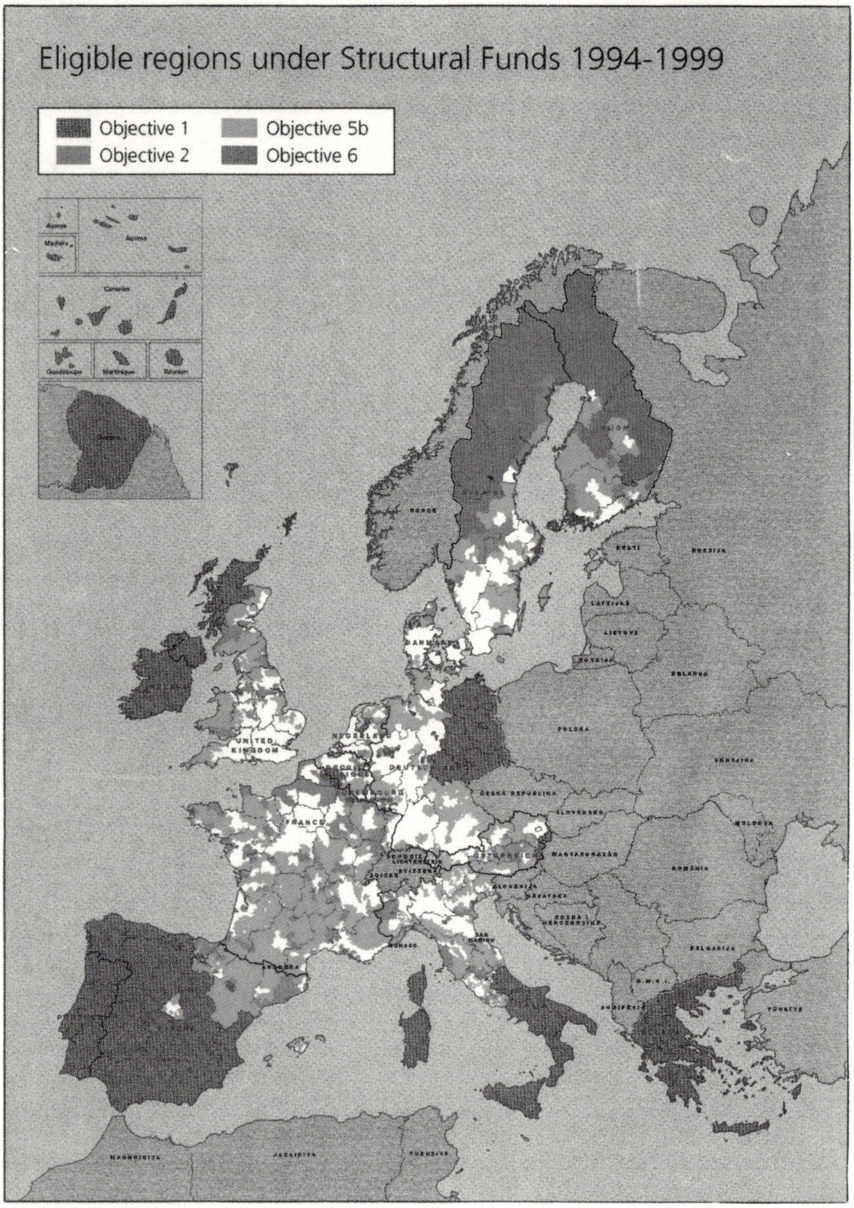

Anhang 3: Bruttoinlandsprodukt (BIP) je Einwohner (1992)

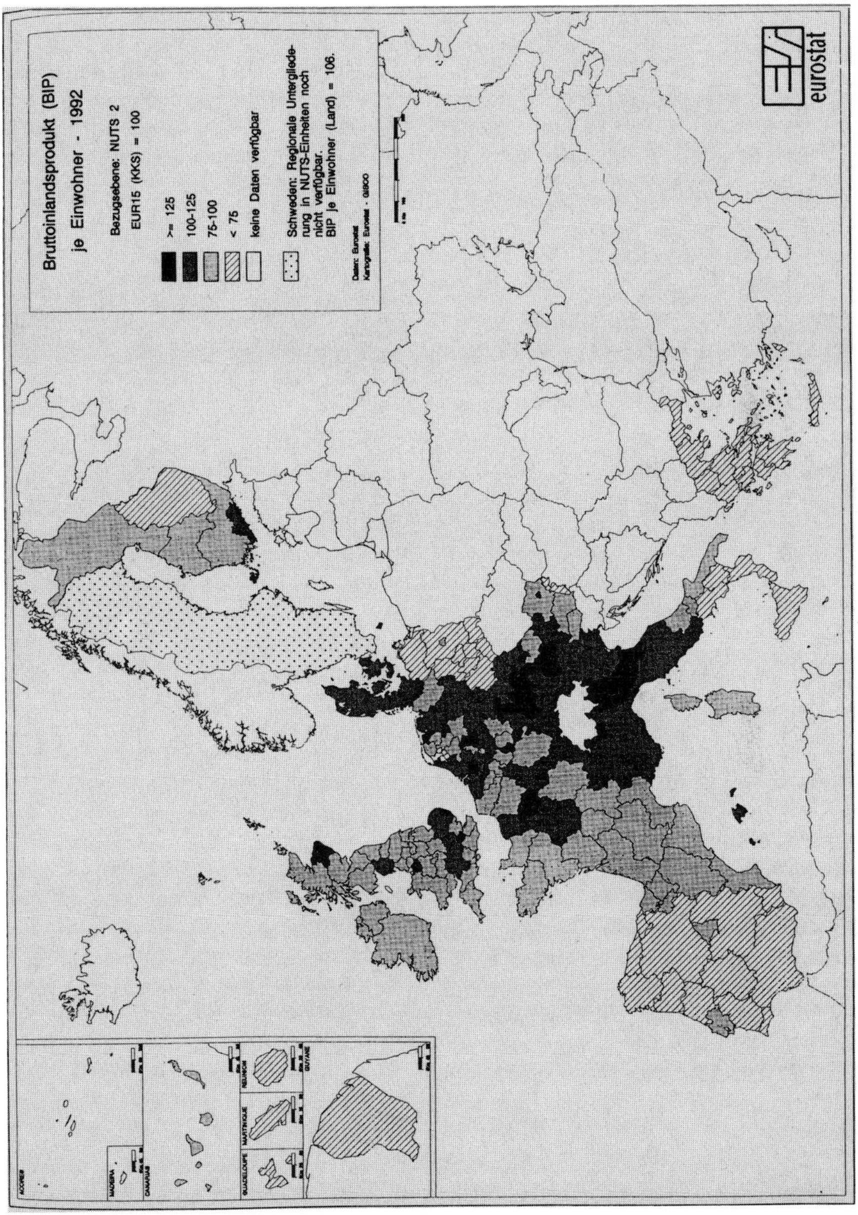

Anhang 4: Arbeitslosenquoten

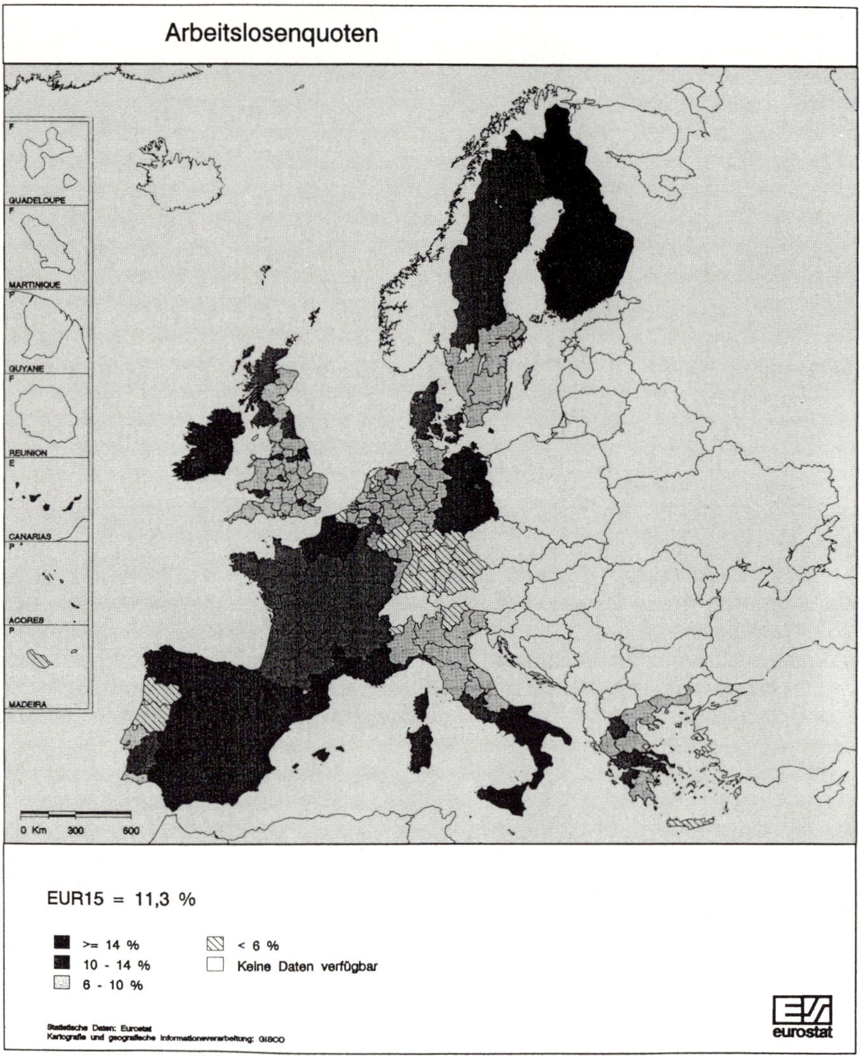

Anhang 5: Interreg II

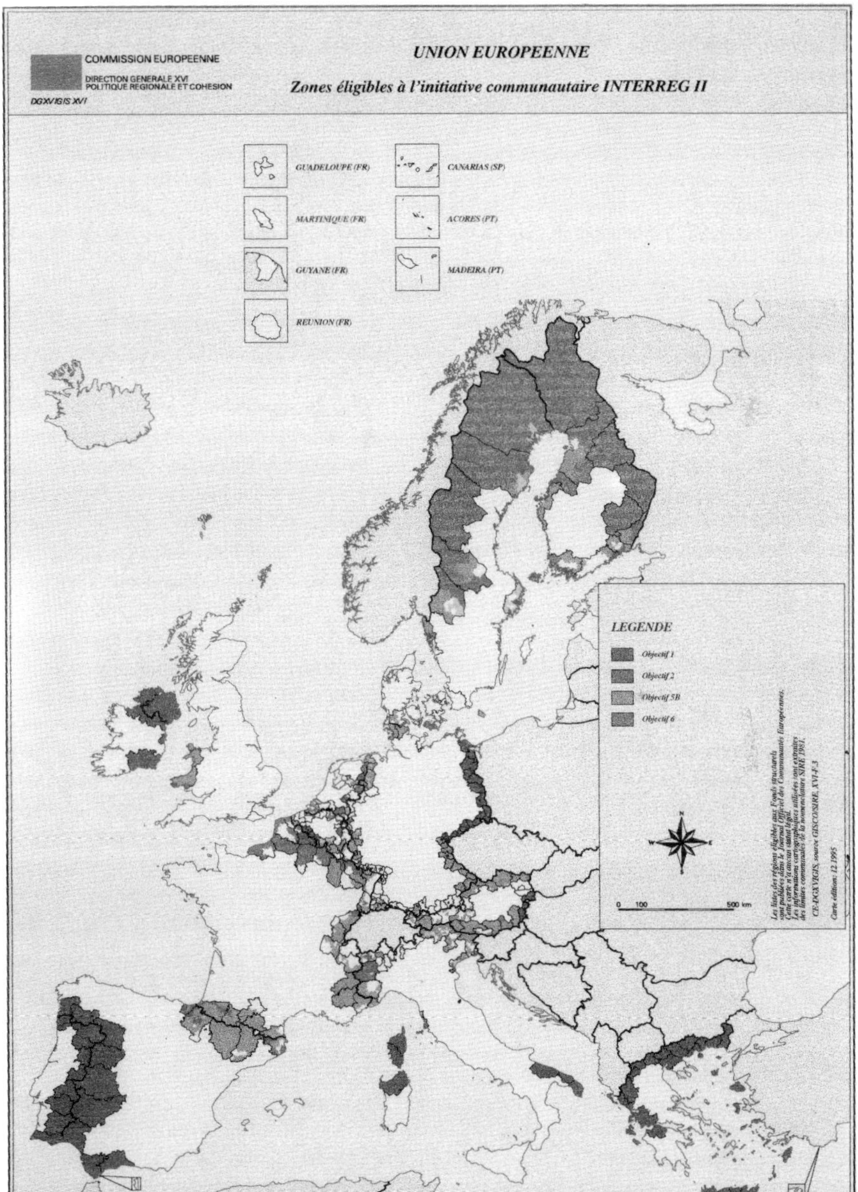

6. KAPITEL

Gemeinsame Agrarpolitik – Herzstück und Sorgenkind

Dirk Ahner

Übersicht:

A. 35 Jahre Gemeinsame Agrarpolitik – ein Rückblick

1. Die Gemeinsame Agrarpolitik im EG-Vertrag

Landwirtschaft und Agrarpolitik haben im europäischen Einigungswerk lange Zeit eine Vorreiterrolle gespielt. Die Agrarpolitik war einer der ersten Bereiche, in denen die Mitgliedstaaten zugunsten der Gemeinschaft auf einen Teil ihrer nationalen Souveränität verzichteten, sodaß im Rahmen einer gemeinsamen Politik einheitliche Spielregeln für alle entstehen konnten.

Der Grundsatz eines **Gemeinsamen Agrarmarktes** und einer **Gemeinsamen Agrarpolitik** ist ausdrücklich im EG-Vertrag verankert. Dort sind im Art 39 Abs 1 auch die wichtigsten Ziele dieser Politik definiert:

- Steigerung der Produktivität der Landwirtschaft durch Förderung des technischen Fortschritts, Rationalisierung der landwirtschaftlichen Erzeugung und den bestmöglichen Einsatz der Produktionsfaktoren, insb der Arbeitskräfte;
- auf diese Weise soll der landwirtschaftlichen Bevölkerung eine angemessene Lebenshaltung gewährleistet werden;
- die Märkte sollen stabilisiert werden;
- die Versorgung sichergestellt und
- für die Belieferung der Verbraucher zu angemessenen Preisen Sorge getragen werden.

Neben diesen Zielen nennt der Vertrag bereits einige grundlegende Elemente für den Aufbau der Gemeinsamen Agrarpolitik (Art 40 bis 42 EGV): gemeinsame Organisation der Agrarmärkte, einheitliche Preispolitik, Schaffung eines (oder mehrerer) Gemeinschaftsfonds zur Finanzierung der Politik. Es blieb Aufgabe der Organe der Gemeinschaft, den damit geschaffenen Rahmen auszugestalten. Die Verfahren dazu sowie die nötigen Übergangsregelungen wurden ebenfalls im Vertrag festgelegt (Art 43 bis 47 EGV). Eine Konferenz der Mitgliedstaaten sollte unmittelbar nach Inkrafttreten des Vertrages die Grundlinien für die Gemeinsame Agrarpolitik erarbeiten (Art 43 EGV). Diese Konferenz trat im Juli 1958 in Stresa zusammen.

2. Die Konferenz von Stresa

Wie schon die Ausarbeitung des EG-Vertrags in den Jahren zuvor muß auch die Arbeit der Konferenz von Stresa vor dem Hintergrund der damaligen Situation der europäischen Landwirtschaft gesehen werden:

- Die Gemeinschaft wies in den Nachkriegsjahren ein Defizit an fast allen wichtigen landwirtschaftlichen Erzeugnissen auf; der „strategische" Aspekt der Agrarpolitik, die sichere Versorgung der Bevölkerung, spielte deshalb eine bedeutende Rolle.
- Die gesamtwirtschaftliche Bedeutung, die wirtschaftlichen und sozialen Strukturen sowie die natürlichen Produktionsbedingungen der Landwirtschaft variierten erheblich von einer Region zur anderen. Wenn die Zahl der landwirtschaftlichen Betriebe und der Erwerbspersonen in der Landwirtschaft inzwischen auch stark gesunken ist (1960 waren im Europa der Zwölf noch fast 25 Mio Menschen im Wirtschaftszweig Landwirtschaft, Forsten, Fischerei und Jagd erwerbstätig, 1992 waren es noch knapp

7,6 Mio), so haben die strukturelle Vielfalt und die Kontraste im Zuge der verschiedenen Erweiterungen der Gemeinschaft noch eher zugenommen.

- Die meisten Mitgliedstaaten hatten bereits vor dem EG-Vertrag eigene nationale Agrarpolitiken mit spezifischen Beihilfen, Marktordnungssystemen und Preisstützungsregelungen entwickelt. Insofern lag es bei der Einführung der Gemeinsamen Agrarpolitik nahe, auf bereits Bekanntes zurückzugreifen und es auf die neue Dimension „Gemeinschaft" abzustimmen.[1])

Wenn die Arbeiten der Konferenz von Stresa auch der damaligen Situation verpflichtet waren, so wirken die Schlußfolgerungen, zu denen sie gelangt ist, doch selbst heute noch erstaunlich aktuell.[2])

Im Zentrum der Überlegungen steht der **Familienbetrieb,** der als spezifisches Merkmal der europäischen Landwirtschaft erhalten bleiben soll. Alle verfügbaren Mittel sollen deshalb eingesetzt werden, um Leistungskraft und Wettbewerbsfähigkeit der Familienbetriebe zu heben. Zugleich soll zwischen Produktion und Absatzmöglichkeiten ein Gleichgewicht gesucht werden, wobei mögliche Ein- und Ausfuhren sowie eine den wirtschaftlichen Strukturen und den natürlichen Bedingungen in der Gemeinschaft entsprechende Arbeitsteilung zu berücksichtigen sind. Zwischen der Politik zur Strukturverbesserung und der Marktpolitik ist eine enge Wechselbeziehung herzustellen. Die Anstrengungen zur Produktivitätssteigerung sollen die Durchführung einer Preispolitik zulassen, die Überproduktion vermeidet und es ermöglicht, wettbewerbsfähig zu bleiben oder zu werden; gleichzeitig soll die Gewährung von Hilfen an benachteiligte Gebiete oder Betriebe die erforderlichen Umstellungen möglich machen. Die Förderung der beruflichen Umorientierung der landwirtschaftlichen Arbeitskräfte und einer stärkeren Industrialisierung der ländlichen Gebiete soll es ermöglichen, schrittweise die Probleme der Marginalbetriebe zu lösen, die wirtschaftlich nicht rentabel arbeiten können.

3. 1960–1995: Die Gemeinsame Agrarpolitik im Laufe der Zeit

Obwohl die Konferenz von Stresa der Agrarstrukturpolitik und der Entwicklung des ländlichen Raumes eine Schlüsselrolle zuwies, standen zunächst die Schaffung eines Gemeinsamen Agrarmarktes und damit die Markt- und Preispolitik eindeutig im Vordergrund. Gegen Ende der 60er-Jahre wurden bereits weit über 90% der Produktion im Rahmen gemeinsamer Marktordnungen verwaltet, und die Agrarpreisniveaus in den Mitgliedstaaten waren weitgehend einander angeglichen.

Da die Produktionskosten in der Gemeinschaft in vielen Fällen höher waren als in anderen großen Erzeugerländern, wurden die Erzeugerpreise in der Gemeinschaft durchwegs über dem Weltmarktniveau festgelegt, nicht zuletzt auch, um den Landwirten ein angemessenes Einkommen zu sichern. Der stimulierende Effekt, der davon auf die Produktion ausging, schien solange verhältnismäßig unproblematisch, wie die Gemeinschaft bei den meisten

---

[1]) Vgl *Oury,* L'Agriculture au seuil de marché commun (1959) 284; *Tracy,* Agriculture in Western Europe – Crisis and Adaptation since 1980[2] (1982) 235.

[2]) EG-Kommission (Hg), Dokumente der Landwirtschaftskonferenz der Mitgliedstaaten der Europäischen Gemeinschaft in Stresa vom 3. bis 12. Juli 1958.

wichtigen Agrarprodukten ein Defizitgebiet und deshalb ein Nettoimporteur war.

Erste Ansätze zu einer **gemeinsamen Strukturpolitik** wurden erst zu Beginn der 70er-Jahre mit den sog **soziostrukturellen Richtlinien** beschlossen: Investitionsbeihilfen zur Modernisierung der Betriebe, ausbildungsfördernde Maßnahmen, Vorruhestandsgelder und Umschulungsbeihilfen für ausscheidungswillige Landwirte, Einstiegserleichterungen für Junglandwirte etc. Förderungsleitbild war der leistungsstarke und wettbewerbsfähige Familienbetrieb. Später kamen Maßnahmen zur Verbesserung der Verarbeitungs- und Vermarktungsstrukturen sowie zur Förderung von Erzeugergemeinschaften hinzu. In benachteiligten Gebieten sollten spezielle Ausgleichszahlungen die naturbedingten Handicaps überwinden helfen. Schließlich wurden in besonders wirtschaftsschwachen ländlichen Gebieten regionalspezifische Maßnahmen vor allem zur Verbesserung der ländlichen Infrastrukturen sowie zur Schaffung geeigneter Absatz- und Vermarktungsmöglichkeiten eingeführt.

Trotz dieser vielfältigen Ansätze hatte die gemeinsame Strukturpolitik erhebliche Anlaufschwierigkeiten. In einigen Ländern wurden die soziostrukturellen Richtlinien nur sehr langsam in die Praxis umgesetzt. Unterschiedliche Interessen und Erwartungen sowie institutionelle und verwaltungstechnische Schwierigkeiten dürften dazu ebenso beigetragen haben wie nationale Haushaltsprobleme. Anders als bei den Marktstützungsmaßnahmen, die zu 100% aus dem Gemeinschaftshaushalt finanziert werden, beteiligte sich die Gemeinschaft an der Finanzierung strukturpoltischer Maßnahmen nur zu einem bestimmten Prozentsatz (in den 70er-Jahren und frühen 80er-Jahren normalerweise zu 25%). Die Mitgliedstaaten mußten also selbst einen erheblichen Teil dieser Maßnahmen aus ihren nationalen Haushalten finanzieren, was gerade in finanzschwachen Ländern immer wieder Probleme verursachte und generell dazu verführte, soziale und strukturelle Probleme über die Markt- und Preispolitik anzugehen.

Seit Mitte der 70er-Jahre änderten sich die wirtschaftlichen Rahmenbedingungen erheblich: Allgemeine Wirtschaftskrise und Arbeitslosigkeit reduzierten die Mobilitätsbereitschaft. Die Investitions- und Betriebskosten stiegen. Infolge eines bemerkenswert hohen technischen Fortschritts sowie erheblicher Modernisierungs- und Rationalisierungsanstrengungen traten bei verschiedenen Schlüsselprodukten (Milch, Getreide, Rindfleisch, Wein) wachsende Überschüsse auf und führten zu rasant steigenden Ausgaben für die betroffenen Sektoren. Die Marktpreise sanken, und die landwirtschaftlichen Einkommen gerieten unter Druck. Zunehmende Umweltschäden lenkten die öffentliche Aufmerksamkeit zugleich verstärkt auf die Rolle, die die Landwirtschaft in diesem Zusammenhang – im Negativen wie im Positiven – spielt oder zumindest spielen kann.

Sowohl die Markt- und Preispolitik als auch die Strukturpolitik mußten an diese Veränderungen angepaßt werden. Die dazu notwendigen Reformen sind vor allem seit der zweiten Hälfte der 80er-Jahre in Angriff genommen worden und dürften sich bis weit in die 90er-Jahre hinein erstrecken. In der Strukturpolitik kam es mit der Reform der Strukturfonds von 1988 und in der Markt- und Preispolitik mit der Reform von 1992 zu grundlegenden Neuorientierungen. Die im Jahre 1988 eingeführte besondere Haushaltsdisziplin für die Gemeinsame Agrarpolitik und die Verpflichtungen, die die Gemeinschaft 1994 im Rahmen des Allgemeinen Zoll- und Handelsabkommens (GATT-Uruguay-Runde) eingegangen ist, geben heute den Rahmen für die weitere Entwicklung insbesondere der Markt- und Preispolitik vor.

B. Grundlagen der Markt- und Preispolitik

1. Markteinheit, Gemeinschaftspräferenz und finanzielle Solidarität

Seit ihrer Einführung in den 60er-Jahren beruht die Marktpolitik im Rahmen der Gemeinsamen Agrarpolitik im wesentlichen auf drei Grundsätzen: Einheit des Marktes, Gemeinschaftspräferenz und finanzielle Solidarität.

Markteinheit bedeutet freien Warenverkehr für landwirtschaftliche Erzeugnisse zwischen den Mitgliedstaaten. Das Ziel ist ein einziger großer Binnenmarkt für die gesamte Gemeinschaft, in dem Zölle, andere Handelshemmnisse oder Subventionen, die den Wettbewerb verfälschen, ausgeschlossen sind.

In besonderen Fällen ist jedoch zeitlich begrenzt vom Prinzip der Markteinheit abgewichen worden (etwa in der Übergangsphase der Jahre 1962 bis 1967 oder im Rahmen verschiedener Erweiterungen der Gemeinschaft, bei denen für eine Übergangszeit besondere Regeln im Agrarhandel mit den neuen Mitgliedstaaten festgelegt wurden).

Unter **Gemeinschaftspräferenz** versteht man das Prinzip, dem Absatz der innergemeinschaftlichen Erzeugung auf dem Binnenmarkt den Vorrang einzuräumen. Sofern die für die Gemeinschaft angestrebten Preise über dem Weltmarktniveau liegen – und das ist bei den meisten landwirtschaftlichen Erzeugnissen der Fall –, ist es für die Durchsetzung der Gemeinschaftspräferenz entscheidend, den Binnenmarkt gegen Niedrigpreiseinfuhren aus Drittländern abzusichern.

Finanzielle Solidarität schließlich bedeutet, daß die Kosten der gemeinsamen Politik auch gemeinsam getragen werden. So werden die für die Agrarpolitik erforderlichen Ausgaben aus dem Europäischen Ausrichtungs- und Garantiefonds für die Landwirtschaft (EAGFL) finanziert – unabhängig davon, für welches Erzeugnis oder welchen Mitgliedstaat sie bestimmt sind.

2. Die wichtigsten Marktordnungstypen

Wenn die Prinzipien der Markteinheit, der Gemeinschaftspräferenz und der finanziellen Solidarität auch für die gesamte Marktpolitik gelten, so heißt das nicht, daß alle Produkte exakt denselben Regeln unterliegen. Unterschiedliche Produktions- und Marktbedingungen, zum Teil aber auch internationale Verpflichtungen, die die Gemeinschaft im Agrarhandel eingegangen ist, haben es von Anfang an sinnvoll und notwendig erscheinen lassen, **produkt- oder produktgruppenspezifische Marktordnungen** einzuführen.

Um die Entwicklung der Landwirtschaft in der Gemeinschaft zu fördern und die Einkommen der Landwirte zu stützen, wurden verschiedene Stützungsinstrumente und -mechanismen in die Marktordnungen eingebaut. Sie lassen sich vereinfachend in vier Gruppen zusammenfassen.

a) Intervention und Außenschutz

Dieser Stützungsmechanismus, der in der einen oder anderen Form für über 70% der landwirtschaftlichen Erzeugung in der Gemeinschaft gilt, beruht auf zwei Pfeilern: einer Interventionsregelung auf dem Binnenmarkt und einem Außenschutz.

Für zahlreiche wichtige Produkte, zB Getreide, Butter oder Magermilchpulver, Zucker und Rindfleisch hat die Gemeinschaft in den Mitgliedstaaten spezielle **Interventionsstellen** eingerichtet. In Zeiten hohen Angebotsdrucks, wenn die Marktpreise in der Gemeinschaft unter ein bestimmtes Mindestniveau, den sog **„Interventionspreis"**, fallen, kaufen diese Stellen die ihnen von den Erzeugern oder vom Handel angebotenen Mengen auf, um den Markt zu entlasten und die Preise zu stabilisieren.

Bei Zucker sind die intervenierbaren Mengen durch ein Quotensystem begrenzt. Produktionsmengen, die über die Quoten hinausgehen, müssen die Erzeuger auf eigenes Risiko auf dem Weltmarkt absetzen.

Nicht immer sind die Interventionsmechanismen so automatisch und so umfassend. Bei Erzeugnissen wie zB Schweinefleisch oder einigen Obst- und Gemüsesorten beschränkt sich die Gemeinschaft in Zeiten hohen Angebots gewöhnlich darauf, **Beihilfen zur privaten Lagerhaltung** zu zahlen, um einen Teil der (überschüssigen) Produktion vom Markt zu nehmen.

Sobald sich die Marktlage entspannt, werden die aus dem Markt genommenen Mengen wieder auf dem Binnenmarkt verkauft oder aber exportiert. Daneben wird die Ausfuhr auch direkt zur Marktentlastung herangezogen.

Da sowohl die Ankaufspreise zur Intervention als auch die Marktpreise in der Gemeinschaft im allgemeinen höher sind als auf dem Weltmarkt, wird die Binnenmarktstützung zusätzlich durch eine Art **Schleusensystem** an den Außengrenzen der Gemeinschaft abgesichert: Die Einfuhrpreise werden durch Abschöpfungen auf das für die Gemeinschaft angestrebte Preisniveau gebracht, und bei den Ausfuhren wird eine ebenfalls variable **Erstattung** gezahlt, eine Exportsubvention, die die Gemeinschaftserzeugnisse auf dem Weltmarkt wettbewerbsfähig machen soll.

Seit dem Wirtschaftsjahr 1995/96 wird dieser Außenschutzmechanismus jedoch den jüngsten Vereinbarungen im Rahmen der Uruguay-Runde folgend erheblich verändert und eingeschränkt (vgl unten F).

Auf der Einfuhrseite werden die variablen Abschöpfungen durch **feste Tarifäquivalente** ersetzt. Damit werden Preisbewegungen auf dem Weltmarkt nicht mehr völlig neutralisiert wie dies bislang durch die variablen Abschöpfungen der Fall war, sondern schlagen auf die Preise durch, zu denen importierte Ware in der Gemeinschaft angeboten werden kann. Die Tarifäquivalente sind allerdings so bemessen, daß sie in den meisten Fällen die Durchsetzung einer ausreichenden Gemeinschaftspräferenz erlauben, auch wenn ihr Betrag in den nächsten Jahren noch schrittweise zu reduzieren ist. Eine spezielle Schutzklausel erlaubt darüber hinaus bei starken Preis- und Mengenschwankungen einen zusätzlichen Außenschutz.

Die Ausfuhren können weiterhin mit variablen Erstattungen gefördert werden, doch sind in Zukunft sowohl die für solche Ausfuhrsubventionen erlaubten Geldbeträge als auch die subventionierbaren Ausfuhrmengen je Produkt oder Produktgruppe zunehmend begrenzt. Die Exportförderung durch Subventionen muß also zurückgeschraubt werden.

b) Außenschutz ohne Intervention

Bei einer zweiten Gruppe von Erzeugnissen, die rund 25% der Erzeugung umfaßt, bleiben die Marktorganisationen im wesentlichen auf einen **Außenschutz** beschränkt. Hierzu gehören die Marktordnungen für Eier und Geflügel, die meisten Obst- und Gemüsesorten, Blumen und Qualitätswein. Der Außenschutz besteht je nach Marktordnung aus **Zöllen** oder unterschiedlich berechneten **variablen Abschöpfungen** oder einer Kombination aus beiden. Auch hier gilt natürlich, daß die variablen Abschöpfungen ab dem Wirtschaftsjahr 1995/96 durch **fixe Tarifäquivalente** zu ersetzen sind, und daß eine eventuelle Exportförderung durch Subventionen sowohl wert- als auch mengenmäßig verringert werden muß.

c) Pauschalbeihilfen

Pauschalbeihilfen, die den Erzeugern je Hektar, je Vieheinheit oder nach Produktionsmenge gewährt werden, haben in den letzten Jahren stark an Bedeutung zugenommen. In einigen Produktionszweigen (zB Ölsaaten, Eiweißpflanzen, Flachs, Hanf, Hopfen, Saatgut oder Seidenraupen) bilden sie heute die Grundlage für die Einkommensstützung der betroffenen Erzeuger. Bei Ölsaaten (Raps, Sonnenblumenkernen, Soja) und Eiweißpflanzen sind die **Beihilfen,** die hier je Hektar bezahlt werden, **regionalisiert.** Im Falle von Ölsaaten sind sie außerdem mit Bezug auf einen Referenzpreis am Weltmarkt festgelegt. Sie werden nach oben oder unten angepaßt, wenn der tatsächliche Weltmarktpreis im Jahresdurchschnitt um mehr als einen bestimmten Prozentsatz (8%) unter oder über dem Referenzpreis liegt. Insofern liegt die Pauschalbeihilfe hier an der Grenze zu einer hektarbezogenen und direkt an den Erzeuger gezahlten **Ergänzungsbeihilfe (deficiency payment).**

Pauschalbeihilfen können auch andere Stützungsmechanismen ergänzen und modulieren. Sie sind heute ein wichtiges Instrument der Einkommenssicherung bei Getreide, wo sie regionalisiert je Hektar bezahlt werden, sowie bei der Rinderzucht, wo es spezielle Prämien für männliche Rinder und für Mutterkühe gibt.

d) Ergänzungsbeihilfen

Für einige Erzeugnisse sehen die Marktorganisationen **Ergänzungsbeihilfen** vor, doch machen die betroffenen Erzeugnisse nur einen geringen Teil der Gemeinschaftsproduktion aus (zB Baumwollsaaten, Tabak oder einige Obst- und Gemüsekonserven). Es handelt sich vor allem um Erzeugnisse, bei denen sich die Gemeinschaft auch im Rahmen des GATT verpflichtet hat, auf einen Außenschutz zu verzichten oder ihn auf einem sehr niedrigen Niveau festzuschreiben. Um den einheimischen Erzeugern trotz der Konkurrenz durch billige Einfuhren einen Absatzmarkt zu sichern, erhält die verarbeitende Industrie eine Beihilfe, wenn sie landwirtschaftliche Erzeugnisse aus der Gemeinschaft als Rohstoff verwendet und dafür einen festgesetzten Mindestpreis bezahlt. Die Beihilfe soll die Differenz zwischen diesem Mindestpreis und den gewöhnlich niedrigeren Weltmarktpreisen ausgleichen (deficiency payment). Die Abwicklung der Ergänzungsbeihilfe über die verarbeitende Industrie bei festgesetzten Mindestpreisen für die Erzeuger ist vor allem aus praktischen Gründen (Verwaltungsvereinfachung) einer direkten Ergänzungsbeihilfe für die Erzeuger vorgezogen worden. Doch gibt es auch andere Fälle. So wird etwa bei Schaffleisch eine Ergänzungsbeihilfe direkt an die Erzeuger gezahlt, seit 1993 allerdings nur für eine historisch begrenzte Zahl von Tieren.

e) Verarbeitungsbeihilfen

In verschiedenen Fällen werden die Stützungsmechanismen für Grunderzeugnisse durch **spezielle Verarbeitungsbeihilfen** ergänzt. Solche Beihilfen gibt es beispielsweise für die Weindestillation, für die Herstellung von Kasein, für die Stärkeerzeugung oder bei der Verwendung von Zucker in der chemischen Industrie. In all diesen Fällen liegen die Preise für einheimische Rohstoffe aufgrund anderer Stützungsmechanismen höher als die Preise auf dem Weltmarkt. Ziel der Verarbeitungshilfe ist es in dieser Situation, die Differenz zwischen beiden Preisen auszugleichen, sodaß den verarbeitenden Industrien keine Kostennachteile bei der Verwendung von einheimischen Rohstoffen entstehen.

3. Das Doppelpreissystem und seine Grenzen

In der Praxis haben sich im Laufe der Zeit in vielen Fällen Marktordnungen herausgebildet, die verschiedene Stützungsinstrumente miteinander verbinden. Von den pauschalen Erzeugerbeihilfen mit ihrem direkten Einkommenseffekt abgesehen, ist das vorrangige Ziel jedoch in allen Fällen dasselbe: Die Marktordnungsmechanismen sollen es erlauben, die **Preise** in der Gemeinschaft auf einem Niveau zu **stabilisieren,** das sich an politischen Zielsetzungen orientiert und gewöhnlich über dem Weltmarktpreis liegt.

Dieses **„Doppelpreissystem"** erlaubt eine **indirekte Einkommensstützung** der Erzeuger über die in der Gemeinschaft erzielbaren Preise und macht es gleichzeitig möglich, die oft sehr sprunghaften Änderungen der Weltmarktpreise vom Gemeinschaftsmarkt fernzuhalten.

Der Rahmen, in dem sich die Marktpreise in der Gemeinschaft bewegen können, wird weitgehend durch die institutionellen Preise vorbestimmt, die der Ministerrat jedes Jahr beschließt. Die institutionellen Preise geben an, welches Preisniveau in der Gemeinschaft als wünschenswert angesehen wird **(Richt-** oder **Orientierungspreis),** ab welchem Niveau die Situation als kritisch angesehen wird **(Interventionspreis)** und welcher **Mindestpreis** bei Einfuhren in die Gemeinschaft gegebenenfalls zu respektieren ist.

Trotz aller Vorteile, die das Doppelpreissystem mit seiner indirekten Einkommensstützung haben mag, es ist nicht ohne Fehler: Die vergleichsweise hohen und sicheren Preise in der Gemeinschaft veranlaßten die Erzeuger lange Zeit, ohne Rücksicht auf die tatsächlichen Absatzmöglichkeiten ständig mehr zu produzieren. So entwickelte sich die Intervention, der Kauf auf öffentliches Lager, de facto von einem Sicherheitsnetz zum Auffangen konjunkturell oder klimatisch bedingter Produktionsschwankungen zu einem systematisch genutzten Absatzweg, für den produziert wurde, der sich aber letzten Endes nur als Sackgasse erweisen konnte. Es entstanden die **„Überschußberge“**, deren Lagerung und Wiederverkauf meist zu sehr niedrigen Preisen für die Ausfuhr enorme Kosten für die Gemeinschaft verursachte. Unter dem Druck der Überschüsse sanken aber auch die in der Gemeinschaft erzielbaren Marktpreise auf die von der Gemeinschaft gesicherten Untergrenzen ab und die Einkommenschancen der Erzeuger verschlechterten sich.

Hinzu kommt, daß die Preisstützung weitgehend proportional zum erzeugten und verkauften Produktionsvolumen erfolgt und daß in der Gemeinschaft etwa 20% der Betriebe rund 80% der Produktion erzeugen. Die Preisstützung wirkt also weitgehend zugunsten der Einkommen einer relativ kleinen Gruppe umsatzstarker Betriebe. Für die Masse der kleinen Betriebe mit geringem Produktionsvolumen und besonders schwierigen Einkommensverhältnissen vermag sie dagegen nur wenig zu tun. Dieses Problem wird um so deutlicher, je geringer der Spielraum für generelle Preiserhöhungen ist.

C. Zeit der Reformen

1. Stabilisierungsmaßnahmen der 80er-Jahre

Angesichts zunehmender Marktungleichgewichte und der damit verbundenen Kosten bemühte sich die Gemeinschaft vor allem seit Mitte der 80er-Jahre um eine stärker an den Marktgegebenheiten orientierte Politik.

Neben einer restriktiven Preispolitik wurden für die meisten Erzeugnisse sog **Garantieschwellen** eingeführt, dh Höchstmengen (oder maximale Anbauflächen), bis zu denen alle Markt- und Preisgarantien voll wirksam sind. Werden diese Garantieschwellen überschritten, so kommt es je nach Produktionszweig entweder noch in demselben oder aber im darauf folgenden Wirtschaftsjahr automatisch zu Preissenkungen oder Beihilfekürzungen. Die Garantieschwellenregelung imitiert somit in gewisser Weise einen Marktmechanismus in politisch festgelegten Grenzen.[3])

Ein etwas anderer Weg wurde bereits 1984 bei Milch mit der Einführung einer Quotenregelung gegangen. Damit ist neben Zucker, wo sich die Gemeinschaft von Anfang an für ein **Quotensystem** entschieden hatte, ein zweites wichtiges Erzeugnis einer direkten Mengenregelung unterworfen worden.

Der stabilisierende Effekt über den Markt- und Preismechanismus (oder die Quotenregelungen) wurde durch finanzielle Anreize ergänzt und verstärkt, Produktionskapazitäten etwa durch Flächenstillegungen abzubauen, oder aber die Produktion auf weniger intensive Produktionsmethoden umzustellen („strukturelle“ Stabilisatoren).

Alle diese Maßnahmen zielten auf eine Marktentlastung ab und sollten den Agrarhaushalt in seiner Entwicklung stabilisieren. Tatsächlich hatten sich die Ausgaben zur Marktstützung, die „Garantieausgaben“, zwischen 1975 und 1990 nominal mehr als verfünffacht, zwischen 1980 und 1990 immerhin

[3]) Vgl EG-Kommission (Hg), Die Wiederherstellung des Gleichgewichts auf den Agrarmärkten, Grünes Europa[2] 1990/93.

noch mehr als verdoppelt. In konstanten Preisen ausgedrückt sind sie zwischen 1975 und 1993 jährlich um knapp 5% gestiegen. Sie wuchsen damit mehr als doppelt so schnell wie das Bruttoinlandsprodukt der Gemeinschaft (s Anhang 2).

Restriktive Preispolitik, Quotenregelungen und Stabilisatoren sollen helfen, diese Ausgabenflut einzudämmen. Darüber hinaus hat sich die Gemeinschaft im Agrarbereich seit 1988 eine besondere **Haushaltsdisziplin** auferlegt. Ihr zentrales Element ist eine mittelfristige Finanzplanung mit einer Agrarleitlinie, die eine jährliche Obergrenze für die Entwicklung der Garantieausgaben vorsieht. Ihr jährlicher Anstieg muß danach deutlich unter der Wachstumsrate des Bruttosozialproduktes der Gemeinschaft bleiben.

Eine straffe Haushaltsführung soll dafür sorgen, daß die Obergrenze eingehalten wird. Ein **„Frühwarnsystem“** zeigt an, ob die Ausgaben im Jahresablauf von ihrem normalen Profil abweichen. Liegt der Ausgabenrhythmus über dem normalen Niveau, so werden sofort die Ursachen analysiert und nötigenfalls Gegenmaßnahmen eingeleitet. Reichen die Maßnahmen im Rahmen der Marktverwaltung durch die Kommission dazu nicht aus, so muß der Ministerrat auf Vorschlag der Kommission gegebenenfalls zusätzliche Stabilisierungsmaßnahmen beschließen.

2. Reformen für die 90er-Jahre

a) Marktordnungsreform – Radikalkur in Schlüsselbereichen

Die vielfältigen Stabilisierungsmaßnahmen der 80er-Jahre haben zweifellos bremsend auf die Produktion gewirkt, doch haben sie nicht ausgereicht, um Märkte und Ausgaben dauerhaft zu stabilisieren. Dies wurde Anfang der 90er-Jahre immer deutlicher sichtbar und führte 1992 – nach fast einjähriger Debatte – zu dem Beschluß, die Gemeinsame Agrarpolitik in einigen Schlüsselbereichen grundlegend zu reformieren. Diese Neuorientierung betrifft vor allem die Marktordnungen für Getreide, Ölsaaten und Eiweißpflanzen sowie – in geringerem Ausmaß – die Marktordnung für Rindfleisch. Sie ist mit dem Wirtschaftsjahr 1993/94 in Kraft getreten.[4])

Die Kernpunkte der Reform lassen sich wie folgt zusammenfassen:

- Im Zentrum steht eine deutliche Senkung der administrierten Stützpreise bei **Getreide** und insbesondere des Interventionspreises, der in den drei Wirtschaftsjahren 1993/94 bis 1995/96 schrittweise um insgesamt rund 30% reduziert wurde. Diese Preissenkung soll einheimisches Getreide vor allem bei der Verwendung als Futtermittel wettbewerbsfähiger machen. Sie soll darüber hinaus die wirtschaftlichen Anreize vermindern, hochintensiv, dh mit einem hohen Einsatz von Düngemitteln und Pestiziden, zu produzieren. Die Einkommensverluste, die den Landwirten durch die Preissenkung entstehen, werden – zumindest zu einem großen Teil – durch eine hektarbezogene Ausgleichszahlung abgedeckt.
- Bei **Ölsaaten** und bei Eiweißpflanzen wurde die Preisstützung auf dem Binnenmarkt (Interventions- und/oder Mindestpreise) abgeschafft. Die Land-

[4]) Vgl EG-Kommission, Generaldirektion Landwirtschaft (Hg), Die Reform der Gemeinsamen Agrarpolitik und ihre Durchführung, Hefte zur GAP, Juli 1993.

wirte erhalten hier nunmehr Erzeugerpreise, die sich an den Weltmarktpreisen ausrichten. Auch hier werden die Einkommensverluste infolge der Preissenkungen grundsätzlich durch flächenbezogene Ausgleichszahlungen abgedeckt. Im Falle von Ölsaaten ist der Ausgleichsbetrag mit Bezug auf ein bestimmtes Weltmarktpreisniveau festgelegt. Liegt der tatsächliche Weltmarktpreis im Jahresdurchschnitt um mehr als einen bestimmten Prozentsatz (8%) unter oder über diesem Referenzpreisniveau, so wird die Ausgleichszahlung angepaßt.

- Die **Ausgleichszahlungen** für Getreide, Ölsaaten und Eiweißpflanzen werden für eine Grundfläche bezahlt, die aufgrund historischer Anbaudaten für einen Betrieb oder eine Region festgelegt wird. Die Höhe der Ausgleichszahlung je Hektar wird auf der Grundlage historischer regionaler Durchschnittserträge berechnet. Es handelt sich insofern um regionalisierte Pauschalbeihilfen, die von den tatsächlichen Produktionsmengen und Marktpreisen – letzteres mit Ausnahme von Ölsaaten – unabhängig sind.
- Um in den Genuß der Ausgleichszahlungen zu kommen, müssen die Landwirte einen bestimmten und von Jahr zu Jahr je nach Marktlage veränderbaren Prozentsatz der Flächen, für die sie die Zahlungen beantragen, stillegen. Für die stillgelegten Flächen, die auch zum Anbau nachwachsender Rohstoffe verwendet werden können, erhalten die Betriebe eine erhöhte Ausgleichszahlung. Kleine Betriebe – mehr als dreiviertel der Betriebe in der Gemeinschaft fallen in diese Kategorie – sind von der Verpflichtung zur **Flächenstillegung** ausgenommen.
- Die administrativen Stützpreise für **Rindfleisch** werden ebenfalls in drei Schritten gesenkt, und zwar um insgesamt 15%. Zugleich werden die Interventionsbedingungen verschärft. Die Preissenkungen spiegeln zu einem guten Teil den erwarteten Rückgang der Kosten für Kraftfutter infolge der Getreidepreissenkung wider. Aus dem gleichen Grunde ist auch mit einem Rückgang der Marktpreise für Schweine- und Geflügelfleisch sowie für Eier zu rechnen.
- Zum Ausgleich der Stützpreissenkungen bei Rindfleisch werden die bereits bestehenden **Pro-Kopf-Prämien für männliche Rinder und für Mutterkühe** deutlich erhöht, dies allerdings mit zwei Einschränkungen: Zum einen werden die Prämienzahlungen auf einen historischen Referenzbestand beschränkt; er wird durch die Zahl der Tiere, die schon in der Vergangenheit grundsätzlich prämienfähig waren, bestimmt. Und zum anderen werden die Prämien nur bis zu einer bestimmten Besatzdichte (gemessen in Vieheinheiten je Hektar Futterfläche) bezahlt, eine Maßnahme, die extensiv arbeitende Betriebe, die nur wenig von den niedrigeren Kraftfutterpreisen infolge der Getreidepreissenkung profitieren, bei der Prämienvergabe bevorzugt. Für besonders extensiv arbeitende Betriebe ist eine zusätzliche Aufstockung der Prämien vorgesehen.

b) Begleitmaßnahmen in neuer Dimension

Die Reform im Bereich der Marktorganisationen wird durch ein Bündel flankierender Maßnahmen, die in ihrem Gewicht weit über flankierende Maßnahmen in der Vergangenheit hinausgehen, ergänzt und verstärkt:

- Im Rahmen eines **Aktionsprogramms für den landwirtschaftlichen Umweltschutz** werden die extensive Bewirtschaftung des Landes sowie Maßnahmen zum Schutz von Landschaft, Flora und Fauna durch finanzielle Anreize gefördert. In diesen Rahmen gliedert sich auch ein langfristiges Flächenstillegungsprogramm ein. Es beinhaltet eine freiweillige **Flächenstillegung** über einen Zeitraum von 20 Jahren und ist speziellen ökologischen Zwecken gewidmet (Anlage von Biotopen, kleinen Naturparks usw). Mit dem Aktionsprogramm soll der besonderen Rolle, die die Landwirtschaft beim Umweltschutz und bei der Erhaltung der Kulturlandschaft spielt oder zumindest spielen könnte und sollte, Rechnung getragen und die von den Landwirten in diesem Zusammenhang erbrachten Leistungen entsprechend honoriert werden.
- Um auf die besonderen Umweltprobleme „vor Ort" in den einzelnen Regionen reagieren zu können, werden die Maßnahmen im Rahmen von **regionalspezifischen Mehrjahresprogrammen** umgesetzt, die in partnerschaftlicher Zusammenarbeit der beteiligten Ebenen (Region – Mitgliedstaat – Gemeinschaft) erstellt werden. Die Beteiligung der Landwirte an diesen Programmen ist freiwillig.
- Die Förderung der **Aufforstung** landwirtschaftlicher Anbauflächen, die es bereits in der Vergangenheit gab, wird verstärkt und erweitert. Sie umfaßt Beihilfen zu den Aufforstungskosten, eine Beihilfe zur Deckung der Kosten für die Pflege der jungen Wälder in den ersten fünf Jahren und eine jährliche Ausgleichszahlung für die aufforstungsbedingten Einkommensverluste über zwanzig Jahre. Darüber hinaus werden auch Investitionsbeihilfen für die Verbesserung bestehender Waldflächen gewährt. Wie das Aktionsprogramm für den landwirtschaftlichen Umweltschutz wird auch die Förderung der Aufforstung im Rahmen einzelstaatlicher oder regionaler Mehrjahresprogramme durchgeführt.
- Die Einführung von **Vorruhestandsregelungen** für landwirtschaftliche Betriebsinhaber und Arbeitskräfte über 55 Jahre durch die Mitgliedstaaten wird von der Gemeinschaft gefördert, doch bleibt es den Mitgliedstaaten überlassen, ob und in welchem Umfang sie derartige Programme einführen wollen. Das durch den Vorruhestand freiwerdende Land soll vordringlich zur strukturellen Verbesserung aufstockungswilliger Betriebe verwendet werden, kann aber auch aus der landwirtschaftlichen Nutzung herausgenommen und zur Verbesserung der Qualität der Umwelt und des natürlichen Lebensraumes genutzt werden.

D. Die Gemeinsame Agrarpolitik im Binnenmarkt

Das **Prinzip eines einheitlichen Marktes** und die **Freiheit des Warenverkehrs** innerhalb der Gemeinschaft gelten heute im Rahmen der Gemeinsamen Agrarpolitik als selbstverständlich und sind auch in der Praxis weitgehend verwirklicht. Dennoch gab es zu Beginn der 90er-Jahre und gibt es auch heute noch Bereiche, in denen der landwirtschaftliche Binnenmarkt unvollendet geblieben ist. Im folgenden wird der derzeitige Stand der Dinge kurz zusammengefaßt.

1. Ergänzung des Marktordnungssystems

Im wesentlichen geht es hier um die Einführung gemeinsamer Marktordnungen für die wenigen landwirtschaftlichen Erzeugnisse, die noch nationalen Regelungen unterworfen sind und bei denen es deshalb zumindest potentiell zu Handelshemmnissen kommen kann. Wirtschaftlich am bedeutendsten sind in diesem Zusammenhang **Kartoffeln** und **Alkohol.** Für Kartoffeln hat die Kommission dem Ministerrat einen Vorschlag für eine Marktordnung unterbreitet, über den bislang aber noch keine Einigung erzielt werden konnte. Das gleiche gilt für eine Restgruppe kleiner Erzeugnisse wie Honig oder Kork. Für Alkohol dagegen steht ein Kommissionsvorschlag noch aus. Gem Art 40 EGV können sich die Marktordnungen im einfachsten Falle auf gemeinsame Wettbewerbsregeln beschränken.

2. Abschaffung des Währungsausgleichssystems

Die gemeinsamen Agrarpreise werden in einer gemeinschaftlichen Währungseinheit, dem ECU, festgesetzt und anschließend für jeden Mitgliedstaat in die jeweilige nationale Währung umgerechnet. Währungsschwankungen können das reibungslose Funktionieren des Systems erheblich stören. In Ländern, die gegenüber dem ECU aufwerten, würden sie jedesmal zu Preissenkungen und damit zu Einkommenseinbußen in nationaler Währung führen, die politisch oft nur schwer akzeptabel sind. In Abwertungsländern führen sie dagegen zu Preiserhöhungen, die aus stabilitätspolitischen Überlegungen heraus unerwünscht sein können. Um diesen Problemen zu begegnen, wurde in der Vergangenheit ein Korrekturmechanismus mit speziellen, auf den Agrarbereich beschränkten **„grünen" Wechselkursen** und **Währungsausgleichsbeträgen** an den Grenzen eingeführt. Dieser Korrekturmechanismus war jedoch selbst nicht ohne Fehler[5]) und ließ sich kaum mit der Idee eines einheitlichen Binnenmarktes ohne Grenzen vereinbaren.

Aus diesem Grunde wurde das Währungsausgleichssystem ab 1993 abgeschafft. Zwar gibt es immer noch „grüne" Wechselkurse, doch werden diese jetzt angepaßt, wenn im Falle von Auf- oder Abwertungen bestimmte Toleranzgrenzen überschritten werden.

3. Rechtsangleichung zum Schutz von Gesundheit und Sicherheit

Unterschiedliche **Sanitär-, Phytosanitär- und Veterinärvorschriften** haben in der Vergangenheit immer wieder de facto zu Handelshemmnissen geführt. Eine Harmonisierung der wichtigen Vorschriften auf diesen Gebieten ist daher unumgänglich. Nur dort, wo eine Rechtsangleichung auf Gemeinschaftsebene erreicht ist, können und müssen die nationalen Beschränkungen entfallen. Es geht dabei um so unterschiedliche Bereiche wie Pflanzenschutz, Zertifizierung von Saatgut, Tierzucht, Tierschutz, Tierseuchen, Lebensmittel, Futtermittel, Düngemittel oder Tierarzneimittel etc.

---

[5]) Vgl *Swinbank,* Green „Money", MCA's and the Green ECO-Policy Contorsions in the 1980's, Agra Europe Special Report 1988/47, 1.

Zu all diesen Bereichen hat die Gemeinschaft im Rahmen der Arbeiten zur Vollendung des Binnenmarktes ein **umfangreiches Harmonisierungsprogramm** aufgestellt, das von wenigen Ausnahmen abgesehen rechtzeitig erfüllt worden ist. Ziel des Programms ist es gem Art 100a Abs 3 EGV, in allen Mitgliedstaaten ein einheitlich hohes Schutzniveau zu erreichen.

4. Qualitätspolitik

Ziel der Rechtsangleichung ist es, **zwingende Erfordernisse für Gesundheit und Sicherheit** einheitlich für die Gemeinschaft zu regeln. Darüber hinausgehende Fragen insbesondere der Produktqualität (Herstellungsmethode, Zusammensetzung, Qualitätsstufen) können weiterhin national geregelt werden. Allerdings erlauben unterschiedliche Qualitätsnormen einem Mitgliedstaat nicht, den Markt gegenüber Erzeugnissen abzuschotten, die den nationalen Vorschriften nicht entsprechen. Vielmehr garantiert hier die Rechtsprechung des Europäischen Gerichtshofs[6]) den freien Warenverkehr für alle in einem Mitgliedstaat rechtmäßig in den Verkehr gebrachten Erzeugnisse.

Nun kann es aber sowohl aus agrar- als auch aus verbraucherpolitischen Überlegungen heraus in einigen Fällen dennoch sinnvoll sein, eine gemeinschaftliche Regelung von Qualitäts- und Bezeichnungsfragen – zB zum Schutz gegen Mißbrauch und Täuschung oder zur Förderung einer stärkeren Diversifizierung der landwirtschaftlichen Erzeugung in Bereiche höherer Qualität – einzuführen.

Zur Förderung dieser Diversifizierung ist die Gemeinschaft bislang zwei Wege gegangen: einerseits durch Definition und den Schutz von Ursprungsbezeichnungen, wie es sie bereits im Weinsektor und bei einigen Käsesorten gibt und andererseits durch die Einführung von Qualitäts- oder Spezialattesten, für die es in einigen Ländern bereits erste Beispiele gibt, die aber auf traditionelle Erzeugnisse beschränkt bleiben sollen. In beiden Fällen handelt es sich um gemeinschaftsweit gültige Rahmenvorschriften, die den besonderen Charakter bestimmter Erzeugnisse hervorheben und schützen sollen. Ein anderes Beispiel, das in die gleiche Richtung geht, ist die 1991 verabschiedete Verordnung über den „biologischen“ oder „alternativen“ Landbau. Sie betrifft bislang nur den pflanzlichen Bereich, doch wird derzeit an einer ähnlichen Verordnung für tierische Erzeugnisse gearbeitet.

5. Konsequenzen aus der Vollendung des Binnenmarktes

Insgesamt kann man aus der Vollendung des Binnenmarktes eine **Verstärkung des Wettbewerbs** vor allem in den Bereichen Verarbeitung und Vermarktung erwarten. Dies dürfte gerade bei der Vermarktung zu einer weiteren **Konzentration** führen und die Tendenz zu Zusammenarbeit oder Zusammenschluß über die bisherigen Landesgrenzen hinaus fördern. Für die Erzeuger stellt sich einmal mehr die Frage, wie sie ihre Position gegenüber den Verarbeitern und Vermarktern festigen können, und für die Agrar- und Wettbewerbspolitik, wie sie den Erzeugern dabei helfen und wirtschaftlichen Machtmißbrauch vermeiden kann.

---

[6]) EuGH Rs 120/78 – Cassis de Dijon – Slg 1979, 640.

Neben der **Förderung von Erzeugergemeinschaften** könnte eine gezielte **Qualitätspolitik,** die es einzelnen Erzeugern oder Erzeugergruppen ermöglicht, sich durch besonders hohe Produktqualitäten oder die Erzeugung von regionalen oder lokalen Spezialitäten von der Masse abzusetzen, dabei von Nutzen sein.

E. Von der Agrarstrukturpolitik zur Entwicklung des ländlichen Raumes

1. Erneuerung der sektoralen Agrarstrukturpolitik

Die strukturpolitischen Maßnahmen der 70er-Jahre (s oben A.3) sind in den 80er- und frühen 90er-Jahren mehrfach fortgeschrieben, angepaßt und ergänzt worden. Eine grundlegende Überarbeitung erfolgte 1988 im Gefolge der Reform der Strukturfonds der Gemeinschaft.[7])

Dabei ging es gleichermaßen darum, der damals fünfzehnjährigen Erfahrung mit der landwirtschaftlichen Strukturpolitik Rechnung zu tragen, sie an die Entwicklung der Landwirtschaft in der Gemeinschaft anzupassen und sie mit den zur Zeit tiefgreifenden Reformen im Bereich der Marktpolitik abzustimmen.[8])

Aufgrund der Erfahrungen mit den ersten fünf Jahren der reformierten Strukturpolitik wurden die 1988er-Verordnungen über die Strukturfonds 1993 erneut überarbeitet und bilden jetzt die Grundlage der gemeinschaftlichen Strukturpolitik für den Zeitraum 1994–1999.[9]) Die **„beschleunigte Anpassung der Agrarstrukturen im Rahmen der Reform der GAP"** wird ausdrücklich als eines der vorrangigen Ziele dieser Politik genannt. Es ist ein horizontales Ziel, das das gesamte Gebiet der Gemeinschaft abdeckt.[10])

Auch nach der Reform bleibt der leistungsfähige **bäuerliche Familienbetrieb** ein von der Agrarstrukturpolitik gefördertes Leitbild, und Investitionsbeihilfen zur Modernisierung sind neben ausbildungsfördernden Maßnahmen und Einstiegserleichterungen für Junglandwirte ein wesentliches Element dieser Politik. Dennoch sind auch hier im Vergleich zu den 70er-Jahren deutliche Akzentverschiebungen eingetreten. So wird angesichts fortbestehender struktureller Überschüsse die Gewährung von Investitionsbeihilfen für einige Produktionen an Bedingungen geknüpft, die eine übermäßige Erweiterung

---

[7]) Rechtliche Grundlagen für die Reform der Strukturfonds im landwirtschaftlichen Bereich bilden die V (EWG) 2052/88, ABl L 1988/185 v 15. 7. 1988, und die V (EWG) 4256/88, ABl L 1988/374 v 31. 12. 1988. Sie wurden geändert durch die V (EWG) 2081/93, ABl L 1993/193 v 31. 7. 1993, und die V (EWG) 2085/93, ABl 1993/193 v 31. 7. 1993.

[8]) Vgl auch EG-Kommission (Hg), Vademecum sur l'agriculture dans la réforme des fonds structurels, Europe Verte 1990/5190, 1 ff und 33 ff.

[9]) Vgl EG-Kommission (Hg), Strukturfonds der Gemeinschaft 1994–1999, Verordnungstexte und Erläuterungen (1993).

[10]) In Anlehnung an dieses Ziel werden die horizontalen Maßnahmen der Agrarstrukturpolitik auch „Ziel 5 a-Maßnahmen" genannt. Ihre Details werden im wesentlichen durch die V (EWG) 2328/91 (1993 geändert durch die V [EWG] 3669/93, durch die V [EWG] 866/90 und, was die Erzeugergemeinschaften betrifft, durch die V [EWG] 1360/77) geregelt.

der Produktionskapazitäten und der Produktion vermeiden helfen sollen. Dagegen werden kostensenkende und energiesparende Investitionen ebenso verstärkt gefördert wie solche, die dem Umweltschutz, der Arbeitserleichterung, dem Tierschutz und der Verbesserung der Produktqualität dienen. Neu sind Beihilfen zur Diversifizierung der wirtschaftlichen Tätigkeit auf dem Bauernhof: Investitionen für den Fremdenverkehr (Einrichtung von Gästezimmern, Anlage von Campingeinrichtungen usw) werden in diesem Zusammenhang ebenso gefördert wie Investitionen in fortstwirtschaftliche und handwerkliche Tätigkeiten.

Die Verbesserung der **Verarbeitungs- und Vermarktungsstrukturen** wird ebenfalls weiterhin unterstützt, wenn auch die Verfahren dazu neu gestaltet worden sind. Ebenso wird die Gründung von **Erzeugergemeinschaften** weiterhin gefördert. Sie sollen die Marktstellung der Landwirte gegenüber einer wachsenden Konzentration in der weiterverarbeitenden Industrie und im Handel stärken und ihnen auf diese Weise helfen, ihre Absatzmöglichkeiten zu sichern und am Markt höhere Preise durchzusetzen.

Die Hilfsmaßnahmen für Landwirte in **Berg- und anderen benachteiligten Gebieten** (derzeit rund 55% der landwirtschaftlichen Fläche in der EG) durch direkte Einkommensbeihilfe in Form einer Ausgleichszulage und Vorzugsbedingungen für Investitionsbeihilfen sind ausgebaut und verstärkt worden. Sie sollen helfen, die Abwanderung der Landwirte aus diesen Gebieten und die damit oft einhergehenden Verödungsprozesse zu vermeiden. Auf diese Weise wird auch der besonderen Rolle der Landwirte bei der Erhaltung und Pflege der Kulturlandschaft in den benachteiligten Gebieten – und ganz besonders in den Berggebieten – Rechnung getragen. Mit einer Beteiligung von derzeit (1995) über 1,4 Mio Landwirten gilt diese Maßnahme als besonders erfolgreich.

Eine Reihe von Maßnahmen, die bis dahin noch in den Rahmen der Agrarstrukturpolitik als „Ziel 5a-Maßnahmen" fielen, wurden mit der Reform der Agrarpolitik von 1992 in das Bündel der **Begleitmaßnahmen** einbezogen, und werden jetzt nicht mehr aus dem landwirtschaftlichen Strukturfonds, dem EAGFL-Abteilung Ausrichtung, sondern aus dem Fonds für Marktstützung dem EAGFL-Abteilung Garantie, finanziert. Zugleich wurden sie erweitert und attraktiver gestaltet. Es handelt sich um Förderungsmaßnahmen für den landwirtschaftlichen Umweltschutz und für die Aufforstung landwirtschaftlicher Flächen sowie um das Angebot einer Vorruhestandsregelung (s oben C.2.b).

Bei der Überarbeitung der Strukturfonds von 1988 wurden zahlreiche Beihilfesätze nach oben angepaßt und eine deutliche Modulierung der Beiträge zugunsten der finanzschwächsten Länder und Regionen eingeführt. Liegt die **Gemeinschaftsbeteiligung** in den meisten Fällen normalerweise bei 25%, so kann sie in einigen Mitgliedstaaten regelmäßig bis zu 75% betragen. Bei den Begleitmaßnahmen zur GAP-Reform von 1992 liegt die Gemeinschaftsbeteiligung je nach Mitgliedstaat bei 50% oder 75%. Diese Differenzierungen sollen nicht nur den finanziellen Möglichkeiten der verschiedenen Mitgliedstaaten und Regionen besser Rechnung tragen, sondern spiegeln auch die erklärte Absicht wider, die verfügbaren Mittel im Sinne eines besseren wirtschaftlichen und sozialen Zusammenhalts in der Gemeinschaft auf jene Problemgebiete zu konzentrieren, die diese Mittel am nötigsten brauchen.

2. Entwicklung des ländlichen Raumes

Die Entwicklung der letzten 25 Jahre hat die Notwendigkeit einer gemeinschaftlichen Agrarstrukturpolitik mehr als bestätigt, aber sie hat auch die Grenzen eines rein sektoralen Ansatzes deutlich gemacht.

So traten Anfang der 80er-Jahre neben das dominierende Konzept der sektoralen Agrarstrukturpolitik erste Versuche mit einem **neuen globaleren Ansatz:** Die Entwicklung ländlicher Regionen im Rahmen spezieller „integrierter" Programme, in denen Maßnahmen aus verschiedenen Politikbereichen und die für sie zur Verfügung stehenden Finanzmittel (vor allem aus den Europäischen Agrar-, Regional- und Sozialfonds) mit dem Ziel, ein Maximum an Synergien zu mobilisieren, zusammengefaßt und aufeinander abgestimmt wurden.[11])

Auf der Erfahrung mit diesen **integrierten Entwicklungsprogrammen** aufbauend, bemüht sich die Gemeinschaft im Zusammenhang mit den Reformen der Agrarmarktpolitik und der Strukturfonds seit 1988 auch um ein umfassendes Konzept zur Entwicklung des ländlichen Raumes.[12]) Vor allem dort, wo sich die Landwirtschaft als dominierender Wirtschaftszweig in einer Region in einer strukturellen Anpassungskrise befindet und die wirtschaftliche Aktivität dringend diversifiziert werden muß, sind spezielle regionale Entwicklungsprogramme notwendig. Solche Programme betreffen im Rahmen der Reform der Strukturfonds ua

- ausgewählte **besondere strukturschwache Großregionen** in der Gemeinschaft, in denen das Pro-Kopf-Einkommen unter 75% (in Ausnahmefällen auch um 75%) des Gemeinschaftsdurchschnitts liegt und die oft stark agrarisch ausgerichtet sind,[13])
- ausgewählte **ländliche Gebiete,** die nicht in diesen strukturschwachen Regionen liegen, aber dennoch erhebliche **strukturelle Entwicklungsprobleme** kennen, die sich als Folge der Reform der Agrarmarktpolitik noch zu verschärfen drohen,[14])

---

[11]) Dies gilt ab 1981 für die Integrierten Entwicklungsprogramme im französischen Département Lozère, auf den schottischen Western Isles und im Südosten Belgiens sowie in weit größerem Umfang ab 1984 für die Integrierten Mittelmeerprogramme; vgl auch EG-Kommission (Hg), XV. Gesamtbericht über die Tätigkeit der Europäischen Gemeinschaften 1981 (1982) RZ 316; V (EWG) 2088/85, ABl L 1985/197 v 27. 7. 1985; Tätigkeitsbericht der EG-Kommission, SEC(89) 1665 endg v 22. 11. 1989.

[12]) Vgl EG-Kommission (Hg), Die Zukunft des ländlichen Raumes (Mitteilung der Kommission an den Rat und das Europäische Parlament), KOM(88) 501 endg, Blg 4/88 zum EG-Bulletin.

[13]) Ein Verzeichnis der strukturschwachen Regionen ist der Rahmenverordnung für die Strukturfonds als Anhang beigefügt (ABl L 1993/19 v 31. 7. 1993). In Anlehnung an die im Rahmen der Reform der Strukturfonds definierten sechs vorrangigen Ziele werden diese Regionen auch Ziel 1-Gebiete genannt; ihre geographische Abgrenzung erfolgt auf der Ebene NUTS II („Großregionen"); vgl dazu ausführlich oben *Schoneweg,* Regionalpolitik.

[14]) Die Auswahl der betroffenen Gebiete erfolgte weitgehend auf Vorschlag der Mitgliedstaaten nach ausführlichem Dialog durch die Entscheidung der Kommission.

- ausgewählte **nordische Gebiete** in Finnland und Schweden, die infolge ihrer sehr geringen Bevölkerungsdichte (8 und weniger Einwohner je km^2) spezifische Entwicklungsprobleme nicht zuletzt auch im Agrarbereich kennen.[15])

Die begünstigten Regionen und Gebiete decken etwa zwei Drittel der Fläche der Gemeinschaft ab und betreffen etwa ein Drittel ihrer Bevölkerung.

Die verschiedenen Programme sollen in einem möglichst intensiven Dialog zwischen Gemeinschaft, Mitgliedstaat und betroffener Region erarbeitet werden. Dazu ist der folgende **Planungsverlauf** vorgesehen:

- Die Mitgliedstaaten unterbreiten der Kommission ihre **Entwicklungspläne** für die betroffenen Regionen, die zusammen mit diesen ausgearbeitet worden sind;
- aufgrund dieser Pläne erstellt die Kommission in Abstimmung mit den zuständigen Stellen des betreffenden Mitgliedstaats einen **Förderrahmen** für die Leistungen der Gemeinschaft;
- nach Festlegung des Förderrahmens erfolgen die Leistungen im Rahmen von **Durchführungsprogrammen** mit zusammenhängenden und gewöhnlich über mehrere Jahre laufenden Maßnahmen, für die eine Beihilfe beantragt wird.

Zur Vereinfachung und Beschleunigung des Programmplanungsverfahrens gibt es neuerdings auch die Möglichkeit für die Mitgliedstaaten, ein einziges Planungsdokument vorzulegen, das den Entwicklungsplan sowie den entsprechenden Beihilfeantrag enthält.

In ländlichen Gebieten, für die es keine speziellen Entwicklungsprogramme gibt, beschränkt sich der Einsatz finanzieller Mittel der Gemeinschaft weitgehend auf **horizontale Maßnahmen** (sektorale Agrarstrukturpolitik, Maßnahmen zur Bekämpfung der Langzeitarbeitslosigkeit und zur Eingliederung junger Menschen in das Erwerbsleben, markt- und qualitätspolitische Maßnahmen, Maßnahmen im Rahmen der Verkehrs- und Fischereipolitik, allgemeine Informations- und Aufklärungsaktionen usw). Gerade die verstärkte Berücksichtigung der speziellen Probleme ländlicher Räume in Politikbereichen und Aktionsprogrammen außerhalb der Strukturpolitik sollten in ihrer Bedeutung nicht unterschätzt werden.

So können beispielsweise die Förderung und der Schutz regionaler Spezialitäten durch eine angemessene Qualitätspolitik, maßgeschneiderte Informationsprogramme für die ländliche Bevölkerung, die Förderung mittelständischer Unternehmen oder Umweltschutzprogramme, die den ländlichen Raum als Erholungsgebiet aufwerten und in das öffentliche Bewußtsein bringen, für die Zukunft des ländlichen Raumes und der Menschen, die dort leben und arbeiten, äußerst wichtig sein.

In Anlehnung an die sechs vorrangigen Ziele der Strukturfonds werden diese Regionen auch Ziel 5b-Gebiete genannt; ihre geographische Abgrenzung erfolgt im Prinzip auf der Ebene NUTS III, kann ausnahmsweise aber auch darunter liegen oder darüber hinausgehen („Kleinregionen"); vgl dazu ausführlich oben *Schoneweg,* Regionalpolitik.

[15]) Die betroffenen Regionen sind im Gefolge der letzten Erweiterung der Europäischen Union in einer Ratsentscheidung vom 1. 1. 1995 auf der Ebene NUTS II („Großregionen") festgelegt worden (Ziel 6 – Gebiete, ABl 1995/1 v 1. 1. 1995).

F. Agraraußenhandel und GATT-Uruguay-Runde

1. Die wichtigsten Fakten

Knapp 9,5% (ohne Holz- und Fischereierzeugnisse) des gesamten Welthandels entfielen 1993 auf Agrarerzeugnisse. Mit einem Agraranteil von 11% bei den Einfuhren und 9% bei den Ausfuhren ist die **Gemeinschaft** (Gemeinschaft der Zwölf, 1993) der **größte Agrarimporteur** und der **zweitgrößte Agrarexporteur** der Welt. Bei den Einfuhren handelt es sich vor allem um landwirtschaftliche Grundstoffe für die verarbeitende Industrie (Holz, Naturfasern, Felle, Häute), um Futtermittel (Tapioka, Maiskleber, Soja) und um Erzeugnisse wie Kaffee, Tee, Kakao, Gewürze sowie verschiedene Obst- und Gemüsesorten. Bei den Ausfuhren überwiegen verarbeitete Lebensmittel, Spiritousen, Rind- und Schweinefleisch, Getreide, Käse, Wein sowie Eier und Geflügelfleisch.

Der deutliche Anstieg der Ausfuhren in den letzten 20 Jahren zeugt einerseits von der Leistungsfähigkeit der europäischen Ernährungsindustrie, spiegelt andererseits aber auch eine Situation wider, in der wachsende Überschüsse mit zum Teil erheblichen Ausfuhrsubventionen (Erstattungen) auf dem Weltmarkt abgesetzt werden müssen.

Insgesamt ist die **Handelsbilanz** der Gemeinschaft bei Agrarerzeugnissen regelmäßig deutlich **defizitär.** Im Durchschnitt der Jahre 1992 bis 1994 lag das Defizit (der Gemeinschaft der Zwölf) bei rund 6,7 Mrd ECU (ohne Rohkautschuk, Kork und Holz).

Der Agraraußenhandel der Gemeinschaft ist in ein enges Netz von Handelsbeziehungen eingebunden. **Bilaterale Abkommen** bestehen mit über 120 Drittländern, und die Gemeinschaft ist an rund 30 **multilateralen Übereinkommen** beteiligt. So wurden zB in den letzten Jahren mit einer Reihe mittel- und osteuropäischer Staaten Assoziierungsabkommen abgeschlossen, die auch spezielle Konzessionen im Agrarbereich vorsehen. Mit den meisten Ländern des Mittelmeerraumes gibt es im Rahmen der Mittelmeerpolitik der Gemeinschaft ebenfalls Abkommen, die Konzessionen im Agrarhandel einschließen. In Verträgen mit den Ländern der Europäischen Freihandelszone (EFTA) wurden die Zölle und Handelsbeschränkungen für gewerbliche Waren weitgehend abgebaut und der Handel mit landwirtschaftlichen Erzeugnissen erleichtert.

Diese Beziehungen wurden mit der Gründung eines „Europäischen Wirtschaftsraumes“ weiter ausgebaut, und die früheren EFTA-Mitglieder Österreich, Finnland und Schweden sind mit dem 1. Jänner 1995 der Europäischen Union beigetreten.

Ein Eckpfeiler in den Beziehungen zur Dritten Welt ist das **Abkommen von Lomé**, dem heute 69 Länder in Afrika, in der Karibik und im Pazifik angeschlossen sind.[16]) Das Abkommen bildet nicht zuletzt auch im Agrarbereich die Basis für eine intensive handels- und entwicklungspolitische Kooperation mit den betroffenen Ländern. Darüber hinaus können fast 130 Entwicklungsländer mehr als 400 Agrarerzeugnisse im Rahmen des „All-

[16]) Siehe dazu ausführlich oben *Brandtner/Pirzio-Biroli,* Die Entwicklungspolitik der EU und die Beziehungen zu den Staaten der Dritten Welt.

gemeinen Präferenzsystems“ zu Sonderbedingungen in die Gemeinschaft einführen.

2. Gemeinsame Agrarpolitik im GATT und die Uruguay-Runde

Den „klassischen Rahmen“ für den internationalen Handel bildete lange Zeit das Allgemeine Zoll- und Handelsabkommen GATT (General Agreement on Tariffs and Trade), dem die Gemeinschaft 1963 beigetreten ist.[17])

Seit 1995 wird die Rolle des GATT von der neu gegründeten Welthandelsorganisation übernommen, zu deren Gründungsmitgliedern die Gemeinschaft gehört. Damit ihr spezielles Außenschutzsystem und insbesondere die variablen Abschöpfungen bei einer Reihe wichtiger EG-Agrarprodukte von den Handelspartnern im GATT akzeptiert wurden, hat die Gemeinschaft bei anderen landwirtschaftlichen Erzeugnissen Zugeständnisse bei der Einfuhr gemacht. So unterliegen etwa 70% der Agrareinfuhren in die Gemeinschaft heute niedrigen gebundenen Zollsätzen oder können in einigen Fällen sogar völlig zoll- und abschöpfungsfrei importiert werden.

Nicht nur in der Gemeinschaft, sondern auch in vielen anderen Industrieländern ist die Agrarpolitik traditionell darauf ausgerichtet, die inländischen Erzeugerpreise für Agrarprodukte und/oder die landwirtschaftlichen Einkommen mit staatlichen Mitteln zu stützen. Dabei wurde im Laufe der Zeit ein ganzes Arsenal von Instrumenten entwickelt (staatliche Interventionskäufe, Boards, deficiency paymants, Exportsubventionen, Importbeschränkungen), die mehr oder minder alle die Nebenwirkung haben, interne Agrarprobleme nach außen auf die Weltmärkte zu verlagern.

Spätestens seit Anfang der 80er-Jahre wurde jedoch immer deutlicher, daß auch die Weltmärkte nur begrenzt aufnahmefähig sind und daß ein solches Vorgehen früher oder später zu wachsenden Konflikten führen muß. Es ist deshalb verständlich, daß die **Agrarhandelspolitik** im Rahmen der 1994 abgeschlossenen multilateralen Verhandlungsrunde im GATT, der Uruguay-Runde, eine wichtige Rolle gespielt hat.

Die Runde wurde 1986 in Punta del Este (Uruguay) eröffnet. In der dort verabschiedeten Erklärung wird die Notwendigkeit betont, den **Weltagrarhandel** zu **liberalisieren** und alle Maßnahmen, die den Wettbewerb bei Agrarprodukten sowie den Marktzugang berühren, einer wirksameren Kontrolle durch die Regeln des GATT zu unterwerfen.

Im Frühjahr 1994 wurden die Verhandlungen der GATT-Uruguay-Runde abgeschlossen. Ihre wichtigsten Ergebnisse im Bereich Landwirtschaft lassen sich vereinfachend in vier Punkten zusammenfassen:

- Die **interne landwirtschaftliche Stützung** muß global um 20% über sechs Jahre abgebaut werden, jeweils gemessen im Vergleich zum Durchschnitt der Jahre 1986 bis 1988. Jedoch sind direkte Beihilfen unter bestimmten Bedingungen von der Verpflichtung zum Abbau ausgenommen. Neben

[17]) Siehe dazu ausführlich oben *Jansen,* Die EG und die WTO (GATT).

Hilfen für den Umweltschutz, für die Regionalförderung, zur Strukturanpassung und im Sozialbereich fallen darunter auch die von der Gemeinschaft im Rahmen der Reform von 1992 eingeführten Ausgleichszahlungen. Dies war für die Gemeinschaft ein wesentlicher Punkt in den Verhandlungen.

- Nichttarifäre Handelshemmnisse – dh alle Einfuhrhemmnisse, die nicht normale Zölle sind, also auch die variablen Abschöpfungen, die die Gemeinschaft auf eine Reihe von wichtigen Erzeugnissen bei der Einfuhr erhebt – müssen in sog **fixe Tarifäquivalente** umgewandelt werden. Diese Tarifäquivalente sind dann über sechs Jahre zu verringern, und zwar im Durchschnitt um 36%, für jedes einzelne Erzeugnis jedoch mindestens um 15%.

  Eine **spezielle Schutzklausel** erlaubt bei starken Preis- oder Mengenschwankungen einen zusätzlichen Außenschutz für die Einfuhrländer. So können etwa bei einem starken Rückgang der Einfuhrpreise in einheimischer Währung die Tarifäquivalente nach bestimmten Regeln erhöht werden, um eine Destabilisierung des Binnenmarktes zu vermeiden.
- Bei den tarifizierten Erzeugnissen dürfen die Marktzugangschancen im Vergleich zu den durchschnittlichen Einfuhrmengen im Referenzzeitraum 1986 bis 1988 nicht verschlechtert werden.

  Wo die durchschnittlichen Einfuhrmengen in der Referenzperiode unter 3% des einheimischen Verbrauchs lagen, müssen die **Marktzugangschancen** über spezielle Tarifquoten auf **mindestens 3%** aufgestockt werden. Es besteht dabei jedoch ein gewisser Spielraum, einzelne Erzeugnisse zu Erzeugnisgruppen zusammenzufassen. Am Ende des sechsjährigen Verpflichtungszeitraums soll dieses Minimum an Marktzugangschancen auf 5% des Verbrauchs in der Referenzperiode erhöht werden.
- Die **Exportförderung** – im Falle der Gemeinschaft vor allem durch die Erstattungen – soll sowohl wertmäßig, also gemessen an ihrem Haushaltsansatz, als auch im Volumen abgebaut werden. So sollen die Ausfuhrsubventionen um 36% und die subventionierten Ausfuhrmengen um 21% zurückgeschraubt werden – und das jeweils schrittweise über sechs Jahre.

Die Reform von 1992, die in erster Linie darauf abzielte, den Druck der Überschüsse auf dem Gemeinschaftsmarkt abzubauen, und die Agrarausgaben besser unter Kontrolle zu bringen, erweist sich heute auch als ein entscheidender Schritt, um den Verpflichtungen aus der Uruguay-Runde in wichtigen Schlüsselbereichen nachzukommen. In einigen Fällen können zusätzliche Anpassungen im Laufe der nächsten Jahre nötig werden. In anderen Fällen stehen grundlegende Reformen noch aus. Anfang 1994 hat die Kommission Reformvorschläge für die **Weinmarktordnung** vorgelegt und im Juli 1994 ihre Vorstellungen für eine Reform der **Obst- und Gemüsemarktordnung** präsentiert. Andere Marktordnungen sollen ebenfalls in naher Zukunft überprüft und überarbeitet werden.

Nach ihrer Schaffung in den 60er-Jahren, ihrer Konsolidierung in den 70er-Jahren und ihren Krisen in den 80er-Jahren dürfte die Gemeinsame Agrarpolitik der 90er-Jahre vor allem durch eine Neuorientierung gekennzeichnet sein.

Anhang 1: Wichtige Daten zur Landwirtschaft der EG

	Einheit	Belgien	Dänemark	Deutschland	Griechenland	Spanien	Frankreich	Irland	Italien	Luxemburg	Niederlande	Portugal	Vereinigtes Königreich	Österreich*	Finnland*	Schweden*	EUR-15
Landwirtschaftlich genutzte Fläche (1)	Mio ha	1.4	3.0	17.2	5.7	26.4	30.2	4.4	17.2	0.1	2.0	3.8	17.2	3.5	2.6	3.4	138.2
Wert der landwirtschaftlichen Enderzeugung (2)	Mrd ECU	6.6	6.5	27.6	8.5	23.8	44.9	4.4	37.8	0.2	16.0	3.6	18.2	4.9	9.6	4.4	216.9
Landwirtschaftliche Erzeugung in % des BIP (2)	%	1.8	3.0	1.2	14.2	3.0	2.9	8.9	3.6	1.8	3.6	3.2	1.4	3.4	6.7	3.1	2.8
Zahl der in der Landwirtschaft, Jagd, Forsten und Fischerei Erwerbstätigen (2)	1000 Personen	98	142	914	793	1253	1142	154	1749	6	305	522	548	251	187	137	8201
% der in der Landwirtschaft Erwerbstätigen (2)	%	2.7	5.4	3.2	21.4	10.1	5.2	13.8	8.2	3.0	4.6	11.6	2.2	7.1	8.6	3.2	5.5
Zahl der landwirtschaftlichen Betriebe (3)	1000	85	81	665	924	1594	1014	171	2665	4	125	599	243	267	199	92	8729
Durchschnittliche Betriebsgröße (3)	ha	15.8	34.2	17.7	4.0	15.4	28.2	26.0	5.6	32.1	16.1	6.7	67.9	13.0	13.2	36.5	15.8
Anteil der Einfuhren von Nahrungsmitteln und landwirtschaftlichen Erzeugnissen an den Gesamteinfuhren (4)	%	10.3	18.6	8.6	8.8	20.2	10.0	6.8	13.0	–	15.4	24.4	9.7	4.9	5.7	7.1	10.2
Anteil der Ausfuhren von Nahrungsmitteln und landwirtschaftlichen Erzeugnissen an den Gesamtausfuhren (4)	%	6.1	23.8	4.3	30.1	14.5	12.1	17.0	5.6	–	20.9	10.2	7.1	3.2	2.4	1.8	10.0

Quelle: EUROSTAT
* 1992
(1) 1993 ohne GR (1988), I (1989), SP und IRL (1991) und DK (1992)
(2) 1992
(3) 1989
(4) 1993

Anhang 2: Entwicklung der Ausgaben des Europäischen Ausrichtungs- und Garantiefonds für die Landwirtschaft

Ausgaben des EAGFL, Abteilung Garantie

	zu jeweiligen Preisen		zu Preisen von 1980	
	Mio ECU	Index 1980 = 100	Mio ECU	Index 1980 = 100
1975	4520	40.0	7040	62.3
1976	5590	49.4	7810	69.1
1977	6830	60.4	8870	78.5
1978	8670	76.7	10370	91.8
1979	10440	92.3	11460	101.4
1980	11310	100.0	11300	100.0
1981	10950	96.8	10050	88.9
1982	12370	109,4	10350	91.6
1983	15790	139.5	12450	110.2
1984	18330	162.0	13640	120.7
1985	19590	173.2	14060	124.4
1986	22010	194.5	15380	136.1
1987	22950	202.9	15600	138.1
1988	26400	233.4	17360	153.7
1989	24410	215.7	15240	134.8
1990	25060	221.6	15010	132.8
1991	30960	273.7	17650	156.2
1992	31120	275.1	17030	150.7
1993	34580	305.7	18740	165.9

Ausgaben des EAGFL, Abteilung Ausrichtung

	zu jeweiligen Preisen		zu Preisen von 1980	
	Mio ECU	Index 1980 = 100	Mio ECU	Index 1980 = 100
1975	257.9	41.3	401.7	64.3
1976	339.8	54.4	474.7	76.0
1977	347.5	55.6	451.3	72.2
1978	178.5	28.6	213.5	34.2
1979	506.7	81.1	556.2	89.0
1980	624.7	100.0	624.7	100.0
1981	725.4	116.1	665.8	106.6
1982	781.7	125.1	654.1	104.7
1983	926.8	148.3	730.7	117.0
1984	842.5	134.9	626.9	100.4
1985	898.3	143.8	644.7	103.2
1986	972.5	155.7	679.6	108.8
1987	940.0	150.5	638.9	102.3
1988	1180.0	188.9	775.9	124.2
1989	1462.0	234.0	912.8	146.1
1990	1925.7	308.2	1153.4	184.6
1991	2408.2	385.5	1372.9	219.7
1992	2874.8	460.2	1573.2	251.8
1993	2995.9	479.5	1623.6	259.9

Anhang 3: Entwicklung der Ausgaben des EAGFL, Abteilung Garantie, nach Sektoren (Gemeinschaft der Zwölf)

	1980	1981	1982	1983	1984	1985	1986	1987	1988	1989	1990	1991	1992	1993
								(1)	(2)(3)	(4)	(4)	(4)	(4)	(5)
Getreide	1669.4	1921.4	1824.4	2441.0	1649.9	2310.1	3391.2	4137.7	4264.4	3150.0	3799.5	5077.5	5457.0	6560.4
Reis	58.6	21.7	50.3	92.9	47.8	50.1	93.7	99.0	72.8	111.5	85.1	111.9	87.3	69.5
Zucker	575.1	767.6	1241.8	1316.1	1631.5	1804.5	1725.6	2035.6	2081.8	1979.9	1388.3	1814.9	1937.4	2188.6
Olivenöl	317.9	442.8	493.1	675.4	1096.4	692.3	604.3	1139.2	945.0	1464.5	1168.2	2107.0	1754.2	2468.1
Öle und Fette	369.3	582.2	720.6	945.5	655.5	1110.6	2027.5	2687.4	2971.8	2673.5	3477.0	3934.0	4132.1	3063.5
Eiweißhaltige Pflanzen	60.5	65.4	82.9	142.3	215.7	372.4	460.0	587.2	689.3	642.9	834.8	896.0	862.0	1083.8
Faserpflanzen	18.4	72.1	116.2	160.0	108.0	240.7	564.9	306.4	454.2	600.7	580.3	682.0	771.3	860.6
Obst und Gemüse	687.4	641.0	914.5	1196.0	1454.5	1230.6	980.3	967.1	708.2	1018.6	1253.0	1460.0	1261.7	1672.2
Wein	299.5	459.4	570.7	659.3	1222.5	921.4	630.9	800.3	1545.5	1147.7	745.2	1581.0	1087.2	1509.6
Tabak	309.3	361.7	622.7	671.3	776.5	863.0	782.2	803.6	966.1	1138.8	1232.1	1341.0	1233.0	1165.1
Andere pflanzl. Erzeugnisse	38.5	46.6	53.4	55.6	51.4	54.5	51.7	44.5	59.8	83.8	84.5	99.0	302.7	190.0
Pflanzliche Erzeugnisse	4403.8	5381.9	6690.6	8355.3	8909.7	9650.4	11402.5	13607.9	14759.1	14011.9	14648.0	19104.3	18885.8	20831.3
Milcherzeugnisse	4752.1	3342.7	3327.7	4396.1	5441.5	5933.2	5405.8	5013.0	5915.1	4987.0	4955.9	5575.0	4006.8	5211.3
Rindfleisch	1363.1	1437.1	1158.7	1736.5	2547.0	2745.7	3481.8	2148.7	2475.8	2428.5	2833.2	2330.0	4413.8	3986.3
Schaf- und Ziegenfleisch	53.5	191.5	251.8	305.6	433.5	502.4	617.0	573.8	1293.6	1452.8	1452.3	1707.0	1749.2	1800.4
Schweinefleisch	115.7	154.6	111.7	144.8	196.0	165.3	151.9	158.6	215.6	261.0	246.9	280.0	141.6	200.9
Eier und Geflügel	85.5	84.0	103.9	123.3	69.8	63.3	97.8	152.0	194.1	234.1	178.5	273.0	193.1	290.9
Tierische Erzeugnisse	6369.8	5209.9	4953.8	6706.3	8687.8	9409.9	9754.2	8046.1	10094.2	9363.5	9666.8	10169.0	10510.6	11624.6
Andere (*)	541.5	388.4	761.2	750.0	749.0	683.9	980.7	1313.7	2833.9	2500.5	2159.8	1945.2	2717.5	2134.43
Ausgaben insgesamt	11315.2	10980.2	12405.6	15811.6	18346.5	19744.2	22137.4	22967.7	27687.3	25875.9	26474.6	31218.5	32113.9	34590.3

(1) Ausgaben 1987: vom 1. Jänner bis zum 31. Oktober 1987.
(2) Ausgaben 1988: vom 1. November 1987 bis zum 15. Oktober 1988.
(3) Einschließlich Wertberichtung der Lagerstände für Getreide (–747.3), Milch (–306.2), Rindfleisch (–186.5) und andere Ausgaben (+1240).
(4) Seit 1989: vom 16. Oktober (Jahr n) bis zum 15. Oktober (Jahr n+1).
(5) vorläufig
(*) Verarbeitete Erzeugnisse, Fischereierzeugnisse, Währungsausgleichsbeträge, Beitrittsausgleichsbeträge, etc …

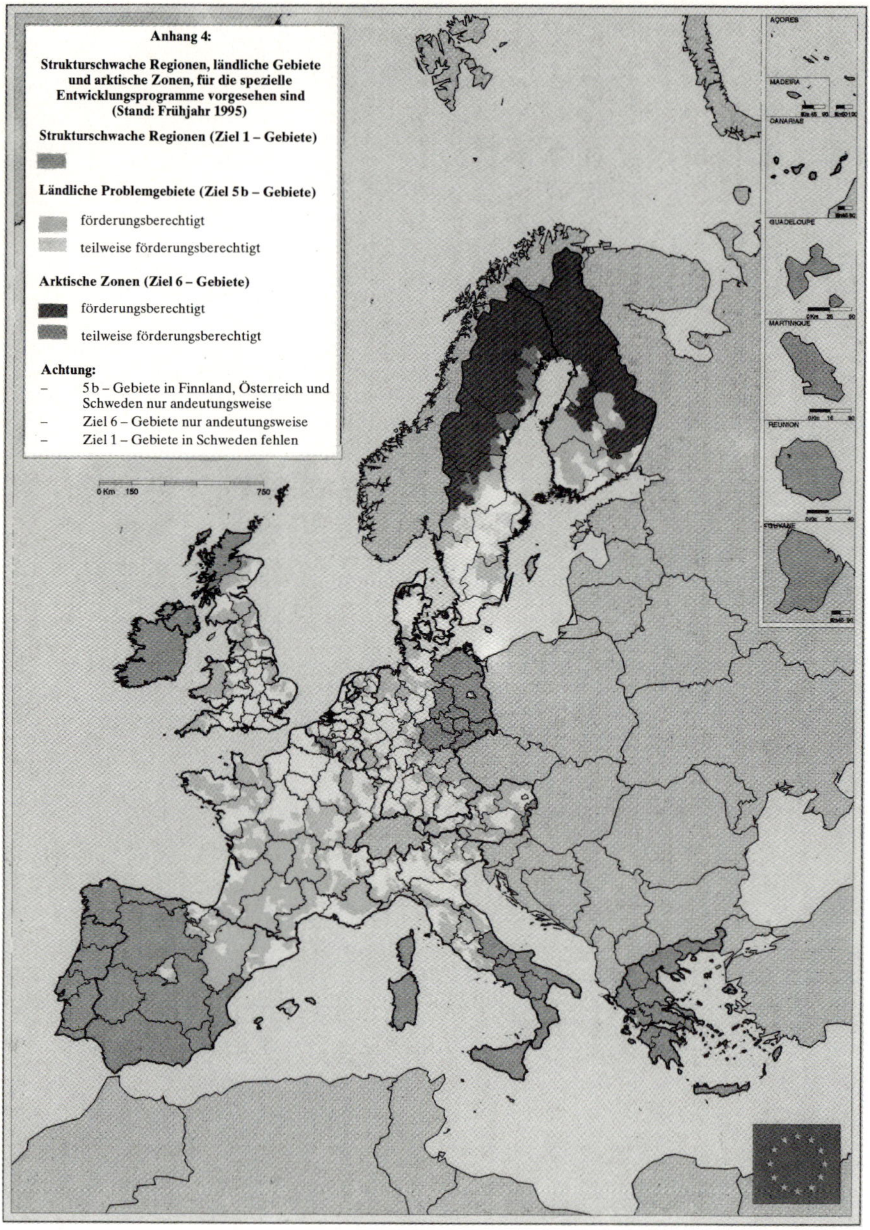
Anhang 4:
Strukturschwache Regionen, ländliche Gebiete und arktische Zonen, für die spezielle Entwicklungsprogramme vorgesehen sind (Stand: Frühjahr 1995)
Strukturschwache Regionen (Ziel 1 – Gebiete)
Ländliche Problemgebiete (Ziel 5b – Gebiete)
förderungsberechtigt
teilweise förderungsberechtigt
Arktische Zonen (Ziel 6 – Gebiete)
förderungsberechtigt
teilweise förderungsberechtigt
Achtung:
– 5b – Gebiete in Finnland, Österreich und Schweden nur andeutungsweise
– Ziel 6 – Gebiete nur andeutungsweise
– Ziel 1 – Gebiete in Schweden fehlen
0 Km 150 750
AÇORES
MADEIRA
CANARIAS
GUADELOUPE
MARTINIQUE
REUNION

7. KAPITEL

Gemeinsame Fischereipolitik

Otto Harnier

Übersicht:

A. Ausgangssituation

1. Entwicklung der gemeinsamen Fischereipolitik

Nach dem Zweiten Weltkrieg wurden die Fischereiflotten weltweit modernisiert und ausgebaut. Als Folge dieser Entwicklung verdreifachte sich die Gesamtfangmenge bis zum Jahre 1968. Dieser starke Anstieg führte bei einigen wichtigen Fischarten (vor allem bei Weißfisch) zu einer Überfischung und damit zu einem spürbaren Rückgang der Bestände. Angesichts dieser Entwicklung dehnte eine große Zahl wichtiger Fischereinationen, allen voran Länder Südamerikas, die Zonen, für die sie ausschließliche Nutzungsrechte beanspruchten, von sechs oder zwölf auf nunmehr 200 Seemeilen (ca 370 km) vor ihren jeweiligen Küsten aus. Diese **200-Meilen-Zonen** sind 1982 durch das im Rahmen der Vereinten Nationen ausgearbeitete Internationale Seerechtsübereinkommen, welches Ende 1994 in Kraft getreten ist, bestätigt worden. Dies zwang die Hochseefischereiflotten der Mitgliedstaaten der Gemeinschaft, ihre Tätigkeit verstärkt auf Einsätze in Gemeinschaftsgewässern zu konzentrieren, die – abgesehen von den Mittelmeerzonen – ebenfalls auf 200 Seemeilen ausgedehnt wurden, wo dies geographisch möglich war.

Die Beschränkung dieser verhältnismäßig modernen Flotte auf die Gemeinschaftsgewässer führte zu einem weiteren starken Anstieg der Überfischung und damit zu weiteren Bestandsrückgängen. Gleichzeitig kam es zu bedrohlichen Konfrontationen zwischen den Flotten bestimmter Mitgliedstaaten. Es wurde deutlich, daß die Probleme am besten durch eine gemeinschaftliche Fischereipolitik zu lösen seien.

1970 erließ der Ministerrat die ersten Verordnungen zu einer gemeinsamen Fischereipolitik. Sie schrieben das Prinzip des gleichen Zugangs zu den Fischereizonen in den Gemeinschaftsgewässern für die Fischer der Mitgliedstaaten fest, begründeten eine gemeinsame Marktordnung für Fischereiprodukte und schufen erste Ansätze für eine gemeinschaftliche Strukturpolitik.

1973 wurde es durch die Erweiterung der Gemeinschaft um Dänemark, Irland und das Vereinigte Königreich, drei Nationen mit ausgeprägten Fischereiinteressen, nötig, die Fischerei innerhalb der Gemeinschaftsgewässer strengen Regelungen zu unterwerfen. Lediglich der Mittelmeerraum wurde wegen seiner besonderen geopolitischen und geomorphologischen Lage von den Regelungen einstweilen ausgenommen (siehe unten D).

2. Gesamtwirtschaftliche Bedeutung

Die gesamtwirtschaftliche Bedeutung der Fischerei ist derzeit verhältnismäßig gering. Rund 300.000 Fischer landen jährlich ca 7 Mio t Fisch an – und zwar einschließlich Muscheln, Krebs und Weichtieren. Das sind etwa 7% der Weltfänge. Die Fischerei trägt demnach kaum 0,5% zum Bruttoinlandsprodukt der EU bei. Dennoch spielen die Fischerei und die Fischverarbeitung in zahlreichen Küstenregionen und Inseln eine **Schlüsselrolle für die örtliche Wirtschaft.** Man rechnet damit, daß auf einen aktiven Fischer etwa sieben Personen kommen, deren Arbeitsplätze von der Fischerei abhängen – die verwaltenden Beamten nicht mitgerechnet. Diesen historisch gewachsenen Abhängigkeiten und Interessen muß und will die Gemeinsame Fischereipolitik Rechnung tragen.

Die EU-Länder sind dabei in sehr unterschiedlichem Umfang von der Fischerei abhängig. So werden in Deutschland zB jährlich etwa 300.000 t angelandet, während es in Spanien nahezu 1,5 Mio t sind. In Deutschland, welches über eine verhältnismäßig moderne Flotte verfügt, arbeiten noch ca 4000 Menschen direkt in der Fischerei, während es in Spanien ca 80.000 sind. Wenn auch die ökonomische Bedeutung der Fischerei gering ist, so stellt sie sozioökonomisch für eine ganze Reihe von Mitgliedstaaten doch einen erheblichen Faktor dar.

3. Rechtsgrundlage

Die Gemeinschaft bedarf für ihr Tätigwerden einer spezifischen vertraglichen Ermächtigung. Diese ist in den Art 38 bis 47 EGV gegeben, in denen es um die Erzeugnisse des Bodens, der Viehzucht und der Fischerei geht.

B. Die Instrumente der gemeinsamen Fischereipolitik

1. Erhaltungs- und Bewirtschaftungsmaßnahmen

Um die Bestände vor allzu gravierender Überfischung und womöglich dem Kollaps zu schützen, ist ein Bündel von Maßnahmen, meist in Form von Verordnungen des Ministerrates, in Kraft gesetzt worden.

a) Zugangsregelungen

Ganz im Gegensatz zu dem fundamentalen Prinzip der Freizügigkeit des Vertrags sah man sich gezwungen, für die Ausübung der Fischereitätigkeit strikte **Zugangsregelungen** zu erlassen, und zwar **auf der Grundlage der Nationalität.** Bereits 1973 hatten Dänemark, Irland und das Vereinigte Königreich bei ihrem Beitritt durchgesetzt, daß der Zugang zu ihren Gewässern erst zehn Jahre später und auch dann nur unter bestimmten Bedingungen erfolgen solle. Dementsprechend war 1983 eine gemeinschaftsweite Regelung in Kraft zu setzen: Der Zugang zu Gewässern innerhalb der Sechs- bzw später Zwölf-Meilen-Zone blieb prinzipiell den Küstenfischern vorbehalten. Fischer aus anderen Ländern hatten dort nur Zugang, wenn sie historisch gewachsene Fischereirechte hatten. Zugleich wurde der Zugang zu biologisch besonders empfindlichen Regionen wie den Gewässern um die Shetland-Inseln beschränkt, um die Reproduktion der Bestände zu fördern, insbesondere um das Fischen von Jungtieren, die sich noch nicht fortpflanzen konnten, zu verhindern. Die Grundverordnung von 1983[1]) wurde durch die Verordnung 3760/92 weiterentwickelt und ersetzt.[2]) Die jetzigen Zugangsregelungen sollen im Prinzip bis zum Jahre 2002 weitergelten und dann einer erneuten Revision unterworfen werden. Basis für die Zugangsregelungen und Beschränkungen sind Fischereizonen, die von dem International Council for the Exploration of the Sea (ICES) festgelegt wurden.

b) Fangmengenbeschränkungen

Die Gemeinschaft hat durch ihre Grundverordnung vom Jahre 1983 unter anderem ein Regime zur Bewirtschaftung der Ressourcen ebenfalls mit dem Ziel eingeführt, die Bestände vor Überfischung zu schützen. Kern dieses Regimes sind sogenannte **„TACs" („total allowable catches"),** mit denen die Höchstfangmenge für eine bestimmte Art in einem bestimmten Gebiet jährlich festgelegt wird, und zwar auf der Grundlage wissenschaftlicher Gutachten internationaler Gremien und/oder des wissenschaftlich-technischen und wirtschaftlichen Fischereiausschusses bei der Kommission, der jährlich einen Bericht über die Lage der Fischereiressourcen aufstellt. Derzeit werden bereits mehr als 100 Fischarten auf diese Weise bewirtschaftet. Hat sich der Rat auf Vorschlag der Kommission auf ein bestimmtes TAC geeinigt, dann beginnen die Verhandlungen über die sogenannten **Quoten,** das sind die Fangmengen, die den einzelnen Mitgliedstaaten zugeteilt werden. Hierbei kommt es naturgemäß zu harten Verhandlungen, da die Fischereiminister ihren von

---

1) V 170/83, ABl L 1983/24 v 27. 1. 1983, 1.

2) ABl L 1992/389 v 31. 12. 1992, 1.

Existenzängsten geplagten bisweilen durch die Härte ihres Berufes zu rabiatem Verhalten neigenden Fischern in gewissem Umfang Rechenschaft ablegen müssen. Die Einsicht, daß der Schutz der Bestände vor Überfischung langfristig die beste Bestandsgarantie für die Fischer selbst ist, beginnt sich erst allmählich durchzusetzen, und naturgemäß meint man, die anderen sollten damit anfangen.

Bei der ersten Aufteilung im Jahre 1983 wurde ein Schlüssel erarbeitet, nach dem die Quoten verteilt werden. Dieser Schlüssel berücksichtigt unter anderem traditionelle Fischereitätigkeit, spezifische Bedürfnisse bestimmter fischereiabhängiger Regionen sowie die Fangverluste in Drittlandgewässern nach Einführung der 200 Meilen-Zone. Dieser Schlüssel ist unter dem Namen **relative Stabilität** bekannt. An diesem Quotenschlüssel wird in der Regel nicht gerührt, sodaß sich der Schwerpunkt der Verhandlungen auf die verfügbaren Fangmengen (TAC) erstreckt –, die oft genug zu Lasten der Bestände, entgegen wissenschaftlicher Erkenntnisse und der Kommissionsvorschläge vom Ministerrat erhöht werden. Austausch und Übertragung von Quoten zwischen den Mitgliedstaaten bleiben möglich.

Die diesbezüglichen Ratsverhandlungen finden normalerweise um den 20. Dezember herum statt und nehmen nicht selten die Form eines zweitägigen Marathons an. Die TACs und Quoten müssen zum 1. Jänner eines jeden Jahres in Kraft treten.

c) Technische Erhaltungsmaßnahmen

Von besonderer Bedeutung für die Erhaltung der Bestände, dh vor allen Dingen ihre Reproduktionsfähigkeit, ist der Schutz der Jungfische. Dieser wird durch sogenannte **technische Erhaltungsmaßnahmen** erreicht. Dazu gehören Mindestgrößen von Netzmaschen, die Länge der Netze, die Mindestgröße der anzulandenden Fische sowie deren Mindestgewicht. Dazu gehören auch bestimmte Begrenzungen der Fangzeit (Schonzeiten), Gebiete, in denen bestimmte Arten des Fischfangs untersagt sind und Auflagen bezüglich der Art und Kapazität der Fanggeräte und der Fischereifahrzeuge[3]).

d) Fischereiaufwandsbeschränkungen

Um den Druck auf die Bestände zu verringern, werden in wachsendem Maße auch Fischereiaufwandsbeschränkungen beschlossen und zwar erstmals im Zuge der Integration der bedeutenden iberischen Flotten in die Gemeinsame Fischereipolitik.[4]) Hierbei geht es vor allen Dingen darum, die Zahl, die Größe und die Leistungskraft der Schiffe zu regulieren, die gleichzeitig in einem bestimmten Gebiet eine bestimmte Fischart fangen. Jedem interessierten Staat steht demnach eine bestimmt **Anzahl von Fischereifahrzeugen** einer bestimmten **Leistungsfähigkeit** zu, mit denen er in der **betreffenden Zone** für einen **bestimmten Zeitraum** fischen darf.

---

[3]) Vgl V 3094/86, ABl L 1986/288 v 11. 10. 1986, 1 mit den in FN 4 aufgeführten Änderungen.

[4]) Vgl V 1275/94, ABl L 1994/140 v 3. 6. 1994, 1; VO 685/95, ABl L 1995/71 v 31. 3. 1995, 5 und V 2027/95, ABl L 1995/199 v 24. 8. 1995, 1.

2. Vermarktung der Fischereierzeugnisse

Bereits 1970 wurde eine erste Verordnung zur Organisation der Märkte verabschiedet, die vor allem das Ziel der **Marktstabilisierung** und der **Einkommenssicherung** für die Fischer verfolgte.

Die Regelungen, die auch Produkte der Aquakultur umfassen, ähneln in vieler Hinsicht denen der gemeinsamen Agrarpolitik. Rein faktisch besteht ein Unterschied jedoch darin, daß sich die Fischereiproduktion nicht beliebig vermehren läßt, während die Landwirtschaft, ganz im Gegensatz dazu, durch immer weitere Ertragssteigerungen eine problematische Lage erzeugt hat. Zudem stehen etwa 10 Mio EG-Landwirten nur ca 300.000 Fischer gegenüber. Jährlich werden aus dem EG-Haushalt weit mehr als 30 Mrd ECU zur Stützung der Agrarpreise aufgewendet. Aber weniger als ein Zehntel davon dient der Rationalisierung landwirtschaftlicher Betriebe. In der Fischerei ist das Verhältnis genau umgekehrt: Mit rund 200 Mio ECU wird für die Umstrukturierung des Sektors jährlich rund siebenmal soviel ausgegeben wie für die Stützung der Fischpreise.

a) Vermarktungsnormen[5])

Gemeinschaftsweit eingeführte Standards hinsichtlich Größe, Gewicht, Aufmachung, Verpackung und Etikettierung sollen garantieren, daß nur Fischprodukte von **guter Qualität** auf den Markt kommen, weil nur diese den Fischern ein dauerhaftes Einkommen sichern und einem Ausweichen der Verbraucher auf konkurrierende Produkte (insbesondere Geflügelfleisch) vorbeugen. Zugleich wird eine gemeinschaftsweite Wettbewerbsgleichheit zwischen den Anbietern von Fischereiprodukten erreicht.

Um die Einhaltung dieser Normen sicherzustellen, können vor Ort auf jeder Stufe des Transports und der Vermarktung Kontrollen durchgeführt werden. Unter gewissen Bedingungen können Beihilfen zur Qualitätsverbesserung bezahlt werden.

b) Preisregelungen

Daneben gibt es eine umfassende Regelung bezüglich der Preise für Fischereierzeugnisse. Ziel dieser Regelungen ist es, die häufig gegensätzlichen finanziellen Interessen der Fischer, der Verarbeitungsindustrie und der Verbraucher miteinander in Einklang zu bringen. Die Preise für Fisch spiegeln in der Regel die tatsächliche Marktsituation wider. Die Sicherung angemessener Preise und damit der Einkommen erfolgt über die Anwendung eines sogenannten **Rücknahmepreises:** Erzeugnisse, die zu diesem Mindestpreis nicht verkauft werden können, werden aus dem Markt genommen. Unter bestimmten, genau festgelegten Bedingungen kann für die aus dem Markt genommenen Mengen eine Entschädigung gezahlt werden. Davon betroffen sind vor allem Sardinen und Hering. Die Regelung sieht eine Staffelung vor: Je größer die aus dem Markt genommene Menge desto relativ geringer die Entschädigungssumme. Damit wird ein Fischen zum Zwecke der Rücknahme uninter-

---

[5]) Zum Folgenden s V 3759/92, ABl L 1994/171 v 6. 6. 1994, 1.

essant. Die aus dem Markt genommenen Erzeugnisse werden in der Regel zu Tierfutter verarbeitet.

Für hochwertige Arten wie Krebse, Kaisergranat und Seezunge werden außerdem **Lagerbeihilfen** gewährt, damit diese Erzeugnisse nicht aus dem Markt genommen und vernichtet werden müssen, sondern zu einem späteren Zeitpunkt verkauft werden können, wenn das Angebot saisonbedingt geringer ist.

Die Berechnung der Rücknahmepreise oder Einlagerungsprämien erfolgt auf der Grundlage von sog **Orientierungspreisen** für die einzelnen Fischarten, die vom Rat – in der Regel auf seiner Novembersitzung – jeweils für das kommende Kalenderjahr festgelegt werden. Bei dieser Festlegung werden die durchschnittlichen Marktpreise der vergangenen Wirtschaftsjahre sowie die voraussichtliche Entwicklung von Angebot und Nachfrage im kommenden Jahr zugrunde gelegt. Man ersieht daraus, daß es nicht darum geht, die Preise künstlich hochzuhalten, sondern daß das eigentliche Anliegen der Ausgleich extremer Preisschwankungen ist, um den betroffenen Fischern längerfristige Dispositionen zu ermöglichen.

Eine besondere Regelung gilt für **Thunfisch.** Den Thunfischerzeugern werden bei einem Rückgang des Preises Ausgleichsentschädigungen gewährt, da dieser spezifische Markt nicht durch Zölle geschützt wird. Diese Regelung erlaubt es einerseits, der EG-Verarbeitungsindustrie genügend Rohware zur Verfügung zu stellen, andererseits verhindert sie, daß die EG-Erzeugerindustrie durch Weltmarktpreisschwankungen ruiniert wird.

c) Erzeugerorganisationen

Die praktische Umsetzung der oben unter a) und b) genannten Regelungen obliegt weitgehend sog **Erzeugerorganisationen.** Es handelt sich dabei um staatlich anerkannte repräsentative Organisationen, die von den Erzeugern zu dem Zweck gegründet wurden, die Fischerei rationeller zu gestalten und die Vermarktungsbedingungen ihrer Erzeugnisse zu verbessern. Die Erzeugerorganisation regelt die **Produktions- und Verkaufsbedingungen** verbindlich für ihre Mitglieder, und diese dürfen ihre Fänge nur über die Organisation selbst absetzen. In bestimmten Fällen können diese Organisationen ihre Regeln auch auf Nichtmitglieder ausdehnen. Dies bedarf jedoch der Genehmigung durch die zuständige staatliche Behörde und durch die Kommission. Die Gemeinschaft fördert die Gründung solcher Organisationen und damit die Selbstverwaltung durch Gewährung einer Startbeihilfe. Derzeit gibt es etwa 150 anerkannte Erzeugerorganisationen, die mehr als 60% des gesamten Marktes abdecken.

d) Finanzierung

Die Finanzierung der vorgenannten marktrelevanten Maßnahmen erfolgt in erster Linie durch die jeweilige Erzeugerorganisation selbst, die sich ihrerseits durch von ihren Mitgliedern erhobene **Beiträge** finanziert. Die Finanzierung erfolgt außerdem durch **staatliche Beihilfen.** Von diesen Beihilfen kann die Gemeinschaft wiederum bis zu 50% übernehmen. Durch dieses System, wonach die eigentliche Verantwortung bei den Erzeugerorganisationen bzw den Mitgliedstaaten bleibt, ist erreicht worden, daß die finanziellen Beihilfen, die von der Gemeinschaft direkt geleistet werden – und zwar durch den **Europäischen Ausrichtungs- und Garantiefonds** (Abteilung „Garantie") – sich in engen Grenzen halten. Sie lagen im Durchschnitt der letzten fünf Jahre bei etwa 25 Mio ECU und machten damit nicht mehr als 0,1 bis 0,2% der Ausgaben des EAGFL aus.

e) Handel mit Drittländern

Ein viertes wichtiges Element der gemeinsamen Marktorganisation ist der Import aus Drittländern. Die Gemeinschaft kann ihren Bedarf an Fisch nicht selbst decken. Sie ist vielmehr der Welt größter Importeur von Fischereierzeugnissen für den menschlichen Verzehr. Anlandungen aus eigener Produktion im Werte von ca 6 Mrd ECU stehen Importe von mehr als 7 Mrd ECU pro Jahr gegenüber.

Das klassische Instrument der Regulierung der Märkte ist insoweit der **Außenzolltarif,** der als **Gemeinsamer Zolltarif** für die gesamte Gemeinschaft gilt und zugleich die Anwendung des generellen Grundsatzes der Gemeinschaftspräferenz gewährleistet. Allerdings gibt es für nahezu 60% aller Einfuhren besondere Präferenzregelungen im Rahmen internationaler Abkommen wie vor allem des Abkommens über den Europäischen Wirtschaftsraum und des Abkommens von Lomé sowie Abkommen mit den Mittelmeerländern. Der Rat verhandelt jährlich in der Regel auf seiner Novembersitzung über die jeweiligen Zölle und mengenmäßigen Beschränkungen, wobei wiederum ein Ausgleich zwischen den Interessen der Verarbeitungsindustrie und der Verbraucher einerseits und der Gemeinschaftsfischereiflotte andererseits geschaffen werden muß.

Die Preise für eingeführten Fisch werden im Rahmen einer **Referenzpreisregelung** überwacht, um Störungen des Gemeinschaftsmarktes zu verhindern. Mit dieser Regelung kann die Kommission bei gravierenden Marktstörungen sofort Gegenmaßnahmen ergreifen, zB Ausgleichsabgaben auf bestimmte Billigimporte erheben. Die jeweils für ein Jahr geltenden Referenzpreise werden ebenfalls vom Rat in seiner Novembersitzung festgelegt. Zusätzlich hat die Kommission die Möglichkeit, im Rahmen einer Schutzklausel, bei besonders akuten Störungen zB Importmindestpreise für eine genau bestimmte Frist festzulegen.

3. Strukturpolitische Maßnahmen

Die letzten Jahre waren von einer latenten Krise des Fischereisektors gekennzeichnet, die vor allen Dingen auf die **Überkapazität der Gemeinschaftsflotte** zurückzuführen ist: Immer noch wollen und müssen zuviele Fischer von schrumpfenden Beständen leben.

a) Flottenreduzierung und -modernisierung

Bereits seit 1986 gibt es **mehrjährige Orientierungsprogramme** zur Verminderung der verschiedenen Gemeinschaftsflotten. Das derzeitige Programm läuft bis Ende 1996 und hat zum Ziel, daß durchschnittlich etwa

20% der Kapazitäten abgebaut werden. Diese Programme werden zwar von den einzelnen Mitgliedstaaten durchgeführt, sie werden aber von der Kommission aufgestellt, die auch die Durchführung überwacht. Die einzelnen Mitgliedstaaten sind davon in sehr unterschiedlichem Maße betroffen. Während zB Deutschland und Belgien ihre Flotten bereits sehr stark reduziert haben, besteht in anderen Ländern, vor allem in Spanien und Frankreich, noch ein erheblicher Nachholbedarf. Die Gemeinschaft beteiligt sich finanziell an dieser **Kapazitätenreduzierung,** 1987 bis 1991 standen dafür 800 Mio ECU zur Verfügung. Im einzelnen geht es dabei um Abwrackung, Stillegung oder, was immer häufiger der Fall ist, den Transfer an Drittstaaten, mit denen Fischereiabkommen geschlossen wurden. Die Erschließung neuer Fanggebiete und der Erwerb von Fischereirechten in Drittlandsgewässern zählen ebenfalls dazu, da sie den Druck auf die heimischen Bestände vermindern. Die eigenen Probleme werden dabei mitunter exportiert.

Eng mit diesem Kapazitätsabbau gehen sog **sozioökonomische flankierende Maßnahmen** einher, die dazu dienen, die freigewordenen Arbeitskräfte durch Umschulung oder vorzeitige Pensionierung sozial abzusichern. Im weiteren Sinne gehören dazu auch die Ansiedlung neuer Wirtschaftstätigkeiten und Industrien in den betroffenen Gebieten, die aus dem Fonds für regionale Entwicklung oder dem europäischen Sozialfonds bezuschußt werden. Aus dem Regionalfonds werden vor allem Infrastrukturverbesserungen, Investitionsbeihilfen und Fremdenverkehrsinitiativen gefördert.

In bestimmten Fällen werden auch Anreize für die Modernisierung oder sogar den Neubau von Kapazitäten geschaffen, auch wenn die Kriterien hiefür sehr restriktiv geworden sind. Denn eine veraltete Flotte könnte wiederum dem Wettbewerbsdruck von Drittstaatenflotten nicht standhalten.

b) Aquakultur

Von besonderer Bedeutung ist in diesem Zusammenhang auch der **Ausbau der Aquakulturen**, der neue Arbeitsplätze schafft und gleichzeitig das Defizit der Gemeinschaft an der Produktion von Fischereierzeugnissen verringert. Produkte aus Aquakulturen belaufen sich inzwischen auf jährlich 1 Mio t. Neben Fisch werden vor allem Krebstiere, Weichtiere und Muscheln produziert und damit das Angebot für den Verbraucher zu erschwinglichen Preisen maßgeblich erweitert. Die wichtigsten Standorte für Aquakulturtätigkeiten sind Westschottland, Frankreich, Galizien, Andalusien, Irland, Portugal, Italien und Griechenland.

Gemeinschaftszuschüsse für den Aufbau von Aquakulturen wurden bereits in den 70er-Jahren gewährt. Aber erst seit 1983 wird die kommerzielle Aufzucht gezielt gefördert. 1993 hat die Kommission Zuschüsse von ca 50 Mio ECU zu 260 Aquakulturvorhaben gewährt. Da sich die Aquakultur inzwischen jedoch als nicht unbedenklich für die angrenzende Umwelt erwiesen hat und zudem Veterinärprobleme aufgetaucht sind, geht ein Teil dieser Gelder nicht in den Aufbau, sondern in die Modernisierung der Aquakultur.

c) Verarbeitung und Vermarktung

Wie bereits erwähnt wäre es verhängnisvoll für die Märkte, wenn der Absatz der Fischereiprodukte stagnieren würde oder gar rückläufig wäre bzw an Anbieter aus Drittländern verloren ginge. Um den wachsenden Ansprüchen der Verbraucher gerecht zu werden, sind deshalb erhebliche strukturpolitische Anstrengungen bezüglich einer **marktgerechten Verarbeitung** und Präsentation der Produkte erforderlich. Hieran arbeiten etwa 100.000 Menschen in der Gemeinschaft; in Italien, Frankreich und Spanien in vielen kleineren Unternehmen, in Deutschland, den Niederlanden, im Vereinigten Königreich und Dänemark dagegen in stärker konzentrierten Unternehmen. Im wesentlichen geht es um Filetieren, Salzen, Trocknen, Räuchern, Garen, Gefrieren und die Herstellung von Konserven. Auf diese Weise werden jährlich etwa 2,2 Mio t Produkte hergestellt.

Die **Verarbeitungsindustrie** hat vor allem mit nicht immer regelmäßigen Rohwarenversorgungen, unzureichenden Investitionen zur Verbesserung der Betriebe, einer damit verbundenen sinkenden Rentabilität und der Notwendigkeit einer Modernisierung und Rationalisierung der Produktion zu kämpfen. Erste finanzielle Anreize seitens der Gemeinschaft gab es bereits seit 1977, doch setzte eine gezielte Förderung erst 1988 ein. Vorrangig gefördert wurden dabei Maßnahmen zur Anpassung an die neuen Hygiene- und Gesundheitsvorschriften der Gemeinschaft sowie die Einführung technischer Innovationen. Zwischen 1991 und 1993 wurden insgesamt 220 Mio ECU an Gemeinschaftsmitteln bereitgestellt, die überwiegend in die am wenigsten entwickelten Regionen der Gemeinschaft flossen. In Anbetracht wachsender Konkurrenz vor allem aus fernöstlichen Ländern sowie ebenfalls wachsender Anforderungen an den Umweltschutz wird die Gemeinschaft hier weiterhin tätig werden müssen.

Auch im Bereich der **Vermarktung** gewährt die Gemeinschaft Investitionsbeihilfen. In den meisten Mitgliedstaaten erfolgt der Verkauf der frisch angelandeten Fänge über Auktionen. Im Interesse der Qualität der Produkte, zu der vor allem deren Frische gehört, sind diese Auktionshallen inzwischen eine technologisch komplizierte Angelegenheit und bedürfen einer ständigen Modernisierung insbesondere bezüglich der Kühleinrichtungen, der Verpackungsanlagen, der Schnelligkeit der Transaktionen etc.

Immer wichtiger wird dabei auch die **Modernisierung der Hafenanlagen** selbst, damit die Fänge rasch und möglichst unbeschadet angelandet werden können. Hierzu hat die Gemeinschaft 1993 25 Mio ECU bewilligt.

Ebenfalls im Interesse eines beständigen Absatzes hat sich die Gemeinschaft seit Jahren für eine aktive **Verbraucheraufklärung** eingesetzt, insbesondere auch, um die Nachfrage nach reichlich vorhandenen, aber noch wenig bekannten Arten zu steigern. Dabei kann es ua auch darum gehen, den Publikumsgeschmack in den verschiedenen Ländern zu beeinflussen; so war es in Großbritannien zB nicht üblich, frischen Hering zu verzehren, oder in Frankreich Sardinen – Ressourcen, die vor den Küsten beider Länder reichlich vorhanden sind.

Zur Finanzierung dieser strukturpolitischen Maßnahmen hat sich die Gemeinschaft Ende 1993 ein spezifisches Finanzierungsinstrument mit genauen Kriterien für die Auswahl der zu fördernden Strukturmaßnahmen gegeben.[6])

C. Die Fischerei im Mittelmeer

Erst 1994 hat der Rat der EG eine Verordnung[7]) angenommen, die gewisse Mindestregelungen für die Fischerei von Gemeinschaftsflotten im Mittelmeer aufstellt. Die Sonderrolle, die das Mittelmeer im Rahmen der gemeinsamen Fischreipolitik einnimmt, ist einmal darauf zurückzuführen, daß es dort keine 200 Meilen-Zonen gibt; vielmehr gilt weiterhin die alte Regelung der hoheitlichen Gewässer von maximal **zwölf Meilen.** Zum anderen handelt es sich bei den Fischereien dieser Länder in diesen Gewässern naturgemäß hauptsächlich um **Küstenfischerei**. Dennoch haben die schrumpfenden Bestände im Mittelmeer ein Handeln unumgänglich gemacht. Die Gemeinschaft glaubte daher, mit gutem Beispiel vorangehen zu müssen, um vor allem die **Jungfische,** die sich bevorzugt in diesen Küstenzonen aufhalten, zu schützen. Dementsprechend sind gewisse besonders gefährliche Techniken wie der Einsatz von Geräten zur Erzeugung von Stromstößen sowie Sprengstoff oder toxische betäubende Stoffe untersagt. Auch **umweltzerstörende Geräte** wie Preßlufthämmer oder Andreaskreuze zur Ernte von Korallen sind in Zukunft untersagt. Für andere nicht selektive Geräte, die vor allem dem Fang von Jungfischen dienen, wie zB Umschließungs- und Zugnetze bzw Strandwaden, ist ein Verbot nach einer gewissen Übergangsfrist (in der Regel bis zum Jahre 2002) vorgesehen. Ferner wurden die bewährten Mittel der Mindestmaschengröße bei den Netzen und der Mindestanlandungsgröße bei den Fischen auch hier einheitlich eingeführt. Diese Regulierungen gab es zwar schon auf nationaler Ebene, jedoch in sehr unterschiedlichem Maße, sodaß durch diese Verordnung ein Harmonisierungseffekt – nicht auf dem kleinsten gemeinsamen Nenner – erreicht wurde.

Insgesamt kann diese Verordnung als ein erster bescheidener Schritt für eine einheitliche Politik im Mittelmeerraum angesehen werden. Die erwähnte Verordnung ist tatsächlich auch als Ausgangspunkt für eine umfassende Regelung für den gesamten Mittelmeerraum gedacht. Dementsprechend ist auf Initiative der Kommission im Dezember 1994 eine diplomatische Konferenz auf Kreta zusammengetreten, um die ersten Linien einer einheitlichen Fischereipolitik für das gesamte Mittelmeer zu skizzieren. Zu dieser Konferenz wurden nicht nur die Anrainerstaaten eingeladen, sondern auch Fischereinationen wie Japan, Korea und China, die im Mittelmeer eine erhebliche Aktivität entfalten.

Im Rahmen der FAO gibt es den **Allgemeinen Rat für Fischerei im Mittelmeer,** der bisher außer Studien noch keine besonders wirksamen Aktionen unternommen hat. Er wird in Zukunft aber der geeignete Rahmen für die Entwicklung einer Mittelmeerfischereipolitik sein.

---

[6]) V 3699/93, ABl L 1993/346 v 31. 12. 1993, 1.
[7]) V 1626/94, ABl L 1994/171 v 6. 6. 1994, 1.

D. Überwachung und Kontrollen

Es ist klar, daß die Einhaltung der vorstehend dargestellten Regelungen von entscheidender Bedeutung für die Zukunft des gesamten Sektors ist. Jedoch wird diese Einhaltung nicht allein durch intensive Überwachung und Kontrollen zu erreichen sein.

In den ersten zehn Jahren ließ die Überwachung der gemeinsamen Fischereipolitik in der Tat einiges zu wünschen übrig, sodaß ab und zu die Frage gestellt wurde, ob diese Politik überhaupt eine Daseinsberechtigung habe. 1993 hat der Rat auf Vorschlag der Kommission eine Verordnung[8]) beschlossen, die verstärkte Kontrollen vorsieht, und dies nicht nur für die eigentliche Fischereitätigkeit, sondern auch für strukturpolitische Maßnahmen, Fischvermarktung und Aquakultur. Künftig wären somit sämtliche Etappen auf dem Weg vom Fischer bzw Erzeuger zum Verbraucher überwacht. Dies gilt auch für die Tätigkeit von Gemeinschaftsschiffen auf hoher See oder in Drittlandsgewässern sowie die Tätigkeit von Schiffen aus Drittländern in Gemeinschaftsgewässern.

Zwar wird die eigentliche **Kontrolltätigkeit** naturgemäß von den zuständigen Behörden der einzelnen Mitgliedstaaten ausgeübt. Die neuen Regelungen stärken jedoch die Position der Gemeinschaft, die die „Überwachung der Überwachung“ gewährleistet. Sie erkennen ferner die Notwendigkeit einheitlicher Strafen in allen Mitgliedstaaten an und sehen intensive Zusammenarbeit der Mitgliedstaaten vor, sodaß ein Fischer aus einem Verstoß keinerlei Vorteile erlangen kann. Das Strafmaß, über das das nationale Gericht entscheidet, reicht von empfindlichen Geldstrafen, Beschlagnahme der Netze, der Fänge oder sogar des gesamten Schiffes bis hin zum vorübergehenden oder endgültigen Entzug der Fanglizenz.

Zugleich ist man sich der Notwendigkeit der Einführung neuer Überwachungstechnologien, vor allem des Einsatzes von Satelliten, bewußt, um die Bewegungen der Schiffe genauestens kontrollieren zu können. Zu diesem Zweck wird zunächst ein gemeinschaftsweites Pilotvorhaben mit wenigstens 110 Fischereifahrzeugen, die von Satelliten überwacht werden, durchgeführt. Dieses Programm wird mit 10 Mio ECU aus dem EG-Haushalt finanziert. Endgültige Entscheidungen sind für das Jahr 1996 vorgesehen.

In jedem Falle müssen die Kapitäne von Fischereifahrzeugen mit einer Länge von mehr als 10 m ein Logbuch führen, in das vor allem die Menge der gefangenen und an Bord gehaltenen Arten einzutragen ist. Besondere Vorschriften gibt es auch für die Anlandungen von Fängen und die hierzu erforderlichen Erklärungen und für die Registrierung von Verkäufen in Fischauktionen und anderswo.

Bei den Betroffenen stoßen diese Maßnahmen naturgemäß auf erheblichen Widerstand, denn kaum ein Sektor verbindet sich derart stark mit dem Begriff der Freiheit der Meere wie der der Fischerei. Jedoch setzt sich mehr und mehr die Einsicht durch, daß nur eine strikte Reglementierung den Sektor insgesamt vor dem Kollaps bewahren kann, da eine völlig freiwillige Reduzierung des Fangaufwandes nicht zu erwarten ist. Die verantwortlichen

[8]) V 2847/93, ABl L 1993/261 v 20. 10. 1993, 1.

Stellen der Mitgliedstaaten müssen hier noch erhebliche Aufklärungsarbeit leisten.

E. Internationale Beziehungen

1. Abkommen mit Drittländern

Nachdem eine Reihe von Küstenstaaten ihre Wirtschaftszone auf 200 Seemeilen ausgedehnt hatte, blieb den fischereiabhängigen Ländern Europas nichts weiter übrig, als mit diesen Staaten **bilaterale Abkommen** abzuschließen, um Zugang zu deren Gewässern zu erhalten. Man darf dabei nicht vergessen, daß etwa 90 bis 95% der Fischereibestände überhaupt innerhalb dieser 200 Meilen-Zonen angesiedelt sind. Nachdem die Gemeinsame Fischereipolitik etabliert worden war, fiel die Zuständigkit für den Abschluß solcher Abkommen der Gemeinschaft zu. Sie hat diese Zuständigkeit in einer Reihe von Abkommen vor allem mit afrikanischen Staaten, mit Grönland, Island und Norwegen ausgeübt. Der ursprüngliche **kommerzielle Ansatz** solcher Abkommen war es, der Gemeinschaftsflotte Fischereirechte in den Gewässern des betreffenden Drittstaates zu kaufen, dh für diese Fischereirechte wurden finanzielle Gegenleistungen erbracht. Dies gilt vor allem für die traditionellen Abkommen mit den afrikanischen Ländern sowie Madagaskar und den Komoren, wobei es insbesondere um Thunfisch geht.

Inzwischen gibt es eine sog **„zweite Generation“ von Fischereiabkommen,** die mehr auf Zusammenarbeit mit dem Partnerstaat angelegt sind. Dies gilt vor allem für die Bereiche Technologie und Wissenschaft sowie Ausbildung von Personal der betroffenen Staaten. Vorgesehen sind auch Anlandungen für die Verarbeitungsindustrie des betreffenden Staates. Neu in diesen Abkommen ist auch die Gründung gemeinsamer Unternehmen, in die der gemeinschaftliche Partner Kapital in Form von Schiffen einbringt. Dies trägt insbesondere dazu bei, die Überkapazität der Gemeinschaftsflotten zu reduzieren. Das erste Abkommen dieser Art wurde mit Argentinien abgeschlossen. Weitere Abkommen mit südamerikanischen Ländern sind vorgesehen.

Das wichtigste Partnerland für die Gemeinschaft ist jedoch Marokko. Einerseits liegen die marokkanischen Gewässer gewissermaßen vor der Haustür der Gemeinschaft, andererseits fischt dort traditionsgemäß die spanische Flotte. Die Abkommen mit Marokko werden deswegen hauptsächlich im **Interesse Spaniens** abgeschlossen. Das im Jahre 1995 neu ausgehandelte Abkommen wird ebenfalls ein Abkommen der „zweiten Generation“ sein.

2. Regionale Fischereiorganisationen

Neben diesen bilateralen Abkommen arbeitet die Gemeinschaft aktiv in einer Reihe **regionaler Fischereiorganisationen** mit. Dies gilt insbesondere für die nordwestatlantische Fischereiorganisation (NAFO), durch die vor allem die Gewässer, die an die kanadische 200-Meilen-Zone angrenzen, bewirtschaftet werden. Es gilt auch für die internationale baltische Seefischereikommission, in der mit den Ostseeanrainerstaaten zusammengearbeitet wird. Anderen regionalen Organisationen wie der Thunfischkommission für den Indischen Ozean (IOTC) sowie der Internationalen Kommission zur Erhaltung des atlantischen Thunfisches (ICCAT) wird die Gemeinschaft demnächst beitreten. Die Gemeinschaft ist ferner Mitglied der Kommission zur Bewirtschaftung der Bestände in der Antarktis (CCAMLR).

3. Internationale Organisationen

Die Gemeinschaft spielt eine sehr aktive Rolle bei der Ausarbeitung **internationaler Abkommen,** die der Regelung sich weltweit stellender Fischereiprobleme dienen. Zu nennen ist hier in erster Linie die Konferenz der Vereinten Nationen über Bestände, die sich innerhalb und außerhalb der 200-Meilen-Zone bewegen, wie zB der Kabeljau in den Gewässern zwischen Kanada und Grönland. Diese Konferenz ist 1995 mit einem Abkommen abgeschlossen worden. Ihre Bedeutung ist durch erhebliche Spannungen zwischen der Gemeinschaft (die die Interessen eines ihrer Mitglieder, nämlich Spaniens, schützte) und Kanada deutlich geworden, die zu Beginn des Jahres 1995 für Schlagzeilen sorgten.

Zu nennen ist hier auch das Bestreben innerhalb der FAO, einen weltweiten Verhaltenskodex über die Fischerei insgesamt zu erstellen. Ein wichtiger Teil dieses Kodex besteht bereits in Form des Abkommens zur Förderung der Einhaltung internationaler Maßnahmen zum Schutz der Bestände.

F. Perspektiven

Die Gemeinsame Fischereipolitik wird kontinuierlich weiterentwickelt werden, um dem Ziel einer optimalen Nutzung der Bestände näher zu kommen, wobei ein weiterer Kapazitätsabbau und eine noch stärkere Regulierung des Fischereiaufwandes im Mittelpunkt stehen werden.

Zu Beginn der 90er-Jahre schätzte die FAO die gesamte weltweit jährlich angelandete Menge an Fischereierzeugnissen auf 400 Mio t, was den Stellenwert der Fischerei für die Ernährung der Menschheit deutlich macht. Umso mehr beginnt man sich weltweit der Gefahr der Überfischung und Verknappung der Bestände bewußt zu werden.

Die Gemeinschaft ist mit dieser multilateralen Problematik früher als andere Weltregionen konfrontiert worden. Ihre Fischereipolitik hat deswegen nicht nur interne Bedeutung. Von ihr gehen zugleich wichtige Impulse für eine optimale Nutzung dieser globalen Meeresressourcen insgesamt aus.

8. KAPITEL

Umweltpolitik

Ludwig Krämer

Übersicht:

A. Der rechtliche und institutionelle Rahmen

1. Zuständigkeiten

Der Vertrag über die Europäische Union betont in der Präambel, seine Mitgliedstaaten hätten den „festen Willen, im Rahmen der Verwirklichung des Binnenmarktes sowie der Stärkung des Zusammenhaltes und des Umweltschutzes den wirtschaftlichen und sozialen Fortschritt ihrer Völker zu fördern". Der Union ist die Förderung eines „ausgewogenen und dauerhaften wirtschaftlichen und sozialen Fortschritts" als eines ihrer Ziele zugewiesen (Art B VEU).

Der durch den Vertrag über die Europäische Union geänderte EG-Vertrag präzisiert Ziele und Aufgaben im Umweltbereich. Nach Art 2 EGV ist es Aufgabe der Gemeinschaft, „ein beständiges, nicht-inflationäres und umweltverträgliches Wachstum" zu fördern. Art 3 lit k EGV sieht hierfür „eine Politik auf dem Gebiet der Umwelt" vor, die in den Art 130 r bis 130 t EGV näher umrissen wird. Nach Art 130 r EGV trägt die Umweltpolitik der Gemeinschaft „zur Verfolgung folgender **Ziele** bei:

- Erhaltung und Schutz der Umwelt sowie Verbesserung ihrer Qualität;
- Schutz der menschlichen Gesundheit;
- umsichtige und rationelle Verwendung der natürlichen Ressourcen;
- Förderung von Maßnahmen auf internationaler Ebene zur Bewältigung regionaler und globaler Umweltprobleme".

Die gemeinschaftliche Umweltpolitik zielt gem Art 130 r Abs 2 EGV auf ein **hohes Schutzniveau** ab, wobei die unterschiedlichen Gegebenheiten in den einzelnen Regionen der Gemeinschaft zu berücksichtigen sind.

Entscheidungen über Maßnahmen zum Schutz der Umwelt werden von der Kommission vorgeschlagen. Sie kommen nach Art 130 s Abs 1 EGV grundsätzlich mit qualifizierter Mehrheit des Rates zustande, im Verfahren der – in Art 189 c EGV näher geregelten – Zusammenarbeit mit dem Europäischen Parlament.[1]) Dagegen sieht Art 130 s Abs 2 EGV für folgende Bereiche das Erfordernis der Einstimmigkeit des Rates vor, wobei das Europäische Parlament lediglich anzuhören ist:

- Vorschriften überwiegend steuerlicher Art;
- Maßnahmen der Raumordnung, Bodennutzung und der Bewirtschaftung der Wasserressourcen;
- Maßnahmen, die die Wahl eines Mitgliedstaates zwischen verschiedenen Energiequellen und die allgemeine Struktur seiner Energieversorgung erheblich berühren.

Maßnahmen, die den Schutz der Umwelt betreffen oder jedenfalls berühren, lassen sich auch auf andere Vorschriften des EG-Vertrages stützen. Als wichtigste Vorschrift ist die des Art 100 a EGV zu nennen, die Maßnahmen zur Vollendung des gemeinschaftlichen Binnenmarktes betrifft und in erster Linie Produktregelungen, daneben aber auch wettbewerbserhebliche anlagenbezo-

---

[1]) Zu den Beschlußfassungsverfahren s insb oben *Borchardt,* Die rechtlichen Grundlagen der Europäischen Gemeinschaften – Rechtsquellen, Rechtshandlungen und Rechtsetzung.

gene Maßnahmen erfaßt. Regelungen nach Art 100a EGV ergehen im Mitentscheidungsverfahren zwischen Europäischem Parlament und Rat, das in Art 189b EGV näher geregelt ist. Die jeweiligen Vorschläge der Kommission gehen nach Art 100a Abs 3 EGV von einem hohen Umweltschutzniveau aus.

Andere Vorschriften des EG-Vertrages, auf die umweltbezogene Maßnahmen der Gemeinschaft gestützt werden können, sind etwa Art 43 (Landwirtschaft), 75 (Transport), 92 (Beihilfen), 99 (Steuern), 130o (Forschung) usw. Insoweit gelten jeweils die in den einzelnen Vorschriften festgelegten Entscheidungsverfahren. Vorschriften zur Regelung der Arbeitsumwelt – insbesondere der Umweltschutz am Arbeitsplatz – unterfallen nach der Systematik des EG-Vertrages den Vorschriften der Sozialpolitik (Art 117 EGV).

2. Grundsätze gemeinschaftlicher Umweltpolitik

Der EG-Vertrag selbst legt in Art 130r fest, daß die gemeinschaftliche Umweltpolitik eine Reihe von **Grundsätzen** zu beachten hat. Hierzu gehören die Grundsätze der Vorsorge und Vorbeugung, die das Ergreifen von Maßnahmen verlangen, um eine Beeinträchtigung oder Verschmutzung der Umwelt zu vermeiden, der Grundsatz, Umweltbeeinträchtigungen mit Vorrang an ihrem Ursprung zu bekämpfen, sowie der Grundsatz, daß der Verschmutzer bezahlt (Verursacherprinzip; „polluter-pays-principle"), der im Kern wohl die Forderung enthält, daß die Kosten für Umweltbeeinträchtigungen grundsätzlich nicht von der Allgemeinheit, sondern vom Verursacher der Beeinträchtigung zu tragen sind. Zu den Grundsätzen mag auch der sich aus Art 2 EGV ergebende Grundsatz des dauerhaften Wachstums zu rechnen sein, der jedenfalls an den Begriff des „sustainable development" anklingt und der einen Umgang mit den Umweltressourcen anspricht, welcher Interessen und Rechte zukünftiger Generationen mit berücksichtigt. Dagegen ist dem EG-Vertrag entgegen einer (nur) im deutschsprachigen Schrifttum weitverbreiteten Auffassung kein Grundsatz des bestmöglichen Umweltschutzes zu entnehmen, der einzelnen Mitgliedstaaten über die im EG-Vertrag insbesondere in Art 130t und 100a Abs 4 vorgesehenen Möglichkeiten hinaus ein allgemeines Recht auf einzelstaatliche Alleingänge aus Gründen des Umweltschutzes gäbe. Generell kommt den angeführten Grundsätzen ein rechtlich selbständiger Gehalt nicht zu, zumal sie sich auf die Umweltpolitik der Gemeinschaft im allgemeinen, und nicht mehr wie noch in der Zeit zwischen 1987 und 1993 auf die einzelnen Maßnahmen der Gemeinschaft beziehen. Dies schließt nicht aus, daß die Grundsätze zur Auslegung und zum Verständnis gemeinschaftlicher Regelungen herangezogen werden.

3. Formulierung der Politik

Die Entwicklung und Durchführung einer gemeinschaftlichen Umweltpolitik als der Gesamtheit von Maßnahmen zum Schutz der Umwelt vollzog sich von Beginn an im Rahmen von **Aktionsprogrammen** und diese begleitende Entschließungen des Rates und der Konferenz der Staats- und Regierungschefs – nach dem Vertrag über die Europäische Union nunmehr Europäischer Rat genannt – sowie sonstiger Erklärungen, Mitteilungen und Entschließungen der Kommission und des Europäischen Parlaments. Dieses Vorgehen anhand von Aktionsprogrammen erklärt sich aus dem Umstand, daß im EWG-Vertrag von 1957 ein eigener Abschnitt über Umweltpolitik fehlte und die Verabschiedung von Aktionsprogrammen es gestattete, jedenfalls zu einem Grundkonsens über Art und Weise des Vorgehens sowie der Prioritäten, Ziele und Grundsätze zu gelangen.

Bereits die erste Erklärung der Staats- und Regierungschefs zu Umweltfragen auf Gemeinschaftsebene vom Oktober 1972,[2]) die allgemein als Geburtsstunde der gemeinschaftlichen **Umweltpolitik** angesehen wird, forderte die Ausarbeitung eines umweltpolitischen Aktionsprogrammes. Die Gemeinschaft gab sich ein solches Aktionsprogramm erstmals 1973.[3]) Da die Meinungsverschiedenheiten zwischen den Mitgliedstaaten, ob die umweltpolitische Tätigkeit besser als gemeinschaftliche Aufgabe oder aber als internationale Zusammenarbeit zwischen den Regierungen ausgestaltet werden solle, nicht ausgeräumt werden konnten, erging die Entschließung zum Aktionsprogramm als „Erklärung des Rates der Europäischen Gemeinschaften und der im Rat vereinigten Vertreter der Regierungen der Mitgliedstaaten über ein Aktionsprogramm der Europäischen Gemeinschaften für den Umweltschutz".

Auch die folgenden Aktionsprogramme 1977, 1983, 1987 und 1993[4]) wurden durch gemeinsame Entschließungen des Rates und der Mitgliedstaaten gebilligt, obwohl die Gemeinschaft durch den 1987 in den EWG-Vertrag eingefügten Abschnitt über die Umwelt eine ausdrückliche Zuständigkeit für die Umwelt erhalten hatte. Der durch den Vertrag über die Europäische Union geänderte EG-Vertrag sieht nunmehr in Art 130s Abs 3 ausdrücklich vor, daß Europäisches Parlament und Rat allgemeine Aktionsprogramme beschließen, in denen die vorrangigen Ziele für die Umwelt festgelegt werden. Diese zukünftigen Beschlüsse werden die bisherige Praxis der gemeinsamen Erklärungen für die Programme ablösen.

Erklärungen des Europäischen Rates (Konferenz der Staats- und Regierungschefs) zu globalen oder gemeinschaftlichen Umweltproblemen haben in den letzten Jahren mit dem zunehmenden Bewußtwerden der Umweltprobleme an Häufigkeit und inhaltlicher Bedeutung zugenommen; sie wirken sich auf das Handeln der gemeinschaftlichen Institutionen mehr und mehr aus, zumal sie teilweise auf den Inhalt einzelner Richtlinien eingehen. Seit 1990 sind – neben Erklärungen allgemeiner Art, die sich auf die gemeinschaftliche Umweltpolitik auswirken – folgende **Erklärungen** zu umweltpolitischen Fragen ergangen:

- Erklärung vom 25./26. Juni 1990, mit der Grundorientierungen für das fünfte gemeinschaftliche Aktionsprogramm festgelegt und Leitsätze für die kommenden Jahre festgelegt wurden;[5])

---

[2]) EG-Kommission (Hg), 6. Gesamtbericht über die Tätigkeit der Europäischen Gemeinschaften (1973) 7ff.

[3]) 1. Aktionsprogramm v 22. 10. 1973, ABl C 1973/112, 1.

[4]) 2. Aktionsprogramm v 17. 5. 1977, ABl C 1977/139, 1; 3. Aktionsprogramm v 7. 2. 1983, ABl C 1983/46, 1; 4. Aktionsprogramm v 19. 10. 1987, ABl C 1987/328, 1; 5. Aktionsprogramm v 1. 2. 1993, ABl C 1993/138, 1.

[5]) EG-Kommission (Hg), Bulletin der EG 1990/6 RZ 1.14.

- Erklärung vom 26./27. Juni 1991 zur Konferenz von Rio über Umwelt und Entwicklung, mit dem ein Acht-Punkte-Programm für die Verwirklichung der Beschlüsse von Rio festgelegt wurde;[6])
- Erklärungen vom 10./11. Dezember 1993 und 24./25. Juni 1994 über die Transeuropäischen Netze in den Bereichen Energie, Verkehr und Umwelt.[7])

Entschließungen des Rates zu Umweltfragen ergehen zusätzlich zu den Entschließungen bezüglich der Aktionsprogramme. Die besonderen Entschließungen zu den einzelnen Bereichen der Umweltpolitik werden im nächsten Kapitel aufgeführt. An allgemeinen **Entschließungen** sind zu nennen:

- Entschließung vom 28. Jänner 1991 über das Grünbuch zum Schutz der städtischen Umwelt;[8])
- Entschließung vom 11. November 1991 über Gesundheit und Umweltschutz;[9])
- Entschließung vom 25. Februar 1992 über die künftige Gemeinschaftspolitik bezüglich der europäischen Küsten;[10])
- Entschließung vom 3. Dezember 1992 über das Verhältnis von Wettbewerbsfähigkeit und Umweltschutz.[11])

Entschließungen des Europäischen Parlaments zu Umweltfragen werden in Zukunft größeren Einfluß gewinnen, weil das Parlament gemeinsam mit dem Rat die gemeinschaftlichen umweltpolitischen Aktionsprogramme beschließt; diese zunehmende Bedeutung wird sich aller Voraussicht nach bereits bei der 1996 anstehenden Revision des fünften Aktionsprogramms zeigen. Daneben ist für das Gewicht parlamentarischer Entschließungen von Bedeutung, daß das Parlament aus allgemeinen Wahlen hervorgegangen ist, daß innerhalb des Parlaments der Ausschuß für Umwelt, Gesundheit und Verbraucherschutz einer der aktivsten Ausschüsse ist, daß das Parlament über die jährlichen Zuweisungen von Haushaltsmitteln einen erheblichen Einfluß auf die Kommission ausüben kann und daß das Parlament jedenfalls in der Vergangenheit ständig eine Umweltpolitik auf hohem Schutzniveau gefordert hat.

Die Kommission wird innerhalb des Rahmens der gemeinschaftlichen Aktionsprogramme im wesentlichen durch Mitteilungen an den Rat und das Europäische Parlament tätig. In diesen Mitteilungen werden für einzelne Bereiche Orientierungsrahmen für gemeinschaftliches Handeln aufgezeigt, die in den letzten Jahren zunehmend in Form von Grünbüchern oder Weißbüchern ergingen. Als Beispiele mögen Mitteilungen über die städtische Umwelt[12]) oder über die Haftung für Umweltschäden[13]) angeführt werden. Daneben ist die jährliche Entschließung über das Gesetzgebungsprogramm für das

---

[6]) EG-Kommission (Hg), Bulletin der EG 1992/6 RZ 1.14.

[7]) EG-Kommission (Hg), Bulletin der EG 1993/12 RZ 1.3 und 1994/6 RZ 1.7.

[8]) ABl C 1991/33, 4.

[9]) ABl C 1991/304, 6; die Entschließung wurde auch von den im Rat vereinigten Gesundheitsministern angenommen.

[10]) ABl C 1992/59, 1.

[11]) ABl C 1992/331, 5.

[12]) KOM (90) 218 endg v 6. 7. 1990.

[13]) ABL C 1993/149, 12.

laufende Jahr zu erwähnen, mit der die Kommission ihre reglementierenden Aktivitäten ankündigt.[14])

4. Institutionelle Fragen

Der **Rat** tritt in Umweltfragen seit Jahren regelmäßig zu sechs Tagungen pro Jahr zusammen, vier formellen und zwei informellen. Während die formellen Sitzungen der Beratung und gegebenenfalls der Beschlußfassung über Vorschläge der Kommission dienen, befaßt sich der Rat auf seinen informellen Tagungen wesentlich mit Fragen der Umweltpolitik, die über einen konkreten Regelungsvorschlag hinausgehen, etwa mit Tourismus und Umwelt, Umweltproblemen in Mittel- und Osteuropa, Transport und Umwelt, Implementationsfragen usw.

Das **Europäische Parlament** hat seine Befugnisse durch den Vertrag über die Europäische Union erweitert gesehen. Es kann erwartet werden, daß neben den allgemeinen Entschließungen und den Tätigkeiten des Ausschusses für Umweltfragen auch der Ausschuß für Petitionen und der durch Art 138e EGV eingesetzte und im Juli 1995 vom Europäischen Parlament gewählte Bürgerbeauftragte besonderen Einfluß in Umweltfragen gewinnen werden, weil die Besorgnis der Bürger über Umweltprobleme in der Gemeinschaft eher zunimmt.

Während Umweltfragen im Wirtschafts- und Sozialausschuß keinen besonderen Schwerpunkt bilden, werden Umweltfragen vermutlich einen erheblichen Teil der Tätigkeit des durch den Vertrag über die Europäische Union neu geschaffenen Ausschusses der Regionen (Art 198a EGV) ausmachen; dies folgt aus dem Umstand, daß in mehreren Mitgliedstaaten – insb Belgien, Deutschland, Spanien, Österreich und Italien – die Zuständigkeit für Umweltfragen ganz oder teilweise auf die regionale (Länder-)Ebene verlagert ist. Der Ausschuß ist in bestimmten Fällen vom Rat oder der Kommission zu konsultieren, kann aber auch aufgrund eigener Initiativen eine Stellungnahme abgeben.

Innerhalb der Kommission ist unter der politischen Verantwortung eines für Umweltfragen zuständigen Mitglieds der Kommission – 1995 bis 1999 der Dänin *Ritt Bjerregaard* – die Generaldirektion XI „Umwelt, nukleare Sicherheit und Zivilschutz" für Fragen der Umweltpolitik zuständig. Auch andere Generaldirektionen – Binnenmarkt, Landwirtschaft, Transport, Regionalpolitik, Energie, Industrie, Forschung usw. – bleiben indessen zuständig, in den ihnen zugewiesenen Bereichen gemeinschaftlicher Tätigkeit Maßnahmen vorzuschlagen oder nicht vorzuschlagen und dadurch die Umweltpolitik der Gemeinschaft zu beeinflussen. Der Generaldirektion XI sind gegenwärtig etwa 450 Bedienstete zugewiesen, jeweils zur Hälfte Beamte und auf maximal drei Jahre angestellte Personen. In den anderen Generaldirektionen bilden sich je nach Bedarf Verwaltungseinheiten heraus, die sich mit Umweltfragen befassen und zur Integrierung umweltpolitischer Erfordernisse in die verschiedenen Politikbereiche beitragen sollen.

---

[14]) So zB Gesetzgebungsprogramm 1993, ABl C 1993/125, 1, Gesetzgebungsprogramm 1994, ABl C 1994/44, 98.

Der Kommission steht seit Ende 1993 ein **beratendes „Forum für Umweltfragen“** zur Seite, dem Vertreter des Wirtschaftslebens, der Gewerkschaften, Umwelt- und Verbraucherverbände und der regionalen oder örtlichen Behörden angehören.[15]) Ein informelles Gremium, bestehend aus den in den Umweltministerien der Mitgliedstaaten für Umweltfragen zuständigen Generaldirektoren, trifft sich, gleichfalls seit 1993, zur Beratung umweltpolitischer Überlegungen auf Gemeinschaftsebene.[16]) Daneben gibt es einen wissenschaftlichen Beratenden Ausschuß für die Toxizität und Ökotoxizität chemischer Verbindungen[17]) und einen Ausschuß für die Abfallbewirtschaftung[18]); diese beiden Ausschüsse haben einen wesentlichen Einfluß auf die Gestaltung der gemeinschaftlichen Umweltpolitik nicht gewonnen.

Die 1990 gegründete **Europäische Umweltagentur**[19]) konnte wegen Meinungsverschiedenheiten über ihren Sitz – nunmehr Kopenhagen – erst Ende 1993 ihre Arbeit aufnehmen. Sie hat die Aufgabe, Informationen über den Zustand und die Bewertung der Umwelt zu sammeln, zu bearbeiten und zu verteilen. Ende 1997 will der Rat erneut über die Aufgaben der Agentur und insbesondere über die Frage entscheiden, ob der Agentur auch Aufgaben im Rahmen des Art 169 EGV zugewiesen werden sollen.

B. Maßnahmen gemeinschaftlicher Umweltpolitik

1. Maßnahmen horizontaler Art

Maßnahmen horizontaler Art haben seit etwa zehn Jahren an Zahl und Bedeutung zugenommen, was sicher auch auf die Vorgabe des Art 130r Abs 2 Satz 2 EGV zurückzuführen ist, der die Integrierung umweltpolitischer Erfordernisse in andere Politikbereiche der Gemeinschaft erfordert. Eine Richtlinie von 1985 schreibt eine Umweltverträglichkeitsprüfung für bestimmte öffentliche und private Projekte – zB den Bau von Autobahnen, Seehäfen, Verbrennungsanlagen für gefährlichen Abfall usw – vor; sie hat auf die Planungsverfahren in den Mitgliedstaaten erheblichen Einfluß gewonnen.[20]) Eine Verordnung von 1993 regelt die freiwillige Beteiligung industrieller Betriebe an einem gemeinschaftlichen Öko-Audit- und Öko-Management-System.[21]) Eine Richtlinie über die integrierte Verschmutzungskontrolle, die ein alle Umweltemissionen erfassendes Genehmigungsverfahren für Industriebetriebe vorsieht, wird derzeit im Rat beraten.[22]) Eine Verordnung von 1992 regelt die gemeinschaftsweite Einführung eines Umweltkennzeichens für Produkte, das jedoch lediglich eine freiwillige Teilnahme für Hersteller vorsieht.[23])

---

[15]) Beschluß 93/731 v 7. 12. 1993, ABl L 1993/328, 53.
[16]) 5. Aktionsprogramm (FN 4) 80.
[17]) Beschluß 78/618, ABl L 1978/198, 17 mit späteren Änderungen.
[18]) Beschluß 76/431, ABl L 1976/115, 73 mit späteren Änderungen.
[19]) V 1210/90, ABl L 1990/120, 1.
[20]) RL 85/337, ABl L 1985/175, 40.
[21]) V 93/1836, ABl L 1993/168, 1.
[22]) ABl C 1993/311, 6.
[23]) V 92/880, ABl L 1992/99, 1.

1990 erging eine Richtlinie über den freien Zugang zu Informationen über die Umwelt, die jedermann einen Anspruch auf Zugang zu Umweltinformationen gibt, welche sich im Besitz von Behörden befinden; ein besonderes Interesse braucht nicht zu bestehen.[24]) Eine Richtlinie von 1991 zielt auf die Straffung und Vereinheitlichung der Berichte über die Durchführung von Richtlinien, um langfristig die Transparenz des Gemeinschaftsrechts zu erhöhen.[25])

Das fünfte Aktionsprogramm kündigte den verstärkten **Rückgriff auf marktorientierte Instrumente,** einschließlich ökonomischer und steuerlicher Instrumente sowie freiwilliger Vereinbarungen an.[26]) Bisher ist insoweit ein Vorschlag vorgelegt worden, und zwar zur Einführung einer CO_2-Abgabe zur Bekämpfung der Klimaerwärmung.[27]) Für diesen Vorschlag ist Einstimmigkeit im Rat erforderlich, die angesichts der unterschiedlichen wirtschaftlichen, umweltpolitischen und fiskalischen Auffassungen in den Mitgliedstaaten kaum erreichbar erscheint. Im übrigen begnügt sich die Gemeinschaft damit, in Richtlinien vorzusehen, daß die Mitgliedstaaten zum Erreichen der Ziele der jeweiligen Richtlinie auch ökonomische Instrumente einsetzen können.

2. Gewässerschutz und Wasserbewirtschaftung

Ein zusammenfassendes Dokument der Gemeinschaft über die Politik im Bereich des Gewässerschutzes und der Wasserbewirtschaftung gibt es bisher nicht. Die Zielsetzungen der ersten vier gemeinschaftlichen Aktionsprogramme sind nicht stets einheitlich. Das fünfte Aktionsprogramm sieht folgende Zielsetzungen vor[28]):

- Verhinderung der Verschmutzung von Oberflächensüß- und -salzwasser sowie von Grundwasser, insb Bekämpfung der Verschmutzung an der Quelle;
- Wiederherstellung eines ökologisch einwandfreien Zustands natürlicher Grund- und Oberflächenwasser, damit (ua) eine Möglichkeit der Trinkwassergewinnung gesichert wird;
- Erreichung eines Gleichgewichts zwischen Wasserbedarf und Wasserversorgung auf der Grundlage einer rationelleren Wasserverwendung und -bewirtschaftung.

Inwieweit diese Zielsetzungen in konkrete Aktionen umgesetzt werden, bleibt abzuwarten. Die im 5. Aktionsprogramm genannten Aktionen bis zum Jahr 2000 sind in manchen Punkten insoweit recht allgemein gehalten.

Für Oberflächenwasser sieht eine Richtlinie von 1975 vor, daß es eine bestimmte Mindestqualität besitzen muß, wenn es zur Trinkwassergewinnung verwendet werden soll.[29]) Die Richtlinie ist nur teilweise verwirklicht worden; die von der Richtlinie vorgesehenen Sanierungsprogramme sind in den meisten Mitgliedstaaten nicht erstellt, geschweige denn verwirklicht worden. Die

---

24) RL 90/313, ABl L 1990/158, 56.
25) RL 91/692, ABl L 1991/377, 48.
26) 5. Aktionsprogramm (FN 4) RZ 67 f.
27) ABl C 1992/196, 1, geändert, KOM (95) 172 endg v 10. 5. 1995.
28) 5. Aktionsprogramm (FN 4) RZ 50 ff.
29) RL 75/440, ABl L 1975/194, 26.

Kommission hat nunmehr einen Vorschlag für eine allgemeine Richtlinie über die ökologische Qualität von Gewässern vorgelegt, die die Richtlinie von 1975 ablösen soll; der Vorschlag verzichtet auf jede Festlegung von Qualitätsnormen, verläßt sich vielmehr hauptsächlich auf das Aufstellen und Durchführen einzelstaatlicher Sanierungsprogramme.[30])

Grundwasser ist Gegenstand einer Richtlinie von 1979, die Vorschriften für das direkte und indirekte Ableiten gefährlicher Stoffe in das Grundwasser regelt.[31]) Genaue Daten über die Auswirkungen der Richtlinie existieren nicht; die Auswirkungen dürften eher begrenzt sein, weil die Gemeinschaftsvorschriften eher allgemein gehalten sind und die Mehrzahl der Mitgliedstaaten keine merklich strengeren Vorschriften erlassen hat. Eine Entschließung des Rates von 1991, die eine neue Gemeinschaftsstrategie für Grundwasser festlegt und die Erarbeitung einer Richtlinie fordert, soll in den nächsten Jahren umgesetzt werden.[32])

Besondere Maßnahmen zur Bekämpfung der **Meeresverschmutzung** ergingen bisher nicht. Die Meeresverschmutzung bleibt nach wie vor gehütete Zuständigkeit der Mitgliedstaaten. Die Gemeinschaft nimmt zwar am Austausch von Informationen sowie an internationalen Konferenzen über den Zustand der Meere teil. Sie tritt internationalen Abkommen zum Schutz der Meere teilweise auch bei; aber sie kontrolliert die Durchführung der Übereinkommen zum Schutz der Meere, denen sie beigetreten ist, nicht selbst. Sie hat auch keine eigenen Regelungen erlassen, die sich unmittelbar auf die Meeresverschmutzung beziehen. Ein Richtlinienvorschlag der Kommission zur Bekämpfung des Dumpings von Abfällen auf See von 1976 wurde nach langer Blockade im Rat schließlich 1993 zurückgezogen.[33])

Mehrere Richtlinien regeln den Schutz der Gewässer gegen das Einleiten von Stoffen. Eine Rahmenrichtlinie von 1976[34]) teilt gefährliche Stoffe nach ihrer Toxizität, Bioakkumulation und Langlebigkeit in zwei Gruppen ein. Für die gefährlicheren Stoffe der Gruppe I sollten gemeinschaftliche Grenzwerte und – gleichwertige – Qualitätsziele festgelegt werden. Für Stoffe der Liste II sollten Qualitätsziele erarbeitet werden.

In den achtzehn Jahren seit Annahme der Rahmenrichtlinie wurden aus einer vom Rat festgelegten Liste vorrangig zu behandelnder Stoffe Grenzwerte und Qualitätsziele für siebzehn Stoffe festgelegt. Versuche, Stoffe der Liste II durch besondere Gemeinschaftsregelungen zu regeln, hatten keinen Erfolg. Die Ankündigung im vierten Aktionsprogramm, Grenzwerte und Qualitätsziele nebeneinander festzusetzen[35]) – anstatt wie bisher alternativ – führten nicht zu konkreten Vorschlägen und wurden im fünften Aktionsprogramm nicht wiederholt. Gleiches gilt für die Ankündigung, Regelungen für bestimmte Produktionszweige vorzuschlagen[36]); lediglich für den Bereich der

[30]) KOM (94) 680 endg v 15. 6. 1990.
[31]) RL 80/68, ABl L 1980/20, 43.
[32]) Entschließung v 25. 2. 1992, ABl C 1992/59, 2.
[33]) ABl C 1976/40, 3; ABl C 1985/245, 23; ABl C 1988/72, 8.
[34]) RL 76/464, ABl L 1976/129, 23.
[35]) 4. Aktionsprogramm (FN 4) RZ 3.3 und 4.2.3.
[36]) 4. Aktionsprogramm (FN 4) RZ 3.4.2.

Titandioxidindustrie ergingen verschiedene, die Ableitung von Abwässern und Abfällen regelnde Richtlinien.[37])

Eine Richtlinie von 1991 betrifft den Schutz der Gewässer gegen Nitrateinleitungen aus der landwirtschaftlichen Produktion.[38])

Die Richtlinie, die Ende 1993 in Kraft trat, sieht das Ausweisen gefährdeter Zonen, die Begrenzung des Viehbestandes in derartigen Zonen sowie das Ausarbeiten von Sanierungsprogrammen vor.

Die Richtlinien über die Qualität der Fischgewässer und der Muschelgewässer[39]) gewannen nur begrenzte Bedeutung, in erster Linie wohl deshalb, weil die Mitgliedstaaten selbst zu entscheiden hatten, auf welche Gewässer die Vorschriften der Richtlinien anwendbar sein sollten, und weil die vorgesehenen Sanierungsprogramme nicht erstellt wurden. Wesentlich größere Bedeutung gewannen dagegen die Richtlinien über die Qualität von Badegewässern[40]) und über die Qualität von Trinkwasser,[41]) die beide objektive Kriterien hinsichtlich der Anwendung festlegen. Die Richtlinie über Badegewässer, die etwa 19.000 Badegewässer erfaßt, schreibt das Einhalten von Mindestvorschriften für Badegewässer vor. Sie hat zu teilweise erheblichen Aufwendungen für Sanierungsmaßnahmen geführt, wenn auch gegenwärtig noch etwa zwanzig Prozent der Badegewässer den gemeinschaftlichen Rechtsvorschriften nicht entsprechen. Ein Vorschlag für eine revidierte Richtlinie wird zur Zeit im Rat diskutiert.[42])

Die Richtlinie über **Trinkwasser** hat in den meisten Mitgliedstaaten zu Sanierungsanstrengungen bezüglich der Verminderung unerwünschter Stoffe im Trinkwasser geführt. Genaue Daten über den Zustand des Trinkwassers in der Gemeinschaft existieren nicht. Ein Vorschlag für eine Änderung der Richtlinie wird zur Zeit im Rat diskutiert.[43])

1991 nahm die Gemeinschaft eine Richtlinie an, die vorsieht, daß sich Gemeinden mit mehr als 2.000 Einwohnern bis spätestens zum Jahre 2005 Klärwerke für kommunale Abwässer bauen;[44]) der gesamte Kostenaufwand wird auf etwa 60 bis 100 Mrd ECU geschätzt.

3. Luftreinhaltung

Im Bereich der **Luftverschmutzung** bemühten sich die ersten Aktionsprogramme um das Festlegen von Normen und Methoden für das Meßverfahren, das Einrichten von Überwachungsstellen und den Informationsaustausch. Einzelne produktionsbezogene Regelungen – insbesondere für Kraftfahrzeuge und Krafträder – erstrebten das Vermeiden von Wettbewerbsverzerrun-

---

[37]) RL 78/176, ABl L 1978/54, 19; RL 82/883, ABl L 1982/378, 1; RL 92/112, ABl L 1992/409, 11.

[38]) RL 91/676, ABl L 1991/375, 1.

[39]) RL 78/659, ABl L 1978/222, 1 (Fischgewässer); RL 79/923, ABl L 1979/281, 47 (Muschelgewässer).

[40]) RL 76/160, ABl L 1976/31, 1.

[41]) RL 80/778, ABl L 1980/229, 11.

[42]) ABl C 1994/112, 1.

[43]) ABl C 1995/131, 95.

[44]) RL 91/271, ABl L 1991/135, 40.

gen durch einzelstaatlich unterschiedliche Normen. 1980 bis 1985 ergingen drei Richtlinien über Grenzwerte für die Luftverschmutzung für Schwefeldioxid und Schwebstaub,[45]) Blei[46]) und Stickoxide.[47]) Während die Kommission 1980 noch ankündigte, weitere Luftqualitätsnormen zu erarbeiten und daneben das Festlegen von Produktnormen und die Erfordernisse der Energieeinsparung als vorrangig bezeichnete,[48]) erklärte sie im vierten Aktionsprogramm, in erster Linie die Emissionen wichtiger stationärer und beweglicher Quellen begrenzen zu wollen.[49]) Zu der angekündigten „umfassenden, langfristigen Strategie zur Verringerung der Luftverschmutzung innerhalb der Gemeinschaft und über die Gemeinschaft hinaus" kam es nicht. Das fünfte Aktionsprogramm spricht in den Abschnitten „Klimaveränderung" und „Übersäuerung und Luftqualität" Zielsetzungen für die Politik der Luftreinhaltung nicht ausdrücklich an, sondern spricht allgemein von Luftqualitätswerten, „die weder für die Gesundheit noch für die Umwelt schädlich sind"[50]).

Die Richtlinien, die die Qualitätswerte für die Luftverschmutzung vorsehen, schreiben vor, daß diese Werte im gesamten Hoheitsgebiet der Mitgliedstaaten nicht überschritten werden dürfen. Allerdings sind es die Mitgliedstaaten, die die Meßstellen festlegen und einrichten. Nur solche Meßdaten sind der Kommission zu übermitteln, die Überschreitungen der Werte aufzeigen.[51]) Die Richtlinien haben offenbar nur eine begrenzte Wirkung erzielen können. 1992 nahm die Gemeinschaft eine Richtlinie über Qualitätswerte für Ozon an.[52]) Anders als bei den drei vorgenannten Richtlinien, bei denen die Überschreitung der Werte zu Abhilfemaßnahmen verpflichtet, sieht die neue Richtlinie lediglich vor, daß die Bevölkerung über die Überschreitung zu unterrichten ist.

Die **Emissionsnormen** für Kraftfahrzeuge, erstmals 1970 gemeinschaftsweit festgelegt[53]), wurden im Laufe der Jahre ständig verschärft. Als das Waldsterben in Westeuropa seit 1983 in den Blickpunkt der Öffentlichkeit geriet, kam es zu einer Diskussion über die Einführung bleifreien Benzins und insbesondere zur Einführung emissionsarmer Kraftfahrzeuge, bei der das Bemühen um die Einführung der Katalysatortechnik sehr bald die Bestrebungen um die Einführung von Motoren mit geringem Treibstoffverbrauch in den Hintergrund drängte. Emissionsnormen, die praktisch die Katalysatortechnik festschrieben, wurden seit 1987 schrittweise auf Gemeinschaftsebene festgelegt.[54]) Sie gelten für Kraftfahrzeuge, die nach dem 1. Jänner 1993 in den Verkehr gebracht wurden. Umrüstungen für bestehende Fahrzeuge wurden nicht

---

[45]) RL 80/779, ABl L 1980/229, 30.
[46]) RL 82/884, ABl L 1982/378, 15.
[47]) RL 85/203, ABl L 1985/87, 1.
[48]) KOM (80) 222 endg v 7. 5. 1980, 11.
[49]) 4. Aktionsprogramm (FN 4) RZ 4.1.
[50]) 5. Aktionsprogramm (FN 4) 42 ff.
[51]) Vgl etwa die in FN 44 bis 46 genannten Richtlinien.
[52]) RL 92/72, ABl L 1992/297, 1.
[53]) RL 70/220, ABl L 1970/76, 1.
[54]) RL 88/76, ABl L 1988/36, 1; RL 88/436, ABl L 1988/214, 1; RL 89/458, ABl L 1989/226, 1; RL 91/441, ABl L 1991/242, 1; RL 93/59, ABl L 1993/186, 21; RL 94/12, ABl L 1994/100, 42.

vorgesehen. Der danach bis etwa 2005 andauernde Umstellungsprozeß hat zur Folge, daß die Vorteile aus der Einführung der Katalysatortechnik für die Luftverschmutzung infolge der Zunahme des Kraftfahrzeugverkehrs und der Zunahme der gefahrenen Strecken wieder aufgezehrt werden, zumal die Einführung strenger Emissionswerte für dieselbetriebene Lastkraftwagen nur langsam vorankommt.

Gemeinschaftsvorschriften für die Einführung bleifreien Benzins, die auch das Verbot bleihaltigen Normalbenzins gestatten, bestehen seit 1985,[55]) wurden in den Mitgliedstaaten aber sehr unterschiedlich umgesetzt. Geregelt wurde auch der Schwefelgehalt bestimmter Treibstoffe;[56]) eine allgemeine Regelung ist insoweit angekündigt.

Eine Rahmenrichtlinie von 1984 sah die Einführung einer besonderen Genehmigung für Luftemissionen aus Industrieanlagen vor, die an der besten verfügbaren Technologie auszurichten waren, welche keine unverhältnismäßig hohen Kosten verursacht.[57]) Bestehende Industrieanlagen sollten schrittweise an dieser Technologie ausgerichtet werden. Die weit gefaßten Definitionen führten zu unterschiedlichen Wirkungen dieser Richtlinie in den Mitgliedstaaten. 1988 nahm die Gemeinschaft eine Richtlinie über Luftemissionen von Großfeuerungsanlagen (über 50 Megawatt) an, die für neue Anlagen Emissionswerte für Schwefeldioxid, Stickstoffoxide und Staub vorschreibt und für bestehende Anlagen Programme zur schrittweisen Verringerung der jährlichen Gesamtemissionen vorsieht.[58]) Die bis zum Jahre 2003 – für Stickstoffoxide bis 1998 – zu erreichenden Verringerungen sind für jeden Mitgliedstaat als Gesamtwert festgeschrieben; Spanien, Griechenland und Portugal dürfen ihre Emissionen für SO_2, Irland, Griechenland und Portugal für NO_x gegenüber dem Basisjahr 1980 noch erhöhen.

Emissionswerte wurden auch für neue Verbrennungsanlagen für Siedlungsmüll festgelegt;[59]) für bestehende Verbrennungsanlagen wurden derartige Emissionswerte schrittweise bis zum Jahr 2000 festgeschrieben.[60]) Vorschriften für Verbrennungsanlagen für gefährliche Abfälle wurden Ende 1994 angenommen.[61])

Bereits 1980 traf die Gemeinschaft erste Maßnahmen zum Schutz der Ozonschicht. Mit dem Beitritt zum Wiener Übereinkommen und dem Protokoll von Montreal verstärkten sich die Bemühungen. FCKW und andere ozonschädigende Stoffe sollen ab 1995 endgültig verboten werden, für weitere Stoffe sowie für Ersatzstoffe sind zT lange Fristen für die Verwendungseinschränkung vorgesehen. Die gemeinschaftlichen Maßnahmen lassen ausdrücklich strengere einzelstaatliche Maßnahmen zu, obwohl FCKW usw eindeutig Produkte darstellen.[62])

---

[55]) RL 85/210, ABl L 1985/96, 25.
[56]) RL 93/12, ABl L 1993/74, 81.
[57]) RL 84/360, ABl L 1984/188, 20.
[58]) RL 88/609, ABl L 1988/336, 1.
[59]) RL 89/369, ABl L 1989/163, 32.
[60]) RL 89/429, ABl L 1989/203, 50.
[61]) ABl L 1994/365, 34.
[62]) V 3093/94, ABl L 1994/333, 1.

4. Chemische Stoffe

Chemische Stoffe belasten die Umwelt als Emission in der Luft, im Boden und im Wasser, in Form von Abfällen und Rückständen auf und in Erzeugnissen, Pflanzen oder Bauwerken. Wegen dieser Ubiquität chemischer Stoffe, ihrer Anreicherung in der Umwelt und wegen der von ihnen für Menschen und Umwelt ausgehenden Risiken widmete die Gemeinschaft den Chemikalien besondere Aufmerksamkeit. Gemeinschaftsvorschriften regeln die Einstufung, Kennzeichnung und Verpackung gefährlicher chemischer Stoffe und Zubereitungen. Neue chemische Stoffe müssen vor ihrem Inverkehrbringen unter Beifügung von Untersuchungen über ihre Wirkungen angemeldet werden.[63])

Verbote und Beschränkungen des Inverkehrbringens von Stoffen und Zubereitungen müßten wegen ihrer Auswirkungen auf den Warenverkehr gemeinschaftsweit ergehen. Tatsächlich hat die Gemeinschaft erst eine geringe Zahl von Verwendungsbeschränkungen und Verboten ausgesprochen[64]) und ist bisher auch nicht systematisch gegen einzelstaatliche Verbote und Beschränkungen vorgegangen. Die Einführung neuer einzelstaatlicher Beschränkungen ist seit 1985 notifizierungspflichtig und ermöglicht so eine Überprüfung der Maßnahmen durch die Gemeinschaft.[65]) Eine 1993 ergangene Verordnung zielt auf die Überprüfung derjenigen Chemikalien ab, die in großen Mengen produziert werden, um so schrittweise die von ihnen ausgehenden Gefahren zu vermindern.[66])

Eine Verordnung von 1992 läßt für Chemikalien, deren Verwendung in der Gemeinschaft verboten oder erheblich beschränkt ist, den Export aus der Gemeinschaft nur zu, wenn zuvor die ausdrückliche Zustimmung des Importstaates erteilt worden ist.[67])

Erzeugnisse der Biotechnologie unterliegen auf Gemeinschaftsebene besonderen Vorschriften, sowohl für ihre Verwendung in geschlossenen Systemen als auch für ihre Freisetzung.[68]) Die jeweiligen Daten werden vor der jeweiligen Entscheidung unter den Mitgliedstaaten ausgetauscht.

Industrieanlagen, die mit bestimmten gefährlichen Stoffen arbeiten, unterliegen seit 1982 gemeinschaftlichen Bestimmungen zur Verhütung schwerer Unfälle;[69]) ein Vorschlag zur Überarbeitung der Richtlinie wird zur Zeit im Rat erörtert.[70])

5. Lärmbekämpfung

Die im dritten und vierten Aktionsprogramm angekündigten umfangreichen Gemeinschaftsmaßnahmen zur Lärmbekämpfung[71]) sind nicht einmal

---

[63]) RL 67/548, ABl 1967/196, 1; 7. Änderung RL 92/32, ABl L 1992/154, 1.

[64]) RL 76/769, ABl L 1976/262, 201.

[65]) RL 83/189, ABl L 1983/109, 8.

[66]) V 93/793, ABl L 1993/84, 1.

[67]) V 92/2455, ABl L 1992/251, 13.

[68]) RL 90/219, ABl L 1990/117, 1 (Verwendung in geschlossenen Systemen); RL 90/220, ABl L 1990/117, 15 (Freisetzung).

[69]) RL 82/501, ABl L 1982/230, 1.

[70]) ABl C 1994/106, 4.

[71]) 3. Aktionsprogramm (FN 4) RZ 23; 4. Aktionsprogramm (FN 4) RZ 4.5.

vorgeschlagen worden. Die Ankündigungen des fünften Programms sind bescheidener: Sie zielen darauf ab, niemanden nachts einer höheren Lärmbelästigung als 65 Dezibel auszusetzen.[72]) Die Ausarbeitung von Lärmqualitätsnormen ist nicht vorgesehen. Ob die ins Auge gefaßten Maßnahmen zur Erreichung des Ziels geeignet sind, muß bezweifelt werden.

Alle bisher ergangenen lärmbezogenen Regeln betreffen Geräuschemissionen von Produkten, insbesondere Transportmitteln – Flugzeuge,[73]) Kraftfahrzeuge,[74]) Lastkraftwagen, Krafträder – und Baumaschinen[75]) – Kräne, Erdmaschinen usw. Auch für Rasenmäher sind Emissionsnormen ergangen,[76]) dagegen enthält die Richtlinie über den Lärm von elektrischen Haushaltsgeräten[77]) keine verbindlichen Normen.

6. Abfallbewirtschaftung

Die gemeinschaftliche **Abfallpolitik** versuchte, mittels einiger seit Mitte der siebziger Jahre erlassener Richtlinien allmählich zu einer gemeinschaftsweiten Abfallbewirtschaftung zu gelangen. Die drei Grundsätze der Abfallbewirtschaftung – Vermeidung des Entstehens von Abfällen, Förderung der Wiederverwertung und Wiederverwendung von Abfällen sowie deren sichere Entsorgung – wurden frühzeitig ausgearbeitet und seit 1977 ständig wiederholt. Auch das vom Rat 1990 gebilligte Strategiepapier der Kommission für Abfälle nimmt diese Grundsätze auf und erklärt darüber hinaus, Abfall müsse grundsätzlich in der nächstgelegenen geeigneten Anlage entsorgt werden.[78])

Neben den Richtlinien über Abfälle[79]) und gefährliche Abfälle,[80]) die Anfang der neunziger Jahre grundlegend revidiert wurden,[81]) nahm die Gemeinschaft 1984 eine Richtlinie über den Transport gefährlicher Abfälle an,[82]) die 1993 durch eine Verordnung ersetzt wurde.[83]) Dazu kamen Richtlinien über Altöl,[84]) Abfälle aus der Titandioxid-Produktion,[85]) PCB/PCT,[86]) Verpackungsabfälle,[87]) Klärschlamm[88]) und Batterien.[89]) Hinzu kam eine

---

[72]) 5. Aktionsprogramm (FN 4) S 56.
[73]) RL 80/51, ABl L 1980/18, 26; RL 89/629, ABl L 1989/363, 27; RL 92/14, ABl L 1992/76, 21.
[74]) RL 70/157, ABl L 1970/42, 16.
[75]) RL 79/113, ABl L 1979/33, 15.
[76]) RL 84/538, ABl L 1984/300, 171.
[77]) RL 86/594, ABl L 1986/344, 24.
[78]) Entschließung v 7. 5. 1990, ABl C 1990/122, 2.
[79]) RL 75/442, ABl L 1975/194, 47.
[80]) RL 78/319, ABl L 1978/84, 43.
[81]) RL 91/156, ABl L 1991/78, 32 (Abfälle); RL 91/689, ABl L 1991/377, 20 (gefährliche Abfälle).
[82]) RL 84/631, ABl L 1984/326, 1.
[83]) V 93/259, ABl L 1993/30, 1.
[84]) RL 75/439, ABl L 1975/194, 23.
[85]) RL 78/176, ABl L 1978/54, 19.
[86]) RL 76/403, ABl L 1976/108, 41.
[87]) RL 94/62, ABl L 1994/365, 10; diese Richtlinie ersetzt die Richtlinie 85/339 über Verpackungsabfälle für flüssige Lebensmittel, ABl L 1985/176, 18.
[88]) RL 86/278, ABl L 1986/181, 6.
[89]) RL 91/157, ABl L 1991/78, 31.

Richtlinie über den Transport radioaktiver Abfälle.[90]) Ein Richtlinienvorschlag für Abfalldeponien wird im Rat diskutiert,[91]) ein 1989 vorgelegter Vorschlag für die Haftung für Abfälle hat kaum Aussichten, angenommen zu werden.[92])

Angesichts der zahlreichen illegalen Abfalltransporte und -exporte und der offensichtlichen Unzulänglichkeit der gemeinschaftlichen Regelungen vollzog sich seit Mitte der achtziger Jahre eine wohl überwiegend von Deutschland ausgehende Renationalisierung der Abfallregelungen. Der Rat stützte entgegen den Vorschlägen der Kommission – die die Anwendung der binnenmarktbezogenen Vorschrift des Art 100a EGV befürwortet hatte – die Revision der grundlegenen Richtlinien über Abfälle und gefährliche Abfälle sowie die Verordnung über den Transport von Abfällen auf Art 130s EGV, sprach neben der gemeinschaftlichen Entsorgungsautarkie auch den Grundsatz einzelstaatlicher Entsorgungsautarkie an, erlaubte Einwendungen gegen das Verbringen von Abfällen mit der Begründung, einzelstaatliche Abfallpläne sprächen gegen ein solches Verbringen und sah sich andererseits außerstande, gemeinschaftsweite klare Definitionen für „Abfälle" und „gefährliche Abfälle" festzulegen.

Die gemeinschaftlichen Vorschriften zur **Vermeidung von Abfällen** sind generell über allgemeine Formulierungen nicht hinausgelangt; nicht viel besser ist die Situation in bezug auf die Wiederverwertung von Abfällen. In beiden Fällen kreiste die gemeinschaftliche Diskussion der letzten Jahre wesentlich um das Vermeiden und Wiederverwerten von Verpackungsabfällenc ausgelöst durch die Durchführung der Richtlinie über Verpackungen von flüssigen Lebensmitteln und Initiativen auf einzelstaatlicher Ebene – Dänemark, Deutschland, Italien, Niederlande –, die von anderen Mitgliedstaaten als Behinderungen des freien Warenverkehrs empfunden wurden. Angesichts des Fehlens der – seit 1977 vorgeschriebenen – Pläne und Programme zur Bewirtschaftung der Abfälle und gefährlichen Abfälle in der Mehrzahl der Mitgliedstaaten wurde das Ergreifen von umweltschützenden Maßnahmen in einem Mitgliedstaat in der Tat als Handelshemmnis empfunden. Allgemein bleibt das Problem bestehen, für Waren einen integrierten Binnenmarkt zu erstellen, in dem einzelstaatliche Grenzen keine Wirtschaftsgrenzen mehr sind, und dennoch Abfälle, die als Waren im Sinne des freien Warenverkehrs angesehen werden,[93]) als im wesentlichen einzelstaatlicher Regelung unterliegend anzusehen.

Kompliziert wird die Diskussion um eine gemeinschaftliche Abfallbewirtschaftung durch die zunehmende Internationalisierung: Das 4. Übereinkommen von Lomé sieht ein Exportverbot für gefährliche Abfälle in die Lomé-Staaten vor; die OCDE hat Regelungen über den Handel mit Abfällen zwischen Industrieländern und Drittländern erlassen, die für die Mitgliedstaaten verbindlich sind; und das Baseler Übereinkommen über den Transport gefährlicher Abfälle,[94]) dem die Gemeinschaft und gleichzeitig die Mitglied-

[90]) RL 92/3, ABl 1992/35, 24.
[91]) ABl C 1991/190, 1.
[92]) ABl C 1989/251, 5.
[93]) Vgl EuGH Rs C-2/90 – Kommission gg Belgien – Slg 1992, I-3265.
[94]) Beschluß 93/98, ABl 1993/39, 1.

staaten beigetreten sind, beschränkt derartige Transporte in erheblichem Umfang, ohne von gleichen Definitionen auszugehen wie das Gemeinschaftsrecht.

Insgesamt werden Abfallfragen – Anschluß- und Benutzungszwang, Haftung, Altlasten, Transport, Standortfragen für Entsorgungsanlagen, Verbrennung, Wiederverwertung, Export in Drittländer usw – ein Hauptthema gemeinschaftlicher Umweltpolitik bis zum Ende des Jahrzehnts und darüber hinaus bleiben.

7. Naturschutz

Alle gemeinschaftlichen Umweltprogramme sprechen die Verbesserung der Natur, also von Fauna und Flora an. Das fünfte Aktionsprogramm erklärt: „Für die meisten wildlebenden Pflanzen- und Tierarten geht die größte Bedrohung von der Aufspaltung und Isolierung ihrer Habitate aus, die hauptsächlich durch Infrastrukturarbeiten ... hervorgerufen wird. Die Strategie der Gemeinschaft wird auf die Erhaltung der Artenvielfalt in Europa abzielen, und zwar in erster Linie durch eine umweltgerechte Flächenbewirtschaftung in und um Habitate, die auf Gemeinschaftsebene oder darüber hinaus von Bedeutung sind".[95])

Angesichts der erheblichen Widerstände seitens der Mitgliedstaaten, derartige Fragen gemeinschaftlich zu regeln und sich damit integriert verhalten zu müssen, gehen gemeinschaftliche Bemühungen nur sehr langsam voran. Die Richtlinie zum Schutz wildlebender Vogelarten,[96]) die Verordnung zum Handel mit bedrohten Tier- und Pflanzenarten[97]) und die Verordnung über den Schutz von Habitaten von Fauna und Flora allgemein[98]) sind die wichtigsten gemeinschaftlichen Bestimmungen. Fünfzehn Jahre nach Annahme der Vogelschutz-Richtlinie sind etwa 40 Prozent der für Vögel auszuweisenden Habitate auch tatsächlich ausgewiesen worden, ohne daß damit etwas über die tatsächlich ergriffenen Schutzmaßnahmen gesagt ist. Die Habitat-Richtlinie sieht neue Fristen bis zum Jahr 2000 vor.

Andere Fragen des Naturschutzes – Landschaftspflege außerhalb der Habitate, Erhaltung der Vielfalt von Fauna und Flora, Biotopschutz usw – überläßt die Gemeinschaft, bestärkt durch den Grundsatz der Subsidiarität, den Mitgliedstaaten. Dies gilt auch dort, wo die Gemeinschaft durch Maßnahmen im Bereich anderer Politiken zur verstärkten Inanspruchnahme von Natur und Landschaft, Fauna und Flora beiträgt, etwa durch die Schaffung transeuropäischer Netze in den Bereichen Verkehr und Energie, die Tätigkeit der gemeinschaftlichen Strukturfonds, die Transport- oder die Agrarpolitik.

Die Gemeinschaft hat sich bisher nicht entschlossen, Fragen des **Tierschutzes** – also des Schutzes des einzelnen Lebewesens Tier – dem Umwelt-

---

[95]) 5. Aktionsprogramm (FN 4) 44 und 51.
[96]) RL 79/409, ABl L 1979/103, 1.
[97]) V 3626/82, ABl L 1982/384, 1.
[98]) RL 92/43, ABl L 1992/206, 7.

schutz zuzurechnen.[99]) Eine Richtlinie von 1986 regelt die Verwendung von Versuchstieren in Labors[100]) – zu Forschungszwecken, nicht aber zu Produktionszwecken! Ein Richtlinienvorschlag über den Schutz von Tieren in **Zoos**[101]) wurde im Zuge der Diskussion über Subsidiarität von der Kommission wieder zurückgezogen. Im übrigen versuchen einzelne Richtlinien, über Handels-, insbesondere Einfuhrbeschränkungen zum Unterlassen nicht tierschutzgerechter **Jagd-** und **Fangmethoden** in Drittländern zu gelangen: So gibt es ein Verbot der Einfuhr von **Walen** und **Walprodukten,**[102]) der Einfuhr bestimmter **Seehundfelle**[103]) und der Einfuhr von **Tierfellen** aus Ländern, die Tellereisen oder andere grausame Fangmethoden nicht verboten haben.[104]) Nur im Fall der Wale geht es insoweit wirklich um **Artenschutz.**

Innerhalb der Gemeinschaft gibt es Bemühungen, den Tierschutz im Rahmen der Agrarpolitik zu berücksichtigen, etwa beim Transport oder der Tötung von Tieren. Indessen gehen die Auffassungen, was insoweit angemessen ist, sehr weit auseinander.

C. Die Integrierung umweltpolitischer Erfordernisse in andere Politiken der Gemeinschaft

Art 130r Abs 2 Satz 2 EGV bestimmt: „Die Erfordernisse des Umweltschutzes müssen bei der Festlegung und Durchführung anderer Gemeinschaftspolitiken einbezogen werden.“ Diese Vorschrift nimmt das fünfte Aktionsprogramm auf, indem es erklärt: „Als grundlegende Strategie ist es [daher] erforderlich, eine vollständige Einbeziehung der Umweltpolitik in andere wesentliche Politiken zu erreichen.“[105]) Das Programm sieht fünf ausgewählte Schwerpunktbereiche vor, in denen vorrangig umweltpolitische Gesichtspunkte gefördert werden sollen. Indessen bleibt das Erfordernis der Berücksichtigung des Umweltschutzes auch für andere, nicht-prioritäre Politikbereiche bestehen.

1. Industriepolitik

Eine geschlossene gemeinschaftliche Industriepolitik besteht nicht. Erst durch den Vertrag von Maastricht wurde ein Art 130 in den EG-Vertrag eingefügt, der Rahmenregelungen möglich macht. Das fünfte Aktionsprogramm sieht insoweit folgende Maßnahmen vor:[106])

---

[99]) Vgl auch die Erklärung der Regierungskonferenz zum Vertrag von Maastricht, ABl C 1992/191, 103: „Die Konferenz ersucht das Europäische Parlament, den Rat und die Kommission sowie die Mitgliedstaaten, bei der Ausarbeitung und Durchführung gemeinschaftlicher Rechtsvorschriften in den Bereichen Gemeinsame Agrarpolitik, Verkehr, Binnenmarkt und Forschung den Erfordernissen des Wohlergehens der Tiere in vollem Umfang Rechnung zu tragen.“

[100]) RL 86/609, ABl L 1986/358, 1.

[101]) ABl C 1991/241, 14.

[102]) V 81/348, ABl L 1981/39, 1.

[103]) RL 83/129, ABl L 1983/91, 30.

[104]) V 91/3254, ABl L 1991/308, 1. Das Verbot ist noch nicht in Kraft.

[105]) 5. Aktionsprogramm (FN 4) 28ff.

[106]) 5. Aktionsprogramm (FN 4) 28ff.

- verstärkter Dialog mit der Industrie:
Maßnahmen unter diesem Programmpunkt sind fortlaufend. Neben der Formalisierung des Dialogs im Beratenden Forum finden auf allen Ebenen formelle oder informelle Kontakte mit der anbietenden Wirtschaft statt, die der Wirtschaft maßgeblichen Einfluß auf das Zustandekommen gemeinschaftlicher Umweltregeln ermöglichen. Allerdings kann nicht beurteilt werden, ob der Informationsaustausch zwischen der gemeinschaftlichen und der nationalen, regionalen und lokalen Ebene bis hinab zur Betriebsebene zufriedenstellend ist.
- verbesserte Planung, einschließlich der Prüfung der Umweltauswirkungen von Plänen und Programmen:
Einen ins Auge gefaßten Richtlinienvorschlag über die **Umweltverträglichkeitsprüfung** bei Plänen und Programmen hat die Kommission bisher nicht vorgelegt; es ist nicht sicher, daß ein solcher Vorschlag vorgelegt werden wird. Im übrigen ist die materielle und strategische Planung wirtschaftlicher Anbieter wie staatlicher Stellen nur in geringem Umfang durch Maßnahmen auf Gemeinschaftsebene zu beeinflussen.
- Einführung von **Öko-Auditing** und **Öko-Accounting,** Einsatz der besten verfügbaren Technologie und eines marktgerechten Preisfestsetzungssystems für natürliche Ressourcen:
Eine Verordnung über Öko-Auditing ist angenommen, ein Vorschlag für Öko-Accounting soll 1995 vorgelegt werden.[107]) Regeln über marktgerechte Preise für die Verwendung natürlicher Ressourcen wurden bisher nicht in Angriff genommen. Die Möglichkeit der Gemeinschaft, Preise festzusetzen, ist ohnehin mehr als gering. Ferner ist offensichtlich, daß die schonendere Verwendung der Umweltressourcen wie Grundwasser, Oberflächenwasser, Luft, Boden, Fauna und Flora nur durch staatliche Einflußnahmen, nicht aber durch Marktentwicklungen sichergestellt werden kann.
- strengere und zuverlässigere Produktnormen:
Insoweit läßt sich eine Veränderung der (Umwelt-)Qualität der Produktnormen bisher nicht feststellen. Die Verwendung des Öko-Kennzeichens – bisher für wenige Produktgruppen geregelt[108]) – wird erst langfristig spürbar werden können.
- Förderung freiwilliger Vereinbarungen:
Zu freiwilligen Vereinbarungen der anbietenden Wirtschaft allein oder in Form von Vereinbarungen mit der Kommission ist es bisher nicht gekommen. Ob der Integrationsgrad der anbietenden Wirtschaft für das Erarbeiten und das Einhalten solcher Vereinbarungen ausreicht, ist zweifelhaft. Da Ausarbeiten und Verwalten einer freiwilligen Vereinbarung kaum weniger Zeit und Aufwand erfordern als eine Richtlinie, sind auch für die Gemeinschaft die Vorteile derartiger Vereinbarungen nicht offenbar, zumal auch schwierige institutionelle Fragen – Beteiligung von Rat, Europäischem Parlament, Regionalausschuß – entstehen.

---

[107]) 5. Aktionsprogramm (FN 4) 29.

[108]) Bisher gibt es Kriterien für 5 Produktgruppen; erst 13 Produkte (März 1996) tragen das EG-Ökozeichen.

- Effiziente **Abfallwirtschaft** durch Änderung der Herstellungsverfahren von Produkten:
  Den Ausführungen zur **Abfallbewirtschaftung** ist wenig hinzuzufügen. Gezielte Maßnahmen zur Beeinflussung der Produktion gibt es auf Gemeinschaftsebene nicht.
- Veröffentlichung von Informationen und Daten über die Umwelt:
  Emissionskataster werden wohl dem Öko-Auditing zuzurechnen sein. Die Offenlegung von Umweltfragen in Geschäftsberichten ist bisher nicht Gegenstand gemeinschaftlicher Regelungsvorschläge.

Insgesamt zielt das fünfte Programm auf eine „Kombination von strengen Umweltnormen mit positiven Anreizen für mehr Leistung" ab. Bisher ist diese Strategie nur in Ansätzen sichtbar. Der gemeinschaftlichen Umweltpolitik ist es auch noch nicht gelungen, die Sorge wirtschaftlicher Anbieter zu zerstreuen, Umweltnormen beeinträchtigten die Wettbewerbsfähigkeit der europäischen Unternehmen.

2. Energiepolitik

Die gemeinschaftliche Energiepolitik – sofern es nicht angemessener ist, eine solche Bezeichnung überhaupt zu vermeiden – hat keine ausdrückliche Rechtsgrundlage im Vertrag. Ihre Ziele und Prioritäten sind daher recht allgemein gehalten, zumal alle drei Verträge – EG-, EURATOM- und EGKS-Vertrag – im Energiesektor Anwendung finden. Da etwa die Hälfte der Mitgliedstaaten gegen jede Form von Kernenergie ist und sich die einzelstaatliche Energiepolitik regelmäßig an vorhandenen Ressourcen – Erdöl, Erdgas, Stein- oder Braunkohle, Kernenergie – orientiert, fällt eine gemeinschaftliche Strategie nicht leicht. Die Mitteilung „Energie und Umwelt" der Kommission von 1990[109]) versucht, Umweltgesichtspunkte in die Energiepolitik einzubringen, von einer besseren Energieverwertung und vermehrten Energieeinsparungen zur verstärkten Förderung erneuerbarer Energien und zu Empfehlungen an die Mitgliedstaaten zur besseren Integration des Umweltschutzes in die nationalen Energiepolitiken.

Das fünfte Aktionsprogramm sieht eine Abnahme der SO_2-Emissionen und der NO_x-Emissionen in den nächsten Jahren voraus, hält aber weitere Anstrengungen für erforderlich.[110]) Ob die diesen Vorhersagen zugrundeliegenden Annahmen über die wirtschaftliche Entwicklung und insbesondere die Zunahme des Verkehrs wirklich zutreffen, erscheint zweifelhaft.

Für CO_2 – das insbesondere für die Klimaerwärmung besonders verantwortlich ist – sieht die Kommission dagegen eine erhebliche Zunahme der Emissionen voraus, sofern nicht durch hohe Energiepreise, zunehmende Effizienz bei der Energienutzung, eine beträchtliche Zunahme der Nutzung der Kernenergie, CO_2-/Energie-Steuern und ähnliche Maßnahmen der Energieverbrauch beeinflußt wird. 1990 hatte der Rat bereits beschlossen, CO_2-Emissionen bis zum Jahr 2000 auf dem Niveau von 1990 zu stabilisieren,[111]) im wesentlichen durch eine Richtlinie über die verbesserte Energieausnutzung

[109]) KOM (89) 369 v 8. 2. 1990.
[110]) 5. Aktionsprogramm (FN 4) 32.
[111]) EG-Kommission (Hg), Bulletin der EG 1990/10; RZ 1.3.77.

(SAVE),[112]) ein Programm über die Förderung erneuerbarer Energien (ALTENER),[113]) eine Entscheidung über die Kontrolle der CO_2-Emissionen und anderer Treibhausgase[114]) sowie die erwähnte kombinierte CO_2/Energie-Steuer.[115]) Bis auf die letztgenannte sind diese Maßnahmen inzwischen angenommen. Ob indessen damit eine Stabilisierung der Treibhausemissionen erreicht werden kann, wird immer häufiger bezweifelt.

Der Anteil erneuerbarer Energien betrug 1973 1,6 Prozent des Gesamtverbrauchs, 1989 1,6 Prozent. Kernenergie hatte 1973 einen Anteil von 1,9 Prozent und 1989 einen Anteil von 14,2 Prozent. Mag auch im Programm ALTENER vorgesehen sein, den Anteil erneuerbarer Energien bis zum Jahre 2005 zu verdreifachen, so bleibt dieser Anteil dennoch niedrig.

3. Verkehrspolitik

Der EG-Vertrag sieht zwar eine gemeinsame Verkehrspolitik seit 1958 vor, ist aber insoweit noch nicht überall in vollem Umfang verwirklicht. Inwieweit es in der Gemeinschaft einzelstaatliche Verkehrspolitiken gibt, die Umwelterfordernisse in vollem Umfang integrieren, muß hier dahingestellt bleiben.

Das fünfte Aktionsprogramm weist darauf hin, daß der Verkehr etwa 90 Prozent aller Bleiemissionen, 50 Prozent aller NO_x-Emissionen, 30 Prozent aller VOC-Emissionen und 22 Prozent aller CO_2-Emissionen verursacht.[116]) Wegen der oben angedeuteten Zunahme des Verkehrs werden diese Anteile trotz der gemeinschaftsweit eingeführten KFZ-Emissionsnormen weiter steigen. Als Maßnahmen schlägt das fünfte Programm allgemein gehaltene Lösungen vor, wie etwa bessere Planung, Alternativen zum Straßenverkehr, bessere Koordinierung, bessere Wettbewerbspositionen für umweltfreundliche Verkehrsmittel, Entwicklung des städtischen Nahverkehrs usw. Das 1992 veröffentlichte Weißbuch der Kommission[117]) analysiert die Probleme, schlägt aber als einzige konkrete Maßnahme die Erarbeitung von Lärmschutznormen (Qualitätsziele) in der Nähe von Flugplätzen vor.[118])

Die Bemühungen um eine Vermehrung der Produktion – und damit auch der Verwendung – von Straßenfahrzeugen und die Schaffung der hierfür erforderlichen Verkehrs-Infrastruktur scheint in allen Mitgliedstaaten im Zentrum der Verkehrspolitik zu stehen.

4. Landwirtschaftspolitik

Die Landwirtschaftspolitik basiert wesentlich auf Art 38 und 39 EGV; diese Vorschriften erwähnen den Schutz der Umwelt nicht. Landwirtschaftsstatistiken bezeugen eine Intensivierung der Landbewirtschaftung, insbesondere eine Erhöhung des Verbrauchs von **Düngemitteln** und **Schädlingsbe-**

---

[112]) RL 93/76, ABl L 1993/237, 28.
[113]) Beschluß 93/500, ABl L 1993/235, 14.
[114]) Entscheidung 93/389, ABl L 1993/167, 31.
[115]) ABl C 1992/196, 1.
[116]) 5. Aktionsprogramm (FN 4) 33 ff.
[117]) KOM (92) 494 endg v 2. 12. 1992.
[118]) KOM (92) 494 endg v 2. 12. 1992, Nr 382.

kämpfungsmitteln. Die Krise der Gemeinsamen Agrarpolitik führte in den letzten Jahren zu Bemühungen, die Landwirte mehr und mehr als Landschaftspfleger anzusehen und für umweltfreundliche Bewirtschaftung des Landes finanzielle Beihilfen zu bezahlen.

Das fünfte Programm gibt als Ziele bis zum Jahre 2000 an:[119])

- Stabilisierung des Nitratgehalts im Grundwasser,
- beträchtliche Verringerung des Pestizideinsatzes,
- Bewirtschaftungspläne für alle gefährdeten Gebiete,
- Bewirtschaftungsverträge für 15% der landwirtschaftlichen Gebiete,
- Steigerung der Aufforstungsflächen,
- verbesserter Schutz gegen Krankheiten und Waldbrände.

Für den Pestizideinsatz sollen beispielsweise Verkauf und Einsatz von Pestiziden registriert und überwacht, eine integrierte Überwachung (insbesondere Ausbildungsmaßnahmen) gefördert und die biologische Landwirtschaft unterstützt werden. Ob diese Maßnahmen ausreichen, darf doch bezweifelt werden.

5. Tourismuspolitik

Auch für Fremdenverkehr gibt es keine ausdrückliche Zuständigkeit im EG-Vertrag.[120]) Das fünfte Aktionsprogramm erklärt selbst, es sei schwierig, allgemeine Umweltzielvorgaben und langfristigere Zielsetzungen festzulegen.[121]) Hingewiesen wird auf die steigenden Zahlen im Fremdenverkehr und auf die besondere Belastung des Mittelmeerraums – der etwa 35 Prozent des internationalen Fremdenverkehrs aufnimmt – sowie der Alpen. Es zielt auf eine bessere Organisation des Massentourismus, auf Bewirtschaftungsprogramme für Küstengebiete und Bergregionen, auf eine Änderung im Verhalten der Touristen und eine bessere Qualität der Touristik-Dienstleistungen ab. Aus den hierfür vorgesehenen Instrumenten und der Stellung der zum Handeln aufgerufenen Akteure wird indessen deutlich, daß die gemeinschaftlichen Möglichkeiten zur Beeinflussung der Entwicklung im Tourismus gering sind: Im wesentlichen sind Aufklärung, Erziehung und Informationen angesprochen. Das Ausweisen von Schutzzonen – etwa im Rahmen der Alpenkonvention, an den Mittelmeerküsten usw – und strenge Bebauungs- und Nutzungsvorschriften, für die wesentlich die Mitgliedstaaten zuständig sind, mag hier ein wenig mehr Erfolg versprechen.

6. Regionalpolitik

Die gemeinschaftliche Regionalpolitik, nunmehr in das Kapitel „Wirtschaftlicher und sozialer Zusammenhalt“ (Art 130a bis 130e EGV) eingebettet, bemüht sich, zu der Entwicklung und strukurellen Anpassung der rückständigen Gebiete und zur Umstellung von Industriegebieten mit rückläufi-

---

[119]) 5. Aktionsprogramm (FN 4) 35.

[120]) Vgl Art 3 EGV.

[121]) 5. Aktionsprogramm (FN 4) 37 und 40; vgl auch die Mitteilung der Kommission über die Aktionen der Gemeinschaft, die Auswirkungen auf den Tourismus haben, KOM (94) 74 endg v 6. 4. 1994.

ger Entwicklung beizutragen (Art 130c EGV). Daneben haben der gemeinschaftliche Agrarfonds, der **Sozialfonds** und der 1993 neugeschaffene **Kohäsionsfonds,** der ausdrücklich Umweltprojekte fördern soll, erheblichen Einfluß auf die regionale Entwicklung. Auch die Tätigkeit der Europäischen Investitionsbank bezieht sich in steigendem Umfang auf die Förderung umweltpolitischer Maßnahmen. Das Finanzierungsinstrument für die Umwelt LIFE, ausgestattet mit 400 Mio ECU für vier Jahre, fördert insbesondere Pilot- und Demonstrationsprojekte im Umweltbereich.[122])

Während es bei der Tätigkeit des Kohäsionsfonds noch möglich ist, seitens der Gemeinschaft auf die Beachtung der geltenden Umweltvorschriften der Gemeinschaft zu drängen, ist dies bei den Tätigkeiten der anderen drei Strukturfonds oft schwierig. Denn anders als der Kohäsionsfonds, der einzelne Projekte unterstützt, werden im Rahmen der Strukurfonds lediglich (Rahmen-)Programme gebilligt; die einzelnen, insgesamt viele Tausende Projekte werden später von Durchführungsausschüssen gutgeheißen, an denen aus Ressourcengründen Bedienstete der Gemeinschaft ebenso wie Vertreter einzelstaatlicher Umweltverwaltungen nur in begrenztem Umfang teilnehmen. Da Struktur- wie Kohäsionsfonds häufig Infrastrukturprojekte fördern, die Natur und Landschaft, Fauna und Flora sowie allgemein empfindliche Gebiete berühren, ist ein Konflikt zwischen Umwelt und Regionalpolitik nicht selten.

Die Regionalpolitik der Gemeinschaft fordert, daß jedes gemeinschaftlich geförderte Projekt dem Recht und der Politik der Gemeinschaft zum Schutz der Umwelt entsprechen müsse.[123]) Das strategische Ziel der Umweltpolitik wie der Regionalpolitik muß es sein, diesem Grundsatz auch in der Praxis zur Anwendung zu verhelfen; dies erfordert wohl auch eine umweltpolitische Infrastruktur in den jeweiligen Regionen – an denen es nur zu oft noch fehlt.

Im Rahmen der Regionalpolitik bleibt es den Mitgliedstaaten weitestgehend überlassen, ob sie die ihnen zufließenden Gelder für Maßnahmen im Bereich der Umwelt – zB Bau von Klärwerken, Abfallentsorgungsanlagen usw – oder für andere Projekte ausgeben, deren Förderung nach den Vorschriften für die Fonds möglich ist. Ein besonderes, auf Umweltprojekte ausgerichtetes und mit 500 Mio ECU ausgestattetes Regionalprogramm der Gemeinschaft (ENVIREG) lief von 1991 bis 1993,[124]) wurde aber nicht fortgesetzt. Die Berücksichtigung umweltlicher Interessen durch Regionalinstanzen ist insbesondere in Mitgliedstaaten mit „rückständigen Gebieten" häufig nicht vorrangig.

Im Rahmen des **Kohäsionsfonds** sollen die zufließenden Gelder weitgehend gleichförmig für Transport- und für Umweltprojekte ausgegeben werden. Als „Umweltprojekte" werden bisher auch Arbeiten zur Erstellung oder Modernisierung der örtlichen Kanalisation, der Bau von Staudämmen oder Maßnahmen zur Erhaltung des archäologischen Erbes finanziert – nicht unbedingt Maßnahmen, die juristisch als Umweltprojekte zu definieren wären. Dem steht gegenüber, daß etwa ein flächendeckendes Netz leistungsfähiger Anlagen zur umweltgerechten Entsorgung von Abfällen oder etwa zur Reini-

[122]) V 92/1973, ABl L 1992/206, 1.
[123]) V 93/2081, ABl L 1993/193, 5.
[124]) ABl C 1990/115, 3.

gung industrieller oder kommunaler Abwässer in der Mehrzahl der Mitgliedstaaten und insbesondere der Kohäsions-Staaten bisher fehlt. Das Aufstellen und Durchführen entsprechender Pläne scheint Umwelt-Verwaltungen gelegentlich zu überfordern.

Das fünfte Aktionsprogramm bleibt für die umweltpolitischen Ziele der Regionalpolitik bei allgemeinen Bemerkungen.[125]) Die Bemerkung, daß für alle geförderten Projekte eine Umweltverträglichkeitsprüfung durchzuführen sei, nimmt bereits früher erhobene Forderungen wieder auf, ohne daß dieser Grundsatz bisher durchgesetzt worden wäre. Auch die Umweltprüfung von Plänen, Programmen und Politiken wird erneut gefordert. Im Gesetzgebungsprogramm 1994 ist ein entsprechender Vorschlag angekündigt.

7. Freier Warenverkehr – innerhalb der EU und mit Drittstaaten

Der innergemeinschaftliche Warenverkehr ist wesentlich durch die Bestimmungen des EG-Vertrages – insbesondere Art 30 und 36 einerseits, Art 100a und 130s/130t andererseits – und ihre Auslegung durch den Europäischen Gerichtshof beeinflußt. Die gegenwärtige Situation kann wie folgt zusammengefaßt werden:

- Da der Schutz der Umwelt der Gemeinschaft und den Mitgliedstaaten gemeinsam anvertraut ist und die Gemeinschaft zur Erreichung der umweltpolitischen Ziele innerhalb der ihr in dem Vertrag zugewiesenen Grenzen tätig wird (Art 3b EGV), können die Mitgliedstaaten bei Fehlen gemeinschaftlicher Regelungen zum Schutz der Umwelt selbst tätig werden, in welcher Art sie dies auch immer für angemessen erachten. Sie müssen dabei indessen die sich aus dem Vertrag ergebenden Grenzen beachten, zu denen nach der ständigen Rechtsprechung des Europäischen Gerichtshofs insbesondere das **Verbot der Diskriminierung** und der **Verhältnismäßigkeitsgrundsatz** gehören: Eine einzelstaatliche Regelung zum Schutz der Umwelt darf daher nicht nationale Hersteller oder Händler gegenüber Herstellern und Händlern aus anderen Mitgliedstaaten bevorzugen; sie muß sich ferner zur Erreichung des umweltpolitischen Ziels desjenigen Mittels bedienen, das den Warenverkehr möglichst wenig beeinträchtigt. Höchstrichterlich ungeklärt ist bisher, ob ein Mitgliedstaat die umweltpolitischen Ziele selbst festsetzen darf oder ob er nur solche Ziele festsetzen darf, die – aus gemeinschaftlicher Sicht – „vernünftig“ sind. Richtig kann nur die erste Auffassung sein, weil und soweit es an gemeinschaftlichen Normen ja gerade fehlt.
- Bestehen dagegen gemeinschaftliche Regelungen, so sind grundsätzlich diese einzuhalten. Sofern eine Regelung auf Art 130s EGV gestützt ist, können Mitgliedstaaten nach Art 130t EGV zum Schutz der Umwelt strengere Regeln einführen oder beibehalten, sofern die allgemeinen Vertragsbestimmungen – also auch die Grundsätze der Nichtdiskriminierung und der Verhältnismäßigkeit – eingehalten werden.

Ist eine gemeinschaftliche Regelung auf Art 100a EGV gestützt – dies ist bei Produktregelungen in aller Regel die geeignete Rechtsgrundlage –, so

[125]) 5. Aktionsprogramm (FN 4) 73ff.

besteht nur dann die Möglichkeit für Mitgliedstaaten, strengere Regelungen einzuführen, wenn dies in der entsprechenden Gemeinschaftsregelung ausdrücklich vorgesehen ist.

Umstritten und bisher höchstrichterlich nicht geklärt ist die Frage, ob die Mitgliedstaaten strengere Regelung auch nach Art 100a Abs 4 EGV einführen können. Dies wird insbesondere in der deutschsprachigen Literatur vertreten. Richtigerweise ist indessen der Begriff „anwenden" des Art 100a Abs 4 EGV nicht mit „ergreifen oder beibehalten" des Art 130t EGV gleichzusetzen. Denn anderenfalls könnte sich ein Mitgliedstaat von dem gemeinschaftlichen Regelungswerk jederzeit unter Berufung auf den Schutz der Umwelt, der Verbraucher, der Arbeitnehmer, auf Gesundheit oder Sicherheit wieder lossagen; die Vollendung des gemeinsamen Binnenmarktes würde damit nie erreicht werden können.

Letztlich wird in dieser Streitfrage eine Entscheidung des Europäischen Gerichtshofs abzuwarten sein. Die gegenwärtige Diskussion ist stark durch Bemühungen beeinflußt, die einzelstaatliche Souveränität möglichst unangetastet zu lassen und daher Regelungen auf Gemeinschaftsebene nicht als „endgültig" zu akzeptieren.

Der Schutz der Umwelt in Drittstaaten oder der Schutz der globalen Umwelt beginnt zunehmend in den Mittelpunkt der rechtlichen und politischen Diskussion zu rücken.

Die Gemeinschaft hat eine Anzahl von Maßnahmen getroffen, die den Schutz der Umwelt außerhalb des Gebietes der Gemeinschaft betreffen und – direkt oder indirekt – den internationalen Handel beeinflussen. Überwiegend handelt es sich dabei um Maßnahmen zum Schutz von Tieren oder Pflanzen.[126]) Die Maßnahmen regeln nicht lediglich unmittelbar den Schutz von Tieren und Pflanzen, sondern betreffen auch die Produktionsmethoden. In den letzten Jahren haben die Bemühungen etwa zum Schutz der Ozonschicht auch dazu geführt, daß Maßnahmen in bezug auf andere Produkte als Tiere und Pflanzen ergriffen wurden; eine Zunahme derartiger Maßnahmen in der Zukunft ist zu erwarten.

Inwieweit diese Regelungen, selbst wenn sie in Verfolg internationaler Übereinkommen zum Schutz der Umwelt ergriffen wurden, mit Regelungen des GATT bzw der WTO vereinbar sind, ist weitgehend ungeklärt. ME ist es der Gemeinschaft grundsätzlich nicht verwehrt, die Umwelt auch außerhalb ihres Gebiets zu schützen, selbst wenn diese Maßnahmen Auswirkungen auf den internationalen Handel haben. Die Grundsätze der Nichtdiskriminierung und der Verhältnismäßigkeit können insoweit auch im internationalen Bereich fruchtbar gemacht werden.

D. Die Gemeinschaft und die Mitgliedstaaten

1. Allgemeines

Eine Betrachtung der gemeinschaftlichen Umweltpolitik im Verhältnis zur Umweltpolitik der Mitgliedstaaten hat zunächst von der Tatsache auszu-

---

[126]) Vgl oben FN 102 bis 104.

gehen, daß nur eine Minderheit der Mitgliedstaaten eine derartige Politik besitzt. Dabei wird Umweltpolitik als einigermaßen geschlossenes, in sich zusammenhängendes Bündel von Maßnahmen verstanden, die auf das Ziel ausgerichtet sind, die Umwelt in allen ihren Bereichen zu schützen, zu erhalten und zu verbessern. In etwa der Hälfte der Mitgliedstaaten ergehen gesetzliche Maßnahmen zum Schutz der Umwelt in aller Regel, um damit gemeinschaftlich beschlossene Regelungen in innerstaatliches Recht umzusetzen.

Besonders deutlich wird diese unterschiedliche Gewichtung der Umweltpolitik in den Mitgliedstaaten an den Infrastrukturen. Der Einfluß der zentralen, regionalen oder lokalen Umweltverwaltungen auf die anderen Verwaltungen ist in zahlreichen Mitgliedstaaten schwach – sofern es überhaupt strukturierte Umweltverwaltungen gibt. Forschungsinstitute, Laboratorien, Institute und andere Gremien, die sich mit Umweltfragen befassen, sind oft nicht vorhanden; bei vorhandenen Gremien ist ihre wissenschaftliche, technische oder administrative Unabhängigkeit nicht sichergestellt. Umweltverbände auf örtlicher, regionaler und nationaler Ebene beginnen sich oft erst zu organisieren und zu strukturieren, nicht selten als Ad-hoc-Initiativen zur Bekämpfung eines bestimmten Projekts.

In vielen Mitgliedstaaten widmen die Medien Umweltfragen wenig Aufmerksamkeit, wenn es nicht gerade um Unfälle oder Katastrophen geht. Das eigentliche Problem des Umweltschutzes, nämlich die tägliche, schleichende Zunahme der Umweltverschmutzung und die Verminderung der Qualität der Umwelt, ist noch kaum erkannt. Im Alltag staatlichen oder verwaltungspolitischen Planens und Handelns werden Erfordernisse des Umweltschutzes daher oft eher als störend angesehen. Ziel des Handelns ist nicht das Erreichen eines hohen umweltpolitischen Schutzniveaus, sondern das Erreichen ökonomischer oder anderer Ziele: Der Schutz der Umwelt wird in dem unvermeidbaren Rahmen mit berücksichtigt – was zu einer Umweltpolitik auf dem kleinstmöglichen Nenner führt.

2. Abgrenzung der gemeinschaftlichen von der einzelstaatlichen Umweltpolitik

Vor diesem nur skizzierten Hintergrund wird die Schwierigkeit der Abgrenzung einzelstaatlicher von gemeinschaftlicher Umweltpolitik deutlich. Der zunächst in Art 130r Abs 4 EGV, nunmehr in Art 3b EGV ausgesprochene Grundsatz, die Gemeinschaft solle in Umweltfragen tätig werden, wenn ein Problem besser auf Gemeinschaftsebene als auf der Ebene der Mitgliedstaaten gelöst werden könne, hat viele Diskussionen hervorgerufen. Das **„Ökosystem EG“** ist aber ein anderes als das deutsche, spanische oder griechische Ökosystem. In den allermeisten Fällen der Diskussion um den Umweltschutz auf Gemeinschaftsebene geht es nicht darum, ob Gemeinschaftsregelungen oder einzelstaatliche Regelungen auszuarbeiten sind. Denn ein Verzicht auf Gemeinschaftsregeln führt meist dazu, daß bestenfalls eine Minderheit von Staaten Maßnahmen zur Lösung des in Frage stehenden Umweltproblems überhaupt trifft. Hinzu kommen zeitliche Unterschiede, Unterschiede in der inhaltlichen Regelung sowie im Vollzug erlassener Regelungen. Gegenwärtig ist daher jedenfalls festzustellen, daß es bei Fehlen gemeinschaftlicher Regelungen in großen Teilen der Gemeinschaft überhaupt nicht zu Umweltregelungen kommen würde. Neben den anderen Gründen für ein gemeinschaftliches Tätigwerden in Umweltfragen – grenzüberschreitende Verschmutzung, Handelsregelungen, Wettbewerbsverzerrungen, Unterschiede in der Entwicklung der Lebensbedingungen, Gesundheits- und Sicherheitsstandards, größere Effektivität der eingesetzten Mittel – darf dieser Hauptgesichtspunkt um die geeignete Aktionsebene in Fragen des Umweltschutzes nicht vergessen werden.

Zum Beleg für diese Thesen seien die gemeinschaftlichen **Regelungen** zum Schutz der Umwelt seit 1992 angeführt; in Klammern ist die Zahl der Mitgliedstaaten angeführt, die zum Zeitpunkt der Annahme der jeweiligen Regelung ein mehr oder weniger gleichartiges Regelungswerk besaßen:[127])

- Verordnung für ein Öko-Kennzeichen[128]) (zwei),
- Richtlinie zum Schutz von Habitaten von Fauna und Flora[129]) (keiner),
- Verordnung zur Ausfuhr und Einfuhr gefährlicher Chemikalien[130]) (keiner),
- Richtlinie über die Luftverschmutzung durch Ozon[131]) (keiner),
- Verordnung über Stoffe, die die Ozonschicht beeinträchtigen[132]) (drei),
- Richtlinie über Programme für Titandioxid-Abfälle[133]) (keiner),
- Richtlinie/Verordnung über den Transport von Abfällen[134]) (keiner),
- Richtlinie über den Schwefelgehalt bestimmter Brennstoffe[135]) (vier),
- Verordnung zur Risikobewertung von chemischen Stoffen[136]) (keiner),
- Verordnung zur Einführung eines Öko-audits[137]) (keiner).

Das Zurückgreifen auf Umweltprogramme, die förmlich diskutiert und beschlossen werden – die Umweltpolitik ist der einzige Sektor der Gemeinschaftspolitik, in dem seit allem Anfang derartige Aktionsprogramme beschlossen und durchgeführt werden –, dürfte auch in Zukunft die Diskussion über die geeignete Aktionsebene für bestimmte Umweltmaßnahmen in sachlichen Bahnen halten und damit insgesamt zu zufriedenstellenden Abgrenzungen zwischen einzelstaatlicher und gemeinschaftlicher Umweltpolitik führen.

3. Spielraum einzelstaatlichen Handelns

Die Fülle der in den Industriegesellschaften Westeuropas, im Mittelmeerraum, in Osteuropa und weltweit anstehenden, auch gegenwärtig noch

---

[127]) Die Klammerzusätze beruhen auf der eigenen, gewiß subjektiven Auffassung des Verfassers.
[128]) V 92/880, ABl L 1992/99, 1.
[129]) RL 92/43, ABl L 1992/206, 7.
[130]) V 92/2455, ABl L 1992/251, 13.
[131]) V 92/72, ABL 1992/297, 1.
[132]) V 91/594, ABl L 1991/67, 1.
[133]) RL 78/176, ABl 1978/54, 19; RL 92/112, ABl L 1992/409, 11.
[134]) V 93/259, ABl L 1993/30, 1.
[135]) RL 93/12, ABl L 1993/74, 81.
[136]) V 93/793, ABl L 1993/84, 1.
[137]) V 93/1836, ABl L 1993/168, 1.

zunehmenden Umweltprobleme läßt auch im Rahmen der Gemeinschaft umweltpolitisch aktiven Mitgliedstaaten hinreichenden Spielraum. Kein wesentlicher Sachbereich ist sichtbar, wo bisher ein Mitgliedstaat durch die Gemeinschaft an umweltpolitischen Maßnahmen gehindert worden wäre.[138]) Das gilt auch für die Einführung der Katalysatortechnik für Kraftfahrzeuge, bei der Detailuntersuchungen erweisen werden, daß die Verzögerungen zwischen 1984 und 1989 nicht auf Widerstände der Gemeinschaft, sondern auf die Furcht zurückzuführen waren, ein einzelstaatlicher Alleingang werde Exportchancen der einheimischen KFZ-Industrie mindern.

Zweifellos wird die Gestaltungsfreiheit einzelstaatlicher Umweltpolitik in Zukunft allmählich geringer werden, weil diese Politik mehr und mehr in den gemeinschaftlichen Rahmen hineingestellt werden wird. Dies wird umweltpolitisch bewußte Länder in Zukunft mehr als bisher dazu zwingen, sich umweltpolitisch in die Gemeinschaft zu integrieren und gemeinschaftliche Lösungen für Umweltprobleme zu erarbeiten und nicht mehr das Heil nur im Vorreiten oder in Alleingängen zu suchen.

4. Kompatibilitätsprobleme

Abstimmungsprobleme zwischen der einzelstaatlichen und der gemeinschaftlichen Umweltpolitik oder einzelnen Maßnahmen sollen zum einen durch die gemeinschaftlichen vier- bis fünfjährigen Umweltprogramme vermieden werden. Soweit einzelstaatliche Regelungen Binnenmarktbezug haben, sind sie darüber hinaus der Kommission im Entwurfstadium mitzuteilen, damit gegebenenfalls gemeinschaftsweite Maßnahmen in Angriff genommen werden können.[139]) Im übrigen verhindert das doch recht dichte Regelwerk der Gemeinschaft in Umweltfragen allzu große Kompatibilitätsprobleme. Schließlich ist auf Art 130r Abs 2 und 3 EGV hinzuweisen, aus dem deutlich hervorgeht, daß die Gemeinschaft von unterschiedlichen Umweltbedingungen und demgemäß von unterschiedlichen Regelungen zu ihrer Lösung auszugehen hat.

Trotz aller Bemühungen um einen Ausgleich zeigen sich Befürchtungen in einigen Mitgliedstaaten, gewissermaßen auf dem Umweg über die Gemeinschaft strenge Umweltschutznormen anderer Staaten aufgezwungen zu bekommen. Insoweit konzentriert sich manche Kritik an angeblich zu strengen Umweltregeln auf Deutschland – oder die angeblich den deutschen Interessen offene Kommission, weil Deutschland einerseits wirtschaftlich sehr stark ist, zum anderen als bisher einziger der großen Mitgliedstaaten in der Regel strenge Umweltnormen befürwortet. Die Schwierigkeit, dieser Kritik der gemeinschaftlichen Umweltpolitik zu begegnen, liegt in zweierlei Umständen begründet: Zum einen muß ein wirtschaftlich exportorientiertes Land wie Deutschland tatsächlich Interesse daran haben, innerhalb der Gemeinschaft einheitliche Regeln zu schaffen, um die Vorteile des gemeinsamen Binnen-

---

[138]) Die in skandinavischen Staaten, insbesondere in Dänemark, so häufig in die Diskussion eingeführte „Miljoegarantie“, die rechtlich im Vertrag keine Stütze findet, findet hier ihre tatsächliche Bestätigung.

[139]) RL 83/189, ABl L 1983/109, 8.

marktes für seine Wirtschaft voll nutzen zu können. Zum anderen vermag heute niemand mit letzter Sicherheit zu sagen, wie streng letztlich Umweltschutzregelungen zu sein haben. Die im EG-Vertrag verankerten Grundsätze der Vorsorge, des hohen Schutzniveaus und der Vorbeugung helfen im umweltpolitischen Alltagsgeschäft nur wenig.

5. Beteiligung der Bürger

Eine weitere Schwierigkeit gemeinschaftlicher Umweltpolitik liegt in der Beteiligung der Bürger an dieser Politik. Umweltschutz als Allgemeininteresse hat es gegenüber den Sonderinteressen und den sie verfolgenden Interessengruppen ohnehin schwer. Die politische Maschinerie auf Gemeinschaftsebene ist von einzelnen Bürgern, selbst von örtlichen, regionalen und nationalen Umweltgruppen zu weit entfernt, als daß sich Beteiligungsformen leicht herausbilden können. Daß etwa der europäische Umweltdachverband EEB (European Environmental Bureau), der nicht nur mehr als 140 Umweltverbände in den Mitgliedstaaten vertritt und über die gemeinschaftlichen Aktivitäten informiert, sondern gleichzeitig in seiner Verbandstätigkeit alle Bereiche der Umweltpolitik abdecken soll, nur drei ständige Mitarbeiter, dagegen der europäische Dachverband der chemischen Industrie fast hundert ständige Mitarbeiter hat, verdeutlicht die Distanz der gemeinschaftlichen Umweltpolitik zum Bürger. Das Fehlen einer europäischen öffentlichen Meinung, von europäischen Medien, die Beschlußfassung im Rat hinter verschlossenen Türen und die in der Vergangenheit im wesentlichen konsultative und damit wenig einflußreiche Rolle des Europäischen Parlaments – aus allgemeinen Wahlen aller europäischen Bürger hervorgegangen – verstärken diese Bürgerferne gemeinschaftlicher Umweltpolitik. Dieselbe Distanz besteht nicht immer gegenüber der Repräsentanz organisierter Interessen.

Der Vertrag von Maastricht und nachfolgende Konferenzen der Staats- und Regierungschefs akzentuierten die Forderung nach mehr **Transparenz** und größerer **Bürgernähe.** Im Rahmen des fünften Aktionsprogramms richtete die Kommission ein umweltpolitisches Forum ein, in dem Vertreter der anbietenden Wirtschaft und Umweltverbände Probleme der gemeinschaftlichen Umweltpolitik diskutieren.[140]) Rat und Kommission beschlossen, den Zugang zu Dokumenten der Gemeinschaft zu erleichtern.[141]) Ob diese Maßnahmen langfristig ausreichen, kann nur die Zukunft zeigen.

6. Die Gemeinschaft als Innovator

Spannungen zwischen der gemeinschaftlichen Umweltverwaltung und den mitgliedstaatlichen Verwaltungen können nicht ausbleiben. Insgesamt ist dieses Verhältnis aber gut. Gemeinschaftsinitiativen werden in aller Regel auch dort akzeptiert, wo innerstaatliche Regelungen nicht vorhanden sind. Neben den oben genannten Beispielen sind aus den letzten Jahren etwa die Richtlinien über die Umweltverträglichkeitsprüfung, die Emissionen von Großfeuerungsanlagen, der Zugang zu Umweltinformationen, die Schaffung

---

[140]) Beschluß 93/701, ABl L 1993/328, 53.

[141]) Beschluß 93/731, ABl L 1993/340, 43; Beschluß 94/90, ABl L 1994/46, 58.

einer Umweltagentur, die Verbrennung von gefährlichem Abfall usw zu nennen. Mag ein gewisser Zwang zum Konsens auch durch das Zusammenwachsen der Märkte und die Vollendung des Binnenmarktes gegeben sein, so geht die Zusammenarbeit doch erheblich über das insoweit erforderliche Mindestmaß hinaus. Neben den regelmäßigen Tagungen des Rates als Umweltrat sind auch die im Rahmen des fünften Aktionsprogramms entwickelten Zusammenkünfte der Generaldirektoren für Umweltfragen und die sonstigen Konzertierungen zwischen einzelstaatlicher und gemeinschaftlicher Politik- und Verwaltungsebene außerordentlich wichtig.

7. Umweltinnenpolitik

Entwickelt sich die gemeinschaftliche Umweltpolitik so allmählich, wenn auch sicher zu langsam, in Richtung auf eine Umweltinnenpolitik, so läßt sich dasselbe nicht von der gemeinschaftlichen Umweltpolitik gegenüber Drittstaaten feststellen. Souveränitätsdenken und Gedanken an klassische völkerrechtliche Strukturen haben dazu geführt, daß die Gemeinschaft zum einen nicht alle diejenigen Umwelt-Übereinkommen ratifiziert hat, die für sie von erheblicher Bedeutung sind, zum anderen die ratifizierten Übereinkommen weder voll anwendet noch ihren Vollzug innerhalb der Gemeinschaft kontrolliert. Die Ratifizierung von Umwelt-Übereinkommen durch die Gemeinschaft dient nicht selten eher der Manifestierung der internationalen Präsenz der Gemeinschaft als der Verbesserung des Umweltschutzes.

E. Probleme gemeinschaftlicher Umweltpolitik

1. Datenlage

Die gemeinschaftliche Umweltpolitik ist etwa zwanzig Jahre alt. Trotz zahlreicher Bemühungen vom ersten Tag an ist die Kenntnis über den Zustand der Umwelt in der Gemeinschaft insgesamt lückenhaft. Welche Daten wann und in welcher Häufigkeit erhoben werden, ist gemeinschaftlich kaum festgelegt; die einzelstaatlich erhobenen Daten sind oft kaum vergleichbar. Meßverfahren und -häufigkeit sind unterschiedlich, nicht selten fehlen Laboratorien, die Meßdaten auswerten; erhobene Daten werden nicht immer veröffentlicht. Der Schutz der Umwelt ist in den Mitgliedstaaten weitgehend der Verwaltung anvertraut, und die Abwesenheit demokratischer Kontrollen erschwert eine öffentliche, demokratische Diskussion über Ziele, Inhalte und Prioritäten gemeinschaftlicher Umweltpolitik.

Das Statistische Amt der Kommission veröffentlicht seit kurzem Statistiken über die Umwelt, die in Zukunft wohl schrittweise ausgebaut werden.[142]) Daneben trägt vermutlich die Tätigkeit der Europäischen Umweltagentur, die Ende 1993 ihre Arbeit aufgenommen hat, zur allmählichen Verbesserung der Datenlage bei.

---

[142]) Vgl Statistisches Amt der Europäischen Gemeinschaft (Hg), Statistiken über die Umwelt (1992ff).

2. Problemanalyse

Bei unbefriedigender Datenlage fällt die jeder Entscheidung vorausgehende Problemanalyse schwer; dies führt zum Einfließen sachfremder Überlegungen in die Entscheidungsfindung. Ob Abfälle besser verbrannt oder endgelagert werden, hängt auch von den jeweiligen Emissionen sowie von der Entwicklung der Boden- und Grundwasserbeeinträchtigung in der Vergangenheit durch Emissionen von Deponien ab. Ähnliche Beispiele gibt es in allen Bereichen: Die Grenzwerte für Luft dürfen nicht überschritten werden, aber gemessen muß die Luftverschmutzung nur dort werden, wo die vermutete Verschmutzung am größten ist; hierüber entscheidet der jeweilige Mitgliedstaat. Wo nicht gemessen wird, braucht auch über eine Sanierung nicht nachgedacht zu werden. Da es an Daten mangelt, was bestverfügbare Technologien für Luftreinhaltung, Abfallentsorgung, Gewässereinleitungen usw sind, die nicht zu teuer sind, besteht nur geringer Zwang, für Neuanlagen auf innovativer Technologie oder für bestehende Anlagen auf Nachrüstungen zu bestehen.

3. Personalressourcen

Bei einem Personalbestand der Kommission von insgesamt etwa 17.000 Bediensteten umfaßte 1994 die für Umwelt, nukleare Sicherheit und Zivilschutz zuständige Generaldirektion etwa 220 Beamte, zu denen noch etwa dieselbe Zahl von auf Zeit – maximal drei Jahre – angestellten Personen kommen; an Haushaltsmitteln stehen insgesamt etwa 100 Mio ECU zur Verfügung. Der Personalbestand ist gering und kann auch nicht mehr damit erklärt werden, daß Umweltpolitik auf Gemeinschaftsebene erst 1972 konzipiert und entwickelt wurde. Der Mangel an Personalressourcen macht einen große Teil der Unvollkommenheiten und Unzulänglichkeiten gemeinschaftlicher Umweltpolitik verständlich und ist ein Haupthindernis für eine effektivere, kohärentere und konsistentere Umweltpolitik der und in der Gemeinschaft. Ähnlich sieht die Lage bei der Europäischen Umweltagentur aus, bei der Ende 1995 etwa 60 Personen beschäftigt waren.

Die Knappheit der Personalressourcen erschwert eine Integrierung umweltpolitischer Belange in andere Politikbereiche der Gemeinschaft. Entwicklungspolitik, Regionalpolitik, Transportpolitik, Steuerpolitik und Landwirtschaftspolitik sind nur einige der Beispiele, bei denen umweltpolitische Belange verstärkt in die kurz-, mittel- und langfristigen Entscheidungen eingebaut werden müßten. Das Problem, das Allgemeininteresse „Schutz und Erhaltung der Umwelt“ in der jeweiligen konkreten Entscheidungssituation gegenüber anderen Interessen zur Geltung zu bringen und durchzusetzen, erfordert einen Personal- und Zeitaufwand, den die gegenwärtige Infrastruktur der Kommission nicht zu leisten vermag.

4. Mehrheitsentscheidungen

Mehrheitsentscheidungen in Umweltfragen sind – neben der binnenmarktbezogenen Rechtsgrundlage des Art 100a EGV – seit Inkrafttreten des Vertrages von Maastricht Ende 1993 nach Art 130s EGV die Regel. Ob dies zu beschleunigten Entscheidungen auf Gemeinschaftsebene führen wird, bleibt abzuwarten. Die gegenwärtige Krise der westeuropäischen Integration, das Wiedererstarken nationalstaatlicher Überlegungen und das Abnehmen der Integrationskraft der Gemeinschaft werden vermutlich erst bei der Regierungskonferenz 1996 über die Reform der Gemeinschaft zu einer allmählichen Klärung der zukünftigen umweltpolitischen Rolle der Gemeinschaft führen.

5. Umwelt-Infrastruktur

Gemeinschaftliche Umweltpolitik als Umweltpolitik für das Ökosystem EG besitzt nach wie vor eine nur schwach ausgebildete Infrastruktur. Die Verbandsbildung auf Gemeinschaftsbene wurde bereits erwähnt. Wissenschaftliche Institute, die sich mit Fragen der gemeinschaftlichen Umweltpolitik befassen, gibt es kaum, ob es um politische Wissenschaften, Rechtswissenschaften, Wirtschaftsfragen, Umweltfragen allemein oder um Fachfragen – Gewässerschutz, Naturschutz usw – geht. Die Aufsplitterung ökologischer Gesamtfragen in Einzelfragen begünstigt durch Sonderinteressen bestimmte Einflußnahmen. Der Rückfluß von der örtlichen/regionalen Ebene auf die Gemeinschaftsebene bleibt unzulänglich.

6. Mitwirkung der Mitgliedstaaten

Mitgliedstaaten mit einer aktiven Umweltpolitik neigen dazu, ihr umweltpolitisches Know-how für sich zu behalten und die umweltpolitische Diskussion auf Gemeinschaftsebene nicht in dem Maße anzukurbeln, zu initiieren und zu beeinflussen, wie dies möglich und umweltpolitisch wünschenswert wäre. Ob insoweit die Gemeinschaft nicht integrativ zu wirken vermag, ob der Integrationsstand nicht hinreichend fortgeschritten ist, ob hierfür letztendlich ökonomische Interessen die Ursache sind oder andere Gründe eine Rolle spielen, kann nicht beurteilt werden. Der Befund bleibt dennoch bedauerlich, weil die insgesamt nur eine Minderheit darstellenden Befürworter einer verstärkten Umweltpolitik nur durch Bündelung ihrer Kräfte auf bessere Durchsetzung ihrer Vorstellungen hoffen können.

7. Durchsetzung

Nichts diskreditiert eine Politik mehr als das Aufstellen von Regeln, die nicht beachtet werden. Die vollständige Umsetzung und tatsächliche Anwendung der von der Gemeinschaft beschlossenen etwa 200 Richtlinien und Verordnungen im Bereich der Umwelt ist in fast allen Mitgliedstaaten ein Hauptproblem. Verspätete oder unvollständige Umsetzung des gemeinschaftlichen Rechts in das innerstaatliche Recht sowie das Beiseiteschieben von Umweltvorschriften im konkreten Fall erschweren das Wirksamwerden der Umweltpolitik. Insgesamt hat die Kommission eine Vielzahl von Vertragsverletzungsverfahren gegen Mitgliedstaaten wegen Nichtbeachtung gemeinschaftlicher Vorschriften eingeleitet. Betroffen sind alle Sektoren und sämtliche Mitgliedstaaten – wobei allerdings Dänemark und Luxemburg die geringsten Probleme aufwerfen. Hervorzuheben sind die in den Verfahren sichtbar werdenden Probleme, die der Naturschutz – Schutz von Fauna und Flora, Artenschutz, Landschaftsschutz – in der gesamten Gemeinschaft hat. Bei der wirtschaftlichen Entwicklung scheint die Natur zu stören und im Wege zu stehen. Es ist nicht gelungen, die fortschreitende Beeinträchtigung der Natur zum Halten zu bringen.

Bei der Vielzahl gemeinschaftlicher und internationaler Vorschriften zum Schutz der Umwelt ist das Problem der Durchsetzung und Anwendung des geltenden Umweltrechts das größte Problem gemeinschaftlicher Umweltregelungen. Der Umwelt in Westeuropa ginge es wesentlich besser, wenn die bestehenden Vorschriften auch tatsächlich in vollem Umfang angewendet würden.

F. Bewertung

Die Gemeinschaft ist kein Staat. Jeder Vergleich der gemeinschaftlichen Umweltpolitik mit den Ergebnissen einer einzelstaatlichen Umweltpolitik ist daher fehl am Platze. Unzweifelhaft ist die gemeinschaftliche Umweltpolitik trotz aller Mängel, Schwachstellen und Defizite ein Erfolg. In weiten Bereichen der Gemeinschaft hat erst die gemeinschaftliche Umweltpolitik zu umweltpolitischen Maßnahmen geführt, Initiativen hervorgerufen und Bewußtsein gebildet. In manchen Mitgliedstaaten wäre Umweltschutz ohne die gemeinschaftliche Umweltpolitik auch heute noch ein bloßes politisches Schlagwort ohne Inhalt und ohne konkrete Ausgestaltung.

Die Umweltpolitik der Gemeinschaft trägt dazu bei, auch in Mitgliedstaaten für Umweltkonzeptionen und -politiken zu sorgen, die an gleichen Grundsätzen ausgerichtet sind und fortentwickelt werden; sie vermeidet damit ein Auseinanderdriften der Mitgliedstaaten im Umweltbereich. Für zahlreiche Maßnahmen schafft die gemeinschaftliche Umweltpolitik den angemessenen räumlichen und politischen Rahmen. Dies gilt etwa für produkt- und produktionsbezogene Maßnahmen zur Bekämpfung der Umweltverschmutzung, für die Verringerung grenzüberschreitender Umweltbelastungen, die Koordinierung einzelstaatlicher und internationaler Forschung oder die Sammlung, Auswertung und Verbreitung umwelterheblicher Daten.

In internationalen Organisationen und auf **internationaler Ebene** tritt die Gemeinschaft – wo immer möglich – als Einheit auf, koordiniert ihre Auffassungen mit denen der Mitgliedstaaten und vermag auf diese Weise bei der Ausarbeitung und Durchführung internationaler Übereinkommen ihr wirtschaftliches und politisches Gewicht angemessen einzusetzen.

Gegenüber der Hälfte, wenn nicht der Mehrzahl der Mitgliedstaaten, wirken gemeinschaftliche Lösungen als Motor für gesetzgeberische Maßnahmen, für Änderungen in Verwaltungsstruktur und -praxis und für Veränderungen im Verhalten wirtschaftlicher Anbieter; Gemeinschaftsregelungen bilden so oft auch den Transmissionsriemen für umweltpolitische Neuerungen, mehr und mehr übrigens auch in Mittel- und Osteuropa. Darüber hinaus tragen sie zum Abbau oder zum Vermeiden von Wettbewerbsverzerrungen bei, integrieren damit in die Gemeinschaft und tragen so zur Verwirklichung der Zielsetzungen des Vertrages über die Europäische Union bei.

Das fünfte Aktionsprogramm erklärt, daß „trotz der in den letzten beiden Jahrzehnten getroffenen Maßnahmen eine langsame, jedoch gravierende Verschlechterung des allgemeinen Zustands der Umwelt innerhalb der Gemeinschaft, insbesondere im Hinblick auf ... Klimaveränderungen, Übersäuerung und Luftverschmutzung, Ausbeutung der natürlichen Ressourcen und Verringerung der Artenvielfalt, Ausbeutung und Verschmutzung der Gewässer, Zerstörung von städtischer Umwelt und Küstengebieten sowie Abfall" festzustellen sei.[143]) Ob die gemeinschaftliche Umweltpolitik gemeinsam mit der jeweiligen einzelstaatlichen Umweltpolitik imstande ist, mehr Umweltqualität zu schaffen, muß danach ständig neu geprüft werden.

---

[143]) 5. Aktionsprogramm (FN 4) 11.

9. Kapitel

Verkehrspolitik und transeuropäische Netze

Eberhard Brandt

Übersicht:

A. Der Rahmen

Gem Art 2 EGV hat die Gemeinschaft die Aufgabe, durch die Errichtung eines Gemeinsamen Marktes und einer Wirtschafts- und Währungsunion sowie die Durchführung der gemeinsamen Politiken nicht nur eine harmonische Entwicklung des Wirtschaftslebens innerhalb der Gemeinschaft, eine größere Stabilität und engere Beziehungen zwischen den Mitgliedstaaten zu fördern, sondern auch zu einer beständigen und ausgewogenen Wirtschaftsausweitung und einer beschleunigten Hebung der Lebenshaltung der Menschen beizutragen **(Wohlfahrtsziel).** Seit der schottische Philosoph und Ökonom *Adam Smith,* der als der geistige Vater der Marktwirtschaft angesehen wird, vor über 200 Jahren (1776) sein klassisches Werk „An Inquiry into the Nature and Causes of the Wealth of Nations"[1]) veröffentlicht hat, gilt die **Arbeitsteilung** als wesentliche Grundlage des Wohlstands einer Gesellschaft. Arbeitsteilige Produktion, also insb industrielle Fertigung in mehreren Stufen und an verschiedenen Standorten, setzt die Zulieferung von Rohstoffen, Halbfertig- und Fertigprodukten voraus. Schnelle, sichere, zuverlässige und billige Transporte sind damit wesentliche Bestimmungsfaktoren der nationalen und internationalen Arbeitsteilung. Niedrige Transportkosten mobilisieren die Produktionsfaktoren, weiten die Beschaffungs- und Absatzmärkte aus, eröffnen den Unternehmen insofern zusätzliche Beschaffungs- und Absatzmöglichkeiten und erlauben insgesamt die bessere Wahrnehmung von stückkostensenkenden Größeneffekten („economies of large scale").[2])

Angesichts der **zentralen Bedeutung des Verkehrssystems** für das Funktionieren des Gemeinsamen Marktes ist es nicht verwunderlich, daß die Väter des EWG-Vertrages von vornherein eine **gemeinsame Verkehrspolitik** vorgesehen haben. Art 74 EGV bestimmt insoweit lapidar, daß die Mitgliedstaaten auf diesem Sachgebiet die Ziele des Vertrages im Rahmen einer gemeinsamen Verkehrspolitik verfolgen. Gem Art 75 EGV wird der Gesetzgeber der Gemeinschaft

„zur Durchführung des Artikels 74 ... unter Berücksichtigung der Besonderheiten des Verkehrs ...

a) für den internationalen Verkehr aus oder nach dem Hoheitsgebiet eines Mitgliedstaates oder für den Durchgangsverkehr durch das Hoheitsgebiet eines oder mehrerer Mitgliedstaaten gemeinsame Regeln aufstellen;

b) für die Zulassung von Verkehrsunternehmen zum Verkehr innerhalb eines Mitgliedstaates, in dem sie nicht ansässig sind, die Bedingungen festlegen;

c) Maßnahmen zur Verbesserung der Verkehrssicherheit erlassen;

d) alle sonstigen zweckdienlichen Vorschriften erlassen."

Die Inhaltslosigkeit dieser **Zielbestimmung,** die angesichts der bekannten Entstehungsgeschichte[3]) nur als Ausdruck der Konzeptionslosigkeit gedeutet werden kann,[4]) ist einer der Gründe, weshalb die gemeinsame Verkehrspolitik länger als 28 Jahre durch Untätigkeit des Gesetzgebers gekenn-

---

[1]) Auf Deutsch: *Smith,* Der Wohlstand der Nationen (1988).

[2]) *Ihde,* Die Entwicklung des EG-Verkehrsmarktes, in: *Dichtl* (Hg), Schritte zum europäischen Binnenmarkt (1990) 145.

[3]) *Hallstein,* Der unvollendete Bundesstaat, 180.

[4]) So *Ipsen,* Europäisches Gemeinschaftsrecht (1972) 862.

zeichnet war.[5]) Dies änderte sich erst, nachdem der Europäische Gerichtshof 1985 auf eine Klage des Europäischen Parlaments hin den Ministerrat der Gemeinschaft wegen Untätigkeit in der gemeinsamen Verkehrspolitik verurteilt und verpflichtet hatte, die für den **freien Dienstleistungsverkehr** erforderlichen Regeln für die Öffnung der internationalen und nationalen Verkehrsmärkte innerhalb eines „angemessenen Zeitraums" zu setzen.[6]) Nach ständiger Rechtsprechung des Gerichtshofes erfordert dies, daß sämtliche Diskriminierungen des Leistungserbringers aufgrund seiner Staatsangehörigkeit oder seines Sitzes in einem anderen Mitgliedstaat beseitigt werden müssen.[7]) Im Hinblick auf das Verhältnis zwischen Liberalisierung der Verkehrsmärkte und Angleichung der Wettbewerbsbedingungen stellte der Gerichtshof in dem Untätigkeitsurteil fest, es stehe dem Rat frei, „zusätzlich zu den gebotenen Liberalisierungsmaßnahmen Begleitmaßnahmen zu ergreifen, die er für erforderlich hält, und zwar in der Reihenfolge, die ihm richtig erscheint".[8])

Das **Ziel des freien Dienstleistungsverkehrs** auch in der Verkehrswirtschaft wurde bei der Änderung des EWG-Vertrages durch die sog Einheitliche Europäische Akte[9]) bekräftigt. Gem Art 7 A EGV trifft die Gemeinschaft „die erforderlichen Maßnahmen, um bis zum 31. 12. 1992 . . . den Binnenmarkt schrittweise zu verwirklichen. Der Binnenmarkt umfaßt einen Raum ohne Binnengrenzen, in dem der freie Verkehr von Waren, Personen, Dienstleistungen und Kapital . . . gewährleistet ist."

Aus diesem **Binnenmarktauftrag** ergaben bzw ergeben sich für die gemeinsame Verkehrspolitik drei Hauptaufgaben:

- die Verwirklichung einer auf dem Grundsatz des freien Dienstleistungsverkehrs beruhenden **Verkehrsmarktordnung** (s unten B),
- der **Abbau der Grenzkontrollen** (s unten C),
- und die Lösung des sich aus der geographischen Lage von Drittstaaten zwischen Mitgliedstaaten der Gemeinschaft ergebenden **Transitproblems** (s unten D).

Überdies hat die Gemeinschaft seit der letzten Änderung des Vertrages[10]) die Aufgabe, transeuropäische Netze in den Bereichen der Verkehrs-, Telekommunikations- und Energieinfrastruktur mit auf- und auszubauen (Art 129b–d EGV) (s unten E) und ist seit einiger Zeit auf der **Suche nach einer auf Dauer tragbaren Mobilität** (s unten F).

Diese fünf Schwerpunkte bilden den Rahmen der nachfolgenden Ausführungen; Einzelheiten müssen dabei ebenso wie weitere Tätigkeitsbereiche der Gemeinschaft etwa in den Bereichen Verkehrskartell- und -beihilferecht, Verkehrssicherheit, Verkehrsforschung usw ausgeklammert bleiben.

---

[5]) Vgl dazu *Erdmenger,* EG unterwegs – Wege der Gemeinsamen Verkehrspolitik (1981) 18ff und 49ff; *Frohnmeyer* in: *Grabitz* (Hg), Kommentar zum EWG-Vertrag Art 74 RZ 72ff und *Brandt,* Untätigkeit in der europäischen Verkehrspolitik, TranspR 1986, 89 mwN.

[6]) EuGH Slg 1985, 1513.

[7]) So der EuGH (FN 6), 1599 unter Hinweis auf seine frühere Rechtsprechung.

[8]) EuGH (FN 6); kritisch dazu *Brandt* (FN 5) 92f mwN.

[9]) Dazu *Schweitzer/Hummer,* Europarecht (1990) 40 und 171f.

[10]) Durch den Vertrag über die Europäische Union (EUV); konsolidierte Fassung abgedruckt in ABl C 1992/224 vom 31. 8. 1992.

B. Die Marktordnung

1. Ökonomischer Hintergrund

Mit der Verwirklichung des Grundsatzes des freien Dienstleistungsverkehrs soll nicht lediglich ein abstraktes Prinzip umgesetzt werden. Verkehrspolitisches Ziel ist es vielmehr, durch die **Öffnung der Verkehrsmärkte** für alle Verkehrsunternehmer in der Gemeinschaft eine leistungsfähigere, wettbewerbliche Marktordnung zu verwirklichen. Die Gemeinschaft zieht damit die Konsequenzen aus den Erfahrungen, die in verschiedenen Ländern der Erde mit regulierten bzw wettbewerblich geordneten Verkehrsmärkten gemacht worden sind. Die staatliche Regulierung führt regelmäßig zu vermeidbaren gesamtwirtschaftlichen Kosten, verteuert die Marktversorgung, begünstigt den ineffizienten Einsatz von Produktivkräften und benachteiligt Standorte im internationalen Wettbewerb.[11]) Umgekehrt läßt die Deregulierung – wie insb die Erfahrungen im Vereinigten Königreich, in Japan, den USA, den Niederlanden, der Schweiz, Australien und Kanada beweisen – durch verstärkten Wettbewerb die Transportentgelte um rund 20% sinken. Dadurch werden die ökonomischen Entfernungen gekürzt, größere Märkte entstehen, und der Wettbewerb auf vielen Gütermärkten wird intensiviert.[12])

2. Straßengüterverkehr

a) Internationaler Verkehr

Nach Angaben des Statistischen Amtes der EG wurden 1989 über 86% des gesamten innergemeinschaftlichen Güterverkehrs mit Binnenverkehrsträgern auf der Straße befördert.[13]) Für den damit mit Abstand wichtigsten Verkehrsträger hat der Rat seit dem Untätigkeitsurteil des Europäischen Gerichtshofes die folgenden wichtigen Entscheidungen getroffen:

- Mit Wirkung vom 1. Jänner 1993 wurden alle **mengenmäßigen Beschränkungen** (Kontingente) im Zugang zum Markt beseitigt.[14]) Seither hängt der Marktzugang im internationalen Güterkraftverkehr nur noch davon ab, ob der Verkehrsunternehmer die **subjektiven Voraussetzungen** für den Zugang zum Beruf (Zuverlässigkeit, finanzielle Leistungsfähigkeit und fachliche Eignung)[15]) erfüllt.
- Die **Preisbildung** im internationalen Straßengüterverkehr ist seit dem 1. Jänner 1990 frei von staatlicher Einwirkung und ganz dem Markt überlassen.[16])

b) Kabotage

Ende 1989 ist es dem Rat schließlich auch gelungen, die bisher den Güterkraftverkehrsunternehmern des jeweiligen Mitgliedstaates vorbehaltenen

---

[11]) *Hamm,* Deregulierung im Verkehr als politische Aufgabe (1989).
[12]) *Hamm* (FN 11) 5.
[13]) Eurostat, Europa in Zahlen (1992) 204.
[14]) ABl L 1992/95, 1.
[15]) ABl L 1974/308, 18 und 23 mit späteren Änderungen.
[16]) ABl L 1989/390, 1.

nationalen Verkehrsmärkte einen Spaltbreit zu öffnen. Die Kabotageverordnung[17]) schafft ein aus 15.000 Genehmigungen bestehendes **gemeinschaftliches Kabotagekontingent,** das nach dem für das frühere EG-Kontingent für den internationalen Güterkraftverkehr üblichen Verfahren auf die einzelnen Mitgliedstaaten aufgeteilt wurde.

1993 beschloß der Rat, das Kabotagekontingent ab 1994 auf 30.000 Genehmigungen aufzustocken, es ab 1995 jährlich kumulativ um 30% anzuheben und ab 1. Juli 1998 die Kabotage ohne mengenmäßige Beschränkung zuzulassen.[18])

3. Straßenpersonenverkehr

Die bisherige Deregulierung im Straßenpersonenverkehr ist demgegenüber verhältnismäßig begrenzt gewesen.

a) Internationaler Verkehr

Im grenzüberschreitenden Verkehr mit Kraftomnibussen wurden bisher lediglich der Pendelverkehr mit Unterbringung und der sog Gelegenheitsverkehr liberalisiert und vom bisherigen Genehmigungszwang freigestellt; der Linienverkehr und der Pendelverkehr ohne Unterbringung bleiben genehmigungspflichtig. Die Genehmigung kann insbesondere versagt werden, wenn bereits bestehende Liniendienste oder ein paralleler Eisenbahnbetrieb ernsthaft beeinträchtigt würden.[19])

b) Kabotage

Die Kabotage im Omnibusverkehr wurde für den sog Sonderlinienverkehr (dh Beförderungen von Schülern und Arbeitnehmern im grenznahen Bereich) und den Gelegenheitsverkehr in der Form von sog Rundfahrten mit geschlossenen Türen ab 1993 freigegeben; die übrigen Gelegenheitsverkehre werden erst am 1. Jänner 1996 freigegeben.[20])

Die Kommission beabsichtigt, in Kürze weitere Deregulierungen vorzuschlagen.

4. Binnenschiffahrt

a) Rheinschiffahrt

Im Verkehr auf dem **Rhein,** dem bei weitem wichtigsten Binnenschiffahrtsweg in der Gemeinschaft, besteht auf Grund der Mannheimer Rheinschiffahrtsakte von 1868[21]) freier Zugang zu allen Rheinschiffahrts-

---

[17]) ABl L 1989/390, 3 v 30. 12. 1989. Unter Kabotage versteht man zunächst die Schiffahrt zwischen zwei Häfen desselben Staates; im weiteren Sinne ist Kabotage Verkehr zwischen zwei Orten desselben Staates.

[18]) ABl L 1993/279, 1 v 12. 11. 1993 mit späteren Änderungen. Für Österreich gilt die VO 3118/93 erst ab 1. 1. 1997.

[19]) ABl L 1992/74, 1.

[20]) ABl L 1992/251; dazu EuGH 1. 6. 1994 (noch nicht veröffentlicht).

[21]) Gesetzessammlung für die Königlich Preussischen Staaten 1869, 798 mit späteren Änderungen; dazu statt vieler *Vitanyi,* The International Regime of River Navigation (1979).

märkten. Die Preisbildung für diese Verkehre ist frei von staatlicher Einwirkung.

b) Übrige Binnenwasserstraßen

Der Zugang zu den nationalen Binnenschiffahrtsmärkten ist zwar seit dem 1. Jänner 1995 in allen Mitgliedstaaten freigegeben[22]); in den Niederlanden, Belgien und Frankreich bestehen jedoch nach wie vor sog **tour-de-rôle-Regelungen,** bei denen die Transportaufträge der Kunden in der Reihenfolge vergeben werden, in der die Schiffe nach dem Löschen verfügbar sind und von ihren Eigentümern bei einer Frachtenbörse eingetragen werden.[23]) Dieses Befrachtungssystem zwingt den Verlader mit dem Binnenschiffahrtsunternehmen zu kontrahieren, das an erster Stelle der Liste steht, und verwehrt ihm, das Unternehmen zu beauftragen, das im Hinblick auf Qualität, Schnelligkeit, Tarif und Zahlungsbedingungen das günstigste Angebot macht. Im übrigen beschränkt es die Dienstleistungsfreiheit der nicht an erster Stelle oder überhaupt nicht auf der Tour-de-Rôle-Liste verzeichneten Wettbewerber und der Verkehrsnutzer. Die Kommission ist im Hinblick auf die von ihm ausgehenden Wettbewerbsbeschränkungen bereits zu dem Ergebnis gelangt, daß es nicht mit den Wettbewerbsregeln des Vertrages vereinbar sei.[24])

Die Europäische Kommission beabsichtigt, noch 1995 einen Vorschlag zur Beseitigung dieses Befrachtungssystems vorzulegen.

c) Begleitmaßnahmen

Die Lage der westeuropäischen Binnenschiffahrt ist seit geraumer Zeit durch Überkapazitäten bei strukturellem Nachfrageschwund bei den Massengütern, eine rückläufige Nachfrage nach Leistungen der Tankschiffahrt, harten Wettbewerb insb auf den internationalen Märkten und außerordentlichen Frachtenverfall gekennzeichnet gewesen. Die Gemeinschaft hat deshalb im April 1989 beschlossen, im Rahmen einer **koordinierten Abwrackaktion** den strukturellen Kapazitätsüberhang in der westeuropäischen Binnenschiffahrt zu beseitigen und ihre Struktur zu bereinigen.[25])

Die Abwrackaktion der Gemeinschaft,[26]) der sich die Schweiz angeschlossen hat, besteht aus zwei Maßnahmen:

- eine koordinierte Abwrackaktion, die auf der Grundlage der in Belgien, Deutschland, Frankreich und den Niederlanden eingerichteten Abwrackfonds durchgeführt wurde bzw wird und

---

[22]) ABl L 1991/373, 1.

[23]) Hierzu vor allem Bericht der Europäischen Kommission über die Marktordnung in der Binnenschiffahrt und die „Tour-de-rôle-Systeme“ (SEK (94) 921 endg) v 9. 6. 1994.

[24]) NN, Après la „Condamnation“ du tour-de-rôle par les instances communautaires – Que sera demain l'organisation des marchés fluviaux en Europe? Navigation, Ports et Industrie 25. 2. 1991, 82.

[25]) ABl L 1989/116 v 28. 4. 1989; ABl L 1994/350 und KOM (95) 200 endg.

[26]) Vgl auch die Durchführungsverordnung der Kommission, ABl L 1989/116, 30 mit späteren Änderungen.

- **Beschränkungen bei der Indienststellung neuer Schiffe** während der Laufzeit der Abwrackaktion (sog Alt-für-Neu-Regelung).

Danach muß jedes im territorialen Geltungsbereich der Abwrackaktion verkehrende Frachtschiff in einen der vier Abwrackfonds eingeschrieben werden und für jede Tonne Schiffsraum pro Jahr ein bestimmter Abwrackbeitrag bezahlt werden. Entschließt sich der Eigentümer, das Schiff vollständig abzuwracken und damit aus dem Verkehr zu ziehen, erhält er aus dem für ihn zuständigen Abwrackfonds eine **Stillegungsprämie.** Neugebaute oder neueingeführte Schiffe dürfen nur in Betrieb genommen werden, wenn entweder der anderthalbfache Schiffsraum abgewrackt oder ein Sonderbeitrag in Höhe von 150% der vollen Abwrackprämie an den zuständigen Abwrackfonds entrichtet wurde.[27])

5. Eisenbahn

Die Eisenbahn ist das Sorgenkind der europäischen Verkehrspolitik. Obwohl die Gemeinschaft in der Vergangenheit einige Beiträge geleistet hat, um insb die finanziellen Beziehungen zwischen den Staatsbahnen und den Staaten zu ordnen und ihnen im internationalen Verkehr kommerzielle Freiheiten zu gewähren, konnte auch sie nicht verhindern, daß der Verkehrsanteil der Eisenbahn kontinuierlich geschrumpft ist und im internationalen Güterverkehr mit Binnenverkehrsträgern in der EG 1989 nur noch 7,4% beträgt (Straße: 86,5%, Binnenschiffahrt: 6,1%). Im Binnenmarkt wird der Güterverkehr weiter wachsen, nach Schätzungen der Europäischen Kommission wird er sich bis zum Jahre 2010 sogar verdoppeln. Wenn der gegenwärtige Trend bei der Verteilung des Verkehrs auf die Verkehrsträger (der sog modal split) anhält, würden die Zuwächse vor allem auf den Güterkraftverkehr entfallen, der jedoch schon heute mit Infrastrukturengpässen und – vor allem wegen seiner Umwelteffekte – mit abnehmender Akzeptanz der Bevölkerung konfrontiert ist. Demgegenüber kann der Schienenverkehr auf die immer drängenderen Fragen nach besserem Umweltschutz, Energieeinsparung und mehr Verkehrssicherheit vergleichsweise optimale Antworten geben.[28])

Es ist deshalb zu begrüßen, daß dem Ministerrat im Juni 1991 ein großer Durchbruch in der **Eisenbahnpolitik** gelungen ist.[29]) Mit der Richtlinie zur Entwicklung der Eisenbahnunternehmen der Gemeinschaft[30]) werden

- ihre **eigenständige, kaufmännische Geschäftsführung** garantiert,
- die **Verwaltung und der Betrieb der Eisenbahninfrastruktur** zumindestens rechnerisch **getrennt,**
- Maßnahmen zur **Sanierung ihrer Finanzstruktur** festgelegt
- und die **Eisenbahnnetze** der Mitgliedstaaten anderen Eisenbahnen aus der Gemeinschaft **geöffnet.**

---

[27]) Vgl auch die Ratsentschließung v 24. 10. 1994, ABl C 1994/309, 1.

[28]) Hierzu ausführlich *Brandt/Haack/Törkel,* Verkehrskollaps (1994).

[29]) *Schmuck,* Die Eisenbahnen in der gemeinsamen Verkehrspolitik der EG, TranspR 1992, 41 ff.

[30]) RL v 29. 7. 1991, ABl L 1991/237, 25 ff.

Leitung, Geschäftsführung und Verwaltung der Eisenbahnen werden damit autonom; die Geschäftsführung muß nach kaufmännischen Grundsätzen erfolgen. Die Mitgliedstaaten werden verpflichtet, die erforderlichen Maßnahmen zu treffen, um den Bau und Betrieb der Eisenbahninfrastruktur rechnerisch von dem Eisenbahnbetrieb selbst zu trennen oder beide Bereiche auch organisatorisch zu verselbständigen. Die Eisenbahnen werden damit von der finanziellen Verantwortung für ihre Verkehrswege entlastet und sind nur noch verpflichtet, ein nutzungsabhängiges Entgelt für die Benutzung der Infrastruktur zu entrichten.

Außerdem werden die Mitgliedstaaten verpflichtet, mit den Eisenbahnen „geeignete Mechanismen" einzurichten, mit denen die **Verschuldung der Eisenbahnen** auf ein „vertretbares Niveau" reduziert und ihre finanzielle Situation saniert werden soll. Damit soll der Teufelskreis unzulängliche Kapitalausstattung – Kredite – Zinsen – höhere Verschuldung durchbrochen werden.

Mit der Änderung der Verordnung über die Verpflichtung des öffentlichen Dienstes, die die Abgeltung der Betriebs-, Tarif- und Beförderungspflicht insb der Eisenbahnen regelt, wurde festgelegt, daß Umfang und Bedingungen derartiger Verpflichtungen grundsätzlich der vertraglichen Vereinbarung bedürfen. Diese Vereinbarung muß auch das Entgelt für die Erfüllung der Verpflichtungen regeln.[31])

Für die weitere Entwicklung des Eisenbahnverkehrs sind auch die Arbeiten der Gemeinschaft zur Festlegung und Verwirklichung eines **Hochgeschwindigkeitsnetzes für den Personenverkehr und eines Netzes für den kombinierten Güterverkehr** von großer Bedeutung (s unten E).

6. Seeverkehr

a) Internationaler Verkehr

Der Zugang zu den Seeschiffahrtsmärkten ist in der Vergangenheit überwiegend national oder in bilateralen Schiffahrtsverträgen geregelt worden. Eine multilaterale Ordnung wurde erstmals durch den **Verhaltenskodex der Vereinten Nationen für die Linienschiffahrt („UN-Liner-Code")** vom 6. April 1974 geschaffen, der die bilateralen Seeverkehrsmärkte zwischen zwei Vertragsstaaten im Verhältnis 40:40:20 aufteilt: Je 40% für die Reedereien der Vertragsstaaten und 20% für die Reedereien aus Drittstaaten.

Die Gemeinschaft überläßt den Mitgliedstaaten die Entscheidung, ob sie dem Kodex beitreten wollen, verpflichtet sie jedoch im Falle des Beitrits, bestimmte **Vorbehalte** zu erklären, die die Vereinbarkeit der UN-Liner-Codes mit dem Gemeinschaftsrecht sicherstellen sollen.[32]) Danach muß vorbehalten werden, daß nationale Reedereien im Sinne des Kodex alle Reedereien aller EG-Mitgliedstaaten sind. Die 40%-Quote des Mitgliedstaates steht damit auch Reedereien aus anderen Mitgliedstaaten offen. Weiterhin müssen die dem UN-Kodex beitretenden Mitgliedstaaten erklä-

---

[31]) ABl L 1991/169, 1.

[32]) ABl L 1979/121, 1 mit späteren Änderungen.

ren, daß der Kodex nicht auf den innergemeinschaftlichen Seeverkehr Anwendung findet. Im Seeverkehr zwischen Mitgliedstaaten und zwischen Mitgliedstaaten und Drittstaaten gilt nämlich der **Grundsatz des freien Dienstleistungsverkehrs.**[33]) Einseitige Ladungsvorbehalte zugunsten der eigenen Flagge sind danach aufzuheben; bilaterale Vereinbarungen zur Ladungsaufteilung sind entweder zu beseitigen oder für die Reedereien der anderen EG-Mitgliedstaaten zu öffnen.[34])

b) Kabotage

Für den innerstaatlichen Seeverkehr wird die Dienstleistungsfreiheit schrittweise in dem Zeitraum vom 1. Jänner 1993 bis 1. Jänner 1999, für bestimmte Verkehre von und nach griechischen Inseln bis 1. Jänner 2004 eingeführt.[35]) Ob die für diese Verkehre fortbestehenden Kabotagevorbehalte mit Art 6 EGV und Art 7 EGV vereinbar sind, ist fraglich.[36])

c) Begleitmaßnahmen

1992 ist schließlich auch die Umregistrierung von Schiffen innerhalb der EG vereinfacht worden.[37]) Damit soll den Reedereien die praktische Ausübung der Niederlassungsfreiheit erleichtert werden.

Im übrigen regelt das Gemeinschaftsrecht vor allem noch die Anwendung der Wettbewerbsregeln des Vertrages auf die Seeschiffahrt, indem die Linienschiffahrtskonferenzen ex lege vom Kartellverbot freigestellt werden,[38]) und ermächtigt die Kommission, Konsortien vom Kartellverbot freizustellen.[39])

Schließlich hat sich die Gemeinschaft Instrumente zur Abwehr unlauterer Preisbildungspraktiken im Seeverkehr[40]) und für ein koordiniertes Vorgehen zum Schutz des freien Zugangs zu Ladungen[41]) geschaffen.

7. Luftverkehr

a) Internationaler Verkehr

In Übereinstimmung mit dem **Chicagoer Abkommen über die internationale Zivilluftfahrt** (1944), das jedem Staat die volle und ausschließliche Lufthoheit über seinem Territorium zuerkennt, wird der Marktzugang im internationalen Luftverkehr überwiegend in bilateralen Luftverkehrsabkommen geregelt und dort den jeweiligen nationalen Luftverkehrsgesellschaften vorbehalten. Die Bildung der Tarife erfolgt grundsätzlich nach dem im inter-

---

[33]) ABl L 1986/378, 1; ABl L 1990/353, 16 und L 1994/1, 422.

[34]) Näheres bei *Basedow/Dolfen* in: *Dauses* (Hg), Handbuch des EG-Wirtschaftsrechts (1993) 270 und *Power*, EC-Shipping Law (1992) 198ff.

[35]) ABl L 1992/364, 7.

[36]) So *Basedow/Dolfen* (FN 34) 272.

[37]) ABl L 1991/68, 1.

[38]) ABl L 1986/378 und L 1988/376, 1.

[39]) ABl L 1992/55, 3.

[40]) ABl L 1986/378, 14ff und ABl L 1994/1, 442.

[41]) ABl L 1986/378, 21ff und ABl L 1988/117, 36.

nationalen Verband der Fluggesellschaften (IATA) vereinbarten Verfahren; die auf diese Weise vereinbarten Tarife bedürfen dann entweder der Genehmigung der beiden an dem Luftverkehr beteiligten Staaten („double approval") oder des Abflugstaates („country of origin-rule") oder sind bis zum Widerspruch beider Vertragsstaaten anwendbar („double disapproval").[42]) – Es liegt auf der Hand, daß dieses Regime nicht mit den Grundsätzen des Binnenmarktes und insb des freien Dienstleistungsverkehrs vereinbar ist.

Nach einigen Übergangsmaßnahmen insb zur Liberalisierung des Regionalflugverkehrs, der Kapazitätsaufteilung im Linienflugverkehr zwischen Mitgliedstaaten und der Tarifbildung hat der Rat 1992 das bis heute geltende liberale Regime für den Luftverkehr verabschiedet.

Der **Zugang zum Beruf** des Luftverkehrsunternehmers wird durch eine Verordnung geregelt, die die Voraussetzungen für die Erteilung der Betriebsgenehmigungen regelt und die Anforderungen an die Zuverlässigkeit, Leistungsfähigkeit und fachlich-technische Eignung des Unternehmens festlegt.[43]) Die Mitgliedstaaten sind verpflichtet, die jeweiligen Erlaubnisse der anderen Mitgliedstaaten für das fliegende Personal anzuerkennen.[44]) Fluggesellschaften aus den Mitgliedstaaten der Gemeinschaft erhalten grundsätzlich das Recht, **Flugverkehr innerhalb der EG** durchzuführen; die bereits zuvor gelockerten Beschränkungen der Flugkapazität werden beseitigt.[45])

b) Kabotage

Ab 1. Jänner 1997 wird die **Kabotagefreiheit** vollständig hergestellt, sodaß dann grundsätzlich der Zugang zu allen Luftverkehrsmärkten der EG frei sein wird. Ausnahmen von diesem Grundsatz betreffen im Einzelfall Linienflugverbindungen etwa in bestimmte regional benachteiligte Gebiete, die gemeinwirtschaftlichen Verpflichtungen unterliegen, oder neue Flugverbindungen zwischen Regionalflughäfen. Im übrigen kann der Marktzugang generell und in nicht-diskriminierender Weise nur beschränkt werden, wenn der Umweltschutz oder die beschränkte Kapazität der Infrastruktur dies erfordern.

Die **Preisbildung** im nationalen und internationen Luftverkehr ist seit dem 1. Jänner 1993 frei von staatlicher Einwirkung und ganz dem Markt überlassen. Die Mitgliedstaaten üben jedoch eine begrenzte Mißbrauchsaufsicht aus.[46])

c) Begleitmaßnahmen

Dem Verbraucherschutz dient die gemeinschaftliche Regelung für Ausgleichsleistungen bei **Überbuchungen.**[47]) Sie verpflichtet die Luftverkehrsunternehmen etwa, Behinderte oder alleinreisende Kinder bevorzugt zu befördern. Nicht beförderten Fluggästen steht das Recht zu, sich entweder das be-

---

[42]) *Basedow/Dolfen* (FN 34) 128.
[43]) ABl L 1992/240 und ABl L 1993/45, 30.
[44]) ABl L 1991/373, 21 ff.
[45]) ABl L 1990/217 und ABl L 1992/240, 8.
[46]) ABl L 1992/240, 15.
[47]) ABl L 1991/36, 5.

zahlte Entgelt zurückerstatten oder auf einen anderen Flug umbuchen zu lassen und sich die Kosten für Übernachtungen, Telefon usw sowie – abhängig von Flugweite und Dauer der Verspätung – einen pauschalierten Schaden in Höhe von maximal 300 ECU erstatten zu lassen.

8. Harmonisierung der Wettbewerbsbedingungen

Der vom EG-Vertrag verschiedentlich propagierte unverfälschte Wettbewerb[48]) setzt eine **Angleichung der Wettbewerbsbedingungen** zwischen den konkurrierenden Verkehrsträgern und zwischen den innerhalb eines Verkehrsträgers im Wettbewerb stehenden Verkehrsunternehmen voraus. Handlungsbedarf wurde und wird hierbei insb in drei Bereichen angemeldet:

- bei den technischen Vorschriften für den Bau und Betrieb der Nutzfahrzeuge und deren Kontrolle,
- den sozialen Vorschriften für die Lenk- und Ruhezeiten im Güterkraftverkehr
- und den fiskalischen Vorschriften für den Verkehr.

Da Einzelheiten der technischen, sozialen und fiskalischen Harmonisierung bereits an anderer Stelle ausführlich dargelegt wurden,[49]) sollen hier lediglich der Stand der Arbeiten bzw die (Zwischen-)Ergebnisse in diesem wichtigen Politikfeld zusammengefaßt werden.

a) Technische Vorschriften

In dem Zeitraum von 1984 bis heute ist es gelungen, die wichtigsten Vorschriften für Gewichte und Abmessungen, Achslasten, Emissionen (Abgase, Rußpartikel und Lärm) und die technische Überwachung aller Nutzfahrzeuge (LKW und Busse) festzulegen. Danach beträgt etwa das höchstzulässige Gesamtgewicht eines Lastkraftwagens 40 t, im Containerverkehr 44 t, die Achslast maximal 11,5 t usw.

Die **Umweltnormen** werden ständig verschärft. Dies ist schon deshalb dringend erforderlich, weil der Verkehr der größte Emittent für Kohlenmonoxid, Stickoxid und Kohlenwasserstoff ist und die verkehrsbedingten Emissionen in den letzten 20 Jahren trotz verbesserter Antriebstechnik und Abgasreinigung wegen des enormen Anwachsens des Verkehrsvolumens (Fahrzeuge und Verkehrsleistungen) teilweise drastisch zugenommen haben.[50])

Die EG sollte sich insoweit stärker als bisher an den technischen Möglichkeiten der Emissionsreduzierung orientieren und nach dem Vorbild des kalifornischen Luftreinhaltungsgesetzes (Californian Clean Air Act) etwa auch Begrenzungen für den Flottenverbrauch und die höchstzulässige CO_2-Emission festlegen.[51])

---

[48]) Art 3, 4, 85 ff und 92 ff EGV.

[49]) *Brandt*, Aktuelle Probleme der Verkehrspolitik der Europäischen Gemeinschaften, in: *Hummer* (Hg), Österreichs Integration in Europa (1990) 117 ff (126 ff) mwN.

[50]) *Aberle/Rothengatter*, Erstickt Europa im Verkehr? (1991) 32, und *Brandt/Haack/Törkel* (FN 28) 21 ff.

[51]) Ausführlich *Brandt/Haack/Törkel* (FN 28) 143 ff.

b) Soziale Vorschriften

Die **Lenk- und Ruhezeiten des Fahrpersonals** im Straßenverkehr sind bereits seit 1959 gemeinschaftsrechtlich geregelt worden.[52]) Die Kontrolle der 1985 revidierten sozialen Vorschriften[53]) obliegt den Polizei- und Justizbehörden der Mitgliedstaaten. Die erheblichen Unterschiede in der **Kontrolldichte** sollten seit der Festlegung eines dem relativ hohen deutschen Niveau entsprechenden Umfangs der Straßen- und Betriebskontrollen beseitigt worden sein.[54])

Die Gemeinschaft hatte bereits 1985 den Einbau von Fahrtenschreibern in die Nutzfahrzeuge, mit denen die Lenk- und Ruhezeiten aufgezeichnet und ihre Kontrolle ermöglicht werden soll, vorgeschrieben.[55]) Nach Auffassung der Kommission sind die entsprechenden Aufzeichnungen jedoch nicht fälschungssicher und werden in der Praxis auch häufig gefälscht. Die Kommission hat deshalb 1994 vorgeschlagen, einen verbesserten Fahrtenschreiber einzuführen.[56]) Damit sollen sich aus der Nichtbeachtung des gemeinschaftlichen Sozialrechts ergebende Wettbewerbsverzerrungen minimiert und die Sicherheit des Straßenverkehrs verbessert werden.

c) Fiskalische Vorschriften

Bei der Harmonisierung der verkehrsbezogenen Abgaben (Kraftfahrzeugsteuer, Mineralölsteuer und Autobahngebühren), einem „Evergreen“ der europäischen Verkehrspolitik, sind trotz umfangreicher Bemühungen aller Organe der Gemeinschaft nur bescheidene Fortschritte zu verzeichnen. Für die Besteuerung des **Dieselöls** wurde eine Marge von 245 bis 275 ECU pro 1000 Liter (= 0,47–0,49 DM/Liter) festgelegt. Der Mindestsatz für die **Kfz-Steuer** für einen Standard-LKW mit einem höchstzulässigen Gesamtgewicht von 40 t wurde auf 700 ECU fixiert. In einem komplizierten Kompromiß wurden die **Straßenbenutzungsgebühren** geregelt. Streckengebundene Maut und zeitbezogene Benutzungsgebühren dürfen beibehalten und neueingeführt werden, müssen sich jedoch an den Kosten für den Bau, Betrieb und Ausbau der Straßen orientieren. Zeitbezogene Straßenbenutzungsgebühren dürfen einen Höchstbetrag von 1.250 ECU pro Jahr nicht übersteigen. Diese Abgaben decken jedoch bei weitem nicht die **Wegekosten,** die abhängig vom Gesamtgewicht und der Zahl der Achsen, 80.000- bis 140.000mal höher sind als die eines PKW[57]) und schließen auch nicht die Abgeltung der vom Verkehr verursachten **externen Kosten** und insb der Umweltschäden ein.[58]) Ver-

---

[52]) ABl L 1969/77, 46 mit späteren Änderungen.

[53]) ABl L 1985/370, 1.

[54]) Ratsentschließung v 20. 12. 1985, ABl C 1985/348, 1; *Joerss,* Die deutsche Verkehrspolitik in Erwartung des Binnenmarktes, TranspR 1990, 1ff. Zu den zahlreichen offenen Fragen vgl *Meyer auf der Heyde,* Lenk- und Ruhezeiten im Straßenverkehr – eine „Harmonisierung“? NZfV 1990, 49 und *Schröder,* Lenk- und Arbeitszeiten im gewerblichen Güterkraftverkehr, TranspR 1987, 415.

[55]) ABl L 1985/370, 8.

[56]) KOM (94) 323 endg.

[57]) Ausführlich *Brandt/Haack/Törkel,* (FN 28) 138ff.

[58]) Nach einer unveröffentlichten Berechnung der Dienststellen der Europäischen Kommission vom Dezember 1994 verursacht der Straßenverkehr in der EU, Norwegen und der Schweiz pro Jahr externe Kosten in Höhe von über 150 Mrd ECU (!).

kehrspolitisch geboten ist jedoch, dem Verkehr alle von ihm verursachten Kosten anzulasten und damit den **Grundsatz der Kostenwahrheit im Verkehr** zu verwirklichen.[59])

C. Abbau der Grenzkontrollen

Die Verwirklichung des Binnenmarktes als „Raum ohne Binnengrenzen“ (Art 7 A EGV) macht den Abbau aller Grenzkontrollen im innergemeinschaftlichen Personen- und Güterverkehr erforderlich.[60])

1. Personenverkehr

Damit der freie Personenverkehr nach Abbau der Grenzkontrollen nicht zu Verlusten an innerer Sicherheit führt, sind umfangreiche Arbeiten insb zur Angleichung des Ausländer-, Asyl-, Drogen- und Waffenrechts und im Bereich der polizeilichen Zusammenarbeit von Nöten. Diese Arbeiten erfolgen auf verschiedenen Ebenen (Gemeinschaft, europäische politische Zusammenarbeit sowie die bi- und multilaterale Zusammenarbeit der Mitgliedstaaten).[61])

Von zentraler Bedeutung für den Abbau der Grenzkontrollen im Personenverkehr ist hierbei das von den Benelux-Staaten, Deutschland und Frankreich seit 1985 verhandelte **Schengener Abkommen,** das am 26. März 1995 schließlich in Kraft getreten ist und dem inzwischen weitere Mitgliedstaaten beigetreten sind.[62]) Das Schengener Abkommen sieht im wesentlichen die Abschaffung der Grenzkontrollen zwischen den beteiligten Mitgliedstaaten, die Verlagerung und Verstärkung der Grenzkontrollen an die bzw den Außengrenzen und eine verstärkte Zusammenarbeit der Vertragsstaaten vor (gemeinsame Liste der 109 Staaten, deren Staatsangehörige dem Visumzwang unterliegen, Informationsaustausch zwischen Polizeidienststellen, grenzüberschreitende Beobachtung und Verfolgung von Straftätern usw).

Das multilaterale Vorgehen im Rahmen von Schengen ist deshalb gewählt worden, weil die Mitgliedstaaten der EU die entsprechende Zuständigkeit beanspruchen und den Umfang des freien Personenverkehrs im übrigen sehr unterschiedlich beurteilen. Während Großbritannien, Dänemark und Irland etwa die Auffassung vertreten, der freie Personenverkehr unter Art 7 A EGV beziehe sich lediglich auf Staatsbürger der Europäischen Union und nicht auf die Staatsangehörigen von Drittstaaten, sind die Schengenstaaten der Ansicht, daß die Verkehrsfreiheit unterschiedslos und ohne Rücksicht auf ihre Nationalität allen Personen gewährt werden müsse, die sich legal auf dem

---

[59]) *Brandt/Haack/Törkel* (FN 28).

[60]) Vgl EG-Kommission (Hg), Weißbuch zur Vollendung des Binnenmarktes, KOM (85) 310 endg vom 14. 6. 1985.

[61]) Vgl dazu die Gesamtberichte der Kommission über die Tätigkeit der EG und das Bulletin der EG, Abschnitt „Europa der Bürger“; zum Abbau der Grenzkontrollen im Personenverkehr ausführlich *Stuer,* Personenkontrollen an den europäischen Binnengrenzen und ihr Abbau (1993).

[62]) Vgl dt Ministerium für Auswärtige Angelegenheiten (Hg), Das Schengener Abkommen (1995).

Territorium eines Mitgliedstaates der Gemeinschaft aufhalten. Das bedeutet etwa, daß ein legal in Belgien sich aufhaltender Marokkaner sich nach der letztgenannten Auffassung frei in der EU bewegen könnte, während er nach der restriktiven Ansicht für die Einreise etwa in die drei zitierten Mitgliedstaaten noch einen Paß und ggf ein Visum benötigen würde. Es liegt auf der Hand, daß ein vollständiger Abbau der Grenzkontrollen nur nach der Mehrheitsmeinung möglich ist. Nach der restriktiven Ansicht der drei zitierten Mitgliedstaaten müssen Kontrollen an den Binnengrenzen beibehalten werden, um festzustellen, wer EG-Bürger ist und nicht zu kontrollieren ist und wer Nicht-EG-Bürger und deshalb zu kontrollieren ist.

2. Güterverkehr

Im Güterverkehr haben sich die Arbeiten der EG darauf konzentriert,[63])

- die Förmlichkeiten im innergemeinschaftlichen Warenverkehr zu vereinfachen und zu beseitigen; dazu wurde vor allem das sog **Einheitsdokument** eingeführt, das über 200 Dokumente der Mitgliedstaaten ersetzte und inzwischen ersatzlos beseitigt wurde;
- den **Grenzübertritt zu erleichtern und zu beschleunigen;**
- mittels eines umfangreichen Gesetzgebungsprogramms mit Schwerpunkten im Steuerrecht, Verkehrsrecht, Warenverkehr und bei den Gesundheits-, Veterinär- und phytosanitären Kontrollen die Grenzkontrollen überflüssig zu machen.

D. Transitverkehr

Der alpenquerende Transitverkehr von und nach Griechenland und Italien ist seit geraumer Zeit der Zankapfel der europäischen Verkehrspolitik.[64]) Bürgerinitiativen haben im Protest insb gegen den Schwerverkehr verschiedentlich Transitstrecken blockiert oder andere Protestmaßnahmen ergriffen. Die Transitländer haben unter dem massiven Druck der entlang den Transitachsen wohnenden Bevölkerung einseitige Maßnahmen ergriffen oder geplant. Und Frächter haben ihrem Unmut über die zusehends sich verschlechternden Transitkonditionen mit Grenzblockaden Luft gemacht. Am Streit über den Transitverkehr wären fast der Beitritt Österreichs zum Vertrag über den Europäischen Wirtschaftsraum (EWR) und sodann zur EU gescheitert. Wie sensibel die Bevölkerung in den Alpen auf den Transitverkehr reagiert, zeigt auch das Ergebnis der schweizerischen „Volksinitiative zum Schutz des Alpengebietes vor dem Transitverkehr" (1994). Das schweizerische Volk befürwortete mit klarer Mehrheit die zwangsweise Verlagerung des Gütertransitverkehrs von der Straße auf die Schiene und untersagte gleichzeitig jeden weiteren kapazitätsausweitenden Ausbau der Transitstraßen.

---

[63]) Vgl dazu ausführlich *Brandt,* Auf dem Wege zum europäischen Binnenmarkt: Zum Abbau der Grenzkontrollen im innergemeinschaftlichen Güterverkehr, in: *Faller/Gürtlich* (Hg), Verkehrspolitik im Kräftefeld der europäischen Integration, ÖVG-Schriftenreihe Bd 20 (1988) 69ff.

[64]) Dazu insgesamt ausführlich *Brandt,* Der alpenquerende Transitverkehr auf neuen Wegen, TranspR 1995, 7ff, und *Brandt,* Le trafic transalpin sur des nouveaux rails, RMC 1995, 98ff.

Für die EG ist der alpenquerende Transitverkehr – wie die Europäische Kommission einmal formuliert hat – „von lebenswichtigem Interesse“. Seit dem Abschluß der Römischen Verträge (1957) bis heute hat sich sein Volumen verachtfacht und betrug bereits 1993 insgesamt rund 85 Mio t.

Überdies durchqueren jedes Jahr nach österreichischen und schweizerischen Schätzungen noch etwa 60 bis 70 Millionen Menschen mit ihren PKW die Alpen. Etwa 40% des gesamten Transitgüterverkehrs entfallen auf Frankreich, während auf Österreich und die Schweiz jeweils rund 30% entfallen. Die Verteilung des Verkehrs auf die Verkehrsträger (der sog „modal split“) ist jedoch sehr unterschiedlich. Während in der Schweiz wegen der dortigen Restriktionen (insb Beschränkung des höchstzulässigen Gesamtgewichts der LKW auf 28 t und totales Nachtfahrverbot für LKW) lediglich 15% des Güterverkehrs auf der Straße und 85% auf der Schiene transitieren, entfallen in Österreich 65% und in Frankreich sogar 75% auf die Straße.

Auf Grund der topographischen Verhältnisse in den Alpen konzentriert sich dieser Verkehr auf wenige Achsen durch häufig enge Gebirgstäler und beeinträchtigt durch Verkehrslärm und Abgase die Lebensqualität der dort ansässigen Bevölkerung.

Es wäre jedoch verfehlt, den Transitverkehr zum Sündenbock für alle Umweltschäden im Alpenraum abzustempeln. Der Transitverkehr ist bekanntlich nicht der einzige Verursacher von Emissionen. Am gesamten Straßenverkehr in den Alpen (Binnen- und Transitverkehr mit Kraftfahrzeugen aller Art) hat der Transitverkehr nach österreichischen Berechnungen lediglich „einen sehr geringen Anteil“.[65]) Gemessen an den Verkehrsleistungen und dem verkehrsleistungsbezogenen Schadstoffausstoß lag sein Anteil an den gesamten Verkehrsemissionen im Jahr 1984 in Österreich bei 1,64% und in der Schweiz sogar bei 0,22% (zum Vergleich: Deutschland 0,47%). Das heißt umgekehrt, daß im Bezugsjahr in Österreich 98,36% und in der Schweiz 99,78% der verkehrsbedingten Emissionen mit den entsprechenden Umweltschäden „hausgemacht“ waren!

Die Anfang 1988 aufgenommenen und Ende 1992 abgeschlossenen Verhandlungen zwischen der EG und den beiden Alpenländern leiteten mit ihrem neuartigen Ausgleich der Belange der Bevölkerung, der Wirtschaft und der Umwelt einen neuen Abschnitt in der europäischen Verkehrspolitik ein. Sie gingen davon aus, daß dem Straßenverkehr in den Alpen natürliche Grenzen gesetzt sind und daß deshalb die Alternativen zum herkömmlichen Straßengüterverkehr umfassend gefördert werden müssen. Zu diesem Zweck werden eine umweltverträglichere Gestaltung des Straßenverkehrs, ein Bündel von Maßnahmen zur Förderung und Entwicklung des Schienen- und des kombinierten Verkehrs Schiene–Straße und eine Reihe ergänzender sog Begleitmaßnahmen (wie die volle Anlastung aller Wege- und externen Kosten an die Verursacher, die Kostenwahrheit im Verkehr) vereinbart.[66])

---

[65]) So *Puwein,* Transitverkehr, in: Monatsberichte des Österreichischen Instituts für Wirtschaftsforschung 1989/11, 659.

[66]) ABl L 1992/373, 4ff und 26ff, dazu neben der in FN 64 nachgewiesenen Literatur *Hummer,* Alpenquerender Transitverkehr aus regionaler und überregionaler Sicht (1993).

Für das wegen der Restriktionen in der Schweiz überdies mit Umwegtransit belastete Österreich wurde das sog Ökomodell vereinbart, das innerhalb eines Zeitraums von zwölf Jahren eine Verringerung der Emissionen aus dem Schwerverkehr um 60% des Ausgangsniveaus gewährleisten soll.

Die in dem Transitabkommen mit Österreich vereinbarte Lösung wurde in den Vertrag über den EWR und grosso modo dann auch in den Beitrittsvertrag übernommen. An den Grundgedanken der Transitabkommen mit den beiden Alpenländern ist schließlich auch das Verkehrsprotokoll der Alpenschutzkonvention ausgerichtet.

E. Transeuropäische Netze

1. Rahmen

Art 129b–d EGV[67]) weisen der Gemeinschaft die Aufgabe zu, zum Auf- und Ausbau **transeuropäischer Netze für Verkehr, Telekommunikation und Energie** beizutragen. Die Mitgliedstaaten und ihre Gebietskörperschaften bleiben Herren über Planung, Bau und Betrieb der Verkehrsinfrastruktur; die Aufgabe der Gemeinschaft besteht im wesentlichen darin, subsidiär den Verbund, die Interoperabilität und den Zugang zu den Netzen zu fördern (Art 129b EGV).[68])

Art 129c EGV sieht vor, daß die Gemeinschaft

- Leitlinien aufstellt, die die Ziele, Prioritäten und Grundzüge der Netze ausweisen,
- die Interoperabilität vor allem durch die Harmonisierung der technischen Normen gewährleistet
- und Vorhaben von gemeinsamem Interesse durch Machbarkeitsstudien, Bürgschaften oder Zinszuschüsse unterstützt und der Kohäsionsfonds im Rahmen seines territorialen Auftrags finanziell zu Vorhaben in den Bereichen Umwelt und Verkehrsinfrastruktur beiträgt.[69])

Die transeuropäischen Netze sollen die Verwirklichung des Binnenmarktes flankieren, indem sie die physischen Voraussetzungen für sein reibungsloses Funktionieren schaffen und zum wirtschaftlichen Wachstum, zu mehr Beschäftigung und zum verbesserten Zusammenhalt in der EU beitragen.[70]) Die Kosten der entsprechenden Investitionen allein für den Zeitraum bis 1999 werden auf insgesamt 400 Mrd ECU beziffert (220 Mrd ECU für die Verkehrsinfrastruktur, 150 Mrd ECU für die Telekommunikation und der Rest für den Energietransport).

---

[67]) ABl C 191 vom 29. 7. 1992.

[68]) Hierzu ausführlich *Erdmenger* in: *Goeben/Thiesing/Ehlermann* (Hg), Kommentar zum EWG-Vertrag Art 129b RZ 1ff.

[69]) VO 1164/94 v 16. 5. 1994 zur Errichtung des Kohäsionsfonds, ABl L 1994/130 v 25. 5. 1994, 1ff.

[70]) So Europäische Kommission (Hg), Weißbuch Wachstum, Wettbewerbsfähigkeit, Beschäftigung – Herausforderungen der Gegenwart und Wege ins 21. Jahrhundert (1994) 96ff.

Die Schaffung der transeuropäischen Netze setzt nach Auffassung der Europäischen Kommission im wesentlichen folgendes voraus:[71])

- Die bisher weitgehend nach nationalen Prioritäten und Normen gebauten verschiedenen Netze müßten untereinander verknüpft, durch Angleichung der Systeme und neue Schnittstellen „interoperabel“ gemacht und damit zu einem transeuropäischen Netz integriert werden.
- Da die Lage der öffentlichen Haushalte der Gemeinschaft und der Mitgliedstaaten kaum Spielraum für eine weitere Aufstockung der öffentlichen Finanzierungsmittel lasse, müßten neue Formen der Finanzierung und insbesondere der Partnerschaft zwischen privaten und öffentlichen Geldgebern genutzt werden.
- Die schwerfälligen und kostspieligen Verfahren für die Vorbereitung, Planung, Genehmigung und Bewertung von Großvorhaben müßten beschleunigt werden.

2. Finanzierung

Mit allgemeinen Regeln soll das Verfahren zur Gewährung von **Gemeinschaftszuschüssen** für Vorhaben im gemeinschaftlichen Interesse im Bereich der transeuropäischen Netze festgelegt werden:[72])

- Gemeinschaftszuschüsse sollen vorrangig für die Herstellung von Verbindungen zwischen insularen, eingeschlossenen und am Rande gelegenen Gebieten und den zentralen Gebieten der Gemeinschaft zur Verfügung gestellt werden.
- Die Gemeinschaft soll vor allem Machbarkeitsstudien finanzieren, Bürgschaften und Zinsen verbilligen und ggf direkt Investitionsvorhaben kofinanzieren.
- Alle Vorhaben müssen eine bedeutende Auswirkung auf den Auf- und Ausbau und die **Interoperabilität** der transeuropäischen Netze haben und zum reibungslosen Funktionieren des Binnenmarktes oder zur wirtschaftlichen und sozialen Kohäsion der Gemeinschaft beitragen.
- Beiträge zu Vorhaben für das transeuropäische Verkehrsnetz sollen vorrangig solchen Vorhaben gewährt werden, die zur langfristig tragbaren Verkehrsentwicklung und zur Hebung der Verkehrssicherheit beitragen. „Weniger umweltschädlichen Infrastrukturvorhaben wird dabei der Vorrang eingeräumt“ (Kommission).

3. Netze

a) Transeuropäische Verkehrsnetze

Für die Verwirklichung des transeuropäischen Verkehrsnetzes hat die Europäische Kommission im wesentlichen folgende Leitlinien und Projekte vorgeschlagen:

- Das transeuropäische Verkehrsnetz soll durch die schrittweise europaweite **Vernetzung der einzelstaatlichen Land-, See- und Luftverkehrsinfrastruk-**

---

[71]) Europäische Kommission (Hg), Weißbuch (FN 70) 96f.

[72]) ABl C 1994/89 v 26. 3. 1994, 8 und KOM (95) 32 endg v 16. 3. 1995.

tur bis zum Jahr 2010 aufgebaut werden. Die dazu notwendigen Ausgaben werden auf insgesamt 400 Mrd ECU beziffert.

- Das Netz soll einen „auf Dauer tragbaren und sicheren Personen- und Güterverkehr unter möglichst sozialverträglichen Bedingungen sicherstellen".
- Es soll die „optimale Nutzung" der vorhandenen Kapazitäten gestatten, in allen Teilbereichen interoperabel sein und sich zunächst auf das Territorium der Gemeinschaft erstrecken; später jedoch auch die Netze der europäischen Drittländer einbeziehen.
- Es soll aus der Verkehrsinfrastruktur (wie Straßen, Eisenbahnen, Häfen, Navigationseinrichtungen, Umschlagsanlagen usw) und den dazu gehörigen Dienstleistungen, insbesondere Verkehrsleitsystemen, bestehen.

Außerdem werden

- **prioritäre Projeke** (zB die Hochgeschwindigkeitsbahn Nürnberg–Berlin und die Kombiverkehrsverbindung München–Verona),
- sog weitere wichtige Projekte (zB für den Kombiverkehr in verschiedenen Mitgliedstaaten oder die Hochgeschwindigkeitsbahn München–Wien–[Budapest–Bratislava]),
- sog europaweite Projekte (vor allem Leitsysteme für den Straßen-, Schienen- und Seeverkehr und die Vereinheitlichung der sehr unterschiedlichen europäischen Luftüberwachungssysteme) vorgeschlagen und Projekte zur Anbindung von Drittländern (wie zB die transkontinentale Verbindung Berlin–Warschau–Minsk–Moskau [Schiene und Straße] und Dresden–Prag [Schiene und Straße]) identifiziert.[73])

b) Transeuropäische Telekommunikationsnetze

Die **Telekommunikationsindustrie,** die schon heute weltweit schätzungsweise 285 Mrd ECU und auf dem Gemeinsamen Markt etwa 84 Mrd ECU pro Jahr umsetzt, befindet sich in einem rasanten Wachstumsprozeß. Die Europäische Kommission geht davon aus, daß bis zum Jahr 2000 der Verkauf von entsprechenden Ausrüstungen um 4% und der von Dienstleistungen sogar um 8% pro Jahr zunehmen und dieser Wirtschaftszweig am Ende des Jahrhunderts 6% des Bruttosozialprodukts erwirtschaften werde. Dank der Entwicklung der Informationstechnik werden Telekommunikationsnetze in naher Zukunft in der Lage sein, Texte, Daten, Bilder, Filme, Graphiken, Telephonate und Musik zu übertragen, in Datenbanken zu speichern, zu verarbeiten und für die verschiedensten Zwecke (Wirtschaft, Bildung, medizinische Versorgung, Tourismus usw) zur Verfügung zu stellen.

Nach Auffassung der Europäischen Kommission, der sich der Europäische Rat Ende 1993 angeschlossen hat, müssen die zerstückelten digitalen Netze der Mitgliedstaaten nach dem Vorbild des Telephons zu einem **transeuropäischen Telekommunikationsnetz** verknüpft werden. Dies erfordere vor allem:

- Im Rahmen einer Partnerschaft mit allen am Wirtschaftsleben Beteiligten müßten **strategische transeuropäische Projekte** festgelegt werden, mit de-

---

[73]) ABl C 1994/220 v 8. 8. 1994 und C 1995/97 v 20. 4. 1995 (mit Karten).

nen der bisherige Teufelskreis ungenügendes Angebot – hohe Kosten – ungenügende Nachfrage durchbrochen und neue Märkte erschlossen würden.

- Finanzielle, rechtliche und technische Hindernisse bei der Schaffung neuer Märkte müßten ausgeräumt und Probleme wie Datenschutz, gewerblicher Rechtsschutz, Urheberrecht usw gelöst werden.
- Die strategischen Projekte müßten folgende Schwerpunkte bilden:
  - Bei den **Informationsübertragungsnetzen** für Sprache, Daten und Bilder müsse ein integriertes digitales Kommunikationsnetz mit modernen Übertragungs- und Vermittlungstechniken (wie etwa ATM – „Asynchronous Transfer Mode") geschaffen werden.
  - Bei den sog **generischen Diensten** müßten vor allem der Zugang zu den Informationsdiensten erleichtert und benutzerfreundlicher gestaltet, die elektronische Post gefördert und interaktive digitale Videodienste für die Gemeinschaft verfügbar gemacht werden.
    Dadurch könnten insbesondere neue Arbeitsplätze für Telearbeit geschaffen werden.[74])

Bei den **Telematikanwendungen** sollen der elektronische Austausch von Daten und Post zwischen den an der Verwaltung des Binnenmarktes beteiligten Behörden der Gemeinschaft und der Mitgliedstaaten beschleunigt eingeführt, der Zugang der Bürger und Unternehmen zu Behördenauskünften und -informationen erleichtert und vereinfacht und die Telematik vor allem für das Fernstudium, die Verkehrslenkung und die medizinische Versorgung der Bevölkerung entwickelt werden.[75])

c) Transeuropäische Energienetze

Mit der Schaffung eines **transeuropäischen Energienetzes** sollen vorrangig die Versorgungssicherheit verbessert und durch eine bessere Ausnutzung der vorhandenen Kapazität die Kosten der Energieversorgung insgesamt gesenkt werden. Die Kommission verspricht sich von einem zuverlässigeren und effizienteren Energieversorgungssystem Vorteile für die Wettbewerbsfähigkeit der Industrie und den Verbraucher.

Um dieses Verbundnetz für Elektrizität und Gas verwirklichen zu können, müssen nach Auffassung der Europäischen Kommission vor allem die Hindernisse aus dem Wege geräumt werden, die – wie etwa nationale Monopole für Ein- und Ausfuhr, Transport und Verkauf usw – die optimale Nutzung der vorhandenen Netze behindern. Damit würden zugleich die privaten Investitionen in diese Netze angekurbelt. Außerdem führten offene Märkte und Deregulierung zu mehr Wettbewerb und damit zu einer höheren Energieeffizienz.

Bei den von der Europäischen Kommission vorgeschlagenen **Projekten** für die **Elektrizitätsversorgung** stehen

---

[74]) Hierzu Europäische Kommission (Hg), Teleworking, Doc. V/1697/94; EG-Kommission (Hg), Actions for stimulation of transborder telework and research cooperation in Europe – Telework 1995; EG-Kommission (Hg), Rethinking Work – New Concepts of Work in an Knowledge Society – The Telework Option reviewed (1994) und EG-Kommission (Hg), Europe's Way to the Information Society – an Action Plan, COM (94) 347 endg v 19. 7. 1994.

[75]) Europäische Kommission, Weißbuch (FN 70) 102f.

- die Anbindung isolierter Elektrizitätsnetze (zB ostdeutsche Bundesländer–Westdeutschland oder Griechenland–Italien),
- der Ausbau des Elektrizitätsverbundes zwischen den Mitgliedstaaten (zB Deuschland–Dänemark oder Spanien–Portugal),
- der Ausbau der Elektrizitätsnetze in den Mitgliedstaaten, die vom Ausbau des Verbundes zwischen Mitgliedstaaten oder mit Drittländern betroffen sind (zB Wales in Großbritannien oder der Nordosten Frankreichs),
- die Schaffung oder der Ausbau des Elektrizitätsverbundes mit Drittländern (zB Deutschland–Polen oder Italien–Schweiz) im Vordergrund.

Die **Gasnetze** sollen sich auf

- die erstmalige Erdgasversorgung in bestimmten Regionen (zB ostdeutsche Bundesländer, Nordirland oder Portugal),
- den Anschluß isolierter oder abgetrennter Gasnetze (zB Deutschland–Belgien oder Spanien–Frankreich),
- den Ausbau der Lagerkapaziäten für Flüssiggas (zB Flüssigkeitsgasstationen in einigen Mitgliedstaaten, Schaffung von unterirdischen Lagern),
- den Bau neuer Gasversorgungsleitungen (zB Norwegen–Belgien/Niederlande/Deutschland oder Rußland–Ukraine–Westeuropa) konzentrieren.[76])

Die Vorschläge der Europäischen Kommission für die transeuropäischen Netze werden zur Zeit in den Entscheidungsgremien der Gemeinschaft (Rat und Parlament) beraten.[77])

F. Ausblick – Auf der Suche nach einer auf Dauer tragbaren Mobilität

1. Allgemeines

Nachdem die aus dem EG-Vertrag sich ergebenden marktwirtschaftlichen Ziele der gemeinsamen Verkehrspolitik größtenteils in sekundäres Gemeinschaftsrecht umgesetzt worden sind und eine dem Grundsatz des freien Dienstleistungsverkehrs entsprechende Verkehrsmarktordnung verwirklicht worden ist, erfordern insbesondere der Umwelt- und Gesundheitsschutz, die Verkehrssicherheit und der sich abzeichnende Verkehrsinfarkt eine **grundlegende Neubesinnung und -ordnung in der gemeinsamen Verkehrspolitik.** Veränderungen an einzelnen Instrumenten (Steuern, Infrastruktur, technische Normen) werden allein keine ausreichende Antwort auf die sich immer drohender abzeichnenden Verkehrsprobleme liefern können. Ein gesamteuropäisches Verkehrskonzept wird erforderlich, das den Mobilitätsbedarf ei-

---

[76]) Vgl die Liste im Weißbuch der Europäischen Kommissionen (FN 70) 107.

[77]) Zum Stand der Arbeiten vgl insb Bulletin der EU, Beilage 2/1994, 41 ff, Transeuropäische Netze – Zwischenbericht; *Grüter,* Infrastrukturpolitik der Europäischen Union nach Maastricht, in: Europäische Verkehrspolitik nach Maastricht: Kooperation, Koordination, Wettbewerb, Schriftenreihe der Deutschen Verkehrswissenschaftlichen Gesellschaft, Reihe B 183, 7 ff, und *Vinois,* Après les Conseils européens de Bruxelles, de Corfu et d'Essen – Quelles perspectives pour le réseau transeuropéen de transport, RMC 1995, 83 ff.

nes großen Binnenmarktes und den Schutz von Umwelt und Ressourcen in ein auf Dauer verträgliches Gleichgewicht bringt. Die Lösung der damit gestellten Aufgabe gleicht der Quadratur des Kreises. Einerseits muß das europäische Verkehrssystem leistungsfähiger werden, um die wegen der schrittweisen Verwirklichung eines großen europäischen Wirtschaftsraums und wegen des ungebrochenen Mobilitätsbedarfs der Bürger zu erwartenden neuen Verkehrsströme bewältigen zu können. Andererseits müssen die Belastungen von Mensch und Umwelt auf ein vertretbares Maß reduziert werden.

Die Europäische Kommission hat zur Lösung dieses komplexen Problems eine Expertengruppe („Die sieben Weisen") eingesetzt, ein Grünbuch ausgearbeitet und dann vor allem ein „Globalkonzept einer Gemeinschaftsstrategie für eine auf Dauer angelegte Mobilität" entwickelt.

Die bisherigen Arbeiten der Gemeinschaft auf der **Suche nach einer auf Dauer tragbaren Mobilität** („sustainable mobility") lassen sich folgendermaßen kurz zusammenfassen:[78])

2. Bericht der sieben Weisen[79])

Die **sieben Weisen** beschreiben den Zustand unseres Verkehrssystems in düsteren Farben. Trotz rapiden Wachstums der Verkehrsleistungen gehen die Investitionen in die Verkehrsinfrastruktur erheblich zurück, sodaß im Straßenverkehr immer mehr Fahrzeugen immer weniger Verkehrsraum zur Verfügung steht und der Verkehrskollaps absehbar ist. Jedes Jahr sterben auf Europas Straßen 50.000 Menschen, werden 1,5 Millionen verletzt. Die vom Verkehr verursachten Belastungen von Mensch und Umwelt haben ein Ausmaß erreicht, „das ein normales Arbeiten und Leben behindert". Der Verkehr verbindet teilweise die Menschen nicht mehr, sondern trennt sie. Die Lebensqualität in den Schlafstädten ist beeinträchtigt. Die Verkehrsdichte beeinträchtigt die sozialen Beziehungen. Arbeitslose, Ältere und Behinderte sind teilweise von der Mobilität ausgeschlossen. Die verkehrsbedingte Luftverschmutzung beunruhigt zusehends mehr die Menschen.

Auf der anderen Seite sind Wirtschaft und Gesellschaft auf ein gut funktionierendes Verkehrssystem angewiesen. Wenn die bereits heute sichtbaren Krisensymptome sich verschärfen, wird der Allgemeinheit noch schwerer Schaden zugeführt, und am Ende könnte nach Auffassung der sieben Weisen sogar die gesamte Wirtschafts- und Sozialordnung des Kontinents ins Wanken geraten.

Mit einem **„Masterplan für den europäischen Verkehr"** soll ein europäisches Verkehrssystem verwirklicht werden, das wirtschaftlich leistungsfähig ist, auf Dauer Bestand hat und von der Bevölkerung akzeptiert wird. Erforderlich ist nach Ansicht der sieben Weisen:

- Der Grundsatz der Kostenwahrheit im Verkehr wird verwirklicht, indem den jeweiligen Verursachern alle Kosten des Verkehrs (Wegekosten und sog externe Kosten) aufgebürdet werden und jedwede Subventionierung des Verkehrs eingestellt wird.

---

[78]) Ausführlich hierzu *Brandt/Haack/Törkel,* Verkehrskollaps (FN 28).

[79]) Gruppe Verkehr 2000 plus, Der Verkehr in einem sich rasch wandelnden Europa, Dok. VII/16/91 der Europäischen Kommission.

- Alle Verkehrsträger werden dereguliert und in ein europäisches Steuersystem einbezogen.
- Zwischen den Verkehrsträgern wird lauterer Wettbewerb hergestellt und die intermodale Zusammenarbeit durch systematische Vernetzung verbessert.
- Die europäischen Eisenbahnen, denen mangelhafte Zusammenarbeit attestiert wird, werden zu einem „harmonisierten, standardisierten und integrierten Eisenbahnsystem" fortentwickelt. Der öffentliche Verkehr wird massiv ausgebaut und der Individualverkehr etwa durch Sperrung der Innenstädte, Parkbeschränkungen, Förderung von Fahrgemeinschaften usw beschränkt. Der kombinierte Verkehr wird umfassend gefördert.
- Die europäische Verkehrspolitik definiert ein europäisches Netz der Hauptverkehrsachsen und entwickelt insbesondere ein leistungsfähiges Güterverkehrsnetz mit Strecken und Umschlagseinrichtungen.
- Als letztes Mittel wird das sog „road pricing" eingeführt. Hierbei wird für die Benutzung bestimmter Strecken und abhängig von der jeweiligen Verkehrsbelastung ein variables, besonderes Entgelt erhoben, um „die Blechlawine einzudämmen".

3. Grünbuch[80])

Nach Ansicht der Europäischen Kommission muß ein **europäisches Verkehrskonzept** vor allem sicherstellen, daß der Verkehr seine wirtschaftlichen und sozialen Funktionen erfüllt, die freie Wahl des Verkehrsnutzers gewahrt bleibt, die verkehrsbedingten Umweltemissionen reduziert werden, die unnötige Verkehrsnachfrage gebremst und das Verkehrsaufkommen insgesamt reduziert wird. Zu diesem Zweck werden insbesondere folgende Forderungen aufgestellt:

- Die Emissionsnormen für die Kraftfahrzeuge und die Normen für den Schwefel-, Schwefeldioxid-, Blei- und Stickstoffdioxidgehalt der Treibstoffe sollen verschärft werden. In Zukunft soll bei der technischen Kontrolle der Fahrzeuge auch die Einhaltung der Umweltnormen überwacht werden.
- Die deregulierte, auf freiem Dienstleistungsverkehr beruhende Marktordnung soll eine effizientere Ausnutzung der Transportkapazitäten ermöglichen.
- Die Kfz-Steuer soll verursachungsgerecht nach den von dem Fahrzeug verursachten Emissionen differenziert werden.
- Mit dem Einsatz der Informatik und Forschungsprogrammen zur Energieeinsparung und zur Verminderung der verkehrsbedingten Umweltemissionen soll der Konflikt Verkehr und Umwelt entschärft werden.

Des weiteren werden verkehrslenkende Maßnahmen in besonders überlastungsgefährdeten Gebieten und die Entwicklung fiskalischer und ökonomischer Instrumente angekündigt, um die Wahl der Verkehrsnutzer auf saubere Technologien und umweltschonende Verkehrsträger zu orientieren.

Schlüsselelement ist für die Kommission das **Mobilitätsverhalten** der Bürger. Es soll mittels einer umfassenden Strategie (steuerliche Anreize, verbesserte öffentliche Verkehrsmittel, Zufahrtsbeschränkungen für Innen-

---

[80]) EG-Kommission (Hg), Grünbuch zu den Auswirkungen des Verkehrs auf die Umwelt, KOM (92) 46 endg v 6. 4. 1992.

städte usw) beeinflußt werden. Der Güterverkehr soll durch verbesserten Bahn- und Kombiverkehr von der Straße auf die Schiene verlagert werden.

4. Gemeinschaftsstrategie für eine auf Dauer tragbare Mobilität[81])

Das **Weißbuch** der Europäischen Kommission zur zukünftigen Entwicklung der gemeinsamen Verkehrspolitik geht davon aus, daß sich unter den Voraussetzungen des Status quo das **Verkehrsvolumen** im Personen- und Güterverkehr bis 2010 nahezu **verdoppeln** wird – mit den absehbaren Auswirkungen auf die Umwelt, den Verkehrsfluß und die Verkehrsunfälle.

Zur Sicherstellung einer auf Dauer tragbaren Mobilität schlägt die Kommission vor:

- Vollständige Verwirklichung des Binnenmarktes und Abbau aller noch bestehenden Beschränkungen und Verzerrungen,
- Schaffung eines integrierten Verkehrssystems unter Nutzung der besten Technologie,
- Maßnahmen zur Sicherstellung der Umweltverträglichkeit dieses Verkehrssystems und insbesondere zur Begrenzung des CO_2-Ausstoßes,
- ein Programm zur Verbesserung der Verkehrssicherheit,
- fortschrittliche Maßnahmen im sozialen Bereich.

Durch die Verwirklichung des Binnenmarktes im Verkehr und insbesondere den freien Marktzugang soll das gesamte Verkehrssystem leistungsfähiger werden. Alle Kosten sollen den Verursachern angelastet werden, sodaß sich etwa auch externe Effekte wie Umweltschäden in den Verkehrspreisen niederschlagen. Die Seeschiffahrt, insbesondere die Küstenschiffahrt, die Binnenschiffahrt, die Eisenbahn und der Kombiverkehr sollen als Alternativen zum Straßenverkehr gefördert werden. Für den kombinierten Verkehr werden etwa weitere steuerliche Anreize und eine technische Harmonisierung der Ladeeinheiten, Eisenbahnausrüstungen und Terminals zur besseren Interoperabilität vorgeschlagen. Die Forschungs- und Entwicklungsaktivitäten der Gemeinschaft sollen auf die Schaffung eines multimodalen Verkehrssystems und die Entwicklung von Technologien für integrierte und optimierte Verkehrssysteme konzentriert werden. „Besondere" Aufmerksamkeit soll den Umwelteffekten der transeuropäischen Straßennetze gewidmet werden. Das Netz des konventionellen Eisenbahnverkehrs soll mit dem Hochgeschwindigkeitsnetz und dem geplanten Netz für den kombinierten Verkehr zu einem „integrierten Bahnsystem" verknüpft werden.

Mit einem Aktionsprogramm soll vor allem die Sicherheit des Straßenverkehrs verbessert werden (Ausbildung und Schulung der Fahrer, Sicherheitsstandards für die Fahrzeuge usw). Einen weiteren Schwerpunkt soll der Transport gefährlicher Güter bilden (strengere Normen, Kontrolle der Sicherheit der entsprechenden Seeschiffe beim Einlaufen in die Häfen usw).

Strengere Vorschriften und schärfere Kontrollen sind auch für die **Umweltemissionen** von Kraftfahrzeugen und Flugzeugen vorgesehen. Die Kommission erwägt erstmals auch, nach kalifornischem Vorbild, den Flottenver-

---

[81]) Kommission der EG (Hg), Die künftige Entwicklung der gemeinsamen Verkehrspolitik, KOM (92) 46 endg.

brauch der Kraftfahrzeuge zu begrenzen. Bau und Ausbau der Verkehrsinfrastruktur sollen zukünftig erst nach einer „strategischen Umweltverträglichkeitsprüfung“ unter Einbeziehung einer die externen Kosten einschließenden umfassenden Kosten-Nutzen-Analyse erfolgen können.

Im Rahmen der Maßnahmen im **sozialen Bereich** will die Kommission etwa die Lebens- und Arbeitsbedingungen des Fahrpersonals durch fahrerfreundlichere Lenk- und Ruhezeiten verbessern. Mit nicht näher erläuterten „positiven Maßnahmen“ sollen Arbeitsplätze in der Verkehrswirtschaft geschaffen und gesichert werden.

Schließlich soll Behinderten der Zugang zu den Verkehrsmitteln erleichtert werden.

Alle Maßnahmen sollen in ein paneuropäisches Verkehrskonzept, das mit den europäischen Drittstaaten abzustimmen wäre, eingebettet werden.

5. Fazit

Die europäische Verkehrspolitik steht vor der doppelten Herausforderung eines drohenden Verkehrsinfarkts und einer sich abzeichnenden Umweltkatastrophe. Zur Lösung dieses schwierigen Problems setzt sie vor allem auf Deregulierung, die Alternativen zum konventionellen Straßenverkehr, den Ausbau der Verkehrsinfrastruktur, die Anrechnung der externen Kosten und strengere Umweltnormen für die Kraftfahrzeuge.

Ein effizienteres Verkehrssystem, die Förderung der Alternativen zum Straßenverkehr und der Abbau der Verkehrsinfrastruktur tragen hauptsächlich zur Lösung des Kapazitätsproblems bei. Wegen der zu erwartenden Verkehrsexplosion wird jedoch weder der Abbau der regulierungsbedingten Leerfahrten noch der Ausbau von Bahn und Binnenschiffahrt einen entscheidenden Beitrag zur Lösung des Umweltproblems leisten können, zumal restriktive, die freie Wahl des Verkehrsnutzers beschränkende Maßnahmen nicht erwogen werden. Der Ausbau des transeuropäischen Straßennetzes dürfte wahrscheinlich sogar zu einer weiteren Zunahme des Fernverkehrs auf der Straße mit entsprechenden ökologischen Folgen führen.

Ob die verbleibenden Maßnahmen zur **Lösung des Umweltproblems** ausreichen werden, erscheint zweifelhaft. Die zu erwartende Verdoppelung des Verkehrs wird trotz verbesserter Antriebstechnik und verbesserten Emissionsverhaltens der Fahrzeuge zu mehr Emissionen führen, weil durch schärfere Umweltnormen nicht soviel Emissionen eingespart werden können, wie sie der Mehrverkehr produziert. Schärfere Umweltnormen verringern im übrigen auch nicht die CO_2-Emissionen, die nach allgemeiner Auffassung signifikant gesenkt werden müssen. Da zur Steuerharmonisierung die Zustimmung aller Mitgliedstaaten im Ministerrat erforderlich ist, ist auch noch nicht ersichtlich, daß bei der Anlastung der vollen Wegekosten und der externen Kosten rasche Fortschritte erzielt werden können. Unter diesen Umständen bleibt abzuwarten, wie die gemeinsame Verkehrspolitik mit der geschilderten doppelten Herausforderung von Verkehrsinfarkt und Umweltproblem fertigwerden wird. Wenn es nicht gelingt, alsbald umzusteuern, würden den nachfolgenden Generationen drakonische Maßnahmen aufgebürdet.[82])

---

[82]) Vgl *Brandt/Haack/Törkel,* Verkehrskollaps (FN 28).

10. KAPITEL

Energiepolitik

Jürgen Grunwald

Übersicht:

A. Einleitung

Die Energiepolitik nimmt unter den Politiken der Gemeinschaft in mehrfacher Hinsicht eine **Sonderstellung** ein.[1]) Zunächst ist sie – zusammen mit der ihr eng verbundenen Forschungspolitik – die einzige Gemeinschafts-

[1]) Als Einführungen in die Energiepolitik s insb *Ipsen,* Europäisches Gemeinschaftsrecht (1972) 889ff; *White,* Energiepolitik, in EG-Kommission (Hg) Dreißig Jahre Gemeinschaftsrecht (1983) 451ff; *Beutler/Bieber/Pipkorn/Streil,* Die Europäische Union[4] (1993) 472ff; *Bleckmann,* Europarecht[5] (1990) 809ff; *Oppermann,* Europarecht (1991) 457ff, sowie umfassend *Daintith/Hancher,* Energy Strategy in Europe: The Legal Framework (1986). S auch *Carton,* La politique de l'énergie, Revue trimestrielle de droit européen 1983, 523; *Blumann,* Energie et Communautés européennes, Revue trimestrielle de droit européen 1984, 571; *Blumann/Joly,* Energie et Communautés européennes, Revue trimestrielle de droit européen 1986, 613. S zuletzt das Grünbuch der Europäischen Kommission: Für eine Energiepolitik der Europäischen Union (1995).

politik, die sich auf alle drei Gründungsverträge gemeinsam stützt: Die Kohle unterliegt dem **EGKS-Vertrag,** die Nuklearenergie dem **EURATOM-Vertrag** und die restlichen Energieträger wie Mineralöl, Erdgas, Elektrizität und erneuerbare Energien unterfallen dem **EG-Vertrag.** Zum zweiten stellt die Energiepolitik im Gegensatz zu fast allen anderen Politiken keinen einheitlichen oder reinen Politiktypus dar, sondern ein **Mischgebiet,** das Fragen des freien Warenverkehrs, der Handelspolitik, des Wettbewerbs, des Verkehrs, der Umwelt und der Forschung umfaßt, wobei sämtliche Instrumente dieser „linearen" Politiken im Dienste der Energiepolitik stehen können. Hierin gleicht die Energiepolitik der Landwirtschaftspolitik, deren in Art 39 Abs 1 EGV aufgestellte Ziele mutatis mutandis auch auf den Energiesektor übertragbar wären.[2]) Als dritte Besonderheit der Energiepolitik muß gelten, daß keine andere Gemeinschaftspolitik (außer vielleicht der Landwirtschaftspolitik) mit derartig **ausgeprägten nationalen Gegensätzen** zu tun hat wie sie. Dies gilt nicht nur im Hinblick auf die unterschiedliche geologische Ausstattung mit Energieträgern, von denen einige Mitgliedstaaten wie zB Irland, Luxemburg oder Italien keine nennenswerten Vorkommen besitzen, während andere wie das Vereinigte Königreich (Kohle und Erdöl), Deutschland (Kohle) und die Niederlande (Erdgas) über große Lagerstätten verfügen,[3]) sondern auch für die psychologischen Gegebenheiten, wie sie sich zB in der unterschiedlichen Akzeptanz der Kernenergie zeigen – acht Mitgliedstaaten nutzen sie, sieben – darunter auch Österreich – nutzen sie nicht.[4])

Viertens schließlich ist die Gemeinschaft auf keinem anderen Gebiet so von Einfuhren aus dem Weltmarkt abhängig und damit in gleicher Weise verwundbar wie auf dem Energiesektor. (Allein die Nettoeinfuhren von Erdöl machen etwa ein Drittel des gesamten Energiebedarfs der Gemeinschaft aus.)[5])

Neben diesen Besonderheiten weist die Energiepolitik auf der anderen Seite wichtige **Gemeinsamkeiten** mit anderen Gemeinschaftspolitiken auf. Wie auf den meisten anderen Gebieten besitzt die Gemeinschaft auch auf dem Energiesektor **keine ausschließliche Zuständigkeit** und Gesamtverantwortung. Für die meisten energierechtlichen Fragen verbleibt die Regelungsbefugnis auf der Ebene unterhalb der Gemeinschaft bei den Mitgliedstaaten,[6]) und nur insoweit als den Gemeinschaften Zuständigkeiten übertragen wurden, sind sie zur Rechtsetzung befugt.[7]) Auf der Ebene oberhalb der Ge-

[2]) Steigerung der Produktivität, Gewährleistung einer angemessenen Lebenshaltung der Beschäftigten, Stabilisierung der Märkte und Sicherung der Versorgung.

[3]) Vgl hierzu im einzelnen *Guilmot/McGlue/Valette/Waeterloos,* Energy 2000: A reference projection and alternative outlooks for the European Community and the world to the year 2000 (1986).

[4]) Diese Unterschiede wurden durch den Nuklearunfall von Tschernobyl noch erheblich verschärft; hierzu *Grunwald,* Tschernobyl und das Gemeinschaftsrecht, EuR 1986, 315.

[5]) Vgl EG-Kommission (Hg), Energie in Europa – Der Binnenmarkt für Energie (1988) 30 und zuletzt das Grünbuch der Kommission; (FN 1).

[6]) Vgl zB für Deutschland das Gesetz zur Förderung der Energiewirtschaft (Energiewirtschaftsgesetz) v 13. 12. 1935, RGBl 1935 I 1451.

[7]) Zum Prinzip der begrenzten Einzelermächtigung s ausführlich oben *Borchardt,* Die rechtlichen Grundlagen der Europäischen Gemeinschaften – Rechtsquellen, Rechtshandlungen, Rechtsetzung.

meinschaft gelten zahlreiche internationale Abkommen, an denen die Mitgliedstaaten und zum Teil auch die Gemeinschaften selbst beteiligt sind.[8]) Dies gilt vor allem für das Mineralöl[9]) und den Nuklearsektor.[10])

Bedingt durch die Geschichte und die besonderen Zielsetzungen der einzelnen Gemeinschaftsverträge ist es zur Ausbildung **einheitlicher** Vertragsbestimmungen für den Energiesektor als Handlungsgrundlage für eine **einheitliche** europäische Energiepolitik bisher nicht gekommen.[11]) Jeder der Verträge trifft jeweils eigene Regelungen, wobei der Begriff Energie in den EG-Vertrag erst 1993 durch den Vertrag über die Europäische Union (VEU) eingeführt wurde (s Art 3t und 129b). An diesem Eigenleben der drei Verträge haben weder die Einheitliche Europäische Akte (EEA) noch der Vertrag über die Europäische Union etwas geändert, sodaß ein vertragsübergreifendes gemeinsames primärrechtliches Dach für den Energiesektor bis heute aussteht. Damit aber sind die Mitgliedstaaten in der Gestaltung ihrer nationalen Energiepolitik und hier insb in der Festlegung nationaler Produktionsprioritäten und Verbrauchsstrukturen[12]) nach wie vor weitgehend frei.[13])

Gleichwohl hat es in der Geschichte der Europäischen Gemeinschaften nicht an Versuchen gefehlt, einen einheitlichen gemeinschaftsweiten Energiemarkt zu errichten.[14]) Schon im Jahre 1964 waren die Mitgliedstaaten „von der Notwendigkeit überzeugt, im Rahmen des allgemeinen Gemeinsamen Marktes einen gemeinsamen Energiemarkt zu verwirklichen".[15]) In der Folgezeit legte der Rat mehrfach energiepolitische Ziele für die Gemeinschaft fest,[16]) wobei die letzte Projektion für den Zeitraum bis 1995 gilt.[17]) Als poli-

---

[8]) Vgl die Sammlung der von den Europäischen Gemeinschaften geschlossenen Übereinkünfte (insb Bd 5).

[9]) Vgl zB das Übereinkommen über ein Internationales Energieprogramm v 18. 11. 1974, dBGBl 1975 II 702; s auch den Beschluß des Rates der Organisation für Wirtschaftliche Zusammenarbeit und Entwicklung zur Errichtung einer Internationalen Energie-Agentur der Organisation v 15. 11. 1974, dBGBl 1975 II 739.

[10]) Vgl die Abkommen zwischen der Europäischen Atomgemeinschaft (EURATOM) und den USA, Kanada und Australien (Nachweise s unten FN 53).

[11]) Vgl dazu kritisch *Maillet,* A la recherche de l'introuvable politique énergétique européenne, RMC 1988, 504.

[12]) Bezeichnend ist in diesem Zusammenhang die Erklärung der Regierungskonferenz zu Art 130r EWGV im Rahmen der Einigung über die Einheitliche Europäische Akte vom 9. September 1985, wonach sich die Umweltpolitik der Gemeinschaft „nicht störend auf die einzelstaatliche Politik der Nutzung der Energieressourcen auswirken darf".

[13]) Diese Freiheit kann jedoch nur unter Einhaltung aller gemeinschaftlichen Verpflichtungen ausgeübt werden, seien diese spezifischer oder allgemeiner Natur (vgl zB Art 5 und Art 6 EGV).

[14]) Zur Geschichte s die Beiträge in FN 1.

[15]) Vgl das Protokoll eines Abkommens betreffend die Energiefragen v 21. 4. 1964, ABl 1964/69 v 30. 4. 1964, 1099.

[16]) Vgl zB die Entschließung des Rates v 17. 12. 1974 betreffend Ziele der gemeinschaftlichen Energiepolitik für 1985, ABl C 1975/153 v 9. 7. 1975, 2; Entschließung des Rates v 9. 6. 1980 über die energiepolitischen Ziele der Gemeinschaft für 1990 und die Konvergenz der Politik der Mitgliedstaaten, ABl C 1980/149 v 18. 6. 1980, 1.

[17]) Vgl die Entscheidung des Rates v 16. 9. 1986 über neue energiepolitische Ziele der Gemeinschaft für 1995 und die Konvergenz der Politik der Mitgliedstaaten, ABl C 1986/241 v 25. 9. 1986, 1.

tisch bedeutsamste Initiativen der letzten Jahre sind die Mitteilung der Kommission aus dem Jahre 1988 über den „Binnenmarkt für Energie",[18]) dessen legislative Errichtung jedoch noch nicht abgeschlossen ist, sowie das Grünbuch vom Jänner 1995, mit dem die Kommission „für eine Energiepolitik der Europäischen Union" wirbt, anzusehen.[19])

Gelten somit für die einzelnen Energieträger jeweils von der Quelle her eigene und teilweise unterschiedliche Bestimmungen (s unten B), so ergeben sich andererseits Konvergenzen beim Recht des Energieverbrauchs (s unten C), der Energieforschung (s unten D), dem Umweltschutz im Energiesektor (s unten E) und bei der Errichtung des Energiebinnenmarktes (s unten F).

B. Das Recht der einzelnen Energieträger

Auf der Ebene der Gemeinschaft setzt die Formulierung und Durchsetzung von Politiken entsprechende Ermächtigungen durch die Verträge voraus. Dies gilt auch für die Energiepolitik. Der älteste dieser Verträge ist der EGKS-Vertrag, dessen Regelungen für die Kohle daher hier an erster Stelle zu betrachten sind.

1. EGKS-Vertrag: Steinkohle

a) Rechtliche Bestimmungen

Der Vertrag über die Gründung der Europäischen Gemeinschaft für Kohle und Stahl wurde am 18. April 1951 in Paris unterzeichnet und trat 1952 in Kraft.[20]) Er gilt für die Dauer von 50 Jahren (Art 97 EGKSV) und läuft im Jahre 2002 aus.[21])

Die Regelungen des Vertrages gelten für die Unternehmen, die eine Produktionstätigkeit auf dem Gebiet von **Kohle** und **Stahl** ausüben (Art 80 EGKSV), wobei diese Begriffe in der Anlage I zum Vertrag näher bestimmt sind (Art 81 EGKSV). Danach gilt der Vertrag für folgende Brennstoffe: Steinkohle, Steinkohlenbriketts, Steinkohlenschwelkoks, Braunkohlenbriketts und Braunkohlenschwelkoks.

---

[18]) KOM [88] 238 endg v 2. 5. 1988 (FN 5).

[19]) S oben FN 1.

[20]) Zum EGKS-Vertrag eingehend *Diebold,* The Schuman Plan (1959); *Lister,* Europe's Coal and Steel Community (1960). An Kommentaren zum EGKS-Vertrag ist zu verweisen auf *Jerusalem,* Das Recht der Montanunion (1954); *Gaedke,* Das Recht der Europäischen Gemeinschaft für Kohle und Stahl (1955); Institut des Relations Internationales (Hg), La Communauté européenne du charbon et de l'acier (1953); *Quadri/Monaco/Trabucchi,* Trattato istitutivo della Communità europea del carbone e dell'Acciaio (1970); *Spierenburg/Poiderin,* Histoire de la Haute Autorité de la Communauté Européenne du charbon et de l'acier (1993).

[21]) Vgl dazu die Mitteilung der Kommission v. 15. 3. 1991 an den Ministerrat und an das Europäische Parlament zur Zukunft des EGKS-Vertrages (SEK (91) 407 endg); s auch *von Lieres,* Der EGKS-Vertrag und das Jahr 2002, EuR 1990, 305. S zuletzt das Memorandum des Beratenden Ausschusses der EGKS zu den verschiedenen Aspekten im Zusammenhang mit dem Auslaufen des EGKS-Vertrags im Jahre 2002, ABl C 1995/206 v 11. 8. 1995, 7.

Nicht vom Vertrag erfaßt wird damit die Rohbraunkohle, für die allerdings insoweit Regelungen getroffen werden dürfen, als von ihr „verursachte fühlbare Störungen des Brennstoffmarktes dies erforderlich machen" (Anlage I Z 3).

Die tragenden Prinzipien der Gemeinschaft sind in den **Geboten** des Art 3 EGKSV und den **Verboten** des Art 4 EGKSV niedergelegt und lassen sich in den Begriffen **Gemeinsamer Markt, Nichtdiskriminierung, Wirtschaftsförderung** und **Transparenz** zusammenfassen.

Der Begriff des **Gemeinsamen Marktes** (Art 2 bis 4 EGKSV) bezeichnet einen gemeinschaftsweiten Wirtschaftsraum, in dem „Ein- und Ausfuhrzölle oder Abgaben gleicher Wirkung sowie mengenmäßige Beschränkungen des Warenverkehrs" zwischen den Mitgliedstaaten verboten sind (Art 4 lit a EGKSV). Die Verpflichtung zur Errichtung und Erhaltung dieses Gemeinsamen Marktes ist Aufgabe der Gemeinschaft und der Mitgliedstaaten, wobei letztere ihre **Handelspolitik mit dritten Ländern** nach Maßgabe der Art 71 bis 75 EGKSV weiterhin frei gestalten dürfen.[22])

Das Prinzip der **Nichtdiskriminierung** ist für die Mitgliedstaaten **und die Unternehmen** in gleicher Weise verbindlich.[23]) Beide haben „allen in vergleichbarer Lage befindlichen Verbrauchern des gemeinsamen Marktes **gleichen Zugang zu der Produktion** zu sichern" (Art 3 lit b EGKSV) und Maßnahmen oder Praktiken zu unterlassen, „die eine **Diskriminierung** zwischen Erzeugern oder Käufern oder Verbrauchern herbeiführen, insb hinsichtlich der Preis- und Lieferbedingungen und der Beförderungstarife sowie Maßnahmen oder Praktiken, die den Käufer an der freien Wahl seines Lieferanten hindern" (Art 4 lit b EGKSV). Des weiteren sind „einschränkende Praktiken" verboten, „die auf eine Aufteilung oder Ausbeutung der Märkte abzielen" (Art 4 lit d EGKSV). Speziell den Mitgliedstaaten ist schließlich die Gewährung von – ebenfalls diskriminierend wirkenden – Subventionen oder Beihilfen untersagt, „in welcher Form dies auch immer geschieht" (Art 4 lit c EGKSV).[24])

Der Gedanke der **Wirtschaftsförderung** findet seinen Ausdruck in den Art 54 bis 56 EGKSV, die Maßnahmen zur Investitionsförderung,[25]) Forschungsbeihilfen[26]) und soziale Hilfen[27]) zugunsten der EGKS-Industrien

[22]) Im Gegensatz zu den Art 10ff EGV, die die ausschließliche Zuständigkeit für die Handelspolitik der Gemeinschaft übertragen.

[23]) Im Gegensatz dazu bindet das Verbot der Diskriminierung im EGV (s allgemein Art 6 EGV) nur die Mitgliedstaaten als solche, nicht aber die einzelnen Unternehmen.

[24]) Vgl dazu auch EuGH 23. 2. 1961 Rs 30/59 – Gezamenlijke Steenkolenmijnen gegen Hohe Behörde – Slg 1961, 1.

[25]) Vgl dazu schon die „Grundsätze der Hohen Behörde in den Fragen der Investitionsfinanzierung", ABl 1954/17 v 31. 7. 1954, 457; s außerdem die Entscheidung 22/66 v 16. 11. 1966 über die Auskunftserteilung der Unternehmen betreffend ihre Investitionen, ABl 1966/219 v 29. 11. 1966, 3728. S weiterhin die auf Art 54 EGKSV gestützten Leitlinien für die Durchführung des 12. Programms „EGKS-Sozialwohnungen" im Zeitraum 1993 bis 1997, ABl C 1994/19 v 22. 1. 1994, 14.

[26]) Vgl dazu die Richtlinien für die Beantragung und Gewährung von Beihilfen für die technische Forschung im ABl C 1982/159 v 24. 6. 1982, 3, sowie die mittelfristigen Leitlinien für die technische Forschung Kohle 1994–1999, ABl C 1994/67 v 4. 3. 1994, 7 sowie das erste gemeinsame Forschungsprogramm über die Sicherheit in den EGKS-Industrien, ABl C 1989/325 v 29. 12. 1989, 2.

vorsehen. Aber auch die Bestimmungen über die Erzeugung insb in Krisenfällen bei **Rückgang der Nachfrage** (Art 58 EGKSV)[28]) oder bei **ernsten Mangellagen** (Art 59 EGKSV)[29]) sind Ausdruck der besonderen Fürsorge der Gemeinschaft für ihre Industrien.

Für den EGKS-Vertrag – wie für den Energiesektor insgesamt – ist die Gewährleistung von **Transparenz** unverzichtbar. In Gestalt der Preistransparenz ermöglicht sie ein rationales Käuferverhalten (Art 60 § 2 EGKSV),[30]) als Produktions- und Verbrauchstransparenz ist sie unerläßliche Grundlage behördlicher Entscheidungen (Art 47 bis 48 EGKSV),[31]) und als Transparenz behördlicher Absichten und Programme gewährleistet sie eine umfassende Orientierung der Marktteilnehmer (Art 46 und 48 EGKSV).[32])

b) Fragen der Praxis

Noch zu Beginn der 50er-Jahre, also zur Zeit der Konzeption und des Inkrafttretens des EGKS-Vertrages, war die Steinkohle der weltweit wichtigste Energieträger.[33]) Schon gegen Ende der 50er-Jahre wurde sie durch das Erdöl aus ihrer führenden Rolle verdrängt – und dies nicht nur im Energiesektor, sondern auch in der chemischen Industrie.[34]) Hieraus ergaben sich für den

---

[27]) Vgl dazu die Mitteilung an die Mitgliedstaaten zur Festlegung von Leitlinien für die von ihnen vorzuschlagenden operationellen Programme oder Globalzuschüsse im Rahmen der Gemeinschaftsinitiative für die wirtschaftliche Umstellung von Kohlerevieren (RECHAR II), ABl C 1994/180 v 1. 7. 1994, 26; s dazu die beihilfefähigen Gebiete im ABl C 1994/337 v 1. 12. 1994, 4. S weiterhin den Vermerk zu den Modalitäten der begleitenden Sozialmaßnahmen des Umstrukturierungsprogramms für den Kohlenbergbau (1994–1997), ABl C 1994/108 v 16. 4. 1994, 3 sowie die Entscheidung der Kommission vom 24. Juni 1994 über die Aussetzung der Finanzierung bestimmter EGKS-Beihilfen im Sozialbereich, ABl C 1994/178 v 30. 6. 1994, 21.

[28]) Ein System der Erzeugungsquoten iSv Art 58 EGKSV wurde in den 80er Jahren für den Stahlsektor eingeführt. Für die Kohle wurde die Einführung eines derartigen Systems zwar 1959 erwogen, aber nicht verwirklicht (s hierzu Bekanntmachung der Hohen Behörde, ABl 1959/14 v 7. 3. 1959, 292).

[29]) Wie Art 58 EGKSV so ist auch Art 59 EGKSV zu keiner Zeit auf die Kohle angewandt worden.

[30]) Vgl allgemein die Mitteilung der Kommission „Preistransparenz beim Verbrauch der Energie" (KOM[89] 123 endg/2) v 30. März 1989 sowie speziell für die Kohle als Basisrechtsakte die Entscheidung 3/53 über die Arten der Preisstellung für den Verkauf von Kohle auf dem gemeinsamen Markt und die Entscheidung 4/53 über die Veröffentlichung der von den Unternehmen der Kohlen- und Eisenerzindustrie angewandten Preislisten und Verkaufsbedingungen, ABl 1953/2 v 12. 2. 1953, 3, sowie die Entscheidung 30/53 über die innerhalb des gemeinsamen Marktes von Kohle und Stahl durch Art 60 § 1 des Vertrages verbotenen Praktiken, ABl 1953/6 v 4. 5. 1953, 109.

[31]) Vgl zuletzt für die Kohle die Entscheidung 612/91/EGKS der Kommission v. 31. 1. 1991 über die Kohlestatistiken und die Empfehlung der Kommission v 31. 1. 1991 über die Kohlestatistiken (91/141/EGKS), ABl L 1991/74 v 20. 3. 1991, 1 und 35.

[32]) Vgl die jährlichen Berichte der Kommission über den Markt für feste Brennstoffe in der Gemeinschaft, zuletzt für das Jahr 1994 und die Aussichten für 1995, ABl C 1995/324 v 5. 12. 1995, 14.

[33]) In Nachfolge des Holzes, das von den Anfängen bis zur Mitte des 19. Jahrhunderts der weltweit wichtigste Energieträger war und in den ländlichen Teilen der Dritten Welt bis heute geblieben ist.

[34]) Vgl den Übergang von der Kohlechemie zur Petrochemie.

Steinkohlensektor schwierige Anpassungs- und Rationalisierungsprobleme, die bis zum heutigen Tage andauern und die EG auch noch in den kommenden Jahren beschäftigen werden. Schon 1965 sah sich die Gemeinschaft veranlaßt, trotz des strengen Subventionsverbotes des Art 4 lit c EGKSV ein umfassendes System von **Gemeinschaftsbeihilfen** einzuführen,[35]) dessen Bestand nach mehrfachen Verlängerungen bis zum Auslaufen des EGKS-Vertrages im Jahre 2002 gesichert ist.[36]) Die Beihilfen werden von den kohlefördernden Mitgliedstaaten gewährt, nachdem sie von der Kommission geprüft und bei Vorliegen der rechtlichen Voraussetzungen[37]) genehmigt worden sind.[38]) Zur Abfederung der sozialen Härten werden die Beihilfen durch soziale Leistungen ergänzt.[39])

2. EURATOM-Vertrag: Kernenergie

a) Rechtliche Bestimmungen

Mit der Unterzeichnung und Ratifizierung des Vertrages zur Gründung der Europäischen Atomgemeinschaft, der 1958 in Kraft trat und auf unbegrenzte Zeit gilt (Art 208 EURATOMV), setzten sich die sechs Gründungsstaaten das Ziel, „die Voraussetzungen für die Entwicklung einer mächtigen Kernindustrie zu schaffen, welche die Energieerzeugung erweitert, die Technik modernisiert und auf zahlreichen anderen Gebieten zum Wohlstand ihrer Völker beiträgt“ (3. Erwägungsgrund der Präambel).[40]) Zur Verwirklichung dieser Ziele betrauten sie die Gemeinschaft mit einer Reihe **horizontaler Aufgaben** (Art 2 EURATOMV), deren Anordnung im zweiten Titel des Vertrages der Logik des Aufbaus der Kernindustrie folgt. Am Anfang steht die For-

---

[35]) Durch die Entscheidung 3/65 v 17. 2. 1965 über das gemeinschaftliche System von Maßnahmen der Mitgliedstaaten zugunsten des Steinkohlenbergbaus, ABl 1965/31 v 25. 2. 1965, 480.

[36]) Vgl die Entscheidung 3632/93/EGKS der Kommission vom 28. Dezember 1993 über die Gemeinschaftsregelung für staatliche Beihilfen zugunsten des Steinkohlenbergbaus, ABl L 1993/329 v 30. 12. 1993, 12, sowie die Entscheidung 341/94/EGKS der Kommission vom 8. Februar 1994 zur Durchführung der Entscheidung 3632/93/EGKS über die Gemeinschaftsregelung für Maßnahmen der Mitgliedstaaten zugunsten des Steinkohlenbergbaus, ABl L 1994/49 v 19. 2. 1994, 1.

[37]) Vgl die Typologie der Art 3 bis 7 der Entscheidung 3632/93/EGKS (FN 36): Betriebsbeihilfen, Beihilfen für die Rücknahme der Fördertätigkeit, Beihilfen für außergewöhnliche Belastungen, Forschungs- und Entwicklungsbeihilfen, Beihilfen für den Umweltschutz.

[38]) Mit Beschluß vom 11. Oktober 1994 hat das deutsche Bundesverfassungsgericht das deutsche Beihilfensystem des Dritten Verstromungsgesetzes (Kohlepfennig) für verfassungswidrig erklärt (BVerfGE 91, 186). Die noch beim Gerichtshof anhängigen Klagen gegen die Kommission in den verbundenen Rechtssachen C 183/89 und C 138/90 wurden daraufhin zurückgenommen und die Rechtssachen mit Beschluß des Gerichtshofs vom 21. Februar 1995 gestrichen.

[39]) Vgl dazu das Programm RECHAR (FN 27).

[40]) Zur Einführung in die Geschichte, Praxis und mögliche Zukunft des EURATOM-Vertrages s insb *Weilemann,* Die Anfänge der Europäischen Atomgemeinschaft (1983); *Pirotte/Girerd/Marsal/Morson,* Trente ans d'Expérience Euratom – La naissance d'une Europe Nucléaire (1988); *Cameron/Hancher/Kühn* (Hg), Nuclear Energy Law after Chernobyl (1988).

schung (Kapitel I EURATOMV), deren Förderung insb durch gemeinschaftseigene Forschungs- und Ausbildungsprogramme (Art 7 EURATOMV) und die Tätigkeit der Gemeinsamen Forschungsstelle (Art 8 EURATOMV) der Erlangung der erforderlichen Kenntnisse dient.[41]) Liegen diese vor, so sind sie zu schützen und durch die Vergabe von Lizenzen und Unterlizenzen an den jeweiligen Schutzrechten an die geeigneten Interessenten (Art 12 EURATOMV) zu verbreiten (Kapitel II EURATOMV).[42])

Bevor jedoch der weitere Aufbau der **Kernindustrie** in Angriff genommen werden kann, sind die erforderlichen Sicherheitsnormen für den Strahlenschutz der Bevölkerung und der Arbeitskräfte aufzustellen (Kapitel III EURATOMV).[43]) In einem weiteren Schritt (Kapitel IV EURATOMV) gilt es, sodann für die Orientierung der Industrie hinweisende Programme zu er-

---

[41]) Vgl dazu zuletzt den Beschluß des Rates 94/268/Euratom vom 26. April 1994 über ein Rahmenprogramm für gemeinschaftliche Maßnahmen im Bereich der Forschung und Ausbildung für die Europäische Atomgemeinschaft (1994–1998), ABl L 1994/115 v 6. 5. 1994, 31. Siehe weiterhin: Beschluß des Rates 94/761/Euratom vom 21. November 1994 über die Regeln für die Teilnahme von Unternehmen, Forschungszentren und Hochschulen an den Tätigkeiten der Europäischen Atomgemeinschaft im Bereich der Forschung und Ausbildung, ABl L 1994/306 v 30. 11. 1994, 1; Entscheidung des Rates 94/799/Euratom vom 8. Dezember 1994 über ein spezifisches Programm für Forschung und Ausbildung auf dem Gebiet der kontrollierten Kernfusion (1994–1998), ABl L 1994/331 v 21. 12. 1994, 22; Entscheidung des Rates 94/919/Euratom vom 15. Dezember 1994 über ein von der Gemeinsamen Forschungsstelle für die Europäische Atomgemeinschaft durchzuführendes spezifisches Programm für die Forschung und technologische Entwicklung einschließlich der Demonstration (1995–1998), ABl L 1994/361 v 31. 12. 1994, 132; Entscheidung des Rates 94/920/Euratom vom 15. Dezember 1994 über ein spezifisches Programm für Forschung und Ausbildung im Bereich der Sicherheit der Kernspaltung (Reaktorsicherheit, Entsorgung und Strahlenschutz) (1994–1998), ABl L 1994/361 v 31. 12. 1994, 143.

[42]) Siehe dazu den kritischen Sonderbericht 2/91 des Rechnungshofes der Europäischen Gemeinschaften über die Nutzung der Ergebnisse der gemeinschaftlichen Forschung zusammen mit den Antworten der Kommission, ABl C 1991/133 v 23. 5. 1991, 1.

[43]) Vgl dazu die Richtlinien des Rates v 15. 7. 1980 zur Änderung der Richtlinien, mit denen die Grundnormen für den Gesundheitsschutz der Bevölkerung und der Arbeitskräfte gegen die Gefahren ionisierender Strahlungen festgelegt wurden (80/836/EURATOM), ABl L 1980/246 v 17. 9. 1980, 1, zuletzt geändert durch die Richtlinie des Rates v 3. 9. 1984 (84/467/EURATOM), ABl L 1984/265 v 5. 10. 1984, 4; s hierzu zuletzt den geänderten Vorschlag für eine Richtlinie (Euratom) des Rates zur Festlegung der grundlegenden Sicherheitsnormen für den Schutz der Gesundheit der Arbeitskräfte und der Bevölkerung gegen die Gefahren durch ionisierende Strahlungen, ABl C 1994/224 v 12. 8. 1994, 5. Siehe auch die Richtlinie 92/3/Euratom des Rates vom 3. Februar 1992 zur Überwachung und Kontrolle der Verbringungen radioaktiver Abfälle von einem Mitgliedstaat in einen anderen, in die Gemeinschaft und aus der Gemeinschaft, ABl L 1992/35 v 12. 2. 1992, 24; s außerdem zur umfangreichen Rechtsetzungstätigkeit der Gemeinschaft auf dem Gebiet des Strahlenschutzes die Nachweise bei *Grunwald,* Neuere Entwicklungen des EURATOM-Rechts, EuZW 1990, 209; zur Auslegung des Art 37 EURATOMV s EuGH 22. 9. 1988 – Rs 187/87 – Saarland ua gg Minister für Industrie ua – Slg 1988, 5013; zur Auslegung und Reichweite der Art 30 und 31 EURATOMV s EuGH Rs C 70/88 – Parlament gg Rat – 4. 10. 1991, Slg 1991, I-4529. Zur Auslegung des Art 34 EURATOMV im Zusammenhang mit den französischen Nukleartests auf dem Mururoa-Atoll siehe GeI Rs T-219/95 R – Danielsson ua gg Kommission – 22. 12. 1995, noch nicht veröffentlicht.

stellen (Artikel 40 EURATOMV)[44]) und die Investitionsprogramme der Unternehmen zu begutachten (Artikel 43 EURATOMV).[45]) Soweit sich gewisse Unternehmen als „für die Entwicklung der Kernindustrie in der Gemeinschaft von ausschlaggebender Bedeutung" erweisen (Art 45 EURATOMV), kann ihnen der Status gemeinsamer Unternehmen (Kapitel V EURATOMV) verliehen werden (Art 49 EURATOMV), der mit der Gewährung zahlreicher Vergünstigungen (Art 48 EURATOMV iVm Anhang III EURATOMV) verbunden werden kann.[46]) Nach Errichtung der Unternehmen ist ihre Versorgung mit den erforderlichen Kernbrennstoffen „durch eine gemeinsame Versorgungspolitik" (Art 52 Abs 1 EURATOMV) sicherzustellen (Kapitel VI EURATOMV).[47]) Diese Aufgabe wird einer Versorgungsagentur („EURATOM-Versorgungsagentur") mit eigener Rechtspersönlichkeit zugewiesen (Art 53 bis 56 EURATOMV), „die über ein Bezugsrecht für Erze, Ausgangsstoffe und besondere spaltbare Stoffe, die im Gebiet der Mitgliedstaaten erzeugt werden, sowie über das ausschließliche Recht verfügt, Verträge über die Lieferung von Erzen, Ausgangsstoffen oder besonderen spaltbaren Stoffen aus Ländern innerhalb und außerhalb der Gemeinschaft abzuschließen" (Art 52 Abs 2 lit b EURATOMV).[48]) Auch für die Tätigkeit

---

[44]) Vgl dazu Erstes Hinweisendes Programm für die Europäische Atomgemeinschaft: Erzeugung elektrischer Energie mittels Kernreaktoren; Dokumentation Lage und Perspektiven der Kernenergie in der Europäischen Gemeinschaft (1966); Die Kernindustrie in der Gemeinschaft (1972) (EUR 50011); Die Kernindustrie in der Gemeinschaft, Hinweisendes Nuklearprogramm gem Art 40 EURATOM-Vertrag v 23. 7. 1985 (KOM[85] 401 endg) sowie zuletzt: Die Nuklearindustrie in der Gemeinschaft – die Industrie für Planung und Bau von Kernkraftwerken angesichts der Vollendung des Europäischen Binnenmarktes v 7. 2. 1990 (KOM[89] 347 endg). Man beachte die Parallele zu Art 46 Abs 3 EGKSV.

[45]) Man beachte die Parallele zu Art 54 Abs 3 und 4 EGKSV.

[46]) Zur Liste der bislang gegründeten sieben gemeinsamen Unternehmen s den Fundstellennachweis des geltenden Gemeinschaftsrechts[25] Bd I 881 mwN. Als berühmtestes gemeinsames Unternehmen auf dem Forschungssektor ist hier auf das „Joint European Torus (JET), Joint Undertaking" hinzuweisen; s dazu den Beschluß des Rates v 30. 5. 1978 zur Errichtung des Gemeinsamen Unternehmens, seine Satzung und die Entscheidung über die ihm gewährten Vergünstigungen, ABl L 1978/151 v 7. 6. 1978, 10, 11 und 23; s außerdem allgemein *Libbrecht,* Les caractères essentiels des entreprises communes de l'Euratom, Revue Européenne 1971, 623 mwN. Als Vergünstigungen, die den Gemeinsamen Unternehmen gewährt werden können, kommen insb Steuerbefreiungen und Enteignungen zu ihren Gunsten in Betracht.

[47]) Vgl dazu *Allen,* The Euratom Treaty Chapter VI, New Hope or False Dawn, CMLR 1983, 473; s auch den Vorschlag für einen Beschluß des Rates zur Festlegung neuer Bestimmungen zu Kapitel VI „Versorgung" des Vertrages zur Gründung der Europäischen Atomgemeinschaft, ABl C 1982/330 v 16. 12. 1982, 4; s außerdem den Vorschlag der Kommission für eine Verordnung (Euratom) des Rates zur Festlegung der Bedingungen für Übertragungen von Kernmaterial zwischen Mitgliedstaaten und für die Einfuhr aus Drittländern, ABl C 1985/29 v 31. 1. 1985, 5, sowie den Vorschlag für eine Verordnung (Euratom) des Rates zur Festlegung der Kriterien, nach denen die Kommission eine Genehmigung zur Ausfuhr von Kernmaterial außerhalb der Gemeinschaft erteilt, ABl C 1985/29 v 31. 1. 1985, 10; zur Rechtswirkung des Kapitels VI s EuGH 14. 12. 1971 Rs 7/71 – Kommission gg Frankreich – Slg 1971, 1003.

[48]) Zur Anwendung des Kapitels VI s zuletzt den Jahresbericht 1994 der Euratom-Versorgungsagentur; zur Satzung der Euratom-Versorgungsagentur s ABl 1960/27 v 6. 12. 1958, 534; s weitere relevante Rechtsakte im ABl 1960/32 v 11. 5. 1960, 776,

dieser Agentur gilt ein striktes **Diskriminierungsverbot** (Art 52 Abs 2 lit a und 2 lit b EURATOMV). Angesichts der Möglichkeit des Mißbrauchs von Kernbrennstoffen, insb durch Abzweigung von Kernmaterial zum Bau von Kernwaffen, unterliegt der Kernmaterialbestand der Gemeinschaft einer strengen Sicherheitskontrolle (safeguards) (Kapitel VII EURATOMV).[49]) Sie beruht auf der Verpflichtung der Unternehmen zur Buchführung über Materialbestand und Materialbewegungen (Art 79 EURATOMV)[50]) sowie der physischen Verifizierung des Materials vor Ort durch Inspektoren der Kommission (Art 81 f EURATOMV).[51])

Die besonderen spaltbaren Stoffe, dh Plutonium 239, Uran 233 und mit Uran 235 oder 233 angereichertes Uran (Art 197 Abs 1 EURATOMV) sind Eigentum der Gemeinschaft (Kapitel VIII, Art 86 EURATOMV). Zur beschleunigten Verwirklichung eines Gemeinsamen Marktes auf dem Kerngebiet (Kapitel IX EURATOMV) hatten die Mitgliedstaaten weiterhin für alle relevanten Güter und Erzeugnisse „untereinander ein Jahr nach Inkrafttreten [des] Vertrages alle Einfuhr- und Ausfuhrzölle oder Abgaben gleicher Wirkung und alle mengenmäßigen Beschränkungen der Ein- und Ausfuhr" zu beseitigen (Art 93 EURATOMV).[52]) Von besonderer Bedeutung für die Verwirklichung der Ziele des Vertrages ist schließlich die **Zusammenarbeit** mit **Drittländern** und **internationalen Organisationen** (Kapitel X EURATOMV),[53]) deren Unterstützung besonders in der Aufbauphase der frühen

---

777 und ABl 1966/241 v 28. 12. 1966, 4057; zur Anwendung des Kapitels VI s auch die Entscheidungen der Kommission 93/428/Euratom vom 19. Juli 1993 (ABl L 1993/197 v 6. 8. 1993, 54), 94/95/Euratom vom 4. Februar 1994 (ABl L 1994/48 v 19. 2. 1994, 45) und 94/285/Euratom vom 21. Februar 1994 (ABl L 1994/122 v 17. 5. 1994, 30) sowie EuGH 16. 2. 93 Rs C-107/91 – ENU gg Kommission – Slg 1993, I-599; GeI 15. 9. 1995 Rs T-458/93 und T-523/93 – ENU gg Kommission – noch nicht veröffentlicht, sowie Rs T-149/94 und T-181/94 – KLE gg Kommission – noch anhängig.

[49]) Zur Praxis der Sicherheitskontrolle s zuletzt den Bericht der Kommission über die Durchführung der Euratom-Sicherheitsüberwachung 1991–1992 vom 6. 7. 1994 (KOM [94] 282 endg).

[50]) Siehe hierzu im einzelnen die Verordnung (Euratom) Nr 3227/76 der Kommission vom 19. Oktober 1976 zur Anwendung der Bestimmungen der Euratom-Sicherungsmaßnahmen, ABl L 1976/363 vom 31. 12. 1976, 1.

[51]) Dies ist einer der wenigen Fälle, in denen die Kommission auf der Ebene der Rechtsanwendung tätig wird; s dazu auch oben *Grunwald,* Die EG als Rechtsgemeinschaft. Zum Umfang der Sanktionsbefugnis der Kommission im Falle von Pflichtverletzungen (Art 83 EURATOMV) s EuGH 21. 1. 1993 Rs C-308/90 – ANF gg Kommission – Slg 1993, I-309. S weiterhin die Entscheidungen der Kommission 92/194/Euratom vom 4. März 1992 (ABl L 1992/88 v 3. 4. 1992, 54) und 94/955/Euratom vom 21. Dezember 1994 (ABl L 1994/371 v 31. 12. 1994, 16) sowie die Empfehlung der Kommission 94/956/Euratom vom 21. Dezember 1994 (ABl L 1994/371 v 31. 12. 1994, 18).

[52]) Zur Bedeutung des Kapitels IX EURATOMV in der aktuellen Debatte über die Behandlung nuklearer Abfälle s *Rengeling,* Entsorgung, Endlagerung und Brennstoffkreislauf, in *Lukes* (Hg), Reformüberlegungen zum Atomrecht (1991) 215 (296ff).

[53]) Vgl vor allem die Abkommen mit den Hauptlieferländern von Nuklearmaterial: USA (ABl 1959/17 v 19. 3. 1959, 309; ABl 1962/72 v 8. 8. 1962, 2038, 2045, 2051; ABl L 1974/139 v 22. 5. 1974, 24); Kanada (ABl 1959/60 v 24. 11. 1959, 1165; ABl L 1978/65 v 8. 3. 1978, 16; ABl L 1982/27 v 4. 2. 1982, 25; ABl C 1985/191 v 31. 7. 1985, 3, sowie ABl C 1991/215 v 17. 8. 1991, 5); Australien (ABl L 1982/281 v 4. 10. 1982, 8). Vgl außerdem die Abkommen mit der Internationalen Atomenergieorganisation in Wien

Jahre unverzichtbar war.[54]) Heute ist es die Gemeinschaft, die inbesondere den Ländern Mittel- und Osteuropas sowie interessierten GUS-Staaten im Rahmen von Europa-Abkommen,[55]) Freihandelsabkommen[56]) und Partnerschaftsabkommen[57]) eine nukleare Zusammenarbeit anbietet.

b) Fragen der Praxis

Die Erwartungen, die die Gründer der Europäischen Atomgemeinschaft an die **Zukunft der Kernenergie** und die Rolle des Vertrages richteten, haben sich nur zum Teil erfüllt.[58]) Frankreich und Deutschland gingen jeweils eigene Wege, und Italien wie Luxemburg verzichteten schließlich ganz auf die Nuklearoption. In der Gemeinschaft der Fünfzehn wird Kernenergie nur in acht Mitgliedstaaten erzeugt,[59]) die anderen Mitgliedstaaten haben sich gegen ihre Nutzung entschieden.[60]) Der Unfall in Tschernobyl bewirkte eine weitere Erschütterung des Nuklearsektors,[61]) und es bleibt abzuwarten, ob die CO_2-Debatte der Kernindustrie langfristig neue Impulse verleihen wird.[62]) Andererseits ist das Bewußsein für die rechtlichen

---

(ABl L 1975/329 v 23. 12. 1975, 28; ABl L 1978/51 v 22. 2. 1978, 1) sowie die nukleare Komponente im Handels- und Kooperationsabkommen mit der Sowjetunion (ABl L 1990/68 v 15. 3. 1990, 1). Zur Auslegung des Kapitels X EURATOMV s außerdem EuGH Beschluß 1/78, erlassen gem Art 103 Abs 3 EURATOMV, Slg 1978, 2151.

[54]) Dies gilt insb für die frühere Zusammenarbeit mit den USA, dem Vereinigten Königreich und Kanada.

[55]) Siehe ABl L 1993/347 und 1993/348 v 31. 12. 1993, 1 (Ungarn, Polen) und ABl L 1994/357 bis 360 v 31. 12. 1994, 1 (Rumänien, Bulgarien, Slowakei, Tschechien).

[56]) Siehe ABl L 1994/373 bis 375 v 31. 12. 1994 (Estland, Lettland, Litauen).

[57]) Siehe ABl C 1994/319 v 16. 11. 1994, 4 (Kasachstan), ABl C 1994/326, v 24. 11. 1994, 8 (Kirgisien).

[58]) Zu den Hintergründen *Glaesner,* Die Einführung und Entwicklung neuer Politiken in der Europäischen Gemeinschaft, in *Schwarze* (Hg), Gesetzgebung in der Europäischen Gemeinschaft (1985) 31 (37f).

[59]) Mit folgenden Anteilen der Kernenergie an der Stromerzeugung im Jahre 1994: Frankreich 75,3%, Belgien 55,8%, Schweden 51%, Spanien 35%, Finnland 31%, Deutschland 29,3%, Vereinigtes Königreich 25,8%, Niederlande 4,9%.

[60]) Dänemark, Griechenland, Irland, Italien, Luxemburg, Portugal und Österreich, langfristig auch Schweden. Das Recht der Mitgliedstaaten, autonom über die Nutzung der Kernkraft zu entscheiden, wurde in einer gemeinsamen Erklärung zur Anwendung des EURATOM-Vertrags in der Schlußakte zu den Beitrittsverträgen Österreichs, Schwedens und Finnlands ausdrücklich anerkannt (s ABl C 1994/241 v 29. 8. 1994, 382): „Unter Verweis darauf, daß die die Europäische Union begründenden Verträge unbeschadet der Regeln für den Binnenmarkt ohne Diskriminierung für alle Mitgliedstaaten gelten, erkennen die Vertragsparteien an, daß die Mitgliedstaaten als Vertragsparteien des Vertrags zur Gründung der Europäischen Atomgemeinschaft die Entscheidung über die Erzeugung von Kernenergie entsprechend ihren eigenen Ausrichtungen treffen.

Was die Entsorgung beim Kernbrennstoffkreislauf betrifft, so ist jeder Mitgliedstaat für die Festlegung seiner eigenen Politik verantwortlich."

[61]) Vgl dazu *Grunwald,* Tschernobyl und das Gemeinschaftsrecht, EuR 1986, 315 mwN; *Grunwald,* Neuere Entwicklungen des Euratom-Rechts, EuZW 1990, 209 mwN; EG-Kommission (Hg), Public Opinion in the European Community on Energy in 1987 (1988) 66; s auch EG-Kommission (Hg), EUROBAROMETER N° 35 (1991) 43f.

[62]) Siehe dazu auch den Bericht der Kommission „Energie und Umwelt" v 8. 2. 1990 (KOM[89] 369 endg) sowie zuletzt den Bericht der Kommission vom 10. März

Vorgaben des EURATOM-Vertrages in den letzten Jahren erheblich gewachsen, wie zahlreiche Initiativen, insbesondere auf den Gebieten Gesundheits- und Umweltschutz,[63]) Nichtverbreitung von Kernwaffen,[64]) nukleare Sicherheit,[65]) Hilfeleistung bei der Sanierung der osteuropäischen Kernindustrien[66]) und der Bekämpfung des Schmuggels von Kernmaterial,[67]) belegen.

3. EG-Vertrag: Erdöl, Erdgas, Elektrizität, erneuerbare Energien

a) Rechtsgrundlagen

Alle Energieträger außer der Steinkohle und der Kernenergie unterfallen den Bestimmungen des EG-Vertrages. Gleichwohl wurde der Begriff Energie erst 1993 durch den EU-Vertrag in den EG-Vertrag eingeführt (Art 3 lit t und Art 129b EGV). Davor hatte die die Einheitliche Europäische Akte beschließende Regierungskonferenz in einer Erklärung zu Art 130r EWGV lediglich abwehrend festgestellt: „Die Konferenz stellt fest, daß die Tätigkeit der Gemeinschaft auf dem Gebiet des Umweltschutzes sich nicht störend auf die **einzelstaatliche Politik der Nutzung der Energieressourcen** auswirken darf.“[68])

Diese Erklärung ist in doppelter Weise aufschlußreich: Zum Einen ordnet sie – zumindest deklaratorisch[69]) – den gemeinschaftlichen Umweltschutz den einzelstaatlichen Energieinteressen unter, und zum Zweiten unterstreicht sie die Eigenständigkeit nationaler Energiepolitik gegenüber der Gemeinschaft. In der Tat sieht der EG-Vertrag eine gemeinsame Energiepolitik bis heute nicht vor, wie er etwa eine gemeinsame Agrar- oder Verkehrspolitik vorschreibt, sodaß die **politische Gesamtverantwortung** für den Energiesek-

---

1994: Erste Bewertung der nationalen Programme im Rahmen des Systems zur Beobachtung der Emissionen von CO_2 und anderen Treibhausgasen in der Gemeinschaft (KOM[94] 67 endg).

[63]) Siehe hierzu zuletzt *Schroeder,* Die Euratom – auf dem Weg zu einer Umweltgemeinschaft, DVBl 1995, 322 mwN.

[64]) Siehe hierzu die Mitteilung der Kommission vom 12. April 1995 an den Rat und das Europäische Parlament betreffend ein Memorandum über die Tätigkeiten der Europäischen Atomgemeinschaft im Zusammenhang mit den Zielen der Artikel III und IV des Vertrags über die Nichtverbreitung von Kernwaffen (VNV) für die Konferenz zur Überprüfung und Verlängerung des VNV im Jahre 1995, KOM(95) 127 endg.

[65]) Siehe den Vorschlag vom 8. September 1994 für einen Beschluß des Rates über die Genehmigung zum Abschluß des Übereinkommens über die nukleare Sicherheit durch die Europäische Atomgemeinschaft, KOM(94) 362 endg.

[66]) Siehe hierzu die Programme PHARE und TACIS und die Schriftenreihe NUSAC news – G-24 Nuclear Safety Assistance Coordination, EG-Kommission, GD XI, Brüssel. Siehe auch die Mitteilung der Kommission vom 9. Dezember 1993: Nukleare Sicherheit in der Elektrizitätswirtschaft in Mittel- und Osteuropa sowie in der GUS, KOM(93) 635 endg.

[67]) Siehe Mitteilung der Kommission vom 7. September 1994: Der illegale Handel mit Kernmaterial und radioaktiven Stoffen, KOM(94) 383 endg.

[68]) Abgedruckt in Verträge zur Gründung der Europäischen Gemeinschaften Bd I (1987) 1073.

[69]) Zur Rechtswirkung derartiger Erklärungen *Oliver,* Free Movement of Goods in the European Community[3] (1996) 394.

tor bei den Mitgliedstaaten verbleibt. Andererseits ist die europäische Energiewirtschaft wie jeder andere Wirtschaftszweig den Bestimmungen des EG-Vertrages unterworfen, wobei Art 3 lit t EGV nunmehr ausdrücklich „Maßnahmen" im Energiebereich zuläßt und die Gemeinschaft nach Art 129b zum „Auf- und Ausbau transeuropäischer Netze" im Bereich der Energieinfrastruktur beiträgt.

Dabei wirkt das EG-Recht in zweierlei Weise auf den Energiesektor ein: Zum Einen durch die **allgemeinen Vorschriften** des Primär- und Sekundärrechts zum freien Warenverkehr, zum Verkehr, zum Wettbewerbsrecht und zum Umweltrecht, die für die Energiewirtschaft wie für jeden anderen Wirtschaftszweig gelten, und zum Zweiten durch **spezielle primär- und sekundärrechtliche Vorschriften**, die allein den Energiesektor betreffen. Als Beispiel für die erstgenannte Normenkategorie sei hier Art 37 EGV genannt, der die Umformung aller staatlichen Handelsmonopole und damit zB auch die Umformung der griechischen, spanischen und portugiesischen Handelsmonopole auf dem Mineralölsektor verlangt.[70])

Beispiele für den zweitgenannten Normentyp bilden die Richtlinie 68/414/EWG des Rates vom 20. Dezember 1968 zur Verpflichtung der Mitgliedstaaten der EWG, Mindestvorräte an Erdöl und/oder Erdölerzeugnissen zu halten[71]) und die Verordnung (EWG) 1055/72 des Rates vom 18. Mai 1972 über die Mitteilung der Einfuhr von Kohlenwasserstoffen an die Kommission.[72])

Als EG-Energierecht im eigentlichen oder engeren Sinne bilden die Regelungen dieses zweiten Typus inzwischen einen vielhundertseitigen Korpus an Vorschriften,[73]) die vor allem die Kohlenwasserstoffe, dh Erdöl und Erdgas, betreffen. Inhaltlich gelten die Bestimmungen den folgenden – für den Energiesektor typischen – **Regelungsbereichen:** Krisenmaßnahmen, Investitionen, Preise, Statistiken, Binnenmarkt, Fördermaßnahmen und nunmehr transeuropäische Netze. Hierbei stützen sich die Rechtsakte der Gemeinschaft im wesentlichen auf folgende Rechtsgrundlagen:

- Art 103a EGV (Schwierigkeiten in der Versorgung mit bestimmten Waren),
- Art 213 EGV (Auskunftsrecht der Kommission),
- Art 235 EGV (Tätigwerden der Gemeinschaft in vertraglich nicht vorgesehenen Fällen)
- Art 100a EGV (Errichtung des Binnenmarktes),
- Art 129d EGV (Auf- und Ausbau transeuropäischer Netze).

---

[70]) Zu Griechenland s Art 40 der Beitrittsakte, ABl L 1979/291 v 19. 11. 1979, 24, sowie die Empfehlung der Kommission v 29. 7. 1983 an die Republik Griechenland zur Umformung der staatlichen Handelsmonopole iSv Art 37 Abs 1 EWGV, ABl L 1983/233 v 24. 8. 1983, 29; s auch EuGH 13. 12. 1990 Rs C-347/88 – Kommission gg Griechische Republik, Slg 1990, I-4747; zu Spanien s Art 48 der Beitrittsakte, ABl L 1985/302 v 15. 11. 1985, 32; zu Portugal s Art 208 der Beitrittsakte, ABl L 1985/302 v 15. 11. 1985, 85, sowie die Empfehlung der Kommission v 22. 12. 1987 an die Portugiesische Republik zur Umformung ihres staatlichen Handelsmonopols für Erdölerzeugnisse gegenüber den anderen Mitgliedstaaten, ABl L 1988/56 v 2. 3. 1988, 30.

[71]) ABl L 1968/308 v 23. 12. 1968, 14.

[72]) ABl L 1972/120 v 25. 5. 1972, 3.

[73]) Vgl EG-Kommission (Hg), Recueil des Textes Législatifs et des Actes relatifs au Domaine de l'Energie (1988).

b) Erdöl

Seit Beginn der EG nimmt das Mineralöl aufgrund seiner außerordentlichen wirtschaftlichen Bedeutung eine Sonderrolle in der Gemeinschaft ein.[74]) Angefangen beim „Protokoll über die Mineralöle und einige Mineralölerzeugnisse" vom 25. März 1957,[75]) bis hin zur langjährigen Nichtanwendung der gemeinsamen Ursprungsregelungen[76]) zeichnet sich der Mineralölsektor durch zahlreiche rechtliche Besonderheiten aus, die sich auf der Ebene der Rechtsprechung – wie im Urteil in der Rechtssache „Campus Oil"[77]) – fortsetzen.

Mit einem Anteil von 46% am Primärenergieverbrauch der Gemeinschaft stellt das Erdöl den wichtigsten Energieträger in der EG dar. 32% des Primärenergieverbrauchs werden durch Erdöleinfuhren aus Drittländern gedeckt, woraus sich eine starke Abhängigkeit der Gemeinschaft vom Weltmarkt ergibt.[78]) Sie zu verringern und Versorgungskrisen vorzubeugen, ist die Hauptaufgabe der gemeinschaftlichen Energiepolitik auf dem Mineralölsektor. Die **Reduzierung des Erdölanteils am Primärenergieverbrauch** ist ein beständiges Element der energiepolitischen Entschließungen des Rates und der Verlautbarungen der Kommission. Gem Z 6 lit b der energiepolitischen Ziele der Gemeinschaft für 1995 wird angestrebt, den Erdölverbrauch auf etwa 40% des Energieverbrauchs zu senken und damit die Nettoeinfuhren von Erdöl auf weniger als einem Drittel des gesamten Energieverbrauchs zu halten.[79])

Während die Reduzierung des Erdölverbrauchs im wesentlichen durch unverbindliches soft law und „friendly persuasion" erreicht werden soll, hat die Gemeinschaft eventuellen Versorgungskrisen durch verbindliche Rechtsakte vorgebeugt. Schon 1968 führte sie die **obligatorische Mine-**

---

[74]) Siehe zuletzt die Mitteilung der Kommission vom 15. Mai 1992: Der Mineralölmarkt und die mineralölverarbeitende Industrie in der Gemeinschaft: Neue Entwicklungen und Perspektiven, KOM (92) 152 endg.

[75]) Abgedruckt in Verträge zur Gründung der Europäischen Gemeinschaften Bd I (1987) 537.

[76]) Vgl Art 3 und Anhang I der V (EWG) 802/68 des Rates v 27. 6. 1968 über die gemeinsame Begriffsbestimmung für den Warenursprung, ABl L 1968/148 v 28. 6. 1968, 1, die erst durch die V (EWG) 456/91 des Rates v 25. 2. 1991 (ABl L 1991/54 v 28. 2. 1991, 4) aufgehoben wurden.

[77]) EuGH 10. 7. 1984 Rs 72/83 – Campus Oil gg Minister für Industrie und Energie – Slg 1984, 2727.

[78]) Vgl Kommission (Hg), Energie in Europa – Der Binnenmarkt für Energie (1988) 30; s auch die Mitteilung der Kommission v 23. 9. 1988 „Der Mineralölmarkt und die mineralölverarbeitende Industrie in der Gemeinschaft – Jüngste Entwicklungen und Aussichten bis 1995" (KOM [88] 491 endg) sowie das Arbeitspapier der Kommission v 14. 9. 1990 „Versorgungssicherheit, Binnenmarkt für Energie und Energiepolitik" (SEK [90] 1248 endg); s außerdem die Mitteilung der Kommission an den Rat v 22. 11. 1990 über die Situation bei der Erdölversorgung einschließlich zweier Vorschläge für Richtlinien des Rates über Maßnahmen bei Versorgungsschwierigkeiten und über die Erdölvorräte (KOM [90] 514 endg).

[79]) ABl C 1986/241 v 25. 9. 1986, 1. Siehe in diesem Zusammenhang auch die RL des Rates v 14. 4. 1975 über die Einschränkung des Einsatzes von Erdölerzeugnissen in Kraftwerken (75/405/EWG), ABl L 1975/178 v 9. 7. 1975, 26.

ralölbevorratung ein, die inzwischen eine fortdauernde Versorgung für 90 Tage sicherstellt.[80]) Um im Krisenfalle nachteilige Auswirkungen auf den innergemeinschaftlichen Handel mit Erdöl und Erdölerzeugnissen zu vermeiden, hat die Gemeinschaft legislative Vorkehrungen getroffen, die bei Versorgungsschwierigkeiten Anpassungsmechanismen in Gang setzen.[81]) Sie werden durch die Maßnahmen auf internationaler Ebene ergänzt, die im Rahmen der Internationalen Energieagentur beschlossen werden.[82])

Rechtsakte über die Mitteilung der Ein- und Ausfuhr von Kohlenwasserstoffen[83]) sowie die Registrierung der Einfuhr von Rohöl und Mineralölerzeugnissen[84]) vervollständigen das gemeinschaftliche Regelungssystem. Wie für die Steinkohle und den Nuklearsektor gelten weiterhin auch für das Erdöl Vorschriften über die Preistransparenz, die Verfahren zur Unterrichtung und Konsultation über die Preise für Rohöl und Mineralölerzeugnisse vorsehen.[85]) Als wesentlicher Bestandteil der legislativen Maßnahmen zur Errichtung des Binnenmarktes für Energie wurde zuletzt die Richtlinie 94/22/EG des Europäischen Parlaments und des Rates vom 30. Mai 1994 über die Erteilung und Nutzung von Genehmigungen zur Prospektion, Exploration und Gewinnung von **Kohlenwasserstoffen** erlassen.[86])

---

[80]) Vgl oben FN 71.

[81]) Entscheidung des Rates v 14. 2. 1977 über die Ausfuhr von Erdöl und Erdölerzeugnissen von einem Mitgliedstaat nach einem anderen bei Versorgungsschwierigkeiten (77/186/EWG), ABl L 1977/61 v 5. 3. 1977, 23, nebst Durchführungsbestimmungen in der Entscheidung der Kommission v 28. 9. 1978, ABl L 1978/311 v 4. 11. 1978, 13. Siehe auch den Vorschlag für eine Richtlinie des Rates über geeignete Maßnahmen bei Versorgungsschwierigkeiten der Gemeinschaft mit Rohöl und Erdölerzeugnissen, ABl C 1992/127 v 19. 5. 1992, 8.

[82]) Beschluß des Rates der Organisation für Wirtschaftliche Zusammenarbeit und Entwicklung zur Errichtung einer Internationalen Energie-Agentur der Organisation v 15. 11. 1974, dBGBl 1975 II 739, sowie Übereinkommen über ein Internationales Energieprogramm v 18. 11. 1974 dBGBl 1975 II 702.

[83]) Vgl die V (EWG) 1055/72 des Rates v 18. 5. 1972 über die Mitteilung der Einfuhr von Kohlenwasserstoffen an die Kommission, ABl L 1972/120 v 25. 5. 1972, 3, sowie die V (EWG) 388/75 des Rates v 13. 2. 1975 über die Mitteilung der Ausfuhr von Kohlenwasserstoffen nach Drittländern an die Kommission, ABl L 1975/45 v 19. 2. 1975, 1.

[84]) Vgl V (EWG) 1893/79 des Rates v 28. 8. 1979 zur Schaffung einer Registrierung der Einfuhren von Rohöl und/oder Mineralölerzeugnissen in der Gemeinschaft, ABl L 1979/220 v 30. 8. 1979, 1, nebst Durchführungsverordnungen (EWG) 2592/79 (ABl L 1979/297 v 24. 11. 1979, 1) und (EWG) 2729/79 (ABl L 1979/314 v 10. 12. 1979, 1).

[85]) RL des Rates v 4. 5. 1976 über ein gemeinschaftliches Verfahren zur Unterrichtung und Konsultation über die Preise für Rohöl und Mineralölerzeugnisse in der Gemeinschaft (76/491/EWG), ABl L 1976/140 v 28. 5. 1976, 4 nebst Durchführungsbestimmungen in der Entscheidung der Kommission v 26. 1. 1977 (77/190/EWG), ABl L 1977/61 v 5. 3. 1977, 34.

[86]) ABl L 1994/164 v 30. 6. 1994, 3. Siehe dazu auch die Bekanntmachungen im ABl C 1995/67 v 18. 3. 1995, 7; ABl C 1994/374 v 30. 12. 1994, 11; ABl C 1994/299 v 27. 10. 1994, 4 und ABl C 1994/294 v 22. 10. 1994, 11. Siehe weiterhin *Harders,* The EEC's Continental Shelf: A "Terra Incognita", Journal of Energy Natural Resources Law 1990, 263.

c) Erdgas

Zur Zeit der Gründung der EG kam allein dem Stadtgas wirtschaftliche Bedeutung zu. Mit der Entdeckung des riesigen Groningen-Gasfeldes im Jahre 1959 und der Entdeckung weiterer Vorkommen in der Nordsee begann der Aufschwung des Erdgases (Methan: CH_4), das als umweltfreundlichster Energieträger inzwischen mit 19% an der Primärenergieversorgung der Gemeinschaft beteiligt ist (mit steigender Tendenz).[87]) Rechtlich gesehen besitzt das Erdgas eine Doppelnatur, da es einerseits als **Kohlenwasserstoff** zahlreichen Bestimmungen unterliegt, die auch für das Erdöl gelten,[88]) und andererseits als **leitungsgebundene Energie** Regelungen mit der ebenfalls netzabhängigen Elektrizität teilt.[89]) Als Beispiel für die erste Normengruppe sei auf das Recht der Ein- und Ausfuhrmitteilungen verwiesen,[90]) während für die zweite Gruppe die RL 90/377/EWG des Rates vom 29. Juni 1990 zur Einführung eines gemeinschaftlichen Verfahrens zur Gewährleistung der Transparenz der vom industriellen Endverbraucher zu zahlenden Gas- und Strompreises[91]) typisch ist.

Spezifische Regelungen für den Erdgassektor hat die Gemeinschaft bislang erst in sehr beschränktem Umfang erlassen.[92]) Eine Richtlinie aus dem Jahre 1975 zur Einschränkung des Einsatzes von Erdgas in Kraftwerken[93]) wurde im März 1991 aufgehoben.[94]) Im Zuge der Errichtung des Binnenmarktes für Energie verabschiedete der Rat am 31. Mai 1991 die RL 91/296/EWG über den Transit von Erdgas über große Netze.[95]) Als wei-

---

[87]) Vgl Kommission (Hg), Energie in Europa – Der Binnenmarkt für Energie (1988) 42; s auch die Mitteilung der Kommission an den Rat über Erdgas v 11. 12. 1986 (KOM [86] 518 endg); s außerdem *Estrada/Bergesen/Moe/Syndes,* Natural Gas in Europe: Markets, Organization and Politics (1988), sowie *Mestmäcker/Gröner/Basedow,* Die Gaswirtschaft im Binnenmarkt (1990), und *von Weizsäcker/Schneider/Schmitt,* Erdgas im europäischen Binnenmarkt (1990).

[88]) Die Kohlenwasserstoffe CH4 (Methan) bis C3H8 (Propan) sind bei normalen Druck- und Temperaturverhältnissen gasförmig, ab C4H10 (Butan) flüssig, ab C19H40 (schweres Heizöl) dickflüssig und ab C40H82 (Paraffin) fest.

[89]) Vgl schon das deutsche Gesetz zur Förderung der Energiewirtschaft (Energiewirtschaftsgesetz) v 13. 12. 1935 (RGBl I 1451), das die Elektrizitäts- und Gasversorgung denselben Regelungen unterwirft.

[90]) FN 83.

[91]) ABl L 1990/185 v 17. 7. 1990, 16.

[92]) Vgl zB die Empfehlung des Rates v 21. 4. 1983 über die Bildung der Preise und Tarife für Erdgas in der Gemeinschaft, ABl L 1983/123 v 11. 5. 1983, 40.

[93]) RL 75/404/EWG, ABl L 1975/178 v 9. 7. 1975, 24; s auch die RL 75/495/EWG über die Einschränkung des Einsatzes von Erdölerzeugnissen in Kraftwerken, die noch heute gilt.

[94]) RL 91/148/EWG, ABl L 1991/75 v 21. 3. 1991, 52.

[95]) RL 91/296/EWG, ABl L 1991/147 v 12. 6. 1991, 37, aktualisiert durch RL 94/49/EG der Kommission vom 11. November 1994, ABl L 1994/295 v 16. 11. 1994, 16 und RL 95/49/EG der Kommission v 26. 9. 1995, ABl L 1995/233 v 30. 9. 1995, 86. Siehe dazu auch *Grunwald,* Common Carriage, Oil & Gas Law and Taxation Review 1989/90 vol 8 n° 3 S 55; *Steindorff,* Durchleitung von Gas im Binnenmarkt für Energie? RIW Jänner 1989 (Blg); s auch die Mitteilung der Kommission „Die Vollendung des Binnenmarktes für Erdgas" v 6. 9. 1989 (KOM [89] 334 endg); s weiterhin *Eckert,* Die Erdgastransitrichtlinie, in: Europarecht–Energierecht–Wirtschaftsrecht, FS *Börner* (1992)

teren Schritt auf diesem Wege legte die Kommission am 24. Februar 1992 ihren Vorschlag für eine Richtlinie des Rates betreffend gemeinsame Vorschriften für den Erdgasbinnenmarkt vor,[96]) über den zur Zeit beraten wird.

In stärkerem Maße war der **Gerichtshof** mit Rechtsfragen des Erdgassektors beschäftigt, der sich in mehreren Urteilen mit nationalen Vorzugstarifen in den Niederlanden zu beschäftigen hatte.[97])

d) Elektrizität

Über ein Drittel der gesamten Primärenergie in der Gemeinschaft wird für die Stromerzeugung verwendet, wobei bis zum Jahre 2000 mit einem Anstieg der Gesamtnachfrage nach elektrischer Energie um jährlich 2% gerechnet wird.[98])

Abgesehen von zwei Empfehlungen aus dem Jahre 1981 betreffend die Strukturen der Elektrizitätstarife[99]) und aus dem Jahre 1988 zur Förderung der Zusammenarbeit zwischen öffentlichen Elektrizitätsversorgungsunternehmen und Eigenerzeugern[100]) ist der **Elektrizitätssektor** erst mit der Errichtung des Binnenmarktes für Energie als rechtliches Aufgabenfeld der Gemeinschaft erschlossen worden.[101]) Seitdem hat der Rat neben der Richtlinie über die Einführung eines gemeinschaftlichen Ver-

---

523; *Liesen,* Rahmenbedingungen des internationalen Erdgashandels, in: Europarecht, Energierecht, Wirtschaftsrecht 593; *Pluge,* Die Politik der Europäisierung auf dem Gebiet der Gas- und Wasserwirtschaft, Europa-Institut der Universität des Saarlandes, Bd 278 (1993).

[96]) ABl C 1992/65 v 14. 3. 1992, 14, abgeändert zuletzt ABl C 1994/123 v 4. 5. 1994, 26.

[97]) Vgl zB EuGH 2. 2. 1988 verb Rs 67, 68 und 70/85 – Van der Kooy gg Kommission – Slg 1988, 219; EuGH 2. 2. 1988 Rs 213/85 – Kommission gg Niederlande – Slg 1988, 281; EuGH 28. 1. 1986 Rs 169/84 – Cofaz gg Kommission, Slg 1986, 391; s auch die Entscheidung der Kommission v 15. 12. 1981 über den Erdgasvorzugstarif für die niederländischen Gartenbaubetriebe (82/73/EWG), ABl L 1982/37 v 10. 2. 1982, 29.

[98]) Vgl Kommission (Hg), Energie in Europa – Der Binnenmarkt für Energie (1988) 51.

[99]) ABl L 1981/337 v 24. 11. 1981, 12.

[100]) ABl L 1988/335 v 7. 12. 1988, 29.

[101]) Vgl die Mitteilung der Kommission „Die Ausweitung der innergemeinschaftlichen Stromlieferungen: ein grundlegender Beitrag zur Vollendung des Binnenmarktes für Energie“ (KOM[89] 336 endg) v 29. 9. 1989; *Seidel,* Die Elektrizitätswirtschaft im System des Gemeinschaftsrechts, EuR 1988, 129 = Bd 114 der Schriftenreihe des Europa-Instituts der Universität des Saarlandes; *Lukes* (Hg), Ein EWG-Binnenmarkt für Elektrizität – Realität oder Utopie, Bd 47 der Schriftenreihe Recht – Technik – Wirtschaft (1988); *Harms* (Hg), Atomstrom aus Frankreich? Zur Schaffung eines europäischen Binnenmarktes für Strom, Bd 2 der Berliner Beiträge zum Wirtschaftsrecht (1987); *Schütze,* Europäischer Stromverbund und EG-Recht (1992); *Metzenthin,* Wettbewerb durch EG-Strompreise (1992); *Bohne,* Eine Strombörse mit Umweltinstrumenten für eine preis- und umweltgerechtere Stromversorgung, DVBl 1994, 829; *Schröder,* Verfassungsrechtliche Möglichkeiten und Grenzen umweltpolitischer Steuerung in einem deregulierten Strommarkt, DVBl 1994, 835; *Koch,* Verfassungsrechtlicher Bestandsschutz als Grenze der Deregulierung und der umweltpolitischen Steuerung im Bereich der Elektrizitätswirtschaft?, DVBl 1994, 840; *Krebs,* Liberalisierung des Strommarktes und die Chancen für umweltpolitische Steuerungen, DVBl 1994, 844.

fahrens zur Gewährleistung der Transparenz der vom industriellen Endverbraucher zu zahlenden Gas- und Strompreise[102]) die wichtige Richtlinie über den Transit von Elektrizitätslieferungen über große Netze[103]) erlassen. Über den seit 1992 beratenen Vorschlag der Kommission für eine Richtlinie betreffend gemeinsame Vorschriften für den Elektrizitätsbinnenmarkt[104]) konnte noch keine Einigung erzielt werden. Als hochbedeutsam ist in diesem Zusammenhang schließlich das Urteil des EuGH vom 27. April 1994 in der RS C-393/92 – Almelo – zu betrachten,[105]) das für den Bereich der Stromversorgung den Inhalt der Art 85, 86 und 90 Abs 2 EGV präzisiert.[106])

e) Erneuerbare Energien

Trotz vielfältiger Forschungsbemühungen der Gemeinschaft tragen die erneuerbaren oder auch **„alternativen" Energiequellen** bis heute nur geringfügig zur Energieversorgung der Gemeinschaft bei.[107]) Abgesehen von der Wasserkraft, deren Nutzung jedoch an spezifische natürliche Voraussetzungen gebunden ist, dürfte eine großtechnische – aber auch signifikante dezentrale – Ausbeutung der Energiekräfte des Windes, der Sonne, der Gezeiten, der Geowärme und der Biomasse[108]) beim gegenwärtigen Stand der Technik und angesichts ausreichender Verfügbarkeit der klassischen Energien bis auf weiteres kaum realisierbar sein. So beschränkt sich der Beitrag der Gemeinschaft an der Entwicklung und Förderung dieser Energiearten im wesentlichen auf umweltschützende Subventionsprogramme,[109]) FuE-Maßnahmen[110]) und die Gewährung finanzieller Anreize zu ihrer verstärkten Nutzung.[111])

---

[102]) ABl L 1990/185 v 17. 7. 1990, 16.

[103]) RL 90/547/EWG v 29. 10. 1990, ABl L 1990/313 v 13. 11. 1990, 30, aktualisiert durch Entscheidung der Kommission 94/559/EG (ABl L 1994/214 v 19. 8. 1994, 14) und 95/162/EG (ABl L 1995/107 v 12. 5. 1995, 53). Siehe auch den Beschluß der Kommission 92/167/EWG vom 4. März 1992 über die Einsetzung eines Sachverständigengremiums für den Elektrizitätstransit über große Netze, ABl L 1992/74 v 20. 3. 1992, 43.

[104]) ABl C 1992/65 v 14. 3. 1992, 4, abgeändert zuletzt ABl C 1994/123 v 4. 5. 1994, 1.

[105]) Slg 1994, I-1477.

[106]) Siehe dazu die Anmerkung von *Rapp/Jung* in EuZW 1994, 464.

[107]) 1991 betrug der Anteil der erneuerbaren Energieträger an der Deckung des Gesamtenergiebedarfs rund 4%, von denen wiederum 95% auf die Wasserkraft entfielen.

[108]) Siehe die Entschließung des E. P. zur Zukunft der Biomasse, ABl C 1994/128 v 9. 5. 1994, 434.

[109]) Siehe Entscheidung des Rates 93/500/EWG vom 13. September 1993 zur Förderung der erneuerbaren Energieträger in der Gemeinschaft (ALTENER-Programm) (ABl L 1993/235 v 18. 9. 1993, 41) mit dessen Hilfe der Anteil der erneuerbaren Energieträger an der Deckung des Gesamtenergiebedarfs bis zum Jahr 2005 auf 8% gesteigert werden soll.

[110]) Siehe Entscheidung des Rates 94/806/EG vom 23. November 1994 zur Annahme eines spezifischen Programms für Forschung und technologische Entwicklung, einschließlich Demonstration im Bereich der nichtnuklearen Energien (1994–1998), ABl L 1994/334 v 22. 12. 1994, 87.

[111]) Vgl zuletzt die V (EWG) 2008/90 des Rates v 29. 6. 1990 zur Förderung der Energietechnologien in Europa (Thermie-Programm), ABl L 1990/185 v 17. 7. 1990, 1, s

C. Energieverbrauch

Während die Mitgliedstaaten auf der Seite der **Energieerzeugung** die Autonomie ihrer nationalen Energiepolitiken betonen,[112]) ist der Rat auf der Seite des **Energieverbrauchs** seit den Ölkrisen der 70er Jahre in stärkerem Maße zum Erlaß von Gemeinschaftsregelungen bereit. Dabei ist bemerkenswert, daß die Energiepolitik als erste und bislang einzige Politik die Umkehr von einer ungebremsten Wachstumsorientierung hin zu Selbstbeschränkung, Einsparung und Verbrauchsminderung vollzogen hat. Diese Umkehr ist rechtlich insofern nicht selbstverständlich, als die EG-Verträge jeweils für ihre Wirtschaftssektoren wachstumsorientiert einen Ausbau des Produktionspotentials und Absatzerleichterungen (so für die Kohle Art 3 lit d und Art 54 Abs 2 EGKSV), die Schaffung „einer mächtigen Kernindustrie" (Präambel zum EURATOMV) und allgemein „eine beständige Wirtschaftsausweitung" (Präambel und Art 2 EGV) vorsehen. Die Wende trat auf dem Energiesektor mit den Ölkrisen der 70er-Jahre ein und wurde durch die **Umweltbewegung** verstärkt; die Entdeckung des Treibhauseffektes und das zunehmende Bewußtsein der Begrenztheit der natürlichen Ressourcen dürfte sie unumkehrbar gemacht haben.[113])

Die rechtlichen Instrumente zur Drosselung und Steuerung des Energieverbrauchs sind dreierlei Art: Zum Einen kann sich die Gemeinschaft mittels soft law unverbindliche energiepolitische Verbrauchsziele setzen, zum Zweiten kann sie durch finanzielle Förderprogramme Anreize zu verbrauchsdrosselndem Verhalten bieten und zum Dritten kann sie durch bindende Rechtsakte konkrete Verbrauchsregelungen erlassen. Was die erste Handlungsmöglichkeit betrifft, so hat der Rat in seiner Entschließung vom 16. September 1986 „über neue energiepolitische Ziele der Gemeinschaft für 1995 und die Konvergenz der Politik der Mitgliedstaaten"[114]) auf der Nachfrageseite „eine verstärkte Einsparung beim Energieverbrauch und eine Begrenzung des Erdölanteils" als vorrangig anerkannt und sich als Ziel „eine entschlossene Politik der Energieeinsparung und der rationellen Energienutzung" gesetzt. Als **quantitative Vorgabe** ist bis 1995 eine Senkung des Erdölverbrauchs auf etwa 40% des Energieverbrauchs vorgesehen, um die Nettoeinfuhren von Erdöl auf weniger als einem Drittel des gesamten Energieverbrauchs zu halten. Des weiteren soll bis 1995 „der Anteil des aus Kohlenwasserstoffen erzeugten Stroms auf weniger als 15% verringert sein".

Jenseits dieser politischen Willensbekundung durch soft law hat der Rat auf den folgenden Gebieten eine Reihe von Rechtsakten mit Außenwirkung erlassen.

---

auch den Vorschlag der Kommission für ein Programm THERMIE II (1996–1998), ABl C 1994/158 v 9. 6. 1994, 6.

[112]) FN 68.

[113]) Vgl dazu *Simonis/Freiherr von Weizsäcker,* Globale Umweltprobleme, EA 1990, 1.

[114]) ABl C 1986/241 v 25. 9. 1986, 1.

1. Energieeinsparung und rationelle Energienutzung

Nach einer Reihe von spezifischen Empfehlungen und Entschließungen zur **rationellen Energienutzung** in verschiedenen Bereichen[115]) erließ der Rat am 15. Dezember 1985 die Richtlinie 85/536/EWG zur **Einsparung von Rohöl** durch die Verwendung von Ersatz-Kraftstoffkomponenten im Benzin.[116]) Ebenfalls mit Blickrichtung auf eine Einsparung von Kraftstoff hat der Rat am 10. Februar 1992 die Richtlinie 92/6/EWG über „Einbau und Benutzung von Geschwindigkeitsbegrenzern für bestimmte Kraftfahrzeugklassen in der Gemeinschaft"[117]) angenommen, die jeweils bauartbedingt für Lastfahrzeuge und Kraftomnibusse Höchstgeschwindigkeiten von 25 km/h, 85 km/h, 90 km/h und 100 km/h vorschreibt. Ebenfalls der Energieeinsparung dient für den Bereich des Bauwesens das Grundlagendokument Nr. 6: „Energieeinsparung und Wärmeschutz"[118]) zur Richtlinie 89/106/EWG des Rates vom 21. Dezember 1988 zur Angleichung der Rechts- und Verwaltungsvorschriften der Mitgliedstaaten über Bauprodukte.[119])

Beginnend mit der V (EWG) 1972/83[120]) förderte die Gemeinschaft **Demonstrationsvorhaben** auf dem Gebiet der Energieeinsparung durch die Gewährung finanzieller Unterstützungen.[121]) Die derzeit geltende V (EWG) 2008/90 (THERMIE)[122]) ermöglicht in verstärktem Maße die Förderung von Projekten zur rationellen Energienutzung. Speziell für den Elektrizitätssektor erließ der Rat am 5. Juni 1989 die Entscheidung 89/364/EWG für ein Aktionsprogramm der Gemeinschaft zur Erhöhung der Effizienz bei der Elektrizitätsverwendung.[123]) Zur allgemeinen Steigerung der Energieeffizienz erließ der Rat mit Entscheidung 91/565/EWG vom 29. Oktober 1991 das Förderprogramm SAVE[124]) und die Richtlinie 93/76/EWG vom 13. September 1993 zur Begrenzung der Kohlendioxidemissionen durch eine effizientere Energienutzung (SAVE).[125]) Und kaum einem Bürger dürfte bekannt sein, daß die seit 1980 in der Gemeinschaft geltende Sommerzeit ebenfalls auf Rechtsakten der Gemeinschaft[126]) beruht, deren Ziel gleichfalls in der Energieeinsparung besteht.

---

[115]) Vgl zB die Entschließung des Rates v 17. 12. 1974 für ein Aktionsprogramm der Gemeinschaft im Bereich der rationellen Energienutzung, ABl C 1975/153 v 9. 7. 1975, 5, sowie die zahlreichen Empfehlungen und Entschließungen in EG-Kommission (Hg), Fundstellennachweis des geltenden Gemeinschaftsrechts[25] Bd I 873 f.

[116]) ABl L 1985/334 v 12. 12. 1985, 20.

[117]) ABl L 1992/57 v 2. 3. 1992, 27.

[118]) ABl C 1994/62 v 28. 2. 1994, 148.

[119]) ABl L 1989/40 v 11. 2. 1989, 12.

[120]) ABl L 1982/195 v 19. 7. 1982, 6.

[121]) FN 109.

[122]) Siehe oben FN 111.

[123]) ABl L 1989/157 v 9. 6. 1989, 32.

[124]) ABl L 1991/307 v 8. 11. 1991, 34.

[125]) ABl L 1993/237 v 22. 9. 1993, 28.

[126]) Vgl zuletzt die siebte RL 94/21/EG des Europäischen Parlaments und des Rates vom 30. Mai 1994 zur Regelung der Sommerzeit, ABl L 1994/164 v 30. 6. 1994, 1.

2. Verbrauchsnormung

Auch wenn sie nicht **primär** auf eine Energieeinsparung abzielen, sind hier jene Rechtsakte zu nennen, die die Rechtsvorschriften der Mitgliedstaaten für Energieverbrauchseinrichtungen angleichen. In diesem Zusammenhang sei auf die auf Art 100a EGV gestützte RL 90/396/EWG des Rates vom 29. Juni 1990 zur Angleichung der Rechtsvorschriften der Mitgliedstaaten für **Gasverbrauchseinrichtungen**[127]) sowie auf die Richtlinie 92/42/EWG des Rates vom 21. Mai 1992 über die Wirkungsgrade von mit flüssigen oder gasförmigen Brennstoffen beschickten neuen Warmwasserheizkesseln[128]) hingewiesen. Von großer praktischer Bedeutung sind in diesem Zusammenhang auch die Rechtsakte über die Angabe des Verbrauches an Energie mittels einheitlicher Etiketten und Produktinformationen.[129]).

3. Verbrauchsbeschränkungen

Verbrauchsbeschränkungen wurden erstmalig im Februar 1975 durch die RL 75/404/EWG[130]) verfügt. Sie ordnete die Einschränkung des Einsatzes von **Erdgas** in Kraftwerken an und wurde erst durch die RL 91/148/EWG[131]) aufgehoben, da sich zum Einen die Erdgasreserven der Gemeinschaft als sehr viel größer herausstellten als ursprünglich angenommen und zum Zweiten Erdgas „für die Produktion von Elektrizität spezifische Vorzüge bietet, da es nur in begrenztem Umfang Schadstoffe freisetzt".[132]) Weiterhin in Kraft ist die im April 1975 beschlossene RL 75/405/EWG über die Einschränkung des Einsatzes von **Erdölerzeugnissen** in Kraftwerken,[133]) da ihre Zielsetzung, die Verringerung des Erdölverbrauchs in der Gemeinschaft, weiterhin Bestand hat.

4. Verbrauchssteuerung durch steuerliche Maßnahmen

Daß Verbraucherverhalten durch steuerliche Maßnahmen beeinflußt werden kann, bedarf keiner näheren Ausführungen. Wenn auch die Steuerpolitik der Gemeinschaft im Energiesektor nicht primär energiepolitische Ziele verfolgen mag, so liegen den diesbezüglichen Regelungen doch eindeutige **energiepolitische Präferenzen** zugrunde. Nach Maßgabe der Richtlinie 92/82/EWG des Rates vom 19. Oktober 1992 zur Annäherung der Ver-

---

[127]) ABl L 1990/196 v 26. 7. 1990, 15.

[128]) ABl L 1992/167 v 22. 6. 1992, 17.

[129]) Siehe RL 92/75/EWG des Rates vom 22. September 1992 (ABl L 1992/297 v 13. 10. 1992, 16) und RL 94/2/EG der Kommission vom 21. Jänner 1994, Haushaltskühl- und Gefriergeräte, (ABl L 1994/45 v 17. 2. 1994, 1). Siehe dazu auch zuletzt die RL 95/12/EG und 95/13/EG der Kommission vom 23. Mai 1995, Waschmaschinen und Wäschetrockner, (ABl L 1995/136 v 21. 6. 1995, 1, 28).

[130]) ABl L 1975/178 v 9. 7. 1975, 24.

[131]) ABl L 1991/75 v 21. 3. 1991, 52.

[132]) So der dritte Erwägungsgrund der RL 91/148/EWG (FN 131).

[133]) ABl L 1975/178 v 9. 7. 1975, 26.

brauchssteuersätze für Mineralöle[134]) gelten ab dem 1. Jänner 1993 folgende Mindestsätze:

Mineralöl	je 1000 Liter
Verbleites Benzin	337 ECU
Unverbleites Benzin	287 ECU
Dieselkraftstoff/Gasöl	245 ECU
Gasöl (ermäßigt)	18 ECU
Leichtes Heizöl	18 ECU
Schweres Heizöl	13 ECU/1000 kg
Flüssiggas, Methan, Kerosin zu Heizzwecken	0 ECU
Flüssiggas, Methan als Kraftstoff	100 ECU/1000 kg
Flüssiggas, Methan (ermäßigt)	36 ECU/1000 kg
Kerosin als Kraftstoff	245 ECU
Kerosin (ermäßigt)	18 ECU

Auf weitere verbrauchssteuerrechtliche Regelungen kann hier nur kursorisch hingewiesen werden.[135]) Das gleiche gilt für die Einführung einer gemeinschaftsweiten Energie- bzw CO_2-Steuer, über die bis heute keine Entscheidung gefallen ist.[136])

D. Energieforschung

Von allen EG-Forschungsaktivitäten besitzt die Energieforschung die längste Tradition. Gem Art 55 EGKSV hat die Hohe Behörde seit 1952 „die technische und wirtschaftliche Forschung für die Erzeugung und die Steigerung des Verbrauchs von **Kohle und Stahl"** zu fördern. Mit dem EURATOM-Vertrag trat ab 1958 die **Nuklearforschung** hinzu, der in den Kapiteln I und II des EURATOM-Vertrages ausführliche Bestimmungen gewidmet sind (Art 4 bis 29 EURATOMV). Knapp dreißig Jahre später fügte die Einheitliche Europäische Akte[137]) auch in den EWG-Vertrag einen besonderen Titel

[134]) ABl L 1992/316 v 31. 10. 1992, 19, geändert durch RL 94/74/EG vom 22. Dezember 1994, ABl L 1994/365 v 31. 12. 1994, 46.

[135]) Siehe Richtlinie 92/81/EWG des Rates vom 19. Oktober 1992 zur Harmonisierung der Struktur der Verbrauchssteuern auf Mineralöle, ABl L 1992/316 v 31. 10. 1992, 12 und Entscheidung des Rates vom 19. Oktober 1992 zur Ermächtigung der Mitgliedstaaten, gem dem Verfahren in Art 8 Abs 4 RL 92/81/EWG ermäßigte Verbrauchssteuersätze oder Verbrauchssteuerbefreiungen auf Mineralöle, die zu bestimmten Zwecken verwendet werden, beizubehalten, ABl L 1992/316 v 31. 10. 1992, 16; beide Rechtsakte geändert durch die Richtlinie 94/74/EG vom 22. Dezember 1994, ABl L 1994/365 v 31. 12. 1994, 46. Siehe auch *Jatzke,* Das neue Verbrauchssteuerrecht im EG-Binnenmarkt, BB 1993, 41.

[136]) Vgl den Vorschlag der Kommission für eine Richtlinie des Rates zur Einführung einer Steuer auf Kohlendioxidemissionen und Energie, ABl C 1992/196 v 3. 8. 1992, 1.

[137]) ABl L 1987/169 v 29. 6. 1987, 1.

„Forschung und technologische Entwicklung“ ein (Art 130f bis 130q EWGV), der in seiner Neufassung durch den EU-Vertrag (Art 130f bis 130p EGV) die rechtliche Grundlage für eine umfassende EG-Forschungspolitik – ua auch auf dem Energiesektor – bildet.[138])

Die Themen der **Kohleforschung** werden jeweils durch mittelfristige Leitlinien bestimmt, deren gegenwärtige Fassung für die Jahre 1994 bis 1999 gilt.[139]) Die Einzelheiten der Vergabe von Forschungsmitteln sind den Richtlinien für die Beantragung und Gewährung von Beihilfen für die technische Forschung zu entnehmen, die die Kommission zuletzt im Jahre 1982 veröffentlicht hat.[140]) Der EGKS Funktionshaushaltsplan 1995 sieht für die Kohleforschung Beihilfen in Höhe von 18,5 Mio ECU vor.[141])

Der thematische Umfang der **Nuklearforschung** wird gem Art 4 Abs 2 EURATOMV durch Anhang I zum Vertrag bestimmt. Das zur Zeit geltende Forschungs- und Ausbildungsprogramm, das am 26. April 1994 verabschiedet wurde,[142]) stellt für die Forschung auf dem Gebiet der Sicherheit der Kernspaltung 414 Mio ECU und für die kontrollierte Kernfusion 840 Mio ECU bereit. Die Einzelheiten der Durchführung der Forschung werden jeweils in spezifischen Programmen festgelegt.[143])

Für die Forschung auf dem Gebiet der **nichtnuklearen Energien** sind unter dem Vierten Rahmenprogramm[144]) EG-seitig Mittel in Höhe von 967 Mio ECU vorgesehen, die der Forschung auf den Gebieten rationelle Energienutzung, erneuerbare Energien und fossile Brennstoffe zugute kommen sollen.[145]) Flankiert wird die FuE-Förderung der Gemeinschaft auf dem Energiesektor durch das anwendungsorientierte THERMIE-Programm, das für die Erprobung und den Einsatz neuer Energietechnologien in der Praxis Finanzhilfen bereitstellt.[146])

E. Energie und Umwelt

Der enge Zusammenhang zwischen Energie und Umwelt ist dem EG-Recht von Beginn bekannt und hat die Gemeinschaft seitdem in vielfältiger

---

[138]) Ausführlich dazu s *Grunwald* in *von der Groeben/Thiesing/Ehlermann* (Hg), Kommentar zum EWG-Vertrag[4] (1991) Art 130f bis 130q.

[139]) Siehe oben FN 26.

[140]) ABl C 1982/159 v 24. 6. 1982, 3.

[141]) Siehe ABl L 1994/335 v 23. 12. 1994, 58.

[142]) Siehe oben FN 41.

[143]) Siehe oben FN 41.

[144]) Beschluß Nr. 1110/94/EG des Europäischen Parlaments und des Rates vom 26. April 1994 über das Vierte Rahmenprogramm der Europäischen Gemeinschaft im Bereich der Forschung, technologischen Entwicklung und Demonstration (1994–1998), ABl L 1994/126 v 18. 5. 1994, 1.

[145]) Entscheidung 94/806/EG des Rates vom 23. November 1994 zur Annahme eines spezifischen Programms zur Forschung und technologische Entwicklung, einschließlich Demonstration im Bereich der nichtnuklearen Energien (1994–1998), ABl L 1994/334 v 22. 12. 1994, 87.

[146]) Siehe oben FN 111; s auch die Mitteilung der Kommission an den Rat v 20. 3. 1989 „Die Beurteilung der Technologieprogramme im Energiebereich“ (KOM[89] 164 endg).

Weise beschäftigt.[147]) Schon Art 3 lit d EGKSV verpflichtet die Unternehmen zur **„Vermeidung von Raubbau"**, und das Strahlenschutzrecht der Art 30 bis 39 EURATOMV stellt das erste Umweltrecht auf europäischer Ebene dar.[148]) Lange vor Inkrafttreten der Einheitlichen Europäischen Akte und damit der Art 130r bis 130s EGV sind auf der Grundlage des EG-Vertrages Rechtsakte zum Schutze der Umwelt vor den schädlichen Auswirkungen von Energieproduktion und -verbrauch erlassen worden.[149]) Der Unfall in Tschernobyl, der Abbau der Ozonschicht und der Anstieg des CO_2-Gehaltes der Atmosphäre haben die Gefährdung der Umwelt durch den Energiesektor als globales Problem ins Bewußtsein gerückt.[150])

1. Strahlenschutz

Im Zentrum des gemeinschaftlichen Strahlenschutzrechts stehen die Grundnormen nach Art 30 EURATOMV, deren zur Zeit geltende Fassung in der RL 80/836/EURATOM[151]) festgelegt ist. Sie werden gem Art 31 EURATOMV durch eine Anzahl weiterer Rechtsakte ergänzt, auf die hier nur summarisch verwiesen werden kann.[152]) Der Überwachung des Gehalts der Luft, des Wassers und des Bodens an Radioaktivität gelten insb die Art 35, 36 und 38 EURATOMV, wobei die Kommission von Amts wegen mit besonders gefährlichen Versuchen und Ableitungen radioaktiver Stoffe zu befassen ist (vgl Art 34 und 37 EURATOMV).[153])

2. Reinhaltung der Luft

Aus der Fülle der gemeinschaftlichen Rechtsakte auf dem Gebiet des **Umweltschutzes**[154]) sind für den **Energiesektor** vornehmlich jene zur Rein-

---

[147]) Vgl die Mitteilung der Kommission an den Rat über „Energie und Umwelt" v 8. 2. 1990 (KOM [89] 369 endg); s außerdem die Entschließung des Rates v 3. 3. 1975 über Energie und Umweltschutz, ABl C 1975/168 v 25. 7. 1975, 2; s auch *Hancher,* Energy and the Environment: Striking a Balance?, CMLR 1989, 475.

[148]) Gem Art 218 EURATOMV waren die erforderlichen legislativen Vorkehrungen bereits innerhalb eines Jahres nach Inkrafttreten des Vertrages zu treffen. S auch *Schroeder,* Die Euratom – auf dem Weg zu einer Umweltgemeinschaft, DVBl 1995, 322; *Ladwig,* EURATOM und der Notfallschutz bei Atomunfällen (1995).

[149]) Vgl die 7 Bände der Sammlung „Gemeinschaftsrecht im Bereich des Umweltschutzes", 1993.

[150]) Vgl dazu auch *Oehme,* Energie und Umwelt, EA 1990, 715; *Horn,* Energiepolitik im Zeichen einer möglichen Klimakatastrophe, EA 1989, 207; s auch FN 147.

[151]) ABl L 1980/246 v 17. 9. 1980, 1, zuletzt geändert durch die RL 84/467/EURATOM, ABl L 1984/265 v 5. 10. 1984, 4. S auch oben FN 43.

[152]) Vgl dazu *Grunwald,* Neuere Entwicklungen des Euratom-Rechts, EuZW 1990, 209.

[153]) Zu Art 37 EURATOMV s auch die Empfehlung der Kommission vom 7. 12. 1990 betreffend die Anwendung von Artikel 37 des EURATOM-Vertrages, ABl L 1991/6 v 9. 1. 1991, 16. Als Beispiel einer Stellungnahme der Kommission gem Art 37 EURATOMV s jene vom 2. Mai 1995 zu dem Plan zur Ableitung radioaktiver Stoffe aus der nuklearen Basisanlage „TU 5" in Pierrelatte (Frankreich), ABl L 1995/114 v 20. 5. 1995, 28; s auch FN 43.

[154]) Siehe ausführlich oben *Krämer,* Umweltpolitik.

haltung der Luft[155]) bedeutsam. An erster Stelle ist hier die RL 88/609/EWG des Rates vom 24. November 1988 zur Begrenzung von Schadstoffemissionen von Großfeuerungsanlagen in die Luft[156]) zu nennen, die die Höchstmengen und Verringerungen der SO_2 und NO_x-Emissionen für bestehende Anlagen sowie die Emissionsgrenzwerte für Neuanlagen festlegt. Für Industrieanlagen der Energiewirtschaft gilt weiterhin die Richtlinie 84/360/EWG des Rates vom 28. Juni 1984 zur Bekämpfung der Luftverunreinigung durch Industrieanlagen,[157]) deren Schadstoffliste außer SO_2 und NO_x auch CO, Kohlenwasserstoffe, Schwermetalle, Staub und Asbest sowie Chlor und Fluor und deren Verbindungen umfaßt. Speziell für die Lagerung und den Vertrieb von Kraftstoff gilt die Richtlinie 94/63/EG des Europäischen Parlaments und des Rates vom 20. Dezember 1994 zur Begrenzung der Emissionen flüchtiger organischer Verbindungen (VOC-Emissionen) bei der Lagerung von Ottokraftstoff und seiner Verteilung von den Auslieferungslagern bis zu den Tankstellen.[158])

Außer den Vorschriften für **stationäre** Energieanlagen sind energiepolitisch die Umweltbestimmungen für den **Verkehrssektor** von besonderer Bedeutung und hier insb die folgenden Rechtsakte:

- RL 85/210/EWG vom 20. März 1985 zur Angleichung der Rechtsvorschriften der Mitgliedstaaten über den Bleigehalt von Benzin,[159])
- RL 70/220/EWG des Rates vom 20. März 1970 über die Angleichung der Rechtsvorschriften der Mitgliedstaaten über Maßnahmen gegen die Verunreinigung der Luft durch Emissionen von Kraftfahrzeugen,[160])
- RL 88/77/EWG des Rates vom 3. Dezember 1987 zur Angleichung der Rechtsvorschriften der Mitgliedstaaten über Maßnahmen gegen die Emission gasförmiger Schadstoffe aus Dieselmotoren zum Antrieb von Fahrzeugen.[161])
- RL 92/72/EWG des Rates vom 21. September 1992 über die Luftverschmutzung durch Ozon.[162])

3. Umweltverträglichkeit und Unfälle

Für die **Planung** und den **Betrieb** energiewirtschaftlicher Anlagen sind zwei Richtlinien zu beachten, die teils präventiv, teils kurativ der Begrenzung von Umweltbelastungen dienen.

---

155) Vgl Band 2 („Luft") der Sammlung „Gemeinschaftsrecht im Bereich des Umweltschutzes", 1993.

156) ABl L 1988/336 v 7. 12. 1988, 1, zuletzt geändert durch RL 94/66/EG des Rates vom 15. 12. 1994, ABl L 1994/337 v 24. 12. 1994, 83.

157) ABl L 1984/188 v 16. 7. 1984, 20.

158) ABl L 1994/365 v 31. 12. 1994, 24.

159) ABl L 1985/96 v 3. 4. 1985, 25.

160) ABl L 1970/76 v 6. 4. 1970, 1, zuletzt geändert durch RL 94/12/EG v 23. März 1994, ABl L 1994/100 v 19. 4. 1994, 42.

161) ABl L 1988/36 v 9. 2. 1988, 33, zuletzt geändert durch RL 91/542/EWG vom 1. Oktober 1991, ABl L 1991/295 v 25. 10. 1991, 2.

162) ABl L 1992/297 v 13. 10. 1992, 1. Siehe dazu auch die Verordnung (EG) 3093/94 des Rates vom 15. Dezember 1994 über Stoffe, die zum Abbau der Ozonschicht führen, ABl L 1994/333 v 22. 12. 1994, 1.

Die RL 85/337/EWG vom 27. Juni 1985 über die Umweltverträglichkeitsprüfung bei bestimmten öffentlichen und privaten Projekten[163]) gilt ua beim Bau von Raffinerien, Wärmekraftwerken (einschließlich Kernkraftwerken), Wiederaufbereitungsanlagen, Brennelementefabriken und Zwischen- und Endlagern für radioaktive Abfälle, für den Bergbau und die Gewinnung von Erdöl und Erdgas sowie für die Errichtung von Pipelines, Freileitungen, Erdgasspeichern und Kokereien.

Als Reaktion auf den schweren Dioxinunfall in Seveso (Italien) verabschiedete der Rat am 24. Juni 1982 die RL 82/501/EWG über die Gefahren schwerer Unfälle bei bestimmten Industrietätigkeiten,[164]) die ua auch Raffinerien, Kokereien sowie Vergasungs- und Gasabfüllanlagen erfaßt.

F. Binnenmarkt für Energie

Im Sommer 1985 legte die Kommission ihr inzwischen berühmtes Weißbuch über die Vollendung des Binnenmarktes[165]) vor. Zwei Jahre später traten mit der Einheitlichen Europäischen Akte (EEA) die rechtlichen Instrumente zur Verwirklichung des Binnenmarktes in Kraft. Weder das Weißbuch noch die EEA sahen indessen spezifische **energiepolitische Regelungen** vor, noch berührten sie – von einer Ausnahme abgesehen – den EGKS- und den EURATOM-Vertrag. Erst nach Ablauf eines weiteren Jahres veröffentlichte die Kommission ihr für den Energiesektor grundlegendes Dokument „Der Binnenmarkt für Energie",[166]) in dem sie vertragsübergreifend, dh unter Einbeziehung von Kohle und Kernenergie, binnenmarktwidrige Hemmnisse für sämtliche Energieträger und -märkte identifizierte. Zur Verwirklichung einer gemeinsamen Energiepolitik im Binnenmarkt schlug die Kommission drei Jahre später der Maastricht-Regierungskonferenz die Einfügung eines Titels „Energie" in den EU-Vertrag vor.[167]) Dieser Vorschlag wurde – wie bekannt – nicht aufgegriffen. Lediglich Art 3 lit t und die Vorschriften über die transeuropäischen Netze (Art 3 lit n und Art 129b bis 129d) sind im EG-Vertrag nunmehr der Energie gewidmet, wobei sich die Mitgliedstaaten allerdings vorbehalten haben, die Einfügung eines Titels „Energie" auf der für 1996 vorgesehenen Regierungskonferenz erneut zu prüfen.[168]) Es sind im wesentlichen drei Elemente, von deren Verwirklichung die Schaffung eines einheitlichen Binnenmarktes für Energie abhängt: Die verstärkte **Öffnung und Durchdringung der Energiemärkte,** die Gewährleistung **einheitlicher Wettbewerbsbedingungen** für alle Energiesparten und die Schaffung gemeinsamer **steuerlicher Rahmenbedingungen** für den Energiesektor in der Gemeinschaft.[169])

---

[163]) ABl L 1985/175 v 5. 7. 1985, 40.

[164]) ABl L 1982/230 v 5. 8. 1982, 1, geändert durch RL 88/610/EWG, ABl L 1988/336 v 7. 12. 1988, 14.

[165]) KOM (85) 310 endg v 14. 6. 1985.

[166]) KOM (88) 238 endg v 2. 5. 1988.

[167]) Siehe Bulletin der EG, Beilage 2/91, Regierungskonferenzen: Beiträge der Kommission, 151.

[168]) Siehe Erklärung (Nr. 1) zu den Bereichen Katastrophenschutz, Energie und Fremdenverkehr und Art N VEU.

[169]) Zum Binnenmarkt für Energie *Palinkas,* Europäische Energiepolitik und der Binnenmarkt für Energie, Bd 189 der Schriftenreihe des Europa-Instituts der Universi-

Zur Erreichung dieser Ziele stehen der Gemeinschaft zwei Wege zur Verfügung: Zum Einen die gemeinsame **Rechtsetzung** und zum Anderen der **Erlaß von Einzelmaßnahmen** zur Beseitigung einzelner gemeinschaftswidriger Hindernisse (Vertragsverstoßverfahren und Beihilfeentscheidungen gegenüber Mitgliedstaaten, Verhängung von Sanktionen gegenüber Unternehmen bei Wettbewerbsverstößen). Auf dem Gebiet der **legislativen** Maßnahmen ist im wesentlichen der **Rat** gefordert, jedoch kann auch die **Kommission** gem Art 90 Abs 3 EGV Richtlinien erlassen, soweit es Unternehmen der Energiewirtschaft betrifft, „die mit Dienstleistungen von allgemeinem wirtschaftlichem Interesse betraut sind".[170]) Demgegenüber liegt die Anordnung von Einzelmaßnahmen ausschließlich bei der **Kommission** und die letztverbindliche Durchsetzung ihrer Stellungnahmen und Entscheidungen beim **Gerichtshof** (sei es gem Art 169 EGV, sei es nach Anfechtung gem Art 173 EGV). Beide Wege, der eher konsensorientierte legislative und der eher konfliktträchtige administrative, führen auf dem hochkomplexen Energiesektor nur langsam zum Ziel. Wenn auch schon vieles erreicht ist[171]) – wie bei der Transparenz,[172]) den Verbrauchssteuern,[173]) der Anwendung des Rechts der öffentlichen Aufträge im Energiesektor,[174]) beim Transit über große Netze[175]) – und weiteres vor der legislativen Vollendung steht – wie bei der Förderung der transeuropäischen Netze[176]) – bleibt doch als letztes pièce de résistance der noch ausstehende Bin-

---

tät des Saarlandes (1989); *Harms* (Hg), Konturen eines Energiebinnenmarktes, Bd 5 der Berliner Beiträge zum Wirtschaftsrecht (1989); *Hancher,* A Single European Market for Oil and Gas – The Legal Obstacles, Journal of Energy and Natural Resources Law 1990, 77; s auch die Nachweise in den FN 78, 87, 95 und 101. Siehe weiterhin *Metzenthin,* Kommunen und EG-Binnenmarkt für Energie, EuR 1990, 70; *Ehlermann,* EG-Binnenmarkt für die Energiewirtschaft, EuZW 1992, 689; *Slot,* Energy and Competition, CMLR 1994, 511 und div Beiträge in DVBl 1994, 829ff („Energiewirtschaft – Deregulierung und umweltpolitische Steuerung").

[170]) Zu den Befugnissen der Kommission gem Art 90 Abs 3 EGV grundlegend EuGH 6. 7. 1982 verb Rs 188 bis 190/80 – Französische Republik ua gg Kommission – Slg 1982, 2545, s umfassend demnächst *Wilms,* Das Europäische Gemeinschaftsrecht und die öffentlichen Unternehmen: Die Kompetenz der Kommission aus Art 90 Abs 3 EG-Vertrag und ihre Anwendung auf die Elektrizitätswirtschaft.

[171]) Siehe zweiter Fortschrittsbericht über den Energiebinnenmarkt vom 2. Juli 1993, KOM(93) 261 endg.

[172]) Siehe oben FN 91.

[173]) Siehe oben FN 134.

[174]) Siehe RL 93/38/EWG des Rates vom 14. Juni 1993 zur Koordinierung der Auftragsvergabe durch Auftraggeber im Bereich der Wasser-, Energie- und Verkehrsversorgung sowie im Telekommunikationssektor, ABl L 1993/199 v 9. 8. 1993, 84, s hierzu den Änderungsvorschlag im ABl C 1995/138 v 3. 6. 1995, 49. Siehe auch *Diercks/Schareck,* Die Neuregelung der Auftragsvergabe im EG-Binnenmarkt und ihre Bedeutung für den deutschen Bergbau, EuZW 1993, 599.

[175]) Siehe oben FN 95 und FN 103.

[176]) Siehe zuletzt den geänderten Vorschlag für eine Verordnung (EG) des Rates über allgemeine Regeln für das Verfahren zur Gewährung von Gemeinschaftszuschüssen für transeuropäische Netze, ABl C 1995/115 v 9. 5. 1995, 5; s dazu auch den gemeinsamen Standpunkt (EG) 3/95, ABl C 1995/130 v 29. 5. 1995, 1; s weiterhin die geänderten Vorschläge für eine Entscheidung des Europäischen Parlaments und des Rates über Leitlinien für die Ausgestaltung der transeuropäischen Netze im Energiebereich und

nenmarkt der leitungsgebundenen Energien Erdgas und Elektrizität.[177]) Angesichts der verbleibenden internen Widerstände ist es fast paradox, daß gleichzeitig auf internationaler Ebene mit der Europäischen Energiecharta[178]) und dem dazugehörigen Vertrage[179]) ein großes, zukunftsweisendes Regelungswerk geschaffen werden konnte. Aber noch ist es nicht zu spät. Mit der 1996 einzuberufenden Regierungskonferenz (s Art N Abs 2 VEU) erhalten die Mitgliedstaaten ein weiteres Mal Gelegenheit, der Energie endlich den ihr gebührenden Platz im EG-Vertrage einzuräumen.[180]) Es wäre zu wünschen, daß sie die Chance diesmal nutzen.

---

für eine Entscheidung des Rates über eine Reihe von Aktionen zur Schaffung günstigerer Rahmenbedingungen für die Entwicklung der transeuropäischen Netze im Energiebereich, ABl C 1995/205 v 10. 8. 1995, 6, 13, dazu gemeinsame Standpunkte im ABl C 1995/216 v 21. 8. 1995 31, 38.

[177]) Siehe oben FN 96 und FN 104.

[178]) Siehe die Mitteilung der Kommission vom 14. Februar 1991 über eine Gesamteuropäische Energiecharta, KOM(91) 36 endg. S dazu *Lukes,* Die Europäische Energiecharta, EuZW 1992, 401; *Grunwald,* Editorial: Die (nicht mehr ganz so) europäische Energiecharta, EuZW 1992, 1; *Waeterloos,* Une Charte européenne de l'énergie: pour quoi faire? Revue du Marché Commun 1991, 439.

[179]) Siehe Beschluß 94/998/EG des Rates vom 15. Dezember 1994 betreffend die vorläufige Anwendung des Vertrags über die Energiecharta durch die Europäische Gemeinschaft sowie Beschluß 94/1067/Euratom des Rates vom 15. Dezember 1994 zur Genehmigung der vorläufigen Anwendung des Vertrags über die Energiecharta durch einen Kommissionsbeschluß im Namen der Europäischen Atomgemeinschaft, ABl L 1994/380 v 31. 12. 1994, 1, 113.

[180]) Als letztes wichtiges Aufgabenfeld hat die Gemeinschaft das Thema „Energie und wirtschaftlicher und sozialer Zusammenhalt" aufgegriffen. Siehe dazu KOM(93) 645 endg vom 14. 2. 1994 sowie die Stellungnahme des Wirtschafts- und Sozialausschusses vom 2. Februar 1995, ABl C 1995/210 v 14. 8. 1995, 117.

11. KAPITEL

Unternehmenspolitik

Reinhard Schulte-Braucks

Übersicht:

A. Einführung

Heute hat die Unternehmenspolitik der Europäischen Gemeinschaft einen qualitativen Sprung hinter sich, so daß von der **Unternehmenspolitik der zweiten Generation** gesprochen werden kann. In den vergangenen Jahren[1])

---

[1]) S zur Entstehung der EG-Unternehmenspolitik *Tømte,* Unternehmenspolitik, in: *Röttinger/Weyringer,* Handbuch der europäischen Integration[1] (1991), 908 ff.

hat sich in der Tat viel geändert: Mit dem Inkrafttreten des Vertrags von Maastricht[2]) am 1. November 1993 hat die Europäische Union in Art 130 EGV eine neue Rechtsgrundlage für die Unternehmenspolitik bekommen[3]). Hinzu kommt die Tatsache, daß die schwere wirtschaftliche Krise, die die Gemeinschaft in den Jahren 1992 und 1993 hat durchstehen müssen, zu einem Bewußtseinswandel bei allen politischen Entscheidungsträgern geführt hat, der Fragen der Beschäftigung und des Wachstums höchste Priorität zugewiesen hat[4]). Damit wandelte sich auch das Selbstverständnis der Unternehmenspolitik von einer flankierenden Politik des Binnenmarktes zu einer strategischen Politik zur Förderung von Beschäftigung und Wachstum.

Es ist daher nicht verwunderlich, daß sich der Europäische Rat seit dem Gipfel von Edinburg im Dezember 1992 auf jeder seiner Tagungen mit Fragen der Unternehmenspolitik befaßt hat. Die Europäische Kommission hat ihrerseits der Unternehmenspolitik einen wichtigen Platz in ihrem Weißbuch „Wachstum, Wettbewerbsfähigkeit und Beschäftigung"[5]) eingeräumt und mit dem „Integrierten Programm für die KMU und das Handwerk"[6]) ein Dokument vorgelegt, das erstmals den Versuch unternimmt, die verschiedenen Aktionslinien der Europäischen Union und der Mitgliedstaaten zugunsten der Unternehmen in einem „integrierten" Rahmen darzustellen und Vorschläge für ihre Weiterentwicklung zu machen.

B. Definition

Die verschiedenen Elemente einer Definition der Unternehmenspolitik lassen sich wie folgt darstellen:

- Im Gegensatz zur Industriepolitik, die sich verschiedenen Industriesektoren widmet, handelt es sich bei der Unternehmenspolitik um eine **horizontale** Politik. Sie bezieht sich daher auf „alle Arten von Unternehmen, ungeachtet des Wirtschaftszweigs, der Größe, der Rechtsform (einschließlich Genossenschaften, Gesellschaften auf Gegenseitigkeit, Vereine und Stiftungen) oder des geographischen Standorts".[7])
- Daraus folgt zugleich, daß die Unternehmenspolitik sich im Gegensatz zur Strukturpolitik an die Unternehmen in der gesamten Europäischen Union unabhängig davon richtet, ob sie in Förderregionen des Regionalfonds angesiedelt sind oder nicht. Dies hat unmittelbare Auswirkungen auf die Ver-

[2]) S die konsolidierte Fassung in ABl C 1992/224 v 31. 8. 1992, 1.

[3]) S hierzu *Schulte-Braucks,* Grundzüge einer liberalen Unternehmenspolitik nach Maastricht, EuZW 1992, 129.

[4]) S hierzu *Schulte-Braucks,* Beschäftigung: das neue Thema der EG, EuZW 1993, 681.

[5]) Dezember 1993.

[6]) KOM (94) 207 endg v 3. 6. 1994.

[7]) S Beschluß 93/379/EWG des Rates v 14. Juni 1993 über ein mehrjähriges Aktionsprogramm der Gemeinschaft zum Ausbau der Schwerpunktbereiche und zur Sicherung der Kontinuität und Konsolidierung der Unternehmenspolitik in der Gemeinschaft, vor allem für kleine und mittlere Unternehmen (KMU) (im folgenden: „Aktionsprogramm"), ABl L 1993/161 v 2. 7. 1993, 68 Erwägungsgrund 12.

teilung der Haushaltsmittel, die für die Unternehmenspolitik zur Verfügung stehen: Sie kommen Vorhaben in der gesamten Union zugute.

- Ziel der Unternehmenspolitik muß in erster Linie die Verbesserung der Rahmenbedingungen für die Unternehmen sein[8]), um – ganz im Sinne der Ordnungspolitik – ein „für die Initiative und Weiterentwicklung der Unternehmen in der gesamten Gemeinschaft, insbesondere der kleinen und mittleren Unternehmen, günstiges Umfeld" zu schaffen[9]).
- Während die oben genannten Elemente der Definition im Prinzip sowohl große wie kleine Unternehmen umfassen, spielt die Dimension der kleinen und mittleren Unternehmen (KMU) bei den folgenden Aspekten der Unternehmenspolitik eine wichtige Rolle:
  - Bei der Verbesserung der Rahmenbedingungen ist zu berücksichtigen, daß KMU stärker als Großunternehmen unter administrativen Belastungen leiden. Dies liegt nicht an Schwächen in ihrem Management, sondern hat objektive, **größenbedingte Gründe:** Die Verwaltungskosten verteilen sich auf eine sehr geringe Zahl von Arbeitnehmern. Sie entwickeln sich nicht proportional zur Zahl der Arbeitnehmer, sondern nehmen mit steigender Arbeitnehmerzahl stark ab. Die **Verwaltungskosten pro Arbeitnehmer** sind daher bei KMU **überproportional hoch**[10]). Dementsprechend muß die Unternehmenspolitik bei der Verbesserung der Rahmenbedingungen für unternehmerisches Handeln in erster Linie an der Verringerung der administrativen Belastungen für KMU arbeiten.
  - Die im Rahmen der Unternehmenspolitik vorgesehenen **Fördermaßnahmen** müssen kleinen und mittleren Unternehmen vorbehalten bleiben. Dies folgt aus der Notwendigkeit, Wettbewerbsverzerrungen zu vermeiden[11]): Fördermaßnahmen dienen dem **Ausgleich größenspezifischer Nachteile,** die kleine und mittlere Unternehmen gegenüber Großunternehmen aufweisen. Solche Nachteile sind beispielsweise beim Zugang zu Finanzierungsquellen (Krediten und Eigenkapital) festzustellen, aber auch im Verhältnis von KMU zur Forschung, bei der Weiterbildung ihrer Arbeitnehmer und bei der Nutzung von Beratungsdienstleistungen.
- Damit stellt sich die Frage der Abgrenzung der KMU von Großunternehmen. Hierzu hat der Rat ausgeführt: „Bei der Definition von KMU sind die Leitlinien zugrunde zu legen, die sich aus der Mitteilung der Kommission über die Definition von KMU im Rahmen von Gemeinschaftsmaßnahmen ergeben [SEK (92) 351 endg vom 29. April 1992]"[12]). Die zitierte Mitteilung stellt eine erste Bestandsaufnahme der zahlreichen, auf Gemeinschaftsebene verwendeten Definitionen der KMU dar, läßt jedoch eine klare Stel-

---

[8]) S Beschluß 89/490/EWG des Rates v 28. Juni 1989 über die Verbesserung der Rahmenbedingungen für Unternehmen, insbesondere für kleine und mittlere Unternehmen, und die Förderung ihrer Entwicklung, ABl L 1989/239 v 16. 8. 1989, 33.

[9]) S Art 130 Abs 1 2. Teilstrich EGV.

[10]) S Bericht der Kommission über die Arbeiten zur Verwaltungsvereinfachung in der Gemeinschaft zugunsten von Unternehmen, insbesondere kleiner und mittlerer Unternehmen, SEK (92) 1867 endg v 27. 10. 1992, 8; s dazu den Forschungsbericht des Institutes für Mittelstandsforschung Bonn, herausgegeben von *Clemens,* „Bürokratie – ein Kostenfaktor" (1995).

[11]) S Art 130 Abs 3 letzter Unterabsatz EGV.

[12]) Aktionsprogramm (FN 7) Erwägungsgrund 13.

lungnahme der Europäischen Kommission zu dieser Frage vermissen. Immerhin geht aus dem Dokument hervor, daß die Kommission folgenden Definitionen den Vorzug gibt:

- **kleine Unternehmen** sind durch nicht mehr als 50 Arbeitnehmer gekennzeichnet,
- **mittlere Unternehmen** durch nicht mehr als 250 Arbeitnehmer;
- in **beiden Fällen** muß es sich um unabhängige Unternehmen handeln, dh andere Unternehmen dürfen nicht mehr als einen gewissen Prozentsatz der Aktien, Gesellschaftsanteile oder Stimmrechte an ihnen besitzen.

Seit der Mitteilung der Kommission von 1992[13]) ist diese Definition weiter präzisiert worden und hat sich nunmehr in weiten Bereichen des Gemeinschaftsrechts durchgesetzt. Insbesondere hat der Gemeinschaftsrahmen für staatliche Beihilfen an KMU[14]) die Schwellenwerte für Umsatz und Bilanzsumme auf 5 bzw 2 Mio ECU für kleine Unternehmen und auf 20 bzw 10 Mio ECU für mittlere Unternehmen festgelegt. Als Meßgröße für die Eigenständigkeit gilt, daß das KMU sich zu höchstens 25% im Besitz eines größeren Unternehmens befinden darf. Diese Definition ist von der Gemeinschaftsinitiative KMU[15]) übernommen worden. Die vierte gesellschaftsrechtliche Richtlinie entspricht ebenfalls weitgehend dieser Definition, geht jedoch seit ihrer Anpassung vom März 1994[16]) geringfügig über den Schwellenwert für die Bilanzsumme kleiner Unternehmen hinaus[17]).

Die weite Definition mit einem Schwellenwert von 500 Arbeitnehmern wird heute nur noch wenig verwendet (zB in der Forschungspolitik und für Teile der Globalkredite der Europäischen Investitionsbank). Sie hat sich insofern nicht durchgesetzt, als sie 99,9% der etwa 15 Millionen Unternehmen der Zwölfer-Union erfassen würde und daher nicht genügend selektiv wäre. Sie erfaßt darüber hinaus relativ große Unternehmen, die sich weitgehend ohne staatliche Unterstützung auf den Märkten bewegen und durchsetzen können.

Die Kommission beabsichtigt, demnächst eine Neufassung der Mitteilung von 1992 vorzulegen, in der sie Gelegenheit haben wird, die in der Zwischenzeit gemachten Fortschritte zu konsolidieren und die verwendeten Schwellenwerte der Entwicklung der Inflation und der Produktivität anzupassen.

C. Wirtschaftliche Bedeutung

Das Interesse an der Unternehmenspolitik ist in den letzten Jahren erheblich gewachsen, weil deutlich geworden ist, daß die Entwicklung der europäischen Wirtschaft in erheblichem Maße von einer sachgerechten Unternehmenspolitik abhängt. Folgt man der oben unter B. entwickelten Definition der KMU als Unternehmen mit weniger als 250 Arbeitnehmern, so wird deutlich, daß diese Unternehmen einen Anteil von 65,6% an der Beschäftigung

---

[13]) SEK (92) 351 endg v 29. April 1992.

[14]) S ABl C 1992/213 v 19. 8. 1992, 2.

[15]) S ABl C 1994/180 v 1. 7. 1994, 10.

[16]) S RL 94/8/EG des Rates v 21. 3. 1994, ABl L 1994/82 v 25. 3. 1994, 33.

[17]) Danach gilt jetzt ein Schwellenwert von 2,5 Mio ECU für die Bilanzsumme kleiner Unternehmen.

und von 62,7% am Gesamtumsatz aller Unternehmen in der Europäischen Union besitzen[18]).

Insbesondere richtet sich das Augenmerk auf die Fähigkeit der KMU zur Schaffung von Arbeitsplätzen. Es ist unbestritten, daß KMU in ganz erheblichem Ausmaß neue Arbeitsplätze schaffen. Da jedoch ein erheblicher Prozentsatz der neu gegründeten KMU in den ersten Jahren nach ihrer Gründung wieder aus dem Wirtschaftsleben ausscheidet (etwa 50% nach 5 Jahren[19]), gehen folglich auch zahlreiche Arbeitsplätze in KMU wieder verloren. Hierzu läßt sich zwar der Standpunkt vertreten, daß auch die für eine nur begrenzte Zeit geschaffenen Arbeitsplätze von nicht unerheblichem Wert für die Gesellschaft sind, da sie zur Erzielung von Umsatz führen, Menschen in Brot und Arbeit halten sowie Steuereinnahmen und Sozialversicherungsbeiträge zur Folge haben. Dennoch hat sich die volkswirtschaftliche Diskussion auf die Frage konzentriert, wie die Kapazität der KMU zur Schaffung von **Nettoarbeitsplätzen** zu beurteilen ist. Die ursprünglichen Arbeiten von *Birch*[20]) sind auf erhebliche Kritik gestoßen[21]). Insbesondere ist auf die sogenanne „Size distribution fallacy" hingewiesen worden, wonach ein scheinbarer Anstieg in der Beschäftigung bei KMU darauf zurückzuführen sein könne, daß große Unternehmen kleiner werden und nicht unbedingt darauf, daß kleine größer werden. Das Überschreiten der Größenklassengrenze von großen zu kleineren Unternehmen würde dann fälschlich auf eine ansteigende Beschäftigung bei KMU hindeuten.

Demgegenüber ist jedoch darauf hingewiesen worden, daß die Zahl der Fälle, in denen Unternehmen durch Wachstum oder Schrumpfung von einer Größenklasse in die andere wechseln, von *Birchs* Kitikern wahrscheinlich überschätzt worden ist. In jedem Fall kann dieses Phänomen durch die Einführung von Korrekturverfahren neutralisiert werden. Dies ist von dem European Network for SME Research (ENSR) ausführlich dargelegt worden[22]). Zusammenfassend kommt das ENSR zu dem Ergebnis[23]), daß über den Zeitraum 1988–1995 die KMU zu einem jährlichen durchschnittlichen **Anstieg der Beschäftigung in Europa von 0,25%** beigetragen haben, während die größeren Unternehmen jährlich **0,5% ihrer Beschäftigten verloren** haben[24]).

Die Unternehmenspolitik dürfte daher gut beraten sein, nach wie vor von einer hohen Kapazität der KMU zur Schaffung von Arbeitsplätzen auszugehen, die nach Möglichkeit erhalten und gefördert werden sollte.

---

[18]) European Commission, Enterprises in Europe, Third Report, Bd I (1994) 42 f.

[19]) (FN 18) 230.

[20]) *Birch,* The Job Generation Process, MIT Programme on Neighbourhood and Regional Change (1979).

[21]) S zB *Davis/Haltiwanger/Schuh,* Small Business and Job Creation: Dissecting the Myth and Reassessing the Facts, National Bureau of Economic Research (NBER) 1993; *Harrison,* Lean and Mean (1994).

[22]) ENSR (Hg), Das europäische Beobachtungsnetz für KMU, Dritter Jahresbericht 1995, Kapitel 3, Anhang 1, Punkt 2.2.

[23]) (FN 22) Kapitel 1; Punkt 1.3.2.

[24]) (FN 22) Tabelle 1.10.

D. Politische und rechtliche Grundlagen

1. Die ersten Schritte

Es ist auch aus heutiger Sicht noch von Interesse, einen kurzen Blick zurück zu werfen und sich zu vergegenwärtigen, daß der Beginn der europäischen Unternehmenspolitik auf **drei Beschlüsse des Europäischen Rates** zurückgeht. In seinem Beschluß vom März 1985 forderte der Europäische Rat „Maßnahmen zur Förderung der Gründung und des Ausbaus von Klein- und Mittelbetrieben, und zwar insbesondere durch eine merkliche Erleichterung der administrativen und rechtlichen Zwänge, denen sie unterliegen“[25]). Im Dezember 1985 betonte der Europäische Rat, „daß über die allgemeine Wirtschaftspolitik hinaus Fortschritte bei der **Verbesserung der Rahmenbedingungen für die Unternehmen** gemacht werden müssen“, und äußerte den Wunsch, „daß ein konkretes Zeichen für seine Entschlossenheit gesetzt wird, die administrativen und rechtlichen Zwänge, die die Gründung und Entwicklung von Klein- und Mittelbetrieben hemmen, zu lockern“[26]). Damit wird klargestellt, daß der Europäische Rat die Maßnahmen zugunsten der KMU als Teil einer europäischen Unternehmenspolitik verstand. Die Kommission legte daraufhin im Juli 1986 ein Aktionsprogramm[27]) vor, das der Europäische Rat mit seinem dritten Beschluß vom Dezember 1986[28]) begrüßte und dessen Grundsätze er ausdrücklich bestätigte.

Das Aktionsprogramm der Kommission von 1986 beruhte auf den Erfahrungen, die sie während des „Europäischen Jahres der KMU und des Handwerks“ 1983 hatte gewinnen können[29]). Dabei darf nicht unerwähnt bleiben, daß sich eine der wesentlichen Grundlagen der gemeinschaftlichen Unternehmenspolitik in dem umfassenden Bericht des Abgeordneten *Harry Notenboom* vom Februar 1978 findet[30]). In seinem ausführlich dokumentierten Bericht entwickelt *Notenboom* eine Reihe von Grundgedanken, die das Plenum des Europäischen Parlaments in seiner Entschließung übernommen hat[31]) und die auch heute noch Gültigkeit beanspruchen können:

- Kleine und mittlere Unternehmen stellen eine Voraussetzung für das Funktionieren einer modernen Volkswirtschaft dar, da sie zur Steuerung von

[25]) S Bulletin der EG 1985/3 RZ 1.2.3. lit b.

[26]) S Bulletin der EG 1985/11 RZ 1.1.1., Punkt III. der Schlußfolgerungen des Vorsitzes zur wirtschaftlichen und sozialen Lage.

[27]) KOM (86) 445 endg, s Bulletin der EG 1986/7–8 RZ 1.3.1., s hierzu die Entschließung des Rates v 3. 11. 1986, ABl C 1986/287 v 14. 11. 1986, 1.

[28]) S Bulletin der EG 1986/12, RZ 1.1.8.

[29]) EG-Kommission, XVI. Gesamtbericht RZ 188, sowie XVII. Gesamtbericht, RZ 188. Das Europäische Jahr der KMU und des Handwerks war ua durch den Bericht *„Deleau“* des Europäischen Parlaments vom Februar 1982 zustandegekommen, s Entschließung des Europäischen Parlaments v 19. 2. 1982, ABL C 1982/66 v 15. 3. 1982, 97 Z 18.

[30]) Europäisches Parlament, Sitzungsdokumente 1977–1978, Dokument 518/77 v 8. 2. 1978.

[31]) Entschließung zu den Problemen der Klein- und Mittelbetriebe in der Gemeinschaft, ABl C 1978/63 v 13. 3. 1978, 38.

Macht, Verantwortung, Besitz und Risiko beitragen und den Wettbewerb beleben.

- Die erhöhte Flexibilität der KMU ermöglicht es ihnen, sich rasch auf eine Änderung der Nachfrage einzustellen, was in einer Wirtschaft, die sich vor schwere Umstrukturierungsaufgaben gestellt sieht, ein Vorteil ist.
- Dem einzelnen Unternehmer bieten KMU die Möglichkeit zur Entfaltung seiner spezifischen Fähigkeiten.
- Der Verbraucher profitiert davon, daß KMU nicht nur eine breite Palette von Gütern und Dienstleistungen anbieten, sondern daß dieses Angebot auch geographisch breit gestreut und somit vor Ort verfügbar ist.
- Dem Arbeitnehmer bieten KMU die weit überwiegende Mehrzahl (ca zwei Drittel) aller Arbeitsplätze in der Wirtschaft. KMU sind in der Regel arbeitsintensive Unternehmen. Darüber hinaus ermöglichen sie es den Arbeitnehmern, in einem überschaubaren Verband zu arbeiten und damit dem Wunsch nach Humanisierung der Arbeitswelt entgegenzukommen. In diesem Zusammenhang zitiert *Notenboom* Untersuchungen, wonach die Mehrheit der Arbeitnehmer die Arbeit in KMUs derjenigen in Großbetrieben vorzieht.
- Die Wirtschaftspolitik der Mitgliedstaaten und der Gemeinschaftsinstitutionen sollte weder auf eine künstliche Begünstigung der KMU noch darauf gerichtet sein, unwirtschaftliche Betriebe am Leben zu erhalten. Vielmehr sollte sie Chancengleichheit herstellen, die es den KMU ermöglicht, ihre spezifischen Handicaps zu überwinden. „Hilfe zur Selbsthilfe" lautet das Motto.
- Es geht daher nicht so sehr darum, eine spezifische KMU-Politik zu entwikkeln, sondern die KMU-Dimension in die verschiedenen Bereiche der Wirtschaftspolitik (Steuer- und Sozialpolitik, Gesellschaftsrecht, Wettbewerb) zu integrieren. Dies wird als „Integrationspolitik" bezeichnet. Dieser Ausdruck hat sich zwar nicht durchgesetzt[32]), die Kommission meint aber in der Praxis dasselbe, wenn sie von „Unternehmenspolitik" spricht. Wie vorausschauend *Notenboom* und ihm folgend das Europäische Parlament damals waren, erweist sich letztlich daran, daß die Kommission 16 Jahre später, dh im Jahre 1994, ein **„Integriertes Programm für die KMU und das Handwerk"** vorgelegt hat, das weitgehend den von *Notenboom* geforderten Ansatz verfolgt[33]).

Doch zurück in das Geburtsjahr des Aktionsprogramms von 1986: Zur Durchführung dieses Aktionsprogramms gründete die Kommission im Juni 1986 mit der „Task Force KMU" eine neue Dienststelle unter der Leitung eines Direktors. Sie machte damit deutlich, daß sie die Verselbständigung der mit den Fragen der Unternehmenspolitik befaßten Verwaltungseinheiten für erforderlich hielt, um diesen Themenkomplex künftig mit Vorrang bearbeiten zu können. Die gleiche Motivation lag dem Kommissionsbeschluß zugrunde, diese Task Force im Jahre 1989 weiterzuentwickeln und sie in die Ge-

---

[32]) Jedenfalls nicht für den hier in Frage stehenden Problembereich. Mit der „europäischen Integrationspolitik" wurde 10 Jahre später die Binnenmarktpolitik der Kommission bezeichnet.

[33]) S unten D.4.

neraldirektion XXIII „Unternehmenspolitik, Handel, Tourismus und Sozialwirtschaft" zu überführen.

Mit dem Ratsbeschluß vom Juli 1989[34]) erhielt die Unternehmenspolitik erstmals eine solide Rechtsgrundlage, die nicht nur die inhaltliche Ausgestaltung der Unternehmenspolitik festlegte, sondern auch die dafür innerhalb eines Zeitraums von vier Jahren (dh bis Ende 1993) für erforderlich gehaltenen Haushaltsmittel ergab. Durch den Beschluß vom 18. Juni 1991[35]) hat der Rat den Betrag der für erforderlich gehaltenen Haushaltsmittel aufgestockt.

2. Das Aktionsprogramm vom Juni 1993

Das Aktionsprogramm vom Juni 1993[36]) stellt die Rechtsgrundlage für die Unternehmenspolitik bis Ende 1996 dar und gibt – ebenso wie schon der Ratsbeschluß vom Juli 1989[37]) – die dafür für erforderlich gehaltenen Haushaltsmittel an, so daß die Kommission einerseits und die Haushaltsbehörde andererseits über eine Basis für die mittelfristige Haushaltsplanung verfügen.

Da das Aktionsprogramm vor Inkrafttreten des Vertrags von Maastricht verabschiedet wurde, beruht es noch auf Art 235 EWGV und nicht auf Art 130 EGV. Dennoch macht sich die Existenz des Vertrags von Maastricht bereits bemerkbar, denn Art 3 Abs 1 des Aktionsprogramms enthält eine sehr ausgepräge Referenz auf das Subsidiaritätsprinzip, wie es in Art 3 b EGV verankert ist.

Darüber hinaus setzt das Aktionsprogramm insofern neue Akzepte, als es der auf der Tagung des Europäischen Rates von Edinburg am 11. und 12. Dezember 1992 formulierten neuen Priorität der Gemeinschaft, der **Wiederankurbelung des Wachstums,** gerecht zu werden versucht[38]). Der Europäische Rat hatte in Edinburg eine Wachstumsinitiative beschlossen und dabei die „Bedeutung der KMU für die Schaffung von Arbeitsplätzen und die Stimulierung des Wachstums" anerkannt[39]).

Dementsprechend sieht das Aktionsprogramm in einem ersten Teil diejenigen Maßnahmen vor, die geeignet sind, das Wirtschaftswachstum in der Gemeinschaft zu fördern. Auf diese soll der Großteil (rund drei Viertel) der Haushaltsmittel konzentriert werden[40]). Dabei handelt es sich ua um die Verbesserung der administrativen und rechtlichen Rahmenbedingungen der Unternehmen, die Erleicherung des Zugangs der Unternehmen zu Gemeinschaftsinformationen, die Verbesserung der Netze zur Vermittlung von Partnerunternehmen und die Förderung grenzüberschreitender Zulieferbeziehungen.

In einem zweiten Teil, auf den nur etwa ein Viertel der Haushaltsmittel entfallen, sind ua die Förderung der Anpassung der KMU und der Hand-

---

[34]) FN 8.
[35]) Beschluß des Rates 91/319/EWG, ABl L 1991/175 v 4. 7. 1991, 32.
[36]) FN 7.
[37]) FN 8.
[38]) Aktionsprogramm (FN 7) Erwägungsgrund 7.
[39]) (FN 7) Erwägungsgründe 8 und 9; hierzu *Schulte-Braucks* (FN 4).
[40]) Aktionsprogramm (FN 7) Art 2 Abs I.

werksunternehmen an den Strukturwandel und an die durch den Binnenmarkt bewirkten Veränderungen sowie die Verbesserung der finanziellen Rahmenbedingungen für die Unternehmen vorgesehen[41]). Damit wird deutlich gemacht, daß die Verwirklichung des Binnenmarkts als weitgehend abgeschlossen angesehen werden kann und daß diesbezügliche Fördermaßnahmen jedenfalls im Rahmen der Unternehmenspolitik keine Priorität mehr genießen.

3. Das Weißbuch vom Dezember 1993

Das Weißbuch **„Wachstum, Wettbewerbsfähigkeit und Beschäftigung"** stellt die Antwort der Kommission auf die Bitte des Europäischen Rates dar, ihm Vorschläge zur Überwindung der wirtschaftlichen Krise vorzulegen.

Natürlich war die Europäische Kommission der Versuchung ausgesetzt, durch staatliche Beschäftigungsprogramme kurzfristig Arbeitsplätze zu schaffen. Sie hat dieser Versuchung widerstanden. Zwar hat die öffentliche Hand eine gewisse Rolle bei der Überwindung der Konjunkturflaute und der Bekämpfung der Massenarbeitslosigkeit zu spielen[42]). Aber die Kommission hat in diesem Zusammenhang ihren **marktwirtschaftlichen Kurs** sehr deutlich gemacht und dabei auf zwei Prinzipien hingewiesen:

- Eine Gesundung der europäischen Wirtschaft kann nur gelingen, wenn sie ihre Wettbewerbsfähigkeit auf den Weltmärkten verbessert.
- Es kommt entscheidend auf das Verhalten der Privatwirtschaft an. Nur wenn diese dazu gewonnen werden kann, in dem erforderlichen Ausmaß zu investieren, wird eine Überwindung der Arbeitslosigkeit mittelfristig möglich sein.

Allein um den gegenwärtigen Stand der Arbeitslosigkeit zu halten, müssen bis zum Ende des Jahrzehnts 5 Millionen neue Arbeitsplätze geschaffen werden. Zur Reduzierung der Arbeitslosigkeit auf 5 oder 6 Prozent müssen weitere 10 Millionen neue Arbeitsplätze hinzukommen, insgesamt also 15 Millionen[43]).

Hierzu hat die Europäische Kommission zahlreiche Vorschläge vorgelegt, die hier nur stark verkürzt dargestellt werden können:

- Die Investitionsquote sollte im Verhältnis zum Bruttoinlandsprodukt (BIP) erhöht werden. Dies läßt sich nur über mehrere Jahre hinweg erreichen und ist nur dann zu erzielen, wenn die Investitionen stärker steigen als der Verbrauch.
- Dies setzt eine Stärkung des Unternehmervertrauens voraus, das seinerseits nur gewonnen werden kann, wenn stabile und vorhersehbare rechtliche Rahmenbedingungen für Unternehmer und Verbraucher bestehen. Hierzu gehört ua die Entlastung des Unternehmers von unnützem bürokratischem Aufwand[44]).

---

[41]) (FN 40) Art 2 Abs II.
[42]) S hierzu *Schulte-Braucks* (FN 4).
[43]) Weißbuch (FN 5) Teil A, 12, Teil B RZ 1.3., 62.
[44]) (FN 43) Teil B RZ 1.5., 69.

- Die Wettbewerbsfähigkeit der Wirtschaft der europäischen Union muß erheblich verbessert werden. Mögliche Maßnahmen zur Verbesserung der Produktivität umfassen folgendes:
  - Reduzierung der Arbeitskosten,
  - Änderung der Prinzipien der Investitionsbeihilfen; weg von der Bezuschussung einer immer kapitalintensiveren Produktion und hin zu einer Zuschussung der „immateriellen" Investitionen (Ausbildung, Forschung, Dienstleistungen)[45]),
  - volle Ausnutzung des Wachstumspotentials des Binnenmarkts, der noch durch eine Reihe von ergänzenden Maßnahmen vervollständigt werden sollte (Beitrag des Binnenmarkts in der Vergangenheit: 0,4% Wirtschaftswachstum jährlich zwischen 1986 und 1992)[46]),
  - Unterstützung der **Dynamik der kleinen und mittleren Unternehmen,** die sich als Wachstumsmotor und Arbeitsplatzerzeuger erwiesen haben[47]).

4. Das Integrierte Programm vom Juni 1994

Das Integrierte Programm vom Juni 1994[48]) verfolgt drei Ziele: Erstens stellt es die Antwort der Kommission auf die Entschließung des Rates vom November 1993[49]) dar, in der der Rat die Kommission um die Ausarbeitung eines „integrierten Programms für die KMU und das Handwerk" gebeten hatte. Zweitens konkretisiert die Kommission mit dem Integrierten Programm die im Weißbuch vom Dezember 1993 gemachten Aussagen bezüglich der KMU (s unten E).

Drittens stellt das Integrierte Programm eine Reaktion der Kommission auf das Inkrafttreten des Vertrages von Maastricht und damit des neuen Art 130 EGV dar. Zwar bedurfte die Mittelstandspolitik der Kommission formal gesehen keiner neuen Rechtsgrundlage, denn der noch vor Inkrafttreten des Vertrages von Maastricht verabschiedete Ratsbeschluß vom Juni 1993 blieb weiterhin in Kraft und stellte eine ausreichende Rechtsgrundlage bis Ende 1996 dar. Dennoch hielt es die Kommission für angebracht, das Integrierte Programm, das kein rechtlich verbindlicher Text ist und auch keine solchen Vorschlägen enthält, gemäß dem neuen Ansatz des Art 130 EGV aufzubauen.

Dies bedeutet, daß das Integrierte Programm zunächst – entsprechend dem Subsidiaritätsprinzip – die unter Art 130 Abs 2 EGV fallenden konzertierten Aktionen entwickelt[50]), bei denen die Mitgliedstaaten unter Beteiligung der Kommission ihre auf nationaler oder regionaler Ebene durchgeführten Maßnahmen der Unternehmenspolitik untereinander abstimmen. Daran anschließend stellt die Kommission den unter Art 130 Abs 3 EGV fallenden

---

[45]) (FN 43) Teil B RZ 2.3.

[46]) (FN 43) Teil B RZ 2.5.

[47]) (FN 43) Teil B RZ 2.6. bis 2.8.

[48]) KOM (94) 207 endg v 3. 6. 1994, im folgenden: „Integriertes Programm", Bulletin der EU 1994/5 RZ 1.2.45.

[49]) Entschließung des Rates v 22. November 1993, ABl C 1993/326 v 3. 12. 1993, 1, 4.

[50]) S Integriertes Programm, Kapitel II.A.

Beitrag der Gemeinschaft dar[51]) (s unten Kapitel E)[52]). Seinen Namen trägt das Programm insofern zu Recht, als es eine **Integration im doppelten Sinne** anstrebt: Zum einen werden die auf europäischer Ebene bestehenden Aktionen und Programme zugunsten der KMU erstmals in einem zusammenhängenden, integrierten Rahmen dargestellt[53]) und zum anderen Maßnahmen vorgeschlagen, mit denen eine Integration der Gemeinschaftsaktionen und -programme mit denjenigen der Mitgliedstaaten erreicht werden soll.

Unter deutscher Präsidentschaft hat der Rat in seiner Entschließung vom 10. Oktober 1994[54]) die Kommission aufgefordert, die erforderlichen Maßnahmen zu ergreifen, um das Integrierte Programm in die Tat umzusetzen. Insbesondere ersucht er die Kommission, einen Ausschuß zur Verbesserung und Vereinfachung des Umfelds für die Unternehmen einzusetzen und über eine Reihe von Foren einen intensiven Erfahrungsaustausch zwischen den Mitgliedstaaten herbeizuführen, der zum einen die Ziele, Struktur und Effizienz nationaler Maßnahmen zugunsten von KMU und zum anderen eine konzertierte Aktion zur Belebung der Nachfrage nach Beratungsdienstleistungen und Förderprogrammen zum Gegenstand haben soll.

Damit verfügt die Kommission über ein solides, mehrfach bekräftigtes politisches Mandat für ihre Unternehmenspolitik, das die formale Rechtsgrundlage der Ratsentscheidung vom Juni 1993 ergänzt.

E. Die Inhalte der gemeinschaftlichen Unternehmenspolitik

1. Verbesserung der Rahmenbedingungen

Ein wesentlicher Teil der Unternehmenspolitik besteht in der Verbesserung der Rahmenbedingungen für die Unternehmen. Die Kosten-Nutzen-Beurteilung dieses Bereichs ist potentiell am positivsten, denn hier werden keine Subventionen verteilt – die operationellen Kosten sind daher praktisch gleich Null. Ihr Nutzen kann jedoch sehr hoch sein, da die hier getroffenen Maßnahmen im Prinzip der Gesamtheit der 15 Mio Unternehmen in der EU zugute kommen können. Zudem handelt es sich in der Regel um **dauerhafte Verbesserungen des unternehmerischen Umfelds,** die den Unternehmen jedes Jahr zur Verfügung stehen, ohne daß dafür jeweils erneut Haushaltsmittel aufgewandt werden müßten.

a) Konzertierte Aktion

Die erste der drei im Integrierten Programm vorgeschlagenen konzertierten Aktionen besteht in der Errichtung des **Ausschusses für die Verbesserung des unternehmerischen Umfelds.** Damit wird der Tatsache Rechnung getragen, daß Art 130 Abs 1 2.Teilstrich EGV die Gemeinschaft und die Mit-

---

[51]) (FN 50) Kapitel II.B.

[52]) Zu Art 130 EGV und zum Integrierten Programm s ausführlich *von Moltke,* in: *von der Groeben/Thiesing/Ehlermann,* Kommentar zum Vertrag über die Europäische Union[5], Stichwort KMU-Politik.

[53]) Vgl hierzu den von *Notenboom* verwendeten Ausdruck „Integrationspolitik" (s oben D.1).

[54]) ABl C 1994/294 v 22. 10. 1994, 6.

gliedstaaten verpflichtet, auf die „Förderung eines für die Initiative und Weiterentwicklung der Unternehmen in der gesamten Gemeinschaft, insbesondere der kleinen und mittleren Unternehmen, günstigen Umfeldes“ hinzuarbeiten.

Der Ausschuß besteht aus Vertretern der Mitgliedstaaten sowie sechs europäischen Verbänden, die die Interessen der KMU vertreten. Er wird die Aktionen der Mitgliedstaaten im Bereich der Überprüfung bestehender Rechtsvorschriften miteinander vergleichen und die besten Verfahren herausstellen, um sie den anderen Mitgliedstaaten zur Nachahmung zu empfehlen. Diese Untersuchung wird sich auf die drei Phasen im Leben eines Unternehmens konzentrieren, dh die Gründung, das Wachstum und schließlich die Unternehmensübertragung. Herausgegriffen werden sollen jeweils diejenigen Vorschriften, die die unternehmerische Tätigkeit in der Vergangenheit behindert haben und die geändert bzw gestrichen werden sollten, um die im Weißbuch angestrebten Ziele Wachstum, Wettbewerbsfähigkeit und Beschäftigung zu erzielen. Dies ist erstmals bei einem Forum im Juni 1995 hinsichtlich der Aspekte der Unternehmensgründung geschehen. Weitere Foren sind geplant.

b) Folgenabschätzungssystem

Das Folgenabschätzungssystem der Europäischen Kommission besteht seit dem Jahre 1986[55]). Es sieht vor, daß die Vorschläge der Europäischen Kommission auf ihre Folgen für die Unternehmen und die Beschäftigung untersucht werden. Das Ergebnis der Untersuchung wird in einem **Folgenabschätzungsbogen** festgehalten, der den Kommissionsvorschlägen als Anlage beigefügt wird. Das System ist im Jahre 1991 dahingehend modifiziert worden, daß nur noch diejenigen Vorschläge untersucht werden, die erhebliche Auswirkungen auf Unternehmen erwarten lassen[56]). Dafür wird die Folgenabschätzung jetzt wesentlich ausführlicher durchgeführt[57]).

Eine weitere Verbesserung des Folgenabschätzungssystems erfolgte im Anschluß an die Entschließung des Rates vom 3. Dezember 1992,[58]) in der der Rat die Kommission aufgefordert hatte, eine Liste aller Maßnahmen im Amtsblatt der EG zu veröffentlichen, bei denen eine Folgenabschätzung vorgenommen werden soll. Außerdem bat der Rat darum, bei der Veröffentlichung des Vorschlags im Amtsblatt auf die Folgenabschätzung hinzuweisen und sie den interessierten Betroffenen auf Verlangen zur Verfügung zu stellen. Die Kommission ist beiden Bitten gefolgt und veröffentlicht seit 1993 ihr **Legislativprogramm** im Amtsblatt der EG unter Angabe derjenigen Maßnahmen, für die eine Folgenabschätzung geplant ist[59]). Außerdem geben die

---

[55]) S Bulletin der EG 1986/11 RZ 2.1.22.

[56]) S hierzu *von Moltke,* Gesetzgebung der Europäischen Gemeinschaften – Das System der Folgenabschätzung, ZfG 1993, 212.

[57]) Der neue Folgenabschätzungsbogen der Kommission ist abgedruckt im Bericht der Kommission über die Arbeiten zur Verwaltungsvereinfachung in der Gemeinschaft zugunsten von Unternehmen, insbesondere kleinen und mittleren Unternehmen, SEK (92) 1867 endg v 27. 10. 1992; s auch unten Anhang.

[58]) ABl C 1992/331 v 16. 12. 1992, 3.

[59]) S ABl C 1993/125 v 6. 5. 1993, 1, sowie ABl C 1994/60 v 28. 2. 1994, 4.

Übersichten über die dem Rat zugeleiteten Vorschläge der Kommission[60]) Hinweise darauf, welchen Vorschlägen ein Folgenabschätzungsbogen beigefügt ist, der von Interessenten angefordert werden kann. Damit ist ein Höchstmaß an Transparenz erzielt worden, das Interessengruppen ermöglicht, auf die Veröffentlichung des Legislativprogramms im Amtsblatt zu reagieren und die Europäische Kommission zu bitten, gegebenenfalls für weitere Gesetzgebungsvorhaben die Durchführung der Folgenabschätzung vorzusehen, obwohl dies ursprünglich nicht geplant war. Darüber hinaus gestatten die Folgenabschätzungsbögen den Entscheidungsträgern im Europäischen Parlament und im Ministerrat, in Kenntnis der voraussichtlichen Folgen des Gesetzgebungsvorhabens ihre Entscheidung zu treffen.

c) Kosten-Nutzen-Analyse

Die 18. Erklärung der Kommission zum Vertrag von Maastricht betrifft die geschätzten Folgekosten der Kommissionsvorschläge. Darin stellt die Konferenz fest, „daß die Kommission sich verpflichtet, bei ihren Vorschlägen für Rechtsakte die **Kosten und den Nutzen für die Behörden der Mitgliedstaaten und sämtliche Betroffene** zu berücksichtigen und dazu gegebenenfalls die von ihr für erforderlich erachteten Konsultationen vorzunehmen und ihr System zur Bewertung der gemeinschaftlichen Rechtsvorschriften auszubauen“. Der Ministerrat hat in seinen Entschließungen vom 3. Dezember 1992[61]), vom 22. November 1993[62]) sowie vom 10. Oktober 1994[63]) deutlich gemacht, daß er der Erstellung von Kosten-Nutzen-Analysen für die gesetzgeberischen Vorschläge der Kommission großen Wert beimißt.

Die Kommission hat drei Studien durchführen lassen, die die Erfahrungen der Mitgliedstaaten, aber auch die der USA im Bereich von Kosten-Nutzen-Analysen ausgewertet haben. Darüber hinaus hat sie zwei Seminare mit den Vertretern der Mitgliedstaaten und der Unternehmensverbände auf europäischer Ebene durchgeführt, um zu Schlußfolgerungen hinsichtlich des von der Kommission anzuwendenden Verfahrens zur Erstellung von Kosten-Nutzen-Studien zu gelangen. Dies hat bereits zu Erarbeitung einer Reihe von Kosten-Nutzen-Analysen geführt[64]). Eine Mitteilung der Kommission zu diesem Thema ist in Vorbereitung[65]).

d) Kredit und Kapital

Der **Zugang von mittelständischen Unternehmen zu Krediten und Kapital** ist immer wieder Gegenstand von Kritik gewesen[66]). Die Kommission hat

---

[60]) S zB ABl C 1994/129 v 11. 5. 1994, 3, C 1994/155 v 7. 6. 1994, 2.

[61]) ABl C 1992/331 v 16. 12. 1992, 3.

[62]) ABl C 1993/326 v 3. 12. 1993, 1.

[63]) ABl C 1994/294 v 22. 10. 1994, 6.

[64]) S zB den Entwurf für eine Verordnung (EURATOM/EG) des Rates betreffend die strukturelle Unternehmensstatistik, KOM (95) 99 v 31. 3. 1995, der ab S 49 erste Kosten-Nutzen-Erwägungen enthält.

[65]) Bei Abschluß des Manuskripts noch nicht verabschiedet.

[66]) S Mitteilung der Kommission zu den Finanzproblemen kleiner und mittlerer Unternehmen, KOM (93) 528 endg v 10. 11. 1993, 17.

daraufhin die Einberufung der Gesprächsrunde hochstehender Persönlichkeiten aus dem Banksektor beschlossen. Mitglieder dieser Gesprächsrunde waren die Vertreter von Banken und Finanzinstitutionen, die auf die Finanzierung von KMU spezialisiert sind, sowie Vertreter der KMU selbst. Die Gesprächsrunde hat im Mai 1994 ihren Bericht vorgelegt, der mit den Bemerkungen der Kommission im Oktober 1994 veröffentlicht wurde[67]). Die Gesprächsrunde stellte in der Tat fest, daß die KMU für Kredite zwischen 1,5 und 5% höhere Zinsen zahlen als Großunternehmen[68]). Ob dies durch das größere Risiko und den größeren Arbeitsaufwand, der mit den Krediten für KMU verbunden ist, gerechtfertigt ist, konnte nicht abschließend geklärt werden. Die Gesprächsrunde gelangte jedoch in einer Reihe von Bereichen zu klaren Schlußfolgerungen, die hier nur kurz zusammengefaßt werden können:

- Eine verstärkte Kommunikation zwischen KMU und Banken sowie eine bessere Ausbildung des Personals der Banken im Bereich der KMU-Finanzierung würde es den Banken ermöglichen, ihre Finanzierungsprodukte besser auf den konkreten Bedarf der KMU abzustimmen.
- Garantiefonds, Kreditgarantiegemeinschaften[69]) sowie der Europäische Investitionsfonds (EIF)[70]) sollten verstärkt genutzt werden, um Kredite für KMU abzusichern.
- Der Zugang zu den Globaldarlehen der Europäischen Investitionsbank (EIB) sollte dadurch verbessert werden, daß tatsächlich Banken mit der Abwicklung dieser Darlehen beauftragt werden, die Erfahrung im Bereich der KMU-Finanzierung haben. Die neue KMU-Fazilität, die durch einen Beschluß des Ministerrats vom 19. April 1994 geschaffen wurde[71]) und von der EIB verwaltet wird, sieht eine Zinsvergünstigung von 2% gegenüber dem gängigen Marktzins auf fünfjährige Kredite mit einem Gesamtvolumen von 1 Mrd ECU vor. Die Zinsvergünstigung von 2% wird jedoch nur unter der Voraussetzung gewährt, daß neue Arbeitsplätze geschaffen werden, was die Gesprächsrunde mit gewissen Vorbehalten aufgenommen hat. Jedenfalls müsse dieses Kriterium so flexibel wie möglich gehandhabt werden.
- Hinsichtlich der Stärkung des Eigenkapitals der KMU empfiehlt die Gesprächsrunde, durch steuerliche Anreize Spareinlagen hin zu den KMU zu lenken. Insbesondere müßten Beteiligungen an KMU nach dem Modell der „Business Angels“, das in Großbritannien praktiziert wird, steuerlich begünstigt werden.
- Der 1994 gegründete Investitionsfonds solle sich darüber hinaus, sobald es seine Statuten erlauben, im Risikokapitalbereich engagieren, um das für KMU zur Verfügung stehende Risikokapital zu erhöhen.

---

[67]) KOM (94) 435 endg v 28. 10. 1994.

[68]) KOM (94) 435 endg 16.

[69]) Zu den Kreditgarantiegemeinschaften s die Mitteilung der Kommission, Die Bedeutung der Kreditgarantiegemeinschaften für die Finanzierung kleiner und mittlerer Unternehmen in der Europäischen Gemeinschaft, SEK (91) 1550 endg v 5. 9. 1991.

[70]) Zur Gründung des EIF s Beschluß des Rates v 6. Juni 1994, ABl L 1994/173 v 7. 7. 1994, 12. Die Statuten des EIF sind abgedruckt in ABl L 1994/173 v 7. 7. 1994, 1.

[71]) ABl L 1994/107 v 28. 4. 1994, 57, s dazu unten E 3.c.

Der Zugang mittelständischer Unternehmen zum **Kapitalmarkt** wird sich durch die Gründung der EASDAQ (European Association of Securities Dealers Automatic Quotation) erheblich verbessern. Dieses System ist der amerikanischen NASDAQ nachgebildet und hat sich zum Ziel gesetzt, einen europäischen Markt für Beteiligungen an mittelständischen Unternehmen zu schaffen, was durch die Vernetzung der Wertpapierhändler durch ein elektronisches System geschehen soll. Die europäische Kommission hat hierbei „Geburtshilfe" geleistet, die wesentlichen Vorbereitungsarbeiten stammen jedoch von der EVCA (European Venture Capital Association). Insbesondere wird die EASDAQ es den Wagnis- und Gründungskapitalgesellschaften ermöglichen, ihre Beteiligungen nach einer Reihe von Jahren wieder abzustoßen und auf diese Weise die für das flexible Funktionieren des Systems erforderliche Liquidität zu erhalten. Entscheidend für den Erfolg oder Mißerfolg dieser neuen Initiative wird die Bereitschaft der Investoren sein, in diesen Markt zu investieren. Dabei wird die „Enge" einiger nationaler Märkte solange noch ein Hindernis darstellen, wie eine äußerst begrenzte Zahl von Unternehmensbeteiligungen in der entsprechenden nationalen Währung gehandelt werden. Es ist jedoch damit zu rechnen, daß diese Schwierigkeit mit der Einführung des ECU als gemeinsamer Währung[72]) für diejenigen Mitgliedstaaten, die die Kriterien des Art 109j EGV erfüllen, weitgehend beseitigt sein wird.

e) Unternehmensübertragung

Das unternehmerische Umfeld ist unter anderem durch eine Reihe von Vorschriften gekennzeichnet, die die Übertragung von Unternehmen von einer Generation auf die nächste zum Gegenstand haben. In zahlreichen Fällen wird die Unternehmensübertragung durch Vorschriften des Gesellschaftsrechts, des Erbrechts und des Steuerrechts so stark behindert, daß eine fehlgeschlagene Unternehmensübertragung die zweithäufigste Ursache aller Unternehmensliquidationen darstellt. Dadurch gehen in den Mitgliedstaaten der Union jedes Jahr ca 30.000 Unternehmen und 300.000 Arbeitsplätze verloren.

Die Europäische Kommission hat dieses Problem untersucht und in einer Mitteilung vom 23. Juni 1994 dargestellt[73]). Diese Mitteilung enthält **rechtsvergleichende Hinweise** auf die Lage in den verschiedenen Mitgliedstaaten und stellt die „best practices" dar, die als Lösungsmöglichkeit auch von anderen Mitgliedstaaten übernommen werden könnten. Zahlreiche Unternehmen und Unternehmensverbände haben sich zu dieser Mitteilung entweder schriftlich oder im Rahmen einer von der Kommission veranstalteten Anhörung geäußert. Unter Berücksichtigung dieser Stellungnahmen hat die Kommission am 17. 12. 1994 eine Empfehlung über die Übertragung der kleinen und mittleren Unternehmen verabschiedet[74]).

---

[72]) S hierzu dazu Grünbuch der Kommission über die praktischen Fragen des Übergangs zur einheitlichen Währung, KOM (95) 333 endg v 31. 5. 1995, RZ 69ff.

[73]) ABl C 1994/204 v 23. 7. 1994, 1.

[74]) ABl L 1994/385 v 31. 12. 1994, 14; die Begründung zu dieser Empfehlung ist als Mitteilung abgedruckt im ABl C 1994/400 v 31. 12. 1994, 1.

In der Empfehlung fordert die Kommission die Mitgliedstaaten zunächst auf, Maßnahmen zu ergreifen, um die Unternehmer besser zu informieren und zu einer besseren Vorbereitung der Übertragung zu veranlassen. Dazu gehört auch, daß der Zugang kleiner und mittlerer Unternehmen zu Finanzmitteln, insbesondere Krediten und Eigenkapital verbessert wird. Die Maßnahmen, die der Unternehmer zur Vorbereitung der Übertragung vornimmt, sollten gesellschaftsrechtlich erleichtert und steuerrechtlich neutral behandelt werden. Für die **Fortführung der Personengesellschaften und Einzelunternehmen** schlägt die Kommission unter anderem vor, daß Personengesellschaften beim Tod eines Gesellschafters nicht automatisch aufgelöst werden sollen, daß der Gesellschaftsvertrag Vorrang vor dem Testament eines einzelnen Gesellschafters haben soll und daß Erbengemeinschaften künftig im Wege von Mehrheitsabstimmungen über die Fortführung eines Unternehmens entscheiden sollen. Da die Erbschaftsteuer in zahlreichen Mitgliedstaaten ein erhebliches Hindernis bei der Unternehmensübertragung darstellt, plädiert die Kommission für eine Reduzierung der Erbschaftsteuer bzw für die Gewährung des Rechts zur zinslosen Ratenzahlung der Erbschaftsteuer über mehrere Jahre. Auf diese Weise hofft die Kommission, die Zahl der Unternehmensliquidationen wegen fehlgeschlagener Übertragungen in den nächsten Jahren reduzieren zu können.

f) Netzwerk der EWIV („REGIE")

Mit dem Netzwerk für die Europäischen wirtschaftlichen Interessenvereinigungen („Réseau Européen des GEIE = REGIE") möchte die Europäische Kommission die Verbreitung der EWIV als ein **Instrument grenzüberschreitender Kooperation** zwischen Unternehmen fördern. Grundlage hierfür ist die Verordnung des Rates vom 25. Juli 1985[75]), die für die Unternehmen seit dem 1. Juli 1989 gilt. Über 600 EWIV sind in der Zwischenzeit gegründet worden.

Um der wachsenden Nachfrage nach Informationen über diese Rechtsform gerecht zu werden, hat die Kommission eine Broschüre[76]) veröffentlicht, die rechtliche und praktische Hinweise zur Gründung einer EWIV gibt. Darüber hinaus hat die Kommission eine Datenbank eingerichtet, die Informationen über die bestehenden EWIV sammelt und mit deren Hilfe die Kommission engere Kontakte zwischen den bestehenden EWIV und den Personen, die EWIV gründen möchten, vermitteln wird. Um den EWIV und anderen interessierten Personen Gelegenheit zu geben, die bei der Gründung und im späteren Verlauf entstehenden Probleme zu diskutieren bzw die sich durch die EWIV bietenden Möglichkeiten bekannt zu machen, beabsichtigt die Kommission, in regelmäßigen Abständen Konferenzen durchzuführen, zu der alle EWIV eingeladen werden. Auf diese Weise soll ein **Netzwerk** entstehen, dessen Teilnehmer untereinander und mit der Kommission in engem Erfahrungsaustausch stehen. Eine Aufforderung zur Teilnahme an dem Projekt REGIE ist im Amtsblatt veröffentlicht worden[77]).

---

[75]) Verordnung (EWG) Nr 2137/85 des Rates, ABl L 1985/199 v 31. 7. 1985, 1.
[76]) EWIV – Das Entstehen einer neuen europäischen Kooperation (1993).
[77]) ABl C 1995/146 v 13. 6. 1995, 3. Umschlagseite.

g) Zahlungsfristen

Nachdem die Kommission zahlreiche Beschwerden mittelständischer Unternehmen erhalten hatte, veröffentlichte sie 1992 das Arbeitsdokument über Zahlungsfristen im Handelsverkehr[78]). Daraufhin gingen über 130 schriftliche Stellungnahmen von Verbänden sowie einigen Mitgliedstaaten ein, die im Juli 1993 während einer öffentlichen Anhörung weiter vertieft wurden. Als Ergebnis läßt sich festhalten, daß eine erhebliche Verlängerung der Zahlungsfristen festzustellen ist. Dies wirkt sich zu Lasten der KMU und insbesondere der Zulieferbetriebe aus. Auch im Bereich des öffentlichen Auftragswesens sind **überaus lange Zahlungsfristen** festzustellen, die einer wirklichen Öffnung und einer verstärkten Beteiligung der KMU an diesen Aufträgen im Wege stehen. Unterschiedlich lange Zahlungsfristen haben auch einen abschreckenden Effekt auf das Engagement der KMU im Binnenmarkt.

Daher hat sich die Kommission entschieden, eine Empfehlung an die Mitgliedstaaten zu richten[79]). Darin empfiehlt die Kommission den Mitgliedstaaten zunächst, Maßnahmen zu ergreifen, die zu einer Erhöhung der **Transparenz der Vertragsbeziehungen** führen. Häufig sind nämlich die Vertragsbeziehungen nicht oder nur unvollständig schriftlich niedergelegt. Fachleute sprechen gar davon, daß 80% aller Lieferungen unter mittelständischen Unternehmen ohne schriftlichen Vertrag erfolgen. Die Frage, wann ein Zahlungsverzug eintritt und welche Folgen dieser haben wird, ist daher in der überwiegenden Mehrzahl der Fälle gar nicht geregelt. In diesen Fällen müßte das Recht der Mitgliedstaaten eine subsidiäre Festlegung von Fristen und Fälligkeitsterminen (beispielsweise 30 Tage ab Lieferung) enthalten. Hinsichtlich der öffentlichen Auftraggeber wären genaue Angaben über Zahlungsfristen und Fälligkeitstermine in den Bekanntmachungen öffentlicher Aufträge und in den Lastenheften vorzusehen.

Um zu vermeiden, daß mittelständische Unternehmen die Mehrwertsteuer auf Rechnungen bereits entrichten müssen, die vom Abnehmer noch gar nicht bezahlt sind, empfiehlt die Kommission den Mitgliedstaaten, die nach der Sechsten Mehrwertsteuerrichtlinie geltenden Entlastungen kleinerer Unternehmen in nationales Recht umzusetzen und ihnen entweder die **Zahlung der Mehrwertsteuer** zum Zeitpunkt der Vereinnahmung des Preises (sog „cash accounting“) oder die Abgabe der Steuererklärung für einen längeren Zeitraum (bis zu einem Jahr) zu gestatten. Auf diese Weise würde vermieden, daß KMU die Mehrwertsteuer **vorfinanzieren** müssen, während ihre Abnehmer den Kaufpreis noch nicht bezahlt haben. Weitere Empfehlungen betreffen den Anspruch des Gläubigers auf Verzugszinsen und vollen Ersatz des Schadens, der ihm durch die verspätete Zahlung entsteht, einschließlich der durch die Beitreibung der Forderung entstehenden Verwaltungs- und Verfahrenskosten.

Für die Zahlungen öffentlicher Auftraggeber empfiehlt die Kommission die Einhaltung einer Frist von 60 Tagen, die sie im übrigen auch für ihre eigenen Zahlungen einhält bzw sogar unterschreitet[80]).

---

[78]) SEK (92) 2214 v 18. November 1992.

[79]) S ABl L 1995/127 v 10. 6. 1995, 19; die Begründung dieser Empfehlung wurde als Mitteilung im ABl C 1995/144 v 10. 6. 1995, 3 veröffentlicht.

[80]) S Antwort auf die schriftliche Anfrage von Frau *Ewing* E-2874/94, ABl C 1995/103 v 24. 4. 1995, 47.

h) Steuern

Die Unternehmensbesteuerung und insbesondere die Besteuerung kleiner und mittlerer Unternehmen ist Gegenstand der Mitteilung der Kommission zur „Verbesserung der steuerlichen Rahmenbedingungen für kleine und mittlere Unternehmen“[81]). In dieser Mitteilung spricht die Kommission die Probleme der Selbstfinanzierung der KMU, die Besteuerung von Risikokapital, die Nichbesteuerung von Betriebsstätten und schließlich die Reduzierung der Besteuerung der Unternehmensübertragung an.

Hinsichtlich der **Selbstfinanzierungskapazität** der KMU hat die Kommission zugleich eine Empfehlung zur Besteuerung der kleinen und mittleren Unternehmen an die Mitgliedstaaten gerichtet[82]). Darin werden die Mitgliedstaaten aufgefordert, den KMU, die als Personengesellschaften organisiert sind und daher häufig der progressiv gestalteten Einkommensteuer unterliegen, eine Option für die Besteuerung nach der Körperschaftsteuer einzuräumen und/oder eine Begrenzung der steuerlichen Belastung der nicht entnommenen Gewinne auf einen dem Körperschaftsteuersatz vergleichbaren Satz vorzunehmen. Hinsichtlich der Unternehmensübertragung hat die Kommission (s oben E.1.e) eine Empfehlung an die Mitgliedstaaten gerichtet, die ua auf eine Reduzierung der bei der Unternehmensübertragung anfallenden Erbschaftsteuer abzielt[83]).

i) Unternehmensstatistik

Die Arbeiten der Kommission im Bereich der Unternehmensstatistik führen regelmäßig zu der Veröffentlichung „Enterprises in Europe“, deren 3. Auflage 1994 herauskam[84]). Sie enthält Angaben über die Gesamtzahl der Unternehmen in der Europäischen Union, ihre Aufgliederung nach Branchen und Mitgliedstaaten, die Zahl der Beschäftigen, die durchschnittliche Zahl der Arbeitnehmer pro Unternehmen und den durchschnittlichen Umsatz pro Arbeitnehmer. Erstmals wird in der 3. Auflage auch die Demographie der Unternehmen darzustellen versucht. Obwohl das diesbezügliche Zahlenmaterial nicht alle Mitgliedstaaten abdeckt, läßt sich doch erkennen, in welchem Ausmaß Neugründungen und Stillegungen erfolgt sind[85]).

Diese Unternehmensstatistiken sind in der Vergangenheit durch eine **freiwillige Kooperation** zwischen Eurostat und den statistischen Ämtern der Mitgliedstaaten erstellt worden[86]). Künftig soll dies jedoch auf der Grundlage einer Verordnung des Rates gem Art 213 EGV geschehen. Ein entsprechender Entwurf ist von der Kommission vorgelegt worden[87]). Im

---

[81]) KOM (94) 206 endg v 25. 5. 1994, ABl C 1994/187 v 9. 7. 1994, 5.

[82]) ABl L 1994/177 v 9. 7. 1994, 1.

[83]) ABl L 1994/385 v 31. 12. 1994, 14 sowie ABl C 1994/400 v 31. 12. 1994, 1.

[84]) Enterprises in Europe, Third Report (1994).

[85]) (FN 84) Bd I 223 ff.

[86]) Siehe in diesem Zusammenhang die Verordnung (EWG) 2186/93 des Rates v 22. Juli 1993 über die innergemeinschaftliche Koordinierung des Aufbaus von Unternehmensregistern für statistische Verwendungszwecke, ABl L 1993/196 v 5. 8. 1993, 1, die die Zusammenarbeit der Mitgliedstaaten mit Eurostat künftig sehr erleichtern wird.

[87]) Vorschlag für eine Verordnung (EURATOM/EG) des Rates betreffend die strukturelle Unternehmensstatistik, ABl C 1995/146 v 13. 6. 1995, 6.

übrigen erhebt die Kommission Statistiken über den Warenverkehr zwischen den Mitgliedstaaten im Rahmen des sogenannten INTRASTAT-Systems[88]). Die Grundverordnung, ergänzt durch eine Durchführungsverordnung der Kommission[89]), gestattet den Mitgliedstaaten die Festsetzung von Schwellenwerten, die dazu führen, daß kleinere Unternehmen, die nur einen begrenzten Anteil am Handel zwischen Mitgliedstaaten ausmachen, von der Abgabe statistischer Angaben befreit sind. Im Ergebis brauchen von den 15 Mio Unternehmen in der Europäischen Union nur etwa 500.000 Unternehmen statistische Angaben zu machen. Der weitaus überwiegende Teil der Unternehmen, nämlich 96,7% von ihnen, ist von diesen Meldepflichten befreit.

2. Information und Kooperation

Eine Reihe von Aktionen der Europäischen Kommission dient dazu, kleinen und mittleren Unternehmen Informationen und Kooperationsangebote zur Verfügung zu stellen. Damit sollen zum einen Defizite bei den Unternehmen ausgeglichen werden, zum anderen soll ihre Wettbewerbsfähigkeit verbessert und derjenigen von Großunternehmen angenähert werden. Schließlich sollen die KMU zu grenzüberschreitenden Aktivitäten[90]) und zur Nutzung der Vorteile des Binnenmarkts angeregt werden[91]).

a) Forschungs- und Beobachtungsstelle

Die Forschungs- und Beobachtungsstelle wurde ins Leben gerufen, um über einen jährlichen Bericht über den Mittelstand verfügen zu können, sozusagen einen „State of the Nation Report" des europäischen Mittelstands[92]). Darüber hinaus bestand ein Bedürfnis danach, die Ergebnisse der **volkswirtschaftlichen Forschung** aus allen Mitgliedstaaten betreffend mittelständische Unternehmen zusammenzufassen und auszuwerten.

Dies ging weit über die Möglichkeiten eines einzelnen Forschungsinstituts hinaus, so daß die Kommission nach einer öffentlichen Ausschreibung ein Netz von Forschungsinstituten mit Mitgliedern in jedem Mitgliedstaat mit der Erstellung der jährlichen Berichte beauftragte[93]).

---

[88]) V (EWG) 3330/91 des Rates v 7. November 1991 über die Statistiken des Warenverkehrs zwischen den Mitgliedstaaten, ABl L 1991/316 v 16. 11. 1991, 1.

[89]) V (EWG) 2256/92 der Kommission v 31. Juli 1992, ABl L 1992/219 v 4. 8. 1992, 40.

[90]) Zur Internationalisierung der KMU s Europäische Kommission, GD XXIII, in: Panorama der EU-Industrie '94 (1994) 147 ff.

[91]) Zur Rolle der KMU im Binnenmarkt s die Mitteilung der Kommission an den Rat, „Die optimale Gestaltung des Binnenmarkts": Strategisches Programm, KOM (93) 632 endg v 22. 12. 1993, 40 f.

[92]) Zum Vergleich: In den USA wird ein „Annual Report on the State of Small Business" veröffentlicht; s dazu die „Message from the President of the United States", abgedruckt in Congressional Record House, n° H 5588, of May 25, 1995.

[93]) Die Berichte werden von der Forschungs- und Beobachtungsstelle unter eigener Verantwortung erstellt und vertrieben. Die Kommission veröffentlicht dazu lediglich ihre Bemerkungen, s KOM (93) 527 endg v 5. 11. 1993 und KOM (94) 352 endg v 7. 9. 1994.

b) EU-Beratungsstellen

Die EU-Beratungsstellen oder **„Euro-Info-Center“** bieten den Unternehmen eine Vielfalt von Beratungsangeboten. Es handelt sich um ein dezentralisiertes Netz, das die Europäische Union, die Mitgliedstaaten der EFTA und des EWR sowie die mittel- und osteuropäischen Staaten abdeckt. Dieses Netz ist ein gutes Beispiel dafür, daß Funktionen der Europäischen Kommission nicht von einem Heer von Beamten zentralisiert in Brüssel wahrgenommen, sondern auf andere Institutionen und deren Angestellte delegiert werden, um flächendeckende, **bürgernahe Beratungsdienste** anbieten zu können[94]).

Andererseits stehen die EU-Beratungsstellen mit der Generaldirektion XXIII der Kommission in engem Kontakt, um Fragen zu klären, die am besten von den Kommissionsdienststellen beantwortet werden können. Auch die Datenbasen der Kommission stehen den Beratungsstellen zur Verfügung. Beispielsweise ist es möglich, daß ein Unternehmen mit einer Beratungsstelle vereinbart, daß es regelmäßig über neue Ausschreibungen öffentlicher Aufträge in seinem Wirtschaftszweig informiert wird, die die Beratungsstelle der Datenbank TED („Tenders Electronic Daily“) entnehmen kann. Auf diese Weise können kleine und mittlere Unternehmen Zugang zu dem außerordentlich umfangreichen Markt der öffentlichen Auftraggeber erhalten, der ihnen früher mangels rechtzeitiger Information kaum zugänglich war.

c) BC-Net und BRE

BC-Net („Business Cooperation Network“) und **BRE** („Bureau de Rapprochement des Entreprises“) stellen – ebenso wie die EU-Beratungsstellen – dezentralisierte Netze dar.

Während BC-NET mit verschlüsselten Kooperationsprofilen arbeitet, die in einem Computer der GD XXIII miteinander abgeglichen werden und daher vollen Datenschutz gewährleisten, arbeitet das BRE mit nicht-vertraulichen Kooperationsprofilen. Das BC-NET deckt außer den Mitgliedstaaten der Europäischen Union 26 Drittländer ab, in denen insgesamt 530 Mitglieder arbeiten, die die Kooperationsprofile im Auftrag ihrer Kunden einspeichern. BC-NET erhält im Schnitt über 800 Kooperationsprofile pro Monat[95]).

Demgegenüber besitzt das BRE 450 Mitglieder, die über 60 Staaten verteilt sind. Das BRE erhält im Durchschnitt über 600 Kooperationsprofile pro Monat.[96]) Davon betreffen etwa 60% die Europäische Union, der Rest verteilt sich auf Drittländer. Bemerkenswert ist der außerordentlich hohe Anteil von Kooperationsprofilen aus Asien, der 22% beträgt, gefolgt von Kooperationsprofilen aus Mittel- und Osteuropa mit 9%.

d) EUROPARTENARIAT und INTERPRISE

Die Kommission führt seit Jahren **Kontaktmessen** unter dem Namen „EUROPARTENARIAT“ durch, die in Fördergebieten des Regionalfonds,

---

[94]) Siehe Bericht über die Koordinierung der Maßnahmen für die KMU und das Handwerk, KOM (95) 362 v 8. 9. 1995, 32ff.

[95]) (FN 94) 35.

[96]) (FN 94) 35.

gelegentlich aber auch in Drittländern stattfinden. Ziel der Operation ist es, eine begrenzte Zahl von Unternehmen aus der entsprechenden Region (zwischen 400 und 600 Unternehmen) mit zahlreichen Unternehmen aus anderen Gebieten der Europäischen Union sowie aus Drittländern während einer zweitägigen Kontaktmesse zusammenzubringen. Dazu wird ein mehrsprachiger Katalog mit Angaben über die Unternehmen des Zielgebietes in der gesamten Europäischen Union in hoher Auflage verteilt, so daß sich interessierte Unternehmen bereits vor der Veranstaltung für Kooperationsgespräche mit den sie interessierenden Unternehmen anmelden können. Während der Veranstaltung selbst finden dann zwischen 7000 und 10.000 Kooperationsgespräche statt, die bei Bedarf von Dolmetschern begleitet werden[97]).

Das Programm INTERPRISE verfolgt ähnliche Ziele wie Europartenariat, ist jedoch nicht an die Einbeziehung von Förderregionen des Regionalfonds gebunden. Allerdings muß es sich um mindestens drei Regionen aus den Mitgliedstaaten der Europäischen Union oder des EWR handeln. 1994 wurden ca 50 Veranstaltungen dieser Art durchgeführt und von der Kommission finanziell bezuschußt.

e) Zulieferwesen

Der Bereich des Zulieferwesens wird von der GD XXIII mit großer Aufmerksamkeit verfolgt[98]), da kleine und mittlere Unternehmen sich hier häufig marktstarken Nachfragern gegenübersehen. Von einem 100%igen Funktionieren der Marktkräfte kann in diesem Bereich daher nicht unbedingt ausgegangen werden. Zumindest sollten die KMU über ein umfangreiches **Angebot an Informationen** und **Kooperationsmöglichkeiten** verfügen, um sich in dieser Situation behaupten zu können.

Das Projekt **SCAN (Sub-Contracting Assistance Network)** beinhaltet eine Verknüpfung von dezentralisierten Datenbasen, die im Bereich des Zulieferwesens bestehen[99]). Darüber hinaus werden eine Reihe von Zulieferermessen unterstützt (so zB die Zuliefermessen im Automobilbereich in Turin, im Textilbereich in Brüssel und im Bausektor in Bordeaux).

Die Wettbewerbsfähigkeit der europäischen Zulieferer wird durch Seminare gefördert, die europäische KMU mit großen japanischen Produzenten in Verbindung bringen.

3. Ausgleich größenspezifischer Nachteile

Der Ausgleich größenspezifischer Nachteile kleiner und mittlerer Unternehmen ist in erster Linie Aufgabe der Mitgliedstaaten selbst. Mit ihren bescheidenen Haushaltsmitteln kann die Europäische Kommission eine solche Aufgabe nur ergänzend zu den in den Mitgliedstaaten getroffenen Maßnahmen erfüllen.

---

[97]) (FN 94) 35.

[98]) S die Mitteilung der Kommission, Der Weg zu einem europäischen Markt für das Zulieferwesen, SEK (91) 1286 endg v 17. 1. 1992.

[99]) S hierzu Entschließung des Rates v 22. November 1993, ABl C 1993/326 v 3. 12. 1993, 1.

Andererseits erfordert das Subsidiaritätsprinzip auch keine völlige Abstinenz der Kommission in diesem Bereich. Erstens ist die Kommission immer dann zum Handeln aufgerufen, wenn eine Förderung mittelständischer Unternehmen erforderlich erscheint, um sie in den Genuß der Vorteile des Binnenmarkts kommen zu lassen. Zweitens können sich Fördermaßnahmen auf europäischer Ebene als sinnvoll erweisen, um die durch nationale Programme in der Regel **verursachten Wettbewerbsverzerrungen** zu vermeiden und den Europäischen KMU gleiche Startchancen (das sog „Level Playing Field") in der gesamten Europäischen Union zu gewährleisten. Auf dieser Grundlage basiert beispielsweise die gemeinschaftliche Forschungsförderung. Drittens werden gelegentlich Maßnahmen auf Europäischer Ebene zur Förderung der Wettbewerbsfähigkeit der Unternehmen und zur **Konjunkturbelebung** der Europäischen Wirtschaft beschlossen, wie dies beispielsweise bei der Edinburg-Initiative der Fall war[100]).

a) Euromanagement

Mit „Euromanagement" werden drei Pilotaktionen bezeichnet, die es den KMU ermöglichen sollen, ihren **größenbedingten Rückstand bei Managementaufgaben** aufzuholen. Das Verfahren besteht darin, daß kleine und mittlere Unternehmen in den Genuß einer fünftägigen Beratung kommen können, deren Kosten zu 50% von der Europäischen Kommission übernommen werden. Der Berater analysiert in der Regel die Schwachstellen, aber auch das Entwicklungspotential der Unternehmen und gibt Empfehlungen für Verbesserungen ab. In diesen Fällen werden die restlichen 50% der Kosten von regionalen Wirtschaftsförderungsgesellschaften übernommen, so daß die Beratung dann für das Unternehmen völlig kostenlos ist.

Dieses Verfahren wurde in den Bereichen Forschung und technologische Entwicklung[101]) sowie Normung und Zertifizierung mit Erfolg eingesetzt[102]). Darüber hinaus wird eine Euromanagement-Aktion im Bereich des Öko-Audit verbreitet.

b) Gründungskapital

Die sprichwörtliche **Eigenkapitalschwäche mittelständischer Unternehmen** macht sich in besonderem Maße in der Gründungsphase bemerkbar, denn der Unternehmensgründer besitzt in der Regel nicht genügend Gründungskapital und häufig nur unzureichende Sicherheiten, um Bankkredite in ausreichendem Umfang erhalten zu können. Dies hat dazu geführt, daß sowohl Banken als auch Kapitalbeteiligungsgesellschaften bei der Zurverfügungstellung von Krediten und Kapital an neuzugründende Unternehmen äußerst zurückhaltend sind.

Da der bestehende Finanzierungsbedarf des Unternehmensgründers durch die Marktkräfte nicht ausreichend abgedeckt wird, hat sich die Euro-

---

[100]) Zur Edinburg-Initiative s *Schulte-Braucks* (FN 4).

[101]) S die Ausschreibungen im ABl C 1991/4 v 8. 1. 1991, 9 und ABl C 1994/99 v 8. 4. 1994, 23.

[102]) S die Ausschreibung im ABl C 1992/146 v 10. 6. 1992, 11.

päische Kommission entschlossen, ein Netz von Gründungskapitalfonds zu errichten. Seit 1989 sind 23 solcher Fonds gegründet und von der Kommission finanziell unterstützt worden. Sie haben die Gründung von über 200 neuen Unternehmen finanziert. Dadurch sind direkt 2000 und indirekt weitere 4000 Arbeitsplätze geschaffen worden, wobei die Kosten pro geschaffenem Arbeitsplatz bei etwa 1200 ECU liegen, sodaß von einem außerordentlich **günstigen Multiplikatorfaktor** der eingesetzten Steuermittel ausgegangen werden kann. Über einen Fünfjahreszeitraum wurde eine „Sterberate" der auf diese Weise neu gegründeten Unternehmen von nur 17,5% verzeichnet, während diese Rate normalerweise bei etwa 50% liegt[103]), woraus geschlossen werden kann, daß die Investitionsentscheidungen der Fondsmanager sehr sachverständig vorgenommen wurden und daß die Fonds ihren Unternehmen auch nach der Gründungsphase ein gewisses Maß an Beratungen haben zukommen lassen, um Wachstum und Erfolg ihrer Investitionen sicherzustellen.

c) Zinsverbilligung

Wie die oben unter E.1.d erwähnte Gesprächsrunde hochstehender Persönlichkeiten aus dem Banksektor festgestellt hatte, zahlen KMU für Bankkredite zwischen 1,5 und 5% höhere Zinsen als Großunternehmen[104]). Um diesen größenbedingten Nachteil auszugleichen, hat der Rat auf Vorschlag der Kommission beschlossen, den KMU **zinsverbilligte Kredite** in Höhe von 1 Mrd ECU über die Europäische Investitionsbank zur Verfügung zu stellen[105]). Die Zinsverbilligung beträgt 2 Prozentpunkte gegenüber dem Marktzinsniveau. Als Gegenleistung wird allerdings erwartet, daß das Unternehmen Arbeitsplätze schafft. Es wird damit gerechnet, daß mit Hilfe dieser sogenannten **„KMU-Fazilität"** mehr als 30.000 Arbeitsplätze geschaffen werden können[106]).

d) Gemeinschaftsinitiative KMU

Im Rahmen der Strukturfonds kann die Kommission eigene Initiativen entwickeln und die Mitgliedstaaten auffordern, zu den von ihr genannten Themen Programmvorschläge einzureichen[107]). Eine dieser Gemeinschaftsinitiativen ist der Entwicklung der KMU gewidmet, um diesen Unternehmen zu helfen, sich auf die Herausforderungen des Binnenmarktes und des internationalen Wettbewerbs einzustellen. Dies ist insbesondere bei KMU aus Regionen mit Entwicklungsrückstand (Ziel-1-Regionen) gerechtfertigt. Hierfür hat die Kommission 1 Mrd ECU vorgesehen[108]). Darüber hinaus bietet auch die Gemeinschaftsinitiative ADAPT zahlreiche Fördertatbestände, die dem KMU

---

[103]) S Enterprises in Europe, Third Report, Bd 1 (1994), 230.

[104]) KOM (94) 435 endg 16.

[105]) Beschluß des Rates v 19. April 1994, ABl L 1994/107 v 28. 4. 1994, 57.

[106]) S den Bericht der Kommission hierzu, KOM (94) 434 endg v 19. 10. 1994.

[107]) S hierzu die Mitteilung der Kommission, „Die Zukunft der Gemeinschaftsinitiativen im Rahmen der Strukturfonds", KOM (94) 46 endg v 16. 3. 1994.

[108]) S die Mitteilung im ABl C 1994/180 v 1. 7. 1994, 10.

die Anpassung an den industriellen Wandel erleichtern können[109]). Dabei hat diese mit 1,4 Mrd ECU ausgestattete Initiative den Vorteil, daß sie nicht an Förderregionen gebunden ist, da sie aus dem Sozialfonds finanziert wird.

Daneben besteht selbstverständlich die Möglichkeit, daß KMU im Rahmen der gemeinschaftlichen Förderkonzepte (GFK), die auf Initiative der Mitgliedstaaten erstellt werden, Fördermittel erhalten, die ihre größenbedingten Nachteile ausgleichen. In welchem Ausmaß dies der Fall ist, läßt sich gegenwärtig nur durch Schätzungen feststellen, da die meisten Mitgliedstaaten leider keine spezifischen KMU-Unterprogramme vorgelegt haben und daher auch keine diesbezüglichen Statistiken vorlegen[110]).

e) Spezifische KMU-Maßnahmen in der Forschungsförderung

Mit dem **Vierten Rahmenprogramm für Forschung und technologische Entwicklung**[111])wurde das spezifische KMU-Programm CRAFT[112]) weiterentwickelt und dessen Konzept auf alle industriebezogenen spezifischen Programme ausgedehnt. Während unter CRAFT ca 70 Mio ECU für KMU ausgegeben wurden, stehen unter dem Vierten Rahmenprogramm über 700 Mio ECU entsprechend 9% des Gesamtetats dieser Programme für KMU-spezifische Maßnahmen zur Verfügung[113]). Darüber hinaus können die KMU selbstverständlich auch an dem generellen Teil der Forschungsprogramme im Wettbewerb mit Großunternehmen teilnehmen.

Die genannte Reservierung von 9% der Haushaltsmittel für spezifische KMU-Maßnahmen stellt einen Meilenstein in der Entwicklung der KMU-Politik dar, die damit sehr viel entschlossener als zuvor den Zugang von KMU zu den EU-Forschungsprogrammen verbessert[114]).

F. Ausblick

Die Unternehmenspolitik wird in den nächsten Jahren den mit dem Integrierten Programm verfolgten Ansatz fortführen und ein neues Mehrjahresprogramm für die Jahre 1997 bis 2000 formulieren müssen. Dabei wird es verstärkt darum gehen, das Arbeitskräftepotential der KMU freizulegen. Dies wird zum einen durch die Fortführung der auf Deregulierung und Verwaltungsvereinfachung abzielenden Maßnahmen geschehen, zum anderen aber auch durch Fördermaßnahmen, die den Ausgleich größenspezifischer Nachteile zum Ziel haben.

---

[109]) S Mitteilung der Kommission im ABl C 1994/180 v 1. 7. 1994, 30.

[110]) Einen Überblick hierüber gibt der Bericht der Kommission zur Koordinierung der Aktivitäten zugunsten kleiner und mittlerer Unternehmen (KMU), KOM (94) 221 endg 7. 9. 1994, 65 ff.

[111]) ABl L 1994/126 v 18. 5. 1994, 1.

[112]) S hierzu die Mitteilung der Kommission „Die KMU und die gemeinschaftlichen Aktivitäten auf dem Gebiet der FTE“, KOM (93) 356 endg v 30. 9. 1993.

[113]) S Bericht der Kommission über die Koordinierung der Maßnahmen für die KMU und das Handwerk, KOM (95) 362 v 8. 9. 1995, 70.

[114]) Einen guten Überblick über die zugunsten von KMU getroffenen Maßnahmen insb im Bereich der Forschung gibt *Carl,* Maßnahmen der EU zur Stärkung der Wettbewerbsfähigkeit kleiner und mittlerer Unternehmen, EuZW 1995, 141.

Hinsichtlich der Genossenschaften, Gegenseitigkeitsgesellschaften und Vereine hat die Kommission den Entwurf eines getrennten Mehrjahresprogramms vorgelegt[115]), um dem spezifischen Charakter dieser Organisationsformen Rechnung zu tragen[116]). Demgegenüber ist die Tendenz zu erkennen, den Handel[117]) und das Handwerk[118]) verstärkt in das bestehende Mehrjahresprogramm und seine Fördermaßnahmen einzubeziehen. Dies dürfte in dem künftigen Programm für die Jahre 1997 bis 2000 noch stärker zum Tragen kommen.

115) KOM (93) 650 endg v 16. 2. 1994, ABl C 1994/87 v 24. 3. 1994, 6, und KOM (95) 253 endg v 8. 6. 1995.

116) S auch die geänderten Vorschläge betreffend das Statut des Europäischen Vereins, der Europäischen Genossenschaft und der Europäischen Gegenseitigkeitsgesellschaft, KOM (93) 252, ABl C 1993/236 v 31. 8. 1993, 1 ff.

117) S Gesamtbericht 1994 RZ 200.

118) (FN 118) RZ 198; s dazu auch die Ausschreibung im ABl C 1994/282 v 8. 10. 1994, 14, und ABl C 1994/337 v 1. 12. 1994, 30. Zur europäischen Handwerkskonferenz vom September 1994 in Berlin siehe *Carl* (FN 114) 144 sowie Mitteilung der Kommission, Handwerk und kleine Unternehmen, Schlüssel für Wachstum und Beschäftigung in Europa, Kom (95) 502 endg v 26. 10. 1995.

Anhang

Folgenabschätzungsbogen[119])

Auswirkungen des vorgeschlagenen Rechtsakts auf die Unternehmen unter besonderer Berücksichtigung der kleinen und mittleren Unternehmen (KMU)

Bezeichnung des vorgeschlagenen Rechtsakts:

Dokumentennummer:

Der vorgeschlagene Rechtsakt

1. Warum ist ein Rechtsakt **der Gemeinschaft** unter Berücksichtigung des Subsidiaritätsprinzips in diesem Bereich notwendig, und welche Ziele werden in erster Linie verfolgt?

Auswirkung auf die Unternehmen

2. Wer wird durch den vorgeschlagenen Rechtsakt betroffen sein?
   - welche Wirtschaftszweige?
   - welche Unternehmensgrößen (welcher Anteil kleiner, mittlerer, großer Unternehmen)?
   - befinden sich diese Unternehmen in bestimmten geographischen Gebieten?
3. Was werden die Unternehmen zu tun haben, um dem Rechtsakt nachzukommen?
4. Welche wirtschaftlichen Folgen wird der vorgeschlagene Rechtsakt voraussichtlich haben?
   - für die Beschäftigung?
   - für die Investitionen und die Gründung neuer Unternehmen?
   - für die Wettbewerbsposition der Unternehmen?
5. Enthält der vorgeschlagene Rechtsakt Bestimmungen, die der besonderen Lage kleiner oder mittlerer Unternehmen Rechnung tragen (etwa reduzierte oder andersartige Anforderungen usw)?

Anhörung

6. Führen Sie die Organisationen auf, die zu dem vorgeschlagenen Rechtsakt konsultiert wurden, und stellen sie deren wichtigste Auffassungen dar.

119) S auch FN 57.

12. KAPITEL

Konsumentenpolitik

Antoine Van der haegen

Übersicht:

A. Allgemeines

1. Bedeutung der Verbraucherpolitik

Während innerhalb der Gemeinschaft weniger als die Hälfte der Einwohner berufstätig ist, gehören zu den Konsumenten auch die Kinder und Jugendlichen, die Pensionisten, die Hausfrauen und die Arbeitslosen, die alle zusammen die Zahl von 355 Mio ergeben.

Die Verbraucherpolitik ist ein wesentlicher Bestandteil der Marktwirtschaft. Ihr Ziel ist es, das Funktionieren der Märkte dadurch zu verbessern, daß sie den Konsumenten helfen soll, eine rationale Wahl der Angebote zu treffen, und die Verbraucher schützen soll, die sich gegenüber dem Handel und dem Dienstleistungsgewerbe in einer schwächeren Position befinden.

Indem auf europäischer Ebene immer mehr Handels-, Qualitäts- und Sicherheitsnormen für Waren und Dienstleistungen fixiert werden, nimmt die Verbraucherpolitik eine stärkere europäische Dimension im Hinblick auf den Gemeinsamen Markt und die daraus resultierende allgemeine Öffnung der nationalen Märkte an. Aber mit Maastricht kommt auch eine Verbraucherpolitik zustande, die nicht nur direkt der Verwirklichung des Binnenmarktes dient, sondern auch versucht, eine allgemeine Verbesserung des Verbraucherschutzes im Norden wie im Süden der Gemeinschaft zu erbringen.

2. Bisherige Entwicklung

Seit 1961, als *Sicco Mansholt,* damaliger Kommissar für Landwirtschaft, die Vertreter der Verbraucher zum ersten Mal zusammenrief, hat sich die Gemeinschaft bemüht, ihre Verbraucherpolitik weiter zu entwickeln. 1968 war im Rahmen der für Wettbewerbsfragen zuständigen GD IV der EG-Kommission ein neues auf Verbraucherfragen spezialisiertes Referat geschaffen worden. Anläßlich der Erweiterung im Jahre 1972 wurde dieser Politik zum ersten Mal ernsthafte Aufmerksamkeit gewidmet, als die Staats- und Regierungschefs der sechs Gründungsmitglieder größere Anstrengungen zur Lösung der alltäglichen Probleme der Staatsbürger forderten. In der Folge errichtete die Kommission 1973 eine Dienststelle für Umwelt und Verbraucherschutz, aus der dann 1989 der **Dienst Verbraucherpolitik** abgespalten wurde. Die erste Verbraucher-Ratstagung fand 1983 statt und ist inzwischen im Tätigkeitsprogramm der Gemeinschaft zu einem regelmäßig erscheinenden Posten geworden. 1985 wurde ein Programm aufgenommen, das der Verbraucherpolitik einen neuen Antrieb verleihen sollte. Es fiel mit der Veröffentlichung des Weißbuchs über den Binnenmarkt und der zunehmenden Bedeutung zusammen, die den Verbraucherfragen bei den intensiven Vorbereitungen für die Verwirklichung des großen Binnenmarktes beigemessen wurde. Im März 1995 entschied die EG-Kommission, den Dienst Verbraucherpolitik in den Rang einer Generaldirektion zu erheben (GD XXIV).

3. Rechtsgrundlagen

Im ursprünglichen EWG-Vertrag gibt es keine eigene Rechtsgrundlage. Nur ganz vereinzelt sind die Verbraucher erwähnt.

Eines der Ziele der Gemeinsamen **Agrarpolitik** ist gem Art 39 Abs 1 lit e EGV, „für die Belieferung der Verbraucher zu angemessenen Preisen Sorge zu tragen“. Die gem Art 40 Abs 2 EGV geschaffene gemeinsame Organisation der Agrarmärkte hat sich gem Art 40 Abs 3 2. Satz EGV „auf die Verfolgung der Ziele des Artikel 39 zu beschränken und jede Diskriminierung zwischen Erzeugern und Verbrauchern innerhalb der Gemeinschaft auszuschließen“.

Die strengen **Wettbewerbsbestimmungen** des Art 85 Abs 1 EGV können gem Art 85 Abs 3 EGV für nicht anwendbar erklärt werden, wenn bestimmte Vereinbarungen oder Verhaltensweisen ua die Verbraucher angemessen beteiligen. Die mißbräuchliche Ausnutzung einer marktbeherrschenden Stellung kann gem Art 86 Abs 2 lit b EGV ua in „der Einschränkung der Erzeugung, des Absatzes oder der technischen Entwicklung zum Schaden der Verbraucher“ bestehen.

Eine erste Änderung trat erst 1986 mit der Einheitlichen Europäischen Akte in Kraft, die einen neuen Art 100a einführte, der die Harmonisierung mit Hinblick auf den Binnenmarkt betraf. Umwelt- und Verbraucherschutz sind dadurch erstmals als Ziel in die Gemeinschaftsverträge aufgenommen worden. In Art 100a Absatz 3 EGV heißt es, die Kommission habe bei ihren Vorschlägen für Rechtsakte, die den Binnenmarkt betreffen, „in den Bereichen Gesundheit, Sicherheit, Umweltschutz und Verbraucherschutz von einem hohen Schutzniveau“ auszugehen.

Bei der letzten Revisionskonferenz in Maastricht wurde es schließlich – einem Wunsch der europäischen Bürger folgend – für notwendig erachtet, eine neue Bestimmung zur Verbraucherpolitik einzufügen, nämlich den neuen Art 129a EGV.[1]) Damit geht der ohnehin schon weite Bereich der Verbraucherpolitik über den Binnenmarkt hinaus. Aus der flankierenden Politik zur Unterstützung des Entstehens des Binnenmarktes, wie sie es in der Einheitlichen Europäischen Akte noch war, wurde sie mit Maastricht zu einer eigenständigen Politik, für die die Vollendung des Binnenmarktes nur mehr ein Element unter vielen ist. So wurde die Erwartung des Europäischen Parlaments und der Verbraucherverbände in den Mitgliedstaaten, daß der Verbraucherpolitik in Zukunft noch größere Aufmerksamkeit geschenkt wird, erfüllt.

B. Der Binnenmarkt und seine Herausforderung für die Verbraucherpolitik

In ihrem Bericht vom November 1988 über den Stand der Arbeiten zur Vollendung des Binnenmarktes stellte die Kommission die **Wichtigkeit der Verbraucherpolitik** folgendermaßen heraus: „Der Verbraucherschutz stellt einen weiteren Politikbereich dar, dem in einem vollendeten Binnenmarkt zunehmende Bedeutung zukommen wird.“

Heute leben die 355 Millionen Verbraucher der Union in dem Genuß des freien Waren-, Dienstleistungs- und Kapitalverkehrs und können selbst unbehindert reisen, um diese Waren und Dienstleistungen bzw das erforderliche Kapital im Mitgliedstaat ihrer Wahl zu erwerben.

Dies bedeutet, daß sämtliche EG-Bürger über die Qualität, den Preis und gegebenenfalls die Gefahren und Risiken im Zusammenhang mit dem Kauf eines Produkts oder einer Dienstleistung, die sie nicht kennen, unterrichtet sein müssen.

Es bedeutet ferner, daß diese Staatsbürger eines **Schutzes** bedürfen, um nicht Opfer derjenigen zu werden, die die Öffnung des Marktes dazu benutzen könnten, weniger gute, weniger sichere Produkte oder Dienstleistungen zu verkaufen oder den Verbraucher durch mißbräuchliche Vertragsklauseln, irreführende Werbung oder fehlende Garantien irrezuleiten.

Die weitere Vollendung des Binnenmarktes dürfte dem Verbraucher in hohem Maße zugute kommen. Die Verbraucher müssen jedoch vom Wert der

---

[1]) Art 129a EGV lautet: (1) Die Gemeinschaft leistet einen Beitrag zur Erreichung eines hohen Verbraucherschutzniveaus durch a) Maßnahmen, die sie im Rahmen der Verwirklichung des Binnenmarkts nach Artikel 100a erläßt; b) spezifische Aktionen, welche die Politik der Mitgliedstaaten zum Schutz der Gesundheit, der Sicherheit und der wirtschaftlichen Interessen der Verbraucher und zur Sicherstellung einer angemessenen Information der Verbraucher unterstützen und ergänzen. (2) Der Rat beschließt gemäß dem Verfahren des Artikels 189b und nach Anhörung des Wirtschafts- und Sozialausschusses die spezifischen Aktionen im Sinne des Absatzes 1 Buchstabe b. (3) Die nach Absatz 2 beschlossenen Aktionen hindern die einzelnen Mitgliedstaaten nicht daran, strengere Schutzmaßnahmen beizubehalten oder zu ergreifen. Diese Maßnahmen müssen mit diesem Vertrag vereinbar sein. Sie werden der Kommission notifiziert.

gebotenen Möglichkeiten ausreichend überzeugt sein, damit sie diese Vorteile nutzen können. Immerhin wurde inzwischen eine Vertrauensgrundlage gegenüber Handel und Industrie geschaffen, die auf die Herausforderung entsprechend reagiert haben. Das könnte in begrenzter Weise durch gezielte Verbraucherschutzmaßnahmen der Gemeinschaft auf anderen Gebieten (Umweltschutz, Industrie, Landwirtschaft, Verkehr und Sozialpolitik) zum Ausdruck kommen.

Es ist klar, daß der Erfolg des Binnenmarktes zu einem nicht zu vernachlässigenden Grad von raschen direkten oder indirekten **Vorteilen für die Verbraucher** (zB Freiheit grenzüberschreitender Käufe, allgemeine Verwendbarkeit von Kredit- und Bankomatkarten im gesamten Gebiet der Gemeinschaft, europäische Garantie etc) und vor allem vom **Vertrauen** abhängt, das der Konsument in die Qualität und die Sicherheit der zahlreichen neuen Produkte und Dienstleistungen, die ihm angeboten werden, setzt. Grundlage dieses Vertrauens ist die **Transparenz,** die beim Angebot und Vertrieb von Waren und Dienstleistungen herrschen muß (zB Vergleichstest, Preise, Etikettierung, Versicherungs- und Banktransaktionen, Leistungen nach dem Kauf etc).

Jedenfalls erschöpft sich die Konsumationshandlung nicht im bloßen Kaufakt, sondern besteht auch in der richtigen Kaufentscheidung mit den besten Garantien und Informationen und effizienten Möglichkeiten zur Rechtsverfolgung.

C. Der erste und zweite Aktionsplan der Europäischen Kommission (1990–1995)

1. Allgemeines

Angesichts der fortschreitenden Vollendung des Binnenmarktes hat die Kommission im März 1990 den ersten dreijährigen verbraucherpolitischen Aktionsplan für die EWG (1990–1992)[2]) beschlossen. Später, im Hinblick auf die Verwirklichung des Vertrags über die Europäische Union, der die Verbraucherpolitik in den Rang einer echten Gemeinschaftspolitik erhebt, hat die Kommission am 28. Juli 1993 den zweiten Dreijahres-Aktionsplan der Kommission zur Verbraucherpolitik (1993–1995) gebilligt.[3])

Der erste und zweite Aktionsplan der Kommission sollen die Rolle und den Stellenwert festlegen, die die Kommission der Verbraucherpolitik einzuräumen beabsichtigt, und insb die Schwerpunkte und die durchzuführenden **Maßnahmen präzisieren.** Es wird eine begrenzte Zahl von Rechtsentwürfen auf Gebieten vorgeschlagen, auf denen ein harmonisiertes Vorgehen für das Funktionieren des Binnenmarktes von entscheidender Bedeutung ist. Weitere Maßnahmen werden vorgeschlagen, um bestimmte Entwicklungen zu unterstützen und gemeinschaftsweit zu beschleunigen.

Einige dieser Vorschläge wurden inzwischen vom Ministerrat angenommen und sogar in nationales Recht umgesetzt. Die Maßnahmen, die in den

[2]) KOM(90) 98 endg v 3. 5. 1990.

[3]) KOM(93) 378.

zwei Aktionsplänen vorgesehen waren, sind in fünf große Bereiche zu gliedern:

- Verbraucherunterrichtung und -erziehung
- Verbrauchervertretung
- Schutz der Gesundheit und der körperlichen Unversehrtheit der Verbraucher
- Schutz der wirtschaftlichen und rechtlichen Verbraucherinteressen
- Integrierung der Verbraucherpolitik in andere Gemeinschaftspolitiken

2. Verbraucherunterrichtung und -erziehung

Wegen der weit höheren Zahl von Produkten und Dienstleistungen, die dem Verbraucher in dem einheitlichen Binnenmarkt angeboten werden, muß er über diese Produkte und Dienstleistungen viel eingehender – insb mit Hilfe vergleichender Tests – unterrichtet werden.

Eine solche **Information** muß sich auch auf die Preise, den Kundendienst und die Garantien erstrecken, damit dieser neue europäische Wirtschaftsraum für die Verbraucher nicht die Gefahr von Enttäuschungen oder Rechtsstreitigkeiten mit sich bringt, sondern zu ihrem Wohlergehen beiträgt.

Die Bemühungen, die Unterrichtung der Verbraucher zu verbessern, haben in erster Linie die Form von Aktionen, die gemeinsam mit den Verbraucherverbänden oder den Medien veranstaltet werden. Unter diesen Aktionen sind zu nennen:

- Grenzübergreifende Verbraucherinformations- und Beratungsstellen: Es handelt sich um **Informations- und Beratungszentren,** die dem Verbraucher im Falle von kleineren grenzüberschreitenden Rechtsstreitigkeiten auch zur Seite stehen können. Die Informations- und Beratungszentren haben ihren Sitz in Grenzregionen;
- Vergleichende Tests mit Veröffentlichung eines ersten auf den Binnenmarkt ausgerichteten Warenführers;
- Anregung für die Fernsehproduzenten, Themen zu behandeln, die für die Verbraucher von Interesse sind, und dabei insbesondere die gemeinschaftliche Dimension zu berücksichtigen;
- Ausarbeitung von Informationsmaterial zur Verbreitung über die Medien;
- Abgabe von elementaren Informationen für die Mittelorganisationen (zB Verzeichnisse von Verbraucherverbänden, Mitteilungsblatt „INFO-C").

Die Schaffung der grenzübergreifenden Verbraucherinformationsstellen ist eine Maßnahme, die ihre Relevanz bereits voll und ganz bewiesen hat. Diese Stellen, die in Grenzregionen eingerichtet werden, haben Informationen über das Angebot, die Preise, das geltende Recht und alle sonstigen praktischen Einzelheiten für die Region, dh für das Gebiet beiderseits der Grenzen, zu liefern. Die Tätigkeit dieser Stellen wird von den für Verbraucherfragen zuständigen öffentlichen oder privaten Einrichtungen mit Unterstützung der Kommission getragen.

Die Preiserhebungen, zu denen die Kommission den Anstoß gegeben hat, sind eine unersetzliche Quelle von Informationen. Auch die vergleichenden Tests haben sich angesichts der Resonanz bei den Verbrauchern als zweckmäßig erwiesen.

Im Hinblick auf eine Analyse der Rolle der Gemeinschaft beim Ausbau der Verbraucherrechte hat die Kommission verschiedene Treffen mit den Medien organisiert. Darüber hinaus hat sie ihre finanzielle Unterstützung der Rundfunk- und Fernsehanstalten verstärkt, um diese zu ermutigen, ihren Sendungen über Verbraucherprobleme eine gemeinschaftliche Dimension zu verleihen.

Durch die Eröffnung des europäischen Netzes „Coline", das fünf nationale Verbraucherinformationsstellen[4]) miteinander vernetzt, und dessen Ausdehnung auf die übrigen Mitgliedstaaten der Europäischen Union untersucht wird, hat die Kommission der Verbreitung des Verbraucherrechts in bedeutendem Umfang Auftrieb gegeben. Wie vorgesehen, wurde eine binnenmarktbezogene Broschüre für den europäischen Verbraucher veröffentlicht. Sie wird sowohl einem breiten Publikum als auch bestimmten Zielgruppen zugänglich gemacht. Die Broschüre soll dem europäischen Verbraucher im Binnenmarkt ganz konkreten Nutzen bringen.

Weiters muß die **Kennzeichnung der Produkte** verbessert werden, um sie klarer und übersichtlicher zu gestalten und um sie insb den ökologischen und gesundheitlichen Anforderungen sowie den Aspekten der Biotechnologie anzupassen. Das Endziel der Kennzeichnung muß in einer klaren und präzisen Information des Verbrauchers bestehen und nicht in einer unzusammenhängenden Aufzählung von unverständlichen technischen Daten, die den Verbraucher eher verwirren als orientieren.

Darüber hinaus muß die Information des Verbrauchers so verbessert werden, daß er sich bei der Auswahl eines Produkts auch auf ein ausreichendes Wissen über seine Umweltauswirkungen stützen kann.

3. Verbrauchervertretung

Um nicht auf allen für die Verbraucher wichtigen Gebieten Rechtsvorschriften erlassen zu müssen, ist nach Ansicht der Kommission auf Gemeinschafts- und einzelstaatlicher Ebene ein **Dialog mit allen Marktpartnern** notwendig. Ein solcher Dialog ist jedoch nur mit qualifizierten, organisierten und repräsentativen Gesprächspartnern möglich.

Zu diesem Zweck beschloß die Kommission im Juni 1995, den früheren Beratenden Verbraucherrat in einen **Verbraucherausschuß** umzuwandeln.

Diese Umgestaltung betraf hauptsächlich die **Zusammensetzung,** als nun neben den europäischen Dachverbänden auch die einzelstaatlichen Verbraucherverbände darin vertreten sind, was die Rückinformation wesentlich verbessert.

Eine Stärkung der einzelstaatlichen Verbraucherverbände ist im Hinblick auf die Berücksichtigung des Verbraucherstandpunkts bei so wichtigen Aktionsbereichen wie Normung, Finanzdienstleistungen, Gesundheitswesen, Arzneimittel und Umwelt erforderlich – ganz zu schweigen vom Zugang zu den Gerichten oder der Verbandsklage. Aus diesen Gründen müssen diese einzelstaatlichen Verbände von den Mitgliedstaaten voll anerkannt und auch materiell unterstützt werden, vor allem in Irland und im Süden der Gemeinschaft.

---

[4]) Deutschland, Spanien, Frankreich, Portugal und Luxemburg.

4. Schutz der Gesundheit und der körperlichen Unversehrtheit der Verbraucher

Ein weiteres Schlüsselelement ist selbstverständlich die Verbrauchersicherheit. Eine Anzahl von Sektoren ist schon durch spezifische Texte abgedeckt (zB die Spielzeugrichtlinie oder die Richtlinie für kosmetische Produkte). Ziel der Kosmetikrichtlinien[5]) ist die Harmonisierung der verschiedenen in den Mitgliedstaaten geltenden Rechtsvorschriften, die eben durch diese Unterschiede den freien Warenverkehr und damit die Errichtung und das Funktionieren des Gemeinsamen Marktes behinderten. Sie haben auf Gemeinschaftsebene Vorschriften für die Zusammensetzung, Etikettierung und Verpackung von kosmetischen Mitteln festgelegt. Sie enthalten die Verpflichtung der Mitgliedstaaten, alle erforderlichen Maßnahmen zu treffen, damit kosmetische Mittel nur in den Verkehr gebracht werden dürfen, wenn sie den Vorschriften dieser Richtlinien entsprechen, dh sie dürfen insbesondere bei normaler Anwendung nicht geeignet sein, die menschliche Gesundheit zu schädigen. Außerdem müssen alle kosmetischen Mittel auf ihren Verpackungen und Etiketten leserlich und sichtbar eine Reihe von für den Verbraucher wichtigen Informationen wie zB Name und Anschrift des Herstellers, Nenninhalt, Verfalldatum etc enthalten. Die Etikettierung, Aufmachung und Werbung der kosmetischen Mittel darf keine Merkmale vortäuschen, die die betreffenden Erzeugnisse nicht besitzen. Wenn Kosmetika diesen Vorschriften entsprechen, dürfen – mit Ausnahme eines Dringlichkeitsverfahrens unter besonderen Voraussetzungen – Mitgliedstaaten das Inverkehrbringen nicht mehr unter Berufung auf diese Gründe verbieten oder beschränken.

Ferner hat der Rat am 14. Juni 1993 die Richtlinie 93/35/EWG zur sechsten Änderung der Richtlinie 76/768/EWG zur Angleichung der Rechtsvorschriften der Mitgliedstaaten über kosmetische Mittel erlassen. Die Richtlinie zielt nicht nur auf die Harmonisierung der für die Verbraucher und die Prüfbehörden bestimmten Informationen und auf Beseitigung der noch bestehenden Hemmnisse des freien Verkehrs kosmetischer Mittel im Binnenmarkt ab, sondern soll gleichzeitig dazu beitragen, daß Tierversuche verboten und durch alternative Methoden ersetzt werden, die eine sichere Verwendung von Kosmetika gewährleisten.

Die Richtlinie über die Sicherheit von **Spielzeug**[6]) will durch einheitliche Regeln für das Inverkehrbringen und den freien Verkehr von Spielzeug zum Gemeinsamen Markt beitragen, aber auch gleichzeitig den Schutz der Sicherheit und Gesundheit des Verbrauchers und vor allem der besonders schutzbedürftigen Kinder gegen die Risiken dieser Erzeugnisse gewährleisten. Um den Nachweis der Übereinstimmung mit den wesentlichen Sicherheitsanforderungen zu erleichtern, werden auf europäischer Ebene harmonisierte Normen insbesondere zum Bau und zur Zusammensetzung von Spielzeug geschaffen, bei deren Einhaltung eine Übereinstimmung mit den wesentlichen Sicherheitsanforderungen angenommen werden kann. Diese auf europäischer Ebene harmonisierten Normen werden von privaten Stellen (von zwei

---

[5]) BasisRL 76/768 v 27. 7. 1976, ABl L 1976/262 v 27. 9. 1976.

[6]) RL 88/378 v 3. 5. 1988.

anerkannten europäischen Normungskomitees) erstellt, und ihre Fundstellen werden im Amtsblatt veröffentlicht. Von den Mitgliedstaaten werden sie dann in nationales Recht umgesetzt. Es darf nur noch Spielzeug in den Verkehr gebracht werden, das diesen Anforderungen entspricht, wovon ausgegangen wird, wenn es ein in einem besonderen Verfahren erteiltes EG-Zeichen (CE) von einer der von den Mitgliedstaaten zugelassenen Stellen erhalten hat. Das Inverkehrbringen von so zugelassenem Spielzeug darf dann nicht mehr behindert oder verboten werden, wobei allerdings Ausnahmeverfahren für den Fall vorgesehen sind, daß sich ein Spielzeug doch als sicherheits- oder gesundheitsgefährdend erweist.

Ebenfalls dem Schutz von Sicherheit und Gesundheit der Verbraucher, insbesondere von Kindern, dient die Richtlinie[7]) betreffend Erzeugnisse, deren tatsächliche Beschaffenheit nicht erkennbar ist und die die Gesundheit oder die Sicherheit der Verbraucher gefährden. Gemeint sind Erzeugnisse, die wie Lebensmittel aussehen, aber keine Lebensmittel sind. Die Richtlinie verpflichtet die Mitgliedstaaten, Vermarktung und Einfuhr bzw Herstellung und Ausfuhr dieser Erzeugnisse zu untersagen. Außerdem sollen auf dem Markt befindliche Erzeugnisse kontrolliert werden.

Der bereits im April 1989 von der EG-Kommission vorgelegte Vorschlag einer Richtlinie über die allgemeine Produktsicherheit[8]) wurde im Juni 1992 vom Ministerrat angenommen. Es ist das Kernstück einer Reihe von Initiativen, die auf die Schaffung des normativen und institutionellen Rahmens für eine umfassende **Produktsicherheitspolitik** abzielen, um so unter dem Blickwinkel des Schutzes der Verbraucher bzw Benutzer die in spezifischen Produktbereichen unter dem „Binnenmarktprogramm" erreichte Sicherheit zu ergänzen.

In der Tat sind auf Gemeinschaftsebene wichtige Fortschritte im Bereich der Harmonisierung der Sicherheitsanforderungen, welchen die zum freien Warenverkehr zugelassenen Produkte genügen müssen, erzielt worden. Doch sind eine Anzahl von Produktsektoren (noch) nicht von einer derartigen spezifischen Regelung erfaßt. Auch eine noch so breit angelegte Definition des erfaßten Sektors kann nie alle Produkte abdecken, wie die Ausnahmelisten in bestehenden spezifischen Richtlinien veranschaulichen. Zudem wurde die Notwendigkeit einer „horizontalen" Ergänzung der bestehenden Einzelrichtlinien erkannt.

Die Richtlinie über die **allgemeine Produktsicherheit** zielt darauf ab, ein „Sicherheitsnetz" zu schaffen, auf welches zurückgegriffen werden kann, wenn Lücken in den existierenden Regelungen bestehen, die dort nicht kurzfristig behoben werden können oder wenn solche Regelungen einfach nicht bestehen.

Die tragenden Elemente dieser Richtlinie sind:

- die dem Hersteller auferlegte Verpflichtung, nur **sichere Produkte** auf den Markt zu bringen (wobei die Richtlinie für dieses Konzept gemeinschaftsweite Definitionen vorsieht) und den potentiellen Verwender bzw Verbraucher über ein mögliches („vertretbares") Restrisiko zu **informieren**

---

[7]) RL 87/357 v 25. 6. 1987.

[8]) ABl L 1992/228 v 11. 8. 1992, 24.

und eine angemessene **Überwachung** der Sicherheit der auf dem Markt befindlichen Produkte zu gewährleisten;

- die Harmonisierung der Pflichten und Mittel der Mitgliedstaaten im Bereich der Überwachung der allgemeinen Sicherheitspflicht und möglicher Maßnahmen gegenüber gefährlichen Produkten und
- die Eingliederung und strukturelle Weiterentwicklung des Systems des raschen Informationsaustausches über gefährliche Produkte.

Diese Richtlinie soll auch dazu dienen, daß bei gefährlichen Notsituationen, wo die Gesundheit der Verbraucher in mehreren Mitgliedstaaten bedroht ist, ein Produkt gegebenenfalls aus dem Europäischen Markt gezogen werden kann.

Im Hinblick auf die Beschlüsse des Europäischen Rates in Edinburg von 1992, hat die Kommission ihren Vorschlag für eine Richtlinie des Rates über die Haftung bei Dienstleistungen zurückgezogen.

5. Schutz der wirtschaftlichen und rechtlichen Verbraucherinteressen

Hervorzuheben ist die Richtlinie betreffend den Verbraucherschutz im Falle von **außerhalb von Geschäftsräumen geschlossenen Verträgen,**[9]) die in Deutschland durch das Haustürwiderrufsgesetz umgesetzt wurde. Solche Verträge sind dadurch gekennzeichnet, daß die Initiative zu den Vertragsverhandlungen idR vom Gewerbetreibenden ausgeht und der Verbraucher auf die Vertragsverhandlungen nicht vorbereitet ist. Er hat dann häufig keine Möglichkeit, Qualität und Preis des Angebots mit anderen Angeboten zu vergleichen. Um dem Verbraucher die Möglichkeit zu geben, die Verpflichtungen aus dem Vertrag noch einmal zu überdenken, wird ihm das Recht eingeräumt, innerhalb von mindestens 7 Tagen vom Vertrag zurückzutreten. Außerdem muß er von dieser Überlegungsfrist schriftlich unterrichtet werden.

Im Februar 1990 hat der Rat die Richtlinie über **Verbraucherkredite**[10]) angenommen. Wesentliches Ziel der Richtlinie zu Verbraucherkrediten ist, der Überschuldung von Verbrauchern vorzubeugen. Der Verbraucherkredit ist heute innerhalb der Gemeinschaft eine allgemein anerkannte Form der Finanzdienstleistung. Fast jeder Verbraucher hat irgendeinen Kredit aufgenommen, sei es durch eine Kreditkarte, einen Ratenkauf oder ein Darlehen. Die Einführung eines einheitlichen Systems ermöglicht es dem Verbraucher jetzt, unterschiedliche Kreditangebote auf solider wirtschaftlicher Grundlage zu vergleichen. Viele Verbraucher sind sich der rechtlichen Komplexität von Verträgen, die sie eingehen, nicht bewußt. So können sie keine sinnvolle Entscheidung treffen und enden schließlich in der Verschuldung. Vor einem Vertragsabschluß müssen sich die Verbraucher über alle Vertragsbedingungen im klaren sein. Sie müssen insbesondere wissen, daß die Berechnung der tatsächlichen Kreditkosten im effektiven Jahreszins zum Ausdruck kommt.

---

[9]) RL 85/577 v 20. 12. 1985.

[10]) RL 87/102 v 22. 12. 1986, ABl L 1987/42 v 12. 2. 1987, 48, geändert durch RL 90/88 v 22. 2. 1990, ABl L 1990/61 v 10. 3. 1990, 14.

In der **Pauschalreiserichtlinie**[11]) werden Reiseveranstalter und -vermittler verpflichtet, sicherzustellen, daß die Beschreibungen der von ihnen organisierten oder angebotenen Pauschalreisen keine irreführenden Angaben enthalten, sondern vielmehr bestimmte genaue Informationen erteilt werden. Außerdem sind Bestimmungen über schriftliche Vertragsform, die Übertragung der Reise auf einen Dritten, eine Änderung der Preise, ein Rücktrittsrecht des Verbrauchers, Beanstandungsrechte des Verbrauchers sowie eine Haftung des Veranstalters bzw Vermittlers für ordnungsgemäße Erfüllung enthalten. Schließlich muß der Veranstalter bzw Vermittler auch Sicherungen für den Fall des Konkurses oder der Zahlungsunfähigkeit vorsehen.

Im April 1993 hat der Rat die Richtlinie über **mißbräuchliche Klauseln in Verbraucherverträgen**[12]) beschlossen. In dieser Richtlinie ist festgeschrieben, daß mißbräuchliche Klauseln in zwischen Verbrauchern und Gewerbetreibenden geschlossenen Verträgen für die Verbraucher nicht bindend sind und daß es den Mitgliedstaaten obliegt, die erforderlichen Vorkehrungen zu treffen, um der Verwendung mißbräuchlicher Klauseln Einhalt zu gebieten. Solche Klauseln sind zB der Haftungsausschluß bei fehlerhaften Waren oder die Möglichkeit für noch einseitige Preisänderungen seitens des Verkäufers nach Vertragsabschluß. Im übrigen ist hier auch die Möglichkeit einer Verbandsklage vorgesehen.

Zu erwähnen ist auch noch die Richtlinie zum Schutz der Erwerber im Hinblick auf bestimmte Aspekte von Verträgen über den Erwerb von Teilnutzungsrechten an Immobilien,[13]) die sog **Timeshare-Verträge.** Sie schafft Mindestanforderungen hinsichtlich bestimmter Aspekte dieser Verträge, die die Information über die Vertragsinhalte und die Einzelheiten der Übermittlung dieser Information sowie die Verfahren und Einzelheiten des Rücktrittsrechts betreffen.

Erwähnenswert ist auch noch die Richtlinie des Rates über den Verbraucherschutz bei **Vertragsabschlüssen im Fernabsatz.**[14]) Sie bezweckt eine Angleichung der Rechts- und Verwaltungsvorschriften der Mitgliedstaaten betreffend die Vertragsabschlüsse im Fernabsatz zwischen Verbrauchern und Lieferern. Die Mitgliedstaaten sollen der Richtlinie spätestens drei Jahre nach Inkrafttreten nachkommen. Anwendungsbereich der Richtlinie sind Vertragsabschlüsse im Fernabsatz betreffend eine Ware oder eine Dienstleistung. Bei herkömmlichen Vertragsabschlüssen im Fernabsatz erfolgt der Verkauf auf schriftlichem Wege anhand eines Katalogs. Der Richtlinienentwurf deckt jedoch auch alle neuen Formen des Fernabsatzes über Telefon, Minitel oder Fernsehen (Teleshopping) ab. Dienstleistungen, die über Telematikeinrichtungen erfolgen (Datenbanken, Übermittlung von Informationen usw) sind ebenfalls abgedeckt. Folgende Dienstleistungen wurden jedoch ausgenommen: Finanzdienstleistungen und Immobilien (mit Ausnahme der Vermietung). Einige Verkaufstechniken sind ebenfalls ausgenommen: Versteigerungen, Wa-

---

[11]) RL 90/314 v 13. 6. 1990.

[12]) RL 93/13; zum Entwurf s *Röttinger,* EG-Vorschläge über mißbräuchliche Klauseln in Verbraucherverträgen, ecolex 1991, 140.

[13]) RL 94/47 v 26. 10. 1994.

[14]) KOM (96) 36 endg.

renautomaten und automatisierte Geschäftsräume. Den Bestimmungen ist noch zu entnehmen, welche Informationen dem Verbraucher vor Abschluß eines Vertrags im Fernabsatz mitzuteilen sind. Die wichtigsten müssen ihm schriftlich früh genug mitgeteilt werden, damit der Vertrag ordnungsgemäß ausgeführt werden kann. Der Verbraucher kann jeden Vertrag, der in den Geltungsbereich der Richtlinie fällt, innerhalb einer Frist von mindestens sieben Arbeitstagen ohne Angabe von Gründen widerrufen, ohne daß eine Vertragsstrafe fällig wird. Der Lieferer muß die Vorauszahlungen des Verbrauchers innerhalb kürzester Frist zurückerstatten. In Ermangelung einer anderslautenden Vereinbarung muß der Lieferer die Bestellung spätestens dreißig Tage nach ihrem Eingang bei ihm ausführen. Zusätzlich zur Inanspruchnahme von Rechtsbehelfen und die Einreichung verwaltungsrechtlicher Beschwerden sieht die vorgeschlagene Richtlinie noch folgendes vor: Erstattung gezahlter Beträge bei mißbräuchlicher Benutzung einer Kreditkarte, Verbot der Lieferung unbestellter Waren oder Dienstleistungen und Beschränkungen für die Verwendung bestimmter Fernkommunikationstechniken.

Die unterschiedlichen nationalen rechtlichen Lösungen in der Frage der **gesetzlichen Garantie** und das Fehlen eines allgemeinen Rahmens zur Regelung der kommerziellen Garantien und Kundendienstleistungen sind geeignet, die de facto bestehenden, grenzübergreifende Geschäfte erschwerenden Hemmnisse weiterhin aufrechtzuerhalten, sodaß der Verbraucher davon abgehalten wird, unmittelbar Nutzen aus der Öffnung der Märkte zu ziehen. Von dieser Tatsache ausgehend hat die Kommission am 15. November 1993 ein **Grünbuch über Verbrauchsgütergarantien und Kundendienst**[15]) veröffentlicht. Darin werden die bestehenden Unterschiede zwischen den einzelstaatlichen Rechtsvorschriften zur Regelung der gesetzlichen Garantie, die unterschiedlichen Praktiken in der Frage der kommerziellen Garantien und die dadurch bedingten Schwierigkeiten, die sich dem Verbraucher im Binnenmarkt stellen, dargestellt.

Ferner hat die Kommission am 17. November 1993 ein Grünbuch über den **Zugang der Verbraucher zum Recht** und die Beilegung von Rechtsstreitigkeiten der Verbraucher im Binnenmarkt[16]) angenommen. Verzögerte oder ausbleibende Lieferung beim Warenkauf, Schlechterfüllung einer Dienstleistung, Mangelhaftigkeit einer Ware oder Dienstleistung, Schwierigkeiten im Zusammenhang mit Garantie oder Kundendienst sind Probleme, denen jeder Bürger früher oder später gegenüberstehen kann. In einem Binnenmarkt, in dem jeden Tag Millionen von Verbraucherverträgen abgeschlossen werden, sind Rechtsstreitigkeiten also unvermeidlich. Bei Rechtsstreitigkeiten der Verbraucher übersteigen die Kosten eines „normalen" Verfahrens jedoch häufig den wirtschaftlichen Wert der Sache. Der durchschnittliche Verbraucher verzichtet also zumeist darauf, seine Rechte geltend zu machen, weil keine vereinfachten oder alternativen Verfahren vorgesehen sind. Da aber eine Rechtsstreitigkeit, die für ein Unternehmen „geringen Streitwert" hat, für den Einzelnen in der Regel von großer finanzieller Bedeutung ist, waren die meisten Mitgliedstaaten bestrebt, diese Diskrepanz zwischen Rechtslage und Wirklichkeit

[15]) KOM (93) 509.
[16]) KOM (93) 576.

zu beseitigen und haben zur Vereinfachung der Verfahren bei Rechtsstreitigkeiten, deren Wert einen bestimmten Betrag nicht überschreitet, den Begriff der „Rechtsstreitigkeit mit geringem Streitwert" eingeführt. Für den Bürger beruht die Glaubwürdigkeit des Rechtsstaates mehr auf einer angemessenen Regelung zur Beilegung von „Rechtsstreitigkeiten mit geringem Streitwert" (die jeden Bürger betreffen) als auf spektakulären Urteilen in „bedeutenden Verfahren". Ebenso hängen auch die Glaubwürdigkeit einer Rechtsgemeinschaft und das Vertrauen in den Binnenmarkt davon ab, daß nicht nur grenzüberschreitende Geschäfte getätigt, sondern auch in der Praxis bei Rechtsstreitigkeiten befriedigende Regelungen herbeigeführt werden können.

Das Grünbuch über den Zugang der Verbraucher zum Recht und die Beilegung von Rechtsstreitigkeiten der Verbraucher im Binnenmarkt gibt einen Überblick über den Rechtsschutz in Verbrauchersachen und über die Rolle, die Verbraucherverbände und/oder Behörden beim Schutz der „kollektiven Interessen" der Verbraucher spielen.

Die Grünbücher möchten Ausgangspunkt für eine eingehende öffentliche Debatte über die behandelten Themen sein, damit der Kommission die nötigen Informationen in die Hand gegeben werden, um künftige Aktionen in diesem Bereich entwickeln zu können. Alle interessierten Kreise wurden deshalb ersucht, der Kommission alle von ihnen für relevant erachteten Informationen und Angaben wirtschaftlicher, sozialer und/oder rechtlicher Art zukommen zu lassen.

6. Integrierung der Verbraucherpolitik in andere Gemeinschaftspolitiken

Die Fortentwicklung der Verbraucherpolitik der Gemeinschaft beschränkt sich nicht auf die ausschließlich zum Schutz der Verbraucher getätigten Aktionen. Sie verlangt auch die Berücksichtigung der Verbraucherbelange bei der Formulierung sonstiger Maßnahmen und Entscheidungen der Gemeinschaft, soweit die Verbraucher von ihnen betroffen sind. Die Kommission bemüht sich daher weiterhin um die Einbeziehung der Verbraucherpolitik in die übrigen Bereiche der Gemeinschaftspolitik.

Folgende Beispiele veranschaulichen die Einbeziehung der Verbraucherpolitik in andere Gemeinschaftspolitiken:

- Geänderter Vorschlag für eine Richtlinie über **grenzüberschreitende Zahlungen**,[17])
- Grünbuch der Europäischen Kommission über die praktischen Fragen des Übergangs zur **einheitlichen Währung**,[18])
- Vorschlag für eine Richtlinie über gemeinsame Fortschritte für die Entwicklung der **Postdienste**,[19])
- Vorschlag für eine Richtlinie zur Einführung des offenen Netzzugangs beim Sprachentelephondienst,[20])

---

17) ABl C 1995/199 v 3. 8. 1995.
18) KOM (95) 333 endg v 31. 5. 1995.
19) KOM (95) 227 endg.
20) KOM (94) 689 endg.

- Grünbuch der Kommission über die **Liberalisierung der Telekommunikationsinfrastruktur** und des Kabelfernsehnetzes,[21])
- Verordnung der Kommission über die Anwendung von Art 85 Abs 3 EGV auf Gruppen von **Vertriebs- und Kundendienstvereinbarungen über Kraftfahrzeuge**,[22])
- Grünbuch über **Mobilkommunikation** und Personal Communications,[23])
- Mitteilung der Kommission über ein mehrjähriges Gemeinschaftsprogramm zur Anregung der Entwicklung einer europäischen Industrie für **Multimedia-Inhalte** und zur Förderung der Benutzung von Multimedia-Inhalten in der entstehenden Informationsgesellschaft (INFO 2000).[24])

Zahlreiche Gemeinschaftspolitiken, wie die Wettbewerbs-, Agrar-, Fischerei-, Energie-, Handels- und Währungspolitik, sowie jene, die den Abbau technischer Handelshemmnisse bezwecken, betreffen direkt die Konsumenteninteressen.

Eine solche Integrierung bedeutet die Berücksichtigung der Aspekte, die sich auf den Schutz und die Vertretung der Interessen der Verbraucher beziehen, bei der Ausarbeitung und Durchführung dieser Politiken. Es soll einerseits der Schutz der wirtschaftlichen Interessen der Konsumenten verbessert werden und andererseits Bedingungen für den physischen Schutz der Verbraucher und für die Transparenz der Darbietung, des Handels und des Gebrauchs von Waren und Dienstleistungen geschaffen werden, um das Vertrauen der Konsumenten zu stärken.

Eine solche Integration setzt die Existenz einer **Konsumentenpolitik** voraus, die nicht nur auf das Kräfteverhältnis reagiert, in dem der Konsument der schwächere Teil ist, sondern präventiv in die übrigen Gemeinschaftspolitiken eingebunden ist.

D. Der dritte Aktionsplan: Verbraucherpolitische Prioritäten (1996–1998)[25])

Die vorliegenden Prioritäten für Verbraucherpolitik sollen nicht jede Aktion, die möglicherweise durchgeführt wird, im einzelnen darstellen. Das ist vielmehr Sache des jeweiligen Arbeitsprogramms der Kommission. Das Ziel ist, die für die kommenden drei Jahre ausgewählten prioritären Arbeitsthemen vorzustellen, um zu verdeutlichen, wie die künftige Verbraucherpolitik ausgerichtet ist und die beschränkt verfügbaren Ressourcen verwendet werden sollen. Die vorrangigen Bereiche sind zum Teil ein solches Neuland und derart komplex, daß es wenig Sinn hätte, die Folgewirkungen oder den Bedarf an Maßnahmen im Detail vorzuzeichnen. Auf den anstehenden Aktionsfeldern sollen, wenn sich deutlicher herausschält, welche Optionen sich anbieten, die Prioritäten zurechtgerückt werden.

---

[21]) KOM(94) 440 v 25. 10. 1994.
[22]) V 1475/95 v 28. 6. 1995, ABl L 1995/145 v 29. 6. 1995.
[23]) KOM(94) 145 endg v 27. 4. 1994.
[24]) KOM(95) 149 endg.
[25]) KOM (95) 519, v 31. 10. 1995.

1. Nachhaltige Verbesserung der Verbrauchererziehung und -information.

2. Vervollständigung, Überprüfung und laufende Aktualisierung der erforderlichen Rahmenbedingungen, damit Verbraucherinteressen im Binnenmarkt voll berücksichtigt werden.

3. Verbraucher und Finanzdienstleistungen.

4. Schutz der Verbraucherinteressen bei essentiellen Leistungen der öffentlichen Versorgung.

5. Maßnahmen, die es den Verbrauchern ermöglichen, die Chancen der Informationsgesellschaft zu nutzen.

6. Maßnahmen zur Stärkung des Vertrauens der Verbraucher in Nahrungsmittel.

7. Förderung eines praktischen Ansatzes in der Frage eines auf Dauer umweltverträglichen Konsums.

8. Konsolidierung und Ausweitung der Vertretung der Verbraucherinteressen.

9. Unterstützung der Länder Mittel- und Osteuropas bei der Ausgestaltung ihrer Verbraucherpolitik.

10. Verbraucherpolitische Erwägungen in den Entwicklungsländern.

E. Bilanz und Zukunft

Die Verabschiedung des ersten und zweiten Aktionsplans und die Einsetzung des Dienstes „Verbraucherpolitik" bei der Kommission, später umgewandelt in die Generaldirektion XXIV, haben dazu beigetragen, daß man sich der Bedeutung der verbraucherpolitischen Dimension für die Gemeinschaft bewußt wurde. Die meisten Vorschläge der Kommission wurden im Rat einstimmig angenommen, selbst wenn Einstimmigkeit nicht gefordert war, und zwar trotz mitunter schwieriger Verhandlungen. Ein gewisser automatischer Gegensatz zwischen den Interessen der Verbraucher und denen der Anbieter von Waren oder der Erbringer von Dienstleistungen konnte dabei überwunden werden. Durch Dialog und Konsultation konnten zumeist ausgewogene Lösungen auch für die heikelsten Probleme gefunden werden. Das Europäische Parlament hat dabei beharrlich Unterstützung geleistet. Es berücksichtigte die Belange der Verbraucher in seinen Entscheidungen und sorgte für die Bewilligung der notwendigen Mittel und trug dadurch aktiv zum Ausbau der Verbraucherpolitik der Gemeinschaft bei.

Eine Anzahl von Erfolgen ist unleugbar. Die Richtlinien zB zur allgemeinen Produktsicherheit und zu mißbräuchlichen Vertragsklauseln wie der Vorschlag für eine Richtlinie über den Verbraucherschutz bei Vertragsabschlüssen im Fernabsatz stellen wichtige Ziele und Ergänzungen des Konsumentenschutzes dar.

Die Ausarbeitung eines adäquaten Rahmens für den Binnenmarkt bedurfte mancher Reform und grundlegender Harmonisierungsarbeiten zahlreicher Rechtstexte mit einer starken Verbraucherdimension. Zu Recht erweckt dies den Eindruck, daß den Konsumenteninteressen Bedeutung geschenkt wurde und entsprechende Rahmenbedingungen erstellt wurden. In der Wirklichkeit ist vieles, was getan wurde, den Konsumenten nicht bekannt. In der Zukunft muß das Augenmerk darauf gerichtet werden, daß die einzelnen Verbraucher sich selbst im dynamischen und rasch ändernden Markt schützen. Investitionen zur Entwicklung der Fähigkeiten der Konsumenten, auf dem Markt die richtige Auswahl jener Waren und Dienstleistungen zu treffen, die sie wirklich benötigen, wird sich sehr rasch dadurch auszahlen, daß das Verlangen nach extensiven Schutzgesetzen zurückgehen wird.

13. KAPITEL

Wissenschaft, Forschung und Entwicklung

Ingrid Mariën-Dusak

Übersicht:

A. Einleitung

„Die Gemeinschaft hat zum Ziel, die wissenschaftlichen und technischen Grundlagen der europäischen Industrie zu stärken und die Entwicklung ihrer internationalen Wettbewerbsfähigkeit zu fördern" (Art 130f EGV).

Diese in der Einheitlichen Europäischen Akte (EEA) festgelegten Zielsetzungen einer **europäischen Forschungspolitik** spiegeln deutlich die Herausforderungen wider, denen das Europa der 90er-Jahre begegnen muß. Diese sind insb ein erhöhter **Wettbewerbsdruck** aufgrund der Vollendung des Binnenmarktes sowie eine verstärkte Konkurrenz durch die wichtigsten Handelspartner Europas – USA und Japan – sowie durch die rasch wachsenden Schwellenländer. Der Vertrag von Maastricht geht noch weiter und definiert die Förderung der Forschung und technologischen Entwicklung ausdrücklich als eine der Tätigkeiten der Gemeinschaft, die zur Verwirklichung der in Art 2 EGV genannten Ziele beitragen soll. Damit muß die europäische Forschungspolitik nicht nur die Verbesserung der europäischen Wettbewerbsfähigkeit fördern, sondern auch den Anforderungen einer Verbesserung der Lebensqualität und einem beständigen, umweltverträglichen Wachstum gerecht werden.

Die Gemeinschaftspolitik im Bereich von Forschung und Entwicklung muß sich ferner mit weitreichenden Veränderungen des wissenschaftlichen Umfeldes auseinandersetzen, die in die wirtschaftliche und gesellschaftliche Struktur aller industrialisierten Länder eindringen. Diese Ausgangssituation erfordert insbesondere eine Koordinierung der fragmentierten Forschungspolitiken der Gemeinschaftsstaaten, um die Produktivität und Effektivität der europäischen Forschungsaktivitäten zu verbessern.

B. Rechtsgrundlagen

Die **Kompetenz** der Gemeinschaft im Bereich der Forschung und Technologie stützt sich auf die EEA, die ua die Art 130f–130q EGV unter dem Titel „Forschung und technologische Entwicklung" in den EG-Vertrag eingefügt hat. Diese Bestimmungen haben die Schaffung einer **europäischen Forschungs- und Technologiegemeinschaft** zum Ziel.

1. Geschichtlicher Überblick[1])

Vor der Zuweisung dieser umfassenden Kompetenz im Bereich Forschung und Entwicklung an die Gemeinschaft bestanden bloß sektorielle Zuständigkeiten, insb in den Bereichen Kohle und Stahl sowie Kernenergie.

a) Kernforschung (Art 4 bis 11 EURATOMV)

Die Forschung im Bereich der Kernenergie unterliegt dem EURATOM-Vertrag, der der Gemeinschaft in seinen Art 4 bis 11 eine umfassende Zuständigkeit zuweist. Die EG-Kommission hat die Kernforschung in den Mitgliedstaaten zu fördern und zu ihrer Ergänzung das **Forschungs- und Ausbildungsprogramm** der Gemeinschaft durchzuführen. Diese Programme werden auf Vorschlag der EG-Kommission vom Ministerrat (Rat) einstimmig verabschiedet und für einen Zeitraum von höchstens fünf Jahren festgelegt. Eine Einbeziehung des Europäischen Parlaments (EP) in den Entscheidungsprozeß ist im EURATOM-Vertrag – anders als im Rahmen des EG-Vertrags (s unten) – nicht vorgesehen. Die EG-Kommission erstattet dem Rat jährlich über die Durchführung der Programme Bericht. Die Tätigkeit der EG-Kommission erstreckt sich auf Gebiete, die in einer dem EURATOM-Vertrag als Anhang beigefügten Liste bezeichnet sind und vom Rat mit qualifizierter Mehrheit auf Vorschlag der EG-Kommission geändert werden können. Die Forschungsgebiete umfassen die Bereiche Rohstoffe, angewandte Physik auf dem Gebiet der Kernenergie, physikalische Chemie der Reaktoren, Behandlung der radioaktiven Stoffe, Verwendung der Radioelemente, Untersuchung der schädlichen Auswirkungen der Strahlungen auf Lebewesen sowie Ausrüstungen für Reaktoren und Forschungsanlagen.

Exkurs: Gemeinsame Forschungsstelle (Art 8 EURATOMV)

Art 8 EURATOMV bildet die Grundlage für die Schaffung der Gemeinsamen Forschungsstelle (GFS)[2]), das **gemeinschaftseigene Forschungszentrum.** Der GFS wurde ursprünglich die Aufgabe übertragen, die für die industrielle Nutzung der Kernenergie erforderlichen Kenntnisse und Techniken zu erarbeiten und weiterzuentwickeln. Anfang der 70er-Jahre hat sich die GFS auf Fragen der Reaktorsicherheit konzentriert und gleichzeitig ihre Tätigkeit auf andere Bereiche wie Umwelt, Werkstofforschung etc ausgedehnt. Nunmehr besteht die GFS aus **acht Instituten** (Referenzmaterialien und -messungen, Transurane, fortgeschrittene Werkstoffe, Systemtechnik und Informatik, Umwelt, Sicherheitstechnologie, Anwendungen der Fernerkundung, technologische Zukunftsforschung), verteilt auf fünf Standorte (Ispra in Italien, Geel in Belgien, Petten in den Niederlanden, Karlsruhe in Deutschland und Sevilla in Spanien). Die GFS ist eine Dienststelle der EG-Kommission;

---

[1]) Siehe auch die Darstellungen bei *Glaesner* in *Grabitz* (Hg), Kommentar zum EWG-Vertrag (1986), Vorbemerkung zu Titel VI. Forschung und technologische Entwicklung; *Bieber* in *Beutler/Bieber/Pipkorn/Streil* (Hg), Die Europäische Union[4] (1994).

[2]) Joint Research Centre (JRC), Centre commun de la recherche (CCR).

die Forschungsaktivitäten werden mit der EG-Kommission zuzurechnendem Personal auf Kosten der Gemeinschaft durchgeführt.[3])

b) Sonstige sektorielle Zuständigkeiten

Auf der Grundlage von Art 55 EGKSV, wonach die technische und wirtschaftliche Forschung für die Erzeugung und die Steigerung des Verbrauchs von Kohle und Stahl sowie für die Betriebssicherheit in diesen Industrien zu fördern ist, wurden Forschungsprogramme im Bereich **Kohle und Stahl** sowie im damit zusammenhängenden Sozialbereich (Verbesserung der Arbeitsbedingungen) durchgeführt.

Einzelne Forschungsprojekte wurden auch – gestützt auf den EWG-Vertrag – im Agrarbereich durchgeführt.

c) Begründung einer gemeinschaftlichen Forschungspolitik

Eine gemeinschaftliche Forschungspolitik wurde mit der Entschließung des Rates v 14. 1. 1974[4]) begründet, die sich auf Art 235 EWGV stützte. Diese Bestimmung sieht die einstimmige Erlassung von Vorschriften durch den Rat auf Vorschlag der EG-Kommission nach Anhörung des EP vor, wenn ein Tätigwerden der Gemeinschaft erforderlich erscheint. Art 235 EWGV wurde erstmalig für Forschungsaktivitäten herangezogen und ermöglichte eine gegenüber der bisherigen sektoriellen Vorgangsweise umfassendere Behandlung. Der Rat betonte in seiner Entschließung, daß die gemeinschaftliche Forschungspolitik zu einer besseren Verwirklichung der sektoriellen Gemeinschaftspolitiken, zu einer Koordinierung der Forschungspolitiken der Mitgliedstaaten sowie einer Identifizierung und Analyse von Problemfeldern beitragen sollte.[5])

Die EG-Kommission wurde vom Rat aufgefordert, Verfahren zur Definition und Durchführung der Forschungsaktivitäten, insb aber ein mehrjähriges **Rahmenprogramm** auszuarbeiten. Das 1. Rahmenprogramm der Gemeinschaft im Bereich Forschung, Entwicklung und Demonstration für die Jahre 1984 bis 1987 wurde schließlich am 25. 7. 1983 vom Rat verabschiedet.[6])

Mit der Ergänzung der Römer Verträge durch die EEA im Jahre 1987 wurde der Gemeinschaft eine umfassende Kompetenz im Bereich der Forschung und technologischen Entwicklung zugewiesen und die gemeinschaftliche Dimension der wissenschaftlichen und technischen Zusammenarbeit ausdrücklich für rechtmäßig erklärt. Der Vertrag von Maastricht schließlich stellt die Forschungspolitik in den Dienst sämtlicher Gemeinschaftspolitiken; sie soll **alle** Forschungs-, Entwicklungs- und Demonstrationsmaßnahmen unterstützen, die auf Grund des Vertrages erforderlich sind.

---

[3]) Weitere Informationen s EG-Kommission (Generaldirektion der Gemeinsamen Forschungsstelle) (Hg), Wissenschaft und Technologie für Europa (1989).

[4]) ABl C 1974/7, 2.

[5]) Siehe dazu ausführlich *Schuster,* Gemeinsame Politik im Bereich von Wissenschaft und Technologie, in *von der Groeben/Thiesing/Ehlermann* (Hg), Kommentar zum EWG-Vertrag[4], Bd 2, 1527 ff.

[6]) ABl C 1983/208, 1; s ausführlich unten C.2.

2. Ziele und Merkmale der gemeinschaftlichen Forschungspolitik (Art 130f EGV)

Art 130f EGV weist der Gemeinschaft die Aufgabe zu, die wissenschaftlichen und technischen Grundlagen der europäischen Industrie zu stärken und die Entwicklung ihrer internationalen Wettbewerbsfähigkeit zu fördern (Abs 1). In diesem Sinne unterstützt die Gemeinschaft Unternehmen – einschließlich der kleinen und mittleren Unternehmen –, Forschungszentren und Hochschulen bei ihren Bemühungen auf dem Gebiet der Forschung und der technologischen Entwicklung und fördert ihre Zusammenarbeitsbestrebungen, damit sie die Möglichkeiten des Binnenmarktes voll nutzen können.

a) Stärkung der internationalen Wettbewerbsfähigkeit

Die europäische Forschung weist drei Schwachstellen gegenüber ihren Hauptkonkurrenten USA und Japan auf.[7])

- Die in Europa für **Forschung aufgewendeten Mittel** sind zu gering; im Jahr 1991 betrug der Anteil der öffentlichen Forschungsausgaben am Bruttoinlandsprodukt in Europa 2%, in den USA 2,8% und in Japan 3%. Ferner mangelt es in Europa an qualifiziertem Forscherpersonal.
- Es fehlt in Europa an einer **Gesamtstrategie** zur optimalen Ausschöpfung des vorhandenen wissenschaftlichen und technischen Potentials.[8]) Die europäische Forschungspolitik ist viel mehr gekennzeichnet durch eine Zersplitterung und Duplizität der Bemühungen. Bei der Festlegung der einzelstaatlichen Forschungsmaßnahmen wird kaum auf die Aktivitäten in den anderen Mitgliedstaaten Bedacht genommen. Japan etwa verdankt den Ausbau seiner weltweiten Wettbewerbsposition ua einem großen homogenen Heimatmarkt, der die Fertigung in großen Stückzahlen und mit niedrigen Kosten gestattet, sowie einer engen vorwettbewerblichen Zusammenarbeit führender Unternehmen unter Koordinierung staatlicher Stellen, die eine ineffiziente Duplizierung von Forschungsanstrengungen bei risikoreichen, langfristigen Projekten vermeidet.[9])
- Die Verwertung der Forschungsergebnisse ist mangelhaft, wissenschaftlich erstklassige Errungenschaften werden nicht in industrielle und kommerzielle Erfolge umgewandelt.

Um die Wettbewerbsfähigkeit der europäischen Industrie zu stärken, müssen die für Forschung und technologische Entwicklung vorhandenen finanziellen Mittel bestmöglich eingesetzt werden. Die europäische Forschungspolitik muß selektiv vorgehen und sich auf Schlüsseltechnologien mit multisektoriellen Anwendungsmöglichkeiten konzentrieren, die einen hohen Kapital- und Personaleinsatz fordern und auf einzelstaatlicher Ebene nicht durchgeführt werden können (vgl unten 2. c Subsidiarität). Ferner ist eine Ko-

---

[7]) EG-Kommission (Hg), Wachstum, Wettbewerbsfähigkeit, Beschäftigung – Weißbuch (1993) 101.

[8]) *von Schwerin,* Technologiegemeinschaft: Eine neue Herausforderung für die EG, EG-Magazin 1990/8–9, 6.

[9]) *Kaske,* Kann die EG den technologischen Wettlauf mit den USA und Japan bestehen? EG-Magazin 1990/8–9, 4.

ordinierung zwischen nationalen öffentlichen Forschungseinrichtungen sowie zwischen europäischen Forschungszentren nötig.

Um eine bessere Umsetzung der Forschungsergebnisse zu erreichen, muß sich die gemeinschaftliche Forschungspolitik an den Bedürfnissen des Marktes orientieren und insb eine Kooperation zwischen Technologieanwendern und -herstellern fördern. In den Bestimmungen über eine europäische Industriepolitik (Art 130 EGV) wird die bessere Nutzung des industriellen Potentials in den Bereichen Innovation, Forschung und technologische Entwicklung als eine der Bedingungen der Wettbewerbsfähigkeit bezeichnet.

b) Vorwettbewerbliche Forschung

Die Gemeinschaft ist verpflichtet, bei der Verabschiedung und Durchführung von Forschungsprogrammen darauf zu achten, daß der Wettbewerb nicht verzerrt wird. Grundsätzlich führt die Unterstützung von Unternehmen durch finanzielle Zuwendungen zu einer Verstärkung deren **Wettbewerbsposition.**[10]) Wenn auch der technische Fortschritt ein Bündel von Maßnahmen erfordert, die miteinander in einem progressiven Zusammenhang stehen und die von der Grundlagenforschung bis zu Demonstrationsvorhaben für die Anwendung neuer Technologien reichen, muß dennoch der **vorwettbewerbliche Aspekt** einen zentralen Platz bei den Forschungsaktionen der Gemeinschaft einnehmen.[11]) Gefördert werden daher ausschließlich Projekte auf Vorstufen zur industriellen Entwicklung oder „Marktreife".[12]) Die Kommission hat für Forschungszusammenarbeit eine Gruppenfreistellungs-Verordnung erlassen, die gewisse Wettbewerbsverzerrungen zwecks technologischer Entwicklung als übergeordnetes Ziel duldet (s oben *Erhart,* Das Recht gegen Wettbewerbsbeschränkungen und die Wettbewerbspolitik).

c) Subsidiarität

Gem Art 130g EGV sollen die Maßnahmen der Gemeinschaft die in den Mitgliedstaaten durchgeführten Aktionen **ergänzen.** Nur 4% der in den Mitgliedstaaten getätigten Aufwendungen für Forschung und Entwicklung stammen aus Gemeinschaftsmitteln. Das schon seit langem zur Interpretation des EG-Vertrags angewandte und im Vertrag von Maastricht ausdrücklich als allgemeiner Grundsatz niedergeschriebene Subsidiaritätsprinzip findet auch im Bereich der Forschung und technologischen Entwicklung Anwendung und bedeutet, daß die Maßnahmen der Gemeinschaft gegenüber den auf einzelstaatlicher und auf anderen Ebenen durchgeführten Maßnahmen einen zusätzlichen Wert einbringen müssen. Aufgaben, die der private Sektor besser wahrnehmen kann, sollen nicht von staatlichen oder regionalen Behörden übernommen werden; Aufgaben, die auf nationaler Ebene

---

[10]) *Glaesner* in *Grabitz* (FN 1) Art 130f EWGV RZ 3.

[11]) Vgl die Präambel des Gemeinschaftlichen Rahmenprogrammes im Bereich der Forschung und technologischen Entwicklung (1990– 1994), ABl L 1990/117, 28 (29).

[12]) EG-Kommission (Hg), Forschungs- und Technologieförderung der EG – Ein Leitfaden für Antragsteller[2], 25.

besser erfüllt werden können, sollen nicht auf Gemeinschaftsebene wahrgenommen werden.

Kriterien für die Durchführung von Gemeinschaftsaktionen im Bereich der Forschung sind insb der große Umfang der Forschungstätigkeit, finanzielle Vorteile auf Grund der gemeinsamen Durchführung von Forschungstätigkeiten, das Erfordernis großräumiger Forschung, Förderung des Zusammenhaltes des Gemeinsamen Marktes bzw des Zusammenschlusses des europäischen Raumes in Wissenschaft und Technik, Aufstellung einheitlicher Normen und Standards sowie Tätigkeiten mit technologischer Priorität.[13])

d) Kohäsion (Art 130 a EGV)

Art 130 a EGV betont die Bedeutung der Verringerung des Abstandes zwischen den verschiedenen Regionen sowie des Rückstandes der am wenigsten begünstigten Gebiete (Kohäsion). Immanentes Ziel der gemeinschaftlichen Forschungspolitik ist daher ein **Abbau der technologischen Kluft** zwischen den wirtschaftlich fortgeschrittenen und den Entwicklungsgebieten Europas durch entsprechende Wahl der Forschungsthemen, Verstärkung der Maßnahmen im Bereich des Technologietransfers sowie verbesserte Ausbildung der Forscher.[14])

e) Pränormative Forschung

Die Maßnahmen der Gemeinschaft auf dem Gebiet Forschung und Entwicklung sollen die notwendigen wissenschaftlichen und technischen Grundlagen für die Erarbeitung entsprechender Normen und Standards schaffen. Die zum Teil erheblich voneinander abweichenden Normensysteme der Mitgliedstaaten erschweren die Vermarktung von technischen Produkten und erhöhen die Kosten für eine Serienfertigung. Die im Rahmen der Vollendung des Binnenmarktes angestrebte Beschleunigung eines **einheitlichen Normungsprozesses** schafft somit auch bessere Bedingungen für die Stärkung der Wettbewerbsfähigkeit der europäischen Industrie und ihres Investitionspotentials. Die Gemeinschaft fördert daher pränormative Forschung, um durch die gemeinsame Durchführung von Forschungsarbeiten die Erstellung gemeinsamer Normen zu erleichtern.[15])

f) Förderung der kleinen und mittleren Unternehmen (KMU)

Die ausdrückliche Nennung der KMU in Art 130 f Abs 2 EGV deutet darauf hin, daß deren Beteiligung an Forschungsaktivitäten besonders unterstützt werden soll, insb weil sie teilweise über ein beachtliches Innovationspo-

---

[13]) EG-Kommission (Hg), Die Forschung nach Maastricht: Bilanz und Strategie (SEK (92), 682 endg), 34 ff.

[14]) Vgl EG-Kommission (Hg), Zusammenhalt und FTE-Politik-Synergieeffekte zwischen der Politik im Bereich der Forschung und technologischen Entwicklung und der Politik zur Förderung des wirtschaftlichen und sozialen Zusammenhalts.

[15]) EG-Kommission (Hg), Die Politik auf dem Gebiet der Forschung und der technologischen Entwicklung[3], 15 f.

tential verfügen, dessen Nutzung oft auf Grund von Personal- oder Kapitalmangel nicht optimal erfolgt.

Den speziellen Bedürfnissen von KMU wird besondere Aufmerksamkeit gewidmet, um ihnen den Zugang zu Informationen zu erleichtern, sie zur Beteiligung an Gemeinschaftsprogrammen zu ermutigen sowie ihre Fähigkeit, die Ergebnisse dieser Programme zu nutzen, zu fördern. Insb ist das Progrmm **CRAFT** (Cooperative Research Action for Technology) zu nennen, das KMU ua Untersuchungszuschüsse für die Vorbereitungsphase eines Forschungsprojektes gewährt und vereinfachte Antragsmodalitäten für KMU vorsieht.[16])

g) Grundlagenforschung

Der Hinweis auf Forschungszentren und Hochschulen als mögliche Nutznießer der Forschungsförderung kann so verstanden werden, daß die Grundlagenforschung, dh eine nicht unmittelbar am Innovationsprozeß orientierte, jedoch die Basis für angewandte Forschung liefernde Tätigkeit, ebenfalls vom Gemeinschaftshandeln umfaßt ist. Die gemeinschaftliche Forschungspolitik der 90er-Jahre konzentriert sich ganz besonders auf die Grundlagenforschung, deren **Nachholbedarf** immer größer wird und deren Realisierung besonders der mittelständischen Wirtschaft schwerfällt.[17])

3. Maßnahmen (Art 130g EGV)

Art 130g EGV nennt die Maßnahmen der Gemeinschaft zur Erreichung der in Art 130f genannten Ziele, die die in den Mitgliedstaaten durchgeführten Aktionen ergänzen sollen: Es handelt sich hiebei um die Durchführung von Programmen für Forschung, technologische Entwicklung und Demonstration unter Förderung der Zusammenarbeit von Unternehmen, Forschungszentren und Hochschulen, die Förderung der Zusammenarbeit mit dritten Ländern und internationalen Organisationen, die Verbreitung und Auswertung der Forschungsergebnisse sowie die Förderung der Ausbildung und Mobilität der Forscher aus der Gemeinschaft. (Zu den einzelnen Maßnahmen s ausführlich unten.)

4. Koordinierung (Art 130h EGV)

Art 130h EGV verpflichtet die Gemeinschaft und die Mitgliedstaaten zu einer Koordinierung ihrer Tätigkeiten auf dem Gebiet der Forschung und technologischen Entwicklung, um die Kohärenz der einzelstaatlichen Politiken und der Politik der Gemeinschaft sicherzustellen. Diese Verpflichtung muß in Zusammenhang mit Art 130g EWGV gesehen werden, der die Maßnahmen der Gemeinschaft als Ergänzung der Maßnahmen in den Mitgliedstaaten beschreibt. Unerläßliche Voraussetzung dafür ist eine Koordi-

---

[16]) EG-Kommission (Hg), EG-Forschungs- und Technologieförderung für mittelständische Unternehmen (1993).

[17]) Vgl *von Schwerin,* Auf dem Weg zur europäischen Technologiegemeinschaft, Blg Perspektive 92, 1991/5.

nierung, die insb folgenden **Anforderungen** entsprechen soll:[18]) Vermeidung von unnötiger Doppelarbeit und ungerechtfertigter Parallelität, Verhinderung der Entwicklung unterschiedlicher Tendenzen, Erhöhung der Effizienz durch Arbeitsteilung oder Zusammenlegung von Mitteln und Forscherteams, schrittweise Harmonisierung der Verfahren zur Ausarbeitung und Durchführung der einzelstaatlichen Wissenschaftspolitiken in der Gemeinschaft. Der EG-Kommission kommt hierbei eine entscheidende Rolle zu, da sie alle Initiativen ergreifen kann, die dieser Koordinierung förderlich sind. So kann die EG-Kommission nach Art 155 EGV Empfehlungen oder Stellungnahmen abgeben, wenn der EWG-Vertrag dies ausdrücklich vorsieht oder sie es für notwendig erachtet; gem Art 213 EGV kann die EG-Kommission zur Erfüllung der ihr übertragenen Aufgaben alle erforderlichen Auskünfte einholen.

5. Rahmenprogramme und spezifische Programme (Art 130 i EGV)

Art 130 i EGV beschreibt die Instrumente zur Verwirklichung der gemeinschaftlichen Forschungspolitik. Die Aktionen der Gemeinschaft werden in einem **mehrjährigen Rahmenprogramm** zusammengefaßt, das die wissenschaftlichen und technischen Ziele und ihre jeweilige Prioritätsstufe, die Grundzüge der geplanten einzelnen Maßnahmen (in bestimmten, umfassenden Forschungsgebieten, die durch spezifische Programme näher definiert werden), die dafür notwendig erachteten Finanzmittel und die Einzelheiten der finanziellen Beteiligung der Gemeinschaft sowie deren Aufteilung auf die verschiedenen geplanten Aktionen festlegt.

Rahmenprogramme dienen der **Definierung** einer europäischen Forschungs-, Entwicklungs- und Demonstrationstätigkeit, die sowohl in wissenschaftlich-technischer Hinsicht als auch bei der Finanzierung eine Richtschnur darstellen und Ziele definieren sollen, die bei der Ausarbeitung von Einzelbereichsprogrammen und gemeinsamen Forschungsvorhaben als Anhaltspunkte dienen. Sie dienen den Mitgliedstaaten und Gemeinschaftsinstitutionen als Instrument

- zur Abstimmung und Festlegung der wissenschaftlichen und technischen Ziele auf Gemeinschaftsebene gem den grundlegenden sozioökonomischen Orientierungen der Gemeinschaft,
- zur Planung von Programmen sowie nationalen, internationalen oder gemeinschaftlichen Folgemaßnahmen sowie
- zur Erleichterung der Ausarbeitung der jährlichen Haushaltspläne.

Rahmenprogramme werden je nach Entwicklung der Lage angepaßt oder ergänzt. Zu diesem Zweck überwacht die Kommission die Durchführung des Rahmenprogrammes und überprüft, ob die Ziele, Prioritäten und Finanzmittel der jeweiligen Lage noch entsprechen.

---

[18]) Vgl die Entschließung des Rates v 14. 1. 1974, ABl C 1974/7, 2, sowie EG-Kommission (Hg), Forschung und technologische Entwicklung – Koordinierung durch Zusammenarbeit (KOM 94).

Auf der Grundlage des Art 130i EGV wurden bisher das 2. Rahmenprogramm 1987–1991[19]), das 3. Rahmenprogramm 1990–1994[20]) sowie das 4. Rahmenprogramm 1994–1998[21]) verabschiedet.

Die Durchführung der Rahmenprogramme erfolgt im Wege **spezifischer Programme,** die innerhalb einer jeden Aktion entwickelt werden. Die Inhalte der spezifischen Programme sind durch das Rahmenprogramm determiniert.

Rahmenprogramme werden gem dem Verfahren des Art 189b, dh nach dem Verfahren der Mitentscheidung des Europäischen Parlaments verabschiedet. Der Rat entscheidet einstimmig, der Sozial- und Wirtschaftsausschuß hat ein Anhörungsrecht. Die spezifischen Programme werden vom Rat mit qualifizierter Mehrheit nach Anhörung des Europäischen Parlaments und des Sozial- und Wirtschaftsausschusses beschlossen (Art 130i Abs 4 EGV).

6. Regeln für die Beteiligung und für die Verbreitung von Forschungsergebnissen (Art 130j EGV)

Art 130j sieht vor, daß die Regeln betreffend der Beteiligung von Unternehmen, Forschungszentren und Hochschulen sowie die Regeln für die Verbreitung der Forschungsergebnisse vom Ministerrat entsprechend des Verfahrens der Zusammenarbeit mit dem EP auf horizontaler Ebene festzulegen sind.

Der Ratsbeschluß betreffend Beteiligungsregeln[22]) legt insb fest, unter welchen Bedingungen Rechtspersonen in Drittstaaten sowie internationale Organisationen an Forschungsmaßnahmen der Gemeinschaft teilnehmen können. Grundsätzlich stehen die Forschungsprogramme allen in Europa angesiedelten Rechtspersonen offen, eine Finanzierung aus dem Rahmenprogramm ist nur für Rechtspersonen mit Sitz in der Gemeinschaft oder in einem Staat, der sich auf Grund eines Abkommens an einem spezifischen Programm beteiligt und einen finanziellen Beitrag zu dessen Durchführung leistet, vorgesehen. Hinsichtlich des Finanzmanagements wird bei Zustimmung aller Projektteilnehmer die Möglichkeit einer Pauschalvergütung der Forschungsarbeiten anstatt einer Verrechnung der tatsächlichen Projektkosten vorgesehen.

In seinem Beschluß über die Verbreitung der Forschungsergebnisse[23]) verpflichtet der Rat die Gemeinschaft und die Vertragspartner, die die Forschungsarbeiten durchführen, zu einer Nutzung der Ergebnisse im Interesse der Gemeinschaft.

---

[19]) Gemeinschaftliches Rahmenprogramm im Bereich der Forschung und technologischen Entwicklung (1987–1991) ABl L 1987/302, 1.

[20]) Gemeinschaftliches Rahmenprogramm im Bereich der Forschung und technologischen Entwicklung (1990–1994), ABl L 1990/117, 28.

[21]) Viertes Rahmenprogramm der Europäischen Gemeinschaft im Bereich der Forschung, technologischen Entwicklung und Demonstration (1994–1998), ABl L 1994/126, 1.

[22]) ABl L 1994/306, 8.

[23]) ABl L 1994/306, 5.

7. Zusatzprogramme und Beteiligung der Gemeinschaft (Art 130k und l EGV)

Als weitere Durchführungsmaßnahmen des Rahmenprogrammes können Zusatzprogramme für bestimmte Mitgliedstaaten beschlossen werden, die vorbehaltlich einer Beteiligung der Gemeinschaft von diesen auch finanziert werden. Der Rat legt die Regeln für die Zusatzprogramme fest, insb hinsichtlich der Verbreitung der Kenntnisse und des Zugangs anderer Mitgliedstaaten. Anderseits kann sich die Gemeinschaft an Forschungs- und Entwicklungsprogrammen mehrerer Mitgliedstaaten beteiligen. Die beiden Bestimmungen sind praktisch symmetrisch, da beide Aktionen betreffen, an denen nur bestimmte Mitgliedstaaten teilnehmen und die entweder auf der Ebene mehrerer Mitgliedstaaten oder auf Gemeinschaftsebene durchgeführt werden.[24])

Beide Instrumente haben bisher zwar keine praktische Anwendung gefunden, wären jedoch geeignet, Kooperationen von gemeinschaftlichem Interesse auszubauen, etwa Aktivitäten zugunsten der weniger begünstigten Länder oder Unterstützungsmaßnahmen für solche Länder, die für bestimmte Forschungstätigkeiten besonders günstige Voraussetzungen oder qualifizierte Forschungseinrichtungen aufweisen.[25])

8. Zusammenarbeit mit Drittstaaten und internationalen Organisationen (Art 130m EGV)

Gem Art 130g ist die Förderung der Zusammenarbeit mit dritten Ländern und internationalen Organisationen eine der Maßnahmen im Rahmen der gemeinschaftlichen Forschungspolitik. Die Einzelheiten dieser Zusammenarbeit können Gegenstand internationaler Abkommen zwischen der Gemeinschaft und den betreffenden dritten Parteien sein, die gem Art 228 EGV ausgehandelt und geschlossen werden. Die Verhandlungsführung im Hinblick auf den Abschluß eines Kooperationsabkommens obliegt der EG-Kommission, die Abkommen werden vom Rat mit qualifizierter Mehrheit nach Anhörung des Europäischen Parlaments abgeschlossen.

9. Gemeinsame Unternehmen (Art 130n EGV)

Die Gemeinschaft kann nach Art 130n EGV gemeinsame Unternehmen gründen oder andere Strukturen schaffen, die für die ordnungsgemäße Durchführung der Forschungsprogramme erforderlich sind. Gemeinsame Unternehmen sind bereits in Kapitel V des EURATOM-Vertrags vorgesehen. Sie werden durch eine Ratsentscheidung errichtet und genießen **Rechtspersönlichkeit.** Die Rechts- und Geschäftsfähigkeit ist in jedem Mitgliedstaat die weitestgehende, die das jeweilige innerstaatliche Recht juristischen Personen zuerkennt (Art 49 EURATOMV). Es wird davon auszugehen sein, daß

[24]) EG-Kommission (Hg), Forschung und technologische Entwicklung – Koordinierung durch Zusammenarbeit (1994).

[25]) *Grunwald* in *von der Groeben/Thiesing/Ehlermann* (Hg), Kommentar zum EWG-Vertrag[4], Art 130l RZ 4, Art 130m RZ 3.

den in Art 130n EGV vorgesehenen gemeinsamen Unternehmen ebenfalls Rechtspersönlichkeit zukommt. Davon zu unterscheiden ist die GFS[26]), die auf Grund von Art 8 EURATOMV eingerichtet worden ist und keine eigene Rechtspersönlichkeit aufweist, sondern eine Dienststelle der EG-Kommission ist.

C. Durchführung der gemeinschaftlichen Forschungspolitik

1. Beratungsgremien

Die Konzeption der Rahmenprogramme und auch der spezifischen Programme erfolgt ua unter wesentlicher Beratung von drei Gremien, die die Mitwirkung von Wirtschaft, Wissenschaft und Verwaltung sicherstellen.

a) CREST

Der Ausschuß CREST (Comité de la recherche scientifique et technique – Ausschuß für wissenschaftliche und technische Forschung) wurde 1974 mit dem Ziel gegründet, die **Forschungspolitik** zwischen den Mitgliedstaaten und der Gemeinschaft zu **koordinieren.** Er umfaßt jeweils zwei von den nationalen Regierungen der Mitgliedstaaten nominierte Vertreter; der Vorsitz wird von der Europäischen Kommission geführt.[27])

b) Europäische Wissenschafts- und Technologieversammlung

Dieser bei der Kommission im Jahr 1994 eingerichtete Beratungsausschuß[28]) umfaßt 100 Spitzenvertreter der europäischen wissenschaftlichen Gemeinschaft und der industriellen Forschungswelt, die von der Kommission ad personam ernannt werden. Er unterstützt die Kommission bei der Planung und Durchführung der Forschungspolitik sowie bei ihren Bemühungen, die wissenschaftlich-technische Kultur in Europa zu fördern und eine Diskussion über Wissenschaft und Technologie auf europäischer Ebene in Gang zu bringen. Das Gremium soll damit eine ähnliche Funktion ausüben wie die Forschungsbeiräte in den USA und Japan.

c) IRDAC

Der Ausschuß IRDAC (Industrial Research and Development Advisory Committee – Beratender Ausschuß für industrielle Forschung und Entwicklung) berät die Kommission in Fragen der **industriellen Forschung und Entwicklung.** Der Ausschuß besteht aus vierzehn von der EG-Kommission „ad personam" ernannten Mitgliedern aus dem Bereich der industriellen Forschung sowie aus je einem Vertreter des Europäischen Arbeitgeberverbandes (UNICE), des Europäischen Gewerkschaftsbundes (ETUC), des Europäi-

---

[26]) Siehe oben B.1.a).

[27]) Zu den verschiedenen Ausschüssen s ausführlich unten D.1, zur „Komitologie" allgemein s ausführlich oben *Borchardt,* Die Rechtsgrundlagen der Europäischen Gemeinschaften – Rechtsquellen, Rechtshandlungen und Rechtsetzung.

[28]) Beschluß der Kommission vom 16. 3. 1994, ABl L 1994/98, 34.

schen Zentrums öffentlicher Unternehmen (CEEP) und der Europäischen Vereinigung industrieller Forschungsinstitutionen (FEICRO).

2. Rahmenprogramme und spezifische Programme

Die Gemeinschaft hat bislang vier Rahmenprogramme im Bereich Forschung und technologische Entwicklung definiert, die jeweils für einen Mehrjahreszeitraum die Schwerpunkte der gemeinschaftlichen Forschungspolitik festlegen.

Das **1. Rahmenprogramm** (1984–1987) war überwiegend auf den Bereich Energie ausgerichtet, einen weiteren Schwerpunkt stellte die Förderung der industriellen Wettbewerbsfähigkeit dar. Das Gesamtbudget betrug 3760 Mio ECU. Im **2. Rahmenprogramm** (1987–1991) wurden die Schwerpunkte in Richtung Informations- und Kommunikationstechnologien verschoben, es standen insgesamt 5400 Mio ECU zur Verfügung. Das **3. Rahmenprogramm** (1990–1994), das sich mit dem 2. zeitlich überlappte, um der Dynamik der technologischen Entwicklung Rechnung zu tragen, zeichnete sich durch eine verstärkte Förderung der Umweltforschung (insb Klimaforschung, Ozonschicht, Dynamik des Ökosystems, Luft- und Wasserverschmutzung), der Biowissenschaften sowie der Forschermobilität aus und war mit 6600 Mio ECU ausgestattet.

Das **4. Rahmenprogramm** (1994–1998) umfaßt nach dem Auftrag des Art 130f EGV sämtliche Maßnahmen im Bereich Forschung, technologische Entwicklung und Demonstration, die für die Gemeinschaftspolitiken erforderlich sind. Es folgt in seinem Aufbau genau der in Art 130g vorgegebenen Struktur und umfaßt folgende Maßnahmen:

Aktionsbereich 1:	
Programme für Forschung, technologische Entwicklung und Demonstration:	Mio ECU
1. Informationstechnologien	1932
2. Telematik	843
3. Kommunikationstechnologien	630
4. Industrielle und Werkstofftechnologien	1707
5. Prüf- und Meßverfahren	288
6. Umwelt- und Klimaschutz	852
7. Meereswissenschaft und -technik	228
8. Biotechnologie	552
9. Biomedizin und Gesundheitswesen	336
10. Landwirtschaft und Fischerei	684
11. Nichtnukleare Energien	1002
12. Nukleare Sicherheit	414
13. Kontrollierte Kernfusion	840
14. Verkehr	240
15. Sozio-ökonomische Schwerpunktforschung	138
Aktionsbereich 2:	
Zusammenarbeit mit Drittländern und internationalen Organisationen	540
Aktionsbereich 3:	
Verbreitung und Verwertung der Forschungsergebnisse	330
Aktionsbereich 4:	
Förderung der Ausbildung und Mobilität der Forscher	744
insgesamt	12300

Innerhalb des Aktionsbereichs 1 werden **15 spezifische Programme** durchgeführt; das Schwergewicht liegt in den Bereichen Informationstechnologien, industrielle und Werkstofftechnologien, Biowissenschaften sowie nicht-nukleare Energien.

D. Durchführung der spezifischen Programme

1. „Komitologie“

Für die Durchführung der spezifischen Programme ist die EG- Kommission zuständig. Sie wird dabei jeweils von einem programmbegleitenden Ausschuß unterstützt, der sich aus Vertretern der Mitgliedstaaten zusammensetzt und dessen Vorsitz ein Vertreter der EG-Kommission führt. Auf der Grundlage der sog „Komitologie-Entscheidung“ vom 13. 7. 1987[29]) kann es sich dabei um drei Arten von Ausschüssen handeln, die in unterschiedlicher Intensität eine Mitwirkung der Vertreter der Mitgliedstaaten vorsehen. Der **„Beratende Ausschuß“**[30]) gibt eine Stellungnahme zu den von der EG-Kommission vorgesehenen Maßnahmen ab, die von der Kommission entsprechend zu berücksichtigen sind. Eine Abstimmung ist in diesem Ausschuß nicht vorgesehen. Der **„Verwaltungsausschuß“**[31]) gibt seine Stellungnahme zu den ihm von der EG-Kommission vorgelegten, zu treffenden Maßnahmen nach Durchführung einer Abstimmung ab. Die EG-Kommission erläßt Maßnahmen, die sofort anwendbar sind. Wenn diese jedoch nicht mit der Stellungnahme des Ausschusses übereinstimmen, hat sie den Rat darüber zu verständigen. Dieser kann dann in einem vorgegebenen Zeitraum mit qualifizierter Mehrheit eine abweichende Stellungnahme abgeben. Die Befassung des Rates hat keine aufschiebende Wirkung. Das Verfahren im **„Regelungsausschuß“**[32]) sieht ebenfalls eine Abstimmung über die von der EG-Kommission vorgeschlagenen Maßnahmen vor. Die Befassung des Rates bei Nichtübereinstimmung mit den von der EG-Kommission vorgesehenen Maßnahmen hat aber aufschiebende Wirkung. Die Mehrzahl der Programmausschüsse des 4. Rahmenprogrammes stellt Regelungsausschüsse dar.

2. Arbeitsprogramm

Zur Durchführung der spezifischen Programme werden von den jeweiligen Programmausschüssen **Arbeitsprogramme** festgelegt und gegebenenfalls aktualisiert, in denen Ziele und Art der durchzuführenden Vorhaben sowie die dafür erforderlichen Mittel genau festgelegt werden.

3. Ausschreibungen

Auf der Grundlage der Arbeitsprogramme werden Ausschreibungen durchgeführt, die an vier Tagen im Jahr (15. März, 15. Juni, 15. September und

---

[29]) ABl L 1987/197, 33. Siehe auch oben *Borchardt,* Die rechtlichen Grundlagen der Europäischen Gemeinschaft – Rechtsquellen, Rechtshandlungen, Rechtsetzung.

[30]) Committee of an Advisory Nature, Comité consultatif.

[31]) Management Committee, Comité de gestion.

[32]) Regulatory Committee; Comité de réglementation.

15. Dezember) im Amtsblatt veröffentlicht werden können. Zu Beginn der Laufzeit eines jeden spezifischen Programmes wird vom Programmausschuß festgelegt, wieviele Ausschreibungen insgesamt durchgeführt werden. Gleichzeitig mit dem Aufruf werden von der EG-Kommission sog **„Informationspakete"** zur Verfügung gestellt, die die Ausschreibungsbedingungen und die für die Einreichung eines Vorschlages erforderlichen Formblätter enthalten. Die Projektvorschläge müssen gemeinsam von mehreren Partnern aus verschiedenen Mitgliedstaaten (mindestens zwei Teilnehmer aus verschiedenen Mitgliedsländern) eingereicht werden. Der von den Teilnehmern einzureichende Projektvorschlag setzt sich aus einem finanz- und verwaltungstechnischen Formular und der Beschreibung der Projektarbeiten zusammen; diese sollte insb die folgenden Elemente umfassen: Ziele und Stand der Technik, Arbeitsinhalt, Projektmeilensteine und Zwischenvorgaben, Projektmanagement, finanzieller Aufwand, wirtschaftliche, industrielle, sicherheitsrelevante, soziale und ökologische Auswirkungen, Pläne für die Nutzung der Ergebnisse, Angaben über verwandte Projekte, Beitrag der einzelnen Projektteilnehmer.

4. Auswahlverfahren

Nach Ablauf der Einreichfrist beginnt die Auswahl der Projekte. Dabei werden bei allen Programmen folgende Kriterien zugrunde gelegt:[33])

- Übereinstimmung des Projektinhaltes mit den Zielen des Programmes,
- grenzüberschreitender Charakter,
- wissenschaftliche und technische Qualität und Originalität,
- vorwettbewerblicher Charakter,
- wissenschaftlicher, technischer und wirtschaftlicher Nutzen,
- europäische Dimension,
- Qualität des Projektmanagements,
- wissenschaftliche Qualifikation der Antragsteller.

Die Entscheidung erfolgt in der Regel in einem dreistufigen Verfahren: die EG-Kommission erstellt mit Hilfe von **unabhängigen Gutachtern** (namhafte Wissenschafter aus verschiedenen Mitgliedstaaten) eine Liste förderungswürdiger Projektvorschläge, die dem programmbegleitenden Ausschuß zur Stellungnahme unterbreitet wird. Die endgültige Entscheidung wird von der EG-Kommission getroffen.

5. Vertragserrichtung

Die Antragsteller werden über das Ergebnis des Auswahlverfahrens informiert. Die EG-Kommission nimmt mit den Partnern der ausgewählten Projektvorschläge Vertragsverhandlungen auf. Der Vertrag wird auf der Grundlage eines **Mustervertrages**[34]) für den Bereich Forschung und technolo-

---

[33]) Für Details siehe EG-Kommission (Hg), EG-geförderte Forschung und technologische Entwicklung (1994).

[34]) Vgl EG-Kommission (GD XII) (Hg), Musterverträge für den Bereich Forschung und technologische Entwicklung; Model Contracts for Community Activities in the Field of Research and Technological Development; Contrats types applicables aux activités de recherche et de développement technologique de la Communauté (1989).

gische Entwicklung erstellt, der insb folgende Bereiche regelt: Der eigentliche Vertragstext enthält die wesentlichen Vertragsbedingungen, Partner, Thema und Laufzeit, Gesamtkosten und finanzielle Beteiligung der Kommission, Berichtstermine und Sonderregelungen. In Anhang 1 wird das gemeinsame Arbeitsprogramm festgelegt; Anhang II enthält Bestimmungen über die Durchführung der Arbeiten (insb Fragen der Haftung, Vertraulichkeit, Kündigung, Gerichtsstand etc), über die Umsetzung der Ergebnisse und Schutzrechte (Nutzungsrechte und Lizenzen, Verwertung und gewerbliche Nutzung etc) sowie über erstattungsfähige Kosten und Zahlungsmodalitäten.

6. Formen der Forschungsförderung

Die gemeinschaftliche Forschungsförderung kann in zwei verschiedenen Formen geleistet werden:

- Vertragsforschung mit Kostenteilung,
- Konzertierung von Forschungsaktivitäten.

a) Vertragsforschung

1) Finanzierungsgrundsätze

Die Vertragsforschung mit Kostenteilung stellt die überwiegende Form der Förderung dar. Hiebei hat jeder Teilnehmer einen Teil seiner Kosten selbst zu tragen. IdR erstattet die EG-Kommission bei Unternehmen oder Institutionen mit Vollkostenrechnung 50% der Projektkosten, bei Universitäten und Forschungseinrichtungen, die nicht über ein eigenes Rechnungswesen zur Erfassung der Gesamtkosten eines Projektes verfügen, 100% der Zusatz- oder Grenzkosten. **Zusatzkosten** sind die für die Durchführung der vertraglichen Arbeiten erforderlichen Kosten, die zusätzlich zu den normal laufenden, von der Durchführung der vertraglichen Arbeiten unabhängigen Kosten entstehen (insb Kosten für Forschungspersonal, das für die Durchführung von Forschungsarbeiten zusätzlich eingestellt wurde, sowie Kosten für Material, idR aber nicht für die Anschaffung von Geräten).

2) Erstattungsfähige Kosten

Die **erstattungsfähigen Kosten** umfassen die tatsächlichen Kosten, die den Vertragspartnern auf Grund der Durchführung der vertraglichen Arbeiten entstehen. Sie können die folgenden Kostenarten umfassen: Personal-, Gemein- und Reisekosten, Kosten für langlebige Ausrüstungsgüter, Verbrauchsgüter, Rechnerkosten, Drittleistungen, Steuern und Zölle. Die verschiedenen Kostenarten sind untereinander deckungsfähig, Verschiebungen zwischen Personal-, Betriebs- und Investitionsmitteln sind ohne besondere Genehmigung möglich, was sich insb bei langfristigen Vorhaben im Hinblick auf mögliche Schwerpunktverlagerungen als günstig erweist. Die Kommission gewährt grundsätzlich einen **Vorschuß,** der nach Unterzeichnung des Vertrages an den Koordinator ausbezahlt wird. Seine Höhe richtet sich nach der geplanten Dauer des Projektes. Für alle weiteren Zahlungen müssen Fortschritts- und Zwischenberichte sowie Kostennachweise vorgelegt werden. Die weiteren Zahlungen erfolgen einmal jährlich, wobei der ausbezahlte Vorschuß bis zu einer Höhe von 90% des Förderungsbetrages aufgefüllt wird. Die restlichen 10% werden nach Projektabschluß gegen Vorlage eines Schlußberichtes ausbezahlt. Dieser Bericht muß eine ausführliche Beschreibung der Arbeiten und Ergebnisse, eine Kurzfassung, eine zur Veröffentlichung geeignete Fassung, einen Bericht über die beabsichtigte Verwertung der Ergebnisse sowie eine Schlußabrechnung enthalten. Während der Laufzeit eines Programmes veranstaltet die EG-Kommission regelmäßig Informationsseminare, die dem Erfahrungsaustausch und als Kontaktforum dienen. Die Projektkoordinatoren sind zur Teilnahme verpflichtet.

3) Projektkoordinator

Federführend für die Projektabwicklung ist ein von den Partnern namhaft gemachter Koordinator, der das Projekt gegenüber der Kommission vertritt und die von der Kommission geleisteten Förderungsbeträge verwaltet. Ihm obliegt die unverzügliche Weiterleitung der entsprechenden Beträge an die jeweiligen Vertragspartner.

4) Rolle der Vertragspartner

Projektteilnehmer, die einen Beitrag zu den Kosten leisten und Arbeiten ausfüllen, sind entweder

- **Vertragspartner,** die gesamtschuldnerisch die Haftung für die vollständige Durchführung des Projekts übernehmen, oder
- **assoziierte Partner (Konsorten),** die keinen Vertrag mit der Kommission abschließen. Im Sinne des Mustervertrages bedeutet ein **„Konsortialvertrag“**[35]) ein Vertrag zwischen einem Vertragspartner und einem Rechtssubjekt, das für den Vertragspartner vertragliche Arbeiten ausführt und hiezu selbst finanziell beiträgt. Ein Konsortialvertrag bedarf der vorherigen schriftlichen Zustimmung der EG-Kommission. Der Konsorte hat Anspruch auf entsprechende Vergütung seiner Mitwirkung sowie auf aus seiner Mitarbeit resultierende Rechte an der Nutzung und der Vermarktung der gewonnenen Ergebnisse sowie auf Gewährung von Lizenz- oder Nutzungsrechten. Der Konsorte unterzeichnet keinen Vertrag mit der Kommission und ist demnach nicht an der Haftung ihr gegenüber beteiligt.

5) Unterverträge[36])

Ein **Untervertrag** ist ein Vertrag zwischen einem Vertragspartner und einem Rechtssubjekt, das – ohne Konsorte zu sein – vertragliche Arbeiten für ihn durchführt. Der Untervertrag gewährt keinerlei Rechte aus dem Vertrag mit der EG-Kommission. Unterverträge bedürfen nicht der Zustimmung der EG-Kommission, wenn ihr Wert 100.000 ECU oder 20% der Gesamtkosten des Vertragspartners nicht übersteigt und sie nicht mit Partnern aus **Drittstaaten** abgeschlossen werden.

---

[35]) Associated contracts, contrats associés.

[36]) Subcontracts, sous-contrats.

6) Verwertung der Ergebnisse

Der Vertrag enthält ferner Bestimmungen über die Nutzung und Verbreitung der Ergebnisse. Aus dem Mustervertrag können die folgenden Grundprinzipien abgeleitet werden:

- **Neue Kenntnisse und Schutzrechte** gehören demjenigen Vertragspartner, der sie erarbeitet hat. Er stellt sie seinen Vertragspartnern für die Durchführung der gemeinsamen Forschungs- und Entwicklungsarbeiten gebührenfrei zur Verfügung. Teilnehmern an einem anderen Projekt desselben Programmes sowie der Gemeinschaft angehörenden Teilnehmern an einem sonstigen Forschungsprogramm der Gemeinschaft sind die neuen Kenntnisse zur Verfügung zu stellen sowie nicht ausschließliche Lizenzen an den neuen Schutzrechten zu Transferbedingungen einzuräumen, soweit diese für die Durchführung von Forschungs- und Entwicklungsarbeiten im Rahmen von Verträgen mit der Gemeinschaft von Bedeutung sind. Schließlich kann jedes Unternehmen der Gemeinschaft zu Vorzugsbedingungen neue Kenntnisse und Lizenzen an neuen Schutzrechten erhalten, wenn dies im Interesse der Gemeinschaft liegt, keine wesentlichen Geschäftsinteressen des Vertragspartners entgegenstehen, wenn sichergestellt ist, daß die Kenntnisse nicht für andere Zwecke benützt werden und der Vertragspartner noch keine Schritte zur Verwertung oder gewerblichen Nutzung unternommen hat.
- **Bestehende Kenntnisse und Schutzrechte,** die Grundlage für die Durchführung von Forschungsarbeiten oder der Verwertung neuer Kenntnisse durch andere Vertragspartner sind, sind den Vertragspartnern sowie Teilnehmern an anderen Projekten oder Programmen zu Vorzugsbedingungen zur Verfügung zu stellen. Bei der Zurverfügungstellung von Betriebsgeheimnissen ist deren vertrauliche Behandlung zu vereinbaren.
- Die **Entwicklung, Verwertung** oder **gewerbliche Nutzung** der neuen Kenntnisse und Schutzrechte obliegt den Vertragspartnern. Ein Vertragspartner, der nicht hauptsächlich auf gewerbliche Tätigkeiten ausgerichtet und auf Grund seiner Größe oder sonstigen Beschaffenheit nicht in der Lage ist, die Ergebnisse seines Vertrages selbst gewerblich zu nutzen, kann Lizenzen und Nutzungsrechte gegen eine angemessene Vergütung den anderen Vertragspartnern zur Verfügung stellen.

Die Gemeinschaft hat für die Erfordernisse der GFS sowie der gemeinsamen Unternehmen Anspruch auf eine nichtausschließliche, gebührenfreie und unwiderrufliche **Lizenz zur Nutzung** der neuen Kenntnisse oder neuen Schutzrechte für Forschungszwecke. Die Gemeinschaft hat diese Ergebnisse vertraulich zu behandeln und ist nicht zur Erteilung von Unterlizenzen berechtigt.

b) Konzertierung von Forschungsaktivitäten

Bei der Konzertierung beteiligt sich die Gemeinschaft nicht an den Kosten der Forschung selbst, sondern erstattet nur **Koordinierungskosten** (hauptsächlich Sitzungs- und Reisekosten). Der Großteil der konzertierten Aktionen wird im Bereich der medizinischen Forschung durchgeführt, ferner im Bereich der Umwelt- sowie der biowissenschaftlichen Forschung.

E. Drittstaatenbeteiligung

1. Programmbeteiligung

Bei der sogenannten **„programmweisen Beteiligung"** wird ein Drittstaat durch den Abschluß eines Abkommens mit der Gemeinschaft direkt mit einem Programm assoziiert und beteiligt sich an dessen Finanzierung. In diesem Fall sind die Projektpartner aus den teilnehmenden Drittstaaten gegenüber denjenigen aus den EG-Staaten weitgehend gleichberechtigt und erhalten genauso wie ihre EG-Partner finanzielle Mittel direkt von der EG-Kommission. Die **EFTA-EWR-Staaten** sind auf der Grundlage des EWR-Abkommens mit dem 4. Rahmenprogramm assoziiert, mit **Israel** und der **Schweiz** sind entsprechende bilaterale Abkommen in Verhandlung.

2. Projektweise Beteiligung

Bei der **„projektweisen Beteiligung"** können Unternehmen und Forschungseinrichtungen aus Drittstaaten an einzelnen Projekten eines Forschungsprogrammes teilnehmen. Bei dieser Form der Teilnahme benötigt der Projektteilnehmer aus dem Drittstaat mindestens zwei Partner aus verschiedenen EG-Staaten, weil das Projekt auch ohne Drittlandbeteiligung dem gemeinschaftlichen Auswahlkriterium der grenzüberschreitenden Zusammenarbeit entsprechen muß. In manchen Ausschreibungsbedingungen ist ferner vorgesehen, daß der von den Drittstaaten eingebrachte Projektanteil einen bestimmten Prozentsatz nicht übersteigen darf. Bei der projektweisen Beteiligung erhalten die Partner aus Drittstaaten keine Förderung aus EG-Mitteln, da seitens der Drittländer – abgesehen von geringfügigen Pauschalzahlungen für von der EG-Kommission erbrachte Koordinierungstätigkeiten – auch kein Beitrag zum Programmbudget geleistet wird. Die Projektteilnehmer aus diesen Staaten können daher auch nicht die Rolle des Projektkoordinators übernehmen. Rechtsgrundlagen für die projektweise Beteiligung von Drittstaaten bietet einerseits der Beschluß des Rates über Beteiligungsregeln[37]) sowie die Entscheidungen über die spezifischen Programme selbst. Voraussetzung ist idR das Vorliegen eines Abkommens über wissenschaftlich-technische Zusammenarbeit.

F. Weitere Instrumente der europäischen Forschungskooperation

1. COST

Die Abkürzung „COST" steht für „Coopération européenne scientifique et technique" – **europäische Zusammenarbeit auf dem Gebiet der wissenschaftlichen und technischen Forschung.** Die COST-Zusammenarbeit wurde im Jahre 1971 durch eine Ministerkonferenz ins Leben gerufen und umfaßt neben den EU- und EFTA-Staaten die Türkei, Ungarn, Polen, Tschechien, die Slowakei, Slowenien und Kroatien.

---

[37]) Vgl oben B.6.

Die **Arbeitsweise von COST** ist auf folgenden Grundprinzipien aufgebaut:

- Alle COST-Staaten sowie die Gemeinschaft können Forschungsvorhaben vorschlagen (COST-Aktionen);
- die Teilnahme ist freiwillig und „à la carte", dh die einzelnen Länder können die sie interessierenden Vorhaben selbst auswählen;
- die Vorhaben werden auf nationaler Ebene finanziert;
- die Zusammenarbeit findet in Form von „konzertierten Aktionen" statt, dh durch die Koordinierung nationaler Forschungsvorhaben.

Im COST-Rahmen gibt es keine vorgegebenen Forschungsthemen, die Schwerpunkte werden durch die COST-Staaten selbst bestimmt („bottom-up approach").

Eine große Zahl von COST-Aktionen insb auf dem Gebiet der Informationsverarbeitung, der Telekommunikation und der Werkstoffkunde hat den Weg für vorindustrielle spezifische Programme der Gemeinschaft wie ESPRIT, RACE, EURAM und BRITE bereitet. Ähnliches gilt auch für die Forschung im Bereich des Umweltschutzes und der Lebensmitteltechnologie. Die Hauptaufgabe von COST liegt somit in einer Vorbereitungs- und Ergänzungsrolle im Hinblick auf die Rahmenprogramme (Komplementarität).[38])

2. EUREKA

Diese Initiative wurde 1985 von Frankreich ins Leben gerufen und soll ebenfalls – in Ergänzung zu den Gemeinschaftsprogrammen – die grenzüberschreitende Forschungszusammenarbeit fördern. EUREKA umfaßt die EG- und EFTA-Staaten, die Türkei, Ungarn, Rußland, Slowenien und die EG-Kommission. Ziel der EUREKA ist es, die Zusammenarbeit von Unternehmen und Forschungseinrichtungen in EUREKA-Staaten auf dem Gebiet der **Hochtechnologien** zu stärken. Diese Zusammenarbeit ist auf die Entwicklung von Produkten, Systemen und Dienstleistungen ausgerichtet, die ein weltweites Marktpotential haben. Die wesentlichen Merkmale von EUREKA sind:

- grenzüberschreitende Zusammenarbeit von mindestens zwei voneinander unabhängigen Institutionen in verschiedenen EUREKA-Ländern,
- „bottom-up" approach, dh Definierung des Inhaltes von Forschungsprojekten durch die Teilnehmer selbst,
- Einsatz moderner Technologien zur Erreichung eines wesentlichen technologischen Fortschritts bei Produkten, Verfahren und Dienstleistungen,
- eine gewisse Marktnähe der Projekte,
- keine zentrale Finanzierung von EUREKA-Projekten, sondern im Rahmen der jeweiligen nationalen Förderungsaktivitäten,
- Flexibilität und Dezentralität.

Derzeit laufen 654 EUREKA-Projekte mit einem Volumen von 12 500 Mio ECU; 183 Projekte im Wert von 2500 Mio ECU sind bereits abgeschlossen.[39])

---

[38]) Ausführlich dazu s EG-Kommission, GD für Wissenschaft, Forschung und Entwicklung, Abteilung COST–EFTA (Hg), Einführung in die COST-Zusammenarbeit (1993).

[39]) Siehe EUREKA-Sekretariat, EUREKA News N° 26, September 1994.

G. Schlußbemerkung

Die wachsende Bedeutung einer auf Gemeinschaftsebene geplanten und durchgeführten Forschungspolitik im Laufe der Jahrzehnte seit der Gründung der Gemeinschaft ist unübersehbar. Nach einem anfänglichen Schattendasein im Rahmen der Europa-Politik und einer vor allem in den 70er- und 80er-Jahren spürbaren Unsicherheit über die Notwendigkeit und Sinnhaftigkeit technischer Errungenschaften insb im Zusammenhang mit ständig wachsenden Umweltproblemen nimmt die Forschung nunmehr einen unbestreitbaren Platz im Rahmen der Gemeinschaftspolitik ein.

Dies zeigt sich auch darin, daß die in den Rahmenprogrammen determinierten Aktivitäten von zahlreichen **Begleitmaßnahmen** auf dem Gebiet der Aus- und Fortbildung, der regionalen Förderung technologischer Infrastrukturen, der Daten- und Informationsübermittlung etc unterstützt werden.

Dennoch werden die Anstrengungen in den folgenden Jahren noch weiter verstärkt werden müssen. Der für Forschung zur Verfügung stehende Anteil am EG-Haushalt beträgt derzeit bloß 4%, obwohl bereits im Jahre 1985 von den Regierungschefs der Mitgliedstaaten ein Anteil von 6% für notwendig erachtet worden war.[40]) Auch in den einzelnen Mitgliedstaaten beträgt der Anteil der Ausgaben für Forschung und Entwicklung am BIP im Durchschnitt bloß etwa 2%.[41])

Es liegt daher an den einzelnen Mitgliedstaaten, bei der Festlegung der politischen Schwerpunkte und deren Berücksichtigung im Haushalt sowohl auf nationaler als auch auf Gemeinschaftsebene der Forschung einen entsprechenden Stellenwert einzuräumen und damit ihrer Bedeutung im Hinblick auf eine Sicherung der internationalen Wettbewerbsfähigkeit Rechnung zu tragen.

---

[40]) Vgl *von Schwerin,* Technologiegemeinschaft: Eine neue Herausforderung für die EG (FN 8) 7.

[41]) Vgl OECD (Hg), Main Science and Technology Indicators (1990).

14. KAPITEL

Steuerharmonisierung

Heike-Dagmar Joa

Übersicht:

A. Ziele der Steuerharmonisierung

Wirtschaftsgemeinschaft kann nicht ohne Vereinbarung eines gewissen Maßes an steuerlichen Spielregeln vor sich gehen. Die **Steuerharmonisierung** ist somit eine Aufgabe, die der Gemeinschaft nicht als Selbstzweck übertragen wurde, sondern sie ist ein Instrument, das dazu eingesetzt werden soll, die Verwirklichung einer echten Wirtschaftsgemeinschaft zu fördern. Die Steuerharmonisierung muß somit in erster Linie erreichen, daß unterschiedliche

Steuervorschriften bei der Integration der Volkswirtschaften der EU-Mitgliedstaaten zu einer funktionsfähigen Gemeinschaft nicht zum „Hemmschuh“ der Integration werden. Harmonisierung darf jedoch nicht als Vereinheitlichung um jeden Preis verstanden werden, sondern eher als ein Prozeß der Annäherung der Steuersysteme.

Beim gegenwärtigen Stand der Integration kommt in erster Linie als **Rechtsakt** die Richtlinie in Betracht; sie läßt den Staaten einen gewissen Spielraum für die Umsetzung des Gemeinschaftsrechtsaktes in das nationale Recht. Eine minder wichtige Rolle spielen auch Empfehlungen und Stellungnahmen – diese Maßnahmen sind allerdings rechtlich unverbindlich. Die Wahl des Rechtsaktes hängt in erster Linie von dem für erforderlich gehaltenen Grad der Harmonisierungsintensität ab.

Abgesehen von einer Harmonisierung der Steuersysteme erfordert die Schaffung eines gesunden Wettbewerbs auch besondere Maßnahmen gegen Steuerumgehung und Steuerhinterziehung. Für jeden einzelnen Mitgliedstaat, aber auch den Gemeinschaftshaushalt führen sie zu Haushaltseinbußen und beeinträchtigen außerdem auch den Grundsatz der Steuergerechtigkeit. Diese Gründe haben den Rat dazu veranlaßt, schon am 10. Februar 1975 auf Vorschlag der Kommission eine Entschließung über Maßnahmen der Gemeinschaft zur Bekämpfung der internationalen Steuerflucht und Steuerumgehung und im Jahre 1977 in Anwendung dieser Entschließung eine Richtlinie über die gegenseitige Amtshilfe zwischen den zuständigen Behörden der Mitgliedstaaten im Bereich der direkten Steuern anzunehmen.

B. Methodik, Instrumente und Rechtsgrundlagen

Art 99 und 100 EGV bilden die eigentlichen Rechtsgrundlagen für Rechtsakte des Rates im Bereich der Steuerharmonisierung.

Art 99 EGV ist die autonome Rechtsgrundlage für die Harmonisierung im Bereich der indirekten Steuern. Durch die Einheitliche Europäische Akte wurde diese Bestimmung neu gefaßt. Die Harmonisierung der indirekten Steuern wurde stärker in Beziehung zur Verwirklichung des Binnenmarktes gestellt. Art 99 EGV lautet in der Fassung von Art G Nr 20 VEU: „Der Rat erläßt auf Vorschlag der Kommission und nach Anhörung des Europäischen Parlamentes und des Wirtschafts- und Sozialausschusses einstimmig die Bestimmung zur Harmonisierung der Rechtsvorschriften über die Umsatzsteuern, die Verbrauchsabgaben und sonstige indirekte Steuern, soweit diese Harmonisierung für die Errichtung und das Funktionieren des Binnenmarktes innerhalb der in Artikel 7a gesetzten Frist notwendig ist.“

Art 99 EGV gehört zu den Vorschriften, die Einstimmigkeit für die Beschlußfassung durch den Ministerrat vorsehen. Die bisher schon übliche Anhörung des Europäischen Parlamentes ist seit der Einheitlichen Europäischen Akte zwingend vorgeschrieben. Unter **„Harmonisierung“** versteht Art 99 EGV den Vorgang, wonach in einem gesonderten Verfahren und mit dem Ziel der Schaffung des Binnenmarktes Gemeinschaftsrecht verabschiedet wird, das den Maßstab für die einschlägigen innerstaatlichen Steuervorschriften bildet. Aus der Verwendung des Begriffes „Harmonisierung“ läßt sich keine inhaltliche Begrenzung des der Gemeinschaft eingeräumten Spielraums für die zweckmäßige Ausgestaltung der einzelnen Harmonisierungsvorhaben entnehmen.

Der konkrete Harmonisierungsauftrag ist auf die indirekten Steuern begrenzt. Daraus ergibt sich die Auffassung der Gründungsväter des EG-Vertrages, daß in erster Linie die indirekten Steuern zu Wettbewerbsverzerrungen führen können, die sich alleine durch Art 95 EGV nicht beseitigen lassen. Die Beseitigung der Diskriminierung und die Steuerharmonisierung sind als getrennte Vorgänge zu verstehen. Das Verbot der steuerlichen Diskriminierung ist an die Mitgliedstaaten gerichtet und daher in erster Linie für sie von Belang. Art 95 EGV zielt auf die Beseitigung von Beeinträchtigungen des freien Warenverkehrs und der normalen Wettbewerbsverhältnisse zwischen Mitgliedstaaten infolge einer Diskriminierungen schützenden inländischen Besteuerung. Um zu entscheiden, ob eine angefochtene steuerliche Diskriminierung mit Art 95 EGV vereinbar ist, ist zu prüfen, ob sie zu einer unmittelbaren oder mittelbaren Diskriminierung führt oder ob sie geeignet ist, inländische konkurrierende Produktionen gegenüber Einfuhren aus anderen Mitgliedstaaten zu schützen. Nach der ständigen Rechtsprechung des Gerichtshofs der Europäischen Gemeinschaften kommt es nicht auf das Ausmaß der Diskriminierung an. Auch eine geringfügige diskriminierende Wirkung fällt unter Art 95 EGV. Anerkannt ist auch, daß Art 95 EGV nur im Verkehr zwischen EU-Mitgliedstaaten anwendbar ist und nicht zwischen einem Drittland und einem Mitgliedstaat. Außer indirekten Steuern können unter den Anwendungsbereich von Art 95 EGV auch Beiträge und Gebühren fallen, soweit sie sich auf Waren beziehen und nicht unter das Verbot zollfreier Abgaben fallen.

Aus der Rechtsprechung des EuGH[1]) ergibt sich auch, daß „die Anforderungen des Artikel 95 zwingender Natur sind und keine Ausnahme aufgrund irgendeiner Handlung eines Organs der Gemeinschaft zulassen".

C. Die Umsatzsteuer

1. Abbau der Steuergrenzen

Seit dem 1. Jänner 1993 ist der Binnenmarkt der Europäischen Gemeinschaft Wirklichkeit. Wie in Art 7a Abs 2 EGV definiert ist, erfaßt er einen Raum ohne Binnengrenzen, in dem der freie Verkehr von Waren, Personen, Dienstleistungen und Kapital gemäß den Bestimmungen des EG-Vertrages gewährleistet ist.

Steuerliche Grenzkontrollen an den Binnengrenzen der Europäischen Gemeinschaft gehören seitdem der Vergangenheit an. Das Gebiet der Mitgliedstaaten ist nunmehr ein weitgehend vereinheitlichter Wirtschaftsraum.

2. Die sog Umsatzsteuer-Übergangsregelung

Die wichtigste Frage, die sich aus umsatzsteuerrechtlicher Sicht beim Wegfall der Grenzkontrollen stellte, ist die nach der Behandlung von Impor-

[1]) Rs 15/81 – Gaston Schul – Slg 1982, 1409.

ten und Exporten. Sie ist durch den EG-Ministerrat am 16. Dezember 1991 mit der Richtlinie zur Ergänzung des **gemeinsamen Mehrwertsteuersystems** und zur Änderung der 6. Richtlinie 77/388/EWG im Hinblick auf die Beseitigung der Steuergrenzen in Form einer zunächst bis zum 31. Dezember 1996 befristeten Übergangsregelung beantwortet worden.

Das Überschreiten einer innergemeinschaftlichen Grenze begründet also keinen Mehrwertsteueranspruch mehr. Damit erübrigten sich auch die Grenzformalitäten für die Anmeldung und Prüfung der Waren sowie für die Entrichtung der Steuer.

Nach dem neuen Recht verbleibt es aber im Grundsatz bei dem **Bestimmungslandprinzip** bei innergemeinschaftlichen Lieferungen an vorsteuerabzugsberechtigte Unternehmer für deren Unternehmen. Die Technik der Besteuerung im Einfuhrstaat änderte sich insofern, als nach dem 1. Jänner 1993 eine Erwerbsteuer auf die Waren erhoben wird. Die Erwerbsteuer schuldet der Erwerber, also der Abnehmer des Gegenstandes. Entsprechend bleibt es beim innergemeinschaftlichen Handel mit vorsteuerabzugsberechtigten Unternehmern dabei, daß die Lieferung im Absendestaat als steuerfreie Lieferung behandelt wird. Inländische Unternehmer, die in einem anderen EG-Mitgliedstaat Umsätze ausführen, müssen diese auch weiterhin nach den im jeweiligen EG-Mitgliedstaat geltenden umsatzsteuerlichen Regelungen versteuern. Für die korrekte Anwendung der neuen Regelungen ist die Kenntnis von Einzelheiten des Umsatzsteuerrechtes der anderen EG-Mitgliedstaaten erforderlich. Zur Beurteilung der Frage, wie die in anderen EG-Mitgliedstaaten durchgeführten Umsätze im Einzelfall zu besteuern sind, ist es erforderlich, die allein verbindlichen amtlichen Texte dieses EG-Mitgliedstaates heranzuziehen.

Vom Prinzip der Besteuerung im Bestimmungsland gibt es allerdings verschiedene Ausnahmen: Privatpersonen können seit dem 1. Jänner 1993 in anderen EG-Mitgliedstaaten Waren mengen- und wertmäßig unbegrenzt erwerben und in ihr Heimatland mitnehmen. Sie bleiben mit der Umsatzsteuer des jeweiligen Gastgeberlandes belastet. Ein Grenzausgleich – dh die Umsatzsteuerbefreiung im Gastgeberland und die Erhebung von Umsatzsteuer im Einfuhrland – unterbleibt seitdem. Von dieser Regelung gibt es allerdings ebenfalls eine wichtige Ausnahme: Verkäufe von neuen Fahrzeugen innerhalb der EG sind grundsätzlich in dem Mitgliedstaat zu besteuern, in das sie bestimmungsgemäß gelangen, und zwar nicht durch den Verkäufer, sondern durch den Käufer. Das gilt auch dann, wenn der Käufer eine Privatperson ist.

Ein innergemeinschaftlicher Erwerb neuer Fahrzeuge liegt vor, wenn das neue Fahrzeug bei einer entgeltlichen Lieferung an den Käufer aus einem Mitgliedstaat der Europäischen Union in das Inland gelangt. Neue Fahrzeuge in diesem Sinne sind:

- motorbetriebene Landfahrzeuge mit einem Hubraum von mehr als 48 Kubikzentimetern oder einer Leistung von mehr als 7,2 Kilowatt,
- Wasserfahrzeuge mit einer Länge von mehr als 7,5 Metern,
- Luftfahrzeuge, deren Starthöchstmasse mehr als 1550 Kilogramm beträgt.

Als „neu“ gilt ein Fahrzeug immer dann, wenn die erste Inbetriebnahme im Zeitpunkt des Erwerbs nicht mehr als sechs Monate zurückliegt und die Fahrleistung weniger als 6000 km beträgt.

Dem innerstaatlichen Umsatzsteuerrecht aller Mitgliedstaaten liegt im wesentlichen die 6. Richtlinie des Rates vom 17. Mai 1977 zur Harmonisierung der Rechtsvorschriften der Mitgliedstaaten über die Umsatzsteuern zugrunde.[2]) Gemeinschaftsrechtlich maßgeblich ist ab 1. Jänner 1993 die 6. Richtlinie unter Berücksichtigung insbesondere der Änderungen durch die Richtlinie des Rates vom 16. Dezember 1991 zur Ergänzung des gemeinsamen Mehrwertsteuersystems und zur Änderung der Richtlinie 77/388/EWG im Hinblick auf die Beseitigung der Steuergrenzen (91/680/EWG),[3]) die Richtlinie 92/77/EG des Rates vom 19. Oktober 1993 zur Ergänzung des gemeinsamen Mehrwertsteuersystems und zur Änderung der Richtlinie.

3. Vereinfachungsregelungen im Bereich der Umsatzsteuer

Vereinfachungsmaßnahmen zur 6. MWSt-Richtlinie wurden zuletzt eingeführt durch die Richtlinie 92/111/EG des Rates vom 14. Dezember 1992[4]) und vom 10. April 1995.

Diese Richtlinie vom 14. Dezember 1992 soll vor allem die am 1. Jänner 1993 in Kraft getretene umsatzsteuerliche Übergangsregelung vereinfachen.

Wichtigster Bestandteil ist die Vereinfachungsregelung für **Dreiecksgeschäfte.** Bei einem Dreiecksgeschäft schließen drei Unternehmer Umsatzgeschäfte über die Lieferung eines Gegenstandes in der Weise ab, daß der erste Unternehmer die Ware unmittelbar an den letzten Abnehmer liefert. Für den Fall, daß die bei einem Dreiecksgeschäft Beteiligten in unterschiedlichen Mitgliedstaaten ansässig sind, sieht die Richtlinie vor, daß sich kein Unternehmer in einem Mitgliedstaat umsatzsteuerrechtlich erfassen lassen muß, in dem er nicht ansässig ist. Eine endgültige Besteuerung erfolgt – entsprechend den Grundsätzen der Übergangsregelung – im Bestimmungsland des gelieferten Gegenstandes.

Am 10. April 1995 hat der Ministerrat die sog 2. Umsatzsteuer-Vereinfachungs-Richtlinie verabschiedet. Die Richtlinie enthält im wesentlichen weitere Vereinfachungen der umsatzsteuerlichen Übergangsregelung. Zu nennen ist insbesondere

- die einheitliche Behandlung von Lohnveredelungen und sonstigen Be- und Verarbeitungen von Gegenständen als Dienstleistungen,
- die Gleichstellung bestimmter inländischer Güterbeförderungen mit innergemeinschaftlichen Güterbeförderungen und
- eine Neuregelung für Umsätze in sog Steuerlagern.

Diese Änderungen führen für die Unternehmer zu erheblichen Erleichterungen bei der umsatzsteuerlichen Abwicklung des innergemeinschaftlichen Waren- und Dienstleistungsverkehr.

---

[2]) ABl L 1977/145,1.
[3]) ABl L 1991/376.
[4]) ABl L 1992/384.

Die Richtlinie ist bis zum 1. Jänner 1996 in nationales Recht umzusetzen. Eine Umsetzung der Steuerlagerregelung ist für Deutschland und Luxemburg erst für den 1. Jänner 1997 vorgesehen.

4. Die Umsetzung in nationales Recht

Wie bereits erwähnt, sind die EG-Mitgliedstaaten verpflichtet, die Richtlinien in nationales Recht umzusetzen. Die umsatzsteuerrechtlichen Regelungen stimmen daher in den EU-Mitgliedstaaten inhaltlich untereinander weitgehend überein. Allerdings gibt es in einigen Bereichen Unterschiede. So räumt die 6. Richtlinie den Mitgliedstaaten verschiedene Wahlrechte ein und läßt unter bestimmten Voraussetzungen abweichende Regelungen zu. Auch können einige EG-Mitgliedstaaten weiterhin Regelungen beibehalten, die bei Verabschiedung der 6. Richtlinie im Jahr 1977 bereits bestanden.

Zur Beurteilung der Frage, wie in anderen EG-Mitgliedstaaten ausgeführte Umsätze im Einzelfall zu versteuern sind, bleibt es zunächst erforderlich, die amtlichen Gesetzestexte dieses EG-Mitgliedstaates heranzuziehen.

5. Mehrwertsteuersätze

Der **Normalsatz der Mehrwertsteuer** wird von jedem Mitgliedstaat als ein Prozentsatz der Besteuerungsgrundlage festgelegt, der für Lieferungen von Gegenständen und für Dienstleistungen identisch ist. Vom 1. Jänner 1993 bis zum 31. Dezember 1996 darf der Normalsteuersatz nicht niedriger als 15% sein.[5]) Auf der Grundlage des Berichts über das Funktionieren der Übergangsregelung sowie der Vorschläge für die endgültige Regelung, die dem Rat gem Art 28 lit l dieser Richtlinie von der Europäischen Kommission zu unterbreiten sind, befindet der Ministerrat der Europäischen Union vor dem 31. Dezember 1995 einstimmig über die Mindesthöhe, die nach dem 31. Dezember 1996 gelten soll.

Die Mitgliedstaaten können außerdem einen oder zwei ermäßigte Sätze anwenden. Diese Sätze werden als ein Prozentsatz der Besteuerungsgrundlage festgelegt, der nicht niedriger als 5% sein darf, und sind nur auf Lieferungen von Gegenständen und Dienstleistungen der in Anhang H zur 6. (EWG-)MWSt-Richtlinie 77/388 genannten Kategorien anwendbar.

Die Mitgliedstaaten, die zum Zeitpunkt der Verabschiedung dieser Richtlinie einen ermäßigten Steuersatz anwendeten, konnten diesen bis zum 31. Dezember 1994 beibehalten.

Diese Richtlinie sieht außerdem vor, daß der Rat auf der Grundlage eines Berichts der Europäischen Kommission erstmals 1994 und später alle zwei Jahre den Anwendungsbereich der ermäßigten Sätze überprüft. Der Ministerrat kann also das in Anhang H enthaltene Verzeichnis von Gegenständen und Dienstleistungen einstimmig auf Vorschlag der Kommission ändern.

---

[5]) RL v 19. 10. 1992, ABl L 1992/316.

Folgende Mehrwertsteuersätze gab es im Juli 1995 in den Mitgliedstaaten:

Mitgliedstaaten	Ermäßigte Sätze	Normalsätze
Belgien	1%, 6%, 12%	20,5%
Dänemark	–	25%
Deutschland	7%	15%
Finnland	6%, 12%	22%
Frankreich	2,1%, 5,5%	18,6%
Griechenland	4%, 8%	18%
Irland	2,5%	12,5%, 21%
Italien	4%, 9%, 13%	19%
Luxemburg	3%, 6%, 12%	15%
Niederlande	6%	17,5
Österreich	10%	20%
Portugal	5%	16%
Schweden	12%, 21%	25%
Spanien	3%, 6%	15%
Vereinigtes Königreich	–	17,5%

In Belgien und Dänemark gilt ein Nullsatz für Zeitungen, in Italien für Baugrundstücke, Rohgold und Metallabfälle. Im Vereinigten Königreich findet auf Brennstoffe ein Mehrwertsteuersatz von 8% Anwendung.

6. Mehrwertsteuer-Sonderregelung für Gebrauchtgegenstände, Kunstgegenstände, Sammlungsstücke und Antiquitäten

Am 14. Februar 1994 hat der Rat die 6. EG-Richtlinie geändert und eine gemeinschaftsweite umsatzsteuerliche Sonderregelung zur Besteuerung von Gebrauchtgegenständen, Kunstgegenständen, Sammlungsstücken und Antiquitäten ab 1995 verabschiedet, die bei diesen Gegenständen im Grundsatz eine Besteuerung der Differenz zwischen Verkaufs- und Ankaufspreis vorsieht.[6])

Im Sinne dieser Richtlinie gilt als **Verkaufspreis** die gesamte Gegenleistung, die der steuerpflichtige Wiederverkäufer von einem Dritten erhält oder zu erhalten hat, einschließlich der unmittelbar mit diesem Umsatz zusammenhängenden Zuschüsse, die Steuern, Zölle, Abschöpfungen und Abgaben sowie die Nebenkosten wie Provisions-, Verpackungs-, Beförderungs- und Versicherungskosten, die der steuerpflichtige Wiederverkäufer vom Käufer fordert. **Einkaufspreis** ist die gesamte Gegenleistung, die der Lieferant von dem steuerpflichtigen Wiederverkäufer erhält oder zu erhalten hat.

Ein Steuerpflichtiger ist nicht berechtigt, die für Gegenstände, die ihm von einem steuerpflichtigen Wiederverkäufer geliefert werden, geschuldete und entrichtete Mehrwertsteuer als Vorsteuer abzuziehen, wenn die Liefe-

---

[6]) RL 94/5/EG, ABl L 1994/60 v 3. 3. 1994.

rung dieser Gegenstände durch den steuerpflichtigen Wiederverkäufer der Sonderregelung über die Differenzbesteuerung unterliegt. Sofern der steuerpflichtige Wiederverkäufer die normale Mehrwertsteuerregelung und die Sonderregelung über die Differenzbesteuerung anwendet, muß er über die unter die jeweilige Regelung fallenden Umsätze nach den von den Mitgliedstaaten festgelegten Modalitäten getrennt Buch führen.

Das Vereinigte Königreich Großbritannien und Nordirland wurden ermächtigt, bis zum 30. Juni 1999 bei der Einfuhr von Kunstgegenständen, Sammlungsstücken und Antiquitäten, die am 1. Jänner 1993 von der Steuer befreit waren, eine Sonderregelung anzuwenden (Art 1 lit d Z 4 RL 94/5/EG).

7. Die Umsatzsteuer-Identifikationsnummer

Um eine korrekte Anwendung der sog Umsatzsteuer-Übergangsregelung zu gewährleisten, die am 1. Jänner 1993 in Kraft getreten ist, erhalten alle Unternehmer, die am innergemeinschaftlichen Handel teilnehmen, eine eigene **Umsatzsteuer-Identifikationsnummer.** In mehreren EG-Mitgliedstaaten ist die Ust-IdNr identisch mit der Steuernummer, unter der ein Unternehmer für umsatzsteuerliche Zwecke von den Finanzbehörden registriert wird. Vor diese Umsatzsteuernummer wird dann lediglich der entsprechende Ländercode gesetzt. In anderen Ländern wird eine besondere, zusätzliche Nummer vergeben.

Übersicht über Bezeichnung und Aufbau der USt-IdNr in den EG-Mitgliedstaaten:

Land:	Abkürzung der Ust-Nr:	Ländercode:
Belgien	N° TVA	BE
Dänemark	SE-nr.	DK
Deutschland	USt-Id.Nr.	DE
Finnland	–	FI
Frankreich	N° TVA	FR
Griechenland	AøM	EL
Irland	VAT No.	IE
Italien	P. IVA	IT
Luxemburg	–	LU
Niederlande	OB Nummer	NL
Österreich	USt-Id. Nr.	AT
Portugal	NIPC	PT
Schweden	R	SE
Spanien	N.I.F.	ES
Vereinigtes Königreich	VAT Reg. N°	GB

8. Die verstärkte Zusammenarbeit der Steuerverwaltungen im Binnenmarkt

Die umsatzsteuerliche Übergangsregelung für grenzüberschreitende Umsätze im europäischen Binnenmarkt erfordert zur Sicherung des Umsatzsteueraufkommens die enge Zusammenarbeit der Verwaltungen der Mitgliedstaaten. Die seit dem 1. Jänner 1993 geltende Mehrwertsteuerübergangsregelung zieht daher Veränderungen bei der Kontrolle der Steuern auf innergemeinschaftliche Umsätze nach sich. Die Kontrolle dieser Steuer, die sich bis dahin hauptsächlich auf Zolldokumente stützte, ist notwendig, um die Einnahmen der Mitgliedstaaten sicherzustellen und eine Gleichbehandlung aller Unternehmen zu gewährleisten. Die Verordnung (EWG) 218/92 des Rates befaßt sich mit der Zusammenarbeit der Verwaltungsbehörden auf dem Gebiet der direkten Besteuerung (MWSt). Sie ergänzt die Richtlinie 77/799/EWG, die sich ebenfalls mit der Amtshilfe zwischen den Behörden der Mitgliedstaaten im Bereich der direkten und indirekten Steuern befaßt. Die Verordnung 218/92 sieht parallel zur Einführung der Mehrwertsteuer-Übergangsregelung die Einrichtung eines gemeinsamen Systems für den Austausch von Informationen über innergemeinschaftliche Umsätze zwischen den zuständigen Behörden der Mitgliedstaaten vor. Der Austausch und der Vergleich der in den Einzelstaaten gesammelten Daten erleichtert den Behörden die Kontrolle der Mehrwertsteuer im innergemeinschaftlichen Handel. Wenn auch die Mitgliedstaaten weiterhin völlig souverän prüfen können, ob die Bedingungen der Besteuerung oder Steuerbefreiung von innergemeinschaftlichen Umsätzen eingehalten werden, so erschien doch die Einrichtung eines elektronischen Systems, über das mehrwertsteuerrelevante Informationen ausgetauscht werden können, erforderlich. Um eine wirksame Kontrolle der Umsatzbesteuerung zu ermöglichen, werden daher die von den Unternehmen in den vierteljährlich abzugebenden sog **zusammenfassenden Meldungen** erklärten Daten über steuerfreie Lieferungen an Abnehmer datenmäßig aufgearbeitet und den anderen EG-Mitgliedstaaten auf Anfrage oder unmittelbar zur Verfügung gestellt. Sind die Auskünfte aus dem datenverarbeitungsgestützten Informationsaustausch zur Kontrolle der Besteuerung und Bekämpfung der Steuerhinterziehung nicht ausreichend, sind die Mitgliedstaaten gem Art 5 V 218/92 des Rates vom 27. Jänner 1992 verpflichtet, im Rahmen von Einzelauskunftsersuchen weitere Auskünfte zu erteilen.

9. Zentrale Verbindungsbüros und elektronischer Datenaustausch

Jeder Mitgliedstaat hat ein zentrales Büro eingerichtet, das den Kontakt mit den anderen Mitgliedstaaten im Bereich der administrativen Zusammenarbeit hält. Die **zentralen Verbindungsbüros** sind in erster Linie für die Lenkung der innergemeinschaftlichen Zusammenarbeit der Verwaltungsbehörden zuständig. Um den Datenaustausch zu optimieren, wurden – wo möglich – gleiche Öffnungszeiten vereinbart. Die zuständige Behörde jedes Mitgliedstaates unterhält eine **elektronische Datenbank,** in der ein Verzeichnis der Personen gespeichert ist, die von diesem Mitgliedstaat eine Umsatzsteuer-Identifikationsnummer erhalten haben.

D. Das gemeinschaftliche Verbrauchsteuersystem

1. Allgemeines

Steuern haben den Konsum ausgewählter Erzeugnisse bereits in sehr früher Zeit in unterschiedlicher Weise belastet. Bei den **Verbrauchsteuern** handelt es sich um schon lange bestehende Steuern, die im allgemeinen auf Verbrauchsgüter wie Tabak, alkoholische Erzeugnisse und Mineralöle erhoben werden. Üblicherweise wird ein spezifischer Steuerbetrag für eine bestimmte Menge des betreffenden Erzeugnisses eingezogen. Ein anderes System gilt für die Verbrauchsteuern auf Zigaretten: Die Verbrauchsteuern setzten sich in diesem Fall aus einer spezifischen und einer ad-valorem-Komponente – dh einem prozentualen Anteil am Warenwert – zusammen.

Der EWG-Vertrag hat in mehrfacher Hinsicht auch das Verbrauchsteuerrecht der EG-Mitgliedstaaten beeinflußt. Mit Beginn der 2. Stufe am 1. Jänner 1962 entfaltete Art 95 EWGV unmittelbar rechtliche Wirkung. Die Verbrauchsteuergesetze mußten Inlands- und EG-Einfuhrwaren nunmehr gleich behandeln. Das Jahr 1985 hat wichtige neue Impulse für die europäische Rechtsentwicklung gebracht. Die Kommission gelangte in ihrem Weißbuch zur Vollendung des Binnenmarktes von 1985 zu dem Schluß, daß zur Vollendung des Binnenmarktes eine vollständige Harmonisierung der Verbrauchsteuersätze für die wichtigsten Kategorien verbrauchsteuerpflichtiger Waren, dh Tabakerzeugnisse, alkoholische Erzeugnisse und Mineralöle, wünschenswert sei. Bei den Beratungen dieser Vorschläge gelangten der Rat und die Kommission zu dem Schluß, daß die Schaffung des Binnenmarktes keine vollständige Harmonisierung der Verbrauchsteuern erfordere, sondern ein System, das den Mitgliedstaaten einen gewissen Spielraum bei der Festsetzung ihrer Steuersätze läßt und zugleich eine Annäherung dieser Sätze fördert. Ergebnis der Verhandlungen war ein System von gemeinsamen Mindestsätzen, die die Mitgliedstaaten vorbehaltlich bestimmter Abweichungen einhalten müssen. So wurde zum 1. Jänner 1993 im Rahmen der Schaffung des Binnenmarktes ein gemeinschaftsweites Verbrauchsteuersystem eingeführt. Neben Mindestsätzen sind darin harmonisierte Strukturen für die Steuererhebung sowie gemeinschaftliche Regeln für Besitz und Beförderung verbrauchsteuerpflichtiger Waren vorgesehen.

2. Rechtsangleichung im Bereich der Sonderverbrauchsteuern

Zur Vollendung des Binnenmarktes war auch im Bereich der Verbrauchsteuern eine Steuerharmonisierung notwendig. Drei Arten von Richtlinien sind zu unterscheiden: System-, Struktur- und Steuersatzrichtlinien.

Systemrichtlinien betreffen sämtliche Steuern. Struktur- und Steuersatzrichtlinien sind für verschiedene Steuerarten erlassen worden (Alkoholsteuersatz-Richtlinie,[7]) Mineralölsteuersatz-Richtlinie,[8]) Tabaksteuersatz-Richtlinie[9]) und Zigarettensteuersatz-Richtlinie).[10]) Die EG hat zwar durch diese Richtlinien in die Gesetzgebungshoheit der Mitgliedstaaten eingegriffen, allerdings nicht in ihre Ertrags- und Verwaltungshoheit. Das Steueraufkommen fließt weiterhin ausschließlich den Mitgliedstaaten zu.

Grundsätzlich sind drei Warenströme zu unterscheiden: Die Einfuhr von verbrauchsteuerpflichtigen Waren in das Zollgebiet der Gemeinschaft wird regelmäßig durch den Verweis auf Zollvorschriften geregelt. Warenbe-

[7]) RL 92/84.
[8]) RL 92/82.
[9]) RL 92/80.
[10]) RL 92/79.

wegungen innerhalb eines Mitgliedstaates können unter Steueraussetzung vereinfacht stattfinden. Innergemeinschaftliche Warenbewegungen sind in einem verbrauchsteuerrechtlichen Versandverfahren besonders zu überwachen. Um die ordnungsgemäße Steuererhebung sicherzustellen, wurde gemäß Ratsverordnung die Verwendung eines einheitlichen Begleitdokumentes vorgeschrieben.[11])

Die Richtlinie 92/12 EWG des Rates über das allgemeine System, den Besitz, die Beförderung und die Kontrolle verbrauchsteuerpflichtiger Waren, wurde am 25. Februar 1992 vom Ministerrat verabschiedet. Diese Richtlinie faßt die allen Verbrauchsteuern gemeinsamen Elemente zusammen. Diese Richtlinie legt zunächst die drei Kategorien der verbrauchsteuerpflichtige Bereiche für die Steuerharmonisierung fest: Mineralöle, Alkohol und die alkoholischen Getränke sowie Tabakwaren. Die Mitgliedstaaten können auf diese Erzeugnisse neben der Verbrauchsteuer und der Mehrwertsteuer andere indirekte Steuern mit besonderer Zielsetzung erheben.

Ein wichtiger, allen Verbrauchsteuern gemeinsamer Tatbestand ist die Entstehung der Verbrauchsteuerpflicht und des Verbrauchsteueranspruchs. **Verbrauchsteuerpflichtig** werden die Waren mit ihrer Herstellung im Gebiet der Gemeinschaft oder mit der Einfuhr aus Drittstaaten in das Gebiet der Gemeinschaft. Von diesem Zeitpunkt an sind sie der verbrauchsteuerpflichtigen Kontrolle der Mitgliedstaaten unterworfen. Der **Verbrauchsteueranspruch** entsteht mit der Überführung in den steuerrechtlich freien Verkehr. Das Verfahren der Steuererhebung, das Einräumen von Zahlungsfristen, besondere Fälligkeitsregelungen etc bleiben auch künftig den Mitgliedstaaten überlassen.

Die Herstellung, Weiterverarbeitung und Lagerung verbrauchsteuerpflichtiger Waren erfolgt in Steuerlagern. Es ist den Mitgliedstaaten überlassen, die Voraussetzungen festzulegen, unter denen ein **Steuerlager** bewilligt werden kann. Von grundlegender Bedeutung ist der Teil der Richtlinie über die Beförderung von verbrauchsteuerpflichtigen Waren. Im Verkehr zwischen Steuerlagern werden verbrauchsteuerpflichtige Waren mittels eines Begleitdokumentes unter Steueraussetzung befördert. Das Begleitdokument kann entweder ein Verwaltungsdokument oder ein Handelsdokument sein. Es wird in vielfacher Ausfertigung vom abgebenden Lagerinhaber ausgestellt. Verbrauchsteuerpflichtige Waren können auch außerhalb des Beförderungsverfahrens zu gewerblichen Zwecken in einen anderen Mitgliedstaat verbracht werden, wenn sie sich bereits im steuerrechtlich freien Verkehr befinden. In diesen Fällen entsteht im Bestimmungsmitgliedstaat ein neuer Steueranspruch nach den geltenden Steuersätzen dieses Mitgliedstaates.

Werden Waren von Privatpersonen für ihren **Eigenbedarf** erworben und auch selbst befördert, gilt für die darauf beruhenden Verbrauchsteuern nicht das Bestimmungslands-, sondern das Ursprungsmitgliedslandsprinzip.

Bei **Mineralölen** gilt insofern eine Einschränkung als sie nicht auf atypische Weise befördert werden dürfen. Als atypisch gilt, wenn der Kraftstoff sich nicht im Fahrzeugtank selbst oder einem entsprechenden Reservebehäl-

---

[11]) V des Rates 2719/92 und V der Kommission 2649/92.

ter befindet. Außerdem ist auch jede Beförderung von Heizöl in anderer Weise als in Tankfahrzeugen, die auf Rechnung des gewerblichen Unternehmers eingesetzt werden, eine atypische Beförderungsmethode.

Für alkoholische Getränke und Tabakwaren gibt es Richtmengen, die als Anhaltspunkt dafür herangezogen werden können, ob die fragliche Warensendung privaten oder gewerblichen Zwecken dient. Gem Art 9 RL 92/12 gelten folgende Richtmengen:

Tabakwaren:	
Zigaretten	800 Stück
Zigarillos	400 Stück
Zigarren	200 Stück
Rauchtabak	1 kg
Alkoholische Getränke:	
Spirituosen	10 Liter
Zwischenerzeugnisse	20 Liter
Wein	90 Liter
Bier	110 Liter

Die Strukturrichtlinie legt für Mineralöle im einzelnen fest, welche Erzeugnisse als **Mineralöle** im Sinne der steuerrechtlichen Bestimmungen anzusehen sind und bedient sich dabei weitgehend der kombinierten Nomenklatur des Zolltarifs. Die dort genannten Mineralöle unterliegen in jedem Fall der Steueraufsicht. Auch die nicht ausdrücklich genannten Mineralöle können besteuert werden, wenn sie als Kraftstoff verwendet werden sollen oder zu diesem Zweck angeboten werden. Besteuerungseinheit ist für alle Mineralöle mit Ausnahme der Schweröle das Volumen von 1000 Litern bei einer Temperatur von 15 Grad Celsius.

Die Besteuerungseinheit für Schweröle ist dagegen nicht das Volumen, sondern die Masse (kg). Die Gewichtsregelung gilt grundsätzlich auch für Methan und Gas.

Die wichtigsten Mindestsätze für Mineralöle:

verbleites Benzin	337 ECU je 1000 Liter
unverbleites Benzin	287 ECU je 1000 Liter
Gasöl und leichtes Heizöl*)	245 ECU je 1000 Liter
schweres Heizöl	13 ECU je 1000 Liter
bei Verwendung zum Heizen	0 ECU je 1000 Liter
Flüssiggas und Methan	100 ECU je 1000 Liter
bei Verwendung als Kraftstoff	36 ECU je 1000 Liter
Kerosin bei Verwendung als Kraftstoff	245 ECU je 1000 Liter
bei Verwendung als Heizbrennstoff	0 ECU je 1000 Liter

*) Mitgliedstaaten, die am 1. Jänner 1991 keine Verbrauchsteuer auf leichtes Heizöl erhoben haben, dürfen auch weiterhin einen Nullsatz anwenden, sofern sie eine Kontrollgebühr erheben.

Die Mitgliedstaaten müssen ab 1. Jänner 1993 Mindestsätze auf **Alkohol** und **alkoholische Getränke,** Zwischenerzeugnisse, Wein und Bier anwenden. Wichtigste Mindestverbrauchsteuersätze:

reiner Alkohol	550 ECU je 1000 Liter
Ausnahmen wurden Dänemark und Italien zugestanden.	
Zwischenerzeugnisse	45 ECU je 1000 Liter
Wein	0 ECU je 1000 Liter
Bier	0,748 je Grad Plato
	1,87 je Grad Alkohol.

Die Höhe der Verbrauchsteuersätze unterliegt einer regelmäßigen Überprüfung. Alle zwei Jahre, erstmals am 31. Dezember 1994, nimmt der Rat anhand eines Berichtes und ggf eines Vorschlags der Kommission eine Überprüfung der in der Richtlinie 92/84 festgesetzten Verbrauchsteuersätze vor und beschließt einstimmig nach Anhörung des Europäischen Parlamentes die erforderlichen Maßnahmen.

Bei **Bier** stehen den Mitgliedstaaten zwei Besteuerungssysteme zur Wahl. Die Steuer kann auf Grundlage des Stammwürzegehaltes des fertigen Bieres – ausgedrückt in Grad Plato je Hektoliter – erhoben werden. Es kann aber auch der Alkoholgehalt des Bieres als Besteuerungsgrundlage gewählt werden. Für kleine, unabhängige Brauereien können die Mitgliedstaaten einen bis zu 50% ermäßigten Steuersatz anwenden. Gem Art 4 RL 92/83 zählen hierzu Brauereien mit einem Jahresausstoß von weniger als 200.000 hl Bier.

Für Tabakwaren gibt es bereits seit dem Jahre 1972 Strukturharmonisierungsregelungen.[12]) Die Struktur-Richtlinie für Tabakwaren vom 19. Oktober 1992 kann als Änderungsrichtlinie der Richtlinien aus den Jahren 1972 und 1979 angesehen werden. Die Steuersätze werden in den sog Satz-Richtlinien festgelegt.[13]) Ab dem 1. Jänner 1993 wenden die Mitgliedstaaten auf Zigarren, Zigarillos und anderen Rauchtabak eine Verbrauchsteuer an, bei der es sich

- um eine ad-valorem-Verbrauchsteuer, die nach den Kleinverkaufshöchstpreisen des jeweiligen Erzeugnisses berechnet wird,
- oder um eine spezifische Verbrauchsteuer nach der Menge
- oder um eine gemischte Verbrauchsteuer mit einem ad-valorem-Anteil

handeln kann.

Zu den weiteren detaillierten Voraussetzungen ist auf Art 3 RL 92/80 zu verweisen.

Bei jeder Berechnungsart muß jedoch die als Prozentsatz oder in Form eines bestimmten Betrages je Kilogramm oder je Stückzahl ausgedrückte globale Verbrauchsteuer mindestens die folgenden Mindestprozentsätze oder -Beträge erreichen:

---

[12]) RL 71/464 v 19. 12. 1972, ABl L 1972/303, und RL 79/32 v 18. 12. 1979, ABl L 1979/10.

[13]) RL 92/79 und 92/80 v 19. 10. 1992, ABl L 1992/316.

Für Zigarren oder Zigarillos: 5% des Kleinverkaufspreises einschließlich sämtlicher Steuern oder 7 ECU je 1000 Stück oder 7 ECU je Kilogramm,

für Feinschnittabak für selbstgedrehte Zigaretten: 30% des Kleinverkaufpreises einschließlich sämtlicher Steuern oder 20 ECU je Kilogramm,

für anderen Rauchtabak: 20% des Kleinverkaufspreises einschließlich sämtlicher Steuern oder 15 ECU je Kilogramm.

Diese Sätze und Beträge gelten für sämtliche Erzeugnisse der jeweiligen Gruppe von Tabakwaren ohne Unterscheidung nach Qualität, Aufmachung, Herkunft der Erzeugnisse, verwendetem Material, Charakteristiken der beteiligten Unternehmen oder anderen Kriterien.

Eine ständige Überprüfung der Verbrauchsteuersätze wird aufgrund eines von der Kommission zu erstellenden Berichtes vorgenommen. Ein erster Bericht der Kommission wurde 1994 vorgelegt. Seit dem 1. Jänner 1993 wenden die Mitgliedstaaten eine Mindestverbrauchsteuer auf Zigaretten nach Maßgabe der RL 92/79 an. Auch die Verbrauchsteuersätze auf Zigaretten werden alle zwei Jahre – erstmals 1994 – anhand eines Berichtes der Kommission überprüft.

Da die meisten Mitgliedstaaten bestimmte Tabakwaren je nach dem Verwendungszweck von der Verbrauchsteuer befreiten oder die Verbrauchsteuer dafür erstatteten, wurde den Mitgliedstaaten nach den von ihnen festgelegten Anforderungen und Formvorschriften erlaubt, Befreiungen von der Tabaksteuer oder die Erstattung bereits entrichteter Tabaksteuer zu gewähren. Dies ist zB zulässig für denaturierten Tabak zur Verwendung für industrielle Zwecke oder im Gartenbau.

Wie bei der Mehrwertsteuer sind die EG-Vorschriften über das allgemeine System, den Besitz, die Beförderung und die Kontrolle verbrauchsteuerpflichtiger Waren sowie die Bestimmungen über die Verbrauchsteuerstruktur und die Steuersätze für Mineralöle, Tabakwaren und alkoholische Getränke erst 1992 nach langwierigen und schwierigen Verhandlungen erlassen worden. Die neue Verbrauchsteuerregelung hat die Formalitäten und Abgaben, die mit dem Überschreiten einer innergemeinschaftlichen Grenze verbunden sind, abgeschafft. Anders als für die Mehrwertsteuerregelung handelt es sich nicht um ein System mit Übergangscharakter. Reisende können Waren überall in der Gemeinschaft unter Abgeltung der Verbrauchsteuer erwerben. Das gemeinschaftsweit geltende Verfahren der Steueraussetzung, das über zugelassene Steuerlager abgewickelt wird, sorgt jedoch dafür, daß der Verwaltungsaufwand auf ein Mindestmaß begrenzt wird.

Im Dezember 1994 wurde eine Änderungsrichtlinie zu den bereits 1992 verabschiedeten Verbrauchsteuerrichtlinien verabschiedet. Die Änderungen betreffen insbesondere die verfahrensrechtliche Ausgestaltung des **innergemeinschaftlichen Steuerversandverfahrens.** Im Vordergrund steht die innergemeinschaftliche Beförderung von Mineralölen. Es werden nur noch Mineralöle in das innergemeinschaftliche Steuerversandverfahren einbezogen, bei denen eine erhebliche Mißbrauchsgefahr besteht. Eine weitere Erleichterung besteht in dem Verzicht auf Sicherheitsleistung bei der Beförderung von Mineralöl durch feste Rohrleitungen und auf dem Seeweg.

3. Steuer auf Kohlendioxidemissionen und Energie

Die Kommission änderte mit Vorlage vom Mai 1995 ihren ursprünglichen Vorschlag zur Einführung einer Steuer auf **Kohlendioxidemissionen** und **Energie** insoweit ab, als sie nun vorschlägt, der Einführung einer harmonisierten Steuer eine Übergangszeit vorangehen zu lassen, in der die Mitgliedstaaten zwar die Struktur einer harmonisierten Steuer zu beachten haben, jedoch nach ihrem Ermessen den Steuersatz für die einzelnen Erzeugnisse festlegen können. Die Harmonisierung der Sätze wird nach wie vor als Ziel angestrebt. An die Stelle der Übergangsregelung würde zum 1. Jänner 2000 ein harmonisiertes Steuersystem treten. Um die Wettbewerbsfähigkeit der Wirtschaft der Mitgliedstaaten zu wahren, würden nach dem Kommissionsvorschlag Unternehmen mit hohem Energieeinsatz bedingte Steuerbefreiungen oder Steuerermäßigungen gewährt werden können.

E. Unternehmensbesteuerung

1. Gegenwärtige Rechtslage

Was die Besteuerung von Unternehmen in der Europäischen Union angeht, so bestehen hier noch erhebliche Unterschiede nicht nur in bezug auf anwendbare Steuersätze, sondern auch hinsichtlich der jeweiligen Besteuerungssysteme. Die länderspezifischen nationalen Rechtsvorschriften können Auswirkungen auf Standortwahl für Investitionen haben und zu Wettbewerbsverzerrungen beitragen. Aus diesem Grunde sah auch das Weißbuch zur Verwirklichung des Binnenmarktes Maßnahmen zur steuerlichen Behandlung von Unternehmenstätigkeiten vor. Eine der Leitlinien der Europäischen Kommission besteht darin, Fälle bestehender Doppelbesteuerung zu beseitigen. Bis zum 1. Jänner 1993 sollte jegliche Form von Doppelbesteuerung behoben worden sein. Dieses Ziel ist noch nicht erreicht.

2. Zielsetzung und Rechtsgrundlage der Rechtsangleichung im Bereich der Unternehmenssteuern

Im Vordergrund der Harmonisierung steht an sich die indirekte Besteuerung. Für die direkten Steuern enthält der EG-Vertrag – anders als für die indirekten Steuern in Art 99 EGV – keinen ausdrücklichen Harmonisierungsauftrag. Rechtsgrundlage bildet Art 100 EGV. Die Kompetenz der Gemeinschaft für eine Harmonisierung wird zwar nicht grundsätzlich in Frage gestellt, aber wird als nachrangig im Vergleich zur Besteuerung im Bereich der indirekten Steuern angesehen. Auch hier besteht das Erfordernis der einstimmigen Beschlußfassung. Die Finanz- und Steuerhoheit gehört zu den wesentlichen und stark verteidigten Merkmalen staatlicher Souveränität. Dies macht eine Harmonisierung besonders schwierig. Zwei im Jahre 1969 von der Kommission vorgelegte Richtlinienvorschläge aus dem Bereich der **Unternehmensbesteuerung** wurden nach 21 Jahren(!) im Juli 1990 verabschiedet.

Im Bereich der Unternehmensbesteuerung hat sich die Europäische Kommission als Leitlinie eine vollständige **Vermeidung von Doppelbesteue-**

rung zum Ziel gesetzt. Die Kommission vertritt außerdem die Auffassung, daß in einem europäischen Binnenmarkt einer Verbesserung der steuerlichen Rahmenbedingungen für Unternehmen Priorität eingeräumt werden müsse.

Zur Doppelbesteuerung verabschiedete der Rat 1990 die erwähnten beiden wichtigen Richtlinien. Sie haben „zum Ziel, die Unternehmen in der Europäischen Union in die Lage zu versetzen, von den Vorteilen des Binnenmarktes zu profitieren, ohne durch eine Doppelbesteuerung ihrer grenzüberschreitenden Umsätze gestraft zu werden.“

In der sog **Mutter-Tochter-Richtlinie**[14]) geht es um die Beseitigung der internationalen Doppelbesteuerung von Gewinnen, die eine in einem Mitgliedstaat ansässige Tochtergesellschaft an ihre in einem anderen Mitgliedstaat ansässige Muttergesellschaft ausschüttet. Die Regelung ist vor dem Hintergrund des internationalen Steuerrechts zu sehen. Für die Vermeidung der Doppelbesteuerung auf Ebene der Muttergesellschaft stellt Art 4 dieser Richtlinie den Mitgliedstaaten die international gebräuchlichen Methoden der Freistellung der empfangenen Dividenden und die Methoden der Anrechnung der von der Tochtergesellschaft gezahlten **Körperschaftsteuer** zur Wahl. Das Kernstück der Mutter-Tochter-Richtlinie (Art 5) ist die Beseitigung der Quellensteuer im Staat der ausschüttenden Tochtergesellschaften. Gewinnausschüttungen einer Tochtergesellschaft sind damit im Staat der ausschüttenden Tochtergesellschaft nur noch mit der Körperschaftsteuer der Tochtergesellschaft belastet. Nach Art 3 Abs 1 der Richtlinie setzt der Status einer Muttergesellschaft eine Mindestbeteiligung von 25% am Kapital einer in einem anderen Mitgliedstaat ansässigen Tochtergesellschaft voraus. Die durch die Richtlinie erfaßten Körperschaften sind im Anhang zur Richtlinie aufgelistet. Die gemeinsame Steuerregelung für Mutter- und Tochtergesellschaften führt wettbewerbsneutrale Steuervorschriften für Zusammenschlüsse von Gesellschaften verschiedener Mitgliedstaaten ein. Durch die Schaffung eines gemeinsamen Steuersystems für Mutter- und Tochtergesellschaften soll die Zusammenarbeit von Gesellschaften auf Gemeinschaftsebene erleichtert werden.

Die ebenfalls am 23. Juli 1990 verabschiedete **Fusionsrichtlinie** gilt für Fusionen, Spaltungen, die Einbringung von Unternehmensteilen und den Austausch von Anteilen, wenn an diesen Vorgängen Kapitalgesellschaften aus zwei oder mehr Mitgliedstaaten beteiligt sind. Sie ermöglicht den erfolgsneutralen Vollzug der genannten Vorgänge, in dem die Besteuerung des Wertzuwachses (der stillen Reserven) im Staat der einbringenden Gesellschaft bis zu deren tatsächlicher Realisierung aufgehoben wird. Mit der Verabschiedung der Fusionsrichtlinie ist für einige grenzüberschreitende Umstrukturierungsvorgänge eine wesentliche Beschränkung der Niederlassungsfreiheit beseitigt worden.

Im Anschluß an den sog „Ruding-Bericht“ zur Harmonisierung der Unternehmensbesteuerung hat die Europäische Kommission im Juni 1992 eine Mitteilung an den Rat und das Europäische Parlament vorgelegt, die an die Leitlinien zur Unternehmensbesteuerung vom 20. April 1990 anschließt.

---

[14]) RL 90/435 v 23. 7. 1990, ABl L 1990/225 v 20. 8. 1990.

F. Derzeit in Arbeit befindliche Maßnahmen

Mehrere Richtlinienvorschläge der Kommission aus den Bereichen der indirekten und direkten Steuern werden derzeit im Rat beraten.

- Vorschlag zur Änderung der RL 90/435 über das gemeinsame Steuersystem der **Mutter- und Tochtergesellschaften** verschiedener Mitgliedstaaten[15]):

Der Kommissionsvorschlag sieht vor, den Anwendungsbereich der RL 90/435 so zu erweitern, daß damit auch öffentlich-rechtliche Kreditinstitute und Genossenschaftsbanken von einer Doppelbesteuerung befreit werden.

- Vorschlag für eine Richtlinie des Rates zur Ergänzung des gemeinsamen Mehrwertsteuersystems und zur Änderung der RL 77/388 (Sonderregelung für Gold) v 28. 10. 1992[16]):

Der Richtlinienvorschlag sieht vor, daß neben der Lieferung von **Gold** auch die Ausgaben von Goldzertifikaten und Termin- und Optionsgeschäften umsatzsteuerlich erfaßt werden. Lediglich „Anlagegold" soll steuerbefreit bleiben, wobei die Voraussetzung dafür ist, daß keine materielle Übergabe erfolgt.

- 18. Richtlinie des Rates zur Harmonisierung der Rechtsvorschriften der Mitgliedstaaten über die Umsatzsteuern vom 18. Juli 1989[17]):

Die Richtlinie schlägt die Aufhebung bestimmter in Art 28 Abs 3 6. RL 77/388 vorgesehener Ausnahmeregelungen vor. Die 6. Richtlinie zur Harmonisierung der Rechtsvorschriften der Mitgliedstaaten über die Umsatzsteuern von 1977 sah ein gemeinsames Mehrwertsteuersystem mit zahlreichen Übergangsvorschriften vor. 1984 lagen erste Vorschläge der Kommission zur Beseitigung der Ausnahmeregeln vor. Eine Aufhebung bestimmter Ausnahmen erfolgte im Rahmen der 18. Richtlinie.

- Vorschlag für eine Umsatzsteuersonderregelung im Bereich der **Personenbeförderung.**
- Vorschlag für eine Richtlinie zur Anwendung eines ermäßigten Verbrauchsteuersatzes auf **Kraftstoffe aus pflanzlichen Rohstoffen.**
- Vorschlag für eine Richtlinie zur Besteuerung von **Kohlendioxidemissionen** und **Energie.**

---

[15]) ABl C 1993/225, 5 v 20. 8. 1993.
[16]) ABl C 1992/302 v 19. 11. 1992.
[17]) ABl L 1989/226, 21 v 3. 8. 1989.

Anhang 1: Entwicklung der Verbrauchsteuersätze für Wein (1993–1995)

Mitgliedstaat	Verbrauchsteuer am 1. 1. 93 (zum ECU-Kurs vom 1. 10. 92)	Verbrauchsteuer am 1. 1. 95 (zum ECU-Kurs vom 3. 10. 94)	Veränderung in % (in ECU)	Veränderung in % (in Landeswährung)
Belgien	36,28	37,22	3%	0%
Dänemark	86,10	86,95	1%	0%
Deutschland	0,00	0,00	0%	0%
Griechenland	0,00	0,00	0%	0%
Spanien	0,00	0,00	0%	0%
Frankreich	3,31	3,35	1%	0%
Irland	271,88	271,58	0%	5%
Italien	0,00	0,00	0%	0%
Luxemburg	0,00	0,00	0%	0%
Niederlande	48,51	49,94	3%	0%
Österreich	–	0,00	–	–
Portugal	0,00	0,00	0%	0%
Finnland	–	284,24	–	–
Schweden	–	284,30	–	–
Vereinigtes Königreich	165,89	179,58	8%	6%
EG-Mindestsatz	0,00	0,00	0%	0%

Anhang 2: Entwicklung der Verbrauchsteuersätze für Bier (1993–1995) (in ECU je hl/Grad Plato des Fertigerzeugnisses)

Mitgliedstaat	Verbrauchsteuer am 1. 1. 93 (zum ECU-Kurs vom 1. 10. 92)	Verbrauchsteuer am 1. 1. 95 (zum ECU-Kurs vom 3. 10. 94)	Veränderung in % (in ECU)	Veränderung in % (in Landeswährung)
Belgien	1,46	1,49	3%	0%
Dänemark	3,29	3,32	1%	0%
Deutschland	0,79	0,80	1%	0%
Griechenland	0,95	0,82	–13%	0%
Spanien	0,76	0,75	–2%	13%
Frankreich	0,75	0,76	1%	0%
Irland	9,24	8,75	–5%	0%
Italien	1,57	1,40	–10%	0%
Luxemburg	0,79	0,81	3%	0%
Niederlande	1,65	1,82	10%	7%
Österreich	–	1,48	–	–
Portugal	1,22	1,31	7%	20%
Finnland	–	11,37	–	–
Schweden	–	10,09	–	–
Vereinigtes Königreich	5,24	5,53	6%	4%
EG-Mindestsatz	0,75	0,75	0%	0%

Anhang 3: Entwicklung der Verbrauchsteuersätze für verbleites Benzin (1993–1995)

Mitgliedstaat	Verbrauch-steuer am 1. 1. 93 (zum ECU-Kurs vom 1. 10. 92)	Verbrauch-steuer am 1. 1. 95 (zum ECU-Kurs vom 3. 10. 94)	Veränderung in % (in ECU)	Veränderung in % (in Landes-währung)
Belgien	447,61	479,47	7%	4%
Dänemark	378,04	467,29	24%	22%
Deutschland	474,77	561,88	18%	17%
Griechenland	469,05	406,10	–13%	0%
Spanien	401,21	393,68	–2%	13%
Frankreich	481,34	584,77	21%	20%
Irland	382,49	378,16	–1%	4%
Italien	528,42	527,32	0%	11%
Luxemburg	331,95	407,62	23%	20%
Niederlande	500,53	566,45	13%	10%
Österreich	355,38	406,59	14%	12%
Portugal	542,86	478,64	–12%	–1%
Finnland	462,16	532,21	15%	10%
Schweden	592,86	498,01	–16%	5%
Vereinigtes Königreich	383,55	462,11	20%	18%
EG-Mindestsatz	337,00	337,00	0%	0%

Anhang 4: Entwicklung der Verbrauchsteuersätze für unverbleites Benzin (1993–1995)

Mitgliedstaat	Verbrauch-steuer am 1. 1. 93 (zum ECU-Kurs vom 1. 10. 92)	Verbrauch-steuer am 1. 1. 95 (zum ECU-Kurs vom 3. 10. 94)	Veränderung in % (in ECU)	Veränderung in % (in Landes-währung)
Belgien	374,86	409,89	9%	7%
Dänemark	293,26	381,80	30%	29%
Deutschland	423,17	509,85	20%	20%
Griechenland	409,92	389,04	–5%	10%
Spanien	365,06	361,60	–1%	14%
Frankreich	426,12	544,70	28%	26%
Irland	348,37	345,82	–1%	5%
Italien	478,13	471,43	–1%	10%
Luxemburg	267,83	354,48	32%	29%
Niederlande	438,36	502,43	15%	11%
Österreich	293,98	333,40	13%	11%
Portugal	474,29	442,88	–7%	4%
Finnland	390,28	456,97	17%	12%
Schweden	523,98	440,63	–16%	5%
Vereinigtes Königreich	323,09	400,48	24%	22%
EG-Mindestsatz	287,00	287,00	0%	0%

Anhang 5: Entwicklung der Verbrauchsteuersätze für schweres Heizöl (1993–1995)

Mitgliedstaat	Verbrauchsteuer am 1. 1. 93 (zum ECU-Kurs vom 1. 10. 92)	Verbrauchsteuer am 1. 1. 95 (zum ECU-Kurs vom 3. 10. 94)	Veränderung in % (in ECU)	Veränderung in % (in Landeswährung)
Belgien	18,50	18,98	3%	0%
Dänemark	260,27	262,85	1%	0%
Deutschland	15,48	15,61	1%	0%
Griechenland	47,30	40,95	–13%	0%
Spanien	13,01	13,08	1%	16%
Frankreich	19,35	21,73	12%	11%
Irland	10,13	13,39	32%	39%
Italien	52,03	46,57	–10%	0%
Luxemburg	18,50	18,98	3%	0%
Niederlande	15,43	15,91	3%	0%
Österreich	14,45	14,79	2%	0%
Portugal	51,43	28,10	–45%	–39%
Finnland	18,26	34,19	87%	79%
Schweden	207,55	177,66	–14%	7%
Vereinigtes Königreich	13,17	21,23	61%	58%
EG-Mindestsatz	13,00	13,00	0%	0%

Anhang 6: Entwicklung der Verbrauchsteuersätze für Gasöl (leichtes Heizöl) (1993–1995)

Mitgliedstaat	Verbrauchsteuer am 1. 1. 93 (zum ECU-Kurs vom 1. 10. 92)	Verbrauchsteuer am 1. 1. 95 (zum ECU-Kurs vom 3. 10. 94)	Veränderung in % (in ECU)	Veränderung in % (in Landeswährung)
Belgien	5,00	5,31	6%	4%
Dänemark	229,90	299,49	30%	29%
Deutschland	41,28	41,62	1%	0%
Griechenland	153,72	133,09	–13%	0%
Spanien	79,52	76,72	–4%	11%
Frankreich	63,99	73,80	15%	14%
Irland	49,71	47,11	–5%	0%
Italien	361,70	349,82	–3%	8%
Luxemburg	5,18	5,31	3%	0%
Niederlande	46,29	47,66	3%	0%
Österreich	46,89	48,05	2%	0%
Portugal	0,00	0,00	–	0%
Finnland	19,40	33,91	75%	67%
Schweden	197,17	168,78	–14%	7%
Vereinigtes Königreich	16,93	27,37	62%	59%
EG-Mindestsatz	18,00	18,00	0%	0%

15. KAPITEL

Bildungspolitik

Brigitta Renner-Loquenz

Übersicht:

A. Vorbemerkung

Wären Meinungsumfragen für die Kompetenzverteilung zwischen der Gemeinschaft und den Mitgliedstaaten ausschlaggebend, müßte das Kapitel „Allgemeine und berufliche Bildung“ wohl bei der nächsten Regierungskonferenz wieder aus dem EG-Vertrag herausgenommen werden. Im Juli 1994 befürworteten nur 30% der befragten Unionsbürger eine EG-Zuständigkeit in der Bildungspolitik.[1]) Da Meinungsumfragen aber kaum jemals Einfluß auf Vertragstexte gewinnen, ist für die weitere Betrachtung wohl von einer auch in Zukunft bestehenden Zuständigkeit der Gemeinschaft im Bereich der Bildungspolitik auszugehen.

Im Bildungsbereich ist der umfassende Anspruch der Gemeinschaft, mehr als eine Wirtschaftsgemeinschaft zu sein, deutlich geworden. In den Anfängen mußte – freilich nicht zuletzt aufgrund der beschränkten rechtlichen Möglichkeiten – **Bildung** fast ausschließlich unter dem wirtschaftsbezogenen Blickpunkt der Ausbildung gesehen und geregelt werden. Schon in einem der

[1]) EG-Kommission (Hg), Eurobarometer 41, Juli 1994, 32.

ersten Dokumente zur Bildungspolitik, dem Beschluß des Rates vom 2. 4. 1963 über die Aufstellung allgemeiner Grundsätze für die Durchführung einer gemeinsamen Politik der Berufsausbildung, findet man aber den Grundsatz, daß die Berufsausbildung die **harmonische Entwicklung der Persönlichkeit** fördern soll und daß jeder die höchstmögliche Ausbildung erwerben soll, wobei die geistige und sittliche Entwicklung, die staatsbürgerliche Erziehung und die körperliche Entwicklung insbesondere der Jugendlichen zu fördern ist.

Hohe Ziele steckt sich da die Gemeinschaft, welche weit über die Überlegungen zum wirtschaftlichen Einsatz von Humankapital hinausreichen – zu weit, wie manche meinen, die einen gesellschaftspolitisch so wichtigen und sensiblen Bereich von der gemeinschaftlichen Ebene fernhalten wollen. Dem steht der Gedanke eines Europa der Bürger gegenüber, in dem der Bildung, nicht zuletzt auch einer europäischen Staatsbürger-Bildung, ein bedeutender Platz zukommen soll. Und neben allen hehren Zielen sind da wirtschaftliche Notwendigkeiten, ein Binnenmarkt, der mit den Folgen einer weltweiten Rezession kämpft und in dem die Wirtschaft schnell verfügbare, mobile, qualifizierte – und billige – Arbeitskräfte fordert. Welche Voraussetzungen hat die Gemeinschaft, um diesen Dreisprung zwischen dem beschäftigungspolitischen Wirtschaftsaspekt und dem bildungspolitischen Anspruch der Nationalstaaten zu einer europäischen Bildungspolitik zum Wohl der Unionsbürger zu machen?

B. Die Entwicklung der Bildungspolitik bis Maastricht

1. Die Bestimmungen im EWG-Vertrag[2])

Die **bildungspolitische Zuständigkeit** der Gemeinschaft stellt sich gleichermaßen als eine junge und eine alte Kompetenz dar; alt, weil Einzelzuständigkeiten im Bildungsbereich schon in die Römer Verträge Eingang fanden, jung, weil erst im Vertrag von Maastricht die Bildungspolitik als eigener Politikbereich im Gemeinschaftsrecht verankert wurde. Bildungsrelevante Bestimmungen fanden sich im EWG-Vertrag mangels eines eigenen Kapitels vor allem in engem Zusammenhang mit wirtschaftlich-sozialen Regelungen. Manche der im EWG-Vertrag enthaltenen Bestimmungen blieben für sich allein praktisch ohne große Bedeutung, wie der Hinweis auf die Berufsausbildung im Rahmen der Gemeinsamen Agrarpolitik und die Programmbestimmung zur Sozialpolitik in Art 118 EGV. Die tatsächliche Entwicklung der Bil-

---

[2]) Vgl dazu mwN *Mickel* (Hg), Europäische Bildungspolitik (1978); *Schmitz/Wenzel* (Hg), Bildungspolitik in der Europäischen Gemeinschaft, Schriftenreihe des Arbeitskreises Europäische Integration Bd 7 (1980); *Sieveking,* Europäisierung der Bildungspolitik?, ZAR 1987, 99; *Hochbaum,* Politik und Kompetenzen der Europäischen Gemeinschaften im Bildungswesen, BayVBl 1987, 481; *Schröder,* Europäische Bildungspolitik und bundesstaatliche Ordnung, Schriftenreihe Europäisches Recht, Politik und Wirtschaft, Bd 140 (1990); *Conrad,* Die Rechtsprechung des Gerichtshofs der EG auf dem Gebiet des Bildungswesens, WissR 22/2 (1989); *Konow,* Bildungs- und Kulturpolitik in der Europäischen Gemeinschaft, RdJB 1989, 119; *Brühl,* Die Bildungspolitik der Europäischen Gemeinschaft unter besonderer Berücksichtigung der Auswirkungen auf die Schweiz (1992).

dungspolitik begann zunächst sogar unabhängig vom „echten" Bildungs-Kompetenzartikel 128 EGV im Rahmen der Verwirklichung der vier Freiheiten, insbesondere der Freizügigkeit der Arbeitnehmer und der Niederlassungsfreiheit. Art 128 EGV bekam seinen Inhalt vor allem durch die Rechtsprechung des EuGH und entwickelte sich erst im Lauf der Zeit zur Rechtsgrundlage für die ersten konkreten Umsetzungsschritte der europäischen Bildungspolitik, nämlich der Bildungsprogramme der Gemeinschaft.

Um die Ziele der Gemeinsamen Agrarpolitik zu erreichen, ist in Art 41 EGV die Koordinierung der Bestrebungen auf dem Gebiet der Berufsausbildung, der Forschung und der Verbreitung wirtschaftlicher Fachkenntnisse vorgesehen; hiebei können Vorhaben oder Einrichtungen gemeinsam finanziert werden.

Art 118 EGV bezieht die berufliche Aus- und Fortbildung in die **Sozialpolitik** der Gemeinschaft ein und hält die Kommission an, die Mitgliedstaaten durch „Untersuchungen, Stellungnahmen und die Vorbereitung von Beratungen" zu unterstützen, wofür auch Mittel aus dem Europäischen Sozialfonds zur Verfügung gestellt werden können. Der Bestimmung kommt aufgrund ihres programmatischen Charakters jedoch kaum Bedeutung als eigenständige Rechtsgrundlage zu.

Als zentraler Anknüpfungspunkt für eine europäische Bildungspolitik erwies sich die Zuständigkeit der Gemeinschaft zur Herstellung der **Personenfreizügigkeit.** Sowohl im Bereich der Arbeitnehmerfreizügigkeit als auch bei der Verwirklichung der Niederlassungs- und Dienstleistungsfreiheit spielen neben allen anderen sozialen Faktoren der tatsächlichen Eingliederung im Gastland auch die Gewährung von Bildungsrechten eine wesentliche Rolle. In Ausführung der Grundfreiheiten wurden diese Rechte im Sekundärrecht der Gemeinschaft verankert und durch den EuGH ausgelegt.

a) Art 48 ff EGV

Der nichtdiskriminierende, inländergleiche Bildungszugang für den Arbeitnehmer und seine Familienangehörigen ist Bestandteil der **Arbeitnehmerfreizügigkeit** der Art 48 ff EGV und wurde dementsprechend auch im Sekundärrecht verankert. Die VO 1612/68[3]) gewährt zB dem Arbeitnehmer den gleichberechtigten Zugang zu Berufsschulen und Umschulungszentren; Kinder bzw auch der Ehegatte eines Arbeitnehmers aus einem anderen Mitgliedstaat genießen bezüglich der Teilnahme am allgemeinen Unterricht sowie an der Lehrlings- und Berufsausbildung[4]) das Recht auf Gleichbehandlung mit den Staatsangehörigen des Aufnahmestaates sowie zu diesem Zweck ein eigenständiges Aufenthaltsrecht. Eingeschlossen in die Gleichbehandlung ist auch der Anspruch auf Ausbildungsförderung.[5]) Für Kinder von Wanderarbeitnehmern werden zur Erleichterung der Integration über die Gleichstellung hinaus Fördermaßnahmen vorgesehen.[6])

---

3) ABl L 1968/257, 2

4) EuGH Rs 9/74 – Casagrade – Slg 1974, 773; Rs 68/74 – Alaimo – Slg 1975, 109; RS 152/82 – Forcheri – Slg 1983, 2323.

5) EuGH Rs 39/86 – Sylvie Lair – Slg 1988, 3161.

6) RL v 25. 7. 1977, ABl L 1977/199, 2.

b) Art 57 EGV

Sowohl für die Ausübung einer unselbständigen Tätigkeit, aber noch mehr für die Ausübung eines Berufs im Ausland als Selbständiger ist die **Anerkennung von Diplomen, Prüfungszeugnissen** und sonstigen **Befähigungsnachweisen** eine wesentliche Voraussetzung. Der Versuch der Koordinierung nationaler Ausbildungen, wie er seit den 60er Jahren in einigen Berufen zu gemeinschaftsweiten Regelungen geführt hatte,[7]) erwies sich als zunehmend langwieriger – die Architekten-Richtlinie hatte vom Vorschlag bis zur Annahme 18 Jahre gebraucht, bei anderen Richtlinien gab es ähnliche „Rekorde" – und wurde deswegen durch den Gedanken der gegenseitigen Anerkennung abgelöst. In Hinblick auf die rasche Verwirklichung des Binnenmarktes verzichtete die Gemeinschaft auf jede weitere Harmonisierung der Ausbildungsbedingungen. An dessen Stelle tritt die gegenseitige Anerkennung der Diplome und sonstigen Befähigungsnachweise auf der Basis des Vertrauens in die jeweiligen nationalen Ausbildungen. Auf der Grundlage der Art 49 und 66 EGV, insbesondere aber auf Basis von Art 57 Abs 1 EGV, erließ die Gemeinschaft zwei allgemeine Anerkennungsrichtlinien.[8]) Die Richtlinie über eine allgemeine Regelung zur Anerkennung der **Hochschuldiplome**, die eine mindestens dreijährige Berufsausbildung abschließen,[9]) bezieht sich auf Hochschuldiplome oder gleichgestellte Befähigungsnachweise, die den Zugang zu einem „reglementierten Beruf" eröffnen, also zu einem Beruf, dessen Aufnahme oder Ausübung in einem Mitgliedstaat durch Rechts- und Verwaltungsvorschriften an den Besitz eines Diploms (auf Hochschulniveau nach mindestens dreijährigem Studium bzw an einer anderen Ausbildungseinrichtung mit gleichwertigem Niveau) gebunden ist. Die Richtlinie gilt sowohl für die selbständige wie für die unselbständige Ausübung eines reglementierten Berufes, soweit dieser nicht Gegenstand einer Einzelrichtlinie ist. Im Gegensatz zu dieser beruflichen Anerkennung ist die akademische Anerkennung, die der Fortsetzung von Studien bzw dem Erwerb akademischer Abschlüsse und Grade dient[10]), nicht Gegenstand dieser Richtlinie.

---

[7]) ZB RL 75/363, ABl L 1975/197, 1 (Ärzte); RL 77/452 und 77/453, ABl L 1977/176, 1, 8 (Krankenschwestern und -pfleger); RL 78/686 und 78/687, ABl L 1978/233, 1, 10 (Zahnärzte); RL 78/1026 und 78/1027, ABl L 1978/362, 1, 7 (Tierärzte); RL 80/154 und 80/155, ABl L 1980/375, 1, 8 (Hebammen); RL 85/432, ABl L 1985/253, 37 ff (Apotheker); RL 85/384, ABl L 1985/223, 5 (Architekten) – hier wurden nur noch Mindestanforderungen für den Studiengang festgelegt, auf eine allgemeine Koordinierung wurde bereits verzichtet.

[8]) Zu den AnerkennungsRL vgl insb mwN *Langeder,* Die Freizügigkeit „akademischer Berufe" nach der „Hochschuldiplomrichtlinie" der EG, in: *Strasser* (Hg), EG-Hochschuldiplomrichtlinie. Reform der Universitätsleitung: verfassungs- und haushaltsrechtliche Probleme, Beiträge zum Universitätsrecht Bd 15 (1993) 1; *Demand,* Die Europäische Union und die berufliche Anerkennung der Diplome, in: ÖAAD – BMWF (Hg), Österreichs Hochschulausbildung und die Europäische Union (1994) 24; *Pertek,* The Europe of Diplomas, in: *Pertek/Soveroski* (Hg), EC Competences and Programmes within the Field of Education (1992).

[9]) RL 89/48 v 21. 12. 1988, ABl L 1989/19, 16. Die Richtlinie 77/249, ABl L 1977/78, 17, für Rechtsanwälte ist bereits eine reine Anerkennungsrichtlinie ohne Koordinierung.

[10]) *Langeder* (FN 8) mwN zu internationalen Abkommen bezüglich der akademischen Anerkennung.

Grundsätzlich kann dem Angehörigen eines anderen Mitgliedstaates die Aufnahme bzw Ausübung eines reglementierten Berufs mangels Qualifikation nicht verweigert werden, wenn er entweder das in seinem Heimatstaat für den Zugang zu diesem Beruf erforderliche Diplom erworben hat oder wenn er diesen Beruf, der im anderen Mitgliedstaat nicht reglementiert ist, nach einer berufsvorbereitenden Hochschulausbindung dort zwei Jahre lang ausgeübt hat. Um sich auf die Richtlinie berufen zu können, reicht allerdings das bloße Diplom nicht in jedem Fall aus. Der Anerkennungswerber muß vielmehr alle in seinem Herkunftsland zum Berufszugang bzw zur Berufsausübung erforderlichen Bedingungen erfüllen, also beispielsweise auch Praktika (zB Konzipientenzeit für Rechtsanwaltsanwärter oder Rechtsreferendariat). Um tatsächlich unterschiedliche Qualifikationen in der Ausbildung ausgleichen zu können, darf der Aufnahmestaat unter bestimmten Voraussetzungen (kürzere Ausbildungsdauer im Herkunftsstaat, wesentliche Unterschiede in den gelehrten Fächern oder in den Berufsprofilen) den Nachweis von Berufserfahrung, die keinesfalls vier Jahre übersteigen darf, oder einen höchstens dreijährigen Anpassungslehrgang bzw eine Eignungsprüfung verlangen, wobei der Antragsteller im Regelfall die Wahl zwischen Lehrgang und Prüfung haben muß (nicht zB für rechtsberatende Berufe, hier liegt die Wahl beim Mitgliedstaat). Dem in vielen Fällen vorgeschriebenen Nachweis der Ehrenhaftigkeit, Zuverlässigkeit oder der Solvenz wird durch Bescheinigungen der zuständigen Behörden des Heimat- oder Herkunftsstaates Genüge getan. Werden solche Bestätigungen von diesen Behörden nicht ausgestellt, reicht die eidesstattliche oder feierliche Erklärung. Ähnlich geregelt wird das Erfordernis von Bestätigungen über die körperliche oder geistige Gesundheit und das Erfordernis der Eidesablegung. Das Verfahren zur Prüfung eines Antrags auf Ausübung eines reglementierten Berufs muß so rasch wie möglich durchgeführt werden und jedenfalls binnen vier Monaten mit einer begründeten Entscheidung abgeschlossen werden. Gegen diese Entscheidung und auch gegen Säumnis ist ein gerichtlicher Rechtsbehelf nach innerstaatlichem Recht vorzusehen.

Die Umsetzung der Richtlinie machte in den Mitgliedstaaten (und im Zuge des EWR auch den EFTA-Staaten) einige Schwierigkeiten. In Deutschland ließ sich die Richtlinie wegen der innerstaatlichen Kompetenzverteilung nicht in einem einzigen Rechtsakt umsetzen. Die Zuständigkeit der Bundes- und der Länderebene führte zu Verzögerungen in der Umsetzung, aber auch in der praktischen Anwendung.[11])

Die zweite allgemeine Regelung zur Anerkennung beruflicher Befähigungsnachweise[12]) wurde am 18. Juni 1992 beschlossen und wurde im Pipeline-Acquis des EWR auch für die EFTA-Länder übernommen. Diese Richtlinie regelt die Anerkennung von Qualifikationen unter dem Niveau der ersten Anerkennungsrichtlinien und unterscheidet zwischen Diplomen, Prüfungszeugnissen und Befähigungsnachweisen. **Diplome** schließen eine postsekundäre, mindestens einjährige Ausbildung ab, die nicht in den Anwendungsbereich der

[11]) *Leibrock,* Die Umsetzung der Hochschuldiplom-Richtlinie in Deutschland, EuZW 1993, 634.

[12]) RL 92/51 v 18. 6. 1992, ABl L 1992/209, 25, Anhänge C und D geändert durch RL 94/38, ABl L 1994/217, 8.

ersten Anerkennungsrichtlinie fällt, und sind allenfalls ergänzt durch eine über diesen Ausbildungsgang hinaus erforderliche berufliche Ausbildung oder beenden einen in Anhang C der Richtlinie angeführten besonderen Ausbildungslehrgang (zB im paramedizinischen und sozialpädagogischen oder im technischen Bereich). **Prüfungszeugnisse** umfassen eine Sekundarschulausbildung in Verbindung mit Ausbildungslehrgängen, Praktika und/oder Berufspraxis. Befähigungsnachweise stellen das unterste von der Richtlinie erfaßte Niveau dar und setzen nicht zwingend eine Berufsausbildung voraus. Die Richtlinie legt die gegenseitige Anerkennung gleicher Qualifikationen fest und regelt auch die wechselseitige Anerkennung bei Unterschieden im geforderten Niveau in den Mitgliedstaaten, wobei auch der „Durchstieg" zum Hochschulniveau der ersten Anerkennungsrichtlinie berücksichtigt ist.

Seit dem Vertrag von Maastricht unterliegen Beschlußfassungen gem Art 57 EGV dem Mitentscheidungsverfahren nach Art 189b EGV (anstelle der Einstimmigkeit bzw nach Ablauf der Übergangsfrist der Beschlußfassung mit qualifizierter Mehrheit).

Auf das Problem der Inländerdiskriminierung (sowohl bei Art 48 EGV als auch Art 57 EGV im Hinblik auf Art 6 EGV (früher Art 7 EWGV) sei hier nur hingewiesen.[13])

c) Art 128 EGV

Zu einer Kernbestimmung der europäischen Bildungspolitik wurde Art 128 EGV, wonach der Rat auf Vorschlag der Kommission und nach Anhörung des Wirtschafts- und Sozialausschusses zur Durchführung einer gemeinsamen Politik in bezug auf die Berufsausbildung allgemeine Grundsätze aufstellen kann. Dieser Widerspruch zwischen der Bezeichnung als gemeinsame Politik einerseits und der Befugnis zur Aufstellung bloß allgemeiner Grundsätze andererseits, einer Handlungsform, die in Art 189 EGV nicht vorgesehen ist, führte zu Auslegungsschwierigkeiten über den tatsächlichen Kompetenzumfang. Der Rat faßte bereits 1963 einen Beschluß zur inhaltlichen Ausgestaltung der allgemeinen Grundsätze[14]), dessen Inhalt im Grunde heute genauso gültig ist, wie er damals formuliert wurde. Außer der Einsetzung eines Beratenden Ausschusses für die Berufsausbildung[15]) blieben konkrete Umsetzungen aber zunächst aus. 1971 verabschiedete der Rat allgemeine Leitlinien zur Ausarbeitung eines gemeinschaftlichen Tätigkeitsprogramms auf dem Gebiet der Berufsbildung[16]), die an die Forderungen des Ratsbeschlusses aus 1963 anschlossen. 1974 wurde im Rahmen des sozialpolitischen Aktionsprogramms die Notwendigkeit eines europäischen Zentrums für berufliche Bildung festgeschrieben, welches 1975 gestützt auf Art 235 EGV als **Europäisches Zentrum für die Förderung der Berufsausbildung** (Cedefop) geschaffen wurde, um insbesondere durch die Erstellung vergleichender Studien die Kommission bei ihren Arbeiten zu unterstützen.[17])

---

[13]) *Fastenrath,* Inländerdiskriminierung, JZ 1987, 170.
[14]) Beschluß 63/266 v 2. 4. 1963, ABl 1963, 1338.
[15]) Beschluß 63/688 v 18. 12. 1963, ABl 1963, 3090.
[16]) ABl C 1971/81, 5.
[17]) V 337/75, ABl L 1975/39, 1.

In den folgenden Jahren ging man von der Rechtsgrundlage des Art 128 EGV ab und begann bildungspolitische Akte der Gemeinschaft gestützt auf die „gemischte Formel“ zu erlassen, also durch den Rat und die im Rat vertretenen Mitgliedstaaten. So entstand zB 1976 ein Aktionsprogramm im Bildungsbereich, das über den Bereich der Berufsausbildung hinausgeht.[18]) Insgesamt entstand im Lauf der Jahre eine Vielzahl von Entschließungen, Schlußfolgerungen und anderen Rechtsakten, die vor allem politische Inhalte transportieren, deren rechtliche Qualität im Detail umstritten ist und die daher in den unterschiedlichen Ausformungen als „Bildungs-soft-law“ bezeichnet werden.[19])

Beginnend mit dem Gravier-Urteil 1985 interpretierte der EuGH den Begriff der Berufsausbildung nach Art 128 EGV sehr umfassend und erweiterte damit den Kompetenzbereich für eine Bildungspolitik mit den Möglichkeiten des EG-Vertrags anstelle der Notwendigkeit der politischen Ebene beträchtlich (s unten). Mit der Aufstellung eigener Bildungsprogramme der Gemeinschaft in den 80er Jahren erwies sich Art 128 EGV dank der extensiven Auslegung durch den EuGH als tragfähige Basis einer gemeinschaftseigenen, konkret gestaltenden Bildungspolitik, womit die ursprünglich als Unterstützung herangezogene Rechtsgrundlage des Art 235 EGV im Bereich der Bildungspolitik ganz im Gegensatz zu anderen Rechtsgebieten verhältnismäßig unbedeutend blieb (zu den Bildungsprogrammen s unten).

2. Exkurs: Hochschulausbildung[20])

Mobilität schon während der Ausbildung hat gerade für eine akademische Ausbildung einen besonderen Stellenwert. Die Freizügigkeitsrechte von Arbeitnehmern (wie Zugang zu allen Bildungsstufen, Hochschulbildung eingeschlossen, selbständiges Aufenthaltsrecht) konnten **Studenten,** die eine Ausbildung im Ausland absolvieren wollten, aber nur als Kinder von Wanderarbeitnehmern in Anspruch nehmen; Niederlassungs- und Dienstleistungsfreiheit ließen sich ebenfalls nicht ohne weiteres auf diese Personengruppe anwenden. Es war wieder einmal der EuGH, der Studenten den Zugang zu ausländischen Hochschulen erschloß. Zunächst subsumierte er den Aufenthalt im Ausland bei kürzeren Studienreisen unter die Ausübung der passiven Dienstleistungsfreiheit.[21]) Der Durchbruch zur Gewährung von Bildungsrechten für Schüler und Studenten erfolgte aber 1985 mit dem Urteil in der Rechtssache „Gravier“[22]). Der EuGH stellte grundlegend fest, daß die Organisation des Bildungswesens und die Bildungspolitik als solche zwar nicht im Zuständigkeitsbereich der Gemeinschaft liegen, der Zugang zum und die Teilnahme am Unterricht im Bildungswesen und in der Lehrlingsaus-

---

[18]) Entschließung vom 9. 2. 1976, ABl C 1976/38, 1.

[19]) Ministerrat (Hg), Erklärungen zur europäischen Bildungspolitik[3] (1987).

[20]) *Wägenbaur,* Die Einbeziehung der Hochschulen in den europäischen Integrationsprozeß EuR 1990, 135; *Pertek,* The Europe of Universities YEL 1991, 257.

[21]) EuGH verb Rs 286/82 und 26/83 – Luisi und Carbone – Slg 1985, 377.

[22]) EuGH RS 293/83 – Gravier – Slg 1985, 593; vgl *Oppermann,* Von der EG-Freizügigkeit zur gemeinsamen europäischen Ausbildungspolitik? Die „Gravier“-Doktrin des EuGH (1988).

bildung, insb wenn es sich um die Berufsausbildung handelt, aber nicht außerhalb des Gemeinschaftsrechts stehen. Den Begriff der Berufsausbildung definierte er als jede Form der Ausbildung, die auf eine Qualifikation für einen bestimmten Beruf oder eine bestimmte Beschäftigung vorbereitet oder die die besondere Befähigung zur Ausübung eines solchen Berufs oder einer solchen Beschäftigung verleiht, unabhängig von Alter und Ausbildungsniveau der Schüler und Studenten und sogar dann, wenn der Lehrplan auch allgemeinbildenden Unterricht enthält. Nach dieser Definition fällt praktisch jedes Hochschulstudium in den Anwendungsbereich des Vertrages. Der Zugang zur Berufsausbildung sei aber geeignet, die Freizügigkeit innerhalb der Gemeinschaft zu fördern, weswegen eine Behinderung dieses Zuganges eine Diskriminierung aus Gründen der Staatsangehörigkeit darstellt, wenn sie bei Studenten aus anderen Mitgliedstaaten anders als bei Studenten des eigenen Staates erfolgt. Diese Rechtsprechung wurde in weiterer Folge fortgeschrieben.[23]) Solchermaßen zu „Vor-Arbeitnehmern“[24]) gemacht, war der Weg zu ausländischen Hochschulen (mit gewissen Einschränkungen wie zB dem Zugang zu Ausbildungsförderungen[25]) offen. Die ersten Bildungsprogramme der Gemeinschaft, insbesondere ERASMUS, dienten dann auch der Mobilitätsförderung von Studenten. Zur Verwirklichung der Freizügigkeit dienen auch die Aufenthalts-Richtlinien aus dem Jahr 1990 für jene Personen, denen dieses Recht nicht schon aufgrund anderer Bestimmungen des Gemeinschaftsrechts zuerkannt ist.[26]) Alle diese Richtlinien, auch die über das Aufenthaltsrecht von Studenten, wurden zunächst auf Art 235 EGV gestützt. Der EuGH erklärte zwar die **Studentenrichtlinie** wegen unrichtiger Rechtsgrundlage für nichtig, ihre Wirkung bleibt jedoch bis zum Inkrafttreten einer auf Art 7 EWGV gestützten Richtlinie aufrecht.[27]) Die Richtlinie sieht ein Aufenthaltsrecht für Studenten (sowie für ihre Ehegatten und ihre Kinder) vor, die Angehörige eines Mitgliedstaates sind und dieses Recht nicht aufgrund einer anderen Bestimmung in Anspruch nehmen können; sie gilt also insb nicht für Studenten, die eine Wirtschaftstätigkeit ausüben oder ausgeübt haben oder zur Familie eines Wanderarbeitnehmers gehören. Der Student muß bei einer anerkannten Lehranstalt zum Erwerb einer beruflichen Bildung als Hauptzweck eingeschrieben sein, muß krankenversichert sein und den Nachweis für seine finanzielle Absicherung erbringen. Das Aufenthaltsrecht ist auf die Dauer der Ausbildung beschränkt.[28]) Für Studenten wichtig ist auch die

---

[23]) EuGH RS 24/86 – Blaizot – Slg 1988, 379.

[24]) *Oppermann,* Europarecht (199) 717.

[25]) EuGH (FN 5).

[26]) RL 90/364, ABl L 1990/180, 26 (allgemeine Aufenthaltsrichtlinie); RL 90/365, ABl L 1990/180, 28 (für aus dem Erwerbsleben ausgeschiedene Arbeitnehmer und selbständig Erwerbstätige); RL 90/366, ABl L 1990/180, 30, bzw 93/96, ABl L 1993/317, 59 (Studenten).

[27]) EuGH Rs C-295/90 – Parlament gg Rat – Slg 1992 I 4193; ausführlich dazu s *Röttinger,* Bedeutung der Rechtsgrundlage einer EG-Richtlinie und die Folgen einer Nichtigkeit, EuZW 1993, 117; *Kampf,* Die „richtige“ Rechtsgrundlage der Richtlinie über das Aufenthaltsrecht der Studenten, EuR 1990, 393; *Kampf,* Aufenthaltsrecht für Studenten auf der Grundlage von Art 7 EWGV. Zum Raulin-Urteil des EuGH vom 26. 2. 1992, EuR 1992, 179.

[28]) Vgl *Röttinger,* Das Aufenthaltsrecht in der EG, ecolex 1991, 298.

Anerkennung von Hochschulausbildungen im Rahmen der ersten allgemeinen Anerkennungsrichtlinie.

Die Notwendigkeit der Zusammenarbeit im Hochschulwesen ist politisch unumstritten. Die Kommission verabschiedete am 5. November 1991 ein Memorandum zur Hochschulbildung in der Europäischen Gemeinschaft[29]), in dem sie den unterstützenden Beitrag der Hochschulen zur Verwirklichung der Gemeinschaftsaufgaben untersucht, wobei vor allem die Bereiche des Zugangs zur Hochschulbildung, die Partnerschaft mit der Wirtschaft, die Weiterbildung und die europäische Dimension in der Hochschulbildung herausgestrichen werden. Der Rat und die im Rat vereinigten Minister für das Bildungswesen nahmen am 11. Juni 1993 Schlußfolgerungen mit dem Ziel der Förderung eines Europäischen Raums für die Zusammenarbeit im Hochschulwesen an.[30]) Um den Bürgern den Zugang zum Arbeitsmarkt und zu einer hochwertigen Ausbildung zu erleichtern, soll im Bereich der Zusammenarbeit im Hochschulwesen der Schwerpunkt auf den Zugang zum Studium, Qualität der Studien und Angemessenheit der Studien gelegt werden. Dazu sollen Hindernisse beim Zugang zum Studium überprüft werden, Netze zwischen Bildungseinrichtungen geschaffen und die Mobilität der Lehrkräfte gefördert werden sowie durch Erfahrungsaustausch die Diversifizierung der Ausbildungsmethoden vorangetrieben werden, um so den Bedürfnissen der Studenten, des Arbeitsmarktes und der Gesellschaft zu entsprechen. Der konkrete Beitrag der Gemeinschaft zur Förderung dieser Ziele schlägt sich vor allem im neugestalteten Bildungsprogramm LEONARDO (s unten D.2.) nieder.

Die Hochschulbildung ist aber auch der Anknüpfungspunkt für die Vermittlung von Kenntnissen über die Gemeinschaft, ihre Ziele und ihr Recht. Nach wie vor ist dieser Gegenstand in der akademischen Ausbildung häufig unterrepräsentiert, obwohl zumindest europarechtliche Grundkenntnisse in der praktischen Arbeit von Akademikern (und das betrifft bei weitem nicht nur Juristen) immer wichtiger werden. Der Umsetzung dieser europäischen Dimension ist speziell das *Jean-Monnet*-Projekt gewidmet, mit dem an Hochschulen Europa-Lehrstühle eingerichtet und Lehrgänge und Forschungsarbeiten über die europäische Integration gefördert werden.

C. Die Bildungspolitik der Europäischen Union seit Maastricht

1. Hintergrund zur Entwicklung der Bildungspolitik

Im Vertrag von Maastricht wurde den Befugnissen der Gemeinschaft im Bildungsbereich ein neuer rechtlicher Rahmen gegeben. Unter dem Titel VIII „Sozialpolitik, allgemeine und berufliche Bildung und Jugend“ enthält Kapitel 3 „Allgemeine und berufliche Bildung und Jugend“ erstmals über verstreute Einzelbestimmungen hinaus in zwei Artikeln die rechtlichen Grundlagen für eine europäische Bildungspolitik, womit auch der Bereich der allgemeinen Bildung eine vertragliche Basis bekommen hat.

---

[29]) KOM(91) 349 endg.

[30]) ABl C 1993/186, 1.

Diese neugefaßte **Gemeinschaftszuständigkeit** ist ein wesentlicher Teil sowohl der wirtschaftlichen als auch der politischen Ausrichtung der Europäischen Union. Die weltweite Rezession der letzten Jahre hat sich auch auf die europäische Wirtschaft gravierend niedergeschlagen. Die relative wirtschaftliche Position der Gemeinschaft hat sich gegenüber den USA und Japan deutlich verschlechtert. Trotz aller Bemühungen zur Verwirklichung des Binnenmarktes und der dabei auch erreichten Erfolge, ist die Arbeitslosigkeit in der Gemeinschaft ständig gestiegen. Der Weg aus der wirtschaftlichen Krise und damit verbunden die Eindämmung der Arbeitslosigkeit ist die große Aufgabe der nächsten Jahre, an deren tatsächlicher Umsetzung das Einigungswerk ungeachtet seines politischen Hintergrundes gemessen werden wird. Im Weißbuch über Wachstum, Wettbewerbsfähigkeit und Beschäftigung[31]) mißt die Kommission Bildung und Ausbildung „bei der Wiederbelebung des Wachstums sowie der Wiederherstellung der Wettbewerbsfähigkeit und eines sozial annehmbaren Beschäftigungsniveaus" in Verbindung mit Maßnahmen auf anderen Ebenen eine entscheidende Rolle bei. Gleichzeitig werden die größten Mängel der Bildungs- und Ausbildungssysteme geortet[32]): das vergleichsweise niedrige durchschnittliche Ausbildungsniveau in der Gemeinschaft, insbesondere die große Zahl von Jugendlichen, die ohne abgeschlossene Grundausbildung das Schulsystem verlassen, die unzureichende Entwicklung der Weiterbildungssysteme und -prozesse, vor allem der erschwerte Zugang für Arbeitnehmer in Klein- und Mittelbetrieben zu dieser Ausbildungsart, mangelnde Qualifikation in neuen Technologiebereichen, insbesondere der Informations- und der Biotechnologie, und nach wie vor kein wirklicher europäischer Markt der Qualifikationen und Berufe trotz aller Versuche zur Vorantreibung der gegenseitigen Anerkennung und eines allgemein zugänglichen Unterrichts. Als Grundprinzip der Reform des allgemeinen und beruflichen Bildungssystems wird die Notwendigkeit lebenslangen Lernens betont, von der Grundschulausbildung über die berufliche Erstausbildung bis zur Erwachsenenbildung. Vorschläge zur Verbesserung der Ausbildungssysteme beziehen sich vor allem auf die Erleichterung des Übergangs vom Bildungssystem zur Erwerbstätigkeit durch einen stärkeren Praxisbezug in der Ausbildung bei gleichzeitiger Anhebung des Mindest-Bildungsniveaus. Der Unterricht soll rationalisiert werden: Ausbildungen könnten kürzer und stärker an den Markterfordernissen orientiert werden, die Berufsbildung sollte als Alternative zur Hochschulausbildung gefördert werden. Da die Marktentwicklung den Arbeitnehmer zwingen kann, mehrmals in seinem Leben den Beruf zu wechseln, soll die Anpassungsfähigkeit des einzelnen entwikkelt werden und die Voraussetzungen für den ständigen Um- und Neuaufbau des Wissensstandes auch in bezug auf die Ausbildungsmöglichkeiten und den Zugang dazu verbessert werden.

---

[31]) KOM(93) 700 endg v 5. 12. 1993.

[32]) Vgl dazu auch EG-Kommission (Hg), Wettbewerbsfähigkeit und Kohäsion, Tendenzen in den Regionen, 5. periodischer Bericht über die sozioökonomische Lage und Entwicklung der Regionen der Gemeinschaft (1994); *Schuh,* Qualifizierung für den Binnenmarkt, EGmagazin 1990/12, 24.

Die Last der Ausbildung kann nicht vom Staat allein getragen werden: Der Privatsektor und vor allem die Unternehmen müssen stärker in den Berufsausbildungssystemen mitwirken, die Ausbildungsdimension muß Teil der strategischen Unternehmensplanung werden. Diese Ziele gehen aber bei all ihrer Härte in der Formulierung über die reine Anpassung des Menschen an die Erfordernisse „der Wirtschaft" hinaus. Denn so wie die Kommission einerseits vom Arbeitnehmer das lebenslange Lernen verlangt, streicht sie die politisch hochinteressante Gegenseite hervor: Das Recht zu lernen wird als mögliches Recht auf **Bildungsurlaub** und als Recht auf Ausbildung in Tarifverträgen angesprochen. Damit weist sie auf den zweiten und grundlegenden Aspekt der Bildung, nämlich ihre Aufgabe zur Förderung der Entfaltung der Persönlichkeit, hin. Während im Bereich der Berufsausbildung schon bisher Erfordernisse der Wirtschaft in die Maßnahmen der Gemeinschaft einfließen konnten und in Zukunft sicher verstärkt eingebaut werden, ist der Bereich der Persönlichkeitsentwicklung nach wie vor durch die Bestimmung der Lehrinhalte praktisch in der ausschließlichen Kompetenz der Mitgliedstaaten. In einem Punkt aber greift die Gemeinschaft sehr wohl in die Persönlichkeitsentwicklung ein: Europäische Bildungspolitik verfolgt auch das Ziel, einen Beitrag zur Entwicklung der europäischen Staatsbürgerschaft zu leisten. Im Rahmen der bildungspolitischen Maßnahmen soll Wissen um das europäische Einigungswerk vermittelt werden und angestrebt werden, die Jugendlichen „zu Demokratie, zur Bekämpfung von Ungleichheit, zu Toleranz und zu Respekt vor der Vielfalt zu erziehen"[33]).

Damit verbunden werden soll aber auch die Entwicklung der persönlichen Identifikation des einzelnen als Staatsbürger der Europäischen Union, wobei dieser Bezugsrahmen andere Bezüge, also vor allem zur nationalen Staatsangehörigkeit nicht ersetzen, sondern bereichern soll. Die Erfahrungen der letzten Jahre, insbesondere das erste dänische Referendum zum Unionsvertrag, haben deutlich gemacht, wie stark die Stabilität der Integration und ihre Fortentwicklung von der Akzeptanz der Unionsbürger abhängen und wie gering offensichtlich die Transparenz der Arbeiten der Gemeinschaft war (und ist). Die neuen Möglichkeiten in der Bildungspolitik könnten ein Teil einer Antwort der Gemeinschaft auf das Mißtrauen der Bevölkerung gegen nach wie vor fremde politische Prozesse werden.

2. Die neuen Befugnisse im EG-Vertrag[34])

Gem Art 3p EGV umfaßt die Tätigkeit der Gemeinschaft nun auch ihren Beitrag zu einer qualitativ hochstehenden allgemeinen und beruflichen Bildung. Dazu dienen die Art 126 und 127 EGV, die auf dem bisher erreichten Besitzstand aufbauen. Sie liefern das vertragliche Fundament der Bildungspolitik, sollen andererseits aber dem Wunsch der Mitgliedstaaten ent-

---

[33]) EG-Kommission (Hg), Grünbuch zur Europäischen Dimension des Bildungswesens, KOM(93) 457 endg.

[34]) Vgl EP (Hg), Änderungen aufgrund des Vertrages über die Europäische Union in den Bereichen allgemeine und berufliche Bildung und Kultur, Reihe „Europa der Bürger" W2 (1992); *Feuchthofen,* Chancen und Risiken der EG-Bildungspolitik, Wirtschaftspolitische Blätter 1993, 217.

sprechend auch der weiteren Entwicklung gemeinschaftlicher Aktivitäten einen rechtlichen Rahmen im Sinn einer Begrenzung der Zuständigkeit geben.

Während Art 127 EGV mit der **beruflichen Bildung** vor allem den Bereich abdeckt, in dem die Gemeinschaft schon bisher auf der Grundlage des Art 128 EWGV und der damit verbundenen Rechtsprechung aktiv werden konnte, wird mit der Verankerung der **allgemeinen Bildung** in Art 126 EGV ungeachtet der auch in diesem Bereich vorhandenen Aktionen gewissermaßen Neuland abgesteckt.

Es verwundert nicht, daß über die Verankerung des Status quo hinausgehende Kompetenzen von den Mitgliedstaaten nur zögernd eingeräumt werden und daß sogar in gewisser Weise gegenteilig versucht wurde, mit den neuen Bestimmungen die Kompetenzen der Gemeinschaft nicht auszuweiten, sondern einzuschränken. So hat das **Subsidiaritätsprinzip,** das in Art 3b EGV über den bisherigen Anwendungsbereich in der Umweltpolitik hinaus als allgemeiner Grundsatz verankert wurde, für die Bildungspolitik eine besondere Ausformung erhalten. Sowohl für die allgemeine als auch für die berufliche Bildung ist sozusagen „gemeinschaftliche Zurückhaltung" normiert. Es wird festgelegt, daß die Gemeinschaft nur einen Beitrag zur Bildungspolitik der Mitgliedstaaten leistet, indem sie deren Zusammenarbeit fördert und gegebenenfalls deren Maßnahmen unterstützt und ergänzt. Eingriffe in den Kernbereich nationaler Bildungspolitik sind von vornherein ausgeschlossen: Lehrinhalte und die Gestaltung des Bildungssystems liegen ausdrücklich in der Verantwortung der Mitgliedstaaten.[35]) Jegliche Harmonisierung der Rechts- und Verwaltungsvorschriften ist definitiv untersagt.

So scheinen die Befugnisse der Gemeinschaft in manchem Bereich sogar enger gefaßt zu sein als vor der vertraglichen Verankerung. Harmonisierungsmaßnahmen im Bereich der beruflichen Bildung waren gem Art 128 EWGV zulässig und sind vor allem auch auf Art 57 Abs 1 EGV im Rahmen der Niederlassungsfreiheit gestützt erfolgt. Tatsächlich wird diese Einschränkung im EG-Vertrag den Handlungsspielraum der Gemeinschaft wohl nicht übermäßig einengen. Vom Gedanken der Angleichung von Ausbildungsgängen ist man aufgrund der damit verbundenen praktischen Schwierigkeiten ohnedies abgegangen, der Grundsatz der gegenseitigen Anerkennung ist auch im Bildungsbereich durch die zwei allgemeinen Anerkennungsrichtlinien wohl verankert. Unbenommen ist auch nach wie vor eine indirekte Einwirkung auf die Bildungspolitik über Art 235 EGV. Selbst wenn seine Anwendung insbesondere in Verbindung mit Art 126 und Art 127 EGV bezweifelt wird[36]), kann man sich zur Erreichung anderer Ziele nach wie vor seiner bedienen. Dabei kann es durch die Vernetzung zwischen den unterschiedlichsten Themenbe-

---

[35]) Dementsprechend gab die Kommission auf eine parlamentarische Anfrage, ob die Kommission anstrebe, die Menschenrechte gemeinschaftsweit zum Unterrichtsgegenstand an den Schulen aller Stufen zu machen, zur Antwort, daß sie diese Werte zwar fördern könne, die Lehrinhalte und Gestaltung der Bildungssysteme aber in die Zuständigkeit der Mitgliedstaaten fallen (Schriftliche Anfrage E-3220/93, ABl C 1994/240, 57.)

[36]) Insb Art 126 EGV wird als lex specialis verstanden, deren knappe Befugnisse nicht durch die Anwendung von Art 235 EGV unterlaufen werden sollen. Vgl *Lambers,* Subsidiarität in Europa – Allheilmittel oder juristische Leerformel? EuR 1993, 231.

reichen und vor allem durch den starken Wirtschaftsbezug der Bildung immer wieder zu Berührungspunkten kommen.

a) Art 126 EGV

Gem Art 126 EGV soll die Gemeinschaft zur Entwicklung einer qualitativ hochstehenden Bildung beitragen, indem sie „die Zusammenarbeit zwischen den Mitgliedstaaten fördert und die Tätigkeit der Mitgliedstaaten unter strikter Beachtung der Verantwortung der Mitgliedstaaten für die Lehrinhalte und die Gestaltung des Bildungssystems sowie der Vielfalt ihrer Kulturen und Sprachen erforderlichenfalls unterstützt und ergänzt“. Damit steht fest, daß die Tätigkeit der Gemeinschaft zwar immer nur eine Ergänzung zu jener der Mitgliedstaaten sein darf, sie sich aber auf das gesamte Bildungswesen, also über Grundschule, höhere Schule, Hochschule, Berufsschule etc, erstreckt.

Um eine Erörterung über die Möglichkeiten des Art 126 EGV einzuleiten, hat die EG-Kommission am 29. 9. 1993 ein Grünbuch über die europäische Dimension im Bildungswesen[37]) angenommen, in dem sie Vorstellungen entwickelt, wie der Beitrag der Gemeinschaft zur Verwirklichung der Ziele des Art 126 EGV aussehen könnte.

Die Entwicklung der **europäischen Dimension im Bildungswesen** soll im Rahmen der allgemeinen Zielsetzungen der Schule wie Chancengleichheit, Vermittlung von Verantwortungsbewußtsein, Entwicklung der Persönlichkeit und Entfaltung der persönlichen Fähigkeiten und Vorbereitung auf das Erwerbsleben durch die Einbeziehung von Werten der Gemeinschaft wie Demokratie, Solidarität, Chancengleichheit und gegenseitige Achtung zur Entwicklung eines europäischen Staatsbürgerbewußtseins und zu einer verbesserten beruflichen und sozialen Eingliederung beitragen. Dazu soll insbesondere das Erlernen und die Verbreitung der Sprachen der Mitgliedstaaten sowohl durch Ausbau der Fremdsprachenprogramme (LINGUA) sowie auch durch die Förderung der Entwicklung von Lehr- und Lernmaterialien unterstützt werden.

Insgesamt erscheint der Begriff der europäischen Dimension im Bildungswesen alles andere als klar definiert. Die Förderung des Bewußtseins einer europäischen Staatsbürgerschaft ist sicher ein akzeptabler Bestandteil dieser Dimension; sollte die europäische Dimension sich aber auf solche „Eigenwerbung“ beschränken, wäre der Begriff wohl etwas zu hoch gegriffen. Die Definition der europäischen Dimension ist aber im Hinblick auf die Abgrenzung der Gemeinschaftszuständigkeit von großer Bedeutung und müßte klar eingefordert werden, denn gerade so weit gefaßte Begriffe entwickeln sonst eine gewisse Eigendynamik in der Interpretation.

Die **Mobilität von Lernenden und Lehrenden** soll gefördert werden – auch durch die Förderung der akademischen Anerkennung der Diplome und Studienzeiten. Jugendliche sollen so früh wie möglich Erfahrungen mit der durch den EG-Vertrag gewährleisteten Freizügigkeit der Menschen sammeln. Die Mobilität soll sich als Teil der kulturellen Gewohnheiten festigen,

[37]) KOM(93) 457 endg.

indem Schüler möglichst früh vielfältige Gegebenheiten kennenlernen können. Zu diesem Zweck sollen Partnerschaften zwischen Schulen, die das gleiche spezifische Interessengebiet teilen, und Austauschmaßnahmen gefördert werden.

Die Zusammenarbeit zwischen den Bildungseinrichtungen sowie der Ausbau des Informations- und Erfahrungsaustausches über gemeinsame Probleme im Rahmen der Bildungssysteme der Mitgliedstaaten gehört ebenfalls zu den Zielen des Art 126 EGV. Dabei ist insbesondere an den Ausbau des Bildungsinformationsnetzes EURYDICE und der Gemeinschaftsaktion ARION gedacht, aber auch an die internationale Vergleichbarkeit der statistischen Daten für die allgemeine und berufliche Bildung mit Hilfe des Statistischen Amtes.

Ein Anliegen ist auch die Förderung des Ausbaus des Jugendaustausches und des Austausches sozialpädagogischer Betreuer.

Große Bedeutung wird auch der Entwicklung der **Fernlehre** zugemessen. Die Weiterentwicklung der technischen Möglichkeiten hatte schon 1991 zu einem Memorandum der Kommission[38]) geführt, in dem die Bedeutung des offenen Fernunterrichts aufgezeigt wurde. Insbesondere in den weniger begünstigten Regionen der Gemeinschaft wäre er ein Mittel zur Verbesserung des Zugangs zur Ausbildung. Für alle Gebiete aber ist er ein Mittel transnationaler Partnerschaften. Die Möglichkeiten des Fernunterrichts wurden bereits erfolgreich in den Programmen COMETT, ERASMUS und FORCE eingesetzt.

Zwei Instrumente sind dem Rat zur Verwirklichung seiner Ziele in die Hand gegeben: Er kann auf Vorschlag der Kommission mit qualifizierter Mehrheit Empfehlungen abgeben und unter Ausschluß jeglicher Harmonisierung der Rechts- und Verwaltungsvorschriften der Mitgliedstaaten nach dem Mitentscheidungsverfahren des Art 189b EGV und nach Anhörung des Wirtschafts- und Sozialausschusses und des Ausschusses der Regionen Fördermaßnahmen erlassen. Was solche Fördermaßnahmen sein können, ist nicht ausgesprochen. Gedacht war wohl in erster Linie an Förderprogramme nach dem Muster der bereits bestehenden Programme.

b) Art 127 EGV

Die Politik der beruflichen Bildung soll die Maßnahmen der Mitgliedstaaten unter strikter Beachtung der Verantwortung der Mitgliedstaaten für Inhalt und Gestaltung der beruflichen Bildung unterstützen und ergänzen. Die Ziele der Gemeinschaft wurde vom Rat basierend auf dem Memorandum der Kommission über die Berufsausbildungspolitik für die 90er Jahre vom 12. Dezember 1991[39]) in seiner Entschließung vom 11. Juni 1993[40]) aufgegriffen und ausgeführt.

Die Erleichterung der Anpassung an die industriellen Wandlungsprozesse insb durch berufliche Bildung und Umschulung stellt ein Ziel des Vertrages dar, das in Zusammenhang mit Art 123 EGV gesehen werden muß,

---

[38]) Offener Fernunterricht in der EG, KOM(91) 388 endg.

[39]) KOM(91) 397 endg.

[40]) ABl C 1993/186, 3.

wonach es Aufgabe des Europäischen Sozialfonds (ESF) ist, die Anpassung an die industriellen Wandlungsprozesse und an Veränderungen der Produktionssysteme insb durch berufliche Bildung und Umschulung zu erleichtern. Im Rahmen der **Strukturfonds**[41]) dient der Sozialfonds den Zielen 3 (Bekämpfung der Langzeitarbeitslosigkeit und Erleichterung der Eingliederung der Jugendlichen und der vom Ausschluß aus dem Arbeitsmarkt bedrohten Personen in das Erwerbsleben) und 4 (Erleichterung der Anpassung der Arbeitskräfte an die industriellen Wandlungsprozesse und an Veränderungen der Produktionssysteme). Der ESF fördert Maßnahmen im Bereich der beruflichen Bildung zB durch die Entwicklung geeigneter Ausbildungsstrukturen, Erstausbildung, Umschulung, Orientierung und Beratung, Vorausschätzung der Entwicklung des Arbeitsmarktes und des Bedarfs an beruflichen Qualifikationen, Ausbildung des Arbeitskräftepotentials in Forschung, Wissenschaft und Technologie und Ausbildung des Ausbildungspersonals. Die berufliche Bildung wird aber auch im Rahmen der anderen Ziele der Strukturfonds (zB Förderung der Bildungsinfrastruktur in den Zielen 1, 2 und 5b) gefördert.

Besondere Aufmerksamkeit wird im Rahmen von Art 127 nach den Vorstellungen der Gemeinschaft einer möglichst breit angelegten Erstausbildung zugewandt werden müssen sowie dem Zweck der Weiterbildung zur Erleichterung der beruflichen Eingliederung und Wiedereingliederung in den Arbeitsmarkt und der beruflichen Fortbildung und weiteren Ausbildungsangeboten während des Erwerbslebens.

Ein weiteres Ziel ist die Erleichterung der Aufnahme einer beruflichen Bildung sowie die Förderung der Mobilität der Ausbildner und der in beruflicher Bildung befindlichen Personen, insb der Jugendlichen.

Bei der Förderung der Zusammenarbeit in Fragen der beruflichen Bildung zwischen Unterrichtsanstalten und Unternehmen, ist auf eine enge Verbindung zwischen schulischer und betrieblicher Berufsbildung zu achten, da kohärente **Berufsbildungsprogramme** eine gute Grundlage für eine sinnvolle Ausbildung und Qualifikation schaffen. Auch ist auf die Bedeutung der Ausbildungsmaßnahmen für KMUs zu achten, die ihren Angestellten den Zugang zu Ausbildungsmöglichkeiten eröffnen. Eine stärkere Zusammenarbeit der nationalen und lokalen Behörden, der Arbeitgeber und Gewerkschaften, der Unternehmen und anderer Einrichtungen bei der Aktualisierung der Qualifikationen und bei Initiativen zur Erweiterung des Fortbildungsangebotes wird großes Gewicht beigemessen.

Wie für die allgemeine Bildung in Art 126 EGV vorgesehen, soll auch der Informations- und Erfahrungsaustausch über gemeinsame Probleme im Rahmen der Berufsbildungssysteme der Mitgliedstaaten ausgebaut werden, nicht zuletzt um die Qualifikationen transparenter zu machen und die Mobilität der Arbeitskräfte in der Gemeinschaft zu erleichtern.

[41]) V 2081/93 v 20. 7. 1993 zur Änderung der V 2052/88 über Aufgaben und Effizienz der Strukturfonds und über die Koordinierung ihrer Interventionen untereinander sowie mit denen der EIB und der anderen vorhandenen Finanzinstrumente, ABl L 1993/193, 5; V 2084/93 v 20. 7. 1993 zur Änderung der V 4255/88 zur Durchführung der VO 2052/88 hinsichtlich des Europäischen Sozialfonds, ABl L 1993/193, 40. Ausführlich dazu s oben *Schoneweg,* Regionalpolitik.

Um diese Ziele zu verwirklichen, erläßt der Rat im Zusammenarbeitsverfahren des Art 189c EGV und nach Anhörung des Wirtschafts- und Sozialausschusses unter Ausschluß jeglicher Hamonisierung der Rechts- und Verwaltungsvorschriften der Mitgliedstaaten geeignete Maßnahmen. Praktisch wurde in der Vergangenheit trotz der Möglichkeit einer Beschlußfassung mit einfacher Mehrheit generell Einstimmigkeit angestrebt, waren doch mit allen Programmen erhebliche finanzielle Mittel verbunden. Ob sich an dieser Praxis nun durch die Einführung der qualifizierten Mehrheit etwas ändern wird, bleibt abzuwarten.

Die ersten Programme, die auf die neuen Rechtsgrundlagen gestützt werden, sollen die Gemeinschaftsaktionen SOCRATES und LEONARDO sein, mit denen ab 1995 die Programmlandschaft im Bildungsbereich neu gestaltet werden soll (s unten D.2. und D.3.).

c) Zusammenarbeit mit Drittstaaten

Zusammenarbeit im Bildungsbereich kann sich in einer Weltwirtschaft nicht auf die Staaten der Europäischen Union untereinander beschränken. Der Know-how-Austausch auch in bezug auf „Humankapital" mit den großen Wirtschaftsblöcken wie den USA und den unmittelbar angrenzenden EFTA-Ländern als Partner im EWR, die Bildungskooperationen mit den Reformstaaten Mittel- und Osteuropas und den AKP-Staaten im Rahmen der Lomé-Abkommen, sind eine wichtige Zielvorgabe für die Bildungspolitik der Gemeinschaft. Art 126 und Art 127 EGV sehen darum die Möglichkeit der Zusammenarbeit mit Drittländern und den für den Bildungsbereich zuständigen internationalen Organisationen (insb dem Europarat) vor.

(1) EFTA

Die Erfolgsbilanz der Bildungsprogramme der Gemeinschaft ab Mitte der 80er Jahre führte dazu, daß auch die EFTA-Staaten bald ihr Interesse an einer Teilnahme an diesen Programmen bekundeten. Schon vor dem Abschluß des Abkommens über den **Europäischen Wirtschaftsraum** (EWRA) genehmigte der Rat die Öffnung der Programme COMETT II und ERASMUS II für jene EFTA-Staaten, die eine Teilnahme wünschten.[42]) Auch hier begannen die Programme höchst erfolgreich zu laufen.[43]) Trotz aller Vorteile der Öffnung der Programme für EFTA-Staaten blieb für diese ein bitterer Nachgeschmack: Mit der finanziellen Beteiligung war keinesfalls eine gleichberechtigte Teilnahme im Beratenden Ausschuß verbunden. Die Einrichtung von Gemeinsamen

---

[42]) Die entsprechenden Abkommen mit Österreich wurden vom Rat mit Beschluß v 29. 3. 1990, ABl L 1990/102 bzw BGBl 1990/221 (COMETT II) und v 13. 12. 1989, ABl L 1991/332 bzw BGBl 1992/37 (ERASMUS II) genehmigt.

[43]) Für Österreich vgl dazu Büro für Europäische Bildungskooperation (Hg), Rückblick auf das erste österreichische ERASMUS-Jahr 1992/93, Die Teilnahme Österreichs an Bildungs- und Mobilitätsprogrammen der Europäischen Gemeinschaften (1993) sowie COMETT Austria. DAS EG-Programm COMETT II in Österreich. Eine Erfolgsbilanz (1994).

Ausschüssen ist dafür kein vollwertiger Ersatz, was sogar von Deutschland bedauert wurde.[44])

Das EWR-Abkommen[45]) bringt die Einbeziehung der EFTA-Staaten in die Grundfreiheiten und des dazu ergangenen Sekundärrechts auch im Bildungsbereich.[46]) Das bedeutet die Übernahme des Rechtsbestandes zur Verwirklichung der Arbeitnehmerfreizügigkeit und der Rechtsakte zur gegenseitigen Anerkennung von Befähigungsnachweisen in Art 30 und Anhang VII EWRA.[47]) Mit Art 128 EWGV korrespondiert Prot 29 EWRA, wonach die Vertragsparteien „zur Förderung der Mobilität junger Menschen innerhalb des EWR übereinkommen, ihre Zusammenarbeit auf dem Gebiet der beruflichen Bildung zu verstärken und sich um eine Verbesserung der Bedingungen für Studenten zu bemühen, die in einem anderen als ihrem eigenen EWR-Staat studieren wollen." Diese Übereinkunft beinhaltet auch das Aufenthaltsrecht für Studenten, nicht aber die Möglichkeit einzelner Vertragsparteien in bezug auf die von ausländischen Studenten erhobenen Studiengebühren. Nach Art 4 Prot 31 EWRA beteiligten sich die EFTA-EWR-Länder ab 1. 1. 1995 an allen bereits laufenden oder beschlossenen Gemeinschaftsprogrammen im Bereich der allgemeinen und beruflichen Bildung und Jugend, womit auch die durch den EU-Vertrag neuen Gemeinschaftszuständigkeiten abgedeckt werden. (Die Einbeziehung der EFTA-EWR-Länder in diese traditionell stark länderspezifisch reglementierte Thematik läßt die für den EWR gerne verwendete Bezeichnung einer bloß erweiterten Freihandelszone doch ein wenig relativieren.)

Der EWR erweitert die Teilnahme der EFTA-EWR-Staaten also auf sämtliche Bildungs- und Forschungsprogramme der Gemeinschaft gegen Kostenbeteiligung und bringt zB bei ERASMUS den Vorteil, daß die bisherige 2:1-Regel wegfällt. Es müssen in jedem Hochschulkooperationsprogramm neben EFTA-Hochschulen nicht mehr wie bisher Partner aus mindestens zwei EU-Staaten eingebunden sein.

---

[44]) Vgl die Stellungnahme des dt Bundesrates am 5. 7. 1991 zum Vorschlag für den Rats-Beschluß betreffend den Abschluß von Abkommen zwischen der EWG und den EFTA-Staaten und dem Fürstentum Liechtenstein über die Zusammenarbeit im Rahmen des ERASMUS-Programmes, BR-Drucks 354/91-Beschluß, zit EuZW 1991, 648.

[45]) ABl L 1994/1, 3.

[46]) Ausführlich dazu s oben *Ettl,* Der Europäische Wirtschaftsraum; *Winkler,* Bildung in Europäischer Wirtschaftsraum, Struktur, Funktion, Auswirkungen, ECONOMY-Sonderheft 1992, 18; *Schweng,* Anerkennung von Diplomen, Zeugnissen und Befähigungsnachweisen, ECONOMY 3/93, 34; *Sucharipa/Behrmann,* Freier Hochschulzugang im EWR, ECONOMY 1–2/93, 27.

[47]) In Österreich wurde im Zusammenhang mit der Anerkennung von Diplomen vor allem die ausreichende Absicherung der HTL-Ingenieure diskutiert. Die von diesen ausgeübten Berufe fanden Eingang in Anhang C der zweiten Anerkennungsrichtlinie, wobei der Durchstieg zum Hochschulniveau möglich ist. Damit ist aber keine generelle Gleichstellung der HTL mit einer akademischen Ausbildung im Sinn der ersten Anerkennungsrichtlinie verbunden und somit keine Gleichstellung mit deutschen Fachhochschulingenieuren, wie sie von den Standesvertretern gefordert worden war. Vgl dazu *Ruhs,* Europäische Anerkennungsfragen – Die Brückenschläge zwischen Schule und Hochschule, in: ÖAAD – BMWF (Hg) (FN 8), 32.

Mitbestimmung bringt entsprechend seiner gesamten Konzeption auch der EWR den EFTA-Staaten nicht. Ohne EU-Mitgliedschaft sind die EFTA-Staaten damit auf den Bereich des „decision-shaping" beschränkt, was gerade angesichts der bevorstehenden Veränderungen im Bildungs-Programmbereich nicht befriedigend ist.

(2) USA

Zum Ausbau der Zusammenarbeit zwischen der Gemeinschaft und den **USA** hat die Kommission eine Mitteilung „Bildungszusammenarbeit zwischen EG und USA"[48]) erstellt, die der Festlegung politischer Leitlinien für die beabsichtigte Zusammenarbeit im Bereich der allgemeinen und beruflichen Bildung dient. Priorität haben dabei die vergleichende Analyse des Bedarfs an beruflichen Qualifikationen sowie der Ausbau der Zusammenarbeit im Hochschulwesen.

(3) Osteuropa

Eine politische Präferenz beim Ausbau der Beziehungen mit Drittstaaten besteht derzeit neben den EFTA-Staaten zugunsten Mittel- und Osteuropas. Die Zusammenarbeit der Gemeinschaft mit den Reformstaaten **Mittel- und Osteuropas** zur Entwicklung von Humanressourcen ist Gegenstand des Programms TEMPUS (Trans European Mobility Scheme für University Studies). Dieses Programm ist Teil von PHARE, dem umfangreichen Hilfsprogramm für die Wirtschafts- und Sozialreform in den angesprochenen Ländern. TEMPUS wurde am 7. Mai 1990 zunächst für drei Jahre beschlossen und dann bis Ende Juni 1994 verlängert.[49]) Die Zusammenarbeit der Hochschulen im Rahmen des Programms erfolgt über gemeinsame Europäische Projekte mit einer Laufzeit von drei Jahren, an denen sich mindestens eine Universität aus einem förderungsberechtigten Land und Partnerorganisationen aus mindestens zwei Ländern der Gemeinschaft beteiligten müssen. Gefördert wurden in der Anfangsphase vor allem Lehrplanentwicklung, Mobilität von Hochschulpersonal und Studenten sowie der Erwerb grundlegender Lehr- und Kommunikationsmaterialien. Die Anzahl der beteiligten förderungsberechtigten Länder stieg schon während der ersten Programmphase auf elf Staaten.[50]) Mit den insgesamt eingesetzten Mitteln in der Höhe von 320 Mio ECU konnten bis 1993 504 Projekte gefördert werden, an denen 1800 Einrichtungen beteiligt sind.[51]) Mittlerweile wurde TEMPUS II für den Zeitraum 1994–1998 beschlossen[52]), wobei das Programm auf bestimmte Republiken der ehemaligen Sowjetunion ausgedehnt wurde.[53]) Seit dem akademischen Jahr 1992/93 prüft die Kommission in Vor-Ort-Besuchen die Einhaltung der Zielsetzun-

---

[48]) EuZW 1993, 44.

[49]) Beschluß 90/233, ABl L 1990/131.

[50]) Polen, Ungarn, Albanien, Bulgarien, Tschechien, Slowakei, Estland, Ungarn, Lettland, Litauen, Rumänien und Slowenien.

[51]) EG-Kommission, Jahresbericht 1. 8. 1992 – 31. 7. 1993, KOM(94) 142 endg.

[52]) Beschluß 93/246, ABl L 1993/112 v 6. 5. 1993.

[53]) Russische Föderation, Weißrußland und Ukraine.

gen, bewertet die Auswirkungen der Projekte und die Verwaltung der Haushaltsmittel. Die Ergebnisse dieser stichprobenartigen Überprüfungen waren überwiegend positiv.[54])

D. Die gemeinschaftlichen Förderprogramme im Bildungsbereich

1. Allgemeines

Seit den 80er Jahren hat die Gemeinschaft mit einer Fülle von Programmen ihre Vorstellungen im Bildungsbereich ausgedrückt und mit dem Anreiz finanzieller Unterstützung in den Mitgliedstaaten auch sehr erfolgreich umgesetzt. Die ersten konkreten bildungspolitischen Aktionen der Gemeinschaft waren die Programme COMETT (Community Action Programme in Education and Training for Technology)[55]) zur Förderung der Zusammenarbeit zwischen Hochschulen und Wirtschaft im Technologiebereich und ERASMUS (European Community Action Scheme for the Mobility of University Students)[56]) zur Förderung der Mobilität von Hochschulstudenten sowie der Zusammenarbeit im Hochschulbereich.

Als Rechtsgrundlagen für diese und zahlreiche weitere Programme[57]) wurden die Art 128 EWGV entweder allein oder in der ersten Programmphase in Verbindung mit Art 235 EWGV herangezogen.

Diese Weiterentwicklung in der europäischen Bildungspolitik über die Abgabe von politischen Erklärungen und allgemeinen Leitlinien hinaus zu konkreten Inhalten und einem nicht unbeträchtlichen Finanzeinsatz wurde von einigen Mitgliedstaaten nicht bedingungslos gutgeheißen. Vor allem im föderalistisch organisierten Deutschland regte sich seitens der Länder Widerstand gegen die Kompetenzausweitung an sich, die nach der innerdeutschen Kompetenzverteilung in eine Länderzuständigkeit einzugreifen drohte. Bedenken bestanden aber auch gegen die Heranziehung des Art 128 EWGV als alleinige Rechtsgrundlage der Programme. Immerhin sprach diese Bestimmung nur von einer Kompetenz zur „Aufstellung allgemeiner Grundsätze zur Durchführung einer gemeinsamen Politik der Berufsausbildung", wohingegen die Programme nicht zuletzt angesichts der eingesetzten Geldbeträge und dank der Durchführung durch die Kommission selbst doch wirkungsmäßig deutlich über allgemeine Grundsätze hinausgehen. Die Rechtsprechung des EuGH, insb das sog ERASMUS-Urteil,[58]) mit dem das Vorgehen der Gemeinschaftsorgane zur alleinigen Verwendung

---

[54]) EG-Kommission, Vor-Ort-Besuchs-Programm, Jahresbericht 1992/93, KOM(94) 141 endg.

[55]) COMETT I (1987–1989), ABl L 1986/222, 17; COMETT II (1990–1994), ABl L 1989/L 13, 88.

[56]) ERASMUS I (1987–1990), ABl L 1987/166, 20; ERASMUS II (1991–1994), ABl L 1989/395, 23.

[57]) ZB die Programme PETRA, ABl L 1987/346, 31, LINGUA, ABl L 1989/239, 24, TEMPUS, ABl L 1990/131, 21.

[58]) EuGH 30. 5. 1989, Rs 242/87 – ERASMUS – Slg 1989, 1425.

von Art 128 EWGV rechtlich gebilligt wurde, gab dementsprechend Anlaß zu heftiger Kritik.[59])

Abseits der rechtlichen und politischen Diskussion um die Rechtfertigung der Ausweitung von Gemeinschaftsbefugnissen wurden die Programme in der Öffentlichkeit überaus positiv aufgenommen, sodaß die vorgesehenen Finanzmittel den Bedarf nicht decken konnten. Mittlerweile beteiligten sich an ERASMUS fast alle Universitäten und mehr als die Hälfte aller anderen höheren Bildungseinrichtigungen in den EU-Mitgliedstaaten. Im Studienjahr 1992/93 nahmen 51.000 Studenten an ERASMUS teil,[60]) im Studienjahr 1994/95 können mit ERASMUS rund 116.000 Studenten im Ausland studieren.[61])

Die zum Großteil Ende 1994 auslaufenden Bildungsprogramme der Gemeinschaft werden seit 1995 nicht mehr als Einzelprogramme fortgeschrieben, sondern auf der Basis der neuen Rechtsgrundlagen in Art 126 und 127 EGV in den zwei neuen Programmen LEONARDO und SOCRATES rationalisiert, vereinfacht und zusammengefaßt. Der Ankündigung der Kommission in ihrer Arbeitsunterlage über die Leitlinien für die Gemeinschaftsaktion im Bereich allgemein und berufliche Bildung[62]) folgten Anfang 1994 die ersten Kommissionsvorschläge.[63]) Die Beschlußfassung über beide Programme unterliegt dem Mitentscheidungsverfahren gem Art 189b EGV. Am 18. 7. 1994 beschloß der Rat zu beiden Programme seinen gemeinsamen Standpunkt.[64]) Das Programm LEONARDO wurde vom Rat am 6. 12. 1994, das Programm SOCRATES am 14. 3. 1995 beschlossen.[65])

In beiden Programmen betont der Rat den **subsidiären Charakter** der geplanten Aktionen: Inhalt der Programme sei lediglich die Unterstützung und Ergänzung der Maßnahmen der Mitgliedstaaten; dabei bleibt die Verantwortung der Mitgliedstaaten für Inhalt und Gestaltung des Bildungssystems in vollem Umfang gewahrt, die Vielfalt der Kulturen und Sprachen ist strikt zu beachten, und jegliche Harmonisierung der einschlägigen Rechts- und Verwaltungsvorschriften der Mitgliedstaaten ist ausgeschlossen.[66]) Diese zurückhaltenden Formulierungen waren in den ursprünglichen Kommissionsvorschlägen in dieser Form keineswegs vorgesehen gewesen; sie stellen Änderungen des Rates dar und zeigen deutlich, daß die Mitgliedstaaten nicht anders als bei früheren Programmen im Bildungsbereich bemüht sind, den Aktionsradius der Gemeinschaft nach Möglichkeit zu begrenzen.

---

[59]) *Classen,* Bildungspolitische Förderprogramme der EG – Eine kritische Untersuchung der vertragsrechtlichen Grundlagen, EuR 1990, 10; *Classen,* Erlaß von Förderprogrammen durch den Rat der EG aufgrund Art 128 EWGV, NJW 1989, 3071; *Hochbaum,* Das ERASMUS-Urteil , MittHV 4/1989, 175.

[60]) Tätigkeitsbericht der Kommission über das ERASMUS-Programm 1992 KOM(93) 268.

[61]) EU-Nachrichten Nr 21 v 30. 5. 1994, 2.

[62]) KOM(93) 183 endg.

[63]) ABl C 1994/66, 3; ABl C 1994/67, 12.

[64]) ABl C 1994/244, 17 und 51.

[65]) ABl L 1994/340, 8; ABl L 1995/87, 10.

[66]) Art 1 bzw Art 3 (FN 65).

2. LEONARDO

Das Programm LEONARDO DA VINCI beruht auf Art 127 EGV und ist für die Laufzeit 1. 1. 1995 bis 31. 12. 1999 konzipiert. Das Programm deckt den Bereich der beruflichen Bildung ab und umfaßt in seinen Zielsetzungen die zentralen Aufgaben einer europäischen Berufsbildungspolitik.

Mit Hilfe von LEONARDO soll die **Qualität und Innovationsfähigkeit der Berufsausbildungssysteme und -maßnahmen** in den Mitgliedstaaten verbessert und die europäische Dimension in der Berufsbildung und -beratung gefördert werden. Die Zielpalette des Programms ist vielfältig und reicht von der Förderung des lebenslangen Lernens und dem Ausbau der Fernlehre über berufliche Erstausbildung im Anschluß an die Vollschulzeitpflicht, die Erwachsenenbildung, eine verstärkte Sprachausbildung und die Erhöhung der Attraktivität der Berufsbildung bis zur Erhöhung und Anpassung der Qualifikationen in Hinblick auf den technologischen Wandel.

Worauf die angestrebte Qualitätsverbesserung der Berufsausbildung abzielt, läßt sich aus den Prioritäten des Programms ablesen. Zwar listet die angegebene Prioritätenliste nur ein Spektrum möglicher Schwerpunkte auf, an denen sich die Beschlußfassung über konkrete Maßnahmen im Programmausschuß orientieren soll, die Reihung der Schwerpunkte, die im gemeinsamen Standpunkt rein durch die Reihenfolge der Aufzählung vorgenommen wurde, macht aber deutlich, daß es im wesentlichen um die Anpassung der Berufsausbildung an den industriellen Wandel, an die Weiterentwicklung der Produktionssysteme und an neue Technologien geht. Angesichts dieser Ausrichtung ist die Berufsausbildung vor dem wirtschaftlichen Hintergrund primär als Hilfe für die europäische Wirtschaft und nicht als Versuch eines umfassenden Eingriffs in nationale Bildungssysteme zu sehen.

Zur Verwirklichung dieser Ziele umfaßt LEONARDO die bewährten Maßnahmen der früheren Programme COMETT, EUROTECNET, FORCE, PETRA, IRIS und LINGUA, für die ein angemessener Übergang zu den zum Teil mit neuen Akzenten versehenen Maßnahmen des neuen Programms vorgesehen wird. Diese Maßnahmen, die von der Kommission in Abstimmung mit den Mitgliedstaaten durchgeführt werden, verteilen sich auf vier Bereiche:

- Unterstützung bei der Verbesserung der Berufsbildungssysteme und -maßnahmen in den Mitgliedstaaten,
- Unterstützung bei der Verbesserung der Berufsbildungsmaßnahmen für Unternehmen und Arbeitnehmer, einschließlich der Zusammenarbeit zwischen Hochschule und Unternehmen,
- Unterstützung beim Ausbau der Sprachkenntnisse sowie der Kenntnisse über die Berufsbildung und der Verbreitung von Innovationen im Bereich der beruflichen Bildung,
- flankierende Maßnahmen.

Die Gemeinschaft unterstützt die Planung, Ausarbeitung und Erprobung transnationaler Pilotprojekte, transnationale Vermittlungs- und Austauschprogramme für Jugendliche in der beruflichen Erstausbildung, junge Arbeitnehmer und Ausbildner, Programme zur transnationalen Vermittlung von Studenten und Absolventen in Unternehmen sowie Austauschprogramme zwischen Unternehmen und Hochschulen oder anderen Bildungseinrichtungen. Pilotprojekte und Austauschprogramme sollen ebenfalls zur Verbesserung der Sprachkenntnisse eingesetzt werden, Erhebungen und Analysen im Bereich der Berufsausbildung und des Datenaustausches sollen die Kenntnisse im Bereich der Berufsbildung vergrößern.

Der **Finanzrahmen** beträgt für die gesamte Laufzeit 620 Mio ECU. Die Mittel der Gemeinschaft werden zum Großteil zur Kofinanzierung und damit gleich wie in der Strukturpolitik als Anreiz zu Maßnahmen in den Mitgliedstaaten eingesetzt. Mit der Festlegung der internen Aufteilung der verfügbaren Mittel wurde der Schwerpunkt auf Maßnahmen im Bereich der beruflichen Erstausbildung gelegt. Die dort eingesetzten Mittel dürfen 40% des jährlichen Programmhaushaltes nicht unterschreiten. Für Maßnahmen der beruflichen Weiterbildung sollen mindestens 32% des jährlichen Programmhaushaltes verwendet werden.

Die Kommission wird bei der Durchführung des Programmes von einem **Ausschuß** unterstützt, der sich unter dem Vorsitz eines Vertreters der Kommission und aus je zwei Vertretern der Mitgliedstaaten zusammensetzt.

Den Stellungnahmen dieses Ausschusses kommt kein geringes Gewicht zu: Gegen den Grundsatz, daß Maßnahmen der Kommission unmittelbar gelten, muß die Kommission Maßnahmen, die von der Stellungnahme des Ausschusses abweichen, sofort dem Rat mitteilen. Die Durchführung der umstrittenen Maßnahme ist von der Kommission um zwei Monate aufzuschieben, der Rat kann innerhalb dieser Frist mit qualifizierter Mehrheit einen anderslautenden Beschluß fassen (Verwaltungsausschußverfahren). Die Sozialpartner sind bei der Anhörung des Ausschusses als Beobachter vertreten, die von der Kommission auf der Grundlage von Vorschlägen der Sozialpartner auf Gemeinschaftsebene ernannt werden.[67])

Die Kommission und die Mitgliedstaaten haben dafür zu sorgen, daß die Gemeinschaftsmaßnahmen im Rahmen von LEONARDO die strukturellen Interventionen im Bereich der Berufsbildung ergänzen. Die Mitgliedstaaten sind angehalten, bei der Durchführung der gemeinschaftlichen Förderkonzepte im Rahmen der Strukturpolitik die Bildungsmaßnahmen aus LEONARDO mit den Strukturfondsmaßnahmen abzustimmen. Die Mitgliedstaaten trifft eine Berichtspflicht über die Durchführung und Wirkung des Programms und über die in den Mitgliedstaaten vorhandenen Systeme und Maßnahmen zur Berufsbildung.

Kritik an dem geplanten Programm wurde aus rechtlicher Sicht insb an der gewählten **Rechtsgrundlage** laut. Art 127 EGV sei allein nicht ausreichend,[68]) um sämtliche Förderinhalte abzudecken, da keine scharfe Grenze zwischen allgemeiner und beruflicher Bildung gezogen worden sei.

---

[67]) Anstelle der bloßen Beobachterfunktion war vom WSA das Stimmrecht für die Vertreter der Sozialpartner im Ausschuß gefordert worden (ABl C 1994/148, 5). Zur Einbindung der Sozialpartner in die Bildungspolitik s *Heidemann,* Ein gemeinsamer Europäischer Raum der Qualifikationen, Berufsbildung 26/1994, 20.

[68]) Der WSA hingegen hält die von Kommission und Rat gewählte Rechtsgrundlage des Art 127 EGV für ausreichend; s Stellungnahme des WSA 94/C 148/03, ABl C 1994/148, 5.

Vor allem die geplanten Maßnahmen für die Fernlehre und die Zusammenarbeit zwischen Hochschulen und Unternehmen im Bereich der akademischen Grundausbildung bedürften der zusätzlichen Rechtsgrundlage des Art 126 EGV.[69])

Das EP will die Förderung der Äquivalenz und gegenseitigen Anerkennung der Befähigungsnachweise stärker verankert sehen und hat Bedenken gegen die Form des Ausschusses und die nach Meinung des EP zu geringen eingesetzten Mittel. Darüber hinaus sollte das Programm (wie auch SOCRATES) auf die mittel- und osteuropäischen Staaten, Zypern und Malta ausgedehnt werden.

3. SOCRATES

Das Programm SOCRATES wurde ebenfalls für den Zeitraum vom 1. 1. 1995 bis 31. 12. 1999 aufgestellt und ist mit 760 Mio ECU für die gesamte Laufzeit dotiert. Es soll das Programm LEONARDO ergänzen und einen „Beitrag zur Entwicklung einer qualitativ hochstehenden allgemeinen Bildung und eines offenen europäischen Raums der Zusammenarbeit im Bildungswesen" leisten. Da ein Teil der vorgesehenen Maßnahmen die berufliche Bildung betrifft, wurden Art 126 und Art 127 EGV als Rechtsgrundlage gewählt. Das EP verlangte in erster Lesung wegen der allgemeinen und bereichsübergreifenden Zielsetzungen des Programms insb zur Verwirklichung der europäischen Dimension Art 126 EGV als alleinige **Rechtsgrundlage.** Für die Zukunft sei Art 127 EGV als lex specialis zu Art 126 EGV zu betrachten, um die kulturellen und die ökonomischen Intentionen voneinander unterscheiden zu können.[70])

Ziel des Programms ist es, die **europäische Dimension im Unterricht auf allen Ebenen des Bildungswesens zu fördern** und gestützt auf das kulturelle Erbe der Mitgliedstaaten den Gedanken der Unionsbürgerschaft zu festigen. Die Sprachkenntnisse innerhalb der Union sollen verbessert werden, die Zusammenarbeit zwischen den Bildungseinrichtungen aller Stufen und die Mobilität der Lehrkräfte und Studenten gefördert werden. Die akademische Anerkennung von Studienabschlüssen, Studienzeiten und anderen Qualifikationen soll erleichtert werden. Die Möglichkeiten der Fernlehre sollen eingesetzt werden, und durch Informationsaustausch sollen die verschiedenen Bildungssysteme voneinander lernen.

SOCRATES umfaßt drei Aktionsbereiche:

- Die Fördermaßnahmen zur **Hochschulbildung** enthalten im wesentlichen eine Zusammenfassung der bisherigen Aktivitäten aus ERASMUS und LINGUA. Durch Hochschulkooperationen soll die Mobilität von Studierenden und Lehrenden gefördert werden, mit Hochschulprojekten Themen von gemeinsamem Interesse bearbeitet werden. Mindestens 55% der für das Aktionsprogramm zur Verfügung stehenden Gesamtmittel sind für den früher von ERASMUS erfaßten Bereich einzusetzen.

---

[69]) *Feuchthofen,* Wenn Socrates mit Leonardo ...: Zur Neuordnung der europäischen Bildungsprogramme, GdWZ 3/94, Rubrik „Europa".

[70]) ABl C 1994/128, 479, insb Abänderungsantrag 5 zu Erwägungsgrund 6.

- Aktionen im Bereich der **Schulbildung** (COMENIUS) sollen die Partnerschaft zwischen schulischen Einrichtungen fördern, der Erziehung von Kindern von Wanderarbeitnehmern und Fahrenden sowie Sinti und Roma dienen, die interkulturelle Erziehung[71]) sowie die Qualifikation des Lehrpersonals verbessern. Mindestens 10% der Gesamtmittel sind für den Bereich der Schulbildung gebunden.
- Bereichsübergreifende Maßnahmen erstrecken sich auf die Verbesserung der **Fremdsprachenkenntnisse** (darin enthalten sind Maßnahmen aus LINGUA, der Förderung des offenen Unterrichts und der Fernlehre sowie den Informations- und Erfahrungsaustausch einschließlich EURYDICE und ARION und Maßnahmen der Erwachsenenbildung. Die Mittelbildung beträgt mindestens 25% der Gesamtmittel.

Für die Durchführung des Programms ist ähnlich wie bei LEONARDO ein **Ausschuß** vorgesehen, dem zwei Unterausschüsse (für Hochschulbildung und Schulbildung) beigegeben sind. Die Mitwirkung der Sozialpartner ist in diesem Ausschuß jedoch nicht sichergestellt. Allerdings konsultiert die Kommission die Sozialpartner und die auf europäischer Ebene im Bereich der Bildung tätigen Verbände und unterrichtet den Ausschuß über deren Absichten.

Die Kommission stellt in partnerschaftlichem Zusammenwirken mit den Mitgliedstaaten die Kohärenz der Programme mit den anderen gemeinschaftlichen Aktionen sicher und fördert zusammen mit den Mitgliedstaaten die Koordinierung zwischen SOCRATES und dem vierten Rahmenprogramm für Forschung, technologische Entwicklung und Demonstration.[72])

So wirtschaftsbezogen LEONARDO aufgebaut ist, so wenig scheint es SOCRATES auf den ersten Blick zu sein. Viel wird auf allgemeine Ziele wie Förderung eines Europa der Bürger, Förderung der Verständigung der europäischen Völker und auf das gemeinsame kulturelle Erbe hingewiesen. Daß ein Einbeziehen des gesamten Bildungsbereiches in konkrete Maßnahmenbefugnisse der Kommission zu einem Zeitpunkt erfolgt, in dem die Grenzen der „europäischen Dimension" im Bildungsbereich noch überhaupt nicht klar definiert sind, ruft begreiflicherweise – bei aller Einsicht in die Notwendigkeit und Sinnhaftigkeit europäischer Aktionen auch in diesem Bereich – ein gewisses Unbehagen hervor.[73])

Daß die Gemeinschaft die Absicht hat, im Bildungsbereich verstärkt aktiv zu werden, drückt sich auch in den Budgetansätzen für 1995 aus.[74]) 1994

---

[71]) Die Kommission will auf der Basis eines mit den Mitgliedstaaten erarbeiteten Aktionsplans demnächst Vorschläge zur Förderung der interkulturellen Erziehung in den neuen Bildungsprogrammen vorlegen. Darüber hinaus arbeitet sie an einem Grünbuch über die kulturelle Vielfalt und die Schulbildung der Kinder von Emigranten innerhalb der Gemeinschaft. Vgl Antwort der Kommission auf die schriftliche parlamentarische Anfrage E-1986/93, ABl C 1994/240, 13.

[72]) ABl L 1994/126, 1; s ausführlich dazu oben *Mariën-Dusak,* Wissenschaft, Forschung und Entwicklung.

[73]) Vgl dazu *Feuchthofen* (FN 69).

[74]) Vorentwurf des Gesamthaushaltsplans der Europäischen Gemeinschaften für das Haushaltsjahr 1995 (KOM[94] 400) v 15. 6. 1994.

beliefen sich die Mittel für allgemeine und berufliche Bildung und Jugend auf 287,5 Mio ECU (Verpflichtungsermächtigungen). 1995 sollen sich die Mittel nach dem Vorschlag der Kommission auf 323,7 Mio ECU, dh um 12,6%, erhöhen. Diese Mittel werden auf die drei großen Linien LEONARDO (117,3 Mio ECU), SOCRATES (155,9 Mio ECU) und „Jugend für Europa III“ (dotiert mit 22 Mio ECU) verteilt, wobei eine Linie von 4 Mio ECU für allgemeine Bildungsmaßnahmen reserviert sein soll, die nicht von SOCRATES und „Jugend für Europa“ abgedeckt sind, und 3,5 Mio ECU für nicht in LEONARDO enthaltene Maßnahmen im Bereich der Berufsausbildung und -beratung. Für das Europäische Zentrum zur Förderung der Berufsbildung ist ein Zuschuß in Höhe von 12 Mio ECU vorgesehen. Aktionen im Rahmen des europäischen Bildungsjahres werden mit 3 Mio ECU unterstützt.

E. Kritische Würdigung

Kaum jemand wird prinzipielle Argumente gegen die Ergebnisse der bisher von der Gemeinschaft eingeleiteten Aktionen vorbringen können. Sämtliche bisher erlassenen Rechtsakte und politische Erklärungen im Bildungsbereich verfolgen gerechtfertigte Anliegen; die Bildungsprogramme als konkrete Umsetzung sind unbestritten eine Bereicherung der Bildungslandschaft. Der Bereich „Bildung“ läßt sich nicht als abgegrenzte Kompetenzinsel definieren, die klare Zuständigkeit der Mitgliedstaaten bleiben kann. Es ist der Gemeinschaft zuzugestehen, daß sie zur Verwirklichung ihrer Ziele – und dazu gehören die wirtschaftlichen wie politischen Ziele – auch in diesem Bereich tätig werden muß. Es wäre langfristig verantwortungslos, den Wirtschaftsbezug der Bildung zu ignorieren und durch Beharren auf nationaler Zuständigkeit für das Bildungswesen das gemeinschaftliche Handeln zu schwächen und so der Wirtschaft Potential zu entziehen.

Bildung muß aber über die Forderungen der Wirtschaft hinausgehen. Menschen sind nun einmal **mehr als „Humankapital“**, und dementsprechend ist Bildung mehr als Berufsvorbereitung. Daß die Gemeinschaft nun auch verstärkt in diesen stark wertebesetzten Raum eintreten will und den Gedanken ihres Europa als Wert in den Köpfen der Menschen verankern will, ist – vorausgesetzt, man identifiziert sich mit den Grundideen dieses Gebildes – legitim. Es ist angesichts der Vielschichtigkeit des Bildungsbegriffes und der darin verwurzelten regionalen und nationalen Eigenheiten aber zu wünschen, daß die Gemeinschaft weiterhin behutsam in diesem Bereich vorgeht und bewußt bleibt, daß auch für ein gutes Ziel nicht jedes Mittel recht ist. 1996 soll zum „Europäischen Jahr für lebenslanges Lernen“ aufgerufen werden.[75]) Die Aktion bezweckt die Sensibilisierung der europäischen Öffentlichkeit für die Bedeutung einer lebenslangen allgemeinen und beruflichen Bildung als Schlüsselelement für die persönliche Entwicklung und für ein europäisches Modell der Wettbewerbsfähigkeit und des Wachstums bei hoher Beschäftigungsintensität.

---

[75]) Vorschlag für einen Beschluß des EP und des Rates über die Veranstaltung eines Europäischen Jahres für lebenslanges Lernen (1996), ABl C 1994/287, 18.

16. KAPITEL

Kulturpolitik

Rudolf W. Strohmeier

Übersicht:

A. Einleitung

1. Entwicklung

In den Gründungsverträgen der Europäischen Gemeinschaft von 1957 fehlte jegliche Kompetenz der Gemeinschaft im kulturellen Bereich. Dies ist kaum verwunderlich, lagen doch in den Jahren nach Ende des 2. Weltkrieges die wirtschaftliche Erholung und die Vergemeinschaftung der historisch kriegsentscheidenden Schwerindustrien im Vordergrund der politischen Überlegungen.

Daß sich die im Zentrum der Römischen Verträge stehenden wirtschaftlichen Aspekte aber nicht so eindeutig von anderen trennen ließen, wurde schon zu Beginn der 70er-Jahre immer deutlicher. So stellte zB der EuGH in seinem „Casagrande"-Urteil[1]) fest, daß das Diskriminierungsverbot des Art 48 Abs 2 EWGV unter Umständen auch Leistungen des Mitgliedstaates im Bereich der **Kulturpolitik** verlange. Die Mitteilung der Kommission über die Verstärkung der Gemeinschaftsaktionen im Bereich der Kultur vom 12. Dezember 1982 führte daher konsequenterweise aus, daß der EWG-Vertrag auch auf kulturelle Aktivitäten Anwendung fände.[2])

2. Rechtsgrundlagen

Mangels eigenständiger Rechtsgrundlage war die Integrationsebene gezwungen, als Basis kulturpolitischer Aktionen Art 235 EWGV heranzuziehen, was zunehmend Kontroversen auslöste.[3]) Die erste große Vertragsrevision, die Einheitliche Europäische Akte von 1987, hatte nichts an dem Dilemma geändert, daß die wirtschaftliche Integration in der Europäischen Gemeinschaft zunehmend kulturpolitische Sachverhalte (mit-)umfaßte. Dies wurde sowohl vom Rat wie der Kommission und dem Europäischen Parlament zunehmend anerkannt.[4]) Die Erkenntnis, daß die Kultur eines der Schlüsselelemente bei der **Schaffung einer europäischen Identität** ist, griff mehr und mehr Platz.[5]) Von daher lag der Schluß nahe, daß die Integrationsebene – soll sie die Bindungen zwischen der Gemeinschaft angehörenden Völker stärken –, nicht auf die wirtschaftlichen und sozialen Komponenten begrenzt werden darf, auf die sie die Vorschriften des EWG-Vertrages beschränkten.

Nachdem der Europäische Sonderrat von Dublin vom 28. April 1990 die Prüfung etwaiger Änderungen des EWG-Vertrages beschlossen hatte, hat die Kommission in ihrer Stellungnahme vom 21. Oktober 1990 zu dem Entwurf zur Änderung des Vertrages zur Gründung der EWG im Zusammenhang mit der Politischen Union ausgeführt, daß „im Bereich Kultur . . . es zwar das Subsidiaritätsprinzip (gebietet), die Verantwortung bei den Mitgliedstaaten und Regionen zu belassen, doch sollte die kulturelle Dimension der gemeinschaftlichen Aktionen in einem Artikel verankert werden".[6]) Wie in einer Fußnote bemerkt ist, würde nach Ansicht der Kommission dadurch die Bedeutung der Aktionen bestätigt, die unter anderem zur Gewährung des freien

---

[1]) EuGH Rs 9/74 – Casagrande gg Stadt München – Slg 1974, 773.

[2]) EG-Bulletin 1982/6.

[3]) Näher dazu *Weyringer,* Europäische Kulturpolitik, in *Röttinger/Weyringer* (Hg), Handbuch der europäischen Integration[1] (1991) 998 (1000ff).

[4]) Vgl Nachweise bei *Weyringer* (FN 3) 999f.

[5]) Vgl *Weidenfeld/Lübbe/Maihofer/Rovan,* Europäische Kultur: das Zukunftsgut des Kontinents. Vorschläge für eine europäische Kulturpolitik (1990).

[6]) Beilage 2/91 des EG-Bulletins, 77ff (85).

Verkehrs audiovisueller Werke, zur Förderung europäischer Künstler, zur Förderung des Hochauflösenden Fernsehens (HDTV), zur Ausweitung des MEDIA-Programmes usw durchgeführt werden.

Der Europäische Rat hat diese Ansicht unterstrichen, als er auf seiner Tagung vom 14. und 15. Dezember 1990 in Rom die Notwendigkeit unterstrich, die Zuständigkeiten der Union bei der Wahrung der Vielfalt des kulturellen Erbes und der Förderung des kulturellen Austausches sowie der Ausbildung zu erweitern bzw neu festzulegen.

In ihren Beiträgen zur Regierungskonferenz hat die Kommission dann einen Vorschlag zur Schaffung eines eigenständigen **Kulturartikels** unterbreitet, der insbesondere darauf abstellt, daß die Union zur Entfaltung der europäischen Kulturen unter Wahrung ihrer nationalen und regionalen Vielfalt beiträgt. Sie stellte dabei auf insbesondere drei Elemente einer Gemeinschaftsaktion ab:[7])

- Bessere Kenntnis und Verbreitung der Kultur, der Sprachen und der Geschichte der europäischen Völker,[8])
- Erhaltung des kulturellen Erbes,
- kultureller Austausch insbesondere durch Ausbau der Kommunikationsmittel und der Zusammenarbeit im Medienbereich.

Unterstützt werden sollten Maßnahmen, mit denen ua gefördert werden sollen:

- Die Schaffung europäischer Kunstwerke,
- der kulturelle Austausch,
- die Vielsprachigkeit und
- die Zusammenarbeit im Medienbereich.

Darüber hinaus entwickelt „die Union die Zusammenarbeit mit den Drittländern und mit den für kulturelle Fragen zuständigen internationalen Organisationen, insbesondere mit dem Europarat, wie sie ... die kulturelle Dimension bei ihrer Politik in anderen Bereichen im Zuge der Verwirklichung obiger Ziele berücksichtigt".[9]) In diesem Zusammenhang ist von Interesse, daß ausdrücklich zu diesem Zweck in die Wettbewerbsvorschriften des EWG-Vertrages, konkret Art 92 Abs 3, eine neue lit a eingeführt wurde, die als mit dem Gemeinsamen Markt vereinbar „Beihilfen zur Förderung der Kultur und der Erhaltung des kulturellen Erbes ansieht", soweit sie die Handels- und Wettbewerbsbedingungen in der Gemeinschaft „nicht in einem Maße beeinträchtigen, das dem gemeinsamen Interesse zuwiderläuft".

3. Interpretation des neuen Art 128 EGV

Vergleicht man dies mit dem Wortlaut des durch den Maastrichter Vertrag neu formulierten Art 128 EGV, so zeigt sich, daß sich letzterer im Wortlaut eng an den Vorschlag der Kommission anlehnt:

---

[7]) Vgl Beilage 2/91 des EG-Bulletins, 159.

[8]) Eine Übersicht zu diesen Fragen gibt *Pingel,* Europa-Nation-Region: Historisch-politische Bildung in europäischen Schulbüchern, in: *Schleicher/Bos* (Hg), Realisierung der Bildung in Europa (1994) 153.

[9]) FN 7.

- Abs 1 nimmt den ersten Satz des Kommissionsvorschlags nahezu wörtlich auf – sieht man von der Korrektur der Eurozentrik des Kommissionsvorschlags ab, die Kulturen der Mitgliedstaaten mit den europäischen Kulturen inzidenter gleichzusetzen –, stärkt aber das Ziel der Bildung einer **kulturell bedingten gemeinschaftlichen Identität** durch die Hinzufügung „bei gleichzeitiger Hervorhebung des gemeinsamen kulturellen Erbes".
- Abs 2 konkretisiert die im Kommissionsvorschlag als 2. Teil des Abs 1 aufgeführten Ziele der Gemeinschaftsaktion mit zwei Modifikationen insofern, als Art 128 EGV die Verbreitung der Sprachen nicht umfaßt, was vielmehr der in Art 126 EGV geregelten allgemeinen Bildung zugewiesen wird,[10]) und als allgemeiner die **Förderung des künstlerischen und literarischen Schaffens** einschließlich des audiovisuellen Bereichs als Aufgabe formuliert wird.

Wie sehr allerdings den Mitgliedstaaten daran gelegen war, das Heft bei Kulturfragen in der Hand zu behalten, zeigt sich daran, daß

- Der Beitrag der Gemeinschaft zur Entfaltung der Kulturen der Mitgliedstaaten nach Art 128 Abs 2 1. Teilstrich EGV nur in einer Förderung der Zusammenarbeit zwischen den Mitgliedstaaten bestehen soll, deren Tätigkeit sie unterstützt und gegebenenfalls ergänzt,
- die Zusammenarbeit mit Drittländern zur Aufgabe von Gemeinschaft und Mitgliedstaaten erklärt wird (die Kommission hatte dies allein der Union zugedacht),
- etwaige Förderungsmaßnahmen nur einstimmig vom Rat zu erlassen sind, obwohl das Verfahren der Mitentscheidung nach Art 189b EGV, das für den Gesetzgebungsakt vorgesehen ist, auf Ratsseite nur das Erfordernis der qualifizierten Mehrheit kennt,
- selbst Empfehlungen nur einstimmig vom Rat ausgesprochen werden können.

Die Aktion der Gemeinschaft soll entsprechend dem Wortlaut des Art 128 EGV also nicht komplementär im Blick auf die Erreichung der Ziele als solche, sondern komplementär zu den diesbezüglichen Aktionen der Mitgliedstaaten sein.

Die Kommission sieht dies allerdings anders. So führt sie in ihrer Mitteilung „Die Aktion der Europäischen Gemeinschaft zugunsten der Kultur" von 1994[11]) als Ziel der Gemeinschaftsaktion nicht nur den Beitrag zur Entfaltung der Kulturen (Art 128 Abs 1 EGV) und die Förderung der kulturellen Zusammenarbeit mit Drittstaaten (Art 128 Abs 3 EGV) an, sondern auch die im Text des Art 128 EGV so nicht erwähnte Förderung des zeitgenössischen künstlerischen Schaffens. Damit formuliert sie entweder eines der von ihr als Aufgaben bezeichneten 4 Themen des Art 128 Abs 2 EGV in eine Zielvorgabe um, oder – da sie dabei ausdrücklich nur auf die Abs 1 und 3 Bezug nimmt –, sie interpretiert die Formulierung des Art 128 Abs 1 EGV („zur Entfaltung der Kulturen der Mitgliedstaaten") im Sinn des in Art 3 lit p EGV formulierten Ziels („zur **Entfaltung des Kulturlebens** in den Mitgliedstaaten" beizutragen). Entsprechend der Praxis der Integrationsebene, im Blick auf den finalen Charak-

[10]) Art 126 Abs 2 1.Teilstrich.
[11]) KOM (94) 356 endg v 27. 7. 1994.

ter der Gesetzgebungstätigkeit der Gemeinschaft auch auf den Gebieten der nicht ausschließlichen Zuständigkeit grundsätzlich von Kompetenzen der Integrationsebene auszugehen,[12]) ist von letzterem Ansatz auszugehen.

Jedenfalls wird mit dieser Interpretation im Ergebnis der Anwendungsbereich von Art 128 EGV um ein Vielfaches weitergezogen, als es der Wortlaut dieses Artikels vermuten läßt. Für diese Unklarheit sind allerdings die Mitgliedstaaten selbst verantwortlich, als sie diese Divergenz nicht beseitigten, was als Hinweis auf einen Dissens zwischen den Mitgliedstaaten interpretiert werden könnte.[13]) Damit sind gleichzeitig das Spannungsverhältnis und die möglichen Konfliktfelder umschrieben, die in allgemeiner Form im Streit um die Auslegung des Subsidiaritätsprinzips auf der Gemeinschaftsebene zum Ausdruck kommen.[14])

B. Die Aktion der Europäischen Gemeinschaft zugunsten der Kultur

1. Allgemeines

Bis zu dem durch das Urteil des Deutschen Bundesverfassungsgerichts zum Maastrichter Vertrag[15]) verzögerten Inkrafttreten des Vertrags über die Europäische Union und damit des neuen Kulturartikels 128 EGV konzentrierten sich die kulturellen Aktivitäten der Kommission entsprechend dem neuen Ansatz der Mitteilung „Das neue Kulturkonzept der Gemeinschaft",[16]) der von der Wahrung der Vielfalt und der Beachtung des Subsidiaritätsprinzips ausgeht, noch auf die schon in der Vergangenheit erfolgreich angewandten Mechanismen wie kulturelle Netzwerke, Konsultation von Fachkreisen, Erstellung von Studien und Forschungsberichten zu bestimmten Themen, Ausbau von Nachrichtenkanälen sowie Berücksichtigung der kulturellen Vielfalt in allen Gemeinschaftsmaßnahmen und -programmen.

Es ging damit weiter als das Vorläuferprogramm von 1987 über „Neue Impulse für die Aktionen der EG im kulturellen Bereich",[17]) in dem sich die Kommission noch auf folgende fünf Schwerpunkte beschränkt hatte:

---

[12]) Näher zu diesem Problem zB *Kirchhof,* Kompetenzaufteilung zwischen den Mitgliedstaaten und der EU, in: EG-Vertretung in der BRD (Hg), Europäische Gespräche 2/94, 57.

[13]) Zu dieser Form europäischer Konsensfindung s *Schmidhuber,* Süddeutsche Zeitung v 12. 12. 1994.

[14]) Zum Subsidiaritätsprinzip allgemein zB *Walker,* Subsidiarity, its' application in practise. IEA Occasional Paper 163 (1994); im Blick auf die EG-Kommission: *Schmidhuber/Hitzler,* Die Verankerung des Subsidiaritätsprinzips im EWG-Vertrag – Ein wichtiger Schritt auf dem Weg zu einer föderalen Verfassung der EG, NVwZ 1992, 720; zur Rolle des Subsidiaritätsprinzips als Auslegungstopos *Everling,* Reflection on the Structure of the EU, CMLR 1992, 1053 (1070); im Kulturkontext *Schwartz,* Subsidiarität und EG-Kompetenzen – der neue Titel „Kultur". Medienvielfalt und Binnenmarkt, AfP 1993, 409.

[15]) Unter rechtsvergleichender Sicht *Weber,* Der Vertrag von Maastricht vor dem Verfassungsgericht, FS *Benda* 1995, 421.

[16]) KOM (92) 149.

[17]) EG-Bulletin 4/87, 9.

- Schaffung eines europäischen Kulturraumes,
- Förderung der europäischen audiovisuellen Industrie,
- Zugang zu den kulturellen Ressourcen,
- Aus- und Weiterbildung im kulturellen Bereich,
- kultureller Dialog mit Drittstaaten.

In ihrer Mitte 1994 veröffentlichten Mitteilung „Aktion der EG zugunsten der Kultur“[18]) legte die Kommission dann drei vorrangige Aufgabenbereiche fest, für die eine Reihe von Handlungsformen der Gemeinschaftsebene vorgesehen sind. Die drei Aufgabengebiete umfassen die Bereiche:

- Künstlerische Aktivitäten: Programm Kaleidoskop
- Buch und Lesen: Programm ARIANE
- kulturelles Erbe: Programm Raphael.

Die fünf Handlungsformen lauten:

- Nutzung und Verbreitung,
- Netzwerke und Partner,
- Zugang zur Kultur,
- Forschung und Ausbildung,
- kulturelle Zusammenarbeit mit Drittländern und betroffenen internationalen Organisationen.

In einem Anhang zu ihrer Mitteilung[19]) erwähnt die Kommission ausdrücklich den audiovisuellen Sektor als wesentliches ergänzendes Politikfeld.

2. Das Programm Kaleidoskop 2000

Seit 1991 hatte die Gemeinschaft unter dem Titel Kaleidoskop-Programm[20]) europäisch ausgerichteten Kulturprojekten, öffentlichkeitswirksamen Aktions- und Kulturprojekten dritter Länder finanzielle Unterstützung gewährt. Mit dieser Struktur und insbesondere der finanziellen Ausstattung konnte die Kommission jedoch nur etwa 10 bis 12% der Projektanträge positiv bescheiden.[21])

Nicht nur wegen des quantitativen Elements, sondern auch um bestehenden Aktivitäten wie zB der Verleihung des Titels Kulturstadt Europas[22]) einen Rahmen zu geben, hat die Kommission ein neues Fünf-Jahresprogramm Kaleidoskop 2000,[23]) das das bestehende Kaleidoskop-Programm umgestaltet, vorgeschlagen.[24])

---

[18]) KOM (94) 356 endg.

[19]) FN 18 (12).

[20]) Mit der Auszeichnung „Kulturbühne Europa“ als Form finanzieller Unterstützung; ABl C 1991/314 v 5. 12. 1991, 1.

[21]) FN 16.

[22]) Sie werden gemäß der Entschließung der im Rat vereinigten Minister für Kulturfragen v 13. 6. 1985 (ABl C 1995/153 v 22. 6. 1995, 2) alljährlich zur Annäherung der Völker der Mitgliedstaaten benannt.

[23]) Bestandteil der Kommissionsmitteilung (FN 18).

[24]) KOM (94) 356, ABl C 1994/324 v 22. 11. 1994, 5; es wurde Gegenstand eines Vermittlungsverfahrens nach Art 189b Abs 3.

a) Ziele

Seine Ziele sind insbesondere die Förderung des künstlerischen und kulturellen Schaffens in Europa auf den Gebieten der darstellenden und bildenden Kunst, Kunst im Raum, der multimedialen und angewandten Kunst, die Förderung des Kulturaustausches und der Verbreitung der Kultur in Europa, die Unterstützung innovativer Kulturaspekte sowie die Erschließung des Arbeitsplatzpotentials im Kulturbereich.

b) Fördermaßnahmen

Es sind fünf Fördermaßnahmen vorgesehen:

1) Erschließung und Verbreitung der Kultur in Europa

Dabei geht es um die Unterstützung für umfassende Kulturprojekte mit europäischer Dimension und Symbolwirkung sowie um die Unterstützung solcher Kulturprojekte, die von europäischen Kulturakteuren durchgeführt werden.[25])

Nicht nur für potentielle Antragssteller wichtig zu wissen ist, daß es sich speziell hier um innovative Kulturprojekte von professioneller Qualität und europäischer Bedeutung handeln muß, die eine echte europäische Zusammenarbeit beinhalten.[26])

2) Schaffung von Netzwerken und Partnerschaften

Darunter versteht die Kommission in ihrem Vorschlag Projekte, die partnerschaftlich oder in Zusammenarbeit in Netzwerken durchgeführt werden. Sie gibt dabei Unterstützung für:

- **Künstlerische und kulturelle Ereignisse im Rahmen von Partnerschaften,** die gemeinsam von Akteuren aus mindestens drei Mitgliedstaaten oder von Kulturnetzwerken organisiert werden und in die Kunstschaffende oder sonstige Akteure im Kulturbereich aus mindestens drei Mitgliedstaaten einbezogen sind und deren schöpferische Arbeit verbreitet und der Öffentlichkeit bekanntgemacht werden soll;
- **Begegnungen und Wissens- und Erfahrungsaustausch** zwischen Fachleuten und Akteuren, die gemeinsam von Akteuren aus mindestens drei Mitgliedstaaten oder von Kulturnetzwerken organisiert werden und Teilnehmer aus mindestens drei Mitgliedstaaten einbeziehen.

Bei dieser Art von Projekten haben europäische Kulturnetzwerke Priorität, die entweder aus Kulturorganisationen ohne Erwerbszweck oder Fachleuten bestehen, welche sich für die Entwicklung gemeinsamer kultureller Aktionen einsetzen.[27]) Antragsteller sollten allerdings auch beachten, daß die Kommission im Sinne des Zusammenwachsens der Mitgliedstaaten Wert darauf legt, daß Projekte bzw Netzwerke möglichst unterschiedliche Mitgliedstaaten umfassen, um so einen Beitrag zur kulturellen Kohäsion zu leisten.

---

[25]) Art 3 Abs 1 des Kaleidoskop 2000 Programm-Vorschlags.
[26]) So ausdrücklich das Ziel Art 2 2. Teilstrich.
[27]) Art 3 Abs 2.

Neben dem damit angestrebten Ziel der Förderung des Kulturaustausches[28]) steht hier die Förderung des künstlerischen und kulturellen Schaffens bei gleichzeitiger Vermittlung an ein breitgefächertes Publikum im Vordergrund.[29])

3) Weiterbildung

Unter diesem Stichwort soll die Gemeinschaft nach den Vorstellungen der Kommission Unterstützung für Projekte geben, die gleichzeitig mit den im Rahmen von Kaleidoskop 2000 geförderten künstlerischen und kulturellen Veranstaltungen der Weiterbildung von Künstlern und Interpreten bzw sonstigen Akteuren im Kulturbereich dienen.[30])

Damit wird insbesondere auch das Ziel aufgegriffen, das Arbeitsplatzpotential in diesem Bereich zu maximieren, das die Kommission schon in ihrer Mitteilung „Berufsbildung im kulturellen Bereich“[31]) angesprochen hatte.

4) Zugang zur Kultur

Darunter versteht die Kommission die Unterstützung für die Zusammenarbeit von Kulturfachleuten bzw regionalen, nationalen oder europäischen Behörden zu spezifischen Themen der Kunst und Kultur. Diese Zusammenarbeit mag entweder im Rahmen von europaweiten Begegnungen oder von Studien und Forschungen stattfinden, die direkt mit der Entwicklung der Gemeinschaftsaktion im kulturellen Bereich in Verbindung stehen. Priorität soll dabei Projekten eingeräumt werden, die multimediale Instrumente einsetzen.[32]) Hierbei ist insbesondere das Ziel zu berücksichtigen, den Zugang benachteiligter Bevölkerungskreise zur Kultur zu erleichtern.[33])

5) Zusammenarbeit mit Drittländern und internationalen Organisationen

Der Kommission schweben hier vor allem 3 Aktionslinien für eine Förderung vor:

- **Unterstützung für umfangreiche Kulturprojekte mit Symbolwirkung für die europäische Kultur,** die außerhalb der EG unter Beteiligung von Kulturakteuren der Gemeinschaft laufen;[34])
- Unterstützung für **Aktionen der künstlerischen und kulturellen Zusammenarbeit,** in deren organisatorischen und inhaltlichen Gestaltung Partner von mindestens zwei europäischen Drittstaaten und einem Mitgliedstaat einbezogen sind; das Projekt muß von einem kulturellen Gremium eines

[28]) Art 2 3. Teilstrich.
[29]) Art 2 1. Teilstrich.
[30]) Art 3 Abs 3.
[31]) KOM (90) 447 endg. Zu dem parallelen Phänomen, bildungspolitische Überlegungen mit sozialpolitischen Ansätzen zu überlagern s *Strohmeier,* Der bildungspolitische Entscheidungsprozeß auf der EG-Ebene, in *Schleicher/Bos* (Hg) (FN 8) 46 (55).
[32]) Art 3 Abs 4.
[33]) Art 2 3. Teilstrich und 3. Erwägungsgrund.
[34]) ZB der Europäische Kulturmonat (s dazu ABl C 1991/336 v 19. 12. 1991, 1).

europäischen Drittstaates eingereicht werden und eine schöpferische Arbeit beinhalten, die in der Öffentlichkeit verbreitet werden soll;
- schließlich kann eine Unterstützung für Begegnungen sowie den Wissens- und **Erfahrungsaustausch** zwischen Fachleuten und Akteuren gewährt werden; Vorrang haben dabei Kulturnetzwerke, die in europäischen Drittstaaten tätig sind.

Priorität wird den Drittstaaten eingeräumt, mit denen die Gemeinschaft Assoziierungs- bzw Kooperationsabkommen abgeschlossen hat und die für den kulturellen Bereich eine spezielle Klausel vorsehen.[35])

Generell ist die Kommission für die Durchführung des Programmes verantwortlich. Sie wird jedoch bei der Wahrnehmung dieser Aufgabe vom Ausschuß für die Fördermaßnahmen im kulturellen Bereich unterstützt, der beratenden Charakter hat.[36])

In einem Anhang sind die Teilnahmebedingungen detaillierter aufgeschlüsselt.

3. Das Programm ARIANE

Das von der Kommission neu vorgeschlagene Aktionsprogramm ARIANE[37]) ist schwerpunktmäßig auf die Unterstützung der **Übersetzung literarischer Werke** und von Theaterstücken sowie von kulturellen Nachschlagewerken ausgerichtet, um so zur Förderung des Buches und des Lesens beizutragen. Diese Fragen sind seit Ende der 80er-Jahre zunehmend in das Interesse der Akteure auf der Gemeinschaftsebene gerückt. Als Belege dabei hervorzuheben sind

- die Entschließungen des Rates und der im Rat vereinigten insbesondere Minister für Kulturfragen vom 9. November 1987,[38]) in der die Förderung der Übersetzung bedeutender Werke der europäischen Kultur angesprochen wird, vom 18. Mai 1989,[39]) die die Förderung des Buches und der Lektüre fördert, sowie vom 17. Mai 1993[40]) zur Förderung der Übersetzung zeitgenössischer Theaterstücke,
- die EP-Entschließung über die Förderung des Buches und des Lesens in Europa,[41]) die auf den Bericht von Frau *Larive* zurückgeht,[42]) sowie
- die Mitteilung der Kommission mit dem Titel „Das Buch: Ein unverzichtbarer Bestandteil des kulturellen Lebens in Europa".[43])

---

[35]) Art 3 Abs 4.

[36]) Zu den unterschiedlichen Ausschußformen s *Hitzler*, Europahandbuch (1994) 36, ferner oben *Röttinger*, Organisation und Arbeitsweise der Kommission, sowie *Röttinger*, Interessenausgleich und interne Meinungsbildungsprozesse in der Europäischen Kommission, in: Institut für Ethik und Sozialwissenschaften der Katholisch-Theologischen Fakultät der Universität Wien (Hg), Europäische Integration und Interessenverbände (1994) 96.

[37]) Ebenfalls Bestandteil der Mitteilung KOM (94) 356 endg, 42.

[38]) ABl C 1987/309 v 19. 11. 1987, 3.

[39]) ABl C 1989/183 v 20. 7. 1989, 1.

[40]) ABl C 1993/160 v 12. 6. 1993, 5

[41]) ABl C 1992/336 v 19. 12. 1992, 1.

[42]) Dok EP A 3-0159/92.

[43]) KOM (90) 472 endg.

a) Ziele

Der Kommissionsvorschlag[44]) umfaßt vier Ziele:

- Die **Förderung einer größeren Verbreitung von Werken der zeitgenössischen Literatur.** Diese muß aber für die Kultur der Mitgliedstaaten repräsentativ sein, wobei die Übersetzung von Werken aus weniger verbreiteten Gemeinschaftssprachen Vorrang hat. Die Erschließung dieser Werke soll insbesondere durch Maßnahmen mit Symbolwirkung erfolgen;
- die Unterstützung der **Verbreitung zeitgenössischer Theaterstücke durch Übersetzungen,** um dem europäischen Publikum ein breit gefächertes und repräsentatives Repertoire der Kulturen der Mitgliedstaaten anzubieten;
- die **Förderung der Verbreitung von Nachschlagewerken** zur besseren Kenntnis der Kultur und Geschichte der europäischen Völker insbesondere auf den Gebieten, die in Art 128 Abs 2 und 4 EGV genannt sind;
- die Unterstützung und Ergänzung der auf nationaler und regionaler Ebene unternommenen Anstrengungen durch gemeinschaftsweite Maßnahmen wie zB Netzwerke.

b) Fördermaßnahmen

Das Förderprogramm selbst gliedert sich in 3 Teile:[45])

- Erschließung und Verbreitung,
- flankierende Maßnahmen sowie
- Zusammenarbeit mit dritten Staaten bzw Organisationen.

Der Teil Erschließung und Verbreitung umfaßt

- die **Unterstützung für Übersetzungen** mit dem Ziel einer größeren Verbreitung durch Veröffentlichung von Werken zeitgenössischer Literatur, Theaterstücken sowie von Nachschlagewerken;
- **Aktionen mit Symbolwirkung:** Hier ist schon durch die Aristeion-Preise (Europäischer Literatur- und Übersetzungspreis)[46]) eine wesentliche Basis gelegt gewesen, deren Kautelen im wesentlichen übernommen werden.

Bei den flankierenden Maßnahmen hervorzuheben sind

- die Förderung von **Synergieeffekten** auf europäischer Ebene über Netzwerke und durch die Entwicklung partnerschaftlicher Beziehungen,
- **flankierende Aktionen** zur Förderung des Zugangs der Bürger und insbesondere von Jugendlichen zum Lesen sowie
- die **Weiterbildung** insbesondere literarischer Übersetzer, Studien und Forschungsaktionen insbesondere zur Vorbereitung der Übersetzung von Nachschlagewerken.

Bei der Zusammenarbeit mit Drittländern hervorzuheben ist die wie beim Kaleidoskop-Programm bestehende Öffnung für die Länder Mittel- und Osteuropas, mit denen ein sog Europaabkommen geschlossen wurde.[47])

---

[44]) Art 2 des Programmvorschlags.
[45]) Siehe Anhang zum Programm (FN 37) 46.
[46]) Die Modalitäten ergeben sich aus ABl C 1990/35 v 15. 2. 1990, 8.
[47]) Art 4 des Vorschlags.

Auch die übrigen allgemeinen Modalitäten wie Programmdauer, Unterstützung durch einen beratenden Ausschuß oder jährliche Ausschreibung entsprechen dem Kaleidoskop-Programm.

4. Das Programm Raphael

Das durch wechselseitigen Einfluß im Laufe der Jahrhunderte gewachsene Kulturerbe in den Mitgliedstaaten weist gemeinsame Merkmale auf, die über die nationale oder auch regionale Ebene weit hinausgehen. So ist die Akropolis in Athen nicht nur ein griechisches Kulturdenkmal, sondern ein Kulturdenkmal Europas überhaupt. Die Kommission hatte deshalb schon vor einigen Jahren ein Pilotvorhaben zur **Erhaltung des architektonischen Erbes** Europas eingeleitet.[48]) Danach wurde jedes Jahr wechselnd ein anderes Schwerpunktthema für die gemeinschaftliche Unterstützung bestimmt. So lag im Jahr 1994 der Schwerpunkt auf den historischen Bauten und Spielstätten für Aufführungen der darstellenden und der Unterhaltungskunst, im Jahr 1995 lag er auf religiösen Bauten.

Die Einengung auf **architektonische Kulturdenkmäler** wurde jedoch zunehmend als unbefriedigend empfunden. Aus diesem Grund schlug die Kommission in ihrer Mitteilung „Das neue Kulturkonzept der Gemeinschaft“[49]) vor, daß die Aktivitäten der Gemeinschaft im kulturellen Bereich auch auf **bewegliche Kulturgüter** ausgedehnt werden sollten. Auch Rat[50]) und Europäisches Parlament[51]) wiesen auf die Bedeutung hin, die der Bündelung der verschiedenen Aspekte der Erhaltung des kulturellen Erbes zukommt, welche der Vielfalt der beweglichen und unbeweglichen Kulturgüter Rechnung trägt.

a) Ziele

Die Kommission hat deshalb Anfang 1995 vorgeschlagen, ein Aktionsprogramm zur Erhaltung des kulturellen Erbes aufzulegen.[52]) Das sog Programm Raphael soll nach den Vorstellungen der Kommission dazu beitragen,

- das Kulturerbe nutzbar zu machen und seine Wirkung nach außen zu verbessern,
- die Zusammenarbeit zu fördern und das theoretische Wissen, das praktische Know-how und die bei der Erhaltung des Kulturerbes zur Anwendung kommenden Verfahrenswesen auf europäischer Ebene zu bündeln,
- den Bürgern den Zugang zum Kulturerbe und den entsprechenden Informationen zu erleichtern und damit die Herausbildung einer europäischen Staatsbürgerschaft, die sich auf eine bessere Kenntnis des Kulturerbes stützt, voranzubringen,

---

[48]) ABl C 1993/275 v 13. 10. 1993, 16.

[49]) KOM (92) 149 endg.

[50]) Schlußfolgerungen v 17. 6. 1994 zur Erstellung eines gemeinschaftlichen Aktionsplans im Bereich des kulturellen Erbes (ABl C 1994/235 v 23. 8. 1994, 1).

[51]) Entschließung zur Erhaltung des architektonischen Erbes und zum Schutz der Kulturgüter (ABl C 1993/72 v 15. 3. 1993, 160).

[52]) KOM (95) 110 endg.

- die einschlägigen Kenntnisse und Verfahrensweisen zu erweitern, wie das europäische Potential herauszufinden,
- die Zusammenarbeit mit Drittländern und den einschlägigen internationalen Organisationen, insbesondere dem Europarat, zu fördern.

b) Fördermaßnahmen

1) Förderung der Nutzbarmachung und Darstellung des Kulturerbes

Ziel dieser Aktion ist, durch konkrete Projekte die Entwicklung von Techniken zur Erhaltung des Kulturgutes, darunter sowohl bewegliches sowie unbewegliches, archäologisches Kulturgut, Museen und Museumssammlungen, Archivbestände, archäologisches Kulturgut unter Wasser etc zu fördern. Besondere Aufmerksamkeit wird der Verbreitung der Ergebnisse von Projekten zukommen, die Maßnahmen zur Erhaltung bedeutender und außergewöhnlicher Kulturgüter umfassen, die das Ziel haben, europäische „Laboratorien" für das Kulturerbe zu schaffen. Die Erhaltungsarbeiten müssen Kunstwerke, Denkmäler und Städte betreffen, die historisch außerordentlich wertvoll und Beispiele für das europäische Kulturerbe sind. Ziel ist, europäische multidisziplinäre Teams an den Arbeiten zu bilden. Weiter sollen in diesem Zusammenhang europäische Workshops gefördert werden, sowie die Entwicklung europäischer Standards für das Management und die Erhaltung des Kulturerbes.

2) Schaffung von Netzwerken und Partnerschaften

Hierbei geht es um die Förderung der Vernetzung der europäischen Workshops, die Entwicklung und Verbreitung von Informationshilfen für Netzwerke und Fachleute, die Förderung von grenzüberschreitenden Kooperationsprojekten zwischen Museen und/oder Baudenkmälern sowie um die Förderung von Kooperationsprojekten zwischen Aus- und Fortbildungseinrichtungen sowie Forschungszentren.

3) Zugang zu Kulturwerken

Unter anderem durch Wanderausstellungen oder andere zu erstellende audiovisuelle Produkte soll einer breiten Öffentlichkeit Einblick in die laufenden Arbeiten geboten werden. Außerdem ist die Förderung europäisch ausgerichteter Veranstaltungen zur Stärkung des Bewußtseins des europäischen Kulturerbes vorgesehen, wie die Förderung mehrsprachiger Präsentationen etwa in Museen, Baudenkmälern etc.

4) Innovation, neue Technologien, Fortbildung und Mobilität

Nach Ansicht der Kommission ist es wichtig, für die Erhaltung des europäischen Kulturerbes eine ausreichende Zahl von hochqualifizierten Fachleuten für die komplexen, unterschiedlichen Aufgaben zu haben. Dazu sind eine Reihe von Maßnahmen vorgesehen, wie Konferenzen, Kolloquien und Seminare oder die Verbreitung von Forschungsergebnissen.

5) Zusammenarbeit mit Drittländern und internationalen Organisationen

Mit den Maßnahmen soll die Entwicklung von Synergieeffekten unter anderem mit den Aktionen der UNESCO und des Europarates erreicht werden – etwa durch die Unterstützung von Vorhaben zur Erhaltung des Weltkulturerbes oder die Beteiligung an Vorhaben im Zusammenhang mit Netzwerken und Partnerschaften.

C. Einbeziehung kultureller Aspekte in andere Gemeinschaftspolitiken

Nicht erst gem Art 128 Abs 4 EGV, wonach die Gemeinschaft den kulturellen Aspekten bei ihrer Tätigkeit aufgrund anderer Bestimmungen des Vertrages Rechnung trägt, kam die Gemeinschaft diesem Gedanken nach.

1. Kulturgüter im Binnenmarkt

Im Blick auf die mit der Errichtung des Binnenmarktes verbundene Aufhebung der **Warenkontrollen** an den Binnengrenzen zum 1. Jänner 1993 hatte die Europäische Kommission schon Ende 1989 eine Mitteilung „über den Schutz nationalen Kulturguts von künstlerischem, geschichtlichem oder archäologischem Wert im Hinblick auf die Beseitigung der Binnengrenzen im Jahre 1992“ dem Rat vorgelegt.[53]) Nach Art 36 EGV haben die Mitgliedstaaten zwar weiterhin das Recht, ihre nationalen Kulturgüter zu bestimmen und die notwendigen Maßnahmen zu deren Schutz zu ergreifen. Kontrollen werden aber nur noch an den Außengrenzen der Union möglich sein. Anfang 1992 hat die Kommission daher den Entwurf einer Verordnung über die Ausfuhr von Kulturgütern sowie den Entwurf einer Richtlinie des Rates betreffend die Rückgabe von Kulturgütern, die unrechtmäßig aus dem Staatsgebiet eines Mitgliedstaates verbracht wurden, vorgelegt.[54])

a) Schutz der Kulturgüter vor Ausfuhr

Die entsprechende Verordnung konnte vom Rat am 9. Dezember 1992 verabschiedet werden.[55]) Da eine auf dem Prinzip der gegenseitigen und bedingungslosen Anerkennung der geltenden nationalen Rechtsvorschriften basierende Lösung angesichts der Sensibilität der Mitgliedstaaten nicht möglich war, stützt sich die auf Art 113 EGV (gemeinsame Handelspolitik) beruhende Regelung auf vier Elemente. Sie umfassen

- die Festlegung von Kategorien einschlägiger Kulturgüter,
- die Einführung eines Verfahrens für die Erteilung einer in der ganzen Gemeinschaft gültigen Ausfuhrgenehmigung,

---

[53]) KOM (89) 594 endg.

[54]) KOM (91) 447 endg. Näher dazu *Schwarze,* Der Schutz nationalen Kulturguts im europäischen Binnenmarkt, JZ 1994, 111, und *Fechner,* Kunstwerke im Binnenmarkt, JZ 1994, 132.

[55]) V EWG/3911/92, ABl C 1992/395 v 31. 12. 1992, 1.

- die Anwendung der Ratsverordnung EWG/1468/81 betreffend die gegenseitige Unterstützung der Verwaltungsbehörden der Mitgliedstaaten und die Zusammenarbeit dieser Behörden mit der Kommission sowie
- die Einsetzung eines Beratenden Ausschusses.

Zur Erleichterung des Verfahrens hat die Kommission im März 1993 eine Durchführungsverordnung erlassen, die insbesondere die Modalitäten der Ausstellung, Erteilung und Verwendung des Ausfuhrdokumentes festlegt.[56])

b) Rückgabe unrechtmäßig verbrachter Kulturgüter

Eine auf Art 100a EGV gestützte Richtlinie, die der Rat am 13. Mai 1993 über die **Rückgabe von unrechtmäßig aus dem Hoheitsgebiet eines Mitgliedstaates verbrachten Kulturgüter** verabschiedete,[57]) führt ein Rückgabesystem ein. Danach muß das zuständige Gericht des Mitgliedstaates, in dem das Kulturgut wiedergefunden wird, dessen Herausgabe anordnen, wenn der Herkunftsmitgliedstaat nachweist, daß der Gegenstand

- innerhalb seines Kulturerbes als nationales Kulturgut im Sinne von Art 36 EGV gilt,
- in eine der im Anhang der Richtlinie aufgeführten Kategorien fällt und
- nach dem 31. Dezember 1992 unrechtmäßig aus seinem Staatsgebiet verbracht wurde.

Die Rückgabe kann nur bei Verjährung verweigert werden. Redlicher Erwerb des Kulturgutes führt bei Rückgabe zu einem Anspruch auf **angemessene Entschädigung** zu Lasten des Herkunftsmitgliedstaates. Sie ist bei der Rückgabe zu zahlen.[58])

2. Die Förderung der europäischen Programmindustrie

Das Aktionsprogramm zur Förderung der Errichtung der europäischen **audiovisuellen Industrie** (MEDIA), das vom Rat für eine Laufzeit von fünf Jahren (1991–1995) aufgelegt worden war,[59]) hatte die Aufgabe, in den verschiedenen Stadien der audiovisuellen Produktion und Verteilung – mit Ausnahme der Finanzierung der Produktion – Unterstützung zu gewähren. So wurden einzelne Strukturen geschaffen, deren Tätigkeit von der Berufsbildung bis zur Verteilung reicht.[60])

Angesichts der die weiterbestehende strukturelle Schwäche der europäischen Programmindustrie überlagernden Konsequenzen der künftigen Informationsgesellschaft können nach Ansicht der Kommission deren erwartete Fortschritte weder im kulturellen noch im wirtschaftlichen Bereich verwirk-

---

[56]) V EWG/752/93, ABl C 1993/77 v 31. 3. 1993, 24.

[57]) RL EWG/7/93, ABl C 1993/74 v 27. 3. 1993, 74.

[58]) Vgl *Eberl,* Probleme und Auswirkungen der EG-Vorschriften zum Kulturgüterschutz, NVwZ 1994, 729.

[59]) EWG/685/90.

[60]) Dazu ausführlich *Weyringer,* Europäische Kulturpolitik, in: *Röttinger/Weyringer* (Hg), Handbuch der europäischen Integration[1] (1991) 1009.

licht werden, wenn die Wettbewerbsfähigkeit des Sektors nicht mittelfristig sichergestellt ist.

Dies war gleichzeitig auch das wesentliche Ergebnis der Anhörung der Kommission zu ihrem Grünbuch vom April 1994 über „Strategische Optionen für die Stärkung der Programmindustrie im Rahmen der audiovisuellen Politik der Europäischen Union".[61]) Auch der Rat hat auf seiner gemeinsamen Tagung der Industrie- und Telekommunikationsminister im September 1994 diese Ansicht vertreten.

Die Entwicklung einer wettbewerbsfähigen und auf Dauer rentablen europäischen Programmindustrie, die in der Lage ist, den kulturellen und wirtschaftlichen Erfordernissen der Informationsgesellschaft gerecht zu werden, ist daher ein wichtiges Ziel der EU.

a) Das MEDIA II-Programm

Der Konsultationsprozeß auf der Grundlage des Grünbuchs hat nach Ansicht der Kommission zunächst bewiesen, daß die Schwächen der europäischen Programmindustrie in unterschiedlichem Ausmaß die ganze Kette der Produktion und Verteilung audiovisueller Werke betreffen. Die Ausbildung ist nur unzureichend entwickelt. In Vorproduktion und Marketing wird in Europa – verglichen mit dem Mitteleinsatz der großen außereuropäischen Produzenten – unzureichend investiert. Die Produktion erreicht selten den kritischen Umfang; Verteilung und Ausstrahlung sind oft auf den regionalen und nationalen Bereich beschränkt und lassen nur einen geringen Austausch der Werke zu.[62]) Der vorhandene Kinopark entspricht nicht dem Bedarf.

In ihrem Vorschlag für ein von 1996–2000 reichendes Folgeprogramm MEDIA II hat die Kommission daher eine Straffung und Aufteilung der Gemeinschaftsaktionen vorgeschlagen:[63])

- Ein auf Art 127 EGV (berufliche Bildung) gestütztes **Fortbildungsprogramm** für die Fachkreise der audiovisuellen Programmindustrie: Es soll in Ergänzung des LEONARDO-Programms nach Art 2 des Vorschlages auch die Förderung einer effizienteren Gestaltung der Grundausbildung und beruflichen Fortbildung insbesondere mittels Vermittlung der Nutzung der europäischen Dimension des Marktes im Bereich Management und Marketing sowie die Zusammenarbeit und den Austausch von Know-how zwischen den beteiligten Partnern die Wettbewerbsfähigkeit der Industrie beinhalten.
- Ein Programm zur Förderung der **Projektentwicklung** und der Vertiefung europäischer audiovisueller Werke: In diesem allein auf Art 130 EGV (In-

[61]) KOM (94) 96 endg.

[62]) Von 500 Filmen, die pro Jahr in Europa produziert werden, kommen 200 nie in die Kinos; nur ganz wenige von den gezeigten haben wirtschaftlichen Erfolg und das meist nur im Ursprungsland.

[63]) KOM (94) 523 endg. Nachdem der in der Delors III-Kommission zuständige Kommissar *João de Deus Pinheiro* das MEDIA II-Programm und die Fernsehrichtlinie II als Paket betrachtete, sind angesichts der intensiven Diskussion zu letzterem Beschluß und Vorlage erst im März 1995 erfolgt.

dustriepolitik) gestützten Vorschlag[64]) regt die Kommission gemeinschaftliche Anreize für größere Investitionen der audiovisuellen Industrie in die Projektentwicklung mit dem Ziel von Projekten an, die von vornherein für ein europäisches/internationales und nicht allein für ein bestimmtes Sprachfeld konzipiert sind. Außerdem schlägt sie vor, die Weiterverbreitung europäischer audiovisueller Werke durch eine wirtschaftliche Stärkung von Verlagsfirmen und für Kinoverleih und Fernsehausstrahlung tätigen Unternehmen sowie die Verbreitung der Werke durch geeignete strukturelle Veränderungen der Beteiligten zu fördern. Konsequenterweise soll der Mittelansatz für das MEDIA II-Programm gegenüber dem MEDIA I-Programm um etwa 50% erhöht werden.

b) Die Fernsehrichtlinie II

In seiner Richtlinie zur Koordinierung bestimmter Rechts- und Verwaltungsvorschriften der Mitgliedstaaten über die Ausübung der Fernsehtätigkeit vom 3. Oktober 1989[65]) sah der Rat gemeinsame Mindestniveaus zur Ermöglichung eines freien Verkehrs von Fernsehdiensten vor.

Die Anwendung der Richtlinie brachte jedoch zunächst insbesondere juristische Unsicherheiten mit sich. So stellte sich zunehmend die Frage, nach welchen Kriterien nationales Recht für **Satellitensender** gilt. Die zweite Unsicherheit betraf die **Quotenregelung.**[66]) Da sie auf der Sendezeit beruht, eignet sie sich nur für die in den 80er-Jahren noch vorherrschenden Sender mit Vollprogrammen. Inzwischen gibt es jedoch mehr und mehr Sender mit Spartenprogrammen, weshalb mit immer mehr Streitfällen – derzeit liegen rund 30 Verfahren vor dem EuGH – zu rechnen ist, sobald die Spartensender ihren Sendebetrieb auf andere Mitgliedstaaten auszudehnen versuchen.

Darüber hinaus brachte die technologische Entwicklung Probleme mit sich. Die Fernsehbegriffsbestimmung von 1989 deckte nur alle Punkt-zu-Mehrpunkt-Dienste[67]) ab, nicht aber Punkt-zu-Punkt-Dienste auf Abruf wie das eigentliche Video auf Abruf.

Auf massive französische Intervention hat die Kommission nach mehrmonatigen intensiven Diskussionen am 17. März 1995 eine Revision der Fernsehrichtlinie vorgeschlagen[68]) – allerdings nur mit begrenztem Umfang. So hat die Kommission eine Erstreckung des Geltungsbereichs auch auf die neuen audiovisuellen Dienste abgelehnt, da das Schutzinteresse des Verbrauchers, wenn er selbst einen Dienst anfordert, geringer zu achten ist als bei Punkt-zu-Mehrpunkt-Diensten. Außerdem besteht keine Notwendigkeit,

---

[64]) Der damit der erste Vorschlag eines sektorspezifischen industriepolitischen Programms ist.

[65]) EWG/552/89. Vgl dazu *Schwartz,* Rundfunk, EG-Kompetenzen und ihre Ausübung, ZUM 1991, 155; *Hesse,* Rundfunk zwischen demokratischer Willensbildung und dem Zugriff der EG, JZ 1993, 545.

[66]) Näher *Bogdandy,* Europäischer Protektionismus im Medienbereich. Zu Inhalt und Rechtmäßigkeit der Quotenregelung in der Fernsehrichtlinie, EUZW 1992, 9.

[67]) Also vom konventionellen terrestischen Fernsehen über das Fernsehen gegen Einzelabrechnung (pay-TV) bis zum Mehrfachdienst gegen Einzelabrechnung (near video on demand).

[68]) KOM(95) 86 endg.

Dienste wie etwa Telemedizin, Teleunterricht oder finanzielle Transaktionen einzubeziehen.

Die Modifikation der Richtlinie erstreckt sich daher im wesentlichen auf die Sendeanteile der Art 4 und 5, die durch die Streichung des Begriffs „im Rahmen des praktisch Durchführbaren" stringent werden. Zugunsten der **Spartenprogramme** räumt ihnen Art 4 Abs 2 die Möglichkeit ein, statt der Sendezeitpflicht eine Investitionsverpflichtung in Höhe von 25% ihres Programmbudgets zugunsten europäischer Werke einzugehen. Der für die Sendezeit zu erreichende Anteil soll nach Art 5 Abs 2 jetzt mindestens 50% neuerer Werke, dh Verbreitung innerhalb von 5 Jahren nach ihrer Herstellung umfassen. Zusätzlich soll die Sendezeitverpflichtung nach 10 Jahren auslaufen.

Der geänderte Vorschlag ist wie sein Vorgänger allein auf Art 57 Abs 2 und 66 EGV gestützt. Diese Tatsache ebenso wie die, daß auch die beiden Teile des MEDIA II-Programms ebenfalls nicht ergänzend auf Art 128 EG-Vertrag gestützt werden sollen, unterstreichen die vielfach geäußerte Vermutung,[69]) daß es im audiovisuellen Bereich oft weniger um kulturelle als um industriepolitische Anliegen geht.

3. Urheberrechte

Ohne die schöpferischen Leistungen von Schriftstellern, Komponisten, anderen Künstlern, Produzenten, Regisseuren etc gäbe es keine Kunstwerke, seien sie traditioneller Form oder fahren sie heute auf den elektronischen Autobahnen. Ein wesentliches Element der Rechtssicherheit bei der Verwertung ihrer geistigen Arbeit ist das **Urheberrecht.** In ihrem Arbeitsprogramm auf dem Gebiet des Urheberrechts und der verwandten Schutzrechte vom 17. Jänner 1991[70]) hat die Kommission deshalb dargelegt, daß das Urheberrecht ein Eckpfeiler des geistigen Schöpfungsprozesses ist. Das Urheberrecht schützen, heißt, die Gegenwart und die Zukunft der schöpferischen Tätigkeit im Interesse der Urheber, der Unternehmen des Kultursektors etc zu sichern.

Auch wenn manche im Vorfeld der Maastrichter Regierungskonferenz gehofft haben mögen, daß im Rahmen des neuen Kulturartikels auch eine allgemeine Kompetenzgrundlage für das Urheberrecht geschaffen würde, bleiben durch den Ausschluß „jeglicher" Harmonisierung der Rechts- und Verwaltungsvorschriften der Mitgliedstaaten gemäß Art 128 Abs 5 1. Teilstrich EGV als Rechtsgrundlagen für die einschlägigen Aktivitäten der Gemeinschaft nur die allgemeinen Binnenmarktvorschriften.

Eine Reihe der von der Kommission in ihrem Arbeitsprogramm vorgeschlagenen Richtlinienentwürfe sind bereits in Kraft getreten:[71])

- zum Vermiet- und Verleihrecht[72])
- Harmonisierung der Schutzfristen[73])

---

[69]) Deutlich *Joffe,* Kasse und Kulturkampf, Süddeutsche Zeitung v 20. 4. 1995.

[70]) KOM (90) 584 endg.

[71]) Eine ausführliche Darstellung geben *Kreile/Becker,* Neuordnung des Urheberrechts in der EU, GRUR 1994, 901.

[72]) RL EWG/100/92 v 19. 11. 1992, ABl L 1992/346 v 27. 11. 1992, 61.

[73]) RL EWG/98/93 v 29. 10. 1993, ABl L 1993/290 v 14. 11. 1993, 9.

- Satelliten- und Kabelrundfunk[74])
- die schon vorher vorgeschlagene Richtlinie zum Schutz von Computerprogrammen.[75])

Im Blick auf die Informationsgesellschaft und deren Konsequenzen für das Urheberrecht hat die Kommission am 19. Juli 1995 das Grünbuch „Urheberrecht und verwandte Schutzrechte in der Informationsgesellschaft[76]) veröffentlicht.

D. Ausblick

Gem Art N Abs 2 iVm Art B 5. Teilstrich VEU sind die neu eingeführten Politiken Bestandteil einer Revisionsprüfung durch die Regierungskonferenz 1996. Zu diesen Bestimmungen gehört auch der neue Kulturartikel 128 EGV.

Hierzu liegen bereits Äußerungen vor, die den Fortbestand dieser Norm in Frage etwa mit dem Argument stellen, daß im Kulturwesen die Union über eine finanzielle Förderung in Primärzuständigkeiten der Mitgliedstaaten eingreife.[77]) Ähnliches ist auch aus dem Bereich der deutschen Länder zu hören.[78])

Mehr als andere Bereiche dürfte daher eine Diskussion der Kulturartikel 128 und 3 lit p EGV in der Regierungskonferenz dazu beitragen, die Kompetenzabgrenzung zwischen Integrationsebene einerseits und nationaler Ebene andererseits abklären zu helfen und damit zur Definition des Subsidiaritätsprinzips auf der Gemeinschaftsebene beizutragen.

---

[74]) RL EWG/83/93 v 27. 9. 1993, ABl L 1993/248 v 6. 10. 1993, 15.

[75]) RL EWG/250/91 v 14. 5. 1991, ABl L 1991/122 v 17. 5. 1991, 42.

[76]) KOM(95) 382 endg.

[77]) So die Europäische Strukturkommission der Bertelsmann-Stiftung, in: *Weidenfeld* (Hg), Europa '96-Reformprogramm für die Europäische Union. Strategien und Optionen für Europa (1994) 27.

[78]) So verlangt die Bayerische Staatsregierung Fördermaßnahmen nur zur Verbesserung des Bewußtseins kultureller Zusammengehörigkeit in Europa insb in Zusammenhang mit europäischen Großprojekten: Bayerische Staatskanzlei (Hg), Euro-Aktuell Nr 134 (1995), Anlage I: Bayerische Ziele für die Regierungskonferenz 1996, S 3 der Anlage; s auch *Bohr/Albert,* Die Europäische Union – das Ende der eigenständigen Kulturpolitik der deutschen Bundesländer, ZR 1993, 61.

Glossar*)

AKP-Länder

→Lomé-Abkommen

Allgemeines Zollpräferenzsystem

Beim allgemeinen Präferenzzollsystem der Gemeinschaft (APS) handelt es sich um ein autonomes Instrument der Handels- und Entwicklungspolitik der EG, das auf Art 113 EGV gestützt wird. Autonom bedeutet, daß die Gemeinschaft das APS einseitig festlegt, es also zu keinerlei vertraglichen Beziehungen der EG und den begünstigten Ländern kommt. Der einseitige und nicht bindende Charakter dieses Schemas erleichtert seine rasche Anpassung an wirtschaftliche und politische Entwicklungen. Die Ziele des APS sind im wesentlichen die Erhöhung der Exporterlöse der begünstigten Länder, die Verringerung der einseitigen Ausrichtung der Entwicklungsländer auf Rohstoffexporte, die Förderung der Individualisierung der betroffenen Länder und die Beschleunigung des wirtschaftlichen Wachstums. Soweit zur Erreichung dieser Ziele nicht ohnehin Zollfreiheit gewährt wird, werden die mengenmäßigen Beschränkungen in Form von Zollkontingenten und Gemeinschaftsplafonds ausgestaltet.

Amtsblatt

Das Amtsblatt der Europäischen Gemeinschaft (ABl) erscheint täglich mit mindestens drei Nummern und in allen elf →Amtssprachen. In den beiden Amtsblättern C und L sind die gesamten Rechtsakte der Gemeinschaftsorgane, die Vorschläge der Kommission, die Klagen sowie Gerichtshofurteile, die Entschließungen des Rates sowie parlamentarische Anfragen enthalten.

Amtssprachen

Die Europäischen Gemeinschaften haben keine gemeinsame Sprache im technischen Sinne, Amtssprachen sind Dänisch, Deutsch, Englisch, Französisch, Finnisch, Griechisch, Italienisch, Niederländisch, Portugiesisch, Schwedisch und Spanisch. Dokumente, Sitzungen und ebenso die →Amtsblätter müssen in alle elf Sprachen der Gemeinschaft übersetzt werden.

Arbeitssprachen

Im Gegensatz zu den elf →Amtssprachen kennt die EG-Kommission drei interne Arbeitssprachen, das sind Französisch, Englisch und Deutsch, in denen die Vorschläge der Kommission zunächst ausgearbeitet werden.

---

*) Erstellt von Dr. *Claudia Weyringer*.

Assoziierungsabkommen

Die Assoziierung ist auf eine enge wirtschaftliche Kooperation mit weitreichender finanzieller Unterstützung des Vertragspartners durch die EG ausgerichtet und geht damit über die Regelung rein handelspolitischer Fragen hinaus. Auf diese Form der Kooperation (→Kooperationsabkommen) wird auch zurückgegriffen, um einen möglichen Beitritt eines Landes zur EG vorzubereiten. Sie ist dann gleichsam eine Vorstufe des Beitritts, ab der eine Annäherung der wirtschaftlichen Bedingungen eines Beitrittskandidaten an die EG angestrebt wird (zB die Länder Mittel- und Osteuropas).

Beratender Ausschuß

Beratende Ausschüsse, deren es etwa 200 gibt (→Komitologie), setzen sich aus Vertretern der Mitgliedstaaten zusammen und werden von einem Vertreter der Kommission geleitet. Der Vertreter der →EG-Kommission unterbreitet dem Ausschuß einen Entwurf der zu treffenden Maßnahmen, zu dem dieser innerhalb einer von der Kommission festgesetzten Frist eine Stellungnahme abgibt. Die Kommission ist aufgefordert, aber nicht verpflichtet, die Stellungnahme so weit wie möglich zu berücksichtigen. Sie unterrichtet den Ausschuß darüber, inwieweit sie den Anregungen und Änderungen des Ausschusses nachgekommen ist.

Binnenmarkt

In einem Binnenmarkt ist der Verkehr von Waren, Personen, Dienstleistungen und Kapital (sog vier Freiheiten) durch keine Beschränkungen behindert. Dadurch fallen die Grenzkontrollen weg. Eine Angleichung der verschiedenen nationalen Bestimmungen wie Steuern und Normen ist notwendig. Der Binnenmarkt ist seit dem 1. Jänner 1993 praktisch vollendet.

Cecchini-Bericht

Die EG-Kommission gab eine Studie über die „Kosten der Nicht-Verwirklichung Europas“ in Auftrag, die im März 1988 unter dem Titel „Europa 1992 – Die große Herausforderung“ veröffentlicht wurde. Diese Studie wurde von einer großen Anzahl unabhängiger Wirtschaftssachverständiger, Berater und Forschungsinstituten unter der Leitung von *Pablo Cecchini* durchgeführt. Die hauptsächlichen Ergebnisse waren, daß sich aufgrund der Vollendung des Binnenmarktes das Bruttoinlandsprodukt der Gemeinschaft um etwa 5% erhöhen, es zu einer Senkung der Verbraucherpreise um durchschnittlich 6% kommen wird und daß durch die Vollendung des Binnenmarktes ein mittelfristiger Anstieg der Nachfrage auf dem Arbeitsmarkt zu verzeichnen ist.

CEN

(Europäisches Komitee für Normung – Comité Européen de Normalisation). CEN wurde 1961 zur internationalen Normenübereinkunft gegründet und bildet zusammen mit →CENELEC aufgrund der gemeinsamen

Verfahrensregeln die Gemeinsame Europäische Normeninstitution. Mitgliedstaaten sind die EG- und →EFTA-Staaten (19 Mitglieder). CEN hat die Zusammenarbeit in Normenfragen zur Förderung des Handels und Dienstleistungsaustausches zwischen den Mitgliedstaaten, dh die Beseitigung von Handelshemmnissen infolge unterschiedlicher Standards, Bescheinigungen, Testverfahren und dgl zum Ziel. Es besteht Vorrang der CEN-Normen gegenüber nationalen Normen.

CENELEC

(Europäisches Komitee für elektrotechnische Normung – Comité Européen de Normalisation Electrotechnique). CENELEC wurde 1973 mit dem Ziel gegründet, die Handelsbeschränkungen durch →Harmonisierung der nationalen elektrotechnischen Standards (analog →CEN) abzubauen.

Cocom

(Koordinierungsausschuß für strategische Ausfuhrkontrollen – Coordinating Committee for Multilateral Strategic Export Controls). Cocom wurde 1949 auf US-Initiative als Prüfungsinstanz für sensible Ostexporte gegründet. Die ursprünglichen Ziele waren die Koordination, Kontrolle, Steuerung und damit Begrenzung von Exporten militärisch relevanter Hochtechnologiegüter (zB Lasertechnik, Großrechner, Halbleiterchips, Präzisionsmaschinen usw bis hin zu modernen Telefonanlagen) an die UdSSR, andere RGW-Staaten sowie die Volksrepublik China. Man versuchte damit, das bestehende West-Ost-Technologiegefälle aufrecht zu erhalten. Mitglieder des Cocom waren die →NATO-Staaten ohne Island sowie Japan und Australien. 1990 einigte man sich auf eine Reduzierung der Prozeduren für Exportbewilligungen aller Ostblockländer von bisher 12 auf 8 Wochen. Ebenso wurde eine wesentliche Liberalisierung durch Streichung rund eines Drittels der bisher noch 116 Positionen aufweisenden Cocom-Liste erreicht. Diese Organisation wurde im März 1994 aufgelöst. Bis dato existiert keine offizielle Nachfolgeorganisation, sondern lediglich ein Diskussionsforum („New Forum“) auf freiwilliger Basis. Neben vielen verschiedenen Exportrestriktionslisten ist insb jene auf europäischer Ebene („EU-Dual-Use-Liste“) hervorzuheben.

COREPER

Der Ausschuß der Ständigen Vertreter (Comité des Représentants Permanents) wurde offiziell 1965 installiert, befaßt sich mit der Vorbereitung der Entscheidungen des Rates (→Ministerrat) und koordiniert die Arbeiten der verschiedenen Fachausschüsse. Seine Mitarbeiter sind weisungsgebundene Botschafter der Mitgliedstaaten oder deren Stellvertreter bei der →EG. Der COREPER hält wöchentliche Sitzungen mit den Vertretern der Kommission (→EG-Kommission) ab.

COST

(Coopération européene scientifique et technique – Europäische Zusammenarbeit auf dem Gebiet der wissenschaftlichen und technischen Forschung). COST als europäisches Forschungsprogramm beschäftigt sich mit Grundlagenforschung und der Entwicklung neuer Produkte (zB Informationsverarbeitung, Telekommunikation, Werkstoffkunde, Umweltschutz, Landwirtschaft und Medizin). COST umfaßt die fünfzehn EU-Staaten, die EFTA-Staaten Norwegen, Island, Liechtenstein und die Schweiz sowie die Türkei, Ungarn, Polen, Tschechien, die Slowakei, Slowenien und Kroatien.

CREST

Der Ausschuß CREST (Comité de la recherche scientifique et technique – Ausschuß für wissenschaftliche und technische Forschung) wurde 1974 mit dem Ziel gegründet, die Forschungspolitik zwischen den Mitgliedstaaten und der Gemeinschaft zu koordinieren. Er umfaßt jeweils zwei von den nationalen Regierungen der Mitgliedstaaten nominierte Vertreter; der Vorsitz wird vom Generaldirektor der Generaldirektion „Wissenschaft, Forschung und Entwicklung" der EG-Kommission geführt (→IRDAC; →Europäische Wissenschafts- und Technologieversammlung).

Dienststelle

→Generaldirektion

EAGFL – Europäischer Ausrichtungs- und Garantiefonds für die Landwirtschaft

Der EAGFL ist einer der Strukturfonds der EG und insb für die Stützung der Agrarpreise und Strukturmaßnahmen in der EG eingerichtet.

EBRD – Europäische Bank für Wiederaufbau und Entwicklung (Osteuropabank)

Sie wurde am 29. Mai 1990 in Paris durch 42 Signatarstaaten auf Anregung von *François Mitterrand* gegründet. Die Bank begann ihre Tätigkeit am 1. April 1991 (nach der Ratifizierung durch die Parlamente der Mitgliedstaaten) und hat zum Ziel, die mittel- und osteuropäischen Reformstaaten bei der Umwandlung von zentralen Verwaltungswirtschaften in freie Marktwirtschaften durch Kreditierung diverser Projekte zu unterstützen.

ECU

Der ECU (European Currency Unit) (→EURO) ist die europäische Währungseinheit und entstand parallel mit der Schaffung des →Europäischen Währungssystems (EWS) ab 1. Jänner 1979. Er löste die bis dahin gebrauchte „Europäische Rechnungseinheit" (ERE) ab. Der ECU ist eine sog „Korbwährung", dh eine Art europäische Kunstwährung, deren Wert sich aus Anteilen der im ECU-Korb befindlichen Währungen der Mitgliedstaaten errechnet. Der Wert des ECU wird täglich von der Kommission auf der Grundlage der Summe der Wechselkurse mit dem US-Dollar zu den einzelnen EG-Währungen, so wie ihn die Zentralbanken der Mitgliedstaaten ermitteln und mitteilen, festgestellt. Die Werte ECU-EG-Wechselkurse werden täglich im →Amtsblatt der EG veröffentlicht.

EFTA

Die Europäische Freihandelszone (European Free Trade Association) wurde durch britische Initiative nach Inkrafttreten des EWG-Vertrages zum Schutz der Handelsinteressen der westeuropäischen Staaten, die nicht in die Römer Verträge (→EURATOM-Vertrag, →EWG-Vertrag) eingebunden waren, 1960 gegründet. Die heutigen Mitglieder sind Island, Norwegen, Schweiz und Liechtenstein. Ziele der EFTA sind insb die Förderung des wirtschaftlichen Wachstums und der Vollbeschäftigung sowie die Erhöhung des Lebensstandards. Diese Ziele sollen durch die Beseitigung von Handelsbarrieren unter den Mitgliedstaaten – dies jedoch nur bei nichtagrarischen Gütern – erreicht werden. Im Unterschied zur →EG ist die EFTA nur eine →Freihandelszone, in der nur die Zölle unter den Mitgliedstaaten für Industriegüter und gewerbliche Waren abgeschafft sind. Im Gegensatz zur →Zollunion der EG besteht bei der EFTA kein →gemeinsamer Zolltarif und somit keine gemeinsame Handelspolitik nach außen (→EWR).

EG (EU)

Die Europäische Gemeinschaft (Europäische Union, EU) besteht aus den drei Gründungsverträgen →EGKS-Vertrag, →EWG-Vertrag und →EURATOM-Vertrag, sowie der →Einheitlichen Europäischen Akte und dem →Vertrag von Maastricht. Es handelt sich um das weitestgehende zwischenstaatliche Integrationssystem mit einer →Zollunion und einem →Binnenmarkt, das sich dynamisch auf eine politische, Währungs- und auch Sicherheits- und Verteidigungsgemeinschaft hinbewegt.

EG-Kommission

Die EG-Kommission (auch Europäische Kommission) ist der Motor und das Verwaltungsorgan der Gemeinschaft. Sie ist von den Regierungen der Mitgliedstaaten unabhängig, besitzt das Initiativ- und Exekutivrecht und unterliegt lediglich der Kontrolle des →Europäischen Parlaments. Die Kommission hat 20 Mitglieder, die nach Anhörung des Europäischen Parlaments von den Mitgliedstaaten im gegenseitigen Einvernehmen für 5 Jahre ernannt werden. Die Kommissionsmitglieder sind bei der Wahrung ihrer Aufgaben nicht an Weisungen aus ihren Herkunftsländern gebunden, sondern die Kommission hat sich bei ihren Vorschlägen alleinig am Wohl der Gemeinschaft zu orientieren. Verwaltungstechnisch ist die Kommission in etwa 30 →Generaldirektionen und sonstige Dienststellen aufgeteilt, die rund 15.500 Beamte beschäftigen.

EGKS-Vertrag

Der Vertrag zur Schaffung der Europäischen Gemeinschaften für Kohle und Stahl wurde am 18. April 1951 in Paris von den Benelux-Staaten, Italien,

Deutschland und Frankreich unterzeichnet. Die in der Präambel erklärten Ziele der EGKS sind die Erhaltung des Weltfriedens, der Beitrag zur Erarbeitung eines organisierten und lebendigen Europa und die Ausweitung der Grundproduktionen zur Hebung des Lebensstandards. Die EGKS basiert auf einem gemeinsamen Markt mit gemeinsamen Zielen und gemeinsamen Institutionen. Die Vertragsdauer ist mit 23. Juli 2002 begrenzt.

Einheitliche Europäische Akte

Die Einheitliche Europäische Akte (EEA) stellt die erste große Revision des EWG-Vertrages dar. Sie regelt eine Reihe von Materien, die bisher nicht in den Gründungsverträgen enthalten waren und stellt auch rechtliche Absicherungen zur Verwirklichung des →Binnenmarktes auf. Besonders wichtig ist, daß das Prinzip der Mehrstimmigkeit bei den Abstimmungen im Rat (→Ministerrat) neuerlich unterstrichen wird. Das bedeutet, daß die Mehrstimmigkeit als Regel gilt, und die Einstimmigkeit nur für gewisse Ausnahmefälle vorgesehen ist (wie zB im gesamten Bereich der Steuern). Als weitere wichtige Neuerungen, die durch die EEA geschaffen wurden, kann man den ganzen Bereich der Forschung und technologischen Entwicklung sowie den Umweltschutz nennen. Die EEA trat am 1. Juli 1987 in Kraft.

EPZ

Durch die Europäische Politische Zusammenarbeit (EPZ) verpflichten sich die Mitgliedstaaten zu einer Zusammenarbeit in der Außenpolitik und zur Koordinierung ihrer jeweiligen Positionen in der Sicherheitspolitik (→GASP). Die EPZ ist eine weitere Errungenschaft, die durch die →EEA eingeführt wurde. Im engeren Sinne versteht man unter EPZ die Konferenz der 15 Außenminister als zentralen Faktor der Außenpolitik der Mitgliedstaaten, der neben den EG-Mechanismen die zweite Säule des europäischen Einigungsprozesses bildet. Die EPZ wird wie der →Europäische Rat nur in Bereichen tätig, die die EG-Verträge nicht behandeln.

ERASMUS

(European Community Action Scheme for the Mobility of University Students). ERASMUS war (seit 1995 →LEONARDO und →SOCRATES) das bedeutendste EG-Bildungsprogramm und wurde insb für den Austausch von Studenten und Hochschullehrern eingerichtet. Mittels ERASMUS konnten im Studienjahr 1994/95 rund 116.000 Studenten in einem anderen Mitgliedstaat studieren.

EURATOM-Vertrag

Der Vertrag zur Gründung der Europäischen Atomgemeinschaft (EURATOM-Vertrag) wurde am 25. März 1957 gleichzeitig mit dem →EWG-Vertrag in Rom unterzeichnet. Die Aufgabe der Europäischen Atomgemeinschaft (EURATOM) ist es, durch die Schaffung der für die schnelle Bildung und Entwicklung von Kernindustrien erforderliche Voraussetzung zur Hebung der Lebenshaltung in den Mitgliedstaaten und zur Entwicklung der Beziehungen mit anderen Ländern beizutragen.

EUREKA

EUREKA ist eine europäische Forschungsinitiative, die allen Ländern Westeuropas und auch Zentral- und Osteuropas offensteht. Sie unterstützt die Zusammenarbeit zwischen Unternehmen und Forschungsinstituten auf dem Gebiet der Hochtechnologie zur Entwicklung von Produkten, Systemen und Dienstleistungen.

EURO

Der Europäische Rat in Madrid vom Dezember 1995 einigte sich auf den Namen der gemeinsamen Währung („EURO") sowie den Fahrplan zu ihrer Einführung (→Wirtschafts- und Währungsunion). Die Entscheidung über den Kreis der teilnehmenden Länder soll zu Beginn des Jahres 1998 gefaßt werden. Mit 1. Jänner 1999 beginnt der Zeitraum der Einführung des EURO, der mit der für das erste Halbjahr 2002 vorgesehenen Ausgabe des EURO Bargeldes (Banknoten und Münzen) abgeschlossen sein wird.

EUROCHAMBRES

Mitglieder der Organisation EUROCHAMBRES sind die nationalen Handels- und Industriekammern Europas. Wesentlichstes Ziel der EUROCHAMBRES ist es, in bezug auf die Probleme der europäischen Integration einen gemeinsamen Standpunkt ihrer Mitglieder gegenüber den europäischen Institutionen zu vertreten.

EURO INFO CENTER

EURO INFO CENTREN sind Außenstellen der für Mittelstandspolitik zuständigen →Generaldirektion XXIII der Europäischen Kommission und werden insbesondere dem Anspruch nach Dezentralisierung gerecht. Es gibt in den EU-Mitgliedstaaten über 250 dieser lokalen Beratungsbüros, deren spezielle Aufgabe es ist, Klein- und Mittelunternehmen (→KMU) vor Ort mit Informationen und Hilfestellungen zu sämtlichen Bereichen der Europäischen Politik zu betreuen.

Europäische Gemeinschaften

→EG

Europäische Investitionsbank

Die Europäische Investitionsbank (EIB) wurde am 1. Jänner 1958 mit dem Inkrafttreten des →EWG-Vertrages gegründet. Sie ist eine finanzielle und organisatorisch selbständige Einrichtung der →Europäischen Gemeinschaft mit eigener Rechtspersönlichkeit, beschafft Kapital auf dem freien

Markt und stellt Darlehen für Investitionsvorhaben in schwach entwickelten Regionen oder für Vorhaben von gemeinsamem Interesse für die Gemeinschaft als Ganzes zur Verfügung.

Europäische Umweltagentur

Die Europäische Umweltagentur soll Daten über den Zustand der Umwelt in der Gemeinschaft liefern, auf deren Basis die Kommission die notwendigen rechtlichen Schritte setzt. Daneben koordiniert die Agentur, die nicht nur EG-Staaten offensteht, auch die Umweltforschung. Die Gründung der Umweltagentur erfolgte am 29. Oktober 1993 durch den Europäischen Rat und sie hat ihren Sitz in Kopenhagen.

Europäische Wissenschafts- und Technologieversammlung

Dieser bei der EG-Kommission im Jahre 1994 eingerichtete Beratungsausschuß umfaßt 100 Spitzenvertreter der europäischen wissenschaftlichen Gemeinschaft und der industriellen Forschungswelt, die von der EG-Kommission ad personam ernannt werden. Er unterstützt die EG-Kommission bei der Planung und Durchführung der Forschungspolitik und soll eine ähnliche Funktion ausüben wie die Forschungsbeiräte in den USA und Japan (→CREST; →IRDAC).

Europäischer Entwicklungsfonds

Der Europäische Entwicklungsfonds (EEF) ist ein weiterer Strukturfonds der EG. Hier werden die Mittel von den Mitgliedstaaten unmittelbar aufgebracht und zB im Rahmen des →Lomé-Abkommens den Entwicklungsländern für Sondervorhaben zur Verfügung gestellt.

Europäischer Fonds für regionale Entwicklung

Der Europäische Fonds für regionale Entwicklung (EFRE) gehört auch zu den Strukturfonds der EG und ist insb für den Abbau der wirtschaftlichen, sozialen und regionalen Unterschiede eingerichtet. Er besteht seit 1975 und fördert mit nicht rückzahlbaren Zuschüssen Investitionsvorhaben im Rahmen nationaler Entwicklungsprogramme.

Europäischer Gerichtshof

Die Aufgabe des Gerichtshofes der Europäischen Gemeinschaften (EuGH) ist die Auslegung der Verfassung der EG und der anderen europäischen Rechtstexte in Streitfällen. Der EuGH setzt sich aus fünfzehn Richtern und neun Generalanwälten zusammen, die von allen Mitgliedstaaten im gegenseitigen Einvernehmen für sechs Jahre ernannt werden und deren Unabhängigkeit gewährleistet ist. Die Europäischen Richter können Vertragsverletzungen (→Vertragsverletzungsverfahren) durch nationale Rechtsakte oder Entscheidungen feststellen, wenn diese mit den Bestimmungen der Europäischen Verträge unvereinbar sind. Der Gerichtshof kann von einem Mitgliedstaat, einer Gemeinschaftsinstitution oder einer Einzelperson angerufen werden. Auf Ersuchen der nationalen Gerichte äußert sich der EuGH ebenfalls zu strittigen Fällen der Anwendung des Gemeinschaftsrechts (→Vorabentscheidungsverfahren). Seine Urteile sind für alle Gerichte der Mitgliedstaaten rechtsverbindlich.

Europäischer Rat

Der Europäische Rat ist die Konferenz der Staats- und Regierungschefs der fünfzehn Mitgliedstaaten der EG. Bis Dezember 1974 wurde er allgemein als Gipfelkonferenz bezeichnet. Der Europäische Rat löst gewichtige Probleme und legt die großen politischen Linien der EG fest; er tagt in der Regel zwei- bis dreimal jährlich.

Europäischer Rechnungshof

Der Europäische Rechnungshof wurde am 18. Oktober 1977 gegründet und hat die externe Kontrolle über die gesamten EG-Haushaltsmittel und deren Verwendung zur Aufgabe.

Europäischer Sozialfonds

Der Europäische Sozialfonds (ESF) ist ein weiterer Strukturfonds der EG und dient zur Finanzierung der beruflichen Bildung und Arbeitsförderung durch Zuschüsse zu nationalen Maßnahmen.

Europäischer Wirtschaftsraum

Der Europäische Wirtschaftsraum (EWR) trat nach langen Verhandlungen zwischen den →EG- und →EFTA-Staaten am 1. Jänner 1994 in Kraft. Mitglieder sind alle Mitgliedstaaten der Europäischen Union, Island, Liechtenstein und Norwegen. Die Schweiz hatte sich in einer Volksabstimmung am 6. Dezember 1992 gegen den Beitritt zum EWR ausgesprochen. Der EWR ist eine →Freihandelszone in dem die vier Freiheiten des →Binnenmarktes verwirklicht sind. Der EWR ermöglicht dadurch den EFTA-Staaten eine Teilnahme am Binnenmarkt, ohne ihnen jedoch die Entscheidungsgewalt an der künftigen Rechtsetzung der Gemeinschaft einzuräumen.

Europäisches Parlament

Das Europäische Parlament (EP) ist bisher nicht der „Gesetzgeber der Gemeinschaft". Die Gesetzgebung erfolgt in erster Linie durch den Rat (→Ministerrat) auf Initiative der Kommission (→EG-Kommission). Das Parlament wirkt vorwiegend durch Beratung und Kontrolle an der Gesetzgebung mit. In Einzelfällen (zB Aufnahme neuer Mitglieder, Budget) reichen die in den Verträgen ausgestalteten Rechte des Parlamentsbereichs an Mitentscheidungsbefugnisse heran. Das Parlament hat 626 Abgeordnete, die aus allen Mitgliedstaaten der Gemeinschaft kommen. Die Zahl der Abgeordneten pro Land wird unter Berücksichtigung der Einwohnerzahl festgelegt. Die

Fraktionen des EP setzen sich nach politischen Affinitäten, nicht nach der Staatsangehörigkeit zusammen.

Europäisches Währungssystem

Das Europäische Währungssystem (EWS) wurde vom Europäischen Rat auf der Tagung in Bremen am 6. und 7. Juli 1978 grundsätzlich beschlossen und aufgrund der Brüsseler Entschließung des →Europäischen Rates vom 5. November 1978 errichtet und durch ein Abkommen der Zentralbanken der Mitgliedstaaten in die Praxis umgesetzt. An einem Wechselkursmechanismus nehmen alle Währungen mit Ausnahme des portugiesischen Escudo und der griechischen Drachme teil. Das EWS arbeitet nach dem Prinzip der stabilen, aber anpassungsfähigen Wechselkurse. Der →EWG-Vertrag bestimmt ausdrücklich, daß die Mitgliedstaaten zusammenarbeiten, um die Konvergenz der Wirtschafts- und Währungspolitiken zu sichern und dabei die Erfahrungen berücksichtigen, die im Rahmen des EWS und bei der Entwicklung des →ECU gesammelt worden sind (→Wirtschafts- und Währungsunion, →EURO).

Europarat

Der Europarat wurde am 5. Mai 1949 in London gegründet. Der Europarat mit seinem Sitz in Straßburg hat die Förderung des gemeinsamen europäischen Erbes in den Mitgliedstaaten und die Zusammenarbeit in wirtschaftlichen, sozialen, kulturellen, wissenschaftlichen und rechtlichen Angelegenheiten als Ziel. Bis jetzt gibt es 33 Mitgliedstaaten: Belgien, Bulgarien, Dänemark, Deutschland, Estland, Finnland, Frankreich, Griechenland, Großbritannien, Irland, Island, Italien, Liechtenstein, Litauen, Luxemburg, Malta, Niederlande, Norwegen, Österreich, Polen, Portugal, Rumänien, Rußland, San Marino, Schweden, Schweiz, Slowakische Republik, Slowenien, Spanien, Tschechische Republik, Türkei, Ungarn und Zypern. Die ČSFR war vom 21. Februar 1991 bis 31. Dezember 1992 Vollmitglied, Jugoslawien wurde im Juli 1992 ausgeschlossen.

EU-Vertrag

→Vertrag von Maastricht

EWG-Vertrag

Der Vertrag zur Gründung der Europäischen Wirtschaftsgemeinschaft vom 25. März 1957 ist einer der drei Verträge der Europäischen Gemeinschaft (→EG) und gleichzeitig der wichtigste mit den Hauptzielen der wirtschaftlichen Integration.

EWIV

Das System der europäischen wirtschaftlichen Interessensvereinigung wurde am 25. Juli 1985 auf Vorschlag der →EG-Kommission geschaffen. Die Kommission wollte mit der Schaffung einer solchen Gesellschaftsform eine neue Einrichtung ins Leben rufen, die unmittelbar dem Gemeinschaftsrecht unterliegt und speziell auf die grenzüberschreitende Zusammenarbeit ausgerichtet ist. Zweck und Sinn dieser Vereinigung ist es, den Partnern zu ermöglichen, ihre wirtschaftlichen Tätigkeiten teilweise miteinander zu verknüpfen und dabei neue und komplementäre Tätigkeiten zu entwickeln, bei denen eine Gruppierung von Interesse ist. Ebenso zielt die EWIV darauf ab, die wirtschaftlichen Tätigkeiten ihrer Mitglieder zu erleichtern oder zu entwickeln sowie die Ergebnisse dieser Tätigkeit zu verbessern oder zu steigern. Solche sind zB Forschung und Entwicklung, Einkauf, Produktion, Absatz, elektronische Datenverarbeitung, Bildung von multidisziplinären Konsortien im Hinblick auf die Beteiligung an Ausschreibungen für öffentliche oder private Aufträge etc.

Freihandelszone

Unter einer Freihandelszone versteht man eine Gruppe von 2 oder mehreren Zollgebieten, zwischen denen die Zölle und andere, den Außenhandel beschränkende Maßnahmen beseitigt sind bzw schrittweise beseitigt werden. Im Gegensatz zu einer →Zollunion behalten jedoch die in einer Freihandelszone zusammengeschlossenen Zollgebiete ihre volle Zollautonomie und somit eine unabhängige Handelspolitik gegenüber dritten, nicht in dieser Zone integrierten Gebieten.

Fusionsvertrag

Vertrag zur Einsetzung eines gemeinsamen Rates (→Ministerrat) und einer gemeinsamen Kommission (→EG-Kommission) der Europäischen Gemeinschaften (→EG) vom 8. April 1965.

GASP

Die Gemeinsame Außen- und Sicherheitspolitik der Europäischen Union beruhte bisher auf der freiwilligen Abstimmung in außenpolitischen Fragen im Rahmen der Europäischen Politischen Zusammenarbeit (→EPZ). Durch den EU-Vertrag (→Vertrag von Maastricht) wird die GASP weiterentwickelt, dh vom bisher vereinbarten „Bemühen“ um eine gemeinsame Außenpolitik zum verbindlichen „Beschluß“, diese zu verwirklichen, ausgebaut. Die Leitlinien der GASP müssen auch weiterhin einstimmig im Rat beschlossen werden, doch können auf dieser Grundlage gemeinsame Aktionen mit Zweidrittelmehrheit eingeleitet werden.

GATT

(General Agreement on Tariffs and Trade – Allgemeines Zoll- und Handelsabkommen). Das GATT war von der Grundüberzeugung getragen, daß offene Märkte und ein fairer Wettbewerb der Welthandelspartner untereinander die Voraussetzung für ein dauerhaftes wirtschaftliches Wachstum in den Industrieländern sichern. Es wurde 1947 in Kraft gesetzt und umfaßte 110 Vertragsparteien und 30 weitere Anwenderstaaten. Das GATT-Abkommen wurde in die →WTO integriert. Die wichtigsten Prinzipien des GATT waren →Meistbegünstigung, fairer Wettbewerb, Außenschutz durch Zölle und die Liberalisierung des Handels.

Gemeinsame Agrarpolitik

Die gemeinsame Agrarpolitik ist ein wichtiger Bestandteil des →EWG-Vertrages und beansprucht etwa 2/3 des EG-Haushaltes. Sie ermöglicht im wesentlichen den freien Austausch landwirtschaftlicher Produkte innerhalb der →EG anhand eines komplizierten Preisausgleichs- und Interventionsmechanismus.

Gemeinsame Forschungsstelle

Die gemeinsame Forschungsstelle (GFS) als Dienststelle der →EG-Kommission hat als Grundlage für ihre Gründung den Art 8 →EURATOMV. Der GFS wurde ursprünglich die Aufgabe übertragen, die für die industrielle Nutzung der Kernenergie erforderlichen Kenntnisse und Techniken zu erarbeiten und weiterzuentwickeln. Anfang der 70er Jahre hat sich die GFS auf Fragen der Reaktorsicherheit konzentriert und gleichzeitig ihre Tätigkeit auf andere Bereiche wie Umwelt, Werkstofforschung etc ausgedehnt. Nunmehr besteht die GFS aus acht Instituten (technologische Zukunftsforschung, fortgeschrittene Werkstoffe, Transurane, Anwendung von Fernerkundung, Umwelt, Sicherheitstechnologie, Referenzmaterialien und -messungen, Systemtechnik und Informatik) verteilt auf fünf Mitgliedsländer: Ispra in Italien, Geel in Belgien, Petten in den Niederlanden, Karlsruhe in Deutschland und Sevilla in Spanien.

Gemeinsamer Zolltarif

Der gemeinsame Zolltarif (GZT) ist ein Instrument der Handelspolitik und ggf auch der Agrarpolitik in einer Zollunion. Er umfaßt all diejenigen Regelungen, die Abgaben festlegen, die wegen des Verbringens von Waren in das oder aus dem Zollgebiet der Gemeinschaft erhoben werden und für die eine Zollschuld entstanden ist. „Gemeinsam" heißt er deshalb, weil die Zölle und Abgaben aller Mitgliedsländer der Zollunion gegenüber Drittländern gleich hoch sind. Außerhalb des Geltungsbereiches des gemeinsamen Zolltarifs bestehen jedoch Gebühren (dh ein Entgelt für Leistungen) und Verbrauchsteuern (dh Abgaben, die sowohl auf eingeführte als auch auf einheimische Erzeugnisse erhoben werden).

Gemeinschaftliche Förderkonzepte (GFK)

Es handelt sich dabei um vertragliche Abmachungen mit den Mitgliedstaaten, die für die förderberechtigten Gebiete die Entwicklungsschwerpunkte, die Investitionsformen und die Modalitäten der Finanzierung enthalten. In der Regel werden die Entwicklungsschwerpunkte durch sog operationelle Programme verwirklicht, über die auch die Finanzierung abgewickelt wird. In allen Fällen handelt es sich hier um Ko-Finanzierungssysteme mit Fördersätzen von maximal 75% bzw 50%, bei denen die Verantwortung für die Durchführung den nationalen Behörden obliegt.

Generaldirektion

Die Verwaltungsbehörde der Europäischen Gemeinschaft, die Kommission (→EG-Kommission), ist verwaltungstechnisch in etwa 30 Generaldirektionen und andere Dienststellen (wie zB den Juristischen Dienst) eingeteilt, die in ihrer Wirkungs- und Funktionsweise mit den nationalen Ministerien verglichen werden können. Eine Generaldirektion selber ist wiederum in verschiedene Direktionen und Abteilungen unterteilt. Jeder Generaldirektion stehen ein Generaldirektor sowie bis zu vier stellvertretende Generaldirektoren vor. In den einzelnen Generaldirektionen selbst ist, je nach Generaldirektion, eine unterschiedliche Anzahl von Beamten beschäftigt (zB GD VI für Landwirtschaft ca 1200 Beamte, GD XI für Umwelt, nukleare Sicherheit und Katastrophenschutz ca 200 Beamte).

Handelshemmnisse

Vorschriften oder Praktiken, die den Wettbewerb verfälschen und damit den grenzüberschreitenden Warenverkehr behindern. Sie können tarifärer oder nichttarifärer Art sein. Letztere bestehen meist aus technischen Handelshemmnissen (Normen und Standards, Prüfzeugnissen etc).

Harmonisierung

Abstimmung von wirtschaftspolitischen Maßnahmen sowie Rechts- und Verwaltungsvorschriften im Rahmen der Europäischen Gemeinschaften mit dem Ziel, Störungen der gemeinsamen Entwicklung zu vermeiden und die grenzüberschreitende Wirtschaftstätigkeit zu erleichtern. Die Harmonisierung unterscheidet sich von der Vereinheitlichung schon dadurch, daß sie weniger tief in die nationalen Regelungen und Verhältnisse der Mitgliedstaaten eingreift.

Integration

Integration bedeutet ganz allgemein Zusammenschluß einzelner Teile zu einem übergeordneten, höheren Ganzen. Ziel der Integration ist es, durch den Zusammenschluß von Teilen eine Einheit zu bilden, in der die Teile sich mehr differenzieren, dh spezialisieren können, und auf diese Weise im Sinne einer internationalen Arbeitsteilung ihre Fähigkeiten und Möglichkeiten besser und rationeller nutzen können.

Integrierte Mittelmeerprogramme

Die integrierten Mittelmeerprogramme (IMP) sind integrierte Regional-Entwicklungsprogramme, die sämtliche verfügbaren Finanzquellen – ob von der Gemeinschaft, den Mitgliedstaaten oder den Gebietskörperschaften – mobilisieren. Sie sollen in den Dienst einer globalen Entwicklungsstrategie gestellt werden, die die wichtigsten Sektoren der Wirtschaft abdeckt.

Die IMP haben eine Laufzeit zwischen fünf und sieben Jahren. Die in diesem Rahmen durchgeführten Mehrjahresaktionen müssen sich gegenseitig ergänzen und auf die Besonderheiten der jeweiligen Regionen zugeschnitten sein, sodaß ein Zusammenwirken der verschiedenen einzelstaatlichen und gemeinschaftlichen Mittel zustande kommt. Die IMP zielen insb auf die Modernisierung der Wirtschaft Griechenlands und verschiedener Mittelmeerregionen Frankreichs, Italiens, Spaniens und Portugals ab.

INTERREG II

Diese Initiative soll die Zusammenarbeit der Gebiete an den Außengrenzen der Union fördern und die Isolierung der Randlage soll überwunden werden, um auch in diesen Regionen die Vorteile des Binnenmarktes spürbar zu machen. Die Kommission und die Mitgliedstaaten sehen in INTERREG eine wichtige Initiative, deren bedeutendste Aktionsbereiche Verkehr und Kommunikation, Handel und Fremdenverkehr, Umweltmaßnahmen sowie Aus- und Weiterbildung darstellen.

IRDAC

Der Ausschuß IRDAC (Industrial Research und Development Advisory Committée – Beratender Ausschuß für industrielle Forschung und Entwicklung) berät die →EG-Kommission in Fragen der industriellen Forschung und Entwicklung (→CREST; →Europäische Wissenschafts- und Technologieversammlung). Der Ausschuß besteht aus 14 von der →EG-Kommission „ad personam" ernannten Mitgliedern aus dem Bereich der industriellen Forschung sowie aus je einem Vertreter des Europäischen Arbeitgeberverbandes (UNICE), des Europäischen Gewerkschaftsbundes (ETUC), des Europäischen Zentrums öffentlicher Unternehmen (CEEP) und der Europäischen Vereinigung industrieller Forschungsinstitutionen (FEICRO).

Kabotage

Unter Kabotage versteht man im weiteren Sinn die Transportdienstleistung zwischen zwei Orten eines oder mehrerer Staaten, die von einem in einem dritten Staat registrierten Verkehrsträger durchgeführt wird.

KMU

Die kleinen und mittleren Unternehmen (KMU) sind ein besonderes Anliegen der Europäischen Gemeinschaft. Man versucht, durch gezielte Programme die Probleme dieser kleinen und mittleren Betriebe zu lösen. Speziell für die Förderung der Zusammenarbeit von KMUs innerhalb der EG wurden Aktionsprogramme und Euro-Beratungsstellen installiert. Die Interessen der KMUs werden primär durch die →Generaldirektion XXIII für Unternehmenspolitik, Handel, Tourismus und Sozialwirtschaft vertreten. Grundsätzliches Ziel ist es, insb im Bereich der Wettbewerbspolitik die Erhaltung und Stärkung der KMUs zu erreichen, die für den Aufbau und die

Erhaltung einer gesunden Marktstruktur von entscheidender Bedeutung sind.

Kohäsion

Die Politik der Kohäsion ist auf die Stärkung des wirtschaftlichen und sozialen Zusammenhalts der Europäischen Gemeinschaft gerichtet. Erklärtes Ziel ist es, die harmonische Entwicklung der Gemeinschaft als Ganzes zu fördern, dies insb durch die Verringerung des Abstandes zwischen den verschiedenen Regionen sowie den Rückstand der am wenigsten begünstigten Gebiete. Die Gemeinschaft hat sich mittels ihrer Politik zum Ziel gesetzt, diesen Abstand bzw diese Rückstände zu verringern (Art 130a EGV).

Komitologie

Unter diesem Ausdruck sind die Vielzahl von beratenden Gremien innerhalb der Gemeinschaftsstrukturen und deren Wirkungsweise zu verstehen. Auf der Grundlage der sog Komitologieentscheidung vom 13. Juli 1987 kann es sich bei den Ausschüssen der EG um drei verschiedene Arten handeln, die in unterschiedlicher Intensität eine Mitwirkung der Vertreter der Mitgliedstaaten vorsehen. Der →„Beratende Ausschuß" gibt eine Stellungnahme zu den von der EG-Kommission vorgesehenen Maßnahmen ab, die von der Kommission entsprechend zu berücksichtigen ist. Eine Abstimmung ist in diesem Ausschuß nicht vorgesehen. Der „Verwaltungsausschuß" gibt seine Stellungnahme zu den ihm von der →EG-Kommission vorgelegten und zu treffenden Maßnahmen nach Durchführung einer Abstimmung ab. Die EG-Kommission erläßt Maßnahmen, die sofort anwendbar sind. Wenn diese jedoch nicht mit der Stellungnahme des Ausschusses übereinstimmen, hat sie den Rat darüber zu verständigen. Dieser kann dann in einem vorgegebenen Zeitraum mit qualifizierter Mehrheit eine abweichende Stellungnahme abgeben. Die Befassung des Rates hat keine aufschiebende Wirkung. Das Verfahren im „Regelungsausschuß" sieht ebenfalls keine Abstimmung über die von der EG-Kommission vorgeschlagenen Maßnahmen vor. Die Befassung des Rates bei Nichtübereinstimmung mit den von der EG-Kommission vorgesehenen Maßnahmen hat aber aufschiebende Wirkung.

Kommission

→EG-Kommission

Kooperationsabkommen

Die Kooperationsabkommen der EG sind alleine auf eine intensive wirtschaftliche Zusammenarbeit mit Drittstaaten gerichtet und unterscheiden sich dadurch von den →Assoziierungsabkommen.

KSZE

→OSZE

LEADER II

Dieses Initiativprogramm zur Förderung der ländlichen Entwicklung hat zum Ziel, das lokale Potential zu aktivieren. Die Gemeinschaft beteiligt sich hierbei an Projekten des Erwerbs von spezifischen Fachwissen an innovativen Investitionsprogrammen sowie an der Planung und Durchführung gemeinsamer Projekte (zB gemeindeübergreifende Maßnahmen für den Tourismus, Vermarktungsinitiativen agrarischer Produkte sowie Regionsmanagements und Dorferneuerungsprogramme).

LEONARDO

Das Programm Leonardo da Vinci beruht auf Art 127 EGV und ist für die Laufzeit 1. Jänner 1995 bis 31. Dezember 1999 konzipiert. LEONARDO deckt den Bereich der beruflichen Bildung ab und umfaßt in seinen Zielsetzungen die zentralen Aufgaben einer europäischen Bildungspolitik. So soll mit Hilfe dieses Programmes die Qualität und Innovationsfähigkeit der Berufausbildungssysteme und Maßnahmen in den Mitgliedstaaten verbessert und die Europäische Dimension in der Berufsausbildung und -beratung gefördert werden. Die zum Großteil Ende 1994 ausgelaufenen Bildungsprogramme der Gemeinschaft sind ab 1995 nicht mehr in Einzelprogrammen fortgeführt, sondern auf der Basis der neuen Rechtsgrundlagen Art 126 und 127 EGV in zwei neuen Programmen, und zwar LEONARDO und →SOKRATES rationalisiert, vereinfacht und zusammengefaßt worden. Daher umfaßt LEONARDO die bewährten Maßnahmen der früheren Programme COMETT, EUROTECNET, FORCE, PETRA, IRIS und LINGUA, für die ein angemessener Übergang zu den zum Teil mit neuen Akzenten versehenen Maßnahmen des neuen Programms vorgesehen wurde.

Lomé-Abkommen

Abkommen von Assoziierungsverträgen zwischen den AKP-Ländern (Afrika, Karibik, Pazifik) und der EG. Am 28. Februar 1975 wurde Lomé I abgeschlossen, am 31. Oktober 1979 Lomé II und am 8. Dezember 1984 Lomé III. Am 15. Dezember 1989 wurde das geltende Lomé IV von mittlerweile 70 AKP-Staaten unterzeichnet. Ziele des Abkommens sind freier Zugang für etwa 97% der AKP-Erzeugnisse zum EG-Markt ohne Gegenkonzessionen sowie die Exporterlös-Stabilisierung (STABEX), das sind Ausgleichszahlungen bei Exporterlösausfällen von 48 landwirtschaftlichen Rohstoffen. SYSMIN beruht auf demselben Prinzip wie STABEX und gilt für Erze. Die bereitgestellten Finanzmittel von Lomé IV, das seit 1. März 1990 in Kraft ist, betragen in einem Zeitraum von 1990 bis 1995 24,6 Mrd ECU.

Meistbegünstigungsklausel

Die Grundlage der →WTO bildet die sog Meistbegünstigungsklausel, nach der jeder Vertragspartner jedwede Vergünstigung, die er einem anderen Vertragspartner im Handelsverkehr zusichert (etwa Zollpräferenzen), auch allen anderen Vertragspartnern einzuräumen hat. Dieses Prinzip kennt nur wenige Ausnahmen: Einerseits die Bestimmungen des Art XXIV über →Freihandelszonen und →Zollunionen, andererseits die Bestimmungen des Teils IV des →GATT (→WTO) über die besonderen Zugeständnisse gegenüber Entwicklungsländern.

Ministerrat

Der Ministerrat ist das wichtigste Entscheidungs- und Gesetzgebungsorgan der Europäischen Gemeinschaft. Je nach den zu behandelnden Themen setzt er sich zB aus den fünfzehn Landwirtschafts-, Außen- oder Finanzministern zusammen. Der Ministerrat legt die Politik der Gemeinschaft in allen Bereichen fest. Wichtige Entscheidungen muß er einstimmig treffen, im allgemeinen genügt jedoch die qualifizierte Mehrheit.

NATO

(North Atlantic Treaty Organisation). Die nordatlantische Allianz wurde am 4. April 1979 durch zunächst zwölf Mitgliedstaaten als Sicherheitsbündnis wegen der seinerzeit empfundenen Verteidigungsschwäche Westeuropas und der wachsenden Bedrohung durch die UdSSR gegründet. Die Stärkung der Sicherheit durch die Zusammenarbeit auf politischem, wirtschaftlichem und militärischem Gebiet sind die Ziele dieser Organisation. Die NATO hat 16 Mitglieder: Belgien, Dänemark, Deutschland, Frankreich, Griechenland, Island, Italien, Kanada, Luxemburg, Niederlande, Norwegen, Portugal, Spanien, Türkei, USA und das Vereinigte Königreich. Anfang Jänner 1994 boten die Staats- und Regierungschefs der NATO den übrigen Teilnehmerstaaten der →OSZE die Partnerschaft für den Frieden (PfP) an. Diese dient vor allem der Intensivierung der Beziehungen zwischen NATO und den Teilnehmerstaaten und sieht dafür Konsultationsmöglichkeiten vor, die durch bilaterale Abkommen geregelt werden.

Nordische Zusammenarbeit

Der Nordische Rat wurde 1951 als interparlamentarisches Beratungsorgan gegründet. Er umfaßt die Länder Dänemark, Finnland, Norwegen, Island und Schweden. Erklärte Ziele sind die Zusammenarbeit der Parlamente und Regierungen auf allen Politiksektoren, insb in Wirtschafts-, Währungs- und Kulturfragen. Eine Paßunion ist innerhalb der nordischen Staaten inklusive Dänemark bereits erreicht. Ebenso bemüht sich der Nordische Rat um nationale Gesetzesharmonisierung auf dem sozialpolitischen und Niederlassungssektor. Im Gegensatz zur Europäischen Gemeinschaft bleiben die nationalen Gesetzgebungen und Souveränitäten der Parlamente der Mitgliedstaaten unberührt.

NUTS

(Nomenclature des unités territoriales statistiques). Systematik der statistischen Gebietseinheiten. In der Gemeinschaft gibt es 77 Regionen der NUTS-Ebene 1, 206 Regionen der NUTS-Ebene 2, 1.031 Regionen der

NUTS-Ebene 3, 1.074 Regionen der NUTS-Ebene 4 und 98.433 Regionen der NUTS-Ebene 5. NUTS 1 sind Gebietseinheiten unmittelbar unterhalb des gesamtstaatlichen Territoriums (zB Länder). NUTS 2, 3, 4 und 5 sind jeweils kleinere Abgrenzungen (zB Regierungsbezirke, Kreise und Gemeinden). Diese statistischen Gebietseinheiten spielen in der Regionalpolitik der EG bei der Berechnung der Förderkriterien eine Rolle.

OECD

(Organisation for Economic Cooperation and Development). Die Organisation für wirtschaftliche Zusammenarbeit und Entwicklung (OECD) wurde am 14. Dezember 1960 durch das Pariser Übereinkommen als Nachfolgerin der OEEC gegründet. Ziele der OECD sind die Planung, Koordinierung und Vertiefung der wirtschaftlichen Zusammenarbeit und Entwicklung ihrer Mitgliedstaaten. Ebenso sind die Förderung des Wirtschaftsausbaus bei Vollbeschäftigung, die Währungsstabilität und die Hilfe für Entwicklungsländer die erklärten Ziele. Die OECD ist die Spitzenorganisation der westlichen Industrieländer und umfaßt 25 Vollmitglieder: Australien, Belgien, Deutschland, Dänemark, Finnland, Frankreich, Griechenland, Irland, Island, Italien, Japan, Kanada, Luxemburg, Mexiko, Neuseeland, Niederlande, Norwegen, Österreich, Portugal, Schweden, Schweiz, Spanien, Türkei, USA und das Vereinigte Königreich.

OSZE

Die Gründung der KSZE erfolgte am 1. August 1975 mit Unterzeichnung der Schlußakte von Helsinki durch 35 Teilnehmerstaaten. Die KSZE war von 1972 bis 1990 das einzige Forum in dem alle europäischen und die beiden nordamerikanischen Staaten ständig Gesprächskontakt hielten. Mit der KSZE-Folgekonferenz in Helsinki von 1992 wurde sie zu einer regionalen Einrichtung der →UNO mit neuen Strukturen und Institutionen und in OSZE (Organisation für Sicherheit und Zusammenarbeit in Europa) umbenannt. Die 53 Mitglieder sind seit 1994 alle Staaten Europas sowie Kanada und die USA.

PHARE

PHARE ist eine Initiative der EU für die Länder Albanien, Bulgarien, Estland, Lettland, Litauen, Mazedonien, Polen, Rumänien, Slowakei, Slowenien, Tschechien und Ungarn. Das von der Union zur Verfügung gestellte Geld fließt diesen Ländern zB für die Verbesserung von Infrastruktur-Projekten zu. Das PHARE-Programm zielt darauf ab, die Wirtschaftsreformen der einzelnen Länder zu potenzieren, und zwar durch direkte Unterstützung öffentlicher oder privater gemeinnütziger Einrichtungen, die von der Zentralregierung unabhängig sind.

Rat

→Ministerrat

Rechnungshof

→Europäischer Rechnungshof

RECHAR, RESIDER, RETEX

Diese drei Aktionsarten sind schwerpunktmäßig dem Thema „Bewältigung des industriellen Wandels" zuzuordnen. Diese Initiativen werden zwar getrennt verwaltet, sind jedoch Teil eines Gesamtkonzeptes.

RECHAR

RECHAR ist auf Regionen des Kohleabbaus abgestellt. Umweltsanierungen, Etablierung neuer Wirtschaftszweige und Umschulungsmaßnahmen für Bergleute stehen im Vordergrund.

RESIDER

Dieses Programm ist zur Förderung kleinerer und mittlerer Unternehmen, insbesondere zur Wiederherstellung abgewirtschafteter Industriestandorte, sowie zur sozioökonomischen Umstellung von Eisen- und Stahlrevieren gedacht.

RETEX

RETEX verfolgt dieselben Umstrukturierungsziele für Regionen wie die Initiative →RECHAR – diese bezieht sich jedoch auf die Textilindustrie.

RGW

Der Rat für gegenseitige Wirtschaftshilfe (englisch Council for Mutual Economic Assistance oder auch COMECON) wurde am 25. Jänner 1949 gegründet und hatte bis 1989 wirtschaftliche Plankoordinierung, Spezialisierung und Kooperation bei der Produktion sowie die Angleichung des wirtschaftlichen Entwicklungsniveaus der Mitgliedstaaten zum Ziel. Die Mitglieder waren Bulgarien, ČSSR, DDR, Kuba, Mongolische Volksrepublik, Polen, Rumänien, UdSSR, Ungarn und Vietnam. Der RGW wurde im Jahre 1991 aufgelöst.

Richtlinie

Die Richtlinie (RL) (innerhalb des EWG-Vertrages und des EURATOM-Vertrages) und die Empfehlung (innerhalb des EGKS-Vertrages) als von der EG erlassene Rechtsnormen richten sich nur an einen oder mehrere Mitgliedstaaten. Zu ihrer Anwendung bedarf es eigener Ausführungsgesetze der Mitgliedstaaten, die dem Regelungsziel der Richtlinie (Empfehlung) aber verpflichtet sind. Ausnahmsweise kann eine Richtlinie oder können Teile einer Richtlinie auch unmittelbare Wirkung entfalten. Dies ist möglich, wenn der zur Umsetzung verpflichtete Mitgliedstaat in Verzug geraten ist und die Regelung in der Richtlinie so klar umrissen ist, daß eine direkte Anwendung möglich ist.

Schengener Abkommen

Das am 14. Juni 1985 in Schengen/Luxemburg zwischen den Staaten Belgien, Deutschland, Frankreich, Luxemburg und Niederlande unterzeichnete Regierungsabkommen hat die Abschaffung aller Grenzkontrollen im Binnenverkehr, besonders den Abbau der Personenkontrollen und die Verlagerung dieser an die Außengrenzen der EU (Schengen II), zum Gegenstand. Das Abkommen ist als zwischenstaatliche Vereinbarung nicht Teil der EU-Politik und die Regelungen bleiben auf die unterzeichnenden Staaten beschränkt. Mittlerweile sind neben den oben angeführten Gründungsstaaten Italien, Spanien, Portugal und Griechenland dem Abkommen beigetreten.

SOKRATES

Das Programm SOKRATES wurde ebenso wie →LEONARDO für den Zeitraum vom 1. Jänner 1995 bis 31. Dezember 1999 aufgestellt und ist mit 760 Mio ECU für die gesamte Laufzeit dotiert. Es soll das Programm →LEONARDO ergänzen und einen Beitrag zur Entwicklung einer qualitativ hochstehenden allgemeinen Bildung und eines offenen europäischen Raums der Zusammenarbeit im Bildungswesen leisten. Ziel des Programmes ist es, die europäische Dimension im Unterricht auf allen Ebenen des Bildungswesens zu fördern und gestützt auf die kulturelle Ebene der Mitgliedstaaten den Gedanken der Union zur Bürgerschaft zu festigen. Die Sprachkenntnisse innerhalb der Union sollen verbessert werden, die Zusammenarbeit zwischen den Bildungseinrichtungen aller Stufen und die Mobilität der Lehrkräfte und Studenten gefördert werden. Ebenso soll die akademische Anerkennung von Studienabschlüssen, Studienzeiten und anderen Qualifikationen erleichtert werden. Die Möglichkeiten der Fernlehre sollen eingesetzt werden und durch Informationsaustausch sollen die verschiedenen Bildungssysteme voneinander lernen.

Sprachenregelung

→Amtssprachen, →Arbeitssprachen

STABEX

→Lomé-Abkommen

Subsidiarität

Das Prinzip der Subsidiarität oder auch das Prinzip der geeignetsten Aktionsebene bedeutet, daß Maßnahmen von der Gemeinschaft nur dann wahrgenommen werden können, wenn sie besser auf Gemeinschaftsebene gelöst werden können. Ansonsten sollen diese Kompetenzen bei den Mitgliedstaaten verbleiben. Das bedeutet, daß Gemeinschaftsmaßnahmen gegenüber den auf einzelstaatlicher und auf anderen Ebenen durchgeführten Maßnahmen einen zusätzlichen Wert einbringen müssen; Aufgaben, die auf nationaler Ebene besser erfüllt werden können, sollen nicht auf Gemeinschaftsebene wahrgenommen werden.

SYSMIN

→Lomé-Abkommen

TACIS

Das TACIS-Programm ist inhaltlich in etwa deckungsgleich mit dem →PHARE-Programm und stellt Mittel für die GUS-Staaten zur Verfügung.

TEMPUS

Das Programm TEMPUS (Transeuropean mobility scheme for university studies) ist Teil von →PHARE und hat die Zusammenarbeit der Gemeinschaft mit den Reformstaaten Mittel- und Osteuropas zur Entwicklung von Humanressourcen zum Gegenstand. TEMPUS wurde am 7. Mai 1990 zunächst für drei Jahre beschlossen und bis Ende 1994 verlängert. Mittlerweile wurde TEMPUS II für den Zeitraum von 1994 bis 1998 beschlossen, wobei das Programm auf bestimmte Republiken der ehemaligen Sowjetunion ausgedehnt wurde. Wesentlich ist die Zusammenarbeit der Hochschulen im Rahmen dieses Programmes, die über Projekte, an denen sich mindestens eine Universität aus einem förderungsberechtigten Land und Partnerorganisationen aus mindestens zwei Ländern der Gemeinschaft beteiligen müssen, geführt wird. Gefördert wurden in der Anfangsphase vor allem die Lehrplanentwicklung, die Mobilität von Hochschulpersonal und Studenten sowie der Erwerb grundlegender Lehr- und Kommunikationsmaterialien.

UNICE

(Union des Industries de la Communauté Européen). Die UNICE ist die Vereinigung der nationalen Industrieverbände westeuropäischer Länder auf Europaebene (EG und EFTA). Sie wurde 1958 gegründet und spielt in der Begutachtung von EG-Regelungen, die die europäische Industrie im allgemeinen betreffen, eine wesentliche Rolle.

UNO

(United Nations Organisation). Die UNO-Charta wurde am 26. Juni 1945 in San Francisco unterzeichnet und hat derzeit 184 Mitgliedstaaten; damit sind praktisch alle Staaten der Welt mit Ausnahme von Kiribati, Nauru, Palau, Sahara, Schweiz, Republik China (Taiwan), Tonga, Tuvalu und Vatikanstadt Mitglieder der UNO. Die Mitgliedschaft steht allen friedliebenden Staaten nach Empfehlung des Sicherheitsrates und Zustimmung der Generalversammlung offen. Die UNO hat die Streitschlichtung zwischen den Mitgliedstaaten auf friedlichem Weg zum Ziel, sodaß der Weltfriede sowie die internationale Sicherheit und Gerechtigkeit nicht gefährdet werden. Ein weiteres Hauptziel ist die Erhaltung des Friedens durch Ächtung des Krieges, die Abrüstung, die Garantie der persönlichen Freiheit und die Wahrung der Menschenrechte.

URBAN

Im Rahmen dieser Initiative werden städtische Gebiete und Ballungsräume mit mehr als 100.000 Einwohnern, insbesondere in Ziel 1- und Ziel 2-Gebieten gefördert. In der Europäischen Union gibt es derzeit ungefähr 400 Städte mit dieser Größe – 80% der Bevölkerung leben in derartigen Ballungsgebieten. Föderungsfähige Maßnahmen sind ua die Einleitung neuer wirtschaftlicher Tätigkeiten, die Sicherung der Beschäftigungsrate auf lokaler Ebene sowie Verbesserungen im Bereich Sozialwesen, Gesundheit und Sicherheit.

Verordnung

Die Verordnung (V) (innerhalb des EWG-Vertrages und des EURATOM-Vertrages) und die allgemeine Entscheidung (innerhalb des EGKS-Vertrages) als von der EG erlassene Rechtsnormen wenden sich an einen generellen oder eng umrissenen Adressatenkreis. Sie sind direkt durch die Mitgliedstaaten anwendbares und verbindliches Recht. Sie wirken deshalb wie innerstaatliches Recht und bedürfen keiner speziellen Transformation in die nationale Rechtsordnung mehr, was bedeutet, daß der Einzelbürger sich direkt auf eine Verordnung berufen kann. Davon unterscheidet sich die →Richtlinie, die meist Staaten adressiert.

Vertrag von Maastricht

Im Dezember 1991 einigten sich die Staats- und Regierungschefs der Mitgliedstaaten in Maastricht (Niederlande) auf grundlegende Reformen ihrer Zusammenarbeit im Rahmen der Europäischen Union. Diese wurde durch den Vertrag von Maastricht vom 7. Februar 1992 geschaffen und besteht aus den sog drei Säulen. Die erste Säule besteht aus den bisherigen Europäischen Gemeinschaften, die auf den geänderten Gründungsverträgen der →EWG, der →EGKS und der →EURATOM sowie neuen Bestimmungen über die →Wirtschafts- und Währungsunion (WWU) basieren. Die zweite Säule bezieht sich auf die neuen Bestimmungen über die Gemeinsame Außen- und Sicherheitspolitik (→GASP). Die dritte Säule besteht aus den Bestimmungen über die Zusammenarbeit in den Bereichen Justiz und Inneres.

Vertragsverletzungsverfahren

Das Vertragsverletzungsverfahren ist in Art 169 und 171 EGV geregelt. Eine Vertragsverletzung liegt dann vor, wenn der Mitgliedstaat eine Rechtsnorm schafft oder beibehält, die dem EG-Recht widerspricht bzw dieses nicht, unvollständig oder zu spät durchführt. Die Vertragsverletzungshandlung kann also in einem Tun oder Unterlassen, in genereller Rechtsetzung oder in punktueller Ausführung bestehen. Dabei ist das alleinige Aufrechterhalten der nationalen Rechtsnorm für die Verletzung ausreichend – gleichgültig ob sie angewendet wird oder nicht. Klageberechtigt ist die Kommission.

Vier Freiheiten

→Binnenmarkt

Vorabentscheidungsverfahren

Der Gerichtshof ist nicht das einzige Gericht, das EG-Recht anzuwenden hat, sondern diese Aufgabe obliegt generell dem jeweiligen nationalen Richter. Aus diesem Grund ist in den Verträgen ein sogenanntes Vorabentscheidungsverfahren (Art 177 EGV, Art 41 EGKSV) vorgesehen, das den nationalen Richtern die Möglichkeit gibt, einerseits Fragen zur Auslegung des EG-Rechts zu stellen, was die einheitliche Anwendung des Gemeinschaftsrechts sichern soll, und andererseits aber auch Fragen zur Gültigkeit des Handelns von EG-Organen erlaubt, was die Achtung der Legalität in der Rechtsordnung der EG absichern soll.

Weißbuch

Das Weißbuch der Kommission über den Binnenmarkt vom Juni 1985 bemüht sich darum, alle bestehenden physischen, technischen und fiskalischen Schranken aufzuzeigen, die die endgültige Beseitigung der Grenzkontrolle und somit das freie Wirken des Marktes verhindern. Es enthält mehr als 300 Entwürfe für die zur Beseitigung dieser Hindernisse erforderliche Gesetzgebung. Es löste einen äußerst dynamischen Prozeß der Verwirklichung des →Binnenmarktes bis 1. Jänner 1993 aus (→Cecchini-Bericht).

Daneben existieren auch noch andere Weißbücher, wie insbesondere jenes über die Europäische Sozialpolitik, jenes über die Integration der assoziierten Staaten Mittel- und Osteuropas, sowie jenes über „Wachstum, Wettbewerbsfähigkeit, Beschäftigung".

Westeuropäische Union

Die Westeuropäische Union (WEU) ist die europäische Verteidigungsorganisation, die eng mit der →NATO verbunden ist. Die WEU hat zehn Mitgliedstaaten (das Vereinigte Königreich, Belgien, Niederlande, Luxemburg, Frankreich, Deutschland, Griechenland, Italien, Spanien, Portugal) und wurde 1955 gegründet. Assoziierte Mitglieder sind Island, Norwegen, Türkei, Bulgarien, Estland, Lettland, Litauen, Polen, Rumänien, Ungarn, Slowakei und Tschechien. Beobachter sind Dänemark, Irland und Österreich.

Wirtschafts- und Sozialausschuß

Der Wirtschafts- und Sozialausschuß (WSA) ist ein beratendes Organ im Gefüge der Europäischen Gemeinschaft und besteht aus Vertretern der verschiedenen Gruppen des wirtschaftlichen, sozialen Lebens, insb der Erzeuger, der Landwirte, der Verkehrsunternehmer, der Arbeitnehmer, der Kaufleute und Handwerker, der freien Berufe und der Allgemeinheit. Die Mitgliederzahl beträgt 222, wobei die Mitgliedstaaten je nach ihrer Größe über 24, 12, 9 oder 6 Sitze verfügen. Der WSA berät die Organe der Gemeinschaft bei ihren Entscheidungen, jedoch ist sein Einfluß eher gering.

Wirtschafts- und Währungsunion

Die Wirtschafts- und Währungsunion (WWU) geht einen Schritt weiter als der EG-Binnenmarkt. Sie hat eine einheitliche Wirtschafts- und Währungspolitik mit unwiderruflichen, festen Wechselkursen, welche durch die Europäische Zentralbank festgesetzt werden, zum Ziel. Innerhalb der WWU ist auch geplant, eine einheitliche Währung, den →EURO, im ganzen Gemeinschaftsgebiet einzuführen. Die erste Stufe der Wirtschafts- und Währungsunion (WWU) wurde am 1. Juli 1990 mit einer engeren Zusammenarbeit der Währungspolitik der EU-Staaten begonnen; die zweite Stufe wurde mit Einrichtung des Europäischen Währungsinstituts (EWI) als Nachfolger der Europäischen Zentralbank (EZB) am 1. Jänner 1994 erreicht. Die dritte und letzte Stufe schließlich sieht eine einheitliche Währung für das Gemeinschaftsgebiet (→EURO) vor und ist für den 1. Jänner 1999 geplant.

WTO

Die World Trade Organization (Welthandelsorganisation) ersetzt das bisherige →GATT. Gegründet wurde die WTO auf einer Ministerkonferenz in Marrakesch am 15. April 1994 mit Unterzeichnung des am 15. Dezember 1993 in Genf paraphierten neuen GATT-Abkommens durch 124 Staaten. Die WTO wird in drei Teilbereichen, Warenhandel (bisher GATT), Dienstleistungen (GATS/General Agreement on Trade in Service) und im Bereich geistige Eigentumsrechte (TRIPS/Agreement on Trade-Related Aspects of Intellectual Property Rights) tätig. Die Ziele sind weltweiter Freihandel durch Abbau der Zölle und anderer Handelsschranken sowie die Beseitigung sonstiger Diskriminierungen im internationalen Warenaustausch, Liberalisierung des Agrar- und Dienstleistungshandels sowie Schutz des geistigen Eigentums.

Zollunion

Eine Zollunion ist ein Zusammenschluß mehrerer Zollgebiete zu einem einzigen Zollgebiet, innerhalb dessen für annähernd den gesamten Handel, die Zölle und beschränkten Handelsvorschriften zumindestens für solche Waren beseitigt werden, die aus diesem Gebiet stammen. Im Handel mit dritten Ländern wenden die Mitglieder der Zollunion dieselben Zölle und Handelsvorschriften an (→Gemeinsamer Zolltarif). Eine wichtige Konsequenz der Zollunion ist die gemeinsame Handelspolitik gegenüber Drittländern.

Stichwortverzeichnis

Die Zahlen verweisen auf die Seiten. Die Namen von europäischen und nationalen Rechtssetzungsakten (Richtlinien, Verordnungen, Gesetzen, Verträgen etc) wurden ebenso wie die EG-Mitgliedstaaten und Begriffe aus dem Glossar nicht aufgenommen.

B

C

D

E

F

G

H

I

J

K

L

M

N

O

Q

R

S

T

U

W

Y

Z